D0985554

SUOMI ENGLANTI SUOMI
FINNISH ENGLISH FINNISH

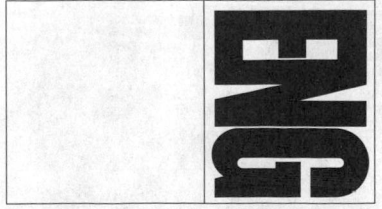

The little yellow dictionaries by Gummerus

Gummeruksen keltaiset sanakirjat

SUOMI ENGLANTI SUOMI

FINNISH ENGLISH FINNISH

Ilkka Rekiaro
Douglas Robinson

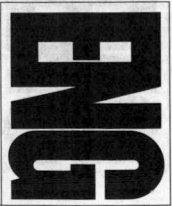

The little yellow dictionaries by Gummerus

Toinen, uudistettu laitos,
sen viides painos

© Ilkka Rekiaro, Douglas
Robinson ja Gummerus
Kustannus Oy 2006

ISBN 978-951-20-5768-9

St Michel Print Oy
Mikkeli 2010

Alkusanat

Tämä suomi–englanti–suomi-taskusanakirja on laadittu haku-
teokseksi kaikille englannin kielestä kiinnostuneille suomalaisille.
Selkeää ja helppokäyttöistä taskusanakirjaa voivat hyödyntää niin
koululaiset, opiskelijat kuin muutkin kielenoppijat ja -harrastajat.
Pienikokoisena sanakirja kulkee myös kätevästi matkalla mukana.

Suomi–englanti–suomi-taskusanakirjan ensimmäinen pai-
nos ilmestyi vuonna 1989, ja tämän jälkeen sanakirjasta on otettu
useita uusia painoksia. Nyt käsillä oleva toinen, uudistettu laitos
perustuu tekijöiden laatiman laajemman opiskelusanakirjan
uusimpiin, päivitettyihin tietokantoihin. Opiskelusanakirjan
suomi–englanti- ja englanti–suomi-suuntaisista hakusanastoista
on valittu tätä sanakirjaa varten yli 51 000 hakusanaa artikkelitie-
toineen. Englannin kielen ääntämisohjeet, oikeinkirjoitus, esi-
merkkilauseet ja merkitykset ovat amerikanenglannin mukaiset.
Sanakirja on erinomainen tietolähde myös brittienglannin käyt-
täjälle. Oikeinkirjoituksen säännönmukaiset erot on lueteltu kirjan
esilehdillä ja tarvittaessa artikkeleissa on huomautettu brittieng-
lannin ja amerikanenglannin merkityseroista. Lopussa on matkai-
lijalle erillinen pikaopas, josta löytyy tärkeitä lukusanoja ja ajanil-
mauksia, asioimistilanteisiin liittyviä lauseita ja fraaseja sekä
ruoka- ja ravintolasanastoa.

Suomi–englanti-osuuden ja ääntämisohjeet on laatinut
Douglas Robinson ja englanti–suomi-osuuden Ilkka Rekiaro.
Sanakirjan liite on koottu Gummeruksen sanakirjatoimituksessa.

Elokuussa 2006

Ilkka Rekiaro ja Douglas Robinson

Ääntämisohjeista

Amerikanenglantia puhutaan eri tavalla eri puolilla Yhdysvaltoja.
Neljästä päämurrealueesta – Uusi-Englanti, Keskilänsi, etelä ja
länsi – vain länsi, siis Kalliovuorten länsipuolinen alue – on ns.
yleisen amerikanenglannin aluetta. Tässä kuten kaikissa vastaa-
vissa amerikanenglannin sanakirjoissa ääntämisohjeet on annettu
nimenomaan lännen puhetavan mukaan.

Vokaalien "pituuseroa" ei ole merkitty, vaan pari [i]–[ɪ] on
osoitettu laatueron tähdentämiseksi omilla merkeillään eikä
samoilla merkeillä, joiden perään "pituus" on merkitty kaksois-
pisteellä (esim. [i]–[iː]). Suomalainen kuulee äänteiden [i]–[ɪ]
eron väärin samastaen sen suomen äänteiden [i]–[ii] eroon. Eng-
lantia äidinkielenään puhuvat sen sijaan eivät kuule vokaalien
pituuseroja paitsi silloin, kun niitä käytetään sanan lopussa olevan
konsonantin soinnillisuuden tai soinnittomuuden osoittamiseen.
Englannin kielen puhuja kuulee äänteiden [i]–[ɪ] eron puhtaasti
laatuerona. Englannin kielen kirjoitustapa on kuitenkin saanut
useimmat englantia vieraana kielenään opettelevat kuulemaan
äänteen [i] äänteen [ɪ] varianttina. Äidinkielen puhujat ovat hyvin
herkkiä tulkitsemaan merkityksen väärin, jos puhuja sekoittaa
nämä äänteet. Kirjan ääntämisohjeissa on haluttu laatueromerkin-
nällä ohjata lukijaa oikeaan ääntämiseen. Vastaavasti on mene-
telty vokaalien [u]–[ʊ] kohdalla, joskaan niissä ei suomalaisella
ole samanlaista väärinymmärretyksi tulemisen riskiä.

Ääntämisohjeissa on pysytty mahdollisimman lähellä ame-
rikanenglannin tavallista puhetta. Brittienglannin ääntämisohjei-
siin tottunut voi ensi näkemältä yllättyä ohjeista: *talk* lausutaan
[tak], *laboratory* [ˈlæbrə,tɔri] ja niin edelleen. Yhdysvalloissa
käytetään myös švaa-äännettä [ə] runsaammin kuin Isossa-Britan-
niassa. Esimerkiksi sanassa *associated* lopputavu *-ed* merkitään
brittienglannin ääntämisohjeissa usein [ɪd], amerikanenglannin
ohjeissa taas [əd]. Amerikkalainen ääntämisohje on tässä tapauk-

sessa hyödyllinen suomalaiselle lukijalle, joka kuulee usein lyhyessä [I]-äänteessä pitkän suomalaisen i:n ja lausuu sanan *associated* [ə'soʊssi,eɪttid].

Muutamiin kompromisseihin on kuitenkin päädytty. Amerikkalainen lausuu esimerkiksi sanan *train* [tʃreɪn] ja sanan *drain* [dʒreɪn], joskin luulee kirjoitusasun vuoksi sanovansa [treɪn] ja [dreɪn]. Koska tällaiset todellisuutta kuvastavat ääntämisohjeet ovat kuitenkin amerikanenglannin sanakirjoissa harvinaisia ja sen vuoksi pistävät tavallisen käyttäjän silmään, on päätetty jättää mainituissa asemissa esiintyvät suhuäänteet ääntämisohjeista pois. Samoin vokaalien välissä esiintyvä [t] muuttuu amerikanenglannissa usein [d]:ksi – itse asiassa aina paitsi painollisen tavun alussa. Edelleenkin tuntuu kuitenkin sovinnaisemmalta kirjoittaa esimerkiksi sana *atom* [ætəm] kuin amerikkalaisittain oikein eli [ædəm].

Amerikanenglannin ääntämisohjeet on laadittu tuttuja International Phonetic Associationin symboleja käyttäen ja muutamia poikkeuksia lukuun ottamatta *Oxford Student's Dictionary of American Englishin* mukaan. Esimerkiksi sanojen *learn* ja *urge* vokaali merkitään joissakin sanakirjoissa [ɜ] – [lɜrn] ja [ɜrdʒ]. Oxfordin käytäntöä seuraten tässä sanakirjassa äänne merkitään [ə] – [lərn] ja [ərdʒ]. Samoin joissakin amerikanenglannin sanakirjoissa kirjoitetaan tumma taka-l ilman [ə]-äännettä esimerkiksi sanassa *sail* [seɪl]. Tässä kirjassa pysytään Oxfordin tavoin lähempänä amerikanenglannin todellista ääntämistä [seɪəl], mikä on samalla myös muistuttamassa kirjan suomalaista käyttäjää siitä, että amerikanenglannin ääntämistapa poikkeaa suomalaisesta.

Toisaalta Oxfordissa on korvattu [ʌ]-äänne [ə]-äänteellä, vaikka kyseessä on Yhdysvalloissakin selvä ja merkitsevä ääntämisero. Tässä sanakirjassa on seurattu tuttua IPA:n perinnettä. [ɔ]-äännettä voidaan pitää lähinnä brittienglannin ominaisuutena (sitä käytetään Yhdysvalloissa vain Uudessa-Englannissa). Tässä kirjassa se esiintyy ainoastaan äänteen [r] edellä. Esimerkiksi *horse* on siten merkitty Oxfordin tapaan [hɔrs], Oxfordin *talk* [tɔk] sen sijaan [tak].

Lähes kaikki erot tämän sanakirjan ja Oxfordin ääntämisohjeiden välillä liittyvät vokaaleihin. Yleensäkin vokaaleissa brittienglannin ja amerikanenglannin erot ovat selvimmät. Tämän kirjan foneettisen tarkekirjoituksen ainoa järjestelmällinen konsonanttiero Oxfordin merkintätapaan on [j]-äänne, joka on Oxfordissa ja eräissä muissa amerikanenglannin ääntämisen esityksissä merkitty [y].

Seuraavassa on lueteltu vain yleisimpiä brittienglannin ja amerikanenglannin ääntämiseroja. Brittienglannilla tarkoitetaan tässä RP (Received Pronunciation) -varianttia.

1 [ɑ] – [æ]

	UK	US
after	[ɑftə]	[æftər]

2 Vokaalin jälkeinen **r** ääntyy amerikanenglannissa. Brittienglannissa vokaalin jälkeinen r ääntyy ainoastaan, jos seuraava sana alkaa vokaalilla.

	UK	US
car	[kɑ]	[kar]

the <u>car is</u> over there [kɑrɪz]

3 Vokaalien välinen **t/tt** äännetään amerikanenglannissa kuten **d**, ei tosin painollisen tavun alussa. Ero on systemaattinen, eikä sitä ole merkitty tämän kirjan ääntämisohjeisiin.

	UK	US
metal	[metəl]	[medəl]
medal	[medəl]	[medəl]
atom	[ætəm]	[ædəm]
Adam	[ædəm]	[ædəm]

4 [ju] – [u] painollisessa tavussa:

	UK	US
news	[njuz]	[nuz]
tune	[tjun]	[tun]
Tuesday	[tjuzdɪ]	['tuzˌdeɪ, tuzdɪ]

5 Amerikanenglannissa **o** äännetään [a] ja brittienglannissa [ɑ].

	UK	US
dollar	[dɑlə]	[dalər]
pot	[pɑt]	[pat]

6 Amerikanenglannissa on sivupaino eräissä nelitavuisissa ja sitä pitemmissä sanoissa, joista se puuttuu brittienglannissa.

	UK	US
secretary	['sekrətrɪ]	['sekrəˌterɪ]
laboratory	[lə'borɪtrɪ]	['læbrəˌtorɪ]

7 Lisäksi muun muassa seuraavien sanojen ääntämys eroaa:

	UK	US
ate	[et]	[eɪt]
address (substantiivi)	[ə'dres]	['ædres, ə'drɛs]
tomato	[tə'mɑtəʊ]	[tə'meɪdoʊ]*
potato	[pə'tʊtəʊ]	[pə'teɪdoʊ]*
futile	[fjutaɪl]	[fjudəl]*

*[t] – [d]: ks kohdan 3 huomautus

Foneettiset merkit

[p]	pea	[j]	yes
[b]	bee	[i]	beat
[t]	tie	[ɪ]	bit
[d]	die	[e]	bet
[k]	kangaroo, car	[æ]	bat
[g]	gun	[u]	boot
[h]	he	[ʊ]	put
[m]	mad	[a]	cot, father, caught
[n]	no	[ʌ]	but
[ŋ]	sing	[ə]	girl, word
[θ]	thin	[ɪə]	fear, here
[ð]	then	[eə]	fair, there
[f]	fine	[ʊə]	cure, pool
[v]	very	[eɪ]	day
[s]	sun	[aɪ]	die
[z]	zoo, rose	[aʊ]	house
[ʃ]	she	[oʊ]	go
[ʒ]	measure, usual, vision	[ɔɪ]	boy
[tʃ]	cheap, much	[ɔr]	horse
[dʒ]	justice, hedge	[']	pääpaino (jos ei merkit-
[l]	long		ty, se on ensimmäisellä
[r]	river		tavulla)
[w]	west	[ˌ]	sivupaino

Oikeinkirjoituseroja

Amerikanenglannin ja britti-
englannin (merkitty tässä kir-
jassa UK) välillä on muun
muassa seuraavat oikeinkirjoi-
tuserot.

1 -our/-or abstrakteissa sanois-
sa. Tekijännimissä **-or** on käy-
tössä sekä amerikan- että britti-
englannissa (esim. *author,
sailor, warrior*).

UK	US
colour	color
harbour	harbor
humour	humor
rumour	rumor

2 -re/-er. Tekijännimissä **-cr** on
kuitenkin käytössä sekä ameri-
kan- että brittienglannissa
(esim. *dancer, leader,
member*).

UK	US
centre	center
litre	liter
kilometre	kilometer
theatre	theater

3 Loppukonsonantin kahdentu-
minen päätteiden **-ing, -or, -er**
ja **-ed** edellä sekä eräissä muis-
sa sanoissa.

UK	US
travelling	traveling
councillor	councilor
jeweller	jeweler
cancelled	canceled
marvellous	marvelous

4 -ence/-ense, joskaan ero ei
ole järjestelmällinen.

UK	US
defence	defense
offence	offense
pretence	pretense

5 -ogue/-og

UK	US
dialogue	dialog
catalogue	catalog
travelogue	travelog

6 -ae- => e, -oe- => e

7 Muita eroja

UK	US
anaemia	anemia
amoeba	ameba
anaesthesia	anesthesia
encyclopaedia	encyclopedia

UK	US
aluminium	aluminum
analyse	analyze
cheque	check
draught	draft
grey	gray
mould	mold
moustache	mustache
plough	plow
programme	program
sulphur	sulfur
tyre	tire

Lyhenneluettelo

adj	adjektiivi
adv	adverbi
alat	alatyyliä
anat	anatomia
ark	arkityyliä
biol	biologia
cnt	entinen
erit	erityisesti
euf	eufemismi, kiertoilmaus, kaunisteleva ilmaus
filos	filosofia
fys	fysiikka
halv	halventava
hist	historiassa
interj	interjektio
itr	intransitiivinen verbi
kans	kansanomainen
kem	kemia
kiel	kieliopissa
kirj	kirjallisuus
konj	konjunktio
ks	katso
kuv	kuvaannollinen
lak	lakikieli
leik	leikillinen merkitys
liik	liike-elämä
lukus	lukusana
lyh	lyhenne
lääk	lääketiede
mon	monikko
mus	musiikki
nyk	nykyisin, nykyinen
pol	politiikka
postp	postpositio
prep	prepositio
pron	pronomini
psyk	psykologia
raam	Raamatun kieli
ransk	ranskasta
refl	refleksiiviverbi
run	runokielessä
s	substantiivi
sl	slangia
sot	sotilaskielessä
tal	talous
tav	tavallisesti
tekn	tekniikka
tietok	tietokonealalla
tr	transitiiviverbi
UK	brittienglantia, Isossa-Britanniassa
urh	urheilu
US	amerikanenglantia, Yhdysvalloissa
usk	uskonnollisessa merkityksessä
v	verbi
vanh	vanhahtava
vars	varsinkin
yl	yleensä
ylät	ylätyyliä

SUOMI ENGLANTI

A,a

à @ (lausutaan [æt])
aakkonen letter of the alphabet
aakkosellinen alphabetical
aakkoset alphabet
aakkosjärjestys alphabetical order
aakkostaa alphabetize
AA-liike AA [eɪ eɪ], Alcoholics Anonymous
aallokko waves, swell, chop
aallonharja crest (of a wave); (kuv) climax, peak, culmination
aallonmurtaja breakwater
aallonpituus wavelength
aallonpohja trough (of a wave); (kuv) lowest point, the worst (moment of a) depression, rock bottom *Silloin elämäni oli aallonpohjassa* That's when I hit rock bottom
aalto wave
aaltoenergia wave energy
aaltoileva wavy, rolling, swelling, undulating
aaltopahvi corrugated cardboard
aaltopelti corrugated iron
aaltopituus wavelength
aaltoviiva tilde (~)
aamen amen
aamiainen breakfast
aamiaismajoitus bed and breakfast, B and B
aamiaistelevisio breakfast/morning television
aamiaistunti lunch hour
aamu morning
aamuateria breakfast, morning meal
aamuhartaus morning prayer/devotion(s)
aamuhetki the morning hour, early in the morning
aamuhetki kullan kallis the early bird gets the worm
aamuisin mornings, in the morning
aamukahvi morning coffee
aamulähetys morning show
aamulämpö morning temperature

aamunkoitto dawn, break of day, sunrise
aamunsarastus dawn, daybreak, break of day, (run) aurora
aamupala breakfast, breakfast snack, morning snack
aamupäivisin mornings, in the morning
aamupäivä morning *Tule 9:n maissa aamupäivällä* Come around 9 in the morning
aamurusko sunrise, (run) rosy-fingered dawn
aamusta päivään first thing in the morning, bright and early
aamutakki bathrobe
aamutorkku late riser, evening person
aamutuimaan first thing in the morning, at the crack of dawn
aamu-uutiset morning news
aamuvarhain early in the morning
aamuvarhainen 1 early riser, morning person **2** early in the morning, first thing in the morning
aamuvirkku early riser, morning person
aamuvuoro 1 (junan) the morning train, (lentokoneen) the morning plane, (bussin) the morning bus **2** (työn) day shift
aamuyö after midnight, the wee hours
aapa string marsh
aapinen primer, ABC-book
aapiskirja primer, ABC-book
aapiskukko the rooster pictured on some Finnish primers
aaria aria
aarre treasure
aarreaitta treasure house
aarrearkku treasure chest
aarrekammio treasury, vault
aarresaari treasure island
aarteenetsijä treasure-hunter/-seeker
aarteenmetsästäjä treasure-hunter
aasi ass, donkey
Aasia Asia

aasialainen Asian

aasinsilta awkward transition

aataminaikainen ancient, as old as Adam, old-fashioned

aataminomena Adam's apple

aataminpuvussa in your birthday suit

aate 1 ideal, cause, ideology **2** idea, thought

aatehistoria intellectual history, the history of ideas, ideological history

aatehistoriallinen intellectual-historical, pertaining to the history of ideas

aatejärjestelmä ideology

aateli the nobility, the aristocracy, the peer-age

aatelinen noble, aristocratic

aatelisarvo noble rank, title; knighthood, peerage

aatelismies nobleman, gentleman, peer

aatelisnainen noblewoman, lady

aatelisto the nobility, the aristocracy, the peerage

aateliton commoner, not of noble birth

aateloida raise to the nobility/peerage

aateluus nobility (myös kuv)

aateluus velvoittaa noblesse oblige (rans-kasta)

aatetoveri 1 (sukulaissielu) congenial spirit **2** (saman aatesuunnan kannattaja) ideo-logical/political comrade, brother/sister

aatonaatto Eve Eve (leik) *joulun aatonaatto* Christmas Eve Eve, the day before Christmas Eve

aatteellinen ideological, political

aatto eve, day before a holiday

aattopäivä day before a holiday

aava *s* (wide-open) expanse *meren aava* the open sea *adj* broad, wide, open, spacious, expansive

aave ghost, spook, phantom, specter, appar-ition

aavikko desert, prairie, plain

aavikoituminen desertification

aavistaa suspect, anticipate, expect; have a bad feeling about something, be full of forebodings about something *Hän ei aavista mitään* She doesn't have a clue (about it)

aavistamaton 1 (asia) unexpected, unsus-pected, unthought-of *ennen aavistama-tonta onnea* more happiness than I ever dreamed of **2** (ihminen) unsuspecting, unaware, unwitting *vaaraa aavistamaton* with no hint/suspicion/intimation of dan-ger

aavistamatta unsuspectingly, without a clue of what was going to happen

aavistuksenomainen 1 (aavistava) premoni-tory **2** (hämärä) vague, fuzzy, hazy **3** (pieni) slight, tiny, infinitesimal

aavistus sense, feeling, suspicion, idea, ink-ling *Minulla on paha aavistus tästä* I have a bad feeling about this *Minulla ei ole aavistustakaan siitä, mistä puhut* I haven't the faintest idea what you're talking about

aavistuslähtö false start

AB (aktiebolag) Inc., Co., (UK) PLC (private limited company), plc, Ltd.

abdikaatio (kruunusta luopuminen) abdica-tion

abdikoida (luopua kruunusta) abdicate

aberraatio (poikkeama normaalista) aberra-tion

aberrantti (normaalista poikkeava) aberrant

abessiivi (sijamuoto, esim. juomatta) abes-sive (case)

abi graduating senior, matriculant

abiturientti graduating senior, matriculant

ablatiivi (sijamuoto, esim. pöydältä) ablative

ablaut (vartalonvokaalin vaihtelu) ablaut

abnormi (poikkeava) abnormal

abnormius (poikkeavuus) abnormality

abo aboriginal, aborigine, abo (halv)

abolitionismi (orjuuden vastustus) abolition-ism

abolitionisti abolitionist

aboriginaali (Australian asukas) aboriginal, aborigine

abortoida (aiheuttaa/saada keskenmeno) abort

abortti abortion

aborttipilleri abortion pill

abrakadabra abracadabra

absentismi (poissaolo työpaikalta) absentee-ism

absessi (paise) abscess

absintti absinthe

ABS-jarrut anti-locking brakes, ABS brakes

absolutismi 1 (alkoholin vastaisuus) teetotalism **2** (relativismin vastaisuus) absolutism

absolutisti 1 (joka ei juo) teetotaler **2** (joka ei hyväksy relativismia) absolutist

absoluutio (synninpäästö) absolution

absoluutti (ehdoton) absolute

absoluuttinen absolute

absoluuttinen korva perfect pitch

absoluuttinen nollapiste absolute zero

abstrahoida (muodostaa yleiskäsite) abstract (out)

abstrahointi (yleiskäsitteen muodostus) abstraction

abstrahoitua be abstracted (out)

abstrakti (käsitteellinen, vaikeaselkoinen, abstraktinen) abstract

abstraktinen abstract

abstraktio abstraction

abstraktistaa abstract(ify)

abstraktistua be(come) abstract/abstractified

abstrakti taide abstract art

abstraktius (käsitteellisyys) abstractness

absurdi absurd

absurdismi 1 (mielettömyyksiin perustuva taiteen suunta) absurdism, the absurd **2** theater of the absurd

absurdisti (absurdismin kannattaja) absurdist

absurdi teatteri theater of the absurd

adaptaatio (sopeutuminen) adaptation

adapteri (sovitin) adapter, adaptor

adaptoida (mukauttaa) adapt

adaptoitua (mukautua) adapt (to)

adaptoituminen (mukautuminen) adaption (to)

addiktio (aineriippuvuus) addiction

additiivinen additive

additio additon

adekvaatti (riittävä) adequate

adessiivi (sijamuoto, esim. maalla) adessive (case)

adjektiivi (laatusana) adjective

adjutantti (komentajan/johtajan upseeriapulainen) aide-de-camp, adjutant

adonis Adonis, Greek god, stud, charmer

adoptio (ottolapsen ottaminen) adoption

adoptoida (ottaa ottolapseksi) adopt

adrenaliini (eräs stressihormoni) adrenalin, epinephrine

adressi card of condolence

adventismi (1844 USA:ssa perustettu Kristuksen tulemista odottava lahko) Adventism

adventisti Adventist *seitsemännen päivän adventisti* Seventh Day Adventist

adventti (Kristuksen tuleminen) Advent

adventtiaika the Advent season

adventtikalenteri Advent calendar

adventtikirkko (Seventh-Day) Adventist Church

adventtisunnuntai Advent Sunday

adverbi (seikkasana) adverb

adverbiaali (adverbilause) adverbial (phrase)

adverbiaalinen adverbial

aerobic (hapen tuottoon perustuva voimistelu) aerobics *Menetkö tänään aerobiciin? Are you going to aerobics today?*

aerobikki (hapen tuottoon perustuva voimistelu) aerobics

aerobinen (happieloinen) aerobic

aerobiologia aerobiology

aerodynaaminen (ilman liikkeitä myötäilevä) aerodynamic, streamlined

aerodynaamisesti (ilman liikkeitä myötäillen) aerodynamically

aerodynamiikka (oppi ilman liikkeistä) aerodynamics

aerosoli (sumute) aerosol, (säiliö) aerosol bottle/can)

afasia (puheen tuottamis- ja ymmärtämishäiriö) aphasia

affekti (tunne) affect, emotion, feeling

affektiivinen (tunnepitoinen) affective

affiksi (liite) affix

affrikaatta (klusiilin ja frikatiivin muodostama konsonantti, esim. ts) affricative (consonant)

afgaani 1 (asukas) Afghan **2** (kieli) Afghan, Pashto

Afganistan Afghanistan

afganistanilainen Afghan, Afghani

aforismi (mietelause) aphorism

aforistikko aphorist, epigrammatist

aforistinen (mietelauseen kaltainen) aphoristic, epigrammatic

afrikaans

afrikaans Afrikaans
afrikandi Afrikander
afro Afro
afroamerikkalainen African-American, black
afääri (liiketoimi) affair, (business) deal
agaave (trooppinen kasvi) agave
agapee (puhdas rakkaus) agape
agentti 1 (pol) agent, spy **2** (kiel) agent **3** (tal) agent, representative, dealer
agentuuri (asiamiestoimi) agency
aggressiivinen (hyökkäävä) aggressive
aggressiivisuus (hyökkäävyys) aggression, aggressiveness
aggressio (hyökkäävyys) aggression
agitaatio (yllytys) agitation
agitaattori (poliittinen kiihottaja) agitator, (kielteisessä mielessä) rabble-rouser, fomentor, instigator, (myönteisessä mielessä) activist, organizer
agitatorinen (yllyttävä) agitatorial
agitoida (yllyttää) agitate, foment, instigate
agitointi (yllyttäminen) instigation, activism
agnostikko (joka uskoo ettei Jumalan olemassaolosta voida saada tietoa) agnostic
agnostinen agnostic
agnostisismi (oppi jonka mukaan Jumalan olemassaolosta ei voida saada tietoa) agnosticism
agorafobia (avoimien paikkojen kammo) agoraphobia
agraari- (maataloutta koskeva) agrarian, rural
agraariyhteiskunta agrarian society
agrologi agrologist
agrologia (maatalousmaaoppi) agrology
agronomi county agent, agricultural agent
agronomia (maataloustiede) agronomics
aguti (eläin) agouti
ah ah, oh
ahaa aha
ahaa-elämys sudden understanding/recognition
ahava 1 (tuuli) March wind **2** (rohtuma) dry /chapped skin **3** *kasvojen ahava* weatherbeaten skin
ahavoittaa chap, dry
ahavoitua chap, get chapped, dry

ahdas narrow, tight, cramped, crowded
ahdaskatseinen narrow-minded, closedminded, strait-laced, straight-laced
ahdasmielinen narrow-minded, closedminded
ahdata (lasti) stow, load; (laiva) stevedore
ahdin supercharger
ahdinko 1 distress, trouble, hard times **2** (kärsimys) suffering, tribulation **3** (koettelemus) ordeal, trial **4** (vastoinkäyminen) adversity, disaster
ahdistaa 1 (kiusata) harass, pester, badger **2** (ärsyttää) irritate, vex, annoy **3** (ajaa takaa) chase, pursue **4** (painostaa) (op)press, push, pressure **5** (vaivata mieltä) worry, distress, bother **6** (herjata) bait, heckle, hector **7** (tehdä ahtaaksi) constrict, strangle, (kenkä) pinch *minua ahdistaa* I'm afraid, I'm nervous, I feel anxious *henkeäni ahdistaa* I can't breathe, I can't get my breath, I feel like I'm strangling, my throat is constricted
ahdistella 1 (kiusata) harass, pester, bother, annoy **2** (lähennellä) accost, make advances to, (ark) come on to; (kosketella) molest, assault
ahdistua get nervous/anxious about something, start feeling disturbed/uneasy, give in to your fears, give your anxieties full rein
ahdistuneisuus anxiety, (the state of) feeling anxious, apprehension, angst
ahdistuneisuushäiriö anxiety disorder
ahdistunut 1 (tilapäisesti) upset, distressed, agitated **2** (jatkuvasti) anxious, anxiety-ridden
ahdistus 1 (pelko) anxiety, dread, angst **2** (huolestuneisuus) worry, apprehension, concern **3** (likistys) constriction, tightness
aherrus work, labor, effort; (ark) sweat, elbow grease *arkinen aherrus* the daily grind
ahertaa work hard, apply yourself (to a task), hustle
ahjo 1 (tulisija) forge, furnace **2** (tyyssija) seat, hub, core, center *opinahjo* place of learning *Wittenberg, uskonpuhdistuksen ahjo* Wittenberg, home of the Reformation

ahkera busy, hard-working, industrious *ahkerassa käytössä* in heavy use

ahkeraliisa busy Lizzie, impatiens

ahkeroida work hard, bustle about (doing something)

ahkeruus hard work, industry

ahkeruus kovankin onnen voittaa idle hands are the devil's playground

ahkio Sami sledge, pulka

ahma wolverine

ahmaista wolf/scarf down, gobble up

ahmatti glutton, pig, hog

ahmia gulp, gobble, stuff yourself with, hog

ahmia silmillään devour someone with your eyes, feast your eyes on

ahmimishäiriö bulimia

ahnas ravenous, voracious, greedy; hungry; (kuv) eager, avid, keen, raring, hungering

ahne 1 greedy, grasping **2** (kuv) eager, avid, keen

ahneesti greedily, eagerly, avidly, keenly

ahnehtia hoard, hog, snatch up, gobble up

ahneus greed, avarice, eagerness (ks ahne)

aho meadow, clearing

ahtaa 1 stuff, fill, pack full, cram *ahtaa tietoja päähänsä* cram your head with facts, (tenttiin) cram for a test *ahtaa mahansa täyteen* stuff/gorge yourself *ahtaa sali täyteen väkeä* pack 'em, fill the house **2** *ahtaa purjeet tuuleen* close-haul

ahtaaja stevedore

ahtaalla 1 (taloudellisesti) hard-pressed, (ark) hard up, *joutua ahtaalle* fall on hard times **2** (pulassa) in a fix/jam, *joutua ahtaalle* get in a jam/bind, get in trouble, *panna ahtaalle* press, pursue, harass

ahtauma constriction, stricture

ahtaus 1 (kapeus) narrowness, (puvun) tightness, tight fit **2** (tilan) crowdedness, crowding, lack of space/room, (väkijoukon) press, crush, congestion **3** (laivan tms) loading, stowage, stevedoring

ahtaustyö loading, stowage, stevedoring

ahtauttaa 1 (paikkaa tms) narrow, tighten, crowd **2** (laivaa tms) have the ship loaded /stevedored, have the cargo stowed

ahtautua pack/crowd into

ahteri 1 (laivan) stern **2** (ihmisen, leik) stern, hindquarters, rear end

ahti (usk) day in Easter week

ahtojää pack ice

ahven perch

Ahvenanmaa Åland Islands

ahventen valtakunta (meri) fishy/finny kingdom

ai oh, ow, ouch *aijaijai!* oh no!

AI Amnesty International, (ark) Amnesty

ai-ai (sormieläin) aye-aye

aidata 1 (rakentaa aita) fence (in), build a fence around, enclose with a fence **2** (tehdä aitaus) corral, hedge, pen

aidonnus (tietok) authentication

aids AIDS (acquired immune deficiency syndrome)

aie plan(s), intention(s), purpose

aiemmin before, earlier, previously

aiempi previous, earlier

aientaa move something up, bring something forward

aihe 1 (keskustelun tms) topic, subject matter *ajattelun aihetta* food for thought *poiketa aiheesta* digress, get off the subject, stray from the point *pysyä aiheessa* stick to the point **2** (taideteoksen) motif, theme **3** (seurauksen) motive, reason, cause, ground(s) *antaa aihetta* warrant, give (someone) cause/grounds (to do something) *täysin aiheetta* utterly/totally/ wholly without cause, for no reason at all **4** (kasvin) germ, embryo

aiheellinen justified, well-founded, well-grounded

aiheeton unjustified, unfounded, groundless, false

aihekokonaisuus thematic whole, (thematically organized) group of ideas

aihepiiri subject matter, topic, theme

aihetodiste circumstantial evidence

aiheuttaa 1 (saada aikaan) cause, bring about, bring to pass **2** (johtaa johonkin) lead to, result in **3** (tuottaa) produce, make, create **4** (herättää) give rise to, inspire, induce, call forth **5** (nostattaa) arouse, awaken, stir up

aiheuttaja prime mover, instigator, originator; (eloton) cause, source, factor

aiheutua 1 (johtua jostakin) be caused by, be brought about by, lead/follow/result from, be due to **2** (saada alkunsa jostakin) grow /arise/flow out of, originate in/from, derive from **3** (koitua) accrue (to *jollekulle*, from *jostakin*)

aihio preform, (avaimen) blank

aika *s* **1** time *koko ajan* all the time, constantly *siihen aikaan* back then *Se oli siihen aikaan!* That was then (this is now) *vanhaan hyvää aikaan* in the good old days *sopimattomaan aikaan* at a bad time *oikeaan aikaan* at the right time *oikeassa paikassa oikeaan aikaan* at the right place at the right time *mihin aikaan?* what time? *mihin aikaan vain* any time *paikallista aikaa* local time *sikäläistä aikaa* (teikä-) your time, (heikä-) their time *vähään aikaan* for a (little) while *yhteen aikaan* at one time *aivan viime aikoihin asti* until very/just recently *ennen aikojaan* too soon/early *kaikki ajallaan* all in good time *pysyä ajassa* (kello) keep good time *siirtyä ajasta ikuisuuteen* enter eternal life **2** (aikakausi) age, period, epoch *vanha aika* the ancient era, (antiikki) antiquity, (ark) the olden days *uusi aika* the modern era, modernity *ajat olivat silloin toiset* things/times were different (back) then, those were different times *kaikkien aikojen* all-time, world-class, world's greatest *kautta aikojen* through the ages/centuries *aikojen kuluessa* with/in time, with the passage of time, in the course of time *ajastaan edellä* ahead of his/her time *ajastaan jäljessä* behind the times *iät ja ajat* forever, for ages *Odotimme siellä iät ja ajat* We waited in there forever *ikuisiksi ajoiksi* forever (and ever) *pitkiksi ajoiksi* for a long, long time *ammoisista ajoista* from time immemorial *adj* quite *Aika poika!* That's quite some boy! He's quite a boy! *adv* quite, pretty, rather, fairly *Eikö se ole aika uskaliasta?* Isn't that pretty risky? *aika lailla* quite (a bit)

aika aikaa kutakin (sanoi pässi kun päätä

leikattiin) there's a time for everything, all things in their season

aika ajoin from time to time, intermittently, (every) now and then, at odd intervals

aikaa myöten in (due) time, in the course of time

aikaansaada 1 (saavuttaa) achieve, accomplish, attain **2** (aiheuttaa) bring about, create, produce

aikaansaamaton 1 (tehoton) inefficient, unproductive **2** (saamaton) shiftless, worthless, no-count

aikaansaannos achievement, accomplishment, attainment

aikaansaapa productive, prolific; (tehokas) effective, efficient; (pätevä) competent

aikaansa edellä ahead of her/his time

aikaa sitten long ago, ages ago, eons ago

aikaero time difference

aikaeroväsymys jet lag *toipua aikaeroväsymyksestä* get over jet lag

aikaihminen adult, grownup

aikailla dawdle, procrastinate

aikainen 1 early **2** of the time of, of the period of *lapsuuden aikainen trauma* a trauma suffered during childhood *Se oli Kekkosen aikainen käytäntö* That was common practice during Kekkonen's presidency, in Kekkonen's time/era, under Kekkonen

aikaisin *adj* earliest *adv* early

aikaisintaan at the earliest *aikaisintaan huomenna* tomorrow at the earliest

aikaistaa move forward, move up, make earlier *Pitäisikö kokous aikaistaa?* Should we hold the meeting earlier?

aika ja paikka time and place, (kirjeessä tms) date and place

aikakausi period, era, epoch, age, eon

aikakausijulkaisu periodical

aikakauslehti periodical, magazine, journal

aikakirjat 1 chronicles *Vanhan testamentin aikakirjat* The Old Testament Chronicles **2** (historia) history, (run) annals

aikakone time machine

aika lailla 1 (jokseenkin) pretty, fairly *aika lailla kännissä* pretty wasted **2** (paljon) a lot (of) *aika lailla lunta* a lot of snow

aikalainen contemporary

aika lentää time flies

aikalisä time-out *pyytää aikalisä* call time (-out)

aikaluokka tense

aikamies man, grown(-up) man *aikamiesten työtä* a man's job

aikamoinen quite a big, large, considerable *aikamoinen työ* a lot of work, a big job

aikamuoto (kielioppi) tense

aikanaan 1 (oikeaan aikaan) on time **2** (menneenä aikana) once *Taisit olla aikanasi melkoinen hurmuri* You must have been quite some charmer in your day **3** (tulevana aikana) some day

aikansa elänyt outdated, old-fashioned, outmoded, obsolete; (loppuunkulunut) worn out, it's seen better days

aikansa kutakin everything in its time

aika on rahaa time is money

aikapalkka hourly wage(s)/pay *saada aikapalkka* get paid by the hour

aika parantaa haavat time heals all wounds

aikapommi time bomb (myös kuv)

aika päiviä sitten days/months/years/long ago

aikaraja time limit, deadline

aikataulu schedule, timetable

aikatiedotus Time *soittaa aikatiedotukseen* call Time

aikavyöhyke time zone

aikayksikkö unit of time, time measurement *alta aikayksikön* in a split second, in zero seconds flat

aikoa plan to, intend to, aim to *Aiotko mennä Liisan synttäreille?* Were you thinking of going to Liisa's birthday party?

aikoihin on eletty (johan on kumma) now I've seen everything!, (kylläpäs keksivät) what'll they think of next, (kaikki vanhat arvot on tallattu) *o tempore, o mores*

aikoinaan once

aikojaan 1 (oman aikataulun mukaan) *tule sitten omia aikojasi* come when(ever) you have time, when you get a chance, when you have a spare/free moment *hän saapuu aina omia aikojaan* he always comes whenever he feels like it, whenever he gets

around to it *haava parani omia aikojaan* the wound healed in its own good time **2** (sovitun aikataulun mukaan) *älä sitten tule ennen aikojasi* don't come early

aikoja sitten long ago, long since, ages ago

aikomus intent(ion), plan, design, aim, resolve, determination

aikuinen adult, grownup

aikuisikä adulthood, maturity

aikuiskoulutus adult education

aikuisopetus adult education

aikuistua grow up, mature, reach maturity, become an adult, come of age

ailahdella 1 (fyysisesti) shift, move about, rise and fall, come and go, rock from side to side **2** (henkisesti) waver, vacillate, have mood shifts

ailahteleva 1 (muuttuva) shifting, changing, fluctuating **2** (mieltä muuttava) wavering, vacillating, irresolute **3** (levoton) inconstant, unsettled, restless

ailahtelu fluctuation, undulation, alternation, shifting, changing, wavering, vacillation, inconstancy (ks ailahdella)

aimo quite a good, good-sized

aina always, inevitably, invariably; all the time, constantly, every time **2** still, yet *aina parempi* still better, better yet

ainainen 1 (alituinen) constant, continuous, incessant **2** (ikuinen) eternal, perennial *ainainen kysymys* the eternal/perennial question

ainakin at least, at the very least, anyhow, at any rate

aina roiskuu kun rapataan you can't make an omelet without breaking eggs; get out of the kitchen if you can't stand the heat

aina valmiina (partiolaisten tunnuslause) be prepared

ainavihanta perennial

aine 1 (materia) matter **2** (materiaali) material, substance *raaka-aine* raw material(s) *vaikuttava aine* active ingredient *lisäaine* additive **3** (huume) substance, (ark) junk, dope **4** (oppiaine) subject **5** (kirjoitelma) essay, composition

aineellinen material, physical, earthly

aineellistaa 1 (tehdä aineeksi) concretize, give substance to **2** (filosofiassa pitää aatetta totena) reify, hypostatize, objectify

aineellistua 1 materialize, take on substance, become embodied **2** (filosofiassa) be reified/hypostatized/objectified

aineenopettaja subject teacher

aineenvaihdunta metabolism

aineeton immaterial, incorporeal, insubstantial

aineisto material; (tiede) research material, data

aineriippuvainen s (drug) addict adj addicted

aineriippuvaisuus (drug) addiction

aines element, component, ingredient; material, stuff, substance

ainesana (substantiivi) noun

ainesosa ingredient, component

ainevalinta choice of (school) subjects

aineväärinkäyttö substance abuse, drug abuse

aineyhdistelmä 1 (kem) compound **2** (yliopistossa) major and minor

ainiaaksi forever, for all eternity

ainoa only, single, solitary, sole

ainoalaatuinen unique, one of a kind

ainoastaan only, merely, solely

ainut only, single, solitary, sole

ainutkertainen single, one-time-only *ainutkertainen tilaisuus* the chance of a lifetime

ainutlaatuinen unique, one of a kind, the only one of its kind

airo oar, paddle, scull

airut messenger, harbinger, omen

aisa shaft, pole *Pidähän mielikuvituksesi aisoissa* Try and keep your imagination in check/on a leash/under control

aisapari sidekick, partner

aisti sense, (kuv) taste

aistia 1 (havaita) sense, be aware of, feel **2** (erottaa) recognize, detect, discern

aistiharha hallucination

aistihavainto sense/sensory perception

aistikas stylish, elegant, tasteful *Siinä on aistikas mies* There's a man with style

aistillinen 1 (henkisesti nautittava) sensuous, gratifying, delightful **2** (seksuaalisesti nautittava) sensual, erotic, voluptuous

aistimus sensation

aistin sense/sensory organ

aistinsolu sense/sensory neuron

aistivammainen sense-impaired (person)

aita 1 (rail/picket/chainlink jne) fence, barrier, enclosure, paling, railing, (kuv) wall **2** (urh) hurdle *100 m:n aidat* the 100 meter hurdle race/hurdles

aitajuoksu hurdles

aitaus pen, yard, fenced-in area

aito real, authentic, genuine, original *aito amerikkalainen* all-American *aito asia* the real thing

aitta shed, shack, storehouse, outbuilding, (vilja-) granary

aivan quite, right, just (so) *aivan alusta* right from the beginning *Aivan!* Exactly! Precisely! That's just it! That's the point! That's what I'm getting at!

aivastaa sneeze

aivastus sneeze

aivastusrefleksi sneeze reflex

aivastuttaa make you sneeze *Minua aivastuttaa* I've got to sneeze, I'm going to sneeze *Pöly aivastuttaa minua* Dust makes me sneeze

aivofilmi EEG, electroencephalogram

aivohalvaus stroke, (lääk) apoplexy, apoplectic seizure, cerebrovascular accident

aivoitus idea, thought, plan, intention

aivokalvo (cerebral) membrane, (lääk) meninx (mon meninges)

aivokalvontulehdus (cerebral) meningitis

aivokasvain brain tumor, (lääk) encephaloma

aivokirurgi brain surgeon

aivokoppa cranium, brain-pan *Onko aivokoppasi ihan tyhjä?* Do you have a brain in that head?

aivokudos brain tissue

aivokuollut (lääk) cerebrally dead, (leik) brain-dead *Se on ollut aivokuollut jo pitkään* He's been brain-dead for ages

aivokuori cortex *aivokuoren* cortical

aivokäyrä EEG, electroencephalogram

aivopestä brainwash

aivopesu brainwashing

aivopuolisko hemisphere/half of the brain *vasen aivopuolisko* left brain

aivoriihi brainstorm

aivosolu neuron in the brain, brain cell *aivosolujen* neural

aivosähkökäyrä electroencephalogram (EEG)

aivot brain

aivotoiminta cerebration

aivoton brainless, idiotic, senseless, stupid, moronic, harebrained

aivotyö 1 (ajattelu) thinking, thought; (psykologiassa) cognition, cerebration **2** (henkinen työ) intellectual work

aivotärähdys concussion

aivovamma brain damage

aivovammainen brain-damaged

aivovaurio brain damage

aivoverenvuoto cerebral hemorrhage

aivovienti brain drain

aivovoimistelu mental exercise/gymnastics

aivovuoto brain drain

ajaa 1 (autoa) drive, (polkupyörää) ride, (kuormaa) haul, (konetta/elokuvaa) run **2** (pakottaa) force (a point, a person to do something), compel, make (someone do something)

ajaa asiaa promote, work for, work to achieve, strive to gain recognition for, champion, espouse

ajaa hajalle scatter, disperse, smash up

ajaa karille run aground, run on the rocks

ajaa kilpaa race, compete

ajaa kuin viimeistä päivää drive like a maniac

ajaa maanpakoon banish, exile

ajaa nasta lautaossa put the pedal to the metal

ajaa päälle crash (into), ram (into), smash (into)

ajaa sama asia come to the same thing (in the end)

ajaa sisään (uusi auto) break in

ajaa takaa chase, hunt, pursue, hound, (kuv) get at, mean, insinuate

ajaa tiehensä run out, drive off, send packing, expel

ajaa ulos henkiä exorcise/drive out evil spirits

ajaja driver, chauffeur, coachman, teamster; (jonkin asian) spokesperson, promoter, champion

ajallaan (oikeaan aikaan) on time

ajallinen temporal, earthly

ajan henki the spirit of the times, Zeitgeist

ajanhukka waste of time, lost cause, throwing good money after bad

ajanjakso period, era, epoch, eon, age

ajankohta time, point in time, moment, juncture

ajankohtainen timely, topical, current, contemporary *ajankohtaiset tapahtumat* current events

ajankohtaistaa update

ajankohtaistua become timely/topical; (ark) become hot, become the going thing, be on everybody's lips

ajankohtaisuus timeliness, currency, contemporaneity

ajanlasku calendar, chronology *ennen ajanlaskumme alkua* B.C.

ajan mittaan in (due) time, in the course of time

ajanmukainen up-to-date, modern, contemporary

ajanmukaistaa modernize

ajanottaja timer, timekeeper

ajanotto timing, clocking

ajantasainen up-to-date

ajan tasalla up-to-date

ajanvaraus appointment

ajanviete pastime, amusement, (light) entertainment, way of passing/killing time

ajanvieteohjelma entertainment program

ajanvieteohjelmisto entertainment programming

ajanvietto entertainment

a ja o 1 *kaiken a ja o* the key, the crucial /main/indispensable thing/point **2** (raam) the Alpha and the Omega

ajassa(an) on time *Onko tuo kello oikeassa ajassa?* Is that clock right? Is that really the time?

ajastaa time, preset

ajastaan edellä ahead of his/her time

ajastaan jäljessä behind the times

ajastin (kameran) self-timer, (kuvanauhurin ym) timer

ajatella 1 think, cogitate **2** (pohtia) reflect /meditate (on), ponder, turn over in the mind, contemplate **3** (käyttää aivoja) use your mind/wits, apply the mind **4** (harkita) deliberate **5** (hautoa) dwell on, brood on /over **6** (ottaa huomioon) consider, take into consideration, take into account **7** (pitää mielessä) bear in mind **8** (muistella) call to mind, remember, reminisce about **9** (suunnitella) plan (on doing), conceive (of doing) *Mitä ajattelit tehdä huomenna?* What were you thinking of/planning on doing tomorrow? **10** (kuvitella) imagine *Ajatella!* Just think! Imagine! Gosh!

ajatelma aphorism, maxim, adage

ajateltava *s* food for thought, something that bears thinking about *adj* (jota on pakko ajatella) not to be forgotten/ignored; (jota kannattaa ajatella) worth thinking about, worth considering; (jota voi ajatella) imaginable, conceivable, thinkable

ajatollah (shiiamuslimien johtaja) Ayatollah

ajaton (ajan ulkopuolella) timeless, eternal, immortal; (pitkäikäinen) enduring, durable, lasting, abiding; (loputon) never-ending, endless, unending, everlasting, ceaseless; (iätön) ageless, dateless

ajattelematon 1 (harkitsematon) thoughtless, heedless, rash, reckless **2** (kevytmielinen) imprudent, unwise **3** (epäkohtelias) inconsiderate, unkind, mean, cruel

ajattelemattomasti 1 (harkitsematta) thoughtlessly, heedlessly, rashly, recklessly, without thinking, without considering possible dangers, without stopping to think **2** (kevytmielisesti) imprudently, unwisely, without thinking, without a thought (for consequences) **3** (tahdittomasti) inconsiderately, unkindly, cruelly, without thinking of others, without consideration, without a thought for others /others' feelings

ajattelemisen aihe food for thought, something to think about

ajattelija thinker, (wo)man of thought, intellect(ual)

ajattelu thought, thinking **1** (älyllinen toiminta) deliberation, cogitation, intellection, reflection **2** (mietiskely) meditation, contemplation, introspection

ajattelukyky mental capacity, intellectual ability

ajattelutapa way of thinking, approach, attitude

ajatteluttaa 1 (panna ajattelemaan) make someone (stop and) think **2** (arveluttaa) cause doubts/hesitation, give someone second thoughts *Lähtömme ajatteluttaa* I'm having second thoughts about us going there

ajatuksellinen 1 (ajatteluun liittyvä) mental, intellectual **2** (käsitteellinen) conceptual, abstract, ideal, theoretical

ajatuksenjuoksu (train of thought) *Ajatuksenjuoksu meni mietään* I lost my train of thought

ajatuksensiirto telepathy

ajatuksenvaihto exchange of ideas/opinions /thoughts

ajatukseton mindless *ajatuksetonta höpötystä* mindless chatter/blather

ajatuksissa lost in thought, deep in thought, daydreaming, woolgathering *Olin ihan ajatuksissani, en huomannut mitä tein* I did it without thinking

ajatus 1 thought, idea, notion **2** (mielipide) belief, opinion, view *Minkälaisia ajatuksia sinulla on liennytyksestä?* What do you think about, what are your views on detente? **3** (aikomus) plan, intention **4** (käsitys) conception **5** (merkitys) meaning, sense *Minusta tässä lauseessa ei ole mitään ajatusta* To me, this sentence doesn't make any sense/is meaningless /devoid of meaning

ajatuskatko blackout, (ark) brain fart, blonde moment *Minulle tuli ajatuskatko* I went blank, I had a blonde moment, brain fart!

ajatusmaailma way of thinking, set of beliefs, philosophy, ideology

ajatustapa way of thinking, way of looking at things, approach, attitude

ajatustenlukija mind-reader

ajatustenluku mind reading

ajatustensiirto (mental) telepathy

ajatustoiminta mental activity, thought process

ajatusviiva dash

ajautua drift, be driven, be borne along, be carried (by a current); (seikkailusta toiseen) wander, amble, ramble, rove

ajelehtia drift (myös kuv)

ajella drive around, ride around

ajettuvus (auton, kaarteen) drivability

ajettua swell (up), get swollen

ajo (kuorman) hauling, carting, transporting, carrying; (takaa-) chase, hunt, pursuit, tracking, trailing

ajoissa in time, in plenty of time, (aikaisin) early, (täsmälleen ajoissa) on time

ajoittaa time, (päivällä) date

ajoittain once in a while, from time to time, at times, occasionally, periodically

ajoittainen occasional, periodical, (occurring) at odd/irregular intervals

ajojahti 1 (metsästys) hunt, chase; (ihmisjahti) manhunt **2** (vaino) witchhunt, smear campaign

ajojää drift-ice

ajokaista lane

ajokilometri a kilometer driven on a trip; (mon) mileage

ajokki draft horse, draft animal

ajokortti driver's license, (UK) licence

ajometsästys hunt, chase

ajoneuvo (motor) vehicle, conveyance

ajonopeus driving speed *suurin sallittu ajonopeus* speed limit

ajo-ominaisuudet road-handling, maneuverability, ride

ajopiirturi tachograph

ajopuu driftwood

ajopuuteoria driftwood theory/hypothesis

ajopäiväkirja driver's/travel log(book)

ajorata road(way)

ajos abscess, (paise) boil

ajosuunta direction, way *väärä ajosuunta* wrong way

ajotie roadway; back road, country road, wagon road

ajuri 1 driver, teamster **2** (tietotek) driver

akan käppänä little old lady

akateemikko Academy member

akateeminen academic *akateeminen maailma* the academy, academia, academe *akateeminen ihminen* academic, (UK) academician

akatemia academy, academia, academe *akatemian lehdot* the groves of academe *Suomen Akatemia* the Finnish Academy

akilleenkantapää Achilles' heel (myös kuv)

akillesjänne Achilles' tendon

akka (old) woman, old lady, hag, witch

akkamainen womanish, old-lady-like, like an old lady

akkavalta petticoat government *akkavallan alla* (aviomies) henpecked

akkommodaatio (mukautuminen) accommodation

akkommodoitua (mukautua) accomodate yourself to

akkomodaatio accommodation

akku battery

akkumulaatio (kasaantuminen) accumulation

akkumulaattori (energianvarauslaite) (storage) battery, (tekn) accumulator

akkumuloida accumulate

akkusatiivi (tekemisen kohdetta ilmaiseva sijamuoto) accusative

akne acne

akrobaatti (taitovoimistelija) acrobat

akrobaattinen acrobatic

akrobatia (taitovoimistelu) acrobatics

akronyymi (kirjainsana) acronym

akryyli- (läpinäkyvä muovi) acrylic

akryylimuovi vinyl

akseli axle, shaft, spindle, (mat) axis

akselipaino axle weight

akselivallat (hist) the Axis Powers (Germany, Italy, Japan)

aksentti (paino, korostus) accent

akti 1 (teko) act **2** (testi) act, document **3** (juhlatoimitus) ceremony **4** (alastonmalli/kuva) nude

aktiivi s **1** (yksi verbin pääluokista) active (voice) **2** (jäsen tms) active member *seura-*

kunta-aktiivi (active) church volunteer *adj* active

aktiivinen (toimiva) active

aktiivinen sanavarasto active vocabulary

aktiivinen tase active balance *aktiivinen kauppatase* active/surplus balance of trade

aktiivisuus (toimeliaisuus) activity

aktiivisynnytys natural childbirth/delivery

aktiiviurheilija active athlete

aktivismi (välittömän toiminnan politiikka) activism

aktivisti (toiminnan kannattaja) activist

aktiviteetti (toiminta, osallistuminen) activity

aktivoida (tehostaa) activate

aktivointi (tehostus) activation

aktivoitua (tehostua) be activated, become active

aktuaali 1 (fil) actual, real **2** (ajankohtainen, todellinen) current, pressing, burning; (ark) hot

aktuaalinen (ajankohtainen, todellinen) ks aktuaali

aktuaalistaa 1 (fil) actualize, realize **2** (ajankohtaistaa) bring (an issue) to the fore, place (an issue) at the center of public debate, draw national attention to

aktuaalistua 1 (fil) be actualize **2** (ajankohtaistua) become pressing/hot

akupunktio (neulahoito) acupuncture

akupunktuuri (neulahoito) acupuncture

akustiikka (ääntä tutkiva tiede, äänilot) acoustics

akustikko (äänen tutkija) acoustic engineer

akustinen (ääntä koskeva) acoustic

akuutti (äkillinen) acute

akvaario (kalojen vesisäiliö) aquarium

akvarelli (vesivärimaalaus) water color

ala 1 (pinta-ala, alue) area, space, region *Koetahan lapsi pysyä aloillasi* Would you sit still! **2** (ammattiala) business, trade, profession

ala-arvoinen inferior, poor, substandard, low-quality, low-grade, second-rate, mediocre, cheap, shoddy, looked-down-upon

ala-aste 1 low(er) degree/grade/stage **2** (koulu) elementary school, primary school, grade school

aladobi (naudanlihasta ja kalasta) aspic; (vasikanlihasta tai kanasta) galantine

alahuone lower house; (US) House of Representatives, (UK) House of Commons

alaikäinen minor, underaged person, child

alaikäraja minimum age

alainen *s* subordinate, employee *minun alaiseni* the people who work for me, the people who report to me, the people under me *adj* **1** (alisteinen) dependent on, under, subordinate(d) to **2** (kohde) target of, butt of *Hannu joutui aina naurun alaiseksi* Hannu was always being made fun of, was always being ridiculed, was always the butt of everybody's humor

alajakso subphylum

alajuoksu lower course *alajuoksun* downriver, downstream

alakantti low *arvata jonkun ikä alakanttiin* guess someone's age on the low side *Hinta on ehkä hieman alakantissa* The price may be a bit low

alakarppaus low-carb diet

alakautta underneath

alakerta downstairs, bottom/ground floor

alakierre bottom spin, (ark) backspin

alakuloinen depressed, despondent, dejected, downcast; (ark) blue, down in the mouth/dumps

alakuloisuus depression, despondency, dejection; (ark) the blues

alakulttuuri subculture

alakuntoinen 1 (huonossa kunnossa) in bad shape, out of shape **2** (sairas) sickly, under the weather

alakynnessä *olla alakynnessä* be getting the worst of it, be on the losing end *joutua alakynteen* lose, be defeated/overwhelmed

alalaji subspecies

ala laputtaa take a hike (Mike), push off, beat it, scram

alaleuka lower jaw

alamaailma underworld

alamainen *s* subject *adj* subservient, submissive, obedient, deferential; (uskollinen) loyal

alamittainen undersize(d)

alamäki (downhill) slope *laskea pyörällä alamäkeä* coast downhill on your bike *luisua henkisesti alamäkeen* gradually fall apart emotionally, be trapped in an emotional downward spiral

alanko lowland(s), bottom (land)

alankomaalainen *s* Netherlander, Dutch(wo)man *adj* Dutch

Alankomaat Netherlands, Holland

alaosa lower part, bottom part, lower section, base, (kirjan sivun) foot

ala painua push/buzz off, take a hike

alapesu genital hygiene

alapuoli (puolikas) bottom half, lower half; (sivu) underside, bottom side *alapuolella* below

alapää 1 (alapuoli) lower/bottom end **2** (sukupuolielimet jne) privates, (vauvan) diaper region, (leik) naughty bits

alapään huumori dirty jokes, obscene/toilet humor

alapään vitsi dirty joke

alaraaja lower limb, leg

alareuna bottom edge; (kirjan sivun) foot

alaryhmä subgroup

alas down, downward(s)

alasaksa Low German

alasin anvil *vasaran ja alasimen välissä* between a rock and a hard place

alaspäin downward(s)

alassuin upside-down

alasti naked, nude, bare, unclothed, undressed, stripped (to the skin)

alastomuus 1 (ihmisen) nakedness, nudity, bareness **2** (maiseman) barrenness, austerity, desolation **3** (lausuman) plainness, baldness, bluntness

alastomuuskulttuuri naturalism, nudism

alaston 1 (ihminen) naked, nude, bare, unclothed, undressed, stripped (to the skin) **2** (maisema) barren, austere, waste, desolate **3** (esine: peittämätön) undraped, uncovered **4** (esine: koristamaton) unadorned, unembellished, undecorated **5** (lausuma) plain, bald, blunt

alastulo landing

alasänky bottom bunk

alati always, constantly, continuously, continually, (for)ever, perpetually

alatiesynnytys vaginal delivery

alatyyli vulgar style

alava low, low-lying, depressed

alaviite footnote

alavuode bottom bunk

alaääni low tone

alba alb, robe

albaani Albanian

albania Albanian

Albania Albania

albaniloinoin Albanian

albatrossi albatross

Alberta Alberta

albiino (pigmentin täydellisen puuttumisen vuoksi valkea yksilö) albino

albumi album

ale sale, discount

alekkain one on top of the other, one below the other

alemmuudentunne feeling of inferiority

alemmuus inferiority

alemmuuskompleksi inferiority complex

alempana lower (down), farther down; (kirjassa) below, in what follows

alempi lower, under, nether, inferior

alennus 1 (myynti) sale, discount **2** (vähennys) lowering, reduction, decrease **3** (henkinen tila) degradation, abasement, humiliation

alennushinta discount price, sale price, bargain (price), slashed price, cut rate

alennusmyynti (discount/bargain) sale

alentaa 1 (vähentää yleensä) lower, decrease, reduce, diminish **2** (vähentää hintoja) slash, mark down, bring down **3** (nöyryyttää) degrade, abase, humiliate

alentava 1 (nöyryyttävä) humiliating, degrading, disgraceful, shameful **2** (vähentävä) lowering, decreasing, diminishing

alentua 1 (nöyrtyä) stoop, condescend, lower yourself *Miten voit alentua hänen tasolleen!* How could you stoop to his level! **2** (aleta) descend, sink, come/go down, move downward

aleta 1 (laskeutua) sink, settle **2** (vähentyä) decrease

alfa ja omega the Alpha and the Omega

algebra algebra

algebrallinen algebraic

Algeria Algeria

algerialainen Algerian

algoritmi (vaiheittainen laskumenetelmä) algorithm

alhaalla down below, below, down there, down here, at the bottom

alhainen low **1** (aatteliton) common, humble, lowly **2** (halveksittu) base, mean, vile, contemptible

alhaisesti 1 humbly **2** basely, contemptibly

alhaisuus 1 (sääty) commonness, low/humble birth **2** (luonteenlaatu) baseness, meanness, contemptibility

aliarvioida underestimate, undervalue, underrate, rate too low; (ark) sell short

aliarviointi underestimation, undervaluation, underrating

aliarvostaa 1 underestimate, underrate **2** (tavaraa) undervalue

aliarvostus underestimation, undervaluation (ks aliarvostaa)

alibi 1 (rikostutkimuksessa) alibi **2** (veruke) excuse

alienaatio alienation

alihankkija supplier

alijäämä deficit, (verojen) short-fall

alikehittynyt underdeveloped

alikersantti (lowest ranking) sergeant (in the Finnish Army)

alikulkutunneli underpass

aliluutnantti ensign

alimmainen (alempi) lower, (alin) lowest

alin lowest, minimum

alinomaa constantly, continuously, continually, always, ever

alinomainen constant, unceasing, incessant

alioikeus inferior court, lower court

alipaine negative pressure, vacuum

alipaino (kuorman) short weight, (ruumiin) underweight

alipalkattu underpaid

alipalkkainen underpaid

aliravitsemus malnutrition

aliravittu malnourished

alistaa dominate, subject, subjugate, subordinate

alistaminen domination, subjection, subjugation, subordination

alisteinen subordinate

alistua 1 (antautua) submit (to a person or situation), give in, yield, surrender **2** (nöyristellä) defer, truckle **3** (mukautua: mielellään) accommodate yourself, (vastahakoisesti) resign yourself

alistuneesti submissively, yieldingly, deferentially, resignedly, humbly, without a trace of pride

alistunut resigned, submissive

alistuvainen submissive, docile

alitajunta subconscious

alitse beneath, under(neath)

alittaa 1 pass underneath, go under something **2** (urh) beat (a record)

alittua decrease, be less

alituinen constant, continuous, continual, incessant

alituisesti constantly, continuously, continually, incessantly

aliupseeri noncommissioned officer (NCO)

aliurakoitsija subcontractor

alivalottaa underexpose

alivalotus underexposure

alivaltiosihteeri assistant secretary of state

alivuokralainen subtenant, sublessee, (US) roomer, boarder, (UK) lodger

alkaa tr **1** start, begin alkaa sataa start to rain, start raining alkaa tulla kylmä (start to) get cold alkaa tuulla (start to) get windy Sitten alkoi tuulla Then the wind picked up alkaa kuulua start being audible Hälytysääniä alkoi kuulua kaukaa We started hearing sirens from a long ways off Kun sinua ei alkanut kuulua, me lähdimme When you didn't show, we took off **2** (panna liikkeelle) set in motion, start the wheels/ball rolling, commence, get going /started on, set about **3** (ottaa tehtäväksi) undertake, embark/venture on **4** (ryhtyä tekemään) take something up **5** (syöksyä tekemään) plunge into (doing something) **6** (avata) open alkaa ampua open fire **7** (puhjeta) burst out alkaa nauraa/itkeä

burst out laughing/crying **8** (alkaa uudestaan) begin anew, recommence, resume
itr **1** (saada alkunsa) initiate, be initiated, originate, be originated, take its origin (from) **2** (tulla perustetuksi) be instituted, be founded
alkajaiset opening ceremony *alkajaisiksi* for starters, first of all, first off
alkamispäivä (kurssin tms) first day (of class), (metsätyskauden tms) opening day
alkeellinen primitive, elementary, rudimentary, undeveloped, unrefined, crude
alkeellisesti primitively, rudimentarily, crudely
alkeellisuus primitiveness, lack of civilization, rudimentariness
alkeet rudiments, first steps in learning a subject, the ABC's
alkeishiukkanen elementary particle
alkemia (taito valmistaa epäjaloista metalleista kultaa) alchemy
alkemisti alchemist
alkemistinen alchemical
alkio embryo, (kasv) spore
alkkari (ark) (alkkarit: alusvaatteet) underwear, underclothing, undergarments, underthings; (miesten alushousut) underpants, undershorts, skivvies; (alushame) petticoat, slip
alkoholi alcohol
alkoholipitoinen alcoholic, containing alcohol
alkoholismi alcoholism
alkoholisoitua become an alcoholic
alkoholisti alcoholic
alkoholiton nonalcoholic, alcohol-free
alkovi (sisäsyvennys) alcove
alku 1 beginning, start, commencement *lasku lankeaa maksettavaksi ensi kuun alussa* the bill will fall due early next month *alussa* at/in the beginning, at first *80-luvun alussa* in the early eighties *vuoden alussa* early in the year **2** (lähtöpiste) starting point, onset *ensi alkuun* at first *olla alkua jollekin* inaugurate something, mark the beginning of something, a new era *Hänen puheessaan ei ole alkua eikä loppua* I can't make hide nor hair out of what she says

Herran pelko on viisauden alku the fear of the Lord is the beginning of wisdom *ei alkua pitemmällä* hardly started *lopun alku* the beginning of the end *päättyä alkuunsa* grind to a halt/reach a dead end before you've/it's even gotten started *hyvällä alulla* off to a good start *aloittaa alusta* start over (from/at the beginning), start from scratch, make a new/fresh beginning *aikojen alusta* since the beginning of time **3** (lähde) origin, source, (well)spring **4** (syy) root, cause *Tuli sai alkunsa öljylampusta* The fire was caused/started by an oil lamp **5** *kirjailijan alku* future writer
alkuaan (alkuperältään) originally, (alussa) at first, initially
alkuaika first/early period/phase/stage(s) *alkuaikana* early on, in the beginning, when we were first getting started
alku aina hankala, lopussa kiitos seisoo if at first you don't succeed, try again
alkuaine element
alkuasennus (tietok) setup
alkuaste beginning phase/stage, first step
alkuasukas native, aborigine; (mon) indigenous people
alkueliö protist
alkueläin protozoan (mon protozoa)
alkuerä (un) first/qualifying heat
alkuihminen prehuman; prehistoric man; (mon) Adam and Eve, the first people
alkuilta early evening *alkuillasta* early in the evening
alkujaan originally
alku ja juuri root *Raha on kaiken pahan alku ja juuri* Money is the root of all evil
alku ja loppu the beginning and the end
alkujuoma apéritif
alkukantainen primitive, native, indigenous
alkukesä early summer
alkukieli (käännöksen) source/original language *alkukielellä* in the original language
alkukirjain initial, first letter
alkukirkko the early (Christian) church
alkulause preface, foreword
alkumuoto 1 (alkuperäinen) original (form) **2** (aikaisempi muoto) prototype

alkuopetus primary education

alkuosa first part/section; (kirjassa) part one; (kirjasarjassa) volume one, first volume; (musiikkikappaleessa) first movement

alkupalat hors d'oeuvre(s), appetizers

alkupalkka starting salary/pay

alkuperä origin, birth, parentage, nationality, source

alkuperäinen original

alkuperäiskansa indigenous people/population

alkuperämaa country of origin

alkupuoli first half/part/section, beginning *ensi vuoden alkupuolella* early next year

alkupuolisko first half

alkupää beginning, head, front (of the line)

alkuruoka first course

alkuräjähdys Big Bang

alkusanat foreword, preface, introduction, opening remarks

alkusointu alliteration

alkusoitto (pitkän sävellyksen, myös kuv) overture; (itsenäinen sävellys, myös kuv) prelude

alkusysäys impulse, impetus, incentice; (ark) push, boost

alkutalvi early winter

alkutekijä (mat) prime factor; (mon) basics, fundamentals *hajota alkutekijöihinsä* go to pieces *Asia on vielä ihan alkutekijöissään* We're just getting started, we're hardly off the ground yet

alkuteksti (käännöksen) original (text), source-language text

alkuunkaan *ei alkuunkaan* not at all, not in the slightest/least *Se ei riitä alkuunkaan* That's nowhere near enough

alkuunpanija (toiminnan) instigator, prime mover; (idean) originator, author; (suunnitelman tms) initiator, promoter

alkuvaihe first/beginning/early stage/phase *alkuvaiheessa* early on, right at the start

alkuviikko early in the week, the beginning of the week

alkuvoima 1 (maailmankaikkeuden) primal /primordial force; elemental force **2** (ihmisen fyysinen) brute strength, (henkinen) life force

alkuvuosi early in the year, the first part (few months) of the year

alla below, beneath, under(neath)

allakka calendar

alla mainittu the below-mentioned, the person mentioned below/hereinafter *alla mainituista syistä* for the following reasons

allapäin depressed, despondent, dejected, downhearted, heavyhearted, downcast, sad, low, blue, down in the mouth/dumps, unhappy, with a hangdog look

allas 1 sink, basin, tub, pool, cistern **2** (geol) trough, basin

allaskaappi sink cabinet

allatiivi (sijamuoto, esim. perille) allative

alle below, beneath, under(neath) *Älä jää auton alle* Don't get run over by a car *Älä jätä sormeasi sen alle* Watch out your finger doesn't get caught under there

allegoria allegory

allegorinen allegorical

allekirjoittaa sign

allekirjoitus signature

allekirjoituttaa have/get something signed

allergia (yliherkkyys) allergy

allergiahuone (hotellissa) nonsmoking room

allergikko (yliherkkä ihminen) allergetic

allerginen (yliherkkä) allergic

alleviivata underline, (myös kuv) underscore

allianssi (valtioliitto) alliance

alligaattori alligator, (ark) gator

alliteraatio (alkusointu) alliteration

allokaatio (määrärahojen kohdennus) allocation

allokoida (kohdentaa) allocate

almanakka calendar

almu alms

aloillaan *pysy aloillasi* stay where you are *asettua aloilleen* settle down

aloite initiative

aloitekykyinen enterprising, venturesome, self-reliant, with initiative, (person) of great initiative

aloitekyvytön (person) without initiative, unenterprising, indolent, lazy

aloitella get started, take the first steps (in something)

aloittaa 1 start, begin, commence **2** (panna alulle) set in motion, set the wheels/ball rolling **3** (ryhtyä tekemään) get going/started on, set about *Eikö sinun kannattaisi aloittaa jo läksyjen teko?* Hadn't you better get started on your homework? **4** (syöksyä tekemään) fall to (doing something), plunge into (doing something) **5** (ottaa tehtäväksi) undertake, embark/venture on

aloittaa alusta start over (from/at the beginning)

aloittaa puhtain paperein start with a clean slate

aloitteellisuus initiative, enterprise

aloitteentekijä initiator, proposer

aloittelija beginner, novice; (ark) tenderfoot, greenhorn

aloitus start, beginning, commencement, onset, (alkusiirto) first move

aloitussivu (kotisivu) homepage

alokas 1 beginner, novice; (ark) tenderfoot, greenhorn **2** (sot) recruit

alpinismi (vuorikiipeily) alpinism

alpinisti (vuorikiipeilijä) alpinist

Alpit the Alps

alppihiihto downhill/slalom skiing

alppimaisema Alpine scene/landscape

alppiyhdistetty alpine combined

alta from under(neath), from beneath

alta aikayksikön in a split second, in no time, lickety-split

altavastaaja 1 (vastaaja) respondent **2** (heikompi) underdog

alternaatio (vuorottelu) alternation

alternatiivi (vaihtoehto) alternative

alternoida (vuorotella) alternate

alteroida alter

altistaa expose to, subject to

altistua be exposed to, be subjected to

altistus exposure

altruismi (epäitsekkyys) altruism

altruisti (epäitsekkyyden harjoittaja) altruist

altruistinen (epäitsekkyyttä harjoittava) altruistic

alttari (uhripöytä) altar

alttaritaulu altar painting

alttaritoimitus liturgy

alttarivaatteet altar cloths

altto (matala naisen tai lapsen ääni) alto

alue area, region, territory

alueellinen regional, territorial

aluehallinto regional government

aluejako regional/territorial division, dividing an area up into districts; (politiikassa oman edun mukaan) gerrymandering

aluepolitiikka regional policy

aluesairaala general/regional hospital

aluesuunnittelu regional planning

alueteatteri regional/local theater

aluevaltaus territorial conquest; (kuv) new area of expertise, new skill *Pianonsoitto on sinulle uusi aluevaltaus* You've broken new ground with that pianoplaying of yours

aluevesi territorial waters

aluksi at first

alullaan under way, on the way, just getting started, in its incipiency, in its infancy

alumiini aluminum, (UK) aluminium

alun alkaen (right) from the start

alun perin originally

alus 1 boat, vessel, ship, craft **2** base, bottom; (tuki) support, (perusta) foundation; (jalusta) stand, pedestal; (alarakenne) underpinning, substructure, chassis

alusastia bedpan

alusasu underwear, undergarments

aluskasvillisuus undergrowth, underbrush

alusta *s* base, bottom; (tuki) support, (perusta) foundation; (jalusta) stand, pedestal; (alarakenne) underpinning, substructure, chassis *adv* from the beginning /start

alustaa 1 (esitelmöidä) give a talk (as a basis for discussion), present an outline/brief **2** (valmistaa) mix, prime, prepare **3** (tietok) format

alusta loppuun from beginning to end, straight through

alusta pitäen from the start

alustava preliminary, preparatory, tentative, provisional

alustavasti tentatively, provisionally

alustus 1 (esitelmä) talk, lecture, introductory remarks **2** (valmistus) preparation, preparatory stage in a process

alusvaate piece of underclothing, undergarment

alusvaatteet underwear, undergarments, underclothing; (naisten) lingerie

alusviikko *joulunalusviikko* the week before Christmas

alvariinsa constantly, continuously, continually, unceasingly, all the time, day in day out

amalgaami (metalliseos) amalgam

amanuenssi (alempi toimihenkilö) amanuensis

amatsoni (voimakas nainen) amazon

amatööri amateur

amatöörimäinen amateurish

ambitio (kunnianhimo) ambition

ambivalenssi (empiminen) ambivalence

ambivalentti (empivä) ambivalent

ambulanssi (sairasauto) ambulance

amerikanenglanti American English

amerikanismi Americanism

amerikanrauta big/fat American car, (iso ja vanha) dinosaur, (isoruokainen) gas-guzzler

amerikansalaatti green salad

Amerikan Samoa American Samoa

amerikansuomalainen Finnish-American

amerikansuomi American Finnish, (halv) Finglish

Amerikka America

amerikkalainen *s, adj* American

amerikkalainen jalkapallo football, (UK) American football

amerikkalaisittain (in) the American way, in the American spirit

amerikkalaismallinen American-style, American-type, of the/an American model

amerikkalaistaa Americanize

amerikkalaistua become Americanized

amfetamiini (huume) amphetamine

amfiteatteri (pyöreä näyttämö) amphitheater

aminohappo amino acid

amiraali (laivaston komentaja) admiral

ammatillinen professional, vocational

ammatillinen koulutus vocational training

ammatillinen kuntoutus vocational rehabilitation

ammatillinen oppilaitos vocational(-technical, voc-tech) school

ammatillistaa professionalize

ammatillistua become professionalized

ammatinkuva 1 (käsitys) professional image) **2** (vastuualue) job description

ammatinvalinnan ohjaus career counseling

ammatti profession, vocation, trade, craft, business, occupation, calling, job, line of work

ammattiala profession, trade, craft, field, job, line of work

ammattietiikka professional ethics

ammatti-ihminen professional

ammattijärjestö professional organization, labor union, (UK) trades union

ammattikasvatus vocational education

ammattikieli jargon

ammattikorkeakoulu professional college

ammattikoulu vocational(-technical, voc-tech) school

ammattikoululainen vocational student

ammattikoulutus vocational training

ammattikunta profession, craft, trade; (keskiajalla) trade guild

ammattilainen professional

ammattilehti professional/trade journal

ammattiliitto labor union, (UK) trades union

ammattimainen professional

ammattimies skilled craftsman *Eikö sinun kannattaisi kutsua ammattimies korjaamaan tuota putkea?* Don't you think you ought to get somebody who knows what he's doing out to fix that pipe/plumbing? Don't you think you ought to have a plumber in?

ammattioppilaitos vocational (-technical, voc-tech) school

ammattiryhmä professional group, segment of the work force

ammattislangi jargon

ammattitaidoton unskilled

ammattitaito professional skills, craftmanship

ammattitaitoinen skilled, professional

ammattitauti occupational disease, (kuv) occupational hazard *Munkkiriippuvuus on* *poliisien ammattitauti* Doughnut addiction is an occupational hazard for cops

ammattiyhdistys labor union, (UK) trades union

ammattiyhdistysliike labor union movement, (UK) trades union movement

amme (bath)tub, vat

ammentaa dip (out of), scoop, ladle (from); (kuv) draw on, access *Voit oppia vain ammentamalla omasta kokemuksestasi* You can only learn by drawing on your own experiences

ammoin long ago, once upon a time

ammoisina aikoina in ancient times, in the olden days

ammolla wide open, agape, gaping, yawning

ammoniakki (veden ja typen yhdiste) ammonia

ammottaa gape, yawn, open wide

ammu moo-cow

ammua moo, low

ammunta 1 shooting, firing **2** mooing, lowing

ammus shell, charge, projectile; (mon) ammunition, ammo

ammuskella spray (bullets), let fly, pepper, pelt, riddle, open fire

ammuskelu shooting, shootout, fire fight

amnesia (muistinmenetys) amnesia

amnestia (yleinen armahdus) amnesty

Amor Cupid

amoraalinen (moraalisääntöjen ulkopuolella oleva) amoral

amoralismi (riippumattomuus moraalista) amoralism

amorfinen (muodoton) amorphous

ampaista shoot (out of, into), dash, fly out/in like a shot

ampeeri (sähkövirran yksikkö) ampere, (ark) amp

ampiainen (honey)bee

ampiaispesä beehive

amplitudi (värähdyslaajuus) amplitudi

amppari bee

ampu explosion *Ampu tulee!* It's gonna blow!

ampua 1 (aseella) shoot, fire, discharge **2** (eläin) shoot, kill, drop, fell **3** (ihminen)

shoot, kill; (ark) waste, gun down; (teloittaa) execute (by firing squad)

ampua alas shoot (a plane) down

ampua harhaan miss

ampua itsensä shoot yourself

ampua kovilla (kuv) hit 'em hard, pull out your big guns

ampua kuoliaaksi shoot (someone) dead, gun (someone) down; (ark) ice, waste, blow (someone) away

ampua yli overshoot; (kuv) overdo it, get carried away

ampuja rifleman, marksman, sharpshooter

ampulli (suljettu lääkesäiliö) ampule, ampoule

ampuma-ase firearm, gun

ampumaetäisyys firing distance

ampumahaava bullet/gunshot wound

ampumahauta trench

ampulaatio (raajan poisto leikkauksella) amputation

amputoida (leikata raaja pois) amputate

amuletti (maaginen suojaesine) amulet

anaalinen (peräaukkoa koskeva) anal

anaalivaihe anal stage/phase

anaboliset steroidit (lihasvoimaa kasvattavat hormonit) anabolic steroids

anaerobinen (ei käytä tai tarvitse happea) anaerobic

anakronismi (aikavirhe) anachronism

anakronistinen (jossa on aikavirhe) anachronistic

analogia (samankaltaisuus) analogy

analoginen (samankaltainen) analogical, analogous

analysaattori (erittelevä tutkimuslaite) analyzer

analysoida (eritellä, jäsennellä) analyze

analysointi (erittely, jäsentely) analysis

analytiikka (analyysien teko) analytics

analyysi (erittely, jäsentely) analysis

analyytikko (erittelevä henkilö) analyst

analyyttinen (erittelevä, jäsentelevä) analytic(al)

ananas pineapple

anarkia (yhteiskunnallinen sekasorto) anarchy

anarkismi (aate/liike joka vaatii täydellistä vapautta ja valtion purkamista) anarchism

anarkisti (anarkismin kannattaja) anarchist

anarkistinen (anarkismiin liittyvä) anarchistic

anastaa 1 seize, grab **2** (varastaa) steal **3** (vangita) capture **4** (valta) usurp **5** (naapurimaa) annex

anastaja usurper

anastus seizure, theft, capture, usurpation (ks anastaa)

anatomia (ihmisruumiin rakenne) anatomy

anatominen (rakenne-) anatomical

Andorra Andorra

andorralainen Andorran

androfobia (mieskammo) androphobia

androgynia (kaksineuvoisuus) androgyny

androgyyni (kaksineuvoinen yksilö) androgyne

androgyyninen (kaksineuvoinen) androgynous

androidi (ihmisen kaltainen laite) android, (ark) droid

ane indulgence

aneeminen (vähäverinen) an(a)emic

aneemisuus (vähäverisyys) an(a)emia

anekdootti (lyhyt tarina) anecdote

anella implore, entreat, beg, plead; (surkeasti) wheedle

anemia (vähäverisyys) an(a)emia

anesteetti (puudutus/nukutusaine) anesthetic

anesteettinen (puuduttava, nukuttava) anesthetic

anestesia (puudutus, nukutus) anesthesia

anestesialääkäri (puudutus/nukutuslääkäri) anesthesiologist

anestesiologi (puudutus/nukutuslääkäri) anesthesiologist

anestesiologia anesthesiology

aneurysma (valtimonpullistuma) aneurysm

angiina (kurkkutulehdus) angina; tonsillitis

anglikaaninen Anglican; (US) Episcopal(ian)

anglismi Anglicism

anglisti student/scholar of English

anglistiikka English studies

anglit Angles

angloamerikkalainen Anglo-American

anglosaksi Anglo-Saxon

anglosaksinen Anglo-Saxon

Angola Angola

angolalainen Angolan

ani very, extremely *ani harvoin* hardly ever

animaatio (yl piirretyn elokuvan teko) animation *savianimaatio* Claymation

animismi (sielu-usko) animism

animisti animist

animistinen (sielu-uskoinen) animistic

anis anise

anjovis anchovy

ankara 1 (tinkimätön) severe, harsh, strict, rigid **2** (vaativa) rigorous, taxing, demanding **3** (ilma) inclement (weather), (sade) driving/pounding, (tuuli) strong/powerful /buffeting/sharp/fierce, (kylmä) bitter **4** (talvi) severe, harsh, hard **5** (maisema) barren, waste, austere, desolate

ankaruus 1 (kovat otteet) severity, harshness, strictness, rigidity **2** (vaativuus) rigor, vigor, intensity **3** (ilman) inclemency, intensity, bitterness, severity, harshness **4** (maiseman) barrenness, austerity, desolation

ankea 1 (ilma, aika) gloomy, dull, dismal, dreary **2** (mielentila) cheerless, glum, gloomy, morose

ankerias eel

ankeus 1 (ilman, ajan) gloom, dreariness **2** (mielentilan) depression, heaviness, anxiety

ankka duck

ankkuri anchor

ankkuripaikka anchorage

ankkuroida anchor, set anchor; (kuv) tie, link, lock, ground in *Romaanin tulkinta on ankkuroitava yhteiskunnalliseen todellisuuteen* The interpretation of novels must be tied to/grounded in social reality

anna pirulle pikkusormesi, se ottaa koko käden give him an inch and he'll take a mile

anniskella serve, dispense

anniskelu service, provision, distribution, sale, retailing, giving out

anniskeluoikeudet liquor license, tavern license

annoksittain by portions, (ravintolassa) à la carte

annos 1 (ruoka) portion, helping **2** (lääke) dose, dosage **3** (sot) ration

annostella portion out, serve, dole out, ration

annuiteetti (samansuuruinen maksu) annuity

anoa (asiaa) ask, request, plea, beg, implore, entreat, petition; (virkaa) apply for

anoja petitioner, supplicant

anomus request, petition, application

anonyymi (nimetön) anonymous

anoppi mother-in-law, 'mother-in-love'

anorakki parka

anoreksia (ruokahaluttomuus) anorexia

anorektikko (ruokahaluton) anorectic

ansa (myös kuv) snare, trap *virittää ansa* set a trap (for someone) *mennä ansaan* be trapped, (kuv) fall for a trick, fall for it hook, like, and sinker, (ark) be suckered, take a suker punch *mennä omaan ansaan* be hoist with your own petard

ansaita 1 (rahaa) earn, make, win, gain; (nettona) net/clear, (bruttona) gross **2** (kiitosta) deserve, merit, be entitled to, be worthy of

ansaita kannuksensa win your spurs

ansaittu (well-)earned, (well-)deserved, merited

ansio (earned) income, earnings; (just) deserts *Hän sai ansionsa mukaan* She got what was coming to her

ansioitua win merit/credit/honors; serve (your country/company) with distinction

ansiokas meritorious, distinguished, worthy, deserving

ansiokkaasti meritoriously, with distinction

ansioluettelo résumé; (yliopistossa) curriculum vitae, vita, CV; (nimikirjanote) dossier

ansiomahdollisuus job opportunity, money-making opportunity

ansiomerkki medal (of honor), decoration, medalion, ribbon, award (of honor)

ansionmenetys loss of income

ansiosta 1 (täydestä syystä) with good reason **2** (johdosta) because of, thanks to *Sinun ansiostasi sain työn* Thanks to you I got the job

ansiotaso level of income

ansioton undeserved, unmerited

ansiottomasti undeservedly, without deserving/meriting it

ansiotulo (earned) income

ansiotyö gainful employment; job

antaa *tr* **1** (lahjoittaa) give, present, donate **2** (jättää perinnöksi) leave, bequest **3** (jaella) distribute, hand/pass out **4** (myöntää) award, confer, grant **5** (tuottaa) produce, bear, yield **6** (suoda) let, allow, give permission, suffer *Antaa mennä!* Let 'er rip! Go ahead **7** (ieuttaa) have, get *antaa leikata tukka* have/get your hair cut *ttr* face, front *ikkunat antavat etelään* the windows face south, have a southern exposure *huone antaa kadulle päin* the room fronts the street

antaa aihetta give cause *Hänen käytöksensä ei antanut aihetta kritiikkiin* His behavior gave no cause for criticism *Puhelinsoitto antoi aihetta juhlimiseen* The phone call was (a good) reason to celebrate

antaa ajattelemisen aihetta give food for thought

antaa anteeksi forgive, pardon, excuse

antaa armon käydä oikeudesta temper justice with mercy, give someone the benefit of the doubt

antaa heittää get a move on, take a hike

antaa huutia give someone a piece of your mind, chew someone out

antaa ilmi reveal, give away, inform on, turn in; (ark) squeal on

antaa isän kädestä give a child a thrashing /spanking

antaa kaikkensa give your all

antaa kenkää fire, give someone the boot

antaa kuulla kunniansa give someone a piece of your mind, tell someone off

antaa kyytiä 1 (ajaa pois) give someone the bum's rush **2** (hakata) give someone a good drubbing **3** (sättiä) give someone a piece of your mind

antaa kättä shake (hands), shake on it

antaa lähtöpassit give someone his/her walking papers, send someone on his/her way antaa myöten 38

antaa myöten give way, yield, accommodate yourself to, compromise
antaa neniin give someone a bloody nose, bloody someone's nose for him, hit someone upside (ark) the head
antaa nyrkistä give someone a knuckle sandwich
antaa palttua (not) give a damn/shit/fuck (alat)
antaa periksi give up/in, yield, surrender, submit; (ark) cry uncle
antaa potkut fire, give someone the boot
antaa rukkaset break up with someone
antaa selkään beat up, (lapselle) spank, paddle
antaa takaisin samalla mitalla give as good as you get
antaa vetää buzz/push off
antaa ylen throw up, vomit; (ark) puke, barf, upchuck, toss your cookies
antagonismi (vihamielisyys) antagonism
antagonisti (vihamies) antagonist
antaja person who has given something; giver, grantor, issuer, donor
Antarktis Antarctica
antaumuksellinen enthusiastic, devoted, dedicated
antaumus enthusiasm, devotion, dedication
antautua 1 (antaa periksi) give up/in, yield, surrender, submit 2 (ryhtyä) throw yourself into, take up/to, embark on, enter into, (kielteisessä mielessä) stoop to 3 (omistautua) devote yourself to, dedicate yourself to
antautuminen surrender, submission, capitulation
anteeksi sorry, excuse me, pardon me
anteeksiantamaton (ei anna) unforgiving, unyielding, merciless; (ei saa) unforgivable, unpardonable, inexcusable, unjustifiable, unwarrantable
anteeksiantamus forgiveness, pardon
anteeksianto forgiveness, pardon, (yleinen) amnesty, (velan) cancellation
anteeksipyyntö apology
anteeksi saaminen forgiveness, being forgiven
antenni antenna

antero (ark) homer, gomer, waldo, dweeb
anti gift, present; issue (myös osake-), yield, crop
antibiootti (pieneliöitä tuhoava lääke) antibiotic(s)
antibioottikuuri 1 (lääkehoito) antibiotic treatment 2 (lääkemääräys) a prescription for antibiotics
antidepressiivi (masennusta hoitava lääke) antidepressant
antielitismi (pienen hallitsevan piirin tai ylimielisyyden vastustus) antielitism
antifasismi (fasismin vastustus) antifascism
Antigua ja Barbuda Antigua and Barbuda
antihistamiini antihistamine
antihiukkanen (vastahiukkanen) antiparticle
antiikki 1 (esine) antique 2 (aika) Classical Antiquity, ancient Rome and Greece
antiikkiesine antique
antiikkihuutokauppa antique auction
antiikkikauppa antique store/shop
antiikkikauppias antique dealer, antiquarian
antiikkinen 1 antique, old, ancient 2 Classical, of Classical Antiquity
antikliimaksi (jännityksen hiipuminen) anticlimax
antikommunismi (kommunismin vastustus) anticommunism
antikristillinen (kristinuskon vastainen) anti-Christian
antikristus (kristinuskon vastaisten voimien henkilöitymä) Antichrist
antikvaari 1 (kauppa) used bookstore, second-hand bookstore 2 (kauppias) antiquarian, used bookstore owner
antikvariaatti used-book store, second-hand bookstore, (UK) second-hand bookshop
antilooppi antelope
anti mennä (ark) buzz off!
antimet bountiful gifts, bounty, yield *pöydän antimet* delicacies, (rukouksessa) what we are about to receive
antimilitarismi (sodan vastustus) antimilitarism
antimilitaristi (sodan vastustaja) antimilitarist
antipaattinen (vastenmielinen) antipathetic
antipatia (vastenmielisyys) antipathy

antiperspirantti (hikoilua estävä aine) anti-perspirant

antisankari antihero

antisemiitti (juutalaisvihaaja) anti-Semite

antisemitismi (juutalaisviha) anti-Semitism

antiseptinen (pieneliöitä tuhoava) antiseptic

antisosiaalinen (yhteiskunnanvastainen) antisocial

antiteesi (käsitteen vastakohta) antithesis

antoisa 1 (kokemus) rewarding, satisfying, gratifying **2** (maaperä) rich, fertile, productive

antologia (kirjallisuuskokoelma) anthology

antonymia (merkityksen vastakkaisuus) antonymy

antonyymi (sanan vastakohtaa merkitsevä sana) antonym

antropologi (ihmistieteilijä) anthropologist

antropologia (ihmistiede) anthropology, (ark) anthro

antropologinen (ihmistieteellinen) anthropological

antropomorfismi (ihmisen ominaisuuksien ulottaminen ei-ihmisiin) anthropomorphism

ao. proper, appropriate

A-oikeudet Alcoholic Beverages Permit, AB-permit, (ark) liquor licence

aortta (päävaltimo) aorta

apaattinen apathetic

apaja 1 (saalis, myös kuv) catch, haul **2** (voitto) haul, return **3** (nuotanvetopaikka) fishing ground

aparaatti (laite) apparatus, (ark) gadget, widget

apartheid (Etelä-Afrikan 1948-1991 harjoittama rotuerottelupolitiikka) apartheid

apassi Apache

apatia (välinpitämättömyys) apathy

ape (horse) feed, mash

apea down(cast/-hearted), sad, depressed

apeissaan down(cast/-hearted), down in the dumps

aperitiivi (alkujuoma) apéritif

apeus sadness, depression, dejection

apeutua get depressed, get down in the mouth/dumps

apila clover, (Irlannin tunnuksena) shamrock

apina monkey, ape

apinoida 1 (matkia) ape, mimic, parrot, imitate, copy **2** (pilkata) mock, parody, caricature, burlesque, travesty

apinoija mimic, parodist, impersonator

aplari orange

aplodeerata applaud, clap

aplodit applause

apnea (hengitystauko) apnea

apokalypsi 1 (maailmanloppu) apocalypse **2** (ilmestys) apocalypse, revelation **3** (Raamatussa Johanneksen ilmestyksestä) Apocalypse of St. John, the Book of Revelation

apokalyptiikka (ilmestyskirjallisuus) apocalyptics

apokalyptinen (maailmanloppuun liittyvä) apocalyptic

apokryfinen (ei sisälly Raamatun kaanoniin) apocryphal

apologia (puolustuspuhe) apologia, apology

apostoli (evankeliumin julistaja) apostle

apostolinen apostolic

apostolinen uskontunnustus Apostolic Creed

apostolinkyyti shank's mare *mennä apostolinkyydillä* ride shank's mare, go afoot

appelsiini orange

appelsiinimehu orange juice

appi father-in-law, 'father-in-love'

appiukko father-in-law, Pops

appivanhemmat parents-in-law, in-laws

apposen alasti bare naked, buck naked, naked as a jaybird, stark staring naked, in the buff, in your birthday suit

apposen auki wide open

appositio (selityslisä) apposition

approbatur 1 (arvosana) approbatur, pass **2** (oppimäärä) undergraduate minor

aprikoida think over, mull over, turn over in your mind, ponder, meditate

aprikoosi apricot

aprillata pull an April Fool's joke (on someone)

aprilli 1 (jekku) April Fool's joke *Aprillia, syö silliä, juo kuravettä päälle!* April Fool's! **2** (päivä) April Fool's (Day)

aprillipäivä April Fool's Day

apro (undergraduate) minor *Mistä teet/luet aproa?* What are you minoring in?

apropoo (muuten, siitä puheen ollen) à propos

apteekkari pharmacist, druggist, (UK) chemist

apteekki pharmacy, drug store, (UK) chemist's

apteekkilääke prescription drug

apu help, assistance, aid, support, relief, remedy, rescue, service, helping hand *Ei siitä ole mitään apua* That's no use at all

apuhoitaja assistant nurse, nurse's aide

apukeittiö utility room

apukoulu remedial elementary school

apukoululainen remedial student (at the elementary level)

apulainen helper, assistant, aid; (kotiapulainen) domestic help, nanny

apulaisjohtaja assistant director, vice president

apulaislääkäri resident (physician), (UK) intern

apulaisprofessori (alemman palkkaluokan) assistant professor, (ylemmän palkkaluokan) associate professor

apulaisrehtori vice principal, (UK) deputy headmaster

apulanta fertilizer

apuneuvo aid, means, resource, remedy, (mon) resources

apuohjelma utility (program, soft-ware)

apuraha grant, stipend, scholarship

apuri helper, assistant, aid(e), (ark) right-hand man, helping hand, sidekick; (alamaailmassa) henchman, strong-arm man, hatchet man, hireling, minion, flunky, lackey

apusana particle

apuverbi auxiliary/helping verb

apuväline instrument, implement, tool, device, utensil, appliance, apparatus

arabeski (islamilainen koristekuvio) arabesque

arabi Arab, Arabian

arabia (kieli) Arabic

Arabia Arabia

arabialainen *s, adj* Arab, Arabian

arabimaat Arab countries

aramea Aramaic

arastaa 1 (ihmistä) be shy (around/with), be timid (of) **2** (jalkaa tms) favor *Jalkaa arastaa* My foot feels sore/tender

arastella (ihmistä) be shy (around/with), be timid (of), (puheenaihetta) shy away (from)

arava 1 (laina) government-subsidized mortgage **2** (talo) low-income house; (osake) low-income apartment, (UK) council flat

aravalaina government-financed mortgage or construction loan

aravatalo low-income house, urban homestead; (kerrostalo) (urban renewal) project

arbitraarinen arbitrary

arbitraasi arbitrage

arbuusi watermelon

areena arena, stadium

aresti arrest, custody, (myös koulussa) detention

Argentiina Argentina

argentiinalainen Argentinean, Argentine

argumentaatio argumentation

argumentatiivinen argumentative

argumentoida argue

argumentointi argumentation

argumentti argument

arina grate *arinat* (tekn) fire bars

aristaa favor *Jalkaa aristaa* My foot feels sore/tender

aristella 1 (ihmistä) be shy (around/with), be timid (of) **2** (jalkaa tms) favor

aristokraatti (aatelinen) aristocrat

aristokraattinen (aatelinen) aristocratic

aristokratia (valtiomuoto jossa aatelisto hallitsee) aristocracy

aristua 1 (henkisesti) turn shy/timid **2** (jalka tms) turn/get sore/tender

aritmetikko (laskuoppinut) arithmetician

aritmeettinen (laskuoppiin perustuva) arithmetic

aritmetiikka (laskuoppi) arithmetic

arjalainen Aryan

ark. 1 (arkityyliä) coll., colloquial **2** (arkisin) weekdays

arka 1 (kipeä) sensitive (to the touch), sore, tender, painful **2** (särkyvä jne) easily broken/torn/soiled, delicate, fragile, vulnerable **3** (herkkä) sensitive, easily offended/hurt/affected, touchy, thin-skinned **4** (ujo) shy, bashful, timid

arkaainen (ikivanha) archaic

arkailematon 1 (ujostelematon) forward, brash, brazen **2** (harkitsematon) rash, reckless, careless

arkailla draw/hang back, shy (away from), withdraw, retire

arkaismi (vanhentunut kielellinen ilmaus) archaism

arkaicoiva (menneisyyden tyyliä matkiva) archaiszing

arkaistinen (menneisyyden tyyliä matkiva) archaistic

arkajalka tenderfoot, greenhorn, babe in the woods

arkaluonteinen 1 (asia) delicate, sensitive, touchy, ticklish **2** (ihminen: ujo) shy, bashful, timid **3** (ihminen: herkkä) sensitive, easily offended/hurt/affected, touchy, thin-skinned

arkaluontoinen 1 (ihminen: ujo) shy, bashful, timid **2** (ihminen: herkkä) sensitive, easily offended/hurt/affected, touchy, thin-skinned **3** (asia) delicate, touchy, ticklish, sensitive

arkanahkainen thin-skinned

arkeologi (muinaistutkija) archeologist

arkeologia (muinaistiede) acheology

arkeologinen (muinaistieteellinen) archeological

arki weekday, working day, workday, business day

arkiaskareet everyday chores, day-to-day routines, ordinary tasks, daily toil

arkielämä everyday life, ordinary life, day-to-day life

arkikieli ordinary language, colloquial speech, slang

arkinen everyday, common(place), ordinary, routine

arkipuhe colloquial speech, vernacular, the way ordinary people talk

arkipyhä national holiday celebrated on a weekday, immovable feast

arkipäivä weekday, working day, workday, business day

arkipäiväinen everyday, common(place), ordinary, routine

arkipäiväistyä settle into a routine, become ordinary/prosaic/humdrum, go flat

arkipäiväistää routinize, habitualize

arkisin weekdays

arkisto archives

arkistoaineisto archival material

arkistoida store/place in the archives, archive

arkistokaappi file cabinet, filing cabinet

arkistokansio (archive) file

arkistokappale archive copy

arkistonhoitaja archivist

arkistua go flat, become ordinary/humdrum /everyday

arkivaatteet everyday/workaday clothes, street clothes

arkki 1 (usk) ark *Nooan arkki* Noah's ark *liitonarkki* the ark of the covenant **2** (paperiliuska) sheet, (yksi taitettu painoarkki) signature, (24 taitettua painoarkkia) quire, gathering

arkkiatri (hist) archiater, chief physician of the monarch; (lähin vastine) doctor of the year

arkkienkeli archangel

arkkiherttua archduke

arkkihiippakunta archdioccsc

arkkipelagi archipelago

arkkipiispa archbishop

arkkiroisto archvillain

arkkitehti architect

arkkitehtitoimisto architectural firm

arkkitehtoninen architectonic

arkkitehtuuri architecture

arkkitehtuurikilpailu architectural competition

arkkityyppi archetype

arkkityyppinen archetypal

arkkivihollinen archenemy

arkku 1 trunk, chest, box, coffer, locker **2** (ruumis-) coffin, casket

arkkuhauta grave

arkkuhautaus earth burial

arkkupakastin chest freezer

arktinen arctic

Arktis

Arktis Arctic

arkuus 1 (kipu) sensitivity, soreness, tenderness **2** (särkyvyys) delicacy, fragility, vulnerability **3** (herkkyys) touchiness, thin skin, irritability **4** (ujous) shyness, bashfulness, timidity

armahdus pardon, reprieve, (yleinen) amnesty

armahtaa 1 (sääliä) have mercy/pity on **2** (vapauttaa) pardon, reprieve, grant amnesty

armas 1 (rakas) dear, beloved, cherished, darling **2** (rakastava) loving, affectionate, fond, caring, kind **3** (rakastettava) lovable, adorable, engaging, enchanting, charming

armeija army

armeliaisuus 1 (armollisuus) mercy, generosity, charity, compassion **2** (hyvä sydän) good nature, kind(li)ness, tenderness, tender/warm/big heart, affection **3** (huomaavaisuus) consideration (for others), thoughtfulness **4** (ystävällisyys) amiability, graciousness

armelias 1 (armollinen) merciful, generous, charitable, compassionate **2** (hyväsydäminen) good-hearted/-natured, kind(ly), tender(hearted), affectionate, warm-/bighearted **3** (huomaavainen) considerate, thoughtful **4** (ystävällinen) amiable, gracious

Armenia Armenia

armenia Armenian

armias merciful, gracious *Auta armias!* Good gracious!

armo 1 grace, mercy *Teidän Armonne* Your Grace **2** (lauhkeus) clemency **3** (armahdus) pardon

armoitettu 1 (siunattu) blessed **2** (lahjakas) gifted, inspired

armokuolema euthanasia, mercy killing

armolahja 1 (usk) gift of (God's) grace **2** (hyväntekeväisyyslahja) charity, alms, (charitable) gift, benefaction; (kielteisessä mielessä) handout

armollinen gracious, merciful, charitable, compassionate, full of compassion, kind, kindly, tender, considerate

armollisuus graciousness, compassion, kindliness

armomurha euthanasia, mercy killing

armonaika grace period *Hän antoi viikon armonaikaa* She gave me a week's grace, she gave me a one-week grace period, she let me have a week (to get the money tms)

armonisku coup de grace, merciful blow *antaa armonisku* finish someone off, put someone out of his/her misery

armon vuosi the Year of our Lord, Anno Domini, A.D.

armopala charity, alms, (ark) a crumb *Heittäkää minulle edes jokin armopala!* Throw a bone here, people!

armoton merciless, unmerciful, pitiless, unpitying, unrelenting, relentless, unsparing

armottomuus mercilessness, pitilessness, ruthlessness, relentlessness

aro (Aasiassa) steppe, (Alaskassa) tundra, (USA:n keskilännessä) prairie, plains, (USA:n etelävaltioissa) savannah

aromaattinen (voimakastuoksuinen) aromatic

aromaterapia (kasvuuutteisiin perustuva hoito) aroma therapy

aromi aroma

aromirikas aromatic

arpa lot, die (mon dice); raffle ticket *arpa on heitetty* the die is cast

arpajaiset lottery, raffle, drawing

arpakuutio die (mon dice)

arpa on heitetty the die is cast, (latinaksi) alea jacta est

arpeuttaa cicatrize

arpeutua cicatrize

arpeutuma scar tissue, cicatrix

arpi scar, (rokon) pit

arpikudos scar tissue

arpinen scarred, pitted

arpoa draw/cast lots, raffle something off

arri (mus) arrangement

arsenaali (asevarasto) arsenal

arsenikki (arseenimyrkky) arsenic

arteria (valtimo) artery

artikkeli (kirjoitus, apusana) article

artikla (lain/sopimuksen osa) article

artikulaatio (ääntäminen) articulation

artikulatorinen (ääntämystä koskeva) articulatory

artikuloida (ääntää) articulate

artikulointi (ääntäminen) articulation

artisokka artichoke

artisti (viihdetaiteilija) artiste, performing artist

artistinen (taiteellinen) artistic, (taiteellisuutta liiaksi korostava) artsy-fartsy

arvaamaton 1 (yllättävä) unexpected, unanticipated, unlooked-for **2** (mahdoton arvioida) incalculable, nestimable, beyond counting/calculation

arvailla guess at, estimate, speculate, conjecture, surmise; (ark) make a stab at

arvailu guess(work), speculation, supposition, conjecture, prediction

arvata 1 (umpimähkään) guess (at), specu late, conjecture, hazard a guess about; (ark) make a stab at **2** (oikein) divine, figure out, answer/estimate/judge correctly **3** (etukäteen) anticipate, foresee **4** dare, venture, have the courage/nerve, feel up to

arvatenkin very likely, most likely, as like(ly) as not, probably

arvattavasti probably, presumably, supposedly, as like as not, in all probability

arvaus guess, estimate, (leik) guesstimate

arvella 1 (otaksua) presume, suppose, surmise *Arvelen, että olet jättänyt sen tekemättä* My guess is you forgot to do it, I bet you still haven't done it **2** (olettaa) assume, take for granted, believe, think likely, suspect *Mitä arvelet, tuleeko Hanna vai ei?* What do you think, is Hanna coming or not? **3** (empiä) hesitate, stop to think **4** (ei osata päättää) be undecided/uncertain/unsure/irresolute, waver, vacillate

arveluttava 1 (kyseenalainen) dubious, questionable, suspicious, suspect, shady **2** (epäluotettava) unreliable, untrustworthy, undependable

arvio 1 (laskelma) estimate, estimation, assessment, appraisal **2** (mielipide) opinion, judgment, reckoning

arvioida estimate, appraise, assess; (laskea) calculate, figure

arviointi 1 estimation, evaluation, assessment, appraisal **2** (koul) grade, grading, (UK) mark, marking

arvioitu estimated

arvioitu saapumisaika estimated time of arrival, ETA

arviokaupalla 1 (arvaamalla) by guesswork, by eye(ing it), by ear, by feel, by taking a stab at it **2** (umpimähkään) at random, haphazardly, by accident, accidentally *Hän löysi oikean tien viimein arviokaupalla* He finally hit on the right road by accident

arviolta roughly, at a rough estimate, approximately, about, somewhere in the vicinity of

arviovero estimated tax

arvioverotus estimated withholding (of taxes)

arvo 1 (ai vovalta) prestige, prominence, (pre)eminence **2** (arvonanto) reputation, repute, esteem, regard **3** (kunnia) distinction, honor, merit, worth *Jätän tuon huomautuksen omaan arvoonsa* I'm going to ignore that remark, it's not worth (it doesn't merit) a reply **4** (arvoasema) rank, social standing, position, class, standing, status, estate *arvon rouva* gracious lady **5** (arvoaste) rank, (professional) grade, classification **6** (käyttöarvo) use(fulness), benefit, advantage, utility **7** (raha-arvo) (face) value, (monetary) worth **8** (hinta) price, amŽount, cost, charge **9** (luku) value, figure, (mittarilukema) reading **10** ks arvot

arvoarvostelma value judgment

arvoesine prize possession, treasure(d article), (mon) valuables

arvohenkilö dignitary, notable, worthy; (ark) pillar of society, very important person (VIP)

arvohuoneisto luxury/expensive/plush/ritzy apartment/ (UK) flat

arvoinen *Tuo ei ole minkään arvoinen* That isn't worth a cent, that's worthless *Hän on firmalle kullan arvoinen* He's worth his weight in gold to this company *Marketta teki huomattavan arvoisen keksinnön* Marketta made a discovery that is/will be worth a lot of money *Heidän talonsa on 300 000 euron arvoinen* Their house is valued at/worth 300, 000 euros

arvoisa esteemed, honored *Arvoisat vieraamme!* Honored guests!

arvoitukselinen 1 (salaperäinen) mysterious, secretive **2** (vaikea ratkaista) puzzling, enigmatic, cryptic **3** (vaikea ottaa selvää) inscrutable, elusive, ambiguous

arvoitus enigma, puzzle, riddle, conundrum

arvojärjestys 1 order of precedence, ranking order **2** (etiikka) moral hierarchy

arvokas 1 (kallisarvoinen) (in)valuable, worthwhile, precious, priceless **2** (arvossa pidetty: esine) treasured, prized, valued, esteemed **3** (arvossa pidetty: ihminen) respected, esteemed, venerated, admired **4** (arvokkuutta osoittava) dignified, decorous, distinguished **5** (arvollinen) worthy, trustworthy, good (enough)

arvokkuus 1 (ihmisen) dignity **2** (esineen) value, worth

arvomaailma (set of) values *Hänen arvomaailmansa on ylösalaisin* His values are all backwards

arvonalennus (esineen) loss of value, decrease in value; (ihmisen) loss of status /face

arvonanto respect, regard, esteem, appreciation, admiration

arvonimi title

arvonlasku depreciation/decrease in (price /value)

arvonlisävero (lyhennetään alv) value-added tax

arvonnousu appreciation/increase in (price /value)

arvonta drawing, lottery, raffle

arvonvähennys depreciation

arvoon arvaamattomaan *nousta arvoon arvaamattomaan* (raha-arvo) become priceless, skyrocket in value; (arvostus) become invaluable/indispensable

arvopaperi valuable document, important paper, (mon) stocks and bonds

arvosana grade, (UK) mark

arvossa pidetty esteemed, respected

arvostaa 1 (esinettä) value, prize; (ark) set store by **2** (ihmistä) revere, cherish, (hold in high) esteem, honor *Arvostan tekoasi* I appreciate what you did

arvostelija 1 (kriitikko) critic, reviewer, commentator **2** (tuomari) judge, evaluator, analyst, arbiter **3** (moitiskelija) carper, detractor, fault-finder

arvostella 1 (kirjoittaa lehtiarvostelu) review, criticize **2** (arvioida) evaluate, appraise, assess, judge **3** (moittia) attack, criticize, disparage, fault

arvostelu 1 (kriitikki) critique, review, analysis, critical essay **2** (arviointi) appraisal, (e)valuation, assessment; (koul) grading, (mon) report card **3** (moite) attack, censure, criticism

arvosteluperuste standard(s) of judgement /criticism, evaluatory criterion

arvostelutuomari referee, umpire, judge

arvostus respect, regard, esteem, appreciation, admiration

arvot 1 values **2** (tavat) customs, practices, conventions **3** (periaatteet) standards, principles, beliefs, ideals **4** (säännöstö) moral code, code of ethics

arvoton worthless

arvottaa assess, appraise, evaluate; (panna arvoasteikkoon) rank

arvottomuus worthlessness

arvovalta 1 (arvonanto) prestige, prominence, (pre)eminence, **2** (kunnia) distinction, esteem, regard, honor **3** (valta) authority, influence

arvovaltainen 1 (arvostettu) prestigious, prominent, (pre)eminent **2** (kunnioitettu) distinguished, esteemed, highly regarded, honored *arvovaltainen nainen* woman of consequence **3** (valtaa käyttävä) authoritative, influential

arvovaltakysymys matter of prestige, issue you stake your reputation on, make-or-break issue, (ark) deal-breaker

arvuutella 1 I make others guess at something, play guessing games **2** (puhua arvoituksellisesti) talk in riddles/enigmas, perplex, puzzle, stump, baffle **3** guess, speculate, conjecture, surmise; (ark) make a stab at

asbesti (kuumuutta kestävä mineraali) asbestos

ASCII ASCII, American Standard Code for Information Interchange

ase 1 gun, weapon, firearm, (mon) arms **2** (työkalu) tool, instrument, implement

aseellinen armed

aseenkantolupa gun permit

aseidenriisunta disarmament

aseidenvienti arms exports

aseistaa arm, supply/equip/furnish with weapons

aseistakieltäytyjä conscientious objector

aseistariisunta disarmament

aseistariisuva disarming, winning, charming, captivating

aseistautua arm yourself, supply/equip yourself with weapons

aseistus armament, weaponry

asekauppa 1 (toiminta) arms trade, (laiton) gun-running/-smuggling **2** (myymälä) gun shop

aseksuaalinen (sukupuoleton) asexual

aselaji warfare area/specilty, branch of the service

aselepo cease-fire

asema 1 (paikka) position, place, situation, site, location *pysyä asemissaan* (sot) hold the line **2** (toimi) post, position **3** (tila) condition, state, status *Olet saattanut minut valkeaan asemaan* You've put me in a difficult position *mahdottomassa asemassa* in an impossible situation, in dire straits **4** (arvo) (social) status, standing (in society) *Sinun asemassasi olevan naisen ei sovi käyttäytyä noin* It is not proper for a woman in your position/of your social standing to act like that **5** (rautatie-, linja-auto-) station, depot, (lento-) airport **6** (sija) stead *Etkö voisi mennä minun asemestani?* Couldn't you go in my stead?

asemahalli station building

asemakaava zoning map, city plan

asemarakennus station building

asemesta instead (ot)

asemosana pronoun

asenne 1 (suhtautuminen) attitude, stance, stand, outlook **2** (teatraalinen) affectation, histrionic stance, false air

asennoitua take a stand/stance (on), assume a position/attitude (on)

asennoituminen attitude, way of looking at things, stance, (taking a) stand

asennus installation, mounting, fitting

asennusohjelma installation program

asennustyö installation (job/work)

asentaa install, mount, fit, emplace

asentaja mounter, fitter; (kokoaja) assembler

asenteellinen 1 (ennakkoluuloinen) biased, prejudiced **2** (teatraalinen) affected, theatrical, histrionic, put on

asento position, posture, pose, stance, (sot) *Asento!* Attention!

asepalvelus military service

aseriisuntaneuvottelut disarmament talks

asessori (tuomiokapitulin jäsen, lainoppinut) assessor, advisory associate, (lak) assistant judge

asetella 1 (järjestää) arrange, organize, co-ordinate **2** (pystyttää) set up **3** (laittaa riviin) align, line up, lay out **4** (sovittaa) adjust, shift

asetelma 1 setting, composition **2** (maalaus) still-life (painting) **3** (esitys) arrangement, tableau vivant **4** (taulukko) tabulation

asettaa 1 (panna) put, place, set, (move into) position, locate **2** (perustaa) set up, found, institute **3** (järjestää) arrange, compose, organize, coordinate **4** (saada asettumaan) pacify, appease, calm, quiet (down), soothe, placate

asettaa ehdokas put up/forward a candidate

asettaa ehdoksi stipulate, make it a condition (that)

asettaa ensi sijalle prefer, give preference to

asettaa esikuvaksi hold up as a role model /for emulation

asettaa kyseenalaiseksi question, place under question

asettaa päällekkäin superimpose, put on top of

asettaa rinnakkain juxtapose, put next to

asettaa sanansa choose/pick your words, express yourself, articulate your meaning, say what you're trying to say *Asetin sanani* *väärin* I expressed myself badly, I put it wrong

asettaa syytteeseen (laki) sue, file suit against, prosecute

asettaa vakuus (tal) offer security

asettaa virkaan install (in office), (presidentistä) inaugurate

asettaja drawer, (oman vekselin) maker

asettautua set(tle) yourself

asettelu 1 (asetelma) arrangement, adjustment, setting **2** (asettaleminen) arranging, organizing, putting things up, setting up, laying things out

asettua 1 (seisomaan) take up a position, take a stand/stance, go (stand before, beside, etc.), move (to, in front of); ks myös hakusanoja **2** (asumaan) settle down (to live somewhere) **3** (tyyntyä: ihmisestä) calm/quiet/simmer/settle down, compose /collect yourself, cool off **4** (tyyntyä: luonnonvoimasta) abate, subside, dwindle (down), weaken **5** (tyrehtyä: verenvuodosta) stop (bleeding), coagulate, clot, dry up

asettua aloilleen settle down (and get married)

asettua jonkun puolelle take sides

asettua makuulle lie down (on)

asettua riviin line up

asettua taloksi settle in (for a long stay), make yourself at home

asettua vastarintaan fight back

asetus law, statute, ordinance, bylaw, act, bill, regulation, rule; (erikois-) decree, edict, commandment

asetusnappi (tietok) check box

asevarustelu (re)armament

aseveli companion in arms

aseveljeys brotherhood in arms

asevelvollinen 1 (kutsuntakelpoinen) conscriptable man, draftable man, man of draft age **2** (varusmies) conscript, draftee

asevelvollisuus compulsory military service, conscription

asevoima military force/strength, force of arms **asevoimat** armed forces

asfaltoida lay asphalt, surface (with asphalt), blacktop

asfaltti asphalt, blacktop

asia 1 it, this, that *Hän oli jo tietoinen asiasta* He already knew all about it *Voit ilmaista asian noinkin* That's one way of putting it *Sitä asiaa ei voida enää auttaa* There's nothing we can do about that now, no use crying over spilled milk *Asiassa on kaksi puolta* There are two sides to that *varma asiastaan* confident *asiaa harrastavat* everyone interested **2** (aihe) matter, theme, topic, subject *asiaan vaikuttava* having a bearing on the matter/case *Se on kokonaan toinen asia* That's a whole different matter, that's a different story altogether *asia josta voidaan olla eri mieltä* a matter of opinion **3** (seikka) thing *Se ei muuta asiaa* That makes no difference, that doesn't change a thing *sama asia* same thing, same difference *Miten ovat asiasi?* How are things with you? *Niin on asian laita* That's the way things are, that's how things stand, that's the fact **4** (tosiasia) fact **5** (jollekin kuuluva) affair, concern, business, errand *Asia ei kuulu sinulle* It's none of your business/concern/affair *Se ei ole minun asiani* That doesn't concern me, that's got nothing to do with me **6** (kysymys) question, issue, point *Koeta pysyä asiassa* Try to stick to the point *asiasta toiseen* by the way, incidentally, this is completely off the subject but *Millä asialla liikut?* What brings you here? **7** (juttu) case, cause, suit, action **8** *käydä asiaan* get to the point, cut to the chase **9** *naurun asia* laughing matter *Se ei ole naurun asia* It's nothing to laugh about, It's no laughing matter *asia on niin että* the fact of the matter is (that) *tehdä asiaa* go on some pretext, make up some excuse to go **10** *käydä asioilla* run (some) errands

asia-aine factual/expository essay

asiaankuulumaton irrelevant, inappropriate, beside the point

asiaankuuluva relevant, pertinent, (having a) bearing on, concerning, connected (with), tied in (with), applicable, suitable, to the point/purpose

asiakas customer, client, patron

asiakas on aina oikeassa the customer is always right

asiakaspalvelu customer service

asiakassuhteet customer relations

asiakastuki customer support

asiakirja document, instrument, deed

asialinja matter-of-fact policy

asialinjalla businesslike, matter-of-fact, straightforward

asialla on kaksi puolta there's another side to the story

asiallinen 1 (asianmukainen) businesslike, matter-of-fact, objective **2** (järjellinen) rational, reasonable, calm, composed, collected, unemotional

asiallisesti 1 (asiaakuuluvasti) to the point /purpose, pertinently, relevantly **2** (asianmukaisesti) in a businesslike manner, in a matter-of-fact way, objectively **3** (järjellisesti) reasonably, rationally, calmly, unemotionally

asiallisuus 1 (asiaankuuluvuus) pertinence, relevance **2** (asianmukaisuus) a businesslike manner, matter-of-factness, sticking to the facts, not getting sidetracked, not digressing from the point **3** (maltillisuus) staying calm/rational, being reasonable, not losing your temper, not getting emotional

asiamies agent, proxy, attorney, representative

asianajaja lawyer, attorney (at law), (in Canada) counsel(lor); (UK) solicitor, barrister

asianajotoimisto law firm/office, (UK) barrister's office

asianhaara factor, consideration *asianhaarat* circumstances

asianlaita the way things are, as things stand

asianmukainen proper, appropriate, right, correct, due, suitable, fitting

asianomainen *s* the party/person/individual /thing/object concerned/in question *adj* proper, appropriate, relevant

asianomistaja (kärsinyt) injured party; (haastanut) plaintiff

asianosainen (lak) party, the party/person concerned

asiantila state of affairs, status, situation, the way things are *Asiantila on tämä: paperit puuttuvat* Here's the situation: the documents/papers are missing

asiantuntemus expertise, (special) skill, knowhow, savvy

asiantunteva 1 (tietävä) expert, authoritative, professional, skilled, knowledgeable, in the know **2** (kokenut) experienced, accomplished, practiced, proficient **3** (pätevä) qualified, competent, capable, able, adept

asiantuntija expert, authority, specialist, professional

asia on pihvi gotcha

asiasta toiseen by the way, incidentally, this is off the subject but

asiaton 1 (asiaankuulumaton) irrelevant, inappropriate, beside the point **2** (aiheeton) unjustified, unfounded, groundless, false, uncalled-for **3** *Asiaton oleskelu kielletty* No trespassing, Keep out *Asiattomilta pääsy kielletty* Authorized personnel only, Keep out

asiattomasti 1 (asian ohi) irrelevantly, with no relevance (to the matter at hand), without bearing (on the facts) beside the point **2** (aiheettomasti) without justification, without foundation, groundlessly, falsely, without due reason/cause

asiayhteys context

asidofiluspiimä acidophilus buttermilk

asioida 1 transact/do business **2** (toisen puolesta) act as an agent/on commission **3** (tavallisissa asioissa) take care of pressing matters, run errands, be busy *asioida pankissa* handle your business at the bank, do your banking

asioimisliike agency

askare chore, (household) task, job around the house, duty, errand

askarrella 1 (puuhailla) busy yourself, occupy yourself, bustle about (doing odd jobs), be active/busy **2** (miettiä) dwell/brood/work on, linger over, keep thinking about, obsess about, have your mind on

askarruttaa 1 (ajatteluttaa) occupy your thoughts/mind/imagination, engage, busy, engross, absorb **2** (huolestuttaa) concern, worry, trouble, bother *Minua askarruttaa ensi tiistai* I'm worried about next Tuesday

askartelu 1 activity, keeping busy, busying about, pottering about **2** (lasten johdettu) arts and crafts

askel step, stride, footstep, pace *kymmenen askeleen päässä* ten paces away *seurata isänsä askelia* follow in one's father's footsteps *harppoa pitkin askelin* gallop along with giant strides *seurata jonkun askelia* follow in someone's footsteps

askel askeleelta step by step

askelma 1 (porras) step, stair **2** (puola, myös kuv) rung

askelpalautin backspace (key)

askeltaa pace off

askelvirhe (koripallossa) traveling

aski box

asosiaalinen (epäsosiaalinen) asocial

aspekti (asian puoli) aspect

aspiraatio (henkäysloppu, henkeenvetäminen) aspiration

aspirantti (viran tai aseman tavoittelija) aspirant

aspiriini aspirin

assimilaatio (yhteen sulautuminen) assimilation

assimiloida (yhtäläistää, mukauttaa) assimilate

assimiloitua (sulautua, mukautua) assimilate

assistentti assistant; (yliopistossa) TA, teaching assistant

assistentuuri (teaching) assistant-ship, TA-ship

assistoida (avustaa) assist

assosiaatio (mielleyhtymä) association

assosiatiivinen (assosiaatioon liittyvä) associative

assosioida (yhdistää toisiinsa) associate

assosioitua (yhdistyä) become associated (with)

assyrialainen Assyrian

aste 1 degree *Helsinki sijaitsee noin 60. pohjoisella leveysasteella* Helsinki is at about sixty degrees north latitude (the sixtieth parallel) *Nousisipa ilma vaihteeksi 30 pakkasasteen yläpuolelle!* I wish it would rise above thirty (degrees) below (zero) for a change! **2** (taso) grade, level, rank **3** (vaihe) phase, stage

aste-ero difference in degree

asteikko 1 (asteiden) (graduated) scale **2** (mus) scale **3** (tunteiden tms) range, gamut

asteittain gradually, by degrees, a little at a time, one step at a time

asteittainen gradual, progressive, successive, graduated; step-by-step, little-by-little, inch-by-inch

astella step, stride, pace **2** (kävellä) walk, stroll, saunter

asteroidi asteroid

astevaihtelu consonantal gradation

asti 1 (aikaan tai paikkaan) (up/down) till/to, until *Tähän asti en ole tiennyt mitä teen täällä* Until now (up till/to now) I haven't had a clue what I was doing here *Vähennä lämpöä 150 asteeseen* Turn heat down (reduce heat) to 150 degrees *Vie perille asti* Take it all the way (there) **2** (määrään) as many as, as much as, as far as (to) *Sitä voi olla jopa kahteen tonniin asti* There could even be as much as two tons of it

astia 1 (yleinen nimitys) vessel, container, receptacle, (raam) *heikompi astia* weaker vessel **2** (ruoka-) dish, bowl, plate, cup, glass, pitcher, mug; (mon) dishes *pestä astiat* wash the dishes **3** (valmistus- ja säilytys-) pot, kettle, jug, crock, jar, (mixing) bowl, vase **4** (iso säilytys-) tub, vat, barrel, keg, cask, butt **5** (WC) toilet, (potta) potty seat, (ankka) bedpan

astiakaappi cupboard, kitchen cabinet

astianpesuaine dishwasher detergent

astianpesukone dishwasher

astiasto set of dishes, dinner set

astma asthma

astmaatikko asthmatic

astmaattinen asthmatic

astrologi (tähdistä ennustaja) astrologist

astrologia (tähdistä ennustaminen) astrology

astrologinen (tähdistä ennustamiseen liittävä) astrological

astronautiikka (avaruusmatkailu ja sitä tutkiva tiede) astronautics

astronautti (amerikkalainen avaruuslentäjä) astronaut

astronomi (tähtitieteilijä) astronomer

astronomia astronomy

astronominen (tähtitieteeseen liittyvä) astronomical

astua 1 step (out/on), tread, pace, stride *astuit varpailleni!* you stepped/trod/trampled on my toes! **2** (kävellä) walk, go, move

astua jalallaan set foot *Et astu jalallasikaan tänne* I forbid you to set foot here

astua jonkun jäljkiä follow/walk in someone's footsteps

astua jonkun varpaille step on someone's toes

astua julkisuuteen enter public life

astua laivaan (go on) board a ship

astua maihin go ashore

astua pois (bussista/junasta) get off a bus /train, (pyörän selästä) dismount from a bike

astua remmiin take charge

astua sisään go in, enter

astua virkaan enter office, be installed in office, assume your duties

astua voimaan take effect, become valid

astua yli (urh) overstep the line, (tenniksessä) commit a footfault

asunta 1 (kävely) walk, stride, step, pace, tread **2** (ryhti) carriage, bearing, deportment **3** (kotieläimistä) covering, mounting, breeding; (hevosista) stud service

asu 1 (vaatetus) dress, outfit, clothes, clothing; (ark) get-up **2** (ulkonäkö) appearance, looks *Kirjan asu on äärimmäisen tärkeä* It's essential that the book look good *asultaan* in appearance **3** (ulkomuoto) form, figure, shape, build, structure **4** (mainonnassa) package/packaging **5** (sanamuoto) wording, phrasing, discursive form **6** (varustus) equipment, gear, outfit(ting); (ark) stuff, get-up

asua 1 live, reside, dwell, abide **2** (vuokralla) room, rent **3** (olla yötä) stay, stop, lodge **4** (talossa) occupy, inhabit

asua yhdessä live with (someone); (lak) cohabit; (halv) shack up with (someone)

asuinpaikka place of residence, dwelling (place), abode

asuinrakennus 1 dwelling, residence **2** (maatalon) farmhouse, main house **3** (kartanon) manor/main/big house

asuinsija (place of) residence, dwelling (place), abode, place to live

asukas 1 (kaupungin) resident, inhabitant; (mon) population *asukasta kohden* per capita **2** (vuokrahuoneiston) tenant, roomer, boarder, lodger **3** (omakotitalon) member of the household; (hoidokas) inmate; (metsän, ilman jne) denizen, dweller

asukasluku population

asukasmäärä number of people living in the building, occupancy

asukastiheys population density

asukki 1 (asukas) dweller, occupant, inhabitant **2** (alivuokralainen) subtenant, roomer **3** (täysihoitolainen) boarder **4** (laitoksen) inmate

asumaton 1 (talo) uninhabited, unoccupied, unlived-in, vacant **2** (alue) uninhabited, unpopulated, unsettled, deserted

asumismuoto form of dwelling

asumistiheys population density *Los Angelesin alueella asumistiheys ei ole kovin suuri* L.A. is pretty spread out

asumistuki housing allowance

asumus 1 dwelling, residence, abode **2** (tilapäinen) lodgings, quarters **3** (alkukantainen) hut, shack, tepee

asumusero (legal) separation *Olemme mieheni kanssa asumuserossa* My husband and I are separated

asunnonhaltija tenant, occupant

asunnonvaltaus (housing) takeover

asunnonvälittäjä real estate agent, realtor

asunnottomuus homelessness

asunto 1 dwelling, residence, abode **2** (tilapäinen) lodgings, quarters **3** (tyyppi) house, apartment/flat, condo(minium)

asuntoalue residential area, neighborhood, (saman liikkeen rakentama) housing tract

asuntoauto mobile home

asuntoetu company house/apartment

asuntohallitus National Housing Board

asuntokysymys the housing question/issue

asuntola 1 (oppilas-, opiskelija-) dormitory **2** (opettaja-) faculty house/apartments **3** (sotilas-) barracks **4** (työntekijä-) workers' quarters **5** (sairaala-) nurses' housing

asunto-osakeyhtiö (apartment/condo(minium)) owner's organization, co-op(erative), co-operative apartment

asuntovaunu house trailer (mobile home = matkailuauto), (UK) caravan

asustaa 1 vrt asua **2** dress, outfit, equip, clothe, costume, accoutre

asuste 1 (vaate) dress, outfit; (ark) get-up; (mon) clothing, clothes **2** (varuste) outfit, gear; (mon) equipment, gear; (ark) stuff

asuttaa 1 (kansoittaa) inhabit, people, populate, settle, colonize **2** (sijoittaa asumaan) (re)locate

asutus 1 settlement, community of settlers, colony **2** (asuttaminen) colonizing, colonization, settling

asutuskeskus center of population

asymmetria (toispuolisuus) asymmetry

asymmetrinen (toispuolinen) asymmetrical

asynkroninen (epätahtinen) asynchronous

atavismi (tietyn perinnöllisen ominaisuuden ilmeneminen välisukupolvien jälkeen) atavism

atavistinen (kantamuotoon palautuva) atavistic

ateismi (jumalankieltäminen) atheism

ateisti (jumalankieltäjä) atheist

ateistinen (ateistinen) atheistic

ateljee studio, atelier

ateria 1 meal, repast; (ark) eats, grub, chow *upean näköinen ateria!* What a spread! **2** (juhla-ateria) feast, banquet

ateriapalvelu 1 (yritys) caterer, catering firm **2** (palvelu) catering

aterimet silver(ware)

aterioida 1 eat (a meal), take a meal, take nourishment/sustenance; (ark) chow down *aterioidessa(an)* while eating, while at table, during the meal **2** (aamulla) breakfast **3** (lounasaikaan) lunch, dine **4** (illalla) dine, sup

ATK ADP, automated data processing

atk-laitteisto (computer) hardware

atk-rikollisuus computer crime

atk-rikos computer crime

atk-sabotaasi computer sabotage

atk-vakoilu computer espionage

Atlantti Atlantic (Ocean)

atlanttinen Atlantic

atleetti 1 s (urheilija) athlete **2** adj (urheileva) athletic

atleettinen (urheilullinen) athletic

atmosfääri (ilmakehä) atmosphere

atomi atom

atomienergia atomic energy

atomifysiikka nuclea physics

atomikello atomic clock

atomipommi atom bomb

atomismi atomism

atomisti atomist

atomistiikka nuclear physics

atomistinen atomistic

atomivoimala nuclear power plant

atriumtalo house with a courtyard

atsalea azalea

atsteekki Aztec

attasea attaché

attaseasalkku attaché case

attentaatti (poliittinen murha) assassination (attempt)

attentaattori (poliittinen murhaaja) assassin, (ark) hitman

attrahoida (vetää puoleensa) attract, be attractive (to)

attraktiivinen (puoleensavetävä) attractive

attraktio (vetovoima) attraction

attribuutti (tunnuspiirre, ominaisuus) attribute

atulat tweezers

au 1 (avioliiton ulkopuolinen) illegitimate **2** (aliupseeri) NCO (non-commissioned officer)

audienssi (pääsy korkea-arvoisen henkilön puheille) audience

audiovisuaalinen (kuulo- ja näköaistiin perustuva) audiovisual

auditorio auditorium

aueta 1 (come) open **2** (puhjeta) unfold, burst open **3** (puhjeta kukkaan) open, bloom, blossom, flower (levitä) spread, widen, expand **5** (siteestä) come undone/untied/

unfastened **6** (paidasta) come unbuttoned **7** (vetoketjusta) come unzipped **8** (järvestä) melt *järvi aukeni* the ice broke up **9** (virasta) be vacated *Odotan kunnes historian professuuri aukeaa* I'll wait till a professorship in history opens up/is vacated/becomes available

aueta yleisölle open to the public, become available for use, permit access, afford entrance, receive customers, start business

aukaista s 1 open, throw open *Voisiko joku aukaista ikkunaa?* Could somebody crack a window please?! **2** (lukko, side jne) unlock, unbar, unseal, unfasten, untie, undo

aukea s 1 open place/space, opening **2** (metsässä) clearing, glade, meadow **3** (kaupungissa) plaza, square **4** (tasangolla) plain, plateau *adj* **1** open **2** (laaja) wide, vast, unbounded, unfenced **3** (puuton) flat, treeless, clear

aukeama 1 open place/space, opening **2** (metsässä) clearing, glade, meadow **3** (kaupungissa) plaza, square **4** (rako) gap, hole, crack, fissure, slit, rift, cavity **5** (kirjassa, lehdessä) the place turned open, the pages you've opened to; (keskiaukeama) centerfold

auki 1 open, not shut/closed, ajar **2** (ammottava) agape, gaping, yawning **3** (peittämätön) not covered, uncovered, coverless, unenclosed **4** (lukitsematon jne) unlocked, unfastened, untied, unsealed **5** (TV, radio, vesihana) (turned) on **6** (rahaton) broke, strapped (for funds), wiped out, penniless

aukinainen open

aukio 1 (kaupungissa) plaza, square **2** (metsässä) clearing, glade, meadow

aukioloaika open hours, business hours, (pankissa) banking hours

aukko 1 (reikä) hole, gap, slit, crack, slot **2** (syvennys) depression, cavity, indentation **3** (tulivuoren) crater **4** (väli) hiatus, gap, discontinuity *aukkoja tarinassa* (unexplained) gaps in a story **5** (tyhjiö) void **6** (puute) flaw, defect, omission, lack, gap, shortcoming *aukkoja esityksessä* flaws in your presentation

aukko sivistyksessä a gap in your education

aukoa 1 open, throw open, set ajar **2** (lukko, side jne) unlock, unbar, unseal, unfasten, untie, undo **3** (ark) (päätä) blurt out something *Älä sä auo päätäs* You shut your face/trap

aukoton 1 (kokonainen) complete, entire, intact **2** (sileä) smooth, uncut, unbroken, seamless **3** (täysin onnistunut) perfect, without a hitch, flawless, faultless, errorless, impeccable *Hänen verukkeensa oli aukoton* His alibi was unshakable

auktorisoida (valtuuttaa) authorize

auktoritatiivinen authoritative

auktoriteetti authority

auktoroida authorize

aula 1 (eteinen) hall(way), entrance hall, entry(way) **2** (lämpiö) lobby, foyer, waiting/reception room, anteroom **3** (sali) hall, (juhlasali) auditorium, (kokoussali) assembly room, (konserttisali) concert hall, (ruokasali) dining/banquet hall

au-lapsi illegitimate child, (vanh) bastard

auliisti 1 (anteliaasti) generously, openhandedly, lavishly, liberally **2** (avuliaasti) helpfully, in a neighborly way, like a good neighbor **3** (halukkaasti) willingly, obligingly, readily, eagerly *Hän auttoi auliisti aina kun tarvittiin* Whenever we needed help he pitched right in

aulis 1 (antelias) generous, open-/freehanded, lavish, liberal, **2** (avulias) helpful, neighborly, friendly **3** (halukas) willing, obliging, ready, eager

auma (vilja-auma) stack, (juurikasauma) pit

aumakatto hipped roof

aunukselainen Olonetsian

Aunus Olonets

au pair au pair

aura 1 (kyntö-) plow, (UK) plough **2** (astraaliprojektio) aura

aurakäännös snowplow turn

aurata 1 (tietä, peltoa) plow **2** (suksilla) snowplow

auringonkukka sunflower

auringonpaiste sunshine

auringonpalvonta sun worship

auringonpilkku sunspot

auringonpimennys (full) eclipse of the sun
auringonpistos sunstroke
aurinko sun *auringon noustessa* at sunrise, at (the break of) dawn *auringon laskiessa* at sunset, at dusk
aurinkoaika solar time
aurinkoenergia solar energy
aurinkokello sundial
aurinkokenno solar cell
aurinkokeskinen heliocentric
aurinkokunta solar system
aurinkolasit sunglasses, (ark) shades
aurinkopaneeli solar panel
aurinkopeili solar reflector
aurinkotalo solar house, house heated by solar power
aurinkotuuli solar wind
aurinkovoimala solar power plant
auskultantti 1 (opetusharjoittelija) student teacher **2** (lakitupaharjoittelija) court trainee
auskultoida 1 (opettajaksi) do/complete your student teaching, be a student teacher **2** (laki) do your court training **3** (tutkia stetoskoopilla) auscultate
auskultointi 1 (opetusharjoittelu) student teaching **2** (lakitupaharjoittelu) court training **3** (stetoskooppitutkimus) auscultation
Australia Australia
australialainen Australian
auta armias heaven help us! oh no!
autenttinen (aito) authentic
autenttisuus (aitous) authenticity
autio *adj* **1** (maa) barren, waste, desolate, uninhabited **2** (talo) abandoned, deserted, uninhabited, empty
autioitua be(come) deserted/desolate/abandoned, empty out
autiokylä ghost town, abandoned town/village
autiomaa wilderness, wasteland, desert
autiotupa wilderness cabin/hut
autismi (yl sulkeutuneisuutena ilmenevä kehityshäiriö) autism
autistinen (autismia poteva) autistic
autistinen nero idiot savant
auto car, automobile
autobahn (saksalainen moottoritie) autobahn

autobiografia (omaelämäkerta) autobiography
autobiografinen autobiographic(al)
autodynaaminen (omavoimainen) autodynamic
autoetu (right to use a) company car
autografi (nimikirjoitus) autograph
autoilija driver, motorist, truckdriver
autoilla drive, travel by car
autoistaa motorize
autoistua to become motorized
autokoulu driving school; (lukiossa) driver's training/education, (ark) driver's ed
autokraatti (itsevaltias) autocrat
autokraattinen (itsevaltainen) autocratic
autokratia (itsevaltius) autocracy
autokritiikki (itsekritiikki) self-criticism
autolautta auto/car ferry
autolehti car magazine
autoliikenne automobile/car traffic
automaatio (koneistaminen) automation
automaatti automaton
automaattinen automatic
automaattinen suunnanvaihto (kasettinauhurin) autoreverse
automaattinen tietojenkäsittely automated data processing, ADP
automaattisesti automatically
automaattitarkennus autofocus
automaattivaihteisto automatic transmission
automatia automatism, (ark) tic
automatismi (tiedostamaton toiminto) automatism, (ark) tic
automatisoida automate
automatisointi automation
automatka trip in a car, (ajelu) drive, ride
automerkki make (of car)
autonkuljettaja driver, chauffeur
autonomia autonomy
autonominen 1 (maa, ihminen) autonomous **2** (liike) autonomic (response)
autopankki drive-in bank
autopankkipalvelu drive-in banking
autopsia (ruumiinavaus) autopsy
autopuhelin car phone
autoradio car radio
autoritaarinen (määräävä) authoritarian
autoritatiivinen (arvovaltainen) authoritative

autostereot car stereo

autosuggestio (itsesuggestio) autosuggestion, self-hypnosis

autotalli garage

autotehdas automobile factory

autourheilu automobile sports, car-racing

autovero automobile tax

autovuokraamo car rental (agency)

auttaa 1 help, (give) assist(ance to), aid, lend/give a helping hand **2** (olla mukana tekemässä) cooperate/collaborate with, contribute to **3** (tukea rahallisesti) (give financial) support (to), back **4** (tukea henkisesti) befriend, advise, give moral support to **5** (kannattaa) endorse, take the part of; (ark) go to bat for, stick up for **6** (helpottaa) relieve, make easier for **7** (lievittää) relieve, alleviate, cure; (ark) do a world of good for **8** (edistää) further, advance, promote, help along **9** (parantaa) improve, make improvements on, make better, better, enhance **10** (pelastaa) save, rescue, aid, come to the aid/rescue of **11** (hyödyttää) benefit, be of use, be useful, do good for, profit *Mitä se auttaa?* What good will that do? *Paljon se minua auttaa* A lot of good that will do me *Ei auta muu kuin alistua* There's nothing to do but resign ourselves **12** (vaikuttaa) conduce, be conducive to, contribute, influence *Ei se mitään auta* That won't make any difference, that'll have no effect at all, that won't do any good

auttaa alkuun give someone a start, help someone get started, get someone up on his/her feet

auttaja helper, aid(e), assistant, supporter, right-hand man, helping hand

auttamattomasti irreversibly *auttamattomasti vanhentunut* hopelessly antiquated

auttava satisfactory, adequate

auttavasti adequately, well (enough to get by) *Puhun auttavasti espanjaa* I speak enough Spanish to get by, I can get by in Spanish

autuaaksitekevä saving *ihan kuin se olisi maailman ainoa autuaaksitekevä asia* as if that were the only good thing in the world

autuaallinen 1 (usk) blessed **2** (ylen onnellinen) blissful, joyful, happy, rapturous; (ark) in seventh heaven

autuaammat metsästysmaat the happy hunting ground

autuaampi on antaa kuin ottaa it's more blessed to give than to receive

autuaita ovat rauhantekijät blessed are the peacemakers

autuas blessed

autuus 1 (usk ja tav) bliss, blessedness, beatitude **2** (vain tav: onnellinen) happiness, rapture, joy

au-äiti single mother

avaimenperä keychain

avaimenreikä keyhole

avain 1 key **2** (avaaja) (can) opener **3** (tekn) wrench **4** (mus) clef

avainasemassa in a key position, well-placed

avainkortti key card

avainlapsi latchkey child

avainsana keyword

avajaiset opening ceremony (myymälän) grand opening

avajaistilaisuus opening ceremony

avanne (lääk) fistula

avantgarde (kokeellinen taiteellinen suuntaus) avant-garde

avanto hole in the ice

avantouimari person who swims in a hole in the ice

avantouinti swimming in a hole in the ice

avara 1 (laaja) wide(-open), broad, expansive, immense, vast **2** (tilava) spacious, large, ample, roomy

avarakatseinen broadminded, openminded, unprejudiced, liberal

avartaa open (up), widen, broaden, expand, extend *Yritin avartaa hänen maailmaansa* I tried to broaden his horizons, open him up a little, expand/raise his consciousness

avartava broadening, enlarging, expanding, improving **2** (kehittävä) educational, instructive, edifying, informative

avartua open (up), be opened, widen, be widened, broaden, be broadened, expand, be expanded, extend, be extended *Hän*

alkoi viimein avartua elämän kirjolle She finally began to open up to life's diversity
avaruuden valloitus the conquest of space
avaruus 1 (ulkoavaruus) (outer) space **2** (laajuus) wide open space, expanse, immensity, vastness **3** (tilavuus) spaciousness, amplitude, size, roominess
avaruusaika 1 (aikakausi) the space age **2** (fysiikassa) space-time continuum
avaruusalus spaceship
avaruusaseet space weaponry
avaruusasema space station
avaruuslento space flight
avaruusluotain space probe
avaruusmatka space voyage
avaruusohjelma space program
avaruussukkula space shuttle
avata 1 open, throw/break/crack/lay/rip/cut /dig jne open *avata ruumis* perform an autopsy **2** (raivata) clear, free, unblock **3** (saattaa nähtäville) expose, disclose **4** (lukko, side jne) unlock, unbar, unseal, unfasten, untie, undo, uncover **5** (tilaisuus) open, begin, commence, start, declare open **6** (kokous) call to order, declare open **7** (laitos) institute, found, create, declare open **8** (sateenvarjo) put up, open **9** (TV, radio, vesihana) turn on **10** (pullo) uncork **11** (oja, hauta) dig (up)
avata sylimänsä open your eyes (myös kuv)
avata suunsa open your mouth
avata suunsa väärään aikaan open your big fat mouth, put your foot in your mouth
avata sydämensä bare your soul
avata tili open an account
avata tuli open fire, commence firing
avata ääni warm up (for singing)
avaus opening, beginning, commencement (ks avata) *pelin avaus* opening move, first move
avautua 1 (come) open, open out/up **2** (side) come undone/untied/unfastened **3** (nuppu) open, unfold **4** (liikkeen ovet) open to the public, become available for use, permit access, afford entrance, receive customers, start business **5** (maisema, näköala) spread out (before your eyes) **6** (ihminen) (puhua) open up, open your heart, pour out your

innermost feelings, be forthcoming/frank /direct/candid/straightforward, speak your mind, bring others into your confidence
aversio (vastenmielisyys) aversion
avioehto prenuptial agreement, (ark) prenup
avioero divorce
avioerolapsi child of divorced parents, child from a broken home
avioitua marry, get married, exchange wedding vows; (ark) get spliced, tie the knot
avioliitto marriage, matrimony, wedlock, marital state
avioliittokuulutus (wedding) banns
avioliittoneuvoja marital/marriage counselor
aviollinen marital, conjugal, wedded, matrimonial, nuptial
aviomies husband
aviopari married couple
aviopuoliso spouse
aviorikos adultery, (ark) cheating (on your husband/wife)
aviovaimo wife, spouse
avoauto convertible
avohakkuu clearcut(ting)
avohoito outpatient care
avohuolto noninstitutional social care
avoimien ovien päivä open house
avoin 1 open, not shut/closed, ajar *avoinna* open **2** (ammottava) agape, gaping, yawning **3** (peittämätön) not covered, uncovered, coverless **4** (lukitsematon jne) unlocked, unfastened, untied, unsealed **5** (esteetön) open, clear, unblocked, unobstructed **6** (suojaton) open to attack, vulnerable, exposed, unprotected **7** (täyttämätön) vacant *hakea avointa virkaa* apply for a vacant/an open position **8** (rajoittamaton) unlimited **9** (vilpitön) open(hearted), forthright, sincere, straightforward, candid, frank
avoin kaula low neckline
avoin kauppa purchase/sale on approval *avoimella kaupalla* on approval
avoin kaupunki open city
avoin kirje open letter
avoin puhevalta free(dom of) speech
avointen ovien politiikka open-door policy
avoin valtakirja carte blanche

avoin yhtiö general partnership
avoin yliopisto open university
avojaloin barefoot(ed)
avokelanauhuri reel-to-reel deck, open-reel deck
avokkaat pumps
avokätinen generous
avolava flatbed
avolavapakettiauto pick-up (truck)
avoliitto common-law (companionate) marriage *elää avoliitossa* live together, (laki) cohabit, (ark) shack up
avolouhos open pit/quarry
avomeri open sea, (run) the high seas, the (open) main
avomerikalastus deep-sea fishing
avomerilaivasto ocean-going fleet
avomerisatama open-water port
avomielinen (rehellinen) open, frank, honest; (suvaitseva) tolerant
avonainen 1 open, not shut, not closed, ajar **2** (peittämätön) open, not covered, uncovered, coverless *avonainen kaula-aukko* low neckline **3** (esteetön) open, clear, unblocked, unobstructed **4** (suojaton) open to attack, vulnerable, exposed, unprotected **5** (täyttämätön) vacant **6** (vilpitön) open (-hearted), forthright, sincere, straightforward, candid, frank
avosetti (lintu) avocet
avosuinen 1 (avonainen) open **2** (suulas) garrulous, (ark) blabbermouthed, motor-mouthed
avosylin with open arms
avotakka fireplace
avovesi (sula) open water *ensi avovedellä* (liik) per first open water, (lyh) f.o.w.
avu 1 (ansio) merit, virtue; (hyvä puoli) good side/quality **2** (lahja) talent, gift, natural ability; (ark) knack
avulias helpful, obliging, willing/ready to help, neighborly
avulias aatu Helpy Helperton, Helpful Harry
avunanto (giving) help, (rendering) aid/assistance, (giving/offering) support, lend-

ing a helping hand, pitching in (and helping)
avustaa 1 help, (give) assist(ance to), aid, lend/give a helping hand **2** (olla mukana tekemässä) cooperate/collaborate with, contribute to **3** (tukea) (give financial) support (to), back; (ark) go to bat for, stick up for **4** (helpottaa) relieve, make easier for **5** (edistää) further, advance, promote, help along; (hyödyttää) benefit, be of use, be useful, do good for **6** (vaikuttaa) contribute, influence
avustaja 1 (auttaja) helper, right-hand man, helping hand **2** (apulainen) assistant, associate, aid(e) **3** (tukija) backer, patron, benefactor (ks myös apuri)
avustus 1 help, aid, helping hand **2** (yhteistyö) cooperation, collaboration **3** (hyväntekeväisyys) charity, relief, financial support
avustusjärjestö charitable/relief organization
avustustyö charitable/relief work
avuton 1 (heikko) helpless, feeble, weak, unable (to do anything for yourself) **2** (vanhuuden heikko) infirm, frail, decrepit, **3** (voimaton) powerless, impotent, forceless **4** (kömpelö) hapless, hopeless, futile, sorry *Kylläpä sinä sitten olet avuton* What a loser! What a baby! *Hän huitoi avuttomana* He flailed about helplessly
avuttomasti helplessly, hopelessly, miserably, fruitlessly, in vain, futilely *Hän huitoi avuttomasti* He flailed about helplessly
avuttomuus 1 (heikkous) helplessness, feebleness, weakness, (vanhuuden heikkous) infirmity, frailty, decrepitude **2** (voimattomuus) powerlessness, impotence, forcelessness **3** (kömpelyys) haplessness, hopelessness, lucklessness
av-väline AV device (useimmin) *av-välineet* AV equipment
ay-liike labor movement

B,b

Baabelin torni Tower of Babel
baari (kapakka) bar, pub, tavern; (kahvila) cafe(teria)
baarikaappi liquor cabinet
baarimestari bartender
baarimikko bartender
bagelrinkeli bagel
bahai (bahaismin kannattaja) Baha'i
bahamalainen *s, adj* Bahamian
Bahamasaaret Bahamas
Bahrain Bahrain
bahrainilainen *s, adj* Bahraini
Baijeri Bavaria
baijerilainen Bavarian
bailata party
bailut (ark) party
bakkanaalit (hurjat juomingit) bacchanal
bakteeri germ, microbe; (mon) bacteria
bakteriologi (bakteerien tutkija) bacteriologist
bakteriologia (bakteereja tutkiva tiede) bacteriology
balalaikka balalaika
balanssi (tasapaino, liipotin) balance
Baleaarit the Balearic Islands
baletti ballet
Balkan the Balkans
balkanilainen Balkan
balladi ballad
ballerina (balettitanssijatar) ballerina
ballistiikka (ammusten ja ohjusten liikerataan vaikuttavia fysikaalisia lakeja tutkiva tiede) ballistics
ballistinen (ballistiikkaan liittyvä) ballistic
Baltian maat the Baltics, the Baltic countries
baltti Balt
balttilainen *adj* Baltic *s* Balt
bambu bamboo
banaali (lattea) banal
banaalius (latteus) banality
banaani banana
banaanitasavalta banana republic

banaliteetti banality
banderolli (juliste, nauha) banderol(e), banner
banditti (rosvo) bandit
Bangladesh Bangladesh
bangladeshiläinen *s, adj* Bangladeshi
banjo banjo
baptismi Baptism, the Baptist Church
baptisti Baptist
barbaari barbarian
barbaarimainen barbarian
barbaarinen barbarian
barbaarius barbarity
Barbados Barbados
barbadoslainen *s, adj* Barbadian
barbequejuhlat (grillausjuhlat) barbeque, cookout
barbituraatti barbiturate
bardi (runonlaulaja) bard
baritoni baritone
barokki baroque
barokkinen baroque
barometri barometer
barreli (tynnyri) barrel
barrikadi (katusulku) barricade
basaari (tori) bazaar
basilika (kirkko) basilica, (mauste) basil
basilli germ, microbe; bacillus; (ark) bug
basisti (bassoviulun tai -kitaran soittaja) bassist
baski Basque
Baskimaa the Basque Country
basmatiriisi basmati rice
bassokaiutin woofer
beesi (vaaleanruskea) beige
beetaversio (tietok) beta version
behaviorismi (pelkästään ulkoisesti havaittavaa käyttäytymistä tutkiva psykologian haara) behaviorism
behavioristi (behaviorismin kannattaja) behaviorist

behavioristinen (behaviorismin mukainen) behaviorist

Belgia Belgium

belgialainen s, adj Belgian

Belize Belize

belizeläinen s, adj Belizean

beluga beluga, white whale

Benin Benin

beniniläinen s, adj Beninese

benji-hyppy bungee jump

bensa gas

bensiini gas(oline), (UK) petrol; benzine

bensiiniasema gas station, (UK) petrol station

bensiinimittari gas gauge, (UK) petrol gauge

bensiinitankki gas(oline)/fuel/petrol tank

bensiinivero gasoline/petrol tax

Berliini Berlin

berliiniläinen Berliner

berliininmunkki Bismarck (doughnut)

bermudaoortsit Bermuda shorts

bermudat Bermuda shorts

bestseller best-seller

betoni concrete

betonielementti (rak) concrete element

betonitalo concrete building

Bhutan Bhutan

bhutanilainen s, adj Bhutanese

bibliofiili (kirjojen kerääjä) bibliophile

bibliografi (lähdeluetteloiden laatija) bibliographer

bibliografia (lähdeluettelo, kirjallisuustieteen haara) bibliography

bibliografinen (bibliografiaan liittyvä) bibliographical

biennaali (joka toinen vuosi järjestettävä festivaali) biennial

bigamia (kaksiavioisuus) bigamy

bigamisti (kaksiavioinen ihminen) bigamist

biisi (ark) piece

biisoni bison

biitsi (ark) (uimaranta) beach

biitti (ark) beat

bikinit bikini; (alushousut) bikini pantics, bikini briefs (miesten)

bilateraalinen (kahdenvälinen) bilateral

biljardi billiards

binaari- (lukuun kuuluva kaksi perustuva) binary

bingo bingo

bingota play bingo

binokkeli pince-nez

biodynaaminen viljely (orgaaninen viljely) biodynamic farming

biodynamiikka (orgaaninen viljely, oppi elintoiminnoista) biodynamics

bioenergia (biopolttoaineesta saatava energia) bioenergy

bioetiikka (biologisia kysymyksiä pohtiva etiikan haara) bioethics

biofysiikka (fysiikan periaatteita soveltava biologian haara) biophysics

biografi (elämäkerran kirjoittaja) biographer

biografia (elämäkerta) biography

biokemia (oppi eliöiden kemiallisesta koostumuksesta) biochemistry

biokemiallinen biochemical

biokemisti biochemist

biologi biologist

biologia biology

biologinen biological

biologinen kello biological clock

biologiset aseet biological weapons

biopalaute (oman elimistön toiminnasta saatava palaute) biofeedback

biopesuaine biodetergent

biopolttoaine biofuel

biopsia (koepalan ottaminen) biopsy

biorytmi (fysiologisten toimintojen jaksollisuus) biorhythm

biotekniikka biotechnology

bioteknologia (biologisten periaatteiden käyttö tekniikassa) biotechnology

biotieteet biological sciences

biseksuaalinen (kaksisukuinen, miehiin ja naisiin seksuaalista vetoa tunteva) bisexual, (ark) bi

bisnes (kaupankäynti) business

bitti (tietoyksikkö) bit

bittinikkari (tietokoneharrastaja) computer geek

bleiseri (pikkutakki) blazer

blini (venäläinen ohukainen) blintz

blogi (nettipäiväkirja) blog

blokadi (saarto) blockade

blokata (koripallossa estää pallon koriin meno) block

blokeerata (estää) block
blokki 1 (itäblokki) block **2** (lehtiö) notepad
blokkiutua get blocked up
blondi (vaaleaverikkö) blonde
blondivitsi blonde joke
bluffata (ark) (hämätä) bluff
bluffi (ark) (hämäys) bluff
bodaaja body-builder
bodaus body-building
bofori Beaufort, unit on the Beaufort scale
boheemi Bohemian
boikotoida boycott
boikotti boycott
boileri (kuumavesi-) hot-water heater, (höyry-) (steam) boiler
boksi (ark) (asunto) crib
Bolivia Bolivia
bolivialainen s, adj Bolivian
bolsevikki (bolsevismin kannattaja) Bolshevist
bolsevismi (leniniläinen kommunismi) Bolshevism
bolsevistinen (bolsevismin mukainen) Bolshevist
boltsi (ark) (pallo) ball, (pää) head
bonjata (sl) (tajuta) get it
bonus bonus
Boolen algebra Boolean algebra
booli (juomaseos) punch
bootsit (saappaat) boots
bordelli bordello, brothel, whorehouse
borssi (venäläinen keitto) borscht
botaanikko (kasvitieteilijä) botanist
botaaninen (kasveihin liittyvä) botanical
botaniikka (kasvitiede) botany
botanisti (kasvitieteilijä) botanist
Botswana Botswana
Brasilia Brazil
brasilialainen s, adj Brazilian
BRD FRG, Federal Republic of Germany
breikata (ark) **1** (tanssia) break-dance *Koko yön ne siellä breikkas* They were breakdancing all night **2** (tehdä musiikkiesityksellä läpimurto) get your big break *Jo eka levy breikkas* We made it with our first CD **3** (katketa kerran) break off, get cut off, (monta kertaa) break up *Yhteys breikkas heti kymmenen minuutin jälkeen* We got

cut off after ten minutes, the connection broke off after ten minutes *Yhteys breikkas vähän väliä* The connection kept breaking up
breikki (ark) **1** (tauko) break *pidetään breikki* let's take a break **2** (läpimurto) break *Se oli meille mahtava breikki* It was a fantastic break for us **3** (tanssi) break dance
breikkitanssi break dance
bretoni Breton
bretonilainen Breton
bridge (korttipeli) bridge
briketti (puriste) briquet
briljantti adj (loistava) brilliant s (jalokivi) brilliant
briljeerata show off (your knowledge)
Britteinsaaret British Isles
britti Brit
brittiläinen s Brit, Britisher, Briton adj British
Brittiläinen Columbia British Columbia
broidi brother
broileri broiler
brosyyri (lehtinen) brochure
Brunei Brunei
bruneilainen s, adj Bruneian
brunssi (lounasaamiainen) brunch
brutaali brutal
brutaalius (raakuus) brutality
brutto gross
bruttohinta gross/undiscounted price
bruttokansantuote Gross National Product (GNP)
bruttopaino gross weight
bruttopalkka gross wages
bruttotulot gross income, pretax earnings
bruttotuotto gross proceeds
brysselinkaali (ruusukaali) Brussel's sprout
bryssä (leik halv) (EU virkamies) bureaucrat
buddhalainen Buddhist
buddhalaisuus Buddhism
budjetoida budget
budjetointi budgeting
budjetti budget
budjettiesitys budget proposal, proposed budget
bufetti buffet, (pöytä) buffet table
buketti (ark) (kukkakimppu) bouquet

bulevardi (puistokatu) boulevard
bulgaari Bulgarian, (hist) Bulgar
Bulgaria Bulgaria
bulgarialainen *s, adj* Bulgarian
bulimikko (bulimiaa poteva) bulimic
bulimia (ahmimishäiriö) bulimia
bumerangi boomerang
bunkkeri bunker, pillbox
Burkina Faso Burkina Faso
Burma Burma
burmalainen *s, adj* Burmese
burnout burnout
Burundi Burundi
burundilainen *s, adj* Burundian
bussi bus, (UK pitkän matkan) coach
bussinkuljettaja bus driver

bussipysäkki bus stop
buuata boo
buukata (ark) book
buukkaus (ark) booking
buumi boom
buutsit (saappaat) boots
byrokraatti bureaucrat
byrokraattisuus bureaucracy
byrokratia bureaucracy
byrokratisoitua become bureaucratized
byroo (konttori, kirjoituspöytä) bureau
byte (tietok: tavu) byte
bändi band
bänksit (ark) break-up *panna bänksit* break
up *Meille tuli bänksit ekana vuosipäivänä*
We broke up on our first anniversary

C,c

Caymansaaret Cayman Islands
cd-levy CD
cd-poltin CD-burner
cd-rom CD-ROM
cd-rom-asema CD-ROM drive
cd-soitin CD player
celsiusaste degree Celsius/centigrade
charmi (viehätysvoima) charm
charmikas (viehättävä) charming
charterlento (tilauslento) charter flight
chattailla (keskustella tietokoneen kautta)
chat
chattailu (keskustelu tietokoneen kautta)
chat

chic (tyylikäs) chic
Chile Chile
chileläinen *s, adj* Chilean
chili (mauste, ruoka) chili
chippi (golfissa matala viheriötä lähestyvä
lyönti) chip
C-kasetti compact cassette
college 1 (korkeakoulu) college **2** (trikoopu-
sero) sweatshirt
come-back (paluu julkisuuteen) comeback
Costa Rica Costa Rica
costaricalainen *s, adj* Costa Rican

D,d

daami (hieno nainen) lady, (seuralainen)
date

dadaismi (järjenvastaisuutta korostava tai-
teen suunta) Dadaism

dadaisti (dadaismin kannattaja) Dadaist

darvinismi (Charles Darwinin valintateoria)
Darwinism

darvinisti (darvinismin kannattaja) Darwin-
ist

darvinistinen (darvinismin mukainen) Dar-
winistic

datiivi (verbin epäsuoran objektin ilmaiseva
sijamuoto) dative

dat-nauhuri DAT recorder, DAT deck

datša (kesäasunto) dacha

DDR GDR, German Democratic Republic

deadline (määräaika) deadline

debatti (väittely) debate

debentuurilaina (verollinen vakuudeton
joukkovelkakirja) debenture (loan)

debet 1 (velat) debts **2** (tilitäveloitus) debit

debiili adj (vajaamielinen) debilitated,
feeble-minded, (ark) stupid, idiotic
s (ark) moron

debytantti (ensi kertaa julkisuudessa esiin-
tyvä nuori) debutante

debytoida (esiintyä ensi kertaa julkisuu-
dessa) debut *Bändin uusi cd debytoi heti
ykkösenä* The band's new CD debuted at
number one

debyytti (ensimmäinen julkisuudessa esiinty-
minen) debut

dedikaatio (omistuskirjoitus) dedication

deduktiivinen (yleisestä yksityiseen johtava)
deductive

deduktio (yksityisen päätelmän tekeminen
yleisistä periaatteista) deduction

dedusoida (päätellä deduktiivisesti) deduce

deejii DJ, deejay, disc jockey

deekiksellä (ark) on the skids, down and out

deeku (ark) drunk, down-and-outer, skidrow
bum, human train wreck

defekti (vika) defect

defektiivinen (viallinen) defective

defensiivi (puolustus) defensive

defensiivinen (puolustava) defensive

definiittinen (määrätty, määräinen) definite

definitiivinen (lopullinen) definitive

definitio (määritelmä) definition

definoida (määritellä) define

deflaatio (yleisen hintatason lasku) deflation

deflatorinen (deflaation johtava) deflatory

deformaatio (epämuotoisuus) deformation

deformoida (muuttaa huonompaan muotoon)
deform

defragmentoida (poistaa pirstoutuneisuus)
defragment, (ark) defrag

degeneraatio (rappeutuminen) degeneration

degeneratiivinen (rappeutuva) degenerative

degeneroitua (rappeutua) degenerate

déjà-vu-ilmiö déjà vu

dekaani dean

dekadenssi (kulttuurin rappio) decadence

dekadentti (rappeutunut) decadent

dekkari detective/mystery novel

dekki (nauhuri) tape deck

deklaraatio (selvitys) declaration

deklinaatio (taivutus) declination

deklinoida (taivuttaa) decline

dekoltee adj (avokaulainen) décolleté s
(avoin kaula) décolletage

dekoodata (selvätä) decode, decipher

dekooderi (dekoodaava laite) decoder

dekoraatio (koristaminen, ritarimerkki) dec-
oration

dekoratiivinen (koristeellinen) decorative

dekriminalisoida (lakkauttaa kielto) decrim-
inalize

dekriminalisointi (kiellon lakkauttaminen)
decriminalization

delegaatio (valtuuskunta) delegation

delegaatti (valtuutettu) delegate

delegoida (valtuuttaa) delegate

delegointi (valtuuttaminen) delegation

delikaatti 1 (arkaluontoinen) delicate **2** (herkullinen) delicious

delikatessi (herkku, hienotunteisuus) delicacy

deluusio (harhakuvitelma) delusion

demagogi (poliittinen yllyttäjä) demagogue

demari Social Democrat

demilitarisoida (poistaa sotavoimat) demilitarize

demilitarisointi (sotavoimien poisto) demilitarization

demilitarisoitu vyöhyke demilitarized zone, DMZ

demo (ark) demo *tehtiin demo-cd* we cut a demo CD

demografinen (väestöä koskeva) demographic

demokraatti (demokratian kannattaja) democrat; (USA:n demokraattisen puolueen kannattaja) Democrat

demokraattinen democratic, Democratic

demokratia democracy

demokratisoida (tehdä demokraattisemmaksi) democratize

demoni demon

demoninen (saatanallinen) demonic

demonismi (usko pahoihin voimiin) demonism

demonstraatio (havaintoesitys) demonstration

demonstratiivinen (mielenosoituksellinen, osoittava) demonstrative

demonstratiivipronomini (esim. tämä, tuo) demonstrative pronoun

demonstroida (näyttää, osoittaa mieltään) demonstrate

deodorantti deodorant

depressiivinen (masentunut) depressive

depressio depression

deprivaatio (puute, perustarpeiden tyydyttämättä jääminen) deprivation

depriivoida (riistää, olla antamatta) deprive

derivaatio (toisesta muodostaminen) derivation

derivaatta (johdannaisyhdiste) derivative, differential coefficient

derivoida (muodostaa toisesta) derive

dermatologi (ihotautilääkäri) dermatologist

dermatologia (ihotautioppi) dermatology

desentralisaatio (hajautus) decentralization

desentralisoida (hajauttaa) decentralize

desibeli (äänenvoimakkuuden mittayksikkö) decibel

design (muotoilu) design

designata (muotoilla) design

designer (muotoilija) designer

desilitra deciliter, (UK) decilitre

desilluusio (harhakuvitelmien raukeaminen) disillusionment

desimaali decimal

desimaalijärjestelmä decimal system

desimaaliluku decimal (fraction)

desimaalipilkku decimal point

desinfektio disinfection

deskriptiivinen (kuvaileva) descriptive

deskriptio (kuvaus) description

despootti (yksinvaltias) despot, dictator

destruktiivinen (tuhoava) destructive

destruktio (tuho) destruction

detalji (yksityiskohta) detail

detaljoitu (yksityiskohtainen) detailed

detektiivi (salapoliisi) detective

detektio (selville saaminen) detection

determinaatio (määrääminen) determination

determinantti (neliömäinen lukukaavio) determinant

determinatiivinen (rajoittava) determinative

determinismi (näkemys jonka mukaan kaikki on ennalta määrätty) determinism

deterministi (determinismin kannattaja) determinist

deterministinen (determinismiin liittyvä) deterministic

determinoida (määrätä ennalta) determine

devalvaatio (kotimaan valuutan arvonalennus) devaluation

devalvoida (alentaa kotimaan valuutan arvoa) devaluate

devalvointi devaluation

dia (slide, transparency *väridia* (ammattikielessä myös) chrome

diaari (päiväkirja) diary

diabeetikko (sokeritautinen) diabetic

diabeettinen (sokeritautiin liittyvä) diabetic

diabetes (sokeritauti) diabetes

diagnoosi diagnosis

diagnosoida 62

diagnosoida diagnose

diagnostikko (taudin määrittäjä) diagnostician

diagnostinen diagnostic

diagonaali (lävistäjä) diagonal

diagonaalinen (lävistäjän suuntainen) diagonal

diakehys slide mount

diakoni church social worker

diakonia church social work

diakonissa (female) church social worker

dialekti (murre) dialect

dialektiikka (vastakohtien rinnastamiseen perustuva filosofinen menetelmä) dialectic

dialektinen (dialektiikkaan liittyvä) dialectical

dialektologi (murteen tutkija) dialectologist

dialektologia (murteen tutkimus) dialectology

dialogi dialogue

diaprojektori slide projector

diaspora (kansainhajaannus) diaspora

didaktiikka (opetusoppi) didactics

didaktinen (opettava, didaktiikkaan liittyvä) didactic

dieetti diet *Atkinsin dieetti* the Atkins diet

diesel diesel (engine, car)

dieselmoottori diesel engine

dieselpolttoaine diesel fuel

dieselvero diesel tax

dieselveturi diesel locomotive

dieteetikko (ravinto-opin asiantuntija) dietician

diftongi (kaksoisääntiö) diphthong

digata (ark) dig *Diggasin hirveesti sun biisiäs* I really dug your song

digestio (ruoansulatus) digestion

digitaali- (numeerinen) digital

digitaalikamera (myös digikamera) digital camera

digitaalinen (numeerinen) digital

digitaalinen allekirjoitus digital signature

digitaaliradio digital radio

digitaalitelevisio digital television

digitalisoida (tietok) (muuntaa digitaaliseksi) digitize

digitalisointi (digitaaliseksi muuntaminen) digitization

digitoida (muuntaa digitaaliseksi) digitize

diileri (arvopaperi- tms. kauppias) dealer

diili (kauppa) deal

diiva prima donna, diva

diivailla play the prima donna, put on airs

diktaattori (yksinvaltias) dictator

diktatorinen (omavaltainen) dictatorial

diktatuuri (diktatorinen maa tai virka) dictatorship

dipata (kastaa esim sipsejä dippiin) dip

diplomaatti diplomat

diplomaattinen diplomatic, tactful

diplomaattisuhteet diplomatic relations

diplomatia (valtioiden keskinäisten suhteiden virallinen hoito) diplomacy

diplomi diploma, certificate

diplomi-insinööri engineer *Anja on diplomi-insinööri* Anja is an engineer/has her M.S. in engineering *dipl.ins. Anja Rekonen* Anja Rekonen, M.S.

dippi (dippauskastike) dip

disiplinaarinen (kurinpidollinen) disciplinary

diskanttikaiutin tweeter

diskanttisäädin treble control

diskata disqualify

disketti diskette, disk, floppy disk, floppy

disko disco(theque)

diskreditoida (saattaa huonoon maineeseen) discredit

diskreetio (tahdikkuus) discretion

diskreetti 1 (tahdikas) discreet **2** (erillinen) discrete

diskrepanssi (poikkeama) discrepancy

diskriminaatio (erottelu) discrimination

diskriminoida (erotella) discriminate

diskriminointi (erottelu) discrimination

diskursiivinen (erittelevä) discursive

diskurssi (puhe tai kirjoitus) discourse

diskvalifioida (hylätä kilpailukelvottomana) disqualify

dispanssi (erivapaus) (special) dispensation

dispensaatio (erivapauden myöntäminen) granting a (special) dispensation

display (näyttöruutu) display

dissata (ark: puhua epäkunnioittavasti) diss, disrespect

dissertaatio (väitöskirja) dissertation

dösä

dissidentti (toisinajattelija) dissident
dissonanssi (riitasointu) dissonance
distanssi (etäisyys) distance
distinkti (selvä) distinct
distinktiivi (selvästi erottuva) distinctive
distinktio (erontеko) distinction
distraktio (hajamielisyys) distraction
divari (ark) **1** (antikvariaatti) used bookstore **2** (osto- ja myyntiliike) second-hand store, flea market, pawn shop
diversiteetti (monimuotoisuus) diversity
divisioona division
Djibouti Djibouti, Jibuti
djiboutilainen *s, adj* Djiboutian, Jibutian
dogmaatikko 1 (dogmatiikan tutkija) dogmatician **2** (ahdasmielinen ihminen) dogmatist
dogmaattinen (dogmien mukainen) dogmatic
dogmaattisuus (dogmien mukaisuus) dogmatism
dogmi (opinkappale) dogma
dokumentaarinen documentary
dokumentoida (todistaa oikeaksi asiapapereilla) document, verify, substantiate
dokumentti (asiapaperi) document
dokumenttiohjelma documentary (movie /film)
Dolby-kohinanvaimennus Dolby noise reduction
dollari dollar
dollarihymy big American car, (iso ja vanha) dinosaur, (isoruokainen) gas-guzzler
Dominikaaninen tasavalta Dominican Republic
dominoida (hallita) dominate
dominoiminen (hallitseminen) domination
dominoiva (hallitseva, kontrolloiva) domineering
donkata (koripallossa) dunk/stuff (it)
donkki dunk
donna (sl) broad
dorka (ark) *adj* dorky *s* dork
DOS (tietok) DOS, disk operating system
dosentti (väitellyt tiedekuntaan kuulumaton opettaja) docent
dosentuuri (dosentin virka) docentship
Downin oireyhtymä (ent. mongolismi) Down's syndrome

draama drama, play
draiveri (golfissa pisin maila) driver
dramaattinen dramatic
dramatiikka dramatic literature
dramaturgi dramaturge, dramaturgist
dramaturginen dramaturgic (to do with dramatic art)
drastinen (äkillinen) drastic
dromedaari (eläin) dromedary
duaalinen (kaksinainen) dual
dualismi (käsitys jonka mukaan kaikkea hallitsee kaksi vastakkaista perustekijää) dualism
dualisti (dualismin kannattaja) dualist
dualistinen (dualismin kaltainen) dualistic
dubata (jälkiäänittää) dub, (huulten liikkeiden mukaan) lip-synch(ronize)
dubbaus (jälkiäänitys) dubbing, (huulten liikkeiden mukaan) lip-synch(roniz)ing
duetto duet
dumpata (ark) (hylätä, myydä polkuhintaan) dump
dumppaus (polkumyynti) dumping
duplikaatio (kahdentaminen) duplication
duplikaatti (kaksoiskappale) duplicate, (ark) valokuvista) dupe
duuma (Venäjän parlamentin alahuone) Duma
duuni (ark) (työ, työpaikka) job, work *Ootsä menossa duuniin?* You on your way to work? *paskaduuni* shit job
duuri (mus) major (key) *cis-duuri* C sharp major
dvd-levy DVD
dvd-soitin DVD player
dynaaminen (voimia tai dynamiikkaa koskeva) dynamic
dynamiikka (mekaniikan haara, äänenvoimakkuuden vaihtelu) dynamics
dynamiitti dynamite
dynamismi (voimiin viittaava filosofinen selitysmalli) dynamism
dynastia (hallitsija- tai ruhtinassuku) dynasty
dyyni (lentohiekkakinos) (sand) dune
džihad (islamilainen pyhä sota) jihad
dödö (ark) deodorantti) BO-chaser
dösä (ark) (bussi) bus

E,e

Ecuador Ecuador
ecuadorilainen s, adj Ecuadorian
edelleen 1 (eteenpäin) on(ward(s)), ahead
2 (yhä) further(more), also
edellinen previous, preceding; (aikaisempi)
former, previous, earlier *edellisellä ker-
ralla* last time, the previous time *Kumman
otat, edellisen vai jälkimmäisen?* Which
will it be, the former or the latter?
edellisvuonna last year
edellisvuosi the previous/preceding year,
last year
edellisvuotinen last year's, of the previous
/preceding year *Edellisvuotinen tappio oli
vielä suurempi* The previous year our
losses were even greater
edellyttää 1 (vaatia hallinnollisesti) require,
oblige, call for, demand, make imperative
2 (vaatia loogisesti) presuppose, necessi-
tate, entail, imply *Rothin uusi romaani
edellyttää lukijalta paljon* Roth's new
novel places great demands on the reader
*Pankki edellyttää, että opintolainan saa-
nut opiskelija suorittaa 30 opintoviikkoa
vuodessa* The bank requires recipients of
student loans to complete 30 study weeks
per year **3** (olettaa) presume, assume, sup-
pose, take it (for granted) *Pääsette sisälle
edellyttäen että teillä on vaadittavat pape-
rit* Providing you have the proper papers,
you will be allowed to enter
edellytys (ehto) condition, provision, pro-
viso, stipulation, (pre)requisite, necessity,
must; (mon) the requisite abilities/apti-
tude, the right stuff, the needed skill(s)
/talent, the necessary resources/knowhow
Hänellä ei ole edellytyksiä onnistua He's
got no chance of success **2** (oletus)
assumption, presumption, (pre)supposi-
tion, postulation, premise

edellä before, ahead (of), in advance/front
(of); (ensin) first; (yllä) above *Mene sinä
vain edellä* You go on ahead/before *pää
edellä* head first *kuten edellä todettiin* as
we noted above
edelläkävijä pioneer
edellä mainittu abovementioned
edeltävä previous, preceding
edeltä ahead, in advance, beforehand
edeltäjä predecessor, precursor, forerunner
edeltäkäsin in advance, beforehand, (ark) up
front
edeltäpäin in advance, beforehand, before
the fact/event
edeltää precede, go before, go ahead of,
come before, take place before, antedate,
antecede
edempänä farther on/off, later (on); (kir-
jassa) below
edes (toiveikkaassa yhteydessä) at least,
(lähes epätoivoisessa yhteydessä) even
*Kunpa olisi koulussa edes yksi mielenkiin-
toinen tunti!* I wish we had even a single
interesting class at school! *Opettajat voisi-
vat edes yrittää olla inhimillisiä* The
teachers could at least try to act human, the
least they could do is try to act human
edesottamukset 1 (teot) doing, carryings-on
2 (möhläykset) screwups, foulups, fuck-
ups
edessä in front of, ahead of, before; (tiellä)
in the way
edessäpäin in the future, somewhere down
the line/road, in times to come, somewhere
farther on
edestakainen 1 (lippu) round-trip, (UK)
return **2** (liike) back-and-forth, backward-
and-forward, to-and-fro, up-and-down,
see-saw, (heiluri-) pendulum *Heilurin
edestakainen liike alkoi hypnotisoida*

minua The pendulum's swing started to hypnotize me

edestakaisin back and forth, backward and forward, to and fro, up and down, there and back

edestä 1 (-päin) from the front, (etuosasta) at/in the front, up front, (jonkin paikan edestä) from in front of, from before **2** (tieltä) out of the way **3** (puolesta) for, instead of, in place of, on behalf of

edesvastuu responsibility *vetää edesvastuuseen* hold someone responsible (för)

edesvastuuton irresponsible

edetä 1 (kulkea eteenpäin) advance, proceed, make headway, move/go ahead/forward, make strides, gain ground **2** (edistyä) progress, make progress, advance, get ahead, get on **3** (kehittyä) develop, improve, become/get better

edistyksellinen (edistykseen uskova ja pyrkivä) progressive, forward-looking, reformist, advanced, modern; (suvaitsevainen) liberal, open-minded, free-thinking

edistyksellisyys (edistysmieli) progressive thinking/thought, reformism, reform ideology, modernism; (suvaitsevaisuus) liberalism, open-mindedness, free thinking/thought

edistyminen (making) progress, headway, improvement, advance(s), making strides

edistys progress, advance(s), advancement, strides, development, reform *Edistys on tärkein tuotteemme* Progress is our most important product *Syöpätutkimuksessa on tapahtunut huomattavaa edistystä* Great strides/advances have been made in cancer research

edistysaskel advance(ment), step (forward), stride, breakthrough

edistysmielinen ks edistyksellinen

edistysmielisyys ks edistyksellisyys

edistyä 1 (edetä) advance, proceed, make headway, move/go ahead/forward, make strides, gain ground **2** (tehostua) progress, make progress, advance, get ahead, get on **3** (kehittyä) develop, improve, become/get better

edistäjä promoter, publicist, advertiser, advocate

edistää 1 advance, further, (help/urge) forward, help the progress of, work for/toward, expedite, improve (on), enhance, aid, assist **2** (puhua puolesta) promote, speak for, foster, encourage, support **3** (kello) run/be fast *Kelloni edistää viisi minuuttia* My watch is five minutes fast

editoida edit

editointi editing

editori 1 (tietok: tekstinmuokkausohjelma) editor **2** (toimittaja) editor

editse in front, across/through the front of

edullinen 1 (rahallista hyötyä tuottava) profitable, remunerative, lucrative **2** (otollinen) favorable, advantageous, beneficial **3** (halpa) economical, reasonable, cheap, inexpensive

edullisesti 1 (hyödyllisesti) profitably, at (great/some) profit **2** (otolliseasti) favorably, advantageously, to (one's) (best/greater) advantage, to (one's) benefit **3** (halvalla) economically, reasonably, cheaply, inexpensively, at a discount/bargain, on sale, for a song, at this low low price

edullisuus 1 (hyödyllisyys) profit(ability), advantage(ousness), benefit **2** (halpa hinta) reasonable/low/sale/discount price /cost, inexpensiveness, economy

edunsaaja beneficiary

eduskunnan jäsen member of parliament

eduskunnan kanslia secretariat of parliament

eduskunnan puhemies speaker of parliament

eduskunnan sihteeri secretary of parliament

eduskunta (Suomi/UK) parliament, (US) congress/legislature, (muut) diet

eduskuntaryhmä party representation (in Parliament)

eduskuntatalo Parliament building

eduskuntavaalit parliamentary election

edusta front, the area in front of

edustaa 1 (toimia jonkun nimissä) represent, be (someone's) representative, act on behalf of (someone) *edustaa kannattajiaan neuvotteluissa* represent your backers in the negotiations *Muista että ulkomailla* *edustat maatasi* Remember that you'll be your country's ambassador when you go abroad *edustaa emoyhtiötä ulkomailla* be the parent company's agent abroad **2** (ilmentää) symbolize, represent, signify, stand for **3** (olla näyte jostakin) be a(n) example/sample/case of *Tämä mekko edustaa kevään kokoelmaamme* This dress is part of our spring collection **4** (kannattaa) advocate, support, be an advocate/supporter of **5** (järjestää juhlia tms) entertain

edusta-ajo (tietok) foreground run

edustaja representative **1** (kansanedustaja) Member of Parliament (Suomi/UK), member of Congress (USA:n kongressin jäsen), Representative/Congressperson (USA:n edustajainhuoneen jäsen), Senator (USA:n senaatin jäsen) **2** (valtuutettu) deputy, delegate, proxy, substitute, surrogate, proctor; (lähettiläs) emissary, envoi, spokesman; (liik) agent, procurator, commissioner; (lak) attorney, counsel *toimia jonkun edustajana oikeudessa* represent someone in court; (kuv) proponent, exponent, advocate, upholder, believer

edustajainkokous meeting of delegates/representatives, representative assembly

edustajanpaikka a seat (in parliament)

edustava 1 (kokonaisuutta edustava) representative, representing the whole, typical /typifying, illustrative **2** (jonkun arvovaltaa edustava) elegant, stylish, sumptuous, tasteful, exquisite, handsome, well-proportioned, well-appointed, attractive, distinguished, impressive, imposing

edusteilla represented

edustus representation, agency; (edustaminen) (business/diplomatic jne) entertainment

edustusasu uniform, livery

edustusasunto company-bought/-owned house/apartment

edustushuoneisto reception room(s)

edustuskelpoisuus representativeness

edustuskelpoinen representative

edustuslounas expense-account lunch; (kun edustaa virkaansa) official lunch, (valtio-

ta) state luncheon, (firmaansa) company lunch, (ark) power lunch

edustustilaisuus (official/state/social) reception

edustustili expense account

e-duuri E major

Edvard (kuninkaan nimenä) Edward

eebenholtsi ebony

eebenpuu ebony

eeden Eden

eepos epic

eeppinen epic

Eesti Estonia

eesti Estonian

eestiläinen Estonian

eetos (luonne, asenne, asennoituminen) ethos

eetteri ether

eettinen (etiikan mukainen) ethical

eettisyys (etiikan mukaisuus) ethicality

eetvartti (ark) *se teki eetvarttia* that hit the spot

eevan puvussa in her birthday suit

efekti (teho, tehoste) effect

efektiivinen (tehokas, todellinen) effective

efektiivisyys (tehokkuus) effectiveness

Efesolaiskirje (Paul's letter/epistle to the) Ephesians

egalitaari egalitarian(ist)

egalitaarinen egalitarian

egalitarismi egalitarianism

ego (psykologiassa minä) ego

egoismi (itsekkyys) egoism

egoisti (itsekäs ihminen) egotist, egoist

egoistinen (itsekäs) egoistic, (itsepönkitykseen perustuva) egotistic

egosentrikko (itsekeskeinen ihminen) egocentric

egosentrinen (itsekeskeinen) egocentric

egotismi (omahyväisyys) egotism

egotisti (omahyväinen ihminen) egotist

egotistinen (itsekeskeinen) egotistic(al)

Egypti Egypt

egyptiläinen *s, adj* Egyptian

ehdoin tahdoin deliberately, intentionally, on purpose

ehdokas candidate; (nimetty) nominee *olla eduskuntaehdokkaana* run/stand for Parliament *asettua ehdokkaaksi* enter/announce your candidacy

ehdokkuus candidacy

ehdollepano (yhden hakijan) nomination, (useamman) ranking

ehdollinen conditional, (ehdollistettu) conditioned

ehdollinen refleksi conditioned reflex

ehdollinen tuomio suspended/conditional sentence *saada ehdollinen tuomio* be put on probation

ehdollisesti conditionally

ehdollistaa condition

ehdollistua become conditioned/reflex, become second nature

ehdollistuminen conditioning, conditioned learning

ehdonalainen *s* parole *päästä ehdonalaiseen* get out on parole, be/get paroled *adj* conditional

ehdot conditions, terms; (koulussa) (vanh) conditions *saada ehdot* get moved up to the next grade on condition that you improve your marks in summer school *suorittaa ehdot* go to summer school to improve your marks in order to get moved up to the next grade

ehdoton 1 unconditional, absolute, complete, supreme, pure, full *ehdottoman luottamuksellinen* strictly confidential, top-secret *ehdottoman tarpeellinen* absolutely necessary, an absolute must **2** (rajoittamaton) unrestricted, unlimited, unbounded, unqualified **3** (taipumaton) unbending, unyielding, inflexible **4** (varma) categorical, positive, definite **5** (kiistämätön) unquestioned, undisputed **6** (ark: erinomainen) the greatest, awesome, fantastic, super

ehdoton aikaraja deadline

ehdoton edellytys essential condition, sine qua non

ehdoton enemmistö absolute majority

ehdoton raittius total abstinence, teetotalism

ehdoton refleksi unconditioned reflex

ehdoton vankeusrangaistus prison sentence without chance of parole

ehdottaa 1 (esittää) suggest, submit, advance (the proposition that), move, make a sug-

gestion, come forward with a proposal **2** (suosittaa) recommend, urge, advise, propose, counsel; (ark) vote *Ehdotan että syödään* I vote we eat **3** (panna ehdolle) put forward, nominate

ehdottomasti absolutely, positively, definitely, without question, unquestionably, beyond a shadow of a doubt, necessarily *Sinun on ehdottomasti mentävä!* You must go, it's imperative that you go!

ehdotus 1 (esitys) suggestion, proposal, proposition, (kokouksessa) motion **2** (suositus) recommendation, (piece of) advice, counsel **3** (luonnos) draft, outline **4** (suunnitelma) plan, project, scheme

eheyttävä 1 unifying, unificatory, integrative, consolidative, harmonizing

eheyttää 1 unify, integrate, consolidate, harmonize, bring (peace and) harmony to, bring unity to, (work to) make (more) harmonious **2** (tietok) defragment, (ark) defrag

eheytys unification, integration, consolidation, harmonizing

eheä ks ehjä

ehjin nahoin in one piece

ehjä 1 whole, entire, complete, full, total, perfect, pure **2** (osittamaton) in one piece, undivided, uncut, unbroken, intact, undiminished **3** (vahingoittumaton: esine) undamaged, unbroken, in one piece **4** (vahingoittumaton: ihminen) healthy, well, unharmed, uninjured, unhurt, in one piece, safe and sound, unscathed **5** (yhtenäinen) unified, integrated, consolidated, one, coherent, cohesive

ehkä maybe, perhaps, possibly *Etkö sinä ehkä menekään?* Is it possible that you won't be going? Is there some likelihood that you won't be going? *Ehkä en menekään* I may/might not be going (after all)

ehkäistä 1 (estää) prevent, keep from occurring, avert, block, bar **2** (pidättää) stop, halt, check, keep/hold back, hold up, stave/ward off **3** (torjua) thwart, frustrate, foil, arrest, nip in the bud, forestall; intercept, defend against, counteract, fend off **4** (tyrehdyttää) suppress, repress, stanch, stop

ehkäisy prevention, contraception

ehkäisyväline contraceptive (device), (erityisesti kondomi) prophylactic

ehostaa (kasvoja) make-up; (paikkoja) spruce/fix things up

ehoste cosmetic

ehostus (kasvojen) make-up; (paikkojen) improvement *talon ehostus* home improvement

ehta real, authentic *Tässä on ehtaa tavaraa, juo!* Drink up, this is the real stuff

ehtivä 1 (nopea) fast, quick (to act), prompt **2** (kätevä) skillful, able, dexterous, adroit, deft, adept **3** (tehokas) efficient, effective, effectual **4** (aikaansaapa) productive, prolific, busy, vigorous, active, dynamic, accomplishing much, on the ball

ehtiä 1 (keritä) have/find time (to do something), make it (on time), get there (on time), reach (a place on time) *En ehdi nyt jutella* I don't have time to talk *En millään ehdi kuudeksi* I'll never make it/get there by six **2** (saavuttaa) reach; (edetä) advance *Ehtinet Helsinkiin aamuksi* You'll probably reach Helsinki by morning *Pappa on ehtinyt 80 vuoden ikään* Grandpa's (reached) 80 *Tauti on ehtinyt jo melko pitkälle* The disease has already advanced pretty far, is already quite far along

ehto condition; (lak) stipulation, provision, proviso, clause (mon ks ehdot); (edellytys) condition, (pre)requisite, necessity, must *päästä/tulla ehdolle* to place/rank (in a competition), to make the final cut, to make the shortlist *panna/asettaa ehdolle* to place/rank (candidates in a race/competition/recruitment process), to (draw up a) shortlist

ehtolause conditional clause

ehtoo evening, (run) eve(n)

ehtoollinen (Holy) Communion, Lord's Supper, the Eucharist, the Holy/Blessed Sacrament; (kans) dinner, evening meal

ehtoolliskirkko Communion service

ehtoollisleipä (consecrated/sacramental/ eucharistic) bread/wafer, the Host, the Eucharist

ehtoollisviini (Communion/sacramental) wine

ehtymätön inexhaustible, unflagging, unfailing; (loputon) bottomless, endless, boundless

ehtyä 1 (nesteestä) run dry, dry up **2** (loppua: muusta aineesta) be depleted, be exhausted, be used up, run short **3** (heiketä) ebb, decline, fade away, abate, subside

ehyt ks ehjä

ehättää hasten, hurry, rush, make haste, lose no time *ehättää ennen* get there first, beat somebody to the punch *ehättää tehdä jotakin* hasten/hurry/rush to do something, lose no time in doing something *ehättää väliin* cut in, interrupt, interject

ei no, not, (ark) nope, (run, myös ei-näin) nay

ei ainoastaan leivästä (man cannot live) by bread alone

ei ajatella nenäänsä pitemmälle not (be able to) think past your own nose

ei alkuunkaan not at all, (ark) no way

ei asia puhumalla parane talking's not going to get us anywhere

ei auta itku markkinoilla no use crying over spilled milk

eideettinen (aistimusvoimainen) eidetic

ei enempää eikä vähempää no more, no less

ei halaistua sanaa not a word *hän ei sanonut halaistua sanaa* she didn't say a word, we didn't get even a peep out of her

ei hassumpaa not bad, not too shabby

ei haukkuva koira pure his bark is worse than his bite

ei hosuen hyvää synny slow and steady wins the race

ei hullumpaa not bad

ei hätä ole tämän näköinen it's not as bad as it looks

ei kaikki kultaa, mikä kiiltää everything that glitters is not gold

ei kaksi kolmannetta it never rains but it pours

ei kasvaa joka oksalla doesn't grow on trees

ei kenenkään maa No Man's Land

ei kestää päivinvaloa not (be able to) stand the light of day

ei kirveelläkään no way, under no circumstances, absolutely not, over my dead body *et ota sitä multa kirveelläkään* you'll have to rip it from my cold dead fingers

ei kukaan ole profeetta omalla maallaan no man is a prophet in his own land

ei kukko ole seppä syntyessään practice makes perfect

ei kukko käskien laula you can drag a horse to water but you can't make him drink

ei kuuna päivänä not in a million years

ei lahjahevosen suuhun katsota don't look a gift horse in the mouth

eilen yesterday

ei liikuttaa eväänsäkään not move a finger

eilinen *s* yesterday *adj* yesterday's

eilisen teeren poika born yesterday *En ole mikään eilisen teeren poika* I wasn't born yesterday

eilisiltä yesterday evening, (ark) last night

eilisiltainen yesterday evening's, last night's *Unohda se eilisiltainen kysymykseni* Forget what I asked you last night

ei Luojakaan laiskoja elätä the Lord helps those who help themselves

ei mailla eikä halmeilla nowhere to be found *häntä ei näkynyt mailla eikä halmeilla* we found neither hide nor hair of him

ei maksaa vaivaa not be worth it, not be worth the candle

ei mennä virran mukana not go with the flow

ei mikään ruudinkeksijä no Einstein, no rocket scientist

ei missään nimessä no way, under no circumstances

ei mitään muttia no buts

einekset deli(catessen) food

ei niin pahaa ettei jotain hyvääkin every cloud has a silver lining

ei nähdä metsää puilta not see the forest for the trees

ei nähdä nenäänsä pitemmälle not see past your nose

ei olla ensi kertaa pappia kyydissä not be born yesterday, not be wet behind the ears

ei olla kaksinen not be anything to shout about, not be anything to write home about

ei olla koiraa karvoihin katsominen beauty's skin deep

ei olla köyhä eikä kipeä (hiprakassa) be feeling no pain

ei olla millänsäkään not let something affect you, be cool

ei olla mistään kotoisin be worthless, useless *Tuo arvostelu ei ole mistään kotoisin* That review isn't worth the paper it was printed on *Koko mies ei ole mistään kotoisin* The man is a waste of air

ei olla moksiskaan not care/worry, be cool

ei olla naurun asia be no laughing matter

ei omena kauas puusta putoa the apple falls not far from the tree

ei onni potkaise kahdesti opportunity only knocks once

ei oppi ojaan kaada a little learning never hurt anybody, a little learning won't kill you

ei ottaa kuuleviin korviinsa be deaf to

ei panna tikkua ristiin not lift a finger (to help)

ei pennin hyrrää not a red cent, not a plug nickel

ei pidä mennä merta edemmäs kalaan what you're looking for is right under your nose

ei pisara meressä tunnu it's a drop in the bucket/in the ocean

ei päästä puusta pitkään still be stuck at square one

ei rakkautta ilman kärsimystä no pain no gain

ei Roomaa rakennettu yhdessä päivässä Rome wasn't built in a day

ei saa antaa auringon laskea vihansa ylle don't let the sun set on your anger

ei savua ilman tulta where there's smoke, there's fire

ei se pelaa joka pelkää get out of the kitchen if you can't stand the heat

ei-sepitteinen non-fictional

ei siitä paljon parta pauku it's like farting in the wind

ei sitä ole kirkossa kuulutettu it ain't over till the fat lady sings

ei sääntöä ilman poikkeusta the exception proves the rule

eittämättä without question/doubt, beyond a shadow of a doubt

ei tulla kuuloonkaan be out of the question

ei-tupakka nonsmoking *Tupakka vai ei-tupakka?* Will that be smoking or nonsmoking?

ei vanha koira istumaan opi you can't teach an old dog new tricks

ei vara venettä kaada better safe than sorry

ei vierivä kivi sammaloidu a rolling stone gathers no moss

ei yksi pääsky kesää tee a single/one swallow does not make a summer

ei yrittänyttä laiteta if at first you don't succeed, try again

ejakulaatio (siemensyöksy) ejaculation

eka (ark) first

ekaluokkalainen (ark) first-grader

eklektikko (eklektisismin harjoittaja) eclectic

eklektinen (valikoiva) eclectic

eklektisismi (toisten kehittämien ajatusten ja tyylien valikointi ja yhdistely) eclecticism

eklipsi (auringon/kuunpimennys) eclipse

ekologi (ekologian tutkija) ecologist

ekologia (oppi eliöiden ja niiden luonnon-ympäristön välisistä suhteista) ecology

ekologinen (ekologiaan liittyvä) ecological

ekonomi someone who majored in business, business graduate; B.A./B.S. in business (huom: economist = taloustieteilijä)

ekonomia (talous, säästäväisyys) economy

ekonominen 1 (talouteen liittyvä) economic **2** (säästäväinen) economical

ekonomisti economist

ekosfääri (koko planeetan ekosysteemi) ecosphere

ekosysteemi (eliöiden ja niiden luonnonympäristön muodostama kokonaisuus) ecosystem

ekotalo (ympäristöystävällinen asuintalo) ecohouse, ecohome, (muu rakennus) ecobuilding

ekoturismi (ympäristöaiheinen matkailu) ecotourism

ekotyyppi ecotype

eksakti (tarkka) exact *eksaktit tieteet* the exact sciences

eksaktius (tarkkuus) exactitude

eksaltaatio (hurmio) exaltation

eksaltoitua (hurmioitua) be exalted

ekseema (rohtuma) eczema

eksegeesi (raamatunselitys) exegesis

eksegetiikka (raamatunselitysoppi) exegetics

eksekuutio (teloitus, täytäntöönpano) execution

eksellenssi 1 (erinomaisuus) excellence **2** (arvonimi) Your/His Excellency

eksellentti (erinomainen) excellent

eksemplaari (esimerkki) exemplar

eksemplaarinen (esimerkillinen) exemplary

eksempio (erivapaus) exemption

eksentrikko (omaperäinen ihminen) eccentric

eksentrinen (epäkeskinen, omaperäinen) eccentric

eksentrisyys (epäkeskisyys, omaperäisyys) eccentricity

ekseptio (poikkeus) exception

ekseptionaalinen (poikkeuksellinen) exceptional

eksessi (liikamäärä) excess

eksessiivinen (liiallinen) excessive

ekshibitio (näyttely) exhibition

ekshibitionismi (itsensä paljastaminen tai esille tuominen tai sen tarve) exhibitionism

ekshibitionisti (itsensäpaljastaja tai henkilö, jolla on tarve tuoda itseään esille) exhibitionist

ekshibitionistinen (ekshibitionismin mukainen) exhibitionistic

eksiili (maanpako) exile

eksisteerata (olla olemassa) exist

eksistenssi 1 (olemassaolo) existence, subsistence **2** (toimeentulo) subsistence, livelihood

eksistentiaalinen (olemassaoloon liittyvä) existential

eksistentialismi (filosofian suunta jonka mukaan ihminen itse luo olemustaan vapailla valinnoillaan) existentialism

eksistentialisti (eksistentialismin kannattaja) existentialist

eksistentti (olemassa oleva) existent

eksistoida (olla olemassa) exist

eksitaatio (kiihtymys, virittyminen) excitation

eksklamaatio (huudahdus) exclamation

eksklusiivinen (pois sulkeva, valikoiva) exclusive

ekskluusio (poissulkeminen) exclusion

ekskommunikaatio (seurakunnasta erottaminen) excommunication

ekskrementti (uloste) excrement

ekskursio (retki) excursion

eksoottinen (kiehtovan erilainen) exotic

eksosfääri (ilmakehän uloin kerros) exosphere

eksoteerinen (helppotajuinen) exoteric

eksotiikka (kiehtova erilaisuus) exoticism

eksotismi (eksoottisten asioiden ihailu) exoticism

ekspansiivinen (laajenemaan pyrkivä) expansive

ekspansio (laajeneminen, laajentaminen) expansion

ekspansiopolitiikka (aluelaajennuspolitiikka) expansionism, expansionist (foreign) policy

ekspatriaatti (ulkomailla asuva) expatriate, (ark) expat

ekspensiivinen (kallis) expensive

eksperimentaalinen (kokeellinen) experimental

eksperimentaatio (kokeilu) experimentation

eksperimentoida (kokeilla) experiment

eksperimentti (koe) experiment

ekspertti expert

eksplanaatio (selitys) explanation

eksplikaatio (tulkinta) explication

eksplikoida (tulkita) explicate

eksplisiitti(nen) (suoraan ilmaistu) explicit

eksplisoida (ilmaista suoraan) make explicit, (fil) explicitate

eksploatoida (käyttää hyväkseen) exploit

eksplodoida (räjähtää) explode

eksploitaatio (hyväksikäyttö) exploitation

eksploosin (räjähdys) explosion

eksploraatio (tutkimus) exploration

eksploraattori (tutkija, tutkimusmatkailija) explorer

eksploratiivinen (tutkiva) exploratory *exploratiivinen leikkaus* exploratory surgery

eksplosiivinen (räjähdysaltis) explosive

eksponentiaalinen (eksponenttifunktion mukainen) exponential

eksponentti 1 (potenssin ilmaiseva luku) exponent, power **2** (ilmentymä) index

eksponoida (asettaa näytteille) exhibit

eksportoida (viedä maasta) export

eksportti (vienti) export

ekspositio (näytteillepano, esittelyjakso) exposition

ekspressi (pikálähetys, pikajuna) express

ekspressiivinen (ilmaisuvoimainen) expressive

ekspressionismi (taiteen suuntaus jossa todellisuus pyritään kuvaamaan tunteen mukaisesti) expressionism

ekspressionisti (ekspressionismin kannattaja) expressionist

ekspressionistinen expressionist(ic)

ekspressiviteetti (ilmaisuvoima) expressivity

ekspropriaatio (pakkolunastus) expropriation

ekspulsio (poistyöntäminen) expulsion

ekstaasi (hurmio) ecstasy

ekstaatikko (hurmiotilaan hakeva ihminen) ecstatic

ekstaattinen (ekstaasiin liittyvä) ecstatic

ekstensiivinen (laaja) extensive

ekstensio (laajentaminen, ojentaminen) extension

ekstensionaalinen (ekstensioon perustuva) extensional

eksteriööri (ulkopuoli) exterior, (ulkokuva) exterior (shot)

ekstinktio (sukupuutto) extinction

ekstra (ylimääräinen) extra

ekstraditio (syytetyn luovuttaminen maasta toiseen) extradition

ekstrahoida (erottaa, uuttaa) extract

ekstrakti (ote, uute) extract

ekstraktio (poistaminen, uuttaminen) extraction

ekstrasensorinen perseptio (aistien ulkopuolinen havainnointi) extra-sensory perception, ESP

ekstravaganssi (liioittelu, kohtuuton ylellisyys) extravagance

ekstravagantti (liioitteleva, tuhlaileva) extravagant

ekstreemi adj (liiallinen) extreme s (ääriarvo) extreme

ekstremismi (taipumus äärimmäisyyksiin) extremism

ekstremisti (äärimmäisyyksiin taipuvainen ihminen) extremist

ekstremiteetti (äärimmäisyys, raaja) extremity

ekstroversio (ulospäin suuntautuneisuus) extroversion

ekstrovertti (ulospäin suuntautunut) adj extroverted s extrovert

eksyksissä lost *joutua eksyksiin* get lost *selvitä eksyksistä* find your way again

eksyttää 1 (karistaa kannoilta) lose, shake off, ditch **2** (johtaa harhaan) mislead, misguide, lead astray **3** (harhauttaa) deceive, delude, pull the wool over someone's eyes

eksyä 1 get lost, go astray, lose your way **2** (poiketa) stray, wander, deviate **3** (erehtyä) err

ekumeeninen (yleiskirkollinen) ecumenical

ekumenia (yleiskirkollisuus) ecumenia

ekumeniikka (kristittyjen ja kirkkojen yhteistyön tutkimus) ecumenics

ekvaattori (päiväntasaaja) the Equator

ekvalisaattori (äänentoistolaitteistossa) equalizer

ekvatoriaalinen (päiväntasaajan) equatorial

ekvilibrium (tasapaino) equilibrium

ekvivalenssi (vastaavuus) equivalence

ekvivalentti (vastaava) equivalent

elaatio (riemu) elation

elastinen (kimmoisa) elastic

elastisuus (kimmoisuus) elasticity

elatiivi (sijamuoto, esim. sarvesta) elative

elatus 1 (toimeentulo) living, livelihood, income, subsistence, means of support **2** (ylläpito) maintenance, support, (up)keep **3** (elanto) bread (and butter), food on the table *hankkia elatus* make a(n honest) living (by), put food on the table

elatusapu (aviopuolisolle) alimony, (avopuolisolle) palimony; (muu elatusmaksu) maintenance allowance

ele gesture (myös kuv); gesticulation, bodily/hand/arm movement *Se oli kaunis ele, sovinnon ele* That was a nice/conciliatory gesture

elefantti elephant

eleganssi (tyylikkyys) elegance

elegantti (tyylikäs) elegant

elekieli (viittomakieli) sign language; (ark) gestures, hand signs *viestiä elekielellä* (viittoa) sign, (elehtiä) communicate with gestures/hand signs, point to what you want

elektrodi electrode

elektroni electron

elektroniikka electronics

elektronimikroskooppi electron microscope

elektroninen electronic

elektroninen valokuvaus still video, electronic photography

elektronisalamalaite electronic flashlight, electronic flash

elektronisäde electron beam

elektronitykki electron gun

elellä live (from day to day), get by (somehow), get along

elementaarinen (alkeellinen) elementary

elementti element

elementtitalo prefab(ricated) house

eli or, in other words, that is (to say)

elimellinen organic

eliminoida (poistaa) eliminate

eliminointi elimination

elimistö system, body; (biol) organism *Maitorasvat ovat pahoja elimistölle* Milk fats are bad for the system/body *Sinun elimistösi ei kestä yhtään alkoholia* Your body can't take any alcohol at all, even a drop of alcohol would be disastrous for your system

elin 1 (ruumiillinen) organ (mon) system (ks elimistö) *ruuansulatuselimet* the digestive system **2** (poliittinen) body, organ; agency, committee, commission, board

elinaika lifetime, lifespan, life; your time on earth, your three score and ten *kaiken elinaikani* as long as I live, all my life, while I'm here on earth *keskimääräinen elinaika* average life expectancy

elinalue territory

elinehto 1 (olemisen edellytys) vital/absolute necessity, prerequisite, lifeblood **2** (toimeentulon edellytys, usein mon) (bare) necessities, exigency/exigencies, (minimal) living conditions

elinikä lifetime, lifespan

elinikäinen lifelong

elinkautinen s life (sentence) *Hän sai elinkautisen* He got life, he was sentenced to life imprisonment *adj* (tuomio) life (sentence), (elinikäinen) lifelong

elinkeino 1 (source/means of) livelihood, means of support, source of income **2** (työ) occupation, vocation, calling, (line of) business/work, trade, profession, career **3** (toimiala) industry

elinkeinoelämä business, the business world, commerce, commercial life, industry (and commerce), the economy, economic life, trade (and commerce), the private sector *elinkeinoelämän edustajat* representatives of the business world/the private sector, (-valtuuskunta) commercial delegation

elinkeinorakenne economic/commercial structure

elinkelpoinen viable, capable of living/surviving *elinkelpoinen idea* viable/feasible idea

elinkelpoisuus viability, feasibility

elinkustannukset cost of living

elinkustannusindeksi cost-of-living index, consumer price index

elinsiirto organ transplant

elintarvikekauppa grocery store; (toimiala) grocery business

elintarvikelisäaine (food) additive

elintarviketeollisuus food (manufacturing /production) industry

elintarvikkeet food(stuffs), staples, groceries

elintaso standard of living

elintasokilpailu the rat race

elintasopakolainen standard of living refugee

elintärkeä vitally important, essential, absolutely necessary, indispensable *elintärkeä asia* a matter of life and death

elinvoima vitality, vigor, stamina, energy; (filos) life/vital force *pursua elinvoimaa* to bubble over with energy, effervesce

elinvoimainen vital, vigorous, energetic, effervescent

elinympäristö environment, environs, setting, surroundings, locale; (eläimen) habitat

Elisabet (kuningattaren nimenä) Elizabeth

elitismi (eliitin valta-asema tai sitä kannattava suuntaus, ylimielisyys) elitism

elitistinen (elitismiin liittyvä) elitist

eliö (living) organism/creature/being

elkeet (kujeet) tricks, pranks, (tavat) ways

ellei 1 (jos ei, kielteinen ehto) if not *Olisimme ehtineet ellei Marja olisi viivyttänyt meitä* We would have made it if Marja hadn't slowed us down *Koulussa on 400 oppilasta, ellet enemmänkin* There are 400 students at this school, if not more **2** (paitsi jos, myönteinen ehto) unless *Minä lähden, ellet estä* I'm leaving unless you stop me

ellei vuori tule Muhammedin luo, on Muhammedin mentävä vuoren luo if the mountain won't come to Mohammed, Mohammed will have to go to the mountain

ellipsi 1 (sanomatta tai kirjoittamatta jättäminen) ellipsis **2** (soikio) ellipse

elliptinen (lyhentynyt ellipsin kautta, soikea) elliptic(al)

ellottaa make you sick (to your stomach), make you want to throw up/vomit, nauseate

elo 1 (elämä, henki) life, living *herättää eloon* revive, revivify, resuscitate, resurrect *jäädä eloon* live, survive *jättää eloon* let someone live, spare someone's life *saada väsyneeseen moottoriin eloa* get some life into the tired engine *sortua tien tiellä* fall by the wayside **2** (vilja) grain, (Br) corn, (mon) crops

elohiiri tic

elohopea mercury, (vanh ja kuv) quicksilver *Sinä olet vilkas kuin elohopea!* You move like quicksilver!

eloisa vibrant, vivacious

eloisuus vibrancy, vivacity

elo ja olo way of life

elojuhla harvest festival

elokuu August

elokuva (ark, US) movie, motion/moving picture, flick; (hieno, UK) film; (kokoillan) feature film, full-length feature; (lyhyt-) short *mennä elokuviin* (ark, US) go to the movies, go to/see a movie; (hieno, UK) go to the cinema *olla elokuvissa* (ark, US) be at the movies, at the picture show; (hieno, UK) be at the cinema *esiintyä elokuvissa* (ark, US) star in movies, be in (the) pictures, be a movie star/actor/actress; (hieno, UK) be in films, be a film star/actor/actress

elokuva-ala (ark, US) the movies; (hieno, UK) film, cinema

elokuva-arvostelu movie/film review

elokuvafilmi movie/cinema film

elokuvajuhla film festival

elokuvakamera movie/film camera

elokuvamusiikki movie/film music, theme music; (äänitteenä) sound track

elokuvaprojektori movie/film projector

elokuvasensuuri motion picture/movie/film censorship

elokuvasovitus screen adaptation, adaptation for motion pictures, cinematization

elokuvastudio movie/film studio

elokuvata make/shoot a movie/film

elokuvataide cinema(tic art)

elokuvateatteri (US) movie theater, (UK) cinema

elokuvateollisuus movie/film/motion-picture industry

elokuvaus filming, making a movie/film, motion picture photography, cinematography

elokuvayhtiö motion-picture corporation, (ark) (movie) studio

elollinen living, organic

elollistaa personify

elonkorjuu harvest(ing), reaping, (crop) gathering

elonmerkit signs of life

elonpäivät days/years of life

eloonjääneet survivors

elopaino weight on the hoof

eloperäinen organic, of organic origin

eloperäinen aine organic matter

eloperäinen jäte organic waste

elosalama sheet/heat/summer lightning

elossa alive *elossa oleva* living

elostelija 1 (naistenmies) rake(hell), seducer, womanizer, Don Juan, Lothario, Casanova **2** (irstailija) roué, lecher, debauchee, immoralist, sensualist, voluptuary, libertine, profligate, loose liver, man of loose morals

elostella lead a loose/fast/dissolute/dissipate life, lead a life of debauchery/excess/lechery/immorality/profligacy/indecency, have no care for the morrow

elostelu dissolution, dissipation, debauchery

eloton 1 lifeless, inanimate, dead, inert **2** (tylsä) dull, boring, colorless, spiritless, unspirited **3** (ilmeetön) unexpressive, expressionless, unanimated, flat, blank, vacant

elottomuus 1 lifelessness **2** (tylsyys) dullness, lack of life/spirit **3** (ilmeettömyys) expressionlessness, lack of expression, flat/blank/vacant stare

elpyminen recovery; return to strength/health/good condition/prosperity, improvement, turn for the better, economic upturn, boom

elpyä 1 (toipua) recover, revive, recuperate, return to strength/health/good condition, get your strength back, take a turn for the better, get better, rally, come around **2** (vilkastua) pick up, look up, catch/take fire, (start to) take off, get livelier, improve **3** (vaurastua jälleen) (begin to) flourish/prosper/thrive (again) *Firma alkaa elpyä* Things are looking up again for the company, business is picking up again, the company is ready to take off (again)

El Salvador El Salvador

eltaantua spoil, go/turn bad/rancid/sour, putrefy

elukka animal, beast, creature, critter *Senkin elukka mä vihaan sua!* You beast, I hate you!

elvyke stimulus, incentive, (ark) shot in the arm

elvyttää 1 (virvoittaa) revive, resuscitate, bring back to life, restore to life **2** (virkistyttää) revive, resuscitate, infuse new life into, refresh, freshen, renew, enliven, improve, quicken

elvytys 1 (henkiinherättäminen) resuscitation **2** (vilkastuttaminen) renewal, revival, resuscitation, improvement, reanimation, stimulation

elähdyttävä invigorating, stimulating, enlivening, inspiring

elähdyttää invigorate, stimulate, (sisustusta tms) spruce/liven up, (juhlia) liven up

elähtäneen näköinen looking wornout, looking the worse for wear

elähtänyt past your prime, faded, (pettynyt) jaded, world-weary *elähtänyt kaunotar* fading/aging beauty

eläimellinon 1 (eläimeen liittyvä) animal **2** (eläimen kaltainen) bestial, beastly, brutal, brutish **3** (raaka) cruel, ruthless, barbaric, barbarous, savage, inhumane

eläimistö animal kingdom/world, (jonkin paikan kaikki eläimet) fauna

eläin animal, brute, beast, creature; (villi)dumb/wild animal/beast; (koti-) domestic /farm animal, pet *tehdä työtä kuin pieni eläin* work like a dog/horse

eläinjalostus animal husbandry, livestock breeding

eläinkanta animal population, fauna

eläinkoe animal experiment, animal test

eläinkunta animal kingdom

eläinlaji animal species

eläinlääketiede veterinary medicine

eläinlääketieteellinen veterinary

eläinlääkäri vet(erinarian), (UK) veterinary (surgeon)

eläinmaantiede zoogeography

eläinmaantieteellinen zoogeographical

eläinnäyttely livestock fair, (hist) menagerie

eläinoppi zoology

eläinpsykologia animal psychology, etology

eläinpuisto wildlife park

eläinrasva animal fat

eläinrata zodiac *eläinradan merkit* signs of the zodiac

eläinrääkkäys cruelty to animals

eläinsairaala veterinary hospital

eläinsuojelu prevention of cruelty to animals

eläinsuojelulaki Prevention of Cruelty to Animals Act

eläintarha zoo(logical gardens)

eläintenkesyttäjä animal trainer/tamer

eläintenpalvonta animal worship, zoolatry

eläintentäyttäminen taxidermy

eläintiede zoology

eläintieteellinen zoological

eläjä creature, living being *metsän eläjät* denizens of the woods, forest creatures /animals *omillaan elaja* self-supporter

eläke pension, retirement pay, annuity

eläkeikä retirement age

eläkeikäinen of retirement/pensionable age; superannuated, senior citizen

eläkeläinen pensioner, retired person, senior citizen

eläkemaksu contribution to the retirement /pension fund/plan

eläketurva retirement plan

eläkevakuutus retirement/pension insurance

eläkevuosi year of retirement

eläkkeensaaja pensioner

eläköön s (eläköön-huuto) cheer *interj* hooray! hurrah! *Eläköön päivänsankari!* Let's hear it for the birthday boy! Three cheers for the birthday girl! *Eläköön kuningatar!* Long live the queen!

eläköön se pieni ero! vive la difference!

elämyksellinen memorable, powerful, moving, stunning

elämys memorable/powerful/moving experience, emotional response

elämä 1 life (mon lives); (elinaika) life(time); (elämäntapa) living, way of life, lifestyle **2** (ark) noise, racket, din, clamor, uproar *Ulkona pidettiin kovaa elämää koko yö* There was a terrible racket outside our windows all night

elämä ei ole ruusuilla tanssimista life isn't a bed of roses

elämä hymyilee life smiles (on) *kovien vuosien jälkeen taas elämä hymyilee* after the hard years life is smiling again

elämäkerrallinen biographical

elämäkerta biography

elämänarvot values, priorities, the important things in life

elämänasenne philosophy, attitude (toward life), outlook (on life)

elämänfilosofia philosophy (of life), outlook on life

elämänilo joie de vivre, joy of life; zest (for living), zeal, gusto, enjoyment, enthusiasm, verve, passion (for life/living)

elämäniloinen exuberant, enthusiastic, passionate, lively, spirited, animated, eager, energetic, zestful

elämän ilta the evening of life, the autumnal years, the declining years

elämänjano thirst for life; ks myös elämänilo

elämänkaari (course of) life

elämänkatsomuksellinen philosophical, ideological, doctrinal

elämänkatsomus world view, view of life, philosophy, outlook (on life)

elämänkatsomustieto (koulussa) ethics

elämänkielteinen pessimistic, nihilistic, negative

elämänkokemus (life) experience, experience of life

elämän kova koulu school of hard knocks

elämänlaatu quality of life

elämänlanka 1 (elämä) the thread of life *hoikka kuin elämänlanka* slender as a thread/reed, thin as a rail/fence pole **2** (kasvi) morning glory

elämänmeno life, pace/course of life *nopea elämänmeno* life in the fast lane

elämänmyönteinen optimistic, positive, hopeful

elämänohje maxim, rule of conduct, (guiding) principle; (mon) code (of ethics)

elämän saatossa in the course of life

elämänsisältö *Perhe on elämäni sisältö* My family is my whole life, I live (only) for my family

elämänsä kunnossa/vireessä in the best shape ever

elämänsä mies Mr. Right

elämänsä nainen Ms. Right

elämäntahti pace/rhythm of life

elämäntaipale course of life

elämäntaiteilija bon viveur, someone who really knows how to live

elämäntapa way of life, lifestyle

elämän taso standard of living

elämäntehtävä mission/aim in life, calling, life's work

elämäntoveri companion (for life), (life) partner, (life) mate

elämäntuska existential anguish/suffering

elämäntyyli lifestyle

elämäntyö life's work, calling

elämänura career, calling, profession, vocation, occupation

elämänusko life-sustaining faith, belief in life

elämänvaihe stage/phase of life

elämän vesi (raam) water of life, (kuv) elixir of life, aqua vitae (alkoholi)

elämänväsymys ennui, apathy, weariness, indifference, jadedness, exhaustion

elämöidä make a racket, (huutaa) yell and scream, whoop and holler

elätellä nurse (hopes/a grudge), nurture (great thoughts), harbor (bitterness/a grudge), cherish (a fond hope), keep (your hopes/anger) alive, cling to

elätti pet *pitää siiliä elättinä* keep a hedgehog as a pet

elättäjä supporter, breadwinner, provider

elättää 1 (hankkia elatus) support, maintain, provide for, provide food for, put food on the table for, keep, pay for **2** (ruokkia) feed, nourish, nurture, sustain, keep alive **3** (ihminen elättää tunnetta) nurse (hopes/a grudge), nurture (great thoughts), harbor (bitterness/a grudge), cherish (a fond hope), keep (your hopes/anger) alive, cling to **4** (tunne elättää ihmistä) carry, support, sustain, prop up, give you a lift, lift up, hold up, feed, nourish, provide spiritual sustenance *Toivo köyhän elättää, pelko rikkaan kuolettaa* Hope feeds the poor, fear devours the rich

elättää käärmettä povellaan harbor a viper in your bosom

elättää toivoa hold out hope, keep your hope alive

elävien kirjoissa alive, in the land of the living

elävyys liveliness, life, spirit(edness), vivacity, animation

elävä s (eliö) living being, creature; (ihminen) living person, real person; (mon) the living, people on earth, people this side of the grave, (usk) the quick *tulee tuomitsemaan eläviä ja kuolleita* will come to judge the quick and the dead *adj* **1** (elossa) living, alive, breathing, quick, animate *On ihmeellistä nähdä tv-sankuri elävänä* It's incredible to meet one of your TV heroes in the flesh, in person, in real life **2** (eloisa) lively, spirited, vivacious, animated, full of life/spirit

elävä elämä real life

elävä kieli a living language

elävältä *nylkeä/keittää elävältä* skin/boil alive

elävä musiikki live music

elävän näköinen life-like

elävänä tai kuolleena dead or alive

elävä tietosanakirja walking encyclopedia

elävöittää 1 (tehdä eloisaksi) enliven, liven up, animate, cheer up, brighten (up), quicken, pep up, inspire, excite, quicken, vitalize; (uudelleen) renew, rejuvenate **2** (herättää henkiin) give life, breathe life into, bring (back) to life, resuscitate, revive **3** (taiteessa) make (a character/ scene) come to life, feel alive, feel real, bring to life

elävöityä 1 (tulla eloisaksi) come alive, liven up, become animated, cheer up, brighten (up), become/get inspired/excited, perk up, light up **2** (saada eloa) be(come) invigorated, get your strength/energy back, shake off depression/despair/the doldrums

elää *itr* **1** (olla elossa) be alive, have life, draw breath, breathe, have being, exist, be, be animate **2** (asua, elellä jossakin) live, reside, dwell, abide, make your abode/home (somewhere), pass your life (somewhere) **3** (saada elatus) subsist, survive, get on/along/by, support yourself, make ends meet, keep body and soul together *Miten sinä pystyt elämään (kun*

rahaa on niin vähän)? How do you get by, how do you survive? *Hän eli kituuttaen* She eked out a meager existence **4** (saada elantonsa jostakin) live on/off/by, subsist on, support yourself by, earn your living/ livelihood by **5** (saada hengenravintoa jostakin) live by/on/off, take nurture/heart from, draw strength/power/fortitude/sustenance from **6** (liikettiä) move, stir, bustle, be active, come to life, be lively, be full of life *Satama alkaa elää jo ennen aamua* The waterfront begins to stir before sunup **7** (jäädä eloon) survive, last, live on, persist, endure, abide, prevail, stand (the tests of time), stay/remain alive *tr* **8** (viettää) live, pass, spend, while away, use, fill, occupy *Hän eli mukavaa elämää* He lived a life of ease **9** (joutua kestämään) undergo, go/live through, endure, suffer, withstand **10** (kokea) experience, feel, respond to, be touched/stirred/moved by *elää yhteistä hetkeä* share an experience **11** (asua) live in, inhabit, reside in, dwell in, occupy, take up residence in

elää herroksi live large, live like a king, live like the Rockefellers

elää ihmisiksi behave yourself

elää kituuttaa eke out a meager existence

elää kuin pellossa live like barnyard animals

elää kuin viimeistä päivää live fast, die young, leave a beautiful corpse

elää kädestä suuhun live (from) hand to mouth

elää leveästi live high on the hog, live the life of Riley; (tuhlata) go through money like water, drink champagne on a beer budget

elää omaa elämäänsä live your own life

elää puutteessa live in need/want

elää tohvelin alla be (pussy-)whipped

elää yli varojensa live beyond your means

e-mail (sähköposti) e-mail

emakko sow

emali enamel

emaloida enamel

emalointi enameling

emansipaatio (vapautus) emancipation *naisten emansipaatio* women's liberation

emansipoida (vapauttaa) emancipate
emansipoitua (vapautua) be emancipated
emansipoitunut (vapautunut) emancipated
emblemi (tunnus-/vertauskuva) emblem
emblemaattinen (vertauskuvallinen) emblematic
emblematiikka (tunnuskuvia käsittelevä tiede/käyttävä taide) emblematics
emergenssi 1 (uuden äkillinen esilletulo) emergence **2** (hätä) emergency **3** (solukko-karva) emergence, enation
emfaattinen (ponnekas) emphatic
emi (kasv) carpel, pistil
emigraatio (maastamuutto) emigration
emigrantti (maastamuuttaja) emigrant
emigroida (muuttaa maasta) emigrate
eminenssi (arvonimi) Eminence *harmaa eminenssi* gray eminence
emissio emission
emo mother, dam
emokortti (tietokoneen) motherboard
emolevy (tietok) motherboard
emootio emotion
emotionaalinen emotional
emoyhtiö parent company, main office
empaattinen (eläytyvä) empathetic
empatia (eläytymiskyky) empathy
empiirinen empirical
empirismi empiricism
empiristi empiricist
empivä hesitant, uncertain, unsure, irresolute, wavering, vacillating, doubtful
empiä hesitate, be hesitant/uncertain/unsure /irresolute, waver, vacillate, shilly-shally, dillydally, straddle the fence
emulointi emulation
emäkarhu she-bear
emäkirkko mother church
emäksinen alkaline, basic
emäksisyys alkalinity, basicity
emämunaus (ark) royal foulup/fuckup, fiasco
emännöidä 1 run/manage a house(hold), keep house **2** (toimia emäntänä) act as hostess, preside (over a party, at table)
emäntä 1 (vihitty) house)wife, the lady of the house **2** (palkattu) housekeeper; (juh-lan) hostess **3** (laitoksen) matron, mistress, manageress

emäpuolue main party
emäpurje mailsail
emäs base, alkali
emätin vagina
emävale (ark) big fat lie, dirty rotten lie
emäyhtiö parent company
enemmistö majority
enemmistödiktatuuri dictatorship of the majority
enemmistöhallitus majority government
enemmistöpuolue majority party
enemmistövaalit election by simple majority
enemmittä puheitta without further ado
enemmän 1 more, a greater number/amount /quantity *pitää enemmän* prefer, favor *enemmän kuin vaikea tehtävä* extremely /unbelievably difficult task *Siellä on enemmän kuin 100 ihmistä* There's upwards of 100 people in there **2** (pikem-min(kin)) rather, more *Minusta se on enemmän beesi kuin valkoinen* I'd say it's more beige than white, beige rather than white *Martta on enemmän laulaja kuin pianisti* Martta is more of a singer than a pianist
enemmän tai vähemmän more or less
enempi ks enemmän
enentää increase, enlarge, expand, augment, add to, make greater/larger
energia 1 (sähkö- jne) energy, power, force **2** (tarmo) energy, vitality, vigor, zest, zeal, enterprise, drive, hustle
energialaji energy type, type of power
energian kulutus energy/power consumption
energiapolitiikka energy policy
energinen energetic, active, vigorous, enterprising, forceful, dynamic, go-getting, high-powered, hard-working, industrious
enetä grow, increase
englanninkielinen English, in English, English-language
englanninnos English translation
englanninataa translate into English
englanti (kieli) English, the English language
Englanti England
englantilainen *s* Englishman, Englishwoman *englantilaiset* the English *adj* English

79   **ennen**

enigma (arvoitus) enigma

enimmäishinta maximum/fixed/top/ceiling price

enimmäismäärä maximum (amount), highest amount; (lakisääteinen) legal maximum

enimmäkseen mostly, primarily, chiefly, for the most part, largely, mainly, principally, for; (useimmiten) in most cases, as a rule, most often, generally

enimmät most, almost all

enin the greatest, (the) most *enin mitä voi sanoa* the most you can say *enin osa* the greater (greatest) part, most of it

enintään at (the) most, not more/higher/longer/bigger jne than *enintään kaksi viikkoa* at most two weeks, two weeks at (the) most, (ark) two weeks tops, not more than two weeks, no longer than two weeks

eniten (the) most (of all) *eniten tarjoava* the highest bidder *eniten myyty* bestselling, topselling

enkeli angel (myös kuv), (lapsesta myös) cherub

enkelimäinen angelic, cherubic

enkku (ark) English

ennakko advance (payment), down payment, money down, prepayment

ennakkoaavistus premonition, foreboding, presentiment, apprehension

ennakkoarvio estimate, forecast, prognosis, prediction

ennakkolaskelma estimate, forecast, prognosis

ennakkoluulo 1 (ennakkokäsitys) prejudice, preconception, prejudgment, predisposition **2** (puolueellinen käsitys) bias, slant

ennakkoluuloinen prejudiced, biased, bigoted, partial, narrow-minded, intolerant, discriminatory

ennakkoluuloisuus prejudice, bias, bigotry, partiality, narrow mindedness, intolerance, discrimination

ennakkoluuloton unprejudiced, unbiased, impartial, open-minded, broad minded, tolerant, non-discriminatory, liberal

ennakkoluulottomuus 1 (ennakkoluulon puute) impartiality, lack of prejudice, freedom from bigotry **2** (avarakatseisuus) open-mindedness, broad mindedness, tolerance, fairness, live-and-let-live attitude

ennakkomyynti advance sale(s)/booking, reservation

ennakkoon in advance

ennakkosuunnitelma plan, scheme, blueprint

ennakkotapaus precedent

ennakkotilaaja subscriber

ennakkotilaus subscription

ennakkotoimenpide preventive measure, precaution

ennakkotorjunta prevention

ennakkoäänestys absentee vote/ballot

ennakoida 1 (valmistautua ennakolta) anticipate, prepare (yourself) for, expect, look for(ward to), count on **2** (ennustaa) foretell, foresee, forecast, predict, prognosticate

ennakointi 1 anticipation, (advance) preparation, expectation **2** (ennustaminen) forecast, prediction, prognostication

ennakolta 1 in advance, beforehand, (maksaa, ark) up front **2** (filos) a priori

ennakonpidätys withholding

ennallaan as it was, as they/things were, like before *pysyä ennallaan* stay the same, stay as it is/they are, remain unchanged/unaltered, not change *Kaikki on taas ennallaan* Everything's the same again, as it was before, back to normal

ennalta in advance, beforehand *Hän oli minulle ennalta tuttu* I knew him from before

enne omen, sign, token, portent, auspice *Se on hyvä enne* It bodes well (for the future)

ennemmin 1 (aikaisemmin) earlier, before, sooner *ennemmin tai myöhemmin* sooner or later **2** (mieluummin) rather, sooner, preferably

ennen *adv* before, earlier, previously, formerly, once, in the past, in the olden days *Tämä oli ennen hieno talo* This used to be a fancy house *prep* before, prior to, previous to, in advance of, ahead of *ennen lounasta* before lunch *ennen sovittua päivää* prior to the agreed-upon date, in advance of the specified date

ennenaikainen premature, untimely, precipitate, inopportune, abortive

ennenaikaisesti too soon, too early, prematurely, abortively

ennen aikojaan early *lähteä/saapua ennen aikojaan* leave/arrive early

ennen kaikkea above all

ennenkuulumaton unheard-of, unprecedented *Sä teit ennenkuulumattoman typerästi* That was the stupidest thing anyone has ever done *Ennenkuulumatonta!* That's unheard-of!

ennen muinoin way back when, back in the day

ennen muuta above all, especially

ennennäkemätön unprecedented, unparalleled *ennennäkemättömän hirmuinen myrsky* a storm of unprecedented fury

ennen pitkää before long

ennen vanhaan long ago, way back when, back in the day

ennen virstaa väärää kuin vaaksa vaaraa an ounce of prevention is worth a pound of cure, look before you leap

ennestään already *Tunsin hänet ennestään* I knew him from before, I already knew him, we'd (already) met

ennustaa 1 (profetoida) predict, prophesy, foretell, foresee, divine, tell the future, tell fortunes, read the signs **2** (sää) forecast the weather, draw up a weather forecast, read the weather report; (tauti) prognosticate **3** (otaksua) presume, assume, think likely, suspect **4** (olla enteenä) herald, augur/bode (well/ill), presage, portend

ennustaja 1 (profeetta) prophet, seer, soothsayer, oracle, sage, foreteller, prognosticator; (povaaja) fortune-teller, crystal-gazer, geomancer, palmist, palm-reader, astrologer **2** (meteorologi) weather forecaster

ennuste 1 (sää-) (weather) forecast **2** (lääk) prognosis

ennustettava predictable

ennustus (profetia) prediction, prophecy, prognostication, forecast

ennättää 1 (keritä) have/find time (to do something), make it (on time), get there (on time), take it (there on time, around to everybody), reach (a place on time) *Ennätätkö katsoa tätä?* Do you have time to take a look at this? **2** (saavuttaa) reach, get as far as, (sl) make *En millään ennätä kuudeksi* I'll never make it/get there by six **3** (kohdata) catch (up with/to), (take by) surprise

ennätyksellinen record, unprecedented, unheard-of, exceptional

ennätys record

eno (maternal) uncle, mother's brother

ensi 1 (ensimmäinen) first **2** (seuraava) next

ensi alkuun at first, in the beginning

ensiapu first aid

ensiapukurssi first-aid course/class

ensiapulaatikko first-aid kit

ensiarvoinen of primary/greatest/vital importance

ensiesiintyminen debut

ensiesitys premiere, (elokuva) first run /showing

ensihoito first/prompt care

ensi hätään first, (all) at once, off the top of my head

ensi-ilta premiere, first/opening night

ensikertainen *adj* first(-time) *ensikertainen rikos* first offense *ensikertainen rikoksen tekijä* first-time offender *s* first-timer, novice

ensikertalainen first-timer; (oik) first offender; (aloittelija) beginner, novice, neophyte, rookie

ensikoti home for unwed mothers

ensiksi 1 first **2** (aluksi) at first, to begin with, for a start, straight/right off, initially, at the outset **3** (ensinnäkin) firstly, first off /of all, in the first place, for one thing **4** (ennen kaikkea) first of all, first and foremost, above all

ensikäden tieto first-hand information

ensi kädessä above all, first and foremost

ensiluokkainen first-class, first-rate, top-notch, top-quality; (ruoka) prime, choice, select, best, finest

ensiluokkalainen first-grader

ensimmäinen first; (johtava) leading, principal, chief, foremost

ensimmäinen ja viimeinen kerta the first and the last time *Tulit tänne kyllä ensimmäisen ja viimeisen kerran!* You came here for the first and last time!

ensimmäinen palkinto first prize

ensimmäiseksi ks ensiksi

ensin ks ensiksi

ensinkään at all, in the least *Hän ei aikonut ensinkään tulla* She wasn't planning to come at all, she hadn't the slightest intention of coming *Se ei vaivaa minua ensinkään* That doesn't bother me in the least

ensinnäkin ks ensiksi

ensipainos first edition, first run

ensisijainen primary, main, chief, principal, most important

ensisijaisesti primarily, mainly, chiefly, principally, most importantly, first and foremost, in the first place

ensi tilassa at your earliest convenience, at the first opportunity

ensivaikutelma first impression

ensyklopedia encyclopedia

enteillä herald, augur/bode (well/ill), presage, portend, forebode, foretoken

entinen (aikaisempi) former, ex-, one-time; (edellinen) previous, earlier *entistä enemmän* more/greater than before *Hän on vain varjo entisestään* He's a mere shadow of his former self **2** (muinainen) ancient, past, olden, bygone *muistella entisiä* reminisce, recall past times, think about the good old days *sanoi entinen mies* (as) the man said

entisaika the olden days, the good old days, ancient times, times gone by, days of yore/old, bygone days/times

entisellä(än) (just) like/as before *asiat jäivät entiselleen* things stayed as they were *ihan niin kuin olisit entiselläsi* it feels like you're your old self again

entisestään ks ennestään

entistä enemmän better than before

entisöidä restore, renovate

entsyymi (valkuaisaine) enzyme

entusiasti (asiasta innostunut ihminen) enthusiast

entuudestaan ks ennestään

entä *Entä minä?* What about me? *Entä jos hän ei tulekaan?* What if he doesn't come? Supposing he doesn't come? What'll happen/we do if he doesn't come? *Entä sitten?* So what? Who cares? Big deal *Miten pyyhkii? Ihan hyvin, entä itselläsi?* How's it going? Fine, how about you(rself)? Fine, and you?

enää 1 (kielteisessä yhteydessä: enempää) (any) more; (kauemmin) any more, any longer *Ruokaa ei ole enää* There's no more food *En ole enää lapsi* I'm no longer a child, I'm not a child any more/longer **2** (myönteisessä yhteydessä) only *Enää on yksi nakki jäljellä* There's only one wiener left *Vain meidän Anna on enää koulussa* Anna's our only child still in school

epideeminen (kulkutautiin liittyvä) epidemic

epidemia (kulkutauti) epidemic

epidemiologi (kulkutautien tutkija) epidemiologist

epidemiologia (kulkutautioppi) epidemiology

epidermi (ihon uloin kerros) epidermis

epilepsia (ent. kaatumatauti) epilepsy

epileptikko (epilepsia poteva ihminen) epileptic

e-pilleri the Pill

epilogi (jälkinäytös) epilogue

episodi episode

epistola 1 (uuden testamentin kirje) epistle **2** (niistä jumalanpalveluksessa luettava teksti) epistolary lesson/reading **3** (leik: nuhdesaarna) sermon

epistolateksti epistolary scripture (reading)

epiteetti (liikanimi, esim. Iivana Julma) epithet

epäaito inauthentic, pretend, (ark) fake, phony *Se käyttäytyy niin epäaidosti* She's so fake/phony

epäasiallinen 1 (huomautuksesta: asiaankuulumaton) irrelevant, unrelated, unconnected, beside the point, neither here nor there, not germane **2** (huomautuksesta: perusteeton) groundless, ungrounded, unjustified, uncalled-for **3** (käytöksestä, pukeutumisesta jne: sopimaton) unbusinesslike, unsuitable, inappropriate, unbefitting, improper, unbecoming, unseemly, unacceptable, incongruous **4** (käytöksestä jne: järjetön) irrational, unreasonable, emotional

epäedullinen 1 (teosta: kannattamaton) unprofitable, disadvantageous **2** (teosta: vahingollinen) harmful, injurious, dangerous, detrimental **3** (tilanteesta: epäsuotuisa) disadvantageous, adverse, unfavorable, unpropitious, unfelicitous, unfriendly

epähieno 1 (liian suora) tactless, undiplomatic, unsubtle, indiscreet, indelicate **2** (liian karkea) indecorous, unrefined, rude, gauche

epähistoriallinen ahistorical, anachronistic

epähuomiossa by accident, accidentally, unintentionally, without thinking, inadvertently, by mistake, by/through an oversight

epähygieeninen unsanitary, unclean, dirty, filthy

epäidenttiset kaksoset nonidentical twins, fraternal twins

epäilemättä doubtless(ly), undoubtedly, no doubt, without doubt, indubitably, unquestionably, unmistakably, certainly

epäilijä doubter, skeptic, disbeliever, doubting Thomas

epäillä 1 (uumoilla, luulla) think, suspect, guess, imagine, conjecture, surmise, hypothesize, believe, suppose *Epäilen, ettei hän puhu totta* I suspect he isn't telling the truth **2** (pitää epävarmana) doubt, question, wonder, be skeptical about/concerning, have doubts about, be doubtful; (olla epävarma) feel uncertain, lack conviction, be indecisive, waver; (olla epäluuloinen) suspect someone, mistrust, distrust, be distrustful (of), be suspicious (of), harbor suspicions (about), be apprehensive (about), believe guilty *En yhtään epäile, etteikö hän puhu totta* I have no doubt but that he's telling the truth

epäily (epäileminen) doubting, questioning, wavering; (epäilevyys) mistrust, suspiciousness, skepticism; (paha aavistus)

misgiving(s), apprehension; (epäluulo) doubt, suspicion *Hänen puhetapansa herätti minussa epäilyä* The way he talked aroused my suspicions, raised a doubt in my mind *täynnä epäilyä* full of misgivings

epäilys (epäluulo) doubt, suspicion; (paha aavistus) misgiving(s), apprehension *Hänellä oli omat epäilyksensä* She had her doubts *kaiken epäilyksen ulkopuolella* beyond a shadow of a doubt, above suspicion

epäilyttävä 1 (asiasta: aruttava) suspicious, questionable, shady, fishy, dubious, suspect, open to doubt **2** (asiasta: epätodennäköinen) doubtful, questionable, unlikely **3** (ihmisestä: aruttava) suspicious, questionable, shady, suspect **4** (ihmisestä: epäluotettava) untrustworthy

epäilyttää *Minua epäilyttää tämä asia* This business looks suspicious/shady/fishy to me

epäinhimillinen 1 (ei-ihmismuotoinen) inhuman, unhuman, nonhuman, alien **2** (julma) inhuman, inhumane, cruel, merciless, pitiless, heartless, cold/hard-hearted

epäisänmaallinen unpatriotic

epäitsekkyys unselfishness, selflessness, self-sacrifice, altruism

epäitsekkäästi unselfishly, selflessly, self-sacrificingly, altruistically, without a thought for him/herself

epäitsekäs unselfish, selfless, self-sacrificing, altruistic

epäitsenäinen dependent

epäjumala idol, heathen/pagan god

epäjumalanpalvelija idolater

epäjärjestys disorder, chaos, disarray, disorderliness, confusion

epäkelpo worthless, good-for-nothing, no-account

epäkeskinen eccentric

epäkohta 1 (heikko kohta) flaw, fault, defect, blemish, imperfection, weakness, weak spot, shortcoming **2** (huono puoli) drawback, disadvantage, bad side, problem **3** (parannettava asia, valituksen aihe) grievance, injustice, wrong, hurt, iniquity, outrage, injury **4** (mon) ills, (social) evils, grievances, grievous/unjust/inequitable/outrageous/injurious/bad situation/conditions/circumstances

epäkohtelias 1 impolite, discourteous, unmannerly, uncivil **2** (epäystävällinen) unfriendly, hasty, cold **3** (epäkunnioittava) disrespectful, impertinent, insolent **4** (töykeä) rude, boorish, ill-bred

epäkunnioittava (arvoa loukkaava) disrespectful, impertinent, insolent, impudent, presumptuous, brazen; (tunteita loukkaava) insulting, offensive, abusive, derogatory, defamatory; (hyviä tapoja loukkaava) impolite, discourteous, unmannerly, uncivil

epäkunnossa out of order, broken, (ark) on the fritz/blink *mennä epäkuntoon* break, stop working

epäkypsä 1 (raaka: hedelmä) raw, unripe, green; (leivonnainen) not done (yet), uncooked, still gooey (in the middle); (liha) not done (yet), uncooked, still red /tough **2** (lapsellinen) immature, childish, puerile, juvenile

epäkäs (geom) trapezoid

epäkäslihas (anat) trapezius

epäkäytännöllinen 1 impractical, unpractical **2** (ihmisestä: ei tajua käytäntöjä) unrealistic, unwise, out of touch, dreamy, starry-eyed, romantic, intellectual **3** (ihmisestä: ei hallitse käytäntöä) disorganized, clumsy, butterfingered, inept, bungling, maladroit, no good with his/her hands **4** (asiasta tai esineestä) poorly built/planned/designed, awkward/impossible to use, unusable, inconvenient

epäkäytännöllisyys impracticality

epäkuinen innumerable, numberless, numerous, countless, incalculable

epäluonnollinen unnatural

epäluotettava 1 unreliable, untrustworthy, undependable, not to be trusted **2** (ihminen, myös: vastuuton) irresponsible, not conscientious; (petollinen) deceitful; (epävakaa) unstable, changeable, fickle, unpredictable, erratic **3** (väite, myös: kyseenalainen) questionable, dubious, uncertain,

unlikely; (virheellinen) erroneous, mistaken, inaccurate, false

epäluottamus lack of confidence, distrust, mistrust, doubt, misgiving, apprehension, disbelief

epäluottamuslause vote of censure/no-confidence

epäluulo suspicion, ks myös epäily(s)

epäluuloinen suspicious, ks myös epäilevä

epämetalli metalloid, nonmetal

epämiehekäs 1 unmanly, unmasculine, emasculated **2** (naismainen) effeminate, womanish, sissyish **3** (pelokas) cowardly, timid, fainthearted

epämiellyttävä 1 unpleasant, disagreeable, displeasing, distasteful **2** (epäsympaattinen) unlikable, unattractive **3** (epäkohtelias) ill-natured, churlish, ill-humored, ks myös epäkohtelias **4** (inhottava) nasty, offensive, repulsive, repugnant, obnoxious, objectionable

epämieluisa unpleasant *epämieluisa vieras* unwelcome guest *kaikenlaista epämieluisaa* all sorts of unpleasant things

epämukava 1 (ruumiiseen sopimaton) uncomfortable; hard (chair, couch, bed), tight/pinching (shoes), tight/binding (pants, shirt, coat) **2** (mielialaan sopimaton) uncomfortable, uneasy, awkward, embarrassing, unpleasant, trying, difficult, ticklish *Minulla on täällä erittäin epämukava olo* I am very ill at ease here, I feel out of place, I feel like I have two heads/left feet **3** (toimintaan sopimaton) inconvenient, awkward, inopportune, untimely, bothersome, troublesome *Hän tuli epämukavaan aikaan* He came at an inopportune/inconvenient time, at a bad time, at the wrong time

epämukavuus 1 (tunne) discomfort, uneasiness, awkwardness, embarrassment **2** (esineen ominaisuus) hardness, tightness jne, ks epämukava **3** (tilanteen ominaisuus) unpleasantness, difficulty, ticklishness **4** (toiminnan ominaisuus) inconvenience, inopportuneness, untimeliness

epämuodollinen informal, casual, natural, offhand

epämuodostuma deformity, deformation, malformation, disfiguration

epämuodostunut deformed, malformed, misshapen, disfigured

epämusikaalinen unmusical *Riitta on täysin epämusikaalinen* Riitta has no ear for music

epämusikaalisuus lack of musical talent

epämääräinen 1 (määrittämätön) indefinite, undefined, unspecified, undetermined, indeterminate, inexact, imprecise, inexplicit, unclear, unstated **2** (mielivaltainen) arbitrary, unrestrained, unlimited, uncontrolled **3** (hämärä) vague, indistinct, dim, ill-defined, obscure, unclear *epämääräiset tiedot* vague/ambiguous information **4** (arvoituksellinen) ambiguous, enigmatic *epämääräinen hymy* enigmatic smile **5** (muodoton) amorphous, shapeless, chaotic, messy *epämääräinen röykkiö tavaroita* messy/chaotic pile of things/stuff *epämääräinen hahmo* a vague/amorphous figure/shape

epämääräisesti 1 (määrittämättä) indefinitely, inexactly, inexplicitly, without being clearly stated, without being spelled out **2** (mielivaltaisesti) arbitrarily, uncontrollably, without limits **3** (hämärästi) vaguely, indistinctly, dimly, obscurely **4** (arvoituksellisesti) ambiguously, enigmatically **5** (muodot tomana) without form/shape, chaotically, messily

epämääräisyys 1 (määrittämättömyys) indefiniteness, lack of definition, indeterminacy, inexactitude, inexplicitness, lack of clarity **2** (mielivaltaisuus) arbitrariness, lack of restraint, capriciousness **3** (hämärä asia/olotila) vagueness, obscurity, lack of clarity, ambiguity **4** (muodottomuus) shapelessness, formlessness, chaos, mess(iness)

epänaisellinen 1 unwomanly, unfeminine **2** (miesmäinen) mannish **3** (kova) hard, unfeeling, cold, unsympathetic, bitchy

epänormaali abnormal

epäoikeudenmukainen 1 unfair, unjust, inequitable **2** (puolueellinen) partial, biased, one-sided **3** (epärehellinen) dishonorable,

dishonest, unprincipled, unethical **4** (häikäilemätön) unscrupulous, underhand(ed), corrupt, dirty, foul

epäoikeudenmukaisesti 1 unfairly, unjustly, inequitably **2** (puolueellisesti) partially, with bias, one-sidedly **3** (epärehellisesti) dishonorably, dishonestly, unethically **4** (häikäilemätön) unscrupulously, underhandedly, corruptly

epäoikeudenmukaisuus 1 unfairness, injustice, inequity **2** (puolueellisuus) partiality, bias, one-sidedness **3** (epärehellisyys) dishonesty, lack of principles, unethical behavior **4** (häikäilemättömyys) corruption, dirty play/pool, foul play

epäoikeutettu unjustified, unfounded

epäolennainen inessential, immaterial, irrelevant, incidental, secondary, minor, trivial, superfluous

epäonni 1 bad luck, ill luck, hard luck, misfortune, ill fortune **2** (vastoinkäyminen) calamity, mishap, catastrophe, disaster **3** (vaikeat ajat) adversity, hardship, tribulation

epäonnistua 1 fail, not succeed, be unsuccessful **2** (olla onnistumatta) come to nothing/naught, abort, fall through **3** (onnistua huonosti) miss the mark, turn out badly, founder **4** (kärsiä tappio) be defeated, meet your Waterloo, meet with disaster, come to grief **5** (mennä myttyyn) go up in smoke, bomb, flop, fizzle out

epäonnistuminen 1 failure, lack of success, ill success, vain attempt **2** (huono menestys) misfire, mishap, washout, botch, fizzle **3** (täydellinen fiasko) defeat, disaster, catastrophe, calamity, fiasco

epäonnistunut 1 failed, unsuccessful; (myttyyn mennyt) abortive, washed out, fizzled out, bombed, flopped *epäonnistunut ihminen* failure, loser, washout, flop

epäorgaaninen inorganic

epäorgaaninen kemia inorganic chemistry

epäpoliittinen apolitical, unpolitical, nonpolitical

epäpuhdas unclean, impure; (saastunut) polluted, foul **2** (epäsiveä) impure, unchaste, filthy, dirty **3** (mus) discordant, off-key, out-of-tune

epäpuhtaus 1 unclean(li)ness, impurity **2** (mus) discordance

epäpyhä 1 unholy **2** (jumalaton) ungodly, profane, wicked, evil, diabolic(al) **3** (siunaamaton) unhallowed, unconsecrated

epäpätevä 1 (ihmisestä: kykenemätön) incompetent, inept, incapable; (kouluttamaton) untrained, inexpert; (virkaan) unqualified *julistaa epäpäteväksi* declare unqualified, disqualify **2** (vaitteestä) groundless, ungrounded, false, erroneous, mistaken

epärealistinen unrealistic

epärehellinen dishonest; (petollinen) crooked, unscrupulous, deceitful, dishonorable, unprincipled, fraudulent, underhanded; (kaksinaamainen) disingenuous, insincere, twofaced, double-dealing

epärehellisyys dishonesty; (petollisuus) crookedness, deceit, lack of principles/honor, fraud(ulence), underhandedness; (kaksinaamaisuus) disingenuity, insincerity, twofacedness

epäreilu unfair

epäröidä hesitate, doubt, be in doubt, be of two minds, be hesitant/doubtful/uncertain /unsure/irresolute/undecided; (ark) shilly shally, dillydally, straddle the fence

epäröimätön unhesitating, unwavering, certain, sure, resolute, decided, definite, confident

epäröinti hesitation, doubt(ing), uncertainty, wavering, vacillation, fence-straddling

epäselvyys 1 (hämäryys) lack of clarity, vagueness, obscurity, opacity, ambiguity *tekstin epäselvyys* the opacity/ambiguity/ vagueness of a text, the obscure meaning of a text **2** (määrittämättömyys) indefiniteness, lack of (clear) definition, (glittering) generality, imprecision, inexplicitness **3** (epävarmuus) uncertainty, ambiguity *Firmassa vallitsi täydellinen epäselvyys siitä, miten pelastautua konkurssilta* Nobody in the company had any idea how to stave off bankruptcy **4** (kyseenalaisuus)

dubiousness, suspiciousness, shadiness, fishiness

epäselvä 1 (hämärä) unclear, vague, indistinct, dim *epäselvä hahmo* indistinct/dim shape/form *epäselvä tehtävä* vague/ill-defined task *epäselvää puhetta* unclear/ indistinct/slurred speech *jostain epäselvästä syystä* for some obscure reason *epäselvä viite* obscure reference *epäselvä runo* obscure/opaque/ambiguous poem *epäselviä muistoja* vague/dim/indistinct /obscure memories **2** (määrittämätön) unclear, indefinite, undefined, unspecified, unstated *Se jäi epäselväksi* That wasn't spelled out, that wasn't made clear /explicit *Minulla on vieläkin epäselvää kuva siitä mitä minun pitää tehdä* I'm still not clear on what I have to do, you still haven't given me any clear/definite/exact /precise picture of what I'm supposed to do **3** (epävarma) uncertain, unsure, ambiguous *on epäselvää milloin...* it's uncertain when..., I'm not sure when..., nobody knows when... **4** (kyseenalainen) dubious, suspicious, shady, fishy *Hän on sekaantunut epäselviin puuhiin* He's involved in some shady deals

epäselvästi vaguely, indistinctly, dimly, obscurely, imprecisely, ambiguously *puhua epäselvästi* mumble, mutter, talk into your beard *näkyä epäselvästi* be dimly/barely visible *muistaa epäselvästi* have a vague memory that *lausua sana epäselvästi* pronounce a word imprecisely

epäsiisti untidy, messy, disorderly; (ihminen) unkempt, slovenly, sloppy, disheveled, mussed (up), rumpled, tousled, bedraggled; (paikka) littered, cluttered, chaotic, helter-skelter

epäsikiö monster, monstrosity

epäsiveellinen indecent, immoral, (irstas) libidinous, lubricious, ruttish, (ark) dirty, sleazy, sluttish

epäsointu dissonance, discord(ance), disharmony

epäsointuinen dissonant, discordant, disharmonious

epäsopu conflict, discord, disharmony

epäsopuinen discordant, disharmonious, divided, riven

epäsosiaalinen asocial, antisocial

epäsovinnainen unconventional

epäsuhde disproportion, disparity

epäsuhta disproportion, disparity

epäsuhtainen disproportionate, disparate

epäsuomalainen un-Finnish

epäsuora 1 (välillinen) indirect, mediated *epäsuora esitys* (kielessä) indirect/reported speech/discourse *epäsuora sanajärjestys* (runossa) inversion **2** (kiertävä) indirect, roundabout, circuitous, oblique *epäsuora tie* roundabout way, circuitous road/path **3** (välttelevä) evasive, not straightforward, hedging *epäsuora vastaus* evasive reply **4** (vihjaava) insinuating, hinting, suggestive

epäsuorasti 1 (välillisesti) indirectly **2** (kiertäen) indirectly, in a roundabout way/manner, circuitously, obliquely **3** (vältellen) evasively, not straightforwardly, without being straightforward/open/upfront *Poliitikko vastasi epäsuorasti* The politician hedged, evaded the question, replied evasively/indirectly, In his reply the politician was not entirely straightforward **4** (vihjaten) insinuatingly, suggestively *viitata epäsuorasti* imply, insinuate, hint at, get at, suggest

epäsuosio disfavor; (häpeällinen) disgrace, (lievä) disapproval *joutua jonkun epäsuosioon* incur someone's disfavor/disapproval, fall out of favor with someone, fall from someone's good graces *olla epäsuosiossa* be in disfavor/disgrace, be unpopular, be in the doghouse

epäsuotuisa 1 (epäedullinen) unfavorable, ill-favored, unfortunate **2** (onneton) unhappy, infelicitous **3** (huonosti ajoitettu) inauspicious, untimely, inopportune **4** (ei lupaava) unpropitious, unpromising

epäsymmetria asymmetry

epäsymmetrinen asymmetrical

epäsäädyllinen 1 (säädyle sopimaton) indecent, unseemly, improper, unbecoming, indiscreet, vulgar, in bad taste, immodest **2** (irstas) immoral, obscene, unwholesome, dirty, filthy, smutty

epäsäännöllinen 1 (tavallisuudesta poikkeava) irregular, unusual, eccentric, abnormal, aberrant, anomalous *epäsäännöllinen verbi* irregular verb **2** (outo) peculiar, queer, odd, singular **3** (epäjärjestelmällinen) irregular, unsystematic, unmethodical, haphazard *epäsäännölliset työtavat* unmethodical/unsystematic work habits *epäsäännölliset työajat* irregular/varying /odd working hours **4** (epäsuora) uneven, out of line, crooked, unaligned **5** (epätasainen) rough, broken, bumpy, not smooth **6** (epäsymmetrinen) asymmetrical, malformed

epäsäännöllisyys irregularity, eccentricity, singularity, haphazardness, unevenness, asymmetry, malformation (ks epäsäännöllinen)

epätahdissa out of step *joutua epätahtiin* get/fall out of step

epätaloudellinen 1 (epäedullinen) uneconomic(al), unprofitable, wasteful **2** (tuhlaileva) prodigal, spendthrift, wasteful, improvident

epätarkka inexact, inaccurate, incorrect *epätarkka käännös* loose translation

epätarkoituksenmukainen counterproductive

epätasainen 1 (ei sileä) uneven, unsmooth, bumpy, lumpy, jagged, rough, rugged, coarse **2** (epäsäännöllinen) uneven, irregular, out of line, out of sync, varying *Elokuva oli taiteellisesti epätasainen* The movie was artistically uneven, the movie didn't hold together artistically **3** (epäsuhtainen) unequal, one-sided, unbalanced, lopsided, ill-matched, unfair *Nyrkkeilyottelu oli epätasainen* The boxing match was one-sided, the boxers were ill-matched

epätasapaino imbalance *epätasapainossa* unbalanced

epätavallinen 1 (tavallisuudesta poikkeava) unusual, out of the ordinary, rare, atypical, untypical, uncommon **2** (tavallista parempi) extraordinary, remarkable, noteworthy

3 (ainutlaatuinen) unique, one of a kind, singular **4** (outo) strange, curious, peculiar

epäterve unhealthy, sick

epäterveellinen 1 unhealthy, unwholesome **2** (vahingollinen) harmful/detrimental/deleterious/dangerous/hazardous to your health, bad for your health, bad for you, not good for you **3** (epähygieeninen) unsanitary, unhygienic

epätieteellinen unscientific, unscholarly

epätietoinen 1 (tietämätön yleensä) unaware, unknowing, unknowledgeable, ignorant, uninformed **2** (tietämätön tulevasta uhasta) unsuspecting, unwarned, unmindful, off your guard, in the dark about, unalerted **3** (epävarma ihminen) uncertain, unsure, doubtful *Olen edelleenkin epätietoinen siitä, mitä tarkoitat* I still don't know what you mean, I'm still not sure/certain what you're driving at

epätietoisuus 1 (tietämättömyys) unawareness, ignorance **2** (ihmisen epävarmuus) uncertainty, doubt **3** (asian epävarmuus) uncertainty, indefiniteness

epätodellinen 1 unreal **2** (sepitteinen) not real, make-believe, fictitious, legendary **3** (kuviteltu) imagined, imaginary, fantastic, illusory, phantasmagorical, nonexistent, (olo) unreal, surreal, dreamlike, dreamy *Minulla on epätodellinen olo* Everything feels unreal, like a dream

epätodennäköinen improbable, unlikely

epätoivo despair, desperation, despondency, depression *joutua epätoivoon* (fall into) despair, become despondent/depressed *Joskus sinun vastuuttomuutesi saattaa minut epätoivoon* Sometimes your irresponsibility drives me crazy, drives me to despair, makes me want to climb the walls

epätoivoinen 1 (masentunut) despairing, despondent, depressed, wretched **2** (vimmattu) desperate, wild, frantic **3** (toivoton) hopeless, impossible, beyond help, lost, futile

epätosi untrue, untruthful, false, incorrect

epätyydyttävä unsatisfactory, unacceptable, inadequate, below par

epätyypillinen atypical, untypical

epätäydellinen 1 (viallinen) imperfect, less than perfect, defective, faulty, flawed, blemished, impaired, impure **2** (vajavainen) incomplete, unfinished, partial, broken, fragmentary *epätäydellinen lause* incomplete sentence

epätäydellisyys imperfection; incompleteness, fragmentariness

epäusko 1 (uskonpuute) disbelief, (raam) unbelief, skepticism, incredulity, lack of credence **2** (epäily) doubt(fulness), dubiety, distrust, mistrust

epäuskoinen 1 (ei-uskova) disbelieving, skeptical, incredulous **2** (epäilevä) doubting, doubtful, dubious, distrustful, mistrustful

epäuskottava 1 (epäluotettava) unbelievable, not believable, untrustworthy, dubious **2** (epätodennäköinen) unlikely, improbable *epäuskottava juttu* cockamamie story, fairy tale

epävakaa 1 (horjuva) unstable, shaky, wobbly, tottering **2** (vaihteleva) fluctuating, not constant, variable, unsteady, changing, changeable, vacillating, shifting **3** (epävarma) fitful, unsettled **4** (henkisesti) erratic, volatile, mercurial, unpredictable

epävakaisuus instability, shakiness, inconstancy, variability, unsteadiness, changeability, volatility

epävarma 1 (tietämätön) uncertain, not certain, unsure, not sure, doubtful, dubious **2** (empivä) not confident, lacking confidence, hesitant, timid **3** (vahvistamaton) unconfirmed, undecided, undetermined, unsettled, up in the air, in question **4** (epämääräinen) indefinite, indeterminate, hazy, nebulous **5** (epävakaa) unsteady, changing, vacillating, unpredictable

epävarmuus 1 uncertainty **2** (empivyys) lack of confidence, hesitancy, timidity **3** (epämääräisyys) indefiniteness, indeterminateness, haziness, nebulousness **4** (epävakaisuus) unsteadiness, changeability, unpredictability

epävieraanvarainen inhospitable, unwelcoming

epävieraanvaraisuus inhospitality

epäviihtyisä uncomfortable, unpleasant
epävirallinen unofficial, informal
epävirallisesti unofficially, informally, off the cuff/record
epävirallisuus informality
epävireessä 1 out of tune, off key **2** (kuv) downcast, down in the dumps, off your feed
epävireinen 1 off-key, untuned **2** (kuv) discordant, jangly
epäystävällinen unfriendly, disagreeable, unkind, unsociable
erakko hermit, recluse, solitary
erakkorapu hermit crab
erakoitua isolate yourself, withdraw from other people, become a hermit, hole up
erehdys error, mistake, blunder; (epähuomiosta johtuva) oversight, slip(up); (ark) booboo *yritys ja erehdys* trial and error *Hän sanoi sen erehdyksessä* He let it slip, it was a slip of the tip/tongue; he blurted it out, he let it out accidentally
erehdyttää mislead, misguide, misdirect, lead astray, lead into error, deceive
erehtyminen on inhimillistä to err is human
erehtymätön infallible, unerring
erehtyväinen fallible, errant
erehtyä 1 (tehdä virhe) err, make a mistake, slip up, commit an error, be in error, be mistaken; (ark) mess up, screw up, blow it *erehtyä ovesta* mistake the door, get/open /pick the wrong door **2** (langeta) lapse (from virtue), go astray, sin, transgress, misbehave **3** (haksahtaa) lapse, do mistakenly/accidentally/unintentionally/inadvertently, do by mistake *Hän erehtyi hymyilemään vaikka yritti olla vihainen* She cracked a smile despite her attempts to stay angry
erektio (seksuaalinen jäykistyminen) erection
erhe (ylät) error, mistake
erheellinen erroneous, mistaken
eri 1 (erilainen) different, another *Se on ihan eri asia* That's completely different, that's another matter altogether *olla eri mieltä* disagree *Kenkäsi ovat eri paria* Your shoes don't match **2** (erillinen) separate,

different *Meidät pantiin eri huoneisiin* We were put in separate rooms *eri tilauksesta* on special order **3** (moni) various, varying, different *eri syistä* for various reasons
eriarvoinen 1 (raha-arvo) of different value *eriarvoinen seteli* a bill of a different denomination **2** (sotilasarvo) of different rank **3** (tasa-arvo) inequal
eriarvoisuus inequality
eriasteinen of/at a different degree/level
eri-ikäinen not the same age, older/younger
erikoinen 1 (poikkeuksellinen) special, exceptional, out of the ordinary *erikoisen hyvä hiihtäjä* an exceptionally/especially good skier **2** (omituinen) peculiar, odd, strange *aika erikoinen tyyppi* what a weirdo, quite an odd fish, what a bizarre guy **3** (luonteenomainen) distinctive, characteristic, particular, typical *Kullakin on oma erikoinen kirjoitustapansa* Everyone has his/her own distinctive (style of) writing **4** (vartavastinen) specific, especial, certain, own
erikoisala special field/line/subject, (area of) specialization, specialty
erikoisasema special/unique position, (etuoikeutettu) privileged status
erikoisjoukot Special Forces
erikoisjärjestely special arrangement
erikoiskoulutus special training
erikoiskäsittely special treatment/handling
erikoislaatuinen special, unique *erikoislaatuinen ongelma* a problem of a particular kind, a special sort of problem
erikoislaite special equipment/instrument
erikoisliike specialized/specialty store/shop
erikoisluonne unique character
erikoislääkäri special doctor
erikoismääräys (käsky) special decree; (laki) special regulation
erikoisolot unique/characteristic conditions
erikoisominaisuus special feature/characteristic/quality, singularity; (mon) special strengths and weaknesses
erikoispiirre special/characteristic/distinctive feature
erikoispikajuna special express (train)

erikoistapaus exception, special case/situation

erikoistarjous special, sale price, bargain, discount *Jauheliha on erikoistarjouksessa* There's a special on hamburger at the supermarket

erikoistehtävä special task/assignment/mission/duty

erikoistilanne special situation

erikoistua specialize

erikoistuntomerkki distinguishing feature

erikoistutkija special investigator/researcher

erikoistutkimus special investigation/research

erikoisuus special(i)ty, special/unique/distinctive feature; (harvinaisuus) curiosity *Hannu tavoittelee kiihkeästi erikoisuutta* Hannu tries so hard to be different

erikoisvaatimus special requirement, (lak) special claim; (mon) special qualifications

erikokoinen different-sized *Me ollaan Paulan kanssa erikokoisia* Paula and I are different sizes

erikseen (erillään, yksi kerrallaan) individually, separately, one at a time **2** (erilleen) aside

erilainen (erikaltainen) different, unlike, dissimilar; (poikkeava) divergent *Heillä on erilaiset käsitykset siitä* They have divergent ideas/views on it, they disagree on it

erilaistaa make different, differentiate

erilaistua become different, differentiate

erilaisuus 1 (erikaltaisuus) difference, unlikeness, dissimilarity **2** (poikkeavuus) divergence, deviation **3** (ero) disparity, discrepancy

erilleen apart *muuttaa erilleen* split up, separate, move into different houses

erillinen (erossa oleva) separate, not joined/connected, (talo) detached **2** (yksittäinen) single, individual **3** (eri) separate, different, distinct **4** (tietok) standalone

erillisrauha separate peace *solmia erillisrauha* make a separate peace

erillistää (sot) detach

erillään separate, apart, in isolation

erimielinen disagreeing, opposed

erimielisyys 1 disagreement, difference of opinion **2** (riita) dispute, argument, clash (of opinions) **3** (riitaantuneisuus) dissension

erimunainen dizygotic *erimunaiset kaksoset* dizygotic/fraternal twins

erinomainen excellent, outstanding, first-class, great; (ark) super, awesome

erinomaisuus excellence, distinction, (high) quality, brilliance

erinäiset 1 (tietyt) certain *erinäiset seikat* certain facts/details/points **2** (ark lukuisat) several, quite a few *Sain pulittaa siitä erinäisiä tonneja* I had to blow several thousand marks on it *erinäisiä kertoja* over and over again

erioikeus privilege

eripuraisuus dissension, disagreement, discord

eriskummallinen strange, peculiar, odd, eccentric, bizarre

erisnimi proper noun, name

eriste insulation, insulating material

eristekerros insulating layer

eristin insulator, nonconductor, insulating body, dielectric

eristyneisyys isolation, seclusion

eristys 1 (eristyneisyys) isolation, seclusion **2** (sähkö) insulation

eristysaine insulating/nonconducting material

eristysnauha insulation tape

eristäytyneisyys withdrawal, isolation

eristäytyä withdraw (into isolation/seclusion, isolate/seclude yourself, cut yourself off (from friends, from the world)

eristää 1 (erottaa) split up, separate, segregate **2** (pitää erossa muista) isolate, seclude, sequester; (pitää karanteenissa) quarantine **3** (sulkea alue) block/rope/wall/cut off **4** (sähkö, rak) insulate

erisuuntainen divergent, going in different directions *Minulla on hieman erisuuntaisia ajatuksia siitä kuin sinulla* I was thinking along slightly different lines than you

erisuuruinen different in size, larger/smaller

erite secretion, (kuona-) excretion

eritellä 1 (ositella) analyze **2** (luokitella) classify, categorize **3** (luetella) specify, itemize

eritoten particularly, in particular, especially

erittely 1 (osittelu) analysis **2** (luokittelu) classification, categorization **3** (luettelo) specification, breakdown

erittelykyky analytic(al) ability

erittyä ooze (out), seep (out)

erittäin very, highly, most, extremely

erittää secrete, (kuona-aineita) excrete

erityinen special, especial, particular, (nimenomainen) specific

erityiselin (biol) special(ized) organ

erityisen especially, particularly

erityisesti especially, particularly, (nimenomaan) specifically

erityisluonne special character, uniqueness

erityyppinen different, of a different type/ sort

eriuskoinen of a different faith

erivapaus (lak, kirk) dispensation; (vapautus) exemption; (yl) special permission (not to do something, not to go somewhere)

erivärinen of a different color *eriväriset sukat* unmatched socks

eriyttää differentiate; (koulu) stream, divide into tracks

eriytyminen differentiation, specialization

eriytyä differentiate; (koulu) specialize

eriävä differing, divergent, dissenting

eriävä mielipide (lak) dissenting opinion

erkaantua 1 (erota) separate, go your separate ways, part, break/split up **2** (poiketa) split off, diverge *Tiestä erkaantui pieni polku* A narrow path broke/veered off of the road

erkkeri bay window

ero 1 (erotus) difference, disparity, discrepancy, gap **2** (lähtö toisen luota) parting, departure, saying goodbye **3** (lähtö työpaikasta: eläkeiässä) retirement; (ennen eläkeikää) resignation, quitting **4** (avioero) divorce **5** (erilläänolo) separation, estrangement, split, break

eroa kuin yöllä ja päivällä be as different as night and day

eroamisikä retirement age

eroanomus resignation *jättää eroanomus* submit/tender your resignation, resign, quit

eroavaisuus difference, divergence, discrepancy

eroavuus difference, disparity, discrepancy, gap

erojaiset retirement party

erokirja 1 certificate of resignation; (ark) work certificate, letter of recommendation **2** bill/certificate of divorce

erokirje Dear John letter

eronhetki moment of parting, time to say goodbye/farewell

eroottinen erotic

eroraha severance pay

erossa apart, separate *pysyä erossa jostakin* stay/keep away from something *päästä eroon jostakin* get rid of something, get away from something *päästä eroon viinasta* get off the booze/sauce, get clean/ sober, get on the water wagon *asua erossa* live apart (from someone), be separated *Pidä likaiset sormesi erossa siitä pojasta* Keep your filthy fingers off that boy!

erota 1 (olla erilainen) differ, be different from/than, deviate/diverge from *Heidän näkemyksensä eroavat liikaa toisistaan* They are too far apart in their thinking, there is too great a disparity in their views **2** (toisen luota) part, depart, say goodbye **3** (työpaikasta: eläkeiässä) retire; (ennen eläkeikää) resign, quit **4** (puolisosta: lopullisesti) divorce; (väliaikaisesti) separate, move out **5** (poika-/tyttöystävästä) break up, split up

erota edukseen stand out from the crowd/ rest, be head and shoulders above the others

erota elämästä slough off this mortal coil, leave this world

erota vihamiehinä part enemies

erota vihassa part in anger

erota ystävinä part as friends

erotella 1 (lajitella) sort out, separate **2** (valita joukosta) pick out, cull out, single out, isolate

erotiikka eroticism; (eroottiset kuvat, tavarat) erotica

erotodistus 1 (työpaikasta) certificate of resignation, work certificate **2** (avioliitosta) bill/certificate of divorce **3** (koulusta) diploma, (UK) leaving certificate

erottaa 1 (tehdä erilaisiksi) make different, distinguish *Miehen erottaa naisesta paitsi anatomia myös kasvatus* The differences between men and women are both biological and social, what makes men differ(ent) from women is not only nature but also nurture **2** (havaita erilaisiksi) differentiate, distinguish, tell apart *En osaa erottaa teitä toisistanne* I can't tell you two apart **3** (havaita) distinguish, discern, make out *Kuulin puhetta mutten erottanut sanoja* I heard someone talking but couldn't make out the words **4** (saattaa erilleen) split up, separate, divide *erottaa lampelupukarit* separate two scufflers, break up a fight *erottaa lampaat vuohista* separate the sheep from the goats **5** (eristää) isolate, segregate **6** (luokittaa) divide up (into groups) **7** (työpaikasta) dismiss, discharge, let go, (sanoa irti) give notice; (ark) fire, sack, can **8** (koulusta: lopullisesti) expel, (ark) boot out, send down; (määräajaksi) suspend **9** (kirkosta: katolisesta) excommunicate, (muusta) revoke your church membership

erottaa jyvät akanoista separate the wheat from the chaff

erottaja separator

erottamaton 1 (ystävistä) inseparable *He ovat erottamattomat* They are bosom buddies **2** (virkamiehestä) irremovable

erottelu 1 (rotuerottelu: henkinen) discrimination, (fyysinen) segregation **2** (muu) sorting

erottua 1 (olla erilainen) differ, be/act/feel different *erottua edukseen* stand out (from the crowd) **2** (olla havaittavissa) be distinguishable/discernable, be (visually/) discerned *Tähdet erottuivat heikosti* You could just barely make out the stars

erotuomari referee, umpire

erotus 1 (ero) difference, discrepancy, gap; (mat) remainder **2** (erottaminen) separation **3** (eronteko) discrimination, distinction *tehdä erotus* make a distinction, discriminate, distinguish

erotuskyky (tekn) resolution

erraattinen (säännötön) erratic

eruptiivinen (purkautumalla muodostunut) eruptive

erä 1 (määrä) amount, quantity; (osamäärä) portion, part *Lisää sokeri kolmessa erässä* Add sugar in three portions **2** (tavaraerä) lot, batch, consignment, quantity **3** (osamaksu) installment **4** (urheilu) game, (välierä) (qualifying) heat, (nyrkkeilyssä) round, (tenniksessä) set, (jääkiekossa) period, (koripallossa jne) quarter

erämaa 1 (takamaa) wilderness, the wild(s) *erämaan kutsu* the call of the wild **2** (autiomaa) wasteland, desert

erämaja wilderness hut/cabin

eränkävijä hunter, (turkismetsästäjä) trapper, backwoodsman

eräpallo (kun pelissä on yksi erä) game/match point; (tenniksessä) set point

eräpäivä due date

eräretkeilijä hunter, trapper, backwoodsman

eräretki hunt(ing trip)

eräs *s, adj* one, a certain person, someone, somebody *eräs tuttavani* a friend of mine *Tämä on eräs niistä joista olen puhunut* This is one of the ones I've been talking about *En näköjään tiedä yhtä paljon kuin eräät* I don't seem to know as much as some people (I could name)

erätalous (hist) hunting and fishing economy

erään kerran many times, over and over, (leik) a time or three

eräänlainen a/one sort/kind/type of *eräänlaiset ihmiset* a certain type/kind/sort of people, people of a certain kind

erääntymispäivä due date

erääntyä fall/be(come) due, be payable, mature

esiaste preliminary stage/phase/level

esihistoria prehistory

esihistoriallinen prehistoric(al)

esiin 1 (piilosta) out (of hiding, in the open) *vetää ase esiin* pull out a gun, draw *tuoda esiin* (paljastaa) bring out in the open, disclose, reveal **2** (julkisuuteen) forward, forth *astua esiin* step forward/forth *kutsua esiin* call out/forth, (lak) call to the stand *tuoda esiin* (ottaa puheeksi) bring up, (ottaa esille) take out

esiintyjä performer; (näyttelijä) actor, (laulaja) singer, (tanssija) dancer *illan esiintyjä* tonight's guest (star/performer)

esiintymiskuume stage fright, performance anxiety

esiintymiskyky gift/talent for singing/acting /dancing/performing; stage presence

esiintymispelko stage fright

esiintymisvuoro *Olet seuraavana esiintymisvuorossa* You're up/on next

esiintymä occurrence; (geol) deposit, accumulation

esiintyä 1 (näyttäytyä) appear, put in/make an appearance, show up/yourself *esiintyä ilman paitaa* show/turn up with no shirt on, walk in/arrive/appear without a shirt **2** (käyttäytyä) behave, act, conduct yourself *esiintyä edukseen* make a good impression *esiintyä arvokkaasti* conduct yourself with dignity, act in a dignified manner **3** (esittää, olla esiintyjänä) perform; (näyttelijänä) act, play (the part of); (laulajana) sing *Martti Talvela esiintyi Sarastrona* Martti Talvela sang the part of Sarastro **4** (esittää, teeskennellä olevansa) pose as, play the part/role of *esiintyä miljonäärinä* pose as a millionaire, pretend to be a millionaire **5** (toimia jossakin kapasiteetissa) serve, act *esiintyä syyttäjänä* act as prosecutor *esiintyä todistajana* appear as a witness **6** (ilmetä) occur, appear *sana esiintyy keskimäärin 10 kertaa jokaisella sivulla* the word occurs an average of 10 times on each page, there are 10 occurrences of the word per page **7** (olla löydettävissä) be found, (geol) be traces/deposits of *Kuhaa ei juuri esiinny Pyhäjärvessä* Virtually no pike perch is to be found in Lake Pyhäjärvi

esiintyä edukseen put your best foot forward

esi-isä ancestor, forefather

esikartano (fore)court *helvetin esikartano* Limbo

esikaupungin asukas suburbanite

esikaupunki suburb, (ark) the burbs

esikaupunkialue suburban area

esikoinen first-born, oldest/eldest (child)

esikoisromaani first novel

esikoisteos first work

esikoulu preschool, nursery school

esikoululainen preschooler

esikunta staff

esikuva (role) model, exemplar, example; (prototyyppi) prototype *kauneuden esikuva* paragon of beauty

esikuvallinen exemplary, perfect *esikuvallinen aviomies* model husband

esilehti flyleaf

esileikki foreplay

esiliina 1 (vaate) apron **2** (ihminen) chaperone

esillepano (liik) display, exhibit(ion), show

esilletulo *Rahoituskysymyksen esilletulo voi aiheuttaa hankaluuksia* If the question of funding comes up, it may cause difficulty

esillä 1 (fyysisesti) out (in the open), visible, showing **2** (näytillä) on view/show/display *pitää itseään esillä* promote yourself, get your name in the papers, keep your face before the public **3** (saatavissa) ready, on /at hand, within easy reach **4** (käsiteltävänä) under discussion, up for discussion/ consideration

esillä oleva asia the matter at hand/in question/under discussion

esimaku foretaste

esimerkillinen exemplary

esimerkki 1 (näyte, todiste) example, illustration, sample *esimerkiksi* for example/ instance, e.g. *Minä en esimerkiksi aio lähteä* I for one am planning to stay right here **2** (tapaus) instance **3** (esikuva) model, example, exemplar *näyttää hyvää esimerkkiä* set a good example

esimerkkiaineisto illustrative material/data

esimerkkilause sample sentence

esimies 1 superior, (ark) boss **2** (liik, hallinnossa) supervisor, chief **3** (työnjohtaja) foreman **4** (koul) principal, headmaster **5** (yliopiston laitoksen johtaja: määräaikainen nimitys) chair(person), (vakinainen nimitys) head **6** (museossa) curator

esinahka foreskin

esinainen (female) boss

esine object, article, thing

esineellinen concrete, material, factual *esineellinen todiste* material/concrete evidence *esineellinen kulttuuri* material culture

esineistö collection/set (of objects/articles)

esinäytös prologue

esiopetus preschooling, preacademic schooling, teaching of preacademic skills

esipestä prewash

esipuhe foreword, preface, introduction

esirippu curtain *rautainen esirippu* Iron Curtain

esirukous prayer of intercession

esite brochure; (kirjanen) leaflet, booklet

esitellä 1 (tutustuttaa) introduce **2** (selostaa) present, explain, expound (upon) **3** (näyttää: paikkaa) show (around), give a tour of; (koneen toimintaa) demonstrate; (pitää näytteillä) display

esitelmä lecture, talk, discourse, presentation; (konferenssiesitelmä) paper *pitää esitelmä* give a lecture/talk on, (konferenssissa) read a paper on

esitelmäkiertue lecture tour

esitelmätilaisuus lecture *Oletko menossa esitelmätilaisuuteen?* Are you going to go to the lecture?

esitelmöidä lecture, speak (on), present (on), give a presentation/lecture/talk, read a paper, be a speaker

esitelmöijä lecturer, speaker, presenter

esitteillä on display

esittelijä 1 introducer, presenter **2** (kokouskäytännössä) rapporteur **3** (hallinnossa) Assistant Junior Secretary

esittely 1 introduction, presentation **2** (ehdotus) suggestion, (esitys) proposal **3** (tasavallan presidentin) Cabinet meeting **4** (havaintoesitys) demonstration **5** (näyttely) show, display, exhibition

esittäjä 1 (lakiesityksen) introducer, proposer **2** (laskun) presenter, (sekin) bearer **3** (runon) (oral) interpreter **4** (näytelmäosan) actor, performer **5** (laulun, oopperaosan) singer, performer **6** (valeroolin) impostor

esittäytyä 1 (esitellä itsensä) introduce/present yourself **2** (näyttäytyä) appear, come into view

esittää 1 (ilmaista) express, offer, set/put forth, state *Älä esitä!* Would you shut up **2** (selostaen näyttää) show **3** (vetää näkyviin) present, produce, show *Esittäkää passinne olkaa hyvä* Please show (me) your passport *esittää lasku* present a bill **4** (ehdottaa) submit, suggest, propose; (tehdä esitys) move, make a motion; (nimitettäväksi) nominate, put forward; (ratkaistavaksi) refer **5** (näytellä tms) perform, do, (näyttelijänä) act, play (the part of); (laulajana) sing *esittää korttitemppuja* perform/do card tricks **6** (teeskennellä olevansa) pose as, play the part/role of *esittää miljonääriä* pose as a millionaire, pretend to be a millionaire *Mitä sinä oikein esität?* What are you trying to pull? **7** (kuvastaa) portray, represent, render *Maalaus esitti taiteilijan äitiä* The painting portrayed the artist's mother

esitys 1 (näytös) performance **2** (esittäminen) presentation **3** (ehdotus) proposal

esitystapa (taiteilijan) representational/expressive mode/style; (puhujan) discursive/rhetorical mode/style

esityö preliminary/preparatory work

esivaihe preliminary/early phase/stage

esivalta the authorities, the powers-that-be

esivanhemmat ancestors, forebears, forefathers

Espanja Spain

espanja Spanish, the Spanish language, (Espanjassa) Castilian

espanjalainen *s* Spaniard *adj* Spanish

espresso espresso

espressokeitin espresso-maker

essee essay

esseisti essayist

essiivi (sijamuoto, esim. sinuna) essive

essu (ark) apron

este 1 obstacle, barrier, obstruction **2** (kuv) hindrance, impediment; (ark) snag, catch *En voi tulla, minulle tuli este* Sorry, I won't be able to make it after all, something just came up **3** (urh) hurdle, (ratsastuksessa) obstacle, jump

esteellinen (jäävi) disqualified, (estynyt) prevented

esteellisyys incapacity, disqualification

esteetikko (estetiikan/taiteen tuntija) (a)esthetician, (a)esthete

esteettinen (estetiikkaan/taiteeseen liittyvä) (a)esthetic

esteettömyystodistus 1 (avioliittoa varten) certificate of nonimpediment **2** (passia varten) clearance certificate

esteetön 1 (vapaa) free, clear, unobstructed **2** (lak) competent, qualified, allowable; (avioliittoon) free (to marry), unimpeded; (jäävitön) unchallenged

estejuoksu steeplechase

esteratsastus showjumping

estetiikka (kauneutta tutkiva tiede) (a)esthetics

estimoida (arvioida) estimate

esto 1 (psyk) inhibition **2** (urh) interference

estoinen inhibited

estoton uninhibited, unselfconscious, spontaneous, free

estrogeeni estrogen

estynyt 1 (estetty) incapacitated, unable, prevented, hindered **2** (estoinen) inhibited, selfconscious

estyä be unable to do something, be prevented/hindered from

estää 1 (ehkäistä) prevent, forestall, preclude, avert **2** (jotakuta tekemästä jotakin) prevent/stop/keep someone from doing something, something from happening

etana (kuorellinen) snail, (kuoreton) slug, (syötynä) escargot *Liikettä kinttuihin senkin etana!* Would you get a move on? You're slow as a snail!

etananvauhti snail's pace *kulkea etananvauhtia* go at a snail's pace

eteen *adv* (etupuolelle) forward, (up) (to the) front *postp* **1** in front of, before *joutua*

kuoleman eteen face death **2** (puolesta) for, on behalf of *Saan tehdä lujasti töitä sinun eteesi* I've got to work my butt off to keep you happy/to make enough money for you

eteenpäin forward, onwards, ahead, on *lue eteenpäin* read on *jatka eteenpäin* go ahead *tästä hetkestä eteenpäin* from now on, from this day forward, from this moment onwards

eteinen 1 (ulkoeteinen) outer hall(way), entry(way), vestibule **2** (pitkä eteinen) hall, corridor, aisle, passage(way) **3** (anat: sydämen) atrium, auricle; (kurkunpään) vestibule

eteisaula lobby, foyer

etelä south, the South

Etelä-Afrikka South Africa

eteläafrikkalainen *s, adj* South African

Etelä-Carolina South Carolina

Etelä-Dakota South Dakota

eteläinen southern, southerly

Etelä-Jemen People's Democratic Republic of Yemen

Etelä-Korea South Korea

eteläkorealainen *s, adj* South Korean

etelämaa Southern Europe, the Mediterranean countries

etelämaalainen Southern European, Mediterranean

etelämainen Southern, Mediterranean

etelänapa South Pole

etelänmatka vacation in the sun, in southern climes

etelänmatkailu Mediterranean tourism

eteläpuoli south(ern) end/side

etelärinne south(ern) slope

eteläslaavi Southern Slav, Jugoslav

eteläsuomalainen Southern Finn

Etelä-Suomi Southern Finland

etelätuuli southerly (wind)

etelävaltalainen (US) Southerner

etelävaltiot (US) the southern states, the South

etenkin especially, particularly

etenkään especially/particularly (not)

etevyys 1 (taito) competence, ability, talent **2** (huomattava asema) (pre-)eminence, prominence **3** (loisto) brilliance, excellence, genius **4** (lupaus) promise, precocity

etevä 1 (taitava) competent, able, talented, brilliant **2** (huomattava) (pre-)eminent, prominent, distinguished **3** (loistava) brilliant, excellent **4** (lupaava) promising, up-and-coming, precocious

etevämmyys superiority, (ark) being better, having an edge/advantage

etiikka (oikeaa käyttäytymistä tutkiva filosofian haara) ethics

etiketti 1 (lappu) (product) label **2** (käyttäytymisnormisto) etiquette

etikettivirhe faux pas, (social) gaffe

etikka vinegar

Etiopia Ethiopia

etiopialainen s, adj Ethiopian

et-merkki ampersand (&)

etninen (kansaa tai heimoa koskeva) ethnic

etnosentrinen (ryhmäkeskeinen) ethnocentric

etoa Minua etoo tuommoinen That sort of thing makes me puke, makes me want to throw up, makes me sick to my stomach, turns my stomach

etova disgusting, nauseating; (ark) gross

etsata (syövyttää metalli kuvan painamiseksi) etch

etsaus (etsaaminen tai etsaten tehty kuva) etching

etsijä 1 seeker, searcher, hunter **2** (etsin) viewfinder

etsin (kameran) viewfinder

etsintä search, hunt, pursuit, quest; (poliisietsintä) pursuit

etsintäkuuluttaa put out an all-points bulletin

etsintäkuulutus all-points bulletin, (ark) APB

etsivä detective; (ark) dick, shamus, gumshoe; (yksityinen) private investigator/eye, P.I.

etsiytyä gravitate toward, be drawn to, get sucked into

etsiä 1 (jotakin) search/look for, go looking for, go in search of, hunt for, track (down), seek **2** (jokin, hakea) (look around until you) find Voisitko etsiä minulle kynän? Could you scrounge me up a pen? Could

you find me a pen somewhere? **3** (jostakin jotakin) search (through), scour etsiä koko kaupungista pähkinävoita scour the city in search of peanut butter **4** (hakuteoksesta) look up etsiä sanakirjasta look up in the dictionary

etsiä kissojen ja koirien kanssa leave no stone unturned

etsiä käsiinsä get your hands on

etsiä neulaa heinäsuovasta look for a needle in a haystack

ettei 1 that ... not Satoi niin rankasti, etten nähnyt eteeni It rained so hard that I couldn't see in front of me **2** (jottei) so (that) ... not, so as not to Pannaan topinäksi, ettei myöhästytä Let's get a move on, so we aren't late

että 1 that, so that Hän sanoi että hän tulee He said that he's coming **2** (interj) boy!, how... Että mua sapettaa! Boy does that burn me up! Että sinä jaksat! How do you do it? Että se kehtaa! How dare he!

etu (hyöty) advantage, benefit, favor Minulle olisi eduksi, jos voisit tehdä sen It would be highly advantageous/beneficial for me, it would be greatly to my advantage, if you could do it Marjalle luettiin eduksi It was counted in Marja's favor/to Marja's advantage esiintyä edukseen make a good impression Mitä etua siitä on minulle? What good will that do me, how will that benefit me? **2** (oma etu) interest Se on sinun oman etusi mukaista It's in your own best interests oman edun tavoittelu self-interest, looking after number one **3** (etuoikeus) perquisite, (ark) perk autoetu company car **4** (tenniksessä) ad(vantage)

etuajo-oikeus (auto) right of way, (UK) priority

etuala 1 foreground (myös kuv) tulla etualalle come to the fore **2** (näyttämön) stagefront tulla etualalle go (to) stage front, go downstage

etuilla cut in line Älä yritäkään etuilla! Don't you dare cut in line!

etujalka 1 (eläimen) foreleg, forefoot **2** (tuolin tms) front leg

etujärjestö special-interest group

etukautta by way of the front, across the front *koukata etukautta* cut across the front

etukenossa leaning forward

etukäteen in advance, beforehand, (ark) up front

etulyöntiasema advantage *olla etulyöntiasemassa* have the advantage

etumatka lead, (head)start

etunenässä in charge, at the head of *Bussin oli tungosta, Mari etunenässä* There was a whole crowd of people trying to get onto the bus, Mari at their head

etunimi first/Christian name

etuoikealla ahead and to your right

etuoikeus 1 privilege **2** (etusija) preferential claim, priority, prior claim **3** (hallitsijan) prerogative

etuoikeutettu privileged, favored; (liik) preferential; (lak) preferred

etuosa front (part/section)

etupenkki (auton) front seat, (kirkon) front /first pew

etuperin head/front first

etupiiri (pol) sphere of interest

etupuoli front; (talon) face, facade; (kolikon) obverse

etupää front, (suippo) nose

etupäässä mainly, mostly, chiefly, primarily; for the most part, in the main

eturauhanen prostate

eturivi front row; (kuv) vanguard, forefront

eturyhmä 1 vanguard, forerunners **2** (special) interest group, pressure group

etusija priority, precedence, preference *olla etusijalla muihin nähden* take precedence /priority over the others

etusivu front page

etusormi index finger, (ark) pointer finger

etuvasemmalla ahead and to the left

etuveto front-wheel drive

etuvetoinen front-wheel drive

etydi (mus) etude

ETYK *Euroopan turvallisuus- ja yhteistyökokous* CSCE, Conference for Security and Cooperation in Europe

etäinen 1 distant, far-off/-away, remote, (far) removed **2** (kuv) distant, cool, aloof *Sinä olet niin pelottavan etäinen!* You're so far away/you're a million miles away, it frightens me!

etäisyys 1 distance, remoteness **2** (kuv) distance, coolness, aloofness

etäkauppa Internet business/trade

etäkäyttö (tietok) remote login

etäopetus distance education

etäopiskelu distance learning

etätyö telecommuting, telework, remote work

etäyhteys (tietok) remote connection

etäällä far (away/off), (off) in the distance, a long way(s) away

etäännyttää distance, isolate, alienate

etääntyä 1 (siirtyä kauemmas) go/draw away, withdraw, move farther away **2** (vieraantua) grow/drift away, lose touch, become estranged

EU European Union

eufemismi (kiertoilmaus) euphemism

eukko old lady/woman/girl; (halv: noita) hag, witch, bag

euro euro

euroaika Central European time

eurodollari Eurodollar

euroinsinööri euroengineer

eurokansanedustaja Member of the European Parliament, MEP

eurokraatti eurocrat

eurolaki EU directive

euromarkkinat euromarket

euronormi euronorm

Euroopan parlamentti (EU:n kansanedustuselin) European parliament

Euroopan yhteisö(t) (EY) European Communities, EC

Eurooppa Europe

eurooppalainen European

Eurooppa-neuvosto (EU:n valtionpäämiesten kokous) European Commission

europarlamentaarikko Member of the European Parliament, MEP

europarlamentti EU parliament

euroslangi euroslang, eurojargon

eurovaalit euroelections

eurovaluutta eurocurrency

euroviisu Eurovision entry; (mon) Eurovision song contest

eutanasia euthanasia

evakko evacuee
evakuoida (tyhjentää, viedä ihmiset vaarasta) evacuate
evakuointi (tyhjentäminen, ihmisten vieminen vaarasta) evacuation
evaluaatio (arviointi) evaluation
evaluoida (arvioida) evaluate
evankelinen evangelical
evankelis-luterilainen Lutheran *Suomen evankelis-luterilainen kirkko* the Evangelical Lutheran Church of Finland
evankelista evangelist
evankeliumi gospel *Matteuksen evankeliumi* The Gospel According to Matthew

evankeliumiteksti Gospel scripture/reading
evankeloida evangelize, proselytize
eversti colonel
everstiluutnantti lieutenant colonel
evoluutio evolution
evoluutioteoria the theory of evolution
eväslaukku lunch box/pail
eväste (tietok) cookie
evästää 1 (ruoalla) provision **2** (tiedolla tms) brief, advise, counsel
eväät 1 bag/sack/box lunch; (ark) drinks, booze *omat eväät mukaan* bring your own bottle (BYOB) **2** (opastus) advice, guidance; (edellytykset) assets, resources

F, f

faarao pharaoh
faasi (vaihe) phase
faija (ark) dad, pop
fakiiri fakir
fakki-idiootti (ark) (vrt. friikki) geek *elokuvafakki-idiootti* movie geek *musiikkifakki-idiootti* music geek
fakkiintua (ark) become geekified
fakkiutua (ark) become geekified
faksata fax
faksi fax
fakta fact
faktori factor
Falklandinsaaret Falkland Islands
fallinen vaihe phallic stage
fallos phallus
falsetti falsetto
falskata (mittaus tms) be off, (sauma) leak
falski 1 (virheellinen) false, erroneous, (ark) off **2** (teennäinen) fake, phony
fanaatikko (kiihkoilija) fanatic
fanaattinen (kiihkomielinen) fanatic
fani fan
fanklubi fan club
fantasia fantasy; (psyk) phantasy
fantastinen fantastic
farinsokeri brown sugar
fariseus Pharisee

farkut jeans
farmakologia (lääkeaineoppi) pharmacology
farmari 1 (mies) farmer **2** (auto) station wagon **3** (mon) (blue) jeans, Levis
farmariauto station wagon, (UK) estate car
farmarihousut (blue) jeans, Levis
farmata (viljellä) farm
farmi farm
farsi (nykypersia) Farsi
farssi farce
fasaani pheasant
fasismi fascism
fasisti fascist
fasistinen fascist(ic)
fatalismi (kohtalousko) fatalism
F-avain bass clef
fax fax, facsimile, telefax
F-duuri F major
fellaatio (siittimen kiihottaminen suulla) fellatio
feminiininen feminine
feminismi feminism
feministi feminist
feministinen feminist
fennisti student/scholar of Finland
fennistiikka Finnish studies
feodaalinen feudal
feodalismi feudalism

fes F flat
festari (ark) festival
festivaalit festival
fetisisti fetishist, (UK) fetichist
fetissi fetish
fiasko fiasco
fibata (sl) mess/screw up, screw the pooch
fibaus (sl) screw-up
Fidži Fiji
fidžiläinen s, adj Fijian
figuuri (hahmo) figure
fiilinki (ark) feeling, (tunnelma) mood
fiilis (ark) feeling, (tunnelma) mood
fiini (ark) elegant, stylish
fiksaamo (autojen) body shop
fiksata 1 (kiinnittää) attach **2** (lyödä lukkoon) make a deal **3** (korjata) fix
fiksu (ark) smart
fiksu ja filmaattinen smart and good-looking
Tyttö on fiksu ja filmaattinen The girl's got brains and looks
fiksusti correctly, appropriately *tehdä fiksusti* play it smart
file (tiedosto) file
filee filet
filippiiniläinen s Filipino adj Philippine
Filippiinit Philippines
fillari bike
filmata 1 (elokuvata) film, make/shoot a movie/film *filmata Sotaa ja rauhaa* make a movie of *War and Peace* **2** (teeskennellä) put on (an act, airs), be affected
filmi 1 (valokuvafilmi) film **2** (elokuva) movie, (UK) film **3** (kuv) *filmi katkesi* everything went black, I blacked out
filosofi philosopher
filosofia philosophy
filosofinen philosophical
filtteri filter
filtti (ark) blanket
finaali 1 (urh) finals, final heat **2** (mus) finale
finanssimies financier
fingliska Finglish
finis (sl) the end
finni pimple, (euf) blemish, (ark) zit; (mon) acne
finninen pimply, (kakara) pimple-faced
firma firm, company

fis F sharp
flaami 1 (asukas) Fleming, (mon) the Flemish **2** (kieli) Flemish
flaamilainen Flemish
flikka (ark) chick
flipperi pinball (machine)
flirttailla flirt
flirttailu flirting
flirtti flirting
floppi 1 (korkeushyppytyyli) Fosbury flip **2** (munaus) flop **3** (disketti) floppy
flunssa the flu, a cold
flunssainen fluey
fondyy fondue
foneemi phoneme
fonetiikka phonetics
fonologia phonology
fonologinen phonological
fontti (kirjasinlaji) font
formaali (muodollinen) formal
formatoida format
formula ykkönen Formula 1
formuloida formulate
fosfori phosphorus
fossiili fossil (myös kuv: vanhus)
fraasi phrase
frangi franc
freudilainen Freudian
freudilainen lipsahdus Freudian slip
friikki (ark) (asiasta innostunut) freak
friisi 1 (koristepinta) frieze **2** (Frieslandin tai Friisein saarten asukas tai kieli) Frisian
fritsu *fritsu* **1** (postimerkki) stamp **2** (imujälki) hickey
fudut (ark) *saada fudut* get fired/shitcanned
fuksi (ark) freshman
fundamentalismi (pyhän kirjan kirjaimellista tulkintaa vaativa uskonnollinen suuntaus) fundamentalism
fundamentalisti (fundamentalismin kannattaja) fundamentalist
funkis functionalism
funktio function
funktionaalinen functional
funktionalismi functionalism
funtsata (ark) think
funtsia (ark) think *Funtsi nyt!* Come on, think!

fuskata (ark) **1** (huijata) cheat, cut corners **2** (hutiloida) bungle, botch
fusku (ark) cheat, hoax *pelkkää fuskua* all a big hoax
futata (ark) **1** (potkaista) kick **2** (pelata futista) play football
futis (ark) football, soccer
futismatsi (ark) football/soccer match
fysiikka physics
fysikaalinen physical
fysiologia physiology
fysiologinen physiological
fysioterapia physical therapy, physiotherapy

fyysikko physicist
fyysinen physical
fääringi (Färsaarten asukas) Faeroese
Färsaaret Faeroe Islands
fääri (kieli) Faeroese
förskotti (ark) (maksu) advance payment, a little something in advance, foretaste, (ruoka) taste *ottaa vähän förskottia* taste a little out of the kettle
föönata blow-dry
föönaus blow-drying
fööni blow-drier

G,g

gaeli (kieli) Gaelic
galleria gallery
gallona gallon
gallup (opinion) poll, Gallup poll
Gambia Gambia
gambialainen *s, adj* Gambian
gangsteri gangster
gaviaali (eläin) gavial
geeni gene
geenitekniikka genetic engineering
geisha geisha
genetiikka genetics
geologi geologist
geologinen geological
geometria geometry
geometrinen geometric(al)
germaaninen Germanic
germaaniset kielet Germanic languages
germanisti student/scholar of German
gerundi gerund
Ghana Ghana
ghanalainen *s, adj* Ghanaian
Gibraltar Gibraltar
gigatavu gigabyte, GB
giljotiini guillotine
Golfvirta Gulf Stream
graafinen graphic
graffiti graffiti
grafiitti graphite

gramma gram
granaattiomena pomegranate
graniitti granite
greippi grapefruit
Grenada Grenada
grenadalainen *s, adj* Grenadian
griini (viheriö) green
grillaaminen barbeque, grilling
grillata barbeque, grill
grilli (parila, ravintola) grill
groteski *s* (kirjapainossa) sans serif *adj* grotesque
Gruusia Georgia
gruusialainen Georgian
grönlanninhylje harp seal
Grönlanti Greenland
grönlantilainen *s* Greenlander *adj* Greenlandic
Guam Guam
Guatemala Guatemala
guatemalalainen *s, adj* Guatemalan
Guinea Guinea
Guinea-Bissau Guinea-Bissau
quinealainen *s, adj* Guinean
Guyana Guyana
guyanalainen *s, adj* Guyanese
gynekologi (naistentautien lääkäri) gynecologist

H,h

Haag the Hague

haaksirikko shipwreck; (kuv) disaster, calamity

haaksirikkoinen shipwrecked

haalarit overalls

haalea 1 (lämpö) lukewarm, tepid **2** (väri) pale, faded

haalentaa cool (off/down)

haaleta cool (off/down)

haalia gather, assemble, bring together; (ark) scrape/rake/drum up

haalistaa fade

haalistua fade

haamu 1 (aave) ghost, phantom, specter, apparition; (ark) spook **2** (varjokuva) shadow, shade, ghost(ly image)

haamukirjoittaja ghostwriter

haamuraja (urh) magic barrier/limit

haamusärky phantom pain

haapa aspen

haara 1 (puun) branch, bough, limb **2** (joen) fork, leg, tributary, feeder **3** (ihmisen) leg, (mon) crotch **4** (asian) implication, ramification **5** (toimintapiirin) branch

haarautua branch (off/out), fork, divide

haaremi harem

haarniska (suit/coat of) armor

haarukka 1 fork **2** (sot) bracket **3** (mer) gaff

haaska 1 carcass (myös kuv), (mon) carrion *Missä haaska siinä korpit* Where there's shit there's bound to be flies **2** (hylkiö) trash, garbage, junk **3** (ruma nainen) dog, hag

haaskaeläin carrion(-devouring) animal, scavenger, (eläintieteessä myös) necrophagous animal

haaskalintu carrion bird, (kuv) vulture *kerääntyä kuolevan isän ympärille kuin haaskalinnut* gather around your dying father like vultures

haaskata 1 (tuhlata) waste, fritter/throw away **2** (turmella) waste, demolish; ruin;

(ark) trash *Jos haluat haaskata oman elämäsi, siitä* käsin If you want to waste/ruin /throw away/trash your life, go right ahead

haaskaus waste *Se on hirveätä rahan haaskausta* That's a terrible waste of money

haastaa 1 (kutsua mukaan) invite (to compete), (issue a) challenge, call *Lukion toinen luokka haastaa ensimmäisen mukaan limsapullon hintaan* The sophomore class challenges the freshman class to contribute the price of a bottle of soda pop **2** (todistajaksi) call as a witness, call to the stand **3** (kertoa, puhua) talk, chat, shoot the breeze

haastaa oikeuteen sue, file suit against, take to court, bring an action against

haastaa riitaa pick a fight, look/ask for a fight, be quarrelsome

haastatella interview

haastateltava interviewee

haastattelija interviewer

haastattelu interview

haastava 1 challenging **2** (vaikea) difficult, trying, taxing **3** (kiinnostava) stimulating, interesting, thought-provoking

haaste 1 (kutsu kilpailemaan) challenge, dare **2** (vaikea ja kiinnostava tehtävä) challenge, challenging job/task **3** (lak) subpoena, writ, summons

haastella talk, chat, shoot the breeze

haava wound, cut, (palohaava) burn; (kuv) wound, trauma

haavanlehti *väristä kuin haavanlehti* tremble /quake like a(n) aspen) leaf

haave (day)dream, wish, hope, fantasy

haaveellinen dreamy

haaveilija dreamer

haaveilla (day)dream, wish/hope for, fantasize

haaveksia (day)dream, wish/hope for, fantasize

haavemaailma utopia, El Dorado, Shangri-la; (pilkkaava) Cloud-Cuckoo-Land, dream world

haaveri accident

haavi 1 (landing) net; (perhoshaavi) butterfly net **2** (kolehtihaavi) offertory bag

haavi auki (ark) mouth open/agape *seisoa haavi auki* stand there gaping, stand there with your tonsils hanging out

haavikko aspen grove/copse/stand

haavoittaa 1 (fyysisesti tai henkisesti) wound, injure, hurt **2** (vain henkisesti) offend, hurt someone's feelings

haavoittua 1 (fyysisesti tai henkisesti) be wounded/injured/hurt **2** (vain henkisesti) take offense, be offended, have your feelings hurt

haavoittunut s wounded person, (mon) the wounded *adj* **1** (fyysisesti tai henkisesti) wounded, injured, hurt **2** (vain henkisesti) offended

haavoittuvainen vulnerable, easily hurt/wounded, thin-skinned

haeskella look around for

haettaa have someone get something *haetti luokseen lääkärin* sent for a doctor

hahmo 1 (hämärä olento) figure, shape, form, outline **2** (romaanihenkilö) character, figure **3** (psyk) gestalt, configuration, structure

hahmotella 1 (piirtää) sketch (in/out), outline, flesh out **2** (selostaa) set forth (briefly), outline, summarize **3** (luoda henkilöhahmo) characterize (with a few details), sketch/flesh out a character

hahmotelma 1 (luonnos) sketch, draft, rough-in **2** (pintapuolinen suunnitelma) rough idea

hahmoteoria (psyk) Gestalt theory

hahmottaa 1 ks hahmotella **2** give form/shape/structure to, flesh out, embody

hahmottua take shape/form, take on definition

hai shark (myös kuv)

haihatella (day)dream, build castles in the air, be off on some other planet, have your head up in the clouds

haihatteleva impractical, utopian

haihattelija (day)dreamer

haihtua 1 (neste) evaporate, vaporize **2** (hävitä: olio) dissipate, disperse, disappear **3** (hävitä: tunne) fade, die out/away, evaporate, be dispelled, pass

haihtuva 1 (kem) volatile, ethereal **2** (kuv) fleeting, evanescent, momentary

haikailla 1 (kaihota) long/yearn/hanker/sigh /pine for **2** (valitella) whine, sigh, complain, grumble

haikala shark

haikara stork *Hän uskoo vielä haikuraan* He still thinks babies are brought by the stork

haikea sad, bittersweet, wistful, nostalgic

haikeus (sweet) sadness, nostalgia

hailee *Se on yks hailee* It's all the same to me, I could/couldn't care less

haima pancreas

hairahdus 1 (fyysinen) slip, fall, loss of balance, misstep, false step **2** (moraalinen) slip, indiscretion, imprudence, lapse

hairahtaa 1 (fyysisesti) slip, fall, lose your balance, take a wrong step **2** (moraalisesti) slip, stray (from the strait and narrow (path)), commit an indiscretion

haiseva smelly, stinky, reeking

haiskahtaa (myös kuv) smell, reek; (vain kuv) smack (of)

haista 1 (joltakin) smell (like), have a smell/scent/odor *Täällä haisee hyvältä/pahalta* This place smells good/bad **2** (kuv) smell, stink, reek *Täällä haisee raha* This town reeks of money, This place is full of the stink/smell of money

haistaa 1 (havaita hajuaistilla) smell, sniff, get a whiff of, be windward of **2** (vainuta) scent, smell/nose (out), get wind/scent of **3** (epäillä) smell, suspect, sense, feel

haistatella tell someone where to go, where to get off, what to do with it

haistattaa pitkät tell someone where to shove it, tell someone where to get off

haistella tuulta see which way the wind is blowing

haisu smell, reek, stench

haisunäätä skunk

haitallinen 102

haitallinen harmful, injurious, hazardous (to your health) *haitallinen vaikutus lapseen* a bad/detrimental influence on a child

haitari 1 (soitin) accordion **2** (asteikko) scale

haitata 1 (estää) hinder, hamper, impede *haitata työntekoa* interfere with (your) work, make it hard to (get your) work (done) **2** (vaivata) bother, irritate, bug *Haittaako tämä sinua?* Does this bother/bug you? *Ei se haittaa* I don't mind, it doesn't bother me, it doesn't matter, it doesn't make any difference

Haiti Haiti

haitilainen *s, adj* Haitian

haitta 1 (huono puoli) drawback, disadvantage, negative side *markkinatalouden haitat* the drawbacks of a market economy **2** (vaiva) bother, inconvenience, nuisance, hindrance, impediment; (ark) headache, pain in the ass/neck *Sinusta ei ole muuta kuin haittaa!* What a pain in the ass you are! You're nothing but trouble! **3** (lak) prejudice *kenellekään haittaa tuottamatta* with prejudice to none

haittatekijä problem, bothersome/troublesome consideration, inconvenience, impediment

haittavaikutus adverse effect, (lääkkeen) side effect

haituva down, fluff

haiven 1 (karva) (thin/wispy) hair, (pojan partahaiventa) (peach)fuzz, (untuvaa) down **2** (savun tms) wisp, trace, speck

hajaannus 1 (hajallaan olo) dispersion, disintegration, scattering *juutalaisten hajaannus* the Diaspora *kielten hajaannus* (Baabelissa) the scattering of tongues (at Babel) **2** (eripuraisuus) disaffection, disunion, division; (jakautuminen) schism, split

hajaantua (umpimähkään) disperse, scatter, break up, run in all directions **2** (virallisesti: sot) disband; (toimikunta) dissolve; (väliaikaisesti) recess; (kahtia) split/divide up **3** (kem) decompose

hajalla 1 (hujan hajan) (scattered/strewn) here and there, all over (the place), (all) spread out **2** (palasina) broken/smashed (into pieces), in pieces, fallen apart **3** (henkisesti murtunut) all broken/smashed up

hajamielinen absent-minded

hajamielisyys absent-mindedness

hajanainen 1 (siellä täällä esiintyvä) dispersed, scattered *Siellä oli muutama hajanainen talo* There were only a few houses here and there **2** (yksittäinen) stray, random, odd, sporadic *hajanaisia laukauksia* random/stray shots *hajanaisia huomioita* stray remarks **3** (rikkinäinen: esine) broken, smashed; (perhe-elämä) broken, split; (psyyke) disintegrated **4** (epäyhtenäinen) disconnected, unconnected, incoherent, disjointed *hajanainen koulutus* desultory education

hajanaisuus 1 (esineiden tms) dispersion **2** (kokouksen tms) disunity, divisiveness, discord **3** (tarinan tms) incoherence, disjointedness, unintelligibility, coherence

hajareisin astride, astraddle, with legs spread *istua tuolissa/hevosen selässä hajareisin* straddle a chair/horse

hajataittoisuus astigmatism

hajauttaa decentralize, deconcentrate

hajoamaisillaan falling down/apart

hajoita ja hallitse divide and conquer

hajonta 1 (sot) dispersion **2** (tilastossa) distribution **3** (fys) scattering

hajota 1 ks hajaantua **2** (mennä rikki, myös kuv) break (up/open/into pieces), shatter, fall to pieces, fall/come apart (at the seams), crack up **3** (haihtua) dissolve, disperse, dissipate, (tm) break (up) scatter(ed)

hajota kappaleiksi fall/go into pieces

hajota käsiin fall apart in your hands, at a touch

hajottaa 1 (hajaannuttaa) scatter, disperse, break up, dissipate, drive off (in all directions), send scurrying **2** (levittää) spread (out), scatter, strew (about/around) **3** (virallisesti) dissolve, dismiss, (sot) disband *hajottaa eduskunta* dissolve Parliament **4** (purkaa rakennus) tear/knock down, demolish **5** (purkaa kone osiinsa) take apart, dismantle **6** (rikkoa) break, smash

Jussi hajotti mun junan! Jussi busted my train! **hajottaa aineosiinsa** resolve something into its constituent parts **hajottaa maan tasolle** raze, level **hajottamo** junk yard **haju** smell **1** (hyvä) aroma, scent, fragrance, perfume **2** (paha) reek, stink, stench, fetor, odor **3** (käsitys) idea, clue, conception *Minulla ei ole hajuakaan siitä, mistä puhut* I haven't the foggiest idea of what you're talking about *saada hajua jostakin* get wind/scent of something **hajuaisti** sense of smell; (eläimen) scent **hajuhermo** olfactory nerve, (ark) nose, sense of smell **hajuherne** sweet pea **hajuinen** -smelling *pahanhajuinen* bad-smelling, stinking, reeking *hyvänhajuinen* good-smelling, scented **hajulukko** (drain) trap **hajupommi** stink bomb **hajustaa** scent, perfume **hajusuola** smelling-salts **hajuton** odorless, odorfree; (hajustamaton) unscented **hajuvesi** perfume **haka 1** (koukku, salpa) hook, catch, clasp **2** (aitaus) paddock, fenced pasture **3** (ark) whiz, wizard, shark, expert **hakanen 1** koukku (hook) *päästää hakasista* unhook **2** (hakasulje, [ ]) bracket **hakaneula** safety pin **hakaristi** swastika **hakasulkeet** brackets **hakata 1** (lyödä vasaralla tms) rap, tap, bang, hammer *Lakkaa hakkaamasta siellä!* Will you stop that banging/hammering in there! *hakata lihaa* tenderize meat **2** (lyödä kirveellä tms) chop/cut (down), hew (up) *hakata metsää* chop down trees **3** (sade, sydän yms) beat, pound **4** (lyödä nyrkillä: ovea tms) beat/bang/pound on; (ihmistä) hit, strike, punch, smack *hakata pianoa* pound on the piano **5** (piestä) beat (up), thrash, batter, trounce; (sl) beat the shit out of **6** (voittaa) beat, lick, clobber *Hakkasin*

hänet kunnolla I cleaned his clock, I took him to the cleaners **hake** chip, shaving **hakea 1** (noutaa) get, fetch, bring, pick up *Voisitko hakea minut neljältä?* Could you pick me up at four? *Hae keppi, Musti!* Go get/fetch the stick, Blackie! *kaukaa haettu* far-fetched **2** (etsiä) look/search/hunt (around) for, seek (out); (ilmoituksella) advertise (for), put an ad in the paper *Haimme hänelle kenkiä kolmesta kaupasta* We had to go to three stores to find her some shoes **hakea korvausta** sue for damages (divorce jne) **hakea muutosta** appeal (a decision) **hakea tanssiin** ask someone to dance **hakea virkaa** apply for a job **hakemisto** (luettelo) index (mon indices), (tietok) directory **2** (hakuteos) reference book **hakemus** (virkaa varten) (letter of) application, (anomus) petition **hakeutua 1** (mennä) seek/find your way, go, move *hakeutua talveksi kaupunkiin* move to town for the winter *hakeutua asianomaisen viranomaisen puheille* seek out the proper authority, find the right person (and make an appointment to see him/her) **2** (olla taipuvainen menemään) gravitate toward, be drawn to, turn to *ajatukseni hakeutuivat jatkuvasti siihen kesään* My thoughts constantly (re)turned/gravitated to that summer **hakija 1** (viranhakija) applicant, candidate **2** (esim. korvauksen) petitioner **hakkailla 1** ks hakata **2** (liehitellä) flirt with, hit on, come on to **hakkelus** hash, minced/chopped meat *Teen sinusta hakkelusta!* I'll make mincemeat of you! **hakkeri** (computer) hacker **hakkeroida 1** (murtautua tietokoneisiin) hack **2** (harrastaa tietokoneita) be a computer geek **hakkerointi** hacking **hakkuu** logging

hakoteillä

hakoteillä on the wrong track, barking up the wrong tree

haksahdus screwup, blunder

haksahtaa screw up

haku 1 (hakeminen) getting, fetching *mennä joulukuusen hakuun* go get a Christmas tree **2** (etsiminen) search, lookup *Internethaku* web search *viranhaku* job application *panna virka hakuun* advertize a job in the paper *pojalla on haku päällä* he's looking (for a girlfriend/to get laid)

hakuaika application period

hakuammunta (kuv) a shot in the dark, hit or miss, trial and error *harjoittaa hakuammuntaa* take a shot in the dark, proceed by trial and error *hänen syytöksensä ovat pelkkää hakuammuntaa* he's just fishing with those accusations, he's on a fishing trip

hakuilmoitus job announcement/advertisement

hakukone (tietok) search engine

hakulaite beeper, pager

hakuohjelma (tietok) search engine

hakupaperit application dossier

hakusana entry

hakuteos reference book

halailla hug, give each other hugs

halaistu *ei sanoa halaistua sanaa* not utter a word, not make a peep/sound

halata 1 (syleillä) hug **2** (vanh: haluta) want, long for, pine for

halaus hug

halia (ark) hug

haljeta 1 (revetä) rip, tear, split **2** (halkeilla) crack, (be) fracture(d) *haljennut pääkallo* fractured skull **3** (puhjeta) burst, break, pop *naurua haljetakseen* split/burst your sides with laughter *Ei kiitos enempää, minä halkean!* Thanks, but if I eat another bite I'll burst/pop!

halju lousy, crummy

halkaisija 1 (mat) diameter **2** (šakissa) diagonal **3** (purje) jib

halkaista split, halve, cleave (in half/twain), cut (in two) *Ei suuret sanat suuta halkaise* Put your money where your mouth is *halkaista hiuksia* split hairs

halkaisu split(ting), cleavage

halkeama 1 crack, fracture, (lääk, geol) fissure **2** (syvä) crevice, crevasse, chasm, rift

halkeilla 1 crack, split, fracture **2** (lohkeilla) peel (off) **3** (rohtua) chap, blister

halki *adv* in two, (run) in twain *mennä halki* split, crack *puhua asiat halki* talk things out, get everything off your chest, clear the air *postp ja prep* (läpi) through(out), (yli, poikki) across *halki maiden ja mantereiden* over hill and dale

halkileikkaus cross-section(al drawing)

halko log, piece/stick of firewood, (mon) firewood

halkoa 1 (puita) cut/split/chop (firewood) **2** (jakaa) cut/split/divide up, cut in two

halkoa hiuksia split hairs, chop logic

halkopino stack of firewood

halla 1 frost; (pers) Jack Frost **2** *tehdä hallaa* cause damage/harm, have an adverse effect

hallelujaa Alleluia, Hallelujah

halli 1 hall; (eteishalli) lobby, anteroom, waiting/reception room; (kauppahalli) market hall; (näyttelyhalli) gallery, exhibition hall **2** (hylje) grey seal **3** (run) dog

hallinnollinen administrative, bureaucratic

hallinta 1 (valtakunnan) rule, reign, control **2** (talon, liikkeen) control; (hallussapito) possession, occupancy, occupation **3** (lihasten) control, command **4** (tunteiden) control, possession *saada tunteet hallintaan* control your emotions, collect yourself, pull yourself together **5** (kielen) command/mastery (of), proficiency (in)

hallinto (valtion) administration, (liikkeen) management, (ryhmän) leadership

hallintoelin administrative/governing organ/agency/body

hallintoneuvosto (kunnan) supervisory/advisory board, board of commissioners/supervisors; (julkisen yliopiston) administrative council, (yksityisen yliopiston) board of trustees; (keskuspankin) board of governors

hallintorakennus administration building

hallita 1 (käyttää ylintä valtaa) rule (over), govern, reign (over) **2** (johtaa) manage,

run, direct, supervise, administrate **3** (pitää hallussaan) possess, be in possession of, hold, occupy **4** (pitää kurissa) control, master, discipline, command **5** (osata) master, have a command of, be good at
hallitsija 1 (ylimmän valtiovallan haltija) ruler, sovereign, monarch; (valtionpäämies) head of state **2** (johtaja) manager, governor, head, boss
hallitus 1 (valtioneuvosto) the (Finnish/U.S.) Government, the (Clinton) Administration; the Cabinet; (ministeriöstö) the bureaucracy, (UK) the Ministry **2** (yrityksen) board
hallituskausi (kuninkaallinen) reign, rule; (demokraattinen) term of office
hallitusmuoto 1 (valtiomuoto) form of government **2** (perustuslaki) Constitution
hallituspuolue governing party, party in power
hallitussihteeri Senior/ministerial Secretary
hallusinaatio (aistiharha) hallucination
hallusinatorinen (hallusinaation kaltainen) hallucinatory
hallusinogeeni (aistiharhoja synnyttävä aine) hallucinogen
hallussa 1 henkilön hallussa in a person's possession **2** vieraan vallan hallussa occupied by a foreign power
hallussapito 1 (henkilön) possession, proprietorship, occupancy, control, tenancy huumeen hallussapito possession of a controlled substance **2** (vieraan vallan) occupation
halo halo
halogeeni halogen
haloo interj (puhelimessa) hello? (rannalta toiselle tms) yoohoo! s hubbub, fuss Asiasta nousi suuri haloo Then they made this big deal out of it, it caused a huge uproar
halpa 1 (huokea) cheap, inexpensive, low-priced halvat hinnat reasonable/moderate /affordable prices saada halvalla get a good deal on ostaa/myydä halvalla buy/ sell low **2** (mitätön) worthless, insignificant, modest, simple, trivial halpa huvi cheap thrills **3** (alhaissyntyinen) low-bred,

common **4** (halpamainen) contemptible, low, mean, base, sordid **5** mennä halpaan be taken in/fooled/duped, be taken for a ride, be snookered Menitpä halpaan! Gotcha! Fooled you! **6** panna halvalla ridicule, put someone down
halpa-arvoinen cheap
halpahalli bargain/discount store
halpamainen contemptible, low, mean, base, sordid
haltija 1 (omistaja) holder, owner, possessor, (sekin) bearer **2** (käyttäjä: talon) occupant, occupier, tenant; (auton) driver **3** (herra) lord kaiken näkemänsä haltija lord of all he beheld **4** (henki) spirit, sprite, genie; (hyvä) fairy, elf, brownie, pixie; (paha) troll, gnome, gremlin, (hob)goblin
haltijatar 1 (naispuolinen omistaja jne) mistress, matron, lady (of the house) **2** (naispuolinen henki) fairy, brownie, pixie, elf hyvä haltijatar fairy godmother
haltioissaan delighted, enraptured, enthralled, enchanted, ecstatic
haltioitua be overwhelmed (with joy), be carried away, be entranced
halu 1 (mieltymistä) desire, craving, wish; (kaipaus) yearning, longing; (taipumus) inclination, penchant, liking; (pyrkimys) aspiration; (ark) itch, yen hyvällä halulla with pleasure, willingly omasta halustani of my own free will palaa halusta tehdä jotakin be dying to do something **2** (himo) lust, desire, passion; (into) ardor, fervor vastustamaton halu irresistable urge
halukas 1 (aulis) willing, ready, eager **2** (taipuvainen) inclined, (pre)disposed **3** (kiihkoinen) ardent, impassioned, passionate **4** (himokas) greedy, covetous; (seksin tarpeessa) lustful, horny
halukkaasti 1 (auliisti) willingly, eagerly, with pleasure **2** (kiihkoisesti) ardently, passionately **3** (himokkaasti) greedily, covetously; lustfully
halukkuus 1 (aulius) willingness, readiness, eagerness **2** (innokkuus) ardor, passion **3** (himokkuus) greed(iness), lust
haluta 1 (tahtoa) want, (toivoa) wish Kumman haluaisit? Which would you like? En

haluton

halunnut loukata sinua I didn't mean to hurt you *Haluaisitko karamellin?* Would you care for/like a piece of candy? *niin halutessasi* if you wish/like **2** (haluta kovasti) desire, want desperately, be dying to **3** (himoita) desire, covet, crave, want to have, want for your own

haluton 1 (vastahakoinen) unwilling, undisposed, disinclined, reluctant **2** (välinpitämätön) apathetic, listless, lethargic, indifferent

haluttaa *Minua haluttaa jo lähteä* I want to go now, I feel like leaving already, I'm inclined/disposed to leave now

haluttomasti apathetically, listlessly, lethargically, without much enthusiasm

haluttomuus 1 (vastahakoisuus) unwillingness, disinclination, reluctance **2** (välinpitämättömyys) apathy, listlessness, lethargy, indifference

haluttu 1 (pyydetty) reequested, desired **2** (suosittu) desired, popular, in demand; (ark) hot *Tämä on haluttua tavaraa* This stuff's popular/hot

halvannutta paralyze

halvaantua be(come) paralyzed

halvaantuminen paralysis

halvattu darn *Voihan halvattu!* Darn it! *Ota sitten, jos haluat sitä niin halvatun paljon* Take it then if you want it so darn much

halvaus 1 (halvaantuminen) paralysis **2** (kohtaus) stroke, apoplexy *saada halvaus* (ark) have a stroke/fit/cow, hit the roof, blow your top

halveerata run (something) down

halveksia despise, scorn, look down on, sneer at, disdain *halveksien* contemptfully, contemptuously, scornfully, disdainfully *Rahaa ei pidä halveksia* Money's nothing to sneeze at

halveksua ks halveksia

halveksunta scorn, contempt, disdain

halventaa 1 (tehdä huokeammaksi) lower/cut/slash costs/prices **2** (tehdä vähempiarvoiseksi) cheapen, lower your esteem (for someone), bring someone/thing down in your eyes **3** (pistää halvalla) disparage, defame, belittle, ridicule

hamassa tulevaisuudessa in the distant/remote future

hame skirt; (kiltti) kilt; (leninki) dress

hameenhelma hem *olla äidin hameenhelmoissa* be tied to mommy's apron-strings

hameväki (halv) skirts *Pitäisi kai ilmoittaa hameväelle* Guess we'd better say something about it to the skirts

hammas 1 (anat) tooth (mon teeth) *pitkin hampain* reluctantly *kynsin hampain* tooth and nail **2** (tekn) (rattaan) cog, (sahan) tooth

hammasharja toothbrush

hammashoitaja dental hygienist/assistant

hammaskiille (dental) enamel

hammaskivi tartar

hammaslanka dental floss

hammaslääketiede dentistry, odontology

hammaslääkäri dentist

hammasmätä caries, tooth decay

hammasproteesi denture(s), dental plate

hammaspyörä cog/toothed/gear wheel

hammasrata cog railway

hammassärky toothache

hammastahna toothpaste

hammastus 1 (tekn) toothing, cogging; (sahan) serration; (hammastuminen) gearing, mesh; (hampaat) teeth, cogs **2** (postimerkin) perforation

hampaankolo *Jos sinulla on jotain hampaankolossa, kakista ulos* If you've got a problem/if something's bothering you, spit it out

hampaat irvessä 1 (vastoin tahtoaan) gritting your teeth, (sanomatta mitään) biting your tongue (ponnistellen) with your jaw set

hampaaton toothless

hampaidenhoito dental care

hampaiden oikominen orthodontia

Hampuri Hamburg

hampurilainen 1 (ihminen) Hamburger **2** (ruoka) (ham)burger (juustohampurilainen) cheese burger, (kerroshampurilainen) double burger

hamsteri hamster

hamstrata hoard

hamuilla grope/fumble for

hamuta 1 (hapuilla) grope/fumble for **2** (tavoitella) grasp at

hana 1 (vesijohdon) faucet, tap **2** (aseen) hammer, cock *virittää hana* cock a gun /weapon

hanakka eager, enthusiastic *käydä hanakasti käsiksi johonkin* jump into something with both feet

hanakkuus enthusiasm, eagerness; (into-himo) passion; (sinnikkyys) perseverance

hanaolut draft beer

hangaari hangar

hongata 1 (linkata) rub (out/ott/up); (jynssätä) scour, scrub *hangata kiiltäväksi* polish, buff (up), (hopeaa) burnish **2** (hiertää) rub (on/against), chafe; (kuv: ärsyttää) irritate, exasperate, rankle *hangata vastaan* chafe against, resist, protest (against)

hangoitella vastaan chafe against, resist, protest (against)

hanhenmaksa (pâté de) foie gras

hanhi goose (mon geese) (myös kuv); (koirashanhi) gander

Hanhiemo Mother Goose

hankala 1 (vaikea tulla toimeen) difficult, troublesome, hard to manage/please/ satisfy **2** (vaikea käyttää) cumbersome, clumsy, inconvenient, unwieldy **3** (vaikea kestää) awkward, embarrassing, difficult *hankala tilanne* unpleasant/awkward situation

hankaloittaa make (something) (more) difficult; (olla esteenä) obstruct, impede, hamper

hankaluus difficulty, trouble, inconvenience, awkwardness; (ark) snag, hitch

hankaus rubbing, chafing

hankausjauhe cleanser

hankausneste liquid cleanser

hanke 1 (yritys) project, undertaking, enterprise *Hanke kaatui rahavaikeuksiin* The project had to be abandoned due to financial difficulties **2** (aie) plan, intent(ion), design

hanki snow; (kantohanki) crusted snow *hanki kantaa* the snow is hard enough to walk on

hankinnainen (sairaus, ominaisuus) acquired

hankinnaisominaisuus acquired characteristic

hankinnaissairaus acquired disease

hankinta 1 acquisition, procurement; (osto) purchase, buying **2** (toimitus) delivery, supply

hankintahinta purchase/original price *hankintahintaan* at cost

hankintakustannukset initial outlay, first/ acquisition/prime costs

hankkia 1 (saada) get, obtain, acquire, find **2** (ostan) buy, purchase, procure **3** (toimittaa) provide, furnish, supply **4** (ansaita) earn, make (money, a living) **5** (valmistella) prepare (for), look for *hankkia riitaa* look/ask for a fight *Jos haluat rauhaa, hanki sotaa* If you want peace, prepare for war

hankkia lapsia have children

hankkia rahaa (ansaita) earn money, (kerätä) raise money

hankkija 1 (hankkeesta sopinut) contractor **2** (tavaran toimittaja) supplier, deliverer **3** (muonan) caterer, purveyor, provisioner **4** (ilmoitusten tms) agent, canvasser

hankkiutua 1 (valmistautua) prepare for, get ready for, dress up for **2** (järjestää itsensä jonnekin) see your way clear to (going, doing, getting) *hankkiutua valtaan* connive/scheme your way into power *hankkiutua jonkun suosioon* angle your way into someone's favor *hankkiutua irti ikävästä tilanteesta* weasel your way out of a sticky situation *hankkiutua eroon ihailijoistaan* break free of your admirers

hanko (pitch)fork

hansikas glove *heittää jollekulle hansikas* throw down the gauntlet to

hansikaslokero glove compartment

hanska glove

hanttihomma menial job/chore; (sl) shitty job, (mon) scutwork, shitwork *Olen kyllästynyt siihen, että saan tehdä kaikki hanttihommat täällä* I'm sick of having to do all the shitwork around here

hanttiin *panna hanttiin* resist, fight back, get/ put your back up, dig your heels in

hanttimies odd-job man

hanuri accordion; (pieni) concertina

hanuristi accordionist

hapan 1 (maku) sour, tart *Happamia, sanoi kettu pihlajanmarjoista* Sour grapes **2** (ilme) sour, sullen (murjottava), surly (vihainen) **3** (kem) acid(ic)

hapanimelä sweet-and-sour

hapankaali sauerkraut

hapankerma (lähin vastine) sour cream

hapankorppu finncrisp

hapanleipä black bread; (raam) leavened bread

hapannaama sourpuss, grouch

hapan sade acid rain

hapantua (turn/go) sour

haparoida grope, fumble, feel about

haparointi groping, fumbling

haparoiva groping, hesitant, uncertain, lacking confidence

hapata (maito) sour, go sour

hapate (maidon) souring agent, (leivän) leaven

hapatin (maidon) souring agent, (leivän) leaven

hapattaa (maitoa) sour, (leipää) leaven

hapattamaton unleavened

hapatus leaven (myös kuv) *vanha hapatus* the old leaven

hapenpuute oxygen deficiency, (lääk) anoxia, anoxemia *Te kärsitte täällä hapenpuutetta, ulos joka sorkka!* You guys need a little fresh air, everybody out

hapeton oxygen-free

hapettaa (kem) oxidize, oxydate, oxygenate

hapettomuus lack of oxygen, (lääk) aoxemia

hapettua (kem) (become) oxidize(d)

hapettuma oxide

hapetus oxidization, oxygenation

haponkestävä acid-proof

hapoton acid-free

happaa acidify, acidize

happoa acifidy, acidize

hapotus acidization, acidulation

happamaton unleavened *happamattoman leivän juhla* the feast of the unleavened

happamia, sanoi kettu pihlajanmarjoista sour grapes, those grapes were probably sour anyway

happamuus sourness, acidity

happi oxygen

happihoito oxygen treatment

happihölkkä jog

happikaappi incubator

happikaasu oxygen

happilaite oxygen apparatus, respirator, (ark) breathing machine

happinaamari oxygen mask, gas mask

happipitoisuus oxygen content

happipullo oxygen bottle/tank

happiteltta oxygen tent

happo acid

happoisuus acidity

happokylpy acid bath

happomarja barberry

happomyrkytys acid intoxication, (lääk) acidosis

happopitoinen acid(ic), acidiferous

happosade acid rain

hapuilla grope, fumble, feel (your way)

hapuillen gropingly, feeling your way

harakanpesä 1 magpie's nest **2** (höskä) falling-down shack

harakanvarvas 1 (käsiala) scrawl, (mon) chicken scratches **2** (käsityö) feather stitch

harakka black-billed magpie

harallaan every which way

harata 1 (karhita) harrow **2** (naarata) drag **3** (hangata) resist, fight back, struggle against

harava rake

haravoida 1 rake (up) **2** (etsiä) comb, scour

harha 1 (kuvitelma) (optical) illusion, delusion, hallucination, chimera, mirage **2** (erehdys) misconception, mistake, false belief/idea, fallacy

harhaan *joutua harhaan* go astray *ajaa harhaan* lose your way, make a wrong turn *johtaa harhaan* mislead, deceive, lead astray *osua harhaan* miss (the target)

harhaanjohtava misleading

harhailla wander, roam, ramble, meander, rove (about aimlessly)

harhakuva illusion

harhakuvitelma illusion

harhakäsitys misconception, false belief/idea/notion

harhaluulo misconception, (looginen) fallacy; (psyk) delusion

harhama (eliö jossa on poikkeavia soluja) chimera

harhaoppi heresy

harhaoppinen *adj* heretical *s* heretic

harharetki 1 (hämääräperäinen seikkailu) misadventure *harharetkillä oleva aviomies* cheating/straying husband **2** (olemattoman perässä) wild goose chase

harhateillä on the wrong track, on the wide path that leads to Hell

harhauttaa 1 mislead, deceive, fool **2** (urh) fake, feint, bluff

harhautua 1 (eksyä) lose your way, get lost **2** (joutua harhateille) stray/deviate (from the strait and narrow), be led/go astray **3** (harhailla) wander, drift, roam

harhautus fake, feint, bluff, (sot) diversion

harittaa 1 (saha) set **2** (harottaa) stick out, protrude, go every which way, diverge *hänellä hiukset harittavat* his hair stuck out everywhere **3** (olla kohteeton) *hänellä katse harittaa* he stares/is staring vacantly

harja 1 (siivousharja) brush, (lattiaharja) broom **2** (hevosen ym) mane, (kukon) crest, comb **3** (talon) rooftop, ridge **4** (muurin) cap, coping **5** (aallon) crest **6** (vuoren) peak, summit

harjaannus training, practice, experience

harjaannuttaa train, familiarize (with)

harjaantua 1 (harjoitella tekemään) train for, get practice in **2** (kehittyä) get better at, improve

harjanne ridge

harjata brush (off); (lattiaa) sweep

harjoitella 1 practice, train **2** (sot) drill **3** (teatt) rehearse, practice **4** (oppia) learn

harjoitelma (luonnos) sketch, study, (mon) apprentice work

harjoittaa 1 (opettaa) practice, train, drill, rehearse **2** (käyttää) use, exercise, practice *harjoittaa väkivaltaa* indulge in violence, resort to violence, use violence *harjoittaa julmuutta* commit atrocities *harjoittaa haureutta* fornicate, commit fornication *harjoittaa sananvapautta* exercise freedom of speech **3** (ammattia) practice, ply,

follow, pursue **4** (opintoja) engage in, carry on, perform **5** (liiketoimintaa) engage in, conduct, do (business), transact

harjoittaja 1 (valmentaja) trainer, instructor **2** (practitioner) *tieteen harjoittaja* student of science *taiteen harjoittaja* artist *haureuden harjoittaja* fornicator

harjoittelija trainee, learner; (oppipoika) apprentice

harjoittelu 1 (näytelmän tms) rehearsal, practice **2** (työharjoittelu) (practical) training

harjoittelukoulu teacher training school

harjoitus 1 (harjoittelu) practice, exercise, training; (harjoite) exercise *Harjoitus tekee mestarin* Practice makes perfect **2** (harjoituskerta, usein mon) practice, practice/training session, workout (session), (jazztanssin, judon yms) class, (näytelmän) rehearsal *Lähden jalkapalloharjoituksiin* I'm going to football practice **3** (harjoitustehtävä) exercise *Nyt teemme näitä kielioppiharjoituksia* I'm going to pass these grammar exercises out to you **4** (toiminnan harjoittaminen) practice, pursuit

harkinnanvarainen discretionary *harkinnanvarainen kysymys* judgment call, matter of discretion

harkinta 1 (punnitseminen) deliberation, consideration *tehdä päätös tarkan harkinnan jälkeen* base a decision on careful deliberation **2** (päättäminen) (good/sound) judgment, discretion *Jätän sen sinun harkintasi varaan* I'll leave it to your discretion, I'll let you judge for yourself, I'll leave it up to you(r better judgment)

harkintakyky (good/sound) judgment

harkita 1 (jotakin) deliberate, consider, reflect upon, ponder, think about/over *Harkitsen asiaa* I'll think it over, I'll think about it *Harkitsen juuri uudelleen sinun lähtöäsi sinne leirille* I'm reconsidering letting you go to that camp **2** (joksikin) think, consider, regard, find *Harkitsin parhaaksi vaieta* I thought it best to keep quiet *Olen asian niin harkinnut, että...* The way I see it is...

harkitsematon reckless, heedless, imprudent, incautious, rash

harkitsemattomasti recklessly jne (ks harkitsematon); without thinking, without considering the consequences/results

harkitseva deliberate, careful, cautious, thoughtful

harkittu 1 (tahallinen) studied, deliberate, intentional **2** (punnittu) well thought out, considered *huonosti harkittu* ill-advised **3** (rikoksesta) premeditated *harkittu murha* premeditated murder/homicide, murder in cold blood

harkitusti 1 (tahallaan) deliberately, intentionally, on purpose **2** (harkiten) with care, knowing exactly what you are doing (and why) **3** (harkinnan jälkeen) after careful consideration/deliberation

harmaa 1 (US) gray, (UK) grey; (hiuksista) grizzled **2** (taivas) cloudy, overcast **3** (elämä) blah, drab

harmaantua (go/grow/turn) gray

harmahtava grayish, (hiuksista) grizzled

harmi trouble, irritation, annoyance, problem, bother *Sinusta ei ole muuta kuin harmia* You're nothing but trouble, you're a pest *Ei hänestä ole harmia* He won't bother/trouble us, he'll be no trouble/bother/problem *jatkuvaa harmia* constant irritation/vexation

harmillinen troublesome, irritating, annoying, bothersome, vexing *Onpas harmillinen juttu, sepäs harmillista* What a drag/nuisance/hassle

harmin paikka *Mikä harmin paikka!* What a shame/nuisance, Oh bother!

harmissaan irritated, annoyed, vexed

harmistua be/get irritated/annoyed/vexed/upset, be/get worked up *Nyt sinä harmistuit ihan turhaan* You've gotten (yourself) (all) worked up for/about nothing

harmistuksissaan upset, worked up

harmitella complain, grumble, grouse, gripe

harmiton harmless, inoffensive, innocent *Hän on täysin harmiton ihminen* He wouldn't hurt a fly, he's harmless *harmiton pila* innocent/innocuous joke/gag

harmittaa irritate, annoy, vex *Epäjärjestys harmittaa* Disorder drives me crazy/around the bend/up the wall *Minua harmittaa tuollainen leväperäisyys* That kind of irresponsibility really gets my goat, gets my back up, makes me see red *Kaikki asiat harmittavat häntä* Everything makes him mad/irritates him *Tyttöä harmitti, että hän oli purskahtanut itkuun* The girl was annoyed with herself, kicked herself, for bursting into tears

harmittava irritating, annoying, vexatious *harmittava takaisku* unfortunate setback

harmoni (mus) harmonium

harmonia harmony

harmonikka (sointuoppi, soinnutustapa) harmonics

harmonikka (soitin) accordion

harmoninen 1 (mus ja mat) harmonic **2** (sopusointuinen) harmonious

harmonisoida harmonize

haroa 1 (sukia) stroke *haroa hiuksiaan* run your fingers through your hair **2** (etsiä) grope

harpata stride, (hypätä) jump *harpata portaat ylös* bound up the stairs, take the stairs two at a time *harpata romaanissa tylsien kohtien yli* skip the boring parts of a novel

harpisti harpist

harppaus 1 (kävelyaskel) stride, long step *Hän ylitti ojan yhdellä harppauksella* He cleared the ditch in one great step **2** (kehitysaskel) stride, leap *Harri on edistynyt pitkin harppauksin* Harri is making/taking great strides forward *Keskiajasta oli iso harppaus porvarilliseen elämäntapaan* It was a great leap from the Middle Ages to a bourgeois lifestyle

harppi compass, (usein mon) a pair of compasses

harppoa stride (along/up and down/back and forth)

harppu harp

harppunoida harpoon

harppuuna harpoon

harpunsoittaja harpist

harras 1 (usk) devout, pious, religious **2** (omistautunut) devoted, dedicated, com-

111 **hassata**

mitted **3** (uskollinen) faithful, loyal, steadfast **4** (innokas) ardent, passionate **5** (sydämellinen) heartfelt, sincere *hartaat kiitokset* heartfelt thanks

harrastaa 1 (olla kiinnostunut jostakin) be interested in, take an interest in, go in for, be into *Harrastan joogaa* I'm into yoga **2** (harjoittaa) study, pursue, practice, do *Harrastan kieliä* I enjoy studying languages, languages are a hobby of mine *Harrastan paljon ompelua* I do a lot of sewing, I like to sew *Hän taitaa harrastaa lähinnä huumeita* His main hobby seems to be drugs, all he ever seems to do is smoke dope

harrastaja devotee, aficionado

harraste hobby

harrastelija amateur, dabbler; (halveksiva) dilettante

harrastelijamainen amateurish

harrastus 1 (harraste) hobby **2** (kiinnostus) interest (in), liking (for), pursuit (of)

harsia 1 (käsityö) baste, tack together **2** (metsänhoito) cut/fell selectively

hartaus 1 (usk) devotion, piety, reverence **2** (hartaustilaisuus) devotion(al), devotions *aamuhartaus* morning devotions/ prayer (omistautuneisuus) devotion, dedication, commitment *heittäytyä hartaudella johonkin* devote yourself to something, pour your whole soul into it, delve into it wholeheartedly **3** (into) ardor, passion **4** (sydämellisyys) sincerity

hartia shoulder

hartiahuivi shawl

hartiapankki (ark) sweat equity *rakentaa hartiapankilla* build up sweat equity

hartiavoimin with elbow grease

harva few *harva ihminen* (only a) few people, the odd person, (only) one in a hundred /thousand *ani harvat* very few *harva se päivä* almost every day, pretty much daily **2** (hajanainen) scattered, sparse *harva asutus* scattered (spread-out) houses **3** (ohut) thin *harvat hiukset* thin hair **4** (vähäinen) scanty **5** (karkea) coarse, loose *harva kudos* loose/coarse weave *harva verkko* coarse-meshed net **6** (isot välit) wide-

spaced, gapped, gaping *Minnalla on harvat hampaat* Minna is gap-toothed **7** (hidas) slow, measured *kellon harva tikitys* slow/measured ticking of the clock

harvainvalta oligarchy

harvakseen few, spaced far apart *puhua harvakseen* not say much

harvalukuinen few/small in number

harvapuheinen untalkative, taciturn, reticent, reserved *harvapuheinen mies* a man of few words

harvassa sparse, few and far between

harvat ja valitut the chosen few, a select few

harvennus 1 thinning (out) **2** (kirjapainossa) spacing

harventaa thin (out) *harventaa ruokinta-aikoja* feed less often, at wider intervals *harventaa tahtia* slow down

harventua thin (out)

harveta thin (out), become thinner

harvinainen (jota on niukalti) rare, exceptional, unusual, unique *harvinainen lahja* exceptional talent *harvinainen kirja* rare book *harvinaisen paljon* an unusually large amount *Sellaiset ihmiset ovat harvinaisia* People like that are rare/unusual/ few and far between **2** (joka sattuu harvoin) rare, infrequent *harvinainen vieras* infrequent visitor

harvinaisen very, extremely, exceptionally, unusually

harvinaistua become rare

harvinaisuus 1 (esine) rarity, curiosity **2** (ominaisuus) rareness *hänen käyntiensä harvinaisuus* the rareness of her visits **3** (tapahtuma) rare event/occurrence

harvoin rarely, seldom, infrequently, hardly ever, (ark) once in a blue moon

hassahtaa 1 (tulla hassuksi) go nuts **2** (pihkaantua) get a crush on someone, fall for someone, go nuts/crazy over someone, lose your head over someone

hassahtanut 1 (hassuksi tullut) touched (in the head), cracked **2** (pihkaantunut) infatuated

hassata (ark) (menettää tilaisuus) miss, (tuhlata) waste

hassu 1 (höperö) silly, foolish, ridiculous; (ark) nuts, wacko, bananas *Älä ole hassu!* Don't be silly/ridiculous *hassuna (ilosta)* silly/giddy (with happiness) **2** (huvittava) funny, ludicrous, absurd, ridiculous *hassu nenä* funny nose *Muutama hassu peruna* A few lousy potatoes **4** *ei hassumpi* not bad *Meille kävi hassusti* Things went badly (for us), we had a bit of bad luck, we had an unpleasant surprise

hassutella be/get silly

hassutus silliness, (kuje) prank, joke

hatara 1 (heikko) flimsy (myös kuv), fragile, creaky; (kuv) tenuous, insubstantial **2** (aukkoinen) leaky, gaping *Hänen verukkeensa oli aika hatara* His excuse was full of holes (ränsistynyt) dilapidated, ramshackle **4** (huono) bad, poor *hatara muisti* poor memory

hattu 1 hat, (lakki) cap *nostaa hattua* raise/tip your hat (to), take off your hat to (myös kuv) *syödä hattunsa* eat your hat **2** (pullon, sienen yms) cap; (tekn) hood, cowl

haudata bury *Tässä täytyy olla koira haudattuna* There must be a catch to this somewhere

haudonta 1 (haavan yms) bathing, soaking, (lääk) fomentation **2** (munien) brooding, (esille) hatching, (koneessa) incubation

haukata bite (off) *haukata liian suuri pala* bite off more than you can chew, have eyes bigger than your stomach *haukata raitista ilmaa* have a breath/bite of fresh air *haukata välipalaa* have a bite to eat, have a snack

haukata happea go out for a bite of fresh air

haukata liian iso pala bite off more than you can chew

haukata paskaa fuck up

haukata tyhjää screw up

haukattava a bite to eat

hauki pike, northern trout

haukka hawk, falcon

haukkakehrääjä (lintu) nighthawk

haukkoa henkeään gasp/gulp (with surprise)

haukku 1 (ark koira) doggie **2** *haukut* nagging, bitching **3** (haukattava) a bite to eat

haukkua 1 bark (at), (pieni koira) yip, yap, yelp, (iso koira) bay **2** (moittia) criticize, attack, abuse, (huutaa) yell/shout at, (nimitellä) call someone names

haukkua maanrakoon tell someone off

haukkua pataluhaksi haul someone over the coals

haukkua penkin alle tear someone a new asshole

haukkua pystyyn chew someone's tail/ass off

haukkua suut ja silmät täyteen fly into a purple rage, tell someone where to get off

haukkua väärää puuta bark up the wrong tree

haukotella yawn

haukotus yawn

haukotuttaa *minua haukotuttaa* I can't stop yawning

haulikko shotgun *kaksipiippuinen haulikko* double-barreled shotgun

hauras 1 (fyysisesti) fragile, (easily) breakable, brittle **2** (henkisesti) delicate, frail

haureellinen dissolute, debauched, licentious

haureus 1 unchastity, immorality **2** (haureuden harjoitus) fornication

hauska 1 (miellyttävä) enjoyable, pleasant, nice *Hauskaa joulua!* Merry/Happy Christmas *Meillä oli hauskaa* We had fun, we had a good/nice time, we enjoyed ourselves *hauskan näköinen tyttö* good-/nice-/pleasant-looking girl *Hauska kuulla* I'm happy/pleased to hear that *pitää hauskaa* have fun, have a good time **2** (huvittava) funny, amusing *hauska veikko* funny guy /chap, laugh a minute, life of the party

hauskannäköinen good-looking, not hard on the eyes

hauskasti 1 (miellyttävästi) enjoyably, pleasantly, nicely **2** (huvittavasti) funnily, amusingly

hauskuttaa amuse, make people laugh, keep them in stitches, get a laugh

hauskutus entertainment, amusement

hauskuus fun, enjoyment

hauta 1 grave; (hautakammio) tomb, sepulchre *kääntyä haudassaan* turn/spin in one's grave *Hänellä on jo toinen jalka haudassa* She's already got one foot in the

grave 2 (kuoppa) pit, ditch; (taisteluhauta)
trench 3 (urh: vesihauta) water jump
hautajaiset funeral, memorial service; (hautajaiskahvit) wake
hautakivi tombstone
hautaristi memorial cross
hautaus funeral, burial
hautausmaa graveyard, cemetary
hautaustoimisto funeral parlor/home
hautautua 1 be buried *hautautua elävältä* be buried alive *Auto hautautui lumeen* The snow completely buried/covered the car 2 (kuv) bury yourself *hautautua työhön* bury yourself in your work
haulua 1 (ruokaa: vedessä) simmer, braise, (höyryssä) steam, (uunissa) bake; (kuv) bake, toast, warm *hautoa jäseniään saunan lämmössä* bake yourself in the sauna *hautoa jalkapohjia nuotiolla* toast your feet by the fire 2 (*haavaa tms.* vedellä) bathe, soak, (lääk) foment; (jääpussilla) press with an ice pack; (lämpötyynyllä) heat with a heating pad 3 (munia) brood, (esille) hatch, (koneessa) incubate 4 (pohtia) brood (on), dwell on, contemplate *hautoa epäonnistumistaan* brood/dwell on your failure *hautoa itsemurhaa* contemplate suicide *hautoa kostoa* harbor thoughts of revenge
hautua 1 (kypsyä: vihannes vedessä) simmer, (liha vedessä) stew, (höyryssä) steam, (tee) steep 2 (kuv) get hot, roast, broil, boil *Jalkani hautuvat näissä kumppareissa* My feet are sweating to death in these rubber boots 3 (kypsyä: mielessä) incubate, take shape/form, be turned around in your mind *Suunnitelma hautui mielessäni* My plan started to take on definition, I started to have a clearer idea of what I wanted to do
hauva (ark) doggie
havahtua awaken, wake up with a start/jolt *havahtua todellisuuteen* stop dreaming, come back down to earth, wake up to reality *havahtua näkemään ongelma* suddenly become aware of a problem, suddenly realize there's a problem, all of a sudden stumble onto a problem

Hawaiji Hawaii
havaijilainen Hawaiian
havainnoida observe
havainnollinen illustrative, graphic; (selkeä) clear, good *havainnollinen esimerkki* good example
havainnollisesti graphically, clearly
havainnollistaa illustrate, clarify, exemplify
havainnollistava illustrative, clarifying, exemplifying
havainnollistus illustration, demonstration
havainnollisuus illustrativeness, graphicness, perspicuity
havainto 1 (huomio) observation, (tieteessä mon) findings, data 2 (aistihavainto) (sense/sensory) perception 3 (ark: käsitys) sense *Onko sinulla havaintoa siitä, miten tämän pitäisi toimia?* Do you have any sense/idea/notion of how this is supposed to work?
havaintoesitys demonstration
havaintoharha hallucination, delusion
havaintopaikka (sot) observation post
havaita 1 (nähdä) perceive, see; (huomata) notice, detect; (erottaa) make out, discern *havaita savua taivaanrannalla* see/notice/make out smoke on the horizon *tuskin havaittava* barely perceptible 2 (oivaltaa) understand, gather, realize 3 (joksikin) find *havaita hyväksi* find something good
havu branch of an evergreen tree *kuusen havuja* spruce/fir branches *männyn havuja* pine branches
havumetsä coniferous/evergreen forest/woods
HDTV HDTV, high-definition television
h-duuri (mus) B major
he they *heidät, heitä* them *heille, heiltä* to /from them *heidän* their(s)
hedelmä fruit (myös kuv)
hedelmällinen 1 (hedelmää tuottava) fecund, fruitful, productive, rich 2 (jälkeläisiä tuottava) fertile 3 (tuloksia tuottava) fruitful, profitable, productive
hedelmällisyys 1 (kyky tuottaa hedelmää) fecundity, fruitfulness 2 (kyky tuottaa jälkeläisiä) fertility 3 (kyky tuottaa tuloksia) fruitfulness, usefulness, efficacity

hedelmäsokeri fructose

hedelmättömyys 1 (kyvyttömyys tuottaa hedelmää) barrenness **2** (kyvyttömyys tuottaa jälkeläisiä) sterility, barrenness **3** (turhuus) fruitlessness, futility

hedelmättömästi without bearing fruit, without issue, with no effect, fruitlessly

hedelmätön 1 (hedelmää tuottamaton) unfruitful, unproductive, barren **2** (jälkeläisiä tuottamaton) sterile, barren **3** (tulokseton) unfruitful, fruitless, unprofitable, unproductive, futile

hedelmöittää 1 (lannoittaa) fertilize **2** (siittää) fertilize, impregnate, inseminate; (kasv) pollinate **3** (innoittaa) inspire, stimulate, enliven

hedelmöitys 1 (siittäminen) fertilization, impregnation, insemination *keinotekoinen hedelmöitys* artificial insemination **2** (sikiäminen) conception *hedelmöityksen ehkäisy* contraception

hegemonia (johtoasema) hegemony

hehkeä bright, animated, lively, vivacious

hehku glow

hehkua glow, burn red

hehkulamppu incandescent/filament bulb

hehkulanka filament (wire)

hehkuttaa 1 (lasia, tiiliä) anneal, (terästä) temper **2** (ark vaahdota) go on (and on), gush, prattle *Mitä se kaveri hehkuttaa?* What is that guy going on about?

hehtaari hectare

hehtaarihalli huge warehouse-style store

hei! 1 (saapuessa) hi! hello! **2** (lähtiessä) (good)bye! **3** (varoittaessa yms) hey!

heijastaa 1 reflect **2** (kuv) reflect, mirror, show, express *Hänen katseensa heijasti pelkoa* His look was full of fear *Kieli heijastaa yhteiskunnan arvoja* Language reflects/mirrors the society's values **3** (valkokankaalle) project

heijastamaton nonreflecting, antiglare

heijaste 1 (ruumiissa) reflex **2** (näkökentässä) reflection

heijastin reflector

heijastua (be) reflect(ed)

heijastus reflection, mirror-image

heijata sway, swing, (myös kehtoa) rock, (vauvaa) soothe, talk softly/sweetly to

heikentyminen weakening, worsening, deterioration, decreasing, diminishment (ks heikentyä)

heikentyä 1 weaken, grow/become weak(er) **2** (huonontua) get worse, deteriorate, (start to) fail **3** (vähetä) decrease, diminish, drop off

heikentäminen weakening, impairment, debilitation, enfeeblement, reduction, diminishment (ks heikentää)

heikentää weaken **1** (vähentää kestävyyttä) impair, undermine **2** (vähentää voimaa) debilitate, enfeeble **3** (vähentää laatua) water down **4** (vähentää määrää) reduce, diminish, lessen

heikko weak **1** (kestämätön, hento) weak, fragile, frail, delicate *heikko lasi* fragile /brittle glass *heikko jää* thin ice *heikko lapsi* frail/delicate child *Henki on altis mutta liha on heikko* The spirit is willing but the flesh is weak *heikoissa kantimissa* in bad shape, in trouble **2** (voimaton, veltto) weak, feeble, faint flabby, ineffectual, not strong *tehdä heikkoja vastaväitteitä* protest feebly, faintly, ineffectually *näkyä heikosti* be faintly visible *heikko kahvi* weak coffee *heikko lihas* flabby muscle *heikko päätöksentekijä* namby-pamby, wishy-washy **3** (kyvytön, kehno) bad, low-quality, poor, substandard *heikot arvosanat* bad/substandard grades/marks *heikko selitys* flimsy explanation, lame excuse *heikko kielissä* bad/no good at languages **4** (riittämätön, pieni) scanty, meager, low, insufficient *heikko sato* scanty/meager crop *heikot palkat* low/insufficient wages *heikko toivo* small/slight hope *heikot mahdollisuudet* slim/small chances, meager opportunities **5** *heikkona* fond of *olla heikkona lapsiin* have a soft spot for children, love children *olla heikkona viinaan* have a weakness for liquor *olla heikkona makeisiin* have a sweet tooth **6** (liik: valuuttaa) weak, unstable **7** (kiel: verbi) weak

heikkohermoinen high-strung; (psyk) neurotic, (lääk) neurasthenic

heikkokasvuinen stunted, slow-growing

heikkokuntoinen 1 in bad shape/condition **2** (ihminen) frail, infirm **3** (talo) dilapidated, ramshackle **4** (auto) (ark) clunky

heikkolaatuinen of weak quality, badly made, cheap

heikkolahjainen slow, backward, of below-average intelligence; (kehitysvammainen) retarded, educationally handicapped

heikkoluonteinen weak, soft, timorous

heikkomielinen feeble-minded, retarded, (euf) intellectually handicapped

heikkonäköinen weak-sighted, myopic

heikkopäinen soft in the head, soft-headed

heikkorakenteinen frail, slight

heikkotahtoinen weak-willed, spineless, namby-pamby, wishy-washy

heikkotasoinen poor, substandard, not up to par

heikkotehoinen underpowered

heikkous 1 weakness **2** (hentous) fragility, frailty **3** (velttous) feebleness, flabbiness, debility **4** (kehnous) low quality/level, lameness **5** (pienuus) smallness, insufficiency **6** (heikko kohta) weakness, weak/vulnerable spot/point **7** (mieltymys) fondness, penchant, soft spot (in your heart) *heikkous lapsiin* soft spot for children *heikkous makeisiin* sweet tooth

heikkouskoinen (raam)...of little faith *Te heikkouskoiset* O ye of little faith

heikkoälyinen simple-minded

heikohko weakish, on the weak side

heikoissa kantimissa shaky, on shaky ground

heikompi astia (raam) the weaker vessel

heikottaa *Minua heikottaa* I feel faint/woozy/light-headed

heila boyfriend, (ark) boo; girlfriend

heiladella 1 rock/roll (back and forth), swing/sway (to and fro), undulate **2** (liik) fluctuate **3** (fys) oscillate

heilahdus 1 rocking/rolling movement, swaying, swinging, undulation **2** (liik) fluctuation **3** (fys) oscillation

heilahtaa (keinahtaa) swing

heilastella go steady

heilauttaa (kättä) wave, (häntää) wag, (kirvestä, säkkiä selkään) swing, (lattiaharjaa) whisk *Ei se minua paljon heilauta* It makes no difference to me, I don't give a damn

heilua 1 swing/sway/rock/roll (back and forth, to and fro) **2** (ahertaa) work hard, work like a mad(wo)man, (ark) work your butt/ass off, (practically) kill yourself working/with work **3** (tal) fluctuate **4** (fys) oscillate

heilua hiki hatussa work like a fiend

heilua kuin heikkopäinen work like crazy, like a crazy person

heilua kuin heinämies work your ass off

heiluri pendulum

heilutella (kättä) wave, (häntää) wag, (kirvestä) swing, (lattiaharjaa) whisk, (nyrkkiä, miekkaa) brandish, (setelinippua) flourish, (lanteita) roll, (kehtoa) rock

heiluttaa ks heilutella

heimo 1 tribe, clan, kin **2** (biol ym) family

heinikko grass

heinä hay, (ruoho) grass *tehdä heinää* make hay *olla heinässä* be working in the hay fields, be hay-making *Se ei ole minun heiniäni* That's none of my affair/business, that's out of my jurisdiction/bailiwick, I've got nothing to do with that

heinäkuinen July *heinäkuinen ilta* a July evening, an evening in July

heinäkuu July

heinämies haymaker

heinänteko hay-making

heinänuha hay fever

heinäpaalu bale of hay, hay bale

heinäpelto hay field

heinäseiväs hay pole

heinäsirkka grasshopper

heinäsuova haystack

heitellä throw (around), fling, sling, let fly *heitellä jotakuta lumipalloilla* pelt/bombard someone with snowballs *Sillä voit nyt heittää vesilintua* You can chuck/pitch/heave that now

heittelehtiä 1 (sängyssä) toss and turn, toss about *Heittelehdin levottomana koko yön*

I tossed and turned restlessly all night **2** (tuuli) gust, blow this way and that

heitto 1 throw, toss jne (ks heittää) **2** (ehdotus) suggestion, trial balloon; (huuli) joke, witticism, bon mot *Se oli vain heitto* It was just a thought

heittoistuin ejection seat

heittomerkki apostrophe

heittäytyä 1 throw/hurl/cast/fling yourself *heittäytyä jonkun jalkoihin* throw yourself /fall at someone's feet *heittäytyä veteen* plunge into the water *heittäytyä pallon perään* leap/jump after the ball **2** (omistautua johonkin) throw yourself into something, get caught up in something, get swept/carried away by something *heittäytyä seuraelämän pyörteisiin* rush headlong into the hurlyburly of high society, get caught up in social life *heittäytyä epätoivoon* plunge into despair, give yourself over to despair **3** (antautua) surrender, yield, give up *heittäytyä turvallisuuden tunteeseen* be lulled into a false sense of security **4** (tekeytyä joksikin) pretend to be, play *heittäytyä tyhmäksi* play dumb, pretend to be stupid/not to understand anything

heittäytyä hankalaksi be difficult

heittää 1 throw, hurl, toss *heittää palloa* (edestakaisin) play catch *heittää jollekulle hansikas* (haastaa taisteluun) throw down the gauntlet **2** (pois) throw out/away; (ark) chuck, pitch, heave *heittää lapsi pesuveden mukana* throw out the baby with the bathwater **3** (luoda) cast, throw (out) *Hän heitti minuun vihaisen katseen* She cast me an angry glance, gave me a dirty look *heittää syytöksiä* cast aspersions *heittää ajatus* throw out an idea, make a suggestion **4** (olla väärin) be off, be mistaken, vary *Tulokset voivat heittää enintään 3 mm* The results may be 3 mm off at most, there is a 3 mm margin of error *Mielipiteet heittivät jonkin verran* The(ir) views/opinions were slightly different

heittää ensimmäinen kivi throw the first stone

heittää helmiä sioille cast pearls before swine

heittää helttaan (ark) eat, gag down

heittää henkensä die, pass away, give up the ghost

heittää herja crack a joke, (heittää herjaa) joke around

heittää hukkaan (ark) piss away

heittää huulta (ark) joke around

heittää hyvästit say goodbye, say your goodbyes, bid farewell, take leave of

heittää kirveensä kaivoon hang up your gloves, hang up the towel

heittää kruunua ja klaavaa toss a coin

heittää lapsi pois pesuveden mukana throw the baby out with the bathwater

heittää leipää skip rocks

heittää menemään throw out/away

heittää päästä *häntä heittää päästä* he's got a screw loose, he's missing a few marbles

heittää sikseen blow off *heitti kotityöt sikseen ja meni ulos* blew off his chores and went out

heittää veivinsä kick the bucket

heittää vesilintua chuck, pitch *tuolla vanhalla tietokoneella voisi heittää vesilintua* you might as well chuck/pitch that old computer

heittää vettä urinate, make/pass water, piss

heivata haul, schlep

heiveröinen 1 (ihminen) frail, slight, slender **2** (valo) faint, dim **3** (talo, perustus tms) shaky

hekotella chuckle, chortle

hekottaa chuckle, chortle

hekotus chuckle, chuckling, chortle, chortling

heksadesimaali (lukuun 16 perustuva merkintätapa) hexadecimal

heksadesimaalinen hexadecimal

hekuma sensuality, sensual pleasure

hekumallinen sensual, (irstas) lecherous, lascivious

hekumoida indulge, wallow (in), revel (in)

hela 1 fitting, mounting, bushing; (mon) fittings, mountings; (erit oven/ikkunan) furniture (locks, hinges, and handles) **2** (puukon) ferrule

hela hoito (ark) the whole kit and caboodle

helatorstai Ascension Day

heleä bright, cheerful, buoyant *heleä ääni* melodious voice *heleä nauru* bright/cheerful/ringing laughter

heleästi brightly, cheerfully, gaily

helikopteri helicopter; (kans) chopper, whirlibird

helistää rattle

helkkari heck

helkkarinmoinen one heck of a

hella stove, range

hellapoliisi harridan, (ark) the ball and chain, the boss

helle heat (myös kuv), hot weather

helleaalto heat wave

hellien lovingly, caringly, gently

hellitellä 1 (vauvaa) cuddle, caress, (lemmikkiä) pet, stroke **2** (köyttä) loosen, slacken

hellittelysana term of endearment, pet name

hellittämättä incessantly, constantly, without a break

hellittää *tr* **1** (löysätä) loosen, slack(en), relax *hellittää otettaan* loosen/relax your grip *hellittää köyttä* loosen/slacken a rope, let the rope go slack **2** (päästää irti) let go, let loose of, release, free *hellittää otteensa* let go, release your grip *hellittää köydestä* let go of the rope **3** (jättää kesken) stop/quit (doing something) *En malttanut hellittää lukemistani* I couldn't put the book down *itr* **4** (laantua) slacken, abate, ease off *tuuli hellittää* the wind abates/subsides *pakkanen hellittää* the cold snap breaks, the weather warms up *kuume hellittää* the fever breaks/abates, the temperature comes down **5** (ottaa rennommin) loosen /lighten up, slack off, take it easy, slow down *Hellitä vähän!* Hey, lighten up! Take a break!

hellittä 1 (ote) loosen, (esine) come loose, slip *Viimeinkin hänen otteensa heltisi* Finally he began to let loose, loosen his grip *vauhti heltisi* the speed dropped, we /they slowed down **2** (kuv) *Ei heltiä penniäkään!* You won't get a penny out of me! *Häneltä ei hellinnyt sanaakaan* You

couldn't get a word out of him *Nauru heltisi* Everybody was laughing

helliä cuddle, caress *helliä nuoruuden muistoja* cherish memories of your youth

helluntai Pentecost

helluntaiseurakunta Pentecostal church

hellurei (hip-hip) hooray!

hellyttää touch, move *hellyttää sydän* touch/soften someone's heart *hellyttää itkemään* move someone to tears

hellyydenkipeä starved for affection

hellyydenosoitus token of your affection

hellyys tenderness, loving kindness, affection

hellä 1 (kosketukselle arka) tender, sore, sensitive **2** (rakastava) tender, loving, kind, affectionate

helläkätinen gentle

hellästi tenderly, lovingly, kindly, affectionately

helläsydäminen warm, soft-hearted, kind, loving

hellävarainen careful, gentle; (tahdikas) tactful, discreet

hellävaraisesti carefully, gently

hellävaroen carefully, gently

hellävaroin carefully, gently

helma 1 (lieve) hem *pyöriä äidin helmoissa* be underfoot, rush around under/at mommy's feet *roikkua äidin helmoissa* be tied to your mother's apron-strings **2** (kuv) bosom *riistää lapsi äitinsä helmasta* tear a child from its mother's arms *päästä Aabrahamin helmaan* be taken into the bosom of Abraham

helmasynti weakness *Jäätelö on minun helmasyntini* My weakness is ice cream, I have a weakness for ice cream

helmeilevä sparkling, bubbly, effervescent

helmeillä sparkle, bubble, effervesce

helmi 1 pearl; (mon: helminauha) pearls, pearl necklace, (kaulanauha) necklace *heittää helmiä sioille* cast pearls before swine **2** (kuv) gem, jewel, treasure *Teidän kotiapulaisenne on todellinen helmi* Your nanny is a real gem/treasure *Itämeren helmi* Jewel of the Baltic

helmikuinen February *helmikuinen aurinko* the February sun, the sun in February

helmikuu February

helminauha pearls, pearl necklace

helpolla easily *Pääsit siitä helpolla* You got off easy

helpommin sanottu kuin tehty easier said than done

helposti easily, with ease, without difficulty

helpottaa 1 (tehdä helpommaksi) make something easier, facilitate *helpottaa läpikulkuliikennettä* facilitate through traffic **2** (keventää) lighten, take (some of) the burden off *helpottaa työtaakkaansa* lighten your work load **3** (lievittää) ease, relieve, assuage, alleviate *Tämä lääke helpottaa sinun kipuasi* This medicine will help ease your pain, will make it hurt less, make some of the pain go away *Joko helpotti?* Feel better? **4** (vähetä) ease (off), abate, slacken *Sade taisi vähän helpottaa* I think the rain has eased off a little, I don't think it's raining so hard any more

helpottua 1 (tulla helpommaksi) become easier, be facilitated **2** (keventyä) lighten, ease up **3** (lievittyä) get/feel better, ease off **4** (vähetä) ease (off), abate, slacken

helpotus 1 relief **2** *myöntää helpotuksia* make concessions/allowances, waive fees

helppo easy *mennä helppoon* be duped/fooled, be taken in *Menitpä helppoon!* Gotcha!

helppoheikki street/fair barker, 'cheap Jack'

helppokäyttöinen easy to use, user-friendly

helppolukuinen easy to read, easily understandable (fontti, käsiala) easily legible

helppo nakki piece of cake, no sweat, duck soup

helppotajuinen easy to understand, easily understandable/comprehensible, accessible

helsinkiläinen Helsinkian, Helsinki man/woman

heltyä be moved, soften, (antaa periksi) relent

helvetillinen hellish, infernal

helvetin kuusi *Missä helvetin kuusesä sä oot luuhannut koko illan?* Where the hell have you been all evening? *Se asuu jossain helvetin kuusessa* She lives way out in the sticks somewhere

helvetinmoinen one hell of a

helvetisti *juosta helvetisti* run like hell, run hellbent for leather *helvetisti ihmisiä* a hell of a lot of people

helvetti hell *Painu helvettiin!* Go to hell! *Painu helvettiin siitä!* Get the hell out of there! *Mitä helvettiä* What the hell

hemmetti heck *Mene hemmettiin siitä* Get the heck out of there *Mitä hemmettiä* What the heck

hemmotella 1 (kohdella hyvin) indulge, pamper, coddle *näky hemmottelee silmiä* the sight gratifies/pleases the eye **2** (hemmotella pilalle) spoil

hemmoteltu spoiled

hemmotteleva indulgent

hemmottelu 1 (hyvä kohtelu) indulgence, pampering, coddling **2** (pilalle) spoiling

hempeillä be emotional/sentimental/maudlin

hempeys sentimentality

hempeä sentimental, emotional, maudlin, (ark) mushy

hengailla (ark) hang out

hengata (ark) hang out

hengellinen spiritual, devotional, religious *hengellinen musiikki* sacred music

hengenahdistus difficulty breathing, shortness of breath

hengenheimolainen spiritual kins(wo)man, soulmate, kindred spirit

hengenhätä a matter of life and death *Rauhoitu, eihän tässä mikään hengenhätä ole!* Come on, calm down, where's the fire?

hengenlahjat gifts of the spirit, charisms

hengenmies man of the cloth

hengenmeno death

hengenmies man of the cloth

hengenpelastaja lifeguard, lifesaver

hengenpelastus life-saving

hengenpidin something to keep body and soul together *Täytyyyhän sinun jotain hengenpitimiksi syödä!* You can't live on air!

hengenravinto food for the mind, spiritual nourishment

hengentuote product of the mind, (mon) intellectual work/labor

hengenvaara danger to life, peril

hengenvaarallinen extremely dangerous, perilous *hengenvaarallinen haava* fatal /mortal wound

hengenveto breath, inhalation *viimeiseen hengenvetoon asti* to the last breath *samaan hengenvetoon* in the same breath

hengessä mukana there in spirit, with someone in spirit

hengetön lifeless *hengetön esitys* lifeless /dull performance

hengissä alive *selvitä hengissä, jäädä henkiin* survive, make it through alive, (ark) make it in one piece *herättää henkiin* revive, resuscitate, (usk) bring back to life

hengittää breathe (myös kuv) *hengittää sisään* inhale, breathe in *hengittää ulos* exhale, breathe out

hengittää jonkun niskaan breathe down somebody's neck

hengitys 1 (hengittäminen) breathing, (lääk) respiration **2** (henki) breath *Sinun hengityksesi haisee* You've got bad breath

hengityselimet respiratory organs

hengityslaite respirator, (ark) breathing machine

hengityssuojain respirator mask, particulate filter, (ark) mask

hengähdys breath

hengähdystauko breather, break (to catch your breath)

hengähtää 1 breathe, take a breath **2** (levätä) take a breather/break

hengästys windedness, breathlessness

hengästyä get out of breath, get winded

henkari hanger

henkeen ja vereen heart and soul

henkensä edestä for your life, for dear life

henkevä spirited, full of spirit/life, lively, animated

henkevästi with spirit/animation

henkeäsalpaava breath-taking

henki 1 (hengitys) breath *vetää henkeä* breathe in *haukkoa henkeä* gasp *Sinun henkesi haisee* You have bad breath *henkeä salpaava* breath-taking **2** (henkäys) breath, puff **3** (tuoksu tms) air *kesäyön viileä henki* the cool summer night air

4 (elämä) (the spirit/breath of) life *Rahat tai henki!* Your money or your life! *Sinulta voisi mennä henki* You could get killed, you could die *Niin kauan kuin henki minussa pihisee* As long as there's a breath of life in my body, as long as I'm still kicking **5** (usk, filos) spirit, (sielu) soul, (ajattelu) mind, (tunne) feeling *hengessä mukana* with you in spirit, there in spirit *täysissä ruumiin ja hengen voimissa* sound in mind and body *Hän on laitoksen henki* She's the soul of that department **6** (mieliala) spirit, mood, atmosphere *ajan henki* spirit of the times, Zeitgeist *kodin henki* atmosphere at home *kumouksellinen henki* revolutionary mood/spirit **7** (aave) spirit, ghost, sprite *metsän henki* forest spirit/ sprite *isoisän henki* grandpa's spirit/ghost *manaa ulos henkiä* cast out spirits, exorcise demons *Pyhä Henki* Holy Spirit/ Ghost **8** (henkilö) person *10 euroa per henki* 10 euros per person, 10 euros each *kahden hengen huone* double (room)

henkihieverissä at death's door *hakata henkihieveriin* beat someone to within an inch of his/her life

henki kurkussa with your heart in your throat

henkilö 1 (ihminen) person, (huomattava) personage **2** (romaanihahmo) character

henkilöauto (passenger) car, sedan

henkilöidä 1 (elollistaa) personify **2** (tunnistaa) identify

henkilöitymä personification

henkilöityä be personified/incarnated *tarinan sankarissa henkilöityivät rohkeus ja henkevyys* the story's hero was courage and spirit incarnate, was the very personification/incarnation of courage and spirit

henkilöjuna passenger train, (joka pysähtyy pienillä paikkakunnilla) local train

henkilökohtainen personal, individual, (yksityinen) private

henkilökohtainen tietokone personal computer, PC

henkilökohtaisesti personally

henkilökohtaisuus *mennä henkilökohtaisuuksiin* get personal

henkilökunta staff, personnel

henkilökuva (patsas) figure, (maalaus) portrait, (romaanihahmo) character(ization), (imago) image

henkilökuvaus portrait, portrayal, characterization

henkilöllisyys identity

henkilöllisyystodistus identification card, I.D.

henkilöpalvonta personality cult

henkilöpuhelu person-to-person call

henkilörekisteri civil register

henkilöstö staff, personnel

henkilöstöhallinto human relations, HR

henkilöstöpäällikkö human relations (HR) director/manager, personnel manager

henkilötunnus social security number

henkilövahinko bodily injury, casualty

henkimaailma spirit world

henkimaailman asia *Se on henkimaailman asioita* That's too abstract/theoretical for me

henkinen 1 emotional *henkinen kasvu/kypsyys/kärsimys/tasapaino* emotional growth/maturity/pain/stability **2** (älyllinen) mental, intellectual *henkiset lahjat* intellectual/mental abilities **3** (psyykkinen) psychological, mental, emotional *henkinen sairaus* mental illness, psychological/emotional disorder

henki on altis mutta liha on heikko the spirit is willing but the flesh is weak

henki päällä motivated, inspired, psyched *paras kirjoittaa silloin kun on henki päällä* best to write when you're feeling inspired

henkireikä air hole, (kuv) hobby, pastime, spare-time activity, what you do for fun /amusement/relaxation

henkirikos capital crime/offense, homicide

henkisesti emotionally, psychologically, mentally, intellectually (ks henkinen) *henkisesti kuollut* emotionally dead *henkisesti sairas* mentally ill

henkitiede humanities, (liberal) arts

henkitoreissaan at death's door, breathing your last

henkivakuutus life insurance, (UK) assurance

henkivartija bodyguard

henkkari (ark) ID

henkselit 1 (housunkannattimet) suspenders **2** (X:n muotoinen yliviivaus) *vetää henkselit sivun yli* X out the page

henkäistä breathe (out all your air at once) *henkäistä helpotuksesta* sigh with relief *Älä henkäise tästä kenellekään!* Don't breathe a word of this to anybody!

henkäys breath *Ei käynyt tuulen henkäystäkään* There wasn't even a breath of wind

hennoa stand, bear *tästä en henno luopua* I can't bear to part with this

hento frail, slight, slender; (kosketus) gentle

hepeneet (us halv) finery, frippery, frills

hepo horse, steed

heppa (ark) horsie

heppu (ark) guy, dude

heprea Hebrew *Se on minulle hepreaa* That's Greek to me

heprealainen *s, adj* Hebrew

hepuli (ark) fit, hissy fit, cow *saada hepuli* throw a (hissy) fit, have a cow

hera 1 whey **2** (verihera) blood serum

herahtaa 1 (kyynel silmiin) spring, (poskelle) trickle down *ruoan tuoksusta vesi herahti kielelle* the smell of the food made my mouth water **2** (purskahtaa) burst out /into *herahtaa itkuun/nauruun* burst out crying/laughing, burst into tears/laughter

hereillä awake *ravistella hereille* shake someone awake *Ihmiset on saatava hereille ympäristön suhteen* We have to wake people up about the environment

herja *heittää herjaa* joke around, hurl (affectionate) insults (at each other) *herjan heitto* banter, good-natured raillery

herjata 1 revile, rail against, abuse **2** (lak: puheessa) slander, (kirjoituksessa) libel **3** (usk) blaspheme **4** (tietot) flame

herjaus 1 invective, abuse, raillery **2** (lak: suullinen) slander, (kirjoitettu) libel, calumny, (yleinen) defamation of character

herjetä 1 (lakata) stop, quit, cease *keskustelu herkesi* the conversation broke off, everyone fell silent **2** (ryhtyä) start, become, fall to, go *herjetä kitsaaksi* become cheap/ stingy *herjetä kinastelemaan* start bickering *herjetä villiksi* go wild

herkeämättä without a break, incessantly

herkeämätön incessant, unceasing, ceaseless, persistent

herkistymä oversensitivity

herkistyä 1 become more sensitive, be sensitized, be moved *herkistyä kyyneliin asti* be moved to tears **2** (lääk) become allergic *herkistyä antibiooteille* become allergic /sensitive to antibiotics

herkistää 1 (aisteja) strain, sensitize *herkistää korvansa* strain/cock your ears *herkistää joku luonnon kauneudelle* sensitize someone to nature's beauty **2** (tunnetta) move, warm *Sinfonia herkisti meidät täysin* The symphony filled us with a warm sensitivity, moved us **3** (mittaria) sensitize

herkku delicacy, (mon ark) goodies *Ei tämä ole mitään herkkua minullekaan* This is no fun/picnic for me either

herkkupala 1 treat, (myös kuv) tidbit *presidentin munaus oli herkkupala kriitikoille* the President's gaffe was a choice tidbit for the critics **2** (hyvännäköinen nainen) babe

herkkusuu gourmet

herkkyys ks. herkkä **1** sensitivity **2** susceptibility **3** thin skin **4** tenderness, sentimentality **5** delicacy, shyness **6** tenderness, soreness, sensitivity **7** sensitivity, keenness **8** sensitivity

herkkä 1 sensitive **2** (vastaanottavainen) susceptible, impressionable, responsive **3** (nopea reagoimaan) *herkkä suuttumaan* quick to take offense, easily offended *herkkä auttamaan* ready to help *herkkä vilustumaan* susceptible to cold **4** (tunteikas) tender, emotional, easily moved; (hempeä) sentimental, sweet **5** (arka seurassa) delicate, shy, private **6** (arka kosketukselle) tender, sore, sensitive (to the touch) **7** (tarkka) sensitive, keen, sharp **8** (tekn) sensitive *herkkä filmi/laite* sensitive film/instrument

herkkähermoinen high-strung

herkkäpiirteinen finely chiseled

herkkätunteinen tender, emotional, easily moved

herkkäuninen *herkkäuninen ihminen* light sleeper

herkkäuskoinen gullible

herkullinen delicious; (ark) yummy, scrumptious, finger-licking good

herkullisesti deliciously

herkutella enjoy (a meal), feast (on delicacies); (kuv) revel, take delight (in)

herkuttelija gourmet

hermo nerve, (biol) neuron *ajan hermolla* with it, attuned to the times

hermoille käypä irritating *Tuo käy minun hermoilleni* You're getting on my nerves

hermoja raastava nerve-wracking

hermona nervous

hermoraunio nervous wreck

hermoromahdus nervous breakdown

hermosolu nerve cell

hermosto nervous system

hermostollinen nervous

hermostua get mad/angry/irritated/upset/excited/nervous, lose your temper; (ark) blow your top, blow a fuse, have a fit/cow

hermostuneesti nervously, (hevosesta) skittishly; (ärtyisästi) irritably

hermostuneisuus nervousness, (lääk) neurasthenia

hermostunut nervous, jumpy, jittery; (ärtyisä) irritable, peevish

hermostuttaa *minua hermostuttaa* I'm nervous/anxious/worried *Tuo hermostuttaa minua hirveästi* That makes me nervous, that irritates me, that drives me crazy

hermot kireällä nervous, frazzled, a bundle of nerves

herne pea; (kuv) lump

hernekeitto pea soup

heroiini heroine

herpaannuksissa enervated, paralyzed, numb

herpaannus enervation, paralysis, numbness

herpaantua 1 (ote) relax, loosen, come loose **2** (ihminen) be unnerved/enervated, come unglued, be unable to do anything/move (a muscle) **3** (mielenkiinto, voima) flag

herpaantumaton unflagging, persistent

herra 1 (mies) man *Eräs herra kyseli sinua* There was a man asking for you **2** (herrasmies) gentleman **3** (isäntä) master, lord **4** (usk) the Lord **5** (sortaja) oppressor *herrat* the ruling class, (tehtaan johto) management, the bosses **6** *Kyllä herra* Yes sir **7** *herra Puntila* Mr./Mister Puntila

herranen aika! My goodness! Heavens!

herran kukkarossa in God's back pocket, in the palm of God's hand

herrasmies gentleman

herrastella 1 (kävellä) strut, parade, walk pretty (ks herra ja hidalgo) **2** (elää) live like a lord

herrasväki 1 gentry, (kans) gentlefolks **2** *Mitäs herrasväki juo tänä iltana?* What can I get you folks to drink tonight?

herroitella 1 address formally, say 'Mr.' **2** ks herrastella

herruus dominion, domination, control, mastery, (ylivalta) supremacy

hersyvä bubbly, exuberant, boisterous *hersyvä nauru* ringing laughter

hersyä flow freely *Minulta ei hersy enää penniäkään* You won't get another cent out of me

hertsi (taajuuden yksikkö) Hertz

hertta heart

herttainen sweet

herttua duke

herttuatar duchess

herua (tihkua) trickle, ooze *Häneltä ei heru penniäkään* You won't get a cent out of him *Tietoja herui vähitellen julkisuuteen* Information gradually leaked out *Ei herunut juuri ollenkaan tietoa* No information was forthcoming

herukka currant

hervota (ote) loosen, let go, (lihas) relax, go slack

hervoton 1 (herpaantunut) limp, slack, numb, paralyzed **2** (holtiton) exuberant, boisterous, over the top

herännyt awake(ned), wide awake

heräte impulse

heräteostos impulse purchase

herättää 1 (ihminen unesta) wake (up), awake(n) *Herätä veljesi* Go wake your brother up, go wake up your brother **2** (ihminen epämiellyttämättömyydestä)

awaken, stir (up), rouse *herättää kansa toimimaan* stir/rouse the people into action *herättää seurakunta synnin yöstä* awaken the congregation from the sleep of sin *herättää seksuaalisesti* arouse/excite (sexually) **3** (tunne) (a)rouse, revive, bring (back) to life *Se herätti epäilykseni* That aroused my suspicions *herättää vanhoja muistoja* revive/reawaken old memories **4** (reaktio) arouse, provoke, call forth *herättää kohua* raise a furor *herättää närkästystä* arouse/provoke indignation *herättää tyytymättömyyttä* stir up discontent

herättää henkiin revive, resuscitate, (usk) bring back to life

herättää huomiota draw attention, make a scene

herätys 1 awakening **2** (herätyssoitto) wake-up call (hotellissa) *Saisinko herätyksen klo 6* Could you wake me at 6, please? **3** (sot) reveille **4** (usk) awakening, revival *tulla herätykseen* see the light, be born again

herätyskello alarm clock

herätyssoitto wake-up call

herätä 1 wake (up), awake(n) **2** (alkaa) begin, bud, burgeon *lapsen herävä elämä* the child's budding/burgeoning life *päivä herää* the day dawns/begins/breaks *herävää rakkaus* new love **3** (viritä) arise, be aroused, (be) revive(d), come to life *Epäilykseni heräsivät* My suspicions were aroused *vanhat muistot heräävät* old memories revive, return, come back to life

herääminen awakening

heräämö recovery room

heterogeeninen (epäyhtenäinen) heterogeneous

heterogeenisyys (epäyhtenäisyys) heterogeneity

heteroseksuaali heterosexual, (ark) straight

heteroseksuaalinen heterosexual, (ark) straight, hetero

heteroseksuaalisuus heterosexuality, (ark) straightness

heti 1 (ajasta) immediately, at once, right away, promptly **2** (paikasta) just, right, immediately *heti oven ulkopuolella* right /just outside the door

heti kättelyssä right off the bat

hetimmiten immediately, this instant *Haluan sen hetimmiten* I want it *now*, (leikillisesti) I want it yesterday

heti paikalla right away, this instant *Se tulee heti paikalla* Coming right up

hetkauttaa 1 (ruumiasta) jerk, twitch, shake **2** (mielipidettä) move, affect *Se ei minua pahemmin hetkauta* That doesn't move/ affect me one way or the other

hetkellinen momentary, brief, fleeting

hetkellisesti briefly, fleetingly

hetken mielijohteesta on a whim, on impulse

hetki 1 (tuokio) moment, second, minute *Hetki pieni/vain* Just a moment/second/ minute, hold/hang on *Tulen hetken päästä* Be back in a flash/jiffy **2** (ajankohta) time, while *lyhyeksi hetkeksi, hetken aikaa* for a short time/while **3** (raam) hour *yhdennellätoista hetkellä* at the eleventh hour

hetkinen moment, second, minute *Hetkinen!* Just a moment/second/minute

hetkittäin intermittently, occasionally, at times, now and then

hetkittäinen intermittent, occasional

hevari metalhead

hevi heavy metal

hevibändi (heavy) metal band

hevillä easily *En hevillä luovu* I won't give up easily, without a fight

hevin easily *Sitä ei hevin unohda* It would be hard to forget that, I won't forget that easily

hevonen horse

hevosenkenkä horseshoe

hevosenleikki horseplay

hevoshullu horse-crazy (girl)

hevosmies horseman

hevostalli horse stall/stable

hevosurheilu (laukkaurheilu) horse racing, (mon) equestrian sports

hevosvoima horsepower

H-hetki H-hour, zero hour

hidas slow

hidasjärkinen slow-witted

hidaskasvuinen slow-growing

hidaskulkuinen slow-moving

hidasluonteinen phlegmatic

hidas sytytys slow uptake *hänellä on hidas sytytys!* he's slow on the uptake

hidastaa slow (down/up), slacken/reduce/cut speed, retard, (viivästyttää) delay, hold up

hidastua slow (down/up), slacken/reduce/cut speed; (viivästyä) be delayed, be held up

hiekka sand; (hiekkamaa) sands

hiekkainen sandy

hiekkakaca sandpile

hiekkakuoppa sand pit

hiekkalaatikko sandbox

hiekkamaa sands

hiekkapaperi sandpaper

hiekkaranta sandy beach

hiekoittaa sand

hiekoitus sanding

hieman a little/bit, slightly

hienhaju body odor, B.O.

hieno 1 (parasta laatua) fine, excellent, exquisite, flawless; (ark) posh, spiffy *hieno viini* fine/choice wine *hieno timantti* flawless diamond *hieno maku* exquisite taste *hieno puku* elegant dress *hieno hotelli* posh hotel **2** (hienostunut) polished, refined, sophisticated *hienot tavat* polished/refined manners *hieno maku* sophisticated taste **3** (ylevä) noble *hieno teko* noble deed **4** (oivallinen) great, good, super *hieno päivä* beautiful day *hieno saavutus* great achievement *Hienoa että tulit* I'm so glad you came, it's good you came *hieno vartalo* great body, (ark) nifty figure *Se on hienoa!* That's great! (huom: *ei* fine) **5** (hienoinen) subtle, slight, vague *hieno ero* slight difference *hieno ironia/vivahde* fine/subtle irony/nuance *hieno aavistus* vague inkling/premonition **6** (ohut) thin *hieno lanka* thin thread **7** (hienorakeinen tms) fine *hieno sumu/pöly* fine mist/dust *hieno sokeri* granulated sugar **8** (hienorakenteinen) delicate *hieno hipiä/koneisto* delicate skin/machinery

hienoinen subtle (ks hieno 5)

hienoisesti subtly, slightly, vaguely

hienopesu delicate cycle

hienosto high society, the rich and famous, the elite

hienostua be(come) refined

hienostunut refined, polished, sophisticated

hienosäätää fine-tune

hienosäätö fine-tuning

hienotunteinen tactful, discreet

hienous 1 (ominaisuus) fineness, excellence, elegance jne (ks hieno) *värien hienous* the fineness/elegance/beauty of the colors **2** (erikoisuus) good/best/nice thing *asian hienous on* the good/best/nice thing about it is **3** (valiokappale) collector's item, exquisite piece, (mon) the cream of the crop *Emme halua hienouksia vaan hyvää tavaraa* We don't want anything fancy, just good quality, (vivahdus) subtlety, nicety, (mon) the finer points *shakin hienoudet* the finer points of chess

hienovarainen 1 (hienotunteinen) tactful, discreet **2** (hellävarainen) gentle, careful

hienovirittää (tietok) tweak

hierarkia (arvoasteikko) hierarchy

hierarkkinen (arvoasteikon mukainen) hierarchical

hierarkkisesti hierarchically

hieroa 1 (lihasta) rub, massage, knead *hieroa älynystyröitä* put on your thinking cap **2** (kuv) ks hakusanoja

hieroa kauppaa dicker (over prices), bargain

hieroa rauhaa negotiate for peace

hieroa sovintoa (try to) make up, work toward a reconciliation

hieroa tuttavuutta make friendly overtures toward, get to know

hieroa älynystyröitään put your thinking cap on

hieroja (mies) masseur, (nainen) masseuse

hieromalaitos massage parlor

hieromasauva dildo

hieronta massage, rub(bing) *selkähieronta* backrub, back massage

hiertyä be rubbed, be chafed *hiertyä rikki* be rubbed raw *hiertyä sileäksi* be worn smooth

hiertää rub, chafe *Tämä kenkä hiertää* This shoe is rubbing me raw, is chafing my foot

hievahdus tiny movement *Ei hievahdustakaan!* Don't move a muscle!

hievahtaa move slightly

hievahtamatta unmoving, without moving a muscle, perfectly still

hiffata (sl) get

hifi (äänentoisto) hi-fi

hiha sleeve *kääriä hihat* roll up your sleeves *pudistaa hihastaan* pull out of a hat

hihaton sleeveless

hihittää giggle, titter

hihitys giggle, giggling, titter, tittering

hihkaista squeal *Hihkaise kun olet valmis* Gimme a holler/shout when you're ready

hihkaisu squeal

hihkua squeal

hihna 1 (tekn) belt *tuulettimen hihna* fanbelt *liukuhihna* conveyor belt **2** (koiran) leash, (kengän) strap

hiihto skiing

hiihtoakrobatia freestyle

hiihtohissi skilift

hiihtokeli snow conditions

hiihtokeskus ski resort, ski area

hiihtokilpailu skiing competition

hiihtoloma skiing holiday/vacation

hiihtomaasto skiing terrain

hiihtoseura skiing club

hiihtäjä skier

hiihtää ski

hiili 1 (kivihiili) coal, (puuhiili) charcoal **2** (kem) carbon

hiilidioksidi carbon dioxide

hiilihanko poker

hiilihappo carbonic acid *Onko tässä hiilihappoa?* Is this carbonated?

hiilihappopitoinen carbonated

hiilihydraatti carbohydrate

hiilikaivos coal mine

hiilimonoksidi carbon monoxide

hiilipaperi carbon paper

hiilivety hydrocarbon

hiillos coals, embers

hiillostaa grill *hiillostettuja muikkuja* fried whitefish *hiillostaa oppilaita vaikeilla kysymyksillä* grill students with difficult questions

hiillostua 1 (kala) be grilled **2** (ihminen) get steamed, get pissed off

hiiltyä 1 (palaa hiileksi) be charred, burn to a crisp **2** (ark) blow a fuse, blow your top, have a fit, get steamed

hiipivä creeping, sneaking *hiipivä epäluulo* sneaking suspicion *hiipivä sosialismi* creeping socialism

hiipiä creep, sneak, steal, walk silently *epäluulo hiipii mieleen* suspicion steals into your heart, creeps up on you

hiippailla slink, sneak *Missä sinä olet hiippaillut?* Where've you been keeping yourself?

hiippakunta bishopric, diocese

hiippari (ark) weirdo

hiipua die down

hiirenharmaa mouse-gray/-colored *hiirenharmaa tukka* mousy hair

hiirenhiljaa quiet/mum as a mouse

hiirenloukku mousetrap

hiiri 1 mouse (mon mice) (myös kuv) *leikkiä kissaa ja hiirtä* play cat and mouse **2** (tietok) mouse (mon myös mouses)

hiirimatto (tietok) mouse mat

hiirulainen mouse *Arja on sellainen hiirulainen* You know Arja, the mousey one

hiiskahtaa 1 (äännähtää) make a sound, breathe a word *Kukaan ei uskaltanut hiiskahtaakaan* Nobody dared make a sound/breathe a word **2** (liikahtaa) move a muscle

hiiskua breathe a word *Älä hiisku tästä sanaakaan* Don't breathe a word of this

hiiva yeast

hiivaleipä sourdough bread

hiivatinmoinen (ark) a heck of a

hiiviskellä sneak, slink, lurk

hikeentyä 1 (hiostua) get sweaty **2** (kiihtyä) get steamed, get pissed off

hiki 1 (erite) sweat, (euf) perspiration **2** (huuru) fog, steam, mist *ikkuna käy hikeen* the window is fogging/steaming/misting up

hiki hatussa *tehdä työtä hiki hatussa* (ark) work your butt/ass off, kill yourself with work, slave away

hikinauha sweatband

hikinen sweaty

hikipäissään 1 hiessä sweaty, with your head sweaty *tehdä hikipäissään työtä* work your ass off **2** (peloissaan) frantically

hikka the hiccups

hikoilla sweat, perspire

hikoilu sweating, perspiration

hilautua drag yourself

hiljaa 1 (pienellä äänellä) quietly, softly *puhua hiljaa* speak quietly/softly, talk in a low voice, speak sotto voce **2** (ääneti) silently *kävellä hiljaa* walk silently, without making a sound/noise **3** (hitaasti) slowly *ajaa hiljaa* drive slowly **4** (liikkumatta) still, without moving *istua hiljaa* sit still

hiljaa hyvää tulee slow and steady wins the race

hiljainen 1 (vähä-ääninen) quiet, soft (-spoken) *hiljainen mies* quiet/soft-spoken /untalkative man, man of few words **2** (äänetön) silent, soundless; (sanaton) unspoken, tacit *hiljainen kuin kala* mum as a mouse *hiljainen toivo* unspoken hope *hiljainen sopimus* tacit agreement **3** (hidas) slow, measured *hiljainen kävely* measured step *keittää hiljaisella tulella* boil over a low flame, at low temperature

hiljainen viikko Passion Week

hiljaiseti 1 (vähällä äänellä) quietly, softly **2** (hitaasti) slowly

hiljaista kuin haudassa quiet as the grave

hiljaisuus quiet, silence, hush *siunattu hiljaisuus* blessed quiet/silence *pyhä hiljaisuus* holy hush

hiljakseen 1 (vähällä äänellä) quietly, softly *puhella hiljakseen* talk in a soft/low voice **2** (hitaasti) slowly, carefully *edetä hiljakseen* move ahead slowly, take it easy/slow, take your time

hiljalleen 1 (hitaasti) slowly, peacefully *Lunta satoi hiljalleen* The snow fell peacefully *hiihtää hiljalleen* ski along slowly **2** (vähitellen) gradually, a little bit at a time, a step at a time, bit by bit, little by little

hiljattain recently, not long ago

hiljentyminen silent prayer

hiljentyä 1 (usk) calm/compose yourself *Hiljentykäämme rukoukseen* Let us bow our heads in prayer **2** (laantua) calm/slow down, ease off

hiljentää 1 (ääntä) turn down (the volume), lower (your voice) *Voisitko hiljentää ääntäsi hieman?* Could you lower your voice please, could you speak more quietly? **2** (ääni) silence, shut up *Kyllä mä sut hiljennän* I'll shut you up, I'll shut that mouth for you **3** (mieli, usk) calm, compose *rukous hiljentää mielen* prayer brings peace of mind **4** (vauhtia) slow (down), slacken *Voisitko hiljentää vauhtiasi hieman?* Could you slow down a little, could you walk more slowly?

hiljetä 1 (äänestä) quiet/calm (down), (vaimeta) die down/away *Koko sali hiljeni* The whole hall went/fell quiet, a hush fell over the whole hall **2** (liikkeestä) slow (down), slack(en) off; (laantua) die down, abate, ease off

hilkulla (a little short/shy *Olipa hilkulla, etten suuttunut hänelle* I was on the dirty edge of getting mad at him, I was this close to losing my temper at him

hillitty 1 restrained jne (ks hillitä) **2** *hillitty väriyhdistelmä/tyyli/maku* understated color combination/style/taste

hillittömästi uncontrollably, excessively, extravagantly, immoderately

hillitysti showing/with restraint, moderately *Olen oppinut syömään hillitysti* I've learned to eat less, to exercise more restraint when I eat, not to eat to excess, to eat moderately *Hän käyttäytyi hillitysti* He was composed/calm

hillitä control, restrain, check *hillitä itsensä* control/restrain yourself *hillitä vihansa* keep your anger in check, suppress/repress your anger *hillitä kielensä* curb your tongue *hillitä hintojen nousua* control/ check rising prices

hillitön 1 uncontrolled, out of control, unrestrained, unchecked **2** (liiallinen) excessive, extravagant, immoderate

hillo jam, preserve(s)

hillua 1 (rellestää) make a racket, (tehdä energisesti) thrash around **2** (hengailla) be, hang around/out

hilpeys glee, hilarity, (good) cheer, gaiety

hilpeä lighthearted, gleeful, hilarious, cheery *Juhlissa oli hilpeä tunnelma* Everybody at the party was feeling good/happy, was full of good cheer, the party sparkled with gaiety

hilse (päänahassa) dandruff; (muualla) scurf

hilseillä peel/flake (off)

hilut (ark) **1** (kolikot) coins **2** (juhlat) party

hilut kintuissa (ark kahleissa) in chains

himmennetty (tietok) grayed

himmennin 1 (tekn) dimmer (switch) **2** (valok) diaphragm **3** (mus) mute

himmentää 1 (valoja) dim; (valotusta) stop down; (huonetta) darken; (värejä) fade; (kuvaa) blur **2** (ääntä) mute, muffle **3** (metallia, mainetta) tarnish

himmeä 1 (valo yms) dim *himmeä valaistus* dim/soft lighting *himmeät värit* soft/quiet/ understated colors *himmeä kirjoitus* faint/ faded/hard-to-read writing **2** (pinta: paperi) mat(te), nonglossy, antiglare; (lasi) frosted; (metalli) tarnished

himmeästi dimly, softly

himo lust, desire, passion, craving *alkoholin himo* craving for alcohol *lihan himot* carnal/sexual lust/desire *elämän himo* passion/lust for life

himoita desire, crave, lust after *himoita kuuluisuutta* have a hankering for fame *himoita jotakuta* lust after someone, (ark) have the hots for someone *himoita jäätelöä* crave, have a craving for ice cream *Älä himoitse* (raam) Thou shalt not covet

himokas (seksistä) lustful, lecherous, (ark) horny **2** (intohimoinen) passionate, (aistillinen) sensuous, sensual **3** (ahne) greedy, (raam) covetous

himomurha sex murder

himomurhaaja sex murderer

himopeluri compulsive gambler

himopolttaja chain smoker

himoruoka favorite food/dish

himota want, long for, lust after

himottaa *Minua himottaa lähteä* I want to go *Minua himottaa raha/valta/tuo mies* I've got to have money/power/that man

himpun (ark) a little, a bit

hinaaja tug(boat) *huutaa kuin hinaaja* scream like a banshee

hinata tow

hinaus tow(ing)

hinausauto tow truck

hinauttaa have (your car) towed

hinauttua (kulkea) drag yourself, (olla vedettävänä) be dragged

hindi Hindi

hindu Hindu

hindulainen Hindu

hindulaisuus Hinduism

hinkata (ark) scrub

hinku (ark) itch, yen, hankering

hinkua (ark) whine (for/about)

hinkuyskä whooping cough

hinnalla millä hyvänsä at any cost

hinnasto price list

hinnoitella (set/fix the) price, set/fix prices

hinnoittelu pricing

hinta 1 price, cost *omaan hintaan* at cost *matkalipun hinta* fare *hintansa arvoinen* a good value/buy **2** (kurssi) rate *päivän hinta* daily rate

hintahaitari price spread

hintaindeksi price index

hintaero *minkä hintainen se on?* how much is it, how much does it cost? *kymmenen euron hintainen* costing ten euros

hintataso price level

hintele slight, spindly, frail

hintti (halv) fag, queer

hioa grind **1** (teroittaa) sharpen, whet, hone **2** (silottaa) grind, polish, (hiekkapaperilla) sand, (himmeäksi) frost **3** (poraamalla) bore, (sorvaamalla) turn **4** (puumassaksi) pulp **5** (viimeistellä) polish, hone, refine *hioa käsikirjoitusta* polish a manuscript *hioa tyyliään* refine/hone your style *hioa puhetta* work on/practice a speech

hiomaton 1 (fyysisesti) unpolished, unground, uncut **2** (henkisesti) rough, crude, boorish

hionta grinding

hiostaa make someone sweat (myös kuv) *Saappaat hiostavat* The boots don't breathe, don't let air through

hiostava *hiostava ilma* sweltering/sultry/humid weather *hiostavat vaatteet/saappaat* hot clothes/boots

hiostua get sweaty, (ikkuna) get fogged up

hiottu polished, honed

hipaista touch on/lightly (myös kuv), skim, graze

hipat (ark) party

hipiä skin, complexion

hipoa touch, graze, (kuv) approach *hipoa täydellisyyttä* approach perfection *hipoa naurettavuutta* border on the ludicrous

hippa 1 (leikki) (game of) tag *leikkiä hippaa* play tag **2** (ihminen) it *olla hippa* to be it

hippasilla *olla hippasilla* play tag

hippi hippie

hippu nugget

hippula *mennä niin että hippulat vinkuvat* go hell-bent for leather

hiprakka (ark) drunk, high *ottaa pieni hiprakka* get a little drunk *aika hiprakassa* pretty drunk/smashed/plastered

hirmu *s* monster *vauhtihirmu* speed demon *adv* real *meillä oli hirmu hauskaa* we had a real good time

hirmuinen 1 (pelottava) terrifying, horrifying **2** (iso) enormous, monstrous

hirmulisko dinosaur

hirmumyrsky hurricane; cyclone, typhoon

hirmustua lose your temper, blow your top

hirmuvaltias tyrant, despot

hirnua (hevonen) whinny, (ihminen) laugh

hirsi timber, log *vetää hirsiä* catch some Z's, saw logs

hirsimökki log cabin

hirsipuu gallows

hirsirakennus log house

hirsisauna log sauna

hirtehishuumori gallows/black humor

hirttyä get hung up

hirttäytyä hang yourself

hirttää (ihminen) hang, (ruuvi tms) hang up, get stuck/caught

hirvenmetsästys moose/elk hunt(ing)/shoot

hirvenmetsästäjä moose/elk hunter

hirvensarvi antler

hirvetä dare, have the courage/nerve/guts to *En hirvennyt lähteä sinne yksin* I was too scared to go in there alone, I didn't dare go in there alone

hirveä (myös ark) horrible, terrible, awful

hirveästi horribly, terribly, awfully *Pidän hänestä hirveästi* I'm terribly fond of him

hirvi (Pohjois-Amerikassa) moose, (Euroopassa) elk

hirvittävä horrifying, terrifying

hirvittävästi horribly, terribly

hirvittää frighten *Minua hirvittää mennä* I dread going, I'm scared/afraid to go

hirviö monster

hirviömäinen monstrous

hissi elevator, (UK) lift

hissukseen 1 (hitaasti) slowly *Hiihtelin hissukseni* I just skied along slowly, taking my time, not pushing myself **2** (vähin äänin) quietly, softly *naureskella hissukseen* laugh quietly/softly, chuckle into your beard, to yourself

hissun kissun slowly, little by little, bit by bit, taking your time, not being in a rush

historia history *tehdä historiaa* make history *siirtyä historiaan* go down in history

historiallinen historical

historiallisesti historically

historiankirjoittaja historian

historiankirjoitus historiography

historian lehti *uusi historian lehti* new era

historiantutkija historian

historiantutkimus 1 (ala) historical research **2** (teos) historical treatise/monograph/study

historiikki chronicle, (short) history

historioitsija historian

hitaahko slowish, on the slow side

hitaasti slowly; (mus) lento, largo, adagio *Kiiruhda hitaasti* Hasten slowly, (lat) festina lente

hitaus slowness, (fys) inertia

hitsaaja welder

hitsata weld

hitsi 1 weld(ing point) **2** (ark) heck, darn

hitt hit

hittilista hit parade, top ten/twenty/forty jne

hitto hell *hiton hyvä pelaaja* hell of a good player, damn good player *hitosti autoja* a hell of a lot of cars

hitu 1 potato peel **2** little bit, grain (ks hitunen)

hitunen little bit, grain *hitunen kultaa* a grain of gold *hitunen suolaa* pinch of salt *hitunen tervettä järkeä* a little common sense *viimeinen voiman hitunen* last ounce of strength *hitusen parempi* a little/bit better

hiukan a little, a bit *hiukan aikaa* a little while *hiukan toisin* a bit different *hiukan vettä* a little water, a drop of water

hiukka small amount: bit, particle, grain, iota jne *ei hiukkaakaan vettä* not a drop of water *ei hiukkaakaan myötätuntoa* not a bit of sympathy, not one iota of compassion

hiukkanen (fys) particle, grain; (kuv) bit *hiekkahiukkanen* grain of sand *hiukkasen hiekkaa* a little sand

hius hair; (mon: tukka) hair *halkoa hiuksia* split hairs

hiuskarvan varassa hanging by a hair/thread

hiuslisäke hairpiece; (naisten) wig; (miesten) toupee, (ark) rug

hiusneula hairpin

hiuspohja scalp

hiusten halkoja hairsplitter

hiusten halkominen splitting hairs

hiustenhoito hair care

hiustenkuivain hair-drier, blow-drier

hiustenleikkuu haircut

hiutale flake *lumihiutale* snowflake *maissihiutale* cornflake

hivellä caress *hivellä jonkun turhamaisuutta* appeal to someone's vanity *hivellä silmiä* be pleasing to the eyes, not be too hard on the eyes

hiven small amount: particle, grain; (kuv) little, bit *hivenen parempi* a bit better

hivenaine trace

hivenen a little

HIV-infektio HIV infection

HI-virus HIV

HIV-negatiivinen HIV-negative

HIV-positiivinen HIV-positive

HIV-tartunta HIV infection

hivuttaa 1 (siirtää hitaasti) edge, ease **2** (jäytää) gnaw (at)

hivuttautua edge, ease

H-molli B minor

hodari (ark) hot dog

hohde glow, glimmer, gleam

hohdokas glorious, splendid

hohtaa (paistaa) glow, shine, glimmer, gleam *Tähdet hohtavat* Stars sparkle/shine *Hopea hohtaa* Silver gleams, light glints off silver *Lumi hohtaa* Snow glistens

hohtava glowing, shining, glimmering, gleaming

hohtimet pincers, tongs *hukkui kuin hohtimet* sank like a stone

hohto 1 (valo) glow, shine, glimmer, gleam **2** (loisto) glamor

hoidokki inmate, (hullhokki) ward

hoikistaa slim (down)

hoikistua slim (down)

hoikka thin, slender, slim

hoilata sing at the top of your lungs

hoiperrella stagger, stumble

hoippua sway, wobble

hoitaa 1 (huolehtia kunnosta) take care of, care for, minister to *hoitaa haavaa* tend to /dress a wound *hoitaa tautia* treat (someone for) a disease *hoitaa taloa* keep house, do the housekeeping *hoitaa lapsia* mind/ watch over/babysit children *hoitaa potilasta* nurse a patient **2** (huolehtia suorittamisesta) take care of, see to, do, handle *hoitaa liikeasioita* do business, see to (your) business (affairs) *hoitaa virkaa* do a job, fill a post *Mitä/Kenen virkaa hoidat?* What/Whose post are you in/filling? What do you do? *hoitaa opettajan viransijaisuutta* be a substitute teacher, stand in/ substitute for the regular teacher *Minä hoidan tämän* I'll deal with/handle this **3** (johtaa) manage, administer, run *hoitaa liikeyritystä* run/manage a business *hoitaa myymälää* tend a shop **4** (pitää) keep *hoitaa karjaa* keep cattle, be a cattlerancher *hoitaa mehiläisiä* keep bees, be a beekeeper

hoitaja 1 (sairaanhoitaja) nurse **2** (liikkeenhoitaja) manager

hoito 1 (huolehtiminen) care *hammashoito* dental care *terveydenhoito* health care *sairaiden hoito* patient care, nursing *sairauden hoito* medical care/treatment *fysikaalinen hoito* physiotherapy *kuittien hoito* seeing/attention to receipts **2** (parantaminen) cure, remedy **3** (johtaminen) management, administration *varojen hoito* administration of funds, money management

hoitopaikka 1 (päivähoito) daycare center, family daycare *Ensin täytyy hakea tyttö hoitopaikasta* First I have to pick up my daughter at (the) daycare (center)/at the Smiths'/at the babysitter's **2** (sairaanhoito) bed *Sairaalassa on 550 hoitopaikkaa* The hospital has 550 beds

hoitovapaa family leave

hoitua get taken care of

hoituri nurse

holva care; (suoja) protection, shelter *äidin hoivissa* in mother's care *jäädä omiin hoiviin* be left to your own devices, be on your own

hoivata care for; (suojata) protect, shelter *hoivata loukkaantuneita* care for/tend to /nurse the wounded

hokea repeat, reiterate, say/chant over and over again

hokema (laulu) jingle, (sana) buzzword

hokkari hockey-player

hokkuspokus hocus pocus

hoksata (ark) get, understand *hoksata heti* get it immediately *Enpä hoksannut tarjota kyytiä* It never occurred to me to offer her a ride

hoksottimet (leik) brain *Hänellä on hyvät hoksottimet* She's got a good head on her shoulders

holhoava 1 (suojeleva) protective **2** (tekee liian paljon päätöksiä ihmisten puolesta) paternalistic

holhooja guardian

holhous 1 (lapsen) guardianship, wardship **2** (kansakunnan) paternalism

hollannikkaat clogs

hollanti (kieli) Dutch

Hollanti Holland

hollantilainen *s* Dutchman, Dutchwoman, Dutch person *adj* Dutch

holtiton 1 hervoton limp **2** (vastuuton) reckless, irresponsible

home mold *Haista home!* Forget you!

homehtua 1 (leipä) mold **2** (ihminen) rot *En aio jäädä tänne homehtumaan* I'm not going to sit around here and rot

homeinen moldy

homma (ark) **1** (työ) job, work *Missä hommissa sinä olet?* What do you do (for a living), what line of work are you in? *Täytyy lähteä hommiin* I have to go to work **2** (puuha) activity, task, chore, thing to do *Minulla on kaikenlaista hommaa tänään* I've got all kinds of things to do today *Mikä on homman nimi?* What's up? What do we (have to) do? What's the deal?

homma on hanskassa (ark) it's cool, everything's under control

hommata (ark) **1** (hankkia) get **2** (touhuta) do, work (at)

hommeli (ark) thing to do

homo homo, (halv) fag, queer

homofobia (homoseksualismin pelko tai viha) homophobia

homogeeninen (tasalaatuinen) homogeneous

homoliitto gay civil union

homopari gay couple

homoseksuaali homosexual

homoseksuaalinen homosexual

homoseksuaalisuus homosexuality

homous homosexuality, gayness

Honduras Honduras

hondurasilainen *s, adj* Honduran

hongankolistaja (leik) beanstalk, lamppost

Hongkong Hong Kong

honka 1 (kasvava puu) big/tall/old pine tree, (punahonka) redwood *mennä päin honkia* (ark) get all balled/screwed/fucked up **2** (puuaines) pine, (punahonka) redwood

hontelo (ihminen) tall and thin, lanky, (käsi tms) long and thin *hontelo olo* feeling punk/bad/weak, feeling under the weather

hoopoilla (ark) act goofy, (möhlätä) goof up, (hassutella) goof around

hoosianna Hosanna

hopea silver

hopeahapsi grayhair

hopeahäät silver wedding anniversary

hopealusikka silver spoon *syntyä hopealusikka suussa* be born with a silver spoon in your mouth

hopeamitali silver medal

hopearaha silver coin

hopeaseppä silversmith

hopeinen silver

hopeoida silver(-plate)

hoppu hurry, rush

hoputtaa hurry, rush *Älä hoputa!* Don't rush me!

horisontaali (vaakasuora) horizontal

horisontti (taivaanranta) horizon

horjahdus fall, slip, lurch; (kuv) lapse

horjahtaa stagger, totter, lose your balance (for a second)

horjahteleva staggering, tottering, reeling

horjua 1 (heilahdella, myös kuv) stagger, totter, lurch **2** (järkkyä) totter, become shaky *diktaattorin valta horjuu* the dictator's power is increasingly shaky, the dictator is tottering **3** (häilyä) waver, falter *horjua kahden vaiheilla* waver/vacillate between two possibilities, be undecided, shilly-shally *horjua uskossaan* waver/falter in your faith

horjumaton (askel tms) steady, (usko tms) unwavering, unshakeable, unfaltering

horjuttaa shake, undermine

horjuva shaky

horkka 1 (tauti) malaria, ague **2** *olla horkassa* be shivering, have the shivers

hormoni (elimistön toimintaa säätelevä aine) hormone

horna hell, damnation, perdition

horros 1 (ihminen: kevyt) lethargy, torpor, (raskas) coma *horroksessa* lethargic, torpid, drowsy, dazed *kulkea kuin horroksessa* walk around in a daze, walk around like a zombie **2** (eläin) hibernation **3** (liike tai tila) dormancy *Yhdistys oli ollut jo vuosia horroksessa* The association had been dormant for years

horteinen lethargic, torpid, drowsy, dazed

hortoilla stagger around dazed

hosua 1 rush, (hutiloida) bungle **2** (huitoa) wave (around)

hotaista rush, do a rush job on, bang something out quickly

hotelli hotel

hotellihuone hotel room

hotelliketju hotel chain

hotellivaraus hotel reservation

hotkaista devour, wolf down

hotkia devour, wolf down

hotsittaa (ark) feel like *Ei mua hotsita* I don't feel like it

houkutella 1 (viekoitella) tempt, entice, lure *houkutella mies naimisiin* lure a man into marriage *houkutella sänkyyn* seduce *houkutella jotakuta syntiin* lead/tempt someone into sin *Älä houkuttele minua!* Don't tempt me! **2** (suostutella) coax, persuade, talk into *houkutella lapsia sisälle syömään* coax the kids in for dinner *houkutella miestäsän ulos kävelylle* talk your husband into going out for a walk with you **3** (keplotella) cheat, con, trick

houkutin lure, bait; (kuv) enticement, inducement, attraction

houkutteleva tempting, enticing, seductive, attractive

houkuttelu temptation, enticement, seduction

houkutus temptation, enticement, attraction

houkutuslintu decoy

hourailla (olla hourailussa) be delirious, (puhua sekavia) rave

hourailu delirium

houre delirium; (mon) ravings, delirium

houreinen delirious, raving

housuhame skort

housupuku pantsuit, (UK) trouser suit

housusillaan in his/her pants, (UK) trousers

housut pants, (UK) trousers *Enpä haluaisi olla sinun housuissasi!* I wouldn't want to be in your shoes!

hovi 1 court **2** (hovioikeus) Court of Appeals, Appellate Court **3** (hovimestari) maître d'hôtel **4** (ylkkiksen lähipiiri) entourage

hovimestari 1 (kotona) butler **2** (ravintolassa) maître d'hôtel, headwaiter, (nainen) hostess

hovioikeus Court of Appeals, Appellate Court

huh! *huh miten kylmää!* brr, it's cold! *huh miten kuumaa!* boy is it hot! *huh mikä urakka!* whew, what a job! *huh mikä paikka!* yuck/Ick, what a disgusting place!

huhkia work like a dog/horse, slave/slog/grind away (at something)

huhkija (ark) eager beaver

huhmare mortar *huhmare ja petkele* mortar and pestle

huhtikuinen April *huhtikuinen hanki* the snow in April

huhtikuu April

huhu rumor *huhu kertoo* rumor has it, rumor says

huhuilla 1 (huutaa) shout, holler, call **2** *huhuillaan että* rumor has it that

huhupuhe rumor *kuulla huhupuheena* hear something on the grapevine

huhuta *Heidän huhutaan menevän pian naimisiin* I hear/rumor has it they're going to be married soon

hui! Ooh! Ick! Whew!

huihai oh well, c'est la guerre/vie

huijari 1 (joka ammatikseen petkuttaa toisia) con(fidence)-man, swindler, cheat **2** (joka esittää jonkin ammatin jäsentä) impostor *Hän ei ollut oikea lääkäri vaan huijari* He was no real doctor, he was an impostor

huijata con, swindle, cheat, trick

huijaus con(fidence trick), swindle, cheat, trick, scam

huikaista dazzle

huikea huge, enormous, (dazzlingly/astonishingly) large

huikeasti hugely, enormously

huikennella live extravagantly/frivolously

huikenteleva (tuhlaileva) extravagant, (kevytmielinen) frivolous

huikentelu extravagant/frivolous lifestyle

huikka (ark) shot, swig, pull *ottaa huikat* knock back a few

huilata take a break, take it easy, rest up

huilu flute

huilunsoittaja fl(a)utist

huima rash, reckless, daring, wild *huimaa vauhtia* at a dizzying/breathtaking/breakneck speed, (kuv) at an incredible rate, unbelievably rapidly

huimaava 1 dizzy(ing), giddy, reeling **2** ks huima

huimapäinen (uhkarohkea) daring, bold, fearless, adventurous, (hullunrohkea) foolhardy

huimapää daredevil

huimata (make you feel) dizzy *minua/päätäni huimaa* I feel dizzy, my head is swimming, (heikottaa) I feel faint/lightheaded, I feel like I'm going to faint

huimaus (fit of) dizziness, dizzy spell

huipata (ark) make dizzy *minua huippaa päästä* I feel dizzy

huipennus climax, culmination

huipentua climax, culminate, come to a head, (reach its) peak *Hänen uransa huipentui Nobelin palkintoon* Her career reached its peak/zenith, peaked in the awarding of the Nobel prize

huipentuma climax, culmination, peak, zenith

huippu 1 (mäen) top, crest; (vuoren) peak, summit, mountaintop **2** (kolmion tms) apex **3** (uran tms) peak, zenith, climax, height *Hinnat saavuttivat huippunsa huhtikuussa* Prices peaked (out) in April *uransa huipulla* at the height of your career *Tässä on tyhmyys huipussaan* This is the height of stupidity *Tämä on kaiken huippu* This beats/tops everything **4** (paras) star, major figure/name *Hän on nykysäveltaiteen huippuja* He is one of the greatest contemporary composers

huippuarvo peak/maximum value

huippuhinta peak/top price

huippukokous summit (meeting)

huippukunto top (physical) condition

huippuluokka top grade/quality *huippuluokan pianisti* top-flight/-ranked pianist *Jännärinä romaani on huippuluokkaa* As a thriller the novel is first-rate/excellent

huippunopeus top/maximum speed

huippusaavutus crowning achievement/ accomplishment

huippusuoritus top performance

huipputaso ks huippuluokka

huipputekniikka high tech(nology)

huippu-urheilija top athlete

huippu-urheilu world-class sports

huipulla tuulee it's windy at the top

huiputtaa cheat, swindle, con, trick

huiputtaja cheater, swindler, con-artist, trickster

huiska duster *vappuhuiska* May Day pom-pom

huiskahtaa swish

huiske swish *huisketta ja hyörinää* hustle and bustle

huiskin haiskin topsy-turvy

huitaista 1 (hotaista) rush, do a rush job on **2** (heilauttaa) swipe, flail

huitaisu 1 (hotaisu) rush job **2** (heilautus) wave, flail

huitoa flail **1** (heilutella) wave your arms (about), flail (about), gesticulate **2** (lyödä) flail, lay about

huivi (hartiahuivi) shawl, (kaulahuivi) scarf

hujahtaa whiz (by)

hujan hajan topsy-turvy

hukassa lost

hukata 1 (kadottaa) lose, misplace *Olen hukannut kelloni* I've lost/misplaced my watch, I can't find my watch **2** (haaskata) waste, squander *hukata aikaa* waste/kill time

huki (ark) turn

hukka 1 (häviö) loss *veren hukka* loss of blood, blood loss **2** (haaskaus) waste *ajan hukka* waste of time **3** (kadotus) destruction, ruin *Nyt hukka minut perii!* Now I've had it! I'm a goner! I'm ruined!

hukka-aika dead/delay time, (tietok) down time

hukkaan lost, wasted *mennä/valua hukkaan* be wasted/lost, be in vain; (ark) go down the toilet, go out the window *joutua hukkaan* get lost/misplaced

hukkaan heitetty wasted, squandered, misspent

hukkaan mennyt wasted, lost, vain

hukkareissu *tehdä hukkareissu* go in vain, come back emptyhanded, go on a wild-goose chase

hukkateillä 1 (hukassa) lost, misplaced **2** (harhateillä) misguided *joutua hukkateille* go bad, pick up bad habits

hukkua 1 (kuolla veteen) (be) drown(ed) **2** (hautautua) be swamped *hukkua onnittelukortteihin* be swamped with birthday cards **3** (usk: joutua kadotukseen) perish *ettei yksikään, joka Häneen uskoo, hukkuisi* that no one who believed in Him would perish **4** (kadota) get/be lost *Minulta on hukkunut kynä* I've lost my pen

hukkuminen drowning

hukkunut s drowned person, (mon) the drowned *adj* drowned

hukuttaa drown (myös kuv) *hukuttaa kissanpentu* drown a kitten *hukuttaa surunsa viinaan* drown your sorrows in booze

hukuttautua drown yourself

hulina riot, pandemonium, hubbub *mennä hulinaksi* collapse/descend into chaos *panna hulinaksi* kick up a row/riot

hulinoida kick up a row, (start a) riot

hulinointi rioting

hulinoitsija rioter

hullaannuttaa make someone crazy

hullaantua go crazy *hullaantua poikaan* go crazy for a boy

hullu 1 (mielisairas ihminen) mad(wo)man, lunatic, psychopath; (ark) loony, nut, psycho *tehdä työtä kuin hullu* work like mad/ crazy *hullun teko* the work of a madman *hulluna sinuun* crazy/mad about you **2** (ihminen joka on toiminut tyhmästi) fool, idiot, moron; (ark) ninny, bonehead *Minä hullu uskoin sinua* What a fool I was to believe you **3** (harrastaja) fan, devotee, buff *filmihullu* movie fan/buff *adj* **1** (mielisairas) mad, insane, crazy; (ark) loony, nutty, out of your mind/head *tulla hulluksi* go mad/crazy/insane, go off your rocker, lose your marbles **2** (tyhmästi toiminut) foolish, idiotic, witless; (ark) silly, boneheaded *Hullu olin kun tämän ostin!* How stupid/foolish I was to buy this, it was crazy/silly of me to buy this!

hullua hurskaammaksi *tästä ei tule hullua hurskaammaksi* I can't make heads or tails out of this

hulluja ei kynnetä eikä kylvetä there's a sucker born every minute

hullujenhuone insane asylum, nuthouse

hullunkurinen crazy

hullun lailla like crazy

hullunmylly insanity, chaos

hullunrohkea foolhardy

hullusti 1 (olla) (all) wrong, all screwed/ messed/balled up **2** (tehdä) stupidly, foolishly, witlessly **3** (mennä, käydä) badly *Olisi voinut mennä hullumminkin* Things could have been worse **4** (sattua) coincidentally, (un)luckily, (un)fortunately *Sattuipas hullusti kun...* What a stroke of (bad) luck/fortune that...

hulluttaa clown around, play the fool, (tehdä kepposia) play practical jokes

hulluttelija clown, (practical) joker, prankster

hulluttelu clowning, (tom)foolery, horseplay

hullutus 1 (muoti) craze **2** (kepponen) prank, practical joke

hulluus madness, insanity, lunacy, craziness

hulmuta 1 (liehua) flutter, flap, wave **2** (leimuta) blaze, flame

hulvaton out of control, over the top *hulvaton huumori* hilarity

humaani humane

humala 1 (kasvi) hop **2** (olotila) inebriation, intoxication, state of drunkenness

humalainen drunk(ard), (ark) wino

humalapäissä drunk, (ark) soused, stewed to the gills

humalluttaa 1 (alkoholi) intoxicate, make you hush **2** (menestys tms) transport, elate, exhilarate

humaltua 1 (alkoholista) get drunk **2** (riemusta tms) feel giddy/dizzy, get high (on life)

humanismi (ihmiskeskeinen elämänkatsomus) humanism

humanisti (ihmistieteilijä) humanist

humanistinen humanistic *humanistinen tiedekunta* College of the Humanities

humanitaarinen (hyvää tekevä) humanitarian

hummailla celebrate, kick over the traces, paint the town red

hummeri lobster

humoristi humorist

humoristinen humorous

humu (kaupungin) hustle and bustle, (juhlien) whirl

hunaja honey

hunajainen 1 (hunajasta tehty) honey, made from honey **2** (makeileva) honeyed, sugary, saccharine, sentimental

hunajakenno honeycomb

hunajameloni honeydew melon

hunningolla badly, bad off, in a state of disrepair, in chaos *joutua hunningolle* go to wrack and ruin, fall apart, degenerate, fall into disrepair *jättää hunningolle* neglect *olla hunningolla* (ihminen) be down and out, be on the bum

hunnutettu veiled

hunnuttaa veil

hunnuttautua don the veil

huntu veil

huoata (heave a) sigh; (valittaa) moan, groan

huohottaa pant, huff and puff

huohottaa niskaan breathe down someone's neck

huohotus panting, huffing and puffing

huojahtaa sway, lurch

huojennus relief *tuntea huojennusta* feel relieved

huojentaa lighten, ease; (hintaa) lower, reduce

huojentaa mieltään/sydäntään get something off your chest, let down your hair, unburden yourself

huojentua 1 (tulla helpommaksi) lighten, ease off **2** (tulla halvemmaksi) abate, fall **3** (helpottua) feel relieved

huojua 1 (heilua) sway, rock, shake **2** (hoiperrella) stagger, totter

huojunta (äänentoistossa) wow and flutter

huokailla sigh

huokaista (heave a) sigh

huokaus sigh

huokea cheap, inexpensive

huokeasti cheaply, inexpensively, at a low price

huokoinen porous

huokoisuus porosity

huokua radiate, give off

huolehtia 1 (pitää huolta kunnosta) care/provide for, take care of, look after *huolehtia vanhasta äidistään* care for, take care of your aging mother (= hoivata), provide for your aging mother (= elättää) *huolehtia pari päivää naapurin lapsesta* look after (babysit) the neighbor kid for a few days **2** (pitää huolta tekemisestä) see/attend to, be responsible for *huolehtia kirje postiin* see that a letter gets mailed *huolehtia kirjeenvaihdosta* see/attend to the correspondence **3** (olla huolissaan) worry about *huolehtia poikansa syömisestä* worry about your son's eating, worry that your son isn't getting enough to eat

huolehtivainen solicitous, attentive

huolellinen conscientious, thorough, painstaking

huolellisuus conscientiousness, thoroughness

huolenpito care *jonkun huolenpidon varassa* in someone's care/charge

huolestua get worried/concerned/anxious

huolestuneesti anxiously, worriedly

huolestuneisuus anxiety, concern

huolestunut worried, concerned, anxious

huolestuttaa bother, trouble, cause you to worry, make you feel anxious/worried

huolestuttava worrisome, alarming, disturbing

huoleti without a care *ole huoleti* don't worry

huoleton 1 (ei ole huolia) carefree, happy-go-lucky, easygoing **2** (ei pidä huolta) careless, lax, offhand

huolettomasti without a care/worry in the world, as if you didn't have a care/worry in the world

huolettomuus 1 (ei ole huolia) freedom from care **2** (ei pidä huolta) carelessness

huoli 1 (murhe toisen puolesta) concern, worry, anxiety *kantaa huolta, olla huolissaan jostakusta* be concerned/worried/anxious about **2** (vaikeus) trouble, (ark) hassle *paljon huolia* plenty of trouble(s), (ark) lots of hassles *huolet painavat häntä* he's overburdened with cares

huolia 1 (haluta) want *En huoli sitä* I don't want it *En huoli sinulta penniäkään* I won't take a cent off (of) you **2** (viitsiä) want/care to (do), (ark) feel like (doing) *En huolinut kertoa sinulle* I didn't want/care to tell you, I didn't feel like telling you *Hän ei edes huolinut kertoa minulle* He didn't even bother to tell me **3** *Tätä ei huoli kertoa isälle ja äidille* There's no need to tell Mom and Dad about this, please don't tell Mom and Dad about this **4** (piitata) care *Mitäs minä siitä huolin!* What do I care (about that)? What does that matter to me? What's that to me?

huolimaton careless, irresponsible, negligent; (ark) slapdash

huolimatta *ongelmistaan huolimatta* in spite of all his problems he, despite his problems he, his problems notwithstanding he *siitä huolimatta hän* even though/ although he *siitä huolimatta että* apart from/despite the fact that

huolimattomuus carelessness, irresponsibility, negligence

huolinta (freight) forwarding

huolintaliike (freight) forwarding agent, freight forwarder

huolissaan worried, anxious, nervous

huolitella tidy up, neaten (up)

huoliteltu (ulkoasu) trim, (ihminen) well-groomed, (kieli) polished, refined

huoltaa 1 (autoa) service **2** (lapsia: hoivata) take care of, care for; (elättää) provide for, support **3** (joukkoja) maintain

huoltaja 1 (hoitaja) caretaker *yksinhuoltaja* single parent *ensisijainen huoltaja* primary caretaker **2** (elättäjä) supporter, provider, (ark) breadwinner

huoltamo repair shop *autohuoltamo* car repair shop, garage

huolto 1 (auto, tietokoneen yms) service, maintenance *viedä auto huoltoon* take your car in for service, into the shop *Auto on huollossa* The car's in the shop **2** (teiden, joukkojen) maintenance **3** (lapsen tms) care *vanhempiensa huollossa* in the

care/custody of their parents **4** (työttömien tms) welfare

huoltoasema service station; filling/gas station, (UK) petrol station, garage

huom. note, N. (nota bene)

huomaamaton 1 (joka ei huomaa) unobservant, oblivious, unaware **2** (jota ei huomaa) imperceptible, inconspicuous

huomaamatta 1 *tulla huoneeseen* (muiden) *huomaamatta* enter the room unnoticed, without the others' noticing **2** (vahingossa) inadvertently, accidentally

huomaamattomasti imperceptibly, inconspicuously

huomaavainen thoughtful, considerate

huomaavaisuus thoughtfulness, considerateness

huomata 1 (panna merkille) notice, note, see *Huomasitko sen mustatakkisen miehen?* Did you notice/see the man in the black coat? **2** (oivaltaa) realize, become aware of *huomata virheensä* become aware of/realize/detect your mistake **3** (keksiä) find, discover *huomata että on tehnyt virheen* find/discover/realize that you've made a mistake **4** (kiinnittää huomiota) pay attention to *Mies oli harmissaan kun häntä ei huomattu tarpeeksi* The man was upset because people weren't paying enough attention to him

huomattava notable **1** (suuri) considerable, remarkable, notable *huomattava määrä ihmisiä* a remarkable number of people, quite a few people **2** (tärkeä) prominent, respected, notable *suuri määrä huomattavia ihmisiä* quite a few prominent/notable people, a remarkable number of notables

huomattavasti considerably, remarkably, notably

huomauttaa 1 (sanoa) remark/comment (on), observe, note, say *Hän huomautti että Julia oli myöhässä* He remarked/observed /noted that Julia was late **2** (tähdentää) point out, stress, emphasize *Hän huomautti että Henry James oli amerikkalainen, ei englantilainen* She pointed out that Henry James was an American, not an Englishman **3** (muistuttaa) remind *Hän huomautti,* *että heidän piti siirtää kelloa tuntia taaksepäin* He reminded them to set the clock back an hour **4** (valittaa) complain, object *Hän huomautti liikkeen omistajalle mädäntyneistä banaaneista* She complained to the shopkeeper about the rotten bananas

huomautus 1 (lausuma) remark, comment, observation *ohimennen esitetty huomautus* passing remark **2** (muistutus) reminder *huomautus maksamattomasta laskusta* reminder about an unpaid bill **3** (valitus) complaint, objection *huomautus kuljetusvaurioista* complaint about shipping damage **4** (ojennus) reprimand *huomautus huonosta käytöksestä* reprimand for bad behavior **5** (viite) note *suom huom* translator's note *reunahuomautuksia* marginalia

huomen morning *huomenta!* good morning!

huomenna tomorrow

huominen s tomorrow, morrow, (kuv) the future *adj* tomorrow's

huomio 1 (tarkkaavaisuus) attention *kiinnittää huomiota johonkin* pay attention to *kiinnittää jonkun huomio johonkin* draw someone's attention to *ottaa huomioon* pay attention to, take into consideration (ks myös huomioida) *herättää huomiota* attract/draw attention, make a scene *Huomio, huomio!* Your attention, please! (sot) Attention! *olla huomion keskipisteenä* be the center of attention **2** (havainto) observation *tehdä huomio* notice, observe

huomioida 1 (kiinnittää huomiota) pay attention to, take notice of, notice *huomioida välillä lapsiakin* pay a little attention to the children too **2** (ottaa huomioon) take into consideration, consider *kaikki hakemukset huomioidaan* all applications welcome, all applications will be considered *huomioida Juhan huono jalka* take Juha's bad leg into consideration, remember Juha's bad leg, bear/keep Juha's bad leg in mind **3** (ottaa lukuun) take into account *huomioida terveydelliset näkökohdat* take health-related points into account/consideration *jättää huomioimatta* disregard, take no account of **4** (tehdä huomioita) observe, make observations

huomiokyky power(s) of observation

huomiokykyinen observant

huomion arvoinen noteworthy, worthy of note

huomionosoitus distinction, honor

huomioon otettava essential

huomioon ottaen considering *ottaen huomioon että sinä olet naimaton* considering you're single

huomiota herättävä 1 (massasta erottuva) conspicuous, (pröystäilevä) ostentatious **2** (sensaatiomainen) sensational, spectacular *huomiota herättävän kaunis* stunning, spectacularly/strikingly beautiful

huomisaamu tomorrow morning

huomisaamuinen *huomisaamuinen kokous* tomorrow morning's meeting, the meeting tomorrow morning

huomisilta tomorrow evening/night

huomisiltainen *huomisiltainen juhla* the party tomorrow evening/night

huomispäivä tomorrow, (kuv) the future *huomispäivän tekniikka* tomorrow's technology, the technology of the future

huomispäiväinen *huomispäiväinen vieras* tomorrow's guest, the guest who'll be arriving tomorrow

huone room *yhden/kahden hengen huone* single/double (room)

huoneenlämpö *säilytettävä huoneenlämmössä* keep at roomtemperature

huoneisto apartment, (UK) flat

huonejärjestys floor plan

huonekalu piece of furniture (mon furniture)

huonekalukauppa furniture store

huonekasvi house plant

huonepalvelu room service

huonetoveri roommate

huono 1 bad (worse/worst) *huono tapa/onni/nainen* bad habit/luck/woman *mennä huonosti* go badly *huonolla tuulella* in a bad mood **2** (kehno) poor, inferior *huono oppilas/valikoima/sato* poor student/selection/harvest *huonoa tavaraa* inferior goods *huono palkka* low pay **3** (heikko) weak, bad *huonot silmät* weak eyes *huono jalka* bad leg *huono sydän* weak heart, bad ticker *huonona* poorly, in a bad way, bad off

huonohko not so/too good

huonoissa väleissä not on good/speaking terms (with)

huonokuntoinen 1 (ihminen: fyysisesti: sairas) poorly, not feeling too good, in poor/ bad condition; (fyysisesti: veltto) in bad/ terrible condition/shape, out of condition/ shape; (henkisesti) in bad shape, in a bad way **2** (rakennus) dilapidated, ramshackle **3** (auto) beat-up

huonokuuloinen hard-of-hearing, hearing-impaired

huonolaatuinen inferior, second-rate *huonolaatuinen villapaita* a sweater of inferior quality

huonolla menestyksellä with poor/little success, without much success

huonolla tuulella in a bad mood

huonomaineinen notorious, disreputable, of ill repute

huonommuudentunne feeling of inferiority

huonommuus inferiority

huonommuuskompleksi inferiority complex

huonona (ark) sick, ill, in a bad way

huononlainen on the bad/weak side

huononnäköinen bad-looking

huonontaa 1 worsen, make something worse **2** (aisteja, terveyttä) impair

huonontua 1 worsen, get/grow worse, deteriorate **2** (muisti tms) (start to) fail/go *Hänen muistinsa alkaa huonontua* Her memory is failing, is starting to go, she's losing her memory

huononäköinen short-sighted, myopic *huononäköinen ihminen* a person with poor vision

huono omatunto bad/guilty conscience

huono puoli drawback, disadvantage

huonossa huudossa (have a) bad reputation

huonossa valossa in a bad light

huonosti badly, poorly, ill *käyttäytyä huonosti* behave badly, misbehave *huonosti ajoitettu* ill-timed

huonotuulinen cranky, in a bad mood

huonous badness, poorness, inferiority

huonovointinen unwell, ill, indisposed

huopa 1 (kangas) felt **2** (peitto) blanket

huopatossu felt shoe/boot

huora whore, hooker

huorahtava whorish

huorata whore; (raam) commit adultery, fornicate

huorintekijä adulterer, fornicator

huorinteko adultery, fornication

huoripukki whoremonger

huoruus adultery, fornication

huovata back water, back the oars *soutaa ja huovata* shilly-shally

hupaisa amusing, humorous

hupi fun, pleasure, amusement

huppari hooded sweater/sweatshirt, (ark) hoody

huppelissa (ark) tipsy

huppu (takin) hood, (munkin) cowl

huppu silmillä 1 (sokeana) with blinders on **2** (humalassa) blind-drunk

hupputakki hooded jacket

hupsia (ark) babble *Älä hupsi kaikenlaista!* Don't be ridiculous

hupsis oops, whoops

hupsu *s* fool *vanha hupsu* silly old fool *adj* silly, foolish

hupulinen hooded

hurja 1 (hillitön) wild, unrestrained **2** (raivokas) furious, violent **3** (ark: valtava) terrible, awful *hurjan jännittävä* awfully exciting, exciting as hell *hurjat hinnat* horrible prices *hurjan hyvännäköinen poika /tyttö* hunk/doll

hurjapäinen 1 (huimapäinen) daring, reckless **2** (hurja) violent

hurjastella 1 (elää) live wildly, live a wild /fast life **2** (ajaa) drive recklessly/wildly, drive like a madman

hurjasti 1 (villisti) wildly, furiously, violently **2** (paljon) a(n awful) lot, loads, piles

hurma (ihmisen) charm, (tapahtuman) thrill, magic

hurmaava charming, enchanting

hurmata charm, enchant

hurmio ecstasy, rapture

hurmuri charmer

hurraa hooray, (vanh) hurrah

hurrata cheer, shout hooray *eipä siinä ole hurraamista* it's nothing to brag about

hurskaasti piously

hurskas pious, devout, religious

hurskasteleva sanctimonious

hurskastella be holier than thou

hurskastelu sanctimony

hutaista rush, do a rush job on

hutiloida botch, fuck up

huudahdus exclamation, shout, cry

huudahtaa exclaim, shout, cry (out)

huudattaa (vauvaa) let a baby cry, (itsensä joksikin) let yourself be named/appointed

huuhaa claptrap, hogwash

huuhdella 1 rinse/wash (out) **2** (lääk: silmiä) wash out, (haavaa) irrigate, (vatsaa) pump, (emätintä) douche **3** (WC) flush

huuhkaja eagle owl

huuhtelu rinse, rinsing, wash, washing, irrigation, pumping, douching, flushing (ks huuhdella)

huuhteluaine rinse

huuhtoa rinse, wash

huulenheitto joking (around), (affectionate) banter

huuli 1 lip *Hymyä huuleen!* Smile! *puraista huultaan* bite your tongue **2** (vitsi) joke, gag, quip *heittää huulta* joke around

huuliharppu Jew's harp

huulipuna lipstick

huulirasva lip balm, chapstick

huuma ecstacy, thrill

huumaantua (alkoholista) get drunk/intoxicated, (kauneudesta tms) get intoxicated/overwhelmed, be stunned, (iskusta) be stunned

huumata 1 (iskulla) stun, daze **2** (huumeella) drug, dope

huumausaine drug, narcotic; (lak) controlled substance

huume 1 drug, narcotic; (lak) controlled substance **2** (houre) fever, daze

huumekauppa drug/narcotics traffic

huumekauppias drug dealer

huumori humor

huumorintaju sense of humor

huumorintajuinen (person) with a sense of humor

huumorintajuton *täysin huumorintajuton ihminen* a person with absolutely no sense of humor

huurre frost

huurteinen *adj* frosty s (kalja) cold one

huurtua frost up/over

huuru fog

huuruinen fogged up

huuruta steam

huusholli household

huussi (ark) outhouse

huutaa 1 (karjua) shout, yell, holler *huutaa täyttä kurkkua* shout at the top of your lungs *huutaa kuin syötävää* scream bloody murder **2** (kiljua) scream, shriek **3** (itkeä) cry, wail, bawl **4** (valittaa) moan, groan **5** (kutsua) call out *huutaa Herran nimeä* call on the name of the Lord **6** (vaatia) cry out *Rikos huutaa kostoa* The crime cries out for vengeance **7** (huutokaupassa: tarjota) bid, (ostaa) buy (at an auction) **8** (pilli) blow, shriek, (sireeni) sound, (summeri) buzz **9** (eläin: susi) howl, (leijona) roar (elefantti) trumpet

huutaa apua call for help

huutaa esiin *Näyttelijät huudettiin esiin kolmesti* The actors took three curtain-calls

huutaa kuin viimeistä päivää scream like a banshee

huutaa täyttä kurkkua yell at the top of your lungs

huuto 1 (karjunta) shout, yell, holler **2** (itku) cry, wail **3** (valitus) moan, groan **4** (maine) reputation *olla huonossa huudossa* have a bad rep(utation) **5** (huutokaupassa) bid **6** (pilli) blow, shriek, (sireeni) sound, (summeri) buzz **7** (eläin: susi) howl, (leijona) roar, (elefantti) trumpet

huutokaupata auction (off)

huutokauppa auction

huutokauppias auctioneer

huutomerkki exclamation point

huutosakki cheerleading squad, cheerleaders

huutoäänestys voice vote

huveta dwindle (away), shrink

huvi amusement, entertainment, fun

huvikseen (just) for fun

huvila summer house/cottage

huvimaja gazebo

huvinsa kullakin to each his own

huvin vuoksi 1 (huvikseen) for fun **2** (turhaan) for your health *En minä huvin vuoksi tässä seiso!* I'm not just standing here for my health!

huvipuisto amusement park

huviretki excursion, outing, (eväsretki) picnic

huvitella amuse yourself *käydä huvittelemassa* go out on the town

huvittaa amuse, entertain, make someone laugh *Ota vain, jos sinua huvittaa* Go ahead and take one, if you want to, if you feel like it

huvittava amusing, entertaining, humorous

huvittelu having fun, amusing yourself

huvittua be amused

huvitukset amusements, delights

huvitus amusement, entertainment

huvitutti pacifier, (UK) dummy

huvivene pleasure boat

huviveneily boating

huvivero amusement tax

hyasintti hyacinth

hybridi (risteymä) hybrid

hydrauliikka (virtausoppi) hydraulics

hydraulinen hydraulic

hyeenakoira African wild dog

hygieeninen hygienic

hygienia hygiene

hyh ick, peeyuu

hyi ick, peeyuu

hyinen icy

hykerrellä 1 (nauraa) chuckle **2** (käsiä) rub your hands with pleasure/joy/anticipation /amusement

hykerryttävä deeply satisfying, thrilling, delicious

hykertely rubbing your hands with pleasure /joy/anticipation/amusement

hykertää 1 (nauraa) chuckle **2** (käsiä) rub

hylje seal

hyljeksiä despise, scorn; (ark) turn up your nose at, look down your nose at

hylkeenmetsästys seal-hunting

hylkiä 1 (vettä tms) repel **2** (siirrännäistä) reject **3** (ihmistä) despise, scorn

hylky 1 (laiva) wreck, (ihmisestä halventavasti) derelict **2** (hylkyaine) refuse, waste **3** (tavara) junk

hylkäys rejection

hylly shelf, (hyllykkö) shelves, (kirjahylly) bookcase (hattuhylly) hatrack *panna hyllylle* shelve *apteekin hyllyltä* (kuv) off the top of your head, off the cuff

hyllykkö shelves, shelving, (kirjoille) bookcase

hyllytila shelf space

hyllyttää shelve *hyllyttää ehdotus* shelve a suggestion

hyllyvä jiggly, wobbly, (läski) flabby

hyllyä jiggle, wobble, shake

hylsy case, shell

hylätä 1 (suunnitelma tms) reject, turn down **2** (kosija tms) refuse, turn away **3** (puoliso /lapsi tms) abandon, desert, leave **4** (periaatteet tms) abandon, forsake **5** (ajatus tms) give up, dismiss **6** (kokeessa) fail, flunk **7** (syyte tms) dismiss, disallow, throw out, (vastalause) overrule **8** (lakiehdotus) defeat **9** (urheilusuoritus) disqualify

hymistä 1 (mumista) mumble **2** (hyräillä) hum

hymy smile, grin *Joko hymy hyytyi?* I bet you're laughing out of the other side of your mouth now!

hymy hyytyy laugh out of the other side of your face

hymyilevä smiling

hymyillä smile

hymyilyttää make you smile, bring a smile to your lips

hymykuoppa dimple

hymähdellä 1 (hymyillä) smirk, sneer, (hymyillä alentuvasti) smile condescendingly/patronizingly **2** (äännähtää) snort

hymähdys 1 (hymy) smirk, sneer **2** (ääni) snort

hymähtää 1 (hymyillä) smirk, sneer (hymyillä alentuvasti) smile condescendingly/patronizingly **2** (äännähtää) snort

hypistellä finger, fumble/fiddle (about/ around) with

hypnoosi hypnosis

hypnoottinen hypnotic

hypnotismi hypnotism
hypnotisoida hypnotize
hypnotisoija hypnotist
hypoteesi (oletus) hypothesis
hypoteettinen (oletettu) hypothetic(al)
hypotenuusa hypotenuse
hyppiä jump, hop, skip, leap
hyppiä nenille get in someone's face
hyppiä seinille climb the walls
hyppiä silmille get in someone's face
hyppy 1 jump, hop, leap, bound **2** (linnun) hop, (kissaeläimen) spring, (vuohen) skip, caper **3** (pää edellä veteen) dive **4** (seiväshyppyssä, voimistelussa) vault
hyppylauta diving board, springboard
hyppynaru jumprope, skipping rope
hyppynen 1 fingertip *puristaa hyppyset tiukasti yhteen* pinch your fingertips together **2** (hyppysellinen) pinch *hyppynen suolaa* a pinch of salt
hyppyri ski jump, (vesihiihdossa) ramp
hyppyrimäki ski jump
hyppysellinen pinch *hyppysellinen suolaa* a pinch of salt
hyppyset fingers
hyppäys jump, leap
hyppääjä jumper *korkeushyppääjä* high jumper *laskuvarjohyppääjä* sky-jumper, parachutist
hypähtää jump, skip, bound, leap *Hänen sydämensä hypähti ilosta* Her heart leaped/bounded with joy
hypätä jump, skip, bound, leap, hop
hypätä asiasta toiseen jump/skip from one thing to another, jump around
hypätä jonkun kaulaan throw your arms around someone's neck, throw yourself into someone's arms
hypätä pituutta do/jump the long jump
hypätä ruutua play hopscotch
hyrinä hum, buzz, drone, (kissan) purr, (hyttysen) whine
hyrrä top, (tekn) gyroscope *ei pennin hyrrää* not a red cent, not a plug nickel
hyrrätä buzz
hyrskyn myrskyn (ark) topsy-turvy
hyräillä hum
hys! shh!

hyssytellä (aikuisia) shush, (vauvaa) lull
hysteerikko hysteric
hysteerinen hysteric(al)
hysteerisesti hysterically
hysteria (neuroottinen tila) hysteria
hytinä shivering, the shivers
hytistä shiver
hytkyttää (jalkaa) jiggle, (lautoja tms) shake, (venettä) rock
hytkyä shake, wobble, shimmy *hytkyä naurusta* shake with laughter
hytkähdyttää (säpsähdyttää) startle
hytkähtää (ihminen) start, (juna tms) (give a) jerk/jolt
hytti cabin, (lentokoneen) cockpit
hyttipaikka (peti) berth, (huone) cabin
hyttynen mosquito
hyttysenpurema mosquito bite
hyttysmyrkky mosquito repellent
hyttysparvi swarm of mosquitoes
hyttysverkko mosquito net(ting)
hyve virtue
hyveellinen virtuous
hyveellisesti virtuously
hyvike 1 (hyvitys) compensation, recompense *vaatia hyvikettä* demand compensation, (ark) demand something in return **2** (välityspalkkio) commission
hyvillään pleased, happy, glad
hyvin 1 well *Hänen säilynyt* well preserved *nukkua hyvin* sleep soundly *Se sopii minulle hyvin* That suits me fine, that's fine with me *Se koskee yhtä hyvin sinua kuin minuakin* This applies to you as well as me, both you and me, you and me alike **2** (sangen) very, extremely, greatly *hyvin vihainen* very angry, furious
hyvinkin very well *Jospas se hyvinkin tärppäisi* It might very well work!
hyvinvointi 1 well-being, welfare **2** (terveys) health **3** (vauraus) affluence, prosperity
hyvinvoipa well, healthy, affluent, prosperous (ks hyvinvointi)
hyvissä ajoin in good time, in plenty of time
hyvite refund
hyvittää 1 (maksaa takaisin) compensate, recompense, reimburse **2** (siirtää/laittaa tilille) credit **3** (sovittaa) make up for

something, make amends *Miten voin hyvittää sen sinulle?* How can I make it up to you? How can I make amends?

hyvitys compensation, recompense, reimbursement, credit, amends (ks hyvittää) *vaatia hyvitystä* demand compensation/reimbursement, (sovitusta) demand satisfaction

hyvyys goodness, kindness, benevolence *Hän teki sen hyvää hyvyyttään* She did it out of the kindness of her heart

hyvä s good *ottaa vastaan sekä hyvää että pahaa* take the good with the bad *toivottaa kaikkea hyvää* wish someone well, all the best *tehdä hyvää* feel good, be good for you *ei tiedä hyvää* be a bad sign *tarkoittaa hyvää* mean well *Kyllä siitä vielä hyvä tulee* It'll turn out all right (ks hyväksi) *adj* **1** good *hyvää iltaa* good evening *hyvää joulua* Merry Christmas *hyvaa matkaa* have a nice trip *hyvää ruokahalua* bon appetit *hyvän sään aikana* while the going is good **2** (ystävällinen) kind *Ole hyvä ja mene pois* Please go away **3** (hyvänmakuinen) delicious, (ark) yummy, scrumptious **4** *pitää hyvänä* (helliä) fondle, caress, cuddle; (kohdella hyvin) treat well, pamper, coddle **5** *Pidä hyvänäsi!* Keep it! *Ole hyvä!* you're welcome to it! **6** *Mistä hyvästä?* What for? For what? **7** *tulla hyvällä* come peacefully/willingly/voluntarily

hyväillä caress, fondle, stroke

hyväily caress

hyväksi for (the good/benefit of), (lak, urh) in favor of *Tein sen sinun hyväksesi* I did it for you(r own good) *ratkaista asia jonkun hyväksi* decide in someone's favor *Tilanne on 9-5 kotijoukkueen hyväksi* The score is 9-5 in favor of the home team *käyttää hyväkseen* use, take advantage of, exploit *nähdä/katsoa hyväksi* see fit *kääntyä jonkun hyväksi* turn to someone's advantage

hyväksikäyttö (paheksuttava) exploitation; (hyväksyttävä) use, employment; (luonnonvarojen) development of resources

hyväksyntä acceptance, approval, agreement, consent, ratification

hyväksyttävä acceptable

hyväksyä 1 accept *En voi hyväksyä tarjoustasi* I can't accept your offer **2** (pitää sopivana) approve of *En hyväksy elämäntapaasi* I don't approve of your lifestyle **3** (suostua johonkin) agree/consent to *En hyväksy ehtojasi* I can't agree to your terms **4** (äänestäen jonkin puolesta) approve, pass, ratify *ehdotus hyväksyttiin* the motion was approved/passed *lakiehdotus hyväksyttiin* the bill was passed *perustuslain muutos hyväksyttiin* the Constitutional amendment was ratified **5** (päästää läpi kokeessa) pass **6** (päästää sisään/jäseneksi) admit

hyväkuntoinen in good shape/condition

hyvä käsistään good/clever with your hands

hyvälaatuinen quality, of good quality

hyvällä tai pahalla one way or another *Nyt lähdet siitä, hyvällä tai pahalla!* You're leaving, one way or another!

hyvämaineinen respected, reputable

hyvänen aika! good heavens!

hyvä niin, hyvä näin (it's) six of one, half a dozen of the other

hyvänkokoinen good-sized, sizable

hyvänlaatuinen (ark ja lääk) benign

hyvänmakuinen tasty, delicious

hyvännäköinen good-looking

hyvänpäiväntuttu someone to say hello to, acquaintance

hyvänsä any *mitä hyvänsä* anything *milloin hyvänsä* any time *keinolla millä hyvänsä* by hook or by crook, by any means fair or foul

hyvän sään aikana while the getting is good *lähteä hyvän sään aikana* get out while the getting is good

hyväntahtoinen well-wishing, kind, benevolent

hyväntekeväisyys charity, philanthropy

hyväntekijä philanthropist

hyväntuulinen good-humored, in a good mood

hyväntuulisesti cheerfully

hyvässä lykyssä with luck

hyvässä uskossa in good faith

hyvästellä say goodbye (to), (run) bid farewell/adieu

hyvästi farewell, adieu

hyvä suustaan (have) a way with words
hyväsydäminen kind-/warm-hearted
hyvätuloinen well-paid
hyvät välit good terms *hyvissä väleissä on* good terms
hyväuskoinen credulous, gullible
hyvää hyvyyttään out of the goodness of your heart
hyvää tarkoittava well-meaning
hyydyke sorbet
hyydyttää 1 (verta) coagulate, clot, (kuv) curdle **2** (rasvaa tms) congeal
hyypiö creep
hyysätä pamper, coddle, baby
hyytelö jelly, Jell-O
hyytyä 1 (veri) coagulate, clot, (kuv) clot **2** (rasva tms) congeal **3** (hymy) freeze *Silloin häneltä hyytyi hymy* That wiped the smile off his face
hyytävä freezing, icy *verta hyytävä* blood-curdling
hyytää freeze, (verta) curdle *Kiljaisu hyyti sydäntäni* The scream made my blood run cold
hyödyke commodity
hyödyllinen useful, of use
hyödyllisyys usefulness
hyödyntää employ, put to (good) use
hyödyttää benefit, profit, be of use *Mitä se minua hyödyttää?* What good is that to me? What's in it for me? *Mitä se hyödyttää?* What's the use/point?
hyödyttömyys uselessness
hyödytön useless, of no use
hyökkäys 1 attack, assault, charge, invasion **2** dash, rush (ks hyökätä)
hyökkäys on paras puolustus an offense is the best defense
hyökkääjä 1 attacker; (ryöstössä tms) assailant, (sodassa) aggressor, invader **2** (urh) attacker, (jalkapallossa) forward
hyökkäävyys aggressiveness, aggression
hyökkäävä aggressive
hyökyaalto breaker; (valtava) tidal wave, (maanjäristyksen aiheuttama) tsunami
hyökätä 1 (käydä kimppuun) attack; (jotakin) assault, charge; (maahan) invade **2** (rynnätä) dash, rush

hyönteinen insect
hyönteismyrkky insecticide
hyönteissuoja insect repellent
hyöriä swarm/hover/bustle around/about
hyöty use, benefit, profit, advantage *Onko tästä sinulle mitään hyötyä?* Can you use this? Is this any use/good to you? Can you get any benefit/profit out of this? *Ei siitä ole mitään hyötyä* No use/point in that at all
hyötyä benefit, profit, gain *Paljonko hyödyit kaupasta?* How much did you make on the deal?
hädin tuskin just barely, by the skin of your teeth
hädissään in a panic, panicking, (ark) freaking out
hädänalainen distressed
hädän hetkellä in your hour/time of need
hädässä ystävä tutaan a friend in need is a friend indeed
häh? whuh? hunhh?
häijy mean, nasty, cruel, malicious
häikkä (ark) glitch
häikäilemättömästi unscrupulously, ruthlessly, remorselessly
häikäilemätön unscrupulous, ruthless, remorseless
häikäillä hesitate *ei häikäillä* to have no scruples (about doing something)
häikäisevä (hyvällä tavalla) dazzling, brilliant; (häiritsevästi) blinding
häikäistä dazzle, blind
häikäisy glare
häilyvä 1 (horjuva) wavering, vacillating, irresolute **2** (väreilevä) glimmering, shimmering, flickering
häilyä 1 (horjua) hover, waver *häilyä kahden vaiheilla* be irresolute, not be able to make up your mind, be torn *häilyä elämän ja kuoleman rajalla* hover between life and death, linger at death's door **2** (väreillä) glimmer, shimmer, flicker
häippästä (ark) shove off, beat it, split
häipyminen disappearance, disappearing, fading (ks häipyä)
häipyä 1 (hävitä) näkymättömiin disappear, vanish; (kuulumattomiin, myös radiossa)

fade out/away **2** (unohtua) be forgotten,
fade **3** (jarrut) fade **4** (ark: lähteä) take off,
clear out, take to your heels, make tracks,
skedaddle

häiriintynyt disturbed

häiriintyä be disturbed

häirikkö troublemaker

häiriö 1 disturbance **2** (radio/TV) jamming

häiritä 1 disturb, interrupt, annoy, bother
Häiritsenkö? Am I disturbing you? *En
halua häiritä* I don't want to disturb/bother
you, intrude (on you) *Ei se häiritse minua
yhtään* It's no bother/trouble at all, it
doesn't bother/annoy me in the slightest
häiritä puhujaa disrupt/interrupt a speaker
2 (radio/TV) jam, interfere

häiriö 1 disturbance **2** (lääk) disorder **3** (mek)
failure, malfunction, breakdown **4** (radio
/TV) static, interference **5** (fys) perturbation

häiriöaika (tetok) downtime

häiriötekijä disturbance

häiriötön undisturbed, smooth, trouble-free;
(radio/TV) static/interference-free

häive trace

häivyttää 1 (värejä, kuvia) fade, dissolve,
(radio/TV/valok) fade out **2** (muistoa, eroa
tms) banish, dispel

häivä trace, hint *ei hymyn häivääkään* not
even a hint of a smile

häivähtää flicker, play *Heikko hymy häivähti
hänen kasvoillaan* A thin smile played
across his face

häkellyksissään confused, mixed up, mud-
dled

häkeltyneesti with embarrassment, in (a state
of) confusion, confusedly

häkeltynyt embarrassed, confused, mixed up,
muddled

häkeltyä get/be(come) embarrassed/con-
fused/mixed up/muddled

häkki 1 (säleseinäinen) cage, (kanahäkki)
coop, (aituus) pen **2** (ristikko) rack, grating
3 (urh: verkko) net

häkä carbon monoxide

häkämyrkytys carbon monoxide poisoning

hälinä 1 (melu) noise, clamor, hubbub
2 (kohu) stir, fuss, hullabaloo *nostaa
hälinä* raise a hullabaloo, make a fuss

hällä väliä who cares, big deal

hälventää (pelkoja) dispel, banish; (sumua)
disperse

häly 1 (melu) noise **2** (kohu) stir, fuss, hulla-
baloo *herättää hälyä* raise a hullabaloo,
make a fuss

hälytin alarm (bell/buzzer jne)

hälyttävä alarming

hälyttää sound the alarm, (poliisia tms) call
puhelin hälyttää the phone rings

hälytys alarm

hälytysajoneuvo emergency vehicle

hälytysvalmis on the alert, ready (for action)

hälytysvalmius alert, readiness

hämillään embarrassed

hämmennys 1 (sekaisin olo) confusion,
bewilderment, perplexity **2** (hämillään
olo) embarrassment

hämmentynyt (sekaisin) confused, bewil-
dered, perplexed **2** (hämillään) embar-
rassed

hämmentyä 1 (joutua sekaisin) get/be(come)
confused, bewildered, perplexed **2** (joutua
hämilleen) get/be(come) embarrassed

hämmentää 1 (saattaa sekaisin) confuse,
bewilder, perplex **2** (saattaa hämilleen)
embarrass **3** (sekoittaa ruokaa) stir

hämminki confusion, (lievä) distress, (val-
tava) pandemonium; (ark) mess, mixup

hämmästellä wonder/marvel at, express sur-
prise/astonishment at

hämmästys surprise, astonishment, amaze-
ment

hämmästyttävä surprising, astonishing,
startling

hämmästyttää surprise, astonish, amaze

hämmästyä be surprised/astonished/amazed

hämy dusk, twilight

hämyisä dusky, twilit; (kuv) dim, shadowy,
pale

hämähäkinseitti spider web, cobweb

hämähäkinverkko spider web, cobweb

hämähäkki spider

hämäläinen s person from Häme, resident of
Häme *adj* (of) Häme

hämärtyä 1 (ilta) get/grow dim/dusky/dark
2 (näkö) dim, blur; (ajatus) get confused/
diffused, lose your train of thought

hämärtää 1 (hämärtyä) get/grow dim/dusky/
dark **2** (hämärryttää) dim, cloud, obscure
hämäryys (yön) darkness, (kohteen) dim-
ness, (asian) obscurity
hämärä s dusk, twilight, (pimeys) dark
adj **1** (puolipimeä) dim, dusky, shadowy,
dark **2** (sumea) dim, indistinct, obscure(d)
näkyä hämärästi be dimly/indistinctly vis-
ible, be partially obscured **3** (epäselvä)
dim, vague, obscure mysterious, unknown
muistaa hämärästi remember dimly/
vaguely, have a dim/vague/obscure mem-
ory **4** (epäilyttävä) shady, fishy, suspicious
hämärä tulonlähde mysterious source of
income *hämärä tyyppi* shady character
hämärän peitossa under cover of darkness
hämäränäkö dusk vision
hämäräperäinen 1 (epäilyttävä) shady, fishy,
suspicious **2** (hämärän peitossa) mysteri-
ous, unknown
hämärästi dimly, vaguely
hämätä 1 (harhauttaa) bluff, fake, feint
2 (hämmentää) confuse
hämäys bluff, (urh) fake, feint
hämäännyttää perplex, confuse
hämääntyä get/be(come) perplexed/confused
hän (poika/mies) he, (tyttö/nainen) she
hänen his/her(s) *hänet, häntä* him/her
hänen (pojan/miehen) his, (tytön/naisen)
her(s)
hänenlaisensa his/her type/sort, a guy like
him, a girl/woman like her
hännillä at the tail end, bringing up the rear
hännystakki frock coat, (ark) tails
hännystelijä flatterer, toady, (ark) suckup,
asskisser
hännystellä flatter, fawn, toady; (ark) suck
up, kiss ass
hännänhuippu be *olla hännänhuippuna*
bring up the rear
häntä tail *Tässä ei ole päätä eikä häntää* I
can't make heads or tails of this
häntä koipien välissä with your tail between
your legs
häpeissään in shame, ashamed
häpeä shame
häpeällinen shameful
häpeämättömyys shamelessness

häpeämätön shameless
häpeäntunne (sense/feeling of) shame
häpeäpilkku blot, stain, stigma
häpy 1 (anat) vulva, (raam) shame **2** (häpeä)
shame
häpyhuulet labia
häpykarvat pubic hair, (ark) pubes
häpykieli clitoris
häpykukkula mons veneris
häpäistä 1 (tuottaa häpeää omaisilleen tai
itselleen) disgrace, dishonor **2** (herjata)
defame, (pyhää esinettä) desecrate, (pyhää
paikkaa) violate
häpäisy defamation, profanation, violation
härkä 1 (kuohittu sonni) ox, steer **2** (nauta-
uros) bull *ottaa härkää sarvista* take the
bull by the horns **3** (horoskoopissa) Taurus
härkänen *tehdä kärpäsestä härkänen* make a
mountain out of a molehill
härkäpäinen bull-headed
härnätä tease, goad, torment
härski 1 rancid, sour **2** (ark) dirty, off-color,
smutty
härskiintyä spoil, go bad
härveli gadget, contraption, thingamajig
häränpylly somersault *heittää häränpyllyä*
turn a somersault
hässiä (ark) fuck, screw, bone, poke
hässäkkä (ark) hassle
häthätää 1 (hätäisesti) hastily, precipitately,
in a great rush **2** (hädin tuskin) just barely
hätiköidä 1 rush (into) things **2** (pilata) bun-
gle, botch, screw up
hätiköimätön unhurried, unflustered, col-
lected, calm
hätiköity 1 rash, precipitate **2** bungled,
botched
hätistellä shoo (out/away off), chase/drive
out/away
hätistää ks hätistellä
hätyyttää 1 (ahdistella: puhuttelemalla)
accost, (käymällä kimppuun) molest, (kiu-
saamalla) harass **2** (ajaa takaa) chase, pur-
sue
hätyyttää ks hätyyttää
hätä 1 (ahdinko) distress, danger, trouble
2 (ahdistus) distress, anxiety, worry *hätä
siitä että äiti jättää* fear of Mommy leav-

ing/abandoning you **3** (kiire) rush, hurry *Mikä hätä sinulla muka on?* What's your rush/hurry? (ark) Where's the fire? (puute) need *Hädässä ystävä tutaan* A friend in need is a friend indeed **4** *Äiti mulla on hätä!* Mommy I gotta go (to the bathroom)! *Iso hätä* number two *Pieni hätä* number one

hätäapu emergency aid

hätä ei lue lakia any port in a storm

hätä ei ole tämän näköinen there's nothing to worry about

hätähousu worrywart, nervous Nelly

hätähuuto call/cry for help

hätällemätön unhurried, unflustered, collected, calm

hätälevä panicky, flustered

hätäillä 1 (huolehtia) worry, fret, fuss, be anxious **2** (kiirehtiä) hurry, rush

hätäinen 1 (huolissaan) worried, anxious **2** (nopea) hasty, hurried

hätäisesti hastily, in haste, in a hurry

hätäjarru emergency brake

hätäkeino emergency measure

hätä keinon keksii necessity is the mother of invention

hätälasku emergency landing

hätämerkki distress signal, SOS/Mayday call

hätäpuhelin emergency telephone

hätäpuhelu emergency (phone) call

hätäpäissään in a panic, flustered, (ark) in a blue funk

hätäratkaisu expedient

hätätila state of emergency

hätätilanne emergency

hätävara reserve, emergency stash, provisions for a rainy day

hätäännyksissään alarmed, panicked, panicky

hätääntyä get/grow/be(come) alarmed/anxious; (valtavasti) panic

hävelliäisyys modesty, bashfulness

hävellä modest, bashful

hävelläästi modestly, bashfully

hävettää shame *Minua hävettää* I'm ashamed of

hävetä be ashamed of

hävetä silmät päästään want to die with shame

hävittäjä 1 (laiva) destroyer **2** (lentokone) fighter (plane)

hävittää 1 (tuhota) destroy, demolish, wipe out *hävittää epäilykset* wipe out doubts **2** (tappaa: yksittäisiä olentoja) kill, liquidate, (ark) rub out, bump off; (eläin) put down, put to sleep **3** (tappaa: kokonaisia väestöjä) exterminate, annihilate, commit genocide **4** (autioittaa) devastate, lay waste, ravage **5** (hukata) lose, misplace *Olen hävittänyt silmälasini* I can't find my glasses **6** (tuhlata) waste, squander, (ark) blow *hävintää koko perintönsä* throw away/run through your entire inheritance

hävitys destruction, devastation

hävitä 1 (kadota) disappear, vanish **2** (joutua hukkaan) get lost *Minulta on hävinnyt matikan kirja* I've lost my math book **3** (haihtua) disperse, dissipate *Sumu häviää* The fog clears **4** (väistyä) die/fade/pass out/away, become extinct *Vanhat tavat häviävät jatkuvasti* The old customs are passing away, dying out, becoming extinct **5** (kärsiä tappio) lose

hävitä kuin pieru Saharaan disappear like a fart in the wind

häviävä 1 (katoava) disappearing, vanishing *häviävän pieni määrä* an infinitesimal amount **2** (häviölle jäävä) losing

hävyttömyys shamelessness, impudence

hävyttömästi shamelessly

hävytön shameless

häväistys 1 (häpeä) humiliation, mortification **2** (loukkaus) insult, affront

häväistä 1 (tuottaa häpeää omaisilleen tai itselleen) disgrace, dishonor **2** (loata toista: nimeä) defame, (pyhää esinettä) desecrate, (pyhää paikkaa) violate

hääjuhla wedding reception/celebration

häämatka honeymoon

häämenot wedding/marriage ceremony

häämöttää gleam/loom (in the distance, on the horizon), be dimly/vaguely visible

hääpari wedding/bridal couple, the bride and groom

hääppöinen *Ei se kovin hääppöinen ole* It's nothing special/great, nothing to write home about, nothing to tell your grand-children about

hääpäivä (wedding) anniversary

hääriä bustle/putter about

häät wedding

häätää evict, turn out

häätö eviction

häävalmistelut wedding preparations

häävi *Ei se häävi ollut* It was nothing special/great, nothing to write home about, nothing to tell your grandchildren about

häävieras wedding guest

hö! pshaw! fiddlesticks! what nonsense!

höhlä (ark) silly, goofy, ditsy

hökkeli shack

hölkkä jogging

hölkätä jog

höllentää loosen, slacken, (kuv) relax

höllä loose, slack, (kuv) lax

hölläkätinen lackadaisical, (lasten kanssa) permissive, (rahan kanssa) spendthrift, (lupausten kanssa) negligent, neglectful

hölläluonteinen slack, lackadaisical, lax, lethargic

höllässä loose

hölmistyä be amazed/astonished, be struck dumb/speechless

hölmö *s* fool, idiot, moron, dummy *adj* foolish, silly, idiotic, stupid

hölmöillä 1 (tahattomasti) act foolish/silly jne, be a fool/idiot jne **2** (tahallaan) fool /(ark) fart/mess around

hölmöläinen moron

hölynpöly nonsense, rubbish

höntti stupid

höperö foolish, silly, (vanhuudenhöperö) senile

höpinä muttering, mumbling

höpistä mutter, mumble

höppänä (ark) fool

höpsis (ark) nonsense

höpsiä (ark) babble, gabble, jabber, prattle

höpö höpö (ark) what a bunch of baloney/hooey/hogwash

höpöpuhe (ark) baloney, hooey, baloney

hörinä 1 (surina) buzz **2** (löpinä) prattle

höristä 1 (surista) buzz **2** (löpistä) prattle

höristää korviaan prick up your ears

hörppiä gulp, guzzle, (ryystäen) slurp

hörppy swig

hörpätä gulp, guzzle, (ryystäen) slurp

hörökorvat big ears, ears that stick out, Dumbo ears, jug ears

hörönauru belly laugh, guffaw

höskä (ark) **1** (hökkeli) shack, hut **2** (kama) crap, junk

höyhen feather

höyhenenkevyt light as a feather

höyhensarja featherweight (class)

höyhentyyny down pillow

höyhentää 1 (lintua) pluck **2** (ihmistä) beat up, whoop, open a whole can of whoop-ass on

höylä plane

höylätä plane (lanata) scrape (kuv) wear down, ride, haze *Oppilaitoksessa kaikki höylättiin samaan malliin* All the students got the same rough treatment, were hazed along the same lines

höyläämätön unplaned

höyläämö planer

höyry 1 (vedestä) steam **2** (muista aineista, kaasu) fume, vapor

höyrykattila boiler

höyrykiharrin steam curling iron

höyrykone steam engine

höyrylaiva steamship

höyryrauta steam iron

höyrystyä vaporize, evaporate

höyrystää vaporize, evaporate

höyryttää steam

höyrytä steam

höyryveturi steam locomotive

höyryvoima steam power

höyste 1 (lisäke) condiment, relish, sauce *Nälkä on paras höyste* Hunger is the best sauce **2** (mauste) seasoning, flavoring

höystää season, spice (myös kuv)

I, i

iankaiken always, forever and ever, forever and a day

iankaikkinen eternal, everlasting *iankaikkisesta iankaikkiseen* from everlasting to everlasting

iankaikkisesti eternally, in eternity *nyt ja iankaikkisesti* now and forevermore

iankaikkisuus eternity

idea idea *Eihän siinä ole mitään Ideaa* There's no point to that, that doesn't make sense

ideaali (ihanne) ideal

ideaalinen (ihanteellinen) ideal

ideaaliside ace bandage

ideaalisuus (ihanteellisuus) ideality

ideaatio (käsitteen muodostaminen) ideation

idealismi (ihannepohjainen maailmankatsomus) idealism

idealisoida (ihannoida) idealize

idealisti (ihanteiden tavoittelija, haaveilija) idealist

idealistinen (ihannoiva) idealistic

identifikaatio identification

identifioida identify

identiteetti identity

identtinen identical

identtisyys identity

ideoida think up/of, come up with (ideas), brainstorm, (filos) ideate

ideointi ideation, (ark) brainstorming

ideologi (ideologian esittäjä) ideologue, ideologist

ideologia (aatejärjestelmä) ideology

ideologinen (aatteellinen) ideological

idiomaattinen (tietyn kielen sääntöjen mukainen) idiomatic

idiomi (ilmaus, puhetapa) idiom

idiootti idiot

idioottivarma foolproof

idis idea

idylli (rauhaisan tunnelmallinen tila tai paikka) idyll

idyllinen (rauhaisan tunnelmallinen) idyllic

ien gum, (mon) gums *ikenet irvessä* grimacing

ies yoke *ikeen alla* under/beneath the yoke (of)

iestää yoke (up)

ihailija admirer, (julkkiksen) fan

ihailijakerho fan club

ihailla (laimeammin) admire, (kiihkeämmin) adore

ihailtava admirable

ihailu admiration

ihan 1 (hyvin, juuri) quite, right, just *ihan tavallinen mies* just an ordinary man *ihan helposti* quite easily *ihan heti* right away *Ei se ihan niin ollut* That's not exactly the way it was *Olin ihan unohtanut sen* I'd completely/quite forgotten that **2** (kovin) so, very, all that *ei ihan kaukana* not so/ very far away, not all that far away **3** *Ihan tuli vedet silmiin* It even brought tears to my eyes *Ihan täytyy nauraa* You really have to laugh

ihana 1 (luonne) wonderful, sweet *Kyllä sinä olet ihana!* You're wonderful! You're so sweet! I love you! You're such a dear! **2** (ulkonäkö) lovely, beautiful, gorgeous

ihanasti wonderfully, sweetly, beautifully

ihanne ideal

ihannoida idealize; (palvoa) adore, idolize

ihannointi idealization; (palvonta) adoration, idolization

ihanteellinen 1 (idealistinen) idealistic, high-/noble-minded **2** (ideaalinen) ideal, perfect

ihanteellisuus idealism; ideality

ihanuus 1 (luonteen) sweetness **2** (ulkonäön) loveliness, beauty

ihastella admire, wonder/marvel at

ihastua 1 (jostakin) be pleased/delighted/ excited/thrilled about/with (something) **2** (johonkuhun) fall for, fall in love with,

become infatuated with; (nuori) get a
crush on

ihastuksissaan delighted, excited, enthusias-
tic

ihastuneena with pleasure/delight, delight-
edly, excitedly

ihastus 1 (ilo) delight, excitement, high
spirits **2** (rakkaus) infatuation; (nuoren)
crush, puppy love **3** (ilon aihe) pride and
joy, apple of your eye **4** (rakkauden kohde)
love, sweetheart *ensi-ihastus* first love

ihastuttaa 1 (ilostuttaa) delight, please, make
you happy **2** (lumota) charm, engage, fas-
cinate

ihastuttava 1 (ilostuttava) delightful, pleas-
ing, pleasurable **2** (lumoava) charming,
engaging, fascinating

ihka *iksi uusi* brand new *ihka aito asia* the
genuine article, the real McCoy

ihme *s* **1** (vaikeasti selitettävä asia) miracle
Hän parani ihmeen kautta Her recovery
was a miracle *Jeesus teki paljon ihmeitä*
Jesus worked many miracles **2** (ihmetystä
herättävä asia) wonder, marvel *maailman
seitsemän ihmettä* the seven wonders of
the world *luonnon/tieteen ihmeet* the mar-
vels of nature/science *Ei ollut ihme ettet
halunnut jatkaa* No wonder you didn't
want to go on **3** (ihmetys) surprise, aston-
ishment, amazement *suureksi ihmeeksem-
me* to our great surprise/astonishment/
amazement **4** (pula) bafflement *Oltiin
ihmeessä rikkaruohojen kanssa* We didn't
know what to do with the weeds, the
weeds had us completely baffled/bamboo-
zled, we had run out of tricks with the
weeds **5** *miten/mitä ihmeessä* how/what on
earth/in the world **6** *Mene ihmeessä!* For
heaven's sake, go! *adj* (ark: ihmeellinen)
odd, strange, weird *joku ihme vempain*
some oddball/incredible contraption

ihmeellinen 1 (yliluonnollinen) miraculous
2 (yllättävä) surprising, astonishing,
amazing **3** (ilmiömäinen) phenomenal,
prodigious **4** (ihana) wonderful, marve-
lous; (ark) great, super **5** (outo) odd,
strange, weird; (ark) funny *ihmeelliset
vaatteet* funny-looking clothes

ihmeellisesti miraculously; surprisingly,
astonishingly, amazingly; phenomenally,
prodigiously; wonderfully, marvelously;
oddly, strangely, weirdly (ks ihmeellinen)

ihmeemmin much *eipä ihmeemmin* not
much *Tuskin sinne ihmeemmin väkeä saa-
puu* I doubt there'll be much of a crowd
there, many people there

ihmeen surprisingly, astonishingly, amaz-
ingly *ihmeen vahva* remarkably/surpris-
ingly strong

ihmeesti a lot

ihmeissään 1 (yllättynyt) surprised, aston-
ished, in surprise/amazement **2** (kummis-
saan) baffled, puzzled, nonplused

ihmeitten aika ei ole ohi wonders never
cease

ihme kyllä 1 (yllätys) surprisingly/astonish-
ingly/amazingly enough **2** (kumma)
strangely/oddly enough

ihmekös is it any wonder (that), no wonder

ihmelapsi child prodigy, wunderkind

ihmelääke miracle drug

ihmeparannus faith-healing, (parantuminen)
miraculous recovery

ihmeparantaja miracle-/faith-healer

ihmesaavutus great achievements *tieteen
ihmesaavutukset* the marvels of science

ihmetapaus wonder, prodigy, surprising/
miraculous event

ihmeteko (ihme) miracle, (uskomaton suori-
tus) prodigious feat

ihmetellä wonder/marvel at, be surprised at

ihmeteltävä surprising, remarkable

ihmetyttää make (someone) wonder *Pikkui-
sen ihmetyttää tuommoinen käytös* Kinda
makes you wonder, a person acting like
that *Minua ihmetytti siinä se että* What I
wondered about in it was that

ihmetyö miracle

ihminen 1 human (being), (vanha seksistinen
nimitys) man **2** (ihmiskunta) humanity, the
human race, (vanha seksistinen nimitys)
man(kind) **3** (henkilö) person (mon
people) *ihmisten kuullen* within earshot, so
people can hear *ihmisten nähden* before all
the world, publicly *ihmisten ilmoilla* in
public *Hyvä ihminen sentään!* You didn't!

You're kidding! Good heavens! Man
alive! *uusi ihminen* new man/woman
4 *olla ihmisiksi* behave yourself, act your
age *käyttäytyä ihmisten lailla/tavalla*
behave in a civilized manner, like a decent
human being, like respectable people,
respectably *ihmisten aikoihin* at a decent/
respectable hour
ihmishenki 1 (elämä) (human) life *Eikö
ihmishenki merkitse sinulle mitään?* Do
you have no respect for human life?
2 (sielu) the human spirit *ihmishengen
pimeät sopukat* the dark corners of the
human spirit
ihmisjoukko crowd/mob (of people)
ihmisjärki (human) reason/intellect/mind
ihmiskunta humanity, the human race;
(vanha seksistinen nimitys) mankind
ihmislapsi 1 (lapsi) manchild **2** (ihminen)
human being, mortal
ihmisluonto human nature/character
ihmisläheinen warm, personal
ihmismäinen 1 (ihmiselle sopiva) decent,
tolerable, humane **2** (ihmiselle tyypillinen)
human, anthropoid
ihmismäistyä 1 (ihminen) (more) become
humane/decent **2** (ei-ihminen) become
(more) human, be humanized
ihmisoikeudet human rights
ihmisolento human being
ihmisparka poor soul/thing/creature jne
ihmisrakas 1 (ystävällinen ihminen)
kind(ly), benevolent, humanitarian
2 (ystävällinen eläin) friendly, fond of
people
ihmisrakkaus kindness, benevolence,
humanitarianism; friendliness (ks ihmisra-
kas)
ihmisryöstö abduction, kidnapping
ihmissielu human soul/spirit
ihmissuhde (human) relation(ship)
ihmissuku the human race
ihmissusi werewolf
ihmissyöjä cannibal
ihmissyönti cannibalism
ihmisten aikoihin at a decent time
ihmisten ilmoilla with people, in company/
society/civilization *Monen tunnin pati-*

*koinnin jälkeen tultiin jälleen ihmisten
ilmoille* After hiking for many hours we
finally got back to civilization
ihmistuntemus knowledge/experience of
people, of human nature
ihmistyö human labor
ihmisviha misanthropy
ihmisystävä philantrophist, humanitarian
ihmisystävällinen 1 (ihminen) philantrophic,
humanitarian, charitable **2** (koira tms)
friendly **3** (ympäristö) friendly, decent
ihmisystävällisyys philantrophy, humanitari-
anism, charity; friendlines (ks ihmisystä-
vällinen)
ihmisyys humanity
ihmisäly human intelligence
iho skin, (hipiä) complexion
ihokarva hair
ihonalainen (lääk) subcutaneous, hypoder-
mic
ihonalaiskudos subcutaneous tissue
ihonhoito skin care
ihosyöpä skin cancer
ihotautilääkäri dermatologist
ihotautioppi dermatology
ihottuma rash
ihra lard (myös kuv)
ihramaha paunch, beerbelly
iikka kuin iikka (ark) every Tom, Dick, and
Harry
iilimato leech
iiris iris
iisi (ark) (helppo) easy *Ota iisisti* Take it
easy
ikiajoiksi forever (and ever)
iki-ihana absolutely wonderful, divine
ikikiitollinen forever grateful/in your debt
ikiliikkuja perpetual motion machine, perpet-
uum mobile
ikimaailmassa never (in a million years)
ikimuistoinen 1 (ikuisesti muistettava) mem-
orable, unforgettable *ikimuistoinen ilta
/juhtikuu* memorable/unforgettable
evening/April **2** (ikivanha) immemorial
ikimuistoisista ajoista from time immemo-
rial
ikinen and every *joka ikinen* each and every
(one)

ikinuori ageless, unageing, eternally youthful

ikinä ever *ei ikinä* never, not ever *mitä ikinä haluat/teet* whatever you want/do

ikioma (your) very own

ikionnellinen overjoyed, blissfully happy

ikipäiviksi forever (and ever)

ikipäivinä ever *ei ikipäivinä* never in a million years, not on your life

ikivanha ancient, primeval, (ark) as old as Moses/Adam/the hills

ikivihreä evergreen *ikivihreä sävelmä* evergreen tune, an oldie but goodie

ikkuna window *kolminkertainen ikkuna* triple-glazed window

ikkuna-aukko window opening

ikkunalasi window pane

ikkunalauta (sisäpuolella) window sill, (ulkopuolella) window ledge

ikkunanpesijä window washer

ikkunanpesu window washing

ikkunapaikka window seat

ikkunaverho curtain; (mon) drapes, draperies

ikoni (kuvake) icon

ikuinen eternal, everlasting, perpetual; (loputon) unending, unceasing *ikuiset totuudet* the eternal verities, the eternities

ikuisesti eternally, perpetually, in eternity; (loputtomasti) without end, endlessly, ceaselessly

ikuistaa immortalize

ikuisuus eternity, perpetuity

ikä 1 age 2 (elämä) life(time) *koko ikäni* all my life

ikäihminen elderly person

ikäinen *Minkä ikäinen hän on?* How old is he? *20 vuoden ikäinen* 20 years old, aged 20

ikäisekseen for your age *nuorekas/kypsä ikäisekseen* youthful/mature for her age *ikäisekseen viisas* wise beyond her years

ikäjärjestyksessä (elinvuosittain) by age; (palvelusvuosittain) by seniority

ikäkausi age, stage/period of life

ikälisä (salary/pay) increment

ikäloppu old and tired, worn-out

ikäluokka age class/group *suuret ikäluokat* baby boom (generation)

ikäraja age limit

ikäryhmä age group

ikävissään (yksinäinen) lonely, (ikävysty-nyt) bored

ikävuosi year of life *jo toisella ikävuodellaan* already one year old, in his second year, going on two

ikävystyttää bore, tire, weary, exhaust

ikävystyä get bored; (kyllästyä) get tired/sick of, get fed up with

ikävys 1 (pitkäveteisyys) boredom, tedium 2 (apea) sadness, depression, melancholy 3 (vaikeus) trouble *kaikenlaisia ikävyyksiä* all kinds of trouble

ikävä *s* 1 (ikävyys) boredom, tedium *kuolla ikävään* be bored to death 2 (kaihomieli) longing, yearning *Onko sinulla ikävä kotiin/Juhaa?* Do you miss home/Juha? *olla ikävissään* feel lonely, dispirited, down in the mouth/dumps *adj* 1 (ikävystyttävä) dull, boring, tedious *ikävä ihminen* bore 2 (apea) sad, downcast *Tuntuu ikävältä kun lähdet* It makes me sad that you're leaving, I feel bad about you leaving, I'm going to miss you when you've gone 3 (valitettava) unfortunate, regrettable, deplorable *Kuinka ikävää!* What a shame/pity! How unfortunate! *asian ikävin puoli on* the worst (part) of it is, the unfortunate thing is *ikävä välikohtaus* unfortunate/regrettable/deplorable incident 4 (hankala) difficult, irritating, annoying *ikävällä päällä* in a difficult/nasty/bitchy mood *ikävä tapaus* a bother, nothing but trouble, a mess *ikävä tilanne* an awkward situation

ikävä asema *joutua ikävään asemaan* be put/find yourself in an awkward/embarrassing situation

ikävä juttu! too bad!

ikävä kotiin homesickness *Minulla on ikävä kotiin* I'm homesick, I miss home

ikävä kuulla sorry to hear (that)

ikävä kyllä unfortunately, I'm afraid (that), I'm sorry (but)

ikävä uutinen bad news

ikävöidä miss, long/yearn for

ikävöinti longing, yearning

ikään kuin as if/though

ikääntyä age, get/grow older, get on in years

ilahduttaa make someone happy, give someone pleasure, gratify, delight *minua ilahduttaa että* I'm happy/pleased/glad/gratified/delighted that

ilahtua be happy/pleased/glad/gratified/delighted (at/with), take pleasure/delight (in)

ilakoida romp, frolic, caper, run and jump and play happily

iljettävä disgusting, repulsive, revolting, sickening, nauseating

iljettää 1 (inhottaa) disgust, repel, revolt, repulse **2** (oksettaa) sicken, nauseate, make you sick to your stomach

iljetä 1 (kehdata) have the nerve/impudence (to do something), dare (to do something) *Miten ilkeät tulla tänne kaiken sen jälkeen mitä olet tehnyt?* How dare you come here after all you've done, you've got some nerve showing up here after everything you did **2** (viitsiä) stand (to do something), stomach (something) *En iljennyt koskea siihen* I couldn't stand to touch it *En iljennyt edes ajatella sitä* I couldn't stomach even thinking about it, I couldn't even stand to think about it

ilkamoida 1 (kiusoitella) tease, taunt, make fun of, have fun at someone's expense **2** (kujeilla) trick, play tricks (on someone), pull a practical joke (on someone)

ilkamointi 1 (kiusoittelu) teasing, taunting, ridiculing **2** (kujeilu) trickery

ilkeys 1 (luonteenpiirre) nastiness, cruelty, malice *silkkaa ilkeyttään* out of sheer spite, just to be mean/nasty **2** (teko) dirty /nasty/mean trick, (moraalisesti närkästyttävä) outrage **3** (puhe, tms) sneer, jeer, taunt, gibe

ilkeä 1 (ihminen, temppu) nasty, mean, cruel, vicious **2** (olo tms) bad, unpleasant (ks myös iljettävä) *Minulla on ilkeä olo* I feel bad, I feel sick to my stomach *Minusta tuntuu ilkeältä, minun tekee ilkeää katsoa* I can't stand to watch

ilkeästi nastily, cruelly, viciously, badly, unpleasantly *nauraa ilkeästi* laugh nastily

viiltää ilkeästi ihoa auki give you a nasty /bad cut

ilki alasti buck-naked

ilki alaston buck-naked

ilkikurinen mischievous, impish, prankish, playful

ilkimys rogue, rascal, rotter, scoundrel; (ark) snake in the grass

ilkityö dirty/nasty/mean trick, evil deed, misdeed; (moraalisesti närkästyttävä) outrage

ilkivalta vandalism

ilkkua 1 (härnätä) taunt, tease, gibe **2** (pilkata) mock, ridicule, laugh at, make fun of

ilkosillaan buck/stark naked

illallinen dinner, supper, the evening meal

illalliskutsu dinner invitation

illallisvieras dinner guest

illan suussa late afternoon, getting on toward evening

illantorkku morning person

illan torkku, aamun virkku early to bed, early to rise

illastaa eat dinner/supper, (hienommin) dine, (arkisemmin) sup

illatiivi (sijamuoto, esim. maahan) illative

illuusio (harha) illusion

ilma 1 air *puhdistaa ilmaa* clear the air *kohdella kuin ilmaa* look right through, give someone the cold shoulder **2** (sää) weather **3** (keuhkossa) wind *laskea ilmat jostakusta pihalle* (ark) bump somebody off, rub somebody out, put a hole in somebody; (vatsassa) gas *päästää ilmaa* break wind, (ark) fart, gas **4** (mieliala tai -pide) mood *oli kahdenlaista ilmaa* differing/ contradictory opinions were aired

ilmaantua 1 (ilmestyä paikalle) appear, make your/an appearance, show/turn up, (ark) show **2** (tulla näkyviin) become visible /manifest, show (up) **3** (ilmetä) arise

ilmailu aviation, (ark) flying

ilmainen free (of charge/cost)

ilmaiseksi free (of charge/cost), gratis, for nothing

ilmaisohjelma freeware (program)

ilmaista 1 (ilmoittaa) express, state, declare, convey *ilmaista kiitollisuutensa* proffer your thanks, express/convey your gratitude *ilmaista osanottonsa* express your sympathies/condolences **2** (pukea sanoiksi) express, give expression/utterance/voice to, articulate, put (an idea/a feeling) into words **3** (pukea kuviksi) give visual form to, image, flesh/sketch out **4** (paljastaa) disclose, reveal, give away *ilmaista jonkun piilopaikka* give away/betray someone's hiding place **5** (ilmentää) indicate, signify, demonstrate *Hintojen nousu ilmaistaan tuhansissa euroissa* Increases in prices are given/indicated in thousands of euros *adjektiivi ilmaisee laatua* adjectives express/signify quality **6** (osoittaa) show, display, exhibit *Hänen katseensa ilmaisi myötätuntoa* His sympathy showed in his eyes, he showed his sympathy with his eyes

ilmaisu expression

ilmaisukyky (ihmisen) expressive talent, articulacy; (kielen) expressiveness

ilmaisukykyinen expressive, articulate

ilmakehä atmosphere

ilman 1 without *tulla toimeen/olla ilman jotakin* get by/do without *Tulen toimeen ilmankin* I'll manage anyway *Menen ilman sinua* I'm going without you, I'll go without you, on my own *Menen ilman että sinä saat tietää* I'm going to go without you knowing, without letting you know *päästä sisään ilman maksua* be admitted free of charge, get in without paying **2** (lukuun ottamatta) not including/counting, excluding *hinta ilman paristoja 69 euroa* priced at 69 euros excluding/not including batteries, 69 euros (batteries not included) *Ilman tämän päivän maksua olemme saaneet yhteensä 5000 euroa* Not counting/including today's payment we have received a total of 5000 euros **3** (muuten kuin) except/but for, if it weren't for *Ilman sinua olisimme olleet pahassa pulassa* If it hadn't been for you, we would have been in big trouble

ilmanala climate

ilman epäilyksen häivää without a shadow of a doubt

ilman että *ilman että hän saa tietää* without him/his finding out

ilmankin anyway, in any case

ilman kosteus humidity

ilmankostutin humidifier

ilman muuta 1 (tietysti) of course, naturally *hyväksyä ilman muuta* accept without question *Ilman muuta hyväksyn* It goes without saying that I accept **2** (suoraa päätä) right away **3** (selvästi) easily, by far

ilmanpaine (renkaissa tms) air pressure; (ilmatieteessä) barometric/atmospheric pressure

ilmanpitävä airtight

ilmanraikaste air-freshener

ilman saastuminen air pollution

ilmansuunta direction, point of the compass

ilman syytä for/with no reason

ilmapallo balloon

ilmapiiri atmosphere, mood *poliittinen ilmapiiri* political climate

ilmassa in the air *roikkua ilmassa* be up in the air, be undecided *oli sähköä ilmassa* the atmosphere was tense, there was tension in the air

ilmasto climate *tottua ilmastoon* acclimate yourself, become acclimatized

ilmastoida (säätää huoneilma sopivaksi) air-condition, climate-control

ilmastointi (huoneilman säätäminen sopivaksi) air-conditioning, AC, climate-control

ilmastointilaite air-conditioner

ilmastollinen climatic

ilmata vent, bleed, let the air out

ilmateitse by air

ilmatiivis airtight

ilmatila air space

ilmaus 1 (ilmaisu) expression, (lausuma) utterance, (sanonta) idiom **2** (ilmentymä) sign, token, indication *arvostukseni ilmaus* in/of my esteem

ilmava 1 (asunto) spacious, roomy, airy, open **2** (maaperä) loose, (pakkaslumi) light, (tyyny) fluffy

ilmavaiva gas pains, flatulence

ilmavirtaus air current/stream/flow

ilmavoimat (sot) air force

ilme 1 (kasvojen) (facial) expression, face, look **2** (esitystavan tms) expression, style;

(ilmeikkyys) expressiveness, liveliness **3** (ulkonäkö) look, appearance

ilmeetön expressionless, flat, blank

ilmehtiä make faces, communicate through facial expressions *ilmehtiä paheksuvasti/ kivuliaasti* grimace

ilmeikäs 1 (puhutteleva) expressive, eloquent **2** (eloisa) lively, animated

ilmeinen 1 (menneestä tapahtumasta: selvä) obvious, apparent, evident *On aivan ilmeistä, että varas ei tullut ikkunasta* It's clear/obvious/apparent/evident that the burglar didn't enter through the window *ilmeisen hämmästynyt* visibly/obviously surprised **2** (tulevasta tapahtumasta: todennäköinen) likely, probable *On erittäin ilmeistä, että Pekka saapuu myöhässä* In all probability Pekka is coming late, it looks pretty likely that Pekka is going to be late

ilmeisesti 1 (kaikesta päätellen) apparently, evidently *Pekka ei ilmeisesti tulekaan* Apparently Pekka isn't coming after all, it looks to me like Pekka isn't coming **2** (silmännähtävästi, ilmeisen) visibly, obviously *aivan ilmeisesti juovuksissa* clearly /visibly drunk

ilmeneminen manifestation

ilmenemismuoto manifestation, the form something takes

ilmentymä manifestation

ilmentyä 1 (näkyä) show, be revealed/manifested/displayed **2** (tulla esiin) appear, manifest itself

ilmentää 1 (osoittaa) show, display, exhibit *Hänen katseensa ilmensi osanottoa* His sympathy showed in his eyes **2** (pukea sanoiksi) express, give expression/utterance/voice to, articulate, put (an idea/a feeling) into words *runo joka ilmentää ihmissydämen pohjatonta yksinäisyyttä* a poem that captures/expresses the vast loneliness of the human heart **3** (pukea kuviksi) express, give visual form to, image, flesh/sketch out **4** (symboloida) symbolize, betoken *kaikki se mitä lippu ilmentää* everything the flag stands for/ symbolizes

ilmestys 1 (usk: ilmoitus) revelation, (näky) vision, (henkiolento) apparition, manifestation *saada ilmestys* receive a revelation/ vision *Marian ilmestys* the Annunciation *Johanneksen ilmestys* the Revelation/ Apocalypse of St. John **2** (nähtävyys) phenomenon, spectacle, sight *Oletpa upea ilmestys!* You're a sight for sore eyes!

Ilmestyskirja the Book of Revelation, the Revelation/Apocalypse of St. John

ilmestyä 1 (saapua paikalle) appear, make your/an appearance, show/turn up, (ark) show **2** (tulla näkyviin) become visible/ manifest, show (up) **3** (ilmetä) arise, occur **4** (tulla julkaistuksi: kirja) be published/ released, come out, appear; (sanomalehti) be printed, (ark) hit the newsstands *Romaanini ilmestyy ensi kuussa* My novel will be coming out next month *Paikkakunnan lehti ilmestyy neljä kertaa viikossa* The local paper appears four times a week

ilmetty 1 *Sinä olet ilmetty äitisi!* You're the living/spitting image of your mother, you look just like your mother, you're the very picture of your mother **2** (ilmeinen) obvious *Sinun ilmetty ja ilkeä tarkoituksesi oli viivyttelä minua* Your obvious and malicious intent was to delay me

ilmetä 1 (tulla esille) arise, appear, show (up) *jos tarvetta ilmenee* if the need arises *viime päivinä ilmenneet oireet* the symptoms that have been appearing over the last few days **2** (tulla ilmaistuksi) take the form of, find expression in/as, be expressed/manifested as, manifest itself *Kiehuminen ilmenee poreiluna* Boiling takes the form of bubbling, is manifested as bubbling *Hänen ironinen luonteensa ilmeni näytelmissä lempeänä huumorina* His irony found expression in his plays as a gentle humor **3** (tulla selville) turn out, be(come) clear/evident/obvious/apparent, transpire *Pian ilmeni, että flunssa oltkin keuhkokuume* It soon became evident that the cold was pneumonia, the cold turned out/proved to be pneumonia

ilmi *adj* (ilmeinen) open, obvious, clear *ilmi kapina* open rebellion *ilmi loukkaus suvun* *kunniaa kohtaan* obvious/clear insult to the family's honor *ilmi liekeissä* blazing *adv* **1** (julki) out, to light *käydä ilmi* turn out, be(come) clear/evident/obvious/apparent, transpire (ks ilmetä) *saada ilmi* find out, discover, uncover *tulla ilmi* come to light, come, be discovered/uncovered/revealed *tuoda ilmi* bring (new facts) to light, present (a new idea), offer (a new perspective) *antaa ilmi* reveal (a secret), inform on (a criminal), report (a crime, a criminal); (ark) rat, squeal (ks ilmiantaa) *joutua ilmi* be found out, be discovered, be caught **2** (erittäin) very, quite, perfectly *ilmi selvä* quite/perfectly clear

ilmiantaa report, inform on, denounce; (ark) rat, squeal, sing like a canary *ilmiantaa rikos poliisille* report a crime to the police *ilmiantaa joku poliisille* inform on/report someone to the police *ilmiantaa korkea virkamies virkarikoksesta* denounce a high official for malfeasance

ilmiantaja informer; (poliisin palkkaama) police informer; (ark) snitch; (vapautettava osasyyllinen) witness who turns state's evidence, (ark) rat, fink, squealer, blabber, doublecrosser, stool pigeon

ilmiselvä 1 (ilmeinen) quite/perfectly clear **2** (itsestäänkin selvä) obvious, undeniable

ilmiteksti (tietok) plaintext

ilmiö phenomenon (myös kuv)

ilmiömäinen phenomenal

ilmoilla *ihmisten ilmoilla* in public *päästää kiukkunsa ilmoille* give vent to your anger/rage

ilmoittaa 1 (kertoa) tell, inform, let someone know, make something known *Ilmoitan sinulle ajoissa tulostani* I'll tell you/let you know in plenty of time when I'll be arriving *ilmoittaa kuolonuhrin lähisukulaiselle* inform the next of kin of the death *minulle ilmoitettiin että* I was told/informed that, I received information (to the effect) that *ilmoittaa uutinen* break the (good/bad) news to someone **2** (tehdä ilmoitus) report, notify, give/serve notice *ilmoittaa näkemänsä poliisille* report what you saw to the police *ilmoittaa poliisille/lehdelle osoit-*

teenmuutoksesta notify the police/a magazine of a change of address *ilmoittaa työntekijälle erottamisesta* serve an employee notice (of dismissal) *ennalta ilmoittamatta* without prior notice *ilmoittaa kadonneeksi* report missing/lost **3** (tiedottaa) announce *ilmoittaa kihlauksensa* announce your engagement *Kenet saan ilmoittaa?* Who shall I say is calling? What was the name, please? **4** (julkistaa) publicize, make public *ilmoittaa päätöksestä julkiselle sanalle* inform the news media of the decision, make the decision public **5** (usk) reveal *Jeesus ilmoitti itsensä opetuslapsille* Jesus revealed himself to the disciples **6** (laittaa ilmoitustaululle) post *tenttitulokset ilmoitetaan ilmoitustaululla* the exam results will be posted on the bulletin/notice board **7** (laittaa ilmoitus lehteen) advertise, put an ad in the paper *ilmoittaa talo myytäväksi* put an ad for your house in the paper, advertise your house in the paper **8** (tehdä selkoa) disclose, give declaration of *ilmoittaa myyntivoitto veroilmoituksessa* disclose/declare your capital gains on the tax form **9** (tullissa) declare *ilmoittaa ylimääräiset viinat* declare your extra alcohol **10** (antaa hintatiedot) quote **11** (kouluun) register (someone), (näyttelyyn) enter (something), (tenttiin) sign (someone) up

ilmoittaja 1 (lehdessä) advertiser **2** (lak) informant

ilmoittautua 1 (kouluun, kurssille) enroll, register **2** (tenttiin) sign up (for) **3** (kilpailuun) enter **4** (palvelukseen) report (for duty)

ilmoittautua ehdokkaaksi run/stand for office, announce your candidacy

ilmoittautua jäseneksi apply for membership

ilmoittautua vapaaehtoiseksi 1 (sotaväkeen) enlist **2** (tehtävään) volunteer

ilmoittautuminen enrollment, registration, entry, enlistment (ks ilmoittautua)

ilmoitus 1 (tieto) information **2** (tiedonanto) report, notice, notification **3** (julkinen tiedotus) announcement **4** (lausunto) statement **5** (lehti-ilmoitus) advertisement, (ark) ad, (UK) advert; (pikkuilmoitus) want-ad, classified ad; (mon) want-ads, classifieds **6** (juliste) bill, notice, poster *Ilmoituksia ei saa kiinnittää* Keep this wall free, No bills/posters **7** (usk) revelation, (divine) message **8** (tulli- tai veroilmoitus) declaration

ilmoitustaulu bulletin/announcement board

ilo 1 joy, delight, happiness, pleasure *On ilo nähdä sinua* it's nice to see you, I'm happy to see you, it's a pleasure to see you *Minulla on ilo ilmoittaa* It gives me great pleasure to announce *ilossa ja surussa* in joy and in sorrow *avioliiton ilot* the joys of marriage *elämäni suurin ilo* my greatest joy/delight/pleasure, the joy of my life, (varsinkin lapsi tai rakastettu) the apple of my eye *tuottaa jollekin iloa* make someone happy, bring/give someone great happiness **2** (ilonpito) merriment, merrymaking, good fun/times/spirits/cheer, gaiety, laughter; (mon) amusements, entertainments *yhtyä iloon* join in the fun/merriment **3** *Mitä iloa siitä sinulle on?* What good is that to you?

iloinen 1 (iloissaan) happy, joyful, delighted, gay, merry *Iloista Joulua* Merry/Happy Christmas **2** (mielissään) pleased, happy, glad **3** (ark: hiprakassa) (feeling) happy, tipsy, giddy

iloisesti 1 (iloissaan) happily, joyfully, delightedly, with delight, gaily, merrily **2** (mielellään) with pleasure, gladly, willingly

iloita 1 (olla iloinen) rejoice (over/at), be happy/glad/pleased (with/to) **2** (pitää iloa) make merry, revel, celebrate

iloksi *jonkun iloksi* for someone's pleasure, to please someone *olla iloksi jollekulle* be a source of pleasure/joy/happiness/delight to someone *iloksени* to my delight

ilomielin with pleasure, gladly *Tulen ilomielin* I'd be happy to come, I'd love to come

ilonaihe cause for rejoicing

ilonlähde source of joy

ilonpilaaja party-pooper, spoilsport, killjoy; (ark) wet blanket

ilonpito fun, merrymaking

ilosanoma good news, (raam) glad tidings

ilo silmälle a sight for sore eyes, eye candy

ilosta for/with joy *itkeä/hyppiä ilosta* weep/jump for/with joy

ilotalo whorehouse, brothel, bordello

iloton joyless, cheerless **1** (ikävä) dull, boring, lifeless **2** (synkkä) bleak, gloomy

ilotulitus fireworks (display)

ilotyttö prostitute, whore, hooker; (katutyttö) streetwalker, (puhelintyttö) call-girl

ilta evening, (ark) night; (run) eve(ntide), (usk) vesper *Hyvää iltaa!* Good evening! *illalla* in the evening, at night *eilen illalla* yesterday evening, last night *iltaan mennessä* by evening, before nightfall *ensi-ilta* opening night, premiere *aamusta iltaan* from morning till night *myöhään iltaan* until late (at night, in the evening)

ilta-ateria dinner, supper, evening meal

iltahämärä dusk, twilight

iltainen evening's *eilisiltainen juhla* the party yesterday evening

iltaisin in the evening, evenings

iltakoulu 1 night school, evening classes **2** (hallituksen) evening session

iltalehti evening paper

iltalukio night school, evening classes (at the high school level)

iltamyöhä late at night, late in the evening

iltamyöhäinen late-night/-evening

iltanumero evening edition

iltapala evening snack, supper

iltapimeä dusk, twilight

iltapuku evening gown

iltapäivisin in the afternoon, afternoons

iltapäivä afternoon

iltarusko sunset

iltasoitto (työpäivän päättyessä) evening bell/whistle, (maatilalla) dinner bell **2** (sot) taps

iltatyö evening work *olla iltatyössä* (be) work(ing) late

iltatähti 1 (tähti) evening star **2** (kuopus) baby (of the family), (pitkällä ikäerolla) afterthought, P.S.

iltauutiset evening news

iltavuoro swing/evening shift

ilve joke, prank, trick, jest *ei millään ilveellä* no way, by no means *jollakin ilveellä* somehow or other, by hook or by crook

ilveilijä jokester, prankster, trickster; (narri) jester, clown, fool

ilveillä 1 (kujeilla) play/pull jokes/pranks /tricks **2** (vitsailla) joke (around), jest **3** (pelleillä) clown/fool/horse around **4** (pilkata) make fun (of someone), joke (at someone's expense), mock, ridicule

ilveily 1 (pelleily) joking/clowning/fooling/ horsing around **2** (näytelmä) farce, burlesque; (parodia) parody, spoof

ilves lynx

imaami (islamilainen hengellinen johtaja) imam

imarrella 1 (ylistää) flatter, compliment; (ark) butter up, soft-soap, suck up to **2** (mielistellä) coax, cajole, beguile **3** (hännystellä) toady/truckle to, curry favor with; (ark) brownnose, lick/kiss someone's ass/boots

imartelija flatterer, toady, brownnoser, ass-/ bootlicker/-kisser

imartelu flattery

imbesilli (vajaamielinen) imbecile

imelä 1 (makea) sweet **2** (sentimentaalinen) sentimental, saccharine; (ark) mushy, slushy, corny **3** (lipevä) flattering, ingratiating, oily

imelästi sweetly, sentimentally, ingratiatingly

imeskellä suck (on)

imettäjä wet-nurse

imettää nurse, breastfeed; (eläin) suckle

imeväinen infant, (run) suckling, babe *lasten ja imeväisten suusta* from the mouths of babes

imeväisikä infancy

imeä 1 (suulla) suck, (rintaa) nurse **2** (muulla) absorb *imeä ennakkoasenteita jo äidinmaidossa* learn/absorb prejudices at your mother's breast, drink in biases with your mother's milk *imeä itseensä maiseman kauneutta* drink in the beauty of the landscape **3** (tekn ja lääk) aspirate

imitaatio imitation, copy; (ark) fake

imitaattori (matkija) imitator, (ihmisen) impersonator

imitoida imitate

immenkalvo hymen

immigraatio (maahanmuutto) immigration

immigrantti (maahanmuuttaja) immigrant

immigroida (muuttaa maahan) immigrate

immoraalinen (moraaliton) immoral

immoralismi (moraalisista säännöistä piittaamattomuus) immoralism

immoraliteetti (moraalittomuus) immorality

immunisaatio (rokotus) immunization

immunisoida (rokottaa) immunize

immuniteetti (vastustuskyky, diplomaatin koskemattomuus) immunity

immuuni (vastustuskykyinen) immune

impartiaalinen (puolueeton) impartial

imperatiivi imperative

imperfekti past tense

imperialismi (pyrkimys laajentaa valtaansa) imperialism

imperialisti imperialist

imperialistinen imperialistic

imperiumi (maailmanvalta) empire

imperfekti (menneen ajan aikaluokka) past/ imperfect tense

impersonaatio (toiseksi ihmiseksi tekeytyminen) impersonation

impersonoida (tekeytyä toiseksi ihmiseksi) impersonate

implikaatio (vihjaus, seuraus) implication

implikoida (vihjata, johtaa loogisesti johonkin) imply

implisiittinen (epäsuorasti ilmaistu) implicit

impotenssi (miehen yhdyntäkyvyttömyys) impotence

impotentti impotent

impressionismi (taiteen suuntaus, jossa pyritään välittämään subjektiivista vaikutelmaa) impressionism

impressionisti impressionist

improvisaatio (valmistelematta tekeminen) improvisation, (ark, varsinkin teatteri) improv

improvisatorinen (valmistelematon) improvisational, improvised

improvisoida improvise

improvisoija improviser

impulsiivinen (hetken mielijohdetta noudattava) impulsive
impulssi (yllyke) impulse
imu suction
imukuppi suction cup
imupaperi blotting paper
imupilli straw
imuri 1 (pölynimuri) vacuum cleaner, (UK) Hoover **2** (musteenkuivain) blotter **3** (tekn) suction apparatus, (myös lääk) aspirator; (tuuletin) exhaust fan/ventilator
imuroida 1 (lattiaa) vacuum **2** (netistä) download
imurointi (tietok) downloading
inahtaa 1 (valitella) whimper **2** (liikahtaa) budge *ovi ei inahtanutkaan* the door wouldn't budge (an inch)
indefiniittinen (epämääräinen) indefinite
indefiniittipronomini indefinite pronoun
indeksi (osoitin) index; (mon) indices, indexes
indeksikorotus cost-of-living raise
indeksoida (varustaa viitenumerolla) index
indikaatio (osoitus) indication
indikaattori (osoitin) indicator
indikatiivi (kielen tapaluokka) indicative
individuaalistaa (yksilöllistää) individualize
individuaalius (yksilöllisyys) individuality
individualismi (yksilön arvoa korostava aate) individualism
individualisti (individualismin kannattaja, yksinäinen susi) individualist
indoeurooppalainen Indo-European
Indonesia Indonesia
indonesialainen *s, adj* Indonesian
induktiivinen (induktion mukainen) inductive
induktio (päättely yksittäisistä seikoista yleiseen) induction
inessiivi (sijamuoto, esim. kaupungissa) inessive
infantiili (lapsellinen) infantile
infarkti (verenkiertohäiriön aiheuttama kudoskuolio) infarct
infektio (tartunta) infection
infektoida (tartuttaa) infect
infektoitua (saada tartunta) get/be(come) infected

infinitiivi (verbin nominaalimuoto) infinitive
inflaatio (yleisen hintatason nousu) inflation
inflammaatio (tulehdus) inflammation
influenssa influenza, (ark) flu
info 1 (tieto) **info 2** (tiedotustilaisuus) briefing, (informational) meeting
infokratia (tiedottajien valta) infocracy
informaatio (tieto) information
informaatioyhteiskunta information society
informatiikka (tietojenkäsittelyoppi, tietotekniikka) informatics, information technology, IT
informatiivinen (tietoja antava) informative
informoida (tiedottaa, antaa tietoja) inform, apprize
inhimillinen 1 (ihmiseen liittyvä) human **2** (ihmisystävällinen) humane, humanitarian **3** (siedettävä) reasonable, decent *soittaa inhimilliseen aikaan* call at a decent hour
inhimillisesti human(e)ly
inhimillisyys humanity, humaneness; reasonableness, decency
inho disgust, revulsion, loathing
inhota loathe, detest, abhor
inhoten with disgust/loathing/revulsion
inhottaa disgust, revolt, repel
inhottava disgusting, revolting, repulsive, loathesome, abhorrent
ininä whine, whining
inistä whine
inka Inca
inkivääri ginger
inkkari (ark) Injun
innoissaan enthusiastic, full of enthusiasm /passion
innoite inspiration
innoittaa inspire
innoittua get/be inspired
innoitus inspiration
innokas 1 eager, keen, enthusiastic **2** (intohimoinen) passionate, fervent, ardent **3** (kiihkomielinen) zealous, fanatic
innokkaasti eagerly, keenly, enthusiastically, with enthusiasm, passionately, with passion, fervently, with fervor, ardently, with ardor, zealously, fanatically (ks innokas)
innostaa inspire, encourage, motivate

innostava inspiring, stirring, rousing

innostua get/feel/be(come) excited/inspired/enthusiastic (about); (ark) enthuse (over); (liikaa) get carried away

innostuksissaan enthusiastic, full of enthusiasm/passion

innostunut enthusiastic, eager, passionate

innostus excitement, inspiration, enthusiasm

innota enthuse, effuse, gush

innoton listless, apathetic, indifferent

insinööri engineer

insinööriajo driving test

insinööritoimisto engineering firm

inspiraatio inspiration

inspiroida inspire

inspiroitua be inspired

instanssi (oikeusistuin) court, (viranomainen) authority *vedota korkeampaan instanssiin* appeal to a court of higher instance

institutionaalinen (laitostunut) institutional

institutionalistua (laitostua) be(come) institutionalized

instituutio (yhteiskunnallinen laitos) institution

instituutti oppi-/tutkimuslaitos institute

instruktiivi (sijamuoto, esim. sormin) instructive

instrumentaalinen (välineeseen tai soittimeen liittyvä) instrumental

instrumentti (väline, soitin) instrument

insuliini (haiman erittämä hormoni) insulin

integroida (yhdentää) integrate

integrointi integration

integroitua (yhdentyä) integrate

intellekti (äly) intellect

intellektuaalinen (älyllinen) intellectual

intellektualismi (älyn korostaminen) intellectualism

intellektuelli (älykkö) intellectual; (ark) brain, egghead

intelligenssi 1 (äly) intelligence **2** (älymystö) intelligentsia

intelligentsija (älymystö) intelligentsia

intelligentti (älykäs) intelligent

intendentti 1 (esimies, tiede-/taidelaitoksen johtaja) supervisor, superintendent **2** (museossa) curator **3** (laivassa) purser

intensiivinen (voimakas) intensive

intensiteetti (voimakkuus) intensity

intentio (tarkoitus) intention

intentionaalinen (tarkoituksellinen) intentional

interaktiivinen interactive

interaktio interaction

interferenssi (häiriö, häiritsevä vaikutus) interference

interferoni (vastustuskykyä lisäävä valkuaisaine) interferon

interiööri (sisäpuoli) interior

internaatti 1 (sisäoppilaitos) boarding school **2** (oppilasasunto) dormitory

internationaali 1 (järjestö) International **2** (laulu) the Internationale

Internet the Internet, the web

Internetin käyttäjä netizen

Internet-kahvila Internet cafe

Internet-yritys dotcom

interpretaatio (tulkinta) interpretation

interpretatiivinen (tulkitseva) interpretive

interrailkortti Interrail/Eurrail pass

interreilaaja Interrail/Eurrail traveler

interreilata travel around Europe on an Interrail/Eurrail pass

Intia India

intiaani (American) Indian, Amerindian, Native American

intiaaniheimo Indian tribe

intiaanikesä Indian summer

intialainen *s, adj* Indian

intiimi intimate; (läheinen) close, cozy

intiimisuhde intimate relations

intimiteetti (läheisyys) intimacy

intimiteettisuoja privacy *loukata intimiteettisuojaa* invade someone's privacy

into 1 eagerness, enthusiasm *innoissaan* excited, enthusiastic, bursting with enthusiasm **2** (intohimo) passion, fervor, ardor **3** (kiihko) zeal, fanaticism

intohimo passion; (into) fervor, zeal; (äärimmäinen) mania

intohimoinen passionate

intoilija enthusiast, (harrastaja) devotee, (kiihkoilija) fanatic

intoilla enthuse (over), get excited/enthusiastic (about), get carried away (by)

intoilu enthusiasm; (kiihkoilu) zealotry, fanaticism

intoleranssi (suvaitsemattomuus) intolerance

intolerantti (suvaitsematon) intolerant

intomielinen enthusiastic, eager, keen

intonaatio (puhemelodia) intonation

intransitiivinen (ilman objektia esiintyvä) intransitive

intressi (etu, pyyde) interest *Yhdysvaltain intressit Lähi-idässä* US interests in the Middle East

intti (ark) army

inttää 1 insist, assert (dogmatically), refuse to back down/compromise **2** (väittää vastaan) argue/answer back; (ark) backtalk, give someone lip

invalidi (vammainen) invalid, disabled person (mon) the disabled

invalidisoida disable

invalidisoitua become disabled

invaliditeetti disability

invataksi disabled taxi, taxi for disabled

inventaari inventory

inventoida (tehdä inventaari) make/take inventory, take stock

investoida invest

investoija investor

investointi investment

investointipankki investment bank

investointirahasto investment fund

ioni (sähköisesti varautunut atomi) ion, (negatiivinen) anion

ipana kid, brat

Irak Iraq

irakilainen *s, adj* Iraqi

Iran Iran

iranilainen *s, adj* Iranian

Irlanti Ireland

irlantilainen *s* Irishman, Irishwoman *irlantilaiset* the Irish

ironia (epäsuora iva) irony, (pilkka) sarcasm

ironikko ironist

ironinen (epäsuoran ivallinen) ironic, (pilkkaava) sarcastic

ironisoida speak/write ironically

irrallaan 1 (irti) loose, free *Hän pitää hiuksiaan irrallaan* She wears her hair loose, lets

her hair hang loose/down, leaves her hair undone/unfastened **2** (muista erillään) separate(ly), apart, in isolation *käsitellä aihetta muista irrallaan* deal with a matter separately, apart from the others, in isolation

irrallinen 1 (irtonainen) loose, free, detached, unfastened **2** (irrotettava) detachable, (liikkuva) moving, movable *irrallinen pääoma* floating capital **3** (erillinen) separate, isolate(d), discrete **4** (hajanainen) scattered, fragmented, un-/disconnected **5** (vakiintumaton) loose, easy, unattached *irrallisia sukupuolisuhteita* promiscuous/loose sexual relations, casual sex *irrallisia ihmisiä* drifters, outsiders

irrelevanssi (epäolennaisuus) irrelevance

irrelevantti (epäolennainen) irrelevant

irrota come loose/free/off/open/out/undone/unfastened/unstuck jne. *Tuo tuoli irtoaa varmasti satasella* I bet you can get that chair for a C-note

irrotella 1 (irrottaa) loosen, let loose, free, unfasten, undo **2** (huvitella) let/cut loose, throw off your chains/yoke, live it up, turn over the traces

irrottaa 1 loosen, free, detach, unfasten, undo *En voinut irrottaa katsettani sinusta* I couldn't take my eyes off you **2** (jarru) release, (kytkin) disengage, (puhelin seinästä) disconnect

irrottaa ote let go of, loosen/break your grip on

irrottautua break loose/free/away, free/release/liberate/disengage yourself

irrotus detachment

irstailla live a loose/dissolute life, live a life of debauchery

irstailu debauch(ery), lechery

irstas 1 (elosteleva) debauched, dissolute, dissipate **2** (hillitön) profligate, libertine, licentious **3** (himokas) lustful, lewd, wanton

irstaus dissolution, debauchery

irtaimisto movable(good)s, personal property

irtain loose *irtain omaisuus* movable/personal property

irtautua 1 (irrota) come/get/break loose, come off/out **2** withdraw, retreat (erota) break away/off, split off *irtautua hankalasta suhteesta* get out of a difficult relationship

irtautuminen loosening, detachment, withdrawal, retreat, separation, liberation

irti 1 (irronnut) off, unfastened/-done/-screwed jne *Tämä nappi lähti irti* This button came off *päästää irti* (hellittää) let go (of something) **2** (erillään, erilleen) off, out *Pidä sormesi irti tästä!* Keep your mitts off this, you stay out of this! *En saanut katsettani irti hänestä* I couldn't take my eyes off him **3** (irtoamisillaan) loose *Minulla on yksi hammas irti* I've got a loose tooth **4** (valloillaan) on the loose, at large *Nyt on piru irti!* All hell has broken loose! Now the fat's on the fire! *päästää irti* (vapauttaa) (set) free, liberate, let (someone) go *päästää irti* break/get free/loose/away **5** (vapaana) free, clear, away *pysytellä irti jostakusta* stay/keep clear/away from someone *irti maasta* carefree **6** *ottaa ruuvi irti* take off, detach, unscrew *ottaa kaikki irti jostakin* get whatever you can (out of something), make the most/best of something **7** *saada naula irti* get a nail out *saada tekstistä/aiheesta jotain irti* get something out of a text/subject *Saatko tästä mitään irti?* Can you make anything of this? *saada itsestään niin paljon irti että* find the energy to do something, get around to doing something *ei saada miehestään mitään irti* not get your husband to tell you something, not get a word out of him **8** *sanoa irti* (työntekijä) dismiss, give notice to; (ark) fire, sack; (sopimus) cancel, discontinue; (ystävyys) break off relations (with someone) **9** *sanoutua irti* (työstä) resign, hand in your resignation; (ark) quit; (vastuusta) disclaim (all responsibility), dissociate yourself (from a bad situation) **10** *Irti tupakasta/viinasta!* Kick the (smoking/drinking) habit! *Irti ennakkoluuloista!* Away with prejudices!

irtisanoa 1 (työntekijä) dismiss, give notice to; (ark) fire, sack **2** (sopimus) cancel

irtisanominen 1 (työntekijän) dismissal, notice; (ark) the sack **2** (sopimuksen) cancellation

irtisanoutua quit

irtolainen vagrant, drifter, tramp

irtolaisuus vagrancy

irtolaisväestö drifters

irtonainen loose *irtonainen nappi* loose button *irtonaiset lihakset* loose/relaxed muscles *irtonaisia kolikoita* loose/small change *irtonaisia sukupuolisuhteita* loose/promiscuous sexual relations, casual sex

irtonumero newsstand copy

irtotakki sport(s) jacket, (UK) blazer

irvailla 1 (irvistellä) jeer, sneer **2** (ivailla) mock, scoff

irvailu jeering, sneering, mocking, scoffing

irvessä *hampaat irvessä* with/through clenched teeth, clenching your teeth, with set jaw, with your jaw set *suu irvessä* with a smirk/sneer

irvikuva (ihmisen) caricature, (aatteen tms) travesty

irvileuka *s* **1** (pilkkaaja) scoffer, mocker **2** (vitsiniekka) joker, jokester, comedian; (ark) wag, cutup *adj* **1** (pilkkaava) scoffing, mocking **2** (vitsaileva) joking, comic

irvistellä 1 (irvistää) grimace, make faces/a face **2** (irvailla) mock, scoff, sneer, jeer

irvistys grimace

irvistää 1 (ihminen) grimace, make faces/a face **2** (koira) bare its teeth **3** (kenkä tms) gape

irvokas grotesque

isi (ark) Dad, Daddy, Papa, Pops

iskelmä hit (song), pop song/tune

iskelmälaulaja pop singer

iskelmämusiikki pop music

iskevä 1 (ytimekäs) pithy, trenchant, (lyhytsanainen) concise **2** (sattuva) apt, apposite, to the point **3** (tehokas) effective, powerful, striking **4** (sanavalmis) articulate

iskevästi pithily, trenchantly, concisely, aptly, appositely, effectively, powerfully, strikingly, articulately (ks iskevä)

iskeytyä hit/strike/smash (against/on), (törmätä) crash (into) *iskeytyä kiinni johonkin* grab (onto), seize, snatch (up)

iskeä hit, strike; (nyrkillä) punch, slug; (kämmenellä) slap; (veitsellä) stab; (vasaralla) hammer *Flunssaepidemia iski keväällä* The flu epidemic struck in spring *Häneen iski kauhea epäluulo* He was assailed by mind-numbing doubts *iskeä päänsä* hit/bump/bang your head (on something) *iskeä sääriluunsa* bark your shin *iskeä säpäleiksi* smash into (a million) pieces, into smithereens *iskeä tietoa päähän* drum something into your head *iskeä suoraan asiaan* get right to the point
iskeä hampaansa johonkin sink your teeth into something
iskeä kiinni johonkin snatch/grab at, (tilaisuuteen) jump at
iskeä kipinää strike a spark
iskeä kirvestä kiveen miss the mark, spit into the wind
iskeä kyntensä johonkin seize, snatch, grab, snap up; pounce on
iskeä kätensä paskaan step in shit, fuck/foul/mess up
iskeä naulan kantaan hit the nail on the head
iskeä päätään seinään keep beating your head against the wall
iskeä silmänsä johonkin have your eyes on, set your heart on
iskeä silmää jollekulle wink at someone
iskeä tarinaa (ark) shoot the breeze/bull
iskeä tulta strike a light
iskeä tyttö pick up a girl
iskeä yhteen 1 (suullisesti: huutaen) have a shouting match, scream at each other, (väitellen) clash **2** (fyysisesti) come to blows, have at each other **3** (kilpailla) have it out *Maailman kaksi huippujuoksijaa iskivät yhteen 1500 metrillä* The world's two greatest runners had it out in the 1500 meter race **4** (autoilla) crash, collide
iskostaa din/drum (something into your head) *iskostaa kansaan uusi oppi* indoctrinate the populace
iskostua (jäädä mieleen) be engraved/imprinted/stamped (on your mind/memory), impress itself (on you)
isku 1 blow, stroke; (nyrkillä) punch; (kämmenellä) slap; (veitsellä) stab; (viilto) cut

salaman/kohtalon isku stroke of lightning/fate *Vaimon kuolema oli hirvittävä isku* His wife's death was a terrible blow *lyödä kaksi kärpästä yhdellä iskulla* kill two birds with one stone **2** (männän isku) stroke, (sähköisku) (electric) shock (myös kuv) **3** (sot) attack, strike **4** (lentopallossa) spike **5** (mus) accent, (run) stress **6** *silmän isku* wink
iskujoukko strike force, commando unit; (hist) storm troops; (mon) commandos, (hist) storm troopers
iskulause motto, slogan
iskunkestävä shock-resistant/-proof
iskusana slogan, catchword
isku vyön alle a blow below the belt
iskä (ark) Dad, Daddy, Papa, Pops
islam Islam
islamilainen *s* Islamite *adj* Islamic
islaminuskoinen *s* Islamite *adj* Islamic
Islanti Iceland
islantilainen *s* Icelander *adj* Icelandic
iso 1 big, large *iso nainen* (pitkä ja tukeva) big/big-boned/large woman *iso joukko miehiä* a lot of men, a whole bunch of men **2** (suuri, suurenmoinen) great, (suurellinen) grand *iso pamppu* (ark) big cheese *isot eleet* grand gestures **3** (pitkä) tall, long *iso nainen* (pitkä ja sopusuhtainen) tall woman *isoon aikaan* for a long time **4** (kirjain) capital *kirjallisuus isolla K:lla* Literature with a capital L
Iso-Britannia Great Britain, United Kingdom
isohaukkakehrääjä common nighthawk
isoisä grandfather; (ark) grandpa(pa), gramps
isokenkäinen (ark) big shot, bigwig, VIP; (sot, mon) the brass
iso kirjain capital letter
isokokoinen big, large(-sized), (pitkä) tall
isomahainen pot-/beer-bellied
Ison-Britannian ja Pohjois-Irlannin yhdistynyt kuningaskunta United Kingdom of Great Britain and Northern Ireland
isonlainen on the big/large size, biggish, largish, sizable
isonpuoleinen on the big/large size, biggish, largish, sizable

isontaa 1 enlarge, make bigger/larger **2** (pai-
suttamalla) expand, swell **3** (lisäämällä)
augment, amplify **4** (pituussuunnassa)
lengthen, elongate **5** (leveyssuunnassa)
widen, broaden

isosetä great-uncle

isosisko big/older sister

isotella talk big, boast; (ark) brag, crow

isotäti great-aunt

iso vaihde päällä in high gear

isovanhemmat grandparents

isovarvas big toe

isoveli big/older brother *Isoveli valvoo* Big
Brother is watching you

isoäiti grandmother; (ark) grandma(ma),
gran(ny)

Israel Israel

israelilainen *s, adj* Israeli, (hist/raam) Israel-
ite

istahtaa sit down (for a moment/second),
(ark) plop/plump down (suddenly)

istua 1 (olla istumassa) sit *istua suorassa* sit
up (straight) **2** (istua alas) sit down *Istu!*
(ihmiselle) Have a seat! Sit down! (koiral-
le) Sit! **3** (olla vankilassa) do time **4** (vaat-
teet) sit, fit **5** (lintu) perch **6** (eduskunta) be
in session

istua iltaa spend the evening

istua kahdella tuolilla straddle the fence

istua kuin valettu fit like a glove

istua kädet ristissä sit on your hands, twid-
dle your thumbs

istualla (in a) sitting (position)

istualla(an) sitting, (while) seated

istua tulisilla hiilillä be on tenterhooks, be
on pins and needles

istuin 1 seat *lapsen turvaistuin* child's car
seat **2** (korkea virka) chair, (valtaistuin)
throne, (paavin istuin) Papal/Holy See

istukka 1 (kohdussa) placenta **2** (porakonees-
sa) chuck, (ventiilissä) conduit, sleeve

istumajärjestys seating arrangement

istumalakko sit-down strike; sit-in

istumalihas (leik) sitting muscle

istumatyö sedentary work

istunto 1 (eduskunnan tms) session **2** (spiri-
tistinen) seance, sitting **3** (kokous) meet-
ing, assembly

istuntosali 1 (eduskunnan tms) chamber
2 (kokoussali) meeting/assembly hall/
room

istuttaa 1 (kasvi) plant, (ruukkuun) pot *istut-
taa epäluulo jonkun päähän* plant suspi-
cion in someone's mind **2** (lääk: elin)
implant, (siirtää) transplant; (iho) graft;
(tauti) inoculate **3** (timantti tms) set, fix
4 (panna istumaan) seat, set **5** (koul: jälki-
istunnossa) detain, keep (a child) after
school, give (a child) detention

istutus 1 planting, potting, sowing **2** *istutuk-
set* plantation; (kukkaistutukset ruukussa)
flower arrangements, (maassa) flower bed

istuutua sit down, take a seat, be seated; (ark)
take a load off (your feet)

isyys fatherhood, paternity

isyysloma paternity leave

isä 1 (lapsen) father; (isi) dad(dy), pa *mennä
isiensä tykö* (raam) be gathered to one's
fathers **2** (usk) Father *Taivaan Isä* our
Father in Heaven *Hyvä isä sentään!* Good
Lord! **3** (eläimen) sire **4** (aatteen, hank-
keen tms) father, inventor, originator

isähahmo father figure

isällinen fatherly, paternal

isältä pojalle from father to son

isämeidän rukous the Lord's Prayer, (vars
katolinen) Paternoster

isänisä paternal grandfather

isänmaa fatherland, native land/country

isänmaallinen patriotic

isänmaallisesti patriotically

isänmaallisuus patriotism

isänmaan puolesta (latinaksi) pro patria

isännöidä manage, run, govern

isännöitsijä manager, superintendent; (ark)
super

isänpäivä Father's Day

isäntä 1 (talon, koiran) master, (perheen)
head, (maatalon) farmer **2** (liikkeen)
owner, proprietor, (hotellin) hotelier,
(ravintolan) restauranteur, (majatalon)
innkeeper **3** (kutsujen) host **4** (biol:
isäntäelimistö) host (organism)

isäntämaa host country
isänäiti paternal grandmother
isäpuoli stepfather, stepdad
isätön fatherless
Italia (kieli) Italian
Italia Italy
italialainen *s, adj* Italian
italowestern spaghetti Western
itikka 1 (hyttynen) mosquito **2** (hyönteinen) insect, (ark) bug
itiö spore
itkeskellä cry, weep, be tearful/weepy
itkettää make you cry, move/drive you to tears *minua itkettaa* I feel like crying
itkeä 1 cry, weep; (kyynelehtiä) shed tears; (ulvoa) wail, bawl; (nyyhkyttää) sob; (vetistellä) blubber *Ei asia itkemällä parane* No use crying over spilled milk **2** (surra) grieve/mourn (for) **3** (valitella) lament, bemoan, bewail **4** *laulaa itkuvirttä* wail, keen **5** (tihkua) ooze, drip, weep
itkijä weeper; (itkijänainen) wailer, wailing woman
itku 1 (itkeminen) crying, weeping, wailing, bawling, sobbing, blubbering (ks itkeä) **2** *Kunnon itku auttaa* A good cry will do you good *Itku ei tepsi minuun nyt* Your tears won't sway me this time *Ei auta itku markkinoilla* No use crying over spilled milk *purskahtaa itkuun* burst into tears *Voi itku!* What a shame! **3** (itkuvirsi) lament, dirge
itku ja hammasten kiristys weeping and gnashing of teeth
itkujen kevät *Voi itkujen kevät!* Oh no!
itku kurkussa choked up (with tears), on the verge of tears/crying
itkunpuuska fit of crying/weeping, crying jag
itkunsekainen tearful
itkupaju weeping willow
itkupilli crybaby
itkussa silmin with tearful eyes, with eyes teared up, with tears in your eyes, eyes brimming with tears
itkuvirsi lament(ation), dirge
itsari (ark) suicide
itse *s* self *sisäinen itse* inner self *näyttää omalta itseltään* look like your old/real/

true self *mennä itseensä* take a good/close look at yourself *ottaa itseensä* take offense, take it personally *täynnä itseään* full of himself, conceited, (ark) stuck up *pron* **1** *minä/sinä/hän/se/me/te/he itse* myself, yourself, himself, herself, itself, ourselves, yourselves, themselves *Pidä-hän huolta itsestäsi!* Take care of yourself! *Olen tehnyt sen itse* I made it myself **2** *Hän on itse huomaavaisuus* He's the very soul of thoughtfulness, thoughtfulness personified **3** *juosta itsensä väsyksiin* run till you drop *riisua itsensä* undress (yourself) *nauraa itsensä kipeäksi* bust a gut, split your sides, laugh till it hurts, laugh yourself silly **4** *paikalla itse* there in person
itse asiassa as a matter of fact, in fact, actually
itsehallinto self-government
itsehedelmöitys self-fertilization
itsehillintä self-control
itseihailu self-admiration
itseinho self-hatred/loathing/disgust
itseisarvo 1 its own justification, its own raison d'etre, end in itself **2** (mat) absolute value
itseiva self-irony
itsekannattava self-supporting
itsekeskeinen self-centered, egocentric, egotistic
itsekeskeisyys self-centeredness, egocentricity, egotism
itsekidutus self-torture
itsekkyys selfishness
itsekkäästi selfishly
itsekorostus self-assertion
itsekritiikki self-criticism
itsekseen to yourself
itse kukin each of us/them, each (and every) one
itsekunnioitus self-respect
itsekuri self-discipline
itsekäs selfish
itselleen porsas kiusaa tekee, kun purtilonsa kaataa that's cutting off your nose to spite your face
itsellinen self-sufficient, (työssä) self-employed, freelance

itseluottamus self-confidence
itsemurha suicide
itsemurhayritys suicide attempt
itsemääräämisoikeus autonomy
itsensäpaljastaja exhibitionist
itsensäpaljastaminen exhibitionism
itsensä tähden for your own sake
itsenäinen 1 (maa) independent, autonomous, sovereign **2** (ihminen taloudellisesti) financially independent, self-supporting **3** (tutkimus tms) original
itsenäistyä become independent; (lapsi) mature, grow up, (kerralla) break away (from your parents); (maa) gain independence, be liberated
itsenäisyys independence
itsenäisyysjuhla independence celebration
itsenäisyysliike independence movement
itsenäisyyspäivä (US) Fourth of July, Independence Day
itseohjautuva self-guided
itseoikeutettu (jäsen) ex officio, (vallan ottanut johtaja) self-appointed, (vallan saanut) natural
itseoppinut self-taught
itsepalvelu self-service
itsepalvelukahvila self-service cafeteria
itsepalvelumyymälä self-service store
itsepetos self-deception/-delusion
itsepintainen ks itsepäinen
itsepuolustus self-defense
itsepuolustusvaisto instinct to defend yourself
itsepäinen stubborn, obstinate; (moite) pig-/bull-headed, mulish; (ylistys) determined, uncompromising
itsepäisesti stubbornly, obstinately, pig-/bull-headedly, like a mule, full of determination, uncompromisingly
itserakas vain, conceited
itseriittoinen self-sufficient
itsesensuuri self-censorship
itsessään in (and of) itself, as such
itsestään by itself, on its own, of its own accord
itsestäänselvyys matter of course, self-evident truth; (latteus) truism

itsestään selvä self-evident *Se on itsestään selvää* That goes without saying, that's obvious/self-evident
itsesuojeluvaisto instinct to protect yourself
itsesääli self-pity
itsetarkoitus end in itself
itsetehostus self-assertion
itsetietoinen 1 (ylimielinen) self-important, conceited **2** (määrätietoinen) self-assertive, self-confident **3** (tietoinen) aware, conscious
itsetietoisuus self-importance, conceit, self-assertiveness, selfconfidence, awareness, consciousness (ks itsetietoinen)
itsetoimiva automatic
itsetuntemus self-knowledge
itsetunto self-esteem
itsetutkistelu introspection, self-examination
itsetyydytys masturbation
itsetyytyväinen self-satisfied, smug
itsetyytyväisyys smugness, self-satisfaction
itsevaltainen autocratic, despotic, dictatorial
itsevaltias s despot, dictator, absolute ruler *adj* autocratic
itsevaltius autocracy, despotism
itsevarma (hyvänä pidetty) self-confident; (pahana) cocky, cocksure
itsevarmasti (ylistää) self-confidently, (moittia) cockily
itseään täynnä full of yourself
itu 1 (kasv) shoot, (perunan) sprout **2** (lääk taudinaiheuttaja) germ **3** (kuv) germ, bud *ajatuksen itu* the germ of an idea *taiteilijan itu* a budding artist
itä 1 east *Helsingistä itään* east of Helsinki **2** (itäryhmä) the Eastern bloc **3** (Aasia) the East, the Orient *Kaukoitä* the Far East *Lähi-itä* the Middle East
Itä-Berliini East-Berlin
Itä-Eurooppa eastern Europe
itäeurooppalainen eastern European
itäinen east(ern), (tuuli, ranta) easterly
itämaalainen Oriental
itämaat the Orient
itämainen Oriental, Eastern
itämerenmaat the Baltic countries
Itämeri the Baltic (Sea)
itäminen germination, sprouting

itämisaika 1 (kasv) germination period
2 (lääk) incubation period

itäosa eastern end/part/section *kaupungin itäosa* the East End

itärannikko East Coast

itäryhmä Eastern Bloc

itäsaksalainen *s, adj* East German

Itä-Saksa East Germany

itäsuomalainen *s* Eastern Finn *adj* Eastern Finnish

itätuuli east(erly) wind

Itävolto Austria

itävaltalainen *s, adj* Austrian

itää 1 (siemen) germinate, (peruna) sprout
2 (kuv) develop, grow, take shape/form
Kauneimmat laulut ovat itäneet surusta

The most beautiful songs grow out of sorrow, are nourished by sadness

iva sarcasm, ridicule, mockery *joutua ivan kohteeksi* be made a laughing-stock *kohtalon iva* the irony of fate

ivallinen sarcastic, mocking

ivata ridicule, mock, jeer, satirize

iäinen eternal, everlasting

iäisyys eternity

iäisyyskysymys eternal/ultimate question

iäkäs aged, elderly

iänikuinen 1 (muinainen) ancient **2** (iäinen) eternal

iäti (for)ever, eternally

iät ja ajat ages and ages, eons

iät kaiket forever (and ever)

iätön ageless

J, j

ja and

jaa 1 hmm, let's see *Jaa, en tiedä* Hmm, I don't know about that **2** (jaa-ääni) yea, (UK) aye *äänestää jaata* cast a yea vote

Jaakko (kuninkaan nimenä) James

jaakobinpaini inner struggle

Jaakobin tikapuut Jacob's ladder

jaardi yard

jaaritella ramble/drone on (and on about nothing)

jaaritelija (puhuu paljon) big talker, (ei lopeta) motormouth, (tylsä) bore

jaarittelu yarn-spinning

jaarli earl

jaava (kieli) Javanese

Jaava Java

jaavalainen Javanese

jae 1 (raam) verse **2** (mat) fraction

jaella distribute, dispense, pass/hand/dole out

jaha so, is that so, is that a fact

jahdata hunt, chase, pursue (myös kuv)

jahka as soon as, (kun) when

jahkailla hesitate, waver, vacillate; (ark) shillyshally

jahti 1 (metsästys) hunt *lähteä sorsajahtiin* go duck hunting **2** (laiva) yacht

jakaa 1 (osiin, ryhmiin, luokkiin) divide (up), split *jakaa neljä kahdella* divide four by two *Jakaa tämä kakku kristillisesti teidän kaikkien kesken* Divide this cake (up) evenly (so that each of you gets a fair share), share this cake evenly (ks seuraavaa) **2** (jonkun kanssa) share *jakaa ilot ja surut jonkun kanssa* share your joys and sorrows with someone *jakaa hytti jonkun kanssa* share a cabin with someone **3** (kaikille) distribute, dispense, pass/hand/dole out; (kortteja) deal; (postia) deliver *jakaa tietoa* dispense knowledge/wisdom *jakaa palkintoja* give/hand out awards *jakaa köyhille* distribute (money/goods) to the poor

jakaa arvalla allot

jakaa kahtia divide/split/cut in half, halve

jakaa kortit deal

jakaa käskyjä give orders, hand out orders

jakaa neuvoja hand out (free) advice, advise

jakaa oikeutta dispense justice

jakaa osiin divide (something) up

jakaa sana (rivin lopussa) hyphenate

jakaa tasan divide (up) equally/fairly, share and share alike

jakaja 1 (huoneen) divider, partition **2** (jakelija) distributor **3** (korttipelissä) dealer **4** (mat) divisor

jakamaton 1 (ei ole jaettu) undivided, undistributed *jakamatonta huomiota* undivided attention **2** (ei voi jakaa) indivisible

jakauma distribution

jakaus part, (UK) parting

jakautua 1 divide (up), be divided (up), separate, split (up) **2** (haarautua) branch (off), fork **3** (koostua) be composed of, comprise **4** (levitä eri puolille) be distributed *Kapitalistisessa yhteiskunnassa omaisuus ei jakaudu tasaisesti* In capitalist society property is not distributed evenly **5** (kem) decompose, (fys) disintegrate

jakelu distribution, (postin) delivery

jakkara (foot)stool

jakki 1 (eläin) yak **2** (liitin) jack

jakku jacket

jakkupuku (jacket) suit

jako division, distribution *roolien jako* (teatt) casting *pesän jako perillisille* apportionment of the estate to the heirs

jakoavain monkey wrench

jakojäännös remainder

jakolasku division

jakomielinen schizophrenic, (ark) schizo

jakomielisyys schizophrenia

jakomielitauti schizophrenia, (kun mieli on jakautunut useisiin persooniin) multiple personality disorder, MPD

jakorasia switch box

jaksaa 1 (pystyä) have the strength/energy to, be able to; (syömisessä) have room for *jaksaa loppuun asti* stick it out to the end *Koeta jaksaa* Try to keep your end up, try to hang on, keep your chin up *En jaksa enää* I can't go on, I can't take it any longer *En jaksa syödä enempää* I can't eat another bite, I'm stuffed *Hän juoksi minkä jaksoi* He ran as fast/far as he could **2** (jaksella) feel *Miten jaksat?* How do you feel? how are you feeling? how are you getting along?

jaksella feel *Miten olet jaksellut?* How have you been feeling? how have you been getting along/doing?

jakso 1 (kausi) period, time, (ark) spell *tärkeä jakso elämässäni* an important period/ time in my life *pitkä poutajakso* long sunny spell **2** (vaihe) phase, stage *tärkeä jakso lapsen kehityksessä* an important stage/phase in a child's development **3** (astr) cycle **4** (osa) part, episode *Tämä Star Trekin jakso on jo nähty* We've already seen this Star Trek episode **5** (tekstin tms paikka) passage, sequence *vaikuttava jakso romaanissa* a powerful passage in/from a novel *huvittava jakso elokuvassa* a funny sequence in a movie **6** (sarja) series, succession

jaksoittain periodically, in periods; (vaiheittain) in stages/phases; (sarjassa) serially; (syklisesti) cyclically

jaksoittainen periodic(al), serial, cyclical

jaksollinen periodic(al), serial, cyclical; (mat) recurring

jaksottaa divide (something) into periods/ blocks/phases, periodize *jaksottaa aikansa* chart/map out your time

jaksottua fall into periods/phases

jalan on/by foot, afoot

jalanjälki footprint

jalankulkija pedestrian

jalankulkusilta pedestrian crossing

jalansija footing, foothold

jalat edellä feet first

jalat maassa with both feet on the ground

jalka 1 (jalkaterä) foot *seistä omilla jaloillaan* stand on your own two feet *lähteä jostakin jalat edellä* be carried out (of a place) feet first *olla jalat maassa* have your feet on the ground *vapaalla jalalla* free *nousta väärällä jalalla* get out of bed on the wrong side *toinen jalka haudassa* one foot in the grave *paljain jaloin* barefoot(ed) *laittaa kengät jalkaan* put on your shoes **2** (reisi ja sääri) leg *jalat ristissä* cross-legged, with your legs crossed *ojentaa jalkansa* stretch out your legs *saada jalat alleen* take to your heels **3** (mitta) foot *Jalka on n. 30 cm* A foot is about 30 cm

jalkahiki foot sweat, (lääk) hyper(h)idrosis

jalkaisin on/by foot, afoot

jalkakäytävä sidewalk

jalkalamppu floor lamp, (UK) standard lamp

jalkapallo 1 football *eurooppalainen jalkapallo* soccer, (UK) (association) football *amerikkalainen jalkapallo* football, American football **2** (pallo) football, soccer ball

jalkapalloilija football (soccer) player

jalkapallojoukkue (eurooppalainen) soccer team, (UK) football team, (amerikkalainen) football team

jalkapallo-ottelu football game, (UK) football match

jalkapallopeli football, soccer (ks jalkapallo)

jalkapeli 1 (pöydän alla) playing footsies **2** (jalkapatikka) *mennä jalkapelillä* go on foot

jalkapohja sole

jalkapuu stocks

jalkaterä foot

jalkavaimo mistress, (hist) concubine

jalkaväki infantry

jalkeilla up on your feet (again), up and about, up out of bed

jalkine shoe, (mon) footwear

jalkopää foot (of the bed)

jallittaa 1 (petkuttaa) hoodwink, bamboozle, gull, con **2** (harhauttaa) fake

jallitus 1 (petkutus) sting, con, rip-off **2** (harhautus) fake

jalo 1 (uljas) noble, great, illustrious *jalo ritari* noble/glorious knight **2** (ylevä) lofty, elevated, sublime *jalo ajatus* sublime thought **3** (siveellisesti ihailtava) virtuous, upright, high-principled/-minded *jalo teko* virtuous/noble deed **4** (epäitsekäs) selfless, altruistic *jaloa työtä* unstinting/self-sacrificing/noble work **5** (laadultaan arvokas) precious *jalot metallit* precious metals

jaloissa underfoot, in the way

jaloitella stretch your legs, walk around; (hevosta tms) exercise

jalokaasu inert gas

jalokivi jewel, gem, precious stone

jalokiviseppä jeweler

jaloluonteinen noble, great-hearted

jalometalli precious metal

jalomielinen noble, high-minded

jalontaa graft

jalopeura lion

jalorotuinen purebred, (hevonen) thoroughbred, (koira) pedigreed

jalostaa 1 (aineita) refine **2** (eläimiä) breed **3** (kasveja) cultivate, (puita oksastamalla) graft **4** (ihmisen henkistä olemusta) refine, cultivate

jalostamaton unrefined, raw

jalostamo refinery

jaloste finished/processed product

jalostua become (more) refined/cultured/cultivated

jalostus refinement, breeding, cultivation

jalosukuinen noble, high-born

jalusta 1 (kanta: patsaan) pedestal, (lampun tms) base *nostaa jalustalle* put on a pedestal *laskeutua alas jalustalta* come down off your high horse **2** (kivijalka) (concrete /stone) basement/foundation **3** (jalka: lampun) holder, (kynttilän) candlestick **4** (teline: taulun) easel, (kameran kolmijalkainen) tripod

jalustin 1 (satulassa) stirrup **2** (korvassa) stirrup-bone

Jamaika Jamaica

jamaikalainen *s, adj* Jamaican

jamassa *hyvässä jamassa* looking good, shaping up well, in good shape *huonossa jamassa* looking bad, taking a turn for the worse, in bad shape

jambi iamb

jamit jam (session)

jammata jam

jamssi yam, sweet potato

jana (line) segment

jang ja jin yin and yang

ja niin edelleen and so on (ei lyhennetä), et cetera (etc.)

ja niin poispäin and so on, and so forth

jankata harp on, go on about

jankuttaa harp on, go on about *Älä aina jankuta samaa asiaa!* Would you stop harp-

ing on that same subject, you're always
going on and on about the same thing,
would you lay off that subject for a
change?

jankutus harping, nagging; (ark) yackety-
yak, blah blah blah

jannu guy, fella

jano thirst (myös kuv) *Minä kuolen janoon!*
I'm dying of thirst! *juoda janoonsa* (try to)
quench your thirst

janoinen thirsty

janoissaan thirsty *Joi janoissaan suovettä*
He was so thirsty he drank from the
swamp

janota thirst/hunger after/for

janottaa make thirsty *Helteellä aina janottaa*
Hot weather makes you thirsty *Minua ja-
nottaa* I'm thirsty

jaollinen divisible

jaosto division, section, department

jaotella divide (up), (luokitella) classify,
(ryhmitellä) group

jaoton indivisible *jaoton luku* prime
(number)

jaottelu division, (luokittelu) classification,
(ryhmittely) grouping

japani Japanese

Japani Japan

japanilainen *s, adj* Japanese

japsi (halv) Jap

jarru brake, (kuv) drag, check *lyödä jarrut
pohjaan* hit the brakes, slam on the brakes
painaa jarrua put on the brakes

jarrutehostin power brakes

jarruttaa brake, put/slam on the brakes, hit
the brakes

jarrutus 1 (auton) braking, (hidastus) decel-
eration **2** (hankkeen: viivytys) procrasti-
nation, stalling, (hidastuslakko) slowdown
strike

ja sillä siisti and that's that, and that's all
there is to it

jassoo is that so, is that a fact, really?

jatkaa 1 (tehdä edelleen) continue (doing),
keep/go on (doing, with your work)
2 (aloittaa uudelleen) resume, take/pick up
(where you left off) *jatkaa keskeytynyttä
keskustelua* pick up/resume an interrupted

conversation **3** (lisätä toisen puheeseen)
add (to), finish (a sentence for someone),
pick up (a topic/sentence where someone
else left off) **4** (lisätä seokseen) stretch
jatkaa jauhelihaa stretch hamburger with
hamburger helper *jatkaa vedellä* dilute
5 (pidentää) length, extend *jatkaa ihmi-
sikää 50 vuodella* extend human life by 50
years

jatkaa eteenpäin press/push on

jatkaa lukemista read on

jatkaa matkaa proceed on (your way)

jatkaa opintojaan continue your studies, go
for a higher degree, stay in school

jatkaa perinnettä carry on a tradition

jatkaa sukua procreate, reproduce, continue
the species

jatkaa vedellä dilute

jatkaja successor *Hänestä tuli isänsä työn
jatkaja* He continued his father's work, he
took over the business from his father
(when his father retired), he became his
father's successor

Jatkakaa! Go right ahead! Don't let me stop
you! (sot) As you were

jatke (talon, tikapuiden) extension, (tien)
continuation, (ruoan) stretcher, extender,
(hameen) lengthening-piece *jauheliha-
jatke* hamburger helper

jatko 1 (jatko-osa) sequel, continuation *jat-
kossa* in the sequel *jatkoa sivulta 37* con-
tinued from page 37 **2** (pidennys) exten-
sion, prolongation **3** (jatke: hameen)
lengthening-piece, (palkan) addition
4 (tuleva elämä) future *Hyvää jatkoa! All
the best! Keep up the good work! *jatkossa*
in (the) future, next time **5** *pyrkiä jatkoon*
(jatko-opiskelu) apply to continue your
education (at the next level) *pyrkiä luki-
osta jatkoon* apply for the university *pyr-
kiä yliopistossa jatkoon* apply for graduate
school **6** *lähteä jatkoille* go out for another
drink, go find another bar *Mennään meille
jatkoille* Why don't we all go over to our
place for (a few more) drinks?

jatkokoulutus continuing education, (UK)
university extension

jatkokurssi extension course

jatko-opintokelpoisuus graduate school qualifications

jatko-opiskelija grad(uate) student *päästä jatko-opiskelijaksi* get (admitted) into grad(uate) school

jatko-opiskelu (post)graduate education/ studies

jatko-osa sequel

jatkosota Continuation War

jatkossa in future

jatkotutkimus follow-up research

jatkua 1 (kestää) continue, go on, last *Kuinka kauan tämä jatkuu vielä?* How much longer is this going to go on/last? *Näin ei voi jatkua!* We can't go on like this! *Jos tätä menoa jatkuu* If things keep on like this **2** (alkaa uudelleen) (be) continue(d), start again/over *jatkuu* (sarjakuvassa, TV:ssä) (to be) continued *MTV jatkuu hetken kuluttua* MTV will be right back (after these messages) **3** (ulottua) extend, stretch, continue, (joki, katu) run

jatkumo continuum, (jaksotettu) cline

jatkuva 1 (yhtäjaksoinen) continuous, continual, constant *Tuo jatkuva hakkaaminen häiritsee minua* That constant hammering bugs me *jatkuva tilaus* (liik) standing order **2** (pitkitetty) prolonged, extended **3** (ikuinen) perpetual

jatkuvalämmitteinen kiuas continuously heated (sauna) stove

jatkuvasti continuously, continually, constantly, perpetually

jatkuvuus continuity

jatsi jazz

jatsiorkesteri jazz orchestra/band

jauhaa 1 grind, (myllyssä) mill, (murskaamalla) pulverize **2** (syödä) chew *Sinä olet jauhanut tuota purukumia tuntikaupalla* You've been working on that gum for hours now **3** (puhua) harp on, go on about *Älä jauha paskaa* Don't give me that shit

jauhattaa have something ground

jauhatus 1 (jauhaminen) grinding, milling, pulverizing **2** (jauhattu aine) grind

jauhautua be ground (up), (kuv) be chewed up

jauhe powder, flour, (pöly) dust *leivinjauhe* baking powder *puujauhe* wood flour *hiilijauhe* coal dust

jauheliha ground meat/beef/pork/round, (ark) hamburger

jauho flour, (karkea) meal *Hänellä meni jauhot suuhun* He was speechless, He was struck dumb, he couldn't get a word out

jauhottaa (sprinkle with) flour

jazzorkesteri jazz orchestra/band

jeeppi Jeep®

jeecata help (out), lend a hand

jeesmies yes-man

Jeesus Jesus

Jeesus-lapsi Baby Jesus, the Christ Child

jeesustella act holier than thou

jeeveli gee, jeez

Jehovan todistajat Jehovah's Witnesses

jehu (ark) boss

jekku trick, gag, practical joke

jekkuilla play tricks, pull a practical joke

jelpata help (out), lend a hand

jelppiä (ark) help (out), lend a hand

Jemen Yemen

jemeniläinen *s, adj* Yemeni

Jemenin arabitasavalta Yemen Arab Republic

Jemenin demokraattinen kansantasavalta People's Democratic Republic of Yemen

jemma stash

jemmata stash

jengi gang, (ystävien) group, crew, posse

jeni yen

jenka thread *Nyt meni jengat* That stripped the threads

jenkeissä in the States, Stateside

jenkka Schottische

jenkki 1 Yank(ee) **2** American car

jenkkilä (ark) the States

jenkkirauta American car

jenkkitukka crew cut

jepari cop, fuzz, pig

jepulis yep, you betcha

jesuiitta Jesuit

jetsulleen (ark) precisely, on the nose/money

iippo (ark) trick, prank, stunt

jKr. A.D. (Anno Domini)

jne. etc. (et cetera)

jo 1 already *Tein sen jo* I did that already *Kello on jo 3* It's already 3 o'clock **2** (jo silloin) even, as early as, as far back as *jo silloin* even then *jo eilen* as early as yesterday *jo 1400-luvulla* as far back as the 15th century **3** (jo siellä: jää kääntämättä) *Hän tuli minua vastaan jo pihalla* He met me out in the yard **4** (heti) very, right *jo seuraavana päivänä* the very next day *jo nyt* right now **5** (pelkkä) even, just, very *jo ajatuskin* even/just the thought of it, the very thought of it **6** (painotus: ilmaistaan äänensävyllä) *Jo on ihme ja kumma!* Well this is a fine kettle of fish! *Jo liippasi läheltä!* That was close!

jobinposti bad news

jodi iodine

jodlata yodel

joenhaara fork of a river

joenranta river bank

joensuu river delta

joenuoma river bed

jogurtti yogurt

johdannainen *s* derivative *adj* derivative

johdanto 1 (kirjan) introduction or preface, foreword *johdannoksi* by way of introduction **2** (lakitekstin) preamble **3** (musiikkiteoksen) overture

johdatella lead, guide, show

johdattaa lead, guide, conduct *johdattaa keskustelu muihin aiheisiin* change the subject

johdatus 1 (johdanto) introduction **2** (salimus) (divine) dispensation, Providence

johdin 1 (sähkö: conductor, (conducting) wire, cable **2** (anat) tube, duct **3** (kiel) affix, (etuliite) prefix, (johtopääte) suffix

johdonmukainen consistent, coherent, logical

johdonmukaisesti consistently, coherently, logically

johdonmukaistaa make consistent, (yhtenäistää) standardize

johdonmukaisuus consistency, coherence

johdosta *jonkin johdosta* **1** (koska) because of, on account of, due to *onnittelut syntymäpäivän johdosta* congratulations on your birthday *uusien tietojen johdosta* due/owing to new information **2** (viitaten) with reference to, in regard to *kirjeenne/hakemuksenne johdosta* with reference to your letter/application

johdoton cordless

johdoton puhelin cordless (tele)phone

johtaa *tr* **1** (viedä) lead, take, show someone the way *johtaa vieraat olohuoneeseen* take/show the guests into the living room **2** (opastaa, saattaa) guide, conduct, usher *johtaa turistiryhmä tuomiokirkkoon* guide /conduct the tour group to the cathedral **3** (saada tekemään) lead, make, get, induce *johtaa joku harkitsemaan uudelleen* get/induce someone to reconsider **4** (ohjata toimintaa) lead, direct, supervise, superintend *johtaa keskustelua* direct the conversation *johtaa puhetta* chair (the session/meeting) *johtaa työntekoa* supervise the job **5** (sotajoukkoja) lead, command, be in command of **6** (orkesteria) conduct **7** (liik) manage, run, be in charge of *johtaa firmaa* manage/run the company/business **8** (sähkö) conduct **9** (jostakin: sana) trace, derive; (johtopäätös) deduce, conclude; (mat) prove *johtaa sana latinasta* derive a word from Latin, trace a word back to its Latin origins *johtaa päätelmä todistusaineistosta* draw/reach a conclusion based on the evidence, deduce from the evidence *itr* **10** (paikkaan) lead to *johtaa kellariin* lead to the cellar **11** (seuraukseen) lead to, result/end in *johtaa onnettomuuteen* lead to an accident, result/end in an accident

johtaa harhaan mislead, misguide, misdirect

johtaa puhetta chair (a session/meeting)

johtaa toimenpiteisiin require (that appropriate) measures (be taken) *Tämä ei johda toimenpiteisiin* No measures/action will be taken on this

johtaja 1 (ryhmän tms) leader **2** (firman) manager, (managing) director, chief executive offiser (C.E.O.) (ark) boss **3** (osaston) head, chief, manager; (ark) boss **4** (työn) foreman, chief **5** (vankilan tms) warden **6** (sotajoukon) commanding officer (C.O.) **7** (yliopiston laitoksen) head, chair **8** (orkesterin) conductor, (kuoron) director **9** (sähkö: johdin) conductor

johtajatar 1 (hist) manageress, (koulun) headmistress, (sairaalan tms) matron **2** (nykyään) leader, manager, director jne (ks johtaja)

johtajatyyppi manager(ial)/director(ial) type; (luonnostaan) born leader

johtajisto 1 (yhtiön) management, directors, executives **2** (puolueen) leaders(hip)

johtava 1 (paras) leading *johtava nimi kemian alalla* the leading name in chemistry, a leader in the field of chemistry **2** (hallitseva) governing (myös kuv) *kirjan johtava ajatus* the books's governing/main/ central theme

johto 1 (johtaminen) leadership, guidance, direction, supervision, management; (mus, sähkö) conducting (ks johtaa) *jonkun johdolla* under the leadership/direction/management of **2** (johtajisto: liik) management, board of directors; (yliop) board of trustees; (pol) political leadership, administration; (sot) command **3** (urh) lead *olla johdossa* (be in the) lead, have the lead *päästä johtoon* take the lead **4** (sähkö) wire, cord, cable; (putki) pipe, (viemäri-johto) drainpipe, conduit

johtoasema leading position, (urh) lead

johtokunta board (of directors/managers/ trustees/governors); (yhdistyksen) executive committee; (koulun) school board

johtolanka clue

johtopaikka 1 leading position, position of leadership/influence *pyrkiä johtopaikoille* shoot/aim for the top **2** (urh) lead

johtopäätös conclusion *tehdä johtopäätös* conclude, arrive at/reach a conclusion, draw a conclusion (from) *tehdä hätiköityjä johtopäätöksiä* jump into conclusions

johtua 1 (aiheutua) be due to, be caused by, result/stem/follow from *mistä se johtuu?* why? how come? what's the reason? **2** (olla peräisin) derive/stem from, be traceable to, originate in **3** *johtua mieleen* occur to you, come to mind, (ark) pop into your head

joiku Lapp chant

joikua chant

jojo yoyo

joka *indef pron* each, every *joka ainoa/ikinen* each and every one, every last/blessed one *joka paikassa* everywhere *joka toinen päivä* every other day, every two days, on alternating days *rel pron* **1** (ihminen) who, that *jota, jonka* (akk) whom, that, (ark) who *jonka* (gen) whose *jolla on* who/that has *mies josta puhuin* the man (that) I was talking about **2** (esine) which, that, of which *jota, jonka* (akk) which, that *jonka* (gen) of which, (ark) whose *traktori josta sanottiin että* the tractor of which it was said that **3** (ken) whoever *Joka haluaa nähdä kauniin auringonlaskun, tulkoon tänne* Whoever wants to see a beautiful sunset should come over here

joka ainoa (each and) every one

joka iikka (ark) every Tom, Dick, and Harry, every last one

jokainen *s* everyone, everybody *adj* each, every, (joka ikinen) every single/last

jokakuukautinen monthly

jokamies (kirj ja filos) everyman; (ark) the man on the street, the average/ordinary man

jokapäiväinen daily

joka tapauksessa in any case/event, anyway, anyhow

jokaviikkoinen weekly

jokavuotinen yearly, annual

jokeltaa babble, gurgle

jokeri joker

joki river, (pieni) stream, creek

jokin *s* something, (kysymyslauseessa) anything *syödä jotain* eat something, have a bite to eat *Oliko sinulla jotain lisättävää?* Did you have anything to add? *olla jotakin, tulla joksikin* be(come) somebody/something, make something of yourself *adj* **1** some, a, (kysymyslauseessa, mikä tahansa) any *joitakin ihmisiä* some people, a few people *Ota jokin näistä* Take (any) one of these *Taisin ottaa jokin ryypyn* I might have had a drink or two *Jokin niistä oli hävinnyt, jokin mennyt rikki* One of them was missing, another was broken **3** (noin) around, something like *jotain kaksi kuukautta sitten* something like two months ago

joko 1 yet *Joko posti on tullut?* Has the mail come yet? **2** (ihmetellen) already, so soon *Joko sinä tulit!* You're here already, so soon! **3** *joko – tai* either – or

jokseenkin pretty, quite, fairly, rather *Tunsin jokseenkin kaikki* I knew just about everybody there/pretty much everyone *Tunnen hänet jokseenkin hyvin* I know her pretty/fairly well *jokseenkin outo mies* a somewhat/rather strange man

joku *s* someone, somebody, (kysymyslauseessa) anyone, anybody *Joku kysyi sinua* Someone was asking for/after you *Onko joku kysynyt minua?* Was anybody here asking for me? *Hän luulee olevansa joku* He thinks he's somebody (special) *adj* some, a(n), (kysymyslauseessa) any **2** (muutama) a few *joku hassu lantti* a couple lousy coins *jonkun euron arvoinen* worth a few euros **3** (noin) around, something like *joku kaksi kuukautta sitten* something like two months ago

jokunen some, a few *sanoa jokunen sana* say a few words

jolla 1 ks **joka 2** (vene) jolly(boat), dinghy

jollainen sade, jollaista ei ollut koskaan ennen nähty (ylätyyli) a rainfall the likes of which had never been seen before, (ark) a rainfall like no one had ever seen

jollei if not, unless *En tule, jollet ensin kerro* I won't come unless you tell me first; if you don't tell me first, I'm not coming *Kukapa muu olisi voinut sen tehdä jollei Pekka?* Who else could have done it if not Pekka?

jolloin when, at which point/time; (kirj) whereupon *jolloin yhtäkkiä* when all of a sudden *ensi maanantaihin saakka, jolloin* until next Monday, at which time, on which day

joltinenkin 1 (kohtalainen) fair, reasonable *joltisellakin varmuudella* with a fair amount of certainty, pretty confidently **2** (jommoinenkin) some (kind/sort of) *On kai sillä vielä joltinen järki päässä* I guess he's got some small grain of sense left, I don't think he's entirely lost his marbles **3** (melkoinen) considerable, quite a

joltinenkin rahamäärä noin pienelle pojalle quite a lot of money for so small a boy

jomottaa pound, throb *päätäni jomottaa* my head is pounding/throbbing

jomottava pounding, throbbing *jomottava kipu* a pounding/throbbing ache

jomotus pounding, throbbing

jompikumpi 1 either one (of us/them), either, one or the other *Ota jompikumpi* Take either one, take whichever one you like **2** (toinen) one *jompikumpi heistä on syyllinen* one of them is guilty

jonakin kauniina päivänä one fine day

jongleerata juggle

jonglööri juggler

jonkinlainen some sort/kind of *Hän on jonkinlainen finanssimies* He's some sort of financier, he's something of a financier *Siellä oli jos jonkinlaista tavaraa* They had all sorts of things there

jonkinmoinen ks *jonkinlainen*

jonkin verran a little, somewhat *jonkin verran rahaa* a little money *jonkin verran yllättynyt* somewhat surprised

jonne where, (run) whither *paikka jonne olit menossa* the place where you were headed, (ark) the place you were going to

jonnekin somewhere, (minne tahansa) anywhere

jonninjoutava 1 (tarpeeton) trifling, useless *kaikenlaista jonninjoutavaa kamaa* all kinds of useless junk **2** (arvoton) poor, paltry *jonninjoutava palkka* poor excuse for a salary, lousy pay **3** (tyhjäätoimittava) idling, lazy *jonninjoutava kerskuri* idling/lazy braggart, boasting idler

jono 1 (jonotusjono) line, (UK) queue *seisoa jonossa* (New Yorkissa) stand on line, (muu US) stand in line, (UK) stand in a queue *muodostaa jono* line up, (UK) queue up **2** (sot) file *marssia yhdessä jonossa* march single-file **3** (vuorijono) range, chain **4** (taksijono) (taxi) rank **5** (sarja) series, succession *pitkä jono ihania vuosia* a long succession of wonderful years **6** (tietok: komentojen) string, (tulostettavien tiedostojen jono) print/job list

jonottaa 1 wait in line, line up, (UK) queue up **2** (olla jonotuslistalla) be on the waiting list

jonotus waiting in line, (UK) queuing

jonotuslista waiting list

joo yeah

jooga yoga

jopa 1 (peräti) even *Jopa pääministeri oli paikalla* Even the Prime Minister was there *Se voi kestää jopa viisi päivää* It may take as long as five days **2** (jopa: ilmaistaan äänensävyllä) *Jopas piti sattua!* That's all we needed!

Jordania Jordan

jordanialainen *s, adj* Jordanian

jo rupesi Lyyti kirjoittamaan! now we're talking!

jos *konj* **1** (mikäli) if *Tulen jos kerkiän* I'll come if I have time *jos ja kun* if and when *Täällä jos missään on kaunista* If any place is beautiful, this is **2** (vaikka) even if/though **3** (siltä varalta) in case **4** (entä jos) supposing, suppose, what if *Jos se menee mönkään, mitä sitten?* What if it doesn't work? Suppose/supposing it doesn't work? **5** (pitäisiköhän) I wonder whether, maybe I/you should *Jos soittaisin kotiin* Maybe I should call home, I wonder whether I should(n't) phone home **6** (tokko) whether, (ark) if *Kysyn jos saan lähteä* I'll see whether/if I can go **7** (jospa) I wish, if only *Jospa olisit täällä!* I wish you were here! If only you were here! **8** (jos kohta) but, and *Ruokaa on jos syöjiäkin* There's plenty of food, but plenty of eaters too *hieman tätä jos hieman tuotakin* a little of this and a little of that **9** (en tiedä) I don't know *Hän on soittanut jos kuinka monesti* I don't know how many times he's called, he's called over and over, time after time

jos jonkinlainen every kind imaginable *Siellä oli jos jonkinlaista ruokaa* You can't imagine what kinds of food they had there, there were all kinds of food there

joskin but, though *iso joskin kallis* but expensive *Hän tuli, joskin vain hetkeksi* He came, though/but only for a moment

joskus 1 (silloin tällöin) sometimes, occasionally *Joskus käyn kuntosalilla* Sometimes I use the gym **2** (jonakin päivänä) sometime, someday *Joskus käyn vielä Havaijilla* Someday I'm going to visit Hawaii *joskus kun sinulle käy* whenever it suits you **3** (kerran) some time ago, once

jospa what if

jossittelu dither, shilly-shally, wonder what to do

jossitteleu dithering, shilly-shallying *Ei mitään jossittelua!* No ifs, ands, or buts!

jotakuinkin pretty, quite, fairly, rather *Tunsin jotakuinkin kaikki* I knew just about everybody there, pretty much everone *Tunnen hänet jotakuinkin hyvin* I know her pretty/fairly well *jotakuinkin outo mies* a somewhat/rather strange man

joten so (that): (ylätyyli) thus, therefore *Et tullut ajoissa, joten minäkin myöhästyin* You didn't come on time, so I was late too

jotenkin somehow

jotenkuten somehow *Kai me jotenkuten toimeen tulemme* I suppose we'll get by somehow, with difficulty

jotensakin more or less, pretty much *jotensakin sama kuin ennen* pretty much the same as before, more or less the same as before

jotta so (that), in order (to/that) *Olen koko ikäni raatanut, jotta teillä lapsilla olisi kaikki mitä tarvitsette* I've slaved my whole life so (that) you kids would have everything you need, (in order) to give you kids everything you need

jouduttaa facilitate, expedite, speed up

joukkio bunch, crowd, mob, gang

joukko 1 (ryhmä) group, (väkijoukko) crowd *erottua joukosta* stand out from the crowd, be different *valiojoukko* elite, select group **2** (määrä) number, quantity, multitude; (ark) bunch, lot, mass *iso joukko leluja* a large number of toys, a great many toys, (ark) a lot of toys *koko joukon parempi* a whole lot better *lisätä joukkoon* add to, mix in(to) **3** (porukka) bunch, lot, crowd, set *outo joukko* a strange bunch/crowd *joukolla* in a body, in force *joukon paras* the best of the lot **4** (kansanjoukot) the masses, the multitude, the herd **5** (sotajoukko) troop, force **6** (mat) set

joukkoadressi collection *kerätä joukkoadressi* take up a collection, (ark) pass the hat

joukkohenki camaraderie, fellowship, solidarity, (joukkueen) team spirit, (koulun) school spirit

joukkoliikenne mass transport(ation)

joukkotiedotus mass communications

joukkotiedotusväline (mon) mass media

joukkue 1 team, side *valita joukkueet* choose up sides **2** (sot) platoon, (UK) troop

joukkuekilpailu team competition; (soudussa) crew race

joukoittain 1 (joukolla) in flocks/hordes/ masses, in great numbers, en masse *Väkeä on tullut messuille joukoittain* People have been flocking to the fair **2** (paljon) lots, heaps, loads, galore *joukoittain leluja* toys galore, lots/loads/heaps of toys

jouli joule

joulu Christmas *Hyvää joulua!* Merry Christmas! *joulun aika* the Christmas season, (vanh) Christmastide, (run) Yuletide

jouluaatto Christmas Eve

jouluevankeliumi the Christmas gospel

jouluinen Christmassy

joulujuhla Christmas celebration

joulukalenteri Advent calendar

joulukirkko Christmas morning church service

joulukortti Christmas card

joulukuu December

joulukuusi Christmas tree

joululahja Christmas present

joululaulu Christmas carol

joululoma Christmas vacation; (ark) the holidays

joulunpyhät the (Christmas) holidays

jouluposti Christmas mail, (UK) post

joulupukki Santa Claus, (ark) Santa; (UK) Father Christmas; (run) St. Nick

joulupäivä Christmas day

joulupöytä Christmas dinner, (ark) Christmas spread

joulurauha 'Christmas peace, ' the official Finnish injunction against disturbing the

peace during Christmas, proclaimed at noon Christmas Eve

joulutonttu Christmas elf

joulutunnelma Christmas spirit

joulutähti 1 (kukka) poinsettia **2** (latvatähti) Christmas tree star **3** (Jeesuksen syntyessä) star of Bethlehem

journalismi journalism

journalisti journalist

jousi 1 (ase) bow **2** (viulun) bow; (mon) string(-instrument) **3** (tekn) spring

jousiammunta archery

jousikvartetti string quartet

jousimies 1 (ihminen) archer **2** (horoskoopissa) Sagittarius

jousiorkesteri string orchestra

jousisoitin string instrument

jousitus 1 (autossa) suspension **2** (mus) bowing

joustaa 1 (fyysisesti) bend, give; (olla joustava) be elastic/resilient **2** (henkisesti) bend, yield; (olla joustava) be flexible *Sinun täytyy oppia joustamaan vähän* You have to learn to bend a little, to be more flexible

joustamaton unbending; (fyysisesti) inelastic, rigid; (henkisesti) inflexible, set in your ways

joustava (fyysisesti) elastic, resilient; (henkisesti) flexible

joustavasti flexibly

joustin elastic spring

joustovara flexibility, leeway

joutaa 1 (keritä) have time, make it *En jouda sinne nyt* I can't make it now **2** (kuulua jonnekin) be ready/fit (for) *Tuo paita joutaa roskikseen* You ought to throw that shirt away *Tuo mies joutaisi lukkojen taa* That man ought to be (put) behind bars

joutava 1 (toimeton) idle *viettää joutavaa aikaa* catch up on your doing nothing **2** (tarpeeton) unnecessary, useless *surra joutavia* worry unnecessarily *kaikenlaista joutavaa kamaa* all kinds of useless junk **3** (päätön) senseless *puhua joutavia* talk garbage/rubbish *Mitä joutavia!* What nonsense!

joutavanpäiväinen useless, pointless

jouten idle *olla jouten* idle, do nothing

joutenolo leisure (time), free time

joutilas 1 (toimeton) idle, free *joutilasta aikaa* free time *joutilas hetki* idle moment **2** (liikeneva) spare *joutilasta rahaa/aikaa* spare money/time *Olisiko sinulla joutilasta aikaa?* Could you spare a moment?

joutohetki spare moment

joutokäynti idling

joutsen swan

joutsenlaulu swan song

joutua 1 (tekemään) have to *joutua lähtemään aikaisin* have to leave early **2** (johonkin vastoin tahtoaan) get/go/fly into, get caught in, end/wind up in, land in *joutua vaikeuksiin* get into trouble, land in trouble *joutua köyhäintaloon* end/wind up in the poor house **3** (edistyä) progress, gain ground, get on *Työ ei ole sinulta yhtään joutunut* You haven't made any progress at all on that **4** (lähestyä) approach, get nearer *jo joulu joutuu* Christmas is almost here

joutua ahtaalle be hard-pressed, be in dire straits

joutua alakynteen get the worst of it, take a beating

joutua epätoivoon (sink into) despair

joutua hukkaan get lost

joutua huonoille teille stray off the strait and narrow, pick up bad habits

joutua hyllylle be shelved

joutua ikävyyksiin get into trouble

joutua jonkun hampaisiin be singled out, be criticized/attacked

joutua joron jäljille go to the dogs

joutua kahden tulen väliin be caught between a rock and a hard place

joutua kaltevalle pinnalle find yourself on a slippery slope

joutua kiikkiin get caught, (ark) be busted

joutua kiinni itse teosta get caught red-handed

joutua lujille go through tough times, have it tough

joutua maantielle be put out in the street

joutua nalkkiin get caught/busted

joutua nesteeseen get into hot water

joutua ojasta allikkoon be out of the fat and into the fire

joutua perikatoon be ruined

joutua pinapenkkiin get put in the hot seat

joutua pinteeseen be put in a pinch

joutua puille paljaille be in the poorhouse

joutua rappiolle go to ruin, (ark) go into the toilet

joutua turpeen alle be put six feet under

joutua umpikujaan reach a deadend/deadlock

joutua unholaan be gone and forgotten

joutua vararikkoon go bankrupt, declare bankruptcy, (liiketoimi) go belly-up

joutua ymmälle be confused/befuddled

joutuin quickly, fast, in a hurry/rush

joutuisa quick, fast

judaismi Judaism

judo judo

jugendtyyli Jugend (style), (ransk) Art Nouveau

Jugoslavia Yugoslavia

jugoslavialainen *s* Yugoslav *adj* Yugoslavian

juhannus Midsummer

juhannusaatto Midsummer Eve

juhannusjuhla Midsummer celebration

juhannuskokko Midsummer bonfire

juhannuspäivä Midsummer (Day)

juhla 1 (juhlinta) celebration, festivities, gala, fete; (hipat) party; (juhlapäivän kunniaksi) festival, (espanjalainen) fiesta; (ruokailu) feast (suurellinen) *viettää juhlaa* celebrate **2** (juhlapäivä) festival, (vuosipäivä) anniversary, (riemujuhla) jubilee, (muistojuhla) commemoration

juhla-ateria festive meal, feast, banquet

juhlaesitelmä keynote address

juhlaisa festive, festal, gala

juhlallinen 1 (harras) solemn, ceremonious, formal **2** (vaikuttava) imposing, impressive *Onpas tuolla miehellä juhlallinen nenä* Wow, look at the nose on that man!

juhlallisuus 1 (hartaus) solemnity, formality, dignity **2** (mon) festivities, pomp and circumstance

juhlamieli festive spirit/mood, conviviality

juhlapuhe keynote address

juhlapäivä 1 (virallinen) festival (day), (vars kirk) feast/festal day, (pyhäpäivä) holiday **2** (epävirallinen) red-letter day
juhlasali auditorium, assembly/lecture/concert hall
juhlatilaisuus celebration, (mon) festivities
juhlatunnelma festive spirit
juhlava festive, festal, gala
juhlaviikko festival
juhlavuosi jubilee year
juhlia 1 (jotakuta) celebrate, honor, fete **2** (ark) celebrate, party, carouse
juhlinta celebration
juhlistaa solemnize
juhta beast of burden, (vetojuhta) draft animal
juju trick, catch *Tässä täytyy olla joku juju* There's got to be a catch here somewhere *Mikä tässä on jujuna?* What's the name of the game? What's this all about? What's the point to all this?
jujuttaa trick, cheat
jukoliste gosh darn it!
jukra (ark) gosh, golly
juksata fool, josh, kid, pull someone's leg *Mä vaan juksasin* I was just fooling/joshing/kidding (you), I was just pulling your leg
juku (ark) gosh, golly
jukupätkä (ark) gol darn it
jukuripäinen mulish, bullheaded, stubborn
jukuripää s mule, bullheaded/stubborn person *Senkin jukuripää!* You're stubborn as a mule! *adj* mulish, bullheaded, stubborn
julistaa proclaim, announce, declare, pronounce, (julkistaa) make public
julistaa epäpäteväksi declare someone unqualified, disqualify
julistaa evankeliumia preach the gospel
julistaa hälytystila declare a state of emergency
julistaa lakko call a strike
julistaa mieheksi ja vaimoksi proclaim you man and wife
julistaa mitättömäksi annul, nullify
julistaa pannaan (erottaa katolisesta kirkosta) excommunicate, (kieltää) ban
julistaa pyhimykseksi canonize, raise to sainthood

julistaa sota declare war (on a country)
julistaa syylliseksi find guilty
julistaa tuomio pass sentence
julistaa vaalin tulokset announce the election results
julistaa virka haettavaksi advertise a post
julistaa voittajaksi proclaim someone the winner
julistaja proclaimer, proponent; (evankeliumin) preacher
julistautua declare/proclaim yourself *julistautua itsenäiseksi* declare/proclaim your independence
juliste poster, (kannettava) placard, (kiinnitettävä) bill
julistus 1 (kuulutus) proclamation, declaration, announcement; (käsky) edict, decree **2** (julistaminen) propagation, (evankeliumin) preaching, spreading
juljeta dare, have the nerve/cheek/impudence (to do something) *Kuinka julkeat!* How dare you!
julkaisija publisher, (toimittaja) editor, (painaja) printer
julkaista publish, (toimittaa) edit, (painaa) print, (laskea julkisuuteen) release, issue
julkaisu publication; (mon) proceedings, transactions
julkaisukelpoinen publishable, (sanomalehdessä) printable
julkaisukelvoton unpublishable, (sanomalehdessä) unprintable
julkaisuohjelma (tietok) desktop-publishing (DTP) program
julkaisutoiminta publishing
julkea 1 (röyhkeä) impudent, insolent *Miten julkeaa!* The nerve of some people! **2** (häivytön) shameless, brazen, bold *julkea vale* barefaced lie
julkeasti impudently, insolently, shamelessly, brazenly, boldly
julki *tulla julki* become known, come out *tuoda julki* bring out, make public, disclose
julkilausua declare, proclaim, decree
julkilausuma declaration, proclamation, decree

julkinen public, in the public domain, (avoin) open

julkinen notaari notary public

julkinen sana the press

julkisesti publicly, openly

julkisivu facade, front

julkistaa make public, release (information), announce

julkistus release, announcement

julkisuus publicity *esiintyä julkisuudessa* appear in public *kylpeä julkisuudessa* bask in the limelight *päästä julkisuuteen come out, be revealed, (vuotaa) leak out*

julkituoda reveal, exposc, bring out

julkkis (ark) celeb(rity)

julma cruel, brutal, savage

julmettu fierce, terrific *julmettu meteli* godawful noise

julmistua become furious, get hopping mad

julmuus cruelty, brutality, savagery

jumala 1 god, deity **2** (Jumala) God *rukoilla Jumalaa* pray to God *Jumalan tähden* for God's sake(s) *Jumalan selän takana* way out in the sticks/boonies *olla Jumalan onni* to be a godsend

jumalaapelkäävä God-fearing

jumalaapelkääväinen God-fearing (person)

jumalainen divine (myös kuv)

jumalakäsite concept of God

jumalallinen divine, godlike

jumalankieltäjä atheist

jumalanpalvelus church/worship service, (ark) church; (UK) divine service

jumalanpelko the fear of God

jumalanpilkka blasphemy

jumalanpilkkaaja blasphemer

jumalansana God's word, the word of God

jumalan selän takana in the middle of nowhere, in the boondocks

jumalatar goddess

jumalaton 1 (ateistinen) godless **2** (tavaton) ungodly, terrible, horrible

jumalattomasti terribly, horribly

jumalauta goddammit

jumalinen godly, pious, devout

jumaliste goshdarnit

jumaloida worship, adore, idolize

jumaluus deity, divinity, godhead

jumaluusolento god, deity

jumaluusopillinen theological

jumaluusoppi theology, divinity

jumbo 1 (viimeinen) the last **2** (lentokone) jumbo jet

jumbojetti jumbo jet

jumiintua (lukko tms) get stuck, (liikenne) get jammed/balled/snarled up, (neuvottelut) be deadlocked

jumissa stuck *mennä jumiin* get stuck

jumiuttaa jam, deadlock

jumpata (do your) exercise(s), work out

jumppa exercise(s), workout *jazzjumppa* jazzercise

jumppasali gym(nasium)

jumpperi jumper

jumputtaa thump

juna train *mennä kuuden junalla* take the six o'clock train *mennä junaa vastaan* go meet someone at the station, go meet a train *Meitä on joka junaan* It takes all kinds

junailija 1 conductor **2** *Hän on melkoinen junailija* He's a mover and a shaker

junailla organize, arrange, fix things up (pakolla) ram, railroad

junalikenne railroad traffic (UK railway)

junalippu train ticket

junamatka train trip

junanvaihto change of trains *Meillä on junanvaihto Riihimäellä* We have to change trains in Riihimäki

junanvaunu (train/railroad) car, (osasto) compartment; (UK) railway carriage, (matkustajavaunu) coach

junaonnettomuus railroad accident, (ark) train crash

junayhteys train connection

junnata be stalled

juntata 1 (juntalla) drive, tamp, ram **2** (päähän) cram, ram

juntta 1 (pol) junta **2** (tekn) ram(mer), tamper, tamping bar

juntti hick, yokel, hayseed, clodhopper

juoda drink, (vähän) sip; (run) imbibe; (ryyppätä) booze, tipple *juoda malja jollekulle* drink to someone('s health), toast someone

juoda itsensä pöydän alle drink yourself under the table

juoja drinker

juoksennella run around/about

juoksea 1 (juoksussa) running, (hevonen) galloping 2 (virtaava) running, flowing 3 (nestemäinen) liquid 4 *juoksevat menot* (liik) overhead 5 *juoksevat asiat* day-to-day business 6 *juoksevat numerot* consecutive numbers

juokseva vesi running water

juoksija 1 (ihminen) runner 2 (hevonen) racing horse, racer, trotter

juoksu 1 run(ning) *5000 metrin juoksu* 5000 meter run *asioilla juoksu* running errands 2 (virtaaminen) flow(ing), course *ajatusten juoksu* stream/chain of thought 3 (rak) runner

juoksuhiekka quicksand

juoksujalkaa at a run

juoksujalkainen centipede

juoksulenkki run, jog

juoksumatto treadmill

juoksumetri running/linear meter, (puutavarassa) board meter

juoksupoika errand boy

juoksuttaa 1 (nestettä) (let) run, (olutta tynnyristä) draw *Täytyy juoksuttaa vettä vähän aikaa* You have to let it run for a while 2 (hevosta tms) run, exercise 3 (ihmistä) run (someone) all over, have (someone) run errands for you

juoksutyttö errand girl

juolahtaa mieleen occur to you *Se ei juolahtanut mieleenikään!* It never even occurred to me!

juoma drink, beverage, (taikajuoma) potion

juomakierre binge, bender

juomalasi drinking glass

juomalaulu drinking song

juomaraha tip

juomavesi drinking water

juominen drinking *Saisinko jotain juomista?* Could I get something to drink?

juomingit booze bash, (oluttynnyrin kera) kegger, beer bash

juomu groove, stripe, streak

juoni s 1 plot, intrigue, scheme; (mon) trickery, machinations *saada juonen päästä kiinni* catch on *yhdessä juonessa* in collu-

sion 2 (romaanin) plot 3 (geol) vein *adj* (juonikas) scheming, cunning, shrewd

juonia plot, intrigue, scheme

juonikas 1 scheming, cunning, shrewd 2 (oikukas: lapsi) difficult, (rakastaja) fickle; (ailahteleva) capricious, flighty

juonitella 1 (juonia) plot, intrigue, scheme 2 (be troublesome, find fault with)

juonittelu machination(s), plotting, scheming

juontaa 1 (olla juontajana) emcee (M.C. = master of ceremonies) *Kuka juontaa juhlia tänään?* Who's going to be emceeing the festivities tonight? 2 *juontaa alkunsa jostakin* originate in, derive from

juontaja master of ceremonies, emcee

juonti drinking *Hänen koulunkäyntinsä on kuin tervanjuontia* Getting him to go to school is like pulling teeth

juonto MCing, hosting

juontua 1 (olla alkuisin) originate in, derive from, be traceable to *nimi juontuu kreikasta* the name is Greek in origin, derives from the Greek, can be traced back to a Greek root 2 (johtua) be due to, stem/derive from, be caused by *Siitä juontuu tämä ajattelemattomuus* Hence this thoughtlessness, that's the reason for/cause of my inconsiderate behavior 3 (johtaa, viedä) lead *Reitti juontuu pitkin Leppävettä* The way there leads down alongside Lake Leppävesi 4 (juolahtaa) come, occur *juontua mieleen* come to mind, occur to you 5 (kääntyä) turn *puhe juontuu toiseen aiheeseen* talk turns to another topic

juopa gap, gulf, chasm *sukupolvien välinen juopa* generation gap

juoponnappi missed button

juopotella booze (it up)

juopottelu boozing, heavy drinking

juoppo drunk, wino, sot

juoppohulluus delirium tremens, (ark) the DTs

juoppolalli drunk, sot, souse, lush, wino

juopua get drunk (on), become intoxicated/inebriated; (kuv) get carried away

juopumus intoxication, inebriation; (kuv) rapture

juoputella drink; (ark) booze, tipple

juoputtelija boozer, boozehound, heavy drinker

juoru 1 gossip **2** (kasv) wandering Jew

juoruilla gossip

juorulehti gossip sheet

juorupalsta gossip column

juoruta gossip *Et saa juoruta kenellekään!* Not a word of this to anyone! Don't tell a soul about this!

juorutoimittaja gossip columnist

juosta run; (virrata) run, flow *Kyyneleet juoksevat pitkin poskia* Tears roll/run down your cheeks *juosta vessassa* keep running to the toilet

juosta asioilla run errands

juosta henkensä edestä run for your life

juosta päänsä seinään (keep) run(ning)/ bump(ing) your head into a brick wall

juosta uusi ennätys set a new record (in a running race)

juosta verta bleed

juoste (anat) tract

juosten kustu bungled, botched, foozled

juotava drink *jotain juotavaa* something to drink

juote solder

juotin soldering iron

juotos (soldering) seam

juotoskolvi soldering iron

juotostina solder

juottaa 1 (antaa juoda: lasta) give (a child) something to drink; (eläintä) water **2** (kiinnittää juotteella) solder

juottokolvi soldering iron

juova (värijuova) stripe, (valojuova) streak, (savujuova) wisp, (marmorin/puun juova) vein

juovagnu (eläin) wildebeest

juovakoodi bar code

juovikas striped, streaked, streaky, wispy, veined, veiny

juovittaa stripe

juovitus stripes, striping

juovuksissa drunk, intoxicated, (ark) shit-faced

juovuspäissään drunk, intoxicated, (ark) hammered, tanked

juovuttaa intoxicate, inebriate, make someone drunk *onnen juovuttama* drunk with happiness

jupakka 1 (riita) dispute, controversy, quarrel; (ark) squabble, row **2** (skandaali) scandal, fiasco

jupina 1 (mutina) mumbling, murmuring **2** (nurina) grumbling, grousing

jupista 1 (mutista) mumble, murmur **2** (nurista) grumble, grouse

juppi yuppie

juridinen judicial, juridical

juridisesti judicially, juridically

juridiktio (tuomiovalta) jurisdiction

juristi lawyer

juro 1 (vähäpuheinen) quiet, silent, taciturn **2** (vetäytyvä) reserved, reticent, withdrawn **3** (jäykkä) stiff, awkward, uncomfortable

jury 1 (valamiehistö) jury **2** (raati) panel (of judges)

justeerata (ark) adjust, fine-tune

justiin exactly, precisely

jutella talk, chat, converse; (ark) shoot the breeze/bull

juttu 1 (juttelu) talk, chat, conversation *pitää juttua* make conversation **2** (tarina) story, (pötypuhe) nonsense, tall tale, fish story, shaggy dog story *etusivun juttu* front-page story **3** (asia) thing *kumma juttu* funny/ strange thing *vielä yksi juttu* one more thing *ikävä juttu* a shame/pity **4** (lak: tapaus) case *Markkasen juttu* the Markkanen case **5** *tulla juttuun* get along

juttulinja (tietok) chat line

jutturyhmä (tietok) chat forum

juttusilla chatting, talking, in the middle of a conversation *käydä jonkun juttusilla* go talk to someone

juttutori (tietok) chat room

juttutuuli talkative mood *olla juttutuulella* be in a talkative mood, feel like talking

jutustin (tietok) chatbot

jutustaa chat somebody up, bend somebody's ear

juu yes, yeah *Juu, nyt muistan* Oh yeah, now I remember *Hän ei sanonut juuta eikä*

juureton 180

jaata He didn't say boo *juu juu* (ilmaisee epäilyä) sure

juureton rootless (myös kuv)

juuri s 1 root (myös kuv) *kaiken pahan juuri* the root of all evil *palata juurilleen* get back to your roots *suomalaista juurta* of Finnish origin/extraction *löytää jutun juurta* find something to talk about *juurta jaksain* thoroughly, root and branch 2 (pohja) bottom, base, foot *puun juuressa* at the base/foot of the tree, under the tree *jalkojen juuressa* at someone's feet *adv* 1 just *juuri se mies jota etsin* just the man I was looking for *juuri tullut* just/newly arrived 2 (aivan) quite, exactly, precisely *Ei se nyt juuri noin ollut* That's not quite/exactly how it was *Juuri noin!* Exactly! Just like that! You've got it!

juuria root out (myös kuv)

juuri ja juuri just barely, by the skin of your teeth

juurikaan hardly at all

juurikas 1 (juurikasvi) root vegetable 2 (punajuuri) beet

juurikasvi root vegetable

juurruttaa 1 (panna juurtumaan) root 2 (painaa mieleen) imprint, implant *Yhteiskunnan normisto on juurrutettu meihin jo lapsina* Society's norms were imprinted on/implanted in us as children

juurta jaksain root and branch

juurtua take root (myös kuv), (asettua) settle down

juusto cheese

juutalainen s Jew *adj* Jewish

juutalaisuus Jewishness

juutalaisvaino pogrom; persecution of Jews, Jew-baiting

juutalaisviha anti-Semitism

juutalaisvihainen anti-Semitic

juuttua get stuck/caught/jammed *juuttua karille* go aground *juuttua omiin ajatuksiinsa* get lost in thought

juveniili (nuori) juvenile

jydätä (ark) rock *jytäävää musaa* rockin' music *sit ruvettiin jytäämään* then we started rockin'

jykevä 1 (painava) heavy, ponderous 2 (iso) massive 3 (vahva) strong, sturdy, robust

jylhä 1 (mahtavapiirteinen) rugged, craggy 2 (autio) desolate, barren 3 (kolkko) hollow, melancholy

jylinä rumble, rumbling, roll(ing), boom(ing) *Kaukaa kuului ukkosen jylinää* We could hear thunder rumbling/rolling in the distance

jylistä rumble, roll, boom

jyllätä 1 (temmeltää) romp, rollick, play/dance wildly 2 *antaa tunteidensa jyllätä* give your feelings free play/rein, let your feelings loose

jymyjuttu sensation, (sanomalehdessä) scoop

jymysovellus (tietok) killer application

jymyuutinen scoop

jynssätä (ark) scrub, rub

jynssäys (ark) scrubbing, rubbing

jyrinä (ukkosen) rumble, roar, crash; (tykkien) thunder

jyristä rumble, roar, crash, thunder

jyrkentyä become/get steeper/sharper

jyrkentää 1 steepen, sharpen 2 (kannanottoa tms) intensify *jyrkentää kantaansa verouudistuksessa* take a more uncompromising stand, come down harder on tax reform *jyrkentää luokkaeroja* increase the differences between the classes, drive the classes further apart

jyrkkä 1 (melkein pystysuorassa) steep, precipitous *jyrkät portaat* steep stairs 2 (voimakkaasti kaartuva) sharp 3 (selvä) sharp *jyrkkä väriero* sharp color demarcation 4 (äkillinen) sudden, abrupt, unexpected *jyrkkä elintapojen muutos* sudden change in lifestyle 5 (huima) sharp, striking, remarkable *jyrkkä hintojen nousu* sudden/sharp/striking increase in prices 6 (ehdoton) uncompromising, rigid, rigorous 7 (ankara) strict, severe, stern *jyrkkä kasvatus* strict upbringing

jyrkästi steeply, precipitously, sharply, suddenly, abruptly, unexpectedly, remarkably, without compromise, rigidly, rigorously, strictly, severely, sternly (ks *jyrkkä*) *kaartua jyrkästi* curve sharply *vastustaa* *jyrkästi* take an uncompromising stand against (something)

jyrsijä 1 (eläin) rodent **2** (ihminen) milling-machine operator

jyrsin 1 (puutarhajyrsin) rototiller **2** (tekn) (milling) cutter

jyrsiä 1 gnaw, nibble **2** (tekn: puuta) shape, mold, (metallia) mill, cut **3** (maata) rototill

jyrä (field) roller, (ark) clod crusher *olla jyrän alla* be at someone's beck and call

jyrätä roll *jyrätä vastustujansa alleen* crush the opposition, take your opponents to the cleaners, walk all over them

jyske thump(ing), pound(ing), boom(ing); (meteli) noise, din

jyskyttää thump, pound, boom

jysähtää thump, thud *jysähtää lattialle* fall to the floor with a thud

jytä beat, swing *jytä päällä* in full swing

jytäjumppa aerobics, jazzercise

jyvä 1 (viljakasvin siemen) kernel, grain, seed **2** (hiekkajyvä) grain (of sand) **3** (aseessa) bead, sight *tähdätä jyvällä* draw a bead, take sight

jyväskyläläinen *s* person from Jyväskylä, thing made in (associated with) Jyväskylä *adj* from (associated with) Jyväskylä

jähmettyminen hardening, solidification, setting, jelling, stiffening, congealing (ks jähmettyä)

jähmettyä 1 (rasva, liima) harden, solidify; (laasti) set; (hyytelö) jell; (lihas) stiffen; (öljy, veri) congeal **2** (henkisesti) freeze (up), stiffen *jähmettyä paikalleen* freeze, stop dead *Hänen hymynsä jähmettyi* Her smile froze on her face *Kosketin häntä, mutta hän jähmettyi ja kääntyi pois* I touched him, but he stiffened and turned away

jähmeä stiff

jäiden lähtö breaking up of the ice

jäinen 1 icy, ice-covered/-glazed **2** (kylmä) freezing *Minä olen aivan jäinen* I'm freezing, I'm frozen solid **3** (jäätävä) chilly, frosty, glacial *jäinen hymy* icy/chilly/frosty smile

jäitse across the ice

jäkälä lichen

jäkättää nag, scold, badger

jäkätys nagging, scolding, badgering

jäljekkäin one after another/the other

jäljelle *jäädä jäljelle* be left (over) (ks jäljellä)

jäljellä left (over) *Onko jätskiä jäljellä?* Is there any ice cream left? Was there any ice cream left over? *Kuinka monta laskua sinulla on jäljellä?* How many problems do you have left (to do)? *Osa käsikirjoituksesta on vielä jäljellä* Part of the manuscript is still extant *Jäljellä on 1000 dollarin jäännös* $1000 are outstanding

jäljeltä after, because of, due to *Kaikki on vielä rempallaan edellisen johtajan jäljeltä* Everything is still a mess, thanks to the previous director *Tämä huone on kuin pyörremyrskyn jäljeltä!* This room looks like a hurricane hit it!

jäljemmäksi further behind/back *jäädä vielä jäljemmäksi* fall even further behind/back

jäljempänä 1 further behind/back *jäljempänä jonossa* further back in line **2** (myöhemmin) later (on) (alempana) below, (tästä lähtien) hereafter *Tähän ongelmakenttään palataan jäljempänä* I will return to this question below *jäljempänä 'kustantaja'* hereafter 'the publisher'

jäljennös copy, reproduction, (kaksoiskappale) duplicate, (näköispainos) facsimile *oikeaksi todistettu jäljennös* certified copy

jäljentyä be copied/traced

jäljentää (make a) copy, reproduce, duplicate

jäljessä behind, after *aikaansa jäljessä* behind the times *kävellä jonkun jäljessä* follow someone, walk behind someone *kehityksessään jäljessä* slow, backward, (falling) behind; (kehitysvammainen) (mentally) retarded *Toista minun jäljessäni* Repeat after me

jäljestä after *Ovi suljettiin minun jäljestäni* The door was closed after me

jäljestäpäin afterwards

jäljettömiin *kadota jäljettömiin* disappear without a trace

jäljettömissä untraceable

jäljitellä copy, mimic, imitate; (ark) ape

jäljitelmä copy, imitation, fake

jäljittelemätön inimitable

jäljittely imitation

jäljittää 1 track (down), trace, trail **2** (tietot) trace, retrieve

jälkeen after *ensi maanantain jälkeen* after next Monday *viime maanantain jälkeen* since last Monday *juosta jonkun jälkeen* run after someone, (ajaa takaa) chase (after) someone *ennen ja ja jälkeen* before and after *jättää jälkeensä* leave behind *jäädä jälkeen* fall behind *sen jälkeen kun hän lähti* after he left *kerran toisensa jälkeen* time and again, time after time

jälkeenjääneisyys 1 (maan) underdevelopment, backwardness **2** (lapsen) retardation

jälkeenjäänyt 1 (maa) underdeveloped, backward **2** (lapsi) retarded

jälkeenpäin afterwards, after the fact, subsequently

jälkeinen after *juhannuksen jälkeiset kolme päivää* the three days after Midsummer

jälkeläinen 1 descendant, (perijä) heir, (vesa) scion **2** *jälkeläiset* (lapset) offspring, progeny; (tulevat sukupolvet) posterity

jälki 1 track, trace, (jalanjälki) footprint, (merkki) mark *ei jälkeäkään heistä* not a sign/trace of them *jättää jälkensä johonkin* leave your mark on something **2** *jäljet* track, trail *eksyttää joku jäljiltään* throw someone off the scent, lose/outdistance someone *oikeilla/väärillä jäljillä* on the right/wrong track *siivota omat jälkensä* clean up your own mess **3** *tehdä hyvää jälkeä* do good work

jälkiehkäisytabletti (katumuspilleri) the morning-after pill

jälkihuomautus postscript, P.S.

jälki-istunto 1 (koulurangaistus) detention *jäädä jälki-istuntoon* (have to) stay after school *pitää jälki-istunnossa* keep after school **2** (näyttelijöiden juhla näytelmän jälkeen) cast party, (laulajien) choir dinner/party jne

jälkijuna *tulla jälkijunassa* be/lag way behind (the others), bring up the rear

jälkijättöinen backward

jälkikaiku 1 (jälkikaiunta) echo fade **2** (reaktiot) aftermath, response

jälkikaiunta echo fade

jälkikasvu the next generation, (työpaikalla) young Turks, (mukset) the kids

jälkikirjoitus afterword, epilogue

jälkikuva afterimage

jälkikäteen afterward(s)

jälkikäynti dieseling

jälkimaailma posterity, future generations

jälkimaku aftertaste

jälkimarkkinat aftermarket

jälkimmäinen the latter *Pidän edellisestä mutten jälkimmäisestä* I like the former but not the latter, the first but not the second

jälkinäytös epilogue; (kuv) aftermath

jälkipeli second-guessing

jälkipuhe second-guessing

jälkiruoka dessert, (UK) sweet

jälkiseuraus repercussion(s)

jälkiteollinen post-industrial

jälkivaatimuksella C.O.D. (cash on delivery)

jälkiviisas wise in hindsight *Sinäpä olet aina niin jälkiviisas* You've always got 20–20 hindsight

jälkiviisaus hindsight

jälkäänittää dub

jälkäänitys dubbing

jälleen (once) again, once more *jälleen yhdessä* together again/once more

jälleenmyyjä dealer

jälleennäkeminen reunion, meeting again

jälleenrakennus reconstruction

jälleensyntyminen rebirth

jälleenvakuutus reinsurance

jämerä 1 (vahva) strong, sturdy, robust **2** (päättäväinen) decisive, resolute, determined

jämpti (raha) exact, (ihminen) exacting

jänis hare, (ark) rabbit *Ei tässä jäniksen selässä olla* Hold your horses! Where's the fire?

jänishousu chicken, scaredy-cat

jänistää chicken out

jänne 1 (anat) tendon, sinew **2** (jousen tms) string **3** (kasv) strand, fiber **4** (mat) chord **5** (jänneväli) span

jänneväli span

jännite 1 (sähköinen tms) tension, voltage **2** (henkinen) tension, suspense

jännittyä 1 (köysi tms) be strained/stretched, tighten, tauten, (lihas) tense (up) **2** (tilanne) get/become tense/strained **3** (hermostua) tense up, get nervous (about something), worry (about something)

jännittävä exciting, thrilling

jännittää 1 (tiukentaa) tense, stretch, tighten, tauten, pull tight/taut **2** (olla hermona jostakin) feel tense about, feel/be nervous about *Jännitän huomista kokousta* I feel so nervous about tomorrow's meeting *Älä jännitä, se menee ihan hyvin* Don't worry, never mind, rest your mind, relax, it'll go fine **3** (olla/odottaa innoissaan) be excited about, look forward to *Minua jännittää meidän matkamme* I can hardly wait for our trip, I'm so excited about our trip

jännitys 1 (köyden tms) tension, strain, tightness, tautness **2** (innostunut odotus) excitement, (eager) expectation **3** (hermoileva odotus) tension, nervousness **4** (pelkäävä odotus) suspense *Jännitys oli melkein kestämätöntä* The suspense was almost unbearable

jännityselokuva thriller, adventure movie

jännityspäänsärky tension headache

jännitysromaani thriller, adventure novel

jännä (ark) **1** (jännittävä) exciting, thrilling **2** (mielenkiintoinen) cool

jännäri thriller

jännätä (ark) **1** (olla epävarma) be in suspense (about the outcome), be on tenterhooks **2** (olla innoissaan) be excited (about something) **3** (olla hermona) be nervous (about something) **4** (pitää peukkuja) keep your fingers crossed

jänskä (ark) **1** (jännittävä) exciting, thrilling **2** (mielenkiintoinen) cool

jäntevyys suppleness, muscularity, tightness (ks jäntevä)

jäntevä 1 (notkea) limber, supple **2** (vahva) strong, muscular **3** (tiivis) tight *jäntevä tyyli* a tight style

jänö 1 bunny (rabbit) **2** (jänishousu) chicken, scaredy-cat

järeä 1 (vahva) sturdy, strong, stout **2** (iso) large, massive **3** (raskas) heavy *järeä tykistö* heavy artillery **4** (miehekäs) virile, manly **5** (koruton) plain, bare, unvarnished, unadorned *järeä totuus* plain/bare /unvarnished truth

järin very *ei järin vahva* not very strong, not all that strong

järistys earthquake

järistä shake, quake, tremble

järisyttävä (kuv) earthshaking, shocking

järisyttää 1 shake, rock **2** (pelottaa) make (you) quake in your boots

järjellinen rational

järjenjuoksu intelligence, wits *Jaanalla on terävä järjenjuoksu* Jaana is sharp/quickwitted, quick on the uptake

järjenvastainen unreasonable, irrational

järjestelijä organizer, arranger

järjestellä 1 (kukkia tms) arrange **2** (asioita) take care of, see to, run errands **3** (tukkaansa) straighten, pat into shape, primp, do **4** (kirjoja, astioita, vaatteita tms) sort (out), put away, put in their proper places, arrange **5** (huoneita) pick/clean/straighten up

järjestelmä 1 system **2** (hallinnollinen) administration, organization, establishment, the System

järjestelmäkamera (yksisilmäinen peiliheijastuskamera) single-lens reflex camera, SLR, (yl) system camera

järjestelmällinen systematic

järjestelmällisesti systematically

järjestely 1 arrangement; (mon) measures **2** (sot) disposition of troops

järjestelykysymys *Se on vain järjestelykysymys* It's just a matter of arranging it

järjestys order *Kaikki on järjestyksessä* It's all set, everything's in order *panna asiat järjestykseen* put things in order, settle things *panna paikat järjestykseen* straighten/tidy up *aakkosjärjestyksessä* in alphabetical order *laki ja järjestys* law and order

järjestysluku ordinal number

järjestyssäännöt (rules and) regulations

järjestyä 1 (jonoon, riviin) form a line/row, line up **2** (ammattiliittoon) organize, unionize **3** (tulla järjestetyksi) be arranged *Pojalle järjestyi hoitopaikka naapurista* We were able to find/arrange family daycare for our son at the neighbor's **4** (kuntoon) work/turn out, be all right, (be) settle(d) *Kaikki järjestyy aikanaan* Everything will work/turn out in the end, it'll be all right *Jupakka järjestyi neuvotellen* The dispute was settled in negotiations

järjestäjä 1 (henkilö tai taho) organizer **2** (oppilas) monitor

järjestäytymätön unorganized

järjestäytynyt rikollisuus organized crime

järjestäytyä (get) organize(d), (ammattiliittoon) unionize

järjestää 1 (kokousta tms) organize **2** (avioliittoa, häitä, konserttia tms) arrange, make arrangements for; (ark) fix (things up for) *järjestää niin että* arrange to (go somewhere, be free, do something), fix things so (you/someone can do something) **3** (asioita) take care of, see to **4** (ihmisiä ulos) get/run/usher (people) out, clear the room *Voisitko järjestää nuo ihmiset pois?* Could you get rid of those people for me? **5** (ihmiset yhteen) fix (people) up (with each other) *järjestää kaverille seuralainen* fix a friend up with a date **6** (kirjoja, astioita, vaatteita tms) sort (out), put away, put in their proper places, arrange **7** (huonetta) pick/clean/straighten up **8** (tukkaansa) straighten, pat into shape, primp

järjestää arkistoon file

järjestää asiansa settle your affairs

järjestää elämänsä put your life in order, (sl) get your shit together

järjestää jonoon form a line, get people to line up

järjestään 1 (jokainen vuoron perään) one at a time, systematically **2** (kaikki) all *Miehet ovat järjestään suomalaisia* Every last one of them is a Finn, they're Finns to a man *Heidän lähetyksensä ovat järjestään päivän myöhässä* Their shipments are always /consistently/regularly a day late

järjestää riviin form rows, line people up in rows

järjestää ryhmiin group

järjestö organization

järjettömyys senselessness, foolishness, absurdity

järjetön senseless, mindless, absurd, stupid, foolish *tehdä järjettömiä* act foolishly *puhua järjettömiä* talk nonsense

järkeenkäypä reasonable, plausible *Se on järkeenkäypä* That stands to reason

järkeillä (mietiskellä) speculate/reflect/meditate on, ponder, philosophize about

järkeily (mietiskely) speculation, reflection, meditation

järkeisusko rationalism

järkevyys reasonableness, sensibleness

järkevä reasonable, sensible *kuka tahansa järkevä mies* any man in his right mind

järkevöityä come to your senses, wise/smarten up

järki 1 (ajattelukyky) reason, mind, (äly) intellect, (älykkyys) intelligence *Käytä järkeäsi!* Use your head/noodle/noggin **2** (järkevyys) sense *terve järki, maalaisjärki* common sense *Tässä ei ole mitään järkeä* This doesn't make sense, this is senseless/stupid/ridiculous/absurd *puhua järkeä jollekulle* try to talk some sense into someone, try to reason with someone *saada joku järkiinsä* bring someone to his /her senses *olla järjiltään* be out of your mind, off the deep end, around the bend

järkiavioliitto marriage of convenience

järki-ihminen 1 (järkevä) sensible/reasonable/realistic person **2** (järkeen uskova) rationalist

järkiintyä come to your senses, wise/smarten up

järkiperäinen 1 (järjellinen) rational **2** (järjestelmällinen) systematic, methodic(al)

järkiperäistää systematize, reduce (something) to a system/method

järkipuhe reasonable/sensible talk

järkky shocking, sick, heinous

järkkymätön unflinching, unswerving; (pysyvä) steadfast, (joustamaton) inflexible

järkkyä 1 (maa tms) shake, quake, tremble **2** (talous tms) be shaken, receive a severe shock/blow, teeter **3** (mieli) be traumatized, suffer a severe shock/blow (to your sanity/peace of mind/mental stability)

järkyttyä be shocked/upset/scandalized (by)

järkyttävä shocking, scandalous

järkyttää 1 (rakennusta tms) shake, rock **2** (mieltä) shock, upset **3** (seurapiiriä) scandalize

järkytys shock

järkähtämällä firmly, decisively, resolutely, uncompromisingly, without bending an inch

järkähtämätön 1 (päättäväinen) firm, decisive, resolute **2** (joustamaton) inflexible, uncompromising, rigid **3** (horjumaton) unshakable, unwavering

järkähtää budge *Se ei jäl kähtänytkään* It wouldn't budge

järkäle boulder *miehen järkäle* a mountain of a man

järvenjää the ice on a lake

järvenpohja lake bottom

järvenranta lake shore

järvi lake

järvialue lake district

järvimaisema lake scene(ry)

järvinen *järvinen tasanko* a lake-filled plain, a prairie rich in lakes

järviseutu lake district

järvivesi lake water

jäsen 1 (ruumiin) (body) part, limb, member *tuntea eilinen työ jäsenissään* feel the effects of yesterday's work in your muscles **2** (järjestön) member **3** (lauseen) part

jäsenalennus member discount

jäsenhinta member price

jäsenistö members(hip)

jäsenkortti membership card

jäsenmaa member country

jäsenmaksu membership fee, dues (mon)

jäsenmäärä membership, number of members

jäsentymätön unclear, inarticulate, inchoate

jäsentyä break down (into), divide up (into), be divided (into)

jäsentää 1 (hahmotella) outline, sketch out; (luetella) list, tick off (on your fingers) **2** (eritellä) analyze, do a breakdown (analysis) of *jäsentää lause* (kiel) analyze a sentence, (vanh) parse a sentence

jäsenäänestys vote (among the membership) *alistaa jäsenäänestykseen* put to a vote (among the membership)

jäte (roska) trash, garbage, refuse, waste

jäteauto garbage truck

jätehuolto garbage collection

jätemylly garbage disposal

jätepaperi scrap/waste paper

jätevedenpuhdistamo sewage treatment plant

jätevesi sewage

jätevesipäästö effluent

jätkä 1 (jäbä) dude, man; (UK) bloke, chap (tukkijätkä) lumberjack **3** (kortti) Jack

jätski (ark) ice cream

jätti giant

jättikoko giant size

jättiläinen giant

jättiläismäinen gigantic

jättiläisvyötiäinen giant armadillo

jättimäinen gigantic

jättäytyä leave/submit/surrender/resign yourself (to)

jättää 1 leave *Jätin auton kotiin* I left my car at home *Mari on Jättän miehensä* Mari's left her husband *Jättän tämän kylän ja menen kaupunkiin* I'm leaving this burg and going to town *jättää lautaselle/tähteeksi* leave food on your plate/uneaten *jättää jollekulle perinnöksi* leave someone something (in your will) **2** (luovuttaa) take, drop off, deliver *jättää paketti postiin* drop a package off at the post office **3** (lähteä ilman) leave behind *Juna jätti* I missed the train **4** (mennä edelle) go/pull ahead of, leave behind *jättää kilpailijaansa sekunnilla* be a second ahead of your competitor **5** (antaa) leave (up) to *Jätä se minulle* Leave that (up) to me (ks hakusanoja) **6** (hylätä, luopua) leave, give up, quit *jättää opintonsa* quit school, have to leave school **7** *jättää sormesa oven väliin* get your fingers caught in the door

jättää asia sikseen drop the matter, leave it at that

jättää hakemus hand in/submit an application, apply

jättää huomiotta disregard, ignore

jättää hyvästi bid someone farewell, say goodbye, take your leave

jättää joku oman onnensa nojaan leave someone to his/her own devices

jättää joku siihen uskoon että give someone to believe that

jättää jonkun huoleksi leave something to *Jätä se minun huolekseni* Leave that to me

jättää jonkun huostaan deliver/hand over (a child) into someone's custody/care

jättää jonkun päätettäväksi leave something up to *Jätä se minun päätettäväkseni* Leave that up to me

jättää jälkeensä leave someone/-thing behind, outdistance, outstrip; (ark) leave someone in the dust

jättää kesken not finish/complete, leave unfinished/uncompleted

jättää menemättä not go, decline/refuse to go, stay away

jättää omaan arvoonsa just ignore somebody, pay no attention to somebody

jättää oman onnensa nojaan leave someone to fend for him/herself

jättää pois laskusta leave (something/-one) out of your plans/calculations, not take something/-one into account

jättää pulaan not go to someone's rescue, not extend a helping hand, abandon someone in need/distress, let someone down

jättää rauhaan leave someone alone, in peace

jättää sana leave word, leave (someone) a message

jättää sanomatta leave (something) unsaid, omit/fail to mention

jättää sisään submit

jättää tekemättä leave undone, fail/neglect to do

jättää tieto leave word (of where you'll be, of what's happening)

jättää tulematta not come, stay away, fail to show up/arrive

jättää valitus lodge a complaint, file an appeal

jättää varjoonsa overshadow, leave someone in your shadow

jättää virka (eläkeiässä) retire, (ennen eläkeikää) resign

jättää välin skip, pass (on/up)

jättö 1 leaving, delivery (ks jättää) **2** (tekn) lag, slip **3** (urh) miss

jättöpäivä due date, deadline

jättää run slow

jätökset 1 (eläimen) spoor **2** (ihmisen) mess, litter

jäykiste stiffener, hardener

jäykistyä stiffen, (kovettua) harden; (penis) erect, tumesce

jäykistää stiffen, (kovettua) harden, set

jäykkä 1 stiff, hard; (penis) erect, tumescent **2** (keskustelu tms) stiff, awkward, forced **3** (ihminen) inflexible, uncompromising, rigid

jäykkäkouristus lockjaw, tetanus

jäykkäkouristusrokotus tetanus shot

jäykähkö on the stiff side, rather stiff (ks myös jäykkä)

jäytävä gnawing

jäytää 1 gnaw/eat (away) at **2** (kuluttaa) tax, consume, wear away/down

jää ice *jäät* (juomassa) ice cubes, (järvessä) the ice (floes) *jäässä* (jäätynyt) frozen, (kylmä) freezing, (jään peitossa) iced over/up, (ikkuna) frosted over/up, (poissa käytöstä) on ice

jäädyttää freeze (myös kuv)

jäädä 1 (olla lähtemättä) stay, remain *jäädä kotiin* stay home *jäädä yöksi* spend/stay the night, (UK) stop for the night **2** (olla pääsemättä) miss, not make *jäädä junasta* miss the train *jäädä pois kokouksesta* skip the meeting **3** (olla pääsemättä pois) get caught/stuck/trapped *Sormeni jäivät oven väliin* I got my fingers caught in the door *jäädä auton alle* get run over by a car **4** (unohtua) get left behind/forgotten *Minulta jäi hanskat kotiin* I fotgot/left my gloves at home **5** (säilyä) be/get left (over) *Jäi vähän spagettia huomiseksi* There was enough spaghetti left over for tomorrow's dinner **6** (perinnöksi) be left (to someone in a will) *Kauppiaalta jäi iso perintö* The merchant left a large inheritance/estate **7** *Häneltä jäi vaimo ja kaksi lasta* He was/is survived by a wife and two children, he left a wife and two children **8** (jälki) be left (on) *Sormuksesta jäi naarmu lasiin* The ring scratched the glass **9** (lykkääntyä) be delayed/postponed/put off *Asia jäi ja jäi* There was one delay after another, somehow they/I never got around to doing it

jäädä alakynteen take the worst of it, get a beating

jäädä arvattavaksi be (left) up in the air *Arvattavaksi jää, tuleeko hän ollenkaan* Who knows whether he'll come at all, it'll be interesting to see whether he comes at all

jäädä auki (ovi tms) be left open, (ihminen) be in debt

jäädä eloon live (through something), survive

jäädä henkiin survive

jäädä historiaan go down in history

jäädä huomaamatta be unnoticed by someone

jäädä johonkin käsitykseen be left with an impression *Sellaiseen käsitykseen jäin* That was the impression I got, that was how I understood you/him jne

jäädä jäljelle be left (over)

jäädä jälkeen be left behind

jäädä jälkijunaan be left behind, be left in the dust

jäädä kaipaamaan miss

jäädä kesken remain unfinished/uncompleted/undone

jäädä kiikkiin get caught/busted

jäädä kiitollisuudenvelkaan be obliged (to someone), be left in a debt of gratitude (to someone)

jäädä kuin nalli kalliolle be left all alone

jäädä käytöstä fall into disuse, be taken out of use/circulation

jäädä lehdellä soittelemaan draw the short straw

jäädä luokalle fail/flunk a grade, be held back (one year), have to repeat a grade

jäädä muodista become unfashionable, go out of style

jäädä nähtäväksi *Se jää nähtäväksi* It remains to be seen

jäädä näppejään nuolemaan be left with nothing

jäädä oman onnensa nojaan be left to your own devices

jäädä orvoksi be orphaned

jäädä paha maku suuhun leave a bad taste in your mouth

jäädä pahoille mielin be left with a bad taste in your mouth, walk away hurt/angry/resentful jne

jäädä pimentoon be left/kept in the dark

jäädä pois laskuista be omitted/forgotten/neglected, not be taken into account/consideration

jäädä puille paljaille be put out into the street

jäädä pöydälle be tabled

jäädä sanomatta *Minulta jäi sanomatta* I forgot to say

jäädä sille tielle never be seen again, disappear for good

jäädä suustaan kiinni get caught up/lost talking/in conversation

jäädä taakse 1 (matkanteossa) fall behind, drop back/behind *Katsoin kun kylä jäi taakse* I watched the village dwindle into the distance **2** (ajassa) be left behind *Ne ajat ovat jo jääneet taakse!* That's old history!

jäädä tappiolle lose (out), be losing, be getting the worst of it; (ark) get a trouncing, get taken to the cleaners

jäädä toiseksi come in/place second; (muu) lose (out), get beaten out; (ark) play second fiddle *jäädä 100 metrillä toiseksi* come in/place second in the 100-meter dash *Kun Martti löysi sen kaunottaren, minä jäin toiseksi* When Martti found that bathing beauty, I had to play second fiddle

jäädä tyhjin käsin be left empty-handed

jäädä unhoon be forgotten

jäädä varjoon be in someone else's shadow, be overshadowed/outdone, have someone steal your thunder

jäädä velkaa owe someone (money/a favor), be (left) in debt to someone *Jäin sinulle kympin velkaa* I owe you a tenner
jäädä voimaan remain in effect
jäähalli indoor skating rink, ice stadium
jäähdytin cooler, cooling/refrigerating machine/plant, (auton) radiator
jäähdyttää cool (off/down) (myös kuv)
jäähdytysneste coolant
jäähtyä cool (off/down) (myös kuv)
jäähy 1 (jääkiekossa) penalty *saada jäähy* be sent to the penalty box **2** *olla jäähyllä* be cooling off
jäähyaitio penalty box
jäähyväiset farewell, adieu, leave-taking *sanoa jäähyväiset* bid farewell
jääkaappi refrigerator
jääkaappipakastin refrigerator-freezer
jääkarhu polar bear
jääkausi Ice Age
jääkiekko ice hockey
jääkiekkoilija (ice) hockey player
jääkiekkokaukalo ice hockey rink
jääkiekkomaila (ice) hockey stick
jääkiekko-ottelu (ice) hockey match
jääkuutio ice cube
jääkäri 1 rifleman, light infantryman **2** (hist) Jäger
jäälautta ice floe
jäämeri polar sea *Pohjoinen Jäämeri* the Arctic Ocean *Eteläinen Jäämeri* the Antarctic Ocean
jäämistö estate, property, (earthly) remains
jäämurska crushed ice
jäänesto deicing
jäänestoaine (fuel-line) deicer
jäänmurtaja icebreaker
jäänne 1 (esine) relic, (tapa) survival **2** *jäänteet* remains
jäännös 1 (tähde: mat, ark) remainder, (kem) residue, (liik) balance **2** *jäännökset* remains, (ruoasta) leftovers

jäännöserä 1 (lähetyksestä) remainder *myydä kirjapainoksen jäännöserä* remainder a book **2** (maksusta) outstanding amount
jääpala ice cube
jääpallo bandy
jääpingviini Adélie penguin
jääräpäinen bullheaded, mulish
jääräpää bullhead, mule
jääshow icecapades
jäätanssi ice dancing
jäätee iced tea
jäätelö ice cream
jäätelökakku ice cream cake
jäätelökone ice cream maker
jäätelöpuikko ice cream bar
jäätelötuutti ice cream cone
jäätie ice road
jäätikkö 1 (geol) glacier **2** (liukas tie) sheer ice
jäätyminen freezing
jäätymispiste freezing point
jäätynyt frozen
jäätyä freeze/ice (up/over)
jäätävä icy, frozen, freezing; (kuv) icy, frosty, glacial
jäätää freeze/ice up/over
jäävesi ice water
jäävi *s* (lak) challenge *adj* **1** (lak) challengeable, disqualified **2** (ark) unqualified *Minä olen jäävi sanomaan tuosta yhtään mitään* I'm the wrong person to ask about that
jäävuori iceberg
jäävuorisalaatti iceberg lettuce
jäävätä challenge, disqualify *jäävätä itsensä* recuse yourself
jökötää *istua jököttää* just sit there
jörö laconic, taciturn, stolid
jöröjukka glum Gus
jöö *pitää jöötä* keep order, maintain discipline

K,k

kaadin pitcher
kaahata drive recklessly; (ark) blast along, drive like a maniac
kaakao cocoa; (ark: kuuma) hot chocolate, (kylmä) chocolate milk
kaakeli ceramic tile
kaakko southeast
kaakkoinen southeast(ern)
kaakkoistuuli southeasterly wind
kaali 1 cabbage **2** (sl) head *Tää ei mahdu mun kaaliin* I can't figure this out, this doesn't make sense to me, this is over my head
kaalikeitto cabbage soup
kaalikääryle stuffed cabbage roll
kaamea horrible, terrible, awful (myös kuv)
kaanon 1 (Raamatun kirjat) canon **2** (sävellys) canon, (ark) round *laulaa kaanonissa* sing (something) in a round
kaaos chaos
kaapata 1 (kulkuneuvo) hijack, (lentokone) skyjack **2** (valta) seize, usurp, take over, overthrow **3** (ihminen) kidnap **4** (käsilaukku tms) grab, snatch
kaapeli cable
kaapelimodeemi cable modem
kaapelitelevisio cable television
kaapia scrape, scratch, pare
kaappari 1 (kulkuneuvon) hijacker, (lentokoneen) skyjacker **2** (vallan) usurper, revolutionary **3** (ihmisen) kidnapper **4** (käsilaukun) pursesnatcher, (lompakon) pickpocket jne
kaappaus 1 (kulkuneuvon) hijacking **2** (vallan) coup (d'état) **3** (ihmisen) kidnapping **4** (tavaran) robbery, petty thievery
kaappi cabinet; (astiakaappi) cupboard, (kirjakaappi) bookcase, (vaatekaappi) wardrobe, closet *sanoa missä kaappi seisoo* wear the pants in the family
kaappipakastin upright freezer
kaapu robe; (tuomarin) gown, (munkin) cowl
kaara car, (ark) wheels

kaareutua 1 (tie) curve, bend **2** (holvi) vault, arch
kaareva 1 curved **2** (holvi) vaulted, arched **3** (kovera) concave, (kupera) convex **4** (heitetyn tai ammutun esineen liikkeestä) parabolic
kaarevuus curve, curvature
kaari 1 curve, (kaarevuus) curvature **2** (arkkit) arch, (holvi) vault, (sillan) span **3** (mat) arc **4** (auringon) arc **5** (liike) curve, sweep; (heitetyn tai ammutun esineen kaariliike) parabola, trajectory **6** *elämän kaari* the course of life
kaarisulkeet parenthesis
kaarna bark
kaarre curve, bend, turn
kaarrella 1 (tie, joki tms) curve, bend, wind, meander **2** (ajatukset, keskustelu tms) meander, wander **3** (lintu tms) wheel, sweep, soar **4** *kierrellä ja kaarrella* hem and haw, evade/dodge the question, circle around a subject/question, beat around the bush
kaarros 1 (tien tms) bend, curve, turn, (leveä) sweep **2** (putken) elbow
kaartaa 1 (tie, joki tms) curve, bend, turn **2** (ympäri) circle, go around, (kokonaan ympäri) encircle, surround *kaartaa kaukaa* give a wide berth to, keep your distance from **3** (tehdä kaarevaksi) arch **4** (lintu tms) wheel, sweep, soar **5** *kiertää ja kaartaa* hem and haw, evade/dodge the question, circle around a subject/question, beat around the bush *kiertäen kaartaen* in a roundabout way, indirectly
kaarti guards *vanha kaarti* the old guard
kaartua 1 (tie tms) curve, bend **2** (holvi) vault, arch
kaasu gas *Anna kaasua, paina kaasu pohjaan!* Step on the gas, step on it! *lisätä kaasua* speed up *täydellä kaasulla* (at) full speed/throttle *vähentää kaasua* slow down

kaasujalka foot on the gas pedal *Sillä on raskas kaasujalka* He's got a lead foot

kaasulamppu kerosene lantern, (hist) gaslight

kaasuliesi gas range/stove

kaasumyrkytys gas poisoning *saada kaasumyrkytys* be gassed

kaasupoljin gas pedal

kaasutin carburetor

kaasuttaa 1 (myrkyttää kaasulla: ihmisiä) gas, (torakoita tms) fumigate **2** (muuttaa kaasuksi) gasify **3** (painaa kaasua) step on the gas, give it some gas

kaasuöljy diesel fuel/oil

kaataa 1 (nestettä) pour (out), (vahingossa) spill *sataa kaatamalla* be raining cats and dogs, be pouring *kaataa kylmää vettä jonkun niskaan* pour cold water on someone's enthusiasm/on an idea, rain on someone's party, be a wet blanket **2** (astiaa, huonekalua) knock/tip/turn over, overturn *kaataa ylösalaisin* turn upside down **3** (vene) capsize **4** (kuorma: kipata) dump, tip **5** (puu) fell, cut/chop down, (heinää) cut, (koneella) mow **6** (riista) shoot, kill, down **7** (ihminen: tauti) knock your feet out from under you, lay you up in bed; (nyrkki tms) knock down, fell; (tappaa) kill, (esim konekiväärillä) mow down **8** (lakiesitys) kill **9** (hallitus) overthrow **10** (suunnitelma) upset, ruin **11** (ennätys) break

kaataa kylmää vettä jonkun niskaan pour cold water on someone's enthusiasm, rain on someone's parade

kaataa vettä hanhen selkään pour something down the drain/toilet

kaato 1 (kaataminen) pouring, spilling, felling jne (ks kaataa) **2** (painissa) takedown **3** (keilailussa) strike

kaatopaikka dump

kaatosade downpour, cloudburst

kaatua 1 (ihminen: vahingossa) fall (down /over); (kompastua) trip, stumble *kaatua väsymyksestä* drop with fatigue, (ark) crash **2** (ihminen: sot) be shot/killed, be mortally wounded, fall in battle **3** (puu) fall, (maahan) crash to the ground *Puu kaatuu!* Timber! **4** (seinä tms) fall, crash,

collapse **5** (hallitus) collapse, be overthrown **6** (lakiesitys) be killed **7** (suunnitelma) come to nothing *kaatua omaan mahdottomuuteensa* fail of its own accord, fly like a lead balloon **8** (ennätys) be broken **9** (neste) spill **10** (tietok) crash, go down

kaatua sänkyyn crash (in bed)

kaatua väsymyksestä drop with exhaustion

kaatumatauti epilepsy

kaatumatautinen epileptic

kaatunut 1 (puu tms) fallen **2** (sodassa) killed in action (KIA) *sodassa kaatuneet* the war dead, (euf) military casualties **3** (tietok) down

kaava 1 (ompelu- tms) pattern **2** (malli) model, (muotti) mold, form **3** (suunnitelma) design, scheme **4** (mat, kem) formula **5** (kaavio) diagram, chart **6** (asemakaava) zoning map **7** (mittakaava) scale *kaavaan 1:1000* on a scale of 1 to 1000 **8** (jumalanpalveluskaava) liturgy *vihkikaava* wedding liturgy **9** (tapa toimia) custom, habit, routine *kaavoihin kangistunut* (toiminta) routinized, ritualized, stereotyped; (ihminen) rigid, hidebound, set in your ways *toimia kaavan mukaan* follow precedent, obey the rules, do it by the book, go according to Hoyle

kaavailla sketch out, outline, plan

kaavake form

kaavamainen 1 (kaavan muodossa) schematic, formulaic, diagrammatic; (ark) sketchy **2** (jäykkä) routine, routinized, ritualized, stereotyped, formulaic

kaavamaisesti routinely, ritualistically, as a matter of course/routine

kaavio diagram, chart, figure

kaaviokuva diagram, chart, figure

kaavoittaa 1 (tehdä asemakaava) zone **2** (kaavailla) sketch out, outline, plan **3** (jäykistää) fix in a set pattern, routinize

kaavoittua fall into a rut, get set in your ways; (kirjoitustapa tms) become predictable

kabinetti 1 (ravintolan) private room, (hotellin) meeting room **2** (hallitus) cabinet

kade envy *Ei käy kateeksi* I don't envy you, I'm glad I'm not in your shoes *kateissaan* envious, green with envy, eating your heart out (with envy)

kadehdittava enviable

kadehtia be, be envious (of), be green with envy, eat your heart out (with envy) *kadehtia jonkun omaisuutta* be envious of someone's money/wealth, envy someone his/her money/wealth, wish you had someone's money/wealth

kademieli envy, (ark) jealousy

kadetti cadet; (laivastossa) naval cadet, midshipman

kadoksissa lost, missing

kadonnut lammas lost lamb (myös kuv)

kadota 1 (hävitä näkyvistä) disappear, vanish *kadota kuin tuhka tuuleen* vanish into thin air *kadota jäljettömiin* vanish/disappear without a trace **2** (joutua kadoksiin) get/be lost, be missing *kadota muistista* slip your mind **3** (haalistua) fade *kauneus katoaa* beauty fades

kadottaa lose

kadotus (usk) damnation, perdition; (kuv) doom

kadunkulma street corner *neljän kadunkulman päässä* four blocks from here

kadunmies the man on the street

kafeteria cafeteria

kahdeksan eight *puoli kahdeksan* seven thirty

kahdeksankymmenluku the eighties

kahdeksankymmentä eighty

kahdeksansataa eight-hundred

kahdeksantoista eighteen

kahdeksanvuotias eight-year-old

kahdeksas eighth

kahdeksaskymmenes eightieth

kahdeksasosa (one-)eighth

kahdeksassadas eigth hundredth

kahdeksastoista eighteenth

kahdeksastuhannes eight thousandth

kahdeksikko 1 number/figure eight **2** (soudussa) eight(-man crew)

kahden *olla kahden* be alone (with a lover)

kahden kesken in private, confidentially *vain meidän kahden kesken* just between the two of us

kahdenkeskinen private, confidential

kahden vaiheilla wavering, vacillating, undecided, wondering which way to go, which alternative to take

kahdeskymmenes twentieth

kahdessadas two hundredth

kahdestaan the two of us/you/them *Me haluamme olla kahdestaan* We want to be (left) alone

kahdesti twice

kahdestoista twelfth

kahdestuhannes two thousandth

kaheli *s* loony, crackpot, nut *adj* loony, cracked, nutty

kahina 1 (ääni) rustle, swish **2** (tappelu) fight, scuffle, scrap

kahinoida fight, scuffle, scrap

kahista rustle, swish

kahle 1 fetter; (mon) chains, shackles *vapauttaa kahleista* unchain, unshackle **2** (kuv) bond, (ark) ball and chain

kahlehtia 1 chain, shackle, (koiraa) leash **2** (kuv) constrain, restrict, confine; (ark) tie up, keep on a leash

kahlita chain, shackle (ks myös kahlehtia)

kahmaista grab, snatch (up), seize (upon)

kahmia grab, snatch (up), seize (upon)

kahtaalla on two sides, in two directions

kahta mieltä of two opinions, divided, torn

kahtena kappaleena in duplicate

kahtia in half, in two parts; (run) in twain

kahva handle, grip; (oven) knob; (puukon) haft; (miekan) hilt *vallan kahvassa* in power

kahvi coffee

kahvikupillinen a cup of coffee

kahvikuppi coffee cup

kahvila 1 (hotellin tm yhteydessä toimiva) coffee shop/room **2** (erillinen pikkuravintola) cafe, coffee house **3** (ruokala) cafeteria

kahvinkeitin coffee maker, (vanh) percolator

kahvinkeitto making coffee

kahvipannu coffee pot

kahvipapu coffee bean

kahvipöytä coffee table

kahvitauko coffe break

kai 1 (luulisi) I/you guess/think/suppose *Ei kai hän nyt tule?* You don't think/suppose he's coming now, do you? *Et kai menisi ilman minua?* You wouldn't go without me, would you? **2** (luultavasti) probably, presumably, very likely *Hän tulee kai huomenna* I think he's coming tomorrow, he's probably coming tomorrow **3** *totta kai* of course

kaide railing, handrail, (sillan) parapet

kaihdin shade, blind; (sälekaihdin) Venetian blind(s)

kaiho longing, yearning; (menneisyyteen) nostalgia

kaihoilla long/yearn (for)

kaihoisa longing, yearning, wistful

kaihoisasti longingly, yearningly, wistfully, filled with/full of longing/yearning

kaihomielinen wistful, pensive; (melankolinen) melancholic, doleful

kaihota miss, long/yearn (for)

kaihtaa avoid, shun *keinoja kaihtamatta* stopping at nothing

kaiken aikaa constantly *Sitähän minä teen kaiken aikaa* Can't you see that's what I'm doing?

kaiken kaikkiaan (all) in all, in sum

kaiken kukkuraksi to boot, to top it off, if that weren't enough *Siellä tehtiin kaiken kukkuraksi poliisiratsia* And if that weren't enough, the place was raided by the cops, and to top it all off, the cops raided the place

kaikenlainen all kinds/sorts of, of all kinds/sorts, diverse, various *kaikenlaista ruokaa* (monenlaista) food of every description, of all kinds/sorts; (paljon) all kinds/sorts of food *jutella kaikenlaista* talk about everything under the sun

kaiken varalta (just) in case

kaiketi no doubt, surely; (luultavasti) probably, presumably, very likely

kaiket päivät day after day, for days on end

kaikin mokomin by all means, go right ahead, be my guest

kaikin puolin in every way/respect; (läpeensä) throughout; (täysin) completely, wholly, fully

kaikinpuolinen 1 (perusteellinen) exhaustive, comprehensive, thorough(going) **2** (yleinen) general, universal **3** (täydellinen) complete, whole, full

kaikkein of all *kaikkein paras* the best of all, the very best *kaikkein kaunein mekko* (by far) the most beautiful dress

kaikki *s* **1** (ihmiset) everybody/-one, all *Tulkaa kaikki!* Everybody come over here! Come on in, everyone! Come one come all! **2** (muut) everything, all *valmiina kaikkeen* ready for anything *ennen kaikkea* above all *kaikesta huolimatta* in spite of everything *kesken kaiken* right in the middle of everything, unexpectedly, suddenly *Siinä on stereot ja kaikki* It's got a tape deck and everything *yhtä kaikki* (silti) still, (samantekevää) all the same, all one, a matter of indifference *tehdä kaikkensa* do your best, do everything in your power *adj* **1** all, (jokainen) every *kaikki naiset* all the women, every woman **2** (koko) all (of) (the), the whole *kaikki toivo* all hope *kaikki omaisuus* the whole property/estate, all (of) his/her wealth *Oppia ikä kaikki* Live and learn *kaikkea hyvää* all the best *kaikkea muuta kuin* anything but *kaikki muut* everyone else

kaikki aikanaan all in due time

kaikkialla everywhere, all over, throughout *kaikkialla Suomessa* all over/throughout Finland

kaikkien aikojen paras the best/greatest ever, the world's best/greatest

kaikki kaikessa everything, the whole world *Sinä olet minulle kaikki kaikessa* You're my whole world, you're the whole world to me, you're my everything, you're everything to me *Raha ei ole kaikki kaikessa* Money isn't everything

kaikki muut everybody else, all the others/rest

kaikkinainen all kinds/sorts of, of all kinds/sorts

kaikkineen *Hän lähti kamppeineen kaikkineen* She took everything and left, she didn't leave a trace of her behind

kaikkiruokainen omnivorous *Minä olen kaikkiruokainen* I'll eat anything (that won't eat me), I'm not particular

kaikkitietävä omniscient

kaikkitietäväinen know-it-all

kaikkivaltias *s* the Almighty *adj* almighty

kaikkiviisas all-wise, all-knowing

kaikkivoipa omnipotent, all-powerful

kaikota 1 leave, go away *Häneltä oli yleisö kaikonnut* He'd lost his audience, his audience had deserted him **2** (kadota) disappear, vanish **3** (pacta) flee, escape **4** (häipyä) fade (away)

kaiku 1 echo (myös kuv) **2** (äänen väri) sound, ring *outo kaiku äänessä* strange ring to a voice

kaikua 1 echo *Täällä kaikuu* There's an echo here **2** (raikua) resound, ring *naurun kaikuessa* amid(st) peals of laughter *kaikua korvissa* ring in your ears *kaikua kuuroille korville* fall on deaf ears

kaikupohja sounding board (myös kuv)

kaima namesake

kainalo armpit *nukkua isän kainalossa* sleep in your father's arms *hattu kainalossa* with your hat under your arm *kulkea jonkun kainalossa* (käsikynkkää) walk on someone's arm, (käsi ympärillä) walk with someone's arm around you

kainalohiki body odor (B.O.), (leik) armpit juice

kainalokuoppa armpit

kainalosauvat crutches

kaino 1 (arka) shy, bashful, timid, demure **2** (kainosteleva, kainostaan kaino) coy **3** (häpeilevä) modest, prudish

kainostelematon 1 (punastelematon) unblushing, unashamed **2** (häpeämätön) brazen, bold **3** (arkailematon) unhesitating, decisive, quick-witted **4** (kursailematon) unceremonious, direct, straightforward

kainostelematta 1 (punastelematta) unblushingly, unashamedly, with a straight face **2** (häpeämättä) brazenly, boldly **3** (arkailematta) unhesitatingly, without hesitation **4** (kursailematta) without ceremony, plainly, directly *sanoa kainostelematta* say it right/straight to his/her face

kainostella 1 (arastella) be shy/bashful/timid **2** (laskelmoivasti) play coy, play the coquette **3** (häpeillä) be modest/prudish **4** (hävetä) be ashamed/afraid to/of *Hän ei kainostele huonoa kielitaitoaan* She's not ashamed of her poor command of the language, she's not afraid of using her English, no matter how bad it is

kaipaus 1 (kaipaaminen) longing, yearning, pining *jättää kaipauksetta kotiseutunsa* leave your home town without a backward glance *kaipaus kotiin* homesickness **2** (halu) longing, wish, desire *paremman elämän kaipaus* wish for a better life **3** (suru) grief, sense of loss *Hän lähti suureksi kaipaukseksemme* We miss him terribly

kaipuu longing, yearning, pining

kaira 1 (pora) auger **2** (korpi) the backwoods/ wilds of Lapland

kairata drill, bore

kaislikko reeds, bulrushes

kaista 1 (maan, kankaan, paperin tms) strip **2** (vyöhyke) belt, (sot: lohko) sector **3** (taajuusalue) band **4** (ajokaista) lane **5** (kaistapäinen) off his/her rocker, out of his/her tree

kaistale strip, band, belt

kaistanleveys (tietok) bandwidth

kaita *v* tend, shepherd *adj* narrow, (vanh: ahdas) strait *kaita tie* (raam) the strait and narrow (path)

kaitafilmi (filmi) movie film, (elokuva) home movies

kaitakasvoinen thin-/narrow-faced

kaitselmus providence

kaitsija 1 (hoitaja) caretaker, guardian **2** (lauman, seurakunnan) shepherd **3** (lapsen) babysitter

kaiutin (loud)speaker

kaivaa 1 dig *kaivaa esiin* dig up/out, excavate (ks myös hakusana) *kaivaa maahan* dig in/to) **2** (sika) root, grub, (myyrä tms) burrow **3** (lapiolla) shovel, spade, scoop (out) **4** (tunneli) cut, blast **5** (kaivo) drill, sink **6** (nenää, hampaita) pick **7** (puuhun) carve *kaivaa nimikirjaimensa puuhun* carve your initials in a tree **8** (tavaroitaan) dig/rummage/plow (through) **9** (mieltä) gnaw/nag at, bother

kaivaa esiin dig up/out, excavate; (ruumiis) disinter, exhume; (salaisuus) dig/dredge up

kaivaa maata jonkun jalkojen alta under- mine someone

kaivaa muististaan dredge up out of (the depths of) your memory

kaivaa salat julki dig up dirt (on someone)

kaivaa sotakirveen maahan bury the hatchet

kaivaa verta nenästään be spoiling for a fight, be asking for it/trouble

kaivaja digger, excavator

kaivannainen mineral(s)

kaivanto 1 excavation, pit *rakennuskaivanto* building pit **2** (vallihauta) moat, (vesi- hauta) trench, ditch **3** (kanaali) canal

kaivata 1 (ikävöidä) long/yearn/pine for, miss *Kaipaan häntä niin kovasti!* I yearn for him tragically, I pine for him inconsol- ably, I miss him sorely **2** (haluta) want, wish, desire *En kaipaa kuin hetken rauhaa* All I want is a little peace and quiet **3** (kysyä) ask/look for, ask after *Joku kai- pasi sinua tänään* Someone was looking for you today, asking after you today **4** (tarvita) need, lack, miss, require *En kai- paa sinulta yhtään mitään* I don't need zip from you *Tämä paita kaipaa nappia* This shirt is missing a button, there's a button missing on this shirt *Asia ei kaipaa enem- piä selityksiä* The matter requires no fur- ther explanations

kaivaus excavation, (ark) dig

kaivautua 1 (sisään) dig (yourself) in (myös sot); (ulos) dig your way out **2** (myyrä tms) burrow (in)

kaivella 1 dig **2** (nenää, hampaita) pick **3** (ta- varoitaan) dig/rummage/plow (through) **4** (mieltä) gnaw/nag at, bother

kaiverrus engraving

kaivertaa 1 (kirjoitusta: metalliin) engrave, (puuhun) carve **2** (reikää) dig, scoop, gouge

kaivinkone excavator, power shovel, back- hoe

kaivo well *kaivaa kaivo* dig/sink a well *porata kaivo* drill a well *heittää rahaa Kankkulan kaivoon* throw money down the drain, down a well, out the window

kaivos mine

kaivostyöläinen miner, mine worker; (hiili- kaivoksessa) coalminer, pitman, (UK) col- lier

kaivovesi well water

kaivuri excavator, power shovel, backhoe

kajahtaa echo, ring, (re)sound; (kirkas kellon ääni) peal; (metallinen kellon ääni) clang; (laukaus) crack *kajahtaa tutulta* have a familiar ring (to it), sound familiar

kajakki kayak

kajastaa 1 (aamu) break, dawn (myös kuv) **2** (valo) gleam, glimmer, show/shine/glow dimly/faintly

kajastus 1 (auringonnousu) dawn, (run) dawn's early light; first rays of the morn- ing sun **2** (kajaste) gleam, glimmer, glow, faint/dim shine

kajota 1 (koske(tta)a) touch, lay a hand/fin- ger on *Tähän laatikkoon et saa kajota* This box is off limits, don't you dare lay a fin- ger/hand on this box **2** (käsitellä: esinettä) handle, (aihetta) touch upon, deal with, broach *Enkö kieltänyt sinua kajoamasta siihen?* Didn't I ask you never to broach /raise/mention that subject? *En halua kajota koko asiaan* I want to have nothing to do with that whole affair **3** (sekaantua) interfere (with), (tunkeutua) trespass (on), (lak) encroach (on)

kakara kid, (tuhma) brat *kauhukakara* infant terrible

kakata poop, make poopoo/doodoo

kakattaa 1 *Minua kakattaa* I have to go poop **2** *Voitko kakattaa Jussia?* Could you take Jussi to go poop?

kakistaa *kakistaa kurkkuaan* clear your throat *Kakista ulos!* Spit it out!

kakistelematta straight out, without hem- ming and hawing, without beating around the bush

kakistella hawk; (kuv) hem and haw

kakka poop, poopoo, doodoo

kakkahätä *Minulla on kakkahätä* I have to go poop

kakkamainen poopy; (kuv) icky, yucky

kakkara (leivän) biscuit; (hevosen) turd

kakkia poop

kakkonen 1 number/figure two **2** (kakkos-vaihde, toiselle sijalle kilpaillut) second *vaihtaa kakkoselle* put it/shift into second *olla kakkosena* come in (a good) second, be the runner-up **3** (korteissa) deuce

kakkosvaihde second

kakku 1 (täyte- tai kuivakakku) cake *Moni kakku päältä kaunis* All that glitters is not gold **2** (pikkukakku) cookie, (UK) biscuit **3** *istua kolmen vuoden kakku* do three years (in jail)

kako gonzo, bananas, nutsoid

kaksi two *kahdet kengät* two pair(s) of shoes *me/te kaksi* the two of us/you *kaksi kertaa viikossa/kuussa/vuodessa* (ilmestyvä/tapahtuva) biweekly/bimonthly/biannual(ly) *kaksi kertaa* twice, two times *Kaksi kertaa kaksi on neljä* Two times two is four *kaksi–kolme kertaa* two or three times, a couple-three times

kaksikerroksinen (talo) two-story, (bussi) double-decker

kaksikielinen bilingual

kaksikielisyys bilingualism

kaksikymmentä twenty

kaksikymmenvuotias twenty-year-old

kaksikymmenvuotinen twenty-year-old *kaksikymmenvuotinen ongelma* a twenty-year-old problem, a problem we've had for twenty years

kaksimielinen 1 (kaksiselitteinen) ambiguous **2** (rivo) suggestive, off-color, dirty

kaksimielisyys 1 (kaksiselitteisyys) ambiguity **2** (kaksiselitteinen sana tai ilmaus) double entendre **3** (rivous) off-color/suggestive remark/story

kaksin by ourselves/yourselves/themselves, just the two of us/you/them

kaksinaaminen two-faced, hypocritical, duplicitous

kaksinainen (kaksinkertainen) twofold, double; (kahdenlainen) of two sorts/kinds

kaksinaismoraali double standard

kaksinen *Ei se kovin kaksinen ollut* It wasn't too hot, it was nothing to write home about, it was no great shakes, it wasn't worth much

kaksineuvoinen 1 (fyysisesti: eläin) hermaphroditic; (kasvi) androgynous **2** (henkisesti: bisexuaali) bisexual, (ark) AC/DC; (perinteisten sukupuoliroolien jälkeinen) androgynous

kaksin kerroin folded, twofold

kaksinkertainen twofold, double; (WC-paperi) two ply; (ikkuna) double-glazed

kaksinkertaisesti doubly

kaksinkertaistaa double

kaksinkertaistua (be) double(d)

kaksinlaulu duet

kaksinumeroinen two-digit

kaksin verroin doubly, twice as much/good jne

kaksio one-bedroom apartment, two-room aparment

kaksipuolinen 1 two-sided **2** (taitettu) folio **3** (nurjaton) reversible **4** (lak ja pol) bilateral, bipartite

kaksipyöräinen two-wheeled

kaksisataa two hundred

kaksisataavuotisjuhla bicentennial

kaksiselitteinen ambiguous

kaksistaan (alone) together, just the two of them/us

kaksitellen two by two

kaksitoista twelve

kaksittain two by two, two at a time, in pairs

kaksituhatta two thousand

kaksivuotias *s, adj* two-year-old

kaksivuotinen two-year

kaksoiskappale duplicate, (ark valokuvista) dupe

kaksoisleuka double chin

kaksoisolento double, alter ego, doppelganger

kaksoispiste colon

kaksoissisar twin sister

kaksoisveli twin brother

kaksonen twin

kaksoset 1 twins **2** (horoskoopissa) Gemini

kaktus cactus

kala fish *kuin kala kuivalla maalla* like a fish out of water *Onko hän lintu vai kala?* Is he friend or foe? *mennä kalaan* go fishing *kalassa* (out) fishing *kala liikkuu* the fish are biting *pyytää kalaa* fish *tyynessä vedessä isot kalat kutevat* still waters run deep *kylmä kuin kala* cold as ice *mennä merta edemmäs kalaan* carry coals to Newcastle *mykkä kuin kala* mum as a mouse *olla kuin kala vedessä* feel right at home, feel like a pig in shit

kalakeitto fish soup
kalanhaju fish smell
kalanruoto fishbone
kalansilmä fish eye, (objektiivi) fish-eye lens
kalapuikko fishstick, (UK) fish finger
kalaretki fishing trip/expedition
kalaruoka fish; (ruokalaji) fish course
kalastaa 1 fish (for), go fishing **2** (kuv) fish /hunt (for), drum up
kalastaja fisherman
kalastella fish/hunt (for), drum up *kalastella kohteliaisuuksia* fish for compliments
kalastus fishing
kalastusaika fishing season
kalastuslupa fishing licence/permit
kalenteri calendar
kalenterikuukausi calendar month
kalenterivuosi calendar year
kalenterivuosittain by/each calendar year
Kalevala Kalevala
kalevalamitta Kalevala meter, trochaic tetrameter
Kalifornia California
kalifornialainen *s, adj* Californian
kalista (hampaat) chatter; (kattilat tms) clatter, rattle; (soivasti) jangle
kalistaa (kattiloita tms) clatter, rattle; (ketjuja tms) clank *Lakkaa kalistamasta niitä kattiloita!* Would you stop making such a racket with those pots and pans in there?
kalistella clatter, rattle, clank (ks kalistaa)
kalja beer, (kotikalja) near/small beer *lähteä kaljalle* go out for a few beers
kalju *s* baldie *adj* **1** (pää) bald(-headed) **2** (vuorenhuippu) bare, treeless
kaljupäinen bald(-headed)

kaijuuna 1 (laiva) galleon **2** (keulaparvi) cutwater
kaijuunakuva figurehead
kaijuuntua go bald, lose your hair
kalkita 1 (maalata) whitewash, limewash **2** (lannoittaa) lime
kalkkeutua 1 calcify **2** (ark) get old and set in your ways, go senile
kalkkeutunut 1 calcified **2** (ark) doddering, senile
kalkki 1 (lääk) calcium **2** (kem) lime **3** (malja) cup, chalice *tyhjentää kalkkinsa viimeiseen pisaraan* drain the bitter cup of sorrow to the last drop **4** (ark) old fart
kalkkikivi limestone, chalk
kalkkimaalaus fresco
kalkkis *s* old fart
kalkkiutua 1 calcify **2** (ark) get old and set in your ways, go senile
kalkkuna wild turkey
kallellaan 1 tilted, tilting, leaning/listing (to one side), slanting, aslant *pää kallellaan* with your head tilted (to one side) *lakki kallellaan* with cocked hat **2** *olla kallellaan vasemmalle* have leftist leanings
kalleus 1 (kallis hinta) high price, expensiveness **2** (arvoesine) valuable, treasure; (koru) jewel; (mon) valuables *perhekalleudet* (tav ja leik) family jewels
kallio rock, (jyrkänne) cliff
kallioinen *s* (kasv) fleabane *adj* rocky
kalliojyrkänne cliff, precipice
kallis 1 (hinta) expensive, costly, high-priced *kallis hinta* high price *Se käy sinulle kalliiksi* This is going to cost you (dearly) **2** (arvo) precious, (in)valuable, priceless *kuluttaa jonkun kallista aikaa* waste someone's valuable/precious time **3** (rakas) dear, precious, beloved *kallis synnyinmaa* beloved land of my birth
kallisarvoinen precious, (in)valuable, priceless, not to be had for love or money
kallistaa 1 (hintaa) raise/increase the price **2** (astiaa tms) tip, (kumoon) tip over **3** (pöytää tms) tilt **4** (askelmia tms) incline, cant **5** (laivaa: vähän, vahingossa) list, (kyljelleen korjausta varten) careen, (lentokonetta tms) **6** (lentokonetta) bank

7 (päänsä: lepoon) lay down, (päätään) incline **8** *kallistaa vaakaa* (myös kuv) tip the scales, tilt the balance

kallistaa korvansa bend/lend an ear (to)

kallistella (lasia) hit the bottle, tipple; (venettä) rock (the boat)

kallistua 1 (hinta) rise/go up/increase in price **2** (taipua johonkin suuntaan) lean, tilt, incline, cant, list, careen, heave (ks kallistaa) **3** (olla taipuvainen jollekin kannalle) lean, tend, be inclined *Alan kallistua sille kannalle, että rahat pitäisi saada ukuisin* I'm beginning to think/feel that we ought to get the money back

kallistus lean, tilt, inclination, cant, list

kallo skull; (ark) noodle, bean, nut *Se ei mahdu mun kalloon* I can't make head or tail of it, I can't figure it out, it's over my head *kova kallo* thick skull

kalmankalpea deathly pale, white as a ghost /sheet

kalmisto graveyard, cemetery

kalori calorie

kalotti 1 (kappale) calotte **2** (päälaki) crown, (lääk) calva(rium) **3** (lakki) skullcap, (katolinen) zucchetto **4** (kalottialue) the polar/arctic region, the Arctic

kalottialue the polar/arctic region, the Artic

kalpea 1 pale, white **2** (kuv) faint, dim, vague

kalsarit undies, shorts *pitkät kalsarit* long johns

kalsea 1 (ilma tms) cold *kalsea tuuli* a wind that goes right through you, that freezes you to the bone **2** (tunne tms) bleak, cheerless

kalsium calcium

kalskahtaa 1 (miekat) clash, (kaviot) clatter **2** (kuv) ring, sound *kalskahtaa tutulta* have a familiar ring to it, sound familiar *kalskahtaa epäilyttävältä* smell fishy

kalske clatter, clash

kaltainen like *sinun kaltaisesi ihmiset* people like you, (halv) the likes of you *Seura tekee kaltaisekseen* Like breeds like

kalterit bars *joutua kalterien taakse* wind up behind bars

kalteva inclined, leaning, slanting, sloping, (katto) pitched

kaltevuus 1 inclination, cant, pitch **2** (tien) gradient, grade, incline, slope

kaltoin *kohdella jotakuta kaltoin* treat someone badly, mistreat/abuse someone

kalu 1 thing, object *Ei siitä enää kalua tule* It's had it, it's beyond repair/fixing, its days are over **2** (käyttökalu) tool, utensil, instrument **3** (siitin: lääk) penis, (euf) organ, (ark) tool

kalustaa furnish

kalustamaton unfurnished

kaluste 1 piece of furniture **2** *kalusteet* (huonekalut) furniture, (kaapit) cabinets, (tekn: varusteet, laitteet) fittings, mountings

kalustettu furnished

kalusto 1 (välineet) equipment, gear; (varusteet) fittings; (työkalut) tools **2** (irtaimisto) stock, inventory; (autot) fleet, (junat) rolling stock, (karja) deadstock **3** (huonekalut) *olohuoneen/ruokasalin kalusto* living/dining room suite **4** (astiasto) *kahvi/teekalusto* coffee/tea service **5** (leik: hammasproteesi) teeth **6** *Hän kuuluu kalustoon* She's part of the family

kalustus 1 (kalustaminen) furnishing **2** *kalustukset* furnishings, furniture; (tekn) fittings, fixtures

kaluta gnaw on

kalvaa 1 (nakertaa) gnaw (at) **2** (hiertää) chafe, rub **3** (vaivata) gnaw/nag at, bother, gall

kalveta turn pale, go white **2** (haalistua) fade

kalvinilainen Calvinist

kalvo 1 (muovikalvo piirtoheittimiä varten) transparency **2** (kelmu) film, foil, sheet; (tekn) diaphragm **3** (anat) membrane **4** (pinta) surface

kalvosin (shirt) cuff

kalvosinnappi cufflink

kama 1 (roju ja huumeet) stuff, junk, (sl) shit **2** (kamat) things

kamala horrible, terrible, awful (myös kuv ja ark)

kamalasti horribly, terribly, awfully (myös kuv ja ark)

kamara 1 (maankuori) (earth's) crust *päästä takaisin maan kamaralle* (lento- tai laivamatkan jälkeen) feel the earth beneath your feet again, get back to solid ground **2** (nahka) rind *paistettu (sian)kamara* cracklin's

kamari 1 (huone) (bed)room, chamber **2** (parlamentissa) chamber, house **3** (poliisiasema) (police) station, precinct

kamarimusiikki chamber music

kamariorkesteri chamber orchestra

Kambodža Cambodia

kambodžalainen Cambodian

kameleontti chameleon

kameli camel

kamelia camelia, japonica

kamera camera

kameramies cameraman

kameranauhuri camcorder

kamerataide (valokuvataide) photographic art, (elokuvataide) cinematic art

Kamerun Cameroon

kamerunilainen *s, adj* Cameroonian

kamlina iron stove/heater

kammata comb

kammeta 1 (vääntää kammella irti) pry, wrench **2** (kääntyä) turn, swerve

kammio 1 (huone) chamber; (munkin) cell; (tutkijan) carrel, cubicle **2** (hauta) tomb **3** (sydämen) chamber, ventricle **4** (tekn) chamber, casing

kammo dread, (psyk) phobia

kammoa 1 (pelätä) dread, fear, be afraid of **2** (inhota) abhor, loathe

kammoksua 1 (pelätä) dread, fear, be afraid of **2** (inhota) abhor, loathe

kammota 1 (pelätä) dread, fear, be afraid of **2** (inhota) abhor, loathe

kammottaa fill (someone) with dread, terrify, horrify *En voi mennä sinne, minua kammottaa* I can't go in there, I'm scared

kammottava dreadful, horrible, terrible, awful (myös kuv)

kampa comb *panna kampoihin* resist, take a stand against

kampaaja hairdresser

kampaamaton uncombed, unkempt

kampaamo hairdresser, hair salon

kampanja campaign

kampanjoida campaign *lähteä kampanjoimaan* hit the campaign trail

kampata trip (up)

kampaus 1 (prosessi) combing, hairdressing **2** (lopputulos) hairdo

kampela flounder

kamppailla (tapella) fight/struggle (wth), do battle with **2** (kilpailla) compete (with)

kamppailu 1 (tappelu) fight, struggle, battle **2** (kilpailu) contest, competition

kamppaus tripping

kampeet 1 (vaatteet) clothes, threads, duds **2** (tavarat) stuff, junk, (sl) shit

kampsut stuff, shit *kimpsuineen ja kampsuineen* with the whole kit and kaboodle

Kamputsea Kampuchea, (nyk) Cambodia

kamputsealainen *s, adj* Kampuchean, Cambodian

kamu pal, buddy, mate

kana 1 (yl ja keitt) chicken; (emo) hen *kanan muisti* a memory like a sieve *katketa kuin kananlento* go over like a lead balloon *juoksennella kuin päätön kana* run around like a chicken with its head cut/chopped off **2** (kana-aivo) birdbrain, (silly) goose **3** *kuin Ellun kana* without a care in the world *täynnä kuin Ellun kana* stuffed to the gills *päissään kuin Ellun kana* drunk as a skunk

kanaali canal, (iso) channel

Kanaalisaaret Channel Islands

kanaalitunneli (Englannin kanaalin ali) Chunnel, Channel Tunnel, Eurotunnel

Kanada Canada

kanadalainen *s, adj* Canadian

kanaemo (mother) hen

kana kynimättä *Minulla on kanssasi kana kynimättä* I've got a bone to pick with you

kanala (talo) poultry farm/ranch, (rakennus) henhouse

kanaliemi chicken broth

kanalintu fowl, (mon) poultry

kananliha gooseflesh *olla kananlihalla* have gooseflesh, goose bumps

kananmuna (chicken) egg

kananpoika chick

Kanarian saaret the Canary Islands

kanava 1 (maant ja anat) canal **2** (TV, tietok ja kuv) channel

kandi BA (hum. kand.), (US) BS, (UK) BSc (luonnontiet. kand.); (sairaalassa) intern

kandidaatti 1 (hakija) candidate **2** (oppiarvo) bachelor, college grad(uate); (lääk kand) intern

kaneli cinnamon

kangas 1 (tekstiili) fabric, cloth **2** (maalattava tai maalattu) canvas **3** (metsämaa) a dry peaty forest with heavy moss and lichen cover

kangaskauppa fabric store

kangaskenkä cloth/canvas shoe

kangaspala piece of fabric

kangaspuut loom

kangastaa shimmer (like a mirage), (siintää) loom *kangastaa saavuttamattomissa* hover just out of reach, loom just over the horizon, be waiting just around the corner

kangastus 1 (näköharha) mirage **2** (unelma) (pipe-/day)dream, fantasy

kangerrella stumble/trip/limp along *kangerrella puheessaan* stumble/trip over words

kangertaa 1 stumble/trip/limp along **2** (kalvaa) gnaw/nag at, bother, gall

kangeta 1 (nostaa kangella) pry/prize (up /loose) **2** (kangistua) stiffen (up)

kangistaa stiffen

kangistua stiffen (up) *kangistua kaavoihinsa* get set in your ways, fall into a routine/rut

kani 1 (eläin) rabbit **2** (ark: panttilainaamo) pawnshop, (ark) hock *TV on kanissa* My TV's in hock, I pawned my TV

kaniini rabbit

kanisteri canister

kanjoni canyon

kankainen cloth, canvas *farkkukankainen* denim

kankea stiff (myös kuv) *kauhusta kankea* paralyzed/stiff/rigid with fear *kankea hymy* stiff/awkward/wooden smile

kankeakielinen slow of speech

kankealiikkeinen stiff

kankeasti stiffly

kanki 1 (rautakanki) pry bar **2** (harkko) bar, ingot

kankku buttock, cheek *leveät kankut* fat ass, wide butt

kankkunen hangover

kannanotto stance, stand, position *virallinen kannanotto* (julkilausuma) resolution

kannas 1 (maant) isthmus **2** (reen) runner end *Hyppää kannaksille!* Jump on (the runners)!

kannatella support, hold up

kannatin 1 (yl ja kuv tuki) support, stay, prop, brace **2** (tukipilari) stud, (alusta) rest, (konsoli) bracket, (kelkka) saddle

kannattaa 1 (kantaa fyysisesti) support, bear/hold/prop (up), carry *Tuo pöytä ei kannata sinua* That table won't bear your weight **2** (kantaa henkisesti) support, uphold, sustain *Sotainen kansa ei voi kannattaa rakkauslyriikkaa* A warlike people cannot sustain a tradition of love poetry **3** (tukea taloudellisesti) support, patronize, maintain **4** (tukea henkisesti) support, back, champion, stand up for **5** (puoltaa: ehdotusta) second; (mielipidettä) espouse, go along with, agree with; (ryhmää) adhere to *A: Kannatetaanko? B: Kannatetaan* A: Do I hear a second? B: Second! *Kyllä minä periaatteessa kannatan tuota ajattelutapaa, en vain usko että se tepsii tähän* I agree with you in principle, but in this case I don't think it will work **6** (hyödyttää) be worth(while) *Ei sinun kannata tulla* There's no need for you to come, don't bother coming, it's not worth your while to come *Kyllä sinne kannattaa mennä* Sure, it's worth going there, it's a worthwhile trip *Ei kannata kiittää* Don't mention it *Ei siitä kannata puhua* It's not worth talking about, no point talking about it **7** (olla tuottavaa) be profitable, pay *Rikos ei kannata* Crime doesn't pay *Isän ravintola ei enää kannata* Dad's restaurant isn't profitable any more, isn't bringing in a profit any more **8** (antaa kantaa) get someone to carry, have someone carry *kannattaa kuormansa aasilla* have the load hauled by donkey

kannattaja 1 (tukija) supporter, backer, benefactor **2** (seuraaja) adherent, follower, disciple **3** (liittolainen) ally, sympathizer, partisan **4** (puolestapuhuja) advocate, proponent

kannattamaton unprofitable *Liike alkaa olla kannattamaton* The business is hardly profitable any more, is bringing in smaller and smaller profits, is verging on unprofitability

kannattamattomuus unprofitability

kannattava 1 (rahallisesti) profitable, paying *Onko se kannattavaa puuhaa?* Does it pay? **2** (henkisesti) worthwhile *Olisiko se kannattava menettely?* Do you think the course would be worthwhile/helpful/useful, would help me, would be of some use to me? **3** (fyysisesti) supporting, bearing

kannattavuus profitability, worthwhileness

kannatus 1 (tuki) support, backing *Voinko luottaa sinun kannatukseesi?* Can I count on your support? **2** (suostumus) acceptance, approval, endorsement *Onko tämä saanut johtokunnan kannatuksen?* Has this been approved of by the board? **3** (apu) assistance, aid *Ilman sukulaisten kannatusta emme olisi pärjänneet* Without help from relatives we never would have made it **4** (liittyminen) adherence *puolueen kannatus* adherence to a party

kanne (law)suit, (legal) action *nostaa kanne jotakuta vastaan* sue someone, file a (law)suit against someone, bring (legal) action against someone *ajaa kannetta jotakuta vastaan* prosecute someone

kannella 1 (lapsi) tattle/rat on, squeal *Sä kantelit!* You tattled/ratted on me! You squealed! **2** (lak) file/lodge a (formal) complaint

kannellinen 1 (astia) covered, with a lid *kannellinen purkki* a jar with a lid **2** (laiva) decked

kannettava puhelin portable telephone; cellular phone

kannibaali cannibal

kannibalismi cannibalism

kannikka heel (of bread)

kannin handle, strap *heikoissa kantimissa* in bad shape, on shaky ground, skating on thin ice

kanniskella carry/lug/haul around/about *Olen kanniskellut näitä kasseja koko päivän* I've been lugging these bags around all day

kannu (maitokannu) pitcher; (tee/kahvikannu) tea/coffee pot, (viinikannu) flagon, (kastelukannu) watering can

kannus spur *ansaita kannuksensa* win your spurs

kannustaa 1 (hevosta) spur (on) **2** (ihmistä) encourage, support, urge/egg/spur (on)

kannuste incentive

kannustin spur, incentive

kanootti canoe

kansa 1 (ryhmittymä: yl) the people, the public, the populace; (halventava) the masses, the rabble; (geopoliittinen) the nation; (henkinen) a culture **2** (ihmiset) people; (murt) folks; (kuluttajat) consumers, the consumer

kansainvälinen *s* Internationale *adj* international

kansainvälistyä internationalize, go international

kansainvälisyys internationalism

kansakoulu elementary/grade school; (US/UK yl) primary school

kansakunta nation

kansalainen citizen

kansalaisoikeudet civil rights

kansalaisuus citizenship, nationality

kansallinen 1 national **2** ethnic

kansallislaulu national anthem

kansallismielisyys nationalism

kansallispuku national costume

kansallisromantiikka national romanticism

kansallisruoka national/ethnic food

kansallistaa nationalize, socialize

kansallisuus 1 (kansalaisuus) nationality **2** (kansakunta) nation

kansallisuusaate nationalism

kansanedustaja (US) member of Congress; (UK/Suomi) member of Parliament

kansanedustuslaitos (US) Congress, (UK /Suomi) Parliament

kansanlaulu folk song

kansanluonne national character

kansanomainen 1 popular, (ark) folksy **2** (kansankielinen) vernacular **3** (yleistajuinen) easily/generally accessible/intelligible **4** (alentuva) democratic, liberal

kansanomaistaa popularize

kansanrunous folk poetry, folklore

kansansatu folk tale

kansansoitin folk instrument

kansansävelmä folk tune

kansantajuinen (easily) assessible/comprehensible, easy to read

kansantajuistaa popularize

kansanvalta democracy

kansanvaltainen democratic

kansanäänestys popular election

kansi 1 (astian tms) lid, (laatikon tms) cover, (taskun) flap, (kierrekorkki) cap, (tekn) hood, (kirjan) cover, (pöydän) top *lukea kirja kannesta kanteen* read a book from cover to cover **2** (laivan) deck *kannen alla* below decks *kannella* on deck *Kaikki miehet kannelle!* All hands on deck! **3** (taivaan) vault (of heaven)

kansikko folder

kansikuva cover photo/picture

kansikuvatyttö cover girl

kansio 1 folder, notebook **2** (tietok) folder

kansleri chancellor

kanslia 1 (toimisto) office, bureau **2** (hist UK) chancery, chancellery; (kansainvälisen yhdistyksen) secretariat

kanslisti 1 (toimistovirkailija) secretary **2** (pol, diplomatiassa) government/chancery clerk

kansoittaa 1 (asuttaa) settle, colonize, populate **2** (tulla joukoittain) throng, crowd, fill; (ark) jam, pack *Turku on viime päivinä ollut ylioppilaiden kansoittama* For the last few days Turku has been jammed/packed/crowded with high school graduates

kansoittua 1 be(come) colonized/settled/populated **2** fill up, be crowded/jammed/packed

kanssa 1 (yhdessä jonkun kanssa) with, and, *tehdä työtä jonkun kanssa* work with someone *Minä menin Ritvan kanssa* Ritva and I went *Minä tulen hulluksi sinun kanssasi!* You're driving me crazy! *yhtä tyhjän kanssa* a waste of time, a pointless exer-

cise *mennä ajan kanssa* take your time, leave yourself plenty of time **2** (suhteessa johonkuhun) to *naimisissa jonkun kanssa* married to someone *sukua jonkun kanssa* related to someone, someone's relative *minun kanssani samanikäinen* the same age as me **3** (jotakuta vastaan) against *joutua sotaan Libyan kanssa* go to war against Libya *joutua vastakkain jonkun kanssa* come up against someone, confront someone **4** (myös) too, also *Ei kun sinä tulet kanssa!* No, you're coming too! **5** (kyllä) sure, really *Se on kanssa outo tyyppi* He sure/really is a weirdo

kanssakäyminen relations, intercourse *sosiaalinen kanssakäyminen* social relations/intercourse *seksuaalinen kanssakäyminen* sexual relations/intercourse

kanta 1 (tekn) support, saddle, stock; (lampun) base; (lasin) foot, stem; (jalokiven) setting; (reen kannas) runner end; (naulan) head *Osuit naulan kantaan* You hit the nail on the head **2** (jalan kantapää, kengän kanta) heel *ihan kannoilla* right on someone's heels **3** (geom, tietok) base *tietokanta* database *kolmion kanta* the base of a triangle **4** (kasv: lehden) stem, (mansikan) hull; (sienen) stipe *poistaa mansikan kanta* hull a strawberry **5** (biol: bakteerikanta) strain; (eläinkanta) population, stock **6** (lipun) stub **7** (kiel: sanan) stem, root **8** (mielipide) opinion, position, stance *asettua jollekin kannalle* take a position (on an issue) *asettua kielteiselle kannalle* decide against something *asettua odottavalle kannalle* decide to wait (and see) *minun kannaltani* from my point of view, from where I stand, as I see it **9** (tila) state, condition *Sinun asiasi ovat nyt suhteellisen hyvällä kannalla* You're pretty well set, things are looking fairly good for you right now

kantaa *tr* **1** (kuljettaa) carry *kantaa säkkiä olalla* carry a sack on your shoulder *vene kantaa kahdeksan henkeä* the boat carries eight (people) **2** (kannattaa; kantaa hedelmää; kuv: kestää) bear *Hanki ei kanna* The snow won't bear your weight, you can't walk on the snow crust *kantava seinä* load-bearing wall *kantava hedelmää* bear fruit (*myös kuv*) *kantaa ristinsä* bear your cross(es) **3** (*kuljettaa jonnekin*) take; (*jostakin*) bring, fetch *kantaa roskia ulos* take out the trash *kantaa puita sisään* bring/ carry in some firewood **4** (*olla raskaana: nainen*) be pregnant, be with child; (*emo*) be with young, (*lehmä*) be with calf, (*tamma*) be with foal *jne* **5** (*poikia*) drop *kantaa sonnivasikka* drop a bull calf **6** (*tuottaa*) bear, yield, produce *kantaa runsas sato* yield/produce an abundant crop **7** (*posti*) deliver **8** (*vero*) levy **9** (*vastuu*) carry, bear, shoulder *itr* (*sinkoutua, ulottua*) carry, (*paitsi silmä:*) see, reach *Keihäs/ääni kantoi pitkälle* The javelin/ voice carried a long way *niin pitkälle kuin silmä kantoi* as far as the eye could see

kantaa kaunaa hold/nurse a grudge

kantaa kortensa kekoon add your two bits (*or* something), do your part/share, contribute

kantaa ottava polemical, argumentative

kantaa posti deliver the mail

kantaa seuraukset suffer the consequences

kanta-asiakas regular (customer)

kantaa vastuu carry/bear/shoulder your responsibility

kantaesitys premiere

kantaja 1 (*postin*) carrier, (*sanomalehtien*) delivery boy/girl **2** (*matkatavaroiden:* hotellissa) bellhop, (lentokentällä) porter, skycap **3** (*lipun*) bearer **4** (*ruumisarkun*) pallbearer **5** (*veron*) collector **6** (*syytteen nostaja*) plaintiff **7** (*valituksen tekijä*) complainant

kantama range, -shot *kuulon kantaman päässä/ulkopuolella* within/out of earshot *silmän kantaman päässä/ulkopuolella* within/out of sight *kiväärin kantaman päässä/ulkopuolella* within/out of gunshot/firing range

kantamus load, burden

kantapaikka (*our*) favorite place

kantapää heel *kiireestä kantapäähän* from top/head to toe *oppia kantapään kautta* learn the hard way

kantarelli chantarelle

kantasuomalainen *s* Proto-Finn *adj* Proto-Finnic

kantautua 1 (*kantaa*) carry, be carried, reach *Kaukainen ukkosen jyrinä kantautui korviimme* We heard the faint rumbling of distant thunder *ääni kantautuu pitkälle* the sound carries far *Tietooni on kantautunut että* It's come to my knowledge that, word has reached me that **2** (*ajautua*) drift, wash (up) *rannalle kantautunut airo* an oar that washed up on the beach *Lika kantautuu jaloissa sisälle* Dirt is tracked in/to(the house) on people's shoes

kantavuus 1 (*tien, sillan tms*) maximum load **2** (*palkkien tms*) loadbearing capacity **3** (*jään tms*) carrying capacity *Mikä on jään kantavuus?* How much (weight) will the ice carry? **4** *kokeilla siipiensä kantavuutta* test/try your wings **5** (*äänen, tykin*) range **6** (*merkitys*) significance, bearing

kantelu 1 (*lapsen*) tattling, squealing **2** (*lak*) complaint

kantelupukki tattletale

kanto 1 (*kaadetun puun alaosa*) stump **2** (*kantaminen*) carrying, bearing **3** (*veron*) collection

kantokyky 1 (*tien, sillan tms*) maximum load **2** (*palkkien tms*) load-bearing capacity **3** (*laivan*) tonnage **4** (*jään tms*) carrying capacity *Mikä on jään kantokyky?* How much (weight) will the ice carry? **5** (*maksukyky*) solvency

kantri country (*and western*) (*music*)

kantrilaulaja country singer

kantrimusiikki country (*and western*) (*music*)

kantti 1 (*reunus*) edge, border *katsoa asiaa joka kantilta* consider something from all sides **2** (*rohkeus*) the nerve *Ei kantti kestänyt* He lost his nerve, he chickened out *Minulla ei ole kanttia mennä sinne* I'm too chicken/scared to go in there *Miten sinulla voi olla kanttia sanoa noin?* How dare you say that? **3** (*tila*) *huonolla kantilla* bad off, on shaky ground

kanttori cantor, choir-director; (*ark*) organist

kanuuna 1 (*sot*) cannon **2** (*urh*) crack shot

kapakka bar, tavern; (*UK*) pub *kiertää kapakoita* go bar-hopping

kapasiteetti capacity

kapea 1 (ahdas) narrow 2 (solakka) thin, slender 3 (niukka) meager, scanty

kapeikko 1 (maalla) pass, defile, gap 2 (merellä) strait(s)

kapellimestari conductor

kapeus narrowness, thinness, slenderness, scantiness (ks kapea)

kapina 1 (hallitusta vastaan) rebellion, revolt, insurgency *nousta kapinaan* rise up in rebellion/revolt (against), rebel/revolt (against) 2 (laivan kapteenia tai sotilasjohtoa vastaan) mutiny 3 (tiettyä käytäntöä tms vastaan) rebellion, protest, resistance

kapinallinen s 1 (hallitusta vastaan) rebel, insurgent 2 (laivassa ja armeijassa) mutineer *adj* 1 (hallitusta vastaan) rebellious, rebelling, insurgent 2 (laivassa ja armeijassa) mutinous

kapine 1 (esine) thing (myös kuv); (mon) things, stuff *Kylläpäs sinä olet outo kapine!* You sure are a strange thing (väline) tool, instrument

kapinoida 1 rebel, revolt, rise (up in rebellion/revolt against) 2 (laivassa ja armeijassa) (rise up in) mutiny 3 (vastustaa) rebel against, protest (against), resist

kapinoitsija rebel, revolutionary, insurgent

kapinoiva rebellious

kapistus thing (myös kuv); (mon) things, stuff

kapitalismi capitalism

kapitalisti capitalist

kapitalistinen capitalist(ic)

kapitoli capitol (building)

kappa 1 (kirjain) kappa 2 (tilavuusmitta, 4,58 l) halpf a peck, (lähin vastine) gallon 3 (takki) cloak, coat; (alba) robe, gown

kappale 1 (pieni pala) piece, bit; (puun, kiven) piece, chunk; (kakun tms) piece, slice; (appelsiinin) piece, slice, section; (lihan) piece, slice, cut; (paperin) scrap; (rikotun astian tms) fragment, piece *kappale elämää* a slice of life *vaatekappale* a piece/article of clothing *kiusankappale* nuisance, pain in the neck/ass 2 (teatterissa tai essee: ark) piece *musiikkikappale* piece of music *Joko olet nähnyt Turkan uuden kappaleen?* Have you seen Turkka's new piece/play yet? 3 (kirjan tms osa: sisennetty) paragraph, (epämääräinen jakso) passage 4 (myytävä kappale) item, unit, (kirja/lehti) copy *9 €/kpl* 9 euros each/apiece *Otan 20 kappaletta kananmunia* I'll take 20 eggs 5 (jäljennös) copy *kahtena/kolmena kappaleena* in duplicate/triplicate *Saanko oman kappaleeni?* Do I get my own copy? *alkuperäinen kappale* original 6 (taivaankappale) (heavenly) body

kappalehinta item price

kappaleiksi *leikata kappaleiksi* cut up in(to) pieces/sections/segments, segment *hajottaa kappaleiksi* smash into (a million) pieces, into smithereens

kappaleittain piecemeal, one (unit/item) at a time

kappaletavara 1 (kaupan hyllyssä) single-item merchandise, commodities sold by the item/unit 2 (rahtina: junassa) less-than-carload lot (LCL), (partload traffic) LTL parcelled freight; (laivassa) general cargo

kappeli chapel

kapsahdus (kavioiden) clatter (of hooves)

kapsahtaa jonkun kaulaan throw yourself into someone's arms

kapsahtaa pystyyn jump up

kapse clatter

kapseli 1 (pilleri, avaruuskapseli) capsule 2 (kierrekorkki) (bottle)cap 3 (tekn: vaippa) jacket, casing, guard

kapsäkki suitcase *pakata kapsäkkinsä ja lähteä* pack your bags and go

kapteeni captain

kapula 1 stick *heitellä kapuloita rattaisiin* throw a wrench in the works 2 (suukapula) gag 3 (viestijuoksussa) baton

kapulakieli bureaucratese *kapulakielinen sana* buzzword

kara 1 (tekn) spindle, shaft, pin, tongue; (pultin) shank, (kellon) arbor 2 (hedelmän) stem

karaatti carat

karabiineeri 1 (vanh: sotilas) carbineer 2 (italialainen poliisi) carabinieri

karaista 1 (terästä) temper 2 (itseään) toughen, strengthen, steel 3 (kurkkuaan) clear your throat

karaistua be(come) inured (to)

karamelli 1 (makeinen) candy, (UK) sweet; (mon) sweets **2** (poltettu sokeri) caramel

karamellipussi bag of candy

karata 1 escape, run away, flee, fly **2** (rakastettunsa kanssa naimisiin) elope **3** (sotaväestä) desert, go AWOL (absent without leave) **4** (varastettujen varojen tms kanssa) abscond, run/make off (with the goods/proceeds/money)

karboni carbon

kardemumma cardemom, cardemum, cardemon

kardinaali cardinal

kardinaaliluku cardinal number

karhea 1 rough, coarse (myös kuv) **2** (ääni) husky, gruff **3** (kurkku: käheä) hoarse, (kuiva) dry, parched

karhentaa coarsen, roughen

karhu 1 (eläin) (grizzly, brown) bear *Älä herätä nukkuvaa karhua* Let sleeping dogs lie *väkevä kuin karhu* strong as an ox **2** (muistutus) reminder

karhukirje reminder

karhunpalvelus backhanded favor, disservice

karhunpoikanen bear cub

karhuta (asiakasta laskusta) send a reminder, (velkojaa velasta) dun

kari 1 rock **2** (vedenalainen: riutta) reef, (särkkä) shoal *ajaa karille* run aground **3** (vaara) danger, hazard, pitfall *ajautua karille* founder, miscarry *Avioliittomme on karilla* Our marriage is on the rocks

karikko rocks, reef, shoal (ks kari)

karilleajo running aground

karisma charisma

karismaattinen charismatic

karista fall/drop (off); (kuv) fall/drop away

karistaa 1 (puu lehtiään) drop, lose **2** (saada karisemaan) shake down/off, knock off **3** (kannoiltaan) shake off, lose, outdistance *karistaa vastuu harteiltaan* shrug off responsibility, shirk your respoibility **4** (siemenet kävyistä) extract

kariutua go on the rocks (myös kuv), founder

karja 1 (eläimet) (live)stock, (nautakarja) cattle **2** (ihmiset) the masses, the rabble, the common run of mankind

karjahtaa bellow, roar

karjaista bellow, roar

Karjala Karelia

karjala (kieli) Karelian

karjalainen Karelian

karjalanpiirakka Karelian pie

karjapaimen cowboy

karjua bellow, shout, holler

karkaisematon untempered

karkaista 1 (terästä) temper **2** (karaista) bellow

karkaistu tempered

karkaisu tempering

karkauspäivä leap(-year) day

karkausvuosi leap-year

karkea 1 (karhea) coarse, rough **2** (töykeä) coarse, rude, gross **3** (summittainen) rough, ballpark **4** (iso, paha) big, serious, grave *karkea virhe* serious mistake

karkeasti roughly

karkki candy

karkota vanish, go away *ei saada ajatusta karkkoamaan mielestä* not be able to get a thought out of your head *Ystävätkin karkkosivat hänen luotaan* Even his friends left him, drifted away

karkottaa 1 banish, drive/send out/away **2** (maasta) deport, (maanpakoon) exile, (rangaistussiirtolaan) (sentence to) transport(ation) **3** (pelkoja tms) dispel

karkotus 1 banishment **2** (maasta) deportation **3** (rangaistussiirtolaan) transportation

karkumatka flight *karkumatkalla* on the run

karkuri 1 escapee, (vars lapsi) runaway *vankikarkuri* escaped convict **2** (sot) deserter

karkuteillä on the run *olla karkuteillä* be a fugitive (from justice)

karkuun away *päästä karkuun* get away, escape

karmea gruesome, grotesque; (myös kuv) horrible, terrible, awful

karmeasti grotesquely, horribly, terribly, awfully

karmi (door/window) frame

karmia *Selkäpiitäni karmii kun ajattelenkin sitä* The very thought gives me the chills/creeps, sends chills up and down my spine

karmiva (spine-)chilling, creepy
karnevaali carnival
karpalo 1 (marja) cranberry **2** (pisara) bead, drop
karri curry
karsastaa squint
karsia 1 (puuta tms) prune, trim **2** (tekstiä) cut, delete, excise **3** (hakijoita) screen, narrow down (the field), winnow out **4** (urh) eliminate
karsinta 1 (puun) pruning, trimming **2** (tekstin) cutting, deletion, excision **3** (hakijoiden) screening **4** (urh) elimination
karsintaottelu playoff(s)
karsiutua 1 (oksa tms) drop/fall off **2** (hakija, urheilija) be eliminated
karsta 1 (karsi) (en)crust(ation); (kuona) slag; (noki) soot; (sytytystulpan) carbon deposit **2** (kehruussa) card
karstata 1 (get) clog(ged) with slag/soot *Tulpat ovat karstoittuneet* The plugs are clogged **2** card
kartano 1 (tila) manor, estate **2** (talo) manor house, (kaupungissa) mansion
kartanpiirtäjä cartographer
kartasto atlas
kartelli cartel
karttoittaa 1 map, (merialuetta) chart, (mitata) survey **2** (kuv) map/plan/chart (out)
kartoitus mapping, charting, planning, surveying
kartonki 1 (kova paperi) paperboard, pasteboard **2** (pakkaus) carton
kartta map, (merialueen) chart
karttaa avoid, stay away from, shun
karttapallo globe
karttua grow, increase *Hänelle karttuu ikää* He's growing up **2** (korko) accrue **3** (omaisuutta) accumulate, (ark) pile up
kartuttaa 1 (suurentaa) add to, augment, increase, enlarge *Kartuttaa tietojaan* expand/broaden your knowledge **2** (nostaa, parantaa) enhance **3** (kasata) accumulate, amass
karu 1 (maasto: autio) barren, desolate; (vaikeakulkuinen) rough, rugged **2** (maaperä: hedelmätön) barren, infertile; (niukka)

poor, meager; (kuiva) arid **3** (elämäntapa: askeettinen) austere, ascetic; (säästäväinen) frugal, penny-pinching; (yksinkertainen) simple, plain **4** (ihminen: jäyhä) brusque, gruff
karuselli carousel, merry-go-round
karva 1 hair; (mon) hair, (eläimen) fur *Se vasta nosti karvani pystyyn* That really raised my hackles *silittää vastakarvaan* rub/go against the grain **2** (luonne) character, colors *näyttää todelliset karvansa* show your true colors
karvainen hairy, furry
karvan varassa hanging by a thread
karvan verran *mennä karvan verran ohi* miss something by a hair('s breadth)
karvas kalkki bitter cup, cup of bitterness
karvas pala bitter pill to swallow
karvas totuus the bitter/painful truth
karvaton hairless
karvat pystyssä horrified, aghast
karviainen gooseberry
kas so, (I/you) see *Kas juttu on näin* See, here's the deal
kasa pile, heap *heittää kasaan* throw (things) in a pile *lysähtää kasaan* collapse (in a heap) *yhdessä kasassa* all scrambled/mixed/jumbled up together (in one pile)
kasaantua pile/build up, accumulate; (lumi) (pile up in) drift(s)
kasaantuma 2 (geol ym) buildup, conglomeration, accumulation **2** (töiden tms) backlog
kasarmi barracks
kasassa (pinossa) in a pile/heap; (valmiina) laid out, ready; (koossa: jää kääntämättä) *Minulla on rahat kasassa* I've got the dough
kasata 1 (tehdä läjä) pile, heap; (pinota siististi) stack **2** (kerätä) accumulate, amass, pile up **3** (ark koota) assemble, put together *kasata polkupyörä* assemble a bike
kasetti (äänikasetti) cassette, (filmikasetti) cartridge
kasettinauhuri cassette/tape recorder
kasettisoitin cassette player
kasino casino

kasinotalous

kasinotalous casino economy

kas kas! well well!

kasku anecdote, story

kas noin! there!

kasoittain piles, heaps, loads *Hänellä on kasoittain rahaa* He/she has piles/loads of money, she's loaded

kassa 1 (maksupaikka: kaupassa) cashier, check-out counter; (teatterissa) box office; (pankissa) teller('s desk); (yhtiön) pay/cashier's office **2** (käteisvarat) cash (on hand) *päivän kassa* the day's receipts

kassakone cash register

kassakuitti cash receipt

kassamenestys box-office hit

kassanhoitaja cashier, (ark ruokakaupassa) check-out person

kastaa 1 (upottaa nesteeseen) dip/dunk/immerse (in) *kastaa munkkinsa kahviin* dunk your doughnut in coffee **2** (kirk) baptize, (ristiä) christen **3** (ark kastella) water

kastaa laiva christen a ship

kastanja chestnut

kaste 1 (aamukaste) dew **2** (kirk) baptism *upotuskaste* full-immersion baptism

kastehelmi dewdrop

kastella (kukkia) water, (rätti tms) wet, (viljapeltoa) irrigate

kastella vuoteensa wet your bed

kastelu (kukkien) watering, (peltojen) irrigation, (vuoteen) bedwetting

kasti 1 (Intiassa) caste **2** (kirjapainossa) case

kastike sauce: (lihakastike) gravy, (salaatinkastike) dressing

kastraatio castration

kastroida castrate

kastua 1 get wet, (läpimäräksi) get drenched /soaked (to the skin) **2** (painissa) touch the mat

kas tässä here you are/go

kasvaa *tr* **1** (tuottaa) produce, yield, bear, bring forth *kasvaa heinää* produce hay **2** (korkoa) accrue **3** (pituutta) grow taller *itr* **4** (joksikin) grow (up/into) *kasvaa isoksi* grow up *kasvaa kauniiksi naiseksi* grow up to be a beautiful woman, grow into beautiful womanhood **5** (lisääntyä)

grow, increase *jännitys kasvaa* the suspense builds **6** (laajeta) expand; (kuu) wax

kasvaa korkoa accrue interest

kas vain! imagine! think of that! well I never!

kasvain 1 (lääk) tumor **2** (biol) shoot

kasvattaa 1 (partaa, tukkaa) (let) grow *kasvattaa partaa* grow a beard *kasvattaa pitkä tukka* let your hair grow long **2** (eläimiä, viljaa tms) grow, raise; (hevosia) breed **3** (lapsia) rear, bring up, raise **4** (kouluttaa) educate, school, (tiettyyn tehtävään) train **5** (lisätä) increase *kasvattaa etumatkaa* increase your lead, pull out further in front

kasvattaja 1 (viljan tms) grower, (karjan) breeder **2** (kouluttaja) educator, pedagogue

kasvatti 1 foster child; (holhokki) ward **2** (opetuslapsi) disciple, pupil

kasvatti-isä foster father

kasvatuslapsi foster child

kasvattivanhemmat foster parents

kasvattiäiti foster mother

kasvatuksellinen educational, pedagogical

kasvatus 1 (viljan tms) cultivation, growing; (karjan) breeding **2** (lasten) childrearing, parenting, upbringing; (hyviin tapoihin) breeding **3** (koulutus) education, schooling; (tiettyyn tehtävään) training

kasvi plant

kasvihuone greenhouse

kasvillisuus vegetation, flora; (aluskasvillisuus) underbrush

kasvinsyöjä vegetarian

kasvis vegetable

kasvisruoka vegetarian food/diet

kasvisto 1 (kasvit) flora **2** (kokoelma) herbarium

kasvitarha vegetable garden

kasvot face *menettää kasvonsa* lose face *lyödä vasten kasvoja* hit a person in the face *sanoa vasten kasvoja* tell a person (something) to his/her face *valehdella jollekulle vasten kasvoja* tell a barefaced lie

kasvotusten face to face

kasvu 1 growth, growing **2** (kuv) increase, expansion

kasvusto 1 (kasv) population **2** (lääk) organisms

kataja juniper

katala treacherous, devious, deceitful

katastrofi catastrophe

kate 1 (peite) covering, roofing **2** (sekin) funds, (setelin) backing, coverage *Sekki palautettiin, kun tilillä ei ollut katetta* The check was returned due to insufficient funds, (ark) the check bounced *huolehtia sekkiensä katteesta* cover your checks **3** (kuv) reliability, trustworthiness *Sinun lupauksillasi ei ole enää minkäänlaista katetta* Your promises are worthless, I wouldn't trust you as far as I could throw you **4** (kattamus) place setting

katedraali cathedral

kateellinen envious, eating your heart out with envy; (ark) jealous

kategoria category

kateissa lost, missing

kateus envy *vihreänä kateudesta* green with envy

katiska (fish) trap

katkaisin (valon) switch, (pääkatkaisin) (circuit-)breaker, (automaattinen) cut-out

katkaista 1 cut (off), sever, split **2** (keskeyttää) interrupt, cut short, break off *Puhelumme katkaistiin* We got/were cut off **3** (poikkaista) break (off) *katkaista jalkansa* break your leg **4** (karsia) prune/trim /lop off **5** (amputoida) amputate **6** (matkata) do, make *katkaista taival kahdessa tunnissa* make the trip in two hours, do it in two hours

katkaista liikenne cut off/stop/block traffic, (pystyttää tiesulku) throw up a roadblock

katkaista neuvottelut break off negotiations

katkaista sopimussuhde terminate a contract

katkaista välit break up (with someone)

katkaisu 1 cutting/breaking (off) **2** (keskeytys) interruption

katkarapu prawn, shrimp

katkeamaton unbroken, uninterrupted

katkelma 1 (epämääräinen osa) fragment; (mon) snatches, bits and pieces *En kuullut kuin katkelmia heidän keskustelustaan* I only heard snatches of their conversation **2** (esitetty osa) excerpt, extract

katkera 1 (maku) bitter **2** (tunne) bitter, acrimonious, resentful

katkeraan loppuun saakka to the bitter end

katkera pala nieltäväksi a bitter pill to swallow

katkeroitunut embittered

katketa 1 break/snap/split off/in two *nauraa katketakseen* split your sides with laughter, bust a gut laughing *Minulta katkesi verisuoni* I burst/ruptured a blood vessel *Minun käteni katkesi* I broke an arm **2** (loppuun lyhyeen) be cut/broken off, be interrupted, break down *neuvottelut katkesivat* the negotiations broke down *puhelu katkesi* the call was cut off *Hänen äänensä katkesi* His voice broke **3** (romahtaa henkisesti) crack (up), break down, fall apart/to pieces **4** (mennä) go, pass *Matka katkesi nopeasti* The trip went fast, passed quickly *Matka katkesi tunnissa* We were there in an hour, we did it in an hour, we made it there in an hour

katko 1 (katkaistu paikka/aika) break, cut, interruption **2** (aukko) gap, discontinuity, aporia **3** (kasv) hemlock

katkonainen broken, discontinuous

katkoviiva broken line

katku (bensan tms) fumes, (savun) smell

kato 1 (sadon) crop failure **2** (kuv) disappearance, absence **3** (kiel) elision *alku-h:n kato cockney-murteessa* elision of initial h in the Cockney dialect

katoamaton (ikuinen) everlasting, eternal; (häviämätön) imperishable, unfading; (kuolematon) undying, immortal

katoavainen (kuolevainen) perishable, impermanent, mortal; (ohikiitävä) evanescent, fleeting, transient

katolilainen Catholic

katolinen Catholic

katolisuus Catholicism

katos 1 (kyhätty) shelter, lean-to **2** (vuoteen) canopy **3** (autokatos) carport

katovuosi famine year

katsastaa 1 (tarkastaa) inspect, examine, (varastojaan) inventory *katsastaa auto* inspect a car, conduct a car inspection

katsastus

2 (sot) inspect, review **3** (katsella) take a look around (at things), check things out

katsastus (yl) inspection; (auton) motor vehicle inspection

katsaus 1 look, glance *jo ensi katsauksella* even at first sight **2** (yleisesitys) survey, overview, review

katse look, glance *irrottaa katseensa jostakin* take your eyes off something *luoda katse johonkin* cast a glance at, take a look at, fix your eyes on *Jos katse voisi tappaa* If looks could kill *luoda katse tulevaisuuteen* look to the future

katselija (urh) spectator; (tarkkailija) observer; (satunnainen); onlooker, beholder

katsella 1 (katsoa) look (at), (seurata) watch, (nähdä) see, (tuijottaa) stare (at) *katsella jotakuta pitkin nenänvarttaan* look down your nose at someone *katsella kaupunkia* see the (sights in) town, go sightseeing in town, do the town **2** (etsiä) look/hunt for, try to find, (tarkistaa) check (around) *katsella itselleen asuntoa* look/hunt for an apartment **3** (miettiä) wait and see, consider *Täytyy katsella, tuleeko siitä mitään* We'll have to wait and see whether anything comes of it

katselu viewing

katsoa 1 look (at), (seurata) watch, (nähdä) see, (tuijottaa) stare (at) *Katso nyt kun selitän* Look, I'll explain *Katsohan, asia on näin* See, this is the deal *Katso minua ja tee sitten perässä* Watch me and do what I do **2** (tarkistaa) check, look up *katsoa sana sanakirjasta* look a word up in the dictionary *katsoa aika kellosta* check the time **3** (tarkastella) check (around), see whether/if *katsoa, onko ovi lukossa* check/ see whether the door's locked *katsoa, onko mitään jäänyt* check around to see if you're leaving anything behind **4** (huolehtia) look after, take care of, mind *katsoa lapsia* look after/take care of/mind children *Katso että hän ei unohda* See that he doesn't forget, make sure that he doesn't forget *Katso ettet rasita itseäsi liikaa* Be careful/mind you don't tire yourself overmuch **5** (miettiä)

(wait and) see, think about it, consider *Katsotaan* We'll (have to (wait and)) see **6** (pitää jonakin) consider, think, regard, look upon *katsoa pätevämäksi* consider someone qualified *katsoa tarpeelliseksi* think it necessary *katsoa asiakseen tehdä jotakin* take it upon yourself to do something, look upon it as your business to step in (and do something) **7** (korttipelissä) call *Minä katson* I call

katsoa hyväksi see fit (to)

katsoa kieroon squint (at); (kuv) frown on

katsoa läpi sormien wink at something, look the other way

katsoa toisella silmällä keep one eye on

katsoen in view/consideration of, in regard to, regarding, considering *inhimillisesti katsoen* in human terms, from a human point of view, humanly speaking *käytännöllisesti katsoen* practically speaking *olosuhteisiin katsoen* considering/in the circumstances *asiaa tarkemmin katsoen* upon closer scrutiny *päältä katsoen* on the surface, viewed superficially *opettajasta katsoen seuraava vasemmalla* the one to the left of the teacher

katsoja (urh) spectator; (TV:n) viewer; (katselija) onlooker, beholder

katsomatta johonkin without regard to, regardless of, irrespective of *sukupuoleen katsomatta* without regard to sex

katsomo 1 (istumapaikat) seats, stands, (urheilukentän) bleachers **2** (katsojat: esityksen) audience, (urheilutapahtuman) spectators

katsomus (point of) view, opinion, standpoint

kattaa 1 (talo) roof **2** (pää tms) cover **3** (pöytä) set **4** (kulut tms) cover, defray

kattava comprehensive

kattavasti comprehensively

katteeton 1 (shekki tms) uncovered *katteeton sekki* bad check, a check that's going to bounce **2** (lupaus tms) empty

kattila 1 (keittiössä) kettle, pot, saucepan *panna kattila tulelle* put the kettle on *pata kattilaa soimaa* the pot calling the kettle black **2** (tehtaassa) boiler

katto 1 (ulkopinta) roof *katolla* on the roof **2** (sisäpinta) ceiling *katossa* on the ceiling *syljeskellä kattoon* put your feet up, take it easy, get caught up on your doing nothing *hypätä raivosta kattoon* hit the ceiling/roof **3** (suoja) shelter, (peite) cover *päästä myrskyä pakoon katon alle* take shelter from the storm, get under cover out of the storm

kattoikkuna skylight, (vinokaton pystyikkuna) dormer (window)

katu street, road, avenue *heittaa kadulle* throw someone out (on his/her ear/ass)

katua 1 (tolvoa että olisi tehnyt toisin) regret, (ark) feel/be sorry, (run) rue *Tätä saat vielä katua* You'll live to regret this *Et ikinä kadu tätä* You'll never regret this *katua sitä päivää jolloin* rue the day on which **2** (usk) repent

katumus repentance, contrition; (katumusharjoitus) penitence, penance *tehdä katumusta* do penance, perform an act of contrition

kauan (for a) long (time) *Voitko istua tässä niin kauan kun* (=kunnes) *minä tulen takaisin?* Could you sit here until I come back? *Voitko istua tässä niin kauan* (=samaan aikaan) *kuin minä silitän paitoja silitän? Could you sit here as long as I'm ironing these shirts, while I iron these shirts? *Älä viivy kauan!* Don't be long! *Missä olet näin kauan viipynyt?* Where have you been all this time? *aika kauan* quite a while

kauas far (away/off), a long way *niin kauas kuin silmä kantaa* as far as the eye can see *näkyä/kuulua kauas* be visible/audible from a long way away/off

kauaskantoinen far-reaching

kauemmaksi further, farther (away/off)

kauemmas further, farther (away/off)

kauemmin longer

kauempaa from further/farther away/off

kauempana further, farther (away/off), at a greater distance

kauha 1 (ruokapöydässä) ladle, scoop, dipper **2** (kaivinkoneessa) scoop

kauhea horrible, terrible, awful (myös kuv)

kauheasti horribly, terribly, awfully (myös kuv)

kauhistella shudder at, be horrified at, be terrified by

kauhistus 1 horror, terror, fear **2** (usk) abomination *huorinteko on Herralle kauhistus* fornication is an abomination unto the Lord

kauhistuttaa horrify, terrify, frighten

kauhistuttava horrific, horrifying, terrifying, frightening

kauhu horror, terror, dread

kauhuelokuva horror movie

kauhukakara (rank) infant terrible

kauhuromaani horror novel

kauimmainen the furthest/farthest (away), the remotest, the most distant

kauimmas the furthest/farthest

kauimpana the furthest/farthest (away), the remotest, the most distant

kaukaa from far away/off, from a long way away, (run) from afar

kaukaa haettu far-fetched

kaukainen distant, remote, far-off

kaukaisuus distance, remoteness

kaukalo 1 (syöttökaukalo) trough **2** (jääkiekkokaukalo) rink

kaukana far away, a long ways/distance away

kaukokaipuu longing for faraway places, wanderlust

kaukonäköinen 1 (näkee hyvin) far-sighted **2** (ajattelee tulevaisuutta) foresighted, prudent

kaukopuhelu long-distance (phone) call

kaukoputki telescope

kaukosäädin remote control, remote

kaula 1 (ihmisen, pullon ym) neck *heittäytyä jonkun kaulaan* throw your arms around someone's neck *joltakulta menee sisu kaulaan* chicken out **2** (urh) gap, lead *juosta kaula kiinni* close the gap, narrow the lead

kaulakoru necklace, pendant

kaulia roll (dough)

kaulin rolling pin

kaulus 1 (paidan) collar **2** (housujen) waist(band)

kauna grudge *kantaa kaunaa* bear someone a grudge, carry a grudge against someone, resent someone (for doing something), something someone did

kauneudenhoito beauty care

kauneus beauty

kauneushoitola beauty salon

kaunis (ihminen) beautiful, lovely; (sievä) pretty, (komea) handsome, (söpö) cute, (hyvännäköinen) good-looking **2** (päivä) beautiful, lovely, gorgeous *eräänä kauniina päivänä löydät* one fine day you'll find **3** (lupaus: ironiaa) fine-sounding, pretty, fancy *Kylläpäs osasit järjestää meidät taas kauniiseen soppaan, Stanley!* This is another fine mess you've gotten us into, Stanley! *luvata yhdeksän hyvää ja kymmenen kaunista* promise the moon

kaunis kiitos high praise

kaunistaa beautify, increase/enhance/ improve/embellish your beauty *Vaatimattomuus kaunistaa* Modesty becomes one

kaunistelematon unadorned, unvarnished, unembellished

kaunistella 1 (itseään) beautify, (ark) do up **2** (totuutta) embellish, paint (something) in rosy colors, color (ark) doll up

kaunistus 1 beautification **2** adornment, decoration

kaunokirjailija writer, belletrist

kaunokirjallisuus literature, belles lettres

kaunokirjoitus cursive (writing)

kaunotar beauty

kaupalla 1 by *ihmeen kaupalla* by a miracle, miraculously *sattuman kaupalla* by chance, fortuitously *taistella henkensä kaupalla* fight for your life *juosta henkensä kaupalla* run for your dear life *pelastaa toveri henkensä kaupalla* risk your life to save your buddy's *kilokaupalla* by the kilo *tunti-/päivä-/viikko-/kuukausikaupalla* for hours/days/weeks/months on end **2** *käydä torilla marjan/marjoja kaupalla* sell berries at the marketplace **3** *vain sillä kaupalla että* only on the condition that

kaupallinen commercial

kaupallistua become commercial(ized)

kaupallisuus commercialism

kaupan for sale, on the market

kaupankäyntiajat (tal) trading hours

kaupanteko 1 (kauppa) business, commerce, trade **2** (kaupankäynti) buying and selling, trading, dealing **3** (tietyn kaupan teko) closing (a deal), transaction, sale **4** (kaupanhieronta) haggling, dickering, bargaining

kaupata (try to) sell, offer for sale, put on the market *kaupata taloaan* put your house up for sale

kauppa 1 business, commerce, trade, (vars laiton) traffic *kauppa-alalla* in business/ commerce/trade *kangaskauppa* the fabric business, trade in fabrics *Miten kauppa sujuvat?* How's business? *kauppa käy* business is good *käydä kauppaa* do business *käydä kauppaa jonkun kanssa* deal/trade with *käydä kauppaa jollakin* deal in, (loukkaavaa) traffic in *ulkomaankauppa* foreign trade *huumekauppa* drug traffic **2** (kaupankäynti) buying and selling, trading, dealing *olla/laskea kaupan* ks kaupan **3** (kaupanteko) deal, transaction, sale *edullinen kauppa* a good deal/bargain/buy *hieroa kauppaa* haggle, dicker, bargain, negotiate *lyödä kaupat lukkoon* close/ cinch a deal *purkaa kauppa* cancel a deal *saada tuttavan kauppaa* get a good deal through a friend *käydä kaupassa* go shopping *pitää kauppaa* own/keep/run a store **5** *mennä/käydä kaupaksi, tehdä kauppansa* sell (well), be a hot item, go like hotcakes **6** *kaupalla* by (ks hakusana)

kauppatavara commodity, (mon) merchandise

kauppias 1 (kaupan pitäjä) store-/shopkeeper, merchant **2** (kaupan tekijä) trader, trades(wo)man, dealer *tukkukauppias* wholesaler *vähittäiskauppias* retailer *arvopaperikauppias* bond dealer **3** (kaupittelija) vendor, peddler *katukauppias* street vendor

kaupungistua (alue) become urbanized,
(ihminen) become urbane, (halv) become
citified
kaupunki city, (pikkukaupunki) town, (suur-
kaupunkialue) (greater) metropolitan area,
(kaupunkikunta) municipality
kaupunkialue metropolitan area
kaupunkilainen *s* urbanite, city dweller
adj urban, citified, municipal
kaupustelu peddling, hawking
kaura oat(s)
kaurakeksi oatmeal cookie, (UK) biscuit
kaurapuuro oatmeal (porridge)
kauris 1 mountain goat **2** (horoskoopissa)
Capricorn
kausi 1 age, era, epoch, period *pronssikausi*
the Bronze Age *barokkikausi* the Baroque
Era *lepokausi* rest period **2** (vaihe), phase,
period *Meidän viisivuotiaalla on
vaikea kausi menossa* Our 5-year-old is
going through a difficult time/stage/period
3 (sesonki) season *sienikausi* mushroom
season *hiljainen kausi* the off season
4 (virkakausi) term of office *Kekkosen
kaudella* during Kekkonen's presidency,
during Kekkonen's term of office, while
Kekkonen was president **5** *tuntikausia* for
hours on end
kausillain periodically, seasonally
kausittainen periodical, seasonal
kautta *s way tätä kautta* this way *Mitä kautta
mennään?* Which way do we go? *toista
kautta* another way, by another route *postp*
1 (läpi) through, via, by (way of) *Tie mie-
hen sydämeen käy vatsan kautta* The way
to a man's heart is through his stomach
*Juna kulkee Jämsän ja Jyväskylän kautta
Pieksämäelle* The train goes via Jämsä and
Jyväskylä to Pieksämäki *Tulen kaupan
kautta* I'll be coming by way of the store
suun kautta annettava lääke orally admin-
istered medicine **2** (kuv) by (means of),
through *Hän on minulle sukua äitini
kautta* I'm related to him through my
mother *yrityksen ja erehdyksen kautta* by
trial and error *kuolla oman käden kautta*
die at your own hands, commit suicide
vannoa kaiken pyhän kautta swear by all

that's holy *vannoa Luojan kautta* swear to
God *vannoa äidin haudan kautta* swear on
your mother's grave *prep* through(out)
kautta maan throughout the country, all
over the country *kautta aikojen* all (down)
through the centuries, throughout history
kauttaaltaan throughout, through and
through
kauttakulku transit, passage *Kauttakulku
kielletty* No through traffic, No trespassing
kautta rantain in a roundabout way, indir-
ectly *puhua kautta rantain* beat around the
bush
kavahtaa 1 (säikähtää) start, jump *kavahtaen
with a start *kavahtaa pystyyn* jump to your
feet, spring up with a start *kavahtaa istual-
leen* sit bolt upright **2** (varoa) beware (of)
He eivät kavahda mitään keinoja They
will stop at nothing
kavala 1 (vilpillinen) deceitful, two-faced,
double-dealing, treacherous **2** (luihu) wily,
sly, cunning, crafty
kavallus embezzlement
kavaltaa 1 (ihminen, maa tms) betray, sell
(your country, vital secrets) out (to the
enemy) **2** (rahaa tms) embezzle
kavaltaja 1 (ihmisen, maan tms) traitor
2 (rahan tms) embezzler
kavaluus deceit(fulness), double-dealing,
treachery; wiliness, cunning, craftiness (ks
kavala)
kaventaa 1 narrow, (suipentaa) taper *kaven-
taa maalieroa* narrow the lead **2** (pi-
lussa) take in (the seam) *kaventaa housuja
takaa* take in a pair of pants in the back
3 (rajoittaa) restrict, curtail *kaventaa kan-
salaisoikeuksia* place restrictions on civil
rights
kaventua 1 narrow, (suipentaa) taper *kärkeä
kohden kaventuva lehti* a leaf that tapers
toward the tip **2** (tulla rajoitetuksi) be
restricted/curtailed *Kansalaisoikeutemme
ovat nykyisen hallituksen aikana jatku-
vasti kaventuneet* Under the current
administration our civil rights have been
systematically curtailed
kaveri 1 (ystävä) pal, buddy, friend, (UK)
mate *paras kaveri* best friend, (musta sl)

main man *hyvä kaveri* good buddy/friend *tosi kaveri* real pal **2** (mies) guy, fellow *yksi kaveri* this guy I know *joku kaveri* some guy *Hei kaveri, annas euro!* Hey buddy, you gotta a euro?

kaverukset (ark) pals, buddies *erottamattomat kaverukset* inseparable pals, bosom buddies

kavio hoof

kavuta climb *kavuta ylös virkahierarkiaa* climb up the ladder of promotion

kehdata 1 (kun kyse on kohteliaisuudesta ja röhkeydestä) *En kehtaa ottaa enempää* I wouldn't think of having any more, I've had enough already, I don't want to make a pig of myself, I've already had my share *En kehtaa mennä sinne sisälle* They don't want me in there, I don't belong in there, I'll just be in the way in there *Ettäs kehtaat puhua minulle noin!* How dare you talk to me that way! *Hän kehtaa mitä vain* He'll do anything, he's brassy/brazen enough to do anything **2** (kun kyse on ylpeydestä ja häveliäisyydestä) *Talo, jota kehtaa näyttää* A house you're proud to show off, a house you don't have to be ashamed of *En kehtaa mennä saunaan miesten kanssa!* I'm too embarrassed/shy to take a sauna with men *Mitä, etkö kehtaa näyttää vartaloasi?* What, are you too modest to let people see you naked? **3** (kun kyse on omantunnon vaivoista) *Miten kehtaat heittää hyvää ruokaa pois kun maailmassa nähdään nälkää?* Don't you feel (at all) guilty/bad throwing good food away when people are starving in the world? Doesn't it bother you? How does your conscience let you do it? *Ettäs kehtasitkin pettää minua!* How could you cheat on me! How could you bring yourself to do it? **4** (murt) (kun kyse on viitseliäisyydestä ja laiskuudesta) *En mihä kehtaa sinne lähteä* I don't feel like going, I'm too tired to go

kehitellä 1 develop **2** (ajatusrakennelmaa: mielessään) evolve, work out/up; (muille) expound/elaborate (on), explicate

kehitteillä being developed, in the research /prototype stage

kehittely development

kehittymätön undeveloped **1** (maa) underdeveloped, backward, primitive **2** (ihminen: henkisesti) immature, childish; (fyysisesti) underdeveloped **3** (teoria tms) rudimentary, sketchy

kehittynyt 1 developed, advanced *pitkälle/ korkealle kehittynyt* highly developed **2** (kypsä) mature *täysin kehittynyt* fully developed, full-grown

kehittyä 1 (kehittyä: alkup merkitys) unravel, unwind **2** (tulla joksikin) develop/ evolve/be transformed/mature/turn (into), become, grow up to become *Hänestä on kehittynyt hyvä laulaja* She's become a good singer, her voice lessons have transformed her into a good singer **3** (kypsyä, kasvaa) mature, grow, develop *kehittyä fyysisesti* mature/develop physically **4** (tulla paremmaksi) (make) progress, improve, get better *Soittotaitosi kehittyy päivä päivältä* You play better and better every day **5** (kehkeytyä) arise, ensue, come *Mitä siitä kehittyykään?* Whatever will come of it? *Siitä kehittyi riita* It provoked a quarrel, turned into an argument

kehittää 1 (parantaa) develop, improve, advance **2** (kouluttaa) train, educate, cultivate *kehittävä tv-ohjelma* educational program on TV **3** (valok) develop **4** (fys: tuottaa) develop, generate *kehittää lämpöä* generate heat **5** (kuv: synnyttää) engender, breed *kehittää vika* develop a problem

kehitys 1 (edistys) development, advancement, progress *jäädä kehityksessä jälkeen* lag behind in technological development **2** (kasvu) development, growth, maturation **3** (valok) developing *Valokuvien kehitys tunnissa!* One-hour photo service!

kehitysmaa developing country

kehitysvammainen *s* (mentally/educationally/emotionally/developmentally) handicapped person; (ark halv) retard *adj* (mentally/educationally/emotionally/developmentally) handicapped; (ark halv) retarded

kehkeytyä 1 develop (into/out of), come (out) of, turn into **2** (alkaa) arise, ensue *Kadulla* *kehkeytyi tappelu* A fight broke out on the street

kehno bad, poor, inferior; (ark) lousy, crummy

kehnosti badly, poorly

keho body, physical frame

kehonrakennus body-building

kehottaa 1 (pyytää) request/invite (someone to do something) **2** (ehdottaa) suggest/recommend (that someone do something) **3** (suostutella) prompt/urge/exhort (someone to do something) **4** (neuvoa) advise/counsel (someone to do something) **5** (käskeä) order/command (someone to do something)

kehotus 1 (pyyntö) request, invitation **2** (ehdotus) suggestion, recommendation **3** (suostuttelu) keskeisintä merkitysaluetta) prompting, urging, exhortation **4** (neuvo) advice, counsel **5** (käsky) order, command

kehruu spinning

kehrätä 1 (kehruukone, toukka) spin **2** (kissa) purr **3** (kirjailija) weave, put/pull together *kehrätä romaanin juoni* weave a plot for your novel

kehrääjä 1 spinner **2** (lintu) European nightjar **3** (perhonen) spinner moth

kehto 1 cradle (myös kuv) **2** (kasv) calycle, involucre

kehu *Oma kehu haisee* Stop blowing your own horn *kehuja ja moitteita* praise and blame

kehua 1 (toista) praise **2** (itseään) boast/brag (of/about) *A: Miten menee? B: Ei ole kehumista* A: How's it going? B: Not so hot, could be better, I've felt better *Ei kannata kehua* It's nothing to brag about, nothing to write home about *kehua jotakuta maasta taivaaseen* praise a person to the skies

kehuskella boast, brag, (isotella) swagger

kehuttava *Eipä ole kehuttava* It's not too good

kehys frame *muodostaa jollekin kehykset* provide a setting for (something)

kehystää frame *kehystää tarinaa* provide a setting for a story, frame a story

kehä 1 circle, ring *kiertää kehää* run in a circle, (kuv) go around in circles **2** (geom: ympärys) periphery, circumference **3** (geom ja rak: ulkoraja, aitaus) perimeter **4** (kehikko) frame, casing **5** (leikkikehä) playpen **6** (nyrkkeilykehä) ring **7** (heittokehä) circle **8** (päätä tai taivaankappaletta ympäröivä valoilmiö) halo **9** (ilmakehä) atmosphere **10** (isoa kaupunkia kiertävä tie) beltway **11** (kela) coil, spool

keidas oasis (mon oases)

keihäs 1 (hist) spear, (pistokeihäs) lance **2** (urh) javelin

keihästää spear, lance, stab/pierce (with a spear/lance)

keihäänheitto (lajina) javelin, (tekona) javelin throw

keihäänheittäjä javelin-thrower

keijukainen fairy, elf, pixie, sprite

keikahtaa fall/tumble (down), tip/tilt/topple (over); (vene) capsize *Firma keikahti nurin* The business went belly-up

keikailla strut, swank, play the dandy/fop

keikari dandy, fop

keikauttaa 1 (nurin) tip/tilt/topple/knock over, knock down **2** (edes takaisin) tip, tilt, rock, swing

keikka 1 (bändin tms) gig **2** (varkaan tms) job **3** (taksikuskin) fare

keikkua 1 (kävellä keikkuen) swing your hips/butt/ass **2** (keinua vedessä: hiljaa) rock, sway; (kovaa) toss, pitch and yaw **3** (heiluu) rock, tilt, wobble *keikkuva pöytä* wobbly table *keikkua tuolillaan* tip/lean back in your chair **4** (tasapainotella) balance **5** (tanssia tms) dance, kick up your heels

keikuttaa 1 (pyllyä) swing, (päätä) toss, (venettä) rock, (tuolia) tip, (pöytää) tilt, (pyrstöä) wag

keila 1 (keilailussa) (bowling) pin **2** (tekn) cone, taper **3** (kala) torsk

keilaaja bowler

keilahalli bowling alley

keilailu bowling

keilapallo bowling ball

keimailija flirt, coquette

keimailla flirt, coquet

keino 1 (menettelytapa) means, method, measure *Tarkoitus pyhittää keinot* The end justifies the means *varma keino* surefire method, tried and true expedient *äärimmäiset keinot* extreme measures *viimeinen keino* last resort *yrittää kaikkia keinoja* leave no stone unturned *Hän ei kaihda mitään keinoja* He'll stop at nothing *Hätä keinon keksii* Necessity is the mother of invention, where there's a will there's a way **2** (tapa) way *Millä keinolla* how, in what way *jollakin keinolla* somehow, in some way *sillä keinoin* thus, in this/that way

keinolla millä hyvänsä by hook or by crook

keinotekoinen artificial

keinotella 1 (pörssissä) speculate (on the stock market), play the (stock) market **2** (keplotella) wheel and deal, connive, scheme

keinottelija speculator, operator; (ark) wheeler and dealer

keinottelu (stock market) speculation

keinu (riippukeinu) swing, (keinutuoli) rocking chair, (keinulauta) seesaw, (ark) teetertotter

keinua 1 (riippukeinussa) swing, (keinutuolissa) rock, (keinulaudalla) seesaw, teetertotter **2** (tuulessa) sway, wave; (aalloilla) rock, sway, toss, pitch and yaw; (juopuneena) sway, totter, stagger; (maanjäristyksessä) shake, quake

keinutuoli rocking chair

keisari emperor *Rooman keisari* Caesar *Venäjän keisari* Czar *Saksan keisari* Kaiser *pikkukeisari* little Caesar

keittiö 1 (huone) kitchen **2** (ruoanlaittotapa) cuisine *ranskalainen keittiö* French cuisine

keitto 1 (soppa) soup, (lihakeitto) stew, (liemi) broth **2** (keittäminen) cooking, making, boiling *ruveta teen keittoon* brew up some tea

keittokirja cookbook, (UK) cookery book

keittokomero kitchenette

keittotaito cooking, cookery

keittäjä 1 cook, (kone) cooker *pontikan keittäjä* moonshiner

keittää 1 (vettä tai vedessä) boil, (teetä) brew **2** (pontikkaa) brew **3** (ruokaa) cook *keittää hiljaisella tulella* simmer **4** (kuv: soppaa, suunnitelmaa) cook up *Minkä sopan sä nyt olet keittänyt?* What mess have you gotten yourself into this time? What trouble have you cooked up now? *Mitä sinä olet nyt keittänyt kokoon?* What plans have you cooked up this time? **5** (kuv: räjähtää) seethe, stew *Mulla kohta keittää sun kanssas* You're driving me crazy *Hänellä keitti koko ajan* He was seething **6** (jäähdytin) boil over

keko muurahaiskeko anthill *heinäkeko* haystack *kantaa kortensa kekoon* add your two bits

kekseliäisyys inventiveness, ingenuity, resourcefulness

kekseliäs inventive, ingenious, resourceful

keksi 1 (suolainen) cracker, (makea) cookie, (UK) biscuit **2** (koukku) boathook, gaff

keksijä inventor

keksintö 1 (uusi esine) invention **2** (löytö) discovery, finding **3** idea *Tämä oli sinun keksintösi* This was your idea

keksiä 1 (sepittää) think/make up, invent, fabricate, (ark) cook up *Oletko itse keksinyt tuon?* Did you make/think that up yourself? *Se on keksitty juttu* It's a made-up story, a fabrication *Täytyisi keksiä joku juju* We ought to think/cook up some gag, come up with some practical joke **2** (tehdä keksintö) invent *Höyrykattila keksittiin vasta 1680* The steam boiler wasn't invented until 1680 **3** (havaita) see, spot, espy *Nyt hän keksi meidät* Now she's spotted us **4** (ymmärtää) realize, figure out, (come to) understand, get it *Nyt minä keksin sen* (= tajusin vitsin) Now I get it! **5** (löytää) find, discover *keksiä uusi kyky* discover a new talent

kekäle (fire)brand, (mon) embers

kela 1 (nauhurin tai heittouistimen) reel, (filmin) spool, (ompelukoneen) bobbin **2** (käämi) coil, (valssi) drum, cylinder, roll(er) **3** (vintturi) winch, winder; (mer) capstan, windlass

kelata reel (in/out), spool, coil, winch, wind (in) (ks kela)

keli 1 (ajokeli) road conditions *liukas keli* slippery road **2** (hiihtokeli) snow conditions *hyvä hiihtokeli* good snow for skiing

keiju *s* beast, swine *adj* beastly, nasty, mean, rotten

keijuilla be beastly/nasty/mean/rotten (to someone), pull nasty/mean/rotten/dirty tricks (on someone)

keijuttaa *Minua keijuttaa tuollainen* That really annoys me, that really gets my goat, really gets my dander up

kelkka 1 sled; (ohjaskelkka) bobsled, tobog-gan; (potkukelkka) kicksled *kääntää kelk-kansa* do a complete about/face/turnabout, change your colors, take another tack *pudota kelkasta* lose track, fall behind, get lost *pysyä kelkassa* keep up (the pace) **2** (tekn) carriage

kelkkailija sledder; (urh) bobsledder, tobog-ganer

kelkkailu sledding, bobsledding, tobogan-ing

kellari cellar, (kellarikerros) basement

kellastua (turn/become) yellow

kellertävä yellowish

kello 1 (ajastin) clock, (tasku-/rannekello) watch *Kelloni edistää/jätättää* My watch runs/is fast/slow *Kello on kaksitoista* It's twelve (o'clock), (yöllä) it's midnight, (päivällä) it's noon *Mitä kello on?* What time is it? Do you have the time? *Kello on jo paljon* It's getting late **2** (soitin) bell *Nyt on toinen ääni kellossa* Now he has changed his tune, now he's laughing out of the other side of his mouth **3** (rakkula) blister

kello käy time's ticking away, you're wasting precious time/seconds *Kello käy neljää* It's past three, going on four *Kelloni käy peru-noita* My watch is way off

kellonaika time

kellua float (myös kuv)

kelluke (laiturin tms) pontoon, (lapsen) float

kelluva floating

kelmi villain, scoundrel, knave; (run) varlet, blackguard; (ark) snake in the grass

kelpo 1 (kunnollinen) good, fine, decent *kelpo mies* good man, good lad, (US ete-lässä) good old boy **2** (kunnon) good(ly), considerable *kelpo summa rahaa* a good/ hefty/considerable amount of money *kelpo löylytys* a good/sound thrashing

kelpoinen 1 (sopiva) good, fit, suited, suit-able **2** (pätevä) competent, qualified

kelpoisuus 1 (sopivuus) fitness, suitability **2** (pätevyys) competence, qualifications **3** (voimassaolo) validity

kelpuuttaa 1 (ark) accept, allow *Kyllä sinut meidän joukkueeseen kelpuutetaan* Sure, we'll take you on our team, we'll let you play on our side **2** (julistaa kelpaavaksi) declare (someone) qualified/competent; (tunnustaa kelpaavaksi) acknowledge *kel-puuttaa joku seuraajakseen* acknowledge someone as your successor **3** (vahvistaa) legitimate, (saattaa voimaan) validate **4** (valtuuttaa) empower, authorize

keltainen yellow

keltuainen yolk

kelvata 1 (sopia) do, be fit/suitable/good enough/acceptable (for someone) *Tämä ei kelpaa* This simply will not do, is not acceptable *Ainakin se minulle kelpaa* It's good enough for me, anyhow *Kelpaako se syötäväksi?* Is it fit to eat, is it edible? **2** (tuntua hyvältä) *Nyt tätä taloa kelpaa katsella* Now the house is something to look at *Kyllä meille nauru kelpasi* We all had a good laugh *Kyllä sinun kelpaa!* Lucky you! You've got it so easy! **3** (olla voimassa) be valid *Alennuskortti ei kelpaa tällä viikolla* The discount card isn't valid this week

kelvollinen 1 (sopiva) fit (for), suitable (for), proper **2** (käyttökelpoinen) good enough (for), serviceable **3** (arvollinen) worthy (of doing something), fit (to do something) **4** (pystyvä) capable (of doing something), able (to do something)

kelvoton 1 (sopimaton) unfit, unsuited, unsuitable **2** (ala-arvoinen) unworthy, base, mean **3** (kykenemätön) incapable, unable; (tehoton) ineffective **4** (hyödytön) useless, good-for-nothing **5** (kehno) bad, poor, inferior, lousy

kemia chemistry

kemiallinen chemical

kemikaali chemical

kemisti chemist

kengittää shoe

kenguru kangaroo

kengännauha shoelace

kengännumero shoe size

Kenia Kenya

kenialainen *s, adj* Kenyan

kenkku 1 (kelju) (ark) beastly, nasty, mean, rotten **2** (ikävä) troublesome, bothersome, difficult, awkward

kenkuttaa (ark) *Minua kenkuttaa tuollainen* That really annoys me, that really gets my goat, really gets my dander up

kenkä shoe, (varrellinen) boot, (hevosen) (horse)shoe, (jarrukenkä) brake shoe *Sano mistä kenkä puristaa* Tell me where the shoe pinches, what the problem is, what's eating you *kahdet kengät* two pair(s) of shoes

kenkäpari pair of shoes

kenossa tilted backwards *niska kenossa* (kuv) stiff-necked

kenraali general

kenties maybe, perhaps *Kenties et pannutkaan ovea lukkoon* Maybe you didn't lock the door after all, you may not have locked the door after all

kenttä 1 field **2** (eur jalkapallokenttä) ground, (US jalkapallokenttä) field, (baseballkenttä) diamond, (tenniskenttä) court **3** (taistelukenttä) battlefield **4** (tietok) array

keplotella wheel and deal, connive, scheme *keplotella itselleen palkankorotus* scheme /connive your way to a raise

keppi stick; (kävelykeppi) cane; (kurituskeppi) stick, cane, rod *antaa jollekulle keppiä* paddle someone with a stick, (UK koulu) give someone a caning, (euf) apply the rod to someone *kokeilla kepillä jäätä* test the water

kepponen prank, practical joke, gag, trick; (mon) mischief

kera with *teetä keksien kera* tea with/and cookies

keraaminen ceramic

keramiikka ceramics, pottery

kerettiläinen *s* heretic *adj* heretical

kerettiläisyys heresy

kerho club

keritä 1 (ehtiä tehdä) have/find (the) time (to), (ehtiä perille) make it/get somewhere on time, (kiirehtiä) hurry, make haste *Tulen kun kerkiän* I'll come when I can *Miten tuo lapsi kerkiää joka paikkaan!* How does that child manage to keep getting into everything at once? **2** (lammasta) shear

kerjuu begging

kerjäläinen beggar

kerjätä 1 beg *kerjätä leipää* beg for bread *kerjätä armoa* beg for mercy **2** *kerjätä turpiinsa* ask for a knuckle sandwich *kerjätä hankaluuksia* look/ask for trouble, ask for it *Sinä kerjäät selkääsi!* You're cruising for a bruising!

kerma cream (myös kuv) *kuoria kerma* skim off the cream

kernaasti gladly *Saat kernaasti tulla* We'd love to have you come, I'd be happy to have you come *A: Ulos! B: Kernaasti!* A: Out! B: Gladly!

kerrakseen 1 (tarpeeksi) plenty, (more than) enough *Siinäpä ihmettelemistä kerrakseen* That's plenty to wonder at **2** (täksi kerraksi) for now, for the time being, for the present *Se riittääkin kerrakseen* That'll do for now, for the time being

kerrallaan at a time *vähän kerrallaan* a little at a time, little by little *yksi kerrallaan* one at a time, one by one

kerran once *kerran vuodessa* once a year, annually *Hän kävi kerran, ei sen jälkeen* He came once, never again *jos kerran haluat* if you insist, if you really want (to) *kun kerran* since *sen kerran* just that once, only then *toisen kerran* again *vain tämän kerran* just this once

kerrankin for once *Sano kerrankin suoraan, mitä tarkoitat* For once tell me exactly what you want to say

kerrassaan absolutely, positively, simply *kerrassaan mainio* absolutely wonderful *kerrassaan mahdotonta* utterly impossible

kerroin 1 (mat) coefficient, (fys) factor, (ark) rate **2** *kaksin kerroin* twice (as much)

kerroksittain layered, in layers; (geol) stratified, in strata

kerros 1 layer, (taso) level **2** (talossa) floor, story *toisessa kerroksessa* on the second floor (UK first floor) **3** (geol ja sos) stratum *eri yhteiskuntakerroksissa* in various social strata

kersantti sergeant

kerskailija boaster, braggart

kerskailla boast, brag, (isotella) swagger

kerskailu boasting, bragging, braggadocio

kerskata boast, brag

kerta time *kaksi kertaa parempi* twice as good, two times better *kaksi kertaa kaksi on neljä* two times two is four, (UK) twice two is four *Älä enää kertaakaan sano noin* Never say that again *Kerta se on ensimmäinenkin* There's always a first time *Kolmas kerta toden sanoo* The third time's the charm *panna kerrasta poikki* make a clean break

kertaalleen once *soittaa kappale kertaalleen läpi* play the piece through once

kertaheitolla in one (shot/try) *Osuin kertaheitolla* I made it in one (shot/try)

kerta kaikkiaan 1 (kerrassaan) absolutely, positively, simply **2** (lopullisesti) once and for all

kertakaikkinen 1 (täydellinen) absolute, complete, total *Hän on kertakaikkinen tomppeli* He's a total idiot **2** (yhden kerran tapahtuva) once-off, once-for-all

kertakäyttöinen disposable

kerta toisensa jälkeen time and again, time after time, over and over, one time after another

kertaus repetition; (koululäksyjen) review, (UK) revision; (uus) repeat

kertoa 1 (asia) tell/inform (someone) *Kerro!* Tell me! *Huhu kertoo että* Rumor has it that, the word on the street is that *Älä kerro kenellekään* Don't tell a soul (about this), don't breathe a word (of it) to anyone

2 (tarina) tell, narrate, relate **3** (mat) multiply *Kerro seitsemän viidellä* Multiply seven by five

kertoja 1 narrator, storyteller **2** (mat) multiplier

kertomakirjallisuus narrative literature

kertomus 1 narration, tale, story **2** (selonteko) report

kertosäe chorus, refrain

kertyä (työtä) pile up, (rahaa) accumulate, (korkoa) accrue

kerä ball *purkaa kerältä* unwind *käpertyä keräksi* roll up in a ball

keräilijä collector

keräkaali (head) cabbage

keräsalaatti head lettuce

kerätä gather, collect *kerätä postimerkkejä/ ajatuksiaan* collect stamps/your thoughts *kerätä pölyä/palasia* gather dust/the pieces

keräys collection, (fund-raising) drive *panna pystyyn keräys* start a collection (for), start raising funds (for); (ark) pass the hat (for)

kerääntyä 1 (ihmiset) get/come/gather together, meet, assemble **2** (sotku tms) pile/ build up, accumulate

keskeinen central

keskekytyksettä uninterrupted(ly)

keskellä adv in the middle, (keskipisteessä tai keskustassa) in the center *Tule sinä keskelle* You come sit in the middle/center, we want you to sit between us *postp ja prep* in the middle of, (keskipisteessä tai keskustassa) in the center of, (keskuudessa) in their/our midst, (kahden keskellä) between them *joutua keskelle mellakkaa* find yourself right in the midst of the riot(ing) *keskellä vuoristoa* in the mountains *keskellä talvea* in mid-winter *keskellä merta* in mid-ocean

keskellä kirkasta päivää in broad daylight

keskemmällä closer to the middle/center

keskempänä closer to the middle/center

kesken adv **1** *Työ on vielä kesken* The job isn't finished/done yet, we've still got more to do **2** *He lähtivät kesken pois* They left in the middle, before the end, before they finished *loppua kesken* run out (of) **3** *Sari meni kolmannella kuulla kesken* Sari miscarried in the third month, lost her baby in the third month *postp ja prep* **1** (välillä, keskuudessa: kahden) between, (useamman) among *Jääköön tämä meidän kahden kesken* Let's let this be our secret, this is just between you and me, between you, me, and the lamppost *ystävien kesken* among friends **2** (ennen loppua) in the middle (of) *kesken iloisinta leikkiä* right when we were having the most fun

kesken aikojaan before your time, too early /young, prematurely *kuolla kesken aikojaan* die young, die before your time

keskeneräinen (loppuunsuorittamaton) unfinished, uncompleted; half-finished, half-done *Tämä työ jäi sinulta keskeneräiseksi!* You didn't finish this (up)!

kesken kaiken 1 right in the middle (of everything) **2** (yllättäen) suddenly, abruptly, without warning, out of the clear blue sky **3** (asiasta toiseen) by the way, while I remember

keskenmeno miscarriage

keskenään *jakaa keskenään* divide (something up) between the two of us/them, among the three/four/jne of us/them *vaihtaa keskenään* trade with each other, interchange (something)

keskeyttää 1 interrupt *keskeyttää keskustelu* interrupt a conversation, cut/break in on a conversation, cut the conversation short **2** (urh: juoksu) drop out, quit **3** (matka) break *keskeyttää matkansa Denverissä* stop over in Denver **4** (raskaus) abort **5** (oma toiminta) discontinue *keskeyttää ydinkokeet* discontinue nuclear testing **6** (oikeudenkäynti) stay **7** (opintosa) drop out (of school)

keskeyttää työt 1 (tehdäkseen jotain muuta) stop/quit working, leave off working, take a break (from work) **2** (lakolla) go on strike, walk out

keskeytyksissä stopped, at a halt/standstill

keskeytymätön uninterrupted, continuous, continual

keskeytys 1 interruption **2** (tauko) break **3** (pysähtyminen) stoppage, standstill, cessation *sotatoimien keskeytys* cessation of

hostilities *työn keskeytys* work stoppage **4** (raskauden) abortion **5** (matkan) stopover

keskeytyä 1 be interrupted/discontinued, stop, cease, break off **2** (jäädä kesken) be left undone/unfinished/incomplete

keskiaika the Middle Ages

keskiaikainen medieval

keskiamerikkalainen *s, adj* Central American

keskieurooppalainen *s, adj* Central European

keski-ikä middle age

keski-ikäinen middle-aged

keskikokoinen midsize(d), medium-sized

keskiluokka 1 (yhteiskuntaluokka) middle class, bourgeoisie **2** (laatuluokka) medium-level/-grade

keskiluokkainen middle-class, bourgeois

keskimmäinen middle, the one in the middle *keskimmäinen lapsi* middle child *keskimmäinen talo* the house in the middle

keskimäärin on average *maksaa keskimäärin 1000 euroa* cost an average of 1000 euros *ampua keskimäärin 20 maalia vuodessa* average 20 goals a year

keskimääräinen average, mean

keskinkertainen 1 (halv) mediocre, second-rate **2** (tavallinen) average, ordinary

keskinäinen mutual; (sopimus) reciprocal, bilateral *keskinäinen ihailu* mutual admiration *keskinäinen riippuvuus* mutual dependence, interdependence, codependency

keskipiste center (point), focus *olla huomion keskipisteenä* be the center of attention, be in the limelight

keskipäivä midday, noon

keskisormi middle finger *näyttää keskisormea* give someone the finger, flip someone the bird

keskitaso medium-level/-grade, average *keskitason oppilas* average student *keskitasoa parempi/huonompi oppilas* above/below-average student

keskitasoinen medium-level/-grade, average

keskitetty 1 (pol) centralized **2** (sot ym) concentrated

keskitetysti (yhteen kohteeseen) focally, (yhdessä) concertedly, (keskittyneesti) with concentration

keskitie middle of the road (myös kuv) *kultainen keskitie* happy medium *keskitien kulkija* the (very) soul of moderation

keskittyminen concentration, centralization

keskittymiskyky (power of) concentration *Sinulla on hyvä keskittymiskyky* You've got good concentration

keskittyä 1 (syventyä) concentrate **2** (kohdistua) (be) concentrate(d), center, focus **3** (pol) centralize

keskittää 1 (huomio tms) concentrate, focus, direct **2** (pol) centralize *keskittää terveydenhoito* centralize health care *keskittää valta omiin käsiinsä* hold the reins of power in your own hands **3** (sot: militusta) concentrate, (joukkuja) mass **4** *keskittää peli tietyn pelaajan ympärille* center/build a play around a particular player

keskitys 1 (sot ym) concentration **2** (pol) centralization

keskitysleiri concentration camp

keskiviikko Wednesday

keskiviikkoinen Wednesday('s)

keskiviikkoisin Wednesdays, on Wednesday

keskiviiva center/median line

keskiyö midnight

keskonen premature baby, (ark) preemie

keskus 1 (keskiosa) center, (maali) bull's eye **2** (sisus) heart, kernel, core **3** (keskusta) (city/town) center, downtown, (slummiutunut) inner city **4** (keskuspaikka) (cultural/industrial/financial jne) center **5** (puhelinkeskus) switchboard **6** (ark: keskuksenhoitaja) (switchboard) operator

keskuslämmitys central heating

keskusta 1 (kaupungin) (city/town) center, downtown, (slummiutunut) inner city **2** (sisus) heart, kernel, core **3** (puolue) Center Party

keskustella 1 talk (about/over), converse (on), discuss, have a conversation/discussion *Siitä asiasta emme keskustele* That subject is off-limits/taboo, that subject is not open to discussion *keskustella jostakin* discuss something, talk something over

2 (neuvotella) confer, consult, negotiate, (pohtia) deliberate **3** (väitellä) debate, argue

keskustelu 1 talk, conversation, discussion **2** (neuvottelu) conference, consultation, negotiation, deliberation **3** (väittely) debate, argument

keskuudessa among, amid, with, in (someone's) midst *suosittu eläkeläisten keskuudessa* popular with the geriatric set

kestit party; (juhla-ateria) banquet, feast

kestitä 1 (vilhdyttää) entertain **2** (huolehtia) take (good) care of, see to **3** (olla vieraanvaraine) extend your hospitality to, be a good host to

kesto 1 (aika) duration, length of time **2** (mus) quantity **3** ks kestävyys

kestävyys 1 (lujuus) endurance, durability, strength *rakkauden kestävyys* the strength /durability of love, the staying power of love **2** (peräänantamattomuus) persistence, pertinacity, tenacity, stamina *Vuorikiipeily vaatii kestävyyttä* Mountain-climbing requires persistence/stamina, takes patience

kestävä 1 (järkkymätön) lasting, steadfast, abiding *kestävä luottamus* steadfast trust *kestävä rauha* lasting peace *kestävä rakkaus* abiding love **2** (kestää tietyn ajan) long *viikon kestävä seminaari* week-long seminar *kaksi päivää kestävä inventaari* two-day inventory **3** (vahva) strong, durable, long-lasting, hardy *kestävät housut* strong/durable pants **4** (kestää jotakin) kylmää/lämpöä kestävä cold-/heat-resistant *toimia arvostelua kestävällä tavalla* act in a way that will withstand criticism, not leave yourself open to criticism *pesunkestävä liberaali* died-in-the-wool liberal

kestää 1 (kannattaa) carry, bear *Se ei kestä sinua* That won't hold you, won't bear your weight **2** (olla murtumatta) bear, stand up under, (with)stand *Se ei kestä vertailua* (tämän kanssa) It doesn't compare (with this), it can't beat this, can't match up to this *Se ei kestä lähempätä tarkastelua* It won't stand up to closer scrutiny/inspection **3** (sietää) bear, stand, stomach *En*

kestä (nähdä) *tuota miestä* I can't stand
/bear/stomach (the sight of) that man
4 (pysyä lujana) bear up, put up with, take
kestää kiusaus(ta) resist temptation *Miten
olet kaiken kestänyt?* How did you put up
with all of that? *En kestä enää* I can't take
it any more, I can't go on *kestää kuin mies*
take it like a man *Mies kyllä kestää* A man
can take it **5** (kärsiä) suffer, go through
Hän on saanut kestää paljon He's had to
go through a lot, he's suffered a lot, it's
been a tough time for him **6** (selviytyä:
ihminen) survive, endure, manage, last
(out), (linnake tms) hold out *Kestänköhän
näitä juhlia iltaan saakka?* How am I
going to survive this party till evening?
How will I ever make it through this party
till evening? *Täytyy kestää loppuun
saakka* We've got to endure it till the end,
stick it out till the end, see it through to the
end *Kestävätkö uudisasukkaat siihen asti
kunnes ratsuväki saapuu?* Can the settlers
hold out until the cavalry arrives? **7** (jat-
kua) last, continue, (viedä) take *Kuinka
kauan tämä vielä kestää?* How much
longer is this going to last/go on/continue
/take? *ohjelman kestäessä* during the pro-
gram *Sadetta kesti koko viikon* The rain
came down all week, didn't let up all week
8 (pysyä käyttökelpoisena) (out)last *Se
kestää minun aikani* It will outlast me
kestää kiittää *Ei kestä kiittää!* Don't mention
it! Not at all! You're welcome! It was
nothing!
kestää kritiikkiä 1 *Hän ei kestä kritiikkiä* (ei
salli) He won't put up with criticism,
(masentuu sitä) he can't bear to be criti-
cized **2** *Se ei kestä kritiikkiä* It won't stand
up under criticism, withstand criticism
kesy tame, domestic(ated)
kesyttää tame, domesticate; (kuv) tame, sub-
due, break (someone's spirit)
kesyyntyä become tame
kesä summer
kesäaika daylight saving time *siirtyä kesä-
aikaan* go on daylight saving time
kesäinen summer(y)
kesäkuu June

kesäloma summer vacation, (UK) holidays;
(parlamentin) summer recess
kesälukukausi summer term: (kun se on vuo-
den kolmas) summer semester, (järvien)
vuoden neljäs) summer quarter
kesämökki summer cottage
kesänvietto spending the summer
kesänviettopaikka summer place
kesäpäivä summer('s) day
kesäteatteri summer theater
kesät talvet all year round
kesäyliopisto summer university
kesäyö summer('s) night
ketju 1 chain (myös kuv) *muodostaa ketju*
form a chain, (käsistä pitämällä) join/link
hands **2** (tapahtumien) series, (järvien)
string, (vuorten) range **3** (kaulaketju)
necklace **4** (tietok) chain(ed list)
ketjukolari multi-car collision, (ark) pile-up
ketjupolttaja chain smoker
ketjureaktio chain reaction
ketsuppi ketchup, catsup
ketterä 1 nimble, quick **2** (notkea) agile, lim-
ber **3** (kätevä) handy
kettinki chain
kettiökone kitchen appliance
kettu red fox (myös kuv)
keuhko lung *huutaa keuhkojen täydeltä* shout
at the top of your lungs
keuhkokuume pneumonia
keuhkotauti tuberculosis
keula 1 (veneen) bow **2** (kuv: jonon tms)
head, front
kevennys (kuorman) lightening, (mielen)
relief
keventyä 1 (kuorma) become lighter
2 (mieli) (be put at) ease, be relieved/re-
assured **3** (ilmapiiri) lighten/liven up
keventää 1 (kuormaa) lighten **2** (mieltä)
relieve, ease, soothe **3** (ilmapiiriä) lighten
up, enliven
kevea light *kevea̋llä mielin* light-hearted(ly),
in buoyant spirits, feeling happy/light-
hearted
kevyt 1 light *kevyt ruokavalio/ateria* light
diet/meal *kevyt tykistö/joukko* light artil-
lery/brigade *kevyt takki* lightweight jacket
2 (hento) frail **3** (hellä) gentle **4** (ketterä)

nimble, agile **5** (helppo) light, easy **6** (vähäkalorinen) light *kevyt jogurtti/margariini* light yogurt/margarine *kevytmaito* two-percent milk

kevytkenkäinen loose, fast, wanton, promiscuous

kevytmielinen 1 (huikenteleva) frivolous, (kevytkenkäinen) loose, fast **2** (leväperäinen) irresponsible, careless, thoughtless

keväinen spring

kevät spring

kevätlukukausi spring term: (kun se on tolnen kahdesta) spring semester, (kun se on kolmas kolmesta) spring quarter

kevättalvi late winter

kevättalvinen late-winter

keväämmällä closer to spring, later in the winter

kg kilogram, kg

kide crystal

kidesokeri granulated sugar

kidukset gills

kiduttaa torture, (piinata) torment

kidutus torture, (piina) torment

kiehahtaa (vesi) come to a boil, (veri) boil

kiehauttaa bring to a boil

kiehkura 1 (kutri) curl, lock **2** (savun) wisp, wreath **3** (seppele) wreath, (vanh) garland

kiehtoa 1 (kiinnostaa) fascinate, captivate *Kieli kiehtoo minua* I'm fascinated by language, language fascinates me **2** (lumota) charm, bewitch, enchant

kiehtova 1 (kiinnostava) fascinating, captivating **2** (lumoava) charming, enchanting *kiehtova nainen* charming/enchanting woman

kiehua omassa liemessään stew in your own juice

kiekko 1 (yl ja tekn) disk, disc *soittaa 60-luvun kiekkoja* (ark) play some of those golden discs/platters/oldies from the 60s **2** (urh) discus, (jääkiekko) puck, (savikiekko) clay pigeon *pitkä kiekko* long **3** (kirjoittimen tai kirjoituskoneen) daisy wheel

kiekonheitto (laji) discus, (teko) throwing the discus

kiekonheittäjä discus thrower

kiekua crow, (kuv) screech, holler

kielellinen linguistic

kielellisesti linguistically; (sanallisesti) verbally, in words

kielenopetus language teaching

kieli 1 language, tongue *puhuttu/kirjoitettu kieli* spoken/written language *äidinkieli* native language/tongue, mother tongue *ammattikieli, erikoiskieli* jargon *puhua kielillä* speak in tongues *opiskella vieraita kieliä* study foreign languages *tietokonekieli* computer language, programming language **2** (puhetapa) (manner of) speech, style, accent; (kuv) tongue *liukas kieli* glib tongue *terävä kieli* sharp tongue **3** (anat) tongue *Vesi herahtaa jo kielelleni* My mouth is watering already *purra kieltä* bite your tongue *hillitä kielensä* hold your tongue *sulaa kielellä* melt in your mouth *piestä kieltään* wag your tongue, beat your gums *olla/pyöriä kielen päällä* be on the tip of your tongue *näyttää jollekulle kieltään* stick out your tongue at someone *olla naudan kieli* beef tongue **4** (ääni) voice *kuulla sorakieliä* hear grumbling, hear mutters/voices of disagreement *Pahat kielet kertovat* Rumor has it **5** (viulun tms) string *koskettaa ihmissielun herkimpiä kieliä* pluck at your heartstrings **6** (kellon) striker, clapper **7** (vaa'an) needle, pointer *olla vaa'ankielenä* tip the balance **8** (lukon) bolt **9** (kengän) flap **10** (tulen) tongue, flame *olla kuoleman kielissä* be at death's door

kielikello (kantelija) tattletale, (juoruilija) gossip

kielikorva ear for languages

kielikuva 1 (metafora) figure of speech, trope, metaphor **2** (kuvallinen ilmaisu) (verbal) image

kieliopillinen grammatical, syntactic

kielioppi grammar, syntax

kielitaidoton ignorant of a language *Hän on täysin kielitaidoton* He can't speak a word of the language

kielitaito language ability/proficiency, command of a language

kielitaitoinen proficient/good at a language

kielitiede linguistics

kielitieteilijä linguist

kieliä 1 (kannella) tattle, snitch, squeal 2 (ilmaista) show, reveal *Yrität esittää huoletonta, mutta kasvosi kielivät jotain muuta* You're trying to make us think you haven't a care in the world, but your face tells a different story

kielteinen negative

kielteisesti negatively

kielteisyys negativity; (nurja asenne) bad attitude

kieltenopettaja language teacher

kieltenopetus language teaching

kielto 1 (kieltäminen) refusal, denial 2 (kieltomääräys) prohibition, ban 3 (kiel ja filos) negation

kieltomuoto negative form

kieltämättä undoubtedly, unquestionably, no/without doubt/question

kieltämys self-denial, renunciation; asceticism

kieltäytyä 1 (torjua) refuse, reject, decline *kieltäytyä avusta* refuse someone's (offer of) help *kieltäytyä auttamasta* refuse to help (someone) *kieltäytyä tarjouksesta* reject/decline an offer *kieltäytyä ehdokkuudesta* decline a nomination 2 (luopua) do without, renounce, abstain (from)

kieltää 1 (olla sallimatta) forbid *Kiellän sinua lähtemästä tästä talosta!* I forbid you to leave this house! 2 (olla antamatta) ban 3 (olla antamatta) refuse, deny *kieltää joltakulta apunsa* refuse/deny someone your help, refuse to help someone *Enhän pysty kieltämään sinulta mitään!* I can't deny you anything, I can't hold anything back from you, I can't say no to you, (run) I cannot say you nay 4 (olla tunnustamatta) deny *Et voi kieltää, etteikö se olisi käynyt mielessä* You can't deny that it occurred to you, don't tell me it never even crossed your mind 5 (usko) renounce 6 (velka) repudiate, (velvoite) decline 7 (kiistää: väite) dispute, controvert; (testamentti) contest

kiemura 1 (tukan) curl, lock 2 (savun) wisp, wreath 3 (tien, joen tms) bend, curve 4 *politiikan kiemurat* the ins and outs of politics

kiemurrella 1 (koukerrella) meander, twist and turn, wind, weave *Joki virtaa kiemurrellen tasangon läpi* The river meanders (its way) across the plain 2 (kiipeillä) wind, twine, climb *Köynnökset kiemurtelivat kuistikon pylväissä* The vines wound around the columns on the veranda 3 (luikerrella) wind, wriggle *Käärme kiemurtelee heinikossa* The snake winds its way through the tall grass 4 (rimpuilla) wriggle, writhe, squirm *kiemurrella tuskissaan* writhe in agony *kiemurrella häpeissään* squirm with embarrassment 5 (pyrkiä kierrellen johonkin) wriggle/worm your way /yourself (into/out of something) *Turha kiemurrella velvollisuuksistasi!* It's no use trying to wriggle/worm your way out of your responsibilities! *kiemurrella jonkun suosioon* worm your way into someone's heart/favor *Älä kiemurtele vaan sano totuus!* Don't hem and haw, just tell me the truth! Don't try to wriggle out of it, tell me the truth!

kiero 1 (vääntynyt) deformed, warped, twisted, crooked *katsoa kieroon* look crosseyed, cross your eyes; (pysyvästi) be cockeyed 2 (epärehellinen) crooked, corrupt, fraudulent *umpikiero* crooked as a three-dollar bill *kieroa peliä* foul play, dirty pool 3 (ovela) cunning, sly, foxy 4 (vääristynyt) false, distorted *katsoa kieroon lasten temppuja* frown on the kids' pranks 5 (epäoikeudenmukainen) unfair, unequitable *kierot maanomistussuhteet* unfair ownership of land

kieroontunut 1 (fyysisesti) deformed, warped, twisted, crooked 2 (henkisesti) twisted, perverted, warped

kierosilmäinen crosseyed, cockeyed

kieroutua 1 (fyysisesti) be twisted/warped/ crooked 2 (henkisesti) get/become twisted /perverted/warped

kierre 1 (ruuvin tms) thread(s) *Tästä ruuvista on mennyt kierre* This screw's got stripped threads **2** (langan tms) tist, twine **3** (syöksykierre) nosedive, (down)spin, vicious circle, catch-22 *joutua velkakierteeseen* get trapped in the vicious circle of debt *joutua viinakierteeseen* shuttle back and forth between drunkenness and the sober shakes, plunge into the nosedive of alcoholism **4** (urh) spin *sivukierre* sidespin *takakierre* backspin *kierresyöttö* (baseballissa) curveball **5** (tal) spiral *inflaatiokierre* inflationary spiral

kierrellä 1 (kulkea ympyrää) circle (around), (lintu) wheel **2** (kulkea sinne tänne) wind, meander **3** (kulkea paikasta toiseen) roam, wander *kierrellä maita ja mantereita* roam far and wide, follow your footsteps **4** (kulkea ympäri) circle, go/step around, avoid *kierrellä saarta* circle/go around the island *kierrellä lätäköitä* go around/avoid puddles **5** (karttaa) avoid, tay out of (someone's) way *kierrellä kaukaa* give a wide berth to, keep your distance from **6** (vältellä) evade, dodge *kierrellä ja kaarrella* hem and haw, beat around the bush *vastata kiertelemättä* give a straight answer *vastata kierrellen* answer evasively, give an evasive answer, evade the question **7** (olla liikkeellä) circulate, make the rounds *Klerteli sellainen huhu että* There was a rumor making the rounds to the effect that, Rumor had it that

kierros 1 (ajelu) spin *Lähdetkö pienelle kierrokselle?* Do you want to go out for a little spin, take a little spin? **2** (kävely) walk, turn, stroll *tehdä kierros puistossa* take a turn/stroll in the park **3** (ratakierros) lap *ohittaa joku kierroksella* lap someone **4** (poliisin) beat **5** (lääkärin/postinkantajan tms) round *Tohtori on kierroksella* The doctor is making his rounds **6** (tarjoilu-/neuvottelukierros, kierros golfia/kortteja) round *Minä tarjoan seuraavan kierroksen* The next round is on me *Miltä tuntuisi kierros golfia?* Are you up to a round of golf? **7** (ympyrä) circle, cycle *tehdä täysi kierros* come full circle *viiden vuoden kierros* five-year cycle **8** (kiertotie) circuit(ous route), roundabout way, detour

tehdä kierroksia epätasaisen maaston vuoksi make detours due to the uneven terrain **9** (kierto: radalla) orbit, (ympäri) rotation **10** (moottorin) revolution, (ark) rev *Kyllä tästä moottorista kierroksia löytyy* This engine's got power to burn *lisätä kierroksia* rev it up *kierrosta minuutissa* revolutions per minute, rpm's

kierrättää 1 (vierasta) take (someone) all over, show him/her the sights **2** (estettä) send/direct (someone) around (an obstacle, the long way) **3** (turhaan) send someone on a wild goose chase **4** (vaateltia/sanomalehtiä/lasia jne) recycle

kierrätys (jätteiden) recycling

kierteinen 1 (ruuvi) threaded **2** (kierukkamainen) spiral, helical, helicoid, voluted **3** (kiertynyt: lanka tms) twisted, (sarvi) whorled

kierto 1 (pyöritys) turn(ing), twist(ing), screw(ing) *vartalon kierto* twisting the body (fys: vääntö) torsion, (vääntömomentti) torque **3** (pyörintä ympäri) rotation, gyration, spin(ing), whirl(ing) *maapallon kierto* the earth's rotation **4** (kulku radalla) orbit **5** (veren, veden, rahan, kirjeen tms) circulation **6** (kaarros, kiertotie) detour *Meille tuli nyt kilometrin kierto* We're going to have to go a kilometer out of our way, make a detour of about a kilometer **7** (samoilu) roaming/roving/rambling (around) *kierto Lapissa* backpacking /hiking across Lapland **8** round *Lääkäri on kierrolla* The doctor is making his/her rounds **9** (vältely) evasion, avoidance *kysymyksen kierto* evading the question, evasive answer, evasion

kiertoilmaus 1 (lievempi ilmaus) euphemism **2** (laajempi ilmaus) periphrase, circumlocution

kiertokulku 1 circuit, circle, circular motion **2** (rahan tms) circulation **3** (vuodenaikojen) cycle (elämän) course

kiertorata orbit

kiertoteitse circuitously, in a roundabout way/manner, indirectly

kiertotie detour

kiertue 1 (matka) tour **2** (seurue) touring company

kiertyä turn, twist, wind *kiertyä vasemmalle* turn/veer to the left *kiertyä liian tiukalle* wind/twist too tight

kiertäen kaartaen indirectly, in a roundabout way, beating around the bush, with a lot of hemming and hawing

kiertää *tr* **1** (pyörittää) turn, twist, screw *kiertää avainta lukossa* turn a key in a lock *kiertää kansi auki* unscrew a lid *kiertää veitsi lapsen kädestä* wrest a knife out of a child's hands **2** (kierittää, kääriä) roll (up) *kiertää tukkansa nutturaan* do your hair up in a bun *kiertää lumipalloja* roll snowballs *kiertää kaihdin kokoon* roll up a blind **3** (kietoa ympärille), wind, wrap *kiertää kätensä jonkun kaulaan* wrap your arms around someone's neck *Köynnös kiertää vartensa pylvään ympäri* The vine winds around the column **4** (kulkea ympäri: ihminen pysyvää objektia) circle, go around, circumvent *kiertää taloa* circle the house, go around the house **5** (kulkea ympäriinsä: ihminen maailmaa) roam, rove, wander *Taidan lähteä vuodeksi kiertämään maailmaa* I think I'll take a year and see the world, (maapallon ympäri) travel around the world **6** (kulkea ympäri: satelliitti tms) orbit **7** (kulkea ympäri: seinä tms) encircle, be surrounded by *Taloa kiertää tiheä metsikkö* A dense thicket encircles the house, the house is surrounded (on all sides) by a dense thicket **8** (kulkea ympäritse) round *kiertää Hyväntoivonniemi* round the Cape of Good Hope **9** *Ajatukseni kiertävät alituisesti sinua* I can't get you out of my mind, I can't take my mind off of you **10** (vältellä) circumvent, evade, dodge, avoid *kiertää todelliset ongelmat* circumvent /ignore the real problems *kiertää todelliset kysymykset* evade the real questions *kiertää toimittajan kysymys* duck out of/dodge a reporter's question **11** (ohittaa) circumvent, get around/past *kiertää suunnitteluvirhe* get around a planning mistake, circumvent an error that was made in the planning stages *kiertää verotusta* find a tax loophole *itr* **12** (pyöriä) spin, turn, revolve *Pyörä kiertää vastapäivään* The wheel spins/turns counterclockwise *Maa kiertää akselinsa ympäri* The earth spins /revolves around its axis **13** (veri suonissa) go around *panna pullo/hattu kiertämään* pass the bottle/hat

kiertää auki (purkkia) unscrew the lid, (hanaa) turn on, (karttaa) unfold, unroll

kiertää hihansa ylös roll up your sleeves

kiertää hiuksia curl your hair, (laittaa papiljotit) put your hair up in rollers

kiertää irti unscrew

kiertää joku (pikku)sormensa ympäri wrap someone around your (little) finger

kiertää kaukaa give a wide berth to, keep your distance from, steer clear of, stay away from

kiertää kehää go around and around, go around in circles *Me olemme liian kauan kiertäneet kehää tässä asiassa, mentäisiinkö eteenpäin?* We've been going around and around on this too long, shall we move on?

kiertää kuin kissa kuumaa puuroa beat around the bush

kiertää lakia get around the law, dodge the law

kierukka 1 (ehkäisyväline) coil, IUD (intrauterine device) **2** (geom) spiral, helix

kietoa 1 (kääriä) wrap, throw *kietoa huivi jonkun olkapäille* wrap a shawl around someone's shoulders *kietoa kätensä jonkun kaulaan/vyötärölle* throw your arms around someone's neck/waist *kietoa vaatetta ympärilleen* throw something on **2** (kiertää) wind *kietoa nuora jonkin/jonkun ympärille* wind a rope around something/someone, tie something/someone up tight **3** (punoa) twist *kietoa kukista seppele* wind flowers into a wreath **4** (sotkea) entangle, tie up *kietoa joku valheisiin* entangle someone in a skein of lies

kietoa pauloihinsa get someone in your clutches

kietoa yhteen intertwine, interlace

kihara *s* curl, (kutri) lock, (tiukka kihara) frizz *adj* curly, (tiukka) frizzy

kiharapäinen curly-headed

kiharatukkainen curly-haired

kiharrin curler

kihelmöidä 1 (kirvellä) sting **2** (raavittaa) itch (jännittää) tingle

kihlaus engagement

kihloissa engaged (to be married)

kiidättää speed (something/someone) on (its /their way), rush *Lähetti kiidätti sanan kaupunkiin* The messenger rushed the word into town

kiihdyttää 1 (mieltä: yleensä) upset, get (someone/yourself) all worked up; (jännitystä) excite, fill (someone) with suspense; (vihaa) anger, provoke, infuriate; (ahdistusta) fill (someone) with anxiety; (pelkoa) frighten, fill (someone) with fear **2** (prosessia tms) accelerate, speed up *kiihdyttää vauhtia* pick up speed, step up your pace, walk/drive/jne faster *kiihdyttää hiukkasta* accelerate a particle

kiihdytys acceleration

kiihkeä 1 (innokas) eager, enthusiastic **2** (intohimoinen) ardent, fervent, passionate, hot-blooded/-headed *kiihkeä pyyntö* fervent/urgent request **3** (intensiivinen) fierce, furious, hot, intense *kiihkeä mieliala* inflamed/excited state of mind **4** (kiihkomielinen) fanatic(al), zealous

kiihko 1 (into) eagerness, enthusiasm **2** (intohimo) ardor, fervor, passion **3** (intensiivisyys) fury, heat, intensity **4** (vimma) frenzy, mania **5** (kiihkomieli) fanaticism, zeal

kiihkoilija fanatic, zealot, bigot

kiihkoilla be fanatic about, (ajaa kiihkeästi) pursue fanatically/zealously/passionately, (puhua kiihkeästi) fulminate (about)

kiihkomielinen fanatic(al)

kiihoke 1 (kimmoke) stimulus, spur, motivation *olla kiihokkeena johonkin* be the motivating factor behind something, motivate /push/drive people in a certain direction, to take a certain course **2** (houkutin) incitement, incentive, enticement **3** (ärsyke) irritant **4** (piriste) stimulant

kiihottaa 1 (vaikuttaa aisteihin, hermostoon tms) stimulate, (ruokahalua) whet, sharpen **2** (vaikuttaa tunteisiin, mielikuvitukseen tms) excite, stir, arouse (ks myös kiihdyttää) *kiihottaa mielenkiintoa* excite/arouse /spark someone's interest *kiihottaa joku raivoon* stir up someone's anger/rage, provoke/inflame/goad a person to anger *kiihottaa jotakuta seksuaalisesti* arouse someone, turn someone on (sexually) **3** (kannustaa) spur, motivate, (houkutella) entice *Katsojat kiihottivat juoksijoita huudoillaan* The spectators cheered the runners on **4** (yllyttää) spur/urge/egg (someone) on, agitate for *kiihottaa kapinaan* incite/instigate/stir up/foment (a) rebellion

kiihottua get excited/upset, get worked/ tensed up

kiihottuneisuus excited state of mind, mental/emotional upset, nervous tension

kiihotus 1 (yl ja pol) incitement, agitation **2** (lääk) stimulation

kiihtyvyys acceleration

kiihtyä 1 (henkisesti: yleensä) get upset, get all worked up, have a fit; (jännittyä) get excited, be in suspense; (vihastua) get angry/furious, fly off the handle; (ahdistua) get/feel anxious; (pelästyä) get scared, panic **2** (fyysisesti: yleensä) speed up, quicken, increase; (fys) accelerate *Vauhti kiihtyy* The pace picks up, the speed/velocity increases/accelerates

kiikari binoculars *olla kiikarissa* have your eye on (something), be aiming for (something)

kiikastaa *Mistä se kiikastaa?* What's the hitch/problem? Where's the hang-up?

kiikki gambrel *olla kiikissä* (kiinni) be caught /trapped, (pulassa) in a spot/pinch/fix *joutua kiikkiin* (kiinni) get caught (red-handed), (pulaan) get into a fix

kiikku swing

kiikkua 1 (roikkuen) swing *kiikkua kuistilla* (sit and) swing on the porch *kiikkua hirressä* swing from the gallows, from a tree (jne) **2** (keinutuolissa) rock **3** (heilahdellen) tip, teeter; (keinulaudalla) seesaw

kiikuttaa 226

kiikuttaa 1 (keinua) swing, (kehtoa, vauvaa) rock, (pöytää tms) tilt, tip **2** (ark: kantaa) carry, haul, lug

kiila 1 (yl) wedge **2** (pyörän alle) block, chock **3** (sot) spearhead

kiilata 1 wedge in/apart, cleave **2** (etuilla) cut in (front/line)

kiilautua 1 (juuttua) be(come)/get wedged /jammed in **2** (tunkeutua) wedge/elbow /push your way into

kiille 1 (kivi) mica **2** (kiilto) shine, luster **3** (kiillotus) polish, gloss **4** (lasitus) enamel, glaze

kiillottaa 1 shine, polish (up) *kiillottaa kenkiä* shine shoes **2** (lattiaa: vahata) wax, (hangata) buff; (puuta: lakata) lacquer, varnish; (metallia: hioa) grind, (hangata) burnish, polish

kiillottaa kilpensä polish (up) your halo, clear your reputation

kiillotus 1 shine, shining, polish(ing) *kengän kiillotus* shoeshine **2** wax(ing), buffing, lacquering, varnish(ing), grinding, burnish(ing) (ks kiillottaa)

kiilto 1 (kiiltävyys) shine, luster **2** (kiilletty pinta) polish, finish, gloss **3** (välke) gleam, glitter, glint, glow, shimmer (ks kiiltää)

kiiltävä shiny, gleaming, glittering, glinting, glowing, glimmering, glistening, shimmering (ks kiiltää); (valokuvan tms pinta) glossy

kiiltää shine; (pehmeän kirkkaasti) gleam, (kylmän kirkkaasti) glitter, glint, (lämpimän himmeästi) glow, (himmeästi) glimmer, (märkänä) glisten, (häilyen) shimmer *Ei kaikki ole kultaa mikä kiiltää* All that glitters is not gold

Kiina China

kiinalainen *s, adj* Chinese

kiinni 1 (suljettuna) shut, closed; (lukittuna) locked **2** (TV, radio, hana) off, (jarrut) on **3** (sidottuna) tied up, fastened **4** (juuttunut) jammed, stuck (fast) **5** (kiintynyt) close/ attached (to someone) *toisiinsa kiinni liimautuneina* entwined together *kylki kyljessä kiinni* side by side, shoulder to shoulder, flank to shank **6** (kiikissä) caught, trapped **7** (järvi, meri) frozen **8** *olla kiinni*

jostakin depend on *Se on sinusta kiinni* It's up to you *Se on rahasta kiinni* It's a question/matter of money **9** *olla kiinni jossakin* have your hands on *olla kiinni voitossa* have practically won, virtually have the prize in your hands *päästä kiinni omaan kotiin* land a house of your own, get your hands on a house of your own

kiinnitin fastener, clip, clasp

kiinnittyä (be) fastene(d), attach, adhere *Huomioni kiinnittyi erityisesti kolmanteen pykälään* I was particularly interested in/ concerned about/troubled by/pleased with the third paragraph

kiinnittää 1 tie (myös kuv), fasten, attach; (naulalla) nail, (liimalla) glue, stick, (pu-ristimella) clamp, (hakasilla) hook *En halua kiinnittää sinua itseeni* I don't want to tie you down **2** (palkata) engage, hire, employ **3** (sijoittaa) invest **4** (talo lainan vakuudeksi) mortgage **5** (kuv) fix, pin, fasten

kiinnittää jonkun huomio johonkin call/direct someone's attention to something, call something to someone's attention

kiinnittää katseensa johonkin fasten/fix your eyes on

kiinnittää suuria toiveita johonkuhun set/ place high hopes on someone, have great expectations for someone

kiinnittää toiveensa johonkin pin your hopes on something

kiinnitys 1 (kiinnittäminen) fastening, attachment, adhesion **2** (nappien) buttoning, (jalokivien) mounting, (laivan) mooring **3** (kiinnelaina) mortgage **4** (palkkaus) appointment

kiinnostaa interest *Kiinnostaako tämä sinua ollenkaan?* Are you at all interested in this, does this interest you at all? *Ketä se muka kiinnostaa?* Who cares? Who gives a damn/rip?

kiinteistö real estate

kiinteistönvälittäjä real estate agent, realtor

kiinteä 1 (kiinni oleva) stationary, fixed, immobile *kiinteä omaisuus* real estate **2** (jähmeä: vrio tms) solid, (hyytelö tms) firm **3** (tiivis: maa) compact, (peite) hard, (tomaatti tms) firm **4** (kireä) tight *vetää side kiinteäksi* pull a bandage tight *kiinteä ote* firm grip **5** (läheinen) close *kiinteät perhesuhteet* close(-knit) family relations **6** (yhtenäinen) coherent, cohesive *romaanin kiinteä rakenne* the novel's coherent /tight structure **7** (muuttumaton: hinta) fixed, firm

kiinteäkorkoinen (liik) fixed-rate

kiintoisa interesting

kiintymys affection, attachment, devotion

kiintyä 1 (kunnittya) *stick in Huumioni kiintyi häneen* She caught/attracted my attention, I couldn't take my eyes off her **2** (mieltyä) become attached to (myös kuv)

kiipeillä 1 (ihminen tai eläin) climb **2** (kasvi) creep up

kiipijä 1 (ihminen) (social) climber, (halv) upstart **2** (kasvi) (tree)creeper

kiire s **1** hurry, rush *työskennellä kovassa kiireessä* work under immense pressure /stress *asialla on kiire* it's urgent/pressing *Miksi sellainen kiire?* Where's the fire? What's the rush? *Pidä kiirettä!* Hurry up! **2** (päälaki) crown (of the head) *kiireestä kantapäähän* from head/top to toe *adj* **1** (kiireinen) busy, rushed, hectic *kiire päivä* hectic day, one of those days **2** (nopea) quick, hasty *Hänelle tuli kiire lähtö* He took off in a hurry, he made tracks *kiireimmän kaupalla* in record time, lickety-split

kiireellinen 1 (asia) urgent, rush *kiireellinen kirje/asia* urgent/pressing letter/matter *kiireellinen tulostustyö* rush (print) job **2** (tarve) instant, (apu) prompt

kiireellisyys urgency

kiireen kaupalla hurriedly, in record time

kiireen vilkkaa lickety-split, before you can say Jack Robinson

kiireesti quickly, hurriedly, in a rush/hurry

kiirehtiä 1 (kiiruhtaa) hurry (up), rush (around); (ark) get hopping/cracking, go like the wind, go like a shot, go like sixty **2** (hoputtaa: ihmistä) rush, push/press (someone) to hurry up *kiirehtiä jotakuta ulos* (ark) give someone the bum's rush **3** (jouduttaa: asiaa) rush, expedite, speed

up *kiirehtiä kirjettä postiin* rush a letter to the post office

kiireimmin as soon as possible (ASAP), posthaste

kiireinen 1 (ihminen) hurried, rushed, busy, pressed (for time) **2** (päätös, vastaus tms: liian nopea) hasty, precipitate, rash (sopivan nopea) quick, prompt *kiireinen vastaus* prompt reply *kiireinen päätös* rash /precipitate decision **3** (asia) urgent, rush *kiireinen kirje/asia* urgent letter/matter *kiireinen tulostustyö* rush (print) job

kiireisyys 1 (kiire) hurry, haste **2** (kiireellisyys) urgency **3** (hätäköinti) rashness

kiiruhtaa hurry (up), rush; (ark) make tracks *Kiiruhda hitaasti* Haste makes waste, easy does it; (lat) festina lente

kiisseli fruit soup

kiista (sanallakin) dispute, argument; (ark) shouting match **2** (julkinen väittely) debate **3** (polemiikki) polemic, controversy

kiistakapula bone of contention

kiistanaihe controversial subject

kiistaton undisputable, unquestionable

kiistatta indisputably, unquestionably

kiistellä 1 (väitellä) argue, debate, dispute *Makuasioista ei kannata kiistellä* There's no accounting for tastes, (lat) de gustibus non est disputandum **2** (olla eri mieltä) disagree (on/over)

kiistämättä undoubtedly, undisputably, indisputably

kiistää 1 (kieltää) deny, contradict *kiistää vastuunsa* disclaim responsibility *Ei voida kiistää, etteikö* It can't be denied that **2** (asettaa kyseenalaiseksi) contest, controvert, dispute, challenge *kiistää testamentti* contest a will

kiitellä 1 (kiittää) thank **2** (ylistellä) praise, commend

kiitettävä excellent

kiitettävästi excellently

kiitoksia paljon thank you very much; (ark) thanks a lot

kiitollinen 1 (ihminen) thankful, grateful, appreciative *Olisin erittäin kiitollinen jos* I'd be much obliged if, I'd really appreciate it if *Olisin kiitollinen jos et sekaantuisi minun asioihini* (ironisesti) I'll thank you to mind your own business **2** (tehtävä tms) rewarding, profitable, fruitful **3** (aine: kestävä) durable, (sopiva) suitable

kiitollisesti thankfully, gratefully (ks myös kiitollinen)

kiitollisuus 1 (ihmisen) gratitude, appreciation **2** (tehtävän tms) profitability, fruitfulness

kiitos 1 thanks *A: Mitä kuuluu?* B: *Kiitos hyvää* A: How's it going? B: Fine thanks *tuhannet kiitokset* thanks a million *Kiitos itsellesi!* Thank you! *kiitokseksi jostakin* by way of thanks (for) *Sen sain kiitokseksi* That's the thanks I get *A: Otatko lisää? B: Kyllä kiitos* Yes please *A: Oletko saanut perunoita? B: Kyllä kiitos* Yes thanks *sydämelliset kiitokset* heartfelt thanks **2** (ylistys) praise, commendation *saada kiitosta* be praised/commended, receive praise/positive feedback/acknowledgement for your work *Hänen kiitoksekseen on sanottava että* To his credit it must be said that

kiitos sinun thanks to you

kiitosta ansaitseva praiseworthy, laudable

kiitos viimeisestä thanks again, we really had a good time, that was fun last/the other night/day

kiittämätön ungrateful

kiittää 1 thank, express your gratitude to *En voi kiittää sinua kylliksi* I can't thank you enough, I don't know how to express my gratitude *kiittää onneaan* thank your lucky stars *Saamme kiittää sinua tästä* If it hadn't been for you, we'd; (hyvästä asiasta) thanks to you, we now have...; (katastrofista) this is all your doing *Hän saa kiittää sinua hengestään* He owes you his life **2** (ylistää) praise, commend *kiittää Herraa* praise the Lord *kiittää itseään* blow your own horn, pat yourself on the back

kiitää speed, race, fly, dash, run/fly/go like the wind *kiitää ohi* shoot/dash past *ohi kiitävä hetki* fleeting/evanescent moment *kiitävät pilvet* racing/scudding clouds

kiivaasti 1 (vihaisesti) fiercely, violently **2** (intohimoisesti) intensely, passionately

kiivas 1 (tuittupäinen) hot-headed/tempered /-blooded, quick-tempered, quick to lose your temper *Tuo mies on hirvittävän kiivas* That guy's got a terrible temper **2** (intohimoinen) intense, passionate, ardent, zealous **3** (kuumentunut: keskustelu tms) fierce, violent, vehement, heated **4** (mus: nopea) fast, allegro

kiivasluontoinen hot-headed/-tempered/ -blooded, quick-tempered, quick to lose your temper

kiivastua lose your temper, fly into a (purple) rage/passion; (ark) fly off the handle, have a fit

kiivetä 1 climb; (vaikeasti) clamber, scramble; (pitkin sitäin, vuoren huipulle) scale *Kiinteistöjen arvot kiipeävät koko ajan ylöspäin* Real estate values keep on climbing/rising **2** (hevosen selkään) mount

kiivi kiwi

kikattaa giggle

kikatus giggling

kikkeli peepee, weewee, willie

kilistä 1 (kulkuset) jingle, tinkle; (lasit, pullot) clink **2** (ovikello) ring

kiljahtaa 1 shout, cry out **2** (kimeällä äänellä) scream, squeal, shriek; (liitu taululla) screech **3** (syvällä äänellä) howl, holler, whoop

kilo (ark: ruoka tms) kilo, (kilotavu) K, (huumeet) key

kilogramma kilogram

kiloittain by the kilo

kilometri kilometer

kilotavu kilobyte (KB); (ark) K *360 kilotavun levykeasema* 360 K(B) (floppy) disk drive

kilowatti kilowatt

kilpaa *juosta/ajaa kilpaa* race *Juostaan kilpaa tästä kouluun* Race you to the school!

kilpa-ajaja race driver

kilpa-auto race car

kilpailija competitor, rival; (kilpailun osallistuja) contestant

kilpailla 1 compete, take part in (a) competition/race/event/jne **2** (jonkun suosiosta) contend, vie (for someone's favor) **3** (vetää vertoja jollekin) rival, stand up to, stand comparison with

kilpailu 1 (urh) competition, contest, meet, tournament **2** (liik) competition **3** (kilpa: kahden hakijan/kosijan välillä) rivalry

kilpajuoksu race (myös kuv)

kilpi 1 (sot) shield *käyttää jotakuta kilpenään* hide behind someone, use someone as your cover/shield **2** (kilpikonnan) shell **3** (nimikilpi: rintapielessä) name tag, (ulko-ovessa) nameplate, (liikkeen edessä) shingle **4** (rekisterikilpi) license plate

kilpikonna turtle, tortoise *hidas kuin kilpikonna* slow as the seven-day itch

kiltisti nicely *Syö kiltisti nyt!* Now be a good boy/girl and eat *Se oli kiltisti tehty* That was nice/kind/thoughtful of you

kiltteys niceness, good behavior

kiltti *s kilt adj* **1** (tottelevainen) good, well-behaved *Koeta nyt olla kiltti* Try to behave yourself, be on your best behavior, be a good boy/girl *Hanna kiltti, sulkisitko ikkunan?* Hanna (dear), could you please close the window? **2** (ystävällinen) nice, kind, thoughtful *Ole kiltti ja sido minun kengännauhani* Could you tie my shoes, please? Could you please tie my shoes?

kilvan in competition with *kiittää kilvan* fall over yourself to thank someone

kilvoitella 1 (pyrkiä) strive (for/after), struggle (to attain) **2** (kilpailla) contend, vie

kimakka 1 (kimeä) shrill, high-pitched **2** (vihlova) sharp, piercing

kimalainen bumblebee

kimallus glitter(ing)

kimaltaa glitter

kimeä 1 (kimakka) shrill, high-pitched **2** (vihlova) sharp, piercing

kimittää shrill

kimmahtaa bounce *kimmahtaa takaisin* rebound off, bounce back off; (luoti) ricochet *kimmahtaa pystyyn* spring/bound to your feet

kimmoinen elastic, springy

kimmoisa elastic, springy, resilient

kimmoke 1 (sot) ricochet **2** (mieliteko) (sudden) impulse/notion/whim/urge (to do

something) **3** (kiihoke) incitement, provocation, enticement

kimmota 1 (olla kimmoisa) be elastic/springy/resilient *kimmoava nahka* resilient leather **2** (palautua entiseen muotoon) snap/spring back **3** (ponnahtaa) bounce back/off, rebound; (luoti) ricochet **4** (hypähtää, ampaista tms) spring, shoot, fly, hurl yourself *Pojat kimposivat ovesta* The boys burst/rushed/flew out the door, were out the door like a shot *kimmota jonkun kaulaan* hurl yourself around someone's neck

kimpaantua lose your temper (at), lose your patience (with), flare up (at); (ark) get fed up (with), get sick (of)

kimpale 1 (leivän tms) piece, hunk, chunk **2** (kultakimpale) nugget

kimppu 1 bunch, bundle, package *kokonainen kimppu ongelmia* a whole bunch/bundle of problems **2** (kukkia) bouquet **3** (nuolia) sheaf **4** (heinää) truss

kimppuun *käydä jonkun kimppuun* attack/assault someone *käydä työn kimppuun* get to work on, get down to business, get cracking on *käydä ongelman kimppuun* tackle a problem, face a problem head-on *käydä ruoan kimppuun* pitch in and start eating

kimpsuineen kampsuineen with the whole kit and kaboodle *lähteä kimpsuineen kampsuineen* (myös) clean your closets and go

kimpussa *olla jonkun kimpussa* be all over someone, be working someone over *olla työn kimpussa* be hard at work, hard at it *olla ongelman kimpussa* have your thinking cap on *olla ruoan kimpussa* be eating like it was going out of style

-kin 1 too, also, as well *Minäkin olen käyttänyt tuota sanakirjaa* I've used that dictionary too *Kävin kotonakin* I went home too/as well, I also stopped by home **2** (jopa) even *Hullukin sen ymmärtää* Even a fool would understand that *Niinkin iso kuin 5 metriä?* As big as that, 5 meters? *Yksikin sana niin lähden* Just one word and I'm out of here, a single word out of you and I'm leaving **3** (joka tapauksessa) anyway, anyhow, at any rate *Se olikin vitsi* I was just joking anyway *Hän pääsi kuin pääsikin perille* He made it after all, he actually got there **4** (todellakin) yes, that's right *Niin sanoinkin* Yes, that's (just) what I said **5** *olisikin kesä* I wish it were summer **6** (tahansa) ever *Mitä teetkin* Whatever you do *Kuka lieneekin* Whoever she may be *Hän tekee mitä milloinkin* She does whatever she feels like

kina (kiista) argument, dispute, quarrel; (ark) wrangle, squabble, bickering

kinastella argue, quarrel; (ark) wrangle, squabble, bicker

kinata argue, quarrel; (ark) wrangle, squabble, bicker

kineettinen kinetic

kinkku ham (myös kuv)

kinnas mitten *lyödä kintaat pöytään* throw in the towel, hang up your gloves *viitata kintaalla jollekin* not give a damn about something, shrug your shoulders at something

kinos (lunta) (snow)drift, (hiekkaa) (sand) dune

kinttu leg *niin kovaa kuin kintuistaan pääsi* as fast as his legs would carry him *housut kintuissaan* with your pants down around your ankles

kinuski butterscotch

kioski kiosk, newsstand

kioskikirjallisuus 1 (hist) penny dreadfuls, dimestore/two-bit novels/literature **2** (nykyään) drugstore/grocery store/airport novels/literature; mass-market paperbacks/literature

kioskiruoka junk food

kiperä 1 (kiverä) crooked, bent, twisting, twisted **2** (täpärä) narrow, (tiukka) tight, (tukala) awkward, (vaikea) difficult *kiperät paikat* (oli) close call, (on) tight spot

kipeytyä start hurting, get sore/painful

kipeä 1 (särkevä) painful, sore, hurting, aching, tender *tehdä kipeää* hurt, (kirvellä) sting, (särkeä) ache, (aristaa) be tender/sore *maksaa itsensä kipeäksi* pay through the nose, pay till it hurts **2** (sairas) sick

kipeä lapsi sick child *Mulla on lapsi kipeänä* My kid's home sick *lemmenkipeä* lovesick **3** (kuv: arka) sore, (arkaluonteinen) delicate, (tuskallinen) painful *kipeä aihe* sore/delicate subject *kipeä muisto* painful memory **4** (kiireellinen) pressing, urgent *kipeä tarve* pressing/urgent need *Lääkkeitä tarvitaan kipeästi* We're badly /sorely in need of medicine *tulla kipeään tarpeeseen* (esim lääkkeet) fill a pressing need, (ihminen) arrive just in the nick of time

kipin kapin lickety-split, hippityhop

kipinä spark (myös kuv) *Ei ole toivon kipinää* We don't have a ray of hope

kipinöidä spark *Hänen silmänsä kipinöivät vihaa* Her eyes flashed with anger

kipittää scamper, scoot

kippari skipper, captain

kippo scoop, ladle, dipper

kipsi plaster (of Paris)

kipsissä 1 (fyysisesti) in a cast *Hänellä on jalka kipsissä* He has his leg in a cast, a cast on his leg **2** (henkisesti: pelokas) scared of your own shadow, timid; (ujo) shy, withdrawn (into your shell)

kipu pain, ache

kipuaisti sense of pain

kirahvi giraffe

kireä tight (myös kuv); (naru tms) taut; (hermot tms) strained *kireä pusero/hymy/aikataulu* tight blouse/smile/schedule *kireä ääni* strained voice *kireä kilpailu* tight competition *kireä poliittinen tilanne* explosive political situation, political crisis

kireällä tight, strained *Raha on kireällä* Money's tight *kireät välit* strained relations *hermot kireällä* under a lot of strain, on edge, frazzled

kiri sprint, spurt

kiristin clamp, tightener

kiristyä 1 (köysi tms) tighten, pull/draw tight /taut **2** (ilmapiiri tms) become strained/ awkward **3** (rahatilanne) get tight/worse/ critical **4** (kilpailu, vauhti) pick/step up, increase **5** *Pakkanen kiristyy* The temperature/mercury is dropping **6** (arvostelu) intensify

kiristää 1 (köyttä, kontrollia tms) tighten *kiristää köyttä* tighten/tauten a rope, pull a rope tight *kiristää hampaitaan* clench your teeth *kiristää (nälkä)vyötä* tighten/cinch up your belt **2** (olla kireä: kaulus tms) be too tight **3** (hankkia uhkauksella) blackmail, extort; (ark) (put the) squeeze (on)

kiriä sprint, pour on the speed

kirja book (ks myös kirjat) *lukea jotakuta kuin avointa kirjaa* read someone like an open book *Hän on hyvin kirjansa lukenut* He knows his stuff

kirjaamo registrar's office

kirjahylly bookshelf, (hyllykkö) bookcase

kirjailija writer, author; (romaanien) novelist

kirjailla 1 (kirjoa) embroider **2** (harrastaa kirjallista toimintaa) scribble

kirjaimellinen literal *kirjaimellinen ihminen* literalist

kirjaimellisesti literally

kirjain letter (myös kuv) *isot kirjaimet* capital letters *pienet kirjaimet* small letters *toimia lain kirjaimen mukaan* follow the letter of the law

kirjakauppa bookstore

kirjakieli standard language *suomen kirjakieli* standard Finnish

kirjakielinen standard

kirjallinen 1 (kirjoitettu) written *kirjallisena* in writing **2** (kaunokirjallinen) literary *kirjallinen maailma* the literary world, the world/republic of letters

kirjallisesti in writing

kirjallisuus literature, letters

kirjanen booklet, leaflet, brochure, pamphlet

kirjanpito 1 (teko) bookkeeping, accounting *kahdenkertainen kirjanpito* double-entry bookkeeping **2** (kirjat) the books

kirjanpitäjä accountant, bookkeeper

kirjapaino printer, printing house

kirjasin font, type

kirjasinlaji font, typeface

kirjasto (julkinen tai oma) library

kirjat 1 (asiakirjat) papers, documents, records, (tilit) accounts; (ark) the books *Jo on maailman kirjat sekaisin!* Every-

thing's all topsy-turvy **2** (henkikirjat) (civil) register *olla kirjoilla Jyväskylässä* be registered in Jyväskylä **3** (maine) rep(utation) *Minulla on siellä vähän huonot kirjat* I've got a bad name there *olla elävien kirjoissa* be in the land of the living **4** (poliisin) (police) records *olla poliisin kirjoissa* have a police record, (ark) have a rap-sheet (a mile long)

kirjatoukka bookworm

kirjautua sisään (tietok) log in, sign on

kirjautua ulos (tietok) log out/off, sign off

kirjava (monivärinen: yl) many-/multi-colored; (hevonen) dappled, piebald; (kivi tms) mottled, spotted, speckled **2** *kirjavat* (kirjopyykki) colored wash, (ark) coloreds **3** (korea) bright(-ly colored), räikeä) gaudy **4** (sekalainen) mixed, varied, miscellaneous *kirjava menneisyys* spotty past *iso kasa kirjavia tavaroita* a big pile of miscellaneous stuff *arkkitehtonisesti kirjava kaupunki* architecturally eclectic city

kirje 1 letter; (ark) note, a few lines *kirjoittaa jollekulle kirje* write someone a letter; (ark) drop someone a note/line **2** (raam) epistle

kirjeenvaihtaja correspondent

kirjeenvaihto correspondence

kirjekuori envelope

kirjepaperi letter/note/writing paper, stationery

kirjo 1 (fys) spectrum **2** (värikylläisyys) splash of colors *kukkaniitty koko kirjossaan* a meadow full of brightly colored wildflowers, wildflowers in all their colors **3** (kirjavuus) variety *hyväksyä asian koko kirjo* embrace a thing in all its complexity

kirjoa embroider *lukemattomien tähtien kirjoma taivas* the night-time sky spotted /dotted/dotted by countless stars

kirjoitin printer

kirjoittaa 1 write *kirjoittaa romaani* write/ author/pen a novel *kirjoittaa lappu* write a note, scribble/jot down a note *Miten kirjoitat sen?* How do you spell that? **2** (ylioppilaaksi) take/pass the matriculation exam *Kirjoitatko tänä vuonna?* Do you graduate this year?

kirjoittaa koneella type
kirjoittaa muistiin write down
kirjoittaa uudelleen rewrite
kirjoittaa ylös write down
kirjoittamaton sääntö unwritten rule/law
kirjoittautua 1 (kouluun, kurssille) register, enroll, sign up **2** (hotelliin) check in
kirjoitus 1 writing *opetella kirjoitusta* learn to write/spell **2** (artikkeli) article, essay; (ark) piece **3** (kouluaine) composition, essay **4** (ylioppilaskirjoitus) exam *lähteä pois kesken kirjoituksen* leave in the middle of the exam **5** (raam) scripture *pyhät kirjoitukset* Holy Scripture/Writ
kirjoituskone typewriter *kirjoittaa kirjoituskoneella* type
kirjoituspöytä desk
kirjopyykki colored wash, (ark) coloreds
kirjuri 1 (hist) scribe, scrivener **2** (vanh: pöytäkirjanpitäjä) scretary, minute-keeper
kirkaista scream, shriek, cry out
kirkas 1 (valoa säteilevä) bright, brilliant *kirkkaat silmät* bright eyes *keskellä kirkasta päivää* (right out) in broad daylight **2** (valoa läpipäästävä) clear *kirkas vesi/lasi* clear water/glass *kirkas ääni* clear/pure sound/voice *pullo kirkasta* a bottle of the hard stuff *kuin salama kirkkaalta taivaalta* out of the blue, like a bolt out of the clear blue sky **3** (valoa heijasteleva) shiny, sparkling *kirkas kuin peili* smooth as glass **4** (kuv: terävä) lucid, (selvä) obvious *kirkas voitto* an obvious victory, a hands-down win *kirkas ajatuksenjuoksu* lucid intellect *kirkas äly* sharp/quick wit
kirkastaa 1 (vettä) clear, clarify **2** (hopeasineitä tms) polish, burnish, shine **3** (ajatuksia) clarify, elucidate, (mainettaan) polish (your reputation/halo) **4** (kasvoja) brighten, transfigure *ilon kirkastamat kasvot* a countenance transfigured by joy **5** (raam) glorify *kirkastettu Kristus* Christ in all his glory
kirkastua 1 (sää, vesi tms) clear (up), clarify **2** (hopeasine tms) get shiny; (ark) polish /buff up *Nuo lusikat kirkastuivat ihan kivasti* Those spoons polished up just fine **3** (ajatus) get/become clear *Minulle alkoi*

kirkastua juonen tarkoitus The point of the whole scheme began to be clear to me, began to dawn on me, I began to see what was afoot/up, the scales began to drop from my eyes **4** (kasvot, elämä tms) brighten, light up *Hänen kasvonsa kirkastuivat* Her face lit up, her eyes brightened **5** (raam) be glorified
kirkkaus 1 (valon säteily) brightness, brilliance, lightness, radiance *TV:n kirkkauden säätö* brightness adjustment on the TV **2** (valon läpipäästävyys) clarity **3** (valon heijastelu) shininess, sparkle **4** (kuv: terävyys) lucidity **5** (raam) glory
kirkko 1 church; (instituutiona) the Church *kirkon ero valtiosta* the disestablishment of the Church **2** (kirkonkylä) village *kirkolla* in the village (center)
kirkkoherra vicar, (US lähin vastine: protestantti) head pastor, (katolinen) (parish) priest
kirkollinen church, ecclesiastical *kirkolliset ilmoitukset* church announcements
kirkonkylä village
kirkossakävijä church-goer
kirkossakäynti church attendance
kirkua scream, shriek, cry out
kirmaista dash, dart, fly, scoot, shoot
kirnu churn
kirnuta churn
kiroilla swear, use bad language, use profanity; (ylät) curse, (murt) cuss *kiroilla kuin turkkilainen* swear like a Turk
kiroilu swearing, bad language, profanity; (ylät) cursing, (murt) cussing
kirosana swear word, (ylät) expletive, (murt) cussword
kirota 1 (usk) curse, damn, (virallisesti) anathematize **2** (kiroilla) swear, use bad language, use profanity; (ylät) curse, (murt) cuss
kirottu 1 (usk) cursed, damned *ikuisesti kirotut* eternally damned **2** (ark) (god)damn(ed), (gol)durn(ed)
kirous 1 (usk) curse, malediction **2** (vitsaus) curse, bane, scourge
kirpaista 1 (aiheuttaa kipua) smart, sting (myös kuv) **2** (tuntua kylmältä) bite *kirpai-*

seva kylmyys biting cold **3** (maistua väkevältä) burn, be hot *kirpaisevaa ruokaa* hot /spicy food

kirpeä 1 (terävä) sharp, tart *kirpeä huomautus/maku* sharp/tart remark/flavor **2** (repivä) cutting, biting **3** (väkevä) pungent, caustic *kirpeä arvostelu/lemu* pungent criticism/stench

kirppu flea

kirsikka cherry

kirskua 1 (lumi) crunch **2** (ovi) creak, squeak **3** (jarrut) squeal, screech **4** (pyörä, ratas) grate

kirstu 1 (säilytyslaatikko) chest, trunk **2** (rahakirstu) coffer *istua rahakirstun päällä* hold tight to the pursestrings **3** (ruumisarkku) coffin, casket

kirurgi surgeon

kirurgia surgery

kirurginen surgical

kirvelevä burning, smarting, stinging

kirvellä burn, smart, sting *Kurkkuani kirvelee* My throat is burning *Tämä voide kirvelee hiukan* This lotion will sting a little *Nuhteet kirvelivät hänen mieltään* He was smarting under the scolding

kirvely burning, smarting, stinging

kirves ax(e), (lyhytvartinen) hatchet *En lähde kirveelläkään sinne* You couldn't pay me enough to go there, wild horses couldn't drag me there

kirvoittaa (ote) relax, release; (kieli) loosen *kirvoittaa kielet* set the tongues wagging *kirvoittaa nauru* get a laugh

kirvota get/come loose *kirvota kädestä* slip /drop out of your hands

kisailla play (rough-and-tumble games), wrestle

kisat games

kiskaista jerk, yank, pull, wrench, tug *kiskaista itsensä irti jostakin* tear yourself away from something

kiskaisu jerk, yank, pull, wrench, tug

kisko 1 (rautatie) rail, track *suistua kiskoilta* be derailed, jump the track **2** (sähkökisko) conductor

kiskoa 1 (kiskaista) pull, wrench, tug, tear *kiskoa totuus irti jostakusta* beat the truth

out of someone **2** (vetää perässään) drag, lug, haul **3** (ottaa ylihintaa) overcharge, (ark) stiff, fleece *kiskoa korkoa* loanshark

kiskonta overcharging, (koron) loansharking

kiskuri 1 (koron) loanshark **2** (hylsyn) ejector

kissa cat *Kukas kissan hännän nostaa, jos ei kissa itse?* Who's going to blow your horn if you don't do it yourself? *Kissalla on yhdeksän henkeä* A cat has nine lives *kissan päivät* easy street *leikkiä kissaa ja hiirtä* play cat and mouse (with) *sanoa kissaa kissaksi* call a spade a spade

kissaeläin feline, cat *isot kissaeläimet* the big cats

kissanpentu kitten

kita 1 (anat) throat **2** (tekn) jaw, chap, cheek **3** (kuv): mouth, (nielu) maw, (leuat) jaws *helvetin kita* the maw/abyss of hell *kuoleman kita* the jaws of death

kitalaki palate, (ark) the roof of your mouth

kitara guitar

kitata 1 (saumaa) putty **2** (kaljaa) guzzle

kiteyttää crystallize (myös kuv)

kiteytyä crystallize (myös kuv) *Suunnitelmani alkoi kiteytyä* My plans started to crystallize/take shape

kitka friction (myös kuv)

kitkerä 1 (maku) bitter, (euf) tart **2** (kieli) acrid **3** (puhe) tart, sharp **4** (mielenlaatu) (em)bitter(ed), acrimonious

kitkeä (kukkapenkkiä) weed, (rikkaruohoa) pull up, (yhteiskunnan ongelmia) root out

kitsas 1 (rahan suhteen) stingy, tight(fisted), miserly, penny-pinching, cheap **2** (sanojen suhteen) sparing (of words/praise) **3** (kasvillisuuden suhteen) spare, barren

kitsastella 1 (säästellä) stint, scrimp, be frugal/sparing **2** (säästellä liikaa) pinch pennies

kitti 1 putty **2** *Kittiä kanssa!* Don't give me that!

kitua 1 (riutua) linger (on), languish, pine (away) **2** (elää puutteessa) eke out a meager existence **3** (jäädä lyhyeksi) be stunted

kitukasvuinen stunted

kitupiikki miser; (ark) skinflint, tightwad, cheapskate

kituuttaa *elää kituuttaa* eke out a meager living/existence, barely get/scrape by, barely hold body and soul together

kiuas sauna heater

kiukku anger, fury, rage *olla kiukuissaan* be angry/furious, be wild with rage, be pissed/browned off, be fuming *purkaa kiukkuaan johonkuhun* vent your anger /rage on someone

kiukkuinen angry, furious, wild with rage, pissed/browned off, fuming

kiukkuisesti angrily, furiously

kiukunpurkaus fit/burst of anger/rage

kiukutella 1 (lapsi: saada raivokohtaus) throw a temper tantrum **2** (aikuinen: purnata, olla hankala) bitch and moan

kiukuttaa irk, annoy; (ark) piss off *Minua kiukuttaa* It really pisses me off, gets my goat, gets my back/dander up

kiukuttelu (temper) tantrum

kiusa (riesa) bother, nuisance; (ark) hassle, pain in the neck/ass *tehdä kiusaa* bother, bug, drive (someone) up the wall, around the bend, to distraction *tehdä jotain ihan kiusallaan* do something out of spite, to spite someone, do something out of sheer orneriness *Siitä on ollut minulle pelkkää kiusaa* It's been nothing but trouble to me, it's been more of a hindrance than a help

kiusaantua get irritated/annoyed (with), reach the end of your rope (with), get ticked/pissed/browned off (at)

kiusaantunut irritated, annoyed, at the end of your rope, /pissed/browned off

kiusallinen 1 (ärsyttävä) irritating, annoying, aggravating, exasperating **2** (hankala) awkward, embarrassing, difficult *herättää kiusallista huomiota* attract unwanted attention *kiusallinen hiljaisuus* embarrassed/awkward silence

kiusankappale pest, nuisance, pain in the neck/ass

kiusantekijä trouble-/mischief-maker

kiusanteko trouble, mischief *ruveta tosissaan kiusantekoon* do your best to make trouble/mischief, put your heart into jamming up the works

kiusata 1 (ahdistella: leikillä) tease, (vaivaksi) pester, (vaatimuksilla) badger, (pienempiä) bully, pick on **2** (harmittaa) irritate, bother, trouble, nag at, bug *Minua kiusaa huominen* Tomorrow bothers me **3** (usk) tempt

kiusaus temptation *johdattaa kiusaukseen* lead (someone) into temptation, tempt (someone) *joutua kiusaukseen* be tempted (to do something, by something) *Kestän mitä tahansa paitsi kiusausta* I can stand anything but temptation

kiva 1 (mukava) nice *kiva poika* nice boy **2** (hyvä) good, great, fine *Se olisi ihan kivaa* That would be just fine **3** (hauska) fun *kiva peli* fun game *Meillä oli kivaa* We had fun

kivenheitto stone's throw *kivenheiton päässä* a stone's throw away

kivenkovaan *väittää kivenkovaan (että)* swear up and down (that)

kives testicle; (sl) ball, nut

kivettyä be petrified (myös kuv), petrify, fossilize

kivi 1 rock, (iso) boulder, (pieni) pebble; (kuv ja ylät) stone *heittää jotakuta kivellä* throw a rock at someone *Kivi putosi sydämeltäni* That took a load off my chest *painua pohjaan kuin kivi* sink like a rock *kuollut kuin kivi* stone dead *viisasten kivi* the philosophers' stone **2** (piikivi) flint **3** (siemen) pit, stone, seed *poistaa luumujen kivet* pit the plums **4** (lääk) stone **5** (hautakivi) gravestone **6** (jalokivi) gem, jewel, stone, (ark) rock *kalliit kivet* precious stones **7** (kellon kivi) ruby

kivihiili coal

kivikausi Stone Age

kivikautinen Stone-Age (myös kuv)

kivinen rocky (myös kuv)

kiviseinä brick wall

kivistys ache, pain

kivistää ache *Sydäntäni kivistää* I've got a pain in my chest

kivitalo brick house

kivulias painful (myös kuv)

kivuta climb (up) (myös kuv)

kivuton painless

kivääri rifle, gun

klaava *kruunu ja klaava* heads and tails

klarinetti clarinet

klassikko classic

klassinen classical

kliininen clinical

klinikka clinic

klisee cliché

klo o'clock

klovni clown

klubi club

-ko, -kö 1 *Onko jo aika lähteä?* Is it time to go already? **2** (painollisena) was it *Tämänkö halusit?* Was this the one you wanted? *Sinunko autosi se sittenkin oli?* Was it your car after all? **3** (sivulauseessa) whether *Kysy äidiltä, onko pukeutumisella väliä* Ask Mom whether it matters what we wear **4** (kuinka) how *Monesko kerta tämä nyt on?* How many times/takes is this now? *Kauanko aiot viipyä siellä?* How long do you think you'll be there? **5** (kohteliaissa lauseissa) please, I wonder whether, do you think *Voisitko auttaa minua?* Could you please give me a hand? I wonder if you could help me? Do you think you could help me out?

kodikas homey

kodinhoitaja housekeeper

kodinhoito housekeeping

koditon homeless

koe 1 (laboratoriossa) test, experiment *suorittaa koe* carry out an experiment *suorittaa kokeita* do/run tests **2** (koulussa) test, exam(ination) *lukea kokeeseen* study for a test, an exam

koeaika test/probationary period

koe-eläin laboratory animal; (ark) guinea pig

koekappale sample, specimen

koekäyttö trial run

koetella 1 (tunnustella) feel, touch **2** (kokeilla) try, test *koetella onneaan* try your luck *koetella housuja päälleen* try on a pair of pants **3** (panna koetukselle) try, tax, strain *koetella kärsivällisyyttä* try your patience *koetella voimia* tax your strength

koettaa 1 (tunnustella) feel, touch *koettaa kuumetta* (mittarilla) take someone's temperature, (kädellä) check someone for fever **2** (kokeilla) try, test, check *Koeta olla ihmisiksi!* Try to/and behave! *koettaa housuja päälleen* try on a pair of pants **3** (yrittää) try, attempt *koettaa kaikkensa* do your best, give it your best effort/shot **4** (tutkia) test, sample *koettaa uutta tuotetta* try out a new product *koettaa kepillä jäätä* test the water, see how the land lies, put out a feeler

koettelemus trial, tribulation, ordeal *Elämä on täynnä koettelemuksia* Life is full of trials and tribulations *Olipas se koettelemus!* What an ordeal!

kofeiini caffein

kofeiiniton decaf(feinated)

kohahdus 1 (veden) rush, flood **2** (tuulen) puff, gust **3** (hämmästyksen, kuiskinnan tms) stir, buzz *Innostuksen kohahdus kävi läpi katsomon* A buzz of excitement swept the stands

kohahtaa 1 (vesi, veri tms) rush *Veri kohahti päähän* The blood rushed to my head **2** *Huoneessa kohahti* The room was astir /abuzz (with excitement, with the news)

kohauttaa (kulmakarvojaan) raise, (olkapäitään) shrug

kohautus shrug

kohdakkoin soon, in the near future

kohdalla 1 (vieressä) by, next to *Jää Finnoilin kohdalla pois* Get off at the Finnoil station *kaupan kohdalla* by the store, in front of the store, near the store **2** (urh) mark *10 km kohdalla* at the 10 km mark **3** *kohdallaan* all right, in order *Kaikki ei ole nyt aivan kohdallaan* Something's fishy about this, something's not right

kohdalle *tulla kohdalle kun onnettomuus sattuu* happen to be right there when an accident happens/occurs *osua kohdalleen* hit the mark, strike home *kirjoittaa nimensä loppusumman kohdalle* sign (your name) against the sums

kohdalta *hänen kohdaltaan* as far as he's concerned *omalta kohdaltani* as far as I'm concerned, as I see it, from my point of view

kohdata 1 (ihminen) meet (with), encounter *kohdata ohimennen* run/bump into someone *kohdata syvällisesti* connect up with someone *kohdata kuolema* meet with death, die *kohdata kuolema rohkeasti* face /confront death bravely *kohdata koettelemuksia* undergo trials/tribulations, an ordeal *Tiemme kohtasivat* Our paths crossed *kohdata jonkun katse* meet someone's eye, look someone in the eye **2** (tapahtuma) befall, happen, occur *Häntä kohtasi hirvittävä onnettomuus* The most horrible thing happened to him, a terrible accident befell him, he met with a ghastly accident

kohde 1 (maali) target **2** (tavoite) objective, (matkan) destination **3** (tunteen) object *pilkan kohde* laughingstock, the butt of everyone's jokes *huomion kohde* the center of attention **4** (tutkimuksen) subject

kohdella treat, deal with *kohdella hyvin/halveksien* treat someone well/with contempt *kohdella oikeudenmukaisesti* deal with/ treat someone fairly

kohden *adv: tässä kohden* right here *postp ja prep* **1** (kohti) towards *kääntyä jotakuta kohden* turn towards someone, turn to face someone, turn in someone's direction **2** (kultakin) per *puoli kiloa henkeä ja kuukautta kohden* half a kilo per person per month

kohdentaa direct, point *kohdentaa varoja maantienrakentamiseen* earmark funds for highway construction

kohdistaa direct, aim *Hoito on kohdistettava tautiin, ei sen oireisiin* Treatment must be aimed at the disease itself, not its symptoms

kohdistaa huomionsa johonkin concentrate on, direct your attention towards

kohdistaa katseensa johonkuhun fix your eyes on someone, (palavasti) bore/burn your eyes into someone

kohdistaa sanansa jollekulle address (your remarks to) someone

kohdistin (tietokoneen) cursor

kohdistua be directed/aimed at/towards, be concentrated/focused on *kohdistua kaik-

kiin työntekijöihin* apply to all employees *Kaikkien katse kohdistui minuun* Everybody turned to (look at) me

kohennus improvement, betterment *kaivata kohennusta* need a little fixing/touching up

kohentaa 1 (korjata asentoa tai järjestystä) straighten (up); (housuja) hike up, (hiuksia) pat into place, (tyynyä) fluff up, (takkatulta) poke up **2** (korjata kuntoa) repair, fix up *kohentaa taloa* fix up a house **3** (korjata olotilaa, taitoa tms) improve, brush up, polish *kohentaa englannin taitoaan* brush up (on) your English

kohentua improve, rise (to a higher level /standard) *Elämä alkaa kohentua* Life is looking up

kohina 1 (veden) rush(ing), (aaltojen) crash(ing) **2** (tuulen) rushing, roar(ing) **3** (sateen) pounding **4** (liikenteen) noise **5** (radion) static

kohista rush, crash, roar, pound (ks kohina)

kohme numbness, stiffness *kohmeessa* numb /stiff with cold

kohmeissaan numb/stiff with cold

kohmettua go/get numb/stiff with cold, freeze stiff

koho float, bobber

kohokohta highlight, high point

koholla raised *käsi koholla* with your arm raised, up in the air *pitää koholla* hold up (in the air)

kohota 1 (nousta) rise *Leija kohosi korkealle* The kite rose/flew/climbed high in the sky *Pekan suuttuessa hänen äänensä kohosi aina vain korkeammalle* The madder Pekka got, the higher his Voice rose *Elintaso on huomattavasti kohonnut sen jälkeen* The standard of living has noticeably risen since then, has gone/shot up **2** (seistä korkealla) stand, tower over *Iso kuusi kohosi talon yläpuolelle* A tall spruce towered over the house

kohottaa lift, raise, elevate *kohottaa kätensä* lift/raise your arm (up) *kohottaa lasiaan /päätään/kulmakarvojaan/mielialaansa* raise your glass/head/eyebrows/spirits *kohottaa hattuaan jollekulle* take your hat off to someone *kohottaa joku jalustalle* put someone up on a pedestal *kohottaa sivistystä/moraalia* raise the level of culture /morality *kohottaa aatelistoon* raise /elevate a person to the nobility

kohottautua 1 (seisomaan) stand up straight, straighten up **2** (istumaan) sit up straight, sit bolt upright

kohta *s* **1** (paikka) spot, place, point *tässä kohdassa* right here *arka kohta* sore/tender spot *heikko kohta* weakness, weak point/ link *tekstin kohta* (yleensä) passage, place; (lakitekstin) paragraph, clause, article **2** (luettelon) item, entry *adv* **1** (pian) soon, shortly, in a minute/second/jiffy *heti kohta* directly, in a flash *Siitä on kohta vuosi* It's (been) almost a year (since then) **2** (juuri) just *kohta kulman takana* just around the corner *kohta ruoan jälkeen* just after dinner

kohtaaminen meeting, encounter, confrontation

kohtaan to(wards), for *rakkaus/viha jotakuta kohtaan* love/hatred for someone *hyvä tahto ihmisiä kohtaan* good will towards men

kohta kohdalta point by point, item by item

kohtalainen 1 (keskitasoa) moderate, medium, middling, mediocre **2** (ei hassumpi) passable, tolerable, (ark) pretty good, not bad, not too shabby

kohtalaisesti moderately, passably, tolerably

kohtalo fate, lot, destiny *kova kohtalo* hard fate/lot *kohtaloonsa tyytymätön* dissatisfied/discontented with your lot *Kohtalo on ollut minulle suopea* Fortune has smiled on me, I've had it good

kohtalokas fateful, (kuolemaan johtava) fatal

kohtapuoliin in a minute, before too long

kohtaus 1 (tapaaminen) meeting, (run) tryst, rendezvous **2** (äkillinen sairastuminen) fit, attack *pyörtymiskohtaus* fit/spell of fainting **3** (metakka) fit, scene *panna pystyyn kohtaus* have a fit, make a scene **4** (näytelmässä) scene, (romaanissa) episode

kohteliaasti politely, courteously

kohteliaisuus 1 (kohtelias käyttäytyminen) politeness, courtesy **2** (kohtelias sana) compliment *Se ei ole kohteliaisuus, vaan*

se on totta It's not a compliment, it's the truth

kohtelias polite, courteous *Tiedän että hän on mahdoton, mutta koeta olla kohtelias* I know she's impossible, but please try to be nice (ystävällinen), polite (hyväkäytöksinen), civil (ei aivan töykeä)

kohtelu treatment; (esineiden) handling; (eläinten, alaisten) management

kohti *adv* right/straight at someone *katsoa kohti* stare (right/straight) at someone *pusip ja prep* **1** (suuntaan) to(wards), at *loppua kohti* towards the end *katsoa jotakuta kohti* look towards/at someone, in someone's direction *etelää kohti* southwards, towards the south *matkata kohti menestystä* set a course for success **2** (kultakin) per *elintaso henkeä kohti* per capita standard of living

kohtisuora *s* (geom) perpendicular *adj* **1** (pystysuora) vertical, (geom) perpendicular **2** (jyrkkä) sheer

kohtu (lääk) uterus, (vanh ja kuv) womb *kohdun poisto* hysterectomy

kohtuullinen reasonable, moderate, medium *kohtuulliset hinnat/ehdot* reasonable prices/terms *kohtuullinen alkoholin käyttö* moderate consumption of alcohol *paistaa kohtuullisessa lämmössä* bake at medium heat *kohtuullinen korvaus* reasonable /adequate compensation *kohtuullisissa rajoissa* within reason

kohtuullisesti reasonably, moderately *juoda kohtuullisesti alkoholia* drink alcohol in moderation, never drink to excess

kohtuus 1 (kohtuullisuus) moderation *Kohtuus kaikessa!* Nothing to excess! Let's not get carried away! **2** (oikeudenmukaisuus) fairness, rightness, justice *Ei voi kohtuudella vaatia että* In all fairness, you can't demand; you can't reasonably expect

kohtuuton unreasonable, immoderate, excessive *kohtuuton vaatimus* unreasonable/ excessive/exorbitant demand *kohtuuton juominen* immoderate/excessive drinking

kohtuuttomasti immoderately, excessively, to excess

kohu

kohu 1 (humu) fuss, bustle, to-do *kaupungin kohu* the (hustle and) bustle of the city *paljon kohua tyhjästä* much ado about nothing **2** (sensaatio) sensation **3** (erimielisyys) controversy *kohua herättävä, herättänyt* controversial

koi 1 (perhonen) moth *koin syömä* motheaten (koitto) dawn

koillinen *s* northeast *adj* northeast(ern), (tuuli) northeasterly

koipi leg *kanan koipi* (elävänä) chicken leg, (syötävänä) drumstick *lampaan koipi* (elävänä) sheep's leg, (syötävänä) leg of mutton *häntä koipien välissä* with your tail between your legs *juosta minkä koivistansa pääsee* run as fast as your legs will carry you

koira dog (myös kuv) *Tässä täytyy olla koira haudattuna* There's got to be a catch to this *Ei vanha koira uusia temppuja opi* You can't teach an old dog new tricks *Senkin koira!* You dirty dog! You pig! You louse!

koirankoppi doghouse

koiranpentu puppy

koiranruoka dog food

koiras male (animal)

koiruus prank, trick, practical joke *tehdä koiruus jollekulle* pull a prank on someone, play a trick/practical joke on someone

koittaa 1 (aamu) break, dawn **2** (aika) begin, come

koitua 1 *Se koitui hänen kohtalokseen* That was his undoing, that ruined/undid him, that brought him down *Siitä koitui hänelle onnettomuutta, se koitui hänen onnettomuudekseen* That brought him (much) unhappiness, that stole/spoiled his joy, that blighted his life *Siitä koitui hänelle pelkkää etua* It will be all to his advantage *Se koituu vielä parhaaksesi* It will all turn out for the best **2** *Sinulle koituu tästä valtavasti ylimääräisiä kustannuksia* You're going to incur huge amounts of additional expense over this, this is going to cost you plenty extra

koivikko birch wood/grove/stand/copse

koivu birch (tree/wood)

koivuinen birch

koje instrument; (mon) equipment, apparatus; (ark) contraption, gadget

kojelauta (autossa) dash(board)

koju 1 (suojus) shed, shelter **2** (myyntikoju) booth, stall

kokaiini cocaine, (ark) coke, (sl) nose candy

kokea experience, undergo, (kärsiä) suffer *Miten koet tämän tilanteen?* How do you feel about all this? How does this situation make you feel? *kokea monta kovaa* undergo/experience much hardship, suffer many hard/cruel blows (of fate)

kokeeksi tentatively, provisionally *Panin kokeeksi Maijan ja Minnan istumaan vierekkäin* Just to see what would happen I put Maija and Minna next to each other, I tried having Maija and Minna sit side by side

kokeellinen experimental

kokeellisesti experimentally

kokeilla 1 (koettaa) try (out/on) *kokeilla onneaan* try your luck *kokeilla vaatteita* try on clothes **2** (tehdä kokeita) experiment with *kokeilla huumeita* experiment with drugs **3** (tutkia) test, sample *kokeilla viiniä* take a sip/taste of wine, taste the wine

kokeilu trial, experiment(ation), test, sampling (ks kokeilla)

kokeilumielessä tentatively, to try it out, to see what it's like

kokeilunhalu inquisitiveness, desire to experiment

kokelas 1 (pyrkijä) aspirant, candidate **2** (harjoittelija) trainee **3** (kadetti) cadet

kokematon 1 (jolla ei ole kokemusta) inexperienced, unexperienced **2** (jota ei ole koettu) never (before) experienced *Se oli minulle ennen kokematon nautinto* It was a pleasure (such as) I'd never before experienced

kokemattomuus inexperience, lack of experience

kokemus experience *Mikä kokemus!* (jännittävä) What a thrill! (koetteleva) What an ordeal! *Siitä minulla on huonoja kokemuksia* My experience with that isn't all that promising, I wouldn't recommend that one *oppia/tietää kokemuksesta* learn/know from experience

kokenut experienced, veteran *kokenut opettaja* experienced/veteran teacher *kovia kokenut mies* a man who's been through a lot, who seen a lot of hard times

kokki cook, (ravintolassa) chef

kokko bonfire

koko *s* size *useampia eri kokoja* various sizes *kooltaan vähäinen* small in size/stature *luonnollista kokoa* life-size *kirjan koko* (book) format *yhden koon* one size fits all *adj* **1** (kokonainen) all (of), (the/a) whole *koko ajan* all the time, the whole time, constantly, continuously *työntää koko voimallaan* push with all your strength, with everything you've got *koko päivän* all day *koko perhe/kaupunki* the whole family/town **2** (täydellinen) full, complete, total *koko summa* the full/total amount, the total *koko sarja* the complete set **3** (ollenkaan) at all *En tunne koko miestä* I don't know him at all, I've never set eyes on him

kokoelma collection

kokoillan elokuva full-length feature (movie)

kokoinen sized *isokokoinen* big, large; (vaatekappale) outsize *pienikokoinen* small, (nainen) petite

kokojyväleipä whole wheat bread

koko lailla/joukon quite a *koko lailla/joukon väkeä* quite a few people *koko lailla vaikea tehtävä* pretty difficult task, quite a difficult task

kokolattiamatto wall-to-wall carpet(ing)

kokonaan 1 (täysin) completely, totally, entirely, all *Nyt se meni kokonaan sekaisin* Now it's totally/entirely/all fouled up *Se on kokonaan eri asia* That's a completely different matter/story/thing **2** (kokonaisuudessaan) wholly, in full *maksaa kokonaan* pay in full

kokonainen *s* (mat) integer, whole number *adj* **1** whole, entire, complete, full *viisi kokonaista päivää* five whole days *kokonainen liuta ihmisiä* a whole string of people **2** (mat) integral

kokonaisuudessaan 1 (lyhentämättä) in its entirety/totality, in full *julkaista kirja kokonaisuudessaan* publish a book in full, in its entirety, unabridged **2** (kokonaan) in

the aggregate, all of (something), the whole (thing) *ostaa tavaralähetys kokonaisuudessaan* buy up a whole shipment, buy the shipment lock stock and barrel

kokonaisuus 1 (yksikkö) whole, unity, entity *Kokonaisuus on enemmän kuin osiensa summa* A whole is more than the sum of its parts **2** (eheys) wholeness, completeness, entirety

kokonaisvaltainen comprehensive, integrated, holistic

kokoomateos anthology, compilation

kokoomus 1 (koostumus) composition, (ark) make-up **2** (pol) coalition *Kansallinen Kokoomus* the National Coalition Party

kokoomuslainen member of the Coalition Party

kokoon 1 (yhteen) together *tulla kokoon* meet, come together *kutsua kokoon* convene, convoke *haalia kokoon* dredge up **2** (vähäisempään tilaan) up, down *kuivua kokoon* dry up (myös kuv) *taittaa kokoon* fold up *keittää kokoon* cook up (myös kuv) *kiehua kokoon* boil down

kokoonpano 1 (kokoaminen) assembly **2** (rakenne) structure, composition, make-up *koripallojoukkueen kokoonpano* line-up of a basketball team

kokoontua 1 (ryhmittyä) gather (together) **2** (tavata) get together, meet *Milloin kokoonnumme seuraavan kerran?* When shall we get together again? **3** (pitää kokous) assemble, come together

kokopäivätyö full-time job

kokous 1 meeting *henkilökunnan kokous* staff meeting *avata kokous* bring a meeting to order *päättää kokous* adjourn a meeting **2** (epävirallinen) get-together **3** (valtuuston tms) session **4** (konferenssi) conference, convention, congress

kokouspöytäkirja minutes

koksi coke

kolahdus noise; (oven) slam, (putoavan esineen) thud, bump, crash

kolahtaa 1 (ääni) slam, bang, thud, bump *Ovi kolahti kiinni* The door slammed shut **2** (isku) hit, strike, knock *Pää kolahti kaapin oveen* I hit/banged my head on the cupboard door **3** (kuv) *Se kolahti pahasti* It really got me

kolari (car) crash, accident, collision *ajaa kolari* hit somebody (with your car), have an accident *joutua kolariin* get in an accident

kolaroida crash; (lommolle) ding, dent; (käyttökelvottomaksi) total

kolaus 1 (ääni) noise; (oven) slam, (putoavan esineen) thud, bump, crash, thump **2** (isku) bang, crack; (kuv) blow *Petrin lähtö oli aikamoinen kolaus* Petri quitting was quite a blow

kolauttaa hit, whack, thwack, smack

kolea 1 (ilma) cold and damp **2** (nauru tms) hollow

kolehti collection, offering

kolera cholera

kolhia 1 (kovaa: seinää, autoa) dent, scrape, ding, (lautasta) chip **2** (pehmeää: hedelmiä, itseään) bruise **3** (runnella) mangle, batter

kolhiintua get dented/scraped/dinged/chipped/bruised (ks kolhia)

kolibri hummingbird

kolista rattle, bang, clatter, clank

kolistella rattle, bang, clatter, clank

kolkka corner, part *maailman joka kolkalta* from every corner/part of the world, from all over the world

kolkko 1 (synkkä) dreary, dismal, cheerless, bleak **2** (kolea) raw, chilly **3** (autio) desolate **4** (karmiva) gruesome, ghastly, hairraising

kolkuttaa 1 (ovelle) knock, (lujaa) pound **2** (kolista) (be) bang(ing), rattle, be rattling **3** (omatunto) prick *Omatuntoni kolkuttaa* I know this isn't right, I know I shouldn't be doing this

kollega colleague

kollektiivinen collective

kolli 1 (paketti) package, parcel *Kuinka monta kollia matkatavaraa?* How many pieces of luggage? **2** (kissa) tomcat

kolmannes one-third

kolmas third

kolmas kerta toden sanoo third time's the charm

kolmaskymmenes thirtieth

kolmas maailma Third World

kolmasosa third

kolmas pyörä (kuv) fifth wheel

kolmassadas three-hundredth

kolmastoista thirteenth

kolme three

kolmekymmentä thirty

kolmelainen three kinds of, of three kinds

kolmesataa three hundred

kolmestaan just the three of us

kolmesti three times; (vanh) thrice

kolmetoista thirteen

kolmetuhatta three thousand

kolmijako 1 (ark) division into three parts **2** (rak ym) tripartition **3** (filos) trichotomy

kolmikerroksinen three-story

kolmiloikka triple jump

kolminainen triple, threefold; (usk) triune

kolminaisuus (usk) trinity

kolminkertainen triple, (ikkuna) triple-glazed, (paperi) three-ply

kolminkertaistaa triple

kolminkertaistua triple

kolmio 1 triangle **2** (liikennemerkki) yield sign

kolmiosainen three-part, tripartite

kolmiottelu triathlon

kolmipaikkainen three-seater

kolmipyöräinen *s* tricycle *adj* three-wheeled

kolmisointu triad

kolmivaihteinen three-speed

kolmonen (the number) three

kolmoset triplets

kolo hole

kolonialismi colonialism

kolpakko (beer) stein/mug, tankard

Kolumbia Colombia

kolumbialainen *s, adj* Colombian

koluta 1 (kolistella) clump, stomp *koluta portaissa* clump/stomp up/down the stairs **2** (etsiä) rummage (through), ransack *koluta laatikoita* rummage through the (chest of) drawers, ransack the drawers **3** (vaellella) roam, ramble *Olen kolunnut kaikki maailman rannat* I've roamed the seven seas

komea 1 (hyvännäköinen) handsome, good-looking, beautiful *komea pari* handsome /good-looking couple *komea talo* handsome/lovely house *komeat maisemat* beautiful scenery **2** (iso, muhkea) impressive, striking *komea rakennus* striking /imposing/impressive building *Onpas pojalla komea kroppa!* Look at that guy's build! **3** (suurellinen) fancy, showy, ostentatious

komeasti handsomely, impressively, strikingly, showily, ostentatiously (ks komea) *elää komeasti* live in style

komedia comedy

komeetta comet

komeilija 1 (keikari) dandy, fop, dude **2** (kerskuri) boaster, strutter, showoff

komennus 1 (määräys) order, command *saada komennus tehdä jotakin* be ordered to do something *tehdä jonkun komennuksesta jotakin* do something at someone's command **2** (palvelustehtävä) mission, detail *olla komennuksella* be on a mission, on detail

komentaa order, command *komentaa joukkuetta* command a team *komentaa joku erikoistehtävään* detail someone (to do something), put someone on a detail, assign someone to a special mission *Älä minua komenna!* Don't order/boss me around! *Äiti on kova komentamaan* Mom's pretty bossy, Mom's always yelling at everyone *komentaa asento* call 'Attention!'

komento order, command *Ryhmä kuuluu minun komentooni* The group's under my command *Voitko pitää täällä komentoa?* (ark) Could you try to keep order here? Could you run herd over these kids?

komero closet

komeus 1 (hyvä näkö) good looks **2** (upeus) magnificence, grandeur *vuoristo koko komeudessaan* the mountain range in all its grandeur **3** (hienous) finery *kenraali kaikessa komeudessaan* the General in full dress attire

komiikka comedy

komitea committee

kommari Commie

kommellus mishap, misadventure; (ark) screw-up, foul-up *kommelluksitta* without a hitch, smoothly

kommentoida comment (on), provide a commentary on *En halua kommentoida* No comment

kommentti comment

kommunismi Communism

kommunisti Communist

kommunistinen communist(ic)

kommunistipuolue Communist Party

kompa witticism, bon mot, epigram

kompakysymys riddle

komparatiivi comparative

kompassi compass

kompastella stumble/stagger (along)

kompastuskivi stumbling block

kompensaatio compensation

kompensoida compensate (for)

kompensoitua compensate

kompleksi complex

komplikaatio complication

komponentti component

komposti compost

komppania company *koko komppania* (ark) the whole bunch/crowd

kompressori compressor

kompuroida stumble/stagger (along)

kondensaattori capacitor, condenser

kondensoitua condense

kondensori condenser

konditionaali conditional

konditoria bakery/coffeeshop

kondomi condom

konduktööri conductor

kone machine *Myöhästyt vielä koneesta* You're going to miss your plane *Osaatko kirjoittaa koneella?* Do you know how to type? *Vian täytyy olla koneessa* (auto) It's got to be something in the engine

koneellinen mechanical, machine

koneenrakennus mechanical engineering

konehuone engine room

koneistaa 1 (koneellistaa) mechanize **2** (työstää koneellisesti) machine

koneisto machinery, apparatus *kellon koneisto* clockwork *valtion koneisto* bureaucracy

konekirjoitus typing
konekirjoituspaperi typing paper
konekirjoitustaito ability to type
konekivääri machine gun
konepelti hood, (UK) bonnet
konferenssi conference *konferenssissa (tieteellisessä)* at a conference; *(kokouksessa)* in conference, in a meeting
konflikti conflict
Kongo Congo
kongolainen *s, adj* Congolese
kongressi congress
koni nag, hack
konjunktio conjunction
konkari *vanha konkari* old hand
konkreettinen concrete
konkretisoida concretize
konkurssi bankruptcy *joutua konkurssiin* go bankrupt, declare bankruptcy; *(ark)* go belly-up
konna crook, thug
konnankoukku dirty trick; *(mon)* dirty pool
konsanaan 1 *(koskaan) ever Sitä en voi konsanaan unhoittaa* I can't get rid of the memory **2** *(ihan) kuin kenraali konsanaan* like a veritable general
konsertti concert
konserttisali concert hall
konservatorio conservatory, music school /academy
konsonantti consonant
konstaapeli police officer
konstailla 1 *(kujeilla)* play/pull tricks **2** *(vikuroida)* be difficult, cause problems, make trouble
konstailu 1 *(kujeilu)* trickery **2** *(vikurointi)* refractoriness
konsti trick *Opin tämän konstin Pekalta* I learned this trick from Pekka *Konstit on monet* There's more than one way to skin a cat *Yritin avata sitä jos jollakin konstilla* I tried everything, but it wouldn't open
konstikas tricky *(myös kuv)*
konsulaatti consulate
konsuli consul
konsultaatio consultation
konsultoida 1 *(neuvotella)* consult (with) **2** *(käyttää konsulttina)* use (someone) as a

consultant **3** *(toimia konsulttina)* be a consultant for (someone)
konsultti consultant
kontakti contact *solmia hyödyllisiä kontakteja* make useful contacts
konteksti context
kontrasti contrast
kontrolli control; *(valvontapiste)* checkpoint *menettää kontrolli* lose control
kontrolloida control
kontti 1 *(reppu)* (birchbark) backpack *pukin kontti* Santa's sack *katsoa jotakuta kuin lehmä uutta konttia* look at someone like he had two heads **2** *(tavarasäiliö)* container **3** *leg juosta minkä kontistansa pääsee* run as fast as your legs will carry you *Katin kontit!* In a cat's whiskers!
konttori office
konttorikoneet office/business machines
konttoritarvikkeet office/business supplies
konvehti candy; *(mon)* assorted chocolates
koodi code
kookas big, large, hefty; *(ark)* sizy
kookospähkinä coconut
koomikko comedian
koominen comic(al), amusing, funny
koommin *Häntä ei ole sen koommin näkynyt* That's the last anybody ever saw of him, he hasn't been heard of since
koordinoida coordinate
koordinointi coordination
koossa together *pitää koossa* hold together, shore up *pysyä koossa* hang together
koossapitävä binding, cohesive *Marja on meidän porukkamme koossapitävä voima* Marja is the soul of our group, the binding force, the one who holds us all together
koostaa compile
koostua consist of, be composed of
koostumus consistency, composition
koota 1 *(kerätä)* collect, gather/store (up) *koota ajatuksensa* collect your thoughts *koota rahaa johonkin* scrape up money for something, *(keräyksellä)* raise money for something **2** *(kutsua koolle)* convene, assemble *koota armeija* raise an army **3** *(panna kokoon)* assemble, put together **4** *(yhdistää)* unite, unify

kopata (ottaa koppi) catch, (ottaa syliin) snatch up

kopauttaa rap, tap, knock

kopea haughty, imperious, superior

kopeilla act/be haughty/imperious, look down on others, lord it over others

kopeloida 1 (hapuilla) fumble/grope (around for something) **2** (kähmiä: ark) cop a feel

kopio 1 copy, duplicate *ottaa kopioita jostakin* take copies of something, run something off on the copier **2** (taideteoksesta) print, reproduction

kopioida palvelimeen (tietok) upload

kopiokone copying/duplicating machine

kopistaa knock, rap, tap

kopistella rattle *kopistella lunta kengistään* stamp the snow off your boots

koppa 1 (kori) basket, (vauvan) bassinet **2** (tekn) shell, cover, cage **3** (hatun) crown *Kylläpäs ottaa koppaan!* That really burns me up! **4** (piipun) bowl

koppakuoriainen beetle

koppava haughty, arrogant, snobbish; (ark) stuck-up, snooty

koppi 1 (vartio-/puhelinkoppi tms) booth **2** (koirankoppi) doghouse **3** *Ota koppi!* Catch!

koputtaa knock

koputtaa puuta knock on wood

koputus knock

koraali chorale

koraani Koran

koralli coral

koralliriutta coral reef

korea 1 (värikäs) bright(ly colored), gaudy **2** (kaunis) gorgeous, lovely *Oletpas korea!* Look at you! You're all dressed up! **3** (koreankieli) Korean

Korea Korea

korealainen *s, adj* Korean

koreilla show off, strut, parade *koreilla uusilla vaatteilla* show off your new clothes, overdress *Pöydällä koreili upea kukkakimppu* A stunning flower arrangement adorned the table

koreilu showiness, ostentation, showing off

koreografi choreographer

koreografia choreography

koreus beauty, color, brightness, show(iness)

kori 1 basket *eväskori* picnic basket *pyykkikori* hamper *tehdä kori* (urh) make a basket/hoop **2** (juomakori) case, crate **3** (auton kori) body

korihuonekalu piece of wicker furniture; (mon) wicker furniture

koristaa 1 (tehdä koreaksi) decorate; (ruokaa) garnish **2** (olla kaunis) adorn, beautify *Hymy koristi hänen kasvojaan* A smile lit up her face

koriste ornament, decoration *joulukuusen koristeet* Christmas tree decorations

koristeellinen decorative, ornamental

koristella decorate *koristella joulukuusta* decorate a/the Christmas tree

koristelu decoration, ornamentation

korituoli wicker chair

korjaaja repairman, repairperson

korjaamo (repair) shop *Se on korjaamossa* It's in the shop

korjailla 1 (valokuvaa) retouch **2** (kirjoitusta) polish, touch up **3** (taloa) fix up **4** (astioita pöydästä) clear

korjata 1 fix **2** (konetta tai rakennusta) repair **3** (vaatetta tms) mend, (sukkaa) darn, (tehdä muutoksia) alter **4** (julkaisua) revise *korjattu laitos* revised edition **5** (koepapereita) grade, correct **6** (epäkohtia) rectify, remedy *korjaamisen varaa* room for improvement **7** (jonkin asentoa) adjust, straighten **8** (astiat pöydältä) clear *Voisitko korjata astiat?* Could you clear the table? Could you clear off the (dinner) plates? **9** (sato) reap (myös kuv)

korjata entiselleen renovate, restore

korjata luunsa jostakin get your carcass out of (somewhere) *Korjaa luusi!* Beat it! Scram! Skedaddle!

korjaus 1 (virheiden, koepapereiden) correction **2** (parannus) improvement **3** *korjaukset* repairs *Talo on korjauksen tarpeessa* The house needs fixing up

korjauttaa have/get (something) fixed /repaired

korjautua improve *Sillä se asia korjautuu* That'll take care of it, that'll fix it

korjuu harvest(ing)

korkata uncork

korkea high *korkeat ihanteet* high/lofty ideals *korkea vuori* high/tall mountain *On korkea aika* It's high time *korkea ikä* old /advanced age

korkea-arvoinen high-ranking

korkeakorkoinen 1 (laina) at a high interest rate **2** (kenkä) high-heeled

korkeakoulu institute of higher education; college, university

korkealentoinen high-flown

korkealla high (up/above) *korkealla meidän yläpuolellamme* way/far above us

korkealuokkainen high-class

korkeapaine high pressure

korkeasuhdanne boom

korkeatasoinen high-quality

korkeimmillaan at its highest/peak (level)

korkeintaan at most, maximum; (ark) max *Siitä voi sanoa korkeintaan sen, että* The most you can say about that is

korkeus 1 height, (vuoren) elevation, (lentokoneen) altitude *merenpinnan korkeus* sea level **2** (korkeusaste) latitude *Helsingin korkeudella* at the same latitude as Helsinki **3** (sävelkorkeus) pitch **4** *Teidän Korkeutenne* Your Highness

korkeushyppy high jump

korkeushyppääjä high-jumper

korkittaa cork

korkkaus uncorking

korkki (aine, ja siitä aineesta tehty pullon korkki) cork; (muu pullon sulkija) stopper, top

korkkiruuvi corkscrew

korko 1 (lainan) interest *korkoa korolle* compound interest **2** (kengän) heel

korkuinen *jonkun korkuinen* at the height of, as tall/high as *polven korkuinen* knee high, up to my knees

koroke stage, (raised) platform, stand *nostaa korokkeelle* (kuv) put (someone) up on a pedestal

koronkiskonta loansharking

koronkiskuri loanshark

korostaa 1 (tehostaa) highlight, spotlight, accentuate *Sininen solmio korosti puvun valkoisuutta* The blue tie highlighted the

whiteness of the suit **2** (tähdentää) emphasize, stress, place/lay emphasis/stress on *Haluan tässä erityisesti korostaa että* I want to place particular stress on the fact that, I particularly want to emphasize that **3** *puhua englantia vierasperäisesti korostaen* speak English with a foreign accent

korostetusti emphatically

korostua be stressed/emphasized *korostunut itsetunto* increasingly obvious self-esteem

korostus 1 (paino) stress, emphasis **2** (puhetapa) accent *vieras korostus* foreign accent

koroton (laina) interest-free **2** (tavu) unstressed, unaccented

korottaa 1 raise *korottaa aitaa* raise/heighten the fence, build the fence higher *korottaa päätään* raise/lift your head *korottaa ääntään* raise your voice *korottaa joku valtaistuimelle* raise/elevate someone to the throne *korottaa hintoja/veroja* raise/increase prices/taxes *korottaa säveltä* raise a note a half-step, sharp a note *korotettu F* F sharp

korotus 1 (palkan) raise; (verojen tms) increase **2** (sävelen) sharp

korpi woods, wilds, wilderness *Hän asuu korvessa* She lives somewhere out in the sticks/out in the wilds

korppi raven

korppu 1 rusk **2** (ark tietokoneen levyke) three-and-a-half-inch disk

korpraali corporal

korrekti correct, proper

korruptio corruption

korsetti corset

korsi straw *kantaa kortensa kekoon* add your two bits *tarttua oljenkorsiin* grasp at straws *vetää lyhyempi korsi* get the short end of the stick

kortilla rationed

kortisto (laatikko) card file **2** (arkisto) file, record *pitää kortistoa jostakin* keep a record of *laittaa kortistoon* (ark: *heittää pois*) put in the circular file

kortistoida file

kortteli (neljän kadun rajoittama) block **2** (kaupunginosa) quarter *ranskalaiskortteli* the French Quarter

kortti 1 card *jakaa kortit* deal *panna kortit pöydälle* lay your cards on the table **2** (merikortti) chart

korttipakka deck of cards

korttipeli card game

korttipeluri card-player; (uhkapeluri) gambler; (ark) cardsharp, cardshark

koru (piece of) jewel(ry)

koruesine ornament, decoration

koruommel embroidery

korusähke greetings telegram

koruton plain, simple *koruton puhetta* plain /straight talk *koruton ihminen* unpretentious/unaffected/natural person

korva ear *Onko sinulla vikaa korvien välissä* You got something wrong between your ears, upstairs? *musiikkia korvilleni* music to my ears *ei ottaa kuuleviin korviinsa* turn a deaf ear to something *Korviini on kulkeutunut tieto että* A little bird told me that

korvaamaton irreplaceable, indispensable

korvakoru earring

korvakuulokkeet headphones, earphones

korvakuulolta by ear

korvalappustereot Walkman

korvalehti ear (flap)

korvapuusti (leivonnainen) cinnamon roll

korvarengas earring

korvata 1 (olla käytössä jonkin sijasta) replace, take someone's/something's place *Kukaan ei voisi korvata sinua sydämessäni* No one could ever take your place in my heart **2** (olla vastapainona) compensate/reimburse for; (ark) make up for *Korvaako tämä kustannuksesi?* Will this cover your expenses? Will this be enough reimbursement?

korvatulehdus ear infection

korvaus compensation, reimbursement *vahingonkorvaus* damages

korvautua be compensated (for) *Minuutin häviö korvautui loppukirillä* He made up the minute he was behind in the last spurt

korventaa singe, scorch; (ark) broil, grill *Se sitten korventaa minua* That really burns me up

korviaan myöten up to your ears *korviaan myöten velassa* up to your ears in debt

korviaan myöten rakastunut head over heels in love

korvike surrogate, substitute

kosia propose (marriage), ask someone to marry you; (ark) pop the question

kosinta proposal (of marriage)

kosiskella court, woo

koska *adv* when *Koska se tapahtui?* When did it happen? *Voit tulla koska tahansa* You can come whenever you like, come any time (you like) *konj* because, since, as *En voinut tulla, koska auto ei lähtenyt käyntiin* I couldn't come because my car wouldn't start *Ota vain, koska kerran haluat* Go ahead and take it, since you want it (so badly)

koskaan ever *ei koskaan* never

koskea 1 touch *En ole koskenut siihen sormellankaan* I never touched it! I never laid a finger/hand on it! **2** (satuttaa) hurt *Tämä voi koskea hiukan* This may hurt /sting a little **3** (vaikuttaa) affect, have an effect (on) *Asia ei koske sinua* It's got nothing to do with you, it's none of your business **4** (tarkoittaa) apply (to) *Tämä koskee teitä kaikkia* This applies to all of you, I mean everybody

koskematon untouched, unspoiled *koskematon korpi* virgin wilderness

koskemattomuus inviolability *alueellinen koskemattomuus* territorial inviolability /integrity *diplomaattinen koskemattomuus* diplomatic immunity

kosketin 1 (sähkö) contact **2** (mus) key, (mon) keyboard

koskettaa touch; (kuv) touch upon, deal with, discuss

koskettimisto keyboard

kosketus touch, contact *kevyt kosketus* light touch *säilyttää kosketus (johonkun)* stay in touch/contact with, (johonkin) keep your hand in

kosketusaisti sense of touch

koski rapids

kosmeettinen cosmetic

kosmetologi beautician

kosmos cosmos, universe

kosolti lots, tons, scads, piles

kostaa avenge, take revenge on

kostaja avenger

kostautua take/be its own revenge *Tuo kostautuu ennen pitkää* You're going to have to pay for that sooner or later, those chickens are going to come home to roost sooner or later

kostea 1 damp *kylmän kostea* dank **2** (ilma) humid

kosteus 1 dampness, dankness **2** (ilman) humidity

kosto revenge, vengeance

kostonhalu vindictiveness, desire/lust for vengeance/revenge

kostonhaluinen vindictive, vengeful

kostonhimo vindictiveness, thirst/lust for vengeance/revenge

kostonhimoinen vindictive, vengeful

kostua 1 (kastua) get damp/wet **2** (voittaa) gain, get (something) out of *Mitä sinä siitä kostut?* What will that get you, what good will that do you?

kostuttaa dampen, moisten, wet

kotelo 1 cover, casing, case, box **2** (perhosen: vaihe) pupa, chrysalis; (suojus) cocoon

koteloida cover, encase

koti home *olla hyvästä kodista* come from a good family (background) *Oma koti kullan kallis* Home sweet home

kotiapulainen domestic (help)

kotiaresti 1 (sot) house arrest *määrätä kotiarestiin* place under house arrest **2** (perhe) grounding *laittaa kotiarestiin* ground *kotiarestissa* grounded

kotiaskareet household chores

kotieläin farm animal; (sisällä pidettävä) domestic animal, pet

koti-ikävä homesickness

kotiinkuljetus (home) delivery *Onko teillä kotiinkuljetus?* Do you deliver?

kotijoukot 1 (kotiväki) family *Mitä kotijoukoille kuuluu?* How's your family? **2** (sot) home guard/troops

kotikasvatus childrearing, upbringing

kotikissa homebody

kotikutoinen homespun

kotilaina house mortgage

kotileipuri local baker

kotiliesi hearth

kotiläksyt homework

kotimaa homeland, native country *kotimaan* domestic

kotimainen domestic

kotimatka the drive/trip/walk/way home

kotiolot things at home *Kyllä tämä kotiolot voittaa* Sure beats being at home

kotiopetus private tutoring

kotiosoite home address

kotipaikka hometown

kotipuhelin(numero) home phone (number)

kotirouva housewife

kotiseutu native region

kotisivu homepage

kotitalouden opettaja home ec(onomics) teacher

kotitalous home economics; (ark) home ec

kotitehtävä school/homework assignment; (mon) homework

kotiteollisuus 1 (käsityö) handicrafts **2** (teollisuus) cottage industry

kotitila family farm

kotiuttaa 1 (armeijasta) demobilize, demob **2** (uuteen ympäristöön) naturalize, acculturate, accustom, domesticate

kotiutua 1 (tulla kotiin) come home **2** (alkaa tuntea olevansa kotona) become/get acclimated, begin to feel at home, settle in *Joko te olette kotiutuneet?* Have you settled in yet? **3** (uuteen ympäristöön) become naturalized/acculturated/domesticated

kotiutus (armeijasta) demobilization, (ark) demobbing

kotka eagle

kotkottaa cluck, cackle

kotkotus clucking, cackling; (ark) gab(bing), gab fest

kotoa from home *kaukana kotoa* far from home

kotoinen 1 (kotoisa) homey, cozy, familiar **2** (kotimainen) domestic

kotoisa homey, cozy, familiar

kotoisesti cozily, familiarly, in a homey /familiar way

kotoisin *Mistä olet kotoisin?* Where are you from? *ei mistään kotoisin* (ihminen) good-

kova

for-nothing, no-account (asia) wrong,
unfair (esine) worthless, a piece of junk
kotona at home *Ole kuin kotonasi!* Make
yourself at home!
kotosalla at home
kottikärryt wheelbarrow
kotva *kotvan aikaa* (for) a spell *kotvan hiljai-
suus* a moment's silence
koukata 1 (urh ja yl) hook *Voisitko koukata
meidän kautta?* Could you swing by our
place? **2** (sot) outflank
koukero 1 (kiemura) curlicue, (nimikirjoituk-
sessa) flourish *Eihän sinun koukeroistasi
saa mitään selvää* I can't make out these
chicken scratchings of yours **2** (mutka)
bend, curve **3** (kuv) ins and outs *politiikan
koukerot* the ins and outs of politics
koukeroinen 1 (kirjoitus) fancy, swirly,
twirly **2** (tle) winding, curving **3** (asia)
tricky, complex, convoluted
koukistaa bend, flex
koukistua bend; (selkä) stoop, crook
koukistus bending
koukkia bend down *koukkia ylös* bend down
and pick something up
koukku 1 hook, (puinen) peg **2** (metku) trick,
prank, gag
koukussa 1 (kiinni) hooked, snagged *Seijalla
on mies koukussa* Seija's hooked/snagged
a man **2** (taipunut) bent, crooked *polvet
koukussa* (with your) knees bent
koulia train, drill, school
koulu *käydä kova koulu* go to/study at
the school of hard knocks *kouluja käynyt*
educated *pinnata koulusta* cut/skip school,
play hooky *olla poissa koulusta* be absent
päättää koulunsa graduate (from high
school)
kouluateria school lunch
kouluikä school age
kouluikäinen of school age, school-aged
koulukasvatus education, schooling
koulukirja schoolbook
koulukirjasto school library
koulukypsä ready for school
koululainen schoolchild
koululaiskuljetus (school) bus transportation
koululaitos educational system

koululaukku school bag/pack
koululuokka classroom
koulumatka the way/walk/drive/ride to
school
koulumenestys scholastic achievement
koulun johtaja principal
koulunkäynti school attendance
koulupoika schoolboy
koulurakennus school (building)
koulutarvikkeet school supplies
koulutehtävä assignment
koulutehtävät homework
koulutodistus school report
koulutoveri classmate, schoolmate, friend
from school
kouluttaa 1 educate, put (someone) through
school **2** (opettaa) train, instruct, teach
kouluttaja educator; (opettaja) trainer,
instructor, teacher
kouluksellinen educational
koulutunti class
koulutus education, training, instruction
koulutus|järjestelmä educational system
koulutyttö schoolgirl
koulutyö schoolwork
kouluvelvollisuus mandatory education
koura palm (of your hand) *kohdella kovin
kourin* deal harshly with, be rough on
jonkin kourissa in the grip/clutches of
kouraantuntuva tangible, concrete
kouraista grab, snatch
kourallinen handful (myös kuv)
kouriintuntuva tangible, concrete
kouristuksenomainen convulsive, spasmodic
kouristus convulsion, spasm, cramp
kouru 1 channel **2** (laskukouru) spout, chute
3 (kattokouru) rain gutter
kova 1 (kiinteä) hard *kova kuin kivi* hard as a
rock, rock-hard **2** (ankara) hard, harsh,
severe, strict *kohdella kovin kourin* treat
harshly, be rough on/harsh *kova sydän* hard heart
kovaa puhetta hard/harsh words *kovat ajat*
hard times *panna kova kovaa vastaan* fight
fire with fire *kova valaistus* harsh lighting
kova homma tough job *kovan paikan tul-
len* when the going gets tough *kova kunto*
excellent condition **3** (intensiivinen)
intense, strong *kova kilpailu* tough compe-

tition *kova työnteko* hard work *olla kovassa käytössä* get lots of hard wear *kova ääni* loud noise/sound/voice *olla kova tekemään jotakin* be crazy about (doing) something, love to do something *silmä kovana* with your eyes peeled

kovaa 1 (kuuluvasti) loud(ly) *Puhu kovempaa!* Speak up! **2** (tuntuvasti) hard *lyödä kovaa* hit hard **3** (nopeasti) fast *ajaa kovaa* drive fast

kovalevy 1 (tietok) hard disk **2** (rak) hardboard

kovalevyasema hard disk drive, hard disk, hard drive

kovanaama tough guy, hardnose

kovan paikan tullen if/when the going gets tough

kova onni tough/hard/bad luck *kovan onnen* unfortunate

kovaonninen 1 (aina) unlucky **2** (väliaikaisesti) down on your luck

kovaotteinen rough, harsh

kova pähkinä purtavaksi tough pill to swallow

kovapäinen thick-headed

kovassa stuck tight

kovasti 1 (lujasti) hard *sataa kovasti* pour, come down in buckets **2** (paljon) a lot *Teki kovasti mieli maistaa* I really felt like tasting one

kovasydäminen hardhearted

kovaääninen (loud)speaker

kovemmin 1 (lujemmin) harder **2** (enemmän) more

koventaa 1 (kovettaa) harden, stiffen **2** (tiukentaa) tighten *koventaa kuria* tighten discipline **3** (lisätä) increase *koventaa vauhtia* speed up, pick up speed *koventaa ääntä* shout louder

kovettaa harden *kovettaa vatsaa* constipate

kovettua harden, set

kovilla (rahallisesti) (ark) strapped *joutua koville* fall on hard times, (kokeeseen) be put to the test *Olin hetken aika kovilla* I was hard put for a second

kovimmillaan at its hardest/worst

kovin very *Se oli kovin ystävällistä teiltä* That was very nice, most neighborly of

you *ei kovinkaan* not very/particularly /especially

kovistella 1 (panna koville) be rough/tough on, come down hard on **2** (nuhdella) yell /holler at, chew/bawl out **3** (vaatia) force, press(ure), put pressure on (someone to do something) *Kovistin häneltä koko totuuden* I beat/shook the truth out of him

kovistella yell/holler at, chew/bawl out

kovuus (aineen) hardness, (ihmisen) harshness, (äänen) loudness

kpl ea(ch), pc (piece)

kraatteri crater

kranaatti grenade

krapula hangover

krapulainen *s* person suffering from a hangover *adj* hungover

kreikka (kieli) Greek

Kreikka Greece

kreikkalainen *s, adj* Greek

kreivi count

kreivikunta (UK) county

kriisi crisis

kriisitilanne crisis (situation)

kriitikko critic, reviewer

kriittinen critical

kristalli crystal

kristallikruunu (crystal) chandelier

kristikunta Christendom

kristillinen Christian

kristillisesti fairly, evenly; like a good Christian

kristillisyys Christianity

kristinoppi Christianity

kristinusko Christianity

kristitty Christian

Kristus Christ

kriteeri criterion

kritiikki criticism

kritisoida criticize

krokotiili crocodile; (ark) crock

kromaattinen chromatic

kromi chrome

kronikka chronicle

kronologia chronology

kronologinen järjestys chronological order

krooninen chronic

krouvi inn

krs floor

kruunaamaton uncrowned

kruunajaiset coronation

kruunata crown (myös kuv)

kruunaus crowning, coronation

kruunu 1 crown, the Crown *kaiken kruunuksi* to crown everything *olla kruunun leivissä* work for Uncle Sam **2** (kattokruunu) chandelier

kruunu ja klaava heads or tails

kruununprinssi crown prince

ks see, (lat) vide

kude 1 woof **2** *kuteet* (ark) threads

kudonta weaving

kudos 1 fabric, texture, weave **2** (anat) tissue

kuherrella bill and coo

kuherruskuukausi honeymoon

kuhertaa coo

kuhista swarm, seethe *Siellä kuhisi ihmisiä* The place was swarming/crawling with people

kuihtua wither/fade/pine away

kuilu 1 (luonnossa) chasm, gorge **2** (kaivoksessa tms) shaft **3** (ihmissuhteissa) gap, gulf, chasm *sukupolvien välinen kuilu* generation gap

kuin 1 *sama kuin* the same as *yhtä vanha kuin* (just) as old as **2** *samanlainen kuin* like *kuin salama kirkaalta taivaalta* like a bolt out of the blue **3** *erilainen kuin* different than *nuorempi kuin minä* younger than me

kuinka 1 (miten) how *Kuinka jakselet?* How are you doing/feeling? *Kuinka saatoit tehdä tämän minulle?* How could you do this to me? *kävi kuinka kävi* no matter what, come what may **2** (miksi) why, how so *Kuinka nyt jo tulit?* What are you doing here already?

kuinkaan *Ei siinä käynyt kuinkaan* Nothing (bad) happened

kuinka hyvänsä however (you like)

kuinka kulloinkin all different ways, now this way now that

kuinka niin how so? what do you mean?

kuinka ollakaan what do you know, guess what

kuinkas muuten of course, (so) what else (is new)

kuinka tahansa however (you like)

kuiskaaja prompter

kuiskailla whisper

kuiskata 1 whisper **2** (teatterissa) prompt

kuiskaus whisper(ing)

kuiske whisper

kuisti porch, veranda

kuitata 1 (ostos) (give a) receipt (for); (lähetys) sign for **2** (ark) dismiss, shrug off

kuitenkin kaikitenkin in any case

kuittaus receipt, signature

kuitti s 1 receipt **2** (tietok) cookie *adj* (ark) **1** *olla kuitit jonkun kanssa* be quits with someone **2** dead beat *Olen aivan kuitti!* I'm dead beat!

kuitu fiber

kuitupitoinen high in fiber

kuiva 1 (ei märkä) dry, dried up, (maaperä) arid **2** (tylsä) dry, dull, boring *kuiva huumorintaju* dry sense of humor

kuivaaja drier

kuivapesu dry-cleaning

kuivasti dryly

kuivata dry (off/out) *kuivata astioita* dry the dishes *Kurkkuani kuivaa* My throat feels dry/parched

kuivatella dry (yourself)

kuivattaa 1 (kuivata) dry **2** (suomaata) drain

kuivaus 1 drying **2** (veden poisto) dehydration

kuiviin *kiehua kuiviin* boil dry *vuotaa kuiviin* (astia) run out, (ihminen) bled to death *haihduttaa kuiviin* evaporate

kuivilla (kuivalla maalla) on dry land; (ei ole juonut) on the wagon; (selvinnyt pahimmasta) out of the woods; (vapautettu syytöksistä) in the clear

kuiviltaan without water

kuivua dry (out/off/up) *kuivua kokoon* dry up (myös kuv)

kuivuri drier

kuivuus 1 dryness **2** (maaperän) aridity **3** (kuivakausi) drought

kuja alley, lane

kuje trick, prank, gag, practical joke

kujeilla (play) trick(s), pull pranks, joke around

kuka who *kenen, keiden* whose *kuka heistä* which of them *kuka ei* Some like it, some don't

kukaan anyone, anybody *ei kukaan* no one, nobody *ei kukaan muu* no one else, nobody else, no other person

kuka hyvänsä anyone, anybody *Tekipä sen kuka hyvänsä* Whoever did/does it *kuka hyvänsä joka* anyone who

kuka kulloinkin different people at different times

kukallinen flowery

kuka milloinkin different people at different times

kuka tahansa anyone, anybody *Tekipä sen kuka tahansa* Whoever did/does it *kuka tahansa joka* anyone who

kukaties maybe

kukikas flowery

kukin each, every one, everyone, everybody *kukin meistä* each of us, every one of us *Kukin menköön kotiinsa!* Everybody go home! *Se oli hyvä opetus itse kullekin meistä* It was a good lesson for all of us

kukinta blooming, flowering

kukistaa 1 (kaataa) topple, overthrow **2** (taltuttaa) quell, subdue, suppress

kukistua fall, topple, be overthrown

kukittaa give (someone) flowers, present flowers (to someone)

kukka flower, (puussa) blossom

kukkakaali cauliflower

kukkakauppa florist's, florist's shop

kukkakauppias florist

kukkakimppu bouquet

kukkalaatikko flower box

kukkamaljakko (flower) vase

kukkanen flower

kukkaro coinpurse, pocketbook *sopia joka kukkarolle* suit every pocketbook *elää kuin Herran kukarossa* have it good, be in clover

kukkia blossom, bloom, be in flower/bloom

kukko rooster *olla kukko tunkiolla* rule the roost *Hänelle ei kunnian kukko laula* He may get into trouble, he'll come to grief/no good

kukkoilla boast, brag, strut

kukkokiekuu! cock-a-doodle-doo!

kukkua 1 (käki) call 'cuckoo' **2** (ihminen: valvoa) stay up (late)

kukkula hill *kukkulan kuningas* king of the hill *onnensa kukkuloilla* on top of the world, in seventh heaven *maineensa kukkuloilla* in your glory, at the height of your fame

kukkulainen hilly

kukkura heaping *kaiken kukkuraksi* to crown /top it all, to boot *kukkura lusikallinen* heaping spoonful

kukkurakaupalla by the armload, loads, tons, heaps

kukkurallaan heaping, piled high

kukkuramitalla heaping

kukoistaa 1 (kukka) blossom, bloom **2** (ihminen) flourish, thrive, prosper

kukoistava 1 (kukka) blooming **2** (ihminen: hyvin toimeentuleva) flourishing, thriving, prosperous; (terve) ruddy with health

kukoistus bloom, flush *nuoruuden kukoistus* the prime of your life

kukoistuskausi golden age

kulaus swallow, swig, gulp

kulauttaa guzzle, (ark) chug(-a-lug)

kulho bowl

kulissien takainen behind-the-scenes

kulissit wings *kulissien takana* behind the scenes, backstage

kuljeksia 1 (ajelehtia) drift **2** (vaellella) roam, ramble, wander **3** (maleksia) idle, loaf, laze around

kuljettaa 1 (tavaroita) transport, ship, convey **2** (ihmisiä: autolla) drive; (kädestä pitäen) usher, lead, see, guide **3** (autoa, konetta) drive, run, operate **4** (kiekkoa) dribble

kuljettaja 1 (auton) driver, chauffeur **2** (koneen) operator

kuljetus transportation

kulkea 1 (käydä) go, walk, travel, run *kulkea junalla* take the train, go/travel by train *kulkea huoneesta toiseen* walk from room to room *kulkea lyijyttömällä bensiinillä* run on unleaded gas, take unleaded gas **2** (kuljeksia) roam, ramble, wander **3** (ajelehtia) drift *Henki ei kulje* He can't breathe *Suksi ei kulje* My ski keeps sticking, won't slide

kulkea ohi pass by

kulkea yli cross

kulkeutua drift *kulkeutua tuulen mukana* drift with the wind, let the wind carry you *Sisälle kulkeutunut hiekka* Sand that had been tracked into the house *tarinoiden kulkeutuminen suusta suuhun* passing stories on from one person to another

kulkija 1 (kulkuri) vagabond, tramp, man of the road **2** (vaeltaja) wanderer, rover

kulku 1 (liike) motion; (eteenpäin) (forward) progress; (koneen) running, operation *häilsiää hevosta kulkuun* start the horse walking, prod the horse into motion *Juna on kulussa vain lauantaisin* The train only runs on Saturday *poistaa kulusta* take (something) out of service *ajatusten kulku* train/chain of thoughts **2** (pääsy) access *vaivalloinen kulku huvilalle* difficult access to the summer house, a summer house that's hard to get to **3** (kehitys) course, development, progress *historian /ujan/elämän kulku* the course of history /time/life *taudin kulku* the progress/course of the disease *tapahtumien kulku* the chain /course of events *kehityksen kulku* progress

kulkue parade, processional

kulkukelvoton impassable

kulkukissa stray cat

kulkunen (sleigh/jingle) bell

kulkuneuvo vehicle *yleiset kulkuneuvot* public transportation

kulkuri tramp, hobo, vagabond, drifter

kulkusuunta direction, (laivan) course *istua kulkusuuntaan* sit facing forward

kulkutauti infectious/contagious disease; epidemic

kulkuväline vehicle

kulkuyhteys connection *Onko täältä kulkuyhteys Tampereelle?* Is there any way for me to get to Tampere from here?

kullankaivaja gold-digger, prospector

kullata gild (myös kuv)

kulloinenkin relevant, respective, in question *sanan kulloinenkin merkitys* the contextually relevant meaning of the word

kulloinkin at any given time *kuka kulloinkin on kotona* whoever's home (at a given time)

kulma 1 (nurkka) corner *kääntyä toisesta kulmasta vasemmalle* take the second left *meidän kulmilla* in our neighborhood **2** (mat) angle *suorassa kulmassa johonkin* at right angles to, perpendicular to **3** (kulmakarva) eyebrow

kulmahammas eyetooth

kulmakarvat eyebrows

kulmikas 1 (muoto) angular **2** (käytös) awkward, clumsy **3** (ihminen) churlish

kulmittain diagonally, (ark) kittycorner, cattycorner

kulovalkea brushfire *levitä kuin kulovalkea* spread like wildfire

kulta 1 gold *Ei kaikki ole kultaa mikä kiiltää* All that glitters is not gold *olla kullan arvoinen* be worth your weight in gold **2** (rakas) dear, honey, sweetie; (rakastettu) darling, sweetheart *Tulisitko kulta tänne?* Could you come here please honey?

kultaharkko gold ingot; (mon) (gold) bullion

kultahääpari couple celebrating their golden wedding anniversary

kultahäät golden wedding anniversary

kultainen 1 gold(en), (kullattu) gilded **2** (onnellinen) wonderful, wondrous *kultaiset ajat* halcyon days **3** (suloinen) sweet, charming

kultainen keskitie happy medium

kultainen sääntö golden rule

kultakaivos goldmine (myös kuv)

kultaseppä goldsmith; (liikkeen pitäjä) jeweler

kultaseppäliike jeweler('s store)

kultasormus gold ring

kultivoitunut cultivated

kulttuuri culture

kulttuurielämä cultural life, culture

kulttuurihistoria cultural history

kulua 1 (vaat tms) wear (out/thin/down jne) **2** (raha) get spent, go; (ruoka) get eaten/ consumed *Meiltä kului sillä viikolla valtavasti rahaa/ruokaa* We went through an enormous amount of money/food that week **3** (aika) pass/go (by) *Minulta kului* *koko päivä siihen* I worked on it the whole day, it took me the whole day to do it *En saa aikaa kulumaan* I'm bored *kuluva viikko/vuosi* this week/year

kulua hukkaan be wasted/squandered

kulua umpeen expire, be up *Aikasi on kulunut umpeen* Your time's up, it's time

kulua vähiin (be) run(ning) out

kuluessa during, (with)in *muutaman päivän kuluessa* (with)in a few days, in the next few days *vuosien kuluessa* over the years

kulumaton 1 (ei kulu) long-wearing, tough **2** (käyttämätön) unworn

kulunut 1 (vaate tms) (well-)worn, (loppuun) worn-out, threadbare **2** (fraasi tms) clichéd, trite, hackneyed **3** (vuosi tms) last, the past *kuluneena vuonna* last year, during the past year

kulut expense(s), cost(s) *kulujen peittämiseksi* to cover (your own) costs/expenses

kuluttaa 1 (vaatetta) wear out **2** (rahaa) spend, (ark) blow **3** (aikaa) spend *kuluttaa hankkeeseen kokonainen viikko* spend a whole week doing a project, take a whole week to do a project **4** (voimia) tax, tire; (hermoja) strain, wear on **5** (ruokaa) eat, consume **6** (kulutustavaroita, sähköä tms) consume *Paljonko se kuluttaa (bensiiniä)?* What kind of mileage does it get? *Se kuluttaa 10 litraa sadalla kilometrillä* It gets 25 miles to the gallon

kuluttaa loppuun use up, (luonnonvaroja) deplete

kuluttaja consumer

kulutus 1 (vaatteen tms) wear (and tear) **2** (tavaroiden tms) consumption *bensiinin kulutus* mileage

kulutustavarat consumer goods

kumahtaa boom, resound, echo; (iso kello) toll *saada kumahtava isku päähän* get your bell(s) rung

kumara bent/hunched (over), stooped

kumarrus bow (myös kuv)

kumartaa (take a) bow, bow (down) (myös kuv) *kumartaa jollekulle* bow down to/before someone, pay your respects to someone *kumartaa kuvia* worship appearances

kumartua (nostamaan tms) bend down, (lukemaan tms) bend over

kumaus crack, bang *saada kunnon kumaus takaraivoon* get smacked good in the back of the head

kumea dull, hollow

kumi 1 rubber (myös kondomi) **2** (pyyhekumi) eraser **3** (sisäkumi) inner tube *Meillä on kumi puhki* We've got a flat (tire)

kumina 1 (ääni) boom(ing) **2** (kasvi) caraway (seed)

kuminauha elastic (band); (kumilenkki) rubber band

kuminen rubber; (kumimainen) rubbery

kumisaappas rubber boot

kumista boom, resound, echo

kumma 1 (omituinen) strange, odd, weird *joku kumma tyyppi* some weirdo/oddball **2** (hämmästyttävä) surprising *katsoa kummissaan* watch in astonishment **3** (ihme) wonder *Kuka kumma tuo mies on?* I wonder who that guy is? *Who on earth could that be? Mitä kummaa sinä teet?* What on earth are you doing? *Ihme ja kumma!* What do you know! Will wonders never cease! Surprise surprise! **4** *ei mitään sen kummempaa* nothing much *Ei se kummia maksa* It doesn't cost an arm and a leg *Ei siinä käynyt sen kummemmin* That's all that happened, nothing more than that happened

kumma kyllä surprisingly/strangely enough

kummallinen strange, odd, weird

kummastella wonder/marvel (at), find (something) strange/odd

kummasti surprisingly, amazingly, astonishingly *Saatiin kummasti aikaan lyhyessä ajassa* We got an amazing amount done in a short time

kummastus surprise, amazement, astonishment

kummastuttaa surprise, amaze, astonish

kummi godparent

kummilapsi godchild

kummipoika godson

kummisetä godfather

kummitella (be) haunt(ed) *Talossa kummittelee* The house is haunted *Se kummitteli vielä pitkään hänen mielessään* It bothered/troubled him for a long time afterwards, he couldn't get his mind off it, get it out of his mind

kummitus ghost, (ark) spook *pelotella ihmisiä sodan kummituksella* scare people with the bogeyman of war

kummitusjuttu ghost story

kummitustalo haunted house

kummityttö goddaughter

kummiäiti godmother

kummivanhemmat godparents

kumollaan overturned, upside-down; (vene vedessä) capsized

kumoon (lasi tms) over, (ihminen tms) down *kaataa pöytä kumoon* tip the table over *mennä kumoon* (kuv) fall through/short, collapse, (ark) flop

kumossa upside-down, bottomside-up, turned over

kumota 1 (lasi tms) tip/turn/tilt over; (vene vedessä) capsize **2** (laki) repeal, (vaalit) invalidate, (avioliitto) annul, (tuomio) reverse, (määräys) overrule, (teoria) disprove, (huhu) deny **3** (hallitsija) overthrow **4** (toisensa) cancel (each other) out **5** (tietok) flush

kumouksellinen *s* revolutionary, rebel *adj* revolutionary, subversive

kumouksellisuus subversiveness, revolutionary spirit

kumous (vallankaappaus) coup (d'etat); (vallankumous) revolution; (kapina) revolt, rebellion; (kansannousu) popular uprising

kumpi which (one (of us/you/them))

kumpikaan either (one (of us/you/them)) *ei kumpikaan* neither (one (of us/you/them))

kumpikin (molemmille) both (of us/you/them), (erikseen) each (of us/you/them) *Siitä riitti meille kummallekin* There was enough for both of us *Riitti yksi meille kummallekin* There were enough so that each of us got one

kumpi tahansa whichever *Ota kumpi tahansa* Take whichever (one) you want/like

kumppani (elämän) companion, (liikekumppani) partner

kumpu mound

kumpuilla 1 (kummuta) well/spring up/forth **2** (olla kumpuinen) be rolling/hilly

kun 1 (silloin kun) when *Töottää kun tulet* Honk when you come **2** (samalla kun) as, while *Seija lähti, kun sinä olit puhelimessa* While you were on the phone, Seija left *Kun selitit sitä, muistin että* As/while you were explaining all that, I remembered that **3** (kun taas) while, where(as) *Vaimoni syo mieleilään ruislepää, kun minä taas vehnäleipää* My wife likes rye bread, while I prefer wheat **4** (siksi kun) because, as, since *No kun kerran kysyt* Well, since you ask *Tulin jo nyt, kun ajattelin että* I came early because I thought that **5** (jos) if *Kun ei niin ei* If that's the way you want it, fine **6** (kun vain) if only *Kun Mikko olisi täällä* If only Mikko were here **7** *ei kun* no *A: Sinäkö tämän teit? B: Ei kun Hannu* A: Did you do this? B: No, Hannu did

kuningas king, monarch *kukkulan kuningas* king of the hill *elää kuin kuningas* live like a king *kuningas alkoholi* demon gin

kuningaskunta kingdom, monarchy

kuningatar queen *juhlien kuningatar* belle of the ball

kuninkaallinen 1 royal, regal, kingly **2** (ylenpalttinen) princely *kuninkaalliset pidot* a feast fit for a king

kunnallinen (hallinto) local; (kaupunki-) municipal, (maalais-) county

kunnallishallinto local government

kunnanjohtaja city/county manager

kunnanvaltuusto city/county council

kunnanvaltuutettu city/county council member

kunnes until, til

kunnia honor, glory *kunnian kentällä* on the field of honor/glory *Jumalan kunniaksi* to the (greater) glory of God *ottaa jostakin kaikki kunnia* take full credit for something *Minulla on kunnia esitellä* I have the honor/privilege to introduce *kuulla kunniansa* get chewed out, told off *käydä kunnialle* wound your pride *Sen kunniaksi!*

kunniakas

Let's/I'll drink to that! *tehdä kunniaa (sot)* salute *olla kunniaksi jollekulle* be a credit to someone

kunniakas 1 (kunnioitettava) honorable, creditable 2 (loistava) glorious, illustrious

kunniallinen honorable, respectable, honest, fair *kunniallinen mies* honorable/respectable/honest man *kunniallinen hinta* honest /fair price

kunniamaininta honorary mention

kunniamerkki medal (of honor), decoration

kunnianimi honorary title

kunnianloukkaus defamation (of character); (kirjallinen) libel, (suullinen) slander

kunnianosoitus honor, homage, tribute; (aplodit) ovation

kunniasanalla on my word of honor

kunniaton disreputable, dishonorable

kunnioitettava 1 (kunnioitettu) respected, esteemed, honored 2 (kunnioituksen arvoinen) respectable, estimable 3 (huomattava) respectable, considerable, good-sized

kunnioittaa (have) respect (for), (hold in) esteem, honor *kunnioittaa vainajaa* honor the deceased, pay your respects to the deceased, pay homage/tribute to the deceased *kunnioittaa ylenpalttisesti* venerate, revere

kunnioittaen sincerely, respectfully

kunnioitus respect, esteem, veneration, reverence *kaikella kunnioituksella* with all due respect *kunnioitusta herättävä* awe-inspiring, imposing

kunnittain by city/county

kunnolla right, properly *tehdä jokin kunnolla* do something right/properly/well, (loppuun) finish the job *olla kunnolla* behave (yourself)

kunnollinen 1 (kunniallinen) respectable, decent, good *kunnollinen tyttö* good/respectable girl *päättää ruveta viettämään kunnollista elämää* decide to go straight 2 (pätevä) capable, competent, good; (todellinen, oikea) real, proper *Kutsuisit kunnollisen putkimiehen* I wish you'd call a real/proper plumber, somebody who knew what he was doing 3 (perusteellinen)

thorough, proper, sound *kunnollinen pesu* thorough scrubbing

kunnollisesti properly, well *Juhlat eivät olleet edes kunnollisesti alkaneet* The party had hardly even properly gotten started

kunnon good, decent, proper *kunnon kaveri* good old boy, real pal *vanhat kunnon ajat* good old days *kunnon tyttö* good/decent girl *kunnon ateria* decent/proper meal

kunnon kansalainen good citizen

kunnossapito maintenance, upkeep

kunnostaa 1 (taloa) fix up, repair, renovate 2 (maantietä) resurface 3 (konetta, autoa) overhaul 4 (laivaa) refit

kunnostautua earn distinction, distinguish yourself, make your mark; (ark) win your spurs

kunnostus repair(s), renovation, resurfacing, overhaul(ing), refitting (ks kunnostaa)

kunnoton good-for-nothing, no-account

kunta 1 (kaupunkikunta) municipality, city 2 (maalaiskunta) county 3 (kunnallishallinto) local government

kunto condition, shape *hyvässä kunnossa* in good shape/condition *huonossa kunnossa* in bad/terrible shape/condition, (urh) out of shape *Kaikki on kunnossa* Everything's in order, all set, arranged *panna kuntoon* (lelu tms) fix, (talo) fix up, (koti) straighten up, (asiat) (put things in) order *kunnolla, kunnon* ks hakusanat

kuntoiluharheilu exercise, conditioning

kuntouttaa rehabilitate

kuntoutua get into shape

kuntoutus rehabilitation

kuohahtaa 1 (kahvi tms) boil over 2 (tunteet) boil, seethe

kuohita castrate; (hevonen) geld; (koira tms) spay

kuohkea (maaperä) loose, (munakas tms) light, (kakku) springy, spongy

kuohu 1 (vaahto) froth, foam, (saippuan) lather 2 (kuohunta) surge

kuohua (vaahdota) froth, foam; (hyrskytä) surge, boil; (kuplia) bubble *kuohua vihaa* fume, rage *Lähi-idässä kuohuu* There is unrest in the Middle East, the Middle East is in a state of unrest

kuohukerma whipping cream

kuokka hoe

kuokkavieras gate-crasher

kuokkia 1 hoe **2** gate-crash

kuola drool, slobber

kuolaimet bit

kuolata drool, slobber

kuolema death (myös kuv); (euf) decease, demise *En kuolemaksenikaan muista* For the life of me I can't remember *tuomita kuolemaan* sentence/condemn (a person) to death, pronounce the death sentence

kuolemaantuomittu condemned, (person) sentenced to death

kuolemaisillaan at death's door, dying, near death

kuoleman kielissä at death's door

kuolemanpelko fear of death/dying

kuolemansairas deathly/fatally/terminally ill, at death's door

kuolemantuomio death sentence

kuolemanväsynyt dead tired/beat

kuolematon immortal

kuolemattomuus immortality

kuolettaa 1 (tappaa) kill *kuolettaa nälkään* starve (someone) to death **2** (tukahduttaa) suppress, repress, kill; (usk: lihaa) mortify *kuolettaa elämänilo* repress your joie de vivre *Sillä kirjain kuolettaa, mutta henki tekee eläväksi* For the letter killeth, but the spirit bringeth life *kuolettaa liha* mortify the flesh **3** (lääk) deaden, numb **4** (lainaa) amortize, (velkaa) liquidate; (ark) pay off

kuolettava 1 (tappaa) lethal, mortal, fatal, deadly **2** (tylsä) deadly (boring/dull)

kuoletus 1 (tukahduttaminen) suppression, repression, mortification **2** (lääk) deadening, (vanh) anesthesia **3** (lainan) amortization, (lyhennys) mortgage/loan payment, (osamaksu) instalment

kuoleutua 1 (kasvi) die *kuoleutunut puu* dead tree **2** (lihas: surkastua) atrophy, waste (away) *kuoleutunut käsi* wasted hand **3** (lihas: puutua) go numb, (ark) fall asleep *Jalkani on kuoleutunut* My leg fell asleep **4** (laina) be amortized, be paid off

kuolevainen *s, adj* mortal

kuolevaisuus mortality

kuoliaaksi to death *hakata kuoliaaksi* beat (someone) to death *ampua kuoliaaksi* shoot (someone) dead

kuoliaana dead *maata kuoliaana* lie (there) dead

kuolinilmoitus obituary, (ark) obit

kuolio 1 (käden tms) gangrene **2** (lentokoneen) stall *joutua kuolioon* (go into a) stall

kuolla 1 die (myös kuv); (euf) pass away; (leik) kick the bucket *kuolla nälkään* die of starvation, starve to death; (olla kuolemassa, myös leik) be starving **2** (urh) be out

kuollakseen *nauraa kuollakseen* split your sides laughing, bust a gut with laughter *pelätä kuollakseen* be scared to death

kuolla kupsahtaa kick the bucket

kuolleisuus mortality/death rate

kuollut *s* dead person; (euf) the deceased, the departed; (mon) the dead *adj* dead (myös urh) *kuollut pallo* dead ball

kuona dross, (kivihiilen) cinder, (metallin) slag *yhteiskunnan kuona* the dregs of society

kuona-aine waste product; (mon) waste matter

kuono 1 (eläimen) snout, (koiran) muzzle **2** (ark) nose *saada kuonoon* get punched in the nose/mouth/face, get a knuckle sandwich *antaa jollekulle kuonoon* knock someone's block off, help someone swallow their lunch *Kuono kiinni!* Shut your face/trap!

kuonokoppa muzzle

kuopata bury

kuopia paw (at)

kuoppa 1 pit, hole; (tien pinnassa) pothole, bump; (pommin tekemä) crater **2** (silmän) socket, pit; (hymykuoppa) dimple **3** (urh: lähtökuoppa) block **4** (ilmakuoppa) (air) pocket **5** (usk: synnin tms) pit **6** (palkka kuoppa) salary lag

kuoppainen potholed, bumpy, pitted

kuopus youngest, (ark) baby (of the family)

kuori 1 (sipulin, perunan, makkaran, keitetyn maidon ym) skin **2** (banaanin, appelsiinin,

omenan yms) peel **3** (munan, etanan, päh-
kinän ym) shell **4** (siemenen, maissin ym)
husk **5** (puun) bark **6** (maapallon, leivän)
crust **7** (kirjekuori) envelope **8** (lukon tms)
case, casing, cover **9** (kirkon) chancel
10 (henkinen) shell *tulla ulos kuorestaan*
come out of your shell

kuoria 1 (hedelmää, perunaa tms) peel **2** (si-
pulia tms) skin **3** (maitoa) skim **4** (munaa,
pähkinää tms) shell **5** (siementä, maissin-
tähkää) husk **6** (puuta) strip, peel

kuoriutua 1 (iho, maali tms) peel/flake (off)
2 (munasta) hatch **3** (vaatteistaan) peel,
strip

kuorma load (myös kuv), (vain kuv) burden
kuorma-auto truck
kuormata 1 (lastata) load **2** (ottaa kuormaa)
hold, carry
kuormittaa 1 (kuormata) load **2** (rasittaa)
load down, burden, strain *kuormittaa
keuhkoja* put a strain on your lungs
kuormitus load, stress, strain *suurin sallittu
kuormitus* maximum load
kuoro choir, chorus *huutaa kuorossa* shout
with one voice
kuorolaulaja singer in a choir
kuorolaulu choir/choral singing
kuoromusiikki choir/choral music
kuorruttaa (kakku) ice, frost; (munkki soke-
riliemellä) glaze
kuorrutus icing, frosting, glaze
kuorsata snore
kuorsaus (yksi) snore, (kuorsaaminen) snor-
ing
kuosi 1 (kankaan) pattern **2** (muoto) shape,
style **3** (koristekuvio) design, pattern
kupari copper
kuparinen copper
kupera convex
kuperkeikka somersault *heittää kuperkeikkaa*
turn a somersault; (ihminen vahingossa)
fly/fall head over heels; (auto) flip/turn
over (and over); (hanke) fall to pieces, get
all screwed/fouled up
kupillinen cup(ful) *kupillinen kahvia* a cup of
coffee
kupla 1 bubble **2** (leik: folkkari) beetle, bug

kuplia bubble; (shampanja tms) effervesce,
sparkle; (maali) blister
kupoli cupola, dome
kuponki coupon
kuppi cup *kahvikuppi* coffee cup/mug *tee-
kuppi* teacup *C-kupin rintaliivit* C(-cup-
size) bra
kuppila cafe(teria), coffee house/shop
kupu 1 (kupoli) dome, cupola **2** (liesikupu)
hood **3** (juustokupu) cover **4** (lampun)
bulb **5** (hatun) crown **6** (kumpare) mound
7 (tunturin laki) crest, top **8** (kaalin kerä)
head **9** (linnun ruokatorven laajentuma)
craw **10** (ihmisen vatsa) belly, gut *pistää
kupuunsa* stuff your face (with something)
kura *olla vatsa kuralla* have diarrhea,
(ark) have the trots/runs
kuraantua get muddy
kurainen muddy
kuri discipline *pitää kurissa* (lapsia) keep
(kids) in line; (hintakehitystä tms) keep
under control, curb, keep a tight rein on
kuriiri courier, messenger
kurinpidollinen disciplinary *ryhtyä kurinpi-
dollisiin toimenpiteisiin* take disciplinary
measures/action
kurinpito discipline
kuristaa strangle, choke, throttle
kuriton undisciplined, unruly
kurittaa discipline; (rangaista) punish, penal-
ize; (torua) chastise, correct; (antaa sel-
kään) spank *kurittaa ruumistaan* mortify
the flesh
kurittomasti in a disorderly/undisciplined
/unruly way
kuritus punishment, penance, chastisement,
correction, spanking, mortification (ks
kurittaa)
kuritushuone penitentiary, (ark) the pen *viisi
vuotta kuritushuonetta* five years of hard
labor
kurja 1 (huono) squalid, sordid; (ark) lousy,
crummy, godawful **2** (raukkamainen)
cowardly, (sl) chickenshit **3** (katala) lousy,
no-good, dirty, double-dealing **4** (run: po-
loinen) wretched, miserable *maan kurjat*
the wretched of the earth
kurjuus misery, wretchedness, poverty

kurki 1 (lintu tai nosturi) crane **2** (auran) handle, plowtail
kurkistaa peek/peep (in/out)
kurkistelija Peeping Tom
kurkistella peek/peep (in/out)
kurkistelu peeping, peeping
kurkkia peek/peep (in/out)
kurkku 1 (ruoka) cucumber **2** (ihmisen) throat *olla kurkku kipeä* have a sore throat *kostuttaa kurkkuaan* wet your whistle *olla kurkkua myöten täynnä jotakuta* have had it up to here with someone, be fed up with someone *huutaa täynnä kurkkua* shout at the top of your lungs
kurkkuun *käydä jonkun kurkkuun* hurl yourself/jump at someone's throat *työntää jollekulle luu kurkkuun* shut someone up *Minulle meni luu kurkkuun* I couldn't think of a thing to say (to that) *mennä väärään kurkkuun* go down the wrong way/hatch
kurkotella stretch/reach (out for)
kurkottaa stretch/reach (out for)
kurkottautua stretch/reach (out for)
kurkussa *olla itku kurkussa* choke back the tears, choke down the sobs *olla pala kurkussa* have a lump in your throat *olla sydän kurkussa* have your heart in your mouth *juosta henki kurkussa* run for your life
kurlata gargle
kurlausvesi mouthwash
kurpitsa (laji) cucurbit; (iso) pumpkin; (pieni) squash
kursailematon unhesitating, unceremonious, informal, casual, offhand
kursailematta without hesitation, without standing on ceremony, casually, offhand
kursailla hesitate, hang back *Älkääs nyt kursailko!* Don't be shy, don't stand on ceremony, make yourselves at home
kursiivi (kirjassa) italics, (kauno) cursive
kursivoida italicize
kursori (tietok) cursor
kursorinen cursory
kurssi 1 (laivan tms suunta) course, tack *ottaa kurssi suoraan pohjoiseen* set a course due north, set a northerly course *muuttaa kurssiaan* change course, (vars kuv) take a new tack **2** (oppimäärä, opintojakso) course (of study), class *suorittaa neljän vuoden taloustieteen kurssi* complete a four-year course of studies in economics, earn a four-year degree in economics *käydä englannin kurssilla* take a course/class in English, an English course/class **3** (vuosikurssi) class *vuoden 1992 kurssi* the class of 1992 **4** (vaihtokurssi tms) rate *huonossa/hyvässä kurssissa* at a discount/premium
kurttu wrinkle *kurttuinen* wrinkled, wrinkly *laittaa kulmat kurttuun* knit your brows
kurttuinen wrinkled, wrinkly
kurvata curve, swerve, (take a) corner
kurvi curve
kusettaa 1 *Minua kusettaa* I gotta take a leak **2** (huiputtaa) cheat, con, take someone for a ride
kusi urine, (sl) piss
kusipää (sl) shithead, asshole
kuskata (ihminen) drive, take; (tavaraa) haul, take
kuski driver
kusta (sl) piss
kustannus 1 (maksaminen) paying, funding **2** (kulu) cost, expense, expenditure *tehdä jotain jonkun kustannuksella* do something at someone's expense *pitää hauskaa jonkun kustannuksella* make fun of someone, poke fun at someone, laugh at someone **3** (julkaiseminen) publishing, publication
kustantaa 1 (maksaa) pay (for), cover the cost/expense (of) **2** (julkaista) publish
kustantaja publisher
kutakuinkin 1 (verrattain) fairly, reasonably, pretty **2** (likimain) almost, just about **3** (jotenkuten) more or less
kuta...sitä the...the *kuta enemmän, sitä parempi* the more the better
kutea 1 spawn **2** (sl: rakastella) fuck
kuteet (ark) threads
kuten 1 (niin kuin) as *Kuten me kaikki tiedämme* As we all know *Kuten sanottu* As I was saying **2** (jonkin/jonkun tavoin) like *kuten hullu* like a madman **3** (kuten myös)

as well as *tytöt kuten pojatkin* the girls as
well as the boys **4** (kuten esimerkiksi) such
as, for example, e.g. *nilviäiset, kuten eta-
nat* molluscs, such as/for example/e.g.
snails/slugs

kuti *1 (interj) Kuti kuti!* Coochie coochie
coo! **2** pitää kutinsa (aikataulu) be accu-
rate, not be off; (väite) hold water, be true

kutiaa 1 (on herkkä kutitukselle) tickles, is
ticklish **2** (kutisee) itches, is itchy/scratchy

kutina tickle, itch

kutista itch, be itchy/scratchy

kutistaa 1 shrink, (lääk ja tekn) contract
2 (tietok) (ikkunaa) minimize

kutistua shrink, (lääk ja tekn) contract

kutistumaton unshrinkable, shrinkproof,
non-shrink

kutistuminen shrinkage, contraction

kutittaa 1 (panna nauramaan) tickle **2** (raavit-
taa) itch

kutoa 1 (kangaspuilla) weave **2** (puikoilla)
knit **3** (verkkoa, myös kuv) spin *kutoa
unelmia tulevaisuudesta* spin out fantasies
about the future *kutoa juonen säikeet
yhteen* tie up the loose ends of the plot

kutoja weaver, knitter, spinner

kutomo textile mill

kutrit curls, locks

kutsu 1 invitation, call, subpoena *kutsu juh-
liin* an invitation to a party *kaukomaiden
kutsu* the call of faraway places *saada
kutsu isiensä tykö* (raam) be gathered up to
your fathers *noudattaa Jumalan kutsua*
heed God's call *kutsu saapua oikeuteen
todistajaksi* subpoena to appear as a wit-
ness **2** *kutsut* party

kutsua invite, call *kutsua juhliin/luennoi-
maan* invite to a party, to give a lecture
kutsua kissaa syömään call a cat to dinner
Liikeasiat kutsuivat hänet Tampereelle He
was called to Tampere on business *Tulit
kuin kutsuttuna* Speak of the devil *kutsua
lääkäri* call (for) a doctor, send for a doc-
tor *kutsua palolaitos* call the fire depart-
ment

kutsua aseisiin/palvelukseen draft

kutsua koolle/kokoon convene

kutsua oikeuteen todistajaksi subpoena

kutsua virkaan hire (someone) by invitation,
offer (someone) a job

kutsumaton uninvited

kutsumattomasti without an invitation, with-
out being invited

kutsumus calling, vocation

kutsunnat draft

kutsut party

kutsuvieras (invited) guest, guest of honor

kuu moon *tavoitella kuuta taivaalta* reach
for the stars *kävellä kuussa* walk on the
moon, moonwalk **2** (kuukausi) month
viime kuussa last month

Kuuba Cuba

kuubalainen *s, adj* Cuban

kuudes sixth

kuudeskymmenes sixtieth

kuudesosa sixth

kuudessadas six-hundredth

kuudesti six times

kuudestoista sixteenth

kuukausi month *Hän on seitsemännellä kuu-
kaudella* She in her seventh month, she's
six months pregnant

kuukausipalkka monthly salary *olla kuukau-
sipalkalla* be salaried, be paid by the
month

kuukausittain monthly, by the month

kuukautiset menstrual period, menstruation;
(ark) period *saada ensimmäiset kuukauti-
set* begin to menstruate, get your first
period, enter menarch

kuula 1 ball **2** (luoti) bullet; (hist) ball,
(kanuunan kuula) cannonball *ampua kuula
kalloon* put a bullet in your/someone's
head **3** (urh) shot *työntää kuulaa* put the
shot

kuulakärkikynä ballpoint pen

Kuule(han)! Listen! Look (here)! Hey! *Kuu-
les nyt* Oh come now, come on

kuulemiin (good)bye

kuulemma (so) I hear *Nyt on kuulemma
minun vuoroni* They tell me it's my turn
Niin, kuulemma Yes, so I hear, so they say,
so they tell me

kuulevinaan *ei olla kuulevinaan* pretend not
to hear *olla kuulevinaan* think you hear

kuuliainen obedient, dutiful

kuulija listener, hearer; (mon) audience *Arvoiset kuulijat!* Ladies and gentlemen!

kuulijakunta audience

kuulla hear *Kuulin, että olet lähdössä* I hear you're leaving (us), somebody told me you're leaving *kuulla todistajaa* hear/question a witness *Kaikkea sitä kuuleekin!* (pötyä) What a load of garbage/nonsense! (ihmeellistä) That's incredible/unbelievable! You've got to be kidding/joking! I can't believe it! *Onkos moista kuulu!* Have you ever heard the likes of it? Can you believe it? *Siinäs kuulit!* I guess (s)he told you! There, you see?

kuullen *jonkun kuullen* within earshot of someone, in someone's hearing *lasten kuullen* in front of the children *kaikkien kuullen* publicly, (leik) in front of God and everybody

kuulo hearing *Se ei tule kuuloonkaan* No way, under no circumstances, it's out of the question *olla kuulolla* keep your ears to the ground *teroittaa kuuloaan* prick up your ears

kuuloaisti sense of hearing

kuuloke 1 (puhelimen) handset, receiver *pistää kuuloke kiinni* hang up **2** (stereoiden tms, yr mon) earphone(s), headphone(s)

kuulopuhe hearsay

kuulostaa sound (like) *Tuo kuulostaa hauskalta* That sounds nice, that sounds like fun

kuulostella 1 (kuunnella) listen (for) **2** (tiedustella) ask (for/around about), try to find

kuulovamma hearing impairment

kuulovammainen *s* hearing-impaired person *adj* hearing-impaired

kuulu famous, famed, celebrated, well-known

kuulua 1 (kantautua korviin) carry, be heard /audible *Huuto kuului kauas* The shout carried a long way, could be heard a long ways off *Kuuluu askelia* I hear footsteps *Ei kuulu!* Out with it! Spit it out! Cough it up! **2** *Mitä kuuluu?* How are you doing? What's new? *Kerro mitä kaupunkiin kuuluu* What's new in town? **3** *Poikaa ei näy,*

ei kuulu We've had no word from him *Tyttöä ei kuulunut ulos saunasta* There was no sign of her from the sauna, she was still in the sauna *Annahan kuulua itsestäsi* Let us hear from you, don't be a stranger **4** *Kuinka kuuluu genetiivi sanasta hevonen?* What's the genitive for 'hevonen'? *Vastaus kuuluu näin* Here's the reply, the reply goes (something like) this **5** (kuulostaa) sound *Tuo alkaa joltain kuulua!* That's more like it! *Äänestä kuului, että* You could tell from his voice that **6** (olla jonkun oma) belong *kuulua toisilleen* belong to each other *kuulua puolueeseen* belong to the party, be a party member *Kenelle nuo viljelykset kuuluvat?* Whose fields are those? *Mitä se sulle kuuluu?* It's none of your business! *Kunnia sille jolle kunnia kuuluu* (Let's give) credit where credit is due **7** (olla oikea paikka), belong, go *Mihin juomalasit kuuluvat?* Where do the glasses go/belong? Where do you keep your glasses? **8** (sisältyä) be included *Tarjoilupalkkio kuuluu hintaan* Price includes tip/gratuity *Pakettimatkaan kuuluu neljä hotelliyötä* The package deal includes four nights in a hotel **9** (olla yksi joukosta) be one of, be among *Kirjakokoelma kuuluu maailman hienoimpiin* It's one of the world's finest collections (of books), this collection is one of the finest in the world *Se kuuluu tehtäviini* That's what I'm paid for, that's one of my jobs, one of the things this job entails **10** (täytyä) be supposed/expected/oblig(at)ed to, have to *Se kuuluu laittaa näin* It's supposed to go like this *Sinun kuuluisi kyllä olla vieraiden kanssa* You should be out with your guests, you really ought to be with your guests *Sehän kuuluu asiaan* It's only right (that you do it), that's part of the deal *asiaan kuuluva* appropriate, proper, relevant

kuuluisa (hyvistä asioista) famous, famed, celebrated, renowned **2** (pahoista asioista) infamous, notorious

kuuluisuus 1 fame, celebrity, renown **2** (ihminen) celebrity

kuulumaton inaudible *ennen kuulumaton* unheard-of

kuulumattomiin *häipyä kuulumattomiin* (ääni) fade (out, into the distance), die out; (ihminen) disappear without a trace, take off without leaving word (of where he can be reached), without even a card *kuulumattomissa* out of earshot

kuulustelija 1 (kokeen pitäjä) examiner **2** (poliisi tms) interrogator

kuulustella 1 (antaa koe) examine **2** (kysellä) interrogate, question, (todistajaa oikeudessa) cross-examine

kuulustelu 1 (koe) examination **2** (poliisin tms) interrogation, questioning, (todistajan, oikeudessa) cross-examination

kuuluttaa announce *Heidät kuulutettiin sunnuntaina* (hist) Their wedding banns were published Sunday; (nyk) their wedding was announced in church Sunday *kuuluttaa jalkapallo-ottelua* sportscast/announce a football game, be the sportscaster/announcer at a football game

kuuluttaja announcer, (urh) sportscaster

kuulutus announcement; (hist: avioliittokuulutus) wedding banns

kuuluvasti audibly, (kovaa) loudly, (selvästi) clearly

kuuluvilla within hearing/earshot

kuuluvuus (äänen) audibility, (radiosignaalin) reception

kuuma hot *kuuma keskustelu* heated discussion *juoda kuumaa* drink hot liquids *käydä kuumana* rage/storm around, fume, be furious, be hot under the collar *Hänellä tuli kuumat paikat* He was on the hot seat

kuume fever, temperature *mitata kuume* take someone's temperature *40 asteen kuume* a 104-degree temperature *olla kuumeessa* run a fever/temperature

kuumeinen feverish

kuumemittari thermometer

kuumennus heating

kuumentaa heat (up) *liikaa kuumennettu* overheated

kuumentua heat up *kuumentunut tilanne* inflamed/explosive situation

kuumittaan (while you're/it's/we're/they're) hot *tarjoilla piirasta kuumiltaan* serve the pie (piping) hot *kirjoittaa sana muistiin kuumiltaan* write a word down while it's fresh in your memory

kuumissaan (lämmöstä) hot, sweltering, dying with/of/in the heat; (innosta) burning/feverish/glowing with excitement

kuumuus heat

kuuna päivänä *ei kuuna päivänä* never in a blue moon

kuunnella listen, pay attention to *kuunnella toisella korvalla* listen with half an ear *kuunnella mielellään omaa ääntään* like the sound of your own voice *Kuuntelen!* I'm listening! (radiossa) Over!

kuunnella salaa (kuuntelulaitteella) tap (someone's phone), bug (someone's apartment); (korvalla) eavesdrop

kuunnelma radio play

kuuntelija listener

kuuro *s* **1** (kuulovammainen) deaf person **2** (sadekuuro) shower *adj* deaf *kaikua kuuroille korville* fall on deaf ears

kuuroittain in showers

kuuromykkä deafmute

kuusi 1 six **2** spruce, fir *Sitä kuusta kuuleminen jonka juurella asunto* Don't bite the hand that feeds you

kuusikulmio hexagon

kuusikymmenluku the sixties

kuusikymmentä sixty

kuusikymmenvuotias *s* sixty-year-old, sexagenarian *adj* sixty (years old)

kuusimetsä fir/spruce forest

kuusinkertainen sixfold

kuusinumeroinen six-digit

kuusiosainen six-part

kuusisataa six hundred

kuusisylinterinen six-cylinder

kuusitoista sixteen

kuusitoistavuotias *s* sixteen-year-old *adj* sixteen (years old)

kuusituhatta six thousand

kuusivuotias *s* six-year-old *adj* six (years old)

kuutamo moonlight, moonshine

kuutio 1 cube *leikata kuutioiksi* dice **2** (ark) cubic meter

kuutiometri cubic meter

kuutonen (the number) six

kuutoset sextuplets

kuva 1 picture *Tässä on kuva minusta 10-vuotiaana* Here's a picture of me when I was ten *TV-kuva* TV picture *Yksi kuva puhuu enemmän kuin tuhat sanaa* A picture's worth a thousand words *olla kuvassa mukana* be in the picture **2** (havainnollistava) illustration **3** (kuvio) figure, (kaavio) diagram **4** (valokuva) photograph, (ark) photo, snapshot *Käydäänpäs kuvissa!* Let's get our picture taken! **5** (ark: elokuva) picture, flick *Käydäänpäs kuvissa!* Let's go to the pictures! **6** (peilissä) reflection, image *katsoa omaa kuvaansa peilistä* look at your reflection in the mirror **7** (mieli-/kieli-/muistikuva) image *parantaa Suomi-kuvaa* improve the world's image of Finland *Jumala loi miehen ja naisen omaksi kuvakseen* God created man and woman in his own image *onnellisia tulevaisuuden kuvia* happy images/thoughts of the future *käyttää runoissaan runsaasti raamatullisia kuvia* use lots of Biblical imagery in your poems **8** (ilmetty kuva) spittin' image *Hän on äitinsä kuva* She's the spittin' image of her mother **9** (epäjumala) image, idol *kumarrella kuvia* worship appearances **10** (näkymä) scene *Tulijoita kohtasi kotoinen kuva* The newcomers stepped into a homey scene **11** (käsitys) impression, conception, idea, picture *saada väärä kuva* get the wrong impression/idea *Minulla ei ole minkäänlaista kuvaa Australiasta* I have no conception of Australia, no idea what Australia is like *Minusta Krokotiillimies antoi hyvän kuvan Australiasta* I thought Crocodile Dundee gave a pretty good picture of Australia **12** (-tus) *ontuva hevosen kuva* lame excuse for a horse *vanha äijän kuva* (sl) old fart

kuvaaja 1 (valokuvaaja) photographer **2** (elokuvaaja) cinematographer, camera operator **3** (kuvailija) describer, depictor

kuvaamataide the visual/pictorial arts

kuvaamataito art (class)

kuvaannollinen figurative *kuvaannollinen ilmaisu* figure of speech

kuvaava 1 (kirjoitustyyppi) descriptive, expository **2** (tyypillinen) typical, characteristic

kuvailla describe, depict, portray

kuvailu description, depiction, portrayal

kuvallinen 1 (kuvitettu) illustrated **2** (kuvaannollinen) figurative

kuvanauha videotape

kuvanauhuri (kasetti) videocassette recorder, VCR, (kelanauha) videotape recorder, VTR

kuvanveistotaide sculpture

kuvanveistäjä sculptor

kuvapuhelin videophone

kuvastaa reflect, mirror *Järvi kuvastaa pilviä* You can see the reflections of the clouds on the lake *Se vain kuvastaa heidän halukkuuttaan* It just reflects/shows their willingness

kuvastin mirror, (run) looking glass *Kerro, kerro, kuvastin, ken on maassa kaunein* Mirror, mirror, on the wall, who's the fairest of them all?

kuvasto picture book, illustrated work; (postimyyntiluettelo) (illustrated) catalog

kuvastua 1 be reflected *Patsas kuvastui lammen pintaan* The statue was reflected on the pond's surface *Silmistä kuvastui viha* You could see the anger in his eyes, his eyes blazed with anger **2** (näkyä, häämöttää) show, be visible *Kasvot kuvastuivat heikosti takan valossa* Her face was dimly visible in the firelight, glowed dimly in the firelight *Talo kuvastui iltataivasta vastaan* The house was silhouetted against the evening sky

kuvata 1 (esittää) picture, portray, represent *Romaani kuvaa viime vuosisadan oloja* The novel shows how things were last century, is about life in the last century, is a portrait/representation of life in the last century **2** (kuvailla) describe, depict, portray *Kuvaapa äidille mitä näit* Describe what you saw to Mom **3** (valokuvata) photograph **4** (elokuvata) film, shoot *Punaiset kuvattiin Suomessa* Reds was shot/filmed in Finland

kuvataide the pictorial/visual arts

kuvataiteellinen pictorial, artistic, pertaining to the pictorial/visual arts

kuvaus 1 depiction, description, portrayal, portrait **2** (elokuvaus) filming, shooting **3** (valokuvaus) photographing; (istunto) sitting

kuvernööri governor

kuvio 1 (piirros) figure, diagram **2** (koristeellinen) design, pattern **3** (ark) practice, routine *tavalliset kuviot* the way things usually go, standard operating procedure *olla kuvioissa mukana* be in the picture

kuvitella imagine *Et voi kuvitellakaan, miten raskasta minulla on ollut* You can't (even begin to) imagine how tough things have been for me *Kuvittele!* (Just) imagine/think! *kuvitella mielessään* imagine, picture (to yourself) *kuvitella liikoja/suuria itsestään* have an inflated opinion of yourself

kuvittaa illustrate

kuvittaja illustrator

kuvitteellinen imaginary, imagined, fictional, fictitious

kuvittelu imagination, fiction, fantasy

kuvitus illustration

kuvottaa disgust, make (someone) sick (to their stomach), turn (someone's) stomach *Sinä kuvotat minua* You make me sick, you make me want to throw up

kvalitatiivinen qualitative

kvantitatiivinen quantitative

kvartetti quartet

kvartsi quartz

kvartsikello quartz watch

kyetä be able to (do something), be capable of (doing something), be competent/skilled at (something); (seksuaalisesti) get it up *Näytä mihin kykenet!* Show them your stuff!

kyhätä kokoon 1 (kirjoitelma) dash off **2** (rakennelma) knock/put together **3** (ateria) throw together

kykenemätön incapable, unable, incompetent

kykenevä capable, able, competent

kykkiä crouch, squat

kyky 1 (edellytys) (cap)ability, capacity *henkiset kyvyt* mental abilities/faculties *kyky ajatella johdonmukaisesti* capacity for logical reasoning *kyky iloita muiden kanssa* the ability to share other people's joy **2** (lahja) gift, talent *osoittaa selvää taiteellista/hallinnollista kykyä* show a real talent/gift for art/administration, have clear/obvious artistic/administrative talents/gifts **3** (lahjakas ihminen) talent *katsella uusia kykyjä* have a look at the new talent

kyljellään on its side

kyljys chop

kylki 1 rib (myös ruokana) **2** side *kääntyä kyljelleen* turn (over) on your side

kylkiluu rib

kylliksi enough *kylliksi iso* big enough *kylliksi rahaa* enough money

kyllin enough *kyllin iso poika* a big enough boy

kyllä 1 yes, (ark) yeah A: *Ajahan varovasti* B: *Kyllä kyllä* A: Drive carefully B: Yeah yeah **2** (tosin) true *Hän on kyllä ahkera, mutta tyhmä* He's industrious all right, but stupid; he works hard enough, he's just plain dumb; true, he's a hard worker, but that doesn't make him any smarter *En kylläkään tiedä, mutta oletan niin* I don't really know, but I assume so; true, you're right, I don't know, I just think so **3** *kumma kyllä* strangely/surprisingly enough **4** (jollakin) to do *Kyllä sinä tiedät* You do too know *Osaat kyllä, jos vain haluat* You can too do it, if you want to *Saattaa kyllä olla* Could be *Kyllähän siitä oli puhetta* We did talk about it *Minä en kyllä mene!* Well I'm not going! *Kyllä sinun kelpaa!* You're so lucky! *Kyllä meidän poika osaa!* That's our boy! *Kylläpä täällä on kaunista!* It's so beautiful here! *Kyllä minä vielä näytän* I'll show you yet *syystä kyllä* rightly so, with good reason

kylläinen (täynnä) full; (ark) stuffed; (ylät) sated, replete *Ovatko kaikki kylläisiä?* Did everyone get enough? *purkaa kylläistä sydäntään* unburden your overflowing heart

kyllä kai (vastauksena) I guess/suppose (so) *Kyllä kai sinä tulet?* You're coming, aren't you?

kyllä kiitos 1 (otatko?) yes please **2** (oletko saanut?) yes thanks

kyllästynyt tired/sick (of), fed up/bored (with) *elämään kyllästynyt* tired of life, jaded, world-weary

kyllästys 1 tiredness, weariness, boredom *kyllästyksiin saakka* till you're sick of it, till you hate the very sight/sound of it, ad nauseum **2** (fys) saturation, (puun ja paperin) impregnation

kyllästyttää bore, tire, weary

kyllästyä 1 (johonkin) get tired/sick of, get fed up/bored with *Olen kyllästynyt tähän peliin* I'm tired/sick of (playing) this game, this game bores me **2** (jollakin) be saturated (with)

kyllästää (kem, sähk ja kuv) saturate; (puu, pap ja kuv) impregnate *ahdistuksen kyllästämä elokuva* a movie permeated by existential anxiety, fraught with dread, shot through and through with angst, saturated with the director's fears

kyllä vain sure, why not, of course

kylmentää cool (off), chill, make (something) colder/cooler

kylmettyminen catching a cold, getting chilled

kylmettyä catch cold, get chilled

kylmetys cold, chill

kylmetä cool (off/down)

kylmiltään cold *soittaa Chopinin etydi kylmiltään* play Chopin's etude (straight through) cold, without practicing *pitää puhe kylmiltään* give an extempore/ impromptu speech, speak ex tempore *syödä ruokansa kylmiltään* eat your dinner cold

kylmiö cooler, (iso) cold-storage room

kylmä *s* cold(ness) *Kylmä menee luihin ja ytimiin* This cold (weather) chills me to the bone *Ikkunasta tulee kylmää* Cold air is coming in through that window *hohkaa kylmää* give off coldness *säilyttää kylmässä* refrigerate, store in a cold place *adj* cold, chilly, frigid *pitää päänsä kylmänä* keep a cool head *jättää kylmäksi* leave (someone) cold *kohdella kylmästi* give (someone) the cold shoulder

kylmä rintama cold front

kylmäsydäminen coldhearted

kylmäverinen coldblooded

kylpeä 1 (pestä) bathe, take a bath, wash yourself *kylpeä saunassa* take a sauna **2** (nauttia) bask *kylpeä auringossa/ihailussa* bask in the sunshine, in people's admiration

kylpijä bather

kylpy bath

kylpyamme bathtub

kylpylä baths

kyltymätön unquenchable, insatiable

kylvettää 1 bathe, give (someone) a bath **2** (ark voittaa) take (someone) to the cleaner's, clean (someone's) clock

kylvää 1 (siementää) sow *Mitä ihminen kylvää, sitä hän myös niittää* As ye sow, so shall ye reap **2** (hiekkaa, vihaa) strew, spread *kylvää tuhoa* spread destruction

kylvö sowing, sown area

kylä village *käydä kylässä* visit someone

kyläillä visitor, guest

kyläillä visit

kyläily visiting

kyläläinen 1 (kylässä asuva) villager **2** (vieras) visitor, (house)guest

kylässä käynti (going) visiting

kymmen decade *vuosisadan ensimmäisillä kymmenillä* in the first decades of the century *muutamia kymmeniä* twenty or thirty *Hän on nelissäkymmenisissä* She's in her forties

kymmenen ten

kymmenentuhatta ten thousand *kymmeniä tuhansia* tens of thousands (of)

kymmenes tenth

kymmenesosa tenth

kymmenisen around ten

kymmenittäin tens of, ... by/in the tens

kymmenjärjestelmä decimal system

kymmenkertainen tenfold

kymmenluku decade

kymmenvuotias *s* ten-year-old *adj* ten years old

kymmenvuotisjuhla decennary, (lapsen) tenth birthday, (avioparin) tenth anniversary

kymppi (the number) ten; (seteli) tenner

kyniä 1 (hanhi tms) pluck *kana kynimättä jonkun kanssa* a bone to pick with someone **2** (ihminen) fleece

kynnys threshold *Et enää koskaan saa astua tämän kynnyksen yli* You are never to set foot in this house again *sodan kynnyksellä* on the eve/verge of war *uuden ajan kynnyksellä* at the threshold of a new era

kynsi (finger-/toe)nail

kynsiä claw, scratch *kynsiä silmät päästä* claw (someone's) eyes out

kynttilä candle *polttaa kynttiläänsä molemmista päistä* burn your candle at both ends

kynttilänjalka candlestick

kyntäjä plowman

kyntämätön unplowed

kyntää plow *Laiva kyntää merta* The ship cuts through the waves, plows the deep

kyntö plowing

kynä (kuulakärkikynä) (ballpoint) pen; (lyijykynä) pencil

Kypros Cyprus

kyproslainen *s, adj* Cypriot, Cyprian

kypsentää cook, bake, roast

kypsyys 1 (hedelmän) ripeness **2** (ihmisen) maturity

kypsyä 1 (liha) cook **2** (hedelmä) ripen **3** (ihminen: valmistua) get ready, mature, grow up; (väsyä) get sick/tired (of) *Pekka on kypsynyt aika paljon tänä vuonna* Pekka's matured a lot this past year, done a lot of growing up this year *Alan kypsyä sinun vitseihisi* I've had about enough of your jokes, I've had it up to here with your jokes

kypsä 1 (liha) done, cooked, ready **2** (hedelmä) ripe **3** (ihminen: valmis) ripe, mature, ready; (väsynyt) tired, sick *kypsä muutokselle* ripe/ready for a change *kypsä avioliittoon* ready to get married, mature

enough for marriage *Minä olen aivan kypsä* I'm dead beat

kypärä helmet

kyrillinen Cyrillic

kyrilliset aakkoset Cyrillic alphabet

kyse question *Mistä on kyse?* What's this all about? What's up? *Kyse ei ole siitä, haluatko mennä, vaan siitä, menetkö* What I want to know isn't whether you want to go but whether you will go *Juuri siitä on kyse* That is precisely the question/point

kyseenalainen dubious, questionable *kyseenalainen kauppa* shady deal *asettaa jokin kyseenalaiseksi* open something to question

kyseeseen *tulla kyseeseen* be possible, be considered *Silloin Matti voisi tulla kyseeseen* In that case Matti might be a possible /serious candidate, might be worth considering *Ei tule kyseeseenkään* No way, that's completely out of the question, not a chance *panna kyseeseen onko* question whether

kyseessä in question *Nyt on henki kyseessä* This is a matter of life and death *Nyt on tosi kyseessä* This is the real thing, this is serious business, we're not kidding/joking around

kyseessä oleva (the thing) we're talking about/concerned with, (the matter) under consideration/in question

kyseinen (the thing) we're talking about/concerned with, (the matter) under consideration/in question

kysellä 1 ask (questions), inquire (of/about) *Mitä sinä aina kyselet!* Stop asking so many questions! **2** (etsiä) ask/look around (for) *kysellä työtä* look for a job

kysely 1 questioning, inquiry **2** (tutkimus) questionaire *tutkia asenteita kyselyillä ja haastatteluilla* study attitudes through questionaires and interviews

kysymys 1 question *tehdä/asettaa kysymys jollekulle* ask someone a question, ask a question of someone *Ei tule kysymykseenkään että sinä lähdet nyt* No way can you leave now, your leaving now is completely out of the question **2** (asia) question, issue *keskustella päivänpolttavista kysymyksistä* discuss the pressing/hot issues of the day *Kysymys on nyt siitä, onko* The question /point/issue here is whether, what we're trying to decide here is whether

kysyntä demand *Kysyntä ylittää tarjonnan* The demand exceeds the supply

kysyä 1 ask (about/for), inquire (of/about) *Kysyisin sitä teidän myytävänä olevaa taloa* I'd like to ask/inquire about the house you have for sale *Kaikkea sinä kysytkin!* What a thing to ask! *Tätä kirjaa kysytään paljon* We get a lot of requests for this book, there's a huge demand for this book **2** (vaatia) take, require, call for *Se kysyy luonnetta* You've got to have a (strong) character (to do this), this takes character

kysäistä ask (in passing) *käydä kysäisemässä junien aikataulua* go ask about the train schedule

kytkentä connection, coupling, linkage

kytkentäkaavio circuit diagram

kytkeytyä connect/link (up with), be tied to, tie in with *Tämä kytkeytyy jollakin lailla sinuun* This has something to do with you, somehow this traces back to you

kytkeä 1 connect, make a connection, link (up), (junan vaunu) couple *kytkeä kondensaattorit sarjaan/rinnan* connect the capacitors in series/parallel *kytkeä tieteenkehitys ideologisesti keskiaikaiseen teologiaan* make/draw an ideological connection between scientific development and medieval theology, link the two ideologically *kytkeä irti* (johto tms) disconnect, (vaunu) uncouple **2** (panna päälle) switch /turn on *kytkeä irti* (panna pois päältä) switch/turn off **3** (sitoa) tie (up), fasten

kytkin 1 (katkaisija) switch **2** (auton) clutch

kyttyrä hump *tykätä kyttyrää* be displeased /upset (with), be unhappy (about)

kyttä cop, fuzz, pig

kytätä 1 (väijyä) lie in wait/ambush (for) **2** (tuijottaa) stare *Mitä nuo pojat kyttäävät?* What are those boys staring at? **3** (vakoilla, tarkkailla) spy on, keep an eye on *Aina sä nua kyttäät, anna mä teen mitä*

haluan! You've always got your eye on me, you're always spying on me, let me do what I want!

kyvykkyys skill, ability

kyvykäs able, capable, skillful; (ark: nopea) quick, (hyvä) good, (terävä) sharp

kyvyttömyys inability, incapacity, incompetence, impotence (ks kyvytön)

kyvytön 1 (tekemään) unable (to do), incapable (of doing); incompetent *kyvytön lakimies* incompetent lawyer **2** (seksuaalisesti) impotent

kyy adder, viper

kyyditys 1 transportation, (linja-autolla) bussing **2** (karkotus) expulsion

kyyditä 1 drive (someone some-where), give (someone) a lift/ride (somewhere) **2** (karkottaa) drive/run out (of town (on a rail), of the country)

kyyhkynen dove, (puistossa) pigeon

kyykistyä crouch/squat (down)

kyykky (voimistelussa) kneebend *mennä kyykkyyn* crouch/squat down *olla kyykyssä* crouch, squat

kyykkyasento crouch

kyykyssä crouching

kyykäärme viper

kyynel tear *liikuttua kyyneliin* be moved to tears *vuodattaa katkeria kyyneliä* shed bitter tears

kyynelehtiä shed tears

kyynikko cynic

kyyninen cynical

kyynisyys cynicism

kyynärpää elbow

kyyti ride, lift *antaa kyyti*, *ottaa kyytiin* give (someone) a ride/lift *antaa jollekulle kyytiä* (nuhdella) tear into someone, chew someone out, give someone a piece of your mind *aikamoista kyytiä* at a pretty good clip *yhtä kyytiä* without a break, straight through *En ole ensi kertaa pappia kyydissä* I wasn't born yesterday

käden käänteessä in a jiffy, in the twinkling of an eye

kädestä pitäen *kiittää kädestä pitäen* shake (someone's) hand in thanks *näyttää kädestä pitäen* walk (someone) through (something), show it step by step, lead (someone) through (something) by the hand

kädestä suuhun from hand to mouth

kädet ylös! hands up! stick 'em up!

käheä hoarse

käheästi hoarsely

käki cuckoo *olla äimän käkenä* be dumbfounded

käkikello cuckoo clock

kämmen palm

kämppä pad

kämppäkaveri roommate

kännissä (ark) smashed, plastered, wasted

kännykkä (ark) (US) cell phone, (UK) mobile (phone)

käpertyä curl/shrivel up *käpertyä jonkun kainaloon* cuddle up under someone's arm

käpristyä curl/shrivel up *käpristyä kokoon* curl up in a little ball

käpy cone

käpälä paw

käpälämäki *lähteä käpälämäkeen* hotfoot it out of there

kärjistyä come to a head, reach a critical point, peak, culminate

kärjistää 1 (johtaa kriittiseen vaiheeseen) bring (something) to a head, crystalize, catalyze **2** (karrikoida) exaggerate, overstate, state pointedly/ironically

kärkevä 1 (suora) pointed **2** (terävä) sharp, cutting

kärkevästi pointedly, sharply

kärki 1 point **2** (kolmion) apex **3** (kulman /kartion) vertex **4** (nuolen) head **5** (kielen, kengän, siiven) tip **6** (kengän, sukan) toe **7** (niemen) end **8** (listan) top **9** (joukon) front, head, lead *kulkea kulkueen kärjessä* head up/lead the parade *juosta porukan kärjessä* lead the pack **10** (huomautuksen) point, edge, sting (vitsin) punchline *taittaa arvostelulta kärki* take the edge off the criticism

kärkipäässä (jonon) at the front/head; (luokan) one of the best

kärkkyä lie/hover (around) in wait (for), be ready to take something (if it's offered/available), have your eye on (something)

kärpänen fly *tehdä kärpäsestä härkänen* make a mountain out of a molehill

kärpäslätkä flyswatter

kärry 1 cart *ostoskärry* shopping cart **2** (auto) car *kärryt* cart

kärrätä haul, cart

kärsimys suffering(s) *lopettaa eläimen kärsimykset* put an animal out of its misery

kärsimätön impatient

kärsivällinen patient, long-suffering

kärsivällisyys patience

kärsiä *tr* **1** suffer, be (ks esim) *kärsiä tappio* suffer defeat, sustain a loss, be defeated *kärsiä vääryyttä* be wronged *kärsiä nälkää* be hungry/starving **2** (kestää) take, bear, endure *Hän ei kärsi arvostelua* He can't take criticism *En kärsi nähdä sinun itkevän* I can't bear to see you cry, I can't take/handle/endure your tears **3** (rangaistus) serve *kärsiä vankeustuomio* serve a prison sentence *itr* suffer, be the worse (for) *Kansa on jo kärsinyt tarpeeksi* The people have already suffered enough *Housuni eivät juuri kärsineet kaatumisestani* My pants were hardly the worse for the fall I took *kärsiä puutetta* be needy *Tästä saat vielä kärsiä!* I'll make you pay for this!

kärsä snout, (norsun) trunk

kärttyisä irritable, grumpy, grouchy

käry the smell of smoke, of something burning *haistaa palaneen käryä* (kuv) smell a rat *haistella skandaalin käryä* sniff out a scandal

kärähtää 1 (palaa) burn, be singed/scorched **2** (ark) get caught (redhanded, with the goods)

käräjät district court session

käräjöidä litigate

käräjöinti litigation

käsi hand, (kisivarsi) arm *ottaa järki käteen* use your head *jakaa oman käden oikeutta* take the law into your own hands *suoralta kädeltä* right off (the top of your head) *saada käsiinsä* (löytää) get ahold of, reach; (käydä käsiksi) get your hands on

käsiala handwriting

käsikirja handbook, manual

käsikirjoitus manuscript

käsiksi *käydä käsiksi* (ihmiseen) attack someone, get physical/violent (with someone); (työhön) get busy doing it, get down to business

käsi kädessä hand in hand

käsikäyttöinen manual

käsilaukku purse, (hand)bag

käsillä (ajallisesti/fyysisesti lähellä) at hand; (odottamassa) on hand; (esillä) in hand

käsimatkatavara carry-on/hand luggage; (ark) carry-on(s)

käsin by hand, manually

käsine glove, (lapanen) mitten

käsite concept

käsitellä handle, deal with; (kohdella ja tekn) treat; (keskustella) discuss *käsiteltävänä oleva asia* the matter under consideration

käsiteltävä varoen! handle with care!

käsitteellinen conceptual

käsittely 1 handling, treatment **2** (oikeusjutun) hearing **3** (lakiesityksen) debate, discussion **4** (tietok) processing *tekstinkäsittely* wordprocessing

käsittämätön inconceivable, incomprehensible, unimaginable

käsittää 1 (sisältää) comprise, consist of, comprehend *Talo käsitti 8 huonetta* The house had/comprised 8 rooms **2** (koskea) cover, embrace, deal with *Tutkimus käsitti vuosien 1955-1985 välisen ajan* The research dealt with/covered the period from 1955 to 1985 **3** (tajuta) understand, figure out, comprehend, get *Hän ei käsittänyt, missä oli* He couldn't figure out/tell where he was *Hän ei käsittänyt sanaakaan kuulemastaan* He didn't understand/couldn't comprehend a word of what they said *Älä käsitä minua väärin!* Don't misunderstand me, don't get me wrong *Kyllä, käsitän* Yes, I got you, I get it **4** (pitää jonakin, ymmärtää joksikin) take (something to be), conceive/imagine (something as) *Miten käsität sielunvaelluksen?* How do you conceive/imagine reincarnation? What's your conception/image/idea of reincarnation? **5** (tarkoittaa) mean, take (to be) *Valistusajalla käsitän lähinnä 1700-lukua* By the Enlightenment I mean

roughly the eighteenth century, I take the Enlightenment to cover roughly the eighteenth century

käsitys 1 (kuva) image, picture *Minulla ei ole minkäänlaista käsitystä siitä, miltä tämä tulee näyttämään* I can't picture it **2** (mielipide) opinion, idea, impression *Minkälainen käsitys sinulla on minusta* What do you think of me? What kind of impression /idea do you have of me? *muodostaa käsitys jostakin* form an opinion of/about something *Käsitykseni mukaan* As I see it, as far as I can tell, in my opinion/view *Minulla on sellainen käsitys että* My sense is that, I'm under the impression that *Sain sellaisen käsityksen että* I got the idea that, I understood you/him/them to be saying that, I thought that

käsityskyky comprehension *Se ylittää minun käsityskykyni* It's beyond me, beyond my comprehension, (ark) it's over my head

käsitysten hand in hand, arm in arm

käsityö handicrafts, handiwork; (ommeltu) needlecraft, needlework

käsivarsi arm

käskeä 1 (antaa käsky) order, command, tell *käskeä jonkun tehdä jotakin* order/command/tell someone to do something *Älä viitsi käskeä koko aikaa!* Stop ordering /bossing me around! *Mitä käskette, herra kapteeni?* What are your orders, sir? *Käske hänen mennä* Tell him to go away, send him away *tehdä työtä käskettyä* get down to business *Kapteeni käskee* (leikki) Simon says **2** (olla johdossa) rule, run *käskeä talossa* rule the roost, run the household **3** (kutsua) invite *käskeä häihin/juhliin* invite someone to a wedding/party *Tulet kuin käskettynä* Perfect timing, we were just wishing you were here, we were just talking/thinking about you

käsky order, command(ment), bidding *kymmenen käskyä* the Ten Commandments *Käskystä herra vääpeli!* Yes sir! *tehdä käskystä* do someone's bidding *Keisari Augustukselta kävi käsky* A decree went out from Caesar Augustus

käteinen cash *muuttaa/vaihtaa sekki käteiseksi* cash a check

kätellä shake hands (with)

kätevyys handiness, deftness, convenience

kätevä handy *Hän on hirveän kätevä* She's awfully good with her hands, she's extremely deft/handy *Juna on erittäin kätevä tapa matkustaa* The train's such a convenient way to travel, it's so handy

kätilö midwife

kätinen handed *vasenkätinen* left-handed

kätisyys handedness

kätketty hidden, concealed *kätketty merkitys* hidden/subtle/un(der)stated/implied meaning

kätkeytyä hide, hide/conceal yourself, be hidden/concealed *kätkeytyä takaa-ajajilta* hide from your pursuers *Seinään kätkeytyy salalokero* There's a hidden compartment in this wall

kätkeä 1 (piilottaa) hide, conceal; (tavaraa) stash/tuck (away) *kätkeä tunteensa* hide /conceal your feelings **2** (pitää sisällään) hold, contain *Kirja kätkee sisäänsä valtavat määrät hyödyllistä tietoa* The book is a treasure trove of useful information *Nykyhetki kätkee itseensä tulevaisuuden* The present contains (within itself) the future **3** (säilyttää) store (up), put away *Leipä kätkettiin hyvään talteen hiiriltä* We put the bread up where the mice couldn't get to it

kätkö cache, hiding place; (ark) stash

kättely handshake, shaking hands

kävelijä walker, (jalankulkija) pedestrian

kävellä walk *lähteä kävelemään* take off, hit the road

kävely walk *lähteä kävelylle* go for a walk

käväistä drop/stop in (on), call (on) *käväistä mielessä* occur (to you), strike (you)

käydä 1 go, come, be *Käytkö siellä usein?* Do you go there often? *Käytkö täällä usein?* Do you come here often? *Kävitkö siellä/täällä eilen?* Were you (t)here yesterday? *Kävin jo lääkärillä* I went to the doctor already **2** (sattua) happen, go *Miten kävi?* How did it go? *Miten sinun housuillesi on käynyt?* What happened to your pants? *Kävi miten kävi* No matter what

(happens), come what may, come hell or high water **3** (sopia, soveltua) go, suit, fit, be fine/okay/all right with *Nuo housut eivät käy tuon paidan kanssa* Those pants don't go with that shirt, your pants and shirt clash *Avain ei käy lukkoon* This key doesn't fit the lock *Käykö että haen teidät neljältä?* Is it okay if I pick you up at four? *Se käy minulle mainiosti* That's fine with me, that suits me fine *Ei käy!* No way! Not a chance! **4** (jostakin) pass for *Hullu käy viisaasta, jos vaiti on* Better to keep your mouth shut and let the world think you a fool, than open it and remove all doubt **5** (toimia) run, operate, work *Millä bensalla ruohonleikkuri käy?* What gas does a lawnmower run on? **6** (tulla joksikin) get, grow, become *käydä vanhaksi* get/grow old **7** (kem) ferment *Tämä mehu on käynyttä* This juice is fermented, has gone bad

käydä jonkun luona go see/visit someone, pay someone a visit

käydä jostakin pass for something *Hän käy oppineesta miehestä* He can pass for a learned man

käydä kateeksi envy, be envious of *Minun käy sinua kateeksi* I envy you, I'm eating my heart out with envy

käydä kiinni grab/latch onto, clutch at, seize on; (käsiksi) grab ahold of, take (someone) by the (throat/hand/jne)

käydä käsiksi jump on, attack, lay a hand on

käydä päinsä do *Se ei käy päinsä* That won't do, I can't accept that, that's out of the question

käydä sääliksi have pity on, feel sorry for *Minun käy sinua sääliksi* I feel sorry for you

käydä vieraissa cheat on your spouse

käydä yksiin jibe, match (up)

käyminen fermentation

käymälä toilet, lavatory; (ulkohuone) outhouse; (leirillä) latrine

käynnissä (kone) be running/working, be in operation; (kokous tms) be under way, be in session/progress *Työ on täydessä käynnissä* The work is in full swing

käynnistys start(ing)

käynnistyä start (up), get started *Auto ei käynnisty* The car won't start *Minä käynnistyn aamulla hitaasti* I'm a slow starter in the morning, I wake up slowly

käynnistää start *käynnistää keskustelu* start /strike up a conversation, (julkinen) open /initiate a dialogue *käynnistää kampanja* start/launch a campaign

käynti 1 (kylässä, ulkomailla tms) visit, trip *Meillä on tässä ensin käynti kaupassa* We have to go to the store first *tehdä käynti Ruorstin make/take a trip to Sweden*, go to Sweden 2 (kävelytyyli) walk, gait, bearing *Käynti kiihtyy juoksuksi* A walk breaks into a run *arvokas käynti* dignified bearing *Käyntiin - mars!* Forward - march! 3 (koneen) running, working, operation; (tyhjäkäynti) idling *olla käynnissä* be running, be in operation *panna käyntiin* start (up) 4 (sisäänkäynti) entrance *Käynti pihan puolelta* Entrance in back 5 (tietok) hit

käypä 1 (yleinen) current, going *käypään hintaan* at the going/current rate/price 2 (voimassa oleva) valid *käypä postimerkki* valid stamp *käypää rahaa* good money, legal tender 3 (kaupaksi menevä) hot, popular *Emmental on aina käypä juusto* Swiss is always a popular cheese *Tähän aikaan vuodesta sadetakit ovat käypää tavaraa* Raincoats are a hot item this time of year 4 (sopiva) suitable, fitting, right *Hän on sinulle käypä mies* He's the right (sort of) man for you

käyrä s 1 curve *kellokäyrä* Bell curve *käyrä korkealla* (ark kuv) tensed up, stressed out, about to blow your top 2 (viulun) bow *adj* curved

käyttäjä user, (koneen) operator

käyttäjäystävällinen user-friendly

käyttytyminen behavior, conduct

käyttäytyä behave/conduct (yourself), act *Yritä nyt käyttäytyä ihmisiksi* Can you please try to behave (yourself)? *käyttäytyä arvokkaasti* conduct/comport yourself with dignity *käyttäytyä lapsellisesti* act childish, like a child/kid *Auto käyttäytyy hyvin kurvissa* The car handles nicely on curves

käyttää hyväkseen 1 (hyväksyttävästi) make use of, use, utilize, put to good use, take advantage of *käyttää tilaisuutta hyväkseen* seize the opportunity, make good use of the opportunity *käyttää tietojaan hyväkseen* put your knowledge to good use, draw on your information 2 (pahuksuttavasti) exploit, use, take (unfair/undue) advantage of *Hän käytti minua hyväkseen!* He used/exploited me! He took advantage of me!

käyttää loppuun use/finish up, exhaust; (luonnonvarat) deplete

käyttää oikeutta deal out/dispense justice *käyttää oikeuttaan* exercise your right (to do something)

käyttää väärin abuse, misuse

käyttö 1 use *Tällä on monta käyttöä* This can be used in many ways, this is a versatile instrument *ottaa käyttöön* put (something) to use, bring (something) into circulation; (auto) register 2 (kulutus) use, consumption *veden käyttö* water use/consumption 3 (moottorin) running, (koneen) operation 4 (vaatteiden) wear(ing) *tehty kestämään jatkuvaa käyttöä* made to withstand constant wear, (made) for continous use 5 (sanan, fraasin) use, usage *Tiedän mitä se merkitsee, mutta anna esimerkki sen käytöstä* I know what it means, but give me an example of how it's used, of its usage 6 (sovellutus) application *tietokoneiden käyttö opetustarkoituksiin* educational applications/use of computers

käyttöjärjestelmä (tietokoneen) operating system

käyttökelpoinen usable, feasible, viable

käyttökelvoton unusable, useless, worthless

käyttöohje instruction/user's manual

käyttöönotto (menetelmän tms) introduction; (auton) registration

käytännöllinen practical

käytäntö 1 practice, procedure *normaali käytäntö* normal/usual/standard practice, standard operating procedure (SOP) *käytännön sovellutus* practical application 2 (tietok) protocol

käytävä 1 (eteinen) hall, corridor **2** (lentoko-neessa, kirkossa tms) aisle **3** (puistossa tms) walk(way), path **4** (anat) canal, duct
käytös behavior, manners, conduct
käytöstavat manners *hyvät/huonot käytösta-vat* good/bad manners
käänne 1 (vaatteen) cuff **2** (tien) bend, curve, turn *joka käänteessä* at every turn **3** (tilan-teen) turn, change *käänne parempaan* a turn for the better **4** (sanan) (turn of) phrase *puhujan hienot käänteet* the speaker's fancy phrases
käännynnäinen convert
käännyttää 1 (uskon: onnistuneesti) con-vert, (yrittää) proselytize **2** (pois) turn (back/away) *Minut käännytettiin ovelta takaisin* They turned me away at the door, they wouldn't let me in
käännättää have (something) translated
käännös 1 turn *käännös vasempaan* left turn; (sot) left face **2** (kielen) translation, ver-sion *uusi raamatunkäännös* a new transla-tion of the Bible
käännöskirjallisuus translated literature
käänteentekevä epochal
käänteinen inverse, reverse *käänteinen sanajärjestys* inverse/inverted word order *käänteinen reaktio* the reverse reaction
kääntyä 1 turn (over/out) *kääntyä katsomaan jotakin* turn to look at something *olla kääntyneenä johonkin* be facing some-thing, be looking at something *Kaikki kääntyy vielä parhaaksesi* Everything will turn out for the best *Tuuli kääntyy* The wind is shifting (direction) *Beethoven kääntyisi haudassaan jos tietäisi* Beethoven would roll over in his grave if he knew *Paperi kääntyi hieman kulmasta* The paper got folded over a little at the corner **2** (uskoon) convert *kääntyä juuta-laiseksi* convert to Judaism
kääntyä jonkun puoleen turn/appeal to some-one, go ask someone for help
kääntäen conversely, on the converse/con-trary *kääntäen verrannollinen* inverse(ly proportional), in inverse proportion/rela-tion (to)

kääntää 1 (autoa, maata jne) turn *kääntää historian kulku* change/redirect/reverse the course of history *kääntää jonkun pää* turn someone's head *kääntää huomio pois jos-takin* distract (someone's) attention away from something **2** (kielestä toiseen) trans-late **3** (sanajärjestys, mat: suhde) invert **4** (tietok) assemble
kääntää kelkkansa do an aboutface
kääpiö dwarf, midget, (euf) little person
kääriytyä (peittoon) wrap/roll yourself (up in), (jonkin ympärille) wind yourself (around), (salaperäisyyteen) shroud your-self (in)
kääriä (paperiin) wrap, (kelalle) wind, (tupakka) roll *kääriä joululahjat* wrap Christmas presents *kääriä hihansa ylös* roll up your sleeves *kääriä isot rahat* rake in big bucks
käärme snake, serpent
käärö 1 roll, scroll **2** (paketti) bundle *keh-dossa jokelteleva käärö* little bundle (of joy) babbling in the cradle
Köln Cologne
kömmähdys mishap, screw-/foul-/fuck-up; (sanallinen) howler
kömpelyys awkwardness, clumsiness
kömpelö awkward, clumsy
kömpelösti awkwardly, clumsily
kömpiä climb, clamber, crawl
könttäsumma lump sum
körötellä bounce/bump along
köydenveto tug-of-war (myös kuv)
köyhdyttää impoverish, reduce to poverty
köyhtyä get poorer, sink into poverty
köyhyys poverty
köyhä a poor person/man/woman/child, (hist) pauper; (mon) the poor *adj* poor, poverty-stricken, indigent
köyhälistö the poor, the underclass
köynnös 1 vine, climber **2** (koriste) garland, festoon
köysi rope *antaa jollekulle köyttä* give some-one plenty of rope/slack *vetää köyttä* have a tug-of-war
köyttää rope, tie up (with a rope)
Kööpenhamina Copenhagen

L,l

laadinta preparation, composition

laadukas (high) quality

laadullinen qualitative

laahata drag, trail (something behind you) *laahata jalkojaan* drag your feet, scuff your heels, shuffle

laaja 1 (avara) wide, broad, expansive, large, ample **2** (kattava) comprehensive, exhaustive

laaja-alainen broad *laaja-alainen talous* diversified economy

laajakaistainen (tietok) broadband

laajakangaselokuva wide-screen movie, wide-screen motion picture, Cinemascope movie

laajakantoinen far-reaching

laajalti widely, broadly, extensively *laajalti levinnyt* wide-spread

laajamittainen broad/large-scale, extensive

laajapohjainen broad-base(d)

laajaulotteinen wide-ranging, far-reaching

laajennos expansion, addition, new wing

laajennus expansion; (tien) widening; (talon) extension, wing

laajentaa 1 expand, broaden, widen; (pidentää) extend, (suurentaa) enlarge, (lisätä) increase *laajentaa näköpiiriään* expand /broaden your horizons **2** (lääk: verisuonia) distend, (pupillia) dilate

laajentua 1 expand/broaden/widen (out)(wards); (pidentyä) enlarge, (suurentua) enlarge, (lisääntyä) increase **2** (lääk: verisuoni) (become) distend(ed), (pupilli) dilate

laajuinen wide *maailmanlaajuinen* world-wide *200 sivun laajuinen* 200 pages long

laajuus 1 breadth, broadness, width, wideness; (pituus) extent, (suuruus) size *koko laajuudessaan* to its full extent **2** (iso alue) expanse, immensity, vastness **3** (rajat) scope, range *toimivallan laajuus* the scope of (someone's) authority *äänialan laajuus*

vocal range **4** (kattavuus) comprehensiveness **5** (fys, fon) amplitude

laakea flat, level *laakea lautanen* plate

laakeri 1 (kasvi) laurel *levätä laakereillaan* rest on your laurels **2** (tekn) bearing

laakso valley *Vaikka minä vaeltaisin pimeässä laaksossa* Though I walk through the valley of the shadow of death

laannuttaa pacify, placate, calm

laantua 1 (ihminen) calm/quiet down **2** (myrsky tms) subside, abate

laastari bandaid

laastaroida bandage, put a bandaid on (a out); (vanh) dress (a wound)

laasti mortar, (kipsilaasti) plaster, (saumauslaasti) grout

laatia 1 (kirjoittaa) write/draw up, write /make out *laatia viesti jäätävään sävyyn* couch a note in an icy tone **2** (koota) put together, compile **3** (keksiä) make up, compose **4** (valmistella) prepare **5** (kehitellä) work out, formulate **6** (luonnostella) draft

laatikko box

laatikoittain boxes and boxes of, by the box-load

laatikollinen boxful

laatta 1 (betoni-) slab, (kivi-) flagstone, (metalli-) plate, (kaakeli-) tile **2** (muistolaatta) plaque

laatu 1 quality, grade *korkeaa laatua* high quality *Minkä laadun seosta meidän pitäisi tehdä?* What grade mixture do they/you want? **2** (luonne) character, nature *Novelli on laadultaan draamallisempi kuin romaani* The short story is more dramatic in character than the novel **3** (tyyppi) sort, kind, brand, type *Palkka vaihtelee työn laadun mukaan* Pay will vary with the sort/type of work done **4** (mat) denomination

laatuinen kind (of) *sen laatuinen työ* work like that *kaiken laatuista tavaraa* all kinds /sorts of goods, goods of every shape and size *Pekka on aina laatuisensa* Pekka is always Pekka, always himself

laatusana adjective

laatutavara quality product/goods

laava lava

laboratorio laboratory, (ark) lab

ladata 1 (ase, tietokoneohjelma) load **2** (akku) (re)charge *ladata itsensä täyteen vihaa* work yourself up to a fury *ladata akkujaan* (kuv) recharge your batteries

ladonta 1 (halkojen tms) stacking (up) **2** (kirjan) composition, type-setting

lafka outfit *Se on vähän hämärä lafka* It's some fly-by-night outfit

laguuni lagoon

lahja 1 gift, present; (lahjoitus) donation, endowment; (testamentissa) bequest *saada lahjaksi* get (something) as a gift /present *antaa lahjaksi* give (someone) something **2** (kyky) gift, talent *puhumisen lahja* the gift of gab

lahjahevonen *Ei lahjahevosen suuhun katsota* Never look a gift horse in the mouth

lahjakas gifted, talented

lahjakkuus talent *katsella uusia lahjakkuuksia* look over the new talent

lahjakortti gift certificate

lahjapaperi wrapping paper

lahjatavara gifts, presents

lahje pantleg

lahjoa bribe

lahjoittaa 1 (antaa) present (someone) with (something), give (someone something, something to someone) **2** (tehdä lahjoitus) donate, contribute *lahjoittaa yliopistolle* endow a university

lahjoitus gift, donation, contribution; (testamentissa) bequest; (koululle tms) endowment

lahjoma bribe *ottaa vastaan lahjoma* accept a bribe

lahjomaton unbribable, incorruptible, honest

lahjonta bribery

lahjus bribe

lahko sect, denomination

lahkolainen sectarian, member of a religious sect

laho s rot, decay *adj* **1** rotten, rotting, decayed, decaying **2** (kuv) decadent

lahota rot, decay

lahtelainen person/thing from Lahti

laide (sivu) side, (reuna) edge; (veneen tms) gunwale **2** *kaupungin laiteilla* on the outskirts of town

laidun pasture *ajaa karjaa laitumelle* drive the stock/cattle out to pasture *laitumella* grazing (in the pasture)

laidunmaa pasture/grazing land(s)

laiduntaa pasture *laiduntaa karjaa* put stock /cattle out to pasture

laiha 1 (ihminen) thin, slim, skinny *laiha kuin luuranko* nothing but skin and bones **2** (keitto) thin, watery; (kahvi) weak; (seos) watery, diluted **3** (varasto tms) spare, sparse, scanty, meager **4** *laiha lohtu* slim/small consolation, cold comfort *laihat vuodet* lean years *laiha leipä* (kuv) meager living *nakertaa laihaa leipää I just* get/squeak by, eke out a meager existence **5** (maaperä) barren, poor

laihduttaa 1 (ihminen) diet, lose weight **2** (maaperää) deplete, impoverish

laihdutuskuuri diet

laihtua lose weight, slim (down) *Oletko laihtunut?* Have you lost weight?

laikallinen splotchy

laikka 1 (täplä) splotch, blotch **2** (kiekko) wheel, disk

laiku splotch, blob

laikukas splotchy

lailla *millä lailla* how, in what way *millään lailla* in some/any way *sillä lailla* like that, so that; (interj) way to go! attaboy/-girl! that's the ticket/stuff! *Voit auttaa sillä lailla, että pysyt poissa tieltä* You can help by staying out of the way *aika lailla* pretty, quite (a lot/bit/few) *Se on aika lailla täynnä* It's pretty full *Siellä on aika lailla väkeä* It's pretty crowded, there are quite a few people there

laillinen legal, lawful *laillista tietä* by legal means, by recourse to the courts *laillinen avioliitto* valid marriage *tulla lailliseen* *ikään* come of age, reach (the age of) legal majority

laillisesti legally, lawfully

laillistaa legalize, make (something) legal *marihuanan laillistaminen* the legalization of marijuana

laillistus legalization

laillisuus legality, lawfulness

laimea 1 (kahvi) weak, (keitto) thin, (viini) bland, (mehu) watery, diluted **2** (väri) pale, dull **3** (haju) faint **4** (kaupankäynti) slow, slack, sluggish **5** (osanotto) unenthusiastic **6** (tunne) lukewarm, halfhearted **7** (yritys) feeble, lackluster, listless **8** (keskustelu) dull, flat, boring **9** (kokemus) tame, unexciting

laimenne diluent, (maalin) thinner

laimentaa 1 (nestettä) thin, dilute, water down (värin voimakkuutta) dull **3** (huumetta) cut **4** (innostusta) calm/cool (down), (ark) throw a wet blanket on (something)

laiminlyödä 1 neglect, be neglectful/negligent *laiminlyödä velvollisuutensa* shirk your responsibility **2** (jättää tekemättä: velvollisuus) fail (to do something), (tilaisuus) miss out (on a chance to do something) **3** (lak ja liik) default (on) *laiminlyödä lainanlyhennys* default on a loan (payment)

laiminlyönti neglect, negligence; failure; default, non-payment (ks laiminlyödä)

laina loan *antaa lainaksi* loan/lend (someone something) *saada lainaksi* borrow (something from someone) *olla lainassa* (kirja) be checked out, (muu) be out on loan

laina-aika loan period

lainakirjasto lending library

lainasana loan word

lainata 1 (jollekulle) loan, lend **2** (joltakulta, myös mat) borrow **3** (jotakuta) quote (from), cite *lainata väärin* misquote

lainaus 1 (lainaksiotto) borrowing (lainaksi anto) lending **2** (sitaatti) quote, quotation

lainausmerkki quotation mark ('), (UK also) inverted comma *lainausmerkeissä* in quotation marks, (ark) in quotes

laine (yl) wave; (pieni: vedessä) ripple, (hiuksissa) curl

lainehtia wave, ripple, curl

lainelauta surfboard

lainelautailu surfing

lainen 1 (asukas) native/inhabitant of, (person) from, someone living in *amerikkalainen* American **2** (kaltainen) like *tällainen vekotin* a gadget like this *Hän on entisenlainen* He's himself again **3** (tyyppinen) kind, sort *monenlaisia leivonnaisia* many kinds of bakery goods **4** (puoleinen) on the ...side, *-ish luihunlainen* thinnish, on the thin side

lainkaan at all *Sitä en tarkoittanut lainkaan* That's not what I meant at all

lain kirjain the letter of the law

lainkuuliainen law-abiding

lainoittaa 1 (pantata) mortgage *Talo on lainoitettu sadastatuhannesta eurosta* The house is mortgaged for hundred thousand euros **2** (rahoittaa) finance *Jouduttiin lainoittamaan talo pankin kautta* We had to finance our house through the bank

lainopillinen legal, juridical

lainoppi jurisprudence, (ark) law

lainrikkoja offender, (rikkeentekijä) perpetrator, (ark) perp

lainsäädäntö legislation

lainvastainen illegal

lainvoima legal force, force of law, validity *saada lainvoima* come into effect, become valid

laiska s detention *jäädä laiskaan* to have to stay after school *adj* **1** (laiz) **2** (tyhjäntoimittaja) idle, indolent **3** (hidas) slow, slack, sluggish

laiskamato (ihminen) lazy-bones Jones *Minua on purrut laiskamato* I don't feel like doing anything, I just want to lie around

laiskanlinna easy chair

laiskasti lazily, idly, indolently, slowly, slackly, sluggishly (ks laiska)

laiskiainen (eläin) sloth **2** (ihminen) sloth, slacker

laiskimus lazy-bones Jones, slacker

laiskistua get (fat and) lazy, slack off

laiskotella (viettää vapaa-aikaa) laze around, take it easy; (työssä) loaf, slack (off), gold-brick

laiskuri slacker, idler, dawdler, loafer, lazy-bones (Jones)

laiskuus laziness, idleness, indolence, slackness (ks laiska)

laita *s* 1 (astian tms) rim, brim 2 (uima-altaan, tien, laivan) side *kävellä tien vasenta laitaa* walk (along) the left side of the road *mennä laivan oikeaan laitaan* go to the starboard rail 3 (jääkiekkokaukalon) boards 4 (veneen) gunwale 5 (painetun sivun) margin, (tyhjän sivun) edge 6 (alueen) edge, border, boundary, periphery 7 (kaupungin) outskirts, edge 8 (puolueen) wing *oikea laita* right wing 9 *laidasta laitaan* (kaikenlaista) of all kinds, of every shape and size; (poliittisesti) of every political stripe, from left to right, across the whole political spectrum 10 (tila) state, situation *Asian laita on tämä* This is the situation, here's what we're dealing with *Näin on asian laita* That's the way it is, things stand *Olipa asian laita mikä tahansa* No matter what (the situation), regardless of how things are/stand *Nythän asian laita on niin että* The fact of the matter is that 11 *Tuo ei ole laitaa* That's not fair

laitakaupunki (the) outskirts (of town)

laitamilla at/on the edge/border/periphery; (kaupungin) in the outskirts

laite device, instrument; (ark) gadget *laitteet* apparatus, equipment, instruments; (kiinnikkeet) fittings, mountings *sotalaitteet* (hist) engines of war

laiton illegal, unlawful, against the law

laitos 1 (teollisuuslaitos) plant, factory, mill 2 (liike) establishment, business, company 3 (koululaitos) institution *korkeakoululaitos* institution of higher learning 4 (tutkimus/opetuslaitos: yliopiston yhteydessä) department, (erillinen) institute 5 (yhteiskuntalaitos) institution 6 (painos) edition, printing

laitostua become institutionalized

laittaa 1 (ruokaa) make, cook, prepare, fix 2 (häitä tms) (make) arrange(ments for), get ready for 3 (taloa: rakentaa) build, construct; (korjata) fix (up), mend, repair 4 (lapsi jollekulle) get (a child on someone, someone pregnant) 5 (kuntoon) get (something) ready; (siivota) tidy (up), clean

laittaa kärryt hevosen eteen (kuv) put the cart before the horse

laittautua get ready, (hienoksi) get dressed /fancied/gussied up

laitteisto apparatus, equipment, instruments

laittomasti illegally, unlawfully, against the law

laittomuus illegality

laituri 1 (vedessä) dock, pier 2 (rautatieasemalla) platform

laiva ship, (valtameriristeilijä) ocean liner *laivassa* on board/aboard ship *mennä laivaan* go on board/aboard *poistua laivasta* go ashore

laivasto 1 (sot) navy 2 (laivue) fleet, flotilla

laivata 1 (kujettaa) ship 2 (lastata) load, stevedore

laivaus 1 (kuljetus) shipping; (lasti) shipment, consignment 2 (lastaaminen) loading

laivue flotilla, squadron

laji 1 kind, sort, type *ainoa lajiaan* the only one of its kind 2 (eläinlaji) species 3 (urheilun) sport, (uinti/yleisurheilukisojen tms) event 4 (kirjallisuuden) genre

lajitella sort (out), classify, (valokopiosivuja) collate

lajittelu sorting, classification, (valokopiosivujen) collation

lakaista sweep *lakaista maton alle* sweep under the rug/mat (myös kuv)

lakana sheet *vaihtaa lakanat* change the sheets/(bed)linen

lakastua wither, fade

lakata 1 (loppua, lopettaa) stop, cease *lakata satamasta* stop raining *Sade lakkasi* The rain stopped 2 (maalata lakalla) varnish, lacquer

laki 1 law *noudattaa lakia* obey the law *laki ja järjestys* law and order *saada lain* *voima* take (legal) effect *tupakkalaki* the Tobacco Act *rikoslaki* criminal law/code *Suomen laki* Finnish legal code *lain kirjain/käsi* the letter/arm of the law *lain mukaan* by law, according to law *lukea lakia* study law, be in law school *lukea lakia jollekulle* read the riot act, chew someone out, dress someone down **2** (mäen) top, summit, peak; (pään, holvin) crown

lakiasäätävä legislative

lakimies lawyer, attorney (-at-law)

lakitiede jurisprudence, law

lakitieteellinen jurisprudential *lakitieteellinen tiedekunta* law school

lakitieteen tohtori Doctor of Jurisprudence, J.D.

lakka 1 (marja) cloudberry **2** (liuos) varnish, lacquer

lakkaamaton continuous, continual, incessant

lakkaamatta continuously, continually, incessantly

lakkauttaa close (down), abolish, discontinue, do away with; (laki) repeal

lakkautus shutdown, abolition, discontinuance, repeal

lakki cap

lakkiaiset high school graduation

lakko strike *mennä lakkoon, olla lakossa go/be on strike tehdä lakko* (auto tms) stop dead, die, quit (running)

lakkoilla 1 (työläiset) (go/be on) strike **2** (auto) keep stopping/quitting, (TV) be on the blink, (sydän) fibrillate, (muisti) be patchy, let you down

lakkolainen striker

lakkovahti picket

lakkovartio picket line

lako *mennä lakoon, olla laossa* be flattened, beaten down (by the rain)

lakonrikkoja strikebreaker, (ark) scab

lakritsi licorice

lama depression (myös kuv) *taloudellinen lama* economic depression; (väliaikainen) economic recession/slump/downswing *olla lamassa* be depressed, be out of it, be down in the dumps/mouth

lamaannus 1 (masennus) depression, dejection **2** (pysähdys: taloudellinen) stagnation, (fyysinen) paralysis, (henkinen) torpor

lamaannuttaa 1 (masentaa) depress, deject, discourage **2** (pysäyttää) paralyze, cripple *Tieto vallankaappauksesta lamaannutti pörssin* News of the coup paralyzed/crippled (trading on) the stock exchange *Tieto äidin kuolemasta lamaannutti hänet* The news of his mother's death paralyzed /stunned him

lamaantua 1 (masentua) become depressed /dejected/discouraged **2** (pysähtyä) be paralyzed/crippled, stagnate

lamakausi depression

laminoida laminate

laminointi lamination

lammas (elävä) sheep, (syötävä) mutton *suvun musta lummus* the black sheep of the family *erottaa lampaat vuohista* separate the sheep from the goats *lauhkea kuin lammas* gentle as a lamb

lammikko (pieni järvi) pond, (läiskä) pool, (lätäkkö) puddle

lampaanliha mutton

lampaanpaisti roast mutton

lampi pond

lamppu 1 (valaisin) light (fixture), lamp **2** (hehkulamppu) (light) bulb

lande (maaseutu) the sticks, the boondocks, the boonies

landelainen (maalainen) hick, hayseed, (country) bumpkin

langaton cordless, wireless

langaton puhelin cordless (tele)phone

langeta fall *langeta maahan* fall to the ground, hurl yourself to the ground, prostrate yourself *Vastuu siitä lankeaa nyt sinulle* It's your responsibility/duty/job now, responsibility for it falls to you

langeta loveen fall/go into a trance

langeta maksettavaksi fall due, mature

langettaa tuomio pronounce/pass judgment /a verdict

lanka 1 thread, (naru) string *punainen lanka* scarlet thread *saada langan päästä kiinni* catch the drift (of speech), figure out what's going on **2** (sytytyslanka) fuse, (hehkulanka) filament, (pyydyslanka) wire **3** *saada langan päähän* (puhelimeen) get someone on the line *hakea joku langan päähän* call someone to the phone

lankata polish

lankeemus fall *Ylpeys käy lankeemuksen edelle* Pride goes before a fall

lankku board, plank

lanko brother-in-law

lannistaa 1 (vastustaja) put down, subdue, suppress **2** (mieltä) depress, dishearten, discourage, knock the legs/props out from under (a person)

lannistua 1 (tappelussa) give up (the fight), give in/way, yield **2** (henkisesti) lose heart, get depressed/disheartened/discouraged

lannistumaton persevering, resolute, unflagging

lannoite fertilizer

lannoittaa fertilize

lannoitus fertilization

lanseerata introduce

lanta manure, dung; (apulanta) fertilizer

lantio pelvis

lantti coin

lanttu rutabaga, swede

lanttulaatikko rutabaga casserole

lapa shoulder

lapaluu shoulder blade

lapanen mitten

lapinkielinen Sami

lapio shovel, (pieni) spade

lappaa (köyttä ulos) pull, (köyttä sisään) feed, (vettä veneestä) bail, (tavaroita taskusta) haul out, (ruokaa lautaselleen) pile (up), (ruokaa suuhun) stuff, (väkeä ulos /sisään) pour, stream

lappalainen *s* Lapp *adj* Lappish

Lappi Lapland, (par) Samiland

lappi (saamen kieli) Sami

lappu (silmälappu: ihmisen) (eye)patch, (hevosen) blinker *kulkea laput silmillään* look at the world with blinkers on **2** (paperinpala) piece/scrap of paper **3** (hintalappu) (price) tag **4** (viesti) note *panna lappu luukulle* close (up) shop)

lapsellinen childish, puerile

lapsellisuus childishness, puerility

lapsenlapsi grandchild

lapsenomainen childlike

lapsenvahti babysitter

lapseton childless

lapsettomuus childlessness

lapsi child, (ark) kid, (kakara) brat, (vauva) baby, (alaikäinen) minor *heittää lapsi pesuveden mukana* throw the baby out with the bathwater *lapsilta kielletty elokuva* adult movie, R-/X-rated movie *lapsille sallittu elokuva* children's movie, P(G)-rated movie *kuin lasten suusta* out of the mouths of babes *odottaa lasta* be pregnant, be expecting (a baby) *aikansa lapsi* a product/child of your times *lapsesta saakka* since you were a child, since childhood

lapsiperhe family with children at home

lapsivuode *olla lapsivuoteessa* (vanh) be confined *kuolla lapsivuoteeseen* die in childbirth

lapsiystävällinen *lapsiystävällinen perhe* a family that likes children, where children feel welcome, at home *lapsiystävällinen ympäristö* (turvallinen) a child-safe environment, (ystävällinen) a place where children are welcome

lapsukainen child, baby

lapsuus childhood

laputtaa traipse, tramp *Alahan laputtaa!* Get a move on! *laputtaa tiehensä* beat a hasty retreat, (ark) beat it

laserlevy CD, Compact Disc; (kuvalevy) LaserDisc, laserdisc

lasersoitin CD player, compact disc player, (kuvalevysoitin) laserdisc player

lasi 1 (juomalasi) glass (myös aine) *lasista tehty hevonen* glass horse *kilistää lasia* clink glasses *lasin liikaa ottanut* who's had one too many *kilistää lasia jonkun kanssa* (juoda malja) clink glasses with (someone) **2** (ikkunalasi) (window) pane **3** (silmälasit) glasses

lasikaappi glass cabinet

lasillinen glassful *Otetaanko pari lasillista?* Shall we have a drink/round or two?

lasiovi French door

lasipullo glass bottle
lasitavara glassware
lasitehdas glassworks
lasittaa glaze
lasittua glaze *lasittuneet silmät* glazed/glassy eyes
laskea *tr* **1** (alemmas) lower, drop *laskea kätensä oven kahvalle* put your hand on the doorknob **2** (kädestään tms) put/set/lay down **3** (perusta tms) lay **4** (päästää) let *laskea sisään/ulos/karkuun/menemään/irti* let someone in/out/escape/go/loose **5** (saattaa) *laskea seteleitä liikkeeseen* put bills into circulation, issue currency *laskea kirja julkisuuteen* release a book **6** (vuodattaa, virrata) (let) run/flow *laskea vettä* (hanasta) run water (virtsata) urinate *laskea olutta tynnyristä* draw beer from a keg *laskea verta haavasta* let a wound bleed *Älä laske housuihisi!* Don't go in your pants! **7** *laskea leikkiä* joke around (ks hakusana) **8** (lukumäärä) count *Ne voi sormin laskea* You could count them on one hand *kolmas vasemmalta laskien* the third from the left **9** (laskelmoida) calculate, figure *laskea mahdollisuuksiaan* figure /calculate your chances **10** (luottaa) count on *Pojat laskivat niin, ettei äiti huomaa* The boys counted on their mother not noticing *laskea jonkin varaan* count on it *Älä laske sen varaan, että minä olen siellä* Don't count on my being there **11** (pitää jonakin, sisällyttää johonkin) consider, count *minut mukaan laskettuna* counting /including me *Itse lasksin sen eduksi* Me, I'd consider it an advantage *itr* **1** (alas) fall, drop *nousta ja laskea* rise and fall *Kuume /lämpö laskee* The fever/temperature is dropping *Painoni on laskenut* I've lost weight **2** (viettää: tie) slope down, descend, (jyrkänne) drop off **3** (liukua) *laskea kelkalla/suksilla* sled/ski down (the hill) **4** (virrata) flow *Mississippijoki laskee Meksikonlahteen* The Mississippi River flows into the Gulf of Mexico **5** (aurinko) set *Aurinko laskee* The sun is setting
laskea lampaita count sheep (myös kuv)

laskea leikkiä joke (around), be witty/funny, make/crack jokes/a joke
laskea mukaan include *mukaan laskettuna* including, counting
laskea mäkeä go sledding
laskea päässä count/calculate in your head, do mental arithmetic
laskea silmistään let someone out of your sight
laskea tahtia count/beat time
laskea takaperin 1 (lukuja) count down/backwards **2** (mäkeä) go down backwards
laskelma calculation, computation, (arvio) estimate
laskelmointi calculation
laskelmoiva calculating
laskennallinen computational
laskenta 1 (vars tietok) computation **2** (mat) calculus *differentiaalilaskenta* differential calculus **3** (lähtölaskenta) countdown
laskento arithmetic
laskettelu downhill/slalom skiing
laskeutua 1 (mennä alas) go down (into), descend *laskeutua vuoteelle* lie down *laskeutua polvilleen* kneel down **2** (laskea, pudota) fall, drop *Yö laskeutuu* Night is falling *Pöly laskeutuu* The dust is settling **3** (viettää) slope/go down **4** (roikkua) hang (down) **5** (lentokone) land
laskeutuminen descent, landing
laskiainen Shrovetide
laskiaispulla Shrove bun
laskiaistiistai Shrove Tuesday
laskien *15. päivästä laskien* starting the 15th *sinut mukaan laskien* counting/including you
laskin calculator
lasku 1 (laskutehtävä) (math) problem, sum **2** (laskelma) calculation, (kuv) account *minun laskujeni mukaan* according to my calculations, as I figure it *ottaa laskuun* take into account/consideration **3** (tili) account *Tuleeko tämä käteisellä vai laskuun?* Will that be cash or charge? *Tämä tulee laskuun* I'll put this on my account; charge, please *talon laskuun* on the house **4** (laskutus: sähkötsm tms) bill, (tavaralähetyksestä) invoice, (ravintolassa) (US)

check, (UK) bill *Saisimmeko laskun? Could we have the check please? erääntynyt lasku* overdue bill **5** (laskeutuminen) fall, drop, (tien) downgrade *auton arvon lasku* depreciation in a car's value **6** (laskettelukerta) (ski) run

laskuttaa bill, (lähetyksestä) invoice

laskutus billing, (lähetyksestä) invoicing

laskuvarjo parachute

lasta 1 (keittiölasta) spatula; (kumilasta: ikkunoita varten) squeegee, (liimausta varten) (rubber) applicator; (muurauslasta) trowel; (kittilasta) putty knife **2** (lääk) splint

lastenhoitaja (päiväkodissa) (preschool) aide; (kotona) nanny

lastenhoito child care

lastenleikki children's game(s), child's play (myös kuv) *Se on lastenleikkiä* (helppoa) That's a piece of cake, no sweat

lastentarha preschool; (ennen kouluikää) day care center; (viimeisenä vuonna ennen ensimmäistä luokkaa, kuuluu USA:ssa koulujärjestelmään) kindergarten

lastenvahti babysitter

lastenvaunut baby carriage

lasti load, (laivan) cargo, (lentokoneen /junan) freight

lastu 1 (puun, metallin) chip; (saippuan, perunan) flake; (höylän) (wood) shaving **2** (mikrolastu) (micro)chip **3** (tarina) story, anecdote

lastulevy chipboard

lataus (lataaminen) charging, (ladattu) charge

latautua 1 (akku) charge (up), get charged **2** (ihminen) get charged/psyched up for, get ready for

latina Latin

latinankielinen Latin

latistaa banalize, trivialize, make/render prosaic/bathetic

latistua fall off (in excitement), flag, turn boring/tedious/banal/trivial

lato barn, shed

latoa 1 (vierekkäin) line up; (päällekkäin) pile up, stack **2** (puhetta) let fly, (tunnetta) repress **3** (kirjapainossa) compose

lattea 1 (litteä) flat **2** (proosallinen) boring, banal, trivial, trite

lattia floor *mittailla lattiaa* pace the floor, pace up and down, to and fro

latu (ski) track *Latua!* Track! *antaa latua* give way *avata uusia latuja* blaze new trails, break new ground *kulkea vanhaa latua* stay in the old rut, keep to the beaten path

latva 1 (puun) top **2** (joen) upper course

Latvia Latvia

latvia (kieli) Latvian, Lettish, Lett

latvialainen *s* Latvian, Lett *adj* Latvian, Lettish

lauantai Saturday

lauantaimakkara bologna, (ark) baloney

lauantainen (something) on Saturday, Saturday('s) *joka lauantainen kauppareissu* our Saturday shopping spree, the shopping we do every Saturday

lauantaisin (on) Saturdays

laueta 1 go off, (pyssy) fire, (räjähde) explode **2** ease off, (jännitys) relax, break *Sitten hän nauroi ja jännitys laukesi* Then she laughed and they relaxed, her sudden laughter broke the tension **3** (saada orgasmi) come, go off

lauha (ilma) warm, balmy, mild; (ilmasto) mild, temperate

lauhduttaa 1 (ilmastoa) warm up *Meri lauhduttaa Helsingin talvea* The winter in Helsinki is warmer/milder than further inland thanks to the Gulf of Finland **2** (mielialaa) calm, soothe, pacify **3** (tekn) condense

lauhkea 1 (ilma) warm, balmy, mild; (ilmasto) mild, temperate **2** (mielenlaatu) mild, meek, gentle *lauhkea kuin lammas* gentle as a lamb

lauhtua 1 (ilma) grow milder *Pakkanen on lauhtunut* The cold snap has broken **2** (mieliala) calm (down), cool off, relax **3** (tekn) condense

laukaista 1 (pyssy) fire, discharge, shoot off **2** (jousi) loose, release **3** (ansa) spring **4** (kamera) shoot/snap (a picture) **5** (ohjus tms) launch **6** (kiekko, pallo tms) shoot, fire, let fly **7** (kysymys tms) shoot off, let fly **8** (orgasmi) bring (someone) to climax, make (someone) come, get (someone) off; (suulla: miestä) suck (someone) off, (naista) lick (someone) off

laukata gallop, (hitaasti) canter, lope

laukaus (gun)shot *650 laukausta minuutissa* 650 rounds per minute

laukka gallop, (lyhyt) canter, lope *täyttä laukkaa* at a full gallop; (kuv) hellbent for leather, like a bat out of hell

laukku bag, (käsilaukku) purse, (koululaukku = reppu) pack

laulaa sing *Mikä laulaen tulee se viheltäen menee* Easy come, easy go

laulaja singer

laulella sing (a little ditty/to yourself)

laulu 1 song, tune, melody; (joululaulu) (Christmas) carol; (gregoriaaninen tms) chant 2 (laulaminen) singing, song *panna lauluksi* burst into song, burst out singing 3 (linnun) (bird)song, singing, chirping, warbling

lauma herd (myös kuv), crowd *kulkea lauman mukana* go with the herd (myös ihmisistä), be a sheep 2 (lampaita, lintuja) flock 3 (koiraeläimiä) pack 4 (hanhia) gaggle 5 (hyönteisiä, lapsia) swarm

laupeus compassion, kindness, mercy, caring

laupias compassionate, kind, merciful, caring *laupias samarialainen* good Samaritan

lause 1 sentence, (sivulause) clause 2 (mat) theorem 3 (tietok) statement

lauseke 1 (mus) period 2 (mat) expression 3 (tietok) statement 4 (lak ym) clause 5 (kieliopissa) phrase

lausua 1 (sana) say, speak, utter; (ääntää) pronounce *Miten lausutaan Lech Walesa?* How do you say/pronounce Lech Walesa? 2 (mielipide) state, express *lausua lämpimät kiitokset* express your gratitude, thank (some-one) warmly 3 (ajatus) articulate, put into words 4 (runo) recite, interpret (orally), *do/*give a reading of 5 (tervetulleeksi) wish/bid (someone a warm welcome)

lausuma utterance

lausunta (poetry) reading, (oral) interpretation

lausunto 1 statement 2 (todistajan: kirjattu) deposition, (oikeudessa) testimony 3 (asiantuntijan) (expert) opinion; (professorin, käsikirjoituksesta) (reader's) report 4 (ilmoitus) pronouncement, announcement

lauta board *panna lauta lautaan* (ark) floor it

lautakunta 1 (päättävä) board 2 (tutkiva) commission 3 (oikeudessa) jury

lautamies juror, jury member

lautanen 1 (matala) plate, (syvä) bowl, (kupin alla) saucer *lentävä lautanen* flying saucer 2 (mus) cymbal

lautasellinen plateful, bowlful

lautasliina napkin

lautatavara lumber

lautta 1 (tukkilautta) raft 2 (autolautta tms) ferry

lava 1 (koroke) stand, platform, (näyttämö) stage *tanssilava* dance floor 2 (kuorma-auton) bed

lavastaa 1 (näytelmä tms) stage, build the set for (a play/movie/jne) 2 (tapahtuma) stage, fake; (viaton ihminen syylliseksi) frame, set up

lavastus 1 (näytelmän tms: lavastaminen) staging, set-building; (rekvisiitta) set 2 (tapahtuman) staging; (viattoman) frame(-up), set-up

lavea wide, broad *lavea tie joka johtaa kadotukseen* the broad path that leads to hell *lain lavea tulkinta* loose/broad interpretation of a law *lavea vokaali* broad vowel

laveasti at great length, in great detail

legenda legend *legenda jo eläessään* a legend in his/her own time

legioona legion

lehdenjakaja (nuori) paperboy/-girl, (aikuinen) (newspaper) deliverer

lehdistö press *lehdistön vapaus* freedom of the press

lehdistötilaisuus press conference

lehmä cow *oma lehmä ojassa* an axe to grind

lehmäkauppa (pol) horse-trade *hieroa lehmäkauppoja* do a little horse-trading, make a few deals

lehti 1 (puun) leaf *jäädä lehdellä soittelemaan* be left with nothing, empty-handed 2 (paperin) sheet, (kirjan tms) page, (vanh)

leaf *kääntää uusi lehti* turn over a new leaf *Lehti on kääntynyt* The tide has turned **3** (sanomalehti) (news)paper; (aikakauslehti) magazine, periodical, journal

lehtikioski newsstand

lehtikuva press/news(paper) photo(graph)

lehtimetsä leafy/deciduous forest

lehtimies journalist, reporter

lehtipuu deciduous tree

lehtitilaus (news)paper/magazine subscription

lehtiö (muistiinpanoja varten) notebook /-pad, (piirtämistä varten) sketchbook /-pad

lehto grove

lehtori lecturer

leija kite

leijailla float; (eteenpäin) glide, soar; (ylösalaisin) bob (up and down)

leijona 1 lion 2 (horoskoopissa) Leo

leijua float, glide, soar; (haju, uhka) hang (in the air)

leikata 1 cut; (viilto) slash; (siistiksi) trim; (leike, kynsi) clip; (viipale) slice; (kinkkua tms) carve; (kuutioiksi) dice, chop; (puuta: sahalla) saw, cut, (puukolla) whittle, carve; (nurmikkoa) mow, cut 2 (lääk: tehdä leikkaus) operate (on); (rikkoa iho) make an incision; (poistaa) remove; (mies, uros) castrate, (naaras tms) spay *Minulta leikattiin umpisuoli* I had my appendix (taken) out, I had an operation on my appendix, I had an appendectomy 3 (hintoja, veroja, sosiaalipalveluja) cut, slash, reduce, decrease 4 (alkoholijuomaa) cut, dilute 5 (elokuvaa) cut, edit 6 (järki) *Sinulla pa leikkaa hyvin* You're sharp/quick, you catch on fast 7 (moottori) *Moottori taisi leikata kiinni* I think the engine threw a rod

leike 1 (lehtileike) clipping 2 (lihaleike) cutlet 3 (geom) segment

leikkisä playful

leikillään in play/fun/sport *Sanoin sen leikilläni* I was just kidding/joking/being funny

leikin asia *Tämä ei ole leikin asia* This is no joke, no joking matter, nothing to kid/joke /laugh about

leikinlasku joking/kidding (around), affectionate banter/ribbing

leikitellä play/trifle/toy (with someone) *Olet koko ajan leikitellyt tunteillani!* This whole time you've been toying/playing with my feelings!

leikkaus 1 (lääk) operation *joutua leikkaukseen* go in for/have to have surgery/an operation 2 (puuleikkaus) carving 3 (kallion tms) excavation, blasting 4 (takin tms) cut 5 (elokuvan) cut(ting), editing 6 (leikkauskuva) (cross-)section 7 (geom) (inter)section

leikkaussali operating room, OR

leikkeleet cold cuts

leikki 1 play, (peli) game *lastenleikki* ks hakusana 2 (vitsi) joke *leikillään, leikin asia, leikinlasku* ks hakusanat

leikkiauto toy car/truck/bus

leikkikalu toy, (vars kuv) plaything

leikkikenttä playground

leikkisä playful; (vitsikäs) jocular

leikkiä 1 play *Lapsi on terve kun se leikkii* Children will be children, boys will be boys *leikkiä leikkiä* play a game *leikkiä tulella* play with fire *Et saa leikkiä hänen sydämellään!* Don't toy with her, don't play games with her, don't use her 2 (olla leikisti) pretend, make believe *Leikitään, että sinä olet isä ja minä olen äiti* Let's pretend that you're daddy and I'm mommy 3 (laskea leikkiä) joke/play around

leikkuu 1 cut(ting) *hiusten leikkuu* haircut 2 (elonkorjuu) harvest(ing)

leili skin, bottle *uutta viiniä vanhoissa leileissä* new wine in old skins

leima stamp, mark, brand *postileima* postmark *saada leima passiinsa* get your passport stamped *Jyväskylällä oli silloin vielä pikkukaupungin leima* Jyväskylä was still thought of as a small town then

leimaa-antava characteristic, typical, distinguishing

leimaantua be(come)/get branded/labeled /categorized/typecast (as/for something), get a reputation (for being/doing something), get lumped together (with a certain crowd)

leimasin stamp

leimata 1 (passi tms) stamp; (postimerkki) postmark, cancel **2** (ihminen) label, brand

leipoa 1 (leipä tms) bake, make *kotona leivottu* homemade/baked **2** (taikinaa) knead **3** (ihmistä) pummel, clobber, maul **4** (jokin jostakusta) train (someone to be), make (something of someone) *leipoa maailmanmestari* train someone to be a world champion

leipoja baker

leipomo bakery

leipä 1 (yleensä) bread *jokapäiväinen leipämme* our daily bread *Ihminen ei elä yksin leivästä* Man cannot live by bread alone *murtaa leipää* break bread **2** (kokonainen limppu) loaf *ostaa kolme ruisleipää* buy three loaves of rye bread **3** (voileipä) sandwich *ostaa kolme kinkkuleipää* buy three ham sandwiches **4** (toimeentulo) pay *ansaita leipänsä kääntäjänä* put food on the table by translating, translate for a living *olla jonkun leivissä* work for someone *ei lyö leiville* it doesn't pay **5** *heittää leipää* skip rocks

leipäveitsi bread knife

leiri camp (myös kuv) *pystyttää leiri* pitch camp, set up an encampment, bivouac *jakautua leireihin* splinter into separate camps

leiriläinen camper

leirintäalue campground

leirinuotio campfire

leiriytyä (en)camp, bivouac

leivinjauhe baking powder

leivinuuni wood-burning oven

leivonnainen bakery product, pastry; (mon) bakery goods

leivos pastry

leivänpaahdin toaster

lekotella lie/laze around, sprawl (out somewhere)

lekottelu lying/lazing around, taking it easy

lelu toy

lelukauppa toy store

lemmikki favorite, pet

lemmikkieläin pet

lempeys meekness, mildness, fondness, affectionateness, gentleness, tenderness, sweetness, leniency (ks lempeä)

lempeä 1 (ei aggressiivinen) meek, mild **2** (ei vihamielinen) fond, affectionate, loving **3** (ei väkivaltainen) gentle, tender, sweet **4** (ei ankara) lenient

lempikirjailija (your) favorite writer

lempimusiikki (your) favorite music

lempinimi nickname

lempiruoka (your) favorite food/dish

lemu smell, stench, reek, stink

lemuta smell, stench, reek, stink

leninki dress, (hieno) gown

lenkkeillä (go) jog(ging)/run(ning)

lenkki 1 link, loop *Ketju on yhtä vahva kuin sen heikoin lenkki* A chain is only as strong as its weakest link **2** (juoksu) run, (kävely) walk *lähteä lenkille* go jogging/running *Han on lenkillä* She's out running/jogging **3** (makkara) bologna

lennellä fly/blow (all over, everywhere, every which way)

lennokas 1 (juoksu tms) fluid, supple, sinuous *juosta lennokkaasti* run like the wind **2** (keskustelu: innokas) lively, spirited; (korkealentoinen) lofty, high-flown

lennonjohto air-traffic/flight/ground control

lennätin telegraph (office)

lennättää 1 (lennokkia, leijaa) fly **2** (tuuli lehtiä tms) blow (around) **3** (räjäyttää) blow up **4** (ihminen palloa tms) throw, hurl, sling **5** (kiidättää) rush, speed

lento flight *suora lento* direct/nonstop flight *lähteä lentoon* take /wing off: take flight off *saada taksi lennosta* flag down a taxi *loppua lyhyeen kuin kanan lento* go over like a lead balloon, flop

lentoaika flight/flying time

lentoasema airport, (pieni) airfield

lentoemäntä (nyk) flight attendant, (vanh) stewardess

lentokenttä airport, (pieni) airfield

lentokone airplane, aircraft

lentokorkeus flight/flying altitude

lentoliikenne air traffic

lento-onnettomuus plane crash, aviation accident

lentopallo volleyball

lentoperämies copilot

lentoposti airmail

lentäjä flier; (lentokoneen ohjaaja) pilot; (ark) flyboy

lentää fly (myös kuv) *Aika lentää* Time flies *tehdä työtä niin että hiki lentää* work till the sweat runs off you

lepakko bat

lepattaa flap, flutter, (liekki) flicker

lepo rest *Lepo!* (sot) At ease! *seisoa levossa* stand at ease *saattaa haudan lepoon* lay (someone) to rest *mennä levolle* go to bed

lepohetki (a moment's) rest/break, breather; (päiväuni) nap, (euf: aikuinen lapselle) rest time

lepopäivä 1 (yl) day off, day of rest **2** (usk) sabbath *Muista pyhittää lepopäivä* Remember the sabbath day and keep it holy

leppoisa gentle, peaceful, restful

leppyä calm down, relent, be placated/mollified/appeased

leppäkerttu ladybug

lepyttää placate, mollify, appease, conciliate

lesbo lesbian

leseet bran

leski widow, (mies) widower *jäädä leskeksi* be widowed

lestadiolainen Lestadian

lestadiolaisuus Lestadianism

letku hose, tube

letti braid

lettu pancake

leuhka conceited, vain, boastful, (ark) stuck-up

leuhkasti arrogantly, superciliously

leuhkia boast, brag

leuka 1 (leuanpää) chin, (leukapieli) jaw *vetää leukaa* do chin-ups *vetää leukaan* bust someone on the chin/chops **2** (tekn) jaw

leukemia leukemia

leuto mild, temperate

leveillä brag, boast, shoot all your mouth

leveys width, breadth

leveysaste (degree of) latitude *50. leveysasteella* at 50 degrees north latitude

leveä wide, broad *Se nyt on yhtä pitkää kuin leveääkin* That's not going to get us anywhere, that's hopeless/useless/worthless /pointless, I can't make heads or tails of that *pitää leveää suuta* brag, boast, shoot off your mouth

leveä elämä 1 (helppo) life of ease, easy living **2** (tuhlaileva, irstas) fast/dissolute life(style)

leveästi broadly *hymyillä leveästi* smile broadly, give someone a big smile, smile from ear to ear *ääntää leveästi* speak in a broad drawl

levikki (tavaran) distribution, (lehden tms) circulation

levinneisyys distribution

levitellä spread (out) *levitellä käsiään* throw up your hands

levittäytyä spread/fan out

levittää spread *levittää voita leivälle* spread butter on (a slice of) bread *levittää paperit keittiön pöydälle* spread your papers (out) on the kitchen table *levittää vallankumousaatetta* spread/propagate/disseminate revolutionary ideas

levitys spreading

levitä 1 (myös kuv) *Huhu levisi kuin kulovalkea* The rumor spread like wildfire *helposti leviävä margariini* easy-to-spread margarine **2** (ark: moottori) die, break down

levoton 1 (rauhaton) restless, unsettled **2** (ahdistunut) uneasy, nervous, anxious **3** (huolissaan) worried, anxious **4** *puhua levottomia* run off at the mouth, talk nonsense, say the first thing that comes into your head, talk wildly, rave

levottomasti restlessly, uneasily, nervously, anxiously (ks levoton)

levottomuus (rauhattomuus) unrest, restlessness, disquiet **2** (ahdistuneisuus) uneasiness, nervousness, anxiety **3** (huolestuneisuus) worry, anxiety

levottomuutta herättävä unsettling, alarming, disquieting

levy 1 (laatta tms) slab, sheet, plate; (pyöreä) disk **2** (puinen) board, sheet *lastulevy* chipboard *vanerilevy* sheet of plywood

3 (äänilevy) record **4** (keittolevy: irrallinen) (hot) plate, (liedessä) burner **5** (tietok) disk *kovalevy* hard disk **6** (valok) plate

levyasema (tietokoneen) disk drive

levyinen *talon levyinen* as wide/broad as a house *metrin levyinen* a meter wide, meter-wide *saman levyinen* as wide as, of the same width

levyke 1 (tietok) floppy disk, floppy, diskette, disk **2** (plaketti) placque

levykeasema disk drive

levysoltin turntable

levyttää 1 (äänilevy) record, cut a record **2** (seinä) surface (a wall with chipboard, with paneling sheets)

levytys 1 (äänilevyn) recording (session) **2** (seinän) surfacing

levähdys (a moment's) rest/break/breather

levähtää rest (for a moment), take a (short) break/breather

levätä 1 rest, take a break/breather *tuntea itsensä levänneeksi* feel rested **2** (maata) lie (down), sleep **3** (olla haudassa) rest, repose, lie, be buried **4** (olla käyttämättömänä) lie (unused), not be used, be out of use; (pelto) lie fallow *panna lakiesitys lepäämään yli vaalien* table/shelf a bill until after the election

liata dirty, soil, begrime; (kuv) tarnish, sully *liata itsensä* get (all) dirty *liata maineensa* ruin/soil/tarnish your reputation

liberaali liberal

liberaalinen liberal

Liberia Liberia

liberialainen *s, adj* Liberian

Libya Libya

libyalainen *s, adj* Libyan

lie *mikä lie* I wonder what (kind of), some (sort of)

Liechtenstein Liechtenstein

liechtensteinilainen *s* Liechtensteiner

liehua 1 (lippu tms) wave, fly, flutter **2** (jonkun ympärillä) flutter/flit/swarm (around)

liekehtiä blaze, flare (up)

liekki flame *hulmahtaa liekkeihin* burst into flames

liemi 1 (lihaliemi: keitossa) broth, bouillon, consommé; (lihan tms päälle) gravy **2** (he-

delmäliemi) juice *kiehua omassa liemessään* stew in your own juice **3** (ark) trouble *joutua liemeen* get into trouble *olla kurkkua myöten liemessä* be in it up to your neck

lienee *Lieneekö se totta* Could it be true? I wonder if that's true *missä se lienee ollutkin* wherever it's been *Lienet oikeassa* I guess you're right, you're probably right

lientyä ease (off), abate

liesi stove

lietsoa 1 (tulta) blow on **2** (kapinaa tms) stir up, foment

liettua Lithuanian

Liettua Lithuania

liettualainen *s, adj* Lithuanian

lieve border, edge, (hameen) hem *liepeillä* around, near, close to/by, on the borders /fringes/outskirts of

lieventää 1 (kipua tms) ease, relieve, alleviate, soothe **2** (määräyksiä tms) lighten, soften, ease **3** (tuomiota tms) commutate, mitigate *lieventää kuolemanrangaistus elinkautiseksi* commutate the death sentence to life *lieventävät asianhaarat* mitigating/extenuating circumstances **4** (kritiikkiä tms) tone down

lievittää ease, relieve, alleviate, soothe *lievittää päänsärkyä nopeasti* bring fast relief to headache pain(s)

lievitys relief

lievä mild, light, slight *lievä rangaistus* light /lenient punishment *lievä voimasana* mild swearword

lievästi mildly, slightly *lievästi sanottuna* to put it mildly

liha 1 (syötävä) meat **2** (elävä) flesh *omaa lihaa ja verta* your own flesh and blood (myös kuv) *lihan himot* the lusts of the flesh *tulla yhdeksi lihaksi* become one flesh

lihaliemi broth, bouillon

lihallinen 1 (ruumiillinen) physical, bodily, corporeal **2** (syntinen) fleshly, carnal, sensual **3** (todellista sukua oleva) by birth, natural(born), *Jukka on lihallinen veljeni*, *Antti adoptoitiin* Jukka's my brother by birth, Antti was adopted

lihansyöjä carnivore, meat-/flesh-eater

lihapiirakka meat pie

lihapulla meatball

lihas muscle

lihava 1 fat (myös kuv), overweight, heavy, plump, (erittäin) obese **2** (kirjainlaji) bold

lihoa put on/gain weight/pounds, get fat(ter) *lihoa kaksi kiloa* put on/gain five pounds

lihottaa (eläintä) fatten, (ruoka ihmistä) be fattening

liiaksi 1 overly/too much, excessively, to too great a degree *Hän on liiaksi riippuvainen äidistään* He is overly/excessively/too dependent on his mother, his attachment to his mother is too great, too much of a strain for him **2** ks *liian, liikaa*

liiallinen 1 (liian suuri) excessive, immoderate *liiallinen alkoholinkäyttö* excessive /immoderate drinking **2** (liika) excess, extra(neous) *karsia kaikki liiallinen lavertelu pois* cut all excess verbiage **3** (kohtuuton) extreme, inordinate *liialliset vaatimukset* extreme/inordinate demands **4** (liioiteltu) exaggerated *liiallinen kohteliaisuus* exaggerated politeness, excessive flattery

liian (all/far/much) too, overly, excessively

liiankin even too *Se voi olla liiankin suuri* It may even be too big

liidellä glide, soar

liidokki glider

liiemmälti *ei liiemmälti* not overmuch, not excessively, not too much

liietä *Liikenisikö sinulta pari minuuttia /euroa?* Could you spare a few minutes /euros, could I trouble you for a few minutes (of your time)/euros?

liiga 1 (urh, hist) league **2** (kopla) gang

liika *s* excess, surplus, surfeit, the rest *kuoria liika pois* skim the excess *liikoja* ks haku-sana *adj* excess(ive), too much, surplus, extra(neous), unnecessary *riisua liiat vaatteet pois* take off your outer layers (of clothing), strip down to what feels comfortable)

liikaa (liian paljon jotain ainetta tai muuta yksilöimätöntä) too much, (liian monta yksilöä/yksikköä) too many

liikahdella stir, shift (your weight)

liikahtaa stir, move (slightly) *Älä liikahda-kaan!* Don't move a muscle!

liikalihava overweight, obese

liikalihavuus obesity

liike 1 (liikkuminen) move(ment), motion (ks myös liikkeellä, liikkeessä) *naisliike* the women's movement *Yksikin liike ja olette kaikki kuoleman omat!* One move and I'll drill you *presidentin liikkeet* the President's movements *sotajoukkojen liik-keet* troop movements, army maneuvers *pyörivä liike* circular motion *saada liikettä niveliin* get someone/yourself going *Lii-kettä!* Get going! Look alive! Wake up! **2** (yritys) business, firm, company, (kaup-pa) store *perustaa oma liike* start your own company, go into business for yourself

liike-elämä business

liikehtiä 1 move, stir, shift (your weight) **2** (sot) maneuver

liikemies businessman

liikenainen businesswoman

liikenevä available; spare; (money/time) at hand/to spare

liikenne traffic

liikenneonnettomuus car crash, traffic accident

liikenneruuhka traffic jam

liikennevalot traffic lights

liikennöidä run, operate *liikennöidä Tampe-reen ja Jyväskylän välillä* run/operate/ maintain a regular line/service between Tampere and Jyväskylä

liiketaloudellinen commercial, financial, economical *liiketaloudellisesti kannatta-maton* commercially/financially/economi-cally unfeasible/unprofitable

liiketalous business

liiketoiminta business, trade

liikeyritys business, firm, company

liikkeellä 1 (ihminen) up and about, out and around, on your feet, on the go **2** (auto tms) going, running, working *saada liik-keelle* get (a car) started, start **3** (huhu) going around, making the rounds, circulating *Huhu lähti liikkeelle siitä, että* What started the rumor was

liikkeessä 1 (liikkuva) in motion *panna liikkeeseen* set in motion **2** (seteli) in circulation *panna liikkeeseen* put into circulation, float *poistaa liikkeestä* withdraw from circulation, take out of circulation **3** (kaupassa) in the store *tulla liikkeeseen* enter the/a store, step into the/a store

liikkua 1 move, stir **2** (kulkea) travel, go *Millä liikut?* How did you get here? Did you drive? *Millä asialla liikut?* (kohteliaasti) What can I do for you? (töykeästi) What do you want? (tuttavallisesti) What's up? **3** (saada linkuntaa) exercise, be physically active **4** (raha) circulate, flow *Raveissa liikkuu paljon rahaa* There's big money in the races **5** *Mitä sinun päässäsi oikein liikkuu?* What goes through your head? Whatever can you be thinking of?

liikkumatila room/space (to move), elbow room *antaa mielikuvitukselle liikkumallaa* give your imagination free play/rein

liikkumaton immobile, motionless

liikkuva (liikkumiskykyinen) mobile, (liikkeessä oleva) moving

liikunta 1 (liikkuminen) (physical) exercise **2** (koulussa) physical education, phys. ed., P.E.

liikuntakasvatus physical education

liikutella 1 move *Osaatko liikutella korviasi?* Can you wiggle your ears? **2** (hämmentää) stir **3** (käsitellä) handle *liikutella suuria rahasummia* handle/deal with /move large sums of money *liikutella kirvestä* handle/swing an ax

liikuttaa 1 (fyysisesti) move **2** (emotionaalisesti) move, touch *Minua liikutti syvästi kun hän lauloi* I was deeply moved by her singing **3** (ark) concern *Mitä se teitä liikuttaa?* What do you care? What concern /business is it of yours? What does that have to do with you?

liikuttava moving, touching, poignant

liikuttua be moved/touched

liikuttunut moved, touched

liikutus emotion, feeling

liima glue, adhesive

liimata glue, stick, paste

liimautua 1 stick/adhere (to) *olla* (katse) *liimautuneena televisioon* be glued to the television set **2** (tarrautua ihmiseen) cling /clutch/cleave (close to)

liina 1 (pöytäliina) tablecloth, (kaulaliina) scarf **2** (mer: nuora) line

liinavaatteet linen(s)

liioin 1 (hevin) exactly *Ei se liioin lyö leiville* It doesn't exactly pay, it's not exactly what you'd call a money-maker **2** (-kään) neither, nor *ei hyvä eikä liioin huono* neither good nor bad *En minäkään liioin* Neither /nor do I

liioitella 1 (asiaa) exaggerate, (ark) blow (things) (way) out of proportion **2** (liikettä) overdo, overact **3** (jonkun tyyliä) parody, caricature

liioittelematta without exaggerating *Se oli liioittelematta kolmekiloinen!* I kid you not, it weighed three kilos!

liioittelu exaggeration

liipaisin trigger

liisteri 1 paste **2** (ark) trouble *joutua liisteriin* get into trouble

liite 1 (asia/kirjan) appendix **2** (lehden viikonloppu/kuukausiliite) supplement **3** (kirjeen) enclosure

liitetiedosto (tietok) attachment, attached file

liitin 1 (klemmari) paperclip **2** (tekn) coupler

liitos 1 joint *natista liitoksissaan* have creaky joints, be creaky in the joints *hajota liitoksistaan* burst at the seams **2** (kuntain tms) annexation, incorporation

liitto 1 (kahdenkesken sopimus) pact, agreement **2** (raam) covenant **3** (avioliitto) marriage, union, (marital) bond **4** (salaliitto) conspiracy *olla liitossa johdon kanssa* be in cohorts/league with management, conspire with management **5** (ammattiliitto) union *liittyä liittoon* join the union **6** (kattojärjestö) federation, organization **7** (liittoutuma) alliance, league, union, confederation

liittolainen confederate, ally

liittymä 1 (liitos) joint **2** (tieliittymä) junction, intersection **3** (puhelinliittymä) extension, hookup **4** (kartelli) combine, consortium, cartel **5** (liitto) organization, association, union; (pol) coalition **6** (tietok) interface

liittymäkohta 1 junction, juncture **2** (kuv) connection *Kivellä on oikeastaan hyvin vähän liittymäkohtia oman aikansa suomenkieliseen kirjallisuuteen* Kivi really had very little in common with the Finnish literature of his time

liittyä 1 (sulautua) unite, combine/join (together) **2** (kiinnittyä) be joined/connected /fastened/attached **3** (jäseneksi) join, become a member (of) **4** (kytkeytyä) be connected/linked/associated with, be related/linked to, connect up, tie in *siihen liittyen* apropos of that, in connection with that, while we're on that, that reminds me, incidentally, by the way **5** (kuulua johonkin) accompany, go (hand in hand/glove) with, follow *Tautiin liittyy väsymystä ja unettomuutta* The disease usually brings on tiredness and insomnia, is usually accompanied by tiredness and insomnia *Onnettomuuteen ei liittynyt henkilövahinkoja* No one was hurt in the accident

liittää 1 join, connect, attach, fasten *liittää liimalla* glue (together) *liittää nauloilla* nail (together) **2** (oheistaa) attach, append, enclose *Oheen liitän nimikirjanotteeni* Enclosed please find a copy of my placement file **3** (alue toiseen) annex, incorporate **4** (kuv) associate, link, connect *En olisi osannut liittää sinua Henrikiin* I never would have made the connection between you and Henrik

liitu (piece of) chalk *väriliitu* crayon

liitutaulu black/chalkboard

liitää glide

liivit 1 (takkipuvun) vest, (hihaton villapaita) sweatervest **2** (kureliivit) girdle, corset; (rintaliivit) bra(ssiere)

lika dirt, filth

likainen dirty, filthy, (ark) grubby

likapyykki dirty wash

likavesi sewage

likaviemäri (talon) drainpipe, (kaupungin) sewerpipe

likellä close to, near

likempänä closer to, nearer

liki nearly, almost, close to

likiarvo approximation, rough/ballpark figure/estimate

likimain nearly, almost, close to

likimääräinen approximate, rough, (ark) ballpark

likinäköinen nearsighted, myopic

liko *panna likoon* (kattila tms veteen) put a kettle in water to soak, fill a kettle with water to soak; (rahaa tms yritykseen) sink (all your money) in a venture, stake (your money/reputation) on something *olla liossa* (kattila tms) be soaking; (rahaa tms) tied up, invested (in a project)

liköööri liqueur

lilja 1 (kukka) lily **2** (heraldiikassa) fleur-de-lis

lima 1 (ihmisen erittämä) phlegm, mucus; (ihmisen sylkemä) expectorant, (ark) loogie **2** (eläimen/kasvin erittämä) slime, mucus, mucilage

limonadi (soda) pop, soft drink

limsa (soda) pop, soft drink

lingota 1 (kivi tms) hurl, sling, fling **2** (pyykki) spin-dry **3** (tekn) (spin in a) centrifuge

linja 1 line *kautta linjan* right down the line **2** (liikennelinja) route **3** (politiikka) policy *Paasikiven-Kekkosen linja* the Paasikivi-Kekkonen policy *ulkopoliittinen linja* foreign policy **4** (tyyli, imago tms) style, image, look

linja-auto bus

linja-autoasema bus station, bus depot

linkki link

linkkuveitsi (yksiteräinen) pocket knife; (moniteräinen) jackknife; (automaattinen) switchblade

linko 1 (tekn) centrifuge **2** (lapsen) slingshot **3** (pyykkilinko) spinner

linna 1 castle *presidentinlinna* Presidential residence/palace **2** (ark) jail, the slammer, the clink *joutua viideksi vuodeksi linnaan* get (put away for) five years

linnoittaa fortify

linnoittautua (kuv) entrench yourself, build up your defenses

linnoitus 1 fortress **2** (šakissa) castling

linnunpesä bird's nest (myös kampauksesta)

linnunpoikanen chick, (vielä pesässä) nestling, (lentämään oppinut) fledgling

linnunrata 1 galaxy **2** *Linnunrata* the Milky Way

linnusto bird population, avifauna

linssi lens *sahata linssiin* trip someone up, (ark) fuck someone over, give someone the shaft

lintu 1 bird **2** (syötävä tai riista) fowl

liota soak

liottaa soak

liotus soaking

lipas 1 box, case, (iso) chest **2** (aseen) magazine, clip

lipasto chest of drawers

lipevä smooth, slick, oily, unctuous

lippa 1 visor *panna jotakuta alta lipan* (ark) poke fun at someone **2** (uistin) spinner

lippalakki cap

lippu 1 (matkalippu tms) ticket *liput rockkonserttiin* tickets to/for the/a rock concert **2** (maan tms lippu) flag, (kuv) banner *tervehtiä lippua* salute the flag/colors *pitää lippu korkealla* fly your flag high *nostaa lippu* (tankoon) raise/hoist a flag

lipputanko flagpole

lipsahdus slip

lipsahtaa slip

lipsu slip (of the tongue)

lipsua slide backwards

lisko lizard

lista 1 list **2** (rak) molding

lisä 1 extra, addition **2** bonus, allowance, benefit *lapsilisä* child benefit **3** *lisä-* extra, additional, supplementary

lisäillä add *lisäillä kertomukseen omiaan* embellish the story as you go along

lisäke 1 (lisämuodoste) appendage **2** (lisäaine) additive **3** (lak: lisäpykälä tms) rider **4** (hiuslisäke) hairpiece, toupee

lisäksi *adv* **1** (sitä paitsi) besides (that), in addition, into the bargain *Lisäksi siitä maksetaan hyvin* Besides that, they pay well; and the pay is good into the bargain **2** (myös) also, too, as well *fiksu ja lisäksi kaunis* bright and beautiful too/as well **3** (vielä) further(more), what's more

Lisäksi vaadin Furthermore/what's more /in addition I demand *postp* in addition to, besides, apart from *Kuka tulee teidän lisäksi?* Who else is coming besides/in addition to/apart from you? *kaiken lisäksi* on top of everything else, to crown/top it all

lisätä 1 (jotakin johonkin) add (something) to *lisätä tekstiä kirjeeseen* add/attach/ append a message to the letter *lisätä puita pesään* put more wood on the fire, stoke up the fire **2** (jotakin) add to (something) *lisätä hintaa* raise/increase the price *lisätä talon arvoa* enhance the house's value

lisäys 1 addition **2** (hinnan, tuotannon tms) increase **3** (kirjan) addendum (mon addenda) **4** (perustuslain) amendment

lisää more *Saisiko olla lisää kahvia?* Would you like some more coffee?

lisääntyä 1 (tulla lisää) increase, grow **2** (biol) reproduce, multiply, breed

litistyä flatten (out), get flattened

litistää flatten

litra liter

litteä flat

liueta dissolve *liueta paikalta* (ark) slip away

liukas 1 (tie) slippery **2** (kieli) smooth, glib **3** (juoksu tms) quick, agile

liukastella 1 slip (and slide) (all over the place) **2** (miehistölla) fawn (all over someone)

liukastua slip

liukua 1 slide, glide **2** (keskustelu tms) shift, range

liukumäki slide

liuos solution

liuottaa dissolve

liuska 1 (kirjoitettua paperia) sheet, (printti) printout **2** (kaistale) strip **3** (kasv) lobe, (anat) lobule

liuta swarm, crowd, bunch

livahtaa slip, slide, sidle; (salaa) steal, slink

livetä slip

logiikka logic

lohduton 1 (ihminen) unconsolable, disconsolate, desperate, despairing **2** (tilanne) hopeless, bleak, impossible, desperate

lohduttaa comfort, console

lohdutus

288

lohdutus comfort, consolation

lohi salmon; (ark: kirjolohi) (rainbow) trout

lohjeta split/break/chip (off)

lohkaista split, chop, lop, break *lohkaista pari sekuntia 100 m ajastaan* knock a couple of seconds off your time for the 100 meters

lohko 1 segment, section, sector *appelsiinin lohko* slice/segment of an orange **2** (tietok) block **3** (maapalsta) parcel **4** (anat) lobe **5** (urh) division

lohtu comfort, consolation *laiha lohtu* slim /small consolation

loihtia conjure (up) (myös kuv); (kuv) invoke *loihtia prinssi sammakoksi* turn a prince into a frog

loikata 1 (hypätä) leap, jump, hop **2** (toiseen maahan/puolueeseen) defect

loimi 1 (kankaan) warp **2** (hevosen) blanket *antaa loimeen* spank, thrash, whip

loimuta blaze, flare

loinen parasite

loiskahdus splash

loiskahtaa splash

loiskia splash

loiskua splash

loistaa shine, (pehmeästi) glow, (häikäisevästi) glare, (terävästi) sparkle *loistaa poissaolollaan* be conspicuously absent

loistava 1 (valo) shining, bright, brilliant **2** (asia tms) brilliant, excellent, splendid, magnificent, glorious

loistavasti *selviytyä loistavasti* come up smelling like roses, pull (something) off brilliantly

loiste 1 (kiilto) shine, luster **2** (valo) light, shining

loisto s **1** (kiilto) shine, luster, brilliance **2** (hienous) brilliance, excellence, splendor, magnificence, glory *adj* great, super, fantastic

loitolla at a distance *pitää loitolla* keep (someone/something) at bay, at arm's length, keep/maintain your distance from *pysyä loitolla* stay away (from), stand aloof (from)

loitontaa 1 (fyysisesti) remove, move (something further) away, put distance between

yourself and (something) **2** (henkisesti) distance, push (someone) away

loitontua 1 (fyysisesti) move away (from), move apart **2** (henkisesti) grow apart, grow away from each other, become estranged

loiva gentle

lojaali loyal

lojua lie around; (laiskasta ihmisestä) laze /lounge around; (vankilassa) languish

loka *heittää lokaa jonkun silmille* (kuv) sling mud at someone, smear someone *vetää jonkun nimi lokaan* drag someone's (good) name through the mire/mud

lokakuinen October

lokakuu October

lokalisoida (verkkoympäristöä) localize, (konetta) domesticate

lokero 1 (postilokero tms) box **2** (laatikon osa) compartment **3** (lukittava) locker **4** (anat) cell

lokeroida pigeonhole

loki log

lokikirja logbook

lokki (sea)gull

loksahdus bang

loksahtaa bang, snap, click

loma 1 vacation, holiday(s) **2** (sot ja työ) leave *äitiysloma* maternity leave **3** (eduskunta tms) recess **4** (väli) gap *lomassa* between *muiden töiden lomassa* in between everything else you have to do *pilvien lomasta* from between the clouds

lomahotelli resort hotel

lomailija vacationer, tourist

lomailla (go on) vacation

lomauttaa lay off

lomautus layoff

lomittaa 1 (asioita) intersperse **2** (työntekijää) replace during the holidays

lomittain interlocked

lompakko wallet

lonkero 1 (eläimen) tentacle (myös kuv), arm **2** (kasvin) tendril, runner, vine

lonkka hip *ampua lonkalta* shoot from the hip *vastata lonkalta* answer off the cuff

Lontoo London

lontoolainen (ihminen) Londoner, (asia) (from) London

loogikko logician

looginen logical

loogisesti logically

lopen very, completely, utterly *lopen väsynyt* dead tired/beat

lopetella wrap/finish up

lopettaa 1 (tehdä loppuun) finish, complete, conclude, wrap up, (put an) end (to) **2** (lakata tekemästä) stop, quit, give up, leave off *Lopeta jo!* Stop/quit it! Gimme a break! *Tehdas lopettaa ensi kuussa* The factory will be closing down next month **3** (tappaa) finish off, (vesikauhuinen tms) destroy, (kotieläin) put down, (lemmikkieläin) put to sleep

lopetus finishing *koulun lopetus* finishing school

loppiainen Epiphany

loppiaisaatto Twelfth Night

loppu 1 end(ing) *onnellinen loppu* happy ending *alusta loppuun* from beginning to end, through and through (katkeraan) *loppuun saakka* right to the (bitter) end, to the last *lopuillaan* drawing to its/a close *ajaa/raataa itsensä loppuun* wear yourself out *ajatella asia loppuun* think a thing through *loppuunmyyty* sold out **2** (jäljelle jäävä osa) the rest *Saat pitää loput* You can keep the rest *lopuksi iäkseen* for the rest of your life

loppua 1 end, finish, get over **2** (lakata) stop *Sade loppui jo* It already stopped/quit raining **3** (huveta) run out *Minulta loppui raha* I ran out of money *Sokeri on loppunut* We're out of sugar

loppu hyvin kaikki hyvin all's well that ends well

loppujen lopuksi all in all, in the final analysis, in the end, finally, ultimately

loppumaton endless, unending, ceaseless

loppumattomiin endlessly, ceaselessly

loppuosa 1 (loppupää) end, latter part **2** (loput) the rest, the remainder

loppupuoli latter/latter part *ensi kuun loppupuolella* late next month

loppusointu rhyme

loppusuora home stretch (myös kuv)

lopputili *antaa jollekulle lopputili* give someone notice, fire/sack/can someone *saada lopputili* get fired/sacked/canned

loppututkinto university/college degree

loppuunmyynti clearance sale

loppuunmyyty sold out

loppuunpalaminen burnout

loppuunväsynyt dead tired

loppuvaihe final/concluding stage/phase

lopuksi finally, in conclusion, to sum up *loppujen lopuksi* ks hakusana

lopullinen final, ultimate

lopullisesti conclusively, definitively, once and for all

lopulta 1 (lopuksi) in the end, eventually *Lopulta päätettiin myöntää apuraha* We eventually decided to grant the stipend **2** (vihdoinkin) finally, at last *Tulithan sinä lopulta!* At last, you came! **3** (pohjimmiltaan) fundamentally, basically, ultimately *En lopultakaan saanut selville, mitä hän halusi* I never did figure out what he wanted

lopussa finished, out *Aika on lopussa* Time's up! Time! *Riisi on lopussa* We're (almost) out of rice *Olen aivan lopussa* I'm beat /dead/exhausted, I've had it *kuun lopussa* at the end of the month

loputon endless, unending, ceaseless, interminable

loputtomasti endlessly, ceaselessly, interminably

loru 1 (lasten runo) nursery rhyme **2** (pötypuhe) nonsense, rubbish *Se oli sen lorun loppu* That was the end of that

lorvia (seisoskella) hang around, (maata) laze around

loska slush

lotota buy a lottery ticket, enter the lottery

lotta member of the women's auxiliary services

lotto lottery

loukata 1 (ihmistä: tyysesti tai henkisesti) hurt, wound, injure; (vain henkisesti) offend, insult **2** (oikeuksia, ilmatilaa tms) violate, infringe/encroach (upon)

loukkaantua (fyysisesti tai henkisesti) get/be hurt; (vain fyysisesti) hurt/injure yourself; (vain henkisesti) take offense

loukkaantunut (myös henkisesti) hurt; (vain henkisesti) offended

loukkaava hurtful, offensive, insulting

loukkaus 1 (ihmiselle) insult, affront **2** (oikeuksien, ilmatilan tms) violation, infringement

lounaissuomalainen *s* a Finn from the southwest *adj* Southwest-Finnish

Lounais-Suomi Southwestern Finland

lounas 1 (ateria) lunch; (virallinen, kinompi) luncheon **2** (ilmansuunta) southwest

lovi nick, notch, dent *langeta loveen* fall into a trance

luennoida lecture

luennoija lecturer

luento lecture

luentosali lecture hall

lueskella read cursorily, glance/flip/browse through

luetella list, itemize, enumerate; (ark) tick off *luetella Yhdysvaltain presidentit* name the American presidents

luettelo list, directory, catalogue

luetteloida list, catalogue

luhistua collapse, be crushed/shattered

luinen 1 (tehty luusta) bone **2** (luiseva) bony

luiseva bony

luistaa 1 (fyysisesti) slide, slip, glide **2** (henkisesti) progress *Miten luistaa?* How's it going?

luistelija skater

luistella (ice-/roller-)skate

luistelu skating

luistin (ice-/roller-)skate

luisua slip, slide *antaa luisua* let something slide/ride *luisua käsistä* slip through your fingers

luja 1 (vahva) strong, sturdy, tough, resistant, firm **2** (vakaa) stable, solid

lujaa 1 (nopeasti) fast **2** (kovasti) hard **3** (kuuluvasti) loudly

lujassa (stuck) tight/fast *Raha on lujassa* Money is tight *Työ on lujassa* Jobs are scarce, work is hard to come by

lujasti 1 (lujassa) tight/fast *lujasti kiinni* stuck tight **2** (kovasti) hard *paiskia lujasti töitä* (ark) work your ass off, bust your buns

lujilla hard put/pressed *Se otti lujille* It hit me hard, it was tough *panna joku lujille* (työnteolla) push/drive someone hard; (kysymyksillä tms) press someone hard, put someone on the spot

lujittaa firm up, reinforce, strengthen; (kuv) consolidate *lujittaa ystävyyttään* cement your friendship

lujittua firm up, strengthen, consolidate

lujuus strength, sturdiness, toughness, firmness, stability, solidity (ks luja)

lukaista skim/scan (quickly), breeze/browse /glance through

lukea 1 (kirjaa tms) read **2** (olla kirjoitettuna) say *Mitä siinä lukee?* What does it say? **3** (opiskella) study **4** (katsoa johonkin kuuluvaksi) consider, regard (as) *lukea parhaiksi oppilaikseen* consider (someone) one of your best students **5** (laskea) count *Päiväsi ovat luetut* Your days are numbered *lukien* ks hakusana

lukea ajatukset read someone's mind

lukea huulilta read lips

lukea lakia lay down the law *Hätä ei lue lakia* Beggars can't be choosers

lukea rivien välistä read between the lines

lukema reading *mittarilukema* meter reading *ensi lukemalta* on a first reading

lukematon 1 (suuri määrä) innumerable, numberless, countless **2** (ei ole luettu) unread *Hyllyssäni on lukemattomia kirjoja* I have countless (merkitys 1) /unread (merkitys 2) books on my shelf

lukeminen 1 reading **2** (opiskelu) study(ing)

lukemisto reader, anthology

lukenut well-read, learned, erudite

lukeutua be one of, be among; (muiden mielestä) be classed/counted one of/among

lukien 1 (jostakin) from, starting, beginning *ensi vuoden alusta lukien* beginning/starting the first of next year **2** *mukaan lukien* including, counting *Meitä on kymmenen minut mukaan lukien* There are ten of us including/counting me

lukija reader, (dokumenttielokuvan) narrator

lukijakunta readership

lukio high school

lukiolainen high school student

lukita lock

lukittua (be) lock(ed)

lukko lock; (munalukko) padlock *lukkoon, lukossa* ks hakusanat

lukkoon *panna/mennä lukkoon* lock (up) *lyödä lukkoon* clinch (a deal)

lukkoseppä locksmith

lukossa locked; (korvat) plugged/stopped (up)

luku 1 (mat) number, figure **2** (kirjan) chapter **3** (vuosisata) *1700-luvulla* in the 18th century

lukuisa numerous

lukujärjestys class schedule

lukukausi (school) term; (kun niitä on kaksi + kesälukukausi) semester, (kun niitä on kolme + kesälukukausi) quarter

lukumäärä number, quantity, amount

lukumääräinen numerical

lukusana numeral

lukutaidoton illiterate

lukutaidottomuus illiteracy

lukutaito literacy

lukutaitoinen literate

lukuvuosi school/academic year

lumi snow

lumiaura snowplow

lumihiutale snowflake

lumilapio snow shovel

lumimyrsky snow storm

lumipallo snowball

lumipeite covering of snow

lumipyry snow flurry

lumisade snowfall

lumisohjo slush

lumisota snowball fight

lumityöt snow shoveling

lumiukko snowman

lumivalkoinen snow white

lumoava enchanting, charming, bewitching

lumota enchant, charm, bewitch

lumous enchantment, charm, bewitchment, spell

lunastaa 1 (maksaa: pantti) redeem, (sekki) cash, (asete) honor, (vekseli) meet **2** (hakea: paketti) claim, (liput) pick up **3** (täyttää: lupaus, vars usk) redeem, (toive) fulfill

lunastus honoring, (vars usk) redemption, claiming (ks lunastaa)

lunnaat ransom

luo to *Mennään Hannun luo* Let's go to Hannu's (place), let's go see Hannu *mennä jonkun luo vierailulle* go visit someone *istuutua oven luo* sit down by the door *jäädä veräjän luo* stay at the gate

luoda 1 create, make *Hän on kuin luotu mäkihyppääjäksi* He's a born skijumper *olla luodut toisilleen* be made for each other **2** (lunta) shovel **3** (nahkansa) shed, slough (off) **4** (valoa) cast, give off **5** (katse) cast, hurl *luoda vihainen katse johonkuhun* glance angrily at someone

luoda pohja lay the foundation (for)

luode 1 (ilmansuunta) northwest **2** (pakovesi) ebb (tide) *vuoksi ja luode* ebb and flow

luodinkestävä bullet-proof

luoja creator *Luoja* Creator *Luojan kiitos!* Thank God/the Lord/heaven! *Luojan lykky* sheer luck *Luoja ties* God knows

luokalle jääminen flunking/failing a grade, being held back a year, retention

luokanopettaja classroom teacher

luokitella classify, categorize; (ihmisiä) pigeonhole, stereotype, typecast; (myyntitavaroita) grade

luokittelu classification, categorization

luokitus classification, grading

luokka 1 (tasoryhmä) class *ensimmäisen luokan hytti* first-class cabin *olla omaa luokkaansa* be in a class by yourself, stand alone, be unique *suuren luokan projekti* big/major project *toisen luokan kansalainen* second-class citizen *ylä-/keski-/työväenluokka* upper/middle/working class **2** (luokkahuone) class(room) **3** (kouluvuosi) grade *toisella luokalla* in the second grade **4** (likiarvo) *Hinta oli tonnin luokkaa* It cost around a grand

luokkalainen grader *neljäsluokkalainen* fourth-grader

luokkaretki field trip

luokkataistelu class struggle

luokkatoveri classmate

luokkayhteiskunta class society

luokse to *Mennään Hannun luokse* Let's go to Hannu's (place), let's go see Hannu *mennä jonkun luokse vierailulle* go visit someone *istuutua oven luokse* sit down by the door *jäädä veräjän luokse* stay at the gate

luoksepääsemätön 1 (paikka) inaccessible **2** (ihminen) unapproachable

luola 1 cave(rn) **2** (ketun) den (myös kuv), (karhun) lair

luomakunta creation

luomi 1 (silmäluomi) (eye)lid **2** (ihotäplä) mole

luominen creation

luomus creation

luona 1 at *Hannun luona oli hauskaa* We had a good time at Hannu's (place/party) *Asun Hannun luona* I live with Hannu (vieressä) by, near, close to *Tavattiin aseman luona* We bumped into each other by/in front of/outside the station

luonne character, nature, disposition *Se kysyy luonnetta* It takes character *Hankkeen luonteeseen kuuluu että* It's of the nature of this project that *iloinen luonne* cheerful disposition *olla luonteeltaan iloinen* be happy by nature *näyttää todellinen luonteensa* show your true colors/character

luonnehtia characterize, describe

luonnistua succeed, turn out, work *Se näyttää jo luonnistuvan sinulta* You've got the hang of it already

luonnollinen natural *Ole ihan luonnollinen* Just act natural, just be yourself *luonnollista tietä* by natural means *luonnollista kokoa* life-size

luonnollista kokoa life-size

luonnollisuus naturalness

luonnonkaunis naturally beautiful, of great natural beauty

luonnonlahjat natural/innate/inborn talent /gift

luonnonlaki natural law, law of nature

luonnontiede natural science

luonnontieteellinen scientific

luonnontieteilijä natural scientist

luonnontila state of nature

luonnonvarainen virgin, primeval, wild

luonnonvarat natural resources

luonnonvoimat the elements, the forces of nature

luonnos 1 (piirros) sketch, outline **2** (kirjoitus) draft

luonnostaan by nature, naturally, inherently, innately *luonnostaan musikaalinen* musically gifted

luonnostella sketch (out), outline, draft

luonnoton unnatural, abnormal

luontainen natural, innate, inborn

luonteenlaatu character, disposition, temperament

luonteenomainen characteristic, typical, distinctive

luonteenpiirre characteristic, (character) trait/feature

luonteinen *vahvaluonteinen ihminen* a strong person, a person strong in character *arkaluonteinen asia* a delicate matter, a matter of some delicacy *tilapäisluonteinen järjestely* a temporary arrangement *Asia on sen luonteinen että meidän täytyy* The nature of the matter requires that we (do something)

luonteva natural, uncontrived, unaffected *Koeta olla luonteva* Try to act natural, act as if nothing were wrong *luonteva selitys* plausible explanation

luonto nature *takaisin luontoon* back to nature *Suomen luonto* the Finnish landscape/countryside/wilderness *Kävi luonnolle kuunnella* It tore me up just to listen to it *maksaa luonnossa* pay in kind

luontoinen ks luonteinen

luopua give up, renounce, forsake, relinquish, abdicate (ks hakusanat) *Luopuisit jo siitä* Why don't you give up on that/him already, why don't you just declare that a lost cause

luopua kruunusta abdicate the throne

luopua maailmasta renounce/forsake the world

luopua oikeudesta waive a right

luopua toivosta give up hope

luopua vallasta relinquish control

luostari abbey; (munkeille) monastery, (nunnille) convent

luota from *Tule pois sen koneen luota!* Get away from that machine! *lähteä jonkun luota* leave someone's house

luotaantyöntävä off-putting, repellent, repulsive

luoteinen *s* northwest *adj* northwest(ern /-erly)

luotettava trustworthy, reliable, dependable

luotettavasti reliably, dependably

luoti 1 (ammuttava) bullet **2** (luotaimen lyijy) lead **3** (rak) plumb(bob) **4** (seinäkello) weight

luoto (small rocky) island

luotonanto credit, granting of loans

luotsi pilot

luottaa (place your trust in), rely/depend on, have confidence in *Voit luottaa siihen, että teen sen ajoissa* You can count/depend on me finishing it on time

luottamuksellinen confidential

luottamus confidence *herättää luottamusta* inspire confidence *luottamuksella* confidentially

luottavainen trusting

luotto credit

luottokortti credit card

luovia 1 (karien välistä) navigate (myös kuv), steer; (vastatuuleen) tack, beat against the wind **2** (kuivalla maalla) weave (your way), zigzag

luovuttaa 1 hand over, surrender, give up, deliver (up) (ks hakusanat) *luovuttaa paikkansa vanhukselle* stand up and let an elderly person have your seat, give up your seat to an elderly passenger **2** (jakaa) present, hand out *luovuttaa palkinto tämän vuoden voittajalle* present this year's winner with the award/prize **3** (rikollinen) extradite **4** (elin) donate **5** (peli) give up, forfeit *Älä luovuta!* Don't give up! **6** (kem: päästää) emit, give off, release

luovuttaa maata (toiselle valtiolle) cede, (luonnolliselle henkilölle) convey

luovuttaa omistusoikeus transfer (your right of) ownership

luovuttaja (elimen) donor

luovutus surrender, delivery, extradition, donation, forfeit, emission, cession, conveyal, assignation, transfer (ks luovuttaa)

lupa 1 (suostumus) permission *omin luvin* without permission *Saanko luvan?* May I have this dance? *Saanko luvan esittäytyä? Let me introduce myself* **2** (lupakirja) permit, license **3** (ennuste) prediction *Huomenna on luvassa sadetta* It's supposed to rain tomorrow **4** (koulusta) day off *Meillä on tänään koulusta lupaa* We don't have any school today

lupaava promising

lupaavasti promisingly, with (great) promise

lupaus 1 promise (myös kuv) **2** (vala) vow **3** (lupaava ihminen) (likely) prospect

lusikallinen spoonful

lusikka spoon *pistää lusikkansa soppaan* add your two bits, put your oar in *syöttää lusikalla* spoonfeed *ottaa lusikka kauniiseen käteen* swallow your pride (and do as you're told)

lusikoida spoon (up/out)

luterilainen Lutheran

luterilaisuus Lutheranism

luu 1 bone *pelkkää luuta ja nahkaa* all skin and bones *Häneltä meni luu kurkkuun* He couldn't get a word out, he was speechless /struck dumb **2** (kivi) pit, stone

luukku door, hatch; (lattialuukku) trapdoor, (ikkunaluukku) shutter, (lippuluukku) ticket window

luulla 1 (uskoa) think, believe *Luulen niin* I think so *Etköhän luule nyt liikoja itsestäsi* Don't you think you might have an inflated opinion of yourself? **2** (arvella) suppose, guess *Mitä luulisit hänen sanovan?* What do you suppose she'll say? **3** (kuvitella) imagine **4** (pitää) take, think *Miksi minua oikein luulet?* What do you take me for?

luulo ei ole tiedon väärti thinking isn't knowing

luulotella 1 (itselleen) imagine, delude yourself (into thinking/believing) **2** (toiselle) get someone to believe something, string someone along

luultava probable, (highly) likely

luultavasti probably

luuranko skeleton (myös kuv) *luuranko kaapissa* a skeleton in the closet

luuri (puhelimen) handset *lyödä luuri korvaan* hang up on someone

luusto bones, skeleton, skeletal structure

luuta broom

luutnantti lieutenant

luuton boneless

luvallinen permitted, permissible, allowable, admissible

luvata 1 promise *Huomiseksi luvattiin lämmintä* It's supposed to be warm tomorrow **2** (vannoa) vow **3** (enteillä) bode *Tämä ei lupaa hyvää* This bodes ill, this is not a good sign/omen

luvaton 1 (kielletty) forbidden **2** (laiton) illegal, unlawful, illicit **3** (ilman lupakirjaa tai virallista lupaa) unlicensed, unauthorized **4** (anteeksiantamaton) inexcusable, unconscionable

luvattomasti illegally, unlawfully, illicitly, without permission/a license/authorization, inexcusably, unconscionably (ks luvaton)

luvattu maa the Promised Land

Luxemburg Luxembourg

luxemburgilainen *s* Luxembourger *adj* Luxembourgian

lyhenne abbreviation

lyhennelmä 1 (hiukan lyhennetty) abridgement, abridged version **2** (paljon lyhennetty = tiivistelmä) abstract, summary

lyhennys 1 (housujen tms) shortening, taking up **2** (lainan) amortization, payment (on principal); (osamaksusopimuksen) installment **3** (lyhenne) abbreviation

lyhentyä shorten, be reduced

lyhentää 1 (housuja tms) shorten, take up **2** (lomaa tms) cut short, break off **3** (työaikaa) cut, reduce **4** (lainaa) amortize, make a payment (on the principal) **5** (sanaa) abbreviate **6** (kirjaa) abridge

lyhetä shorten, be reduced

lyhty 1 lantern **2** (auton) (head)light

lyhyeen short *lopettaa/päättää lyhyeen* cut short *loppua lyhyeen kuin kananlento* go over like a lead balloon

lyhyesti briefly *puhua lyhyesti* be brief *lyhyesti sanottuna* in brief/short, in a word/nutshell

lyhyt short, brief *lyhyeen, lyhyesti* ks hakusanat *jäädä lyhyeksi* fall short

lyhytaalto- shortwave

lyhytaikainen short, brief, short-term/-range /-lived

lyijy lead

lyijykynä pencil

lyijymyrkytys lead poisoning

lyijytön bensiini unleaded gas(oline), lead-free gas(oline)

lykky luck *hyvässä lykyssä* with any luck, if I'm/we're lucky

lykkyä tykö good luck

lykkäys postponement, deferral, delay

lykkääntyä be postponed/deferred/delayed

lykätä 1 (työntää) push, shove *lykätä rahaa jonkun käteen* stuff some money in someone's hand **2** (tuottaa) dash off, churn out *lykätä kirje kolmessa minuutissa* dash off a letter in three minutes **3** (vierittää) pass *lykätä syy toisen niskoille* pass the buck **4** (siirtää myöhemmäksi) postpone, defer, delay, put off *Älä tee tänään minkä voit lykätä huomiseen* Never do today what you can put off until tomorrow

lykätä kokous adjourn a meeting (until a later date)

lypsy milking

lypsykarja milk cattle/cows

lypsykone milking machine

lypsylehmä milk cow; (kuv) money-maker, meal ticket

lypsää milk (myös kuv)

lyriikka (lyric) poetry/poem

lyseo lyseum, lycée

lysti 1 fun *pitää lystiä jonkun kustannuksella* poke fun at someone, have fun at someone's expense *Se oli kallista lystiä* That cost a pretty penny **2** *koko lysti* (ark) the whole shebang, the whole kit and caboodle **3** *yksi lysti* matter of indifference *Se on minulle yksi lysti lysti* (ark) I don't give a damn /shit/hoot one way or the other, it's all the same to me

lystikäs funny, droll, humorous, amusing

lysähtää collapse, sink, slump, drop

lyyhistyä collapse, sink, slump, drop

Lyypekki Lübeck

lyyra lyre

lyyrikko (lyric) poet, lyricist

lyyrinen lyric(al)

lyödä 1 hit, strike, knock; (ark) biff, smack, crack, poke *lyödä varpaansa* stub your toe **2** (hakata, myös kuv) beat *lyödä rumpua /vastustaja* beat a drum/an opponent *löylyn lyömä* silly, dizzy, goofy **3** (heittää lujaa) hurl, chuck, pitch, heave *lyödä puita takkaan* pitch logs into the fireplace **4** (itr: aallot) crash; (purjeet) flap; (polvet) knock; (hampaat) chatter; (sydän, sade) pound, beat; (valtimo) beat; (salama) strike *kello lyö* (aikaa) strike, (ääntä) ring

lyödä itsensä läpi make a breakthrough, get your big break

lyödä kasaan throw together

lyödä kintaat pöytään hang up your gloves, throw in the towel

lyödä kättä shake (hands), (ark) put 'er there

lyödä laimin neglect

lyödä laudalta (ark) beat the pants off (someone), take (someone) to the cleaners

lyödä leikkiä joke around, crack a joke

lyödä leiville pay (off)

lyödä löylyä throw water on the rocks

lyödä puulla päähän flabbergast, dumbfound

lyödä rahaa mint/coin money

lyödä tahtia beat time

lyödä vetoa (make a) bet/wager

lyömäsoitin percussion instrument

lyömätön unbeaten, unbeatable

lyönti 1 hit, knock, blow; (ark) biff, smack, crack, poke **2** (sydämen) (heart)beat, (kellon) stroke

lyöty beaten

lähde 1 (veden) spring, source **2** (ideoiden tms) source

lähdevesi springwater

lähdössä leaving, going, (de)parting, setting out, coming out/off, falling out, shedding (ks lähteä) *Olen juuri lähdössä* I'm just leaving

läheinen (fyysisesti ja henkisesti) close, near(by) *läheinen kylä* neighboring/nearby village *läheiset suhteet* intimate/close relations

läheisesti closely

läheisyys 1 (fyysinen) nearness, neighborhood, vicinity *kirkon läheisyydessä* near /close to the church, in the neighborhood /vicinity of the church **2** (henkinen) closeness, intimacy

lähekkäin close together, near/close to each other

lähellä *adv* close (by), near(by); (uhkaavan lähellä) imminent *kuolema on lähellä* death is imminent *Minulla oli itku lähellä* I was on the verge of tears, I was just about to burst into tears *lähellä* ks hakusanat *postp*, *prep* close/near (to) *Marja on kipeä, et saa mennä liian lähelle häntä* Marja's sick, don't get too close to her *kirkon lähellä* near the church

läheltä from up close, from nearby *sivuta läheltä* touch closely upon *seurata läheltä* watch (someone) from close up *läheltä piti* ks hakusana

läheltä piti that was a close call/one/shave

lähemmin more closely

lähemmäs closer

lähempi closer

lähempänä *adv* closer (up), nearer (in), more closely *postp*, *prep* closer/nearer (to)

lähempää from closer up/in, from nearer in

lähennellä 1 (ihmistä) make advances (to), make a pass at **2** (totuutta tms) come close to, (absurdiutta tms) verge/border on *Hän lähentelee 80:tä* He's pushing 80

lähentely advances

lähentyminen rapprochement

lähentyä come closer

lähentää bring (something/someone) closer

lähes almost, nearly, close to

läheskään nowhere near

lähestymistapa approach, method

lähestyä approach, come near(er)/close(r)

lähetti 1 messenger (boy/girl), envoy **2** (lähetyssaarnaaja) missionary **3** (šakissa) bishop

lähettiläs envoy, (suurlähettiläs) ambassador (myös kuv)

lähettyvillä *adv* in the vicinity/neighborhood, close at hand, nearby *postp, prep* near/close to *Pysy vain minun lähettyvilläni niin sinun ei käy kuinkaan* Just stick close to me and nothing will happen

lähettäjä 1 (postin) sender *palauttaa lähettäjälle* return to sender **2** (kauppatavaran) consigner, forwarder **3** (junan tms) dispatcher

lähettää 1 send (off), (edelleen) send on, forward **2** (kauppatavaraa tms) forward, ship **3** (radio-/TV-ohjelma) broadcast **4** (signaali) transmit **5** (junaa, palaautoa tms) dispatch

lähetys 1 (tavaran) shipment, consignment **2** (ohjelman) broadcast, transmission

lähetyssaarnaaja missionary

lähetystyö mission work

lähetystyöntekijä mission worker

lähetystö 1 (valtuuskunta) delegation, deputation **2** (dipl) legation, (suurlähetystö) embassy

lähetä approach, draw near(er)/close(r)

lähi the next few, the near

lähiaikoina in the near future

lähialue vicinity, neighborhood

lähietäisyys close range

Lähi-itä Mideast, Middle East

lähimain almost, nearly, close to

lähimainkaan *ei lähimainkaan* not even close

lähimmäinen neighbor *Rakasta lähimmäistäsi niin kuin itseäsi* Love your neighbor as yourself

lähimpänä closest, nearest

lähin *adj* closest, nearest *adv: tästä lähin* from now on *siitä lähin* from then on, from that time on

lähinnä 1 (suurin piirtein) roughly **2** (enimmäkseen) mainly, largely, chiefly **3** (ensisijaisesti) primarily, first (and foremost) **4** (lähimpänä) the closest/nearest *lähinnä seuraavaa* the next

lähiseutu vicinity, neighborhood

lähistöllä in the vicinity/neighborhood/area

lähisukulainen close relative

lähitse close by

lähitulevaisuus near future

lähiö suburb, housing development, subdivision

lähtemätön indelible

lähteä 1 (jostakin) leave; (ark) split *Lähdetään jo pois* Let's get out of here, I want to go/leave *Lähdemme tässä koko hankkeessa siitä että* Our fundamental assumption in this project is that **2** (matkaan) start (out), start/set/take off; (mennä) go; (juna) depart, (lentokone) take off, (laiva) sail *lähteä ostoksille* go shopping **3** (erkaantua) separate from, split/turn/veer/branch off (of) *Meiltä lähtee tie sinnepäin* There's a road from here to there **4** (olla lähtöisin) come/stem from *Ajatus lähti meistä* We thought of it, it was our idea (originally) **5** (irrota: tahra) come out, (nappi) come off, (karvat) shed, (tukka) fall out *Siitä lähtee outo lemu* It gives off a strange smell *juosta minkä jaloista lähtee* run for dear life, run as fast as you can *huutaa minkä kurkusta lähtee* shout at the top of your lungs

lähtö leaving, parting, departure; (urh) start *antaa jollekulle liukas lähtö* give someone the bum's rush *saada työstä äkillinen lähtö* get booted/kicked out of your job *lähdössä* ks hakusana

lähtöaika departure time

lähtökohta point of departure

läikkyä 1 (holkkua: sangossa) slosh/slop (around); (yli) spill; (järvessä) ripple **2** (häilähdellä: veri) churn, boil; (nauru) cascade; (silmät) flash **3** (välkkyä) flash, glint, glisten

läikyttää 1 (vettä) spill, slop **2** (ovea) slam

läimäyttää slam, slap, smack

läimäytys slam, slap, smack

läjä pile, heap

läksiäiset going-away/farewell party

läksiäisjuhla going-away/farewell party

läksy lesson; (koululäksyt) homework *Enköhän ole läksyni oppinut* I guess I've learned my lesson

läksyttää (vanhempi lasta) lecture; (pomo työntekijää) dress down; give someone a piece of your mind, chew out

lämmetä warm (up)

lämmin 1 warm *pysytellä sisällä lämpimässä* stay indoors where it's warm **2** (ei pakkasta) above zero *2 astetta lämmintä* 2 degrees above zero

lämminsydäminen warmhearted

lämmin vesi warm/hot water

lämmitellä warm (yourself) (up) *lämmitellä takan ääressä* warm yourself by the fire *lämmitellä ennen juoksua* warm up before a race

lämmitin heater

lämmittää warm/heat (up) *lämmittää sydäntä/mieltä* make someone feel good

lämmitys heating

lämmittää warm up

lämpimyys 1 (lämpö) heat, warmth **2** (lämpötila) temperature

lämpimältään while it's hot

lämpiö lobby, foyer

lämpö 1 warmth, heat **2** (lämpötila) temperature **3** (kuume) temperature, fever *Sinulla on pikkuisen lämpöä* You feel a little heat/feverish, do you have a fever/temperature? *mitata lämpöä* take someone's temperature

lämpöinen warm

lämpömittari thermometer

lämpötila temperature

länsi 1 west **2** (läntinen maailma) the West(ern world)

Länsi-Berliini West Berlin

Länsi-Eurooppa Western Europe

länsimaalainen Westerner

länsimaat the West(ern world)

länsimainen Western

länsiosa (maan) western part/area/region, (kaupungin) west side

länsirannikko west coast; (USA:n) the (West) Coast

länsiranta west bank

länsisuomalainen *s* Western Finn *adj* West Finnish

Länsi-Suomi Western Finland

länsivallat the Western nations/countries /powers

---

läntinen western

läpeensä through and through *läpeensä mätä* rotten to the core

läpi *s* hole *Pidä läpesi pienempänä!* (ark) Shut your hole/face! *puhua läpiä päähänsä* talk through your hat, make it up as you go along *jäädä maailman läpeen* not make it, fall by the wayside *adv* through *mennä läpi* (ahtaasta paikasta) make it/get through, (ehdotus) pass, be approved *päästä/ä läpi* (ahtaasta paikasta) make it /let someone through, (tentistä) pass (someone in) an exam *lukaista läpi* skim /browse/breeze through *viedä läpi* carry out *prep* through *läpi yön* (all) through the night, all night *läpi talven* all winter *läpi vuoden* year-round

läpikotaisin thoroughly, through and through, to the core

läpikuultava translucent

läpileikkaus cross-section

läpimurto breakthrough

läpimärkä soaking/dripping wet, drenched

läpinäkyvä transparent; (pusero tms) sheer

läpäistä 1 (fyysisesti) penetrate, pierce **2** (koe) pass

läpäisy penetration

läski 1 (ruoassa ja ihmisessä) fat **2** (lihava ihminen) (ark) fatso

läsnä present *jonkun läsnä ollessa* while someone is present, in someone's presence

läsnäoleva present

läsnäolija (some)one (who is) present, (mon) those/people present

läsnäolo-oikeus right to be present

lätkä 1 (jääkiekko) ice hockey **2** (80:n) 80-km-an-hour sticker **3** *olla lätkässä johonkuhun* have a crush on someone

lävistää 1 pierce, penetrate, (rengas) puncture, (lippu) punch **2** (ulottua jonkin läpi) cross

lävitse ks läpi (*adv*/*prep*)

lääke 1 medicine, drug; (mon) medication *antaa jonkun maistaa omaa lääkettään* give someone a taste of his own medicine **2** (kuv) cure, remedy

lääkeaine drug

lääkehoito medical care

lääkekaappi medicine chest
lääkemääräys prescription
lääketiede medicine, medical science
lääketieteellinen medical *lääketieteellinen tiedekunta* medical school, (ark) med school
lääkintä medication, medical treatment/care
lääkitys medication
lääkitä medicate
lääkäri doctor, physician
lääkärikoulutus medical training/school
lääkärintarkastus doctor's checkup, physical (examination) *mennä lääkärintarkastukseen* go in for a full physical/checkup
lääkärintodistus doctor's certificate
lääni 1 province 2 (hist) fief(dom) 3 (ark) elbow room, space *Onpas teillä lääniä!* What a spacious/roomy place you've got!
lääppiä paw *Älä lääppi minua!* Get your hands off me! Keep your mitts to yourself!
löyhkä stench, reek, stink
löyhkätä stench, reek, stink
löyhä loose, slack, lax
löyly steam (in the sauna) *heittää löylyä* throw water on the rocks *hyvät/kovat löy-*

lyt a good hot sauna *lisätä löylyä* (kuv) pour oil on the flames
löylynlyömä silly, dizzy, nutty *Hän on vähän löylynlyömä* He's not all there, he's missing a few marbles
löylyttää (antaa selkään) give someone a good spanking; (antaa kuulla kunniansa) give someone a piece of your mind
löystyä come loose, loosen, slacken
löysä 1 (höllä) loose, slack 2 (juokseva) runny *Minulla on vatsa löysällä* I've got the trots/runs
löytyä turn up, be found *Mistä se löytyi?* Where did you find it?
löytää find, (keksiä) discover *löytää viitonen* find a five-mark coin *löytää kultaa* discover gold
löytö find, discovery *Tämä leipomo on todellinen löytö* This bakery is a real find *tehdä tieteellinen löytö* make a scientific discovery
löytötavara lost/found article
löytötavaratoimisto lost and found office /counter/desk

M,m

maa 1 (maapallo) earth *Alussa Jumala loi taivaan ja maan* In the beginning God created heaven and earth *ylistää maasta taivaaseen* praise a person to the skies **2** (maanpinta) earth, ground *maan alla* underground *jalat* (tukevasti) *maan pinnalla* with your feet firmly (planted) on the ground, down to earth *korkealla maan yläpuolella* high above the earth, off the ground *luoda katseensa maahan* look down (at the ground, at your feet) **3** (sähkö) ground **4** (maaperä) soil, dirt *hedelmällistä maata* fertile soil *maalattia* dirt floor *vaivainen maan matonen* a lowly worm *kaivaa maata jonkun jalkojen alta* undermine/subvert someone **5** (kuiva maa, us mon) land, shore *ajautua maihin* drift

up on(to) the bank/shore, run aground *Miehistö oli jo maissa* The crew was already ashore **6** (maa-alue) land *ostaa lisää maata* buy more land *viljellä maata* till the soil, cultivate the land **7** (valtakunta) land, country, state *kuolla maansa puolesta* die for your country *ei kenenkään maa* no man's land *tuoda maahan* import *Maassa maan tavalla* (tai maasta pois) When in Rome, do as the Romans do; America – love it or leave it *luvattu maa* promised land *pyhä maa* Holy Land **8** (maaseutu) country(side) *maalla* in the country *mennä kesäksi maalle* go to your summer/country home/cottage for the summer **9** (tienoo) vicinity, neighborhood *ei mailla eikä manrereilla* nowhere to be found *näillä main* around here *kahdeksan maissa* around eight **10** (korteissa) suit

maaginen magic(al)

maahanmuuttaja immigrant

maahanmuutto immigration

maahantuoja importer

maahantuonti import(s)

maailma world *Ei se nyt maailmaa kaada* It's not the end of the world *Sellainen on maailman meno* That's life, That's the way the cookie crumbles *muissa maailmoissa* in a world of your own *Kyllä maailma on pieni!* Small world! *suuressa maailmassa* out in the big wide world

maailmanennätys world record

maailmankaikkeus universe

maailmankatsomuksellinen philosophical, ideological

maailmankatsomus world view

maailmankieli lingua franca

maailmankuulu world-famous

maailmanlaajuinen worldwide

maailmanloppu the end of the world

maailmanmestari world champion

maailmanmestaruus world championship

maailman paras the best (whatever) in the world

maailmanrauha world peace

maailman sivu *kautta maailman sivun* always, inevitably

maailmansota World War (I/II)

maakunta province

maalaamo (yritys) paintshop, (osasto) painting deparment

maalailla paint

maalainen 1 person from the country; (ark halv) hick, hayseed **2** *Minkä maalainen hän on?* What country is she from?

maalaiskunta county

maalaistalo farmhouse

maalari painter

maalata 1 paint (myös sanoilla) *Maalattu!* Wet paint! **2** (meikata) make up

maalaus painting

maalaustaide (the art of) painting

maalauttaa have (something) painted

maali 1 (maalausaine) paint **2** (urh: jääkiekossa, jalkapallossa) goal, (am jalkapal-

lossa) end zone, (juoksussa, hiihdossa) finish line **3** (kohde) target *ampua yli maalin* overshoot (myös kuv), overdo it

maaliskuinen March *maaliskuinen viima* a March wind

maaliskuu March

maalitaulu target

maalivahti goalkeeper, (ark) goalie

maalla in the country *mennä kesäksi maalle* go to your summer/country home/cottage for the summer

maallemuutto move/migration to the country(side)/rural areas

maallikko lay person/member/speaker/jne; (mies) layman, (nainen) laywoman; (mon) the laity

maallinen 1 earthly, worldly *maallinen omaisuus* earthly/worldly possessions **2** (maanpäällinen) temporal *maallinen valta* temporal power **3** (ei hengellinen) secular, worldly, profane

maallistua become secularized

maaltamuutto rural depopulation

maaltapako rural depopulation

maamies 1 (maanviljelijä) farmer **2** (saman maan kansalainen) (fellow) countryman, compatriot

Maamme-laulu the Finnish national anthem

maanalainen *s* subway, (UK) underground, (UK ark) tube *adj* underground

maan alla underground *mennä maan alle* go underground

maanantai Monday

maanantainen Monday

maanantaipäivä Monday

maanantaisin Mondays

maaniikko maniac (myös kuv)

maaninen manic (myös kuv)

maanis-depressiivinen manic-depressive

maanitella coax, wheedle

maanjäristys earthquake

maanmittaus surveying

maanomistus land ownership

maanosa continent

maanpako exile *maanpaossa* in exile, exiled

maanpuolustus national defense

maanpäällinen worldly, temporal

maantie highway *maantien värinen tukka* dishwater blonde (hair)
maantiede (yliopistossa) geography
maantieteellinen geographical
maantieto (koulussa) geography
maanviljelijä farmer
maanviljely farming, soil cultivation
maapallo globe
maaperä soil, dirt
maapähkinä peanut, (Kaakkois-Yhdysvalloissa myös) groundnut
maaseutu country(side), rural area
maassa 1 (maapallossa) on earth **2** (maanpinnalla) on the ground, (henkisesti) down to earth **3** (masentunut) down(cast /-hearted), depressed
maassa maan tavalla When in Rome, do as the Romans do, America – love it or leave it
maastamuuttaja emigrant
maastamuutto emigration
maasto terrain
maastoauto all-terrain vehicle, ATV
maastohiihto cross-country skiing
maastojuoksu cross-country running
maastosuksi cross-country ski
maastoutua take cover
maasturi all-terrain vehicle, ATV
maata 1 (olla makuuasennossa) lie (down) **2** (nukkua) sleep *mennä maata* go to sleep, go lie down, go have a rest **3** (naida) sleep with; (lak) have (sexual) intercourse with; (ark) get laid *maata väkisin* rape **4** (sairaana) be laid up (with a fever)
maatalo farmhouse
maatalous agriculture
maatila farm
maatua 1 (kompostissa) decompose **2** (joki tms) silt up
maaöljy petroleum, (mineral) oil
Madagaskar Madagascar
madagaskarilainen *s, adj* Madagascan
madaltaa lower (myös ääntä)
madaltua lower, drop
madeira Madeira
madella (myös kuv) crawl, creep
madjaari Magyar, Hungarian
madonna Madonna

madonsyömä worm-eaten
mafia mafia, the Mob
mafioso mafioso, mobster
magia magic
magnaatti magnate
magneetti magnet
magneettinen magnetic
magnetismi magnetism
magnetofoni tape recorder
magnetoida magnetize
maha stomach; (ark ja kuv: sisäinen tila) belly, (tunne) gut; (lasten kielellä) tummy *syödä mahansa täyteen* stuff yourself *Maha murisee* My stomach is rumbling
mahakipu stomach ache/pains
mahalaukku stomach
mahatauti intestinal/stomach flu
mahdollinen possible *erittäin mahdollista* very likely, probable *Olisiko sinun mahdollista mennä minun sijastani?* Could you possibly go in my stead? *mahdollinen asiakas* prospective customer *Meillä on mahdollisesti yksi ongelma* We may have a problem, we have a potential problem *Minä hoidan mahdolliset ongelmat* I'll handle any problems that arise *mahdollisten vaikeuksien varalta* in case of difficulties
mahdollisimman as... as possible *mahdollisimman korkealle* as high as possible
mahdollistaa make (something) possible, facilitate
mahdollisuus 1 possibility *On pieni mahdollisuus etten pääse tulemaan* There's a slight possibility that I might not make it *Meillä on huomisen ohjelmaksi kaksi mahdollisuutta* We've got two alternatives /possibilities for tomorrow **2** (tilaisuus, edellytykset) chance, opportunity *Ei ollut mahdollisuutta soittaa* I didn't get a chance to call, I couldn't call *elämäni mahdollisuus* the chance of a lifetime *Älä päästä käsistäsi tätä mahdollisuutta!* Don't miss this opportunity!
mahdoton impossible *Sinä olet mahdoton!* You're impossible! *vaatia mahdottomia* demand the impossible

mahdottoman impossibly, terribly *mahdottoman iso* enormous

mahdottomuus impossibility *mennä mahdottomuuksiin* go too far, go overboard, get out of hand, get carried away

mahduttaa squeeze/fit/work in

mahis chance *hyvät mahikset saada työpaikka* a good chance at a job

mahtaa 1 (taitaa) must *Mahdat olla aika nälkäinen* I bet you're hungry, you must be pretty hungry **2** (voida) be done *Minkä sille mahtaa?* What's there to be done about it now? Nothing you can do about it now

mahtailla talk big, act tough, throw your weight around, play the big shot

mahtava 1 (jolla on mahtia) mighty, powerful, potent **2** (mahtaileva) domineering, bossy, tyrannical, high and mighty **3** (mahtipontinen) pompous, grand, supercilious **4** (vaikuttava) impressive, imposing **5** (iso) enormous, tremendous, huge, mighty **6** (ark) fantastic, awesome, outrageous

mahtavuus 1 (valta) might(iness), power **2** (mahtipontisuus) pomposity, grandeur, superciliousness

mahti might, power

mahtipontinen 1 (tylsä) pompous, stuffy, stodgy **2** (ylimielinen) arrogant, supercilious **3** (hienosteleva) grand(iloquent), pretentious

mahtua 1 fit **2** *Kuinka paljon siihen mahtuu?* How much/many will it take: (astiaan tms) hold; (autoon, pöytään tms) seat; (hotelliin tms) accommodate; (vene: istumaan) seat, (nukkumaan) sleep

maihinnousu invasion (myös kuv), landing

maikka teacher

maila (tennis tms) racket, (jääkiekko) stick, (pesäpallo) bat, (golf) club

maili mile

main *niillä main* around there *lähimain* almost, nearly, close to

maine reputation, name, (ark) rep; (kuuluisuus) fame *olla hiihtohullun maineessa* be known as a fanatic skier *niittää mainetta*

make a name for yourself, carve out a reputation for yourself

maineikas famous, illustrious, renowned

mainen earthly

maininta mention

mainio excellent, splendid *Mainiota!* Great!

mainita mention *Et maininnut minua sanallakaan* You didn't say anything about me, you forgot to mention me *Voisitko mainita muutamia esimerkkejä?* Could you give me/list/cite some examples? *Hän mainitsi erityisesti kolme nimeä* He listed/gave three names in particular, he expressly mentioned three names *mainittakoon* let it be noted *kuten edellä mainittiin* as was noted/indicated earlier/above

mainitsematon unmentioned, unstated *nimeltä mainitsematon* unnamed

mainitsematta *muita mainitsematta* to say nothing about the others, not to mention the others *jättää mainitsematta* ignore, omit, skip/pass (something) over in silence *nimeltä mainitsematta* without naming names

mainittava appreciable, perceptible *ei mitään mainittavaa* nothing worth mentioning, nothing to write home about

mainittu *mainittu henkilö* the said party *nimeltä mainittu* (the) named/specified (person) *edellä mainittu* the above-/afore-/before-mentioned

mainonta advertising, publicity

mainos advertisement, (ark) ad; (TV:ssä) commercial *hyvää mainosta* good advertising/publicity

mainostaa 1 (kaupallisesti) advertise, publicize **2** (kehua) vaunt, tout, (kirjaa) puff

mainostaja advertiser

mainostoimisto ad(vertising) agency

mairea gushing, sugary, affected

mairitella flatter; (ark) suck up (to someone), butter (someone) up

maisema (maa sinänsä, myös maalattuna) landscape, (maa nähtynä) scenery, (näköala) view

maiskauttaa smack (your lips)

maiskis smack

maissa 1 *kahden maissa* around two **2** (ei laivassa) ashore

maissi corn

maissihiutale corn flake

maissiöljy corn oil

maistaa taste; (kokeilumielessä) try, sample

maistajaiset *viinin maistajaiset* wine-tasting party

maistella taste; (kauan) savor *maistella sanaa* roll a word around on your tongue

maisteri *filosofian maisteri* Master of Arts, MA *kasvatustieteen maisteri* Master of Education, M.Ed. *luonnontieteiden maisteri* Master of Science, (US) M.S., (UK) MSc *maisteri Koikkalainen* Mr. Koikkalainen

maisterin tutkinto Master's degree

maistiaiset (kaupassa) sample *Anna maistiaiset!* (anna kun maistan) give me a bite /taste

maistraatti magistrate

maistua taste *Miltä se maistuu?* (kelpaako) How does it taste? (mikä on maku) What does it taste like? *Se alkaa maistua puulta* I'm getting sick/tired of it

maito milk

maitojauhe powdered milk

maitokaakao chocolate milk

maitokahvi coffee with milk, (ransk) café au lait

maitokauppa (meijerin myymälä) dairy, (ruokakauppa) grocery store

maitopullo milk bottle

maitopurkki milk carton

maitorahka (lähin vastine) sour cream

maitorasva milk fat

maitosokeri lactose

maitosuklaa milk chocolate

maitotalous dairy farming

maitotiiviste condensed milk

maitovalmiste dairy product

maitse by land, overland

maittaa *Minulle ei ruoka maita* I don't feel like eating, I have no appetite, I'm feeling a little off my feed

maittain by country

maittava delicious, tasty

maja hut, cabin, lodge; (suoja) shelter; (lasten tilapäinen leikkipaikka) fort, clubhouse

majailla room/board/stay (at/with)

majakka lighthouse

majatalo boarding house, (hist) inn

majoittaa 1 accommodate, board, (ark) put up **2** (sot) quarter, billet

majoittua take a room (at a hotel), move in (somewhere, with someone)

majoitus accommodation(s)

majoneesi mayonnaise

majuri major

makaroni macaroni, pasta, noodle(s)

makea 1 (maku) sweet **2** (puhe) sugary(sweet), saccharine, cloying **3** (elämä, uni tms) good *viettää makeaa elämää* lead a life of ease **4** (vesi) fresh **5** (ark) cool, hot

makeasti sweetly *nukkua makeasti* sleep soundly, get a good night's sleep *nauraa makeasti* laugh heartily, have a good laugh

makeilla flatter, toady (to); (ark) suck up (to)

makkara sausage *katsoa kuin halpaa makkaraa* look down your nose at (someone /something), not want to touch something with a ten-foot pole

makkarakeitto sausage soup

makrilli mackerel

maksa liver

maksaa 1 (antaa rahaa) pay (for/off) *Maksaisitko minutkin?* Could you pay for me too? Could you pay my way too? *maksaa lasku* pay a bill, settle an account *maksaa varomattomuutensa hengellään* pay for your carelessness with your life *Tästä saat maksaa!* You'll pay for this! (myös kuv) I'll get you for this! **2** (kostaa) pay (someone) back (ks hakusanat) **3** (olla jonkin arvoinen) cost *Paljonko tämä maksaa?* How much is this?

maksaa hyvä pahalla repay kindness with evil

maksaa itsensä kipeäksi pay through the nose

maksaa pitkä penni cost a pretty penny

maksaa potut pottuina give someone as good as you got, repay someone in kind

maksaa samalla mitalla give someone as good as you got, repay someone in kind

maksaa vaivaa be worth it *Ei maksa vaivaa kääntyä nyt takaisin* It's not worth turning back now

maksaa viulut pay the piper

maksamakkara liverwurst

maksamaton unpaid, (lasku) outstanding

maksimaalinen maximum, maximal, optimal

maksimi maximum

maksimoida maximize

maksimointi maximization

maksoi mitä maksoi come what may, no matter what it takes, damn the consequences

maksu 1 (maksaminen) payment, settlement **2** (hinta tms) payment, price, fee, charge

maksuaika repayment/amortization period *Saisimmeko vähän maksuaikaa?* Could we pay you (back) gradually, over time?

maksuksi in payment for

maksukyky solvency

maksukykyinen solvent

maksukyvytön insolvent

maksullinen pay, paid

maksusta for a fee/charge, for pay

maksuton free (of charge)

maksutta free (of charge), gratis

maku taste (myös kuv) *Siitä jäi paha maku suuhun* It left a bad taste in my mouth *päästä jonkin makuun* acquire/develop a taste for something *kukin makunsa mukaan* every man to his taste

makuaisti (sense of) taste

makuasia a matter of taste

makuasioista ei pidä kiistellä there's no accounting for tastes

makuinen flavored

makuja on monenlaisia different strokes for differemt folks

makuuhuone bedroom

makuupussi sleeping bag

Malediivit Maldives

Malesia Malaysia

malesialainen *s, adj* Malaysian

Mali Mali

malilainen *s, adj* Malian

malja 1 (boolimalja tms) bowl **2** (jollekulle) toast *juoda malja jonkun kunniaksi* drink to someone('s health) *ehdottaa malja jollekulle* propose a toast to **3** (raam ja kuv) cup *Minun maljani on ylitsevuotavainen* My cup runneth over

maljakko vase

mallas malt

mallata try on, (mannekiinina) model

malli 1 model, pattern *istua mallina* (maalarille) sit for a painter, (maalauskurssilaisille) model/pose for an art class **2** (tyyppi) model, type, design *auton merkki ja malli* a car's make and model *Minkä mallisen halusit?* What kind did you want? **3** (esimerkki) example *näyttää muille mallia* set a good example for others **4** (kunto, asianlaita) state *hyvällä/huonolla mallilla* in good/bad shape, looking good/in a bad way *entiseen malliin* as before/usual *amerikkalaiseen malliin* American-style

mallikas model, exemplary

mallikelpoinen model, exemplary

mallinen *saman mallinen auto* same (make /kind of) car *Minkä mallista etsit?* What kind/style/shape/jne are you looking for?

malmi ore

Malta Malta

maltaat malt

maltalainen *s, adj* Maltese

maltillinen 1 (pol) moderate, middle-of-the-road **2** (tyyni) calm, composed, reasonable

maltillisuus moderation, calm(ness), composure

maltaa 1 (hillitä) control *maltat mielensä* control yourself, keep your temper, keep a lid on (your temper), hold (yourself) back, rein in your feelings *En malttanut olla sanomatta että* I couldn't help saying that, I blurted out that **2** (odottaa) wait *Malta hetki!* Wait a second! Hold on/up! **3** (olla kärsivällinen) be patient, have the patience to *En malttanut jäädä odottamaan häntä* I was too impatient to wait for her **4** (jaksaa) stand, bear *Tuskin maltan odottaa* I can hardly wait

malttamaton impatient

maltti patience, (self-)control, self-possession, presence of mind, composure *menettää malttinsa* lose your temper, (ark) lose your cool *mielenmaltti* patience

mamma momma, mama

mammanpoika mama's boy

mammutti mammoth

mammuttimainen mammoth

manata 1 (usk) exorcise, drive out (evil spirits/demons) **2** (kirota) damn, curse, (lausua kirosana) swear *manata pahaa onneaan* curse your bad luck **3** (loihtia esiin) invoke, call/dredge up **4** (kehottaa) urge, (ark) egg on

manifesti s manifesto adj (lääk) manifest

manipuloida manipulate

manipulointi manipulation

mannapuuro cream of wheat

mannaryyni farina

manner 1 (maanosa) continent **2** (saarelta katsottuna) mainland

mannermaa 1 (maanosa) continent **2** (saarelta katsottuna) mainland

mannermainen continental

Mansaari Isle of Man

mansikka strawberry *Oma maa mansikka, muu maa mustikka* East, west, home is best

mansikkahillo strawberry jam

manteli almond

manttelinperijä successor

marginaaliverotus marginal taxation

Maria (Jeesuksen äidin, kuningattaren nimenä) Mary, (muuten) Maria *Neitsyt Maria* the Virgin Mary *Magdalan Maria* Mary Magdalene

marja berry *marjaan mennä marjaan* go berry(pick)ing

marjapensas berry bush

marjastaa pick berries

markka mark

markkinat market *turhuuden markkinat* vanity fair *Johan on markkinat!* Goddamn! Doesn't that beat all!

markkinatalous market economy

markkinatunnelma carnival atmosphere

markkinoida market

marmeladi marmalade

marmori marble

marmorinen marble

Marokko Morocco

marokkolainen s, adj Moroccan

marraskuinen November

marraskuu November

mars! march!

marssi march

marssia march

marssittaa march

marsu guinea pig

marttyyri martyr (myös kuv)

marxilainen Marxist, Marxian

marxilaisuus Marxism

marxismi Marxism

masennus depression

masentaa depress, discourage, dishearten *Minua masentaa tuollainen* That's so depressing

masentua be/get depressed/discouraged/disheartened

masentunut depressed, discouraged, disheartened

masiina machine

maskotti mascot

maskuliini (kiel) masculine

maskuliininen masculine

massa 1 (fys tm) mass **2** (mon = ihmisjoukot) the masses **3** (paper) pulp, substance, paste

massiivinen (iso) massive, (tukeva) solid

massoittain tons/heaps/piles of

masto mast

matala s **1** (lammikon) shallows **2** (matalapainealue) low (pressure area) adj **1** (ei korkea) low, squat, short *mennä yli siitä, missä aita on matalin* take the path of least resistance **2** (surullinen) low, down(cast) *mieli matalana* down in the mouth **3** (vähäarvoinen) lowly, base, humble *matala maja* humble abode **4** (ei syvä) shallow *matala lautanen* plate

matalikko shallows

mataluus lowness, (veden) shallowness

matelija 1 (eläin) reptile **2** (kuv) toady

matelu 1 crawling, creeping (myös kuv) **2** (hännystely) fawning

matemaatikko mathematician

matemaattinen mathematical

matematiikka mathematics, (ark) math

materia matter

materiaali material

materialisti materialist

materialistinen materialistic

matikka math

matka 1 trip, journey, voyage; (autolla) drive, (lentäen) flight *lähteä matkaan* set out (on a journey/trip) *matkalla, matkassa, matkoilla* ks hakusanat *Mene matkoihisi! Dcat it! Scram! Get out of my face! Tuli vähän mutkia matkaan* We got hung up, we had some problems *kulkea samaa matkaa* walk along together *parin tunnin matka* a couple of hours' journey/drive /flight *Minne matka?* Where are you going? **2** (etäisyys) distance *Kevääseen on vielä matkaa* Spring is still a ways off

matkailija traveler, tourist

matkailu (matkustaminen) travel(ing), (turismi) tourism

matkailukeskus tourist center/agency/office

matkalaukku suitcase; (mon) luggage

matkalippu (plane/train) ticket *edestakainen matkalippu* round-trip ticket

matkalla on the/your way, on the road, en route, (liik) in transit

matkapuhelin portable phone, (US) cellphone, cellular phone, (UK) mobile phone

matkasekki traveler's check

matkassa along, with you *Onko sinulla nyt varmasti liput matkassa?* Are you sure you've got the tickets (with you)?

matkatavarat (matkalaukut) luggage, (kaikki) baggage

matkatoimisto travel agency

matkavakuutus travel insurance

matkoilla (kotimaassa) out of town, (ulkomailla) abroad

matkustaa travel *matkustaa lentäen* fly, take the plane, travel/go by air *matkustaa Aasiaan* take a trip to Asia, visit Asia, fly to Asia

matkustaja (kulkuneuvon) passenger, (matkalla oleva) traveler

matkustajalaiva passenger ship/liner

matkustamo cabin

mato 1 worm **2** (haka) whiz

matruusi 1 (arvo) able-bodied seaman **2** (ark) sailor, seaman

matsi match, game

matto (irtomatto) rug, (kokolattiamatto) (wall-to-wall) carpet(ing), (pieni matto jalkojen pyyhkimistä varten: kynnyksellä tai kylvyn vieressä) mat, (porrasmatto) (stair)runner

maukas tasty, savory, delicious

maustaa season, spice (myös kuv)

maustamaton unseasoned, unspiced

mauste spice, seasoning; (mukaalne) (artificial) flavoring

mauton flavorless, tasteless (myös kuv) *mauton viisi* a joke in bad taste, a tasteless joke

mauttomuus tastelessness

me *me maksi* the two of us *meidän* our(s) *meidät, meitä* us *Mennään meille* Let's go over to our place *meillä on* we have *meillä Suomessa* here in Finland

mediapuhelin media phone

meduusa 1 jellyfish **2** *Meduusa* (myt) Medusa

megatavu megabyte, MB *40 megatavun kovalevy* 40-megabyte hard disk

mehevä juicy (myös kuv) *mehevä juttu* juicy /spicy/racy story

mehiläinen (honey-)bee

mehiläisen pisto bee sting

mehiläispesä beehive

mehu juice (myös kuv) *puristaa kaikki mehut jostakusta* squeeze all the juices out of someone, take the fight/sass out of someone

mehukas juicy, succulent

meijeri dairy

meikäläinen ‹ s 1 (yksi meistä) one of us, someone like us *Matti Meikäläinen* John Doe **2** (minä) yours truly, this (here) boy /girl

meikäläisittäin our way, local style

meinata 1 (aikoa) plan, intend, mean; (murt) be fixin' to *Meinaan tästä kohta lähteä* I'll be leaving soon, I mean to leave soon, I'm fixin' to be off in a jiffy **2** (tarkoittaa) mean, be about *Mitä tämä meinaa?* What's going on here? What is this all about?

What is the meaning of this? *Se on mei-
naan pitkä matka* I mean, (like,) that's a
long way **3** *Meinasin mennä hukkaan* I
almost/nearly lost my way
meininki 1 (aikomus) plan, intention
2 (meno) goings-on **3** (fiilinki) atmos-
phere, spirit
mekaanikko mechanic
mekaaninen mechanical
mekaniikka mechanics
mekanismi mechanism
mekko dress, frock, shift
Meksiko Mexico
meksikolainen *s, adj* Mexican
mela paddle
melankolia melancholy
melankolinen melancholic
melkein almost, nearly, practically; (ark)
pretty near/well/much
melko pretty, fairly, reasonably, quite
melkoinen quite a, considerable, substantial
melkoisesti quite a lot of, considerably, sub-
stantially
mellakka riot
mellakoida riot
mellakointi rioting
meloa paddle
melodia melody, tune
melodraama melodrama
meloni melon
melu noise, racket, hubbub
meluisa noisy, tumultuous
menehtyä succumb (to), perish/die (of)
meneillä going on, in progress
mene ja tiedä who knows
menekki sale(s), consumption; (valmistajan
näkökulmasta) market *Sillä on varmasti
hyvä menekki Itä-Euroopassa* It's sure to
sell well in Eastern Europe
menemään out, away *heittää menemään*
throw out/away
menestyksekäs successful, prosperous,
flourishing, thriving
menestymätön unsuccessful
menestys success
menestyä succeed, be successful, be a suc-
cess; prosper, flourish, thrive

menetellä 1 (tehdä) do, (toimia) act, (edetä)
proceed *Miten tässä menetellään?* What
should we do? How should we act/pro-
ceed? *menetellä ohjeiden mukaisesti* fol-
low the instructions **2** (välttää) do *Kyllä se
menettelee* It'll do
menetelmä method
menetetty lost *menetetty terveys* ruined
health
menettely proceeding, procedure
menettelytapa procedure, course of action
*Kaikkihan kävi lopuksi hyvin, mutta emme
voi hyväksyä menettelytapaasi* Everything
turned out all right in the end, but we can-
not condone the way you proceeded/acted
menettää lose, (tilaisuus) miss *Ethän sinä
siinä mitään menetä!* What have you got
to lose?
menettää kasvonsa lose face
menettää malttinsa lose your temper, fly
into a rage
menettää oikeutensa forfeit your rights
menetys loss
menevä 1 (energinen) energetic, enterprising
menevä ihminen a (wo)man on the go, a
comer, a mover and a shaker **2** *viinaan
/naisiin menevä mies* boozer/womanizer
3 *etelään menevä juna* the southbound
train
menneeksi *olkoon menneeksi* sure, why not,
what the hell
menneisyys past
mennen tullen coming and going
mennessä by *Mihin mennessä tarvitset sen?*
When do you need it at the latest? *Tarvit-
sen sen viiteen mennessä* I need it by five
siihen mennessä by then
menninkäinen sprite, gnome
mennyt gone, past; (kuollut) deceased,
departed, the late *mennyt viikolla* last
week
mennä 1 go *Minne menet?* Where are you
going? *Miten menee?* How's it going?
How are you doing? **2** (lähteä) leave,
depart; (ark) take off, beat it, scram
Meneekö tämä kirje 2 eurolla? Can I send
this letter for 2 euros? **3** (kulkea: bussi) go,
run; (jonkin yli) cross *Miten usein viiton*

307   **mentävä**

menee? How often does bus number 5 run? *Meneekö tämä kirkkopuiston ohi?* Do you go by the church park? *Arpi meni suupielestä korvaan* The scar ran from the corner of his mouth all the way to his cheek **4** (sopia johonkin) fit, (sopia jonakin) do *Ei mene ovesta* It won't fit through the door *Kyllä hän muuten miehenä menisi mutta* He'd do as a husband, I suppose, except that **5** (hävitä) be lost, get thrown away *Minulta meni sodassa terveys* The war ruined my health *Rahaa tuli, virka meni* I made big bucks but lost my job **6** (kulua) pass, be spent *Koko päivä meni tähän* I spent the whole day doing this *Korjaustöihin menee puoli vuotta* It'll take half a year to repair it **7** (olla esitettävänä: elokuva) be showing, (näytelmä) be playing, (TV-ohjelma) be on **8** *Mitäs menit valehtelemaan!* Why did you have to go and lie about it?

mennä asiaan get to the point, get down to business

mennä eteenpäin proceed, progress, move right along

mennä halpaan get fooled/taken (for a ride) /played for a patsy/duped, fall for (something) (hook, line, and sinker)

mennä itseensä stop and take a (good) look at yourself, pause to examine your own motives

mennä kalpeaksi turn pale, blanch, go white (in the face)

mennä kaupaksi sell

mennä kihloihin get engaged

mennä liiallisuuksiin go to extremes, go overboard, get carried away

mennä läpi (ehdotus) pass, be accepted; (hyökkäys tms) drive/burst/break/go through

mennä läskiksi not work, fail, get all fouled /fucked up

mennä maata go lie down, go take a nap /rest, go to bed/sleep

mennä marjaan go berrying

mennä menojaan go on your merry way, be on your way *antaa asioiden mennä menojaan* let things take/run their course

mennä naimisiin get married

mennä ohi pass, miss *antaa tilaisuuden mennä ohi* let an opportunity slip away, pass up/miss an opportunity

mennä perille (paketti tms) reach its destination, arrive; (saarna tms) strike home

mennä pieleen not work, fail, get all fouled /fucked up *Sehän menee kuitenkin pieleen* You know it's not going to work

mennä pitkälle go far *mennä liian pitkälle* go too far, overstep your limits, exceed your authority, go to extremes

mennä sisu kaulaan lose your nerve, chicken out, your heart drops into your boots

mennä tiehensä leave, be on your way, (ark) take off, beat it

mennä täydestä fool everybody, work, not get caught

mennä väärään kurkkuun go down the wrong way/tube

meno 1 going, doing *Kaikki menee tavallista menoaan* Business as usual *aina menossa* always on the go/run, always out doing something, active *Se on sitten menoa!* This is it! There's no turning back now! **2** (vauhti) speed, pace **3** (kulku) course *elämän meno* the course of life *maailman meno* the way of the world **4** (meininki) goings-on, activity *täysi meno päällä* in full swing, going strong **5** (häviö) downfall *suunnitella jotakin jonkun pään menoksi* plot/scheme to bring someone down, (leik) plan something behind someone's back **6** (menolippu) one-way ticket **7** *menot* (rahamenot) expenditures, costs **8** *menot* (juhlamenot) festivities, ceremonies

menolippu one-way ticket

menomatka the way/trip/journey there

menoon *yhteen menoon* straight through, without stopping

menopaluulippu round-trip ticket

menossa 1 (lähdössä) (just) leaving, on your way out **2** (tien päällä) on the run/go **3** (kulussa) underway *Vuosi 1776 oli menossa* It was (the year) 1776

mentävä *s* errand (to run), thing to do *v: Minun on mentävä* I've got to go

merenkulkija mariner, sailor, (vanh) seafarer

merenkulku navigation, shipping, (vanh) seafaring

meri sea, (valtameri) ocean *Siellä oli miestä kuin meren mutaa* The place was swarming with people

merimies sailor

merirosvo pirate

merirosvous piracy

meritse by sea/water

meritähti starfish

merivartiosto coast guard

merivesi seawater

merkantilismi mercantilism

merkeissä 1 (olosuhteissa) *Toivottavasti tapaamme onnellisemmissa/paremmissa merkeissä* I hope we meet again in happier/better circumstances 2 (yhteydessä) *Kokoonnuttiin Pekan syntymäpäivän merkeissä* We got together for Pekka's birthday 3 (hengessä) *yhteistyön merkeissä* in a spirit of cooperation

merkille pantava noteworthy, remarkable

merkillinen strange, odd, peculiar

merkintä 1 (merkitseminen) marking, labeling, (leimalla) stamping, (kuumalla raudalla) branding 2 (osakkeen) subscription 3 (kirjoitus) note, record *tehdä merkintöjä* (muistiinpanoja) take/make notes, (kirjanpidossa) enter sums (in the books)

merkitsevä 1 (tärkeä) significant, meaning(ful) 2 (merkittävä) remarkable, notable

merkittävä remarkable, notable, noteworthy, prominent, (pre)eminent

merkityksetön insignificant, unimportant

merkitys 1 (sanan tms) meaning, sense, denotation *sanan varsinaisessa merkityksessä* in the strict/literal sense of the word 2 (asian) importance, significance *Ei sillä enää ole mitään merkitystä* It doesn't matter any more, it's a moot point now, it's all academic now, that's neither here nor there any more 3 (merkitseminen) signification, semiosis

merkitä kirjoihin record, enter in the books /record

merkitä luetteloon list

merkitä muistiin write/note/jot down, make a note (of)

merkitä pöytäkirjaan record in the minutes

merkki 1 mark, sign(al), trace *Heistä ei jäänyt merkkiäkään* There wasn't a sign/trace of them (left behind) *Jos vanhat merkit paikkansa pitävät* If I'm not mistaken, if things go the way they usually do *jonkun puumerkki* someone's mark (myös kuv) *plusmerkki* the plus sign *merkeissä* ks hakusana 2 (kirjoitusmerkki) character 3 (tavaramerkki) brand, make *auton merkki ja malli* the make and model of a car 4 (merkkilappu) label 5 (postimerkki) stamp 6 (rintamerkki) badge 7 *näyttää jollekulle taivaan merkit* give someone a piece of your mind *olla kuin myrskyn merkki* be fit to be tied, be raging/hopping mad

merkkipäivä red-letter day

messinki brass

messu 1 (kirkonmeno) Mass 2 (kuoroteos) mass, missa 3 *messut* exhibition, fair

mesta (paikka) place *se on hyvä mesta* it's a nice joint

mestari 1 master *Harjoitus tekee mestarin* Practice makes perfect 2 (mus) maestro, virtuoso 3 (urh) champion

mestarillinen masterful, masterly

mestaroida 1 (toisten asioita) interfere with, stick your nose into, butt into, meddle in 2 (konetta tms) fiddle/tamper with

mestaruus 1 mastery 2 (urh) championship

metafora metaphor

metafysiikka metaphysics

metafyysinen metaphysical

metalli 1 metal 2 (ark) the Metalworkers' Union

metallinen metal(lic)

meteli noise, racket, hubbub

metelöidä make (lots of) noise, kick up a racket/ruckus, raise hell

meteori meteor

meteoriitti meteorite

meteorologi meteorologist

meteorologia meteorology

metodi method

metodiikka methodology

metodisti Methodist

metodologia methodology

metri meter

metrijärjestelmä metric system

metrikaupalla by the meter, (ark) yards and yards of (something)

metsikkö wood(s), grove

metsä forest, woods *ei nähdä metsää puilta* not see the forest for the trees *mennä pahasti metsään* be way off, be wide of the mark *lähteä metsälle* go hunting

metsäalue wooded/forested area

metsäinen wooded, forested; (ark) woodsy

metsämaa woodland, forest land

metsänhoito forestry, silviculture

metsänkävijä woodsman, hunter

metsänkäyttö forest use

metsänomistaja forest/woodland owner

metsänriista game

metsänsuojelu forest protection/conservation

metsänvartija forest ranger

metsänviljely forest cultivation, seeding and planting

metsäpalo forest fire

metsästys hunting

metsästyskausi hunting season

metsästäjä hunter

metsästää hunt

metsätalous forestry (economy/management)

metsäteollisuus lumber industry

metsätieteet forestry (sciences)

miedontaa dilute

miedosti mildly

mieheen 2 *kolme mieheen* three each **2** *viimeiseen mieheen* to the last man

miehekäs manly, masculine, virile

miehenkipeä sex-starved, man-hungry

miehennielijä man-eater

miehin menevä loose

miehinen 1 (ihminen) masculine, manly **2** (eläin) male **3** *-miehinen* -man

miehissä all together, in force/concert/unison

miehistö crew

miehitetty 1 (avaruuslento tms) manned **2** (maa) occupied

miehittämätön unmanned

miehittää 1 (pelastusvene tms) man **2** (maa) occupy, take possession of

miehitys 1 (miehittäminen) manning, occupation **2** (miehistö) crew, (ark) the men

miehuus 1 (miehen aikuisuus) manhood **2** (miesmäinen käyttäytyminen) manliness

miehuusikä manhood

miekka sword *kaksiteräinen miekka* double-edged sword

miekkailija swordsman, fencer

miekkailla fence

miekkailu fencing

mieleen *olla mieleen* please, be to your liking *juolahtaa mieleen* occur to you, strike you *painua mieleen* impress you, be memorable/unforgettable *palauttaa mieleen* (itselleen) recall, (toiselle) remind someone of *tuoda mieleen* bring to mind, recall

mieleenpainuva memorable, unforgettable, impressive

mielekkyys meaning, sense

mielekäs meaningful, sensible

mielellään 1 gladly, willingly, with pleasure *Teen sen mielelläni* I'd be happy to **2** (mieluummin) preferably, rather *Se saisi olla mielellään pikkuisen pienempi* Maybe it ought to be a little smaller

mieleltään at heart

mielenkiinto interest

mielenkiintoinen interesting

mielenlaatu disposition, nature, temperament

mielenosoittaja demonstrator, protestor

mielenosoituksellinen protest

mielenosoituksellisesti in protest

mielenosoitus demonstration

mielenrauha peace of mind

mielenterveys mental health

mielessä 1 (ajattelussa) in mind *Hänellä on pahat mielessä* She's up to no good *ajatella mielessään* think to yourself **2** (merkityksessä) in a sense *jossain mielessä* in some sense *monessa mielessä* in many senses/ways

mielestä 1 (ajatuksista) out of (your) mind *sulkea pois mielestä* dismiss something, put something out of your mind **2** (mukaan) according to (someone), in (someone's) opinion *Onko se sinun mielestäsi nyt hyvä* Do you like it now? Are you satisfied now? Do you think it's good now?

mieletön 1 mindless, senseless, pointless, absurd **2** (upea, valtava) tremendous, tubulous *mielettömän iso* humongous

mieli 1 mind *muuttaa mielensä* change your mind *pitää mielessä* bear in mind *malttaa mielensä* be patient *olla samaa mieltä* (jonkun kanssa) agree (with someone) *mielessä, mieleen, mielestä, mielellään, mieleltään, mieliksi* ks hakusanat **2** (sydän, tunteet) heart, feelings *pahoittaa mielensä* get hurt, take offense, be offended *Siitä tuli paha mieli* I was really hurt by that **3** (mielala) mood *Millä mielellä lähdet?* How do you feel about going? *hyvällä mielellä* in a good mood, in high spirits **4** (merkitys) meaning, sense *Koko tässä hommassa ei ole mitään mieltä* This whole thing is pointless *Missä mielessä?* In what sense?

mielihyvin gladly, willingly, with pleasure

mielihyvä pleasure

mielijohde whim, impulse *hetken mielijohteesta* on the spur of the moment

mieliksi *yrittää olla jollekulle mieliksi* try to please someone *tehdä jotakin jonkun mieliksi* humor someone

mielikuva (mental) image

mielikuvituksellinen imaginative

mielikuvitukseton unimaginative

mielikuvitus imagination

mielinen -minded *ahdasmielinen* narrow-minded *kansallismielinen* nationalistic, chauvinistic

mielipaha 1 (ärsytys) displeasure, annoyance **2** (paha mieli) hurt, offense **3** (suru) sorrow, grief

mielipide opinion

mielipidetiedustelu opinion poll

mielipuoli madman, lunatic

mielipuolinen insane, mad, out of his/her mind, (ark) loony

mieliruoka favorite food

mielisairaala mental institution/hospital, insane asylum

mielistellä flatter, fawn (on), toady (to), ingratiate yourself (with); (ark) butter (someone) up; (sl) kiss/lick (someone's) boots/ass

mielistely flattery, fawning, ass-kissing/licking

mielistyä take a liking (to), be pleased (with)

mieliä want, wish, desire

mielle mental image

miellyttävä pleasing, pleasant, appealing, attractive, agreeable

miellyttää please, appeal (to) *Bach ei miellytä minua enää* I don't enjoy Bach any more, Bach doesn't do anything for me any more

mieltymys liking, fancy, attraction

mieltyä take a liking (to), be pleased (with)

mieltä kohottava uplifting, stirring, elevating

mieltä kuohuttava stirring, rousing, provocative

mieltä liikuttava moving, touching

mieltä ylentävä uplifting, heartening

mieltää perceive/conceive (as)

mieluinen pleasant, agreeable

mieluisa pleasant, agreeable

mieluiten preferably *Mieluiten menisin nukkumaan* My first choice would be to go to bed, what I'd most like to do is sleep

mieluummin preferably, rather *Mene mieluummin hiukan myöhässä* It would be better for you to be a little late

mies 1 man, (herrasmies) gentleman, (kaveri) guy *puhua kuin mies miehelle* have a man-to-man talk *Mikä hän on miehiään?* What sort of man is he? *Ei nimi miestä pahenna* Sticks and stones will break my bones but names will never hurt me *mieheen, miehissä* ks hakusanat **2** (aviomies) husband **3** *muina miehinä* casually, nonchalantly, (huomaamattomasti) inconspicuously

miesmuisti living memory *Tuollaista ei ole ollut miesmuistiin* There's been nothing like that in ages, in a coon's age

miesmäinen mannish

miessukupuoli (biologinen) male sex, (sosiaalinen) masculine gender

miesväki the men(folk(s))

miete idea, thought; (mon) reflections, meditations *olla mietteissään* be lost in thought /reverie, be daydreaming

mietelause aphorism

mietelmä aphorism; (mon) reflections, meditations

mietintö report

mietiskellä meditate, ponder, reflect (on)

mietityttää make you (pause to) think, get you thinking, give you something to think about, give you food for thought

mieto mild, weak

mietteliäs thoughtful, meditative, contemplative, lost in thought

miettiä think (about), ponder, meditate, contemplate, consider, reflect (on)

miettiä päänsä puhki wrack your brains

migreeni migraine (headache)

mihin where (to) *Mihin menet?* Where are you going? *En mihinkään* Nowhere *Sinusta ei ole mihinkään* You're good for nothing, you'll never amount to anything

miinus minus *laskea jollekulle miinukseksi* hold (something) against someone, count (something) (as a strike) against someone *mennä miinuksen puolelle* (lämpötila) fall below zero, (pankkitili) be overdrawn, (yrityksen talous) go into the red

miinusaste degree below zero

miinusmerkki minus sign

mikin each/every (one)

mikro (tietokone) PC **2** (mikroaaltouuni) micro(wave) **3** *mikro-* micro-

mikroaaltouuni microwave oven

mikrofoni microphone, (ark) mike

Mikronesia Micronesia

mikroskooppi microscope

mikroskooppinen microscopic

mikrotietokone microcomputer; personal computer, PC

miksi 1 (mitä varten) why, what for **2** *Miksi minua luulet?* What do you take me for?

mikä what, which *Mitä otat?* What'll you have? *Minkä otat?* Which do you want? *Jäin viimeiseksi, mikä koituikin onnekseni*

I was the last to leave, which was lucky for me *se mitä/mikä* what *Tiedätkö mitä?* You know what? *Vielä mitä!* Are you kidding! Don't make me laugh!

mikä ettei why not

mikä hyvänsä (niistä) any (one), (kahdesta) whichever, whatever

mikäkin some kind of *niin kuin mikäkin herra* like some kind of swell

mikäli 1 (jos) if, providing (that) **2** (siinä tapauksessa että) in the event that, in case **3** (sikäli kuin) as far as, insofar as

mikä pahinta what's worst, worst of all

mikäpäs siinä sure, why not, thanks

mikä sinun on? what's the matter? what's bothering you?

mikä tahansa (niistä) any (one), (kahdesta) whichever, whatever

mikään (esineisiin tai asioihin viittaava indefiniittinen pronomini kieltolauseissa) *ei mikään* nothing, not anything *Hän ei pitänyt sitä minään* She thought it was worthless, she held it in contempt; she thought nothing of it *Ei siitä tule mitään* It's no good, it's hopeless, it'll never work *Sille ei nyt voi mitään* It can't be helped now, there's nothing we can do about it now *ei millään muotoa* no way

miliisi 1 (armeija) militia **2** (sotilas, poliisimies) militiaman

miljardi billion

miljonääri millionaire

miljoona million

miljoonas millionth

miljoonittain by the million, millions of

millainen what kind/sort of *Millainen isäntä, sellainen renki* Like father, like son

millimetri millimeter

milloin when, at what time (aina) *milloin sinä teet noin* whenever you do that

milloinkaan ever *ei milloinkaan* never, not ever

milloinkin *mitä milloinkin* sometimes this sometimes that, if it's not one thing it's another *missä milloinkin* now here now there

milloin missäkin now here now there

milloin mitäkin if it's not one thing it's another

milloin tahansa any time, whenever

millänsäkään *Hän ei ollut millänsäkään* It didn't bother her in the least, it never fazed her, she pretended nothing had happened

millään possibly *Voisitko millään tulla auttamaan?* Any chance of you helping me? Is there any way I could get you to come give me a hand? *ei millään* no way

miltei almost, nearly, close to

mineraali mineral

minimaalinen minimal

minimi minimum

ministeri minister, (US) Secretary

ministeriö ministry, (US) Department

miniä daughter-in-law

minkki mink

minkälainen ks millainen

minkäänlainen any (kind of) *ei minkäänlaista kunnioitusta* no respect at all/whatever

minne where (to), in what direction *Minne menet?* Where are you going? (minnepäin) Which way are you headed/going?

minnekään *ei minnekään* nowhere

minttu mint

minuutti minute *kymmenen minuutin kävelymatka* a ten-minute walk *millä minuutilla tahansa* any minute (now)

minä s the self, the ego *pron* I, (ark) me *Se olin minä* It was me *minun mine minun omani* my own *minun kanssani* with me *minut, minua* me *minun/minulla on kylmä* I'm cold *Pidätkö minusta?* Do you like me? *Taidat pitää minusta* I think you do like me, I'm the one you like *Mitä minuun tulee* As far as I'm concerned, for my part *Mitä tekisit minuna?* What you do if you were in my shoes, if you were me?

mirri pussy (cat)

missä where *Talo missä nyt asumme* The house we live in now *Siellä missä nyt asumme* Where we live now

missä ihmeessä where on earth, where in the world

missä milloinkin now here, now there

missäpäin where(abouts)

missä tahansa *Missä tahansa oletkin* Wherever you are *Voisin asua missä tahansa* I could live anywhere

missään anywhere *ei missään* nowhere

mitali medal *mitalin toinen puoli* the other side of the coin

mitata measure (off/out), gauge *mitata kuume* take someone's temperature

mitellä voimiaan pit yourself (against someone), fight/contend (with)

miten how *Miten saatoit!* How could you!

mitenkäs muuten what else (can you expect)

mitenkään possibly *Etkö voisi mitenkään tulla?* Couldn't you find some way to come? couldn't you see your way clear to coming? *ei mitenkään* no way

miten milloinkin in different ways at different times

miten missäkin in different ways in different contexts

miten niin what do you mean? how so?

miten ollakaan guess what, you'll never guess, surprise surprise

miten tahansa *Tee se miten tahansa, kunhan teet* Do it any way you like, just do it *Miten tahansa teetkin, tee se kunnolla* No matter how you do it, however you do it, do it well

miten vain however, (ark) whatever *mieluummin miten vain* I don't care how you do it

mitoittaa dimension

mitta 1 measure(ment) *leveysmitta* measure of width *talon ulkomitat* the exterior measurements of the house *vaikka millä mitalla* tons/piles/scads of *maksaa samalla mitalla* give as good as you got, pay someone back in his/her own coin **2** (pituus) height *kasvaa täyteen mittaansa* grow to your full height *Onpas työtä mittaa!* This girl's shooting up like a beanstalk **3** *vuosien /päivän mittaan* in the course of the years /day, as the years/day went on *yhtä mittaa* constantly **4** (runomitta) meter *kalevalamitta* trochaic tetrameter

mittaamaton immeasurable *mittaamattoman suuri* enormous

mittanauha tape measure

mittapuu yardstick, (kuv) standard(s)

mittari 1 meter, gauge **2** (empiirisessä tutki-muksessa) measuring instrument

mittaus measuring, measurement

mittava great, outstanding, excellent

mittojen mukaan tehty custom-/tailor-made

mitä 1 what (ks mikä) **2** mitä jännittävin a most exciting **3** mitä pikemmin sitä parempi the sooner the better mitä kuuluu? how are you doing? how's it going?

mitähän I wonder what

mitä ihmettä! what in the world!, (ark) hunhh!

mitäpä siitä never mind

mitäpä turhia forget it

mitätöidä invalidate, cancel, (declare null and) void

mitätön 1 (mitäänsanomaton) insignificant, worthless, pointless **2** (mitätöity) invalid(ated), canceled, void

mitäänsanomaton trite, trivial, pointless, meaningless, insignificant

mm among other things, (lat) inter alia

modeemi modem, (akustinen) acoustic coupler

moderni modern

moinen (something) like that Mistähän moinen käsitys on tullut? I wonder where that idea came from En ole moista ikinä nähnyt I've never seen the likes of that before

moite criticism, reproach, rebuke, complaint

moitteeton irreproachable, impeccable, flawless

moitteettomasti irreproachably, impeccably, flawlessly

moittia criticize, reproach, rebuke, complain about/of, find fault with

mokoma anything like that, the likes of that Onko mokomaa kuultu? Did you ever hear the likes of that? Suuttua nyt mokomasta! What a thing to get mad about! kaikin mokomin go right ahead, be my guest, help yourself, by all means mokomakin pentu the little brat

moksiskaan Ei ollut moksiskaan It didn't bother/faze her in the slightest, she pretended nothing had happened

molemmat both (of them/us) molempi parempi (ark) same difference

molemminpuolinen bilateral, mutual, reciprocal

molli minor (key)

momentti 1 (vaihe, seikka) moment, phase, point, element **2** (fys) moment **3** (lak) paragraph, clause, subsection

monarkia monarchy

monarkki monarch

monenlainen many kinds of, (things) of all kinds

mones Monesko päivä tänään on? What's the date today? Monesko kerta tänä on kun pyydän sinua siivoamaan huoneesi? How many times do I have to tell you to clean your room? Monenneksikö hän sijoittui? How did he place?

monesti many times, frequently, often

moni many monet ystäväni many of my friends monta kertaa many times moni nainen many a woman

monikansallinen multinational

monikko plural

monikollinen plural

monikäyttöinen multipurpose

monilukuinen numerous

monimutkainen complex, complicated

monimutkaisuus complexity, complication

moninainen various, multiple, multifarious

monin kerroin many times more, far more

moninkertainen multiple, manifold moninkertainen voittaja a winner many times over

monipuolinen multifaceted, many-sided, diverse; (monitaitoinen) versatile

monipuolistaa diversify

monipuolistua diversify, be(come) diversified

monisanainen wordy, verbose, prolix

moniselitteinen ambiguous, polysemous

monisivuinen running to many pages, long

monistaa 1 (koneella) (photo)copy, duplicate, (ark) run off; (hist) mimeograph **2** (kasvoja) propagate

moniste handout

monistus 1 (koneella) (photo)copying, duplication **2** (kasvien) propagation

monistuskone copier, copying machine; (hist) mimeograph machine

monitori monitor

moniulotteinen multidimensional

monivaiheinen multiphase, polyphasic *monivaiheinen elämä* rich/full/eventful life

monivuotinen (kukka) perennial *monivuotinen ystävyys* long-standing friendship *monivuotinen vakuutus* long-term insurance

monopoli monopoly

monopolisoida monopolize (myös kuv)

monumentaalinen monumental

monumentti monument

moottori motor, engine

moottoriajoneuvo motor vehicle

moottoripolkupyörä motorbike, moped

moottoripyörä motorcycle

moottoritie freeway

moottorivene motorboat

mopo moped

moppi mop

moraali 1 (yleiset siveellisyyskäsitykset) morals **2** (opetus) moral **3** (kyky säilyttää rohkeus) morale

moraalinen moral

moraaliton (moraalin vastainen) immoral, (ilman tietoa moraalista) amoral

moralisti moralist

morkata find fault with, criticize, complain about

morsian 1 (kihloissa oleva) fiancée **2** (häissä) bride

morsiuspuku wedding dress

morsiusvihko wedding bouquet

mosaiikki mosaic

Mosambik Mozambique

moska trash, garbage, (sl) shit

Moskova Moscow

motiivi 1 (syy) motive **2** (taiteessa) motif

motivaatio motivation

motivoida motivate

motivoitunut motivated

motti 1 encirclement *motissa* surrounded **2** (halkomotti) a cubic meter of firewood **3** (patti) bump, lump, (ark) goose-egg

motto motto, slogan

moukari (sledge)hammer *heittää moukaria* throw the hammer

moukarinheitto hammer-throw

moukka boor, cad, lout *moukan tuuri* beginner's luck

muhammettilainen Mohammedan

muhammettilaisuus Mohammedanism, Islam

muhkea massive, stately, grand(iose)

muija old lady *Mitä sinun muijasi siitä sanoo?* What's your old lady going to say about that?

muilla mailla abroad

muinainen ancient

muina miehinä casually, nonchalantly, offhand; (huomaamattomasti) inconspicuously

muinoin long ago, back in the olden days

muistaa remember, recall, (murt) recollect *Mikäli muistan* As far as I can recall *Siitä muistankin että* That reminds me *En ikinä muista nimiä* I have a bad memory for names

muistavinaan *olla muistavinaan* pretend to remember (someone/something) *Olen muistavinani että* I seem to recall that

muistella remember, recall, reminisce about *Eipäs muistella menneitä!* Let bygones be bygones, what's done is done

muistelmat memoirs

muistelmateos memoir

muisti memory *merkitä muistiin* write/jot/note (something) down, make a note of *vielä tuoreessa muistissa* still fresh in your memory *muistin virkistämiseksi* to refresh your memory *viisi muistia* (mat) carry five *RAM-muisti* RAM (memory)

muistiinpano note

muistikortti smart card

muistinmenetys amnesia

muistio memo(randum)

muisto 1 (muistikuva) memory, remembrance, reminiscence **2** (muistoesine) memento, keepsake, souvenir

muistomerkki monument

muistotilaisuus memorial service

muistua be remembered *muistua mieleen* come to mind *Siitä muistuikin mieleeni* That reminds me

muistuttaa 1 (palauttaa muistiin) remind (someone of) **2** (tuoda mieleen, näyttää joltain) remind (someone of), resemble **3** (huomauttaa) point out, note, comment on **4** (moittia) complain (about/of)

muistutus 1 reminder (myös laskusta) **2** (huomautus) note, comment **3** (moite) rebuke, reproof, reproach, reprimand

muka 1 they say, it's said, rumor has it, supposedly *Vuorella asuu muka peikko* They say there's a goblin living in the mountain *Enkö muka pärjää yksinkin?* You think I can't make it on my own? *Etkö muka tule!* What do you mean, you're not coming? *Hän käveli katua muka ikkunoita katsellen* She walked along the street pretending to look in the windows **2** *sitä mukaa* as (fast /soon) as, along with it *Romaanit ostan yhden kerrallaan sitä mukaa kun ne ilmestyvät* I buy the novels one at a time as soon as they appear

mukaan *adv* along *Tulehan mukaan!* Come on, come with us, come along! *postp* **1** along with *Tule meidän mukaamme!* Come with us! *lukea mukaan* include *temmata mukaansa* catch/sweep (someone) up (in your enthusiasm) **2** according to, in (someone's) opinion *Hänen mukaansa* According to him, in his opinion, as he sees it, to his mind *tehdä ohjeiden mukaan* do something as instructed/directed, follow the instructions *toivon mukaan* I hope, hopefully *tapansa mukaan* as (per) usual *sen mukaan kuin* as far as *sopimuksen mukaan* by agreement *kaiken todennäköisyyden mukaan* in all probability/likelihood *tarpeen mukaan* as needed *lain mukaan* by law

mukaan luettuna including

mukaelma adaptation, variation

mukailla adapt

mukailu adaptation

mukainen *jonkin mukainen* in conformance /accordance with *olla jonkin mukainen* conform to, correspond/agree/jibe with, match *jonkun mielen mukainen* to someone's liking

mukana with (me/you/jne) *olla mukana jossakin* participate/take part in something, be present at something, be a member of something *olla monessa mukana* be involved in a range of things, have many irons in the fire *iän mukana* with the years, as you grow older, with maturity *pysyä* (kehityksessä) *mukana* keep up with (developments/changes)

mukauttaa adjust, accommodate, adapt

mukautua 1 adjust, accommodate, adapt **2** (kiel) agree (with), be congruent (with)

mukava 1 comfortable *löytää mukava asento* find a comfortable position *elää mukavissa oloissa* live comfortably *mukava rahasumma* a tidy sum of money **2** (sopiva) convenient *mukavat kulkuyhteydet* convenient connections **3** (ystävällinen) nice, friendly, easy-going

mukavasti 1 comfortably *istua mukavasti* sit comfortably **2** (sopivasti) conveniently *saapua mukavasti ennen viittä* arrive conveniently just before five

mukavuudenhaluinen comfort-loving; (kielteisesti) indolent, lazy

mukavuus comfort, convenience, niceness (ks mukava)

muki mug, cup

muklinmenevä not (half) bad, pretty good /nice, quite tolerable

mukillinen mugful, cupful

mukiloida mug, beat (up) *Hannu mukiloitiin kaupungilla eilen illalla* Hannu got mugged downtown last night

mukisematta without a complaint/grumble, willingly

mukista grumble, grouse, gripe

muksu kid

mukula 1 (perunan) tuber **2** (muksu) kid

mulkku (sl) cock, prick (myös kuv), dick

mullistaa 1 (kaupunkia tms) wreck, destroy, devastate **2** (tieteen alaa tms) revolutionize

mullistus 1 (fyysinen) destruction, devastation **2** (poliittinen, tieteellinen) upheaval, breakthrough, revolution

multa (top)soil, earth

mummo 1 grandma, granny, gran **2** (täti) old lady

muna 1 (kananmuna) egg, (munasolu) ovum **2** (kives) ball, nut

munakas omelet(te), soufflé

munakokkeli scrambled eggs

munasarja ovary

munata blow it, foul/screw/fuck (something) up

munaus blunder, boner, foul-up, fuck-up, snafu

München Munich

munia 1 lay (an egg) **2** (munata) blow it, foul/screw/fuck (something) up

munkki 1 (luostarissa) monk **2** (leivonnainen: munkkirinkilä) doughnut, (hillomunkki) jelly doughnut, (possumunkki) bear's claw

munuainen kidney

muodikas fashionable, trendy, stylish

muodin mukainen in style/fashion

muodollinen formal

muodollisuus formality

muodoltaan in shape/form

muodostaa 1 form(ulate) **2** (muotoilla) shape **3** (perustaa) establish, found **4** (koostua) make up, constitute, consist of, be *Rakennuksen pääosan muodosti iso torni* The building was almost entirely made up of a large tower, consisted almost entirely of a large tower

muodostua be (trans)formed (into), become *Se muodostui ongelmaksi hänelle, siitä muodostui hänelle ongelma* It became a problem for her

muodostus formation

muodoton formless, shapeless

muokata 1 (maata) till, plow, cultivate, turn **2** (taikinaa) knead, (kermaa voiksi) churn, (villaa) card, (nahkaa) dress, (puuta) sand, (metallia) treat **3** (alokkaita tms) shape (up), beat/push/kick (someone) into shape **4** (tekstiä) edit, revise, polish, rewrite

muokkaamaton untilled, unplowed, uncultivated, unedited, unpolished (ks muokata)

muokkaus tilling, plowing, cultivation, kneading, churning, carding, dressing, sanding, treatment, editing, revision, polishing, rewriting (ks muokata)

muokkautua develop (into)

muori grandma (myös kuv)

muoti fashion, style, vogue

muotilehti fashion magazine

muotivirtaus (fashion) trend

muoto form, shape *niin muodoin* thus, therefore *ei millään muotoa* no way *muodon vuoksi* for form's sake, as a pure formality, (lat) pro forma

muotoilija designer

muotoilla 1 (muovata) shape, form **2** (tehdä) make, fashion **3** (suunnitella) design **4** (laatia) formulate **5** (formatoida) format

muotoilu design *teollisuusmuotoilu* industrial design

muotoinen -shaped *V:n muotoinen* V-shaped

muotokuva portrait

muotoutua take shape

muotti mold

muovailla mold, model, shape, fashion; (oppimateriaalia tms) adapt

muovailu modeling

muovata mold, model, shape

muovautua take shape

muovi plastic

muovinen plastic

murea (kakku) crumbly, (liha) tender

murehtia 1 worry, be anxious (about) **2** (surra) grieve (for)

mureke (lihamureke) meatloaf, (vehnämureke) wheat biscuit

murentaa 1 crumble **2** (toiveita) crush, (luottamusta) undermine

murentua crumble (myös kuv)

murha murder, homicide, slaying; (salamurha) assassination

murhaaja murderer

murhaava murderous (myös katseesta)

murhanhimo bloodthirstiness

murhanhimoinen bloodthirsty

murhata murder, slay, kill, assassination

murhe (huoli) trouble, care, distress; (raam) cross (to bear) **2** (suru) sorrow, grief

murheellinen troubled, careworn, distressed; sorrowful, griefstricken

murina growl(ing), snarl(ing)

murista growl, snarl *murista partaansa* mutter under your breath, grumble/mumble to yourself *Vatsani murisee* My stomach is rumbling

murjoa pound to a pulp, manhandle, beat someone till he's black and blue

murjottaa pout, sulk, mope (about)

murjotus pout, sulk

murot (breakfast) cereal

murre dialect

murros 1 (geol) rupture **2** breakthrough, crisis, revolution, upheaval

murrosikä puberty, adolescence, teenage

murrosikäinen s pubescent, adolescent, teenager adj pubescent, adolescent, teenaged

murska (kivi/tomaattimurska) crushed rocks /tomatoes/jnc lyödä murskaksi smash to smithereens/pieces, crush mennä murskaksi go/fall to pieces

murskaavasti (arvostella) scathingly, (voittaa) overwhelmingly

murskata crush, shatter, smash, pulverize; (sydämiä) break

murskautua be crushed/shattered/smashed /dashed to pieces

murtaa 1 break surun murtama grief-stricken **2** (vierasta kieltä) speak with an accent puhua englantia suomeksi murtaen speak English with a Finnish accent **3** (tietok) crack

murtautua 1 break in/out murtautua taloon burgle a house **2** (tietok) crack

murteellinen dialectal

murto burglary, breaking and entering (B and E)

murtoluku fraction

murtomaahiihto cross-country skiing

murto-osa fraction, small part

murtovaras (cat) burglar

murtovarkaus burglary

murtua 1 (fyysisesti) break, crack, collapse Minulta murtui jalka I broke my leg **2** (henkisesti) break (down), crack (up)

murtuma break, fracture

muru 1 (ruoan) morsel, (leivän) crumb **2** (kulta) dear, darling, sweetheart, honey, love

murunen (ruoan) morsel, (leivän) crumb

museo museum

musertaa crush, smash

musiikillinen musical

musiikki music

musiikkielokuva musical

musikaali musical

musikaalinen musical

musikaalisuus musical talent

musisoida make music

musta s black (person/man/woman/child) adj black Maailma meni mustaksi Everything went black

mustaa valkoisella in black and white

mustalainen Gypsy

mustalaismusiikki gypsy music

musta lammas black sheep

mustamaalata defame, denigrate, slander, calumniate

mustamaija Black Maria

mustanaan black/swarming (with people)

mustanpuhuva black, dark

musta pörssi black market

mustasukkainen jealous

mustasukkaisuus jealousy

mustata smear, defame, denigrate

mustavalkoinen black-and-white

muste ink

mustekynä pen

mustelma bruise mustelmilla (all) black and blue

mustikka blueberry Oma maa mansikka, muu maa mustikka East, west, home is best

mustikkapiirakka blueberry pie

muta mud

mutaatio mutation

mutantti mutant, (ark) sport, freak

mutina muttering, mumbling, grumbling

mutista mutter, mumble, grumble

mutka 1 curve, bend, turn **2** (ongelma) hitch, snag Tuli mutka matkaan We've got a problem muitta mutkitta without further ado, without beating around the bush

mutkainen curving, bending, winding

mutkaton 1 (ihminen) straightforward, direct, frank, candid **2** (asia) simple, unproblematic

mutkattomasti 1 (puhuen) straightforwardly, directly, without beating around the bush **2** (sujua) smoothly

mutkikas 1 (mutkainen) curving, bending, winding **2** (monimutkainen) complicated, complex, intricate

mutkikkaasti complexly, intricately

mutkistaa complicate

mutkistua get/be(come) complicated/tangled up

mutsi ma, mom

mutta *s* but *Ei mitään muttia* No (ifs, ands, or) buts (about it) *konj* but, yet, still, however *En halua mennä, mutta kai minun täytyy* I don't want to go, but I suppose I have to; however, I suppose I have to

muu *s* else *Ei muuta* (tällä kertaa) That's all/it (for now) *ennen muuta* above all *ilman muuta* of course, naturally *ynnä muuta* etc., and the like *Älä muuta sano!* You can say that again! *adj* other *muut ihmiset* the others *muut tavarat* the rest (of the things) *muissa maailmoissa* in a world of his/her own

muualla elsewhere, somewhere else

muuan a (certain) *muuan Virtanen* a man named Virtanen, a certain Virtanen

muukalainen *s* 1 (outo) stranger 2 (ulkomaalainen) alien, foreigner *adj* strange, alien, foreign

muuli mule

muumio mummy

muunkielinen (in a) foreign (language)

muunlainen another kind of, different

muun muassa among other things, (lat) inter alia

muunnelma variation, version

muunnos 1 (muunnelma) variant, version, modification 2 (biol) variety 3 (mat, tekn) transformation

muuntaa 1 (muuttaa) convert, transform, change 2 (sähkö, tekn) transform 3 (lak) commute

muuntaja transformer

muurahainen ant

muurari mason, bricklayer

muurata brick in/up, lay brickwork, lay bricks, do masonry

muuraus brickwork, masonry

muurauslaasti mortar

muuri wall (myös henkinen)

muussa tapauksessa otherwise

muutama some, a few *muutamissa tapauksissa* in some cases *muutama euro* a few

euros *tässä päivänä muutamana* the other day, a few days ago

muutella change, alter

muuten 1 (ohimennen) by the way, incidentally *Muistitko muuten hakea kuvat?* By the way/incidentally, did you remember to pick up the pictures? 2 (muutoin) otherwise *Muistin, muuten en olisi uskaltanut tulla kotiin* Of course, otherwise I wouldn't have dared come home *Tee se äkkiä, muuten minä suutun* Do it now before I get mad, or else I'm going to lose my temper

muutenkin already, as it is, in any case *Ikään kuin minulla ei olisi muutenkin tarpeeksi töitä!* As if I weren't already swamped with work, as if I didn't have too much work as it is!

muuten vain just because, because I feel like it, for no particular reason

muutoin otherwise (ks muuten)

muutos change, alteration, modification *esittää lain muutosta* propose an amendment (to a law) *hakea muutosta päätökseen* appeal a decision

muuttaa 1 change, alter, modify, convert *muuttaa autotalli makuuhuoneeksi* convert the garage into a bedroom *Se muuttaa asian* That's different, that's a horse of a different color 2 (lakia tms) amend, revise 3 (tuomiota: alentaa) commute, (kaataa) reverse 4 (asuinsijaa) move, (ulkomaille) emigrate, (linnut) migrate

muuttaa muotoaan transform yourself, be transformed, shift shape(s), change shape, undergo metamorphosis

muutto moving, migration

muuttoliike 1 (väestön) migration 2 (firma) moving company

muuttua 1 (toisenlaiseksi) change, alter 2 (tulla joksikin) become, turn, grow 3 (vaihdella) vary

muuttumaton constant, unchanging, invariable, immutable

myhäillä smile contentedly/benevolently

mykistyä be dumbfounded, fall silent/speechless

mykistää silence, strike dumb, dumbfound

mykkä dumb, mute; (puhelin) dead; (elokuva) silent

mykkäfilmi silent movie

mykkäkoulu *leikkiä mykkäkoulua* give someone the silent treatment

myllerrys tumult, turmoil

myllertää (kuohuttaa) churn/stir (up); (etsiä) poke/rummage around (in), (kääntää ylösalaisin) turn upside-down

mylly mill

myllynkivi millstone

myntti coin *lyödä mynttiä jollakin* put something to good use, take advantage of something, make hay out of something

myrkky poison; (käärmeen) venom, (bakteerimyrkky) toxin

myrkkysieni poisonous mushroom

myrkyllinen poisonous

myrkyttää poison

myrkytys poisoning

myrsky storm, tempest *tyyntä myrskyn edellä* calm before the storm *myrsky vesilasissa* a tempest in a teacup

myrskyinen stormy, tempestuous (myös kuv)

myrskyisä stormy, tempestuous (myös kuv)

myrskypilvi storm cloud

myrskytuuli storm/gale wind

myrskytä storm, rage

myssy cap, (nauhalla kiinnittyvä) bonnet

mystiikka mysticism

mystikko mystic

mystinen mystical

mytologia mythology

mytologinen mythological

myydä sell

myydä loppuun have a clearance sale, sell everything

myyjä 1 (kaupassa) sales(wo)man, sales clerk **2** (kaupanteossa) seller

myyjäiset rummage sale

myymälä store, shop

myymäläketju chain of stores

myymälävarkaus shoplifting

myymätön unsold

myynti 1 sale(s) **2** (liikevaihto) turnover

myyntihinta price

myyntipiste outlet

myyntipäällikkö sales manager

myyrä mole *tehdä myyrän työtä* undermine someone

myytti myth

myyttinen mythic

myyty mies a goner

myytävänä for sale

myöhemmin later

myöhä late

myöhäinen belated, late

myöhässä late

myöhästyä be/come/arrive late

myöhäsyntyinen belated

myöhään late *myöhään illalla* late at night/in the evening

myönnytys concession, admission

myönteinen (asenne tms) positive, (vastaus) affirmative

myönteisesti *suhtautua myönteisesti* take a positive attitude toward, be sympathetic toward

myöntymätön intractable, unyielding, inflexible

myöntyä agree/consent (to), go along (with)

myöntävä affirmative *vastata myöntävästi* answer/reply in the affirmative, say yes

myöntää 1 admit, acknowledge, confess, agree; (murt) own up (to) *Kyllä sinun täytyy myöntää, että suutuit ihan turhasta* You've got to admit that you lost your temper over nothing **2** (tappio) concede **3** (suoda, antaa) grant, award, give *myöntää tohtorin arvo/matka-apuraha* grant (someone) a doctorate/travel stipend

myös too, also, as well *Minä tulen myös* I'll be coming too/as well, I'll also be coming *ei ainoastaan vaan myös* not only but also

myöskään *ei myöskään* to neither nor *Et sinä saa sitä eikä myöskään hän* Neither you nor she will get it

myöten *adv: antaa myöten* **1** (antautua) give up/in, surrender, yield **2** (taipua) bend, give way **3** (hellittää) abate, ease off **4** (sallia) allow *Jos aikatauluni antaa myöten* If my schedule allows *postp* **1** (pitkin) along *kävellä jokea myöten* walk along the river **2** (jossakin asti) as far as *Hän on matkustellut Aasiaa myöten* He's traveled all over, all the way to Asia **3** (jostakin

asti) all the way from *Siellä oli vieraita Ruotsia ja Tanskaa myöten* Some of the guests had come all the way from Sweden and Denmark **4** (johonkin asti) (all the way) to *korvia myöten velassa* up to your ears in debt *ääriään myöten täynnä* full to the brim *pienintä yksityiskohtaa myöten* (right) down to the tiniest detail *koko Suomi Lappia myöten* all of Finland, including Lapland *palaa perustuksia myöten* burn to the ground

myötä *ajan myötä* as time passes/goes by, in the course of time *myötä tai vastaan* for or against

myötäillä 1 (tie maisemia) follow, run along **2** (vaate linjoja) cling tightly to, fit tightly /snugly **3** (jonkun mielipiteitä) adopt (someone's position), accommodate yourself to (someone's opinions)

myötäinen 1 (tuuli tms) favorable *purjehtia myötäiseen* sail before the wind *Onni oli myötäinen* Luck was with us **2** (vaate) tight-/close-fitting, snug

myötämielinen sympathetic (to), favorably disposed (to)

myötämielisesti sympathetically

myötäpäivään clockwise

myötätunto sympathy, compassion

myötätuntoinen sympathetic, compassionate

myötätuuli fair/leading wind

myötävaikuttaa play a part (in doing something), assist (in), (tekijä) be conducive to

mä *Mäkö se olin* Was it me?

mädäntyä rot, decay

mähihyppy ski jumping

mäki 1 hill, slope *laskea mäkeä* (go) sled(ding) *kiivetä mäkeä ylös* climb a hill **2** (urh) ski jump

mäkihyppääjä ski jumper

mäkinen hilly

mämmi Finnish Easter pudding

mämmikoura butterfingers *Sinä olet oikea mämmikoura* You're all thumbs

männikkö pine wood(s)/grove

männynhavu pine needle

männynkäpy pine cone

mänty pine

mäntymetsä pine wood(s)/forest

mäntysuopa pine soap

märehtijä ruminant

märehtiä 1 ruminate, (ark) chew the/its cud **2** (miettiä) ruminate, ponder, chew/hash over

märkiä fester, suppurate; (ark) ooze pus

märkä *s pus adj wet läpimärkä* soaking/dripping wet, drenched

mässäillä (ark) chow down, pig/pork out, stuff yourself, eat yourself into a stupor

mässäily overeating

mätkäyttää slap *Minua mätkäytettiin 2000 euron lisäverolla* I got slapped with 2000 euros in back taxes

mätkäytys slap, thump; (vero) additional /back tax

mätä *s* rot, decay, (lääk) pus *adj* **1** (ruoka tms) rotten, decayed **2** (yhteiskunta tms) rotten, corrupt, sick, decadent *läpeensä mätä* rotten to the core

mätäneminen rotting, decay(ing)

määkiä baa, maa

määrin *jossain määrin* to some extent

määritellä define

määritelmä definition *määritelmän mukaisesti* by definition

määrittelemätön undefined, indeterminate

määrittely definition

määrittää 1 specify, determine, define, set *määrittää tauti* diagnose a disease **2** (kiel) qualify, modify

määritys determination

määrä 1 (paljous) amount, quantity *suuret määrät lunta* great/vast quantities of snow, lots of snow **2** (lukumäärä) number *suuret määrät ihmisiä* great numbers/crowds of people, lots of people

määräaika deadline, time limit; (umpeen menevä ajanjakso) term

määräaikainen regular, periodic, (something done/held) at regular intervals

määräilevä domineering, bossy

määräillä give orders, boss (people) around

määräinen 1 (kiel) definite *määräinen artikkeli* the definite article (*the*) **2** *jonkin määräinen* (sekki) (a check) in the amount of

määrältään in number(s), numerically

määränpää destination

määräpäivä the specified/agreed upon/ appointed day

määrätä 1 specify, determine, set, fix *määrätä jonkin arvo* appraise *määrätä pidettäväksi* schedule **2** (lak: vero) levy, assess; (sakko) impose, inflict **3** (virkaan tms) appoint, assign **4** (käskeä) order, command, instruct *kunnes toisin määrätään* until further notice **5** (säätää) (fore)ordain, decree, decide **6** (lääkeitä) prescribe

määräys 1 specification **2** (virkaan) appointment **3** order, command, instruction **4** (säädökset) ordinance, decree, regulation **5** (lääkemäärays) prescription

määräytyä (jonkin mukaan, jostakin) be determined by

määräämätön unspecified

N,n

naakka jackdaw

naama face *hapan naama* sour face/puss *päin naamaa* (sanoa) to his/her face, (sylkäistä) in his/her face, (ampua) point-blank *vetää naamaansa* stuff your face (with) (pitää) *naama peruslukemissa* (keep a) straight face

naamari mask

naamiaisasu costume

naamiaiset costume party, masquerade

naamio 1 (naamari) mask (myös kuv:) disguise **2** (pesukarhun) face mask **3** (kasvonaamio) face pack/mask

naamioida 1 mask (myös kuv:) disguise **2** (sot) camouflage **3** (meikata) make (someone) up

naamiointi masking, camouflage, makeup

naamioitua mask/disguise/camouflage yourself, masquerade (as), make yourself up

naapuri neighbor *naapurin tyttö* the girl next door

naapurimaa neighboring country *itäinen naapurimaamme* our eastern neighbor

naapurusto neighborhood

naaras female

määrääväinen domineering, bossy

möhlätä blunder (ark), goof/screw/foul/fuck up

mökki cottage, cabin

mökkihöperö claustrophobic *tulla mökkihöperöksi* be climbing the walls

mökkiläinen cottager

mököttää pout, sulk

möläyttää blurt (something) out, put your foot in your mouth

mönjä goo

mörkö boogeyman

mörökölli grouch

mössö glop, (gooey) mess

möykky lump *möykky kurkussa* a lump in your throat

naarmu scratch

naarmuttaa scratch

naarmuuntua get scratched

naatti 1 (naurin) tops **2** (ark) bushed

nahjus loafer, do-nothing, good-for-nothing

nahjustella loaf/laze around

nahka 1 (elävänä) skin, hide, (karvainen) pelt *Käärme luo nahkansa* The snake sheds its slough *polttaa nahkansa auringossa* get a sunburn, get burned **2** *selvitä ehjin nahoin* escape in one piece *Pysy nahoissasi!* Keep your shirt on, hold your horses! *saada suntea nahoissaan* bear the brunt of it, suffer the consequences *pelastaa nahkansa* save your skin/hide/ass *pelkkää luuta ja nahkaa* all but skin and bones **3** (kuolleena) leather

nahkainen leather

nahkatakki leather coat/jacket

nahkoa skin

nahkuri tanner

naida 1 (joku) marry, wed *parempi naida kuin palaa* better to marry than to burn **2** (jotakuta) fuck

naiivi naive

naiivius naiveté, naivety

naikkonen broad, skirt, (mustien kesken) bitch

nailon nylon

naimaton single, unmarried *naimaton mies* bachelor *naimaton nainen* (nuori) bachelorette, (vanha(piika), lak) spinster, unmarried woman

naimattomuus being single/unmarried

naiminen 1 getting married, (ark) tying the knot **2** (sl) fucking

naimisiinmeno getting married

naimisissa married *mennä uusiin naimisiin* remarry, get married again *mennä rikkaisiin naimisiin* marry money

nainen woman, female *Hyvät naiset ja herrat* Ladies and gentlemen

nainut s married person *adj* married

naisellinen womanly, feminine

naisellisuus womanliness, femininity

naisihminen woman

naisliike the women's mowement, women's lib

naismainen womanish, effeminate

naismaisuus effeminacy

naispuolinen female

naisten mies ladies' man

naistenpäivä Women's Day

naistentanssit ladies' choice

naistentaudit gynecological diseases, (ark: oppiala) gynecology

naistenvihaaja misogynist

naisvaltainen female-dominated

naisviha misogyny

naittaa 1 (tyttärensä) marry (off) **2** (ark: nitoa) staple

nakertaa gnaw (on/at)

nakki 1 wiener, frankfurter, hot dog; (ark) weenie **2** *helppo nakki* a piece of cake, no sweat

nakkimakkara wiener, frankfurter; (ark) weenie, frank

nakkisämpylä hot dog

naku naked

nakukuva dirty picture; (mon) porn, cheescake, T and A (tits and ass)

nalkki *jäädä nalkkiin* get caught red-handed

nalkuttaa nag

nalkuttaja nagger

nalkutus nagging

nalle teddy-bear *Nalle Puh* Winnie the Pooh

nalli 1 (räjähdyspanoksen tms) blasting cap **2** (leikkipyssyn) cap **3** *jäädä kuin nalli kalliolle* be left high and dry, be left hanging in the wind, get left out in the cold

nami s goody, candy *adj* yummy *nami nami* nummy nummy, yum yum

namu 1 (makeinen) goody, candy **2** (aikuisen lelu) toy **3** (nainen) babe

napa 1 (anat) navel, (ark) belly-button *tuijottaa omaan napaansa* be all wrapped up in yourself **2** (keskus) hub, center *maailman napa* hub of the universe **3** (pyörän tms) hub **4** (magneetin, maapallon, akun tms) pole

napanuora umbilical cord

napapiiri polar circle

napaseutu polar region

napata grab, snatch

napaus 1 (isku) snap **2** (läksy) slap on the wrist

napauttaa snap

napinreikä buttonhole

napista grumble, grouse, gripe

napittaa 1 button **2** (tuijottaa) stare, goggle

nappi 1 button *avata nappi* undo a button *avata paidan napit* unbutton a shirt *panna napit kiinni* button (up) a button *panna paidan napit kiinni* button (up) a shirt *Se ei onnistu nappia painamalla* You can't just push a button (and everything will be perfect) *Ei me napeilla pelata* We're not playing for peanuts **2** (kuv) *osua nappiin* hit the bull's eye, hit the nail on the head **3** *töllöttää silmät napilla* stare (at something) goggle-eyed, goggle (at something)

nappula 1 (painike) button, (katkaisija) switch **2** (tappi) peg, pin **3** (pelinappula) piece, player; (kuv) pawn **4** (raha) dough, bread **5** (lapsi) kid

napsahtaa snap

napsauttaa 1 snap **2** (tietok) click

napsautus snap, (tietok) click

naputella tap *naputella kirje koneella* pound /bang out a letter on the typewriter

naputtaa tap

naputus tapping

narkkari drug addict, dope fiend, junkie
narkomaani drug addict, (ark) junkie
narkomania drug addiction
narrata 1 (vitsailla) kid, pull some-one's leg *Älä narraa!* Don't kid a kidder, don't try that stuff on me, you can't fool me! **2** (pet-kuttaa) fool, con, dupe, trick *narrata jolta-kulta rahat* con someone out of his/her money
narrattava dupe, mark
narri 1 (hist) (court) jester, fool **2** (ark) fool *pitää narrinaan* make a fool of someone
narttu bitch (myös nalsesta)
naru 1 string, twine, cord *vetää oikeasta narusta* pull the right strings **2** (pyykki-naru) clothesline **3** (hyppynaru) jumprope *hypätä narua* jump rope
naruttaa string (someone) along
naseva 1 (sopiva) apt, apposite, apropos **2** (sukkela) witty, aphoristic
nästä *s* **1** (painonasta) thumbtack **2** (talvirenkaan) stud **3** (ark kaasupoljin) pedal *Nasta lautaan!* Put the pedal to the metal! Floor it! Step on it! **4** (tekn) pin, peg *adj* (ark) great, cool, rad(ical), awes(ome)
nastarengas studded snow tire
natiivi *s* **1** (alkuperäisasukas) native **2** (äidin-kieltään puhuva) native speaker *adj* native
nationalismi nationalism
nationalisti nationalist
natista creak
nato sister-in-law, husband's sister
Nato NATO
natrium sodium
natsa 1 (tupakan) stub, (sikarin) butt **2** (soti-laan) stripe
natsi Nazi
natsismi nazism
nauha 1 (koriste-/kirjoitusnauha) ribbon **2** (kengännauha) (shoe)lace **3** (ääni-/eris-tysnauha) tape *ottaa nauhalle* tape(-re-cord) **4** (fys) string
nauhoite tape) recording
nauhoittaa tape, (tape)record
nauhoitus 1 (nauhoittaminen) recording (ses-sion) **2** (nauhoite) (tape)recording
nauhuri tape recorder

naula 1 nail **2** (naulakon) peg **3** (pauna) pound
naulakko coat-/hatrack
naulan kanta *osua naulan kantaan* hit the nail on the head
naulata (drive a) nail
naulita nail *naulita katseensa johonkin* rivet your eyes *on seisoa kuin naulittuna pai-kallaan* stand riveted to the spot
nauraa laugh *yrittää olla nauramatta* try to keep a straight face *nauraa katketakseen* split/bust your sides with laughter, die laughing, laugh your head off *nauraa par-taansa* laugh up your sleeve *valmiiksi nau-rettu* (a show) with a laugh track, with canned laughter
naurattaa make (someone) laugh *Minua ei nyt naurata* I'm not in the mood for jokes, I don't feel much like laughing *Älä nau-rata* Don't make me laugh
naurahtaa *naisten naurattaja* charmer
naureskella laugh and laugh
naurettava ridiculous, laughable, absurd
nauris turnip
nauru laugh(ter) *Minulla oli naurussa pitele-mistä* I could hardly keep from laughing, keep a straight face, I had to bite my tongue to keep from laughing *Se ei ole mikään naurun asia* It's no laughing mat-ter *kuitata naurulla* laugh (something) off *purskahtaa nauruun* burst out laughing
naurunaihe laughingstock
naurunpuuska burst of laughter
nauta 1 (eläinlaji) bovine **2** (karja) cattle, (ark) beef *500 nautaa* 500 head of cattle/beef **3** (liha) beef **4** (ihminen) dunderhead
nautinnollinen pleasureable, enjoyable
nautinto pleasure, enjoyment
nautiskelija pleasure-lover, hedonist, epicu-rean
nautiskella enjoy, bask (in), luxuriate (in)
nautittava enjoyable, pleasureable
nauttia 1 (jostakin) enjoy, take pleasure in, delight in **2** (jotakin: panna suusta alas) take, have, consume; (syödä) eat, (juoda) drink **3** (jotakin: saada osakseen) receive, enjoy

ne they, (nuo) those, (nämä) these, (akkusatiivissa) them *niitä* them *Oletko niitä ihmisiä?* Are you one of them, that kind of person? *niiden* of them *ne* (ihmiset) *jotka* those who, the people who *niitä näitä* this and that

neekeri Negro

negatiivi negative

negatiivinen negative

neilikka 1 (kukka) carnation **2** (mauste) clove(s)

neiti miss

Neiti Aika Time *soittaa Neiti Ajalle* call Time

neiti-ihminen young lady

neito maid(en)

neitseellinen virginal, (vanh) maidenly *neitseellinen lisääntyminen* parthenogenesis

neitsyt 1 virgin *Neitsyt Maria* the Virgin Mary **2** (horoskoopissa) Virgo

Neitsytsaaret Virgin Islands

neitsyys virginity, (vanh) maidenhead

neliapila four-leaf clover

nelikulmainen four-cornered, quadrangular

nelikulmio quadrangle

nelin kontin on all fours

neliskulmainen square, (suorakulmainen) rectangular

neliö 1 square **2** (neliömetri) square meter *200 neliön talo* 2000-square-foot house **3** (neliöjuuri) *2 korotettuna neliöön on 4* 2 squared is 4

neliöjuuri square (root) *4:n neliöjuuri on 2* the square root of 4 is 2

neliökilometri square kilometer

neliömetri square meter

neljä four

neljäkymmentä forty

neljännes fourth, quarter

neljänneskilo quarter (of a) kilo, (noin) half a pound

neljäs fourth

neljäsataa four hundred

neljäskymmenes fortieth

neljässadas four-hundredth

neljästi four times

neljästoista fourteenth

neljätoista fourteen

neljätuhatta four thousand

nelonen (the number) four

neloset quadruplets

neniin (ark) *saada neniin* get the stuffing/shit beat out of you

nenä 1 nose *nenä kiinni kirjassa* with your nose in a book *nenä tukossa* stuffed-up nose *nenä vuotaa* have a runny nose *nenä vuotaa verta* have a bloody nose, have a nosebleed *kaivaa nenäänsä* pick your nose *nyrpistää nenäänsä* turn up your nose at *niistää nenänsä* blow your nose *pidellä nenäänsä* hold your nose *pistää nenänsä johonkin* stick your nose into something, butt into something *antaa jotakuta nenälle* show someone what's what, teach someone a lesson *saada nenälleen* get your nose put out of joint *näyttää pitkää nenää* thumb your nose (at someone) *saada pitkä nenä* laugh out of the other side of your face *vetää jotakuta nenästä* pull someone's leg *per nenä* per head, each **2** (kepin tms) tip, end

nenäkäs impertinent; (ark) smart-alecky

nenäliina (kankaasta) handkerchief, (paperista) kleenex

nenäänsä pitemmälle *ei nähdä nenäänsä pitemmälle* not be able to see further than your nose

neonvalo neon light

nero 1 genius **2** (hist) *Nero* Nero

nerokas ingenious, brilliant

nerous genius

neste liquid, fluid

nestemäinen liquid

netota net

netto net

nettopalkka take-home pay

neula needle *kuin etsisi neulaa heinäsuovasta* like looking for a needle in a haystack *istua kuin neuloilla* be on pins and needles

neulanen (pine/fir/spruce) needle

neule 1 (kangas) knit **2** *neuleet* knitwear **3** (kudin) knitting

neuloa 1 (kutoa) knit **2** (ommella) sew

neulonta knitting

neuroosi neurosis

neurootikko neurotic

neuroverkko (tietok) neural network

neutraali neutral

neutralisoida neutralize

neutri neuter

neuvo 1 piece of advice, (mon) advice *Annan sinulle ilmaisen neuvon* Let me give you some free advice **2** (konsti) plan, device, solution *Mikä nyt neuvoksi?* What are we going to do now?

neuvoa 1 (antaa neuvoja) advise, counsel **2** (näyttää) show *Voisitko neuvoa, miten tätä käytetään?* Could you show me how to work this? **3** (kertoa) tell, direct *Voisitteko neuvoa, miten pääsen yliopistolle?* Could you please direct me to the university?

neuvoja advisor, counselor

neuvokas resourceful

neuvonantaja advisor

neuvonpito consultation, deliberation

neuvonta 1 (tiski/toimisto) information (desk/office) **2** (terapia) guidance, counseling

neuvos counsel(or)

neuvosto 1 council **2** (NL: ssä) soviet

Neuvostoliitto Soviet Union *Sosialististen neuvostotasavaltojen liitto, SNTL* Union of Soviet SocialistRepublics, USSR

neuvostoliittolainen *s, adj* Soviet

neuvotella negotiate, confer, consult, discuss

neuvottelija negotiator

neuvottelu negotiation, conference, consultation, discussion

nide volume

nidos 1 (sidos) binding **2** (kirja) volume

niekka artist

nielaista swallow

niellä swallow (myös kuv)

nielu 1 (anat) throat **2** (tulivuoren) crater **3** (kuv) chasm, abyss, maw

nielurisa tonsil

niemi cape, (iso) peninsula, (pieni) spit

niemimaa peninsula

nigerialainen *s, adj* Nigerian

nigeriläinen *s, adj* Nigerian

niin *adv* **1** so *Niin sinä sanot* So you say *niin iso* so big **2** such (a) *niin hyvät ystävät* such good friends *niin hyvä ystävä* such a

good friend, (vanh) so good a friend **3** *niin... kuin* as... as *niin paljon kuin mahdollista* as much as possible **4** (sillä tavalla) like that *Niin ei saa puhua* You're not supposed to talk like that *Niin ei saa sanoa* You're not supposed to say that *konj* **1** then (tai jää kääntämättä) *Jos hän ei tule, niin olemme lirissä* If she doesn't come, (then) we're in trouble **2** and *Tule tänne niin annan sinulle haukun suklaastani* Come here and I'll give you a bite of my chocolate *interj* yes, that's right, exactly, precisely *Niinpä niin!* You're so right! I couldn't have said it better myself *niin niin* yes, yes, right right, sure sure

niin että so that *ei niin että* not that

niin ikään similarly, likewise

niin ja niin *adj* so, this *niin ja niin iso* about this big *adv* so (and so) *Se piti tehdä just niin ja niin* They wanted me to do it just so

niin ja näin up in the air, up to question, doubtful, so-so

niin kai I suppose (so)

niin kauan kun as long as, while *Istun tässä niin kauan kun sinä olet poissa* I'll sit here as long as you're gone

niinku (ark) like *Se oli niinku hirveen iso tieksä* It was like humongous ya know?

niin kuin (ennen substantiivia) like, (ennen verbiä) as

niin... kuin... -kin both... and, as well as *niin miehet kuin naisetkin* both (the) men and (the) women *miehet niin kuin naisetkin* the men as well as the women

niinkään *Ei ihan niinkään* That's not it either *Ei niinkään iso* Not even that big

niinkö? is that so/right/true?

niin muodoin similarly, in like fashion

niin no 1 (empien) hmm, let's see, I don't know **2** (suostuen) okay, all right, sure

niin ollen thus, therefore

niin pian kun as soon as *niin pian kun mahdollista* as soon as possible, A.S.A.P.

niin sanoakseni so to speak

niin sanottu so-called

niin tai näin one way or the other

niin vain just like that

niistää 1 (nenää) blow **2** (kynttilä) snuff

niitty meadow

niittää 1 (viljaa) mow, cut, (raam) reap *Mitä ihminen kylvää, sitä hän myös niittää* As ye sow, so shall ye reap **2** (mainetta) win, achieve

nikama vertebra

nikkari 1 joiner **2** (ark) handyman

nikkaroida 1 do joinery **2** (ark) fix things up (around the house)

nikotella 1 hiccup **2** (takellella) stammer, stutter *Sano äläkä nikottele!* Spit it out!

nikotiini nicotine

nikottaa *Minua nikottaa* I've got the hiccups

nikotus the hiccups

niksi trick, (helpful) hint *Siinä on omat niksinsä* (työ) You've got to know the tricks of the trade, (kone) It's got its little quirks *Siinä se niksi onkin* That's the whole point

niljakas (inhottavan) slimy, (liukas) slippery

nilkka ankle *housut nilkoissa* with your pants (down) around your ankles

nilkuttaa limp

nimeksi 1 *antaa nimeksi* name **2** scarcely /hardly (any) *Täällä on ruokaa vain nimeksi* There's hardly enough food to feed a mouse here

nimekäs well-known, renowned, famous, noted

nimellinen nominal

nimellisesti in name, nominally

nimellä under/in a/the name (of) *kirjoittaa taiteilijanimellä* write under a pseudonym, use a pen/assumed name *Ainakin se kulkee sillä nimellä* That's what it's called anyway *Meillä oli pöytä varattuna Virtasen nimellä* We have a reservation for Virtanen

nimenomaan 1 (erityisesti) explicitly, expressly **2** (tarkalleen) precisely, exactly **3** (varsinkin) particularly, in particular, especially

nimenomainen 1 (erityinen) explicit, express **2** (juuri se) the precise/exact **3** (nimetty) particular

nimessä in the name of *lain nimessä* in the name of the law *Jumalan nimessä on tehty paljon hirveitä asioita* Many atrocities have been committed in God's name *ei*

missään nimessä under no circumstances, on no condition

nimetä 1 (sanoa nimeltä) name **2** (ehdottaa) nominate **3** (määrätä) appoint, name

nimetön *s* **1** (sormi) ring finger **2** *nimettömät* (vaatteet) unmentionables *adj* nameless, unnamed, anonymous

nimi 1 (ihmisen, eläimen tms) name **2** (kirjan tms) title, heading, name **3** (maine) reputation, name *Ei nimi miestä pahenna, jos ei mies nimeä* A reputation never hurt anyone, as long as it's a good one *hankkia nimeä itselleen* make a name for yourself

nimikirjain initial *allekirjoittaa nimikirjaimin* initial

nimikirjoitus signature

niminen *Ei täällä asu sen nimistä henkilöä* No one by that name lives here *Hanna-niminen tyttö* a girl named/called Hanna

nimipäivä name day

nimistö nomenclature

nimitellä call (someone) names

nimittäin 1 (ennen luetteloa): *Kaikki kolme havupuulajiamme, nimittäin kuusi, mänty ja kataja* All three of our evergreen species: spruce, pine, and juniper **2** (toisin sanoen) that is (to say), namely, i.e., (vanh) viz. *Hän, nimittäin Henry, oli tullut myöhässä* He – that is, Henry – had arrived late **3** (tarkalleen ottaen) to be specific **4** (sillä) because, you see *En voi tulla, olen nimittäin sairaana* I can't come, you see I'm sick (in bed)

nimittää 1 (kutsua) call **2** (antaa nimeksi) name **3** (virkaan tms: ehdottaa) nominate; (nimetä) name, designate; (määrätä) appoint

nimitys 1 (nimi) name, appellation; (lempinimi) nickname **2** (virkaan) appointment

nipistys pinch

nipistää pinch

nippu (seteleitä) wad; (nuolia, vehnää, kirjeitä) sheaf; (risuja, kirjeitä, vuotia) bundle; (kukkia, avaimia) bunch

niputtaa bundle/bunch (up)

nirso particular; (ylät) fastidious; (ark) picky, choosy

nirsoilla be particular/picky, pick and choose, turn your nose up at the things you don't like

niska nape of the neck *hengittää jonkun niskaan* breathe down someone's neck *silmät niskassa(kin)* eyes in the back of your head *saada jonkun niska taipumaan* bring someone to his/her knees *tarttua itseään niskasta* pull yourself together

niska limassa *tehdä töitä niska limassa* work your butt/ass off, work like a dog, keep your nose to the grindstone

niskan päällä *olla niskan päällä* have the upper hand

niskoille *ottaa syy niskoilleen* take full blame /responsibility (for something) *lykätä syy jonkun niskoille* blame someone else (for something), put the blame on someone else's shoulders

niskoitella be recalcitrant/refractory/insubordinate/impertinent; (ark) talk back, sass

niskuri rebel, nonconformist, dissenter, malcontent

nisu wheat

nisä (anat) mammary (gland), (ark) teat, tit; (naisen) breast; (lehmän) udder

nisäkäs mammal

nitistää 1 (tappaa) snuff out, bump off **2** (voittaa) clean (someone's) clock, wipe (someone) out

niukalti little, few *Ruokaa on niukalti* We're running low on food, the cupboard is (almost) bare *Aikaa on niukalti* We're pressed for time, we're running late

niukka 1 (vähäinen) meager, scanty, bare **2** (askeettinen) ascetic, frugal **3** (täpärä) narrow, close

nivel joint

niveltyä 1 (luu tms) be articulated, be connected by joints **2** (asiat) fit/go together, be interrelated/locked/linked

niveltää 1 (akseli tms) articulate, connect with joints **2** (asiat) connect up, link together

nivoutua fit/go together, be interrelated /-locked/-linked

no well *niin no* okay, all right

noin 1 (tuolla tavalla) like that *Ei noin saa puhua!* You're not supposed to talk like that! *Ei noin saa tehdä/sanoa!* You're not supposed to do/say that! **2** *noin iso* that/so big *noin iso talo* such a big house, so big a house, as big a house as that **3** *tuolla noin* over there **4** (suunnilleen) around, about; (jotain) something like, some *Tule noin klo 8* Come around 8 *noin v. 1850* in around 1850, circa/ca 1850 *noin 60 vuotta sitten* some(thing like) 60 years ago

noin vain just like that

noita witch; (mies) warlock, sorcerer

noita-akka witch

noitua 1 (taikoa) cast a spell on (someone), bewitch (someone), turn (someone) into (something) **2** (kiroilla) swear (up a storm), curse (a blue streak)

noja rest, support

no jaa yeah well, aw hell

nojaan *jäädä oman onnensa nojaan* be left to your own devices, be left to fend for yourself *En halua jättää tätä yhden neuvon nojaan* I want a second opinion on this

nojalla *jonkin nojalla* (perusteella) on the basis/grounds of, by virtue of

nojallaan leaning (against) *panna jokin nojalleen jotakin vasten* lean something against something

nojassa *jonkin nojassa* **1** (fyysisesti) resting on *istua pää käden nojassa* with your head (propped up) on your hand **2** (rahallisesti) dependent on *Koko perhe elää minun pienen palkkani nojassa* The whole family depends on my tiny take-home pay

nojata 1 (fyysisesti: jonkin päälle) rest (on), (jotakin vasten) lean (against) **2** (nojautua: ihminen) base (your actions on), (asia) be based on **3** (riippua jostakin) (be) depend(ent) on, revolve around

nojautua (ihminen) base (your actions on), (asia) be based on

noki 1 soot **2** (kasv) blight

nokka 1 beak (myös kuv) nose *Kenelläkään ei pitäisi olla nokan koputtamista* This shouldn't concern anybody (but me), this is nobody's business (but my own) *omin nokkineen* on your own (authority), all by yourself *ottaa nokkiinsa* take offense (at), get hurt **2** (auton) nose, (laivan, veneen) bow **3** (teekannun) spout, (maitokan nun) lip **4** (tekn) cam **5** (kärki, nenä) tip

nokkava impertinent; (ark) smart-alecky

nokkela 1 (suunnitelma tms) clever, ingenious, imaginative **2** (repliikki) clever, witty, deft

nokkia peck

nokkimisjärjestys pecking order

nokkonen nettle

nokoset nap, snooze *ottaa nokoset* grab forty winks

no kun but, 'cause

nolata embarrass, humiliate, mortify *Nolattuna luikin tieheni* Red with embarrassment I beat a hasty retreat

nolla zero; (ark) zilch, zip; (puhelinnumerossa) 0 [ou] *X johtaa 15-0* (tenniksessä) X is leading fifteen to love; (muissa lajeissa) X is leading fifteen to nothing/zero *Sami on täysi nolla* Sami's a total nothing/nobody *Äiti, reikiä nolla!* Look mommy, no cavities! *aloittaa nollasta* start from scratch *viisi astetta nollan alapuolella* five degrees below zero

nollata 1 (mittari) (reset to) zero **2** (sähköpiiri) zero-ground **3** (tietok) clear, zero

nollaus zero(-ground)ing (ks nollata)

nolo 1 (asia) embarrassing, humiliating, mortifying **2** (olo) embarrassed, humiliated, mortified *Tunsin itseni niin noloksi* I was so embarrassed/ashamed

nolostua get embarrassed

nolottaa *Minua nolottaa* I'm embarrassed /ashamed

nominatiivi nominative

no niin 1 (alistuen tosiasioihin) oh well, okay, sure **2** (aloittaen innolla uutta) okay, all right, great, let's get started **3** (teinpäs sen!) there (we/you go)! got it!

no no! 1 (lopeta mekastus tms) come come! now now! stop it! snap out of it! **2** (lopeta itkeminen tms) there there! so so! it'll be all right! everything will turn out all right in the end!

nopea fast, quick, rapid, speedy; (run) swift

nopeasti fast, quickly, rapidly, speedily, swiftly

nopeus speed, velocity

nopeusmittari speedometer

nopeusrajoitus speed limit

nopeuttaa speed up, pick up the pace

nopeutua speed up, (vauhti=pace) pick up

noppa die, (mon) dice

Norja Norway

norja *adj* **1** (taipuisa) flexible, pliable **2** (notkea) supple, lithe *s* (norjan kieli) Norwegian

norjalainen *s, adj* Norwegian

norjankielinen Norwegian(-language)

normaali *s* **1** (kohtisuora) perpendicular **2** (tangentin) normal *adj* normal, standard

normalisoida normalize

normalisointi normalization

normatiivinen normative

normi norm, (vaatimus) standard

norsu elephant

norsunluinen ivory

norsunluu ivory

nostaa 1 lift (something) up, raise, elevate, (maasta) pick (something) up *nostaa kirja alas hyllyltä* lift a book down off a shelf **2** (rahaa pankista) withdraw, take/draw out

nostaa syyte file suit (against), sue (someone)

nostaa vettä kaivosta draw water from a well

nostattaa 1 (pölyt tms) raise **2** (protestit tms) provoke, stir up, call forth **3** (taikinaa) let (the dough) rise

nosto 1 lifting, raising, elevation **2** (pankista) withdrawal **3** (lak) retrial, review

notaari notary *julkinen notaari* notary public *notaarin vahvistama* notarized

notariaatti 1 (notaarin virka) notaryship **2** (pankin osasto) credit department

notariaattiosasto credit department

noteerata 1 (osakkeita) quote **2** (ark arvostaa) pay attention to, notice, rate *Sitä ei noteerattu miksikään* It was completely ignored

notkea 1 (ihminen) supple, lithe, limber **2** (tanko tms) pliable, flexible **3** (taikina) soft, easy to knead **4** (voi) soft, easy to spread **5** (neste) viscous, (ark) runny

notkeus suppleness, litheness, limberness, pliability, flexibility, softness, viscosity (ks notkea)

notkistaa 1 (taivuttaa) bend **2** (tehdä notkeammaksi) loosen up **3** (voita) cream

notkistua loosen up

notkua 1 (taipua) bend **2** (keinua) sway

noudatella follow

noudattaa 1 obey, observe, comply with, follow *noudattaa lakia* obey/comply with /observe the law **2** (pitää kiinni jostakin) adhere/conform/keep to *Elokuva noudattaa melko uskollisesti romaanin juonta* The movie is pretty faithful to the novel's plot **3** (kiel) agree with, be congruent with *Verbin täytyy noudattaa subjektin lukua* The verb must be numerically congruent with the subject

noudattaa kutsua accept an invitation

noudattaa puolueettomuuspolitiikkaa pursue a policy of neutrality

noudattaa varovaisuutta exercise caution

nousta 1 rise, climb, ascend, go up **2** (kulkuneuvoon) get/climb on (ks myös hakusanat) **3** (pois kulkuneuvosta) get/climb off /out **4** (kasvit maasta) sprout, spring/come up **5** (kysymys esille) come up, be raised **6** (vuoteesta) get up, (ylät) rise **7** (olla yhteensä) total, reach, amount/come to, add up to

nousta hevosen selkään mount a horse *nousta hevosen selästä* dismount (off the horse)

nousta jaloilleen stand up, (ylät) rise to your feet

nousta jotakuta vastaan rise (up) against

nousta laivaan go on board ship

nousta lentokoneeseen board an airplane/the aircraft

nousta pintaan rise/float up to the surface, (kuv) become famous

nousta pöydästä (get up and) leave the table, excuse yourself from the table

nousta seisomaan stand up

nousta väärällä jalalla get up on the wrong side of the bed

nousu 1 (fyysinen ja kuv) rise, climb, ascent **2** (määrällinen) increase **3** (sängystä) getting up (out of bed) *Minulla on aikainen nousu huomenna* I've got an early morning (ahead of me) tomorrow **4** (lentokoneen) take-off, (raketin) lift-off **5** (kierteen) pitch **6** (askelman) riser

noususuhdanne boom, upswing

noutaa 1 (tavarat, lapset) pick up **2** (koira keppiä) fetch, (ammuttu riistaa) retrieve

noutaja 1 (koira) retriever **2** (kuolema) the (Grim) Reaper

nouto pickup

novelli short story

nuha (head/chest/throat) cold

nuhainen sniffly

nuhde 1 (perheessä tms) scolding **2** (virallinen) reprimand

nuhdella 1 (perheessä) scold, upbraid, take to task, rake over the coals **2** (virallisesti) reprimand

nuhraantua wear out, get (vaatteet) shabby, (kengät) scuffed

nuhteeton impeccable, irreproachable, blameless

nuija 1 club **2** (puheenjohtajan) gavel *heilutella nuijaa* chair (the meeting/session) **3** (tuntosarven pää) club **4** (ark) dolt, fartface, turkey

nuijia 1 (lyödä) club **2** (lihaa) pound **3** (kokouksessa, huutokaupassa) bring the hammer/gavel down on

nujertaa 1 (tuhota) crush, smash **2** (tukahduttaa) suppress **3** (lannistaa) beat down, discourage, dishearten

nujertua 1 (jäädä häviölle) be beaten **2** (tuntea jäävänsä häviölle) feel crushed/discouraged/beaten, lose heart

nukahtaa fall asleep

nukka 1 (nöyhtä) lint **2** (lehden, posken) down, (ark) fuzz **3** (maton) nap, (ryijyn) tuft

nukke 1 doll **2** (nukketeatterissa) puppet (myös kuv), (sätkynukke) marionette

nukkekoti dollhouse

nukketeatteri puppet show

nukkua sleep, (olla unessa) be asleep/sleeping *mennä nukkumaan* go to sleep/bed

nukkua pommiin oversleep

nukkumaanmenoaika bedtime

nukkumatti sandman
nukkuvinaan *olla nukkuvinaan* pretend to be asleep
nukuksissa asleep
nukuttaa 1 (nukutella) rock/lull/sing someone to sleep **2** (lääk) anesthetize, (ark) knock (someone) out, put (someone) under **3** *Minua nukuttaa* I'm sleepy
nukutus anesthesia
nukutusaine anesthetic
nukutuslääkäri anesthesiologist
numeerinen numerical
numero 1 number, numeral, figure; (luvun yksittäinen numero) digit *Luvussa 100 000 on kuusi numeroa* 100,000 is a six-digit number *soittaa väärään numeroon* dial/call/punch the wrong number *arabialaiset/roomalaiset numerot* Arabian/Roman numerals **2** (koko) size *Mitä numeroa etsitte?* What size did you want that in? **3** (ohjelmanumero) number, piece, act *Seuraava numeroni on* For my next number I'd like to do **4** (lehden) issue, number *vanhat numerot* back issues **5** (koulunumero) grade *Minun numeroissani on kuulemma toivomisen varaa* My parents say I have to bring my grades up **6** (vuohtus) deal *tehdä iso numero jostakin* make a big deal about something
numeroida number, (sivut) paginate
numeroinen -digit/-figure
numerointi numbering, (sivujen) pagination
numerojärjestys numerical order
nummi heath, moor
nunna nun
nunnaluostari convent, nunnery
nuokkua (ihminen) nod (off), (kukka) droop
nuolaista lick *Älä nuolaise ennen kuin tipahtaa* Don't count your chickens before they're hatched
nuolenheitto darts
nuoleskella lick
nuoli 1 arrow **2** (tikka) dart **3** (tähtikuvio) the Arrow
nuolla lick
nuora 1 string, twine, cord **2** (pyykkinuora) clothesline **3** (sirkuksessa) tightrope *tanssia nuoralla* walk the tightrope

nuorekas youthful
nuoremmiten when (you're) young
nuorempi 1 younger **2** (samannimisen isän poika) junior, (ranskalaisista) fils, (muinaisroomalaisista) the Younger *Kurt Vonnegut, Jr.; Alexandre Dumas fils; Pliny the Younger* **3** (virkamies, lehtori tms) junior
nuorentaa 1 (ihmistä) rejuvenate, make you (look/feel) younger **2** (metsää) restock, regenerate
nuorentua grow younger *On kuin olisin nuorentunut 20 vuotta!* I feel 20 years younger!
nuori *s* adolescent, teenager *adj* **1** young *näyttää nuorelta ikäisekseen* look young for your age **2** (murrosikäinen) adolescent, teenaged
nuorimies young man
nuorimmainen the youngest
nuoriso youth, the young, young people
nuorisorikollinen juvenile delinquent, (ark) juvie
nuorisorikollisuus juvenile delinquency
nuori sukupolvi the younger generation
nuortua grow/become younger, be rejuvenated; (johtokunta tms) get a transfusion of younger blood
nuorukainen youth, young man, lad
nuoruudenaikainen from your youth *nuoruudenaikainen valokuvakansio* a photo album from your youth
nuoruus youth(fulness) *Järjestön nuoruutta ei voida laskea haitaksi* The fact that the organization is so young can't be held against it
nuoruusikä youth
nuoruusvuodet early years
nuotio campfire
nuotiotuli campfire
nuotta seine, net
nuotti 1 (mus) note, (mon) music **2** (puheessa) intonation, tilt, (ranskalaisista) singsong; (äänensävy) tone (of voice)
nuppi knob
nuppineula pin
nuppu (flower) bud *nupussa* budding, in bud
nurin 1 (ylösalaisin) upside-down **2** (nurja puoli ulospäin) inside-out

nurin kurin ass-backwards, all mixed up, helter skelter, topsy-turvy

nurinkurinen backwards, inside-out

nurin narin topsy-turvy

nurin niskoin head over heels, ass over teakettle

nurin päin 1 (ylösalaisin) upside-down **2** (nurja puoli ulospäin) inside-out **3** (takapuoli eteenpäin) backwards

nurista grumble, grouse, gripe

nurja 1 (piilopuoli) reverse, back *neuloa nurjaa* purl **2** (varjopuoli) adverse, unpleasant **3** (mieliala) surly, morose, glum

nurjamielinen prejudiced/jaundiced/predisposed against (something)

nurkka corner *nurkan takana* around the corner (myös kuv) *nuuskia joka nurkkaa* search every nook and cranny *viiden nurkilla* around five

nurkkaus corner, nook

nurmi grass, (nurmikko) lawn

nurmikko lawn

nussia (sl) fuck, pork, screw

nussija fucker

nussiminen fucking, fuck, screwing

nuttura bun

nuuka 1 (saita) stingy, miserly, tight **2** (niukka) small, skimpy, meager **3** (nirso) finicky, picky

nuukailla be stingy/tight, skimp

nuukuus stinginess, skimpiness

nuuska snuff, (murt) snoose *lyödä tuusan nuuskaksi* smash (something) to pieces /smithereens

nuuskia 1 (haistella) sniff (at/around) **2** (etsiä) search, (ark) snoop (around)

nuuskija snoop(er)

nyanssi nuance

nykiä jerk, tug, pull, yank; (suupielestä) twitch

nykyaika modern times

nykyaikainen modern, up-to-date

nykyaikaistaa modernize

nykyhetki the present moment, right now

nykyinen current, present

nykyisin nowadays, currently, at present

nykyisyys contemporaneity

nykymaailma the present-day/contemporary world

nykypäivä the present, today

nykypäiväinen present-day

nykytila the current state of affairs

nykytilanne the current situation

nykytodellisuus present(-day)/contemporary reality

nykyään nowadays, currently, at present, these days

nylkeä 1 (eläintä) skin, flay **2** (puuta) strip, debark **3** (kuv ihminen) fleece, con, rob (someone blind)

nylkyhinta scalper's price

nynny wimp, nerd, dork

nyplätä 1 fumble/fiddle with, twiddle **2** (pitsiä) make lace

nyppiä (ihokarvoja) pluck (out), (nukkaa vaatteista) pick (off)

nyrjähdys sprain(ed/twisted/pulled muscle)

nyrjähtää get sprained/twisted

nyrjäyttää sprain, (lievästi) twist

nyrjäytys sprain, twist

nyrkkeilijä boxer

nyrkkeily boxing

nyrkki fist *kädet nyrkissä* with your fists clenched *Se sopii kuin nyrkki silmään* That suits me perfectly

nyrkkisääntö rule of thumb

nyt now *vasta nyt* only now *juuri nyt* right now, this instant

nythän on niin että the fact is that

nyt jo? already? this instant?

nyt tai ei koskaan now or never

nyttemmin more recently, nowadays

nyyhkyelokuva tearjerker

nyyhkyttää sob, sniffle, blubber

nyyhkäys sob

nyytti bundle

nyyttikestit potluck (dinner/party)

nyökkiä nod

nyökkäys nod

nyökytellä bob (your head)

nyökyttää nod

nyökätä nod

nyöri string, twine, cord; (kengännyörit) (shoe)laces *pitää kukkaron nyörit tiukalla* hold tight to the purse strings

nyörittää tie (up) with a string/cord

näemmä it seems *Se on näemmä valmis* I see it's finished, it looks finished to me

näennäinen apparent, ostensible, seeming

näennäisesti apparently, ostensibly, seemingly

näet you see

nähden *siihen nähden* in that sense/context /connection, in those terms *kaikkien nähden* in front of (God and) everyone, in public

nähdä 1 see *mahdoton nähdä* invisible *Mitä sinä näet hänessä?* What do you see in him? 2 (erottaa) spot, make out, discern

nähdä hyväksi see fit

nähdäkseni as I see it, as far as I can see

nähdään sitten! see you (around/later)!

nähtävillä on display *panna nähtäville* display, exhibit

nähtävyys sight, tourist attraction *katsella kaupungin nähtävyyksiä* go sightseeing in town

nähtävä sight *paljon nähtävää* lots to see *Näin se on nähtävä* That's the way it is

nähtäväksi jää it remains to be seen

nähtävästi apparently, it seems/appears

näin 1 (tällä tavalla) like this *Tee näin* Do this, go like this, do it this way 2 *näin paljon* this/so much 3 *näin iso talo* such a big house (as this), this big a house 4 *tämä näin* this one (here), (murt) this here one *täällä/tänne näin* over here

näin meidän kesken just between you and me (and the doorknob/lamppost)

näin muodoin similarly, in like fashion

näin ollen therefore, thus, this being the case

näivettynyt withered, wilted, faded, shriveled, wrinkly, crackly, atrophied, wasted, dead (ks näivettyä)

näivettyä 1 (kukka tms) wither, wilt, fade 2 (hedelmä) shrivel (up) 3 (iho) grow wrinkly/crackly 4 (lihas) atrophy 5 (ihminen: fyysisesti) waste away, (henkisesti) die inside

näivetys atrophy

näkemiin goodbye; (ylät) farewell, adieu

näkeminen seeing, sight *pelkkä sen näkeminen* just seeing it, the mere sight of it *jälleennäkeminen* reunion

näkemyksellinen ideological, philosophical, doctrinal

näkemys 1 (käsitys) view, opinion, conception *Sinulla on täysi oikeus omiin näkemyksiisi* You have a right to your own opinions 2 (maailmankatsomus) world-view, outlook, philosophy 3 (visio) vision *näkemyksellä ohjattu näytelmä* a play directed with vision

näkemä 1 sight distance, the distance you can see 2 *viime näkemästä* since the last time I saw you/him/her/them *ensi näkemältä* at first sight

näkevinäänkään *ei olla näkevinäänkään* pretend not to see, turn a blind eye on

näky 1 sight, spectacle 2 (näkymä) prospect 3 (ilmestys) vision

näkymä 1 (näköala) view 2 (tulevaisuuden) prospect *näillä näkymin* as things look now

näkymättömyys invisibility

näkymätön invisible

näkyvyys visibility

näkyvä 1 visible, perceptible, obvious; (korostetun) conspicuous 2 (huomattava) prominent

näkyvästi visibly, perceptibly, obviously, conspicuously, prominently (ks näkyvä)

näkyä 1 be visible/seen, show *Ikkunasta näkyy järvelle* There's a view of the lake out the window, you can see the lake from the window *En tykkää kun rintsikat näkyy läpi* I don't like my bra to show through (my blouse) 2 (olla paikalla/maisemissa) be around *Onko Viljoa näkynyt?* Seen Viljo around? *Mekin odotimme häntä muttei häntä ole näkynyt* We were waiting for him too but he never showed (up) 3 (näyttää) appear, seem *Hän näkyy olevan* He seems/appears to be

näkö 1 (eye)sight, vision *Näköni on heikentynyt* My vision has deteriorated *niin näkö että näköä haittaa* so hungry I can hardly see 2 (ulkonäkö) appearance, looks *Sinussa on vähän äitisi näköä* You look a little like your mother, You resemble your mother a little *näön vuoksi* for appearances' sake, to look good *Sinussa on sekä* *kokoa että näköä* You've got both size and looks

näköaisti (sense of) sight

näköala 1 view **2** (tulevaisuuteen tms) prospect(s)

näköharha optical illusion, hallucination

näköhavainto visual perception

näköinen 1 (näkee) -sighted *likinäköinen* near-sighted **2** (näyttää) -looking *epäilyttävän näköinen* shady-looking

näköjään apparently, it seems/appears

näkökanta position, stance, point of view

näkökenttä field of vision

näkökohta point, factor, consideration

näkökulma 1 (näkökanta) perspective, viewpoint, standpoint **2** (kulma) visual angle

näköpiiri range of vision, (kuv) horizon *näköpiirissä* on the horizon, within view, in sight

nälissään starving, famished

naikiintyä starve, become emaciated

nälkä hunger *Onko sinulla nälkä?* Are you hungry? *nähdä nälkää* starve *syödä jotain pahimpaan nälkäänsä* eat something to tide you over till dinner, to take the edge off your hunger

nälkäinen 1 hungry, starving, famished **2** (kuv) hungry, greedy

nälkä on paras kokki hunger is the best sauce

nälänhätä famine

nänni nipple

näpelöidä finger, fiddle with, twiddle

näperrellä fiddle/tinker with

näpertää fiddle/tinker with

näpistelijä petty thief, shoplifter

näpistää steal, swipe, filch, get a five-finger discount

näppi finger(tip) *Näpit irti!* Get your mitts off (that)! Don't touch it! *jäädä nuolemaan näppejään* come up empty-handed

näppylä pimple, (ark) zit; (mon) acne

näppäimistö keyboard

näppäin 1 key **2** (TV:n tms) (push)button

näppäinpuhelin push-button (tele)phone

näppäryys dexterity, handiness, wit

näppärä 1 (käsistään) clever/good with your hands, deft, dexterous **2** (puheessaan) quick-witted, witty

näpäys 1 rap, flick **2** (pesäpallossa) bunt *Se oli hänelle oikeellinen näpäys* She had it coming, she deserved it

närkästys irritation

närkästyä get irritated (at), (ark) get pissed off

närästys heartburn

närästää *Minua närästää* I have heartburn

nätisti nicely *Mene nyt nätisti sänkyyn* Be a good girl and go to bed, toddle off to bed like a good boy now

nätti pretty

näyte 1 (tavara-/virtsanäyte tms) sample, specimen **2** (taidonnäyte tms) demonstration **3** (opinnäyte) scholarly thesis

näyteikkuna display window

näytellä 1 (näytelmässä) act, (tiettyä hahmoa) play **2** (esittää) pretend (to be), play (at), put on a show (of being), feign *Älä viitsi näytellä viatonta* Stop trying to feign innocence **3** (näyttää) show (off), display

näytelmä play, (ark) spectacle

näytteillä on display

näyttelijä actor

näyttely exhibition

näyttämö stage

näyttäytyä show yourself/up, put in an appearance

näyttää 1 (jotakin) show *Näytä!* Show me! *Aika näyttää* Time will tell *näyttää valoa* shine a light *Vielä näytän!* I'll show you yet! **2** (osoittaa) point to, indicate *näyttää sormella* point a finger at **3** (joltakin) look, appear, seem *Hän näyttää minusta epäilyttävältä* He looks suspicious to me *Näyttää tulevan kaunis päivä* It looks like it's going to be a nice day *näyttää vihreää valoa* give somebody the green light

näyttö 1 (lak) evidence, (ark) proof *Onko sinulla mitään näyttöä siitä?* Do you have any evidence/proof of that? Can you back that up with evidence/proof? **2** (tietok) monitor, video display unit (VDU)

näytäntö (elokuvan) showing, (näytelmän) performance

näytös 1 (näytelmän) act **2** (esitys) performance, demonstration, act

näännyksissä exhausted, at the end of your rope/tether

näängyä be exhausted, exhaust yourself, wear/tire yourself out

näön vuoksi for appearances' sake, to look good

nöyristellä cringe, cower (before), truckle (to)

nöyristely cringing, cowering, truckling

nöyrtyä humble/submit yourself

nöyryytys humiliation

nöyrä humble; (alistuvainen) submissive, docile

O,o

obduktio autopsy, postmortem

objekti object

objektiivinen objective

objektiivisuus objectivity

odotella wait around (for)

odotettavissa to be expected *Odotettavissa huomisaamuun mennessä; sadekuuroja ja kovaa lounaistuulta* By tomorrow morning we should see some showers accompanied by a stiff wind from the southwest

odotettu expected

odotetusti as might be expected, predictably

odottaa 1 (varrota) wait (for) *Saimme odottaa kauan* We had a long wait *Linja on varattu – odotatteko?* That line is busy – will you hold? *antaa odottaa* keep (someone) waiting (for you) *odottaa turhaan* wait in vain *odottaa vuoroaan* wait your turn **2** (otaksua) expect (someone to do something, something to happen) *Odotan sinulta suuria* I expect great things from you **3** (toivoa, odottaa innolla) anticipate, look forward to (expectantly, with anticipation) *Tuskin maltan odottaa lauantaita* I can hardly wait till Saturday **4** (vauvaa) be expecting (a baby), be pregnant *odottaa toista lasta* expect your second (child)

odottamaton unexpected

odottamatta unexpectedly

odottavan aika on pitkä a watched pot never boils

odotuksenmukainen (as) expected/anticipated *odotustenmukainen tulos* the expected result, the result we expected /anticipated

odotuksenvastainen (yllättävä) unexpected, (huonompi) disappointing

odotus 1 wait(ing) **2** expectation, expectancy, anticipation, hope *asettaa suuria odotuksia johonkin* have high expectations about something, have high expectations about something *vastata odotuksia* meet (all) expectations *yli odotusten* beyond your wildest dreams/hopes, beyond all expectations *odotuksen vallassa* expectantly, with great anticipation, in great suspense **3** (raskaus) pregnancy

odotusaika 1 waiting period **2** (raskaus) term of pregnancy

odotushuone waiting room

odotusten mukaisesti as expected

odotusten vastaisesti contrary to (all) expectations

odotuttaa make (someone) wait, keep (someone) waiting

oheinen enclosed, attached

oheistaa enclose, attach

ohella in addition to, on top of, along with *Tähän ohelle voisin ottaa jotain juotavaa* I could drink something with this *toimia päivätyönsä ohella yövartijana* moonlight as a night watchman

ohenne 1 (maalin) thinner **2** (kem) diluent

ohennus (tukan, maalin) thinning, (nesteen) dilution

ohentaa (tukkaa, maalia) thin (out/down), (nestettä) dilute

ohentamaton undiluted

ohentua thin (out) *Harrin tukka on alkanut ohentua edestä* Harri's hair is getting thin in front

ohessa enclosed, attached

ohhoh (mukava yllätys) my my, (nyt meni överiksi) what the hell, (taasko) oh no

ohi 1 (loppunut) over, past *Meidän väli-lämme kaikki on ohi* It's all over between us *Vaara/se aika on ohi* The danger/that time is past **2** (ohitse) by, past *Kuka tuo oli, joka juuri käveli ohi?* Who was that who just walked by/past? **3** *mennä ohi* (kulua loppuun) pass *olla mennyt ohi* be over/past **4** (ajaa edelle) pass up, outstrip, beat *olla mennyt ohi* be (way) ahead (of the others), be in the lead, be head and shoulders above the others **5** (ei osua) miss, go wide *olla mennyt ohi* be a miss

ohi kiitävä (juna tms) passing, (hetki) fleeting

ohikulkeva *s* passerby (mon passersby)

ohikulkija passerby (mon passersby)

ohikulku (kaupungin, autolla) bypass, (täh-den) transit

ohikulkuliikenne bypass traffic

ohikulkutie bypass

ohilyönti miss

ohi menevä passing *katsella ohi meneviä autoja* watch the cars go by, watch the passing cars

ohimenevä passing, fleeting, transient *Älä huoli, se on ohimenevä vaihe* Don't worry, it's just a phase (he's going through), it's a passing thing, it'll pass

ohimennen in passing *Ohimennen sanoen* incidentally, by the way

ohimo temple

ohittaa pass *Tässä osavaltiossa ei saa ohittaa oikealta* In this state you're not allowed to pass on the right

ohitus passing

ohjaaja 1 (auton) driver **2** (lentokoneen) pilot **3** (moottoripyörän) rider **4** (laivan) helmsman **5** (työmaakoneen) operator **6** (näytelmän, elokuvan) director **7** (opinto-ohjaaja) (guidance) counselor

ohjaamo 1 (lentokoneen: pienen) cockpit (myös ison ark), (ison) flight deck **2** (laivan) bridge **3** (rekan, työmaakoneen) cab

ohjailla 1 guide, direct, instruct, counsel **2** (kielteisenä) manipulate, control **3** (laivaa) maneuver, steer

ohjain 1 (kovalevyn) controller **2** (poran) jig, (hihnan) guide **3** *ohjaimet* (lentokoneen) controls **4** (ahdin) brace

ohjas 1 (hevosen) lore, mastax **2** *ohjakset* reins *antaa hevoselle vapaat ohjakset* give a horse its head *ottaa ohjakset käsiinsä* take the reins/helm *olla ohjaksissa* be at the helm

ohjata 1 (neuvoa) guide, instruct, counsel **2** (opastaa) lead, show, conduct, direct **3** (suunnata) direct, channel, steer **4** (elokuvaa, näytelmää) direct **5** (autoa) steer, (lentokonetta) pilot **6** (tietok) control

ohjaus 1 (neuvonta) guidance, instruction, counsel(ing) **2** (opastus) guiding, directing **3** (suuntaus) directing, channeling, steering **4** (elokuvan, näytelmän) direction **5** (auton) steering, (lentokoneen: ohjaajan) piloting, (koneen) control *automaattinen ohjaus* automatic pilot

ohjauslaitteet controls, (auton) steering, (ohjuksen tms) guidance system

ohjauspyörä steering wheel

ohjaussauva control stick, (ark) joystick

ohjautua be directed/guided (toward/away from) *Askeleeni ohjautuivat kirkkoon* My feet instinctively took me to the church

ohje 1 (ohjenuora) guiding principle, rule, motto, precept **2** *ohjeet* instructions, directions *Jos et saa konetta muuten toimimaan, lue käyttöohjeet* If all else fails, read the instructions/directions

ohjeellinen normative

ohjekirja instruction/user's manual, (tekn) documentation

ohjelma 1 (TV:n, tietokoneen, konsertin /urheilutapahtuman painettu) program *Onko teidän juhlissanne mitään ohjelmaa?* Are there going to be any speeches or skits at your party? Is anyone going to be performing anything, putting on anything, at your party? (ohjelma merkityksessä 'järjestetty esittäminen' ei käänny englanniksi) **2** (poliittinen) platform **3** (television suunnitelma) schedule *Miltä ensi viikon ohjelma näyttää?* What does the schedule for next week look like?

ohjelmajulistus platform, manifesto

ohjelmallinen programmatic

ohjelmasarja (TV: ssä) (mini)series, (luentosarja muussa kuin oppilaitoksessa) series of lectures

ohjelmisto 1 (teatterin) repertoire **2** (tietokoneen) software

ohjelmoida program

ohjelmoija programmer

ohjelmointi programming

ohjelmointikieli (tietokoneen) programming language, computer language

ohjesääntö regulation

ohjus missile

ohkainen thin, (takista) light

oho oho, (vai niin) aha, (hupsista) (wh)oops, (anteeksi) excuse me

ohra barley

ohrainen barley, (kuv) difficult, awkward *käydä ohraisesti* go badly, get fouled /fucked up

ohrajauhot barley flour

ohraleipä barley bread *Nyt otti ohraleipä* Now we've done it, we're up shit creek without a paddle

ohranjyvä silmässä drunk as a skunk

ohrapelto barley field

ohrapuuro barley porridge

ohuehko thinnish

ohuelti thinly *ohuelti lunta* a thin covering of snow

ohuenlainen on the thin side

ohukainen 1 (lettu) pancake **2** *Ohukainen* Stan Laurel *Ohukainen ja Paksukainen* Laurel and Hardy

ohut thin, (tukka) fine, (vyötärö) slender

ohutsuoli small intestine

oi oh, O (lausutaan [ou])

oieta straighten (up/out) *oieta vuoteeseen* stretch out in bed

oijoi oh no

oikaista koipensa (kuolla) kick the bucket

oikaisu 1 (korjaus) correction **2** (lentokoneen) pullout **3** (mat) rectification

oikea z **1** (nyrkkeilyssä) right *aloittaa oikealla leukaan* lead with a right to the jaw **2** (suunnasta) right *Mene toisesta kulmasta oikealle* Take the second right *osua oikeaan* hit the nail on the head *adj* **1** (ei vasen)

right **2** (ei väärä) right, correct *oikea nainen oikeaan aikaan* the right woman at the right time *oikea omistaja* rightful owner *se oikea* (mies) Mr. Right, (nainen) the right woman **3** (sopiva) appropriate, proper, fitting **4** (todellinen) real, true *Sinä olet oikea kiusankappale* You're a real pain in the ass, you know that? **5** (oikeudenmukainen) just, fair *oikealla asialla* on/for a just/good cause **6** (silmukka) knit *neuloa oikeaa* knit

oikeakätinen right-handed

oikeakätisyys right-handedness

oikeamielinen right-minded/-thinking

oikeamielisyys right-mindedness

oikeanpuolinen right(-hand)

oikeaoppinen orthodox

oikeaoppisesti in the prescribed/orthodox manner/fashion

oikeaoppisuus orthodoxy

oikeastaan 1 (itse asiassa) actually, really, in fact, as a matter of fact **2** (loppujen lopuksi) in the end, ultimately

oikeasti really, truly *Sano nyt ihan oikeasti* Come on, stop joking around, tell me really

oikeellinen 1 (asiakirja) legally valid, authentic **2** (ihminen) competent

oikeellisuus validity, authenticity, competence

oikein 1 (ei väärin) right, correctly *Oikein!* Right! *kirjoittaa oikein* write/spell (something) correctly **2** (sopivasti) properly, suitably, appropriately *Olenko sinun mielestäsi pukeutunut oikein?* Do you think I'm appropriately dressed? **3** (oikeudenmukaisesti) fairly *Heille pitää nyt tehdä oikein* We have to do the right thing by them **4** (täsmälleen) exactly, precisely *Mitä sinä oikein ajat takaa?* What exactly are you getting at/trying to say? **5** (erittäin) very, really, (ark) real *Se on oikein hyvä paikka It's a real(ly) good spot* **6** (täysin) quite *En oikein ymmärrä mitä tarkoitat* I don't quite catch your meaning **7** (oikeastaan) anyway, anyhow *Mitä siellä oikein tapahtui?* What happened in there, anyway? **8** (kovasti) hard *Jos oikein yrität, saat varmasti sen tehdyksi* I know you can do it, if you try really hard, if you put your mind to it **9** *kaksi oikein kaksi nurin* knit two purl two

oikeinkirjoitus spelling

oikeinkirjoitussääntö spelling rule

oikeinkirjoitusvirhe spelling mistake

oikein päin the right way, right-side up/out /forward/jne

oikeisto the Right, the right wing

oikeistolainen *s* rightist, right-winger *adj* rightist, right-wing

oikeudellinen judicial, juridical, legal

oikeudenkäynti trial, court case; (mon) legal proceedings, litigation

oikeudenmukainen just, fair

oikeudenmukaisuus justice, fairness

oikeus 1 (oikeellisuus) rightness, fairness, (asiakirjan) authenticity **2** (oikeus) right *pitää kiinni oikeuksistaan* stand up for your rights, insist on/demand your rights *Millä oikeudella sinä noin teet?* What gives you the right to do that? **3** (virallinen lupa, tav mon) license *A-oikeudet* liquor license **4** (oikeusjärjestys) law *jakaa oman käden oikeutta* take the law into your own hands **5** (oikeudenmukaisuus) justice *oikeuden nimessä* in the name of the law, of justice *Oikeus tapahtui tänään* Justice was served today **6** (tuomioistuin) court (of law) *käydä oikeutta* litigate

oikeuslaitos judicial/legal system, judiciary

oikeuslääketiede forensic medicine

oikeustapaus legal case

oikeusturva protection under the law

oikeutettu 1 (oikea) well-founded, reasonable, legitimate, rightful **2** (oikeuden hyväksymä poikkeama laista) justified, justifiable *oikeutettu kuoleman tuottaminen* justifiable homicide **3** (johonkin) entitled *oikeutettu asumaan talossa niin kauan kuin haluaa* entitled to dwell in the house so long as (s)he desires

oikeutetusti with good reason, on good grounds, rightfully, legitimately, justifiably

oikeuttaa 1 (jälkikäteen) justify **2** (etukäteen) sallia) entitle; (valtuuttaa) authorize, empower

oikeutus justification, entitlement, authorization, empowerment (ks oikeuttaa)

oikku whim, caprice

oikkuilla 1 (ihminen) be capricious/flighty/unpredictable/difficult **2** (kone tms) act up

oikoa 1 straighten (up), put (things) straight /right *oikoa jalkansa* stretch your legs *oikoa laskokset* smooth out the folds **2** (mennä oikotietä) cut (across/through) **3** (korjata) correct, put (things) right

oikolukea proofread

oikoluku proofreading

oikopäätä straightaway, right away, immediately, this instant

oikosulku short circuit

oikotie shortcut

oikukas capricious

oikutella 1 (ihminen) be capricious/flighty/unpredictable/difficult **2** (kone tms) act up

oikuttelu capriciousness

oinas 1 (eläin) wether **2** (tähtikuvio) the Ram **3** (horoskooppisaa) Aries

oire symptom

oireellinen symptomatic

oireeton symptomless

oireilla show symptoms

oitis immediately, pronto, at once, as soon as possible (ASAP)

oiva excellent, splendid

oivallisesti excellently, splendidly

oivallus insight, understanding, realization; (oivalluskyky) acumen

oivaltaa understand, realize, become aware of

oja ditch *salaoja* irrigation/drain ditch

ojasta allikkoon out of the frying pan and into the fire

ojennella stretch

ojennus 1 (jalan tms) straightening, stretching **2** (järjestys) order *pitää taloa hyvässä ojennuksessa* keep the house in good order **3** (lapsen) scolding *panna lapset ojennukseen* get the kids to behave, calm/quiet the children down *saada joltakulta ojennusta* get chewed out/yelled at by someone

ojentaa 1 (jalkaa tms) straighten/stretch /reach (out) **2** (palkintoa tms) hand/give /present (someone something, something to someone) *Ojentaisitko minulle ketsu-*

pin? Could you reach/pass/hand me the catsup? **3** (asetta) point (at) **4** (lasta) scold, (ark) chew out, yell at **5** (sotajoukkoja) dress

ojentautua (makuulle) stretch out, (pystyyn) straighten up

ojentua straighten out

ojossa extended, out *kädet ojossa* with outstretched arms *käsi ojossa* with his/her hand out

oka thorn, prickle

okainen thorny (myös kuv)

oksa 1 branch, bough, limb, (pieni) twig *Sellaisia naisia ei kasva joka oksalla* You're not going to find women like that growing on every tree **2** (oksakohta laudassa) knot

oksainen knotty

oksat pois *Nyt on oksat poissa* It's not funny, it's no laughing matter

oksennella be vomiting (all day)

oksennus vomit; (ark) throw-up, barf, puke

oksentaa vomit; (ark) throw up, barf, puke, ralph, flash the hash, toss your cookies, blow lunch

oksettaa *Minua oksettaa* I feel sick (to my stomach), I feel nauseous

oktaani octane

oktaaniluku octane rating

oktaavi octave

olankohautus shrug (of the shoulders)

olan takaa with everything you've got, with all your might

oleilla be, spend your time, (asua) stay *vain oleilla* hang/laze around, veg(etate), kill time

ole kiltti please

olemassaolo existence

olematon 1 (kokonaan) nonexistent *hävitä olemattomiin* disappear into thin air **2** (melkein) infinitesimal, minuscule

oleminen being

olemus 1 (luonne) being, (inner/essential) nature, essence **2** (käytös) manner, bearing, behavior **3** (ulkonäkö) appearance, looks

olennainen essential, fundamental

olennaisuus essentiality

olento being, creature

oleskella be, stay, live; (loikoilla) hang around *Tiedätkö, missä hän nykyään oleskelee?* Do you know where I could find her, where she hangs out nowadays, do you have any idea as to her whereabouts?

oleskelu stay, (ylät) sojourn *Asiaton oleskelu kielletty* Unauthorized persons keep out

oleskeluhuone lounge

oleskelulupa residence visa/permit

oletettavasti presumably

olettaa 1 suppose, assume; (ark) take it; (ylät) presume *Oletan että lukitset paikat lähtiessäsi* I assume you'll lock up when you leave **2** (logiikassa) premise, postulate *Oletetaan että A on x* Let A be x **3** (empiirisessä tutkimuksessa) hypothesize

olettamus 1 supposition, assumption, presumption **2** (logiikassa) premise, postulate **3** (empiirisessä tutkimuksessa) hypothesis

oletus 1 ks olettamus **2** (mat) lemma

oleva existent

olevainen being, entity

olevaisuus being(ness)

olevinaan *Mitä tämä on olevinaan?* What's this supposed to be/mean? *olla olevinaan* pretend to be/be, put on airs (of being), affect

oliivi olive

oliiviöljy olive oil

olija *paikalla-/läsnäolija* someone (who is /was) present

oli miten oli be that as it may

olinpaikka 1 whereabouts **2** (asuinpaikka: ihmisen) residence, domicile; (eläimen) habitat

olio being, creature

olipa kerran once upon a time there was

olipa se whoever/whatever it was, no matter who/what it was

olisipa I wish, if only *Olisinpa vielä nuori* If only I were still young, I wish I was young still *Olisipa jo huominen* I wish it was tomorrow already

olka shoulder *katsoa jotakuta olkansa yli* look down on someone, look down your nose at someone

olkain shoulder strap, (univormussa epoletti) epaulette

olkapää shoulder

olki straw

olkoon 1 (sallittakoon) let it be *Olkoon ensin sinun vuorosi* Let's have it be your turn first *Olkoon menneeksi* (let him/her/them) go ahead **2** (olipa) whoever/whatever it was, no matter who/what it was *Olkoon puolio miten komea tahansa, avioliittoa ei voi rakentaa ulkonäön varaan* I don't care how handsome (s)he is, you can't build a marriage on looks

olkoonkin never mind that

olkoon menneeksi sure, go ahead, why not, what the hell

olla *pääv* ks myös olla-alkuisia hakusanoja **1** be (there/it is) *Milloin teidän konserttinne on?* When will your concert be (held)/take place? *Missä te olette pääsiäislomalla?* Where are you going to be (staying) during/over Easter vacation? *On liian myöhäistä* It's too late *Tuossa on lisää* There's more (right) there **2** (sijaita) be (located/situated), stand, sit, lie *Se iso kaappi on nyt toisessa nurkassa* That old cabinet is (standing)/stands in the other corner now *Missä teidän mökkinne on?* Where is your summer cottage (located /situated)? **3** (olla jollakulla) *minulla on* I have/own/possess **4** (ruumiillisesta tai henkisestä tilasta) *Mikä sinulla on?* What's the matter? What's bothering you? *Onko teillä nälkä?* Are you hungry? *Minun on kylmä* I'm cold **5** (pakosta yms) *minun on* I have to/must *Onko sinun tosiaankin lähdettävä?* Do you really have to go? Must you go so soon? **6** *Ei minusta taida olla siihen* I don't think I'm cut out for that, I don't think I'm the right person for that *Ei hänestä ole mihinkään* He's no use, he's no good for anything **7** (tulla, olla peräisin) come from, (leik) hail from *Mistäpäin sinä olet?* Where do you come/hail from? **8** (lukea) say *Mitä siinä kirjeessä oli?* What did the letter say? *apuv* have *Hän on tullut* She has come, she's here

olla ihmisiksi behave yourself

ollakseen for a *Ollakseen suomalainen hän on oikea suupaltti* For a Finn he's a regular blabbermouth

olla olemassa exist, be *On olemassa pieni mahdollisuus että* There's a slight chance that *Anteeksi että olen olemassa* Pardon me for living

olla omiaan (sopiva) be perfect/ideal(ly) suited/suitable for *Meidän talomme on omiaan kesäjuhliin* Our house lends itself perfectly to summer parties **2** (taipuvainen) be likely/liable/inclined to, tend to *Se on omiaan lisäämään ihmisten riippuvaisuutta valtiovallasta* That's likely to have the effect of increasing people's dependence on government

olla otsaa have the nerve (to) *Onpas hänellä otsaa!* (He's got) some nerve!

olla sanomattakin selvää *on sanomattakin selvää että* it goes without saying that

olla tarjolla be available, come *Tätä paitaa on vain valkoisena* This shirt only comes in white, is only available in white

olla tekemäisillään be about to *Olin koko ajan purskahtamaisillani nauruun* The whole time I was just about to burst out laughing

olla tekemättä stop *Oletkos kiljumatta!* Would you please stop screaming! *En voinut olla nauramatta* I couldn't help laughing

olla tekevinään 1 (leikkiä) pretend to do something *olla kuuntelevinaan/katselevinaan* pretend to be listening/watching **2** (luulla) think you did something *olla kuulevinaan/näkevinään* think you heard /saw something

olla tekevä (am/are/is/was) to do something (in the future) *Hän ei ollut koskaan enää näkevä vaimoaan elävänä* He was never again to see his wife alive

olla (vähällä) tehdä almost/nearly do something *olla (vähällä) kaatua* I almost/nearly fell/slipped

olla yhtä kuin (be) equal (to), be, make *2 + 2 = 4* Two plus two is/equals/makes four

ollenkaan at all *ei ollenkaan* not at all

olo 1 (oleminen) being *Mitä minun siellä oloni vaikuttaa neuvotteluihin?* What effect will my being there have on the negotiations? **2** (tunne, tuntu) feeling *Minulla on hyvä/huono olo* I feel good /bad, happy/sad *Onko sinulla paha olo?* Aren't you feeling very well/good? Are you sick? *Tee olosi kotoiseksi* Make yourself at home **3** *olot* conditions, circumstances *ahtaat olot* straitened circumstances *olla oikeissa oloissaan* be in your element *pysytellä omissa oloissaan* keep to yourself, keep your own company *jättää joku omiin oloihinsa* leave someone alone

olohuone living room

olosuhteet circumstances, conditions *Olen pärjäillyt olosuhteisiin nähden ihan hyvin* I've been doing all right, considering, under the circumstances

olotila 1 (asianlaita) state of affairs **2** (olomuoto: aineen) state, (ihmisen) condition

oltavat condition, state *Ei teilläkään ole helpot oltavat* It's tough for you too *Pojille tuli kuumat oltavat* The boys got into hot water *Meillä on tässä ihan hyvät oltavat* We like it here just fine

olut beer

olutpanimo brewery

olutpullo (täysi) bottle of beer, (tyhjä) beer bottle

oluttölkki (täysi) can of beer, (tyhjä) beer can

olympiakisat Olympic games

olympialaiset the Olympics

olympiaurheilija Olympic athlete

oma *adj* **1** (of) your) own *omistaa oma talo* own your own house, own a house of your own *ajaa omaa etuaan* look out for number one, protect your (own best) interests **2** (henkilökohtainen) private, (erillinen) separate *oma sisäänkäynti* private/separate entrance *pron* **1** mine, yours, his, hers, its, ours, theirs *Tämä on minun kirjani, missä sinun omasi?* This is my book, where's yours? **2** *vuoteenoma* bed-ridden

oma-aloitteinen spontaneous, unprompted, (something) done on your own initiative

oma-aloitteisesti on your own initiative

oma-aloitteisuus initiative, enterprising spirit

omaa sukua née *Virve Antikainen o.s. Ripatti* Virve Antikainen née Ripatti

omaehtoinen 1 independent **2** (kasv) autonomic

omaelämäkerta autobiography

omahyväinen smug, complacent; (itserakas) conceited, (ark) stuck up

omahyväisyys smugness, complacency, conceit

omainen (close) relative/relation *omaiset* the (immediate) family *lähin omainen* next of kin, closest relation/relative

omaisuus 1 property, possessions, assets; (testamentissa) estate *kiinteä omaisuus* real estate *irtain omaisuus* personal property *yhteinen omaisuus* joint property **2** (rikkaus) fortune, wealth *koota itselleen valtava omaisuus* make/amass a huge fortune

oma itsensä *olla oma itsensä* be yourself

oma kehu haisee stop blowing your own horn

omakohtainen personal, (henkilökohtainen) private, (subjektiivinen) subjective

omakotitalo house, (ark) home

omakseen *ottaa asia omakseen* take a matter to heart, make a matter your personal crusade

omaksua 1 (oppia) take in, learn *omaksua nopeasti vieras kieli* learn a foreign language quickly **2** (ottaa omakseen) adopt, embrace

omakuva self-portrait

omalaatuinen peculiar, eccentric

omalaatuisuus peculiarity, eccentricity

omaleimainen distinctive, characteristic, individual

omalla vastuulla at your own risk

omalta osaltani for my part

omanarvontunto self-esteem

omanlaisensa one of a kind

omantunnonasia matter of conscience

omantunnonvapaus freedom of conscience

omaperäinen 1 (omaleimainen) distinctive, characteristic, individual **2** (alkuperäinen) native, indigenous

omaperäisyys 1 (omaleimaisuus) distinctiveness, individuality **2** (alkuperäisyys) native/indigenous origin

omasta takaa of your own *Meillä on perunaa omasta takaa* We grow our own potatoes

omata have, possess

omatekoinen home-/hand-made

omatoiminen self-motivated/-driven

omatoimisesti on your own

omatoimisuus self-motivation

omatunto conscience *Minulla on huono omatunto siitä* I feel guilty about that *Hyvä omatunto on paras päänalunen* A quiet conscience sleeps through thunder *Omatuntoni soimaa* My conscience won't leave me alone

omavarainen 1 (maa, perhe) self-sufficient **2** (kasvi) autophytic

omavaraisuus 1 (maan, perheen) self-suffi-ciency **2** (kasvin) autophysy

omena apple *Ei omena kauas puusta putoa* Like father like son, he's a chip off the old block, the acorn doesn't fall far from the oak tree

omenamehu apple cider

omenapiirakka apple pie

omenapuu apple tree

omia take, (ark) help yourself to

omiaan 1 (sopiva) perfect/ideal(ly suited /suitable) for *Meidän talomme on omiaan kesäjuhliin* Our house lends itself perfect-ly to summer parties **2** (taipuvainen) likely /liable/inclined to *Se on omiaan lisäämään ihmisten riippuvaisuutta valtiovallasta* That's likely to have the effect of increas-ing people's dependence on government **3** puhua omiaan talk through your hat

omilleen päästä omilleen break even

ominainen distinctive, characteristic

ominaispiirre characteristic (feature/trait)

ominaisuus 1 characteristic, feature, trait, quality **2** (peritty) character

omin päin on your own

omin sanoin in your own words *sanoa omin sanoin* paraphrase

omintakeinen 1 (itsenäinen) independent **2** (omaperäinen) individual, idiosyncratic

omintakeisuus independence, idiosyncrasy

omissa maailmoissaan off in a world of his /her own

omistaa 1 (omaisuutta) own, possess, have **2** (kirja) dedicate, inscribe; (elämä) devote

omistaja owner, (liikkeen) proprietor

omistautua dedicate/devote yourself/your life (to)

omistus 1 (omaisuuden) ownership, posses-sion, (liikkeen) proprietorship **2** (kirjan) dedication, inscription

omistuskirjoitus dedication, inscription

omituinen peculiar, odd, strange, eccentric

omituisuus peculiarity, oddity, strangeness, eccentricity

ommella sew (up) *ommella omat vaatteet* make/sew your own clothes

ompelija seamstress, (pukujen) dressmaker

ompelu sewing

ompelukone sewing machine

ongelma problem

ongelmallinen problematic

ongelmallisuus difficulty

ongelmatapaus problem/difficult case

ongenkoukku fishhook

ongensiima fishline

ongenvapa fishing pole/rod

onginta fishing

onkalo cave, cavity, hollow

onki rod/hook and line *lähteä ongelle* go fishing *Kala käy onkeen* The fish are bit-ing *ottaa onkeensa* keep/bear (something) in mind *tarttua onkeen* (kuv) fall for (something) hook, line, and sinker

onkia fish, (kuv) fish/dig out *onkia tietoonsa* scrounge/dig up (information about)

onkija fisher(wo)man, (vanh) angler

onnekas 1 (hyvä onnea tuottava/saava) lucky, fortunate **2** (onnellinen) happy, felicitous

onnekkuus luck, fortune, happiness, felicity

onnellinen (iloinen) happy, glad, joyful; (valinta) felicitous *onnellinen loppu* happy ending *elää onnellisina elämänsä loppuun asti* live happily ever after **2** (onnekas) lucky, fortunate

onnellisesti happily, felicitously, luckily, fortunately; (hyvin) well, for the best

onnellisuus happiness, felicity, good luck /fortune

onnenkauppa stroke of good fortune, piece of (good) luck *onnenkaupalla* by sheer luck, by a fluke, by a freak accident

onnenonkija (rikkaisiin naimisiin haluava) fortune-hunter, adventurer; (tilaisuuden käyttäjä) opportunist

onnenpoika lucky devil

onnenpotku stroke of (good) fortune, piece of (good) luck

onnenpyörä wheel of fortune

onnentoivotus best wishes, congratulations

onnetar Lady Luck, (Dame) Fortune, (lat) Fortuna

onneton 1 (kurja) miserable, unhappy, wretched **2** (huono-onninen) unlucky, unfortunate **3** (epäonnistunut) ill-fated /-omened/-starred, luckless, blighted

onnettomasti miserably, unhappily, unluckily, unfortunately, lucklessly (ks onneton) *Siinä käy vielä onnettomasti, sano minun sanoneen* It's going to flop, it's going to turn out badly, mark my words

onnettomuus accident, disaster, catastrophe *Onnettomuus ei tule yksin* It never rains but it pours, misery loves company *onnettomuudeksi* unfortunately, as (ill) luck would have it

onni 1 (onnellisuus) happiness, joy, bliss, delight *onnensa kukkuloilla* at the height of your happiness **2** (onnekkuus) luck, fortune; (personoituna) Lady Luck, (Dame) Fortune *hyvä/huono onni* good/bad luck /fortune *Silloin onneni kääntyi* That was when my luck/fortunes changed/turned *jättää joku oman onnensa nojaan* leave someone to his/her own devices *Onnea matkaan!* Have a good trip! Good luck on your trip! **3** *Onnea!* (yleisonnittelut) Congratulations! (synttärisankarille) Happy birthday! (hääpäivänä) Happy anniversary!

onni onnettomuudessa every cloud has a silver lining, look on the bright side

onnistaa *Minua onnisti* I did/made it, my (whatever) was a success *Häntä aina onnistaa* He has all the luck

onnistua succeed (in doing something), be successful/a success (in/at); (ark) work, come out (all right)

onnistuneesti successfully

onnistunut successful

onnitella congratulate

onnittelu congratulations

onomatopoeettinen onomatopoeic

onpa what a *Onpa valtava työ!* What a (huge) job! *Onpas* Is too/so *Eipäs* Is not

ontelo cavity

ontto hollow (myös kuv)

ontua limp *Vertaus hieman ontuu* The conceit doesn't quite work, the analogy falls a bit short

oopiumi opium *Uskonto on kansan oopiumi* Religion is the opiate of the people

ooppera opera

oopperalaulaja opera singer

oopperamusiikki opera(tic) music

oopperatalo opera hall

opas (ihminen) guide, (kirja) guide(book)

opastaa guide, lead, conduct

opastin signal

opastus 1 guidance *kartan opastuksella* with the help/aid of a map, following a map **2** (neuvonta) information

operaatio operation

operaattori operator

operetti operetta

operoida operate

opetella learn

opettaa 1 teach, instruct **2** (kouluttaa) train, (harjoituttaa) drill

opettaja teacher, instructor, trainer, drillmaster; (mon) faculty, teaching staff

opettavainen educational, instructive, didactic

opettavaisesti pedantically

opettavaisuus pedantry

opettelija learner, beginner

opettelu learning

opetuksellinen educational, instructional

opetus 1 (opettaminen) teaching, instruction **2** (oppitunti/opittu asia) lesson, (tarinan) moral *antaa jollekulle pieni opetus* teach someone a lesson

opetuslaitos educational system

opetuslapsi disciple

opetusmenetelmä teaching method

opetusoppi pedagogics

opetussairaala teaching hospital
opetussuunnitelma curriculum
opetustyö teaching
opetusviihde edutainment
opillinen doctrinal
opinkappale tenet (of your faith), doctrine
opinnot studies
opinnäytetyö scholarly thesis
opintolaina student loan
opintoneuvonta student guidance
opinto-ohjaaja (koulussa) guidance counselor, (yliopistossa) student advisor
opinto-ohjelma curriculum
opintoretki field trip
opintosuunnitelma curriculum
opintovaatimukset course requirements
opiskelija (college/university/undergraduate) student *jatko-opiskelija* grad(uate) student
opiskella study
opiskelu study(ing)
opiskelutoveri friend from college
opisto institute, college
oppi 1 (oppineisuus) learning, erudition *ottaa oppia* (jostakin) learn from, (jostakusta) follow (someone's) example *Ei oppi ojaan kaada* A little learning never hurt anybody **2** (opinnot) education *olla jonkun opissa* be apprenticed to **3** (opinkappale) doctrine, dogma **4** (opetus) lesson, teaching *Olkoon tämä sinulle opiksi* I hope you've learned your lesson
oppia learn, (ark) pick up
oppia ikä kaikki live and learn, you learn something new every day
oppiaine subject
oppiarvo degree
oppia tuntemaan get to know (someone)
oppi-isä master, (spiritual) father, teacher; (ark) guru
oppikirja textbook
oppikoulu secondary school
oppilaitos school
oppilas 1 (koulun, yliopiston) student **2** (ammattioppilas) trainee **3** (opetuslapsi) disciple, follower
oppilaskunta student body
oppilasmäärä enrollment

oppiminen learning
oppimäärä course (of study)
oppineisuus learning, erudition
oppinut s learned person, (ark halv) egghead *adj* learned, erudite
oppipoika 1 apprentice **2** (aloittelija) beginner
oppitunti class, lesson
oppivainen quick to learn, apt
oppositio opposition
optiikka optics
optikko optician
optimaalinen optimal
optimi optimum
optimismi optimism
optimisti optimist
optimistinen optimistic
optinen optical
oranssi orange
oranssinvärinen orange
oras new crop
orastaa 1 (vilja tms) sprout, spring up, germinate **2** (kuv) take shape, develop
orastava budding, nascent, beginning
orastus dawn(ing)
orava squirrel
orgaaninen organic
organisaatio organization
organismi organism
orgasmi orgasm
orgia orgy
ori stallion, stud
originaali original
originelli original
orja slave, (maaorja) serf *tapojensa orja* creature of habit
orjallinen slavish
orjamainen slavish
orjuus slavery
orjuuttaa enslave
orjuutus enslavement
orkesteri orchestra
orkesterinjohtaja conductor
orkidea orchid
ornamentti ornament
orpo orphan *jäädä orvoksi* be orphaned *orpo olo* forlorn/desolate feeling
orpokoti orphanage

orpolapsi orphan(ed child)

orpous orphanhood

orsi 1 (talon) beam, rafter **2** (linnun) perch, roost *kuin kanat orrella* cheek by jowl, shank to flank

ortodoksi orthodox

ortodoksinen orthodox

ortodoksisuus orthodoxy

orvokki violet

osa 1 part *jakaa samansuuruisiin osiin* divide up into equal parts: (kangasta) cut up into equal lengths, (kakkua) cut into equal-sized pieces/slices, (rahaa) divide up into equal shares *esittää Hamletin osaa* play the part/role of Hamlet *ostaa osia stereoihinsa* buy parts/components for your stereo *teoksen ensimmäinen osa* (kirjan) first part/book, (kirjasarjan) first volume, (sinfonian) first part, (lyhyemmän musiikkiteoksen) first part *kolmasosa* third *neljäsosa* fourth, quarter **2** (jotkut) some *Osa on miehille, osa naisille* Some are for men, some for women **3** (kohtalo) fate, lot *alistua osaansa* resign yourself to your fate/lot

osa-aikainen part-time

osa-aikatyö part-time job

osaamaton unskilled, incompetent

osaava skilled, competent

osainen *neliosainen* (artikkeli, saarna tms) four-part (article), (sermon) in four parts; (kirjasarja) four-volume (series), (series) in four volumes; (sinfonia) in four movements

osakas (yhtiökumppani) partner, (osakeyhtiön) shareholder

osake (paperi) share, (mon) stock **2** (huoneisto) condo(minium)

osakemarkkinat stock market

osakeyhtiö corporation, incorporated company (Inc.)

osakkuus partnership

osakseen 1 (itselleen) jää kääntämättä *saada osakseen* receive *saada osakseen runsaasti kiitosta* be thanked profusely, have praise lavished upon you *saada osakseen pilkkaa* be met with scorn/ridicule, be made a laughingstock **2** (kohtalokseen) to

your lot *Minun osakseni tuli* It fell to my lot (to), it became my responsibility (to), it devolved upon me (to)

osaksi part(ly) *osaksi puuvillaa, osaksi polyesteriä* part cotton, part polyester *suureksi osaksi* mostly, in large part, for the most part

osallinen part of, party to *päästä osalliseksi /olla osallisena jostakin* get involved in something, be included in something, take part/participate in something

osallistua 1 take part (in), participate (in), be involved/included in **2** (kurssiin tms) attend **3** (kustannuksiin) share

osallisuus 1 part, share, involvement **2** (lak rikokseen) complicity

osaltaan for your part *Omalta osaltani voin sanoa että* For my part, let me say that; personally I'd like to say that *olla osaltaan vaikuttamassa siihen että* play a part in (getting someone to do something), contribute to

osanottaja 1 participant **2** (urh) contestant, competitor, entrant

osanotto 1 (kurssiin tms) participation, attendance **2** (suruun) (expression of) sympathy, condolences

osapuilleen approximately, roughly

osapuoli party

osasto 1 (liikkeen) department, division **2** (junavaunun, kaapin) compartment **3** (sanomalehden) section, page(s) **4** (sairaalan, vankilan) ward **5** (sot) detachment

osata *pääv* **1** (jo(ta)kin) know (how to do), have a command of *Osaatko italiaa?* Do you speak Italian? **2** (jonnekin) know how to get somewhere, be able to find your way somewhere *Osaatko meille?* Do you know where we live? Can you get here all right (or do you need directions)? *apuv* can, be able to, know how to *Osaatko viheltää?* Can you whistle? Do you know how to whistle? *Että osaakin olla lujassa* How can it be stuck so tight?

osaton *jäädä osattomaksi* be left high and dry, be left out, be left without a share *yhteiskunnan osattomat* the have-nots

osavaltio state

osin part(ly) (ks osaksi) *joiltakin/kaikilta osin* in some/all respects

osittaa divide; (perintöä) partition; (maapalstaa) parcel (out)

osittain part(ial)ly, in part

osittainen partial

osoite address

osoitella point (a finger) (at); (kuv) point fingers (at)

osoitin pointer, indicator; (kellon) hand; (kuv) index

osoittaa 1 (sormella) point (at/to/out) **2** (näyttää) show, display, indicate, demonstrate **3** (todistaa) demonstrate, prove **4** (suunnata) direct, address **5** (varata) allocate, assign, allot

osoittautua prove (yourself) (to be) *osoittautua erinomaiseksi ruoanlaittajaksi* prove (to be) an excellent cook *Osoittautui että hän olikin oikeassa* He turned out/proved to be right after all

osoitus 1 (merkki) sign, indication, token, symbol **2** (maksumääräys) assignment

ostaa buy, purchase *ostaa sika säkissä* buy a pig in a poke

ostaja buyer, purchaser

osteri oyster

osto purchase

osto- ja myyntiliike second-hand shop

ostos purchase *mennä ostoksille* go shopping

ostoskeskus shopping mall/center

ostosmatka shopping trip

osua hit, strike *Osuin häntä selkään* I got him in the back

osua ohi miss

osua oikeaan hit the nail on the head, hit the bull's eye

osua vastakkain bump/run into each other

osuma hit *saada osuma käteen* get hit in/on the hand, (ark) get/take it in/on the neck

osuus 1 share, part *suhteellinen osuus* proportion **2** (yhtiöstä) interest **3** (tieosuus) section, segment **4** (viestijuoksun) stage

osuuskauppa cooperative store, (ark) co-op

osuuskunta cooperative, (ark) co-op

osuva apt, appropriate *osuva kommentti* telling remark

osuvasti aptly *sanoa osuvasti* (hyvin) hit the nail on the head, capture the situation perfectly; (loukkaavasti) hurt someone to the quick, hit a sore spot

osuvuus aptness

otaksua suppose, assume, (ylät) presume

otaksuma supposition, assumption, presumption

otaksuttavasti presumably

ottaa have (something) taken *otattaa perheestään kuva* have someone take a picture of your family

otava Ursa Major, the Big Dipper

ote 1 (kädellä) grip, grasp, hold (myös kuv) *Inflaatio kiristää otettaan* Inflation is tightening its grip/stranglehold **2** *kovat otteet* severe/drastic/harsh measures *käyttää kovia otteita* come down hard (on people), play hardball **3** (tekstin ote) extract, passage **4** (tiliote) (bank) statement, (nimikirjanote) dossier **5** (kerta) time, occasion *pariin otteeseen* several times, on several occasions

otella contend, compete, fight

otettu pleased, touched, moved *Olin hyvin otettu teidän huomaavaisuudestanne* Your thoughtfulness really pleased me, really made me happy

otollinen opportune, favorable, (erittäin hyvä) perfect

otos 1 (valokuva) (snap)shot **2** (elokuvassa) take **3** (empiirisessä tutkimuksessa) sample

otsa 1 forehead *otsa rypyssä* knit-browed, with a frown *kirkkain otsin* with a straight face/innocent look **2** nerve *Onpa sinulla otsaa!* You've got some nerve!

otsatukka bangs

otsikko 1 (kirjassa tms) title, heading **2** (sanomalehdessä) headline

otsikoida (en)title, head

otsikointi titling, heading

ottaa 1 take (ks myös hakusanat) *Ota tai jätä!* Take it or leave it! *Otahan lisää!* Take/have some more! **2** (juoda) drink *Oletko ottanut?* Have you been drinking? **3** (koskettaa) touch, reach down to *Hame*

ottaa lattiaan The skirt hangs down to the floor
ottaa aika time, clock
ottaa asiakseen make it your business (to)
ottaa esille bring up, mention
ottaa haltuunsa seize, confiscate
ottaa huomioon take (something) into consideration/account
ottaa irti remove, dismantle *ottaa elämästä kaikki ilo irti* let loose, paint the town red *ottaa työläisistä kaikki irti* work your employees to the bone, till they drop
ottaa ja up and *Hän otti ja lähti* He up and left
ottaa jalat alleen take to your heels, beat a hasty retreat
ottaa kantaa take a stance (on)
ottaa kiinni 1 catch (a ball, a criminal) **2** (etumatkaa) catch up with **3** (tarttua) take hold of, grab *ottaa jotakuta kädestä* take someone by the hand, take someone's hand
ottaa käyttöön introduce, (auto) register
ottaa lainaa take out a loan, borrow money
ottaa mukaansa 1 (matkalle tms) take (something/someone) along (with you) **2** (laskuihin tms) include
ottaa nokkiinsa take offense, take (something) personally, get hurt (by)
ottaa opiksi learn (your/a lesson)
ottaa osaa 1 (osallistua) take part (in), participate (in), (seminaariin, konferenssiin tms) attend **2** (tuntea samaa) share, sympathize with *Otan osaa* (suruunne) My condolences/sympathies
ottaa pois 1 (joltakulta) take away **2** (päältä) take off, remove **3** (sisältä) take out **4** (lapsi koulusta tms) pull out, withdraw
ottaa puheeksi bring up, mention
ottaa päähän irritate, make (you) mad, (sl) piss/brown (you) off
ottaa selvää find out (about)
ottaa sisään admit
ottaa syyt niskoilleen take the blame (for something)

ottaa tavakseen make a habit (of doing)
ottaa töihin employ, hire, take on
ottaa vaarin heed, pay attention to, take (something) seriously, tuck (something) away for later reference
ottaa vastaan receive, meet, (kutsu) accept *Meinasin kaatua, mutta kaide otti vastaan* I almost fell, but (fortunately) the railing caught me
ottaa vastuu accept responsibility for (doing something)
ottaa vauhtia get a run at it
ottaa yhteen clash
ottaa yhteys contact, get in touch (with)
ottelu match, game, (nyrkkeilyssä) fight
otto 1 (pankissa) withdrawal **2** (elokuvauksessa) take
ottolapsi adopted child
otus creature
oudoksua find it strange/odd/peculiar
oudoksuttaa find it strange/odd/peculiar
ounastella have a hunch/suspicion/feeling (that), suspect
outo strange, odd, peculiar
ovela clever, crafty, cunning
ovella 1 (oven edessä) at the door **2** (lähellä) near, just around the corner
ovelta ovelle (from) door to door
oveluus cleverness, craftiness, cunning
ovenpieli doorjamb *seisoa ovenpielessä* stand in the doorway
ovensuu *seisoa ovensuussa* stand in the doorway
oveton doorless
ovi door; (kuv) door/gateway *Ovi auki!* Open up! *osoittaa jollekulle ovea* show someone the door *Avain on ovessa* The key is in the lock *Jätin sormeni oven väliin* I pinched my finger in the door, my finger got caught in the door *olla oven ja saranan välissä* be between a rock and a hard place, between the devil and the deep blue sea
oviaukko door opening
ovikello doorbell

P,p

-pa, -pä 1 sure, certainly *Olipa/kylläpä oli kiva että tulit* It sure/certainly was nice that you came 2 what a *Onpa hieno talo* What a nice house 3 what a thing to do *Mennäpä nyt sanomaan tuollaista* What a thing to do, saying something like that 4 it was *Anttipa se olikin* It was Antti all along /after all 5 I think I'll *Minäpä lähdenkin tästä kaupunkiin* I think I'll head into town 6 precisely, exactly *Siksipä menenkin* That's exactly why I'm going 7 I wish, if only *Olisinpa rikas* I wish I were rich, if only I were rich *Kunpa tietäisin!* If only I knew, I wish I knew 8 no matter what /who, whoever/whatever *Olipa se mikä /kuka/miten tahansa* No matter what/who /how it is/was, whatever/whoever/however it is/was 9 too, (painollinen) not *Saappas* Can too/so *Eipäs* Can not 10 just *Olipahan vain joku tuttavani* It was just somebody I met somewhere 11 jää kääntämättä *Sinäpä sen sanoit* You said it *Kukapa ei muistaisi* Who wouldn't remember

paaduttaa harden

paahde heat *lämmitellä nuotion paahteessa* warm up by the fire *auringon paahteessa* in the (scorching) heat of the sun

paahdin *leivänpaahdin* toaster *kahvinpaahdin* coffee roaster

paahtaa 1 (aurinko) scorch, burn 2 (leipää) toast 3 (kahvia) roast 4 (tehdä työtä) grind (away)

paahtoleipä 1 (paahdettuna) toast 2 (paahtamattomana) sliced bread

paahtopaisti roast (beef/pork)

paahtua (leipä, iho) toast, (kahvi, iho) roast

paalu post, pole, stake, (kroketissa) peg, (perustuspaalu) pile

paarit 1 (sairaspaarit) stretcher 2 (ruumispaarit) bier

paasata trumpet, spout, rant (and rave)

paasto fast

paastonaika Lent

paastonaikainen Lenten

paastota fast

paatoksellinen pompous

paatos pathos, (äänessä) pomposity

paatua become hardened

paatumus obduracy, unrepentance

paatunut hardened, obdurate, unrepentant

Paavali Paul

paavi pope *paavin* papal

paavinistuin Apostolic/Holy See

paavius Papacy

paduta 1 (jokea) dam (up) 2 (tunteet) suppress, contain, hold back/in

paella paella

paeta 1 (juosta pakoon) flee (from), run away (from) *paeta johonkin* (jstkaan) flee to; (työhön tms) take/seek refuge in; (pulloon tms) escape into *paeta onnettomuuspaikalta* leave the scene of an accident, hit and run *paeta maasta* flee/skip the country 2 (päästä pakoon) escape, get away 3 (kadota) vanish, disappear

pah bah, pshaw

paha s 1 evil *välttämätön paha* necessary evil *pienempi paha* the lesser of two evils *pahat mielessä* up to some mischief 2 (pahalainen) the Devil *Siinä paha missä mainitaan* Speak of the devil *adj* 1 (usk) bad, evil, wicked, malicious *puhua pahaa jostakusta* malign someone, say malicious things about something *pahassa tarkoituksessa* maliciously, with malicious intent 2 (pahannäköinen/-makuinen) bad, nasty, ugly, severe, serious *paha haava* a bad /nasty/serious cut/wound *paha maku suuhun* It left me with a bad taste in my mouth *Ei niin pahaa ettei jotain hyvääkin* Every cloud has a silver lining 3 (tuhma) bad, naughty *olla paha suustaan* have a sharp tongue 4 (vahingollinen) bad, harmful, insidious, pernicious *pahaksi onneksi* unfortunately *tehdä jollekulle pahaa* hurt /harm someone **5** *paha mieli* hurt, insulted, offended, feeling bad *ei millään pahalla* no offense *Älä pane pahaksesi* Don't take this wrong, don't get me wrong *Älä muistele pahalla* No hard feelings *tykätä pahaa* be upset/angry/hurt **6** (vaikea) hard, difficult *Mäki on paha nousta* It's a hard hill to climb, it's not much fun walking up that hill

pahaa aavistamaton unsuspecting, unaware

pahaa aavistamatta unsuspectingly, unawares

pahaenteinen foreboding, ominous, illomened

paha haltija evil fairy/spirit

paha henki evil spirit

paha hyvällä *maksaa paha hyvällä* return good for evil, turn the other cheek

pahamaineinen infamous, notorious

pahanhajuinen smelly, foul

pahankurinen unruly, wild, misbehaved

pahanlainen pretty bad

pahanmakuinen bad-tasting, acrid

pahannäköinen bad-/nasty-looking, (haava) ugly

pahanolontunne sick feeling

pahanpäiväinen 1 (kurja) shabby, sordid, sorry **2** (paha) serious, disastrous, dreadful

pahanpäiväisesti badly *pelästyttää pahanpäiväisesti* scare/frighten the daylights out of (someone) *haukkua pahanpäiväisesti* chew (someone) out, rake (someone) over the coals

pahansisuinen vicious, ill-tempered, mean

pahansuopa malicious, malign, spiteful

pahantapainen 1 (huonot tavat) misbehaving, ill-mannered, unmanageable **2** (paheet) corrupt, immoral, dissolute

pahantekijä malefactor; (rikollinen) wrongdoer, transgressor, lawbreaker; (lapsi) troublemaker, mischief-maker, (little) devil

pahanteko mischief, (ilkivalta) vandalism *olla pahanteossa* be up to no good *pitää poissa pahanteosta* keep (someone) out of mischief

pahantuulinen 1 (aina) ill-humored, sullen, crabby **2** (nyt) crabby, out of sorts, snappish

pahassa pinteessä in a jam, in trouble, in it up to your neck, up shit creek without a paddle

pahastella take offense (at), be upset (about)

pahasti 1 (pahalla tavalla) badly, terribly *pahasti sanottu* a nasty/terrible thing to say **2** (paljon) much, greatly, to a large extent, far *pahasti jäljessä* far/way behind

pahastua 1 (loukkaantua) take offense (at), be upset (about) **2** (vihastua) be angry (about), resent

pahastus resentment, indignation

pahastuttaa *pahastuttaa jonkun mieli* make (someone) feel bad, hur (someone's) feelings

pahaääninen loud, earsplitting

pahe vice, (lievempi) bad habit

paheellinen vicious, depraved, wicked, dissolute

paheksua 1 (pitää pahana) disapprove (of), reprehend **2** (torua) censure, find fault with, reproach

paheksunta disapproval, reprehension, censure, fault-finding, reproach

pahempi worse *Ei ollut Pekkaa pahempi* He was not to be bested, he had to go one better *Sitä pahempi!* So much the worse! Worse luck! *ei pahemmasta väliä* bad enough

pahennus 1 offense *pahennusta herättävä* offensive, objectionable, scandalous **2** (raam) stumbling block *Älköön puheenne olko kenellekään pahennukseksi* Let not your words be a stumbling block to any

pahentaa 1 make (things) worse, worsen, aggravate **2** (loukata) hurt *Ei nimi miestä pahenna, jos ei mies nimeä* A reputation never hurt anyone, so long as it's a good one

pahentua 1 get worse, go from bad to worse, worsen, be aggravated **2** (mennä pilalle) spoil, rot, mold, go bad

paheta get worse, worsen, be aggravated

pahimmillaan at worst

pahimmoiksi (pahalla hetkellä) at the worst possible time; (tunne on luontevinta ilmaista lyhyellä pessimistisellä tokaisulla kuten:) of course, it figures, I/it would have to

pahimmoillaan at the worst possible time (ks pahimmoiksi) *Pahimmoilleen tuli vielä rankkasade* Of course, on top of everything else it started to pour

pahiten worst *pahiten loukkaantuneet* the worst injured, the most seriously injured, those with the worst injuries

pahitteeksi *ei olisi pahitteeksi jos* I wouldn't mind if, it wouldn't hurt you/me/them to (do something) *Kalja ei olisi pahitteeksi* I wouldn't mind a beer, I wouldn't protest if you brought me a beer

pahoillaan sorry, upset, (surullinen) sad *Olen pahoillani* I'm sorry

pahoin 1 (pahasti) badly *kohdella pahoin* mistreat, treat badly **2** pelkään pahoin I'm afraid **3** *voida pahoin* feel sick (to your stomach), feel nauseous

pahoinpidellä 1 (ihmistä) maul, manhandle, beat (up); (vaimoa) batter, be physically abusive; (lasta) abuse **2** (eläintä, konetta, huonekalua tms) abuse, mistreat, maltreat

pahoinpitelijä assaulter

pahoinpitely 1 (physical) abuse, rough handling **2** (lak) assault (and battery)

pahoinvointi 1 (vatsassa) nausea **2** (huonovointisuus) sickness, indisposition

pahoinvointinen nauseous, sick to your stomach

pahoinvoiva nauseous, sick to your stomach

pahoitella be sorry (about/for), regret, bemoan, bewail

pahoittaa *pahoittaa jonkun mieli* offend/hurt someone, make someone sad *pahoittaa mielensä* take offense (at), get hurt/sad, get/feel distressed/upset

pahoittelu regret, sorrow, grief, remorse

pahoittua get hurt, take offense

paholainen devil, demon

pahuksenmoinen heck of a, hell of a

pahus (euf) heck, darn, gosh *Voi pahus!* Oh darn/gosh!

pahuus 1 (usk) evil **2** (ilkeys) malice, malevolence, spite

pahvi 1 cardboard **2** (ark todistus) paper, diploma, sheepskin

pahvilaatikko cardboard box

paidanhiha shirt sleeve

paidankaulus shirt collar

paidannappi shirt button

paidaton shirtless, bare-chested

paikalla 1 there, present, on the spot, where the action is *Onko lääkäriä paikalla?* Is there a doctor here/in the house/present? **2** (tilalla) in place of, in (something's /someone's) stead *Sinun paikallasi minä* If I were you I **3** *heti paikalla* at once, immediately, right away

paikallaan 1 in order, appropriate *Muutama sana voisi olla paikallaan* A few words might be in order **?** in place *mies/nainen paikallaan* the right (wo)man in the right place *pitää paikallaan* hold in place *poissa paikallaan* out of place

paikallaan olo standing still, immobility

paikallaan polkeva stagnant, in a rut

paikallinen local

paikallisesti locally

paikallisjuna local train

paikallislehti local paper

paikallispuudutus local anesthesia

paikallistaa 1 (rajoittaa yhteen paikkaan) localize **2** (paikantaa) locate, pinpoint

paikallisuus local orientation

paikallisvaalit local election

paikallisverkko (tietokoneiden) local area network, LAN

paikallisväestö local population, (ark) the locals

paikallisväri local color

paikanhakija applicant (for a job)

paikanhaku application for a job

paikannimi place name

paikan päällä on the spot, there, present

paikantaa 1 (paikantaa) locate, pinpoint **2** (rajoittaa yhteen paikkaan) localize

paikantua be pinpointed/located

paikantuntemus knowledge of the area

paikanvaihdos (työpaikan) change of jobs, job change; (asuinpaikan) move to another city, change of domicile; (olinpaikan) change of scenery

paikanvaraus (seat) reservation *tehdä paikanvaraus* (asiakas) reserve a seat, make a reservation, (virkailija) book a seat

paikata 1 (paitaa) patch, mend, sew (up) **2** (kenkiä) fix, repair **3** (hammasta) put in a filling **4** (aukkoja tiedoissa) fill (the gaps) **5** (ihmissuhdetta) patch up **6** (teatterissa) be someone's understudy, take someone's place **7** (keilailussa) roll a spare

paikka 1 place, location, spot, site *vaihtaa paikkaa* change places *Tämä olisi mukava paikka talolle* This would be a nice spot /site for a house *osoittaa jollekulle paikkansa* put someone in his/her place *osua arkaan paikkaan* hit a sore spot *määrätä kaapin paikka* wear the pants in the family *kuolla siihen paikkaan* die on the spot **2** (alue) area, region, locality, neighborhood **3** (tilaa) space, room *Ei taida olla paikkaa sille* I don't think there's room for it *paikat sekaisin* (in) a mess **4** (tapahtumapaikka) scene *paeta onnettomuuspaikalta* leave the scene of an accident **5** (istumapaikka) seat (myös eduskuntapaikka) *vaihtaa paikkaa* change places (with someone) **6** (makuupaikka) berth **7** (työpaikka) job, post, position *Mitä paikkaa hait?* Which job did you apply for? **8** (korjauspaikka) patch **9** (hammaspaikka) filling **10** *pitää paikkansa* be/hold true *puolustaa paikkaansa* serve a purpose, be useful/valuable **11** (ark tilanne) situation *kovan paikan tullen* when the going gets tough *tiukan paikan tullen* when it comes right down to it, when push comes to shove *Tulee kuumat paikat* The heat's gonna be on **12** (ark jäsenet) parts, bones *Minulla on paikat kipeät* I'm sore all over

paikkailla fill (the gaps in your knowledge)

paikkainen 4-*paikkainen* 4-seater

paikkakunnallinen local

paikkakunnittain by region/locality/town

paikkakunta (kunta) town, (asuma-alue) neighborhood, (alue) region, locality

paikkakuntalainen local (resident)

paikkalippu reserved seat

paikkansapitämätön 1 (väärä) untrue, false, erroneous **2** (harhaanjohtava) misleading, unreliable **3** (pohjaton) unfounded, ungrounded, unsound, invalid

paikkansapitävä true, valid, sound

paikka paikoin here and there

paikkaus 1 (vaatteiden tms) patching, mending, sewing up **2** (hampaan) filling

paikkauttaa have (something) fixed; (vaate) have (a shirt tms) mended/sewn/patched, (hammas) get a filling

paikkavaraus (seat) reservation, (paikka) reserved seat

paikkeilla around, about, approximately *Tule kolmen paikkeilla* Come around three *jossain näillä paikkeilla* around here somewhere

paikoillaan 1 (oikeassa paikassa) in place *Lapset keräsivät lelut paikoilleen* The children put their toys away *Paikoillenne, valmiina, nyt!* On your mark, set, go! **2** (sopiva) appropriate, fitting

paikoin here and there

paikoitellen here and there

paikoittain here and there

paikoittainen (something that occurs) here and there

paikoitusalue parking lot

paikoitustalo parking garage

paimen shepherd, (pappi) pastor

paimentaa herd, tend; (ihmisiä) (shep)herd

paimentolainen nomad

painaa *tr* **1** (alas tms) push, press *painaa nappia* push a/the button **2** impress, imprint *painaa suukko jonkun otsaan* kiss someone on the forehead, imprint a kiss on someone's forehead **3** (paperiin) print *Montako kappaletta painettiin?* How large was the print run? **4** (laskea) *painaa katseensa alas* lower your eyes, cast your eyes down (to the ground) *painaa päänsä alas* bow your head *itr* **5** (kiloja) weigh, be heavy *Paljonko painat?* How much do you weigh? *painaa enemmän vaakakupissa* outweigh (something in your estimation), have more/greater significance, take precedence over **6** (vaivata) weigh upon, bother, trouble *Mikä mieltäsi painaa?*

What's on your mind? What's bothering /troubling you? **7** (painella) go, walk, run *painaa vihaisesti sisälle* storm/stomp inside *painaa karkuun* make good your escape, take off

painaa mieleen impress (something) on someone, insist on something *Paina se mieleesi!* Don't forget it!

painaa mieltä trouble/bother you, be on your mind

painaa puuta sit down, have a seat

painaa päähänsä memorize, drum into your head

painaa päälle not give up, not relent *kytät painaa päälle* (sl) the heat is on

painaa päänsä pensaaseen hide your head in the sand

painaa töitä (lujasti) work hard, work your ass off

painaa villoisella downplay, soft-pedal

painajainen nightmare, bad dream

painajaismainen nightmarish

painajaisuni nightmare

painallus 1 push *napin painallus* the push of a button **2** print *jalan painallus* footprint

painama 1 (painallus) push **2** (jälki) (im)print, impression

painamaton (lähde tms) unprinted, unpublished; (liuska) blank

painamo (liike) print(ing) shop, printer('s); (osasto) print(ing) room/department/division

painanta printing, (käsin) screening

painate publication *painatteet* printed matter

painattaa (have something) print(ed)

painatus 1 (painattaminen) printing **2** (painos) print run, edition **3** (jälki) print, impression

painatuskulut printing/pubication costs

painauma depression, impression, (lommo) dent

painautua press (against/close (to)) *painautua toisiinsa kiinni* huddle together

painava 1 (esine, ihminen) heavy *painava kirja* heavy/thick/fat book **2** (sana, asia) weighty *sanoa muutama painava sana* say a few well-chosen words *painava teos* important/significant work

paine (fys ja kuv) pressure *työskennellä kovan paineen alla* work under immense pressure/stress

paineilma compressed air

paineinen 1 (ilma) -pressure *korkea/matalapaineinen* high-/low-pressure **2** (ihminen) stressed-out, under a lot of pressure/stress

paineistaa pressurize

painekattila pressure cooker

painekeitin pressure cooker

painella 1 push **2** (puristella) squeeze **3** (ark) go, run *painella tiehensä* make off, beat a hasty retreat, take to your heels

paini wrestling

painia 1 (urh) wrestle (myös kuv) **2** (kuv) struggle/grapple (with)

painija wrestler

painike button

painiskella 1 (fyysisesti) wrestle, wrassle, tussle, (piehtaroida) roll around on the floor **2** (henkisesti) struggle/grapple (with)

paino 1 (fys ja kuv) weight, (taakka) load *nostaa painoja* lift weights *nojata koko painollaan* lean with your whole weight *Oletko pudottanut painoa?* Have you lost (some) weight? *painon mukaan* by weight **2** (merkitsevyys) weight, importance, significance, stress *panna suurta painoa jonkun neuvoille* lay great store by someone's advice *omalla painollaan* on its own, by /of itself *panna painoa jollekin* stress /emphasize something, place (a good deal of) emphasis/stress on something **3** (kiel) stress, accent **4** (kirjapaino) (printing) press *olla painossa* be in press *mennä painoon* go to press *valmis painoon* ready to go into press/production *juuri painosta tullut* hot off the presses

painoala (kirjapainoala) the printing business **2** (painopiste) specialty, (area of) specialization, focus area

painoinen *10 kg:n painoinen* weighing (in at) 10 kg, (noin) 20-pounder

painokas emphatic, insistent

painokelpoinen printable, fit to print, publishable

painokelpoisuus printability

painokkaasti emphatically, insistence

painokone printing press
painolasti 1 (laivan) ballast **2** (rasite) burden, strain, onus
painollinen 1 (olomuoto) weighted **2** (tavu) stressed, accented **3** (kehotus) pointed, weighty
painomitta unit of weight
painopiste 1 (fys) center of gravity **2** (hankkeen) emphasis, focus
painorajoitus weight limit
painos 1 (laitos) edition *uusi painos* reprint, second edition **2** (painatus) print run *10 000 kappaleen painos* a print run of 10,000 (copies)
painostaa 1 (jotakuta) press(ure), put pressure on, bring pressure to bear on; (ark) breathe down (someone's) neck *Älä painosta minua!* Don't rush me! Stop breathing down my neck! **2** (eteenpäin) push /press on
painostava oppressive
painostus pressure
painostuskeino strong-arm tactics *Tiedän painostuskeinon joka tepsii häneen* I know a way to squeeze him, I know an angle that'll work on her
painotekniikka print(ing) technology
painoton 1 (esine) weightless **2** (tavu) unstressed
painottaa 1 (tavua) accent, stress **2** (asiaa) stress, emphasize, insist on, place/put (special) emphasis/stress on
painotuote printed matter
painotus 1 (tavun) accent, stress **2** (asian) stress, emphasis
painotyö 1 (painamistyö) print job **2** (kirja) publication
painovapaus freedom of the press
painovirhe printer's error, misprint, typographical error, (ark) typo
painovoima 1 (maan) gravity, gravitation **2** (laitteen) pressure
painua 1 sink, sag, dro(o)p, fall, descend *painua veden alle* submerge, go underwater **2** (antaa myöten) give way, yield *painua kumaraan* bend, bow, stoop, (pää) droop *painua kokoon* collapse, (kutistua) shrink, be compressed **3** (kulkeutua) drift, be

driven **4** (ääni: olla painuksissa) be hoarse **5** (painella) go, walk, run *painua tiehensä* beat it, get the hell out of somewhere *painua maata* go to bed, hit the sack/hay *Painu helvettiin!* Go to hell! *Painu vittuun!* Go fuck yourself! *Painu kuuseen /suolle!* Get lost! Get out of here! Go jump in a lake!
painua mieleen be imprinted on your memory *painua helposti mieleen* be easy to remember
painua tiehensä take to your heels, take off, beat it
painua upoksiin sink, (be) submerge(d)
painuksissa 1 (pää tms) lowered, bowed **2** (ääni) hoarse
painuma depression
paise 1 boil, ulcer **2** (yhteiskunnan) festering sore
paiskata toss, hurl, fling, sling, pitch; (ark) chuck *paiskata menemään* throw away, chuck, pitch, heave *paiskata rikki* smash *paiskata seinään* smash (something) against the wall *paiskata totuus vasten kasvoja* hurl the truth in (someone's) face
paiskautua (heittäytyä) throw/hurl yourself (down/on the ground) **2** (viskautua) fly, sail, (jotakin vasten) be dashed/thrown /hurled against
paiskella toss, hurl, fling, sling *paiskella ovia* slam/bang doors
paiskia toss, hurl, fling, sling *paiskia töitä* put/keep your nose to the grindstone, work your ass off
paistaa *tr* **1** (paistinpannussa) fry **2** (avotulella) grill, barbecue **3** (padassa) braise **4** (uunissa) bake, roast *itr* **1** (aurinko tms) shine *Satoi tai paistoi* Rain or shine **2** (tuli) blaze **3** (kasvot) beam **2** (näkyä) show *Se paistoi hänestä* You could tell just by looking at her
paistaa silmään 1 (valo) shine in your eye, be glary, be too bright **2** (asia) stare you in the face, be right under your nose, be as plain as day
paistatella bask (in)
paistattaa bask (in)

paiste 1 (auringon) shine **2** (tulen) light, heat, flickering

paisti roast

paistinpannu frying pan

paistos 1 (paistannainen) baked dish, (mon) bakery goods **2** (laatikko) casserole **3** (piiras) (deep-dish) pie

paistua 1 (paistinpannussa) fry **2** (uunissa) bake **3** (auringossa) bake, roast

paisua 1 swell (up), expand (myös abstraktisti), inflate, (muodottomaksi) bulge **2** (kohota) rise, increase *antaa taikinan paisua* let the dough rise

paisutella magnify, exaggerate, blow (something) up out of all proportion *paisutella pikkuasiaa* make a mountain out of a molehill

paisuttaa 1 swell, expand, inflate **2** (asiaa) magnify, exaggerate, blow (something) up out of all proportion

paita shirt, (naisen) blouse

paitahihasillaan in your shirt sleeves

paita ja peppu two peas in a pod

paitapusero shirtwaist

paitsi 1 except (that/for) *Se on totta, paitsi että* Yes, that's true, except that **2** (muttei) but *Kaikki muut paitsi minä* Everyone but me **3** (sen lisäksi) in addition to, besides, not only... but also *Paitsi nopea hän on tarkka* She's not only fast, she's accurate

paitsio offside *paitsiossa* (urh) offside; (kuv) in the doghouse

paja 1 workshop **2** (sepän) smithy, forge

paju willow (tree)

pajunkissa pussy willow

pajunköysi *syöttää jollekulle pajunköyttä* feed someone a line

pakahduttaa burst *Sydäntä pakahduttaa riemu* My heart is bursting with joy

pakahtua burst (with) *Sydämeni oli pakahtua* (surusta) I thought my heart would break, (ilosta) I thought my heart would burst *nauraa pakahtuakseen* split your sides laughing

pakana 1 pagan, heathen **2** (ark) damn *pakanan kallis* damn expensive

pakanallinen 1 pagan, heathen **2** (säädytön) indecent, unchristian, godless, shocking

3 (hillitön) boundless, wild, extravagant, bacchanalian

pakanuus paganism

pakara buttock

pakastaa 1 (ulkona) freeze, drop down to freezing, get cold, feel like winter **2** (pakastimessa) (deep-)freeze, put in the freezer

pakaste frozen food

pakastearkku freezer chest

pakasteaappi (upright) freezer

pakastelokero freezer compartment

pakastin freezer

pakastua freeze, drop down to freezing, get cold, feel like winter

pakastus freezing

pakata tr pack *Joko olet pakannut matkaan?* Are you packed for your trip yet? *pakata vakea pikku huoneeseen* pack/cram/stuff /jam the little room full of people *pakata laukkunsa ja lähteä* pack up and walk out, take your stuff and go *itr* **1** (tupata) crowd (into), flock (to) *Kaupunkeihin pakkaa aina vaan lisää väkeä* People keep crowding into/flocking to the cities **2** (ark) be in the habit of *Se pakkaa aina myöhästymään* He's always late *Minua pakkasi naurattamaan* I could hardly keep from laughing

paketoida 1 pack(age), wrap up; (lahjapaperiin) giftwrap **2** (pelto) let (a field) lie fallow

paketointi 1 pack(ag)ing, (gift)wrapping **2** (pellon) letting lie fallow

paketti package, parcel *jalka paketissa* your leg in a cast

pakettiauto van *avolavapakettiauto* pick-up (truck)

pakettimatka package tour

pakina (humorous) column, causerie

pakinoida 1 write a (humorous) column **2** (rupatella) tell humorous stories /anecdotes, chat lightly

pakinoitsija (humorous) columnist

Pakistan Pakistan

pakistanilainen s, adj Pakistani

pakka 1 pack(age), bundle, (kangaspakka) roll, (korttipakka) deck **2** (paperimittana

10 riisiä) 10 reams **3** (laivan keulakoroke) fo'c'sle, forecastle

pakkaaja 1 (tehtaassa) packer, packaging worker **2** (ruokakaupassa) bagger, bagboy /-girl **3** (tavaratalossa) (gift)wrapper

pakkaamo 1 (tehtaan) pack(ag)ing department/line **2** (tavaratalon) (gift)wrapping department/desk

pakkanen 1 subzero/freezing weather, weather below zero *35 astetta pakkasta* 35 (degrees) below zero **2** (halla) frost, freeze, (personoituna) Jack Frost *Pakkanen puree* Jack Frost's nipping at my nose *pakkasen purema* frost-bitten **3** (kylmä) cold *Onpa siellä kova pakkanen!* Man is it cold out there! It's colder than the brass balls on a monkey out there! **4** (ark) freezer *panna pakkaseen* put (something) in the freezer

pakkasenkestävä frost-proof

pakkasilma subzero weather/temperatures

pakkasneste antifreeze

pakkaus 1 package, wrapping **2** (sot) pack *täysi pakkaus selässä* in full marching kit **3** (ark tyyppi) character

pakkautua 1 (maa, lumi tms) pack **2** (ihmiset) pack/crowd/jam in, throng

pakki 1 (peruutusvaihde) reverse *ottaa pakkia* (autossa) throw it into reverse, back up; (kuv) back-pedal, retreat **2** (työkalupakki) toolkit **3** (kenttäpakki) mess kit **4** (urh) back **5** *saada pakit* get turned down *antaa pakit* turn (someone) down

pakko 1 (välttämättömyys) necessity, must *Onko mun ihan pakko?* Do I have to? *Ei ole mitään pakkoa mennä sinne* Nobody's holding a gun to your head, you don't have to go if you don't want to *Meidän on pakko ostaa jätskit nyt heti* We insist that you buy us some ice cream right this instant *Pakko ei ole muuta kuin kuolla* You don't have to do anything except die (and pay taxes) **2** (pakkokeino) force, coercion, compulsion *suosiolla tai pakolla* willingly or by force

pakkokeino force, compulsion, coercion; (mon) coercive means

pakkolaitos maximum security prison/wing

pakkolasku emergency landing

pakkoliike tic

pakkoloma lay-off

pakkolomauttaa lay off

pakkolunastaa expropriate, seize/condemn (a house) by eminent domain

pakkolunastus expropriation, eminent-domain condemnation

pakkomielle obsession

pakkopaita straitjacket

pakkopulla 1 (vehnäleipä) dry bread **2** (tylsä tehtävä) chore *Näytelmä alkoi maistua pakkopullalta* (näyttelijöille tai kirjailijalle) The play began to feel forced/contrived, (yleisölle) Just sitting through the play became something of a chore

pakkosyöttää force-feed

pakkosyöttö 1 (vauvan ja kuv) force-feeding **2** (tekn) forced feed

pakkosäännöstely rationing

pakkotilanne *Tämä on pakkotilanne* We've got no choice in the matter, our hands are tied, this is out of our hands

pakkotoimenpide coercive/emergency measure *ryhtyä pakkotoimenpiteisiin* resort to force

pakkotyö hard labor, (ark) chain gang

pakkotyölaitos workhouse, penitentiary, (ark) pen

pakkovaatimus ultimatum

pakkovalta dictatorship, tyranny

pako 1 escape, flight *pötkiä/lähteä pakoon* take to your heels *ajaa pakoon* put (someone) to flight, (sot) rout *maanpako* exile **2** (sekasortoinen: sot) rout, (karjalauman) stampede **3** (silmukkapako) run (in your stocking)

pakokaasu exhaust fumes

pakokauhu panic *joutua pakokauhuun* panic

pakolainen refugee

pakollinen 1 compulsory, mandatory, required **2** (pakko-) (en)forced, involuntary **3** (välttämätön) necessary, unavoidable

pakomatka escape, flight; (vankilasta) jailbreak

pakonalainen forced *pakonalaisena* (lak) under duress

pakon edessä when there's no choice/alternative/out *joutua myöntymään pakon edessä* have no choice but to give in

pakon sanelema necessary, unavoidable

pakopaikka refuge, hiding place

pakoputki exhaust pipe

pakosalla on the run

pakosta *jonkin pakosta* under the pressure of, by force of *välttämättömyyden pakosta* by necessity

pakostakin unavoidably, unescapably, inexorably, by necessity

pakotie escape (route)

pakoton 1 (luonnollinen) natural, spontaneous; (käytös) unaffected, (juoni uncontrived 2 (vapaa) free, unconstrained; (vapaaehtoinen) voluntary

pakottaa 1 force, make, compel, coerce, oblige *pakottaa joku tunnustamaan* extort a confession out of someone, get a forced confession 2 (jomottaa) ache, pound, throb *Päätäni pakottaa* My head is pounding/throbbing

pakotus 1 force, compulsion, coercion, obligation 2 (jomotus) ache

paksu 1 thick, (syvä) deep 2 (lihava) fat, stout, plump 3 *paksuna* pregnant, in a family way 4 *paksulla painettu* (in) bold(face) 5 *paksuna savusta* thick with smoke

paksuinen *metrin paksuinen* meter-thick, (lumipeite) meter-deep

paksulti thickly

paksuna pregnant, knocked-up, in a family way

paksunahkainen thick-skinned

paksunnos thickening, bulge, swelling

paksuntaa thicken, swell

paksuntua thicken, swell

paksupäinen thick-headed, thick-witted

paksupää bonehead

paksusti *Voihan paksusti* Keep your end up, hang in there

paksuus 1 thickness, (läpimitta) diameter, (numero) gage 2 (lihavuus) fatness

pala 1 piece, scrap, fragment 2 (sokeripala) (sugar) cube 3 (leivän, kakun) slice 4 (suupala) bite, mouthful 5 (kuv) *Minulla nousi katkera pala kurkkuun* I had a bitter lump

in my throat *karvas pala* a bitter bill to swallow *Se on sinulle liian iso pala purtavaksi* You've bitten off more than you can chew

palaa 1 burn (up/down/out/away), combust *panna tupakka palamaan* light up (a cigarette) 2 (liekehtiä) blaze, flame, flare (up), glow *Hänen silmänsä paloivat vihasta* Her eyes blazed with anger 3 (kärventyä) be scorched/singed/charred 4 *palaa halusta* long, burn with longing/desire *palaa innosta* shine/be flushed with enthusiasm 5 (valaista) be on *Vieläkö kuistin valo palaa?* Is the porch light still on? 6 *olla palanut* (lamppu) burn out, (sulake) blow (out) *Sulake on palanut* We blew a fuse 7 (komposti) decompose 8 (jäädä kiinni) get/be caught 9 (pesäpallossa) be out *istu Ja pala!* I'll be damned (if it isn't...)

palaa karrelle burn to a crisp

palaa loppuun burn out

palaa pohjaan burn on the bottom

palaa poroksi burn to the ground

palaa pääreet lose your temper, fly off the handle

palamaton 1 (ei ole palanut) unburned 2 (ei voi palaa) nonflammable, noncombustible

palanen piece, bit, shard, fragment *palanen elämää/historiaa* a slice of life/history *hajottaa palasiksi* smash into pieces/smithereens

pala nieltäväksi *karvas pala nieltäväksi* a bitter pill to swallow

palanut burnt(-out) *haistaa palaneen käryä* (kirjaimellisesti) smell something burning, (kuv) smell a rat

pala palalta piece by piece, piecemeal, bit by bit

palapeli (jig-saw) puzzle

palasittain in bits and pieces

palata return, come/turn/get back *aika palata töihin* time to get back to work *palata aiheeseen* return/revert to a topic, get back to a subject *palata ajassa taaksepäin* (matkustaa ajassa) go back in time, (katsoa taaksepäin) cast a backward glance (at) *palata kotiin* go/come/return home *palata lähtökohtaansa* come full circle

palata asiaan get back to the matter at hand

palata ennalleen return to normal, revert to the status quo

palata mieleen come to mind, (vaivaamaan) come back to haunt you

palata tajuihinsa regain/recover consciousness

palatessaan (up)on your return

palatsi palace

palattuaan when you come back, (up)on your return

palaute feedback

palautella (muistikuvia tms) recover/remember gradually, (kirjoja tms) return over a period of time

palauttaa 1 return, restore, bring/take/send /give back *Joko palautit kirjaston kirjan?* Did you return that library book? *palautetut tavarat* returns **2** (raha) repay, reimburse, refund **3** (syytetty) remand (into custody) **4** (mat) reduce **5** (tekn, tietok) reset

palauttaa entiselleen restore (something) to its previous/earlier/former state/conditon, to normal, to the status quo

palauttaa järjestys restore law and order

palauttaa kotimaahan repatriate/deport (a foreign national)

palauttaa lähettäjälle return to sender

palauttaa mieleen(sä) recall, dredge up from (your) memory

palautua 1 (be) return(ed), be restored, revert, resume **2** (tointua) recover **3** (sana, olla jostakin peräisin) derive (from)

palava 1 (tulessa) burning (myös kuv), on fire; (tulinen) passionate, fervent *palavan kuuma* burning hot *palava katse* (intohimoinen) hot/steamy/burning/gaze/look, (vihainen) fiery/fierce look *palava kiire* terrible hurry *Mihin sinulla on niin palava kiire?* Where's the fire? **2** (tulenarka) combustible, inflammable

palavahenkinen ardent, fervent, (halv) fanatical

palavasieluinen passionate, ardent, (halv) fanatical

palaveri meeting, discussion, talk *pitää palaveri* hold/have a meeting

palella be freezing, shiver with cold *Minua palelee* I'm cold/freezing

paleluksissa freezing (cold)

paleiluttaa get frostbite (in), get (your fingers) frostbitten

paleltaa *Minua paleltaa* I'm cold/freezing *Sormiani paleltaa* My fingers are cold /freezing

paleltua get frostbite, freeze *paleltua kuoliaaksi* freeze to death *Minähän palellun tänne!* I'm freezing to death out here! *Toinen omenapuu paleltui viime talvena* Frost killed the other apple tree last winter

paleltuma frostbite

paleografia paleography

paleontologi paleontologist

paleontologia paleontology

Palestiina Palestine

palestiinalainen *s, adj* Palestinian

paljaaltaan (viina) straight, (leipä tms) with nothing on it

paljas 1 bare, naked *paljain päin* hatless *paljain jaloin* bare-footed *paljain säärin* bare-legged *paljain käsin* with your bare hands, bare-handed(ly) *paljain varpain* bare-foot(ed) *yläruumis paljaana* stripped to the waist *paljaan taivaan alla* under the stars, in the out-of-doors **2** (kasv) hairless **3** (höyhenetön) callow, unfledged **4** (pelkkä) mere, sheer, pure, plain *paljasta hulluutta* sheer madness

paljasjalkainen 1 bare-footed **2** (paikkakuntalainen) native-born

paljastaa 1 (fyysisesti) reveal, expose, uncover **2** (tuoda julki) reveal, expose, unveil, bring to light **3** (antaa ilmi) betray, give (something/someone) away, turn (someone) in; (ark) rat on **4** (keksiä, löytää) discover, detect, find out, learn

paljastaa itsensä 1 (ekshibitionisti) expose yourself, flash **2** (kuv) reveal yourself/ your intentions/motives

paljastaa kyntensä show your claws

paljastin detector *tutkanpaljastin* fuzzbuster *valheenpaljastin* lie-detector, polygraph

paljastua 1 (fyysisesti) be revealed/exposed, appear **2** (tulla julki) be revealed/exposed /unveiled, come to light, come out **3** (jou-

pallero

tua kiinni) be betrayed/caught, get turned in **4** (löytyä) be discovered/detected, show up

palje 1 (palkeet, tulen puhallin, myös kameran tai haitarin) bellows *painaa/polkea paljetta* work the bellows **2** (keuhkot) lungs *huutaa täysin palkein* shout/bellow at the top of your lungs

paljo a lot *Saan kiittää sinua paljosta* I have a lot to thank you for *Me olemme paljossa samanlaisia* We're a lot alike *Emme saaneet hänestä irti paljoakaan* We didn't get much out of him

paljolti largely, mainly, basically, fundamentally *Kyse on paljolti siitä että* The main thing is that

paljon 1 (runsaasti eriytymätöntä) a lot of, lots of, large/great quantities/amounts of, plenty of; (partisiipin kanssa) much *paljon parjattu* much abused/criticized *paljon väkeä/rahaa* lots of people/money *paljon näkemistä* a lot to see, many things to see *aika paljon* quite a lot **2** (suuri lukumäärä) many, a (large) number of, a lot of, lots of, large/great quantities/amounts of, plenty of *Miten sinulla voi olla näin paljon kirjoja?* How can you possibly have so many books? *aika paljon* quite a few **3** *paljon suurempi* much/far bigger/greater *paljon enemmän* (rahaa) much more, (ihmisiä) many more *paljon ennen* long before *paljon lukenut* well-read

paljon kiitoksia thanks a lot

paljonko kello on? what time is it?

paljon mahdollista quite possible

paljonpuhuva eloquent, significant, pregnant with meaning

paljon puuttunut *Ei paljon puuttunut etten itkenyt* I was on the verge of tears, I could hardly hold/choke back the tears

paljous (large) quantity/amount, plenitude; (lukumäärä) number *väen paljous* press /crowd/throng of people

palkallinen paid

palkanalennus cut in pay, pay cut

palkankorotusvaatimus demand for higher pay

palkannousu raise

palkansaaja wage-earner

palkata hire, employ, sign/take on

palkaton unpaid

palkattu 1 (työ) paid, salaried; (ihminen) hired **2** (hyväpalkkainen) *hyvin palkattu* well-paid

palkinto 1 prize, award **2** (palkkio) reward

palkintosija one of the top three *päästä palkintosijoille* place

palkintosumma prize money

palkita reward, repay

palkka pay, (tuntipalkka) (hourly) wages, (kuukausipalkka) (monthly) salary **2** (palkkio: kertasuoritus) fee, (luentopalkka) honorarium, (tekijänpalkkio) royalty, (palveluksesta) reward, (vaivannäöstä) recompense *saada palkkansa* get your just desserts, receive your just reward **3** (kiitos) thanks *Se on minun palkkani 30 vuoden raatamisesta!* That's the thanks I get for 30 years of working my fingers to the bone

palkkalainen hired man/hand

palkkalista payroll *olla Fazerin palkkalistoilla* be on the payroll at Fazer, work for Fazer

palkkaluokka pay/salary bracket, (valtion työssä) GS-level (GS, Government Service)

palkkamurhaaja contract killer, (ark) hitman

palkkaorja wage-slave

palkkasotilas mercenary (soldier)

palkkatyö paid labor

palkkatyöläinen paid laborer, wage-earner

palkkaus 1 (palkkaaminen) hiring, employment **2** (palkkaedut) salary

palkkavaatimus desired salary

palkki beam, (lattiapalkki) joist, (kattopalkki) rafter, (teräspalkki) girder

palkkio 1 (kertasuoritus) fee **2** (luentopalkka) honorarium **3** (tekijänpalkkio) royalty **4** (välityspalkkio) commission **5** (palveluksesta) reward **6** (vaivannäöstä) recompense

palkollinen hired hand, (palvelija) servant, (halv) menial

pallea diaphragm

pallero 1 (lapsi) tot, toddler **2** (pallo) ball

palleroinen s tot, toddler adj round, ball-shaped

palli 1 (jalkatuoli) hassock, (foot)stool **2** (koroke: urh) winner's stand, (liik) executive chair **3** (kives) ball

pallo 1 ball Pallo on nyt teillä The ball's in your court, it's your turn/move, the floor is yours **2** (geom) sphere

pallo hallussa on top of the eight-ball

pallo hukassa clueless Hänellä on pallo hukassa He's lost it, he's out of it, he's got a screw loose, he doesn't have a clue (of what's going on)

palloilla 1 (pelata palloa) play ball/catch, throw a ball around **2** (hengailla) hang /laze/bum around

palloilu playing ball, hanging/lazing/bumming around

pallokas s (purje) spinnaker adj round, spherical

pallokenttä ball court

pallonmuotoinen round, spherical

pallonpuolisko hemisphere

pallopeli ball game

pallosilla olla pallosilla play catch

pallotyttö ball girl

palmikko 1 (hiuspalmikko) braid **2** (muu) twist, plait

palmikoida braid, twist, plait

palmu palm (tree)

palmusunnuntai Palm Sunday

palo 1 fire, burning **2** (huuhta) burned(-over) clearing **3** (pesäpallossa) out

paloasema fire station

paloauto fire truck

palohälytys fire alarm

paloilmoitus fire report

paloitella 1 cut/chop/slice up **2** (osittaa) divide up, (maata) parcel out

palokunta fire department

palolaitos fire department

palomies fireman

palomuuri (tietok) firewall

palonkestävä fireproof, (melkein) flame-resistant/-retardant

palotorvi klaxon (horn) huusi lapsilleen kuin palotorvi screeched at her children like a banshee

palovaara fire hazard

palovahinko fire damage

palovakuutus fire insurance

palovamma burn

paloviina hard liquor, (pontikka) moonshine

palsta 1 (maapalsta) lot, plot **2** (vihannesmaa) patch **3** (sanomalehdessä) column

palstatila 1 (maatila) small farm **2** (sanomalehden) column space/inches

palstoittaa parcel (out)

palttu blood pudding antaa palttua jollekin not give a damn/hoot/fart about something

paluu 1 (paluumatka) return, homecoming **2** (palautuminen) reversion (to) Ei ole paluuta entiseen There's no turning back now, you can't go home, you can't turn the clock back

paluumatka home journey, return trip paluumatkalla on your way home

palvelija 1 servant, domestic; (halv) menial; (mon) the help **2** (palvoja) worshipper

palvella 1 serve, give/render (a) service to valmis palvelemaan at your service palvella aikansa loppuun serve/do your time palvella Pattonin joukoissa serve under Patton palvella uskollisesti serve faithfully, render/give loyal/faithful service to **2** (kaupassa) help, wait on, attend to Voinko palvella teitä? Can I help you? **3** (jollekulle palvelijana) work for, be in service with **4** (tarkoitusta) serve, meet, satisfy **5** (palvoa) worship

palvelu 1 service **2** palvelut (kaupat yms) conveniences, (rakennukset) facilities **3** (palvonta) worship

palvelualtis helpful, friendly, willing to serve

palveluammatti service occupation

palveluelinkeino service industry

palveluksessa 1 (päivystämässä) on duty **2** (armeijassa) in the service **3** (jonkun) working for someone, in someone's employ Palveluksessanne At your service

palvelupiste service center, outlet

palvelus 1 service kutsua palvelukseen draft, call up ilmoittautua palvelukseen report for duty tarjota palvelukseen offer your services (to someone) **2** (ystävälle) favor

Voisitko tehdä minulle palveluksen?
Could you do me a favor?

palvoa 1 worship **2** (ihannoida) worship the ground (s)he walks on, adore, idolize, idealize

palvoja worshipper

palvonta worship

pamahdus bang, slam, (iso) crash, (pieni) pop

pamahtaa bang, slam, crash, pop; (räjähtää) explode, go bang/pow

pamaus bang, slam, crash, pop; (pyssyn) report, (räjähdys) explosion, detonation *suuri pamaus -teoria* the big bang theory

pamauttaa bang, slam, crack, whack, pop *pamauttaa päähän* crack/whack (somebody) over/upside the head *pamauttaa leukaan* pop/poke (somebody) in the jaw

pamppu 1 (nuija) billy club, nightstick **2** (iso kiho) bigshot, bigwig, (mon) the brass

panda panda

paneeli panel

paneelikeskustelu panel discussion

paneloida panel

panetella slander, vilify, smear, defame

panettaa have (somebody) put (something somewhere/in order/jne)

panettelija slanderer, backbiter

panettelu slander, backbiting

paneutua (johonkin) delve into something, take up something *paneutua asiaan* delve /go into something (closely), familiarize yourself with something (in detail) *paneutua jonkun asemaan* put yourself in another person's place *paneutua juhlakuntoon* get all dressed/spiffed/gussied/dolled up, get all decked out *paneutua pitkäksi* lie down, stretch out (on the bed/couch) *paneutua polvilleen* drop to your knees, kneel down

paniikki panic *joutua paniikkiin* panic

panimo brewery

pankinjohtaja bank manager

pankki bank

pankkiautomaatti cash machine, automated teller machine, ATM

pankkikortti bank card

pankkiryöstö bank robbery

pankkisiirto bank transfer

pankkitili bank account

pankkivirkailija bank teller

panna *s* ban, interdict; (pannaanjulistus) excommunication, anathema *julistaa pannaan* (ihminen) excommunicate, anathematize; (asia) ban *päästä pannasta* be(come) allowed/legal again *v* **1** put, place, set, lay, stick *hän pani kirjan hyllyyn* he put the book in the shelf *hän pani kirjan pöydälle* he put/lay the book on the table *panna kello oikeaan aikaan* set the clock **2** (kiinnittää) fasten, fix, attach **3** (saada tekemään) get (you to do), set (you to doing), make (you do) **4** (naida) fuck, poke, pork

panna hanttiin resist, fight back, get/put your back up, dig your heels in

panna lihat heilumaan put your nose to the grindstone

panna kampoihin resist, fight back, get/put your back up, dig your heels in

panna kiinni 1 (kiinnittää) fasten, fix, attach **2** (sulkea) shut, close; (TV, radio, hana) turn off; (napeilla) button; (vetoketjulla) zip up **3** (sijoittaa) invest in, sink into

panna kokoon assemble, put together

panna koville give (someone) a hard time, breathe down their necks, ride them, make life tough for them

panna kädet ristiin cross/fold your hands

panna leikiksi (hyvänä asiana) have some fun, play some games; (pahana asiana) make a mockery out of (something)

panna liikkeelle start, initiate, get (someone /something) going

panna likoon stake (all your money)

panna matalaksi criticize, find fault with

panna merkille notice, remark, pay attention to

panna muistiin write/note/jot down

panna mustaa valkoiselle put in black and white

panna nimensä alle sign

panna näkyville 1 put/set (something) out (where everybody can see it) **2** (julkistaa) post

panna näytille (put on) display

panna olutta brew beer

panna pahakseen take offense (at), get hurt /offended/upset (at)

panna paikoilleen put (something) away, where it goes

panna parastaan do your best

panna pilalle ruin, spoil

panna pitkäkseen lie down

panna pois päiviltä knock/bump off, put away

panna pois päiväjärjestyksestä get (something) out of the way, get it over with

panna pystyyn organize, arrange

panna päälleen/päähän put on

panna pää pyörälle make (someone's) head spin

panna rahaa menemään blow money, throw money away

panna sekaisin mix/screw up, confuse, scramble

panna sivuun set/put aside

panna syrjään set/put aside

panna toimeen initiate, execute, carry out

panna toisen syyksi blame (something) on someone else, (ark) pass the buck

panna tuleen light a fire, set fire to

panna vastaan resist, fight back, get/put your back up, dig your heels in

panna vauhtiin get (something) going, build up some momentum, give (something/someone) a push/shove

pannu 1 pan, pot, kettle **2** (höyrykattila) boiler **3** *Tuo ottaa minua pannuun* That really browns me off

pannukakku 1 (lettu) pancake, (uunipannukakku) Yorkshire pudding **2** (kuv) flop, fiasco

pannulappu hotpad

pano 1 putting, setting **2** (tilille) deposit **3** (nainti) fuck *pikapano* quickie

panos 1 (lataus) charge **2** (patruuna) cartridge, round **3** (korteissa) stake, bet *pelata korkein panoksin* play for high stakes **4** (sijoitus) investment **5** (kuv) contribution *antaa merkittävä panos johonkin* contribute significantly to, make a significant contribution to

panostaa 1 (ladata) load **2** (sijoittaa) invest in, sink your money into **3** (korteissa) place your bets, stake your money on

panostus 1 (lataus) charge **2** (korteissa) bet

panssari 1 (vaunun tms) armor, (hist) (suit of) armor **2** (panssarivaunu) tank **3** (luodin tms) metal jacket **4** (kilpikonnan) carapace, (krokotiilin) cuirass **5** (ihmisen henkinen) wall, defense(s), (protective) armor

panssarivaunu tank

panta 1 (nauha) band, ribbon **2** (hiuspanta) hairband **3** (kaulapanta) choker

pantata 1 (panttilainaamoon) pawn, hock **2** (vakuutena: osakkeet) pledge, (talo) mortgage **3** (ark pidättää) hold back, withhold

pantti 1 (vakuus) collateral, security; (osakkeet) pledge; (talo) mortgage, loan *lunastaa pantti* redeem a pledge, pay off a mortgage *ottaa pantiksi* accept as collateral/security *Panen maineeni pantiksi* I'll stake my reputation on it *tyhjän panttina* useless **2** (pullosta) deposit **3** (rakkauden) token, sign, symbol **4** (pelissä) forfeit

panttilainaamo pawnshop

panttivanki hostage

paperi 1 paper **2** (asiakirja) paper, document; (henkilöllisyystodistus) ID *Kysyttiinkö sinulta papereita?* (kapakassa, Alkossa) Were you carded? *puhtaat paperit* clean record/slate: (poliisista) no police record; (sairaalasta) completely cured, no disease *panna paperinsa vetämään* apply, send in your application **3** (kirjoitettu puhe) written speech *puhua ilman papereita* speak freely, without reading/notes *maistua paperilta* sound/taste like a book

paperikone paper machine

paperinen paper

paperinenäliina kleenex

paperiraha paper money, (mon) bills

paperisota red tape

paperoida (seinä) (wall)paper, (laatikko) line (with paper)

papisto clergy

papitar priestess

pappa 1 (isä) papa, pops **2** (isoisä) gramps

pappi pastor, clergyman; (protestanttinen) minister; (anglikaani, katolinen) priest, father

pappisseminaari seminary, divinity school

paprika (mauste) paprika, (vihannes) red pepper

papu bean

papualainen s, adj Papuan

Papua-Uusi-Guinea Papua New Guinea

papukaija parrot

papupata (suupaltti) blabbermouth, chatterbox, motormouth

paradoksi paradox

parafiini parafin

parafraasi paraphrase

parahiksi just right/enough, perfectly tulla parahiksi syömään be just in time for dinner

parahin dear

parahtaa cry out

paraikaa right now, at this moment

paranematon incurable, (krooninen) chronic

parannus 1 improvement, betterment, reform **2** (usk) repentance Tehkää parannus! Repent! **3** (lääk) cure

parantaa 1 improve, (make something) better, reform parantamisen varaa room for improvement **2** (lääk) heal, cure Aika parantaa haavat Time heals all wounds

parantaa tapansa mend your ways, see the error of your ways

parantaja healer

parantola sanatorium

parantua 1 improve, get better **2** (lääk) heal, mend, get well/better, (toipua) recover **3** Ei siitä parane syödä You'd better not eat that

parantumaton 1 (tauti) incurable, (krooninen) chronic **2** (romantikko tms) incorrigible, hopeless, inveterate

paras the best tehdä parhaansa do your best panna parastaan put your best forward On parasta olla hiljaa It's better not to say anything

paraskin kuin paraskin asiantuntija like some kind of expert

paras mahdollinen the best possible

parastaikaa right now/then, at this/that (very) moment

parasta tarkoittaen tehdä jotakin parasta tarkoittaen mean well, have good intentions

paratiisi paradise

paratiisillinen paradis(iac)al

paratkoon Herra paratkoon! God forbid!

pareittain by/in pairs, by couple, two by two

paremman puutteessa for lack/want of anything better

paremmin 1 better Meni paremmin kuin osattiin odottaa We did better than we dared hope **2** (pikemminkin) rather, more Se on paremmin(kin) poikkeus kuin sääntö It's (almost) more/rather the exception than the rule tai paremmin sanottuna or rather

paremmuus superiority, better quality/performance/jne

parempi, better, superior Sitä sattuu paremmissakin piireissä It happens even in the best families/homes ei paremmasta väliä good enough for government work pitää parempana prefer (something to)

parempi katsoa kuin katua look before you leap

parempi myöhään kuin ei milloinkaan better late than never

parempiosainen s fortunate one, wealthy person, a 'have'; (mon) the well-to-do /well-off adj better/well off, well to do

parfyymi perfume

parhaaksi jonkun parhaaksi for his/her good, in his/her own best interests

parhaalla tahdollakaan with the best will in the world (I can't...)

parhaassa iässään in his/her prime

parhaillaan currently, at present, right now, at this (very) moment

parhaimmillaan at its/your best

parhaimmisto the best/elite, the cream of the crop, the pick of the litter

parhain best

parhain päin kääntyä parhain päin turn out for the best selittää asiat parhain päin put a good face on it

parhaiten best

pari *s* **1** pair **2** (pariskunta) couple **3** (kumppani) partner, (aviosiippa) mate, spouse *hansikkaan pari* the other/missing glove *adj* a pair/couple (of), a few *pari kolme* two or three, a couple three
pariisilainen Parisian, (nainen) Parisienne
parikymmentä (around) twenty
parikymmenvuotias twenty-year-old
parila gridiron, grill
parillinen even
pariloida grill, broil
parisataa a couple hundred
parisen two or three, a couple, a few
pariskunta couple
parissa with, among, in the midst of *viettää aikaa lasten parissa* spend time with (the) children
paristo battery
parisänky double bed
paritella copulate
pariton odd
parittaa 1 (eläimiä) mate **2** pimp/procure (for), pander (to)
parittain by couple(s), in pairs, two by two
parituhatta couple of thousand
parjata slander, malign, defame, smear
parka poor *miesparka* poor man
parkaista cry out
parkaisu cry
parketti 1 parquet(ry) **2** (tanssilattia) dance floor
parkettilattia parquet floor
parkita 1 (nahkaa) tan **2** (luonnetta) toughen, harden
parkita jonkun selkänahka tan someone's hide
parkkeerata park
parkkeeraus parking
parkkiintunut hardened, toughened, weathered
parkkipaikka 1 (yhden auton) parking place /spot **2** (parkkialue) parking lot
parkua bawl, blubber
parlamentaarinen parliamentary
parlamentarismi parliamentarism
parlamentti parliament
parodia parody
parodinen parodic

parodioida parody
paroni baron
paronitar baroness
parrakas bearded, hirsute
parranajo shaving
parranajokone razor, shaver
parras 1 (reuna) edge, brink (myös kuv:) verge **2** (teatterin) apron, (mon) footlights **3** (laivan) gunwale
parrasvalot footlights
parraton beardless, cleanshaven
parsa asparagus
parsi 1 beam, pole, spar **2** (karsina) stall, pen **3** (tapa) manner *puheenparsi* manner of speaking
parsia (sukkaa) darn, (muuta) mend, patch; (kuv) fill in the gaps (in)
parsinneula darning needle
parta beard
partakone razor, shaver
partavaahto shaving cream
partavesi aftershave
partio 1 (sot) patrol **2** (partioliike) scouting, the Boy Scout movement *lähteä partioon* go to a scout meeting
partioida patrol, (go out) scout(ing), reconnoitre
partiolainen scout
partiopoika Boy Scout
partiotyttö Girl Scout
partisiippi participle
partitiivi partitive
partneri partner, (ark) sidekick, pard
parturi barber
parturi-kampaamo barber/hairdresser
parturoida barber, shave
parveilla (hyönteiset) swarm, (linnut) flock, (kalat) shoal
parveke 1 balcony **2** (lehteri) gallery
parvekekasvi balcony flower/plant
parvi 1 (hyönteisiä, ihmisiä) swarm, (lintuja) flock, (kaloja) school; (ihmisiä) crowd, horde, group, troop **2** (parveke: ylinen) loft, (lehteri) loft, gallery, balcony
paska shit, crap *Ja paskat!* Bullshit! *Haista paska!* Fuck you! Eat my shit! *Et tiedä siitä paskaakaan* You don't know shit about it

paskamainen shitty, crappy *paskamainen temppu* a shitty thing to do

paskantaa take a shit/dump

paskantärkeä self-important, full of shit

passata 1 wait on (someone hand and foot) **2** (sopia) suit, be perfect (for) **3** (urh) pass

passi 1 passport **2** (vahti) guard, duty *passissa* on guard/duty **3** (urh) pass

passiivi passive

passiivinen passive

passiivisuus passivity

passikuva passport photo

passintarkastus passport control

passittaa send *passittaa kotiin* (sotilas) demobilize, (sairaalasta) release *passittaa sairaalaan* hospitalize *passittaa takaisin kotimaahansa* deport, repatriate *passittaa tutkintavankeuteen* remand (someone) into custody *passittaa rikollinen vankilaan* commit/send (a criminal) to prison

passitus demobilization, release, hospitalization, deportation, repatriation, remandment, imprisonment (ks hakusanat)

pasta pasta

pasteija 1 (lihapiirakka) meat pie/past(r)y **2** (tahna) pâté

pastilli lozenge

pastori (protestanttinen) pastor, minister; (anglikaani) curate, vicar *pastori Jones* Rev. Jones

pastöroida pasteurize

pastörointi pasteurization

pasuuna 1 (orkesterin) trombone **2** (Ilmestyskirjan) trump

pata kettle *hyvää pataa* bosom buddies, close, intimate

pata kattilaa soimaa The pot calling the kettle black

pataljoona battalion

pataluhaksi *haukkua joku pataluhaksi* chew someone out, give someone a piece of your mind, really tear into someone

patapaisti pot roast

patavanhoillinen ultraconservative

patentoida patent

patentti patent

patistaa push, prod, hustle, urge

patistella push, prod, hustle, urge

patja 1 mattress **2** (tien patja) blanket **3** (geol) bed, stratum

pato 1 dam **2** (rantapato) dyke, embankment

patoutua 1 (vesi) be dammed/backed up; (jäät) be blocked, piled up **2** (tunteet) be bottled/dammed/pent up

patsas 1 (kuvapatsas) statue **2** (pylväs) column, pillar *savupatsas* a pillar of smoke

patteri 1 battery (myös ark paristo) **2** (lämpöpatteri: sähkö) register, (öljy) radiator

patti 1 (kuhmu) bump, lump, knot **2** (pahka) burl **3** (šakissa) stalemate

patukka 1 billy club, nightstick **2** (suklaapatukka) (chocolate/candy) bar

pauhata 1 rumble, roar **2** (ihminen) rant (and rave), bluster

pauhu rumble, roar, thunder

paukahdella bang, slam, crash, crack

paukahdus bang, slam, crash, crack

paukehtaa bang, slam, crash, crack

pauke banging, slamming, crashing, cracking

paukku 1 (räjähdys) blast, explosion **2** (räjähde) charge **3** (isku) blow, setback, trauma **4** (ryyppy) (stiff) shot, bracer **5** (pieru) fart

paukkua bang, slam, crash, crack *paukkuva pakkanen* bitter/crackling cold *Se tuli takaisin niin että paukkui* They returned it so fast I hardly noticed it was gone

paula 1 string, cord, twine; (koristenauha) ribbon; (kengännauha) (shoe)lace **2** (ansa, myös kuv) snare, trap, net *saada pauloihinsa* get (someone) in your clutches

paviljonki pavilion

pehmennys 1 softening **2** (permanentti) perm(anent)

pehmentyä soften, mellow out

pehmentää soften, (luonnetta) mellow

pehmetä soften

pehmeys softness, silkiness, smoothness, tenderness, gentleness, mellowness (ks pehmeä)

pehmeä soft; (hiukset) silky, (iho) smooth, (liha) tender, (luonne) gentle, mellow

pehmeäkantinen paperback

pehmittää 1 soften (up), (sydäntä) melt **2** (piestä) tenderize

pehmitä soften

pehmoinen soft

pehmustaa pad, cushion

pehmuste pad(ding), cushion; (mon) upholstery

pehmustus padding, cushioning

pehmytjäätelö soft ice cream

peijaiset funeral feast

peijakas the dickens

peikko 1 goblin, troll, ogre **2** (kuv: turhaan pelätty) bugbear, (aavemainen) spectre

peilailla 1 (itseään peilistä) gaze at yourself in the mirror **2** (kuvastua) be reflected

peilata 1 (itseään peilistä) look at yourself in the mirror **2** (heijastaa) reflect (myös kuv) *Romaani peilaa oman aikansa yhteiskuntaa* The novel holds a mirror up to contemporary society, reflects the society of its time **3** (mer suuntia) take your bearings, get a fix on your position **4** (luodata) sound (out) the depth of the water

peili mirror *katsoa peiliin* look in the mirror

peite 1 covering *ohut lumipeite* light covering of snow **2** (peitto) blanket **3** (pressu) tarp(aulin)

peitellä 1 (sänkyyn) tuck (a child) in, kiss (a child) goodnight **2** cover (something) up (myös kuv): conceal, hide, mask, disguise *Mitä sinä peittelet?* What are you keeping from me?

peitetysti 1 (kiertäen) indirectly, evasively **2** (salamyhkäisesti) secretively, under wraps/cover

peitteinen (maasto) wooded, (kieli) furred *lumipeitteinen* covered with snow

peitto 1 (huopa) blanket, (vuodevaatteet) covers *panna pää peiton alle* hide your head under the covers **2** covering *jonkin peitossa* covered with something, have something all over *pölyn peitossa* all dusty *punaisten täplien peitossa* all spotty, covered with red spots

peittyä be covered (up by, in) *Aurinko peittyi pilveen* The sun went behind a cloud

peittää 1 cover *peittää lapset* tuck the kids into bed *peittää kustannukset lainalla* take out a loan to cover costs **2** cover up, hide, conceal *peittää pöytäliinan tahra malja-*

kolla cover up/hide the stain on the tablecloth with a vase

peittää jälkensä cover your tracks

pekoni bacon

pelargoni geranium

pelastaa 1 save (myös usk), rescue, salvage, redeem (myös usk) *Ole kiltti ja pelasta Keith Abbyn kynsistä* Be a good boy and go save/rescue Keith from Abby *Royn tulo pelasti illan* Roy showing up when he did salvaged/saved the evening, the evening was redeemed by Roy's arrival *tulla pelastamaan joku* come to someone's rescue **2** (varjella) protect, preserve, keep (something from harm)

pelastaja savior, (ihmisen) rescuer, (kansan) deliverer *Pelastaja* (usk) the Savior

pelastautua save yourself, be rescued/delivered, (selvitä hengissä) survive/escape (a disaster)

pelastua 1 be saved/rescued/delivered, make it (out of somewhere, to safety) **2** (usk) be saved/delivered/redeemed, find salvation

pelastus 1 salvation, saving, rescue *Nopsat jalkasi koituvat vielä sinun pelastukseksesi* Those quick feet will be the saving of you yet **2** (usk) salvation, deliverance, redemption, saving grace **3** (pelastuskeino) escape, way out *Ainoa pelastus oli nopea perääntyminen* The only way to save their skins was to retreat quickly **4** (tavaran) salvage

pelata 1 (peliä) play *Osaatko pelata bridgeä?* Do you know how to play bridge? **2** (toimia) work *Eihän tämä pelaa* This doesn't work

pelata uhkapeliä gamble

pelehtiä 1 (hyppelehtiä) frolic, gambol, caper **2** (leikitellä) play/fool around, play games *pelehtiä tyttöjen kanssa* fool around (with girls) **3** (pelleillä) play the fool, clown around

peli 1 game, play(ing) *Mitä peliä tämä on olevinaan?* What (game) are you playing at? *likaista peliä* foul play, dirty pool *reilu peli* fair play **2** (keino) way, means *Millä pelillä aiot maksaa laskusi?* How are you

planning to pay your bills? **3** (vempain) gadget, contraption, (auto) machine
pelihimo passion for gambling
pelikortti (playing) card
pelimerkki chip
pelkistetty 1 reduced, simplified **2** (sisustustyyli) bare, ascetic, uncluttered *pelkistetty taide* minimalist art
pelkistää reduce, simplify
pelkkä just/only, a, pure, mere, sheer, nothing but *pelkkä muodollisuus* a mere/sheer formality *Hän kuittasi sen pelkällä kiitoksella* He just passed it off with a thank you
pelko 1 fear, dread, terror, fright *Ei ole pelkoa, että epäonnistumme* We have no fear of failing, there's no chance of not succeeding **2** (ahdistus) worry, anxiety, apprehension *Martta tunsi pelkoa poikansa puolesta* Martta wracked herself with worry for her son
pelkuri coward, (ark) chicken, scaredy-cat
pelkurimainen cowardly, (ark) chicken
pelkuruus cowardice
pelkästään just, only, purely, merely, solely *Tämä ei voi olla pelkästään hänen syytään* This can't just be her fault
pelkäänpä pahoin I'm afraid (that)
pellava 1 (kasvi) flax **2** (kangas) linen
pelle clown, fool *Minusta hän on täysi pelle* I think he is a complete fool
pelleillä play/fool/mess/clown around
pelleily tomfoolery, horseplay
peloissaan 1 afraid, terrified, frightened **2** (ahdistus) worried, anxious, apprehensive *Martta oli peloissaan poikansa puolesta, kun tämä joutui ajamaan yötä myöten* Martta worried about her son driving all night
pelokas 1 (yleensä) timid, fearful, timorous **2** (vaaran läheisyydessä) frightened, scared, afraid, terrified; (ark) spooked
pelotella frighten, scare, intimidate; (ark) spook
peloton fearless, bold, daring
pelottaa 1 *Minua pelottaa* I'm afraid/scared /frightened *Tuo pelottaa minua* That scares/frightens me, it makes me afraid

2 (pelotella) scare, frighten *pelottaa tiehensä* scare (someone) off
pelottava scary, frightening, terrifying
pelottavasti alarmingly
pelotus intimidation
pelti 1 (metallilevy) sheet metal *aaltopelti* corrugated iron **2** (savupelti) damper *pellit kiinni* dead drunk *pellit auki* full tilt **3** (konepelti) hood **4** (leivinpelti) cookie sheet
peltiseppä 1 (hist) tinsmith, tinker **2** (nyk) sheet iron worker
pelto field, (viljelysmaa) arable land *ajaa pellolle* throw (someone) out on his/her ear, show (someone) the door
peltoala acreage under cultivation, arable area
peluu playing
pelästys sudden fright
pelästyttää startle, (ark) spook
pelästyä start, be startled/frightened
pelätin scarecrow, (kuv) fright
pelätä 1 fear, be afraid/frightened/scared of *pelätä henkeään* fear for your life *pelätä lentämistä* be afraid/scared of flying **2** (kantaa huolta) worry, be anxious/apprehensive about
pelätä kuollakseen be scared to death
penger (parras) edge, brink *ojan penkereellä* on the edge of the ditch **2** (joen) embankment, dike **3** (tasanne) terrace
pengertää embank, bank up; terrace
penikka 1 pup(py) **2** (kuv halv) whelp, spawn **3** (muksu) brat
penisilliini penicillin
penkka (em)bank(ment), (reuna) edge
penkki 1 (istuin: pitkä) bench, (auton) seat, (kirkon) pew *koulun penkillä* at school *istua syytetyn penkillä* be (the) accused *mennä penkin alle* flop **2** (työpenkki) workbench **3** (kukkapenkki tms) bed
penkkiurheilija armchair quarterback, sports fan
penkkiurheilu armchair/spectator sports
penkoa rummage through, (kuv) dredge up
penni penny *ei penninkään arvoinen* not worth a plug nickel/red cent *Minulla ei ole penniäkään* I haven't got a red cent *venyt-*

pensaikko

tää joka penniä pinch pennies *pitkä penni* pretty penny

pensaikko bushes, (omakotipihassa) shrubbery, (theikkö) thicket

pensas bush, shrub

pensasaita hedge

penseys halfheartedness, lukewarmth, indifference

penseä halfhearted, lukewarm; (välinpitämätön) indifferent, cool

pentu 1 (koiran) pup(py), (kissan) kitten, (suden, ketun, karhun tms) cub; (mon) young **2** (lapsi) kid

pentue litter

peppu bottom, rear end, fanny *kuin paita ja peppu* inseparable, like two peas in a pod

per 1 (per nuppi) per (person) **2** (per tietty päivämäärä) as per

perata 1 (kaloja) clean **2** (marjoja) pick the leaves and branches out **3** (vihannesmaata) weed **4** (metsää) clear **5** (tietok) debug

perehdyttää familiarize (someone with something), teach/show (someone) the ropes, break (someone) in, give (someone) training/orientation (in)

perehdytys familiarization, training, orientation

perehtyä familiarize (yourself with something), learn the ropes, get oriented (in), find out/learn (all about)

peremmällä further/farther in/back *Käykää peremmälle!* Come on in!

perfekti (kiel) present perfect (tense) *pluskvamperfekti* past perfect (tense)

perhana damn *perhanan* damn(ed)

perhe family *viisihenkinen perhe* a family of five

perheauto family car

perhe-elämä family life

perheenemäntä housewife, homemaker

perheenisä father

perheenjäsen family member

perheenlisäys *odottaa perheenlisäystä* be in a/the family way

perheenäiti mother

perhepiiri family circle

perhetuttava friend of the family('s)

perho 1 butterfly, (yöperho) moth **2** (kalastusperho) fly

perhonen butterly, (yöperhonen) moth

periaate principle *pitää periaatteenaan* make a point of (doing something)

periaatteellinen (ihminen) principled, (person) of principle; (keskustelu) hypothetical

periaatteellisesti 1 (pohjimmiltaan) fundamentally, basically **2** (hypoteettisesti) hypothetically, in theory

periaatteessa 1 (teoriassa) in principle /theory, theoretically **2** (pääpiirteissään) essentially, in essence **3** *pysyä periaatteessaan* stick to your principles, refuse to deviate/swerve/budge (an inch) from your principles

periaatteesta on principle

periaatteeton unprincipled, unscrupulous

perijä (mies) heir, (nainen) heiress

periksi *antaa periksi* **1** (antautua) give in/up, surrender, throw up your hands, throw in the towel **2** (joustaa) give way, yield, settle for less

perikunta 1 (perilliset) the heirs **2** (kuolinpesä) estate

perikuva 1 (asian) the epitome, a model *nöyryyden perikuva* the epitome of humility, a model of humility **2** (ihmisen) the very image *hyvän aviomiehen perikuva* the very image of a good husband

perillemeno getting through (to someone), being heard/understood *Kyllä minä sen hänelle sanoin, mutta perillemenosta en tiedä* I told him, but I don't know if he heard me

perilletulo getting there, reaching your destination

perillinen heir, scion

perillä 1 (matkanpäässä) at your destination, there *Milloin olemme perillä?* When are we going to be/get there? **2** (selvillä) aware of, familiar with, well-informed on *asiasta hyvin perillä olevien lähteiden mukaan* according to well-informed sources, those in the know

perimmäinen 1 (kauimmainen) farthest, furthest, remotest; (reunimmainen) outermost; (takimmainen) back **2** (viimeinen) ultimate *elämän perimmäinen merkitys* the (ultimate) meaning of life *perimmäiset kysymykset* the big/ultimate questions **3** (pohjimmainen) fundamental, basic **4** (sisimmäinen) innermost, deepest *perimmäinen minä* the innermost/real me

perimmältään 1 (ihmisen luonteesta) basically, fundamentally, at heart, deep down **2** (tapahtumasta) finally, ultimately, in the last analysis, when all's said and done

perin 1 (takimmainen) back **2** (erittäin) very, extremely, exceedingly; (täysin) utterly

perin juurin thoroughly, utterly, completely, root and branch

perinne tradition

perinnäinen traditional, customary

perinnäistapa custom

perinnäisyys traditionality, traditionalism

perinnöllinen (lak ja biol) hereditary *Se on perinnöllistä* It runs in the family

perinnöllisesti by heredity

perinnöllisyys heredity

perinnöllisyystiede genetics

perinnöllisyystutkija geneticist

perinnötön disinherited *jättää perinnöttömäksi* disinherit

perinpohjainen thorough(going), complete, exhaustive, full

perinpohjaisuus thoroughness

perinteinen traditional

perintä collection

perintö 1 (omaisuus) inheritance, estate, legacy *jättää jollekulle perinnöksi* leave (something) to someone *kulkea perintönä* be handed down (from generation to generation) *Olen saanut sen perintönä isoisältäni* My grandfather left/bequeathed it to me **2** (perinne) heritage, legacy *kulttuuriperintö* cultural heritage

perintöesine heirloom

perintötekijä gene, hereditary factor

perintötila family estate

perisuomalainen typically Finnish

perisynti original sin

perivihollinen bitter enemy, archenemy

periytymätön uninheritable

periytyvä inheritable, hereditary

periä 1 (saada perintönä, myös biol) inherit *periä vanhempansa* be your parents' heir, receive an inheritance from your parents, inherit money/property from your parents *periä iso omaisuus* inherit a fortune, come into a fortune **2** (saada maksuna) collect, (ottaa maksuna) charge **3** (tapahtua, käydä) become of, happen to *Mikä meidät nyt perii?* What will become of us now? *Hukka sinut vielä perii* You're heading for a fall *Paha minut perii jos minä* I'll be damned if I'm going to

perjantai Friday

perjantaiaamu Friday morning

perjantai-ilta Friday night/evening

perjantainen Friday('s)

perjantaipäivä Friday (during the day)

perjantaisin Fridays

perkaus 1 (kalojen) cleaning **2** (marjojen) picking the leaves and branches out **3** (vihannesmaan) weeding **4** (metsää) clearing **5** (tietok) debugging

perkele devil, demon *perkeleen* fucking, (god)damn(ed) *Perkele!* (God)dammit

perkeleenmoinen helluva

perkeleesti a helluva lot (of) *Miksi kiroilet niin perkeleesti?* Why do you swear so goddamn much?

permanentti permanent, (ark) perm

permanto 1 (lattia) floor **2** (teatterissa) parquet circle **3** *Voi permanto!* Gosh darn it! Oh shoot/heck!

perse *ass* *lentää perseelleen* fall flat on your ass (myös kuv) *nuolla jonkun persettä* lick/kiss someone's ass *olla perse auki* be flat broke

perseennuolija asskisser, asslicker

persikka peach

persilja parsley

persoona 1 (henkilö) person, individual; (persoonallisuus) personality *olla läsnä /saapua omassa persoonassaan* show up in person, put in a personal appearance, be there/come personally **2** (psyk) persona **3** (kiel) person *puhua itsestään kolmannessa persoonassa* refer to yourself in the third person

persoonallinen 1 (henkilökohtainen) personal **2** (ystävällinen) personable, warm, friendly, intimate **3** (omaleimainen) distinctive, different *persoonallinen talo* a house with personality/character

persoonallisuus 1 personality, (psyk) persona **2** (ystävällisyys) personability, warmth, friendliness, intimacy **3** (omaleimaisuus) distinctiveness, character

perspektiivi perspective

persreikä asshole (myös kuv)

Peru Peru

peru *olla jotakin perua* come/stem/derive from *olla vanhaa perua* be very old

perua 1 (sanat) withdraw, renege on, retract; (ark) take back, go back on, bum out on **2** (ark peruuttaa) cancel

perulainen *s, adj* Peruvian

peruna potato *ranskalaiset perunat* (French) fries *kuuma peruna* (kuv) hot potato

perunamaa potato patch

perunanistutus potato planting

perunankuori potato peel/jacket

perunannosto potato harvest

perunasalaatti potato salad

perunasose mashed potatoes

perus- basic, fundamental

perusajatus main/leading idea

peruskoulu comprehensive school

peruskoululainen student in the comprehensive school

peruskoulun ala-aste elementary school

peruskoulun yläaste junior high (school), middle school

peruskoulutus comprehensive education

peruskysymys main question/point, central issue

perusmuoto basic form; (verbin) infinitive

peruspalkka base pay/salary

perusta 1 (pohja) ground, base, (foundation) bed **2** (kuv) foundation, basis, fundament

perustaa 1 (rakennus) lay the foundation for **2** (liike tms) found, establish, form, institute; (ark) start, set up, open **3** (väite tms) base (something on) **4** (ark välittää) care *En perusta kaiken maailman kursseista* I don't believe in all these courses they give,

I wouldn't give you a plug nickel for all the courses in the world

perustaja founder

perustaminen foundation-laying, founding, establishment, formation, institution (ks perustaa)

peruste 1 ground(s), cause, justification *Millä perusteella teit sen?* On what grounds did you do it, what cause/justification did you have for doing it, how do you justify doing/having done it? **2** (perustelu) argument **3** (syy) reason, motive *millä perusteella* why **4** (pohja) basis, foundation *millä perusteella* on what basis

perusteellinen 1 (perinpohjainen) complete, thorough(going), exhaustive, full **2** (perustavaa laatua) fundamental, radical

perusteellisuus thoroughness

perusteeton unfounded, ungrounded, groundless, false, erroneous

perustekijä major factor

perustella defend, justify, give/state reasons (for), argue (on behalf of), provide arguments (for)

perustellusti justifiably, with good reason; (ark) quite right(ly)

perustelu defense, justification, reason, argument

perustiedot basic/fundamental/elementary knowledge, the rudiments

perustua be based/founded (on), be grounded (in), rest (on)

perustus foundation *palaa perustuksia myöten* burn to the ground *laskea perustus jollekin* lay the foundation/groundwork for something

perustuslaillinen constitutional

perustuslaki constitution

peruuttaa 1 (auto tms) back, (tietok) backspace **2** (palauttaa) return **3** (ottaa takaisin) withdraw, retract, rescind, recant, renege; (ark) take back, go back on **4** (mitätöidä) revoke, cancel, invalidate

peruuttaa kokous cancel a meeting; (toistaiseksi) postpone a meeting

peruuttaa käsky countermand an order

peruuttaa sopimus nullify a contract

peruuttamaton irreversible, irrevocable

peruuttamattomasti 1 irreversibly, irrevocably **2** (varmasti) absolutely, positively

peruuttaminen backing (up), returning, withdrawal, retraction, rescindment, recanting, reneging, revocation, cancellation, invalidation (ks peruuttaa)

peruutus 1 (auton) backing (up) **2** cancellation (ks myös peruuttaminen)

perverssi perverse

perä 1 (takapää) rear/back/tail/butt (end) *pitää perää* bring up the rear *mennä pihan perälle* go to the outhouse *huoneen perä* the rear/far end of the room **2** (laivan) stern *pitää perää* steer, take/hold the tiller/helm *keulasta perään* from stem to stern **3** *perät* (kellonvitjat) chain **4** (pohja) foundation, grounds *perää vailla* unfounded, ungrounded, without foundation *Hänen puheessaan ei ollut mitään perää* There was nothing to his claims, what he said was totally without foundation **5** (alkuperä) origin, extraction *amerikkalaista perää* of American extraction/origins

peräaukko anus, rectum, (sl) asshole

peräisin *olla peräisin* **1** come/stem from, originate in *Mistä olet peräisin?* Where are you from? **2** (kiel) (be) derive(d) from *Sana 'kioski' on persiaa persian kielestä* The word 'kioski' is derived from the Persian

peräkkäin 1 (tapahtumia tms) consecutively, in succession, one after another/the other *neljä kertaa peräkkäin* four times in a row **2** (ihmisiä) one behind the other, in a line, single-file

peräkkäinen consecutive, successive

peräpää 1 (laivan, veneen) stern **2** (jonon, käytävän) end

peräsin rudder, (peräsimen varsi) tiller, (kuv ruori) helm *hoitaa peräsintä* steer

perässä 1 (jäljempänä) behind *kävellä pari askelta perässä* walk a few steps behind someone *juosta jonkun perässä* chase/pursue someone (myös rakkaussuhteissa), (pysytellä kannoilla) dog someone's heels *sulkea ovi perässä* close the door behind you *Pysytkö perässä?* Are you keeping up (with me)? (myös kuv:) Are you with me?

2 (perällä) at/in the rear/back; (laivassa) aft, astern, abaft (the beam) **3** (maksuissa) behind, in arrears

perästä 1 (takaa) from behind, (takaosasta) from the rear, (peräpäästä) from astern **2** (kuluttua) after, in *muutaman päivän perästä* in/after a few days *jonka perästä* after which

perästä päin afterwards, after the fact, subsequently

peräsuoli rectum

peräti 1 (jopa) even, as much as, actually *Olisiko hän matkoilla, peräti ulkomailla?* Could she be traveling, even abroad? *Kas kun ei osaa itseään peräti tilanomistajaksi* I'm just astonished he didn't go right ahead and call himself a landowner **2** (erittäin) very, extremely, (ark) pretty *He asuvat peräti niukoissa oloissa* They're pretty strapped

perättäin ks peräkkäin

perättäinen ks peräkkäinen

perättömyys falsity

perättömästi falsely, erroneously, without grounds

perätysten ks peräkkäin

perätä 1 (asiaa) ask/inquire about, try to find out about **2** (saataviaan) dun, try to get your money, demand what's coming to you **3** (oikeuksiaan) demand your rights

perätön unfounded, ungrounded, groundless, false, erroneous *perättömiä väitteitä* lies

perävaunu trailer

perään 1 (laivan) aft, astern **2** (jälkeen) after *antaa perään* give in/up/way, yield *juosta perään* run after (someone), follow *heti perään* immediately after/following *toinen toisensa perään* one after another

peräänantamaton 1 unyielding, persistent, tenacious **2** (tinkimätön) uncompromising, implacable **3** (jäykkä) inflexible, unbending

perääntyä 1 (sot) retreat **2** (pakittaa) move back(wards), take a few steps back **3** (antaa periksi) give in/up/way, yield, withdraw, back out of

pesemätön unwashed

peseytyä wash up

pesijä washer(woman)

pesiytyä take hold, find a foothold, become established/entrenched (in)

pesiä 1 (lintu) nest **2** (tauti tms) breed

pessimismi pessimism

pessimisti pessimist

pessimistinen pessimistic

pestata 1 (sot) recruit, (väkisin, hist) impress **2** (palkata) hire, engage

pestautua enlist, sign up/on, join up

pesti *ottaa pesti* (armeijaan) enlist, sign up /on, join up, (työpaikkaan) hire on, join the firm *saada pesti* get a job

pestä 1 wash (up/off/down/out), scrub; (hangata) scour *pestä hiukset* wash/shampoo your hair *pestä kemiallisesti* dry-clean **2** (ark voittaa) clean (someone's) clock, take (someone) to the cleaners

pestä astiat do/wash the dishes

pestä pyykkiä wash clothes, do the laundry

pesu wash(ing); (hiusten) shampoo; (pyykki) laundry *Väri lähtee pesussa* That (color) will run in the wash

pesuaine detergent *pyykinpesuaine* laundry detergent *astianpesuaine* dishwasher detergent

pesue litter *koko pesue* (kuv perhe) the whole gang/bunch/tribe/clan

pesuhuone (kylpyhuone) bathroom, (suihkuhuone) shower room, (pyykkihuone) laundry room

pesukone washing machine

pesula laundry, (dry-)cleaner's

pesunkestävä 1 washable **2** (aito) dyed-in-the-wool *pesunkestävä konservatiivi* dyed-in-the-wool conservative

pesuvesi (ammeessa) bathwater, (altaassa, vadissa) dishwater *heittää lapsi pois pesuveden mukana* throw the baby out with the bathwater

pesä 1 (linnun) nest *liata oma pesänsä* foul your own nest *lähteä pesästä* leave the nest (myös lapsista) **2** (mehiläisen) hive **3** (muurahaisen) anthill **4** (villieläimen) lair; (ketun) den; (jäniksen) burrow, hole *ajaa pesäänsä* run (an animal) to ground *paheiden pesä* den of iniquity **5** (leikeissä) home, safety; (pesäpallossa) base **6** (tuli-

pesä) hearth, fire pot; (uuni) stove, (takka) fireplace, (liesi) grate *lisätä puita pesään* put more wood on the fire *lisätä pökköä pesään* (kuv) pour oil on the fire **7** (tekn) case, casing, housing **8** (lusikan, piipun) bowl **9** (kuolinpesä) estate

pesäke 1 (sot konekivääripesäke) nest **2** (lääk) seat, focus **3** (kuv) hotbed, center *vallankumousaatteen pesäke* a hotbed of revolution

petkuttaa deceive, cheat, con, swindle; (ark) take (someone for a ride)

petkuttaja 1 (rahoja tms vievä) deceiver, cheat, con-artist/-man, swindler **2** (muuna esiintyvä) impostor

petkutus 1 deceit, con, swindle, sting **2** imposture

peto 1 (wild) beast, wild animal, predator **2** (ihmisestä) beast, brute, animal **3** (mato) whiz, demon, animal *Juha on oikea peto jalkapallossa* Juha is a real animal in football

petoeläin predator, beast of prey

petollinen 1 (ihminen) treacherous, deceitful, cheating, untrustworthy, fraudulent **2** (tilanne tms) deceptive, misleading, illusory, delusory

petomainen bestial, beastly

petos 1 treachery, treason, deceit, deception, fraud **2** (petkutus) swindle, con, sting **3** (muuna esiintyminen) imposture, impersonation

petsata stain

petturi traitor

petturuus treason, betrayal

pettymys disappointment

pettyä be disappointed (in)

pettäjä deceiver, cheat, (aviopuolison) unfaithful/cheating husband/wife

pettämätön reliable, trustworthy, solid, (ark) trusty

pettää 1 (petkuttaa) cheat, con, swindle, defraud **2** (johtaa harhaan) deceive, delude, mislead *Elleivät silmäni petä* If my eyes don't deceive me, if I can believe my eyes **3** (kavaltaa) betray **4** (olla uskoton) cheat on (your spouse), be unfaithful to **5** (sortua) give way, break (down), fall/tumble down **6** (jättää pulaan) let (someone) down, disappoint, desert, fail *Jos muistini ei petä* If my memory serves me correctly, if memory serves, if I remember (a)right

peuhata roughhouse, be wild/noisy/rambunctious

peuhtoa thrash (around wildly)

peukalo thumb

peukaloida 1 (sormeilla) finger, feel **2** (korjailla) fiddle/meddle/tamper/monkey with, doctor

peukalo keskellä kämmentä all thumbs

peukku *pitää peukkua* keep your fingers crossed for (someone) *Peukut pystyyn!* Knock on wood!

piakkoin soon, shortly

pian soon, shortly

pianisti pianist, piano-player

piano piano

pidellä 1 (pitaa) hold; (sormeilla) finger, feel **2** (pidätellä) hold (someone/something) back, restrain, hinder, curb **3** (hoidella) care for, take care of

pidennys 1 (hameen tms) lengthening, extension **2** (lainan tms) extension, (lykkäys) postponement, (uusiminen) renewal

pidentyä lengthen, get longer

pidentää 1 (hametta tms) lengthen, extend **2** (lainaa tms) extend, postpone, renew

pidetä lengthen, get/grow longer

pidin retainer, holder, clamp *tehdä työtä vain henkensä pitimiksi* only work to keep body and soul together

pidot party

pidäke 1 restrainer, restraint, check, drag, hold **2** (mus) hold, fermata

pidätellä 1 hold (someone/something) back, restrain, hinder, curb; (naurua tms) suppress *yrittää pidätellä itkua* try to hold back the tears **2** (viivytellä) delay, detain, slow (someone) down, hold (someone) up

pidättyneisyys reserve, reticence, inhibition

pidättynyt reserved, reticent, inhibited

pidättyvä(inen) 1 (pidättynyt) reserved, reticent, inhibited **2** (vetäytyvä) retiring, withdrawn, aloof, standoffish, distant **3** (alkoholin suhteen) abstemious, temperate,

moderate **4** (sukupuoliyhteyden suhteen) continent, celibate

pidättyvä(is)yys reserve, reticence, inhibition, withdrawal, aloofness, standoffishness, distance, abstention, temperance, moderation, continence, celibacy (ks pidättyvä(inen))

pidättyä 1 (tekemästä) refrain (from) **2** (alkoholista) abstain (from) **3** (fys) be absorbed

pidättäminen restraining, hindrance, suppression, delaying, detention, withholding, deduction, arresting, reservation, absorption (ks pidättää hakusanat)

pidättää 1 hold (someone/something) back, restrain, hinder, curb; (naurua tms) suppress **2** (viivytellä) delay, detain, slow (someone) down, hold (someone) up **3** (ennakkoveroa) withhold, deduct **4** (rikoksentekijä) arrest, book, lock (someone) up **5** (fys) absorb

pidättää ennakkoveron withhold taxes

pidättää oikeus reserve the right (to) *Kaikki oikeudet pidätetään* All rights reserved

pidättää virantoimituksesta suspend (someone from office)

pidätys 1 (rikoksentekijän) arrest, (vankeudessa pitäminen) detention **2** (veron) withholding **3** (palkan) garnishing

pidätysmääräys warrant for (someone's) arrest

piehtaroida roll around, roll/tumble over and over *piehtaroida itsesäälissä* wallow in self-pity

pieleen *mennä pieleen* go wrong/badly, get all fouled up, bomb, flop *laulaa pieleen* sing off key, out of tune

pielessä 1 (pilalla) ruined *Tänään kaikki on pielessä* This is just one of those days **2** (vieressä) next to *oven pielessä* by the door *Suun pielessä alkoi näkyä hymyn häivä* The corners of her mouth began to twitch into a smile

pieli 1 (paalu) post **2** (kuv) *pieleen, pielessä* ks hakusanat **3** (reuna) edge, corner *jonkin pielessä* next to/by something *oven pielessä* by the door *suun pielet* the corners of your mouth

pielus 1 (tyyny) pillow **2** ks pieli

pienaakkonen lower-case letter, (ark) small letter

pienehkö smallish

pieneliö microbe, micro-organism

pienennys reduction

pienen pieni miniscule, infinitesimal, minute, diminutive, tiny; (ark) tee-niney

pienenpuoleinen on the small side

pienentyä 1 shrink, become smaller, be reduced **2** decrease, diminish, lessen

pienentää 1 reduce, shrink, make (something) smaller **2** (pieniä) chop/cut (something) up, dice, mince **3** (vähentää) decrease, diminish, lessen, cut/turn down, lower

pieni 1 (pienikokoinen) little, small; (pienen pieni) diminutive, tiny, minute; (poika) runty, stubby; (tyttö) petite, dainty; (ark) pint-sized *häviävän pieni* infinitesimal **2** (lyhyt) short, squat, (ark) stubby **3** (vähäinen) slight *pienessä humalassa* slightly drunk **4** (vähäpätöinen) petty, minor *pieni asia* petty thing, minor matter *Mitä pienistä!* Never mind!

pienikokoinen little, small; (pienen pieni) diminutive, tiny, minute; (poika) runty, stubby; (tyttö) petite, dainty; (ark) pint-sized

pienilukuinen few in number(s)

pienimuotoinen small-scale

pienipalkkainen poorly paid, underpaid

pienitehoinen underpowered

pienois- miniature, model, toy, baby

pienoismalli model

pienoisrautatie electric train set

pienokainen baby, little one

pienteollisuus small industry

pienuus smallness, small size, littleness

pienviljelijä small farmer

pieraista fart

pieru fart

piestä beat, thrash, whip, lash

piha yard; (koulun) schoolyard, (maatalon) farmyard, (sisäpiha) courtyard (ajopiha) driveway *mennä pihan perälle* go to the outhouse

pihamaa courtyard

piharakennus outbuilding

pihdit 1 pliers, (ottimet) tongs **2** (lääk) forceps **3** (kuv) clutches *pitää jotakuta pihdeissään* have someone in your clutches

pihi stingy, tight(-fisted)

pihistää 1 (puristaa) tighten **2** (näpistää) swipe, pinch **3** (kitsastella) pinch pennies, skimp **4** (välttää velvollisuutta) shirk

pihka resin

pihkainen resinous

pihkassa *olla pihkassa johonkuhun* have a crush on someone

pihti forked stick, crotch *joutua pihteihin* get into a bind

pihvi steak *Asia on pihvi* It's a deal

pii 1 (piikivi) flint **2** (aine) silicon **3** (geom) pi **4** (piikki) tooth, (haarukan) tine **5** (linnun ääni) peep

piika maid, hired girl

piikikäs 1 (piikkinen) stickery, prickly **2** (ivallinen) sarcastic, stinging, caustic

piikitellä jeer at, mock, tease, rag

piikitely jeering, mocking, teasing, ragging

piikivi flint

piikki 1 (ruusun) thorn, prickle **2** (piikkisian) quill, (siilin) spine, (ampiaisen) stinger **3** (kamman) tooth, (haarukan) tine, (piikkarin) spike **4** (rakennustyökalu) spike, (sot hist) pike, (mer) peak **5** (pistos) shot, injection; (huumepiikki) fix **6** (pistosana) taunt, gibe, jeer, jab

piikkilanka barbed wire, barbwire

piileskellä hide out

piileskely hiding

piilevä hidden, concealed; (psyk) latent, dormant

piillä 1 be/lie hidden **2** (olla) be, lie *Missä vika piilee?* Where does the problem/fault lie? What's the problem?

piilo hiding place

piilokamera candid camera

piilolasit contact lenses, (ark) contacts

piilopaikka hiding place; (kätkö) cache, (ark) stash

piilosilla *olla piilosilla* play hide and seek

piilossa hidden, concealed *mennä piiloon* hide

piilotajuinen unconscious

piilotajunta unconscious

piilotella hide (out)

piilottaa hide, conceal

piilottautua hide (yourself away)

piiloutua hide (yourself)

piimä buttermilk

piina suffering, pain, anguish, agony, torture

piinallinen 1 (kivulias) painful, agonizing, torturous **2** (kiusallinen) painful, embarrassing, difficult, awkward

piinapenkki (hist) rack *joutua piinapenkkiin* (kuv) be put on the spot, be raked over the coals

piinata pain, torture, torment

piintyä 1 (lika tms) get encrusted/embedded **2** (ihminen) get stuck in your ways, fall into a rut

piipahtaa stop/drop by (for a brief visit)

piipittää peep

piipitys peeping

piippu 1 pipe **2** (pyssyn) barrel **3** (savupiippu: talon) chimney, (tehtaan) smokestack (ks myös piipussa)

piipussa 1 (uuvuksissa) exhausted, worn out, dead tired **2** (jumissa) stuck, jammed, (lauluääni) blocked **3** (pielessä) all balled up

piirakka pie

piiras pie

piiri 1 circle, ring *tanssia piirissä* dance in a ring/round **2** (ympyrän kehä) circumference, (aitauksen tms) perimeter **3** (ihmisryhmä) circle *asiasta hyvin perillä olevat piirit* well-informed circles **4** (toimiala) sphere, field *Se ei oikein kuulu tutkimukseni piiriin* I think that's a bit outside the compass of my research **5** (hallinnollinen) district, (kaupungin) ward, (poliisin) precinct, (tuomiopiiri) circuit **6** (sähköpiiri) circuit

piirileikki round game

piirittää 1 circle, surround **2** (saartaa) besiege, lay siege to, blockade

piiritys siege

piirre characteristic, feature, trait, aspect

piirrellä draw, doodle

piirros 1 drawing, sketch, design **2** (luonnos) outline, draft **3** (kuvio) diagram, figure

piirrättää have your picture drawn/sketched

piirto stroke *viimeistä piirtoa myöten* right down to the last/tiniest detail

piirtoheitin overhead projector

piirtyä be drawn *piirtyä muistiin* be inscribed/engraved/etched on your memory

piirtää 1 draw, sketch, make (pictures) *piirtää viiva* draw/trace a line *piirtää läpi* trace **2** (arkkitehti taloa tms) design **3** (luonnostella) outline, draft *piirtää vapaalla kädellä* draw freehand **4** (mat) describe **5** *piirtää nimensä* (alle) your name/signature scrawl

piiru 1 (piirto) mark, scratch, score **2** (mer) point *Suunta muutettiin neljä piirua oikealle* They changed course four points to starboard *ei piiruakaan* not one iota **3** (sot) mil **4** (sahalla) flitch

piirustaa draw, sketch, make (pictures)

piirustuc drawing, sketch, outline, draft (ks myös piirros)

piirustuslehtiö sketchpad

piisata be enough *Se piisuu kyllä* That will be quite enough thank you

piiska whip, lash, switch, rod *saada piiskaa* get whipped

piiskata 1 whip, lash, flog *piiskata mattoja* beat rugs **2** (antaa selkään) spank **3** (hoputtaa) drive/urge (on)

piiskuri 1 (pol) whip **2** (ark) slavedriver

piispa bishop *piispan* episcopal

piitata care *En piittaa heidän mielipiteistään* I couldn't care less about what they think *kustannuksista piittaamatta* regardless of expense

piittaamaton 1 unconcerned, indifferent, unmoved **2** (ajattelematon) heedless, careless, thoughtless

piittaamattomuus unconcern, indifference, heedlessness, carelessness, thoughtlessness (ks piittaamaton)

pikaa *tuota pikaa* quickly, in short order, in no time (at all)

pikainen 1 (nopea) quick, speedy *luoda pikainen silmäys* glance quickly (at) **2** (yhtäkkinen) sudden, abrupt *saada pikainen loppu* come to a sudden end **3** (viivyttelemätön) prompt *toimittaa tavarat pikaisesti* make prompt delivery

pikajuna express (train)
pikakelaus fast forward *kelata eteenpäin pikakelauksella* fast-forward
pikakirjoitus shorthand
pikakuva instant/Polaroid photo
pikakuvakamera instant camera, Polaroid camera
pikalinja express bus (line)
pikamatka sprint *pikamatkojen juoksija* sprinter
pikapuoliin quickly, shortly, in a jiffy
pikari (wine) glass, cup, goblet
pikaruoka fast food
pikemmin 1 (nopeammin) sooner *Mitä pikemmin sitä parempi* The sooner the better **2** *pikemmin(kin)* rather, better *pikemmin(kin) liian paljon kuin liian vähän* better too much than too little
piki pitch
pikimmiten as soon as possible, ASAP
pikimusta pitch-black
pikkasen a little
pikkelsi pickle relish
pikku 1 little, small, slight *pikku hiprakassa* a little happy **2** (vähäpätöinen) minor, insignificant, trivial, petty *pikkuasia* a trifling matter
pikkuauto car
pikkuhousut underpants, (naisen) panties
pikkuinen little one
pikkuisen a little
pikkujoulu Christmas party
pikkukaupunki small town
pikkukaupunkilainen person from a small town, provincial
pikkukirjain lower-case/small letter
pikkulapsi (vauva) baby, (leikki-ikäinen) toddler, small child
pikkumainen 1 (pikkusieluinen) petty **2** (turhantarkka) pedantic
pikkupaketti small packet
pikkurihnaks knickknacks, bric-a-brac
pikkuriikkinen teeny-weeny, eensy-weensy, tee-niney
pikkurilli pinkie, baby finger
pikkuseikka minor detail
pikkuserkku second cousin

pikkusielu petty person
pikkusieluinen petty
pikkusormi pinkie, baby finger
pikkutakki jacket
pikku-ukko little man, (mon) the little people *nähdä pikku-ukkoja* see pink elephants
pila (practical) joke, prank, gag *tehdä pilaa* make fun (of) *Sehän oli vain pilaa* I was only joking
pilaantua 1 (mädäntyä) spoil, rot **2** (tärveltyä) be ruined
pilaantumaton good
pilailla joke (around)
pilailu 1 joking, tomfoolery, fun **2** (näytelmä) farce, burlesque
pilanpäiten in jest/fun/sport
pilanteko 1 (pilailu) joking, tomfoolery, fun **2** (pilkka) mockery, ridicule
pilapiirros 1 (ihmisen päästä) caricature **2** (sanomalehdessä) (political) cartoon
pilapiirtäjä caricaturist, cartoonist
pilari pillar (myös kuv), column
pilata 1 (tärvellä) ruin, spoil, damage **2** (saastuttaa) pollute, contaminate
pilkahdus flicker, trace, glimmer
pilkahtaa peep/peek out
pilkallinen sarcastic, mocking, derisive
pilkata mock, deride, ridicule, jeer at, make fun of *pilkata Jumalaa* blaspheme
pilke 1 (silmässä) gleam, glint, twinkle **2** *pilkkeet* (chopped) firewood
pilkistää peep/peek out *Aurinko pilkisti hetken pilvistä* The sun peeked out from behind the clouds for just a second
pilkka 1 mockery, derision, ridicule *pitää pilkkanaan* hold (someone) up to ridicule, make fun/sport of (someone) **2** *Jumalan pilkka* blasphemy **3** (maalitaulu) target
pilkkaaja mocker, scoffer, (Jumalan) blasphemer
pilkkahinta absurdly low price *ostaa pilkkahintaan* get a great bargain, buy (something) for a song
pilkki jig *pilkillä* ice-fishing
pilkkiä ice-fish
pilkkoa chop, split
pilkkopimeä pitch-dark

pilkku 1 (läiskä) speck, spot, stain; (kuv) blot **2** (välimerkki) comma (,), (desimaalipilkku) point (.) *nolla pilkku viisi* point five

pilkulleen to a T

pilkunnussija hairsplitter, pedant

pilleri pill, (e-pilleri) the Pill

pillerihumalassa (ark) high, stoned, on drugs/something

pilli 1 pipe (myös urkupilli), tube *pistää pillit pussiin* take your ball and go home **2** (mehupilli) straw **3** (vihellyspilli) whistle (myös tehtaan); (ark sireeni) siren **4** (soitin: pikkuhuilu) fife, (ruokopilli) reed pipe *tanssia jonkun pillin mukaan* dance to someone's tune, march to someone's drum

pillittää bawl, blubber

pillu (sl) pussy

pilotti pilot

pilvessä 1 (taivas) cloudy, clouded over **2** (ark ihmineu) high, stoned

pilvetön cloudless

pilvi 1 cloud *Aurinko meni pilveen* The sun went behind a cloud *ylistää jotakuta pilviin asti* praise someone to the skies **2** *polttaa pilveä* smoke dope

pilvilinna castle in the air

pilvinen cloudy

pilvisyys cloudiness

pimahtaa (suuttua) blow up, blow a gasket, hit the roof *Kieli pimahti poikki* The string snapped

pimennys 1 (valojen) blackout **2** (auringon /kuun) eclipse

pimento darkness *pitää pimennossa* keep (someone) in the dark

pimentyä 1 get/dark dark, darken, (grow) dim *Taivas pimeni* The sky grew dark *Silmissäni pimeni* Everything went black, I blacked out **2** (aurinko/kuu) be eclipsed

pimentää 1 darken, obscure **2** (valot) black out **3** (järki) cloud (someone's mind)

pimeys darkness *Pimeyden Ruhtinas* the Prince of Darkness

pimeä *s* dark *pimeän tullen* at/come nightfall *adj* **1** (myös kuv) dark, black **2** (laiton: puuha) shady, (kauppa) illicit, (laiton: tulot) unreported

pimittää 1 (piilottaa) hide, conceal; (tietoja) withhold, hold back **2** (pimentää) darken, obscure

pinaatti spinach

pingottaa 1 (kiristää) tighten, tauten, stretch, (lihaksia) tense *Ihoani pingottaa* My skin feels (too) tight **2** (jännittää) tense up, be high-strung/uptight (rehkiä) push yourself, overdo (things) *pingottaa tenttiin* cram for a test

pingottua 1 tighten, tauten, stretch, (ilhas) tense up **2** (hermot) be on edge, be keyed up

pingoltunut 1 (stretched) tight, taut, tense **2** (hermot) on edge, keyed up

pingotus 1 tightness, tautness, tension **2** (tenttiin) cramming

pingviini penguin

pinkka pile, stack

pinko grind

pinna 1 (puola) spoke, bar **2** (piste) point **3** (hermot) nerves *pinna kireällä* uptight *Minulta katkesi pinna* I blew up, I hit the roof

pinnallinen superficial, shallow

pinnallisuus superficiality, shallowness

pinnari 1 (velvollisuuksista) shirker, slacker **2** (koulusta) truant

pinnata 1 (velvollisuuksista) shirk, slack off **2** (koulusta) play truant; (ark) play hooky, skip, cut **3** (pinnoittaa) retread

pinne clip *olla pinteessä* be in a jam/tight spot/fix

pinnistellä strain/exert yourself, do your best, huff and puff

pinnistely (self-)exertion

pinnistää strain/exert yourself, do your best, huff and puff

pinnoite (paperin tms) coating, (renkaan) retread

pinnoitettu rengas retread

pinnoittaa (paperia tms) coat, (rengasta) retread

pinnoitus coating, retreading

pino pile, (siisti) stack, (sekava) heap

pinota stack/pile (up)

pinotavara firewood sold by the cord

pinta 1 surface *pinnalta katsoen* superficially, to outward appearances *pysytellä pinnalla* keep your head above water **2** (taso) level *300 m meren pinnan yläpuolella* 300 meters above sea level **3** (maalikerros) coat, (lakkapinta) finish **4** (iho) skin *paljas pinta* bare skin **5** *pinnassa* near, close to *rajan pinnassa* near the border *juosta maili neljän minuutin pintaan* do the mile in right around four minutes **6** *pitää pintansa* hold your own, stick to your guns, not give in, not fold up **7** *pinnalla* (julkisuudessa) in the public eye *pysytellä pinnalla* stay in the public eye, stay on top *päästä pinnalle* make it, make a name for yourself, become famous/known, become a celebrity

pinta-ala (geom) surface area, (tontin) acreage

pintapuolinen superficial, shallow

pinttyä (lika tms) get encrusted/embedded **2** (ihminen) get stuck in your ways, fall into a rut *pinttynyt käsitys* (ransk) idée fixe, fixed idea, fixation

pioneeri pioneer

pipari cookie

piparjuuri horseradish

piparkakku gingerbread cookie

piparminttu peppermint

pipi *s* hurtie, owie *adj* sick, feeling bad

pipo skicap

pippuri pepper *Painu sinne missä pippuri kasvaa!* Go jump in a lake!

pippurinen 1 (ruoka) peppery, spicy, hot **2** (luonne) fiery, passionate, spunky

pirahtaa 1 (pisara) squeeze out *Silmästä pirahti kyynel* A tear squeezed out of her eye **2** (kello) ring

pirauttaa 1 (itkeä) shed a few tears **2** (kelloa) ring, (puhelimella) ring (someone up), give (someone) a ring

pirinä ring(ing)

piripintaan *tulla/täyttää piripintaan* fill to the brim

piriste (aine) stimulant *kutsua päivän piristeeksi vieraita* have some people over to brighten up the day

piristysaine stimulant, (ark) pick-me-up

piristyä pick/cheer up, feel better/refreshed

piristä ring

piristää 1 (virkistää) refresh, enliven, stimulate **2** (ilahduttaa) cheer (someone) up, bring some cheer into (someone's) day

pirskeet party, (ark) shindig

pirstale piece, fragment, splinter *lyödä pirstaleiksi* smash to pieces/smithereens *mennä pirstaleiksi* go/fall to pieces (myös kuv)

pirstoa 1 smash (something) to pieces, bust /break/smash up **2** (puolue tms) split/break up, splinter

pirstoutua fall to pieces, shatter, splinter

pirtelö (milk)shake

pirteys liveliness, perkiness, peppiness, buoyancy, sprightliness, youthfulness (ks pirteä)

pirteä 1 (virkeä) lively, perky, peppy, buoyant; (vanhus) sprightly, youthful **2** (virkku) awake

pirtti 1 (talo) (log) cabin **2** (huone) greatroom

pirtu moonshine

piru devil *piru tappelemaan* a scrapper *pirun hyvä* damn(ed) good *maalata piruja seinille* be a prophet of doom, be an alarmist /pessimist/doomsayer

piruilla have a little fun (with someone, at someone's expense)

pirullinen 1 (tilanne) diabolical **2** (ihminen) nasty, mean; (ivallinen) sardonic, sarcastic *pirullinen hymy* sardonic/sarcastic smile **3** (temppu) rotten, dirty

pirunmoinen helluva, (one) hell of a *hän on pirunmoinen mies* he's one hell of a guy /man

pisama freckle

pisara drop *pisara meressä* a drop in the bucket/ocean

pisaroida 1 (muodostaa pisaroita, vars hiki) bead (up) **2** (juoksennella pisaroina) trickle/run (down) **3** (vuodattaa pisaroita) drip, (sade) sprinkle

piski mutt, pooch

piskuinen a slip of a *piskuinen tyttö* a slip of a girl

pissa pee; (lasten) potty, peepee, weewee; (vahvempi) piss *käydä pissalla* (lapsi) go pee/potty/weewee, (vahv) take a piss, (euf) go to the bathroom

pissahätä *Mulla on pissahätä* I gotta go pee /number one

pissata (lapsi) go pee/potty/weewee, (vahv) take a piss, (euf) go to the bathroom

pissattaa *Mua pissattaa* I gotta go pee /number one

piste 1 (kohta) point *kriittinen piste* critical point *kuollut piste* dead center *Olemme siis vieläkin samassa pisteessä* So we're back at square one, so we haven't made any progress at all **2** (arvoasteikon) point *saada hyvät pisteet kokeista* get a high score on the test **3** (i:n päällä, myös sähkötyksessä) dot **4** (lauseen lopussa) period *panna jollekin piste* put a stop to something **5** (täplä) spot, dot **6** (myyntipiste) outlet, branch

piste-ero point spread

piste i:n päällä (kuv) icing on the cake

pisteliäs sarcastic, cutting

pistellä 1 (reikiä) poke, prick, puncture **2** (kirvellä) sting, burn, smart **3** (piikitellä) needle, ridicule, mock, jeer at **4** (kävellä, juosta) pump your legs, hump it

pistellä poskeensa stuff/feed your face

pistely 1 (kirvely) stinging, burning, smarting **2** (piikittely) needling, ridicule, mocking, jeering, sarcasm

pistetilanne score

pisteviiva dotted line

pisto 1 (mehiläisen) (bee)sting **2** (puukon) stab, (neulan) prick, (renkaassa) puncture **3** (hämärkuvitelmiin) puncture, (sydämeen) pang, (omantunnon) prick **4** (miekkailussa) hit

pistoke plug

pistooli pistol, handgun, (pieni) derringer

pistorasia socket

pistos 1 sting, stab, prick, (ks pisto) **2** (lääk) shot, injection **3** (vihlova kipu) stab(bing pain), stitch, twinge

pistäytyä stop/drop in (for a brief visit)

pistää 1 (terävä) stab, poke, prick, jab; (ampiainen) sting *Minua pistää rinnasta* I have a stabbing pain in my chest **2** (sana, muisto tms) sting, rankle, burn *pistävä haju* sharp smell **3** (työntää) put, push, insert, stick **4** (antaa) give, hand, slip (something into someone's hand) **5** (työntyä esiin) stick/jut/hang/peep out, protrude **6** (jää kääntämättä, ks hakusanat) *pistää kone käyntiin* start the engine

pistää esiin stick/jut/hang/peep out, protrude

pistää korvaan sound funny/odd

pistää kuntoon put (things) in order

pistää lauluksi strike up a song

pistää leikiksi laugh it off

pistää lusikkansa soppaan meddle with something, stick your (big fat) nose into something

pistää nenänsä johonkin stick/poke your nose into something (that's no concern of yours), into someone else's business

pistää nimensä alle sign your name

pistää palamaan (tupakaksi) light up

pistää pillit pussiin take your ball and go home

pistää pystyyn organize, arrange

pistää päähän occur (to someone)

pistää rahoiksi rake in the dough, make big bucks

pistää silmään be obvious/conspicuous, stick out like a sore thumb

pistää tuulemaan let 'er rip, let loose

pistää vastaan resist, fight back, get your back up, dig your heels in

pistää vihaksi make you mad, get your goat

pistää väliin put in, interject

pitimiksi *tehdä työtä vain henkensä pitimiksi* only work to keep body and soul together

pitipäs sattua that's just what we needed, great

pitkin 1 (viertä) along **2** (kautta) by (way of), via **3** (läviste) through *putkea pitkin* through a pipe **4** (päältä) on, across *maata pitkin* along/on/across the ground **5** (ympäriinsä) all over *juoksennella pitkin huonetta* charge all over the room **6** (ylös) up *kiivetä kallion seinämää pitkin* climb up the face of a cliff **7** (koko) all (the) *pitkin vuotta* all (through the) year

pitkin ja poikin far and wide, here and there, this way and that, every which way *matkata pitkin ja poikin Suomea* crisscross Finland

pitkin matkaa the whole way, all along, all the time (we were driving)

pitkin pituuttaan full length *kaatua pitkin pituuttaan* fall flat (on your face)

pitkistyä be prolonged/protracted, drag on

pitkittyä be prolonged/protracted, drag on

pitkittäin lengthwise

pitkittäinen longitudinal

pitkittää 1 (venyttää) prolong, protract, extend **2** (viivyttää) delay

pitko coffee-bread loaf; (palmikoitu) twist, (pieni) cruller

pitkulainen oblong, (soikea) oval

pitkä long, (ihminen) tall *Aika käy pitkäksi kun ei ole mitään tekemistä* Time drags when there's nothing to do *päivät pitkät* day after day, days on end

pitkäaikainen 1 long(-standing) **2** (laina) long-term **3** (pitkällä tähtäyksellä) long-run **4** (pitkittynyt) protracted

pitkä aikaväli long time *pitkällä aikavälillä* over the long haul

pitkällinen prolonged, protracted

pitkällä 1 (ulkona) sticking out, protruding *Hän ei ajattele nenäänsä pitemmälle* He thinks no farther than the end of his nose **2** (kaukana) far *kulkea pitkällä muiden edellä* walk way ahead of the others *Tuolla asenteella et kyllä kovin pitkälle pääse* You won't get far with an attitude like that **3** (etenemisestä) well along *Hanke on jo pitkällä* The project is already well under way, well along **4** (ajasta) well into *Oltiin silloin pitkällä heinäkuussa* We were already well into July by then *jutella pitkälle yöhön* talk well into the night

pitkällään lying down, (vatsallaan) supine, (selällään) prone

pitkälti (aikaa) a long time, (matkaa) a long way *pitkälti yli 1000 euroa* well over a thousand Euros

pitkä nenä *näyttää jollekulle pitkää nenää* thumb your nose at someone

pitkän matkan long-range

pitkänomainen oblong

pitkänä stretched out *kieli pitkänä* with your tongue hanging out *juosta kieli pitkänä* run hell-bent for leather

pitkäperjantai Good Friday

pitkäpiimäinen boring, tedious

pitkästyminen boredom, getting bored

pitkästyttävä boring, tedious, dull

pitkästyttää bore, put (someone) to sleep

pitkästyä get bored (with)

pitkästä aikaa! long time no see!

pitkätukkainen long-haired

pito 1 (mehiläisten tms) keeping **2** (kutsujen tms) holding, having **3** (renkaiden) traction **4** *pidot* party

pitoisuus content *sokeripitoisuus* sugar content

pitopalvelu catering service, caterer

pitsi lace

pituinen long, (korkuinen) high, tall *kahden metrin pituinen* (lauta tms) two meters long, (ihminen) two meters tall, (pystypaalu) two meters high

pituus 1 length *kaatua pitkin pituuttaan* fall flat (on your face) **2** (korkeus) height *kasvaa pituutta* shoot up **3** (pituusaste) longitude *26 astetta läntistä pituutta* 26 degrees east longitude **4** (urh pituushyppy) long jump *hypätä pituutta* do the long jump

pituushyppy long jump

pituushyppääjä long jumper

pitäisi should, ought to *Pitäisihän sinun se tietää* You should know

pitäjä parish, county

pitätyä stick/cling to, not budge from

pitää 1 (kädessä, paikallaan) hold *Pitääkö tämä kiinni?* Will the rope hold? *Pidätkö tätä hetken?* Could you hold this for a second? (ks myös hakusanat) **2** (itsellään, lupaus) keep *Saanko pitää tämän?* Can I keep this? *Luuletko, että hän pitää lupauksensa?* Do you think he'll keep his promise? (ks myös hakusanat) **3** (yllä) maintain *Osaatko pitää nämä herhiläiset kurissa?* Can you maintain discipline with these wild animals? *pitää liian suurta hintaa* ask an exorbitant price, overcharge **4** (ääntä tms) make *Voisitteko pitää hiukan vähemmän ääntä?* Could you keep it down in there, could you try to make a little less noise? (ks myös hakusanat) **5** (lomaa tms) take *Pidä välillä tauko* Why don't you take a break for a change? **6** (jonakin) find, consider, take (someone/something) for *Pidin sinua ystävänäni* I thought you were my friend **7** (joinakin) treat *Hän pitää meitä vauvoina* He treats us like babies **8** (jostakin) like *Mitä pidät uudesta mekostani?* How do you like my new dress? **9** *Minun pitää* I must, I have to *Sinun pitää mennä jo* Now you really must be going *Mitä minun pitikään sanoa?* What was I going to say? *Minun piti juuri lähteä* I was just leaving *Ei sinun pidä pelätä* Don't be afraid *Kylla sinulla pitää olla huono näkö jos et sitä näe* You really must be nearsighted if you can't see that

pitää asianaan take it upon yourself (to do something)

pitää esitelmä give a lecture/speech

pitää hauskaa have fun

pitää huolta 1 (jostakusta) take care (of someone) **2** (että jotain tapahtuu) make sure (that)

pitää hyvää 1 (hoitaa) take (good) care of, care for, nurse **2** (hyväillä) caress, stroke, show love/tenderness/affection for

pitää hyvänään keep (something) *Pidä hyvänäsi!* Keep it (and good riddance)!

pitää isoa suuta talk big, be all talk

pitää jonkun puolta stick up for someone, go to bat for someone

pitää järjestystä maintain (law and) order

pitää kiinni hold onto (something)

pitää kirjaa (kirjanpitäjä) keep the books; (ark) count, keep track (of)

pitää kuria maintain discipline

pitää kutinaa be on the mark, hold water

pitää kutsut throw a party

pitää kuulustelu 1 (poliisi) hold an interrogation **2** (opettaja) give an exam

pitää lomaa take a vacation, go on vacation, take time off

pitää luento give a lecture

pitää lupauksensa keep your promise

pitää melua 1 make noise, be noisy **2** (jostakusta) make a fuss (over), make a big deal (about)

pitää mielessä bear in mind

pitää neuvoa consult (with someone)

pitää oikeutenaan consider it your right (to do something)

pitää omana tietonaan keep (something) to yourself

pitää paikkansa be/hold true, hold water

pitää peukkua cross your fingers

pitää pienempää suuta quiet/pipe down

pitää pilkkanaan make a fool of (someone), ridicule, mock, make fun of

pitää pintansa hold your own, stick to your guns, not give in, not fold up

pitää puhe give a speech

pitää päänsä stick to your guns, refuse to budge/negotiate/compromise, have your way

pitää sadetta be rainproof

pitää sanansa keep your word

pitää seuraa jollekulle keep someone company

pitää silmällä keep an eye on

pitää silmäpeliä jonkun kanssa make eyes at someone

pitää silmät auki keep your eyes peeled

pitää sisällään include

pitää suunsa kiinni keep your mouth shut

pitää taloutta keep house, run the household

pitää tauko take a break

pitää tilanteen tasalla keep (someone) informed/up-to-date

pitää vapaata take time off

pitää velvollisuutenaan consider it your duty (to do something), feel dutybound (to do something)

pitää vihaa carry a grudge

pitää vähältä be close, be a close one/call

pitää väliä 1 (levätä) take it easy, take a break **2** (välittää) care (about someone)

pitää yhteyttä stay/keep in touch (with)

pitää yhtä band/stick together, speak with one voice

pitää yllä maintain

pitää ääntä make (a) noise

piukat paikat tight spot *joutua piukkaan paikkaan* get in a tight spot, get in a jam

piukka tight *pitää piukat farkut* tight jeans

pivo palm *parempi pyy pivossa kuin kymmenen oksalla* better a bird in the hand than two in the bush

pizza pizza

pizzeria pizzeria, pizza house/restaurant

planeetta planet

platina platinum

plus 1 plus $2 + 2 = 4$ two plus two is/equals four *Siinä on liukuva työaika plus siitä maksetaan hyvin* They're on flextime, plus they pay well **2** (plusasteita) above zero *plus kaksi* two degrees above zero

pluskvamperfekti past perfect

plussa plus *Se on iso plussa* That's a real plus

pohatta tycoon, magnate; (ark) bigshot, bigwig

pohdinta 1 (harkinta) thought, consideration **2** (keskustelu) debate, discussion

pohja 1 bottom, base, basis, foundation, ground *hyvällä pohjalla* (rakennelma) securely/well founded; (asia) well founded/grounded, on a solid footing *meren pohjassa* at the bottom of the ocean /sea *mennä pohjaan* sink (to the bottom), go aground *sydämeni pohjasta* from the bottom of my heart *jonkin pohjalta* on the basis of something *yhteinen pohja* common ground **2** (pohjola) north *pohjan perillä* in the far north

pohjainen -bottomed

pohjalainen *s, adj* Ostrobothnian

pohjallinen insole

Pohjanlahti Gulf of Bothnia

Pohjanmaa Ostrobothnia

pohjanoteeraus bottom price/figure/quotation; (kuv) the dregs *Se oli todellinen pohjanoteeraus* That was really an all-time low

pohjata 1 (kenkä) resole **2** (ulottua pohjaan) reach/touch the bottom **3** (pohjautua) be based/founded/grounded on, rely on

pohjaton bottomless (myös kuv:) abysmal

pohjautua be based/founded/grounded on, rely on

pohjavesi groundwater

pohjia myöten thoroughly, in depth/detail

pohjimmainen 1 (alimmainen) lowest, bottom(most), lowermost **2** (kuv) fundamental, basic, ultimate

pohjimmiltaan fundamentally, basically, ultimately, at bottom

pohjoinen *s* (the) north *pohjoiseen* (to the) north of *Jyväskylästä pohjoiseen* north of Jyväskylä *pohjoisessa* up north *adj* north(ern/-erly) *pohjoista leveysastetta* degrees (of) northern latitude *pohjoisin* northernmost

Pohjoismaat the Nordic countries

pohjoisnapa the North Pole

pohjoispuoli northern side *jonkin pohjoispuolella* (to the) north of something

pohjoispuolinen northern

pohjoispää northern end

pohjoissuomalainen *s* Northern Finn *adj* northern Finnish

Pohjois-Suomi Northern Finland

pohjoistuuli northerly (wind)

Pohjola Northern Europe, the Nordic countries; (mytologiassa) pohjola ('pohjoinen seutu') the North

pohjus base

pohjustaa 1 (maalipinta) prime **2** (asia) lay the groundwork for, pave the way for

pohtia 1 (mielessään) consider, ponder, reflect on, think about **2** (muiden kanssa) discuss, debate; (ark) hash over

poika 1 boy, (oma) son *Katsos poikaa!* Attaboy! *aika poika* quite a guy, a helluva guy *isänsä poika* a chip off the old block, like father like son *Hyvät pojat sentään!* Oh boy! **2** (hyvä) good *Kahvi tekisi nyt poikaa* A cup of coffee would hit the spot right about now

poikamainen boyish

poikamies bachelor, single man

poikanen 1 (poika) (a mere) boy, lad **2** (nuori eläin: kissan) kitten, (kanan) chick, (linnun) fledgling **3** (häivä) hint, trace *hymyn poikanen* the faintest hint/trace of a smile

poiketa 1 (tieltä, myös kuv) turn off, diverge, deviate, stray, (asiasta) digress *tavallisesta käytännöstä poiketen* contrary to standard procedure **2** (pistäytyä) stop off, drop/stop in **3** (olla erilainen) (be) differ(ent) *poiketa edukseen muista* stand (head and shoulders) above the others, stand out from the crowd

poikia 1 (eläin) bring forth young, have (kittens/puppies/jne); (hevonen) foal, (lehmä) calve *Kun kovalle ottaa niin koiraskin poikii* In a pinch even a rooster will lay eggs **2** (asia) spawn, generate *poikia halpoja jäljitelmiä* spawn (a flood of) cheap imitations *panna raha poikimaan* put your money to work

poikin *pitkin ja poikin* far and wide, here and there, this way and that, every which way *matkata pitkin ja poikin Suomea* crisscross Finland

poikittain crosswise, diagonally, obliquely

poikittainen transverse

poikkeama 1 divergence, variation, deviation *sallittu poikkeama* tolerance **2** (fys) deflection **3** (tavanomaisesta) deviation, departure

poikkeava *s* deviant *adj* deviant, different, divergent, abnormal

poikkeuksellinen exceptional, (erinomalinen) extraordinary *poikkeuksellisen* exceptionally

poikkeuksellisesti exceptionally

poikkeus exception *Ei sääntöä ilman poikkeusta* There's an exception to every rule *sillä poikkeuksella että* except, with the (single) exception that

poikkeustapaus exception(al case)

poikkeustila state of emergency; (sot) martial law

poikkeus vahvistaa säännön the exception proves the rule

poikki *adj* **1** (murtunut) broken, fractured; (irti) broken off, severed **2** (kuitti) exhausted, beat, dead tired *Olen aivan poikki* I'm pooped! *adv* (kahtia) in two/half; (irti) off *Minulta meni jalka poikki* I broke my leg *panna poikki* cut, chop/lop off; *postp* (yli) across, (läpi) through *juosta pihan poikki* run/cut across/through the yard

poikkikatu cross street

poikkileikkaus cross-section

poikkinainen 1 (rikkinäinen) broken **2** (vastustava) *Ei sille uskalla sanoa poikkinaista sanaa* I'm afraid to cross him *poikkinaista puhetta* backtalk, sass

poikue (nisäkäs) litter, (lintu) brood

poikuus boyhood

poimia 1 (irrottaa varresta) pick **2** (kerätä) gather, (tietoja) glean **3** (noukkia maasta) pick up **4** (valita) pick out

poimu 1 (ihossa) wrinkle, line, (otsassa) furrow; (vauvalla) fold **2** (vaatteessa) fold, (laskos) tuck **3** (Star Trekissä) warp

poimuilla wrinkle, fold

poimuttaa 1 (kangasta: laskostaa) fold, pleat; (poimutella) drape; (röyheltää) ruffle, crimp(le) **2** (tekn) corrugate

poimutus folding, pleating, draping, ruffling, crimp(l)ing, corrugation (ks poimuttaa)

pois 1 away, (päältä) off, (sisältä) out *Mene pois!* Go away! Get out of here! Get out of my face! Beat it! *jättää pois* omit, neglect to mention *jäädä pois* stay away; (kokouksesta tms) fail to appear; (moottoritieltä) exit, get off **2** (vain) ahead *Sano pois!* Go ahead and say it! Spit it out! Cough it up! *Usko pois!* You'd better believe it!

poismennyt the deceased, the departed *poismennyt mieheni* my late husband

poismeno death

poisnukkunut the deceased, the departed

poispääsy escape, way out *Tästä ongelmasta ei ole mitään poispääsyä* There's nothing to do about this, we're stuck with this one

poissa 1 (poissaoleva) absent, gone, somewhere else, not here, off (doing something), away **2** (jostakin) away from, out of *Poissa silmistä, poissa mielestä* Out of sight, out of mind

poissaoleva absent

poissaolo absence

poissa se minusta! perish the thought

poistaa 1 remove, take off/out/away *poistaa kaikki epäilykset* remove all doubt *poistaa epäkohta* remedy a flaw/defect *poistaa hammas* pull/extract a tooth *poistaa juurineen* uproot, eradicate, extirpate *poistaa maasta* deport (someone) *poistaa mielestään* put (something/someone) out of your mind, (pelot) banish, (ajatus) suppress *poistaa tapetit* strip (off) wallpaper **2** (pyyhkiä pois) erase, obliterate, delete *poistaa käytön jäljet* remove/obliterate/rub off/erase all traces/signs of use **3** (jättää pois) omit, leave out *poistaa sana tekstistä* delete a word in the text **4** (liikenteestä: rahaa) withdraw (from circulation), take (a bus) out of service *poistaa käytöstä* (linja-auto tms) take (a bus) out of service; (kengät tms) discard **5** (peruuttaa) repeal, cancel, revoke, do away with; (orjuus) abolish **6** (mitätöidä) annul, nullify, invalidate **7** (kirjanpidossa: kokonaan) write off, (osa) depreciate, mark down **8** (oikeusjuttu) vacate, dismiss

poisto 1 removal **2** (liik) write-off, markdown, depreciation (ks poistaa 7)

poistua 1 leave, depart, go/walk away *poistua hyvästelemättä* leave/go without saying goodbye *poistua junasta* get off the train **2** (näytelmässä) exit *Lear poistuu* exit Lear *kaikki poistuvat* exeunt all **3** (tahra tms) come out

pokaali trophy

pokkuroida bow (and scrape) (before), fawn on

poksahdus pop

poksahtaa (go) pop, burst

poli 1 (poliklinikka) the ER (emergency room) **2** (polytekninen oppilaitos) the poly *Kalifornian polytekninen korkeakoulu* Cal Poly

poliisi 1 (laitos) the police; (ark) the fuzz /cops **2** (ihminen) police(wo)man, police officer; (ark halv) cop, fuzz, pig; (leik) Smokey (the Bear) *liikkuva poliisi* highway patrol(man) *siviilipukuinen poliisi* plain-clothes(wo)man

poliisiauto police car; (ark) cop car, cherry-top

poliisilaitos 1 (hallinnollinen) police department **2** (fyysinen) police station, (ark) the precinct, the station

poliitikko politician

poliittinen political

poliittisuus political nature/aspect

poliklinikka emergency room, ER

politiikka 1 (poliittinen toiminta) politics **2** (periaatteellinen toimintamalli) policy

politikoida politic (for)

politisoida politicize

politisoitua be politicized

poljento beat, rhythm

poljin pedal *kaasupoljin* gas pedal *kytkinpoljin* clutch pedal *jarrupoljin* brake pedal

polkaista step/stamp on *polkaista kaasua* step on it *polkaista käyntiin* (moottoripyörä) kickstart

polkea 1 (tallata) trample, walk/tread on; (tömistellä) stamp (your foot/feet) **2** (poljinta: polkupyörän) pedal, (jalkäkäyttöisen ompelukoneen) treadle, (sähköisen ompelukoneen) work **3** (oikeuksia tms) trample on, walk all over

polkea jalkoihin trample underfoot

polkea maahan walk on, trample underfoot, trample in the mud

polkea paikallaan get nowhere, mark time

polkea tahtia beat time (with your foot), tap your foot to the beat

polkea varpaille *polkea jonkun varpaille* step on someone's toes (myös kuv)

polkka polka

polku (foot)path, trail, track; (kuv) path

polkupyörä bicycle, (ark) bike

polkupyöräilijä cyclist, (ark) biker, bike-rider

polkupyöräily cycling, bike-riding

pollari 1 (mer) bollard, bitt **2** cop, fuzz, pig, Smokey (the Bear)

poloinen poor, miserable, wretched

polte burning, sting(ing), ache, fire *polte veressä* fire in your veins *rakkauden polte* the fire of love

poltella (*kirjeitä tms*) burn, (tiiliä) fire, (piippua) smoke

poltin burner

polttaa 1 burn, (kuumalla vedellä) scald, (savitavaraa) fire, (polttouunissa) incinerate **2** (polttohaudata) cremate **3** (lääk) cauterize **4** (tupakoida) smoke *Ethän polta kiitos* Thank you for not smoking **5** (kirvellä) burn, sting, smart **6** *Raha poltti hänen taskussaan* He had money burning a hole in his pocket *Maa alkoi polttaa hänen jalkojensa alla* It was getting too hot for comfort **7** (pesäpallossa) put (someone) out, make an out **8** (saada kiinni) catch (someone) red-handed/in the act

polttaa kaikki sillat takanaan burn your bridges behind you

polttaa kynttilää molemmista päistä burn your candle at both ends

poittaa näppinsä get your fingers burnt (myös kuv)

polttaa päreensä blow your top, hit the roof

polttaa viinaa make moonshine

polttaja smoker

poltimo 1 (viinan) distillery **2** (tiilen) brickworks **3** (poltin) burner **4** (lamppu) bulb

poltto 1 burning, combustion **2** (savitavaran) firing **3** (kipu) burning/stinging (pain), (supistus) contraction (*synnytys*)*poltot labor* (pains) *Miten kauan poltot kestivät?* How long were you in labor?

polttoaine fuel

polttohautaus cremation

polttopiste focus

polttopuu piece of firewood; (mon) firewood

polveilla wind, twist, zigzag, meander (myös kuv)

polveutua 1 (jostakusta) be descended (from), be a descendent of **2** (biol, kiel ym) descend/derive from

polvi 1 knee *mennä polvilleen* kneel (down), drop to your knees; (katolisessa kirkossa) genuflect *istua jonkun polvella* sit on someone's knee *istua jonkun polvilla* sit on/in someone's lap **2** (joen) bend **3** (tekn: putken) elbow, (muu) bend, knee, joint **4** (sukupolvi) generation *polvesta polveen* from generation to generation *alenevassa polvessa* in direct (lineal) descent

polvillaan (down) on your knees

polvistua kneel (down), (katolisessa kirkossa) genuflect

polvisukka kneesock; knee-high sock

polvisuojus kneepad

polyteismi polytheism

pommi 1 bomb **2** (jymyuutinen) bombshell **3** *mennä pommiin* bomb *nukkua pommiin* oversleep

pommiräjähdys explosion

pommittaa bomb(ard) *pommittaa kysymyksillä* bombard someone with questions

pommittaja bombardier

pommitus bombing, bombardment, shelling; air raid

pomo boss

pompottaa 1 (palloa) bounce **2** (ihmistä) jerk around, haze

pompotus 2 (pallon) bouncing **2** (ihmisen) hazing

pomppia 1 (pallo) bounce **2** (ihminen: ylösalas) bounce/bound/hop/pop up and down, (sängyssä) jump (up and down)

poni pony

ponnahdus spring, bounce, (re)bound

ponnahtaa spring/bound/(re)bound (back /off)

ponnekas emphatic, strong, urgent, energetic

ponnekkuus emphasis, urgency, energy, drive; (ark) go-get-'em, get-up-and-go

ponneton slack, weak, feeble

ponnistaa 1 (työntää) push *Ponnista!* Push! (synnytyksessä) Bear down! **2** (loikkia) push off, leap, jump **3** (yrittää kovasti) try hard, make a massive/great/supreme effort, put your back into it; (kilvoitella) struggle, strive

ponnistaa kaikkensa give it your all, muster all your strength

ponnistaa liikaa overdo it, overexert/strain yourself

ponnistella push, try hard, keep your nose to the grindstone, struggle, strive

ponnistus 1 (työntö) push **2** (yritys) effort, exertion, struggle

ponsi 1 (eduskunnassa) resolution **2** (ponnin) incentive, spur **3** (ponnekkuus) energy, drive

ponteva emphatic, strong, forceful, energetic

pontikka moonshine

ponttoni pontoon

poolo polo

poolopaita turtleneck

pop *s* pop music *adj* (suosittu) pop(ular), in

popkulttuuri pop culture

popmusiikki pop music

poppakonsti trick, gimmick, easy solution *Tähän ei ole mitään poppakonstia* There's no easy answer here

popsia (pillereitä, karkkia) pop; (muuta ruokaa) wolf down, gobble up

populaarikulttuuri popular culture

pora drill

porakone (power) drill

porata 1 drill (a hole in), (esim moottoria) bore (out) **2** (katseellaan) look straight through you **3** (itkeä) bawl

poraus drilling, boring

pore bubble

poreallas jacuzzi, hot tub

poreilla 1 bubble, effervesce, sparkle, fizz **2** (keitto) simmer

poreilu bubbling, fizzing, simmering

porilainen 1 (ruoka) meatpie with wiener **2** (marssi: lähin vastine) Hail to the Chief

porina hum(ming), murmur(ing)

porista hum, murmur

porkkana carrot

pormestari mayor

porno porn(o)

pornofilmi porn/stag/dirty movie, skin flick, (euf) adult/X-rated movie

pornografia pornography; (ark) nudie/girlie pictures/magazines/jne, cheesecake; (euf) entertainment for men; (sl) tits-and-ass, T&A

pornografinen pornographic

pornolehti porn magazine; (sl) stroke mag; (euf) men's magazine

poro 1 (eläin) reindeer **2** (sakka) dregs, (kahvin) grounds *palaa poroksi* burn to the ground, to ashes

poronliha reindeer (meat)

poropeukalo butterfinger(s)

poroporvari petty bourgeois

porras 1 (rappu: ulko) step, (sisä) stair(step), (rakenteellisesti) riser *portaat* steps, stairs, (portaikko) stairway/-case/-well **2** (kerrostalossa: ulko-ovi) door *Mikä porras se on?* Which door is it? **3** (virkahierarkiassa) step, rung (on the ladder), level, echelon *johtoporras* management, higher echelon *portaat* ladder

porraskäytävä stairway/-case/-well

porrastaa 1 (kaltevaa pintaa) (stair)step, (pengertää) terrace **2** (lomia, kouluuntuloa tms) stagger, (palkkoja tms) scale, grad(at)e

porrastus terracing, staggering, scaling, gradation (ks porrastaa)

porsaankyljys pork chop

porsas 1 (elävä) pig, (ark) porker, (lasten kielellä) piggy **2** (syötävä) pork **3** (kuv ihminen) pig, hog

porsastella 1 (syödä paljon) make a pig/hog of yourself, pig out **2** (käyttäytyä sikamaisesti) act like a pig

porsastelu 1 (syöminen) pigging out **2** (sikamaisuus) gross behavior

portaikko stairway/-case/-well

portieeri doorman

portti gate(way), (ylät) portal *portti ikuisuuteen* the gateway to eternity

portugali (kieli) Portuguese

Portugali Portugal

portugalilainen *s, adj* Portuguese

portviini port (wine)

poru 1 (itku) bawling, blubbering **2** (suukopu) fuss, deal, hullabaloo; (ylät) ado *paljon porua tyhjästä* much ado about nothing

porukalla all together, in unison/concert

porukka crowd, bunch, set, gang *paljon porukkaa* lots of people

porvari 1 (hist) burgher **2** bourgeois, middle-class person *porvarit* the bourgeoisie, the middle class **3** (Suomi politiikka) conservative, right-winger *porvarit* the Right

porvarillinen 1 (keskiluokkainen) bourgeois, middle-class **2** (oikeistolainen) conservative, right-wing

porvarillistua 1 (keskiluokkaistua) become bourgeois, be bourgeoisified **2** (oikeistolaistua) move right

porvaristo the bourgeoisie

poseerata pose (before/in front of the camera, for a picture)

positiivi (kielt, mus, valok ym) positive

positiivinen 1 positive **2** (myönteinen) affirmative **3** (rakentava) constructive

posketon 1 (häpeämätön) blatant, brazen, shameless **2** (uskomaton) incredible, unbelievable, fantastic **3** (naurettava) ridiculous, laughable, absurd

poski 1 cheek *pistää poskeensa* feed/stuff your face *poski poskessa* cheek by jowl **2** (vieri) edge, side *tien poskessa* by the road, on the shoulder

posliini porcelain, pottery

posse (sl) (jengi) posse, crew

posti 1 (kirjeet) mail *ensimmäisen/toisen luokan posti* first/second class mail *lentopostissa* by airmail *pintapostissa* by surface mail *vastata paluupostissa* reply by post haste **2** (postinkanto) delivery *Tänään ei tule postia* There's no mail/delivery today **3** (toimisto) post office *Voisitko viedä nämä kirjeet postiin?* Could you take these letters to the post office, could you mail these letters for me please?

postiauto mailtruck

postiennakko cash on delivery, C.O.D. *lähettää postiennakolla* send (something) C.O.D.

postikortti postcard

postilaatikko mailbox

postileima postmark

postilokero (post office) box

postimaksu postage

postimerkki stamp

postinkantaja mailcarrier, (vanh seksistinen) mailman

postinkanto mail delivery

postinumero zip code

postipaketti postal package/parcel

postisiirto bank transfer

postitoimisto post office

postitse by mail

postittaa mail

postitus mailing

potea be sick with, have, suffer from *potea flunssaa/alemmuuskompleksia* have the flu/an inferiority complex

potenssi 1 (mat) power *korottaa kolmanteen potenssiin* raise (a number) to the third power *korottaa toiseen potenssiin* square *ylellisyyden korkein potenssi* (kuv) luxury to the nth degree **2** (seksuaalinen) potency

potilas patient

potkaista kick *Sinua on onni potkaissut* You got a lucky break, that was a stroke of luck

potkaista tyhjää (kuolla) kick the bucket

potkia kick

potku 1 kick *potku persuksiin* kick in the ass /pants **2** *potkut* dismissal *antaa potkut* fire /sack (someone) *saada potkut* get the boot /sack, get fired

potkuhousut jumpsuit

potkukelkka kicksled

potkuri 1 propeller, (laivan) screw **2** (hevonen) kicker **3** (potkukelkka) kicksled

potkurikone prop plane

potti 1 (rahasumma) pot, (pokerissa) kitty; (iso) jackpot **2** (pissapotti) potty seat

pottu potato, spud

pottuilla give (someone) a hard time, wise /mouth off

potut pottuina *maksaa potut pottuina* give (someone) a taste of his/her own medicine, give (someone) as good as you got

potuttaa *Kyllä selluinen potuttaa* That sort of thing really pisses me off, gets my goat

poukama cove

poukkoilla bounce (back and forth, here and there, up and down)

pouta dry weather *pilvistä mutta enimmäkseen poutaa* cloudy with little rain

poutainen dry

povari fortuneteller, soothsayer

povata 1 (povari) tell fortunes **2** (meteorologi) predict, forecast; (poliittinen kommentaattori) forecast, prognosticate, speculate on

povi bust, bosom *pehmeä kuin naisen povi* soft as a baby's bottom *painaa povelleen* press (someone) to your breast

povitasku breast pocket

pragmaattinen pragmatic

pragmatismi pragmatism

Praha Prague

praktiikka practice

pramea showy, gaudy, loud

preesens present

prepositio preposition

presidentti president

presidenttiehdokas presidential candidate

presidenttikausi presidency, presidential term

priima prime(-quality), first-rate, choice, select

priimus head of the class; (koko lukion ajalta) valedictorian

prikaati brigade

primaari- primary

primaarinen primary

primadonna prima donna (myös kuv), leading lady
primitiivinen primitive
prinsessa princess
prinssi prince
problemaattinen problematic
profeetta prophet
professori professor
profetia prophesy
profetoida prophecy
profiili profile *pitää matalaa profiilia* maintain a low profile
projektori projector
projisoida project (myös psyk)
proletaari proletarian, (ark) prole
proletariaatti proletariat
prologi prologue
promille per mil
promootio commencement/graduation (exercises)
promovoida confer an academic degree (on someone)
pronomini pronoun
pronssi bronze
pronssikausi the Bronze Age
pronssimitali bronze medal
proomu barge
proosa prose
proosakirjallisuus prose literature
proosallinen prosaic
propaganda propaganda
proppu *Häneltä paloivat proput* He blew a fuse, blew his top
prosentti percent
prosentuaalinen percentual
prosessi process
prostituoitu prostitute
prostituutio prostitution
proteesi prosthesis; (hammasproteesi) dentures, false teeth; (jalkaproteesi tms) artificial limb (leg/arm/jne)
proteiini protein
protestantti Protestant
protestanttinen Protestant
protesti protest *mennä protestiin* (vekseli tms) be protested (for nonpayment)
protestoida protest
provinssi province

provisio (myyjän) commission; (meklarin) brokerage (fee)
provisiopalkka *provisiopalkalla on* commission
provosoida provoke
pränti print *pikkupräntti* the small print
prässi 1 press *housun prässit* the crease in your pants 2 (koripallossa) full-court press
prässätä press (myös kuv); pressure, push *prässätä housuja* iron your pants
psalmi psalm
psykiatri psychiatrist
psykiatria psychiatry
psykiatrinen psychiatric(al)
psykoanalysoida psychoanalyze
psykoanalyysi psychoanalysis
psykoanalyytikko (psycho)analyst, (ark) shrink
psykologi psychologist
psykologia psychology
psykologinen psychological
psykopaatti psychopath
psykoterapia psychotherapy
psyyke psyche
psyykkinen psychic, psychological
pudistaa shake *pudistaa hihastaan* produce out of nowhere
pudistella shake
pudistus shake
pudokas windfall
pudota fall/drop (off/down) *pudota käsistä* drop/slip out of your hand, through your fingers *pudota* (raskaasti) *tuoliin* collapse /slump in a chair *pudota hyllyltä* fall/drop /come (tumbling down) off a shelf *puusta pudonnut* dumbfounded, flabbergasted *pudota jaloilleen* land on your feet *pudota kärryiltä* lose track (of what's going on/being said) *Nyt minä putosin kärryiltä* Now you lost me
pudotella 1 (omenia puusta) shake (down), (murusia pöydästä) drop 2 (sadella) snow, rain *Lunta oli pudotellut koko yön* The snow had been coming down all night 3 (päästellä: vasaralla tms) go at it, let 'er fly; (suksilla) shoot (down the hill)
pudottaa drop *Vaahtera on pudottanut melkein kaikki lehtensä* The maple has almost

lost/dropped all its leaves *Voisitko pudottaa minut asemalle?* Could you drop me off at the station? *Hevonen pudotti ratsastajansa* The horse threw its rider

pudotus drop(ping) *pommien pudotus* bombing, dropping bombs *Se on aikamoinen pudotus* That's quite a drop

Puerto Rico Puerto Rico

puertoricolainen *s, adj* Puerto Rican

puhallin 1 (tekn) blower, fan **2** (mus) wind instrument

puhallus 1 (tckn) blast **2** (mus) blowing **3** (petkutus) sting, con

puhaltaa 1 blow *katsoa mistä tuuli puhaltaa* see how the land lies *puhaltaa täyteen ilmaa* blow up, inflate **2** (puhallinsoitinta) blow on, play, sound

puhaltaja 1 (lasin tms) blower **2** (mus) wind player, (mon) the wind section

puhdas 1 clean, clear, pure *puhtaat kädet/linjat* clean hands/lines *puhdas iho/omatunto/voitto* clear complexion/conscience /profit *puhtaat ajatukset* pure thoughts *puhua suunsa puhtaaksi* get something off your chest, spill your guts *kirjoittaa puhtaaksi* type up *sanoa puhdas totuus* speak the plain truth **2** (pelkkä) pure, sheer *puhdas sattuma* pure/sheer chance/coincidence

puhdasoppinen orthodox

puhdistaa 1 clean/clear/wash (up); (hangata) cleanse (myös usk), scour *puhdistaa itsensä syytöksistä* clear yourself of all charges *puhdistaa kaikista synneistä* cleanse (someone) of all (his/her) sin(s) *puhdistaa maineensa* clear your reputation/name **2** (pogromissa) purge **3** (jalostaa) refine, purify **4** (saastunut vesi/ilma) purify **5** (ryöstää) clean someone out

puhdistaminen cleaning, washing, cleansing, scouring, purging, refining, purification (ks puhdistaa)

puhdistamo refinery; (jäteveden) sewage treatment plant

puhdistua get clean(ed), clear up; (tekn) be refined/purified

puhdistus 1 cleaning, cleansing, washing **2** (pogromi) purge, pogrom **3** (tekn) refinement, purification

puhe 1 (puhuminen) speech, talk *Älä välitä ihmisten puheista* Never mind what people say *kangerrella puheessaan* stumble over your words *Ei puhettakaan!* Not a chance! No way! *tulla puheeksi* come up **2** (keskustelu) conversation, discussion *johtaa puhetta* moderate/chair the session/discussion/meeting *Puhe kääntyi naisliikkeeseen* Talk turned to the women's movement **3** (esitelmä) speech, lecture, address, talk *pitää puhe* give a speech *pitemmittä puheitta* without further ado

puheenaihe topic, subject of conversation

puheenjohtaja chair(person), (vanh) chairman

puheen ollen *Siitä puheen ollen* Speaking of that, apropos

puheenvuoro floor *jakaa puheenvuoroja* moderate/chair a discussion/meeting *antaa puheenvuoro jollekulle* recognize someone, give someone the floor *Valtosella on nyt puheenvuoro* Valtonen has the floor *pyytää puheenvuoroa* ask/motion to be recognized, signal for the floor *käyttää puheenvuoroa* take the floor, address the meeting

puheilla *pyrkiä jonkun puheille* try to talk to someone *päästä jonkun puheille* (korkea-arvoisen henkilön kanssa) be granted an audience; (muun kanssa) get to talk to someone

puhelahjat eloquence, (ark) gift of gab *hänellä on hyvät puhelahjat* she has the gift of gab

puhelias garrulous, talkative

puhelimitse by (tele)phone, over the (tele)phone

puhelin telephone, (ark) phone *Puhelimeen!* Telephone! *sulkea puhelin* hang up *palveleva puhelin* crisis (intervention) hotline

puhelinherätys wake-up call

puhelinjohto telephone line

puhelinkeskus switchboard

puhelinkioski (tele)phone booth

puhelinkoppi (tele)phone booth

puhelinlaitos (tele)phone company

puhelinluettelo (tele)phone book/directory

puhelinnumero (tele)phone number

puhelinsoitto (tele)phone call

puhelintyttö call girl

puhelinvaihde switchboard

puhelinvastaaja (telephone) answering machine

puhelu 1 (juttelu) talk(ing), chat(ting), conversation **2** (puhelinsoitto) (tele)phone call

puhemies (eduskunnan) speaker *puhemies Mao* Chairman Mao **2** (naimakaupan) matchmaker, go-between, marriage broker **3** (puolestapuhuja) spokesperson, (vanh) spokesman

puheposti voicemail

puheripuli diarrhea of the mouth

puhetaito (the art of) rhetoric/oratory

puhevika speech defect

puhevälit *He eivät ole puheväleissä* They aren't on speaking terms, they aren't speaking to each other

puhista (huff and) puff, pant, (kiukusta) snort

puhjeta 1 (ilmapallo tms) pop, burst *Heiltä puhkesi rengas* They had a flat tire **2** (kukka) open, blossom **3** (tauti, sota, myrsky ym) break out **4** (nauruun, itkuun ym) burst out (laughing, crying), burst into (laughter, tears)

puhkeaminen bursting, opening, blossoming, outbreak

puhki *kulu(tta)a puhki* wear out *mennä puhki* (rengas) blow out, go flat; (ilmapallo) pop *puhua asiat puhki* talk/work things out/through *miettiä päänsä puhki* wrack your brains

puhkua (huff and) puff *puhkua intoa* be bursting with enthusiasm *puhkua vihaa* snort indignantly/angrily

puhtaana käteen after taxes, net *saada palkkaa 2000 puhtaana käteen* take home 2000 euros a month, make 2000 a month in take-home pay

puhtaanapito public sanitation; (jätehuolto) garbage collection

puhtaasti 1 (palaa tms) cleanly **2** (puhua tms) correctly; (laulaa) in tune, on pitch/key **3** (pelkästään) purely, merely, solely

puhtaat paperit clean record/slate: (poliisista) no police record; (sairaalasta) completely cured, no disease

puhtaus 1 clean(li)ness, tidiness **2** (ilman, ajatusten tms) purity, (siveys) chastity

puhtaus on puoli ruokaa cleanliness is next to godliness

puhti energy, vim, vigor, zest; (ark) pep, (get-up-and-)go

puhua 1 (puhe), (puhella) talk, (mainita) mention, (sanoa) say *puhua englantia* speak English *puhua ilmoista* talk about the weather *Heistä ei voi puhua samana päivänä* They shouldn't be mentioned on the same day *Minulla on sinulle puhuttavaa* I've got something to say to you **2** (huhuta) say, tell, rumor *Mitä minä siitä, mitä ihmiset puhuvat?* What do I care what people say? *Kylällä puhutaan, että sinä olet lähdössä* The word/rumor around town is that you're leaving us, a little birdie told me you were leaving **3** (sopia) work out, agree *kuten puhuttiin* as we agreed **4** (pitää puhe) speak, give a speech/lecture/talk; (saarna) preach **5** (viestiä) speak, communicate *puhua käsillään* talk/speak/communicate with your hands *paljon puhuva ele* eloquent gesture

puhua itsensä pussiin contradict yourself, lead yourself into a trap, give yourself away

puhua ja pukahtaa *Ei se puhunut eikä pukahtanut* She didn't make a peep, didn't utter a sound/word

puhua joutavia talk nonsense, run off at the mouth, say the first thing that comes into your head

puhua järkeä jollekulle talk sense to someone, try to make someone see reason

puhua keskenään talk/chat together, have a talk *He eivät enää puhu keskenään* They aren't on speaking terms, they aren't speaking to each other

puhua kielillä speak in tongues

puhua läpiä päähänsä not know what you're talking about

puhua löpperiä talk nonsense, run off at the mouth, bullshit

puhua mitä sylki suuhun tuo say whatever pops into your head, run off at the mouth

puhua omaa kieltään speak for itself

puhua pelkkää hyvää jostakusta have nothing but good to say about someone

puhua puolelleen persuade someone to take your side

puhua pökerryksiin talk someone's ear off

puhua selvää kieltä make yourself perfectly clear, leave no room for (mis-) interpretation

puhua suulla suuremmalla 1 (olla suuremman suukappale: Jumalan) be the mouthpiece/messenger of the Lord; (suurten ajattelijoiden) invoke the great sages /philosophers **2** (isotella) talk big

puhua suunsa puhtaaksi get something off your chest, spill your guts

puhua ympäri convince/persuade (someone), bring (someone) around

puhuen *Totta puhuen* To tell the truth, frankly *yleisesti puhuen* generally speaking

puhuja speaker, orator

puhujakoroke podium, rostrum

puhujalava speaker's platform, stage

puhumattakaan to say nothing of, not to mention

puhumatta paras the less said the better, mum's the word

puhuminen speaking, talking, saying, telling (ks puhua-hakusanat)

puhu pukille! tell it to the Marines

puhutella 1 (jotakuta) speak to, address; (ventovierasta) accost; (liikuttaa) move, hit/strike home *puhutteleva näytelmä* moving play **2** (joksikin) call *Miksi häntä pitää puhutella?* What do I call her?

puhuttaa *Minua puhuttaa* I feel like talking (to someone) *jäädä puhuttamaan ystävää* stop to chat with a friend *puhuttaa tuppisuuta* try to draw someone out (who doesn't want to talk) *puhuttaa koko kaupunkia* make tongues wag

puhuttelu 1 (form/manner of) address, title **2** (puheen ensimmäiset sanat) salutation, greeting **3** (nuhtelu) lecture, reprimand; (ark) talking-to *joutua esimiehen puhutteluun* get chewed out/hauled over the coals /lectured by your boss, get a proper talking-to from your superior

puhuttelusana term of address

puhuva eloquent, expressive, pregnant, meaningful

puhveli buffalo

puida 1 (viljaa) thresh **2** (ongelmaa) thrash hash out **3** (nyrkkiä) shake

puijata swindle, cheat, con, trick

puijaus swindle, cheat, con, trick

puikko 1 stick **2** (hitsauspuikko) (welding) rod **3** (syömäpuikko) chopstick **4** (tahtipuikko) baton **5** (sukkapuikko) knitting needle **6** (jäätelöpuikko) ice cream bar **7** (kalapuikko) fishstick

puilla paljailla (flat) broke, owning only the clothes you've got on *joutua puille paljaille* go broke

puinen wooden

puiseva dull, boring, dry

puistattaa (kauhu) make you shudder, (kylmä) make you shiver

puistatus shudder, shiver

puisto park

puitteet 1 (karmit) frame **2** (miljöö) setting, (ilmapiiri) atmosphere, (tausta) backdrop **3** *jonkin puitteissa* within a given framework *sääntöjen puitteissa* within the scope/framework of the law

pujahtaa 1 (nopeasti) dash, slip *Aurinko pujahti pilvien välistä* The sun peeked from behind the clouds **2** (salaa) slink (away), sneak (off)

pujotella 1 (mattoja) weave **2** (väkijoukon läpi) weave your way through a crowd **3** (hiihtää) downhill ski, slalom **4** (palloa) dribble

pujottelija (downhill/slalom) skier

pujottelu (downhill/slalom) skiing

pujottelumäki ski slope

pukahtaa *Hän ei puhu eikä pukahda* We can't get a word out of him

pukea 1 (päälle) dress, put on; (perhettään) clothe *pukea hienoksi* dress (someone) up *pukea joksikin* disguise (someone) as *pukea päälle* put (something) on *pukea päälleen* get dressed **2** (sopia) become *Tuo väri pukee sinua* That color becomes you, is becoming on you, looks good on you **3** (ajatuksensa) clothe, express, articulate, couch *pukea ajatuksiaan sovinnaiseen muotoon* express/articulate/couch your thoughts in conventional form, give your ideas a traditional expression **4** (sinua) become *Tuo pusero pukee sinua* That blouse is very becoming/attractive, it suits /becomes you

pukeutua get dressed, put on your clothes

pukine piece of clothing, garment; (mon) clothing

pukki 1 buck, billy-goat *panna pukki kaalimaan vartijaksi* set a goat to guard the cabbage patch **2** (teline) stand, support, block *panna auto pukille* put a car up on blocks **3** (sahapukki) sawhorse **4** (hyppyteline) buck **5** *hypätä pukkia* (play) leap-frog **6** (joulupukki) Santa Claus **7** (huoripukki) (old) goat, lecher, dirty old man

puku 1 (asu) outfit, clothes, what you're wearing **2** (naisten) dress, (iltapuku) (evening) gown, (housupuku) pantsuit **3** (miesten) suit **4** (kobiantilooppi) kob

pukuinen (dressed) in *tuo vihreäpukuinen punatukkainen nainen* that woman in green with the red hair *siviilipukuinen etsivä* plainclothes detective

pula 1 (niukkuus) shortage, lack **2** (hätä: taloudellinen) financial difficulties/trouble; (muu) trouble, (ark) scrape, fix, pinch *joutua pulaan* get into trouble **3** (pula-aika) bad times, depression, recession

pulina 1 (veden) bubbling, burbling **2** (puheen) whisper, hum, murmur **3** (vastarinnan) (angry) whispering/murmuring *Pulinat pois!* Put a lid on it! Shut up!

pulista 1 (vesi) bubble, burble **2** (puhe) whisper, hum, murmur **3** (vastaan) whisper/murmur against, gripe/complain about

pulittaa 1 (pälpättää) yak **2** (maksaa) shell out

puliukko wino, derelict

pulkka 1 (puupulikka) pointed stick **2** (lasten) sled, (poron) pulka

pulla (sweet) bun *pulla uunissa* (raskaana) a bun in the oven *Sinulla tuntuu olevan pullat hyvin uunissa* You seem to be in good shape, you've got it made

pullakahvit coffee and buns

pullataikina bun dough

pullea plump, chubby

pulleus plumpness, chubbiness

pulliainen *tavallinen pulliainen* regular /average/run-of-the-mill guy, ordinary Joe, no Einstein

pullistaa distend, puff/swell/fill out

pullistua (become) distend(ed), puff/swell /fill out; (maha) protrude, stick/hang out; (silmät, lihakset) bulge, (silmät ark) bug out

pullistuma distension, swelling

pullo bottle, (taskumatti) flask

pullokori case, crate

pullollaan (posket) stuffed, bulging; (silmät) bulging/bugging (out of your head); (taskut) stuffed/crammed/jammed (full); (laatikko) stuffed/crammed/jammed full (to bursting)

pullollinen bottleful

pullonavaaja bottle-opener

pullonkaula bottleneck (myös kuv)

pullonpohja the bottom of the/abottle *katsoa pullonpohjan läpi* drink (straight) from the bottle

pulloposti message in a bottle

pullottaa 1 (viiniä tms) bottle **2** (pullistaa) bulge (out)

pullukka plump, chubby, roly-poly

pulma problem, difficulty; (ark) hang-up, hassle; (mon) trouble *Pulma on katsos siinä että* The problem is, see, that *Minulla on muuan pulma* I've got this problem

pulmatilanne difficult situation, (knotty) problem; (ark) spot, fix

pulmunen snow bunting *puhdas kuin pulmunen* pure as the driving snow *En minä mikään pulmunen ole* I'm not exactly Snow White either *Oma pulmuseni!* My little dove!

pulpahtaa bubble/well up; (veri) spurt (out); (kuv) pop up *pulpahtaa pintaan* rise to the surface (myös kuv:) appear out of nowhere

pulpetti (school) desk

pulputa bubble/well/gush out/up/over *pulputa ideoita/intoa* be bubbling over with ideas/enthusiasm

pulputtaa 1 (kahvi) perc(olate) **2** (ihmiset ark) yak

pulska 1 (pullea) plump, chubby, fat **2** (terveennäköinen) big, strong, healthy-looking

pulssi pulse *tunnustella jonkun pulssia* feel someone's pulse

pultti bolt, (pieni pin, (kannaton) stud *kiinnittää pulttilla* bolt (on/together) *Älä ota siitä pulttia* Don't let it get to you

pulveri powder

pummata 1 (pyytää) bum (something off someone) **2** (repata) fail, flunk

pummi 1 (ihminen) bum **2** (reputus) failure

pumpata pump *Hän yritti pumpata minulta tietoja* She tried to pump me for information *pumpata täyteen* pump up, inflate

pumppu 1 (tekn) pump **2** (ark sydän) pump, ticker

pumpuli cotton wool *pitää jotakuta pumpulissa* overprotect someone

puna 1 red(ness), (meikki) rouge **2** (ihonväri) ruddiness, (punastus) blush

punainen red (myös kuv) *nähdä punaista* see red *Se oli kuin punainen vaate* It was like waving a red flag (to a bull) *yksi punainen minuutti* just a sec(ond) *mennä punaiseksi kuin kalkkuna* (häpeästä) go red as a beet *olla punainen kuin rapu* (auringosta) be red as a lobster *ajaa päin punaista* run a red light

punainen lanka scarlet thread

punaisuus redness, ruddiness

punajuuri beet

punakka red, ruddy, florid

punaruskea reddish brown; (hevonen) sorrel, bay

punastella blush/flush (at) *punastella toisten puheita* blush at the things people say, be embarrassed/mortified at what others say

punastua blush, flush

punertaa be reddish; (pol) lean to the left

punertava reddish; (pol) left-leaning

punertua turn red

punerva reddish

punkka 1 (soikko) tub **2** (sänky) bunk *painua punkkaan* hit the sack

punkkari punk(-rock)er

punnerrus 1 (käsipunnerrus) pushup **2** (painonnosto) press

punnertaa 1 do a pushup **2** (nostaa) press

punniskella (käsin) heft, (mielessään) weigh, ponder

punnita weigh (myös kuv:) ponder, consider *punnita asiaa tarkoin* weight the pros and cons

punnus weight

punoa 1 twist, twine, twirl; (köyttä) braid, (koria) weave **2** *punoa juonia* scheme, plot, cook up schemes

punoittaa be/flush/glow red, be flushed/rosy

punos rope, twine, cord; (koristepunos) braid, lace

punssi punch

punta pound (sterling)

puntari scale(s), (vanh) balance *Se ei paina paljon puntarissa* (kuv) I hat doesn't weigh much in the balance, that doesn't carry much weight *olla puntarissa* be hanging in the balance

puntaroida weigh (myös kuv:) ponder, consider

puntarointi weighing (myös kuv:) pondering, consideration

puntti 1 (kimppu) bunch, bundle **2** (punnus) weight

Puola Poland

puola 1 (pinna: pyörän) spoke, (sängyn) bar, (tikapuiden) rung **2** (käämi, rulla) bobbin, (sähkö) coil **3** (puolan kieli) Polish

puolalainen *s* Pole *adj* Polish

puoleen 1 (pudottaa, leikata) in half *pienentää puoleen* halve, reduce to a half of its present level **2** (kohdalle) to *kääntyä jonkun puoleen* turn to someone *vetää puoleensa* attract **3** *Ei sen puoleen, en minä varma ole* Not that I know for sure *No joo, sen puoleen kyllä* Okay, in that sense yes

puoleensavetävä attractive

puoleinen 1 (melko) on the (adjective) side *tummanpuoleinen* on the dark side, darkish, fairly dark **2** (puolella) *pohjoispuoleinen* on the north side, (huoneesta) facing north, (a room) with a northern exposure *vasemmanpuoleinen* lefthand

puoleksi half, (adjektiivin kanssa) semi-; (osittain) in part, partly

puolesta 1 (jonkun kannalla) for, in favor of, in (someone's) favor *äänestää puolesta* vote in favor, vote yes **2** (jonkun nimissä /vuoksi) on behalf of, in the name of, for *Järjestelytoimikunnan puolesta haluan toivottaa teidät kaikki tervetulleiksi* On behalf of the organizing committee I'd like to welcome you all *kuolla maansa puolesta* die for your country *viran puolesta* ex officio **3** (johonkin nähden) as far as (something) is concerned, as to, with regard/respect to *Kyllä tämä on muodon puolesta kunnossa* This is formally correct/in order **4** (jonkun mielestä) as far as (someone) is concerned *Kyllä tämä on minun puolestani kunnossa* I think it's fine (but that's just my opinion), as far as I'm concerned this is in order **5** (kotoisin) from *Oletko Turun puolesta kotoisin?* Are you from Turku?

puolestaan 1 (osaltaan) for your part/sake, as far as you're concerned *Haluaisin omasta puolestani lisätä että* Let me add that personally I **2** (vuorostaan, taas) in turn *Kerroin sen Pekalle, joka puolestaan kertoi Marjalle* I told Pekka, who in turn told Marja

puolesta ja vastaan for and against *perustelut puolesta ja vastaan* the pros and cons

puolestapuhuja advocate, proponent, supporter

puolet 1 half *puolta enemmän* (ennen substantiivia) twice as much, double the *puolet enemmän* half again as much, fifty percent more *puolet heistä* half of them **2** *pitää puoliaan/puolestasi* stick up for yourself, stick to your guns

puoli s **1** (sivu) side (myös kuv) *kuunnella molempia puolia* listen to both sides *olla samaa puolta* be on the same side *asettua jonkun puolelle* take someone's side/part *jonkun puolella* on someone's side, in favor of someone *kahden puolen* on both sides of *tuolla puolen* on the other side of, beyond (the) **2** (piirre) side, aspect, characteristic, feature, quality *Hänessä on hyviä-*

kin puolia There are good sides to him too *Asialla on puolensa* It has its points/advantages (asian) *hyvä/heikko puoli* advantage/disadvantage *tarkastella asiaa kaikilta puolilta* consider the matter from all angles **3** (urh) side, end **4** (osa) part *meidän puolessamme, kotipuolessa* where I come from, in my part of the country, back home **5** (mat) member **6** *puolet* half *puolet heistä* half of them (ks myös hakusana) *lukus* half *kolme ja puoli kertaa* three and a half times *adj* half *puoleen hintaan* (at) half-price, half off, marked down fifty percent *puolella palkalla* on half pay *puoli tuntia* half an hour, a half-hour *kello puoli seitsemän* (at) six-thirty *kuunnella puolella korvalla* listen with one ear *Puhtaus on puoli ruokaa* Cleanliness is next to godliness

puoliaika (urh) halftime, (muu) intermission

puolihuolimaton casual, unconcerned, offhand

puolikas half

puoliksi 1 half *puoliksi intiaani* half-Indian **2** (leikata tms) in half *panna puoliksi* split /share evenly (between the two of you)

puolikuiva medium dry, demisec

puolikuoliaana half-dead

puolikuollut half-dead

puolikuu 1 half moon, crescent (moon) (myös muodosta) **2** (kuukauden puoliväli) the middle of the month *heti puolenkuun jälkeen* just after the middle of the month

puolikuuro half deaf

puolillaan half-full

puolimatka halfway (there)

puolin *kaikin puolin* (tavoin) in every way /respect, in all respects/senses; (mokomin) by all means, so right ahead *molemmin puolin* on both sides of *puolin ja toisin* on both sides (of the fence), mutually *päällisin puolin* superficially

puolinainen 1 (puolittainen) half **2** (epätäydellinen) incomplete, unfinished, imperfect **3** (riittämätön) insufficient, inadequate, not (nearly) good enough *puolinaiset toimenpiteet* halfway measures

puolinaisesti by halves

puolinen -sided *pohjoispuolinen* northern; (huone) (a room) on the northern side (of the house), north-facing *toispuolinen* (fyysisesti) only (written/finished/buttered/jne) on one side; (epätasapainoinen) lopsided; (puolueellinen) biased, prejudiced

puolin ja toisin on both sides (of the fence) *Me kyllä sanoimme puolin ja toisin aika pahasti* Both of us said terrible things

puolipäivä noon, midday *puolenpäivän aikaan* around noon/midday, in the middle of the day

puolisko half

puoliso spouse, mate; (mies) husband, (vaimo) wife; (kuninkaallinen) (royal) consort

puolisokea half-blind

puolitie *tulla jotakuta puolitiehen vastaan* meet someone halfway *puolitiessä* halfway *jättää työ puolitiehen* leave a job unfinished

puolitoista one and a half *puolitoista viikkoa /kuukautta/vuotta* a week/month/year and a half

puolitse on the (something) side *hän kiersi joen puolitse kaupungin* she circled the town on the river side

puolittaa 1 halve, cut/split in half/two **2** (geom) bisect

puolittain half(way), partly

puolittainen halfway (ks myös puolinainen)

puolivahingossa (leik) accidentally on purpose

puolivalmis half-/semifinished

puolivirallinen semiofficial

puolivuosi 1 (6 kk) half a year, (liik) semester **2** (vuoden puoliväli) the middle of the year *puolenvuoden tienoilla* around the middle of the year, in summer

puoliväkisin *Vedin hänet puoliväkisin mukaan* I practically had to drag him with me *Sain hänet puoliväkisin lähtemään* I practically had to push him out the door

puoliväli middle *puolivälissä* in the middle, halfway (through)

puoliympyrä semicircle

puoltaa 1 (auto) pull (to the left/right, to one side) **2** (tukea) support, approve, recommend

puoltaminen approval, recommendation

puolto approval, recommendation

puolue party; (kuv) faction, camp

puolueellinen partisan, partial, biased, prejudiced

puolueellisesti partially, with bias

puolueellisuus partiality, bias, prejudice

puolueeton 1 impartial, neutral, unbiased, unprejudiced **2** (pol) independent

puolueettomasti neutrally, without bias/prejudice, without taking sides

puolueettomuus neutrality

puolukassa *käydä puolukassa* be/go out picking lingonberries

puolukka lingonberry

puolustaa 1 (suojella) defend, protect, safeguard **2** (puhua/toimia jonkun puolesta) speak/stand/stick up for, plead for, (oikeudessa) defend; (asian puolesta) advocate, propound, uphold **3** (oikeuttaa) vindicate, justify, make (something) right *Se ei puolusta hänen tekoaan* That doesn't justify his actions, that doesn't make what he did right

puolustaja 1 defender, protector, advocate, proponent **2** (oikeudessa) defense attorney/counsel, counsel for the defense **3** (urheilussa) back, defender, defense player; (mon) defense

puolustaminen defending, protecting, safeguarding, pleading, advocacy, propounding, upholding, vindication, justification (ks puolustaa)

puolustautua 1 defend yourself, speak/stand /stick up for yourself, stick to your guns **2** (puolustella) make excuses (for your behavior), rationalize (your behavior), try to get yourself off the hook

puolustella (toista) make excuses (for what they did), apologize (for them); (itseään) make excuses (for your behavior), rationalize (your behavior), try to get yourself off the hook

puolustuksellinen defensive

puolustus defense

puolustusasianajaja defense lawyer/attorney; (oikeudessa) defense counsel, counsel for the defense

puolustuskannalla olla/pysyä puolustuskannalla be/stay on the defensive

puolustuslaitos the armed forces/services, (ark) the service/military

puomi 1 (mer, tekn) boom **2** (nosto puomi tms) bar(rier) **3** (voimistelupuomi) balance beam

puoskari quack

puoskaroida doctor; (kuv) botch

puoti shop, (muodikas) boutique

puppu nonsense; (ark) twaddle, hogwash, rot, baloney

puraista bite, nip/snap (at), take a bite/nip of

pureksia chew

purema bite

purenta bite

pureskella 1 (suussa) chew valmiiksi pureskeltu predigested **2** (jyrsiä: kynsiä) bite, (kynää tms) chew/gnaw on

pureskelu chewing, biting, gnawing

pureutua 1 bite into, seize/grab something with your teeth **2** (tarttua) grab onto, seize, (tarrautua) cling to **3** (upota) sink into, take hold in Saha pureutui puuhun The saw bit /cut into the wood

pureva biting, sharp pureva pakkanen bitter cold pureva huomautus biting/cutting/sarcastic/nasty/hurtful remark

purevasti sharply

purevuus sharpness

puristaa 1 press, push; (kädessä) clasp, grasp, squeeze; (kättä) squeeze, shake; (kättä nyrkkiin, hampaat yhteen) clench; (litteäksi) flatten, squash puristaa yhteen press together, (liimausta varten) clamp together **2** (pakottaa: fyysisesti) force, squeeze; (ark) jam, cram, stuff; (henkisesti) force, compel Suomen kieli puristettiin latinan kielioppisääntöihin Finnish was forced into (the straitjacket of) Latin grammar **3** (saada väkisin ulos) squeeze, force puristaa kymmenen sivua opettajalleen perjantaiksi squeeze/churn out ten pages for your teacher by Friday Puristapas pannusta vielä kupponen! Can you

squeeze another cup of coffee out of that pot? **4** (hangata: kenkä) rub, pinch, be too tight; (kaulus) constrict Mistä kenkä puristaa? What's the problem? **5** (ahdistaa) constrict, strangle, choke Huoli puristaa rintaa/kurkkua My chest/throat is all constricted with worry, I feel like I'm strangling/choking with anxiety

puristaa kättä shake/squeeze (someone's) hand

puristaminen pressing, pushing, clasping, grasping, squeezing, clenching, flattening, squashing, forcing, jamming, cramming, stuffing compelling, rubbing, pinching, constricting, strangling, choking (ks puristaa)

puristella press, squeeze

puristi purist

puristin press, (ruuvipuristin) clamp, vise

puristua be pressed/squeezed/flattened/squashed puristua kokoon be compressed

puristus 1 (käden) squeeze; (sormien) pinch; (väkijoukon) jam, press; (kasaan esineen) press(ure) jäädä puristuksiin (väkijoukon) get/be caught in the press of the crowd, (oven) get caught in the door **2** (tekn) pressure, compression

puritaani Puritan (myös kuv)

purje sail saada uutta tuulta purjeisiin get a fresh wind

purjehdus sailing; (matka) sail(ing trip), cruise

purjehtia sail

purjelaiva sailing ship/vessel

purjelauta sailboard

purjelautailija windsurfer

purjelento sailplane/glider flying

purjelentokone sailplane, glider

purjelentäjä glider/sailplane pilot

purjevene sailboat

purjo leek

purkaa 1 (osiinsa) dismantle, disassemble, take apart **2** (sotku) disentangle, undo, clear (up) purkaa auto varaosiksi cannibalize a car (neuletta) unravel, (ommelta) unstitch **4** (solmu) untie, (side) unwind, (köysi) untwist, (paketti: narut/paperit) unwrap, (sisältö) unpack **5** (matkalaukku) unpack **6** (lasti) unload **7** (rakennus) demolish, wreck, tear/pull/take down **8** (näytelmän kulissit) strike (a set) **9** (yhtiö) dissolve, liquidate **10** (sopimus) cancel, annul, revoke; (ark) call off **11** (avioliitto) annul **12** (kihlaus) break off **13** (lak päätös) rescind, reverse **14** (pommi) defuse **15** (akkua) discharge **16** (tunteita) discharge, release, vent, take out *Älä pura pettymystäsi minuun* Don't take your frustration out on me **17** (sydäntä) unburden, lighten, let off steam

purkaa tuomio overrule/reverse a ruling /judgment/decision

purkaa ääninauha transcribe a tape

purkaus 1 (tulivuoren) eruption **2** (akun) discharge **3** (tunteen) fit, blowup, explosion, cruption

purkaulua 1 (osiinsa) be dismantled, come apart **2** (neule) unravel, come undone **3** (solmu tms) come untied/unwound **4** (yhtiö) be dissolved/liquidated **5** (sopimus) be canceled/annuled/revoked; (ark) fall through **6** (avioliitto) break up **7** (kihlaus) get broken off **8** (lak päätös) be rescinded/reversed **9** (akku) lose its charge, run down **10** (tunteet) be released/vented, burst out **11** (tulivuori) erupt

purkka (chewing/bubble) gum

purkki 1 can, (maitopurkki) carton, (muu) container **2** (aluksesta leik) tincan

purku 1 (hajotus) demolition, destruction **2** (osiin) dismantling, disassembly

purnata gripe, grouse, grumble

puro stream, brook

purppura purple

purppuranpunainen crimson, scarlet

purppuranvärinen purple, crimson, scarlet

purra 1 bite (myös kuv): take effect *Häneen ei pure mikään* Nothing works on him **2** (pureksia) chew *Pure ruokasi kunnolla ennen kuin nielaiset* Chew your food properly before you swallow it

pursi boat, (huvipursi) yacht

purskahtaa 1 (veri haavasta) gush, spurt **2** (nauruun tms) burst into (laughter/tears), burst out (laughing/crying)

purskua gush/spurt (out)

pursuava 1 (neste) oozing, dripping, flowing, spurting, squirting, gushing, bubbling (ks pursuta) **2** (into tms) bubbling, effervescent, overflowing

pursuta 1 (neste: työntyä) squeeze out, (tihkua) ooze/drip (out), (virrata) flow (out), (purskahtaa) spurt/squirt (out), (tulvia) gush (out), (kuohua) bubble (out) **2** (intoa tms) gush with, bubble/run over with

purukumi (chewing) gum

pusakka jacket

pusero (naisten) blouse, (miesten) shirt, (villapusero) sweater

puserrus squeeze, press

pusertaa 1 squeeze, press; (rikki) crush, (litteäksi) squash, (palloksi) ball (up), (tiiviiksi) compress **2** (sydäntä tms) clutch at **3** (työssä) push/drive yourself, make a last-ditch effort

pusertua be squeezed/crushed/squashed /compressed

puskea butt, ram *puskea päänsä seinään* keep butting your head against a brick wall *puskea töitä* bust your buns/ass working

pus kii! sic 'em!

puskuri 1 (auton) bumper, (kuv) buffer **2** (tietok) buffer

pussata kiss, (ark) smooch

pussi 1 bag (myös silmien alla) **2** (kengurun) pouch **3** (rahapussi) purse *maksaa omasta pussista* pay (for something) out of your own pocket *puhua omaan pussiin* have an axe to grind **4** (saarros) trap *puhua itsensä pussiin* contradict yourself, lead yourself into a trap, give yourself away *joutua pussiin* be surrounded/trapped

pussillinen bagful

pussittaa bag

pusu kiss, (kuuluva) smack

putiikki store, shop; (muotialan) boutique

putipuhdas clean as a bell/whistle

putkahtaa appear, emerge, (näkyviin) come into sight, (keskustelussa) come up *Koskaan ei tiedä, missä hän seuraavaksi putkahtaa esiin* You never know where he's going to show up next

putki 1 (vesijohto) pipe, (pieni muovinen) tube/tubing *vesiputket* plumbing **2** (sähkö-

putki cable **3** (kaukoputki) telescope **4** (radio, TV) (vacuum) tube *kuvaputki* picture tube **5** (anat) tube, duct, canal **6** (virkaputki) the professional ladder; (tutkintoputki) the academic assembly-line **7** *mennä putkeen* work perfectly, turn out just right

putkimies plumber

putkisto plumbing

putous 1 fall, drop **2** (vesiputous) waterfall, cataract

putsata 1 clean(se), scrub, scour, wash **2** (ryöstää) clean out

puu 1 (metsässä) tree *Puu kaatuu!* Timber! *elämän/hyvän ja pahan tiedon puu* the tree of life/knowledge (of good and evil) *olla kuin puusta pudonnut* be dumbfounded /flabbergasted **2** (laudassa) wood, (puutavara) lumber *Paina puuta!* Take a load off *koskettaa puuta* knock on wood *Tämä alkaa maistua puulta* This is beginning to lose its novelty, this isn't fun any more, the enjoyment is starting to go out of this **3** (polttopuu) piece of firewood, (mon) firewood; (tukki) log *olla puilla paljailla* be flat broke, wiped out **4** (puola) rung, bar, spoke *poikkipuu* cross-bar **5** (hierarkia: kiel, tietok ym) tree

puuduttaa anesthetize, numb *Voisitteko puuduttaa?* (hammaslääkärille) Could you give me some Novocaine?

puudutus anesthesia *paikallispuudutus* local anesthesia

puuha 1 (askare) chore, task, job, activity; (mon) things to do *kotipuuhissa* puttering around the house **2** (hanke) project, plan, scheme

puuhailla putter around (doing this and that), keep busy (with various projects) *Mitä sinä nykyään puuhailet?* What are you up to these days? What are you working on nowadays?

puuhata 1 ks puuhailla **2** (yrittää järjestää) work on (arranging), try to arrange, make arrangements for, be organizing/planning *Me puuhaamme USA:n matkaa ensi jouluksi* We're trying to get to the States next Christmas

puuhevonen wooden horse *olla kankea kuin puuhevonen pakkasessa* act like you had an ironing board up your ass

puuhka 1 (turkiskaulus) fur collar, boa **2** (muhvi) muff

puukenkä wooden shoe, clog

puukko knife

puukottaa knife, stab (someone with a knife)

puukotus knifing, knife-stabbing

puunjuuri (tree) root

puunkuori (tree) bark

puunoksa 1 (kasvavassa puussa) branch/limb **2** (laudassa) knot

puupää blockhead

puurakennus wooden building

puuro 1 hot cereal, porridge *riisipuuro* rice porridge *kaurapuuro* (hot) oatmeal (porridge) *maissipuuro* (cornmeal) mush *kiertää kuin kissa kuumaa puuroa* beat around the bush **2** (tekn massa) mash, mush, pulp **3** (sotku) mess **4** (sotkuinen äänite tms) mishmash *Ei siitä saanut mitään selvää, se oli pelkkää puuroa* We couldn't make anything out, the whole thing was a mish-mash

puuroutua thicken (up)

puuseppä carpenter

puusepänteollisuus joinery/woodworking industry

puuska 1 (tuulen) gust **2** (innon) burst, fit

puuskittainen 1 (tuuli) gusty **2** (into) off-and-on, hot-and-cold

puuskittaisesti off and on, hot and cold, by fits and starts

puuskuttaa puff (and pant/blow), chuff

puuskutus puffing (and panting/blowing), chuffing

puusto trees, tree stand; (puuteollisuudessa) growing timber

puutalo wooden house

puutarha (vihannesmaa) garden, (hedelmätarha) orchard

puutarha-ala gardening

puutarhanviljely horticulture

puutarhuri gardener

puutavara lumber

puute 1 (puuttuu) lack, want, absence *Siitä puhe mistä puute* You talk the most about what you have the least *paremman puutteessa* for lack of a better (one) *ajan puute* shortness/lack of time **2** (ei ole tarpeeksi) shortage, dearth, paucity; (vitamiineja) deficiency, (unta) deprivation **3** (hätä) poverty, need, want, destitution *elää puutteessa* live in want **4** (puutteellisuus) failing, shortcoming, limitation, weakness; (haitta) drawback

puuteri powder

puuteroida powder

puutos 1 (vitamiinin) deficiency **2** (vajavuus) failing, shortcoming, limitation, weakness

puutteellinen 1 (vajavainen) inadequate, insufficient, deficient **2** (viallinen) defective, faulty, imperfect **3** (rajallinen) limited, meager, scanty

puuttua 1 (ei olla) *Minulta puuttuu* I lack, I don't have (any) *Meidan huoneestamme puuttuu liitu* We don't have any chalk in our room *No puuttukoon, ei meillä ole enempää* You'll have to do without, we don't have any more *Sinulta puuttuu pitkäjännitteisyyttä* You lack perseverance, you give up too easily *Kaksi euroa puuttuu* (olet maksanut liian vähän) This is/you're two euros short; (joku on vienyt ne) Two euros are missing *Kuka puuttuu?* Who's not here? Who's absent? **2** (sekaantua) interfere/intrude/meddle (in); (ark) butt /horn in, stick in your oar; (sotilaallisesti) intervene *Älä puutu minun asioihini* Stay /(ark)butt out of my business *puuttua toisen maan sisäisiin asioihin* interfere in another country's internal affairs *puuttua yksityiskohtiin* go into detail(s)

puuttua puheeseen 1 (keskeyttää) interrupt, cut in **2** (käsitellä) take issue with a speech, talk about it, discuss/analyze it

puuttuminen 1 (jostakin) lack(ing of), want (of), absence (of) **2** (johonkin) interference (in), intervention (in)

puutua fall asleep, go numb

puutunut numb, asleep

puuvilla cotton

puvusto wardrobe

pyh! pshaw!

pyhiinvaellus pilgrimage

pyhiinvaeltaja pilgrim

pyhimys saint

pyhisin Sundays and holidays

pyhittäytyä 1 sanctify yourself **2** (omistautua) devote yourself

pyhittää 1 (tehdä pyhäksi) sanctify, consecrate, hallow **2** (kunnioittaa) venerate, revere **3** (viettää) celebrate, observe *Pyhitä lepopäivä* Remember the Sabbath and keep it holy **4** (omistaa) devote, dedicate, give

pyhyys holiness, sacredness, sanctity

pyhä *s* **1** (sapatti) Sabbath **2** (juhlapäivä) holiday *joulun pyhät* the Christmas holidays/season, (ark) the holidays **3** (sunnuntai) Sunday **4** (pyhimys) saint *Myöhempien Aikojen Pyhät* Latter-Day Saints *adj* **1** holy, sacred **2** (hurskas) pious, devout, reverent, saintly **3** (pyhitetty) sanctified, consecrated, hallowed (myös kuv) **4** (loukkaamaton) sacrosanct, inviolable

pyhäinhäväistys sacrilege

pyhäisin Sundays and holidays

pyhäkkö temple, shrine

pyhäkoulu Sunday school

pyhä lehmä sacred cow

pyhäpukeissaan all dressed/duded/gussied up, in your Sunday finest

pyhäpäivä 1 (raam) Sabbath, (ark) Sunday **2** (vapaapäivä) holiday

pyhävaatteet church/dress clothes

pykälä 1 (lak) section, paragraph, clause **2** (lovi) notch, nick, cut (myös kuv) *pykälää parempi* a cut/notch above

pyllistää bend over and stick out your rear end) *pyllistää jollekulle* moon someone, give someone a big red eye

pylly bottom, rear end, behind, fanny

pyllähtää (lapsi) plump down on your bottom, (aikuinen) fall on your ass/butt/can

pylväikkö colonade; (käytävä) arcade

pylväs pillar, column, pole, support, (sillan) pier

pynttäytyä get all dressed/duded/gussied up

pyntätä get all dressed/duded/gussied up

pyramidi pyramid

pyrintö pursuit, striving, aspiration

pyristellä 1 (lintu) fluff (out its feathers) **2** (rimpuilla) fight, struggle, wriggle, kick *On ihan turhaa pyristellä vastaan* It will do you no good to fight

pyristely fight(ing), struggle/struggling, wriggling, kicking

pyrkijä applicant

pyrkimys 1 (yritys) attempt, ambition, endeavor, effort **2** (päämäärä) aim, aspiration, intention, purpose

pyrkiä puheille try to talk to someone, seek an audience with someone

pyrkiä täydellisyyteen be a perfectionist

pyrkiä yliopistoon apply for admission into college/university

pyrkyri climber, upstart

pyrstö tail

pyry (kevyt) (snow) flurry, (kova) snowstorm; (kuv) whirlwind, tempest

pyryttää 1 (sataa lunta) snow **2** (puhaltaa lunta) blow/drive snow; (kieppua) whirl, swirl

pyrähdys 1 (linnun) flutter, a few flaps of its wings **2** (ihmisen pikamatka: juoksu) dash, (turistimatka) quick trip

pyrähtää flutter, flap, dash, make a quick trip (ks pyrähdys)

pyssy gun, (kivääri) rifle, (haulikko) shotgun, (pistooli) handgun

pysty (standing) upright, perpendicular, erect

pystyasento upright/standing position *pystyasennossa* upright, standing, perpendicular

pystymätön 1 (kykenemätön) unable, incapable **2** (pätemätön) incompetent

pystyssä up; (jaloillaan) on your feet, (eläin) on its legs; (pystyasennossa) upright, standing, perpendicular *nousta pystyyn* (jaloilleen) stand/get up; (karvat) bristle *Minulta nousi karvat pystyyn* It raised my hackles, I bristled *nostaa pystyyn* raise, lift (something up) *pää pystyssä* with your head held upright *kulkea nenä pystyssä* walk with your nose in the air *pysyä pystyssä* stay upright/on your feet/up, not fall over *panna pystyyn* set up, organize, arrange *haukkua pystyyn* (ihminen) tell (someone) off/where to shove it/where to

go, give (someone) a piece of your mind; (asia) tear/rip apart, consign to the dungheap

pystysuora perpendicular

pystysuunta vertical direction

pystysuuntainen vertical

pystyttää set up, put together, organize, arrange; (talo) build, (telttä) pitch; (muistomerkki) raise

pystyä able, capable, competent

pystyä 1 be able to, be capable of, feel up /equal to, (voida) can *Pystyisitkö auttamaan minua?* Could you give me a hand? **2** (tehota) work (on), have an effect (on) *Häneen eivät mitkään mairittelut pysty* Flattery won't work on him

pysytellä stay, keep, remain *Lämpötila on pysytellyt nollan tienoilla* The temperature has been hovering right around freezing

pysyttää maintain, retain

pysyvyys permanence, constancy, stability

pysyvä 1 (vakituinen) permanent, lasting, (vakiintunut) established **2** (vakaa) constant, stable **3** (pitävä) firm, fast

pysyä 1 (ei lähteä) stay, remain, not leave, not go away **2** (ei irrota) hold (tight/fast), not come/fall off/out **3** (ei poiketa) keep /stick to (an agreement/a course of action /a decision/schedule), keep (a promise); not renege (on an agreement), not deviate (from a course of action), not change your mind (on a decision), not change (a schedule), not be late, not break (a promise)

pysyä ennallaan stay the way it is/was

pysyä hengissä stay alive, survive, make it

pysyä hereillä stay awake

pysyä hiljaa stay quiet, keep your mouth shut

pysyä housuissaan keep your pants on *Koeta nyt pysyä housuissasi* Keep your pants /shirt on, hold your horses, don't get too excited

pysyä kannallaan hold your ground, stick to your guns

pysyä kiinni 1 (ihminen kannassaan tms) cling/hold (on) to **2** (ruuvi, liima tms) hold (tight/fast) **3** (liimattu esine) stick, not come off

pysyä koossa hold together, not come apart

pysyä liikkeessä keep moving

pysyä lujana remain firm, (ark) hang tough

pysyä lupauksessaan keep your promise

pysyä maassa stay on the ground *Koeta nyt pysyä maassa* Try to keep both/your feet on the ground, try to restrain your enthusiasm

pysyä mukana 1 (matkassa) keep up, stay with the others, not straggle, not fall behind **2** (kärryillä) keep up, follow (what someone is saying)

pysyä nahoissaan keep your shirt on

pysyä paikallaan 1 (ihminen) stay where you are, not move/stir **2** (esine) stay in place **3** (helikopteri) hover

pysyä perässä keep up (with)

pysyä pinnalla 1 (veden) stay up, keep your head above water (myös kuv:) not go under **2** (julkisuuden) keep your name on everybody's lips, keep your face in the public eye

pysyä poissa stay away

pysyä pystyssä stay up(right), not fall over; (erikseen ihminen) stay on your feet, keep your feet

pysyä salassa remain/stay a secret, not come out, not be revealed

pysyä sanassaan keep your word, be as good as your word

pysyä tajuissaan stay conscious, (hereillä) stay awake

pysyä uskollisena 1 (jollekulle) remain loyal/faithful to **2** (jollekin) cling/stick to

pysyä voimassa remain in effect/force, remain valid

pysyä yhdessä stick together

pysyä äänessä keep talking

pysähdys 1 stop, halt; (hetkeksi) pause *joutua pysähdyksiin* come to a stop/standstill **2** (pysähdystila) stagnation

pysähtyä (come to a) stop/halt *Hän pysähtyi keskelle lausetta* He stopped in midsentence, he broke off in the middle of a sentence *pysähtyä yhtäkkiä* come to a sudden stop, stop short

pysähtyä ajattelemaan stop to think

pysähtyä paikalleen 1 (ihminen) stop dead, halt in your tracks **2** (kehitys tms) stagnate, mark time

pysähtyä yöksi stop (off/over) for the night, spend the night

pysäkki stop, (junan) station

pysäköidä park

pysäköinti parking

pysäköintialue parking lot

pysäyttää (bring to a) stop/halt

pysäyttää kone kill the engine

pysäyttää verenvuoto stop/staunch the bleeding

pyy hazelhen *pienenee kuin pyy maailmanlopun edellä* melt away like last winter's snow *parempi pyy pivossa kuin kymmenen oksalla* better a bird in the hand than two in the bush

pyydellä ask, beg *pyydellä anteeksi* say you're sorry

pyydettäessä on request

pyydys trap, snare

pyydystää 1 (pyydyksillä) trap, snare **2** (pyytää: riistaa) hunt, (kaloja) fish (for) **3** (napata: aviosiippa) snare, catch, net

pyydän *Pyydän saada kiittää* May I express my gratitude (to) *Ei enempää, pyydän!* No more, please! I beg you!

pyyhe towel, (rätti) rag

pyyheliina towel

pyyhkiä 1 wipe (off/up); (lattiaharjalla) sweep (up/off); (sinipiialla) mop (up); (pölyt) dust; (kumilla) erase, rub out; (kädellä) brush (off) **2** (sivellä jotakin johonkin) rub, stroke, apply

pyyhkäistä 1 (pyyhkiä) wipe, dab (at) *pyyhkäistä hikeä otsalta* wipe the sweat off your forehead **2** (porhaltaa) zoom (by)

pyykki 1 (vaatteet) (dirty) wash, laundry; (peseminen) washing, laundry *kirjopyykki* coloreds **2** (rajapyykki) boundary stone /marker

pyykkikone washing machine

pyykkikori (clothes) hamper

pyykkinaru clothesline

pyykkipoika clothespin

pyykkipäivä wash/laundry day

pyylevä plump, chubby, tubby

pyynti (riistan: ampumalla) hunting, shooting; (pyydyksillä) trapping; (kalojen) fishing

pyyntö 1 request *pyynnöstä* as requested; (jonkun) at someone's request **2** (vaatimus) demand, insistence **3** (vetoomus) appeal, entreaty **4** (anomus) petition, application **5** (oikeudessa) motion

pyyteettömyys unselfishness, selflessness, altruism

pyyteettömästi unselfishly, selflessly, altruistically, unstintingly, with no selfish /ulterior motives

pyyteetön unselfish, selfless, altruistic, unstinting

pyytää 1 ask, request *Paljonko aiot pyytää palkkaa?* How much money are you going to hold out for? What kind of salary are you going to ask for? **2** (vaatia) demand, insist on **3** (vedota) appeal (to someone), beseech/entreat (someone) **4** (anoa) petition, apply (for) **5** (oikeudessa) move **6** (kutsua) invite, have over *Pyydetäänkö Virtaset?* Shall we have/invite the Virtanens over? *pyytää ammattimies asialle/töihin* call (in) an expert (plumber, electrician jne) **7** (haluta) desire, wish, want *Emme pyydä paljon, vain myötätuntoanne* We don't want much, only your compassion; we're not asking for much **8** (metsästää) hunt (for), (kalastaa) fish (for)

pyytää anteeksi ask for forgiveness, (ark) say you're sorry

pyytää apua ask/call for help

pyytää eroa resign, hand in/submit your resignation; (ark) quit

pyytää kauniisti ask nicely

pyytää kättä ask for (someone's) hand in marriage

pyytää nätisti ask nicely

pyytää omaa voittoa be in it for the money, look out for number one

pyytää puheenvuoroa motion/signal to be recognized (by the chair/moderator), ask to (be able to) speak

pyytää vaimokseen ask (someone) to marry you, to be your wife

pyökki beech

pyöreys 1 roundness **2** (pulleus) plumpness, chubbiness, fatness

pyöreä 1 round (myös kuv) *pyöreä luku* round number **2** (pallomainen) spherical, globular **3** (liereä) cylindrical **4** (ympyrämuotoinen) circular **5** (pullea) plump, chubby, fat **6** (ympäripyöreä) noncommittal, evasive, vague

pyöreä hinta approximate/ball-park price

pyöreähkö roundish

pyöreä päivä *tehdä pyöreitä päiviä* work around the clock

pyöreästi roughly, approximately, about

pyöreä vuosi *täyttää pyöreitä vuosia* celebrate a major birthday

pyöriskellä roll/spin around

pyöristys rounding off

pyöristyä 1 (vartalo) round/fill out, grow plump **2** (silmät) widen, grow wide

pyöristää 1 round (off), (huulensa) pucker up **2** (ylu) round up/down

pyöritellä roll *pyöritellä asiaa mielessään* turn a matter over (and over) in your mind, look at it from every angle

pyöritellä peukaloitaan twiddle your thumbs

pyöritellä päätään try to figure out something; (olla ymmällään) be at a loss

pyöritellä silmiään roll your eyes

pyörittää 1 (akselinsa ympäri) spin, turn, rotate, (tuoliaan) swivel **2** (veivata) turn, crank **3** (tanssittaa) spin, whirl **4** (kiertää) wind, twirl **5** (ark hoitaa) run, manage

pyöriä 1 (akselinsa ympäri) spin, rotate, revolve, turn, go around **2** (ympyrässä) circle, go around in circles **3** (tanssi) whirl **4** (ark luistaa) roll, spin, run *Homma on lähtenyt taas pyörimään* We've got the ball rolling again **5** (ark elokuva) be showing/running/playing **6** (tanssija) spin, whirl **7** (ajatukset) spin, whirl *Pääni pyörii* My head is spinning, my thoughts are all in a whirl **8** (parveilla jonkun ympärillä) swarm/circle around (someone) **9** (ark liikuskella) hang/run around (with) *Kenen kanssa sinä nykyisin pyörit?* Who do you run/hang around with these days?

pyöriä kielellä *Sana pyörii kielelläni* It's on the tip of my tongue

pyörre 1 (veden) whirl(pool), maelstrom, vortex, eddy **2** (tuulen) whirlwind (myös kuv) **3** (elämän) whirl(wind) **4** (hiusten) whorl

pyörremyrsky 1 (pieni) tornado, (ark) twister **2** (iso) typhoon, hurricane

pyörryttää *Minua pyörryttää* I feel dizzy /faint, I feel like I'm going to faint

pyörrytys dizziness, dizzy spell, faint-headedness

pyörtymiskohtaus fainting spell

pyörtyä faint, (ark) black out, (ylät) swoon

pyöryksissä (pyörtynyt) fainted (dead away), in a faint; (pää pyörii) dizzy, your head in a spin

pyörylä circle *Et saa minulta pennin pyörylää* You won't get a red cent out of me

pyörä 1 wheel, (huonekalun) castor **2** (polkupyörä) bike, (moottoripyörä) motorbike

pyörähdys (tanssissa) swing, spin; (autolla) spin, ride

pyörähtää 1 (tanssija) swing/spin around **2** (planeetta tms) spin, rotate

pyöräilijä cyclist, (ark) bike-rider, biker

pyöräillä cycle, ride (a/your) bicycle/bike

pyöräily bicycling, bike-riding

pyörätie bike path, cycle lane/path

pyörätuoli wheelchair

pyöräyttää (joku ympäri) swing (someone) around **2** (kietoa) wind (something) around (someone/something) **3** (kyhätä kokoon: ateria tms) whip up, (lapsi) produce

pähkinä nut

pähkinänkuoressa in a nutshell

pähkähullu (ark) nuts, out of his/her tree

päihde controlled substance

päihderiippuvuus substance addiction

päihdyksissä (viinalla) intoxicated, inebriated; (ark) drunk, boozed; (lak) under the influence of (alcohol); (huumeilla) high, stoned

päihdyttävä (alkoholi) intoxicating; (huume: näkyjä aiheuttava) hallucinogenic; (kokemus) exhilarating, heady

päihdyttää 1 (alkoholi) intoxicate; (huume) give you a buzz, turn you on; (kokemus) exhilarate **2** (ihminen toista) get (someone) drunk/high

päihtynyt (viinalla) intoxicated, inebriated; (ark) drunk, boozed; (lak) under the influence (of alcohol); (huumeilla) high, stoned

päihtyä become intoxicated/inebriated; (ark: alkoholista) get drunk; (huumeista) get stoned

päin 1 (jonnekin) towards, -wards, to, in the direction of *Minne päin olet menossa?* Which way are you headed? *Helsinkiin päin* (sinne asti) To Helsinki, (siihen suuntaan mutta ei perille asti) Towards Helsinki *Ikkuna on kadulle päin* The window faces the street *paranemaan päin* on the road to recovery *Tänne päin* (Over) this way! Over here! **2** (jostakin) from *Mistä päin olet tulossa?* Where are you coming from? *Mistä päin tulet?* Where've you been? **3** (jossakin) somewhere *Missä päin hän nykyään oleskelee?* Where(abouts) does she live nowadays? *Jossain Amerikassa päin* Somewhere (over) in America *Meillä päin sanotaan* Where I come from we say **4** (johonkin) into *ajaa toista autoa päin* crash into another car **5** (läpi) through *ajaa päin punaista* run a red light **6** (tavalla) way *Miten päin tämä kuuluu/menee?* Which way does this go? How does this go? *Kummin päin tahansa* Whichever way you like, either way *Näin päin* Like this, this way *väärin päin* the wrong way

päin helvettiä to hell (myös kuv)

päin kasvoja (straight/right) to his/her face

päin mäntyä all wrong

päinsä *käydä päinsä* be fine

päinvastainen opposite, reverse

päinvastoin on the contrary *tehdä päinvastoin* do the opposite *ja päinvastoin* and vice versa

päissään drunk (as a skunk/on your butt)

päistikkaa head over heels, (sl) ass over teakettle

päivemmällä (yöllä) closer to morning; (aamulla) later in the morning, closer to noon

päivettyminen tanning, getting tanned/sunburned

päivettynyt tan, (palanut) sunburned, (tummaksi) bronzed

päivettyä tan, (palaa) get sunburned

päivineen and everything/all; lock, stock, and barrel *Meni talo päivineen kaikkineen* We lost the house lock, stock, and barrel

päivin ja öin day and night

päivitellä 1 (voivotella) moan/groan (over), complain (about) **2** (ihmetellä) wonder (at)

päivittäin daily

päivittäinen daily

päivitys update

päivyri calendar

päivystys on-call

päivystäjä person/doctor on call

päivystää be on call

päivä 1 (vuorokausi, päivänvalon aika) day *Mikä päivä tänään on?* What day (of the week) is it today? *joulupäivä* Christmas Day *Tämä on taas niitä päiviä* This is another one of those days *kaiken päivää* all day *keskellä kirkasta päivää* in broad daylight *ei kuuna päivänä* never (in a million years) *näinä päivinä* one of these days *puolilta päivin* around noon *tähän päivään mennessä* till now *kuin viimeistä päivää* like it was going out of style **2** (päivämäärä) date *Monesko päivä tänään on?* What date is it today? What's the date today? **3** (vuosipäivä) anniversary **4** *päivät* (seminaari) seminar, conference **5** (aurinko) sun *Päivä paistaa kirkkaasti* The sun is shining brightly

päivähoito day care

päiväjärjestys 1 (päivän ohjelma) daily routine *saada jokin pois päiväjärjestyksestä* get something over with *Sehän kuuluu päiväjärjestykseen* That's nothing special/out of the ordinary, that's all part of a day's work **2** (esityslista: kokouksen) agenda; (sot) order of the day, O.D.; (eduskunnassa) calendar, (ark) the day's business *siirtyä päiväjärjestykseen* get down to (the day's) business

päivä kerrallaan one day at a time

päiväkirja 1 (yksityinen) diary, journal **2** (opettajan) class register **3** (ajopäiväkirja) logbook

päivälleen to the day

päivällinen *s* dinner *adj* (something) of the day

päivällä by day, in the daytime

päivältä per day/diem

päivämäärä date

päivänpaiste sunshine

päiväntasaaja equator

Päiväntasaajan Guinea Equatorial Guinea

päivänvalo daylight *nähdä päivänvalo* (kuv) see the light of day *tulla päivänvaloon* come out, be revealed

päivänäytäntö matinee

päiväpalkka day rate, daily wages/pay

päivä päivältä by day, increasingly

päiväraha per diem

päiväseltään for the day

päivästä päivään from day to day

päivät pitkät day after day, day in day out, for days on end

päivätyö daytime job

päivätä date

päiväuni 1 (nukkuminen) nap **2** (unennäkö) daydream

päiväys date

päiväämätön undated

pälkähtää päähän strike you, occur to you, enter your head *Sitten hänen päähänsä pälkähti myydä talonsa ja muuttaa Kiinaan* Then he took it into his head to sell his house and move to China

päivillä ympärilleen keep looking over your shoulder, glance around furtively

pälyily furtive glancing/peeking

pänttää cram (for a test)

päre shake, (kattopäre) shingle *polttaa päreensä* blow a fuse, blow your top

pärinä (summerin) buzzing, (mopon) blatting, (rummun) roll

päristellä (moottoria) rev, (rumpua) play a roll on, (sieraimiaan) snort, (pitkin tietä) clatter along

pärjätä get along, make it, do, succeed *Miten sinä olet pärjännyt uudessa työpaikassasi?* How've you been doing in that new job of yours?

pässi ram *tyhmä kuin pässi* dumb as an ox

pässinpää bonehead

päteminen competence, being (seen as) competent/able/capable

pätemätön 1 (ei voimassa) invalid, void **2** (huono) incompetent, (muodollisesti) unqualified

pätevyys 1 (muodollinen) qualification(s) **2** (kykenevyys) competence, ability **3** (voimassaolo) validity

pätevä 1 (muodollisesti) qualified *julistaa päteväksi* declare (someone) qualified **2** (kykenevä) competent, able, capable **3** (voimassa) valid

pätevöityä qualify

päteä 1 (pitää paikkansa) hold true, (ark) hold water **2** (olla voimassa) be valid, be in effect **3** (kyetä) be competent/able/capable, be good at what you do *yrittää päteä* try to prove your worth, how good you are

pätkittäin bit by bit, little by little

pätkittäinen intermittent

pätkä 1 (pala, osuus: puun) piece, (köyden) end, (kynän) stub, (laulun) snatch, (tien) stretch, (tekstin) passage **2** (ihminen) shorty, stubby, shrimp

pätsi furnace *kuuma kuin pätsi* hot as hell

pää 1 head *Käytä päätäsi!* Use your head /brains! *hattu päässä* with a/your hat on *nostaa päätään* raise your/its head (myös kuv) *laskea päässään* count (something) /add (something) up/work (something) out in your head *keksiä omasta päästään* think up something on your own *Minua ottaa päähän tuollainen* That sort of thing really gravels me, really gets my goat *pitää päänsä* keep your head **2** (yläpää) head, top *istua pöydän päässä* sit at the head of the table **3** (osa, puoli: narun) end; (sormen, kielen) tip; (kynän tms) tip, point *saada pää auki* get/set the ball rolling, put things in motion *parhaasta päästä* one of the best/finest *yhtä päätä* constantly, uninterruptedly, without a break **4** (mieliala) mood *hyvällä/pahalla päällä* in a good /bad mood *Millä päällä sinä lähdet sinne?* How do you feel about going there?

pääasia the main thing/point *pääasiassa* on the whole, in the main

pääasiallinen main, chief, primary

pää edellä head first

päähine hat, (mon) headgear

päähänpinttymä obsession, idée fixe

päähänpisto whim, sudden impulse

pääjohtaja managing director, chief executive officer (CEO), president

pääkallo skull; (lääk) cranium

pääkallonpaikka 1 Calvary, the Place of the Skull **2** (leik) where it's happening, where it's at, the hub of activity

pääkaupunki (maan, osavaltion) capital (city); (maakunnan) seat

pää kiinni shut your face

pääkirjoitus editorial

pääkohta main point, salient feature

pää kolmantena jalkana (juosta) hellbent for leather

pääkonttori headquarter(s), main office

pääkoppa noggin

päälaki crown, top of your head

päälause main clause

päälle 1 on(to), over *ajaa jonkun päälle* (yli) run over someone, (töytäistä) hit someone with your car *käydä jonkun päälle* attack someone, jump on top of someone *panna päälleen* put (something) on *Pane päällesi!* (yöpukuiselle) Get dressed! (alastomalle) Get some clothes on! **2** (yläpuolelle) above *Saanko laittaa sen tänne sinun päällesi?* Can I put it up here above your head?

päällekkäin one on top of the other

päällekkäinen overlapping

päällekäypä aggressive, insistent

päällepäsmäri bully

päälle päätteeksi over and above (everything else), to top it all, to add insult to injury, to rub salt in my wounds

päällikkyys leadership, command, captaincy

päällikkö 1 (liikkeen, osaston) head, director, manager, chief; (ark) boss **2** (armeijan, sotajoukon) commander, commanding officer (CO) **3** (lentokoneen, laivan) captain; (ark) skipper **4** (intiaaniheimon) chief

päällimmäinen 1 (ylimmäinen) top(most), uppermost **2** (tärkein) uppermost, main, primary

päällinen s 1 (pysyvä) outer surface, top, coat(ing); (huonekalun) cover, upholstery 2 (irtonainen: huonekalun) slipcover, throw; (tyynyn) (pillow) case; (sängyn) bedspread adj: jonkin päällinen (something) on top of (something) maanpäällinen above ground

päällisin puolin superficially

päällys 1 (päällyste) cover(ing), coat(ing), wrap(ping)/wrapper, package/packaging, case/casing 2 (päällystä) top, surface

päällyste 1 cover(ing), coat(ing), wrapper /wrap(ping), package/packaging, case/casing 2 (tien) surface, top, pavement asfaltti-päällyste asphalt surface, (ark) blacktop 3 voileivän päällyste something to put on /in your sandwich, sandwich filler

päällystys covering, coating, upholstering, lining, overlaying, gilding, (re)surfacing, paving (ks päällystää)

päällystää 1 (verhoilla) cover, coat, upholster; (vuorata) line; (kullalla) overlay (with gold), gold-plate, gild 2 (tie) (re)surface, pave

päällysvaate outer garment, (mon) outer clothing

päällä 1 on Onko telkkari vielä päällä? Is the TV still on? Onko sinulla mitään päällä? Do you have anything on? Are you decent? Se on tuolla hyllyn päällä It's (up /over) on (top of) that shelf 2 (yläpuolella) above Se on tuolla sinun päälläsi It's up there over your head, (right) above you

päältä 1 (yläpuolelta) on (the) top (of) päältä vihreä green on top 2 (ulkopuolelta) on (the) outside, outwardly, externally Moni kakku päältä kaunis All that glitters is not gold 3 (yltä) riisu vaatteet päältäsi take off your clothes 4 (jonkin päältä) off /from (the top of), from above kuoria kerma päältä skim off the cream ottaa kulut päältä recover/skim off/recoup your expenses Katso jääkaapin päältä Look on top of the refrigerator

päämaja headquarters, HQ

päämies 1 (valtion) head (of state), (perheen) head (of the family) 2 (lak) client, (liik) principal

pääministeri Prime Minister

päänahka scalp

päänsärky headache

päänsärkylääke headache medicine, aspirin

päänvaiva pain in the neck, nuisance

päänähtävyys main attraction

pääoma capital; (velan) principal oma pääoma equity

pääosa 1 (suurin osa) majority, major part /share, lion's share, bulk pääosaltaan principally, primarily 2 (tähtiosa) lead(ing) role miespääosa male lead, leading actor /man naispääosa female lead, leading actress/lady

pääperiaate main principle

pääpiirre main/major/salient characteristic /feature/aspect

pääpiirteittäin generally, on the whole, overall

päärakennus main building

pääryhmä main group

päärynä pear

pääsisäänkäynti main entrance

pääsiäinen Easter

pääsiäismuna Easter egg

pääskynen swallow

päässä 1 (mielessä) in your head laskea päässään count something in your head 2 (pään päällä) (on your head) hattu päässä with a hat on (your head) 3 (matkan) away 3 km:n päässä three kilometres away Muista pitää poikia haravanvarren päässä Remember to keep boys at arm's length, to keep your distance from boys Se on vielä vuosien päässä That's still years away/ahead, that's years from now

päässälasku mental arithmetic

päästellä 1 (autolla) let 'er rip, race; (hevosella) give the horse its head 2 (suustaan) rattle on, reel off, (vitsejä) crack

päästä v 1 (saapua) get to, reach, arrive (at /in) 2 (saada mennä) get to go, be allowed /permitted to go, (tulla päästetyksi) be let /allowed (in/out) Pääseekö Sanna mukaan? Can Sanna come too? Pääsen töistä kuudelta I get off work at six päästä nukkumaan get to bed 3 (yliopistoon tms) get in, be admitted (to) 4 (johonkin) make it to, get to (a place/level), reach, attain, achieve **5** (tapahtua vahingossa) manage to *Vesi pääsi kuivumaan* The water dried up, somehow the water managed to dry up **6** (eroon) get rid of, (surusta tms) get over *päästä ahdistuksesta* get over your anxiety **7** (välttyä) avoid, escape, get out of (doing something), not have/need to (do something), be spared (the necessity of doing something) **8** (pakoon) evade, elude, escape, (ark) shake *Pääsinpä niistä* I shook them after all! **9** (selvitystä) escape, get off/hy *päästä vähällä* (rangaistuksesta) get off lightly, (työstä) get by easily **10** (sairaalasta, vankilasta) released/discharged *adv* **1** (ajan) in, after *kahden tunnin päästä* in two hours, two hours from now, after a couple of hours **2** (matkan) at/from (a distance) of/ *ampua 100 m:n päästä* shoot from a hundred meters (away)

päästä alkuun get started, make a start
päästä auki come undone, (nappi) come unbuttoned
päästä hengestään get yourself killed
päästä irti get loose
päästä jaloilleen get (back up) on your feet (myös kuv)
päästä jäljille (jäljittää) pick up (someone's) trail; (saada tietoa pahantekemisestä) get onto (someone)
päästä käsiksi johonkin get your hands on (myös kuv)
päästä liikkeelle get started/going
päästä mihinkään *Ei siitä pääse mihinkään* (ei voi kieltää) There's no denying it; (ei voi auttaa) Nothing can be done about it
päästä mukaan come along, get to go too
päästä oikeuksiinsa come into your own
päästä omilleen break even
päästä pakoon get away, escape
päästä perille arrive (at your destination), get where you're going
päästä pinteestä get out of a scrape/fix
päästä pitkälle go far
päästä puheille get (in) to talk to (someone), obtain an audience with (someone)

päästä puhumasta finish talking *puhua puhumasta päästyäänkin* keep chattering /jabbering on forever
päästä pälkähästä get out of a scrape/fix
päästä päähän from end to end, from stem to stern
päästä rahoistaan (ark) blow all your money
päästä selvyyteen find out (about something)
päästä synneistään be absolved of your sins, be forgiven for your sins
päästä tilanteen tasalle be brought up to date, get the latest information/news
päästä unohtumaan be forgotten, slip your mind *Se on jotenkin päässyt minulta unohtumaan* I somehow managed to forget all about it, it completely slipped my mind
päästö vapaaksi be freed/liberated/released /discharged
päästä vähällä (rangaistuksesta) get off lightly, (työstä) get by easily
päästä yhteen get together
päästä yksimielisyyteen come to a unanimous agreement, reach an accord
päästää 1 (sisään/ulos) let (someone/something in/out) **2** (sallia) let, allow, permit **3** (menemään) let (someone/something) go, release **4** (suustaan: sana) utter, (vitsi) crack, (huokaus) heave, (nauru) emit **5** (pääistellä) let 'er rip *päästää mäessä suksensa täyteen vauhtiin* ski/schuss down the hill (at) full speed/tilt
päästää helpolla let (someone) off easily
päästää irti let (someone/something) go /loose, release
päästää julkisuuteen (virallisesti) publicize something, release it to the press/public; (salaa) leak something to the press
päästää liian pitkälle let (something) go too far/get out of hand
päästää mielikuvituksensa valloilleen give free rein to your imagination
päästää päiviltä knock (someone) off
päästää rappiolle let (something) go to wrack and ruin, (vihannesmaa) let it go to seed (myös kuv)
päästää sisään admit, let (someone) enter /come in

päästää tentistä pass (someone) in an exam
päästää vähällä let (someone) off easily
päästö 1 (kaasun) discharge, emission; (nesteen) effluent **2** (metallin) tempering **3** (synnin) absolution
päästötodistus diploma
pääsy 1 (ulos) exit, way out **2** (johonkin: jotakin käyttämään) access (to); (oppilaitokseen) admission, entrance; (teatteriin tms) entrance, admittance
pääsy kielletty no admittance/trespassing, keep out
pääsylippu ticket
pääsymaksu entrance/admission fee
pääsääntöisesti as a rule, on the whole, in general
pääte 1 (loppu) end(ing) *päätteeksi* in conclusion, as a finishing touch **2** (kiel) affix; (alkupääte) prefix; (loppupääte) suffix, ending **3** (tietok) terminal
pääteasema terminal, (ark) the end of the line
päätekijä 1 (ihminen) major figure, (ark) shaker and mover **2** (asia) major factor
päätellä 1 (käsityössä) fasten/tie off the loose ends/threads **2** (ajattelussa) conclude, draw/reach a conclusion, decide, infer; (ark) figure, reckon
päätelmä conclusion, inference; (logiikassa) deduction, syllogism
pääteos major work, magnum opus
päätie main road, major arterial
päätoimi full-time job, (veroilmoituksessa) primary source of income
päätoimisesti (work) full-time
päätoimittaja editor in chief
päättely reasoning, argumentation, deduction
päättelykyky reasoning power, power of deduction
päättymätön 1 unending, endless, ceaseless, continuous **2** (mat) infinite
päättyä 1 (loppua) (come to an) end, finish, stop, cease, (be) conclude(d) **2** (määräaika) be up, (voimassaoloaika) expire **3** (valmistua) be finished/completed
päättäjäiset graduation (ceremony)

päättäväinen 1 (luonne) decisive, strongminded **2** (lujasti päättänyt) resolute, determined
päättäväisyys decisiveness, resolution, strong-mindedness, determination
päättää 1 (tehdä päätös) decide, make up your mind, resolve, determine **2** (lak) find, hold **3** (päätellä) judge, infer, conclude *jostakin päättäen* judging from *kaikesta päättäen* apparently, evidently **4** (lopettaa) end, conclude, terminate, bring to a close; (ark) wrap/wind up *päättää työt tältä päivältä* call it a day **5** (sopimus) conclude, close, settle *Se on siis päätetty* It's settled, then; it's a deal **6** (lanka) tie off, fasten
päättää päivänsä depart this life; (itse) commit suicide
päättää tilit balance the books
päättömästi mindlessly, foolishly; (hurjasti) recklessly
päät vastakkain head to head, face to face
pääty 1 (tekn) end **2** (talon) gable
päätyä end/wind up (as), finish (as), land (somewhere) *päätyä sovintoon* reach an agreement, be reconciled, achieve a reconciliation
pää pitempi a head taller (than)
päätöksenteko decision-making
päätös 1 (loppu) end(ing), conclusion, (esityksen suurenmoinen) finale *saattaa päätökseen* conclude, bring (something) to a close, (ark) wrap it up *päätökseksi* (lopuksi) in conclusion; (esityksen) for a grand finale **2** (päätöksenteon tulos) decision *Olen tehnyt päätökseni* I've made my decision, I've made up my mind *yhteisellä päätöksellä* by common consent **3** (päättäväisyys) resolve, resolution, determination *Luja päätökseni on* It is my firm intent /resolve/resolution to **4** (lak) decision, order, judgment, (valamiehistön) verdict
päätösvalta authority *Kenellä on tässä jutussa päätösvalta?* Who has the authority (to make a decision) in this case?
pöhöttyä swell/puff up, become swollen /puffy
pökertyä (pyörtyä) faint, (joutua pökerryksiin) be stunned/dazed

pökkö lisätä pökköä pesään put more wood on the fire; (kuv) pour oil on the fire

pöksyt pants, (pikkuhousut: miesten) underpants, (naisten) panties

pölinä 1 dust(iness) **2** (puhe) chatter, chit-chat, yackety-yak

pölistä 1 be dusty, give off dust **2** (puhua) chatter, chitchat, (yackety-) yak

pölkky block (of wood), (tukki) log laskea kaulansa/päänsä pölkylle (kuv) lose your head, be beheaded, put your head on the chopping-block

pölkkypää blockhead

pölytä (pöly) swirl/whirl around; (savu) spew/belch (forth)

pöllähdys cloud

pöllähtää 1 (savua tms) spew/belch (forth) **2** (saapua) show up without warning, appear suddenly Mistä sinä pöllähdit? What hole did you crawl out of?

pöllämystynyt dumbfounded, flabbergasted, struck speechless

pöllö owl

pölpöttää puhua pölpöttää chatter (on), yak, gab

pöly dust pyyhkiä pölyt dust (the room/furniture/jne)

pölynimuri vacuum cleaner

pölysokeri powdered sugar

pölyttyä 1 get dusty **2** (kasvi) be pollinated

pölyttää 1 raise a cloud of dust **2** (kasvi) pollinate

pölytys 1 making the dust fly **2** (kasvin) pollination

pönkittää prop up, support, buttress pönkittää jonkun itsetuntoa bolster someone's self-esteem/self- confidence/ego

pönttö 1 (astia) barrel, cask, tin, can **2** (vessanpönttö) (toilet) bowl istua pöntöllä sit on the john **3** (linnunpönttö) birdhouse

4 (puhujanpönttö: kirkossa) pulpit, (juhlasalissa) rostrum, (muualla) podium

pöperö 1 (tekn) mash, pulp **2** (ruoka) shit

pöpi goofy

pöpö 1 (täi) louse **2** (basilli) germ, (ark) bug Minä olen kai saanut jonkun pöpön I must have caught a bug somewhere **3** (mörkö) boogey(man), bugbear

pörröinen 1 (karvainen) fuzzy, bushy, fluffy, fleecy **2** (sekaisin) rumpled, messed up

pörssi stock exchange

pörssikurssi stock/exchange price

pörssimeklari stockbroker

pörssiromahdus collapse of the stock exchange

pötkiä (pakoon/tiehensä) take to your heels, (make a) run for it, bolt

pötkö bar yhteen pötköön without a break, straight through

pöty nonsense

pöydänjalka table leg

pöydänpää the head of the table

pöyhkeillä swagger, strut, boast/brag (about), preen yourself

pöyhkeily swaggering, strutting, boasting, braggadocio, preening

pöyhkeys conceit

pöyhkeä conceited, stuck-up

pöyristyttää appal, horrify, shock

pöytä table, (kirjoituspöytä) desk, (keittiönpöytä) counter pöydälle on the table/desk /counter pöydässä at the table Käykää pöytään! Sit down! Come eat! kattaa/tyhjentää pöytä set/clear the table jättää esitys pöydälle (kokouksessa) table a motion

pöytäkirja minutes

pöytälaatikko desk drawer

pöytäliina tablecloth

pöytämikro desktop (computer)

pöytätavat table manners

pöytätennis pingpong, table tennis

Q,q

Qatar Qatar
quatarilainen s, adj Quatari

Quebec Quebec

R,r

raadanta drudgery
raadella 1 (repiä) tear (something up, myös kuv), maul, claw *Syyllisyys raateli sisintäni* Th eguilt was tearing me up inside **2** (hävittää) devastate, ravage, lay waste
raadollinen sinful, wretched
raadollisuus sinfulness, wretchedness
raahata drag, haul, lug
raahautua 1 (olla raahattavana) be dragged (along) **2** (raahata itsensä) drag yourself, trudge (along)
raaja limb
raajarikko s cripple (myös kuv); (euf) handicapped/disabled person adj crippled, handicapped, disabled, physically challenged
raajarikkoinen crippled; (euf) handicapped, disabled, physically challenged
raaka 1 (liha, hedelmä, vihannes) raw; (liha myös) underdone, rare; (hedelmä/vihannes myös) green, unripe, not ripe **2** (viina) straight, neat **3** (materiaali) raw; (öljy, sokeri ym) crude; (vuota) undressed, untreated, untanned; (jalokivi) rough **4** (ihminen) cruel, brutal, barbarous **5** (epämiellyttävä) harsh, crude *raaka tuuli* harsh wind *raaka peli* foul play **6** *raaka työ* hard/rough /backbreaking work *raaka voima* brute strength **7** (likimääräinen) rough *raaka arvio* rough estimate
raaka-aine raw material
raakakopio (tekstin) rough copy, (valokuvan) rough print
raakakäännös rough translation

raakalainen barbarian, savage, brute; (epäkohtelias) boor, cad
raakalaismainen barbaric, savage, brutish; boorish
raakalaisuus barbarism, savagery, brutishness
raakapuu rough wood
raakarauta cast/pig iron
raakasokeri raw sugar
raakata scratch, strike, cut
raakatuotanto raw-material production
raakatuote raw product
raaka voima brute/sheer strength
raakile green fruit/berry
raakimus animal, beast, brute
raakki (myös kuv) wreck, hulk
raakkua croak
Raamattu Bible, the Holy Scriptures, Holy Writ
raamatullinen biblical
raamatunkäännös Bible translation
raamatunvastainen unbiblical, unscriptural
raamit (ikkunan) frame, (elämän) framework
raanu Finnish (woven, woolen) wall hanging
raapaista scratch, scrape
raapaista pintaa (kuv) (merely) scratch the surface
raapaisu scrape, scratch
raapia scratch, scrape
raapustaa scratch out, scribble, scrawl
raapustus chicken scratching, scribble, scrawl
raaputtaa scrape, scratch, rub

raaskia bear, stand, have the heart to *Miten raaskit lähteä pois täältä?* How can you bear/stand to leave?

raastaa (juustoa tms) grate, (hermoja) grate on; (hiuksia ja kuv) tear (at); (vaatteita ja kuv) rend *Se raastaa sydäntäni* It really tears me apart, it tears at my heart

raaste grated cheese/carrot/jne

raastin (cheese) grater

raastupa 1 (hist raatihuone) city hall **2** (vanh) court(room) *haastaa raastupaan* sue (someone), take (someone) to court

raataa toil, drudge, slave/grind/plug away *raataa otsa hiessä* work your fingers to the one, slave away

raataja drudge, grind, (leik) workaholic

raati 1 (hist) (city) council **2** (nyk) jury, panel

raatihuone (hist) city hall

raato carcass, corpse, (raatoa) carrion

raavaaniiha beef

raavas *s* beef *adj* big, strong, beefy, burly

rabbi rabbi

radikaali *s, adj* radical

radikaalisti radically

radikalistua be(come) radicalized

radikalisoida radicalize

radikalisoitua be(come) radicalized

radio radio

radioaktiivinen radioactive

radioaktiivisuus radioactivity

radioamatööri (kotona) ham/shortwave radio enthusiast; (autossa) CB-er

radioasema radio station

radioida broadcast on radio, transmit a radio broadcast

radiokasettinauhuri radiocassette player

radiokuuntelija radio listener, (mon) radio audience, listeners at home

radiologia radiology

radiolähetys radio broadcast/transmission

radionauhuri radiocassette player, (iso myös) ghetto blaster

radio-ohjelma radio program

radiopuhelin radiotelephone

radioselostaja radio announcer/commentator

radiouutiset radio news

rae 1 hailstone *Sataa rakeita!* It's hailing! **2** (sokerin) granule, (hiekan) grain

raejuusto cottage cheese

raesade hailstorm

raha 1 (rahaa) money, (käteinen) cash; (ark) dough, bread *Ei se ole rahasta kiinni* Money's no object *Aika on rahaa* Time is money *panna rahoiksi* cash in, make big bucks, make money hand over fist *muuttaa rahaksi* (sekki) cash; (omaisuus) convert into ready money, realize *nyhtäistä /kääriä isot rahat* haul in big bucks **2** (kolikko) coin **3** (seteli) (US) bill, (UK) note, (mon) currency; (ark USD: stä) greenback

rahaa kuin roskaa money to burn

raha-asiat money/financial matters, finances

raha-automaatti slot machine

rahahuolet worries about money

rahakas rich, wealthy, affluent; (mon) the well-to-do

rahakukkaro coin purse

rahallinen monetary, financial, pecuniary

rahamarkkinat money market

rahanahne money-grubbing

rahanhimo lust for money

rahan tarpeessa strapped for money/funds

rahantarve need for money

raha polttaa taskussa money's burning a hole in your pocket

rahapula shortage of money

raha ratkaisee money talks

rahastaa collect fares

rahastaja conductor

rahasto fund, (säätiö) foundation

rahastus fare-collection

rahasumma sum of money

rahataloudellinen financial

rahatalous money economy

rahaton penniless, destitute; (ark) broke

raha tulee rahan luo money makes money

rahatulo income

rahavarat funds, money, financial resources

rahdata 1 (tavara) ship, freight-forward **2** (alus) charter

rahina rasp(ing noise)

rahka baker's cheese, sour cream

rahoissaan in the money, flush

rahoittaa pay for, finance, fund, support financially, provide financial/monetary support/backing (for); (ark) bankroll; (sponsoroida) sponsor

rahoittaja (financial) backer, underwriter, (mesenaatti) patron, (sponsori) sponsor

rahoitus financing, funding, (financial) support/backing

rahtaus 1 (tavaran) shipping, freight-forwarding **2** (aluksen) chartering

rahti freight

rahtitavara freight, (laivan) cargo, (lentokoneen) air freight

rahvaanomainen common, vulgar

rahvas the peasantry, common/ordinary people/folk(s)

raide track, (mon) rails *saapua raiteelle 2* arrive at track 2 *suistua raiteilta* be derailed *mennä pois raiteiltaan* (ihminen) get off track *pysyä raiteillaan* (ihminen) stay on track

raihnainen decrepit, feeble, frail

raikas fresh, refreshing

railakas 1 (rempseä) rollicking, lively, vivacious **2** (roima) daring, adventuresome

railo crack in the (melting) ice

raiskaaja rapist

raiskata rape

raiskaus rape

raisu rambunctious, boisterous, rollicking

raitiovaunu tram, streetcar

raitis 1 fresh *mennä haukkaamaan raitista ilmaa* go out for a breath of fresh air **2** (selvä) sober **3** (absolutistinen) teetotaling; (juoppo) on the wagon *Hän on täysin raitis* He never touches a drop, he doesn't drink

raittius 1 (ei ole juonut) sobriety **2** (ei koskaan juo) teetotaling, abstinence; (hist) temperance

raittiusliike the Temperance Movement

raivata clear

raivata joku tieltään get/push someone out of your way, do away with someone

raivata pöytä clear the table

raivata tie 1 (metsikön läpi) blaze a trail (through a forest) **2** (väkijoukon läpi) make/push/elbow your way (through a

crowd) **3** (huipulle) climb the ladder (to success)

raivaus clearing

raivo s **1** (suuttumus) rage, fury **2** (takaraivo) back of the head *adj* raging, furious

raivoisa raging, furious

raivokas frantic, frenetic, fierce

raivokohtaus (aikuisen) fit of rage; (lapsen) temper tantrum *saada raivokohtaus* (aikuinen) fly into a rage/fury; (lapsi) throw a (temper) tantrum

raivonpuuska fit of rage/anger

raivopäinen raging

raivoraitis s fanatic teetotaler, antirum crusader *adj* teetotaling

raivostua get furious, get mad as hell, lose your temper, fly off the handle, blow your top, blow a fuse, hit the roof

raivostuttaa make you furious/mad, infuriate

raivostuttava infuriating

raivota rage, storm/stomp around furiously, rant and rave

raja 1 (maantieteellinen) boundary (line), border(line), (raja-alue) frontier, (kaupungin) (city) limit, (maalaiskunnan) (county) line *sulkea raja* close the border *kaupungin rajojen sisällä* within the city limits **2** (yhteiskunnallinen, henkinen) limit, bound, confine *Hänen ilollaan ei ollut mitään rajoja* Her joy knew no bounds, was unbounded *ylittää sopivaisuuden rajat* transgress/exceed the bounds of decorum *vetää raja* draw the line **3** (urh) line

rajakauppa border trade

rajaliikenne border traffic

rajallinen limited, restricted

rajallisuus limitation, restriction

rajankäynti 1 (pol) demarcation **2** (muu) defining the boundaries

rajansa kaikella you've got to draw the line somewhere

rajaselkkaus border incident

rajaseutu border district, (sivilisaation ja erämaan välillä) frontier

rajata 1 (vetää rajat) mark (the boundaries), demarcate **2** (rajoittaa) limit, restrict, confine **3** (hiuksia) trim (the edges)

rajatapaus borderline case

rajaton limitless, unlimited, unrestricted, boundless, unbounded, infinite; (valta) absolute

rajaus marking, demarcation, limiting, restricting, confining, trimming (ks rajata)

rajautua border (on), be bounded by

rajavartiolaitos border guard

rajavartiosto border guard post

rajoissa *jonkin rajoissa* within the limits /bounds/confines of *juuri ja juuri säädyllisyyden rajoissa* marginally decent/acceptable, just barely within the bounds/confines of decency

rajoittaa 1 limit, restrict, confine, check **2** (olla rajana) border

rajoittamaton unlimited, unrestricted, unconfined, unchecked

rajoittamattomasti without limitation/restriction, freely

rajoittua **1** (olla jonkin rajalla) börder (on), be bounded by **2** (olla rajoitettuna) be limited/restricted/confined (to)

rajoitus limit(ation), restriction, check *nopeusrajoitus* speed limit

raju fierce, violent *rajut bileet* a wild party

rajuilma storm

rajumyrsky hurricane

rajusti fiercely, violently; (paljon) tons, scads, piles

rakas *s* love, sweetheart, darling; (ark) honey, sweetie, baby *adj* loving, beloved, sweet, darling, dear; (ark) lovey

rakastaa love

rakastaja lover

rakastajatar lover, mistress

rakastavainen lover, (ark) lovebird

rakastella make love

rakastelu lovemaking

rakastettu beloved

rakastua fall in love with

rakeinen granular, (filmi) grainy

rakeisuus granularity, graininess

rakenne 1 structure, construction *rakenteilla* under construction **2** (koostumus) composition, (ark) makeup

rakennella build

rakennus 1 (talo) building **2** (rakentaminen) building, construction

rakennusaine building material

rakennusala construction

rakennuskustannukset construction costs

rakennuslupa building permit

rakennusmestari building contractor

rakennustaide architecture

rakennustarvike building/construction supply

rakennustekniikka structural engineering

rakennustyö construction (work)

rakennustyöläinen construction worker

rakennustyömaa building site

rakennusurakoitsija (building) contractor

rakennuttaa have built, (ark) build

rakennuttaja developer

rakentaa build, construct, (ark) put up

rakentaa jonkin varaan (kuv) count/rely/go on something

rakentaa rauhaa work for peace

rakentaa sovintoa take steps toward reconciliation, make conciliatory gestures

rakentaa uudelleen rebuild, reconstruct

rakentaja builder

rakentava constructive

rakenteellinen structural

rakenteinen (talo) of a (certain type) of construction; (vartalo) of a (certain type) of build

rakentua 1 (koostua jostakin) be made/composed of **2** (perustua jollekin) be based on

raketti rocket

rakkaus love *tehdä jotakin rakkaudesta* do something for love

rakkauselokuva romantic movie

rakkausromaani romance

rakkaussuhde love affair

rakki mutt

rakkine (auto) beater, piece of junk

rakko 1 (virtsarakko) bladder *tyhjentää rakkonsa* relieve yourself, urinate; (ark) take a piss **2** (rakkula) blister

rakkula blister; (lääk myös) cyst

rako 1 hole, gap, chink *tirkistää oven raosta* peek from behind the door *paistaa pilvien raosta* peek from behind the clouds **2** (välimatka) gap, distance *juosta rako umpeen* close the gap

rakoilla 1 split, crack, break up *Iltapäivällä pilvipeite rakoilee* (We'll see) decreasing cloudiness in the afternoon **2** (avioliitto tms) be on the rocks

raksahdus click(ing)

raksahtaa click

ralli rally *ajaa rallia korttelin ympäri* cruise the loop

ralliajaja rally driver

ralliauto rally car

ralliautoilu rally driving

ramaista *Minua ramaisee* I'm dead beat, I'm exhausted

rampa cripple, (työkyvytön) disabled, (ontuva) lame

ramppi 1 (teatterissa) stage front, footlights **2** (auton) ramp

ramppikuume stage fright

rangaista punish, penalize, mete out a penalty/punishment

rangaistus punishment, penalty *saada rangaistus* be punished (for) *määrätä rangaistus* penalize (someone for), inflict /impose a punishment/penalty (on someone for)

ranka 1 (puun) (disbranched/long-length) log **2** (kasvin) stem

rankaiseminen punishing, penalization

rankaisu punishment

rankka heavy, hard *rankka päivä* tough/hard day

rankkasade downpour, cloudburst

ranne wrist

ranneke 1 (hihansuu) cuff **2** (rannekellon hihna) wristband

rannekello wristwatch

rannerengas bracelet

rannikko coast, (merenranta) shore

rannikkoalue coastal region/area

rannikkovartiosto coast guard

Ranska France

ranska (kieli) French

ranskalainen *s* Frenchman, Frenchwoman *adj* French

ranskalaiset 1 (ihmiset) the French **2** (perunat) (French) fries

ranskanleipä French bread

ranskannos French translation

ranskanperunat (French) fries

ranta beach, (sea-/lake-)shore, (joen) bank *Länsiranta* the West Bank *kautta rantain* indirectly, circuitously *vastata kautta rantain* beat around the bush

rantakallio cliff, palisade

rantalaituri dock

rantasauna lakefront/-side sauna

rantautua go/come ashore, (sot) hit the beach

raottaa open (something) a crack/little, crack *raottaa ikkunaa* crack a window *raottaa masennuksensa syytä* hint at what's wrong

rapa mud, slush, mire

rapakko puddle; (Atlantti) the Pond *rapakon takana* across the Pond

rapakunto lousy shape

raparperi rhubarb

rapata plaster

rapautua 1 (muuraus) crumble (away), (kallio) weather **2** (fyysinen kunto, myös tietok) decay

rapea crisp(y), crunchy

rapina (kynän) scratching; (hiiren) scritching; (paperin) rustling

rapista 1 (ääni) scratch, scritch, rustle **2** (maali) peel, flake, come/drop off **3** (tiedot) get rusty

rapistella rustle

rapistua 1 (talo tms) decay, deteriorate, become dilapidated, fall into disrepair, become ramshackle **2** (tiedot) get rusty **3** (kauneus) fade

rapistuminen decaying, deterioration, fading (ks rapistua)

raportoida report (on)

raportti report

rappaus plaster(ing)

rappeutua 1 (fyysisesti) decay, deteriorate, disintegrate, fall into disrepair/decay, become dilapidated **2** (henkisesti) (fall into) decay, become decadent, decline, go to (wrack and) ruin; (ark) go to pot/hell

rappio decay, decadence, decline, degeneration *mennä rappiolle* (kulttuuri) decline, degenerate, become decadent; (rakennus) fall into disrepair, become dilapidated

/ramshackle; (ihminen) decline, degenerate, go to seed/pot/the dogs, fall on evil days

rappiotila 1 (rappio) decay, decadence, decline, degeneration **2** (rappiolla oleva maatila) dilapidated/neglected farm

rappu step, (sisällä) stair

rappunen step, (sisällä) stair

rapsuttaa scratch, rub

rapu 1 crab; (jokirapu) crayfish, (murt) crawdad **2** (horoskoopissa) Cancer

rasahdus (katkeavan oksan) snap, (paperin, puiden) rustle

rasahtaa snap, rustle

rasia box, container; (margariinia) tub; (savukkeita) pack

rasiallinen boxful

rasismi rasism

rasisti rasist

rasite 1 (taloudellinen) encumbrance **2** (henkinen) burden

rasittaa 1 (kiinnityksellä) encumber *Taloa rasittaa kiinnelaina* The house is mortgaged **2** (henkisesti) burden, weigh on, trouble, bother, strain *Häntä rasittaa kaikki mitä minä teen* Everything I do is a burden to him *En halua rasittaa sinua näillä minun typerillä huolillani* I don't want to burden/trouble/bother you with these petty cares of mine **3** (väsyttää) tire, weary, exhaust *Kylläpä minua rasittaa tuommoinen* I get so (sick and) tired of that **4** (silmiä tms) strain *Et saisi rasittaa silmiäsi tuossa huonossa valaistuksessa* You shouldn't strain your eyes reading in that poor light

rasittava burdensome, troublesome, bothersome, tiring, wearying, exhausting (ks rasittaa)

rasitus 1 (kiinnitys) encumbrance *rasituksista vapaa* free of all (liens and) encumbrances **2** (henkinen) burden, strain **3** (fyysinen) strain, stress, tiredness, weariness

raskaanpuoleinen heavyish, on the heavy side

raskaasti heavily *ottaa raskaasti* take something hard *erehtyä raskaasti* make a grievous/grave error/mistake *Jos luulet että minä tulen sinne, erehdyt raskaasti* If you think I'm coming with you, think again

raskas 1 heavy; (vakava) serious, greivous, grave; (kova) hard, tough **2** *raskaana* pregnant; (ark) PG, have a bun in the oven; (ylät) great/big with child *tulla raskaaksi* get pregnant

raskasmielinen melancholic, heavy-hearted

raskas uni sound sleep

raskaus 1 (paino) heaviness, weight **2** (vakavuus) seriousness, gravity **3** (raskaustila) pregnancy

raskausaika gestation period, duration of pregnancy

raskauttaa 1 (mieltä) burden, weigh on **2** (rikosta) aggravate *raskautettu pahoinpitely* aggravated assault

raskauttava aggravating

rassata 1 (putsata) clean **2** (korjailla) work on, fix up **3** (vaivata) bother, nag at *Mua koko ajan rassaa tuo eilinen* I can't get my mind off what happened yesterday

rassu poor (man/woman/boy/girl/dog/jne)

rasti (merkki) check, (risti) cross, X *merkitä rasti ruutuun jossa* check the box which

rastitus check(mark)

rasva 1 (eläimen) fat, (juokseva) grease **2** (tekn) grease, lubricating oil, lubricant **3** (ihovoide) skin oil/cream/lotion **4** (huulirasva) chapstick, lip balm

rasvaantua get greasy

rasvainen 1 (liha) fatty **2** (moottori, iho, tukka) greasy, (tukka myös) oily **3** (tekn: lihava) fat **4** (rivo) filthy, dirty, disgusting, gross

rasvata 1 (moottoria tms) grease, oil, lubricate; (ark) lube **2** (ihoa: öljyllä) rub (someone/yourself) down with oil; (ihovoiteella) apply skin cream/lotion **3** (huulia) put chapstick on

rasvaus lubrication, (ark) lube

rata 1 (rautatie) railroad (line), (ark) the tracks *radan väärällä puolella* on the wrong side of the tracks **2** (juoksurata: koko kenttä) track, (kaista) lane; (hevos-/autorata) racetrack, (autorata myös) speedway; (moottoripyörille) course **3** (planeetan, kuun) orbit, (kometan) track **4** (luodin, keihään) trajectory **5** (elämän) course; (ajatusten) train, chain

ratas (cog)wheel *juuttua byrokratian rattaisiin* get caught/tangled/meshed up in the wheels/machinery of bureaucracy *ratas mammuttiyhtiön koneistossa* a cog in the wheel of the mammoth company

ratifioida ratify

ratifiointi ratification

rationaalinen rational

rationalisoida improve (something's) efficiency, make (something) more efficient

rationalisointi efficiency-improvement

ratkaisematon unsolved, undecided, unsettled; (peli tied); (kysymys) open; (päätös) pending; (mat: yhtälö) implicit

ratkaiseva decisive, deciding, determining, critical, crucial, conclusive

ratkaista 1 (ongelma; myös mat = yhtälö) solve *mahdoton ratkaista* insoluble, impossible to solve **2** (erimielisyys: oikeussalin ulkopuolella) settle (out of court), (oikeudessa) adjudicate **3** (oikeusjuttu) judge, pronounce judgment on, decide *ratkaista jonkun kohtalo* decide someone's fate *ratkaista kantajan/vastaajan hyväksi* find for the plaintiff/defendant **4** (äänestys) decide, be the deciding vote, be decisive/critical/crucial **5** (sauma) rip, tear

ratkaisu solution, settlement, judgment, decision (ks ratkaista)

ratketa 1 (revetä) split/burst (at the seams), come/pull/tear apart *Taivas ratkesi ja vesi valui virtanaan* The clouds/sky burst (open) and the rain poured down **2** (selvitä) be solved/decided/settled/determined **3** (ruveta) start, burst out *ratketa nauruun* burst out laughing (ks myös hakusanat)

ratketa itkuun burst out crying, burst into tears, break down and cry/bawl (like a baby)

ratketa laulamaan burst into song

ratketa ryyppäämään hit the bottle, go off on a drunken binge, break down and start (doing a little 'controlled' drinking)

ratki *adj* (ratkennut) open, split, burst *adv* (ylen) utterly, completely *ratki mahdoton* out of the question

ratki riemukas uproariously/hilariously funny

ratkoa 1 (sauma tms) unpick, unstitch, undo **2** (ongelma) solve

ratsain on horseback

ratsastaa ilman satulaa ride *ratsastaa ilman satulaa* ride bareback

ratsastaa aallon harjalla ride the crest of the wave

ratsastaa aatteella crusade on a single issue, make a (political) crusade out of a cause

ratsastaa jonkun menestyksellä ride (along) on someone's coattails, cash in on someone else's success

ratsastaja rider, horse(wo)man, equestrian; (laukkauratkeilussa) jockey *Yksinäinen Ratsastaja* the Lone Ranger

ratsastus (horseback) riding, equestrianism

ratsia 1 (taloon tms) (police) raid *tehdä ratsia juhliin* raid a party **2** (tien poskessa) stop check

ratsu 1 (hevonen) horse, mount, (run) steed **2** (shakissa) knight

ratsuhevonen horse, mount, (run) steed

ratsupoliisi mounted police

ratsuväki cavalry

rattaat 1 (kärry) cart *panna rattaat hevosen eteen* put the cart before the horse **2** (lasten) stroller

ratti (steering) wheel *ratissa* at the wheel

rattijuoppo drunken driver

rattijuoppous drunken driving, drinking and driving; (lak) driving while/under the inthence, DWI/DUI

rattoisa enjoyable, convivial *Meillä oli rattoisaa* We had a great time, we had fun

raudanluja (as hard as) iron, steely

raudoittaa reinforce (with iron) *raudoitettu betoni* reinforced concrete

raudoitus reinforcement

raueta 1 (lak: sopimus) expire, (vakuutus) lapse **2** (talo) tumble down, collapse **3** (neuvottelut) break down; (hanke) come to nothing, fall through, fail, miscarry

rauha peace *Mitä sinun rauhaasi kuuluu?* How are you doing? What's new with you? What's up? *Hän ei ole antanut minulle hetkenkään rauhaa* She hasn't given me a moment's rest/peace

rauhaisa peaceful, quiet, serene, tranquil

rauhallinen 1 (ilta tms) peaceful, quiet, restful, serene, tranquil **2** (ihminen) calm, quiet **3** (olo) blissful, serene, untroubled **4** (vauhti) slow, unhurried, unrushed

rauhallisuus peace(fulness), quiet, serenity, tranquility, calmness, bliss(fulness), slow /unhurried pace (ks rauhallinen)

rauhanen gland

rauhanliike peace movement

rauhanneuvottelut peace negotiation, peace talks

rauhansopimus peace treaty

rauhassa in peace *jättää joku rauhaan* leave someone alone/in peace *Ole ihan rauhassa!* Don't worry about it, don't trouble yourself over it, forget it; (kyllä minä hoidan sen) rest assured that I'll handle it *Tee se kaikessa rauhassa* Take your time

rauhaton 1 (fyysisesti: yksilö) restless; (kaupunki tms) troubled *heittelehtiä rauhattomana koko yön* toss and turn restlessly all night *Beirutissa on taas rauhatonta* There is unrest in the streets of Beirut once again **2** (henkisesti) troubled, uneasy, worried, anxious

rauhattomuus 1 (fyysinen) restlessness, unrest **2** (henkinen) unease, worry, anxiety

rauhoittaa 1 (tyynnyttää) pacify, appease, reassure, calm/quiet (someone) (down) **2** (lääkitä: hermoja) calm; (vatsaa) settle **3** (suojella) protect, preserve

rauhoittava lääke tranquilizer, (ark) trank

rauhoittua calm/quiet/settle down

raukaista *Minua raukaisee* **1** (väsyttää) I'm bushed/tired, I can hardly move a muscle, I feel like I've been through a wringer **2** (rentouttaa, esim sauna) I feel relaxed /calm

raukea 1 (hervoton) limp, listless, languid **2** (rento) relaxed, calm, drowsy

raukka 1 (ressukka) poor thing **2** (pelkuri) coward, (ark) chicken, scaredy-cat

raukkamainen 1 (pelkurimainen) cowardly, (ark) chicken **2** (alhainen) despicable, contemptible, mean

raukkamaisesti 1 (pelkurimaisesti) like a coward, in a cowardly fashion **2** (alhaisesti) despicably, contemptibly

raukkamaisuus 1 (pelkuruus) cowardice **2** (alhaisuus) meanness, baseness

raunio 1 (rakennuksen) ruin **2** (ihminen) wreck *hermoraunio* nervous wreck

raunioitua fall into ruin

rauniokaupunki ruined city

rauta 1 iron *liian monta rautaa tulessa* too many irons in the fire *takoa kun rauta on kuumaa* strike while the iron is hot **2** *raudat* (kahleet) chains, (käsiraudat) (hand)cuffs, (jalkaraudat) leg-irons **3** *raudat* (hampaissa) braces **4** (auto) wheels *Amerikan rauta* American car, (iso) dinosaur, (isoruokainen) gas-guzzler

rautainen 1 (of) iron, steely *rautaiset hermot* nerves of iron, steely nerves **2** (sl) hot, dynamite

rautakauppa hardward store

rautakausi Iron Age

rautalanka wire

rautateitse by rail

rautatie railroad

rautatieasema railroad/train station

ravata 1 (hevonen) trot **2** (ihminen ympäri kaupunkia) run (all over town)

ravi 1 trot **2** *ravit* the (horse) races

ravinne nutrient

ravinnonsaanti nourishment

ravinto nourishment, nutrition; (ruoka) food; (ravintoaine) nutrient

ravintoaine nutrient

ravintoarvo nutritional value

ravintola restaurant

ravistella shake

ravistelu shake, shaking

ravita nourish, feed *huonosti ravittu* undernourished, malnourished

ravitsemus nutrition

reaaliaineet arts and sciences

reagoida react/respond (to)

reagointi reaction, response

reaktio reaction, response

reaktioaika reaction/response time

reaktori reactor

realismi realism

realisti realist

realistinen realistic

realiteetti reality, fact *elämän realiteetit* the (hard) facts of life

referoida summarize

rehdisti honestly, with integrity, up front

rehellinen 1 (vilpitön) honest, straightforward, frank **2** (kunniallinen) respectable, reputable **3** (todellinen) real, true

rehellisyys 1 honesty, straightforwardness, frankness **2** (kunniallisuus) respectability, reputability, (luonteen lujuus) integrity

rehentely boasting, bragging, big talk, swaggering

rehevyys 1 (metsä) lushness, luxuriance, luxuriant/thick/dense growth **2** (tyyli) exuberance, expansiveness, earthiness

rehevä 1 (vehmas, myös kuv) lush, rich, luxuriant **2** (theä, esim kasvillisuus) dense, thick **3** (elämäniloinen, esim tyyli) exuberant, expansive, earthy **4** (ukkea, esim emäntä) ample, buxom **5** (rehvakka) big-/swell- headed, cocky

rehkiminen hard work, drudgery

rehkintä drudgery

rehkiä work hard/like a dog/your ass off, slave away

rehottaa 1 (kasvi: kukat tms) flourish, be lush/thick/green; (rikkaruohot) grow/be rank **2** (synti tms) be rife/rampant

rehti honest, upfront, straightforward

rehtori (Suomi) rector; (US: koulun) principal, (yliopiston) president

rehu feed

rehvakas self-important, swaggering, (ark) big-/swell-headed, cocky

rehvastella boast, brag, swagger, talk big

rehvastelu boasting, bragging, swaggering, big talk

rei'itin hole-punch, (tekn) perforator

rei'ittää (esim mappia varten) punch holes (in); (tekn) perforate

rei'itys hole-punching, (tekn) perforation

reikä hole *laitattaa reiät korviinsa* have your ears pierced

reikäinen 1 (perikaattina) holey, full of holes; (tekn) preforated **2** (yhdyssanoissa) -hole *9-reikäinen golfrata* nine-hole golf course

reilassa (kunnossa) okay, all right; (järjestyksessä) all set up

reilu 1 (rehti) honest, upfront, straightforward *reilu kaveri* a good/great guy **2** (oikeudenmukainen) fair *Se ei ole reilua!* It's not fair! **3** (runsas: antelias) generous, (enemmän kuin) a good *reilu annos* a generous helping *reilut 10 m* a good ten meters **4** (kunnollinen) good, real, proper *Reilu riita on parempi kuin puolinainen sovinto* A good (honest) fight is better than half-hearted harmony

reilu peli fair play, good sportsmanship

reipas 1 (pirteä) lively, perky, peppy **2** (rivakka) peppy, brisk, snappy, **3** (innokas) eager, enthusiastic, willing **4** (kiltti) good *Oletpas sinä reipas poika kun autat!* You're such a good helper/boy

reisi thigh

reissu trip

reistailla act up, give you trouble, have something wrong with it

reitti route *Reitti on selvä* The coast is clear

reiällinen (something) with holes/a hole (punched) in it, perforated

reiätön (something) with no hole(s) in it), unperforated

reki sleigh

rekisteri register

rekisterikilpi license plate

rekisteriote registration, (certificate of) title

rekisteröidä register

rekisteröinti registration

rekka (rekka-auto) truck and trailer, (ark) truck, semi

rekkakuski truck driver

rekvisiitta props

relativismi relativism

rellestys binge

rellestää kick over your traces, go wild, let loose

remmi (hihna) strap, (talutushihna) leash, (nahkanuora) thong *joutua remmiin* get put to work *astua remmiin* take charge

remontoida remodel, fix (something) up; (sisustaa uudelleen) redecorate; (entistää) renovate

remontti remodeling, redecoration, renovation

rempallaan in a shambles/jumble/muddle, slipshod

rempseä happy-go-lucky, easy-going

remu noise, din, racket

remuta live it up, party (noisily), kick up your heels

renessanssi Renaissance

rengas 1 (ympyrä) ring, circle **2** (auton) tire

rengastaa 1 (lintu) band **2** (oikea vastaus) circle

renki hired hand

rennosti (puhua) casually, offhandly, freely and easily *ottaa rennosti* take it easy

rento (veltto) limp, relaxed **2** (rempseä) relaxed, casual, offhand, free and easy *rento olo* casual outfit/dress

rentous 1 (velttous) limpness **2** (rempseys) casualness, casual/offhand manner

rentouttaa relax

rentoutua relax

rentoutuminen relaxation

rentoutus relaxation, (esim lomalla) recreation

renttu bum, derelict

repaleet rags, tatters

repaleinen tattered, ripped, torn

repeytyä rip, tear, split

repeämä rip, tear, split; (lääk) rupture

repiä rip/tear (up/apart) (myös kuv) *Tämä asia repii minua* I feel torn (in two) over this

repliikki 1 (vastaus) reply, retort **2** (näytelmässä) line

reportaasi coverage, (pitempi raportti) reportage

repostella pull/tear (something) apart, air (something) in public

repostelu public airing

reppana poor thing

reppu (back)pack

reputtaa fail, (ark) flunk

repäisevä 1 exciting, rousing; (uutisjuttu) sensational *Mitäs repäisevää tehtäis?* Let's think of something exciting to do **2** (ihminen) inspiring, dashing, charismatic

repäistä rip, tear

repäisy rip, tear

resepti 1 (ruoka) recipe **2** (lääke) prescription

ressu poor thing

retale 1 (rääsy) rag **2** (renttu) bum, derelict, dirt-bag

retiisi radish

retkahtaa 1 (tuoliin) fall/drop/plop (down in) **2** (johonkuhun) fall for (someone) **3** (juomaan) break down and start, go/fall off the wagon

retkaliaan hanging/drooping (down)

retkeilijä 1 (rinkkaretkeilijä) hiker, backpacker **2** (retkikunnan jäsen) member of an expedition **3** (löytöretkeilijä) explorer

retkeillä hike, backpack, go hiking/backpacking/camping

retkeily hiking, backpacking, camping

retkeilymaja youth hostel

retki 1 trip, outing, excursion; (luokkaretki) field trip; (eväskorin kanssa) picnic; (päivämatka) day-trip **2** (tutkimusretki) expedition

retku 1 (rääsy) rag **2** (retale) bum, derelict

rettelö brawl, rumble

rettelöidä brawl, rumble, make trouble, pick /start a fight

retuperällä in a shambles/jumble/muddle, slipshod

retuuttaa 1 (kantaa) drag/haul/lug (something around) **2** (johdatella) pull/yank (someone by the arm)

reuna 1 edge, side, border *tien reunalla* by the edge/side of the road, on the shoulder **2** (paperin) margin, border **3** (parras) edge, brink **4** (kupin) brim *vuotaa yli reunojen* overflow **5** (uima-altaan) coping

reunus border, trimming, edging

reunustaa 1 (laittaa reunus) edge, trim **2** (muodostaa reunus) line *puiden reunustamat kadut* tree-lined streets

revetä 1 rip, tear **2** (lääk) rupture

reviiri territory

revontuli northern lights, aurora borealis

revähdys 1 (venähdys) sprain; (lievä) strain, pull **2** (repeämä) rupture

revähdyttää sprain, strain, pull; rupture

revähtää get sprained/strained/pulled/ruptured

rieha happening, shindig

riehaantua get excited, get worked/jazzed up

riehakas rowdy, rambunctious, boisterous

riehakkaasti rowdily, rambunctiously, boisterously

riehakkuus rowdiness, rambunctiousness, boisterousness

riehua rage, storm, go on (at full blast/tilt)

riehunta raging, storming

riekale rag, tatter *Minulla on hermot ihan riekaleina* I'm just about at the end of my tether/rope, I'm at my wits' end, my nerves are shattered, I'm teetering on the brink of a nervous breakdown

riemastua be delighted/overjoyed

riemu delight, joy

riemuita delight/rejoice (in), be delighted /overjoyed

riena 1 (rienaus) blasphemy **2** (kirous) curse **3** (riesa) nuisance, bother

rienaaja blasphemer

rienata blaspheme

rienaus blasphemy

riento 1 (ajan) passage, rushing past; (virran) flowing; (pilvien) scudding (across the sky) **2** (kiirehtiminen) rushing, hurrying **3** (puuhailu) activity, busyness *poliittiset riennot* political activities

rientää rush, hurry *rientää apuun* rush to (someone's) aid, hurry to the rescue *Aika rientää* Time flies

riepotella 1 (fyysisesti) mangle, maul, manhandle **2** (sanallisesti) criticize (in detail), tear (something) to shreds, chew (something) up and spit it out

riepottaa drag/haul/lug (something) along behind you

riepottelu manhandling, criticism

riepu rag

riesa nuisance, bother

rietas indecent, obscene, lewd

rietastella debauch, be licentious/dissipate /depraved, live a life of debauchery

riettaus indecency, obscenity, lewdness

rihkama trinkets, gewgaws, knickknacks, junk

rihma 1 (siima) line **2** (ansa) spring-trap /-snare **3** (lanka) thread *Hänellä ei ole rihman kiertämääkään päällä* He doesn't have a stitch (of clothing) on

riidanaihe bone of contention

riidanhaluinen quarrelsome, ornery

riidaton 1 (ei voi kiistää) indisputable, unquestionable **2** (ei ole kiistetty) undisputed, unquestioned

riidellä fight, argue, bicker, quarrel *En viitsi riidellä sinun kanssasi* I don't want to fight with you

riikinkukko peacock, peafowl

riikinruotsi High/Standard Swedish, Swedish Swedish

riimi rhyme

riimittää rhyme

riippua 1 (fyysisesti) hang/dangle (from), be suspended (from) **2** (kuv) depend (on) *Sehän riippuu kokonaan sinusta* That's entirely up to you *riippuen siitä onko* depending on whether

riippumaton independent, (valtio myös) autonomous *taloudellisesti riippumaton* financially independent/self-supporting, on your own

riippumatta 1 (siitä että) despite the fact that, in spite of the fact that **2** (siitä onko) whether or not, irrespective/regardless of whether **3** (toisistaan) independently

riippumattomuus independence, autonomy

riippuvainen dependent (on)

riippuvaisuus dependency

riipus pendant *olla riipuksissa* be hanging /dangling/drooping down

riiputtaa hang, dangle

riisi 1 (paperia) ream **2** (ruokaa) rice

riista game

riistanhoitaja game warden

riistanhoito preservation/protection of game

riisto oppression, exploitation

riistäjä oppressor, exploiter

riistäytyä 1 (käsistä fyysisesti) tear (yourself) away, break/twist/wriggle away, wriggle /slip out of your/someone's grip **2** (käsistä kuv) get out of hand

riistää 1 (viedä käsistä) take, rip, wrench, snatch **2** (viedä kuv) deny (someone something), deprive (someone of something), take (something away) **3** (sortaa) oppress, exploit

riisua undress, strip; (ark: riisuuntua) get undressed; (kengät tms) take off

riisuuntua (get) undress(ed), take off your clothes

riita fight, argument, quarrel, (knock-down) battle; (julkinen) controversy *haastaa riitaa* pick a fight, look for a fight *sopia riita* make up *panna riita puoliksi* reach a compromise

riitaantua fall out (with someone), have a falling-out (with someone)

riitainen 1 (riitaisa) quarrelsome, ornery **2** (kiistelty) disputed, contested

riitaisa quarrelsome, argumentative, ornery

riitaisuus argumentativeness, orneriness

riitely fighting, arguing, bickering, quarreling

riitti rite

riittoisa economical, long-lasting

riittämättömyys insufficiency, inadequacy

riittämättömästi insufficiently, inadequately, not enough

riittämätön insufficient, inadequate

riittävyys sufficient/adequate amount

riittävä sufficient, adequate *riittävän usein* often/frequently enough *riittävä määrä lautasia* enough plates

riittävästi enough, plenty

riittää be enough/plenty/sufficient, do *Se riittää hyvinkin* That'll be plenty, that'll do fine *Jo riittää!* That's enough! *Rahani eivät riitä siihen* I don't have enough money for that, I can't afford it *Kyllä täällä töitä riittää* There's plenty to do around here

riivaaja demon, evil spirit

riivata possess *Mikä sinua riivaa?* What's gotten into you? What's the matter with you? (miten saatoit tehdä noin:) What possessed you?

riivattu possessed; (ark: kirottu) damned

rikas rich (myös kuv), wealthy, affluent, well-to-do

rikastaa (tekn) enrich, concentrate

rikastua 1 (rahassa) get rich (off of), make your fortune (from) **2** (kokemuksissa) be enriched (by)

rikastuttaa (tehdä rikkaaksi) make (someone) rich; (parantaa) enrich

rikka 1 piece of trash/garbage/litter; (mon) trash, garbage, litter; (raam) mote **2** (aluslaatta) washer

rikkalapio dust pan

rikkaruoho weed

rikkaus wealth (myös kuv), affluence, riches

rikki *s* sulphur *adj, adv* **1** broken, smashed, (ark) busted *mennä rikki* break, shatter, smash, get broken/busted **2** (revennyt) ripped, torn *mennä rikki* rip, tear **3** (kulunut läpi) worn out/through, (kulut kyynärpäistä) out at elbows **4** (epäkunnossa) out of order *mennä rikki* go out of order, go on the fritz/blink, (auto) die

rikkinäinen 1 broken (myös kuv), smashed, (ark) busted *rikkinäinen koti/ääni* broken home/voice **2** (revennyt) ripped, torn, (kulunut) worn out

rikkinäisyys division, disunion, dissension

rikkoa break *rikkoa ikkuna* break/smash /shatter a window

rikkoa ennätys break a record

rikkoa lakia break/disobey the law, commit a crime

rikkoa lupaus break a promise

rikkoa rauhaa disturb the peace

rikkoa sanansa go back on your word

rikkoa seteli break a bill *Voitko rikkoa kympin?* Can you break a ten? Do you have change for a ten?

rikkoa sopimus renege on a contract/agreement

rikkomus 1 offense, transgression (myös usk), crime, (lak) misdemeanor **2** (urh) foul

rikkoutua break (off/down), get broken

rikollinen criminal

rikollisuus crime

rikos crime, criminal offense *tehdä rikos* commit/perpetrate a crime *törkeä rikos* felony

rikospoliisi police

rikosrekisteri police record

rima 1 (puurima) lath, batten **2** (urh) (cross)bar *ylittää rima* clear the bar *asettaa rima korkealle* aim high, shoot for the stars *riman reilusti alittava esitys* third-rate performance

rimakauhu the jitters, butterflies in your stomach *saada rimakauhu* back/chicken out at the last moment

rimpuilla struggle/wriggle/fight to get away

rinkeli bagel, (munkkirinkeli) doughnut

rinkka backpack

rinnakkain side by side; (kävellä) shoulder to shoulder, abreast; (istua leik) shank to flank *asettaa rinnakkain* juxtapose, set side by side

rinnakkainen 1 (muodoltaan, käytöltään) parallel, corresponding, interchangeable **2** (ajallisesti) simultaneous, contemporaneous

rinnakkaiselo *rauhanomainen rinnakkaiselo* peaceful coexistence

rinnalla 1 (vierellä) next to, beside, at (someone's) side, alongside *seisoa jonkun rinnalla* (fyysisesti) stand next to someone; (kuv) be at someone's side, be there for someone *päästä jonkun rinnalle* come up alongside someone **2** (ohella) in addition to, alongside *käyttää englantilais-englantilaista sanakirjaa suomalais-englantilaisen rinnalla* use an English dictionary alongside the Finnish-English one **3** (verrattuna) compared to/with, next to, beside *Sinun rinnallasi minä olen ruma ankanpoikanen* Compared to you I'm an ugly duckling

rinnan alongside, (ajallisesti) simultaneously with *rinta rinnan* ks rinnakkain

rinnastaa 1 (samastaa) equate **2** (yhdistää) link, associate **3** (vertailla) compare **4** (kiel) coordinate

rinnastus 1 (vertaus) comparison, analogy **2** (kiel) coordination

rinne 1 slope, (laskettelurinne) ski slope **2** (maantiellä) gradient, grade **3** (mäenrinne) hillside, (vuorenrinne) mountainside

rinta 1 (rintakehä) chest **2** (naisen) breast; (ark) boob; (sl) tit, knocker; (mon) bust,

bosom *antaa lapselle rintaa* breast-feed a baby, (vanh) give a baby suck **3** (linnun, elävänä ja syötävänä) breast **4** (tunne, sydän) heart (ks myös rinnalla, rinnan)

rintakehä chest

rintakipu chest pain

rintalapsi suckling, nursing infant

rintaliivit brassiere, (ark) bra

rintama (sot ja ilmatieteessä) front

rintasyöpä breast cancer

rintauinti breast stroke

ripeys rapidity, promptitude

ripeä quick, rapid, prompt

ripittäytyä confess your sins, go to confession

ripittää 1 (usk) hear (someone's) confession **2** (ark) tell (someone) off

ripitys 1 (usk) confession **2** (ark) scolding

ripotella 1 (sokeria tms) sprinkle **2** (vaatteita tms) scatter, strew

ripottelu sprinkling, scattering, strewing (ks ripotella)

ripotus pinch

rippeet remnants, remains, scraps *itseluottamuksen rippeet* what's left/the remnants of your self-confidence

rippi 1 (ripitys) confession **2** (konfirmaatio) confirmation *päästä ripille* be confirmed

ripsi (eye)lash

ripsiväri mascara

ripsiä (vedellä) sprinkle

ripuli diarrhea

ripustaa hang (up/out), suspend

ripustin hanger

ripustus hanging, suspension

risa s **1** (nielurisa) tonsil **2** (riekale) rag, tatter, shred **3** *ja risat* (ark) -odd, -something *30 ja risat* thirty-something/-odd *kuukausi ja risat* a little over a month, a month plus, a month and a few odd days *adj* (risainen) ripped, torn, tattered, in shreds

riskeerata (take a) risk

riski *s* risk *adj* strong, hefty

risoa *Minua riso tuommoinen* That really grates on me

risteilijä cruiser

risteillä 1 (laivalla) cruise **2** (mennä ristiin rastiin) crisscross

risteily cruise

risteys intersection, crossing, crossroad(s), junction

risteyttää (eläimiä) cross(-breed), (kasveja) cross(-fertilize)

risteytys 1 (risteyttäminen) cross(breed-/fertiliz)ing **2** (risteymä) cross, hybrid

risteytyä cross (with)

risti 1 cross *ristissä* ks hakusana **2** (mus) sharp *G-duurissa on yksi risti* The key of G major has one sharp **3** (korteissa) club *ristiässä* the ace of clubs **4** (taakka) cross, burden *Kaiso ristejani, Herra!* Look at the crosses I have to bear, Lord! *olla ristinä jollekulle* be a burden to someone

ristiin *panna kädet ristiin* fold your hands *mennä ristiin* (kävellen, autolla) miss each other, (postissa) cross in the mail; (tarinat, väitteet) clash, not jibe, be discrepant *puhua ristiin* (yksi ihminen) contradict yourself; (useat) give contradictory/different accounts *Sinä ei ole pannut tikkua ristiin* You haven't lifted a finger to help me

ristiin rastiin this way and that, every which way, here and there (and everywhere) *mennä ristiin rastiin* crisscross

ristikko crossword puzzle

ristikkäin 1 (ristissä) crossed, (kädet rinnalla) folded **2** (poikittain) crosswise, across

ristin sielu *Siellä ei ollut ristin sielua* There wasn't a soul there

ristiriita 1 (ihmisten välillä) conflict, clash, disagreement **2** (raporttien tms välillä) disagreement, discrepancy, inconsistency

ristiriitaisesti inconsistently

ristissä *jalat ristissä* with your legs crossed, cross-legged *kädet ristissä* with your arms folded *seisoa kädet ristissä kun joku muu tekee kaikki työt* stand there twiddling your thumbs/with your hands in your pocket while someone else does all the work

ristiä 1 christen, (nimetä) name, (kastaa) baptize **2** (kätensä) fold, clasp

ristiäiset christening, baptism

risu branch, (pieni) twig; (mon) brushwood

ritari knight

riuhtaista yank, jerk, snatch, tug, pull

riuhtaisu yank, jerk, snatch, tug, pull

riuhtoa 1 ks riuhtaista **2** (rimpuilla) struggle, wriggle, fight

riutta reef

riutua (fyysisesti) waste away, (henkisesti) pine away

riveittäin by row

rivi row, line; (sot) rank (myös kuv) *asettua riviin* line up, (sot) fall in(to rank) *koota rivinsä* (kuv) close up/tighten your ranks *lukea rivien välistä* read between the lines *kansan syvät rivit* the people, the grassroots, (tavalliset ihmiset) the rank and file

rivinväli spacing *ykkös-/kakkosrivinvälillä kirjoitettu* single/double-spaced *puolentoista rivinvälillä kirjoitettu* typed space and a half

rivistö 1 double file **2** (rivit) rows

rivitalo rowhouse, (kaksikerroksinen) townhouse

rivo obscene, (ark) dirty

rivous obscenity, dirty word/joke

rockmusiikki rock music

rocktähti rock star

rohkaiseva encouraging

rohkaista encourage *rohkaista mielensä* screw up your courage

rohkaisu encouragement

rohkea 1 courageous, brave, bold, fearless, unafraid; (ylät) valiant **2** (uskalias) daring, suggestive, risqué

rohkeus courage, bravery, boldness, fearlessness *kerätä rohkeutensa* screw up your courage *menettää rohkeutensa* lose heart, chicken out, have your heart in your boots

rohtua (get) chap(ped)

rohtuma chap, (lääk) eczema

roihu blaze, blazing fire

roihuta blaze

roikkua 1 hang (down) *Sitä ei päätetty, se jäi roikkumaan* We didn't make a decision on it, we just left it hanging **2** (kiinni jossakin) hang on, cling to *Älä koko ajan roiku minussa!* Don't keep hanging on me! Stop clinging to me! **3** (hengailla) hang around

roikottaa drag/haul/lug (something) behind you

roima hefty, good-sized
roimasti *nousta roimasti* rise sharply
roiskahtaa splash
roiskauttaa splash (something on something)
roiske splash
roiskia splash
roiskis! splash! sploosh!
roiskua splash, spray; (kuuma rasva) spatter
roisto hood, thug, bad guy *Senkin roisto! You bastard!*
rojahtaa crash/flop down
roju junk, (sl) shit
rokka pea soup
rokote vaccine
rokottaa 1 vaccinate **2** (ark: ottaa maksuksi) charge, (kostaa) get your own back
rokotus vaccination
romaani 1 (kirja) novel **2** (ihminen) gypsy, Romany
romaanihenkilö character in a novel
romaanikirjailija novelist
romaanikirjallisuus the novel, (prose) fiction
romahdus crash (myös tal), collapse *henkinen romahdus* nervous breakdown, mental collapse, (ark) crackup
romahduttaa 1 (talo) devastate, destroy **2** (talous) send (the economy, the dollar jne) into a tailspin, spiraling downwards **3** (hallitus) overthrow, topple
romahtaa 1 (rakennelma) collapse, crash/come/tumble/topple down, cave in **2** (talous) crash, collapse; (lamaantua) slump, go into a recession; (hinnat, noteeraukset tms) go into a tailspin, spiral downwards, plummet (hermot) collapse, break down, crack up
Romania Romania, Rumania
romania Romanian, Rumanian
romanialainen *s, adj* Rumanian, Romanian
romanssi romance
romantiikka 1 romance **2** (aikakausi) Romanticism
romantikko romantic
romantisoida romanticize
romanttinen romantic
rommi rum
romppu CD-ROM

romu 1 (romutavara) scrap *myydä romuksi* sell as scrap *ajaa auto romuksi* total a car **2** (roju) (piece of) junk, (mon) junk
romuauto junk car
romukoppa *heittää romukoppaan* scrap, junk, throw (something) away *joutua romukoppaan* be ready for the scrap-/junkheap
romuttaa 1 (tehdä romuksi) scrap, smash, crush, break up **2** (ajaa romuksi) total **3** (tehdä tyhjäksi) wreck, ruin
romuttua 1 (auto kolarissa) be totaled **2** (hanke) come to nothing, fall flat, flop
rooli role, part
Rooma Rome
roomalainen Roman
roomalaiskatolinen Roman Catholic
roppakaupalla lots/tons/piles/heaps of
roska trash, garbage (myös kuv) *Roskaa!* Nonsense! *koko roska* the whole schmear /kit-n-kaboodle
roskaantua get littered
roskainen littered, messy
roskakori waste(paper) basket
roskaruoka junk food
roskaväki trash(y folks)
roskata litter
rosoinen rough-surfaced
rosvo bandit
rosvota rob, thieve, plunder
rotanloukku rat hole (myös kuv)
roteva burly, sturdy, robust
rotko ravine, gorge
rotta (brown) rat (myös kuv)
rotu 1 (ihmisrotu) race **2** (eläinrotu) breed
rotuennakkoluulo racial prejudice
rotuerottelu racial discrimination
rotuinen breed *Minkä rotuinen koira tuo on?* What breed of dog is that?
rouhe (vilja) coarsely ground grain, (pähkinät) finely chopped nuts
rouhia grind (something) coarse, chop (something) finely
routa frost
routainen frozen
rouva married woman, matron *Rouva!* Ma'am! *rouva Halttunen* (vanh) Mrs. Halttunen, (nyk) Ms. Halttunen

rovio pyre *polttaa roviolla* burn at the stake

Ruanda Rwanda

ruandalainen *s, adj* Rwandan

ruhje bruise, contusion

ruhjoa bruise, mangle, maul

ruhjoutua be bruised/mangled/mauled (by /in)

ruho (dead) body, carcass *Siirräs ruhos* Move your carcass

ruhtinaallinen princely (myös kuv): sumptuous *ruhtinaallinen ateria* a meal fit for a king

ruhtinaallisesti (elää) like a prince/king; (kestitä) lavishly

ruhtinas prince *Rauhan/Pimeyden Ruhtinas* the Prince of Peace/Darkness

ruinata beg (for)

ruis rye

ruiskauttaa spray, squirt

ruiske injection, (ark) shot *piristysruiske* (kuv) shot in the arm

ruisku 1 (letku) hose, (paloruisku) fire hose **2** (suutin) spray nozzle **3** (injektioruisku) (hypodermic) syringe

ruiskuttaa 1 (letkulla tms) spray, squirt, hose (down) **2** (lääk) inject

ruisleipä rye bread

rukka poor thing

rukkanen mitten *lyödä rukkaset pöytään* throw in the towel *saada rukkaset* get rejected, get turned down

rukoilla 1 (usk) pray *Rukoilkaamme* Let us pray **2** (anella) pray, beg, implore, beseech

rukoilu 1 praying, prayer **2** praying, begging, imploring, beseeching

rukous prayer *Hiljentykäämme rukoukseen* Let us bow our heads in prayer

rulla roll; (papiljotti) roller, curler

rullalauta skateboard

rullaluistella rollerskate

rullaluistin rollerskate

rullata 1 roll *saada asiat rullaamaan* get the ball rolling *rullata tukkansa* roll/curl/set your hair, put your hair up in rollers/curlers *rullata juoppo* roll a drunk **2** (lentokone) taxi

ruma 1 (naama) ugly, homely **2** (haava) bad(-looking), nasty **3** (sana) nasty,

naughty, dirty **4** (käytös) naughty, bad, not nice

rumasti *tehdä rumasti* play a mean/nasty /dirty trick (on someone), do a terrible /awful thing (to someone) *sanoa rumasti* (epäkohteliaasti) be rude/impolite (to someone), insult/offend/hurt (someone); (rivosti) swear (at someone), say a bad word/thing (to someone)

rumentaa disfigure, blemish

rumilus ugly thing; (talon tms) eyesore; (miehen) hulk (of a man); (naisen) hag, witch

rummuttaa drum (myös kuv)

rummutus drumming, (sateen) pounding

rumpali drummer

rumpu drum *lyödä rumpua jostakin asiasta* thump the pulpit about something

rumuus ugliness, homeliness

runkata beat/jerk/jack off, do a hand job (on); masturbate

runko 1 (puun) trunk, (kaadettu) log **2** (ihmisen) frame **3** (polkupyörän, auton) frame, (laivan) hull, (lentokoneen) fuselage, (rakennuksen) skeleton **4** (puheen tms) skeleton, (skeletal) outline; (ark) bare bones

runnella mangle, maul

runnoa crush, smash *runnoa läpi* (kuv) railroad (through)

runo poem

runoilija poet

runoilla write poetry

runous poetry

runsaalla kädellä generously, liberally

runsaasti 1 (ennen substantiivia) plenty/lots of *runsaasti ihmisiä* lots of people **2** (ennen adjektiivia tai predikaattina) abundantly, copiously, heavily *runsaasti kuvitettu* copiously illustrated *kastella runsaasti* water heavily

runsain mitoin abundantly

runsas 1 (määrältään suuri) abundant, copious, plentiful, bounteous; (ark) large *runsas tukka* thick head of hair *runsas sato* large/bumper crop *runsas liikenne* heavy traffic *80-luvun runsaat vuodet* the good /fat years of the 80s **2** (reilu) a good, well over *runsaat puolet* a good half, well over half *runsas vuosi sitten* more than a year ago

runsaslukuinen numerous, (yleisö tms) large

runsaus abundance, bounty, plenty, wealth (myös kuv)

runtelu mangling, mauling

ruoaksi kelpaava edible

ruohikko grass, lawn; (ylät) sward

ruoho grass

ruohonleikkuri lawnmower

ruoka 1 food *laittaa ruokaa* (yleensä) cook **2** (ateria) meal; (aamiainen) breakfast, (lounas) lunch, (päivällinen) dinner *laittaa ruokaa* (tiettyä ateriaa) fix breakfast /lunch, fix/cook dinner *Ruoka on valmista* Breakfast/lunch/dinner is ready **3** (ruokalaji) dish, food *Mikä on sinun lempiruokasi?* What's your favorite dish/food?

ruokahalu appetite *Hyvää ruokahalua!* Enjoy your meal, bon appetit *kiihottaa ruokahalua* whet your appetite *viedä ruokahalu* ruin your appetite *Minulla ei oikein ole ruokahalua* I'm not really very hungry, I don't have much of an appetite, I'm a bit off my feed

ruokahaluton not hungry; (lääk) inappetent, anorectic

ruokailla eat, dine, sup

ruokaisa filling

ruokakauppa grocery store

ruokala cafeteria

ruokalaji 1 (yhdessä astiassa tarjoiltava) dish **2** (aterian vaihe) course

ruokalista menu

ruokaostokset groceries

ruokapaikka restaurant, place to eat *Meidän vakinainen ruokapaikkamme* Our favorite place to eat

ruokapöytä dinner/dining-room table

ruokasali dining room

ruoka sisältyy hintaan price includes meals

ruokatunti lunch hour

ruokavalio diet

ruokinta feeding

ruokkia feed (myös kuv)

ruokoton 1 (siivoton) unkempt, uncared-for, sloppy, slovenly, scruffy **2** (rivo) dirty,

filthy, smutty *puhua ruokottomia* talk dirty, have a filthy mouth **3** (tavaton) an incredible amount of *sataa ruokottomasti* come down in buckets

ruoska whip, (kuv) lash

ruoskia whip, (kielellä) (give someone a tongue-)lash(ing)

ruoskinta whipping, (tongue-)lashing

ruoste rust

ruosteessa rusty

ruostua (get) rust(y)

ruostumaton rustproof, (teräs) stainless

ruostuttaa corrode

ruotia 1 (kalaa) fillet **2** (asiaa) mull over, pick apart, look into closely

ruoto (fish)bone

ruotoinen bony

ruotsalainen *s* Swede *adj* Swedish

ruotsalaisuus Swedishness

Ruotsi Sweden

ruotsi (kieli) Swedish

ruotsinkielinen Swedish(-language)

ruotsinnos Swedish translation

ruotsinsuomalainen *s* Finnish-Swede *adj* Finnish-Swedish

rupatella chat, gab, yak, shoot the breeze /bull

rupeama 1 (työrupeama) work period **2** (tovi) spell *yhteen rupeamaan* at a single stretch

rupi scab

rupinen scabby

rupla rouble

rusetti bow; (solmuke) bowtie

rusina raisin

ruskea brown; (ruskettunut) tan(ned)

ruskettaa tan

ruskettua (get) tan(ned)

rusketus tan(ning)

ruskistaa brown

ruskistua browning

rusto 1 (elävänä) cartilage **2** (syötävänä) gristle

rutiini routine; (taito) skill *Se rullaa häneltä jo rutiinilla* He can do it without thinking now

rutinoitua become (a) routine, fall into a routine/rut

rutistaa squeeze, (halata) hug, (paperi) crumple (up)

rutkasti lots/piles/heaps of

rutosti lots/piles/heaps of

rutto the plague *karttaa jotakuta kuin ruttoa* avoid someone like the plague

rutussa crumpled (up)

ruuanlaitto cooking

ruuansulatus digestion

ruuansulatuselimistö digestive tract

ruudinkeksijä *ei mikään ruudinkeksijä* no Einstein

ruudullinen (vaate) plaid, checkered *ruudullinen paperi* graph paper

ruuhka 1 (ruuhka-aika) rush-hour; (liikenneruuhka) traffic jam, rush-hour traffic **2** (työruuhka) backlog

ruuhkaliikenne rush-hour traffic

ruuhkautua (liikenne) jam up; (työ) back/pile up

ruukku pot

ruukkukasvi potted plant

ruumiillinen bodily, corpor(e)al, physical *ruumiillinen rangaistus* corporal punishment *ruumiillinen työ* manual labor

ruumiillisesti physically

ruumiillistua be incarnated (as)

ruumiillistuma incarnation, embodiment

ruumiinavaus autopsy

ruumiinlämpö body temperature

ruumis (elävä tai kuollut) body, (kuollut) corpse, carcass, cadaver *Vain minun kuolleen ruumiini yli* Over my dead body

ruumisarkku coffin, casket

ruumishuone morgue

ruusu rose *saada ruusuja ja risuja* get feathers in your cap and black eyes *Elämä ei ole ruusuilla tanssimista* Life isn't a bed of roses

ruusuinen rosy *nähdä tulevaisuutta ruusuisena* look at the future through rose-colored glasses

ruusukimppu bouquet of roses

ruusunmarja rose hip

ruusunpunainen rose-red, red as roses

ruuti gunpowder

ruutu 1 (neliö) square, (lomakkeessa) box *Pane rasti ruutuun jossa* Check the box that **2** (TV:n) screen **3** (korteissa) diamond **4** (vaatteen) check

ruuvata screw

ruuvi screw *Hänellä taitaa olla ruuvi löysällä* I think he's got a screw loose

ruuvimeisseli screwdriver

ruveta 1 start (doing), begin (to do) *ruveta harrastamaan uintia* take up swimming **2** (joksikin) become *ruveta opettajaksi* become a teacher

ryhdikkyys uprightness, erectness, dignity

ryhdikkäästi with dignity

ryhdikäs upright (myös kuv), erect

ryhdistäytyä pull yourself together, get ahold of yourself

ryhmitellä group, classify, categorize, organize by group

ryhmittely grouping, classification, categorization

ryhmittyminen grouping, lane-changing

ryhmittymä group; (pol) coalition, (valtiotasolla) bloc; (liike-elämässä) syndicate, consortium; cartel

ryhmittyä 1 (form a) group, form groups, gather (together) **2** (liikenteessä) change lanes *ryhmittyä vasemmalle* get in the left lane

ryhmittäin by group

ryhmittää group, classify, categorize, organize by group

ryhmitys group(ing)

ryhmä 1 group; (ark) bunch **2** (poliisin) division, department **3** (sot) squad

ryhmäjako classification

ryhmäkeskustelu group discussion

ryhmätyö group work

ryhti posture, bearing, carriage; (kuv) backbone

ryhtyminen starting, becoming *asiaan ryhtyminen* getting down to business, digging in

ryhtyä 1 start (doing), begin (to do) *ryhtyä harrastamaan uintia* take up swimming **2** (joksikin) become *ryhtyä opettajaksi* become a teacher

rykelmä group, cluster

rykiä clear your throat

rynnistys (urh) sprint; (sot) charge, attack

rynnistää rush, dash; (urh) sprint

rynnäkkö charge, attack

rynnätä 1 rush, dash, charge (in/out) **2** (sot) charge, attack

ryntäys rush, charge; (pankkiin) run (on)

rypeä wallow (in)

rypistyä get wrinkled/crumpled (up)

rypistää wrinkle, (rutata) crumple *rypistää otsansa* wrinkle your forehead, knit your brow(s)

ryppy wrinkle; (otsassa) furrow; (ihossa) line, (silmien ympärillä) crows' feet *olla rypyssä* be wrinkled/creased *otsa rypyssä* knit-browed

ryppyillä make trouble, be a nuisance; (sanoa vastaan) talk back, give (someone) lip

ryppyily trouble-making, hassle; backtalk, lip

ryppyinen wrinkled

rypäle 1 (terttu) bunch **2** (viinirypäle) grape

rypälemehu grape juice

ryskyttää pound/bang (on), rattle

ryskyä crash

ryssä (halv) Russkie

rysyset knuckles

rysä 1 fyke (net) **2** (ark: poliisin speed trap **3** *tavata rysän päältä* catch (someone) red-handed, in the act

rysähdys crash *yhdessä rysähdyksessä* in one fell swoop

rysähtää crash, bang

rytinä crash, clatter

rytmi rhythm

rytmikäs rhythmic

rytmitaju sense of rhythm

rytäkkä scuffle, tussle, scrap

ryyppiskellä booze, tipple

ryyppiä booze, tipple

ryyppy 1 (alkoholia) drink, shot, swig, pull **2** (auton) choke

ryyppätä drink, booze *ratketa ryyppäämään* hit the bottle, go on a drinking spree, go off on a drunken binge *ryypätä rahat* blow your money on booze

ryystää slurp

ryysy rag, tatter

ryysyinen ragged, tattered

ryökäle *Senkin ryökäle!* You son of a bitch!

ryömiä crawl, creep (along)

ryöppy flood, torrent, storm

ryöstäytyä (irti) get/break away *ryöstäytyä käsistä* get out of hand

ryöstää 1 rob, (ark) knock over (a bank); (talo) burglarize; (ja mukiloida) mug, (ark) roll; (kääntää taskut) pick (someone's) pocket; (tavaraa) steal **2** (kidnapata) kidnap, abduct **3** (ja hävittää) plunder, loot

ryöstö robbery, burglary, mugging, theft, kidnapping, abduction, plunder, looting; (ark) caper, job (ks ryöstää)

ryöväri robber, thief, highwayman, bandit

ryövätä rob, thieve

rähinä 1 (melu) racket, commotion **2** (tappelu) scuffle, tussle, scrap **3** (huutelu) yelling, shouting, (verbal) abuse

rähinöidä fight, brawl, scrap, bust up the place

rähinöinti fighting, brawling, scrapping; (lak) being drunk and disorderly, D and D

rähinöitsijä scrapper

rähistä 1 (huutaa) yell/shout (at), abuse, tell (someone) off, give (someone) a piece of your mind **2** (meluta) make a racket/commotion **3** (tapella) fight, brawl, scrap

rähjätä 1 (kituuttaa) plug along, (nyhjätä) (sl) muck/fart/fuck around **2** (liata) beat /scruff up, get (something) all dirty/grungy **3** (huudella) yell/shout (at), abuse, tell (someone) off, give (someone) a dirty/grungy look **4** (puhua) plug along, (nyhjätä) (sl) muck/fart/fuck around

rähjääntyä get beat up, fall apart, fall into disrepair, get dirty and scruffy

rähmällään flat on your face, propped up on your elbows, on your hands and knees *kaatua rähmälleen* fall flat on your face

rähäkkä 1 (melu) racket, commotion **2** (tappelu) scuffle, tussle, scrap

räikeys garishness, flagrancy, obviousness

räikeä 1 (silmäänpistävä väri) garish, glaring **2** (silmäänpistävä rikos) glaring, blatant, flagrant **3** (silmäänpistävä muu) obvious, clear, patent *räikeä ero* patent difference **4** (vihlova ääni) grating, rasping, jangling, jarring, harsh

räiske 1 (äänen) crackle/crackling, thundering, crash(ing) **2** (valon) twinkle/twinkling, sparkle/sparkling, flash(ing)

räiskiä splash, spatter

räiskyä 1 (ääni) crackle, thunder, crash, boom **2** (tuli) spark, pop, snap **3** (valo) flash, twinkle, sparkle **4** (into) sparkle, flash, bubble (over with) **5** (vesi) splash, (kuuma rasva) spatter

räiskähtää 1 (mennä rikki) crack, splinter, crash, shatter **2** (räjähtää) explode, blow up **3** (välähtää) flash **4** (roiskahtaa) splash

räiskäle pancake, (US ark) flapjack

räjähde explosive

räjähdellä go off

räjähdys explosion, blast; (pommin räjäyttäminen) detonation

räjahdysaine explosive

räjähtää (myös suuttumisesta) explode, (ark) blow up)

räjäyttää explode, (ark) blow up; (pommi) detonate; (kallio) dynamite, blast

räjäytys explosion, detonation, blasting

räkä snot

räkäkännissä stewed to the gills

räkänokka snotnose, snotty brat

rämäkkä jangling *rämäkkä nauru* loud boisterous laugh, guffaw

rämäpäinen hotheaded

rämäpää hothead, daredevil, speed demon

ränsistyneisyys dilapidation

ränsistynyt dilapidated, ramshackle, run-down

ränsistyä dilapidate, fall into disrepair, run down

räntä sleet *sataa räntää* sleet

räntäsade sleetstorm

räpylä 1 (ankan) web **2** (uimaräpylä) flipper **3** (pesäpalloräpylä) mitt **4** (leik: käsi) mitt, paw

räpytellä (silmiä) blink; (ripsiä) batt; (siipiä) flap, flutter

räpäyttää blink *silmää räpäyttämättä* without blinking an eye, without batting an eye(lash)

rästi 1 (maksu) arrears *rästiin jääneet maksut* payments in arrears **2** (työ) backlog *rästiin jääneet työt* backed-up work, a backlog of work/chores **3** (tentti) make-up (exam/test)

räsy rag

räsähtää crack(le), snap

rätistä sizzle, crackle

rätti rag

rävähtää burst *rävähtää nauramaan* burst out laughing

räväyttää 1 (up and) do something suddenly /quickly/abruptly *myydä räväyttää talo* up and sell the house **2** (sanoa totuus) hurl the truth in someone's face

räväyttää ovi auki throw open the door

rääkkyä croak, (varis) caw

rääkkäys mistreatment, torment, cruelty, torture

rääkyä squall, squeal, howl, (lintu) screech

rääkätä 1 (eläintä) mistreat, torment, be cruel to **2** (ihmistä: kiduttaa) torture, (henkisesti) torment; (huolestuttaa) worry **3** (kieltä) mangle, fracture, murder

rääppiäiset day-after party, a party/dinner /coffee where you eat leftovers from the big party/dinner the day before

rääsy rag *olla rääsyissä* be dressed in rags, wear rags

rääsyläinen tailor

räätälintyö *räätälintyönä tehty* tailor /custom-made

räätälöidä tailor

räävätsuinen foul-mouthed, coarse

räävätsuu sewermouth

röhönauru guffaw

rökittää 1 (piestä) beat (someone) up, tan (someone's) hide, (sl) beat the shit out of (someone) **2** (antaa selkään) spank, lay into (someone), warm (someone's) backside, thrash/whip (someone)

rökitys beating, tanning, spanking, thrashing, whipping

rönsy 1 (köynnös) runner **2** (liikasanaisuus) unnecessary word(iness), digression

rönsyillä 1 (kasvi) produce runners **2** (romaani) wander, meander; (artikkeli tms) digress

rönsyily wandering, meandering, digressing

röntgenkuvaus X-ray

rötös offense, infraction, irregularity; (mon) corruption

rötösherra corrupt official

rötöstellä give/take bribes/kickbacks/pay-offs/payola

rötöstely bribery; (government) graft/corruption

röyhelö frill, ruffle

röyhelöinen frilly, ruffled

röyhkeillä be insolent/insulting/impudent, insult (someone), presume (on someone), brazen it out

röyhkeily insolence, impudence, cheekiness

röyhkeys insolence, impudence, cheekiness

röyhkeä insolent, insulting, impudent, brazen; (ark) cheeky

röyhtäistä burp, belch

röyhtäisy burp, belch

röykkiö pile, heap

S,s

saada *pää* **1** get, receive, obtain, attain, acquire *Saanko tämän omakseni* Can I have/keep this? (ks myös hakusanat) **2** (joltakulta seksiä) (sl) get laid, get a piece of ass, get something **3** (suostuttaa, pakottaa) get, make, force, bring **4** (pystyä) be able to, manage to *Sain sen tehdyksi* I got it done, I did it, I managed to complete/finish it *apuv* **5** (saada lupa) may, can, be allowed to *Saanko lähteä?* May/can I go (now)? **6** (saada tehdä) have to, be made to *Sain kysyä sitä häneltä lähes päivittäin* I practically had to ask him daily **7** (pitäisi) should, ought to *Saisit hävetä!* You should be ashamed of yourself! *Se saisi olla hiukan isompi* It probably ought to be a little bigger

saada aikaan achieve, attain, bring about

saada alkunsa start, originate

saada anteeksi be forgiven

saada arvostelua be criticized/attacked

saada ehdot have to go to summer school to make up a subject you failed

saada elantonsa make a living (at something, by doing something), earn your livelihood (at something, by doing something)

saada elinkautinen get life

saada harmaita hiuksia get gray hairs *Saan sinulta harmaita hiuksia!* You're giving me gray hairs!

saada hepuli 1 (vihastua) have a cow **2** (naurautaa) throw a fit

saada ihmeitä aikaan perform miracles

saada jalansija take hold, get a good foothold

saada jalka oven rakoon get your foot in the door

saada kenkää get the boot

saada keppiä get the stick, get caned

saada kiinni catch (up to)

saada kiitosta get praised

saada kosketus johonkin get a feel for something

saada kunnia receive an honor; (tehdä jotakin) have the honor of (doing something)

saada kuulla hear

saada kuulla kunniansa get chewed out

saada kyllikseen have enough (of), get sick (of)

saada kylmää vettä niskaansa have your parade rained on

saada kynsiinsä get your hands on, get (someone) in your clutches

saada käsitys get/be under/have the sense /impression *Sain hänestä aika hyvän käsityksen* (hän teki minuun hyvän vaikutelman) He seemed all right to me, he made a good impression on me; (sain hyvät tiedot hänestä) I got a pretty good sense of him, I found out a lot about him

saada lapsi have a baby

saada lupa receive/be granted permission *Saat luvan totella* You do what I say *Saanko luvan?* (tanssia) May have this dance?

saada lähtöpassit get/be sent packing, be given your walking papers

saada maksaa jostakin have to pay for something (myös kuv)

saada maksu jostakin get paid for something

saada mieleensä remember, recall

saada neniinsä get beat up

saada nuhteita get scolded/yelled at/chewed out

saada nukutuksi manage to sleep

saada näkyviinsä see, lay (your) eyes on; (erottaa) make out, discern

saada näpeilleen take it in the shorts

saada odottaa have to wait, be kept waiting

saada olla rauhassa get left alone, get to be in peace, find some peace and quiet

saada opetus learn a/your lesson

saada osakseen get, receive

saada perintö inherit money, receive an inheritance

saada piiskaa get a thrashing/whipping

saada potkut get fired/canned, get the boot

saada päähänpisto get the/an impulse (to do something), take it in your head/mind (to do something)

saada päähänsä occur to you

saada päätökseen finish/wrap up, complete

saada raivoihinsa make you mad, drive you up the wall/around the bend, make you see red, infuriate

saada rauha sielulleen get peace of mind

saada rikki manage to break

saada rintaa be nursed/breast-fed

saada rohkeutta find the courage (to do something), screw up your courage

saada rukkaset get rejected, get turned down (flat)

saada sakkoa get fined

saada sanotuksi manage to say, get/spit it out, cough it up

saada selville find out, learn, unearth, uncover

saada selvää find out (about), clarify, clear (something) up

saada surmansa be killed/slain, (leik) meet your maker

saada syyte jostakin be charged with something, be accused of something

saada sätky 1 (säikähtää) start, be starled /scared **2** (vihastua) make a fit

saada tahtonsa läpi get/have your way

saada takkiin(sa) get taken to the cleaner's, get your clock cleaned, take it in the shorts

saada tarpeekseen have enough (of something), get your fill (of something)

saada tehtäväksee get assigned (to do something, a task)

saada tietoonsa find out

saada tolkkua make sense (of)

saada tuntea omissa nahoissaan (have to) taste a little of your own medicine

saada turpiinsa get a poke in the jaw, get smacked in the face

saada tuulta purjeisiin get a fresh wind, find new strength

saada täysosuma hit the bull's eye

saada unen päästä kiinni fall asleep

saada valmiiksi finish, complete

saada valtaansa get (someone) in your power

saada vankeutta get sentenced to jail

saada vastarakkautta be loved (in return)

saada vatsansa läyleen fill your stomach /belly, eat your fill

saada vauhtia pick up speed

saada vettä myllyynsä feel encouraged, take heart

saada vihamiehiä make enemies

saada vihiä hear a rumor (that); (poliisi) get a tip, an anonymous phone call, (that)

saada voimaa find the strength (to do something)

saada yhteys get through (to), make contact (with)

saada ympäri korviaan get boxed on the ears, (kuv) get trounced

saada ystäviä make friends

saada äänensä kuuluville be heard

saaja recipient; (kirjeen) addressee, (vakuu-tuksen) beneficiary, (palkinnon) winner, (lähetyksen) consignee

saakeli damn (it)

saakelinmoinen a hell of a

saakka 1 (paikkaan) (all the way) to, through *kotiin saakka* all the way home **2** (aikaan) until, till, through *tähän saakka* thus far, until now *viime aikoihin saakka* until recently **3** (paikasta) (all the way) from *tulla Japanista saakka* come all the way from Japan **4** (ajasta) since *alusta saakka* since the start/beginning

saalis 1 (eläimen) prey (myös kuv) *joutua petkuttajan saaliiksi* fall prey to a con-man **2** (kalasaalis) catch, haul **3** (ryöstösaalis) haul, loot, booty

saalistaa prey upon (myös kuv), stalk

saalistaja predator, stalker

saalistus rapacity, (highway) robbery

saamaton lazy, slothful, indolent, unproductive

saamattomuus laziness, sloth, indolence

saame Sami

saamenkielinen Sami

saaminen (liik) claim; (mon) debts, money owed

saanen (if) I might, may I

saanti **1** (saaminen, tarjonta) supply **2** (tietok) access **3** (liik) receipt

saa nähdä we'll see

saapas boot *tyhmä kuin saapas* dumb as an ox

saapastella tramp, trudge, mosey

saapua arrive, come, appear, reach (your/its) destination; (ark) show (up), make it

saapua asemalle pull into the station

saapua maahan enter a country

saapua paikalle appear, show/turn up

saapuminen arrival, appearance

saapuvilla present

saari island

saaristo archipelago, islands

saaristolainen islander

saarna sermon; (vanhemman lapselle) lecture, scolding

saarnaaja preacher

saarnata 1 preach **2** (vanhempi lapselle) lecture, scold

saarrostaa encircle, surround

saartaa surround, encircle, hem in; (satamaa) blockade, (kaupunkia) besiege

saarto 1 (sataman) blockade **2** (kapungin) siege **3** (yhtiön, tuotteen) boycott

saasta filth, dirt *Senkin saasta!* You piece of shit!

saastainen filthy, dirty; (raam) unclean *Senkin saastainen juoppo!* You filthy drunk!

saaste pollution, (aine) pollutant

saasteeton unpolluted

saasteinen polluted

saastua be(come) polluted

saastuminen pollution

saastuttaa pollute

saatana *s* Satan, the devil *interj* goddammit

saatanallinen satanic

saatananmoinen goddamned, helluva

saatava claim, balance due, amount owed; (mon) receivables

saatavilla available, accessible

saatavuus availability, access (to)

saati (sitten) 1 (puhumattakaan) not to mention, to say nothing of, let alone **2** (vielä vähemmän) much less

saattaa *pää* **1** (saatella) see, usher, accompany, escort *Tulisitko saattamaan minua?* Could you come see me off? *saattaa junalle* take/see (someone) to the train **2** (viedä) bring, drive *saattaa kaksi ihmistä yhteen* bring two people together *apuv* can, may *Saatan lähteäkin* I may well go at that *Kuinka saatoit!* How could you!

saattaa alkuun get (something) started, start up, set (something) in motion

saattaa epätoivoon drive (someone) to despair

saattaa huonoon huutoon make (someone) look bad

saattaa hämmästyksiin amaze, astound, astonish

saattaa häpeään put (someone) to shame

saattaa julki (julkaista) publish, (julkistaa) publicize, (vuotaa) leak (to the press)

saattaa järjiltään drive (someone) crazy (myös suututtamisesta)

saattaa järkiinsä make (someone) see reason

saattaa kiusaukseen tempt *Äläkä saata meitä kiusaukseen* And lead us not into temptation

saattaa matkaan cause, bring about, set in motion, start, instigate

saattaa noloon asemaan place/put (someone) in a difficult/awkward/embarrassing situation/position

saattaa oikealle tolalle put things in order, return things to normalcy

saattaa pulaan get (someone) in trouble, put (someone) in a difficult spot

saattaa päivänvaloon bring (something) into the light of day, reveal
saattaa päätökseen finish/wrap up, complete,
saattaa suunniltaan drive (someone) wild
saattaa syytteeseen press charges against (someone), bring (someone) up on charges
saattaa tiedoksi inform (someone of something), bring (something) to (someone's) notice
saattaa turmioon corrupt (someone), lead (someone) astray
saattaa vaaraan endanger, jeopardize, place (someone) in danger/jeopardy
saattaa vararikkoon bankrupt, ruin
saattaa ymmälle puzzle, baffle, bewilder, dumbfound
saattaja escort; (seuralainen) companion, date
saatto procession *vuosien saatossa* over the years, as the years go by, in the course of years
saattoväki mourners
saattue (mer) convoy, (poliisin) escort
saavi tub, (lähin vastine) plastic trash can *sataa kuin saavista kaataen* (be) coming down in buckets
saavuttaa 1 (saapua jonnekin) reach, arrive at, come to **2** (saada kiinni) catch (up to), overtake, pass (someone up) **3** (saada aikaan) achieve, attain, reach, gain, accomplish *Et saavuta sillä yhtään mitään* That's not going to do you one bit of good *Se saavutti suuren suosion* It was a smash hit, it was very big, it made a big splash
saavuttaa huippunsa (reach its/your) peak
saavuttaa hyviä tuloksia get/obtain good results
saavuttaa jonkun kunnioitus win/gain (someone's) respect
saavuttaa jonkun luottamus win/gain (someone's) confidence
saavuttaa jonkun rakkaus win (someone's) love
saavuttaa kuuluisuutta achieve fame, become famous
saavuttaa mainetta make a reputation/name for yourself

saavuttaa myötätuntoa win/gain (people's) sympathy
saavuttaa valtaa rise to power, assume power
saavuttamaton unattainable, unachievable
saavutus attainment, achievement, accomplishment
sabotaasi sabotage
sabotoida sabotage
sabotööri saboteur
sadannes one-hundredth
sadas hundredth
sadasosa one-hundredth
sadasti a/one hundred times
sadastuhannes hundred-thousandth
sadatella curse
sade rain; (sadanta) rainfall, precipitation *hapan sade* acid rain *sateella* in the rain *liukas sateella* slippery when wet
sadeaiko rainy season
sadekuuro (rain) shower
sademetsä rain forest
sadepilvi rain cloud
sadetakki raincoat, slicker
sadettaa water (with a sprinkler), run a sprinkler, (letkulla) water
sadin trap *satimessa* trapped, caught
sadoittain in/by the hundreds
sadonkorjuu harvest
sadunomainen fabulous
saeta thicken
saha 1 (työkalu) saw **2** (tehdas) sawmill, lumber yard
sahaamo sawmill, lumber mill
sahanpuru sawdust
sahanterä saw blade
sahapukki sawhorse
sahata saw (up/at)
sahata linssiin pull a fast one (on someone)
sahata omaa oksaansa saw off the branch you're sitting on
sahata silmään pull the wool over (someone's) eyes
sahatavara lumber
sahaus sawing
sahti home-brew(ed) ale
saippua (yl) soap; (saippuapala) bar of soap
saippuakupla soap bubble

saippuoida soap, lather (yourself/someone) up

sairaala hospital *joutua sairaalaan* be taken to (the) hospital *olla sairaalassa* be in (the) hospital

sairaalloinen sick(ly), pathological *sairaalloinen mielikuvitus* sick/warped mind

sairaanhoidollinen medical

sairaanhoitaja nurse

sairaanhoito nursing

sairas s patient, sick person *adj* 1 sick (myös henkisesti ja kuv), ill, (elin) diseased *sairaana* sick (in bed) *ilmoittautua sairaaksi* (työhön) call in sick, (sot) report to sick bay *Oletko sairas?* Are you feeling all right? (oletko mielipuoli) Are you out of your mind? *Olet vähän sairaan näköinen* You're not looking very good, you're looking a little peaked/pale *Taidan olla tulossa sairaaksi* I think I'm coming down with something 2 (epäterveellinen) unhealthy

sairasauto ambulance

sairasmielinen mentally ill, psychotic; (ark) sick (in the head)

sairastaa (tautia) have (a disease), be sick (in bed with)

sairastua get sick; (johonkin) come down (with something), catch (something)

sairasvuode sickbed

sairaus sickness, illness, ailment, disease; (lääk) disorder

saita stingy, miserly, tight

saituri miser

saituus stinginess, miserliness

saivarrella split hairs

saivarteleva nitpicking

saivartelu hair-splitting, nitpicking

sakea thick *Veri on vettä sakeampaa* Blood is thicker than water

sakeus thickness, (kem) consistency

sakeuttaa thicken

sakeutua thicken

sakka sediment, (kahvin) grounds; (mon) dregs

sakkainen thick, feculent

sakki gang, crowd, bunch *koko sakki* the whole gang

šakki chess

šakkilauta chessboard

šakkinappula chesspiece

sakko fine

sakkolappu ticket

sakottaa fine, (poliisi) give (someone) a ticket; (opettaja virheistä) take points off (for)

sakramentti sacrament

saksa (kieli) German

Saksa Germany

saksalainen s, *adj* German

saksankielinen German(-language), (something) in German

saksannos German translation

saksantaa translate (something) into German

sakset 1 scissors, (puutarhasakset) (garden) shears 2 (painissa) scissor grip

saksia 1 cut, clip, snip, trim 2 (hiihdossa) herringbone 3 (tietok) cut and paste

saksimainen scissor-like

saksofoni saxophone, (ark) sax

saksofonisti saxophonist, (ark) sax player

sala secret *Nyt tuli salat julki* Now your secrets are out!

salaa 1 (salassa) in secret, on the sly, clandestinely *juoda salaa* be a closet drinker 2 (salailevasti) covertly, furtively, surreptitiously *katsoa jotakuta salaa* sneak a covert/furtive/surreptitious look/peek /glance at someone

salaatinkastike salad dressing

salaatti 1 (kasvi) lettuce 2 (ruoka) salad

salailla hide, conceal, keep (something a) secret

salainen secret, clandestine, concealed; (erittäin) classified, top secret, confidential *salainen puhelinnumero* unlisted number

salaisuus secret *paljastaa jollekulle salaisuus* let someone in on the secret

salajuoni plot, conspiracy

salajuoppo closet drinker/lush

salakauppa 1 (kaupankäynti) illegal trade, (huumeiden) drug trade, (alkoholin) bootlegging 2 (yksittäinen) illegal transaction, (huumeiden) drug deal

salakauppias (huumeiden) drug/dope dealer, pusher, (alkoholin) bootlegger, (aseiden) arms merchant, (varastettujen tavaroiden) fence

salakavala 1 (ihmisen) treacherous, deceitful, devious; (juonitteleva) sly **2** (häkä, musta jää tms) treacherous, dangerous, hazardous

salakavaluus treachery, deceit, deviousness; (hidden) danger (ks salakavala)

salakieli code *kääntää salakielelle* encode, encrypt *selvätä salakieli* decode/decipher (a text), break a code

salakirjoitus (kirjoitus) code, cipher; (kirjoittaminen) encryption, enciphering; (menetelmä) cryptography

salakuljettaa smuggle

salakuljettaja smuggler

salakuljetus smuggling

salakuunnella eavesdrop; (mikrofonilla) bug, wiretap

salakuuntelija eavesdropper; (mikrofonilla) bugger, (puhelimen) wiretapper

salakuuntelu eavesdropping; (mikrofonilla) bugging, (puhelimen) tapping (someone's) phone

salakätkö (ihmisen) secret hiding place, (tavaran) secret stash

salakäytävä secret passage(way)

salaliitto conspiracy

salaliittolainen conspirator

salama lightning *kuin salama kirkkaalta taivaalta* (like a (thunder)bolt) out of the blue *kuin salaman lyömänä* (as if) thunderstruck *kuin rasvattu salama* like greased lightning

salamanisku a bolt/stroke of lightning

salamannopea quick as a flash

salamatkustaja stowaway

salamavalo flash

salamoida lighten, flash *Ukkosti ja salamoi koko iltapäivän* It thundered and lightened all afternoon *Hänen silmänsä salamoivat* Her eyes were blazing, flashed fire

salamurha assassination, (ark) hit

salamurhaaja assassin, hired killer, (ark) hit(wo)man

salanimi assumed name; (kirjailijan) pen name, pseudonym; (näyttelijän) stage name

salaperäinen mysterious, secretive

salaperäisyys (ihmisen) mysteriousness, secretiveness; (asian) mystery, secrecy

salapoliisi detective

salapoliisiromaani detective novel, mystery (novel)

salasana password

salaseura secret society

salassa in secret *pitää salassa* keep (something) secret, conceal *pitää joltakulta salassa* keep someone in the dark (about something), keep (something) from someone *pidettävä salassa* (strictly) confidential

salassapitovelvollisuus vow of secrecy /silence/confidentiality

salata hide, conceal, keep (something) secret, cover (something) up *Hän ei salannut sitä että hän on lähdössä* He made no secret of the fact that he was leaving, he made no bones about his upcoming departure

saldo balance

sali hall; (olohuone) living room

salkku briefcase, (attaché) case; (ministerin) portfolio

salko pole *vetää lippu salkoon* raise the flag /colors

sallia allow, let, permit, give(someone) permission (to do something) *Sallikaa minun kantaa matkalaukkuanne* Please, allow me to carry your suitcase; (ark) here, let me get that for you *jos sää sallii* weather permitting

sallimus providence, (kohtalo) fate, destiny

salmi sound, strait

salo backwoods, woodland, wilderness

salonki salon

salonkikelpoinen presentable

salpa bolt, bar, (lukon) latch

salpautua 1 (tekn) freeze, stick, jam **2** (liikenne) jam, (hengitys) be blocked

salvadorilainen *s, adj* Salvadorean

salvata bolt, bar, latch

sama same *tuo on sama mies* that's the same one/man *samana vuonna* the same year *sama koskee sinuakin* the same goes for you, this includes you *Sitä samaa sinulle-*

kin! The same to you! *samaan menoon* all at once, without stopping *samaa päätä* immediately, straight off *mennä samaa kyytiä* (ride/drive/walk) together *samalla kun* while *Toisitko minulle juotavaa samalla kun haet kirjan?* While you're getting your book, could you bring me something to drink?

samaan aikaan at the same time, simultaneously, concurrently, meanwhile *sattua samaan aikaan kun* coincide with

samaan hengenvetoon in the same breath

samaan hintaan 1 for the same price **2** (kaupan päälle) into the bargain

samainen the (very) same

sama kuin heittäisi rahaa kaivoon it's like throwing money down a hole, like flushing money down the toilet

samalla kertaa 1 (matkalla) at a/one time, on the same trip **2** (samalla) at the same time, meanwhile

samalla tavalla similarly, in the same way, alike

samalta istumalta in one sitting *Voin tarkistaa asian tältä samalta istumalta* I can check it for you right now

sama missä no matter where, wherever

samanaikainen simultaneous, concurrent

samanaikaisesti 1 (saman ajan) contemporary, contemporaneous **2** simultaneously, concurrently *sattua samanaikaisesti (kuin)* coincide (with)

samanaikaistaa synchronize *samanaikaistaa kellot* synchronize your watches

samanaikaisuus 1 (saman ajan) contemporaneity **2** (samaan aikaan) simultaneity, concurrence

samanarvoinen (of) equal (value), equivalent (to)

samanhenkinen kindred, like-minded *Onneksi naapurimme ovat samanhenkistä väkeä* Fortunately our neighbors are people like us, are kindred spirits

samanhetkinen simultaneous (with)

sama niin tai näin it's all the same (to me), it doesn't matter which way you do it

samankaltainen s peer *adj* the same age (as)

samankaltainen 1 (kun) similar to, like, the same kind (as) **2** (predikaattina) similar, alike *He ovat hyvin samankaltaiset* They're very similar, very much alike

samankaltaisuus similarity, likeness

samankokoinen same-size, the same size

samanlainen 1 (kuin) similar to, like, the same kind (as) *Se on samanlainen kuin muut* It's just like the rest **2** (predikaattina) similar, alike *He ovat hyvin samanlaiset* They're very, very much alike

samanlaisuus similarity, likeness

samanmerkkinen the same brand/kind/make (as)

samanniminen of the same name

samannäköinen similar-looking *Et näytä enää ollenkaan samannäköiseltä* You don't look at all the same

samanpäiväinen (something) made/done on that day, on the same day *samanpäiväistä leipää* fresh(-baked) bread

samansuuruinen same-size, of/in the same amount

samantapainen similar, of the same sort

samantekevä all the same *Se on minulle täysin samantekevää* It's all the same to me, it's a matter of total indifference to me

saman tien 1 (samassa yhteydessä) while we're at it **2** (heti) right/straight away, immediately **3** (mukana) along with it *Kun poltin roskat meni kuitti saman tien* I managed to burn the receipt along with the trash

saman verran the same amount, as much *saman verran lisää* as much more

samapa se oh well, what the hell, what difference does it make, same difference

samastaa associate, link, (sekoittaa) confuse

samasta työstä sama palkka equal pay for equal work

samastua identify (with)

samat sanat! same to you! (sama täällä) same here!

Sambia Zambia

sambialainen s, adj Zambian

samea 1 (vesi) cloudy, muddy, brown *kalastaa sameassa vedessä* fish in troubled waters, put troubled times to work **2** (katse) blurry, (silmät) bleary **3** (ajatukset) dim, dull

samentaa cloud, muddy (up), blur, dim, dull (ks samea)

samentua cloud up, become muddy, blur, dim, become dull (ks samea)

sametti velvet *vakosametti* corduroy

sameus cloudiness, muddiness, blurriness, bleariness, dimness, dullness (ks samea)

sammakko 1 (eläin) frog *uida sammakkoa* do the breaststroke **2** (virhe) blooper

sammal moss

sammaleinen mossy

sammaloitua become mossy *Vierivä kivi ei sammaloidu* A rolling stone gathers no moss

sammaltaa 1 (puhua epäselvästi) slur your speech/words, speak thickly **2** (lespata) lisp **3** (tilkitä) stuff (the cracks of a log house) with moss

sammua 1 (valo) go out/off **2** (tuli) go out, die (down) **3** (jano) be quenched **4** (tunne) die, fade/melt away, diminish **5** (ark: nukahtaa) crash, conk out; (känniin) pass out

sammuksissa 1 (tuli) out, extinguished *puhaltaa kynttilä sammuksiin* blow out a candle **2** (ihminen) crashed, conked/passed out

sammumaton inextinguishable, insatiable, unquenchable

sammutin fire extinguisher

sammuttaa 1 (tuli) extinguish, put/stamp out **2** (valo, TV tms) turn/switch off

sammutus extinguishing, fire-fighting

sammutustyö fire-fighting

samoin similarly, in the same way; (samaten) likewise, (ark) ditto *tehdä samoin* do the same thing, do likewise *Kiitos samoin* Thanks, (the) same to you

samoin kuin 1 (kuten) like, as *tehdä samoin kuin kaikki muut* do what everybody else does **2** (sekä) as well as *yliopiston väki samoin kuin kaupunkilaiset* the university people as well as the locals

sampoo shampoo

samppanja champagne

sana word *laulun sanat* the lyrics of a song *jättää sana* leave word, leave a message *julistaa Jumalan sanaa* preach the Word of God *Eikö sana kuulu?* Didn't you hear me? *Hän ei sanonut siitä halaistua sanaa* I couldn't get a word out of him about that, he wouldn't say a thing *sanaakaan sanomatta* without a word *panna sanoja jonkun suuhun* put words in someone's mouth *viedä sanat suusta* take the words right out of someone's mouth *syödä sanansa* go back on your word, break a promise *Sanasta miestä, sarvesta härkää* A man is as good as his word *sanalla sanoen* in a word *ryhtyä sanoista tekoihin* stop talking about it and do it

sanaharkka argument *joutua sanaharkkaan jonkun kanssa* have words with someone

sanakirja dictionary

sanallinen verbal

sanaluokka part of speech

sananlasku saying, proverb

sananparsi saying, proverb, manner of speaking

sanastaa record, transcribe

sanasta sanaan word for word; (sanatarkasti: toistaa) verbatim, (kääntää) literally

sanasto 1 vocabulary, lexicon, glossary **2** (terminologia) terminology, nomenclature

sanastus recording, transcription

sanaton speechless

saneerata 1 (rakennus) renovate, remodel, restore **2** (yhtiö) reorganize, (ark) shake down

saneeraus 1 (rakennuksen) renovation, remodeling, restoration **2** (yhtiön) reorganization, (ark) shakedown

sanella dictate (to)

sanelu dictation

sangen very, extremely, most

sanka (kattilan, sangon) handle; (silmälasien) earpiece, temple

sankari hero *syntymäpäiväsankari* the birthday boy/girl

sankarillinen heroic

sankaritar heroine

sankaritarina heroic story

sankka thick *sankoin joukoin* in droves

sanko bucket, pail

sanoa 1 say *Sinäpä sen sanoit!* You said it! You can say that again! *Sano minun perässäni* Repeat after me **2** (lausua) state, express *sanoa mieli piteensä* state/express /give your opinion **3** (kertoa) tell *Sano, oliko se vihreä vai sininen?* Tell me, was it supposed to be green or blue *Älä sano kenellekään!* Don't tell anyone **4** (kutsua) call *Sano vain Nipa* Just call me Nipa **5** (ääntää) pronounce *En osaa sanoa suomalaista r:ää* I can't roll my r's like a Finn

sanoa irti dismiss, let go; (ark) fire, sack *sanoa itsensä irti* resign, (ark) quit

sanoakseni *niin sanoakseni* so to speak *toden sanoakseni* to tell you the truth, as a matter of fact, frankly, honestly

sanoa uudelleen repeat, reiterate

sanoa vastaan (neutraalisti) answer, reply; (uhmaten) talk back

sanoen *toisin sanoen* in other words *suoraan sanoen* frankly, honestly, not to put too fine a point on it *lyhyesti sanoen* in short, to make a long story short, in a nutshell *tarkemmin sanoen* to be precise, more accurately, actually; (toisaalta) on the other hand, come to think of it

sanoma message

sanomalehdistö the press

sanomalehti newspaper

sanomalehtiala journalism

sanomalehtipaperi newsprint

sanomattakin selvää it goes without saying (that)

sano minun sanoneen mark my words

sano mitä sanot say what you like, I don't care what you say

sano muuta you can say that again, you said it

sananta phrase, saying

sano se suomeksi say it in plain English

sano suoraan give it to me straight, don't beat around the bush, don't hem and haw

sanottava 1 (sanominen) something to say *sanoa sanottavansa* say what you have to say, say what's on your mind, say your piece *Eikö sinulla ole mitään sanottavaa?*

Don't you have anything to say (for yourself)? **2** (merkitsevä) appreciable, perceptible, significant *ei sanottavaa merkitystä* no appreciable significance

sanottu *tarkemmin sanottuna* more accurately, actually; (toisaalta) on the other hand, come to think of it *suoraan sanottuna* frankly, honestly, not to put too fine a point on it *kuten sanottu* as I said, as I was saying *niin sanottu* so-called *Hyvin sanottu!* Well said/put! *Se on liikaa sanottu* That's going too far, saying too much *helpommin sanottu kuin tehty* easier said than done *sanottu ja tehty* no sooner said than done

sanoutua irti resign, (ark) quit

santa sand

saota thicken

sapatti Sabbath

sapettaa gall *Että tuo sapettaa* Boy that galls me

sappi 1 (sappirakko) gall bladder **2** (sappineste) bile, (eläimen) gall **3** (kuv) gall *Se saa sappeni kiehumaan* That really galls me, that makes my blood boil

sappikivi gallstone

sappineste bile, (eläimen) gall

sappirakko gall bladder

sarake column

sarana hinge

sarastaa dawn (myös kuv)

sarastus dawn(ing), sunrise, the break of day

sarja 1 (yl, mat, liik, kem, sähkö) series **2** (tapahtumien) chain, sequence, succession **3** (kirjojen, kattiloiden, veisten, työkalujen tms täydellinen) set **4** (sarjakuvasarja) strip **5** (urh) division

sarjakuva comic strip

sarjakuvalehti comic book

sarjakuvasankari comic-strip/-book hero

sarvi 1 horn *ottaa härkää sarvesta* take the bull by the horns **2** (ark: kuhmu) goose egg

sarvikuono rhinoceros

sassiin on the double

sata hundred *ajaa tuhatta ja sataa* go careening down the road

sataa rain; (lunta) snow; (rakeita) hail; (räntää) sleet *Sataa* It's raining (/snowing/hailing/sleeting) *Sataa kaatamalla* It's coming down in buckets, it's pouring, it's raining cats and dogs *satoi tai paistoi* rain or shine

satakertainen hundredfold

satama port, harbor; (kuv) haven *poiketa satamaan* put in at a port

satanen C-note

sataprosenttinen hundred-percent

sataprosenttisesti a hundred percent

satavuotias hundred-year-old, (ihminen) centenarian

satavuotisjuhla centennial (celebration)

sateenkaari rainbow

sateensuoja 1 shelter (from the rain) **2** (ark) umbrella

sateenvarjo umbrella

satelliitti satellite

satelliittiantenni satellite dish

satelliittitelevisio satellite television

satiiri satire

sato harvest, crop

satsi batch, lot

sattua 1 (tapahtua) happen, occur *Missä se sattui?* Where did it happen? *kaikki mitä eteen sattuu* whatever comes along/up *jos hyvin sattuu* if all goes well *miten sattuu* any old (which) way, haphazardly, hit or miss *Satuin näkemään Harrin eilen* I happened/chanced to run into Harri yesterday **2** (osua) hit, strike *Mihin se sattui?* Where did it hit/land? **3** (tehdä kipeää) hurt *Mihin sattuu?* Where does it hurt? *Minuun sattui kun sanoit noin* What you said hurt me

sattua arkaan paikkaan hit a sore spot

sattua erehdys *Minulle sattui pieni erehdys* I made a little mistake

sattua kohdalleen fall into place; (osua) strike home, hit the nail on the head

sattua vastakkain bump/run into each other

sattua yhteen (asiat) coincide; (katseet) meet; (ihmiset) bump/run into each other

sattuma 1 chance, coincidence, happenstance *pelkkä sattuma* pure/sheer coincidence *jättää asia sattuman varaan* leave (something up) to chance **2** (tapahtuma) (fortuitous) event, incident

sattumalta by chance/accident/coincidence, accidentally, coincidentally *Se on minulla*

sattumalta mukana I just happen to have it with/on me, by sheer luck I've got it here

sattuman kaupalla by sheer (good) luck/fortune, as (good) luck would have it

sattumanvarainen random, haphazard

sattuneesta syystä for obvious reasons

sattuva apt, fitting, telling, (sana) well-chosen

satu fairy tale (myös kuv)

satukirja story-book

satula saddle

satumaa story-book/fairy-tale land, wonderland

satumainen fabulous, wonderful

satunnainen random

satuprinsessa fairy-tale princess

satuprinssi fairy-tale prince

satuttaa hurt

saudiarabialainen *s, adj* Saudi Arabian

sauhu smoke

saukko otter

sauma 1 seam *sattua hyvään/huonoon saumaan* come/happen at a good/bad time **2** (tekn) seam, joint

saumaton seamless (myös kuv)

saumattomasti seamlessly

sauna sauna

saunoa take a sauna

saunottaa 1 (pestä) wash (someone) in the sauna **2** (lämmittää) heat up the sauna (for someone)

sauva 1 rod, staff, stick **2** (hiihtosauva) (ski) pole **3** (kainalosauva) crutch **4** (taikasauva) (magic) wand **5** (piispan) crozier

sauvoa pole (myös hiihdossa)

savi clay *Menköön syteen tai saveen* Come hell or high water

saviastia clay pot; (mon) pottery, earthenware

savinen clay, earthen

savitavara earthenware

savolainen *s* person from Savo *adj* pertaining to Savo

savu smoke *Ei savua ilman tulta* Where there's smoke there's fire *haihtua savuna ilmaan* go up in smoke

savuke cigarette

savusauna smoke sauna

savusilakka smoked herring

savustaa smoke *savusta joku ulos* (talosta /virastaan) smoke someone out (of a house /job)

savuta smoke

savuton (ruuti) smokeless; (työpaikka) smoke-free

savuttaa smoke

se *pron* **1** it, (tuo) that *Se on liian iso* (painot-tomana) It's too big, (painollisena) That's too big **2** (ark) he, she *Se on mun systeri* She's my sister *art* the, that *Se on katso se mies* See that's the man I mean *se jokin* the little something

seassa among, in amongst *mennä* (muiden) *sekaan* mingle (with the others) *roskien seassa* in (amongst) the trash

seesteinen 1 (pilvetön) clear, unclouded (myös kuv) **2** (rauhallinen) peaceful, serene, tranquil

seestyä 1 (taivas, tilanne) clear up **2** (ajatus) crystallize, take shape **3** (mieliala) relax, calm (down)

seikka matter, fact(or), detail, thing *se seikka että* (the fact) that

seikkailija adventurer

seikkailla have adventures, wander, explore

seikkailu adventure

seikkailunhalu adventurous spirit

seikkailunhaluinen adventurous, adventure-some

seikkaperäinen detailed

seikkaperäisesti in detail

seilata sail

seimi 1 (raam) manger *seimessä syntynyt* born in a manger **2** (lasten) nursery school

seinusta wall *pankin seinustalla* by the bank

seinä wall *iskeä päätään seinään* bang your head on a brick wall *kuin olisi puhunut seinille* like talking to a brick wall *loppua kuin seinään* dead-end *hyppiä seinille* be climbing the walls

seinähullu out of his/her tree, bonkers, gonzo

seis! stop! halt!

seisaallaan standing *nousta seisaalleen* stand up *seisaaltaan* from a standing position

seisahtua 1 stop, pause **2** (henkisesti) stag-nate

seisaus 1 stop, halt, standstill **2** (työn) stop-page

seisauttaa stop, halt, bring to a standstill

seisoa 1 stand *nousta seisomaan* stand up *niin kauan kuin maailma seisoo* as long as the world exists **2** (olla pysähdyksissä) be at a standstill, be stopped *Kelloni seisoo* My watch has stopped *Järki seisoo* I can't think *panna koneet seisomaan* stop the machines **3** (penis) be erect *Minulla seisoi* I had an erection, (ark) I had a hard-on

seisottaa 1 (antaa seisoa) let (someone/ something) stand (up, in place); (panna seisomaan) make (someone) stand (up, in place), stand (someone) up **2** (pysäyttää) stop, halt

seisova standing, (vesi) stagnant, (ilma) stuffy

seisova pöytä buffet table; (tav syö niin pal-jon kuin haluat -ravintola) smorgasbord

seistä stand (ks seisoa)

seitsemisen around seven

seitsemäinen (the number) seven

seitsemän seven

seitsemänkymmentä seventy

seitsemänsataa seven hundred

seitsemäntoista seventeen

seitsemäntuhatta seven thousand

seitsemänvuotias seven-year-old

seitsemäs seventh

seitsemäskymmenes seventieth

seitsemässadas seven-hundredth

seitsemäs taivas *seitsemännessä taivaassa* in seventh/eleventh heaven

seitsemästoista seventeenth

seitsenkerroksinen seven-floor/-story

seitsenvuotias seven-year-old

seitti (spider-/cob)web

seiväs 1 (urh: heitettävä) javelin, (hypättävä) pole *heittää seivästä* throw the javelin *hypätä seivästä* pole-vault **2** (sot hist) lance, spear

seivästää pierce/stab (with a spear/lance)

se ja se so-and-so *ruuva Se ja Se* Mrs. So-and-So *sinä ja sinä päivänä* on such-and-such a day

seka- mixed

sekaannus confusion, mix-up, (sl) balls-up *On sattunut jonkinlainen sekaannus* There's been some sort of mistake/mix-up

sekaantua 1 (mennä sekaisin jonkin kanssa) get mixed up with *Salkkumme olivat sekaantuneet* Our briefcases had gotten switched **2** (sotkeentua) get tangled up *Vyyhti sekaantui täysin* The skein got all tangled up **3** (joutua osalliseksi johonkin pahaan) get involved in, get mixed up with **4** (eri rotua olevat eläimet) cross-breed **5** (olla luvattomassa yhdynnässä johonkuhun/johonkin) have illicit intercourse (with), sodomize **6** (puuttua johonkin) interfere/meddle (in), (sotilaallisesti) intervene (in) *sekaantua keskusteluun* butt in, put your two bits/cents in, kibitz *En halua sekaantua siihen* I don't want to get involved in that

sekainen 1 (sotkuinen) untidy, cluttered, messy **2** *-sekainen* mixed with *pelonsekainen kunnioitus* fearful respect, awe

sekaisin 1 (sotkussa) (all) cluttered/messed /tangled up, in a mess/tangle, helter skelter *mennä sekaisin* (huone) get messed up **2** (huonosti) (all) screwed/balled up *mennä sekaisin* (hanke) get screwed/balled up *Minulla on vatsa ihan sekaisin* My stomach's upset **3** (keskenään) mixed up (together) **4** (päästään) confused, rattled, muddled, befuddled *päästään sekaisin* not running on all cylinders

sekakuoro mixed choir

sekalainen miscellaneous

sekasorto chaos, confusion, disorder, unrest

sekasortoinen chaotic, confused, disordered, turbulent

sekava confused, disordered, chaotic; (puhe) incoherent *sekavin tuntein* with mixed feelings

sekavasti incoherently

sekavuus confusion, disorder, chaos, incoherence

sekki check

sekkivihko checkbook

sekoitin blender, mixer

sekoittaa 1 (aineet: yhteen) mix, blend; (toinen toiseen) add (one to the other); (hämmentää) stir **2** (laittaa sekoittamalla) fix, make, cook (up) **3** (sotkea joku mukaan johonkin) get (someone) mixed up (in something), involve/entangle (someone in something) **4** (sotkea keskenään) mix (two people) up, confuse (one for the other) **5** (sotkea) mess/clutter/jumble (something) up **6** (kortit) shuffle **7** (suunnitelmat tms) upset, ruin, screw/foul up **8** (jonkun pää) confuse

sekoittua mix, blend; (toisiinsa) intermix /-mingle

sekoitus mix(ture), blend

seksi sex

seksikkyys sexiness

seksikäs sexy

seksuaalinen sexual

seksuaalisuus sexuality

sekunti second

sekuntikello stopwatch

sekä 1 (ja) and *isä sekä äiti* mother and father **2** (ja myös) in addition, and also *isät ja äidit sekä heidän lapsensa* mothers and fathers and also their children

sekä että both *sekä... että* both... and *sekä isät että äidit* both mothers and fathers

selata 1 flip/browse through **2** (tietok) browse

selin with your back to(wards something) *kääntyä selin johonkuhun* turn your back on someone

selinmakuu lying on your back, supine position

selitellä make excuses (for), (try to) explain (something) away

selitettävissä explicable, explainable

selitellty (making) excuses

selittyä be explained (by) *Sehän selittyy sillä että* The explanation for that is that

selittämätön inexplicable, unfathomable, unaccountable

selittää 1 explain, give a reason/an explanation for, account for **2** (teosta) interpret, analyze, comment (on), write a commentary (on)

selittää parhain päin put the best possible face on (something)

selitys 1 explanation **2** (teoksen) commentary, interpretation; (Raamatun myös) exegesis **3** (veruke) excuse **4** (kuvan alla) caption

seljetä 1 (taivas) clear up **2** (asia) dawn on (someone), become clear

selkeys clarity

selkeytyä clear up, be clarified

selkeä clear *antaa selkeät ohjeet* give clear /explicit/unambiguous instructions

selkkaus conflict, clash

selko *ottaa/saada selkoa jostakin* find out about something, clear something up *antaa tarkka selko jostakin* make a full /detailed report on something *tehdä selkoa jostakin* account for something

selkä 1 back *Jumalan selän takana* out in the middle of nowhere, out in the sticks/boonies **2** (takapuoli) backside, rear end *saada selkään* get spanked *antaa jollekulle selkään* give someone a spanking, tan someone's hide, warm someone's backside (for them) **3** (järven/meren) open water/sea **4** (vuoren) ridge

selkäkipu backache

selkäpuoli back, (takapuoli) rear

selkärangaton 1 (eläin) invertebrate **2** (ihminen) spineless

selkäranka spine, backbone (myös kuv)

selkärankaiset vertebrates

selkäreppu backpack

selkäsauna spanking

selkäuinti backstroke

selkäydin spinal cord

sellainen *pron s* **1** that sort of thing *Sellaista ei saa sanoa* You shouldn't say things like that *A: Aiotko jäädä? B: Sellainen on tarkoitus* A: Are you going to stay? B: That's the idea *Miehet ovat sellaisia* Men are like that, that's what men are like **2** one *Sellainen kuuluu joka kotiin* Every household should have one (of these) *pron adj* like that/those, such (a) *Minä en aio kuunnella sellaista puhetta* I refuse to listen to talk like that *Hän on sellainen nipottaja että* He's such a stickler that *ei mitään sellaista* nothing like that *Minulla on sellainen mielikuva että* The way I remember it

sellainen ja sellainen such-and-such

sellainen ja tällainen so-so

sellainen kuin 1 *sellainen kuin tämä/sinä* like this/you *Sellainen renki kuin isäntä* Like father like son *Sellaiset näytelmät kuin Kuningas Lear ja Macbeth* Such plays as King Lear and Macbeth, plays like KL and M **2** *Tule sellaisena kuin olet* Come as you are

sellaisenaan as it is/was *hyväksyä sellaisenaan* approve (something) as it is, pass (something) without change

sellaista ei tehdä that is simply not done

sellaista on elämä that's life, such is life, c'est la vie

sellaista sattuu these things happen, that's life, c'est la vie

selleri celery

selli cell

sello cello

selonteko report

selostaa 1 (selittää) explain *Voitko selostaa miten tätä käytetään?* Could you explain how to operate this? **2** (antaa selonteko) report (on), give an account (of) *selostaa lyhyesti selluteollisuuden nykynäkymiä* give a brief account of the pulp industry's prospects **3** (peliä) announce, do a (running/play-by-play) commentary (on)

selostaja reporter; (TV, radio) announcer, commentator

selostus report; (TV, radio) commentary

selusta 1 (tuolin) back **2** (armeijan tms) rear

selvennys clarification

selventää clarify

selvetä clear up

selville 1 (ihminen) in the know, aware (of) *En ole aivan selvillä siitä itsekään* I'm not sure of that myself **2** (asia) known *saada selville* find out *Se on jo saatu selville* We already know all about that

selvittää 1 (kurkkua) clear **2** (ajatuksia) clear, clarify, work out **3** (ongelmaa) clear up, settle, work/straighten out **4** (sotkuista vyyhteä tms) straighten out, untangle **5** (humalaista) sober up

selvittely 1 (erimielisyyden) settling, settlement **2** (liik) clearing

selvittää 1 (kurkkua, aita hyppäämällä) clear *Hevonen selvitti aidan kirkkaasti* The horse cleared the fence easily **2** (ajatuksia, asiaa toiselle) clear, clarify, work out, (asiaa myös) explain *Minun täytyy selvittää itselleni motiivejani* I've got to think through my motives on this **3** (ongelmaa) clear up, solve, settle, work/straighten out *Saitteko sen selvitettyä?* Did you get it worked/straightened out, did you settle your differences, did you solve your problem? **4** (sotkua) straighten out/up, (vyyhteä tms) untangle *Selvitäpäs tuo sotkusi* Straighten/pick up that mess you made **5** (humalaista) sober up **6** (liike) liquidate; (kuolinpesä) execute, wind up

selvitys 1 (raportti) report, account *antaa täydellinen selvitys matkasta* give a full report of the trip **2** (lähtöselvitys: lento-kentällä) check-in (counter), (tiiei) out-wards clearance; (mer tuloselvitys) inwards clearance **3** (saldoselvitys) clearance (of the balance) **4** (riidan) settlement **5** (konkurssipesän) liquidation **6** (kuolin-pesän) execution, administration **7** (rikok-sen) investigation

selvitä 1 become clear *Asia selvisi melko nopeasti* I straightened that out quickly enough *Tästä selviää että* This indicates /makes it clear/shows that *Sitten minulle selvisi että* Then it dawned on me that, then I realized that **2** (toipua) recover, get over *Etköhän selviä siitä* You'll get over it **3** (jäädä henkiin) survive, live, escape *Etköhän selviä siitä* I think you'll live /survive **4** (pärjätä) manage, get along/by, make it *Etköhän selviä yksinkin* I think you can make it on your own *Selviätkö lentokentälle itse?* Can you make it to the airport yourself? **5** (humalasta) sober up

selviytyä veloista pay off your debts

selviö axiom *pitää selviönä* consider it axio-matic (that); (ark) take it for granted that

selvyys clarity, (kirjoituksen) legibility *päästä selvyyteen asiasta* get a matter cleared up, come to understand it, finally realize what it's all about

selvä 1 clear *selvät faktat* the plain/obvious facts *Mutta onhan ihan selvää että* But it's perfectly clear/obvious/evident/plain that *Asia on selvä* It's a deal, it's settled *selvällä suomen kielellä* in plain Finnish *ottaa/ saada selvää* find out (about) *tehdä selväksi* make it clear (to) *Onko se sillä selvä?* Will that do it? *selvä käsiala* clear /distinct/legible/intelligible handwriting *Selvä!* All right! Fine! **2** (ei juovuksissa) sober

selvänäköinen clear-sighted, clairvoyant

selvänäköisyys clairvoyance

selväpiirteinen clear(-cut)

selväpiirteisyys clarity

selvärajainen clearly defined

selväsanainen 1 clear(ly worded), unam-biguous **2** (suora) frank, straight(forward)

seläkkäin back to back

selällään on your/its back

selänne 1 (harju) ridge **2** (ilmatieteessä) front

seminaari seminar

sen 1 its, that's **2** (ark) his, her(s)

sen ajan murhe *Se on sen ajan murhe* We'll cross that bridge when we come to it

senegalilainen *s, adj* Senegalese

senhetkinen (silloinen) the then/current *Mikä senhetkinen tilanne onkaan* What-ever the situation at the time (happens to be)

sen johdosta due to that, owing to that, on account of that *sen johdosta että* due to the fact that, given that, since

senkaltainen (sellainen) of that/a kind/sort, the kind/sort of (ks sen tyylinen)

sen koommin *Ei häntä ole sen koommin näkynyt* We haven't seen hide nor hair of him, he hasn't shown his face around here

senmukainen (something) done/calculated /jne along the same lines as, in accordance with, according to *Viime vuonna päätettiin pysyä 4,5 pennin tasolla ja tämä on sen-mukainen ehdotus* Last year we decided to stay at 4.5 cents, and this proposal is in line with that decision

sen mukaisesti (do something) along those lines, in accordance with, according to

*Sehän menee sen mukaisesti, mitä päätet-
tiin viime vuonna* It follows the lines we
settled on last year

sen pituinen se That's the end of it, of the
story; that's all there is to it

sen seitsemän kertaa repeatedly, over and
over, time and again

sensuroida censor

sensuuri censorship

sen takia (siksi) therefore, hence, thus; (siksi
juuri) that's why *Sen takia pyysinkin sinua
tänne* That's why I asked you here

sentapainen (sellainen) of that/a kind/sort,
the kind/sort of (ks sentyylinen)

sentti 1 (senttimetri) centimeter **2** (euro-
sentti) cent

senttimetri centimeter

sentyylinen 1 *sentyylinen talo* a house in that
style **2** (sellainen) of that type/order/mag-
nitude, the type of *Sentyylinen ongelma on
vaikea ykskaks ratkaista* A problem of that
order is difficult to solve overnight *Se on
sentyylinen ongelma että* It's the kind of
problem that

sentään 1 (kuitenkin) yet, still **2** (ainakin) at
least, anyway *Summa ei ole suuri, mutta
sentään jotain* It's not much, but at least it's
something, but it's something anyway
3 (tosiaan) really, truly, sure *On tuo
Hanna sentään vahva tyttö!* That Hanna
sure is a strong girl! **4** *Voi noi sentään!* Oh
me oh my! Oh dear!

se on that is, i.e.

seos mixture; (kem) compound; (metalli-
seos) alloy

seota 1 (sotkeutua) get mixed up (with), get
messed up **2** (tulla hulluksi) get/be really
messed/fucked up

sepalus fly

seppele wreath

seppelöidä wreathe, (ihmistä) crown (some-
one) with a wreath/garland

seppä 1 smith *oman onnensa seppä* master
of your own fate **2** (kovakuoriainen) click
beetle

sepustaa write, scribble, jot down; (sepittää)
cook/make up

sepustus piece *Tässä on yksi minun sepus-
tukseni* Here's a piece I did/a thing I wrote

seremonia ceremony

seremoniamestari master of ceremonies,
emcee

serkku cousin

serkukset cousins

se siitä that's that

seteli bill, (bank)note; (mon) currency, paper
money

seteliraha (yksi) bill, (bank)note; (rahaa)
currency, paper money

setri cedar (tree/wood)

setä uncle; (ark) man

seula sieve; (hiekkaseula tms) screen; (kuv:
karsinta) screening *vuotaa kuin seula* leak
like a sieve *ampua seulaksi* riddle with
bullets

seuloa sift (out); (kiviä, hakijoita) screen

seura 1 (toiset ihmiset) company *pitää jolle-
kulle seuraa* keep someone company *etsiä
seuraa* go out looking for companionship
2 (yhdistys) society, organization, club
3 *seurat* prayer meeting, (herätyshenki-
nen) revival meeting

seuraaja 1 (virassa tms) successor **2** (opetus-
lapsi tms) follower

seuraamus consequence

seuraava 1 (järjestyksessä) next, subsequent,
following **2** (seuraavanlainen) the follow-
ing *seuraavassa* in the following, in what
follows, below *Juttu oli seuraava* It was as
follows, this is the way it was

seuraavan kerran next time

seuraavanlainen the following, as follows
(ks myös seuraava)

seurahiminen sociable/friendly/outgoing
person

seurailla 1 (myötäillä) follow **2** (katsella)
watch

seurakunta (Suomi evlut, US katol) parish;
(US prot) congregation

seurakuntalainen parishioner, church member

seuralainen 1 companion, (treffeillä) date,
(mies hienoissa juhlissa) escort **2** (seura-
een jäsen) member of a (tour) group

seurallinen sociable, social, outgoing,
friendly

seurallisuus sociability

seuramatka package tour

seuranaan with you, for company, as your companion

seuran vuoksi just to have someone to talk to, be with *Taidan sittenkin ottaa kupposen, ihan seuran vuoksi* I guess I'll have a cuppa after all, just to join you

seurapiiri 1 (high) society, the monde **2** (ystäväpiiri) your circle (of friends)

seurata 1 follow *Oletko seurannut Kiinan tapahtumia?* Have you been following what's going on in China? *Siitä seuraa, etten voi tulla* What follows from that is that I can't come, the result/consequence of that *Seuraatko isääsi firman johdossa?* Are you going to follow/succeed your father as the head of the company? **2** (katsella) watch, follow (something) with your eyes *Olen seurannut tuota sorsaperhettä koko aamun* I've been watching that family of ducks all morning **3** (mukana) follow, accompany; (ark) go with; (kuninkaallisia) attend **4** (luentoja) attend **5** (ohessa) accompany, be enclosed *Asiakirjat seuraavat eri lähetyksessä* Documents follow under separate cover

seurata aikaansa keep up with the times, keep abreast of world/current events

seurata hetken mielijohdetta act on a whim, act on impulse

seurata jonkun jalanjälkiä (kuv) follow in someone's footsteps

seurata jonkun kintereillä dog someone's heels

seurata jonkun neuvoja take/follow someone's advice

seurata toinen toistaan follow one after the other, in (quick/rapid) succession

seura tekee kaltaiseksi like breeds like

seuraus consequence, result *syy ja seuraus* cause and effect *syy-seuraus-suhde* causal relation *vastata seurauksista* take the consequences

seurue 1 party, group *neljän hengen seurue* party of four **2** (kuninkaallisen tms, myös julkkiksen leik) entourage, retinue

seurustella 1 (ystävien kanssa) associate (with); (ark) hang/run around with; (keskustella) talk, chat *(rakkaussuhteessa)* go together, date; (koulussa) go steady (with)

seurustelu 1 (seuraelämä) social life/intercourse **2** (rakkauselämä) dating, going together/steady

seutu region, area, district, neighborhood *näillä seuduilla* around here, in these parts

seutuvilla 1 (paikan) in the neighborhood/vicinity of, near, close to *kirkon seutuvilla* near the church **2** (määrän) in the neighborhood of, roughly, somewhere around *Siinä tonnin seutuvilla* Somewhere around a grand, in the neighborhood of a thousand marks **3** (ajan) sometime/somewhere around, about *Tule klo 7:n seutuvilla* Come around seven, about seven o'clock, at sevenish

sianliha pork

siansaksa pig-Latin

side 1 (haavan) bandage, dressing, (kannatinside) sling **2** (kahle) bond **3** (ystävyyden) bond, (perheen, veren) tie **4** (suksiside) binding **5** (kirjan) binding, (nide) volume **6** (sideaine) binder *Jutussa oli totta vain siteeksi* There was just enough truth in the story to make it plausible, to make it look good **7** (terveysside) sanitary napkin, (ark) pad **8** (anat) ligament

sideharso gauze

sidonta 1 (haavan) bandaging, dressing **2** (kirjan) binding **3** (kukkien) (flower) arrangement *(seppeleen)* (wreath-)making **5** (mus) ligature **6** (kiel) liaison

sidos 1 (haavan) bandage, dressing **2** (kem) bond(ing) **3** (kirjan) binding, (nidos) volume **4** (kankaan) weave **5** *olla sidoksissa* be tied/bound to

sidottu 1 (ihminen: köysillä tms) tied up, (työhönsä tms) tied, (vuoteeseen) bedridden, (perheeseensä tms) bound **2** (energia, morfeemi ym) bound **3** (kirja) (hard)bound, (ark) hardback **4** (pääoma) tied up, (osake) restricted

siedettävä tolerable, bearable

siekailematon 1 (empimätön) unhesitating, (vastaus) quick, immediate **2** (suora: ihminen) outspoken, blunt; (tai vastaus) frank, straightforward **3** (häkäilemätön) unscrupulous, unprincipled

siekailla *Hän ei siekaillut käyttää minun nimeäni* He didn't hesitate/scruple to use my name

siellä there *jossain siellä päin* somewhere over there *siellä missä* where *Ei siellä ollut mitään* There was nothing there

siellä täällä here and there

sielu soul *ei ristin sielua* not a (single/living) soul *Hän on laitoksen sielu* She's the (life and) soul of the department

sielukas soulful

sielullinen 1 (henkinen) mental; (psyykkinen) psychic, psychological; (hengellinen) spiritual **2** (ei sieluton) animate

sielunelämä (henkinen) mental/intellectual life; (emotionaalinen) emotional life; (hengellinen) spiritual life

sielunhoitaja counselor, (ark) someone to talk to

sielunhoito counseling, (papin) pastoral care; (ark) therapy

sieluton 1 (ei sielullinen) inanimate **2** (hengetön) soulless, lifeless, dead

siemaista take a gulp of, (alkoholia) take a pull/swig of

siemaus gulp; (alkoholia) pull, swig

siemen 1 seed; (kirsikan tms) pit, stone *epäilyksen siemenet* the seeds of doubt **2** (siemenneste) semen, sperm; (raam) seed

sienestys mushrooming

sienestäjä mushroomer, mushroom-picker

sienestää go mushrooming

sienet fungi

sieni 1 (syötävä) mushroom, (myrkyllinen) toadstool **2** (itiö) fungus, (jalkasieni) athlete's foot **3** (pesusieni) sponge

siepata 1 (ottaa kiinni) catch, grab, seize, snatch; (am jalkapallossa toisen joukkueen heitto) intercept **2** (kaappaus) snatch, kidnap, abduct; (radiosanoma tms) intercept **3** (ark löytää) find, round up *Mistä ihmeestä minä nyt sellaisen summan sieppaan?* Where on earth am I going to find that kind of money? **4** (ark suututtaa) rankle

Että minua sieppaa tuommoinen That really rankles me

sieppaaja 1 (käsilaukun) purse-snatcher **2** (ihmisen) kidnapper, abductor

sieppari (pesäpallossa) catcher

sieppaus 1 (pallon tms) catch(ing) **2** (kaappaus) kidnapping, abduction, snatching

sierain nostril

sietokyky tolerance

sietämätön intolerable, unbearable

sietää *pää* stand, bear, take, tolerate; (ylt) endure; (ark) put up with *En siedä* (nähdäkään) *häntä* I can't stand (the sight of) him *En siedä tätä enää* I can't stand/take this any more *En aio sietää tätä* I will not tolerate this, I won't stand for it, I refuse to put up with this *Souda minkä selkäsi sietää!* Row as hard as you can *Hän ei siedä leikkiä* He can't take a joke, he's got no sense of humor *apuv* be worth (doing), should, ought to *Sietäisit hävetä!* You should be ashamed of yourself! *Sitä sietää miettiä* It's worth considering

sieventää 1 prettify, beautify **2** (mat) reduce, simplify

sievistelevä affected, pretentious

sievistellä *tr* (tarinaa) embellish *itr* act affected, put on airs, be pretentious

sievistely affectation, pretension(s)

sievistää prettify, beautify *Pöytää sievistää kukkanen* A flower adorns the table

sievoinen pretty, tidy *sievoinen summa* pretty/tidy sum

sievä pretty

sihinä hiss

sihistä hiss

sihteeri 1 secretary **2** (lintu) secretary bird

siideri cider

siihen *Siihen meillä ei ole aikaa/rahaa* We don't have time/money for that *Menet vain siihen pöytään asti* Just go as far as that table *Pane takaisin siihen, mistä sen otit* Put it back where you found it

siihenastinen previous, earlier *siihenastinen käytäntö* standard procedure up till then

siili Western hedgehog

siima 1 (ongen) line *Kauppa käy kuin siimaa* We're doing business hand over fist **2** (jono) line, string *Miestä lappoi sisään siimanaan* There was a steady stream of men coming in

siinä there *On sinäkin ystävä!* Some friend you are! *siinä missä* where *siinä viiden aikoihin* right around five

siinä ja siinä close *Se oli siinä ja siinä, selviäisikö hän siitä* It was touch and go whether he'd make it *Se oli siinä ja siinä, kumpi voitti* It was a close call, a photo finish

siinä paha missä mainitaan speak of the devil

siinäpä se! that's just it, that's the problem /point

siipi 1 wing (myös rakennuksen, puolueen) *kokeilla siipiään* try your wings *siipi maassa* downcast/-hearted, depressed **2** (tekn) wing, blade, arm, vane **3** (suojelus) *elää jonkun siivellä* live/sponge /mooch off someone, be kept/supported by someone

siippa spouse, (leik) your better half

siirappi molasses *vaahterasiirappi* maple syrup

siirappinen (myös kuv) syrupy, sicky sweet; (kuv) sentimental

siirrellä move/shift (things) around

siirrettävä 1 portable, movable **2** (liik) transferable

siirrännäinen (elin) transplant, (ihon) graft

siirto 1 (pelin) move (myös kuv) **2** (työpaikan, rahan, lainan, bussin) transfer **3** (sekin) endorsement **4** (kirjapidollisen luvun) forward **5** (kokouksen) postponement, adjournment; (maksun) deferral **6** (elimen) transplant, (ihon tms) graft, (veren) transfusion **7** (sävellajin) transposition **8** (psyk) transference

siirtolainen (maahan) immigrant, (maasta) emigrant

siirtolaisuus immigration

siirtolaisviisumi immigrant visa

siirtolaisvirta wave of immigrants/immigration

siirtyillä shift (here and there, back and forth)

siirtymä transition

siirtymävaihe transitional phase/stage

siirtyä 1 (mennä, liikkua) move, go, shift *En saa tätä kiveä siirtymään* I can't move this rock, I can't get this rock to move/budge *siirtyä pois tieltä* get out of the way **2** (työssään) be transferred **3** (vaihtaa) change, go/shift (over), move/go on, proceed, pass *Talo siirtyy isännän kuollessa hänen tyttärelleen* Upon the owner's death the house will go/pass to his daughter **4** (lykkääntyä) be postponed/delayed /deferred/adjourned *Matka on nyt siirtynyt viikon* The trip has been postponed /delayed a week **5** (uutteen) enter/embark (upon), start, begin

siirtyä ajassa taaksepäin go back in time, (ajatuksissa) cast your thoughts back in time

siirtyä ajasta ikuisuuteen pass away

siirtyä ammattilaiseksi turn professional, (ark) go pro

siirtyä asiasta toiseen change the subject

siirtyä eläkkeelle retire

siirtyä perintönä be handed/passed down

siirtyä syrjään step down/aside

siirtyä uuteen aikakauteen enter a new era

siirtää 1 move, shift, transfer *siirtää huonekaluja* rearrange the furniture, (muutossa) move/carry (the) furniture *Minut on siirretty* (toiseen konttoriin) I've been moved /transferred (to another office) **2** (tehtäviä) delegate, transfer **3** (liik) transfer, convey, assign; (sekki siirtomerkinnällä) endorse **4** (kirjanpidossa) carry/bring (a figure) forward **5** (myöhemmäksi) postpone, delay, defer; (kokouuta) adjourn; (ark) move (something) back, put (something) off **6** (aikaisemmaksi) advance, (ark) move (something) up **7** (elin) transplant, (ihoa tms) graft, (verta) transfuse **8** (transponoida) transpose

siis 1 so, then *Sinä olet siis menossa pois* So you're leaving us; you're leaving us, then? **2** (siksi) thus, therefore *Ajattelen, siis olen olemassa* I think, therefore I am

siisteys cleanliness, tidiness; hygiene

siisteyskasvatus training in hygiene; (pottakasvatus) toilet training; (koiran tms) house-breaking

siisti 1 neat, tidy, clean **2** (koira tms) house-broken

siistiytyä get cleaned/spruced/washed up

siistiä straighten/tidy (a place) up

siitepöly pollen

siitepölyallergia pollen allergy

siitin penis

siitos breeding, (hedelmöitys) fertilization

siittiö spermatozoon (mon -zoa), (ark) sperm cell

siittää conceive, (vanh) get, (raam) beget

siittä *v* be conceived *sikisi Pyhästä Hengestä* was conceived of the Holy Spirit *adv* there *Näpit pois siitä* Get your fingers out/off of there! *jatkaa siitä, mihin lopetti* pick up where you left off

sivekäs winged (myös kuv)

sivellelääjä sponge, moocher, parasite

sivetön wingless *Ihminen on sivetön höyhenetön kaksijalkainen eläin* Man is a wingless, featherless biped

siivilä strainer

siivilöidä strain

siivittää give/lend wings to

siivo *s* order *kamalassa siivossa* in a godawful mess *adj* decent, courteous, gracious

siivooja (nainen) cleaning lady, charwoman; (mies) janitor

siivosti *olla siivosti* behave yourself

siivota clean (up), pick/tidy/straighten up

siivoton 1 (epäsiisti) messy, disordered, cluttered; (ihminen) disheveled, unkempt, frowsy **2** (epäsiivo) indecent, smutty, vulgar **3** (törkeä) gross, disgusting

siivottomuus messiness, indecency

siivous 1 (house)cleaning **2** (tietok) garbage collection

siivu slice

sija 1 place *ensi sijassa* in the first place *päästä/jäädä toiselle sijalle* place second, come in second, make second place *saada sijaa* take hold (in), catch on *jonkin sijaan /sijasta* in place/stead of something *täynnä viimeistä sijaa myöten* standing room only, SRO **2** (tila) room *Heille ei ollut sijaa majatalossa* There was no room for them at the inn *tehdä sija* make a bed **3** (sijamuoto) case

---

sijainen substitute, replacement; (ark) stand-in *vs (viransijainen) professori* acting professor

sijainti location

sijaisuus temporary position/job/post

sijaita be situated/located (in/by/at) *Missä Koli sijaitsee?* Where is Koli?

sijaluku rank

sijata make (your bed)

sijoittaa 1 (esine tms) put, position, place, set *Näytelmä on sijoitettu 1400-luvun Ranskaan* The play is set in fifteenth century France **2** (ihminen) place, plant; (istumaan) seat, (seisomaan) stand **3** (urh) place, rank **4** (rahaa) invest (in), (ark) sink (money into)

sijoittua 1 take up a/your position/place (in /by/at), (paikalleen) get into position, (istumaan /seisomaan) go sit/stand (somewhere) **2** (urh) place, come in *sijoittua kolmanneksi* place third, come in third

sijoitus 1 placement, (re)location **2** (urh) place, placing **3** (rahallinen) investment

sika 1 (elävä) pig, (uros) hog, (naaras) sow, (villi) boar *ostaa sika säkissä* buy a pig in a poke **2** (syötävä) pork **3** (ihminen) pig *sovinistiska* chauvinist pig

sikamainen dirty, nasty, gross *sikamainen temppu* dirty trick

sikari cigar

sikariporras the brass

sikermä group, cluster; (mus) medley

sikeästi soundly

sikeä uni sound sleep

sikin sokin helter skelter, higgledy piggledy, all in a jumble

sikiö 1 fetus, (alkio) embryo **2** (kuv) spawn *Te kyykäärmeitten sikiöt!* You generation of vipers!

sikiöasento fetal position

sikolätti pigsty

sikseen *jättää jotain sikseen* drop/abandon/bag/leave (something), give (something) up, forget (something) *Leikki sikseen* Joking aside *Se on ihan hyvä sikseen* It's all right, considering

siksi 1 (sen vuoksi) therefore, thus; (siksi juuri) that's why; (niinpä) so; (siksi että) because, since *Siksi annoinkin sen sinulle* That's why I gave it to you **2** (siihen mennessä) by then; (siksi kun) by when; (siksi kunnes) until, till *Pystytkö tulemaan siksi kun minä pääsen töistä?* Can you come by the time I get off work? *Jätän sen sinulle siksi kun(nes) palaan kaupungilta* I'll leave it with you until I get back from town **3** (ark: niin) so *Asia on siksi tärkeä ettei se voi odottaa Timoa* This is so important that we can't leave it till Timo gets here

sikäli *Olet sikäli oikeassa että* You're right in the sense that *Sikäli kuin minä tiedän* As far as I know

sikäläinen local *sikäläiset tavat* the local customs, the way they do things around there

silakka Baltic herring

silaus plating *antaa lopullinen silaus* touch /polish something up, put the finishing touches on (something)

sileys smoothness, sleekness

sileä smooth; (tukka, turkki) sleek *panna rahaa sileäksi* go through money like water

silitellä stroke, (eläintä) pet, (hieroa) rub *Siitä ei sinun päätäsi silitellä* Don't expect a pat on the back for that

silittää 1 smooth (out/down) **2** (voita leivälle) spread **3** (silityslaudalla) iron **4** (silitellä) stroke, (eläintä) pet, (hieroa) rub

silitys ironing

silityslauta ironing board

silitysrauta iron

silitä smooth/straighten (out)

silkka pure, sheer, plain *silkka vale* a barefaced/shameless lie *puhua silkkaa roskaa* talk sheer/unmitigated nonsense/bullshit

silkki silk

silkkipaperi tissue paper

silli herring *kuin sillit suolassa* packed in like sardines

sillisalaatti 1 mixed herring salad **2** (kuv) hodgepodge, mishmash, jumble

silloin then, at the/that time *silloin kun* when *jo silloin* even then *vasta silloin* only then

silloinen the then, the (something) of that time *silloinen mieheni Aulis* my ex(-husband) Aulis; Aulis, who I was still married to at the time *silloinen presidentti Ryti* (the then) president Ryti

silloin tällöin now and then/again, on occasion

sillä for, since *Oli liian myöhäistä, sillä Marja oli jo lähtenyt* It was too late, for Marja had already gone *Ei sillä että se nyt minua liikuttaisi* Not that I care

sillä selvä taken care of, okay, done *Se on sitten sillä selvä* That takes care of it

sillään as it is, unchanged, untouched *jättää silleen* leave (something) as it is, not change it

silmittömästi blindly *olla silmittömästi rakastunut* be madly in love, be head over heels in love

silmitön blind *silmitön viha* blind rage *silmitön pelko* irrational/panicky fear

silmu bud

silmukka loop (myös urh, tietok); (verkon) eyelet; (oikea/nurja) stitch

silmä 1 eye (myös kuv) *pistää silmään* be noticeable/obvious/conspicuous *etsiä jotakin silmä kourassa* keep your eyes peeled for something *Pois silmistäni!* Get out of my sight! *Olin pudottaa silmäni* I couldn't believe my eyes *iskeä silmää jollekulle* wink at someone *katsoa jotakuta hyvällä/huonolla silmällä* look on someone with (dis)favor *silmät selässäkin* eyes in the back of your head *sielunsa silmällä* in the mind's eye *ummistaa silmänsä jollekin* look the other way, turn a blind eye to **2** (silmukka: oikea/nurja) stitch, (verkon) eyelet

silmäillä (tarkkailla) eye; (lukaista läpi) glance at/through, browse through

silmälasit glasses

silmälläpito supervision; (ark) watching, keeping an eye on *lasten silmälläpito* keeping an eye on the kids, watching/sitting the kids

silmälääkäri opthalmologist, (optikko) optician; (ark) eye doctor

silmämuna eyeball

silmämääräinen (ark) rough, eyeball *mitata silmämääräisesti* eyeball it

silmänkantamattomiin as far as the eye can reach

silmänlume show *Se on pelkkää silmänlumetta* It's all for show

silmänpalvelija hypocrite

silmänruoka something to feast your eyes on, a sight for sore eyes

silmänräpäys a blink of the eye

silmä silmästä an eye for an eye

silmäterä 1 pupil **2** (kuv) the apple of your eye

silmätikku a thorn in your flesh, a constant irritation *pitää jotakuta silmätikkunaan* pick on someone, single someone out for special harassment

silmäys glance *rakkautta ensi silmäyksellä* love at first sight

silmäänpistävä noticeable, obvious, conspicuous

siloinen smooth

siloisuus smoothness

silottaa smooth (out/over/down); (hiekkaperilla) sand (down)

silpoa 1 (ruumis) mutilate, dismember **2** (ruokaa, paperia) shred

silppu 1 shredded paper/wood/mushrooms /wheat/jne *leikata silpuksi* shred **2** (tietok) chad

silta bridge *polttaa sillat takanaan* burn your bridges behind you

silti 1 (kuitenkin) (but) still/yet, though, however, anyway *Silti sait hyvät muonat* Still/anyway, you got good grub *Surullista mutta silti totta* Sad but/yet true **2** (siitä huolimatta) nevertheless, still *Hän on silti minun äitini* Nevertheless/still, she's my mother; she's still my mother *Silti pidän sinusta* Even so, I like you

simahtaa 1 (ihminen) nod off, conk out, (kännissä) pass out **2** (moottori) die

simpanssi chimpanzee, (ark) chimp

simppeli simple(-minded)

simpukka 1 (laji) bivalve **2** (sinisimpukka) mussel, (kampasimpukka) scallop **3** (sisäkorvan) cochlea **4** (auton) steering housing

simputtaa haze

simputus hazing

simuloida simulate

simulointi simulation

sinappi mustard

sinertävä bluish

sinertää be bluish

sinetti seal

sinetöidä seal *sinetöidä kohtalonsa* seal your fate

sinfonia symphony

sinfoniaorkesteri symphony orchestra

sinfoninen symphonic

singaporelainen s, adj Singaporean

singota tr throw, hurl, fling, sling itr fly (off), hurtle

siniharmaa bluish gray

sinikaulustyöntekijä blue-collar worker

sininen blue (myös kuv)

sinisilmäinen (naively) optimistic, Pollyannaish

sinisilmäisyys (blue-eyed) optimism, Pollyannaism

sinivalkoinen blue-and-white

sinkki zinc

sinkoutua be hurled/flung/thrown/dashed (somewhere)

sinne there, (vanh) thither *sinne missä* where *sinne asti* that far *lähettää joku sinne missä pippuri kasvaa* send someone to the farthest corner of the globe

sinnepäin in that direction, that way *sinnepäin vielä* further *jotakin sinnepäin* something like that *ei sinnepäinkään* not even close, nothing like that

sinne tänne here and there (and everywhere) *milloin sinne milloin tänne* now here now there *Yksi päivä sinne tai tänne ei merkitse mitään* One day here or there isn't going to make a difference

sinnikkyys persistence, stubbornness, doggedness; (ark) gutsiness, stick-with-itness

sinnikäs persistent, stubborn, dogged; (ark) gutsy

sinunkaupat *tehdä sinunkaupat* go on a first-name basis

sinunlaisesi like you

sinutella call someone by his/her first name

sinuttelu informal speech, calling someone by his/her first name

sinä you *sinua* you *sinun* your (hat), (this hat is) yours *sinulle* to/for you *Toin sinulle kukkia* I brought you some flowers *sinuna* if I were you *tulla sinuiksi* (jonkun kanssa) get to know each other, (jonkin kanssa) familiarize yourself with (something) *olla sinut jonkun kanssa* be on a first-name basis with someone

sinänsä 1 (itsessään) in (and of) itself, in its own right, per se *Kyky käyttää tietoa on valtaa, ei tieto sinänsä* The ability to apply knowledge is power, not knowledge in (and of) itself **2** (teoriassa) in principle /theory *Se on sinänsä ihan hyvä idea, mutta* It's a good idea in theory, but

sipaista brush, touch (someone/something) lightly; (sivellä) stroke; (hipaista) graze

sipalsu brush, (light) touch, stroke

Siperia Siberia

siperialainen Siberian

sipsuttaa tiptoe, pitpat, pad

sipuli 1 onion **2** (kasvisipuli) bulb **3** (sipulikupoli) onion-shaped dome

siristää silmään squint

sirittää chirp

sirkka cricket

sirkus circus

sirkuspelle circus clown

siro dainty, petite, slender

sirotella sprinkle

sirotin shaker

sirottaa 1 sprinkle, scatter, strew **2** (fys) scatter

sirottelu sprinkling, (tietok) dithering

sirpale shard, splinter, fragment, chip, (broken) piece *lyödä sirpaleiksi* shatter, (puuta) splinter

siru chip (myös tietok)

sisar sister

sisarus sibling

sisempi inner, interior

sisempänä farther/further in

sisennys indentation

sisentää indent

sisilisko lizard

sisin in(ner)most

sisko sister

sissi guerilla

sissisota guerilla warfare

sisu stick-with-it-ness, guts, (sl) balls *käydä sisulle* stick in your craw, bug you *Sisuni ei antanut periksi* I couldn't bring myself to do it, to give up

sisukas gutsy, ballsy

sisukkuus gutsiness, balls

sisus 1 (sisäpuoli) inside, interior **2** (sisältö) core, filling, (hedelmän) flesh **3** (sisälmykset: eläimen) entrails, innards (myös kuv); (ihmisen) innards, insides, guts; (suolet) bowels, intestines

sisusta inside(s), interior

sisustaa furnish, decorate, (ark) fix/do up; (vuorata) line

sisuste 1 (vuori) lining **2** *sisusteet* (interior) fittings

sisustus (huonekalut) furniture, furnishings; (tyyli) decor

sisustusarkkitehti interior decorator

sisustustaide interior decoration

sisuuntua get pissed off

sisä- inner, internal, interior, inward; (talossa) indoor; (maassa) inland

sisäelin internal organ

sisäinen internal, inward, inner, interior *sisäinen posti* interdepartmental mail *sisäinen tiedote* company/departmental /office/jne newsletter/memo

sisäisesti internally, inwardly *nauttia sisäisesti* take internally

sisäistää internalize

sisäkautta (talossa) from inside; (juoksuradalla) on the inside

sisäkkäin one inside the other, inside each other; (geom: ympyrät) concentrically

sisäkkäinen (geom) concentric *sisäkkäiset laatikot* (kuv) Chinese boxes

sisäkuva indoor picture/photo/scene; (taiteessa, elokuvassa) interior

sisällyksetön empty, vapid, vacuous

sisällys contents (myös luettelona)

sisällysluettelo (table of) contents

sisällyttää include

sisällä *adv* **1** in(side), (talon myös) indoors *pitää sisällään* include, (fyysisesti) con-

tain *pyytää jotakuta sisälle* ask someone in
2 (jossain asiassa) familiar with, trained in
Joko olet sisällä siinä? Do you have it
down yet? Do you have the hang of it yet?
postp in(side), within *kiven sisällä* (sl)
inside *viikon sisällä* within a week, this
week

sisällöllinen *kirjan muodolliset ja sisällölliset ansiot* the book's excellence in both
form and content

sisällöntuottaja (tietok) content-provider

sisälmykset entrails, (ark) guts

sisältyä be included (in)

sisältä from inside, out of *lukea sisältä* read

sisältäpäin from within

sisältää include

sisältö contents

sisämaa inland

sisäpiha courtyard

sisäpiiriläinen insider

sisäpoliittinen domestic, pertaining to
domestic policy

sisäpolitiikka domestic policy

sisäpuoli inside *jonkin sisäpuolella* inside
something

sisässä in(side) *kiven sisässä* (vankilassa)
inside

sisästä from inside/within

sisätauti internal disorder

sisätautien erikoislääkäri internist

sisään in(side) *Käykää sisään!* Come in!

sisäänajo breaking in (myös kuv)

siten 1 (sillä tavoin) like that *siten kuin* as
2 (sitä kautta) that way, by that means
3 (siksi) thus, therefore

sitkeä 1 tough *sitkeää lihaa* tough/leathery
/gristly meat *sitkeä vastarinta* tenacious
/persistent/dogged resistance **2** (tietok)
robust

sitoa tie/bind (up) *sitoa haava* bind up/bandage/dress a wound *sitoa murtovaras köydellä* tie/truss a burglar up with a rope,
bind a burglar hand and foot *Tämä ei sido
sinua mitenkään* This isn't binding, it
doesn't tie you down, there is no obligation
here for you

sitoumus commitment, (velvoite) obligation,
(velkasitoumus) liability

sitoutua 1 (luvata) pledge/promise (to do
something) **2** (tehdä sopimus) contract (to
do something) **3** (toiselle ihmiselle) commit yourself (to), make a commitment (to)

sitoutumaton 1 uncommitted **2** (pol: yksilö)
independent; (maa) neutral, nonaligned
3 (kem) unbound

sitruuna lemon

sittemmin later, subsequently, afterwards

sitten *adv* then, next, after that *Se on sitten
tehty* That's it then *Ensin sinä, sitten minä*
First you, then me *Mitä sitten tapahtui?*
What happened next/after that/then?
postp ago *kolme vuotta sitten* three years
ago *prep* since *sitten viime joulun* since
last Christmas

sittenkin after all, all the same, nonetheless,
nevertheless, still *Kaikesta huolimatta
sinä olet sittenkin hyvä ystävä* In spite of
everything you're still a good friend *Otan
sittenkin sen sinisen* I think I'll take the
blue one after all

sitä mukaa kuin in proportion as

sitä myöten *sitä myöten kuin* in proportion as
Se on sitten sitä myöten selvä That's it
then, it's all straight/clear/set

sitä paitsi besides

sitä sun tätä this and that (and the other
thing)

sitä vastoin on the other hand, whereas,
while

siunailla wonder at, shake your head at

siunata bless, (ylät) consecrate *siunata ruoka*
say the blessing, say grace *Sussiunatkoon!*
(God) bless me! Bless my soul!

siunaus blessing *ruumiin siunaus* funeral
service

siunaustilaisuus funeral service

sivallus (miekan) slash, stroke; (ruoskan)
lash; (käden) slap

sivaltaa (miekalla) slash; (ruoskalla) lash,
whip; (kädellä) slap

sivari conscientious objector

siveellinen 1 (eettinen) ethical, (moraalinen)
moral **2** (säädyllinen) moral, virtuous,
decent

siveellisyys morality

siveetön immoral

sivellin brush

sivellä 1 (levittää: maalia) paint, (voita) spread, (ihovoidetta) apply, (munaa) brush *sivellä voita leivälle* butter a slice of bread **2** (silittää) stroke

siveys virtue, (seksuaalinen) chastity

siveysoppi ethics

siveä virtuous, decent; (seksuaalisesti) chaste

siviili 1 civilian *siviilissä* in civilian life **2** *siviilit* civvies

siviili- civil

siviilisääty marital status

sivilisaatio civilization, culture

sivistyksellinen educational

sivistymättömyys lack of culture/education, boorishness

sivistymätön 1 (primitiivinen) uncivilized, boorish, coarse, loutish **2** (oppimaton) uneducated, (ark) illiterate

sivistyneistö 1 (älymystö) the intelligentsia **2** (yläluokka) the upper crust, high society

sivistynyt 1 (ei primitiivinen) civilized **2** (hienostunut) cultured, cultivated, refined **3** (oppinut) educated, learned

sivistys civilization, culture, refinement, education (ks sivistynyt)

sivistyssana 1 (vierasperäinen sana) loan word **2** (ark: vaikea sana) polysyllabic word, (ark) jawbreaker

sivistyä 1 become civilized **2** (saada kasvatusta) become educated/cultivated/refined

sivistää 1 civilize **2** (kasvattaa) educate, cultivate, refine

sivu s **1** (kylki) side *sivulta katsottuna* seen from the side, in a side view *sivusta katsottuna* seen from the outside, from an outsider's point of view **2** (kirjan) page *adv, postp* past, by *kulkea jonkin sivu* pass (by) something *maailman sivu* (aina) always, invariably; (kautta aikojen) from time immemorial

sivuammatti second job, sideline; (ark) moonlight job

sivuhuomautus aside

sivuittain 1 (sivu sivulta) page by page, one page at a time **2** (sivuttain) sideways

sivulla *adv* (kirjan) on page *postp* near, by, beside

sivulle *adv* **1** (kirjan) to page 2 (vinottain) sideways, sidelong *katsoa sivulle* look to the side, cast a sidelong glance (at) *postp* to one side of

sivullinen (sivulta katsoja) bystander, onlooker; (ulkopuolinen) outsider *Sivullisilta pääsy kielletty* Unauthorized personnel keep out; No trespassing/admittance

sivulta käsin from the side

sivumennen in passing; (sanoen) incidentally, by the way

sivuraide side track (myös kuv) *mennä sivuraiteelle* get sidetracked (myös kuv)

sivuseikka minor detail/point

sivussa aside *vetäytyä sivuun* step aside *pysytellä sivussa* stay out of (something), stay on the sidelines *jättää sivuun* ignore, omit, neglect, fail to deal with *jäädä sivuun* be ignored/omitted/neglected/forgotten/dropped/tabled/shelved *heittää huomautus sivusta* kibitz *siinä sivussa* on the side

sivustakatsoja bystander, onlooker, outsider

sivu suun (*huua sivu suun* blurt something out, let the cat out of the bag *antaa tilaisuuden mennä sivu suun* miss (out on) an opportunity *Se meni minulta sivu suun* I missed it

sivusuunta *liikkua sivusuunnassa* move sideways

sivusuuntainen sideways

sivuta 1 (mat) touch, be tangent to **2** (asiaa) touch on (tangentially)

sivuttaa paginate

sivuttain sideways

sivutus pagination

sivuuttaa ignore, omit, neglect, fail to deal with

skandinavialainen Scandinavian

Skotlanti Scotland

skotlantilainen s Scot, Scotchman, Scotchwoman *skotlantilaiset* the Scots, the Scotch *adj* Scottish, (sanayhdistelmissä:) Scotch

skotti 1 (asukas) Scot, Scotchman, Scotchwoman **2** (kieli) Gaelic

slaavi Slav

slaavilainen Slavic, Slav, Slavonic

slummi slum, ghetto

slummiutua become ghettoized

smokki tuxedo, (ark) tax, (UK) dinner jacket

sodanvastainen antiwar, pacifist, (US pol) dove

sodanvastaisuus antiwar sentiments, pacifism

sohjo slush

sohva couch, sofa

soida 1 (kello) ring; (ylät) peal, chime, toll; (pieni) jingle *Soiko ovikello?* Did (I hear) the doorbell ring? **2** (muu ääni) (re)sound *panna levy soimaan* put on a record *panna herätyskello soimaan* set the alarm (clock)

soidinmenot courtship/mating rites

soihtu torch

soija soy

soikea oval

soikio oval

soikko tub

soimata reproach, reprimand; (syyttää) blame, accuse *Omatuntoni soimaa siitä eilisestä* I feel guilty about (what I did) yesterday, my conscience bothers me about yesterday

soimaus reproach

soinnillinen voiced

soinniton (äänne) unvoiced, (ääni) toneless

soinnukas sonorous, euphonious, melodious

soinnutus harmonization

sointi tone, sound

sointu 1 chord *H-duuri sointu* B major chord *kolmisointu* triad **2** (sointi) tone, ring, sound

sointua yhteen harmonize, go (well) together

soitella 1 (soitinta) play *jäädä lehdelle soittelemaan* be left high and dry **2** (puhelimella) phone, call *Soitellaan!* Let's keep in touch

soitin (musical) instrument

soittaa 1 (soitinta, levyä) play; (puhallinsoitinta myös) blow **2** (kelloa) ring **3** (puhelimella) (tele)phone, call (someone up) *Saanko soittaa?* Can I use your phone?

soittaja 1 (soittimen) player, musician; (eri soittimien: viulun) violinist, (pelimanni)

fiddler, (kitaran) guitarist, jne **2** (kellon) bellringer **3** (puhelimella) caller

soitto 1 (musiikin) music **2** (kellon) ringing **3** (puhelinsoitto) ((tele)phone) call

soittokello bell

soittokunta band

sojottaa stick out, protrude

sokaiseva blinding, glaring; (kuv) dazzling

sokaista blind, glare; (kuv) dazzle

sokea blind *tulla sokeaksi* go blind, be blinded

sokeri sugar

sokerina pohjalla last but not least *jättää sokerina pohjalle* leave the best for last

sokeriton sugar-free, unsweetened

sokeroida sweeten, add sugar to; (päälle) sprinkle sugar over

sokeus blindness

sokkelo labyrinth, maze

sokkeloinen labyrinthine

sokki shock

sokko 1 (sokea) blind (person) **2** (sokkoleikki) blind man's buff **3** (sokkoleikissä) it

sola pass, (kapea) defile

solakka slender, slim

solakkuus slenderness, slimness

solidaarinen loyal

solidaarisuus solidarity

solista burble, ripple, murmur

solisti soloist

solkata suomea speak broken Finnish

solki (kengän) buckle, (hakasolki) clasp, (hiussolki) clip, (rintasolki) brooch

solmia 1 (naru tms) tie, knot, lash, fasten **2** (suhteet) establish, set up

solmia avioliitto enter the marriage contract; (ark) get married/hitched, tie the knot

solmio (neck)tie

solmu knot (myös mer) *mennä solmuun* get tied/tangled/knotted up; (kieli) get tonguetied

solu 1 cell (myös biol) **2** (raamattupiiri) Bible-study group/circle

solua flow, glide, slip

soluttaa infiltrate, insinuate

soluttautua infiltrate, insinuate yourself

solvata insult, abuse, deride

solvaus insult, abuse, derision

soma pretty

somalilainen s, adj Somalian

somistaa prettify, beautify, decorate, adorn; (näyteikkunaa) dress, trim *Pöytää somistaa kukkanen* A flower adorns the table

somistautua get prettied/dressed/dolled /gussied up, make yourself beautiful

sommitella (muotoilla) design, (suunnitella) plan, (laatia) compose

sommitelma design, plan, composition

sommittelu designing, planning, composition

sonetti sonnet

sonnustautua 1 (matkalle) get ready/packed (for) **2** (juhliin) get prettied/dressed/dolled /gussied up

sonta manure

sontiainen dungbeetle, (ark ihminen) shithead

sooda sodium carbonate, (baking) soda

soolo solo

sooloilla solo, go it alone; (näyttävästi) grandstand

soopa hogwash

sopeuttaa adapt, adjust

sopeutua adapt/adjust (yourself to); (alistua) resign/reconcile yourself (to)

sopeutumaton unadaptable *sopeutumaton ihminen* misfit

sopeutuminen adaptation, adjustment; (alistuminen) resignation

sopeutumiskyky adaptability

sopeutumiskykyinen adaptable

sopeutumisvaikeus difficulty in adapting (to something)

sopia 1 (mahtua) fit **2** (yhteen) be compatible, go (together) with, (väriltään) match (ks myös sopia-hakusanat) **3** (olla sovelias) suit, be suitable, become, befit *Tuommoinen ei sovi minulle* (vaate) That sort of thing wouldn't/doesn't look good on me; (toiminta: soveliaisuuden vuoksi) It wouldn't be suitable for me to do that, (muun estelyn vuoksi) I'm just not cut out for that sort of thing *Ei sinun sovi mennä* It wouldn't be right for you to go **4** (tehdä sopimus) agree (on), reach/come to/make an agreement, make a deal; (tapaaminen

tms) agree/arrange (to meet) *Se on sitten sovittu* It's a deal *Sovitaanko, että tavataan tässä klo 6?* Let's meet right here at six, okay? **5** (tehdä sovinto: laillinen) settle, reach a settlement; (epämuodollinen) be reconciled, (ark) make up *suudella ja sopia* kiss and make up (ks myös sovittu)

sopia keskenään be reconciled, make up *He eivät sovi keskenään* They don't get along together, they can't spend two minutes in the same room together, they're like cat and dog

sopia riita settle an argument, work out your differences, be reconciled (with each other), reach a reconciliation

sopia yhteen (värit) match, go together, blend in, be color-coordinated *ei sopia yhteen* clash **2** (tarinat) jibe, match up, tally *ei sopia yhteen* diverge, be discrepant **3** (ihmiset) go (well) together, be compatible (myös tietok) *ei sopia yhteen* be incompatible

sopii kysyä one may well ask, the question is

sopii toivoa one only hopes, hopefully

sopimaton 1 (soveltumaton) unfit, unsuitable **2** (huono) inconvenient **3** (epäasiallinen) irrelevant, ill-timed, untimely, inappropriate **4** (epäsovelias) inappropriate, improper, unbecoming, ill-bred **5** (säädytön) indecent, immoral, immodest, obscene

sopimus 1 agreement, arrangement *päästä sopimukseen* reach an agreement/arrangement *sanaton sopimus* tacit agreement/ understanding **2** (laillinen) contract **3** (valtiollinen) pact, treaty, convention, accord

sopiva 1 (soveltuva) fit, suited, suitable **2** (hyvä) convenient **3** (asiallinen) well-timed, timely, appropriate *tulla sopivaan aikaan* come at a good time, time your arrival well **4** (sovelias) appropriate, proper, becoming, well-bred **5** (säädyllinen) decent, moral, good

sopivan kokoinen right-/good-sized, of a good size

sopivan tuntuinen that feels right *sopivan tuntuinen maila* a racket that feels right

sopivasti at the right time

sopivuus suitability, convenience, timeliness, appropriateness, propriety, decency, morality (ks sopiva)

soppa soup; (kuv) mess, a fine kettle of fish *Mitä useampi kokki sen huonompi soppa* Too many cooks spoil the broth *Älä pane lusikkaasi tähän sop paan* You keep out of this, don't you butt in here, we don't need your advice

sopu harmony, peace *elää sulassa sovussa* live in sweet peace and harmony *keskustella sovussa jostakin* talk things out in a calm, rational manner

sopuisa harmonious, peaceful

sopukka nook, corner

sopu sijaa antaa where there's a will there's a way

sopusointu harmony *olla sopusoinnussa jonkin kanssa* harmonize with something

sopusointuinen harmonious

sora gravel

sorahtaa grate, jar

soraääni voice of protest

sorja (solakka) slender, dainty, petite; (kaunis) pretty, lovely

sorkka 1 (eläimen) cloven hoof **2** (vasaran) claw **3** (ihmisen) foot *joka sorkka* every last one of you

sorkkia poke/prod/pick at; (kuv) interfere /meddle with

sormeilla finger

sormenjälki fingerprint

sormi finger *katsoa läpi sormien* look the other way, turn a blind eye on *polttaa sormensa* get (your fingers) burnt *sormensa joka pelissä* a finger in every pie *osata jokin kuin viisi sormeaan* know something like the back of your hand

sormikas glove

sorminäppäryys dexterity

sormituntuma feel *saada sormituntumaa jostakin* get a feel for something

sormus ring

sormustin thimble

sorsa wild duck, mallard

sorsastaa hunt ducks, go duck- hunting

sorsastus duck-hunting

sortaa 1 (kansaa tms) oppress, persecute, tyrannize **2** (koulussa tms) bully, (ark) push (someone) around

sortaja oppressor, persecutor, bully

sorto oppression, persecution, tyranny, bullying

sortsit shorts

sortti sort, kind

sorttinen sort/kind *kaiken sorttinen* of every sort/kind

sortua 1 (talo tms) collapse, crash/fall/tumble down, cave in **2** (ihminen: houkutukseen) cave/give in, yield, break down, succumb; (kuolla) succumb, perish, die

sortua huonoille teille fall into evil ways, hit the skids

sortua viinaan hit the bottle, give in/break down and start drinking

sorvata 1 turn (on a lathe) **2** (kuv) crank out

sorvi lathe

sose 1 purée **2** (perunasose) mashed potatoes

soseuttaa purée

sosiaalidemokraatti Social Democrat

sosiaalidemokraattinen social democratic

sosiaalinen pertaining to social security

sosiaalisesti socially

sosiaaliturvatunnus social security number

sosialismi socialism

sosialisoida socialize

sosialisointi socialization

sosialisti socialist

sosiologi sociologist

sosiologia sociology

sosiologinen sociological

sota war; (sodankäynti) warfare; (taistelu) battle, fight *sota-* war, military

sotainen warlike, bellicose, belligerent

sotaisa warlike, martial

sotaisuus warlike disposition, bellicosity, martial spirit

sotajalalla on the warpath

sotajoukko army, (mon) troops

sotalelu war toy

sotamies 1 soldier, (soturi) warrior; (mon) the rank and file **2** (korteissa) jack **3** (šakissa) pawn

sotaoikeus courtmartial *asettaa sotaoikeuden eteen* courtmartial

sotapoliisi military police, MP

sotapäällikkö military commander, (presidentti) commander-in-chief

sotatila state of war

sotavammainen disabled veteran

sotaveteraani war veteran, (ark) vet

sotaväki the Army *joutua sotaväkeen* get drafted

sotia 1 make war (with/against), be at war (with) **2** (järkeä vastaan) not stand to reason, not make sense; (periaatteita vastaan) be against your principles; (vakaumusta vastaan) be against your religion

sotilaallinen 1 (armeijan) military **2** (sotilaan) soldierly

sotilaallisesti militarily

sotilas soldier *sotilas-* military

sotilasarvo military rank

sotiladiktatuuri military dictatorship

sotilasjunta military junta

sotilasvalta military rule, (valtio) military power

sotkea 1 (aineet yhteen) mix, blend **2** (aineita, tavaroita, asioita keskenään) mix/mess up **3** (pää) confuse, bewilder, baffle *Älä nyt sotke asioita* Don't confuse things, don't make things any more complicated than they already are **4** (joku mukaan johonkin) entangle (someone in something), get (someone) involved (in something)

sotkea jalkoihinsa trample (something/someone) underfoot

sotkea taikinaa knead the dough

sotkeutua 1 (fyysisesti) get tangled/messed (up) **2** (ajatuksissaan) get confused, get mixed up, get turned around **3** (mukaan johonkin) get involved/entangled in, get mixed up in

sotku mess, clutter; (sekaannus) mix-up, confusion

sottapytty little piggy

soturi warrior

soutaa row

soutaja rower

soutu rowing

soutuvene rowboat

soveliaisuus propriety, suitability, decency

sovelias appropriate, proper, suitable, decent

sovellus application

soveltaa apply, (sovittaa) adapt

soveltava applied

soveltua 1 (ihminen) be suitable/fit (for), be suited (to), have a knack/aptitude (for) **2** (asia: olla sovelias) be suited (to), lend itself (to) **3** (asia: pätee) apply (to), be applicable (to)

soveltuvuus applicability, aptitude

sovinnainen conventional

sovinnaisuus conventionality

sovinnolla willingly, voluntarily, of your own free will

sovinnollisesti conciliatorily

sovinnollisuus conciliatory spirit

sovinnonhalu desire for reconciliation

sovinto 1 (riidan jälkeen) reconciliation; (liik) amicable settlement *tehdä sovinto* be reconciled, make up; (liik) *sopia, reach a settlement* **2** (sopu) peace, harmony *elää sovinnossa* live in (peace and) harmony *sovinnolla* ks hakusana

sovitella 1 ks sovittaa **2** (toimia sovittelijana) arbitrate, mediate

sovittelija arbitrator, mediator

sovittaa 1 (johonkin) fit (something in(to)), **2** (jollekin, joksikin) suit/adapt/adjust (something to), (mus) arrange (something for) **3** (vaatetta päälle) try (something) on **4** (riitaa) arbitrate, settle, reconcile (differences), mediate (between two parties) **5** (usk) atone (for sins), mediate (between God and humans), reconcile (God and humans)

sovittelu arbitration, mediation

sovittu *Sovittu!* It's a deal! *etukäteen sovittu* prearranged, preset *Ellei toisin ole sovittu* Unless otherwise agreed *sovittuun aikaan /hintaan* at the time/price we agreed on

sovitus 1 (johonkin) fitting (myös vaatteen) **2** (jollekin, joksikin) adaptation, adjustment, arrangement **3** (riidan) arbitration, settlement, reconciliation, mediation **4** (usk) atonement, mediation, reconciliation

sovituskoppi dressing room, fitting booth

spagetti spaghetti

spekulaatio speculation
spekuloida speculate
sperma sperm
spesialisti specialist
spontaani spontaneous
sprii spirit(s)
srilankalainen *s, adj* Sri Lankan
stadion stadium
standardisoida standardize
standardisointi standardization
startata (autoa) turn the ignition, (käynnistää) start; (kaapeleilla) jump-start
startti start
statussymboli status symbol
steariini wax, paraffin
stepata tap-dance
stereot stereo
steriili sterile
sterilisoida sterilize
sterilisointi sterilization
steriloida sterilize
sterilointi sterilization
stimuloida stimulate
strategia strategy
strateginen strategic
stressaantunut stressed-out, under a lot of stress
stressata stress
stressi stress
stuertti (male) flight attendant, (vanh) steward
suhdanne economic trend
suhde 1 relation(ship); (rakkaussuhde) affair; (hyödyllinen henkilösuhde) connection, contact *ylläpitää hyviä suhteita itänaapuriin* maintain good relations with your eastern neighbor **2** (suhtautuminen) attitude **3** *yhdessä suhteessa* in one sense /respect **4** (mittasuhde) proportion *samassa suhteessa* in the same proportion **5** (mat) ratio
suhina 1 (tuulen) rustling, whistling, sighing **2** (äänityksessä) noise, (radiossa) static
suhista rustle, whistle, sigh
suhtautua (tuntea) feel (about); (asennoitua) take an attitude/stance (toward) *Miten sinä suhtaudut feminismiin?* How do you feel about feminism? What's your position on

feminism? *suhtautua johonkuhun kuin lapseen* treat someone like a child, patronize someone, condescend to someone *suhtautua vakavasti johonkin* take something seriously
suhtautuminen attitude, stance, position
suhteellinen relative, comparative, proportionate *suhteellisen* relatively, comparatively
suhteellisuus relativity
suhteen *jonkin suhteen* in respect to something, in connection with something, concerning something
suhteeton 1 (epäsuhta) disproportionate, a-/unsymmetrical **2** (liian korkea) excessive, extreme, unreasonable
suhteettoman disproportionately, excessively, extremely, unreasonably
suhteettomasti disproportionately, excessively, extremely, unreasonably
suhteuttaa proportion, put (something) in proportion (to something)
suihku 1 (kylpy) shower **2** (muu) spray, jet
suihkukaappi shower stall
suihkukone jet (plane)
suihkulähde fountain
suihkuttaa spray, squirt, shower
suikale strip
suinkaan *ei suinkaan* not at all; (ei missään nimessä) no way, not a chance
suinkin at all *jos suinkin mahdollista* if at all possible *niin pian kuin suinkin* as soon as possible
suin päin headlong, headfirst, head over heels, (sl) ass over teakettle
suipentua taper off
suippo pointed, tapered
suippopäinen tapered, pointed
suistaa throw off/down
suistaa raiteiltaan (juna) derail; (ihminen) get (someone) off track, sidetrack
suistaa vallasta overthrow, depose
suisto delta, estuary
suistua be thrown (off/down)
suistua raiteiltaan (juna) (be) derail(ed); (ihminen) get off track, get sidetracked
suistua tieltä skid off the road
suistua vallasta be overthrown/deposed

suitset bridle

suitsuke incense

sujauttaa slip

sujua 1 (vene) float (downstream), (liikenne) flow **2** (asiat) go *Miten sujuu?* How's it going? *Miten se sujui?* How did it go?

sujuva fluent

sujuvasti fluently *puhua sujuvasti englantia* speak fluent English, speak English fluently

sujuvuus fluency

sukellus dive, plunge; (sukellusveneen) submersion

sukellusvene submarine

sukeltaa dive

sukeltaja diver

sukia (hiuksia) brush, comb; (partaansa) stroke; (hevosta) curry; (lintu höyheniään) preen

sukka sock, stocking

sukkahousut pantyhose; (ark) hose, stockings

sukkasillaan in your stocking feet

sukkela clever, witty

sukkeluus witticism, bon mot

sukkula shuttle (myös avaruus-)

suklaa chocolate

suklaakastike chocolate topping

suklaalevy chocolate bar

suklaapatukka chocolate bar

suksi ski

suksia ski *Suksi suolle/kuuseen* Go jump in a lake *Suksi vittuun* Go take a flying fuck at the moon

suku 1 family, relatives/relations; (ark) clan *Oletteko sukua toisillenne?* Are you two related (to each other)? *Virve Virtanen o.s. Vehviläinen* Virve Vehviläinen Virtanen **2** (sukujuuri) stock, ancestry, line *olla hyvää sukua* come of good stock, have an illustrious line of ancestors **3** (kiel) gender **4** (biol) genus

sukuinen related to *feminiinisukuinen* feminine (in gender) *hyväsukuinen* of good stock

sukujuuri stock, ancestry, line

sukulainen relative, relation, kins(wo)man

sukulaisuus kinship

sukupolvi generation

sukupuoli (biologinen) sex, (sosiologinen) gender

sukupuolielin sex organ, genital (mon genitalia, ark genitals)

sukupuolielämä sex life

sukupuolinen sexual

sukupuolisuhde sexual relation, affair

sukupuolitauti venereal disease

sukupuoliyhteys sexual intercourse

sukupuu family tree, genealogy

sukurutsaus incest

sukutila family/ancestral farm/estate

sukututkimus genealogy

sula 1 (maa) unfrozen, (voi) melted, (metalli) molten, (vesi) open **2** (pelkkä) pure, sheer *sulaa hyvyyttään* out of the sheer goodness of her heart

sulaa 1 (jäätä, lumi) melt (myös kuv) *Se sulaa suussa* It melts in your mouth **2** (maa) thaw **3** (ruoka) digest **4** (metalli) fuse

sulake fuse

sulamaton 1 (metalli) in-/nonfusible **2** (ruoka: ei ole sulanut) undigested, (ei sula) indigestible

sulattaa 1 (jäätä, lunta) melt (myös kuv), (pakastinta tms) defrost *Sääli sulatti hänen sydämensä* Pity melted his heart **2** (malmia) smelt, (metallia) fuse **3** (maata) thaw **4** (ruokaa) digest **5** (asiaa: ymmärtää) digest, fathom, comprehend; (sietää) stomach

sulatto smeltery, foundry

sulatus smelting, fusion

sulautua 1 blend/fuse/merge into **2** (yhtiöt) merge

sulava 1 (ruoka) digestible, easy to digest **2** (käytös) suave, polished, smooth

sulavakäytöksinen suave, polished, smooth

sulavaliikkeinen graceful, lithe

sulhanen (kihloissa) fiancé; (häissä) (bride)groom

suljettu closed, shut

suljetun paikan kammo claustrophobia

suljin shutter

sulka feather

sulkapallo (peli) badminton, (pallo) shuttlecock

sulkea

sulkea 1 close/shut (up/down/off), (lukita) lock (up) **2** (sululla katu) block, (ovi) bar **3** (ihminen pois) bar, exclude; (urh) disqualify

sulkeet parentheses *panna sulkeisiin* put in parentheses, parenthesize

sulkemisaika closing time

sulkeutua close/shut (yourself in/up), (kuoreensa) withdraw/retire (into your shell)

sulku 1 (tiesulku) road block, barrier, barricade **2** (sulkuportti) sluice, floodgate; (mon) lock **3** (työnsulku) lockout **4** (kauppasulku) embargo **5** (sot) barrage **6** *sulut* (sulkeet) parentheses **7** (toppi) stop, end *panna sulku jollekin* put a stop to something

sulloa stuff, jam, cram

sulloutua stuff/jam/cram (yourself into)

sulo charm *naiselliset sulot* feminine charms

suloinen sweet

suma (tukkisuma) log jam; (ark) jam, bottleneck

sumea blurry, misty, foggy, hazy

sumentaa blur over, mist/fog up

sumentua blur over, mist/fog up

sumerilainen Sumerian

summa sum *summassa* at random

summamutikassa at random

summeri buzzer

summittain 1 sum by sum, figure by figure **2** (suurin piirtein) roughly **3** (suurin määrin) lots of

summittainen rough, approximate

sumplia widger (something) around, doctor

sumu 1 fog, mist, haze **2** (tähtisumu) nebula

sumuttaa 1 spray **2** (kuv) pull the wool over (someone's) eyes, throw dust in (someone's) eyes

sunnuntai Sunday

sunnuntaiaamu Sunday morning

sunnuntainen Sunday

sunnuntaipäivä Sunday

sunnuntaisin Sundays

suo 1 swamp, marsh, bog *Painu suolle!* Go jump in a lake! *Painu helvettiin!* Go to hell! **2** (kuv) quagmire

suoda give, allow, permit, grant *jos Jumala suo* God willing *suokaa anteeksi* forgive me!

suodatin filter

suodatinkahvi fine-ground coffee

suodatinsavuke filter-tip cigarette

suodattaa filter, percolate; (ark) perc

suodatus filtration, percolation

suoja 1 (katos) shelter, cover; (vaja) shed **2** (turva) protection, haven, refuge *lain suoja* legal protection, the protection of the law *ottaa suojiinsa* take (someone) under your protection/wing *pimeän suojissa* under cover of darkness **3** (suojasää) thaw

suojailma thaw

suojapuku coveralls; (lasten) snowsuit

suojasää thaw (myös pol)

suojata shelter, cover, protect, shield, guard

suojatie crosswalk

suojaton unprotected, vulnerable

suojatti (mies) protégé, (nainen) protégée

suojautua shelter/protect/shield/guard yourself (against)

suojelija patron, protector

suojelus protection, patronage *opetusministeriön suojeluksessa* under the auspices of the Ministry of Education

suojelushenki guardian spirit/angel

suojus guard, shield, cover, case; (kirjan) dust jacket

suola salt *maan suola* the salt of the earth

suolainen salty

suolata salt

suolaus salting

suoli intestine, (vanh) bowel

suolisto intestinal tract, (vanh) bowels

suoltaa (puhetta) run on (at the mouth); (tekstiä) churn/crank out

suomalainen *s* Finn *adj* Finnish

suomalaisittain Finnish-style

suomalaiskansallinen *s* Finnish national *adj* Finnish

suomalaistaa Finnicize

suomalais-ugrilainen Finno-Ugric

suomalaisuus Finnishness, Finnicism; Finnish culture/spirit

suomenkielinen Finnish, Finnish-language, in Finnish

suomennos Finnish translation

suomentaa translate into Finnish

suomentaja Finnish translator

Suomi Finland

suomi (kieli) Finnish *suomeksi sanoen* in (plain) Finnish

suomia whip, lash; (suullisesti) give (someone) a tongue-lashing

suomu scale

suomustaa scale

suoni (veren) blood vessel, (laskimo) vein; (kasvin, malmin, marmorin) vein

suopea favorable, approving, friendly, kind, benign

suopeus favor(able attitude), approval, kind(li)ness

suora s **1** (maantien, urh) straightaway, (loppusuora) home stretch **2** (korteissa) straight **3** (mat) straight *adj* **1** (tie, viiva tms) straight **2** (rehellinen) straightforward, upfront, frank, direct **3** (välitön) direct *suora lento* direct/nonstop flight *suora vastakohta* direct/diametric opposite *suorassa suhteessa johonkin* in direct proportion to something *suora käännös* literal translation

suoraan 1 straight, right, direct(ly) *mennä suoraan asiaan* get right to the point **2** (salailematta) directly, frankly, openly, up front *sanoa suoraan* be blunt, tell (someone something) straight to his/her face

suoraan sanoen to be frank/honest, frankly, to tell (you) the truth

suoraa päätä straight away/off

suoranainen obvious, actual, real, patent

suorasanainen 1 (ei runomuotoinen) prose **2** (suorasukainen) blunt, frank, outspoken

suoraselkäinen erect, upright (myös kuv)

suorassa straight; (pystyssä) erect, upright

suorastaan (kerrassaan) downright, out-and-out, utterly, plainly; (oikeastaan) actually, really, in fact; (yksinkertaisesti) simply; (jopa) even *Hän suorastaan säteili* She was practically glowing *Hän oli aika kylmäkiskoinen, ellei suorastaan töykeä* He was pretty cold, if not downright/out-and-out rude

suorasukainen blunt, frank, outspoken

suorasukaisuus bluntness, frankness

suoraviivainen 1 (mat) rectilinear **2** (ihminen: suora) straightforward; (yksioikoinen) single-minded *Hän on aika suoraviivainen poika* He's a bit single-minded, he's got a one-track mind, he's a bit of a Boy Scout

suoraviivaisesti rectilinearly, straightforwardly, single-mindedly

suoristaa 1 straighten (out/up), (kangasta) smooth (out) **2** (mat) rectify

suoristua straighten; (tukka) go straight, lose its curl

suorittaa 1 (toiminta) perform, do, make, undertake; (tutkimusta) carry out **2** (tutkinto) take, earn, pass, (ark) get *suorittaa maisterin tutkinto* earn/get a Master's degree *suorittaa ensiapukurssi* take/pass a first-aid class **3** (maksu) pay (off/up), remit, defray

suorittaa loppuun finish, complete, (ark) wrap up

suorittaja 1 person doing something **2** (ohjelmannumeron tms) performer **3** (rikoksen) perpetrator, (ark) perp **4** (maksun) payer **5** (junan) dispatcher

suoritus 1 performance **2** (saavutus) accomplishment, achievement **3** (suoritettu kurssi) completed course, (loppumerkintä) signature (in your book), (arvosana) grade **4** (maksun) payment, remittance, settlement

suorituskyky 1 competence, capacity, ability; (auton) performance **2** (maksukyky) solvency, ability to pay

suoriutua get over/by/through (something), get (something over and) done (with); (selviytyä) make it *suoriutua hyvin jostakin* do fine on something

suosia 1 favor, (opettaja) make (someone) your pet/favorite **2** (tukea) support, patronize *Suosi suomalaisia!* Buy Finnish!

suo siellä vetelä täällä between the devil and the deep blue sea, between a rock and a hard place

suosija patron

suosikki favorite

suosio 1 (suuren yleisön) popularity *saavuttaa suosiota* become popular, win a following **2** (jonkun) esteem, high opinion /regard, (vanh) favor *olla jonkun suosiossa* be thought highly of by someone, (opettajan) be the teacher's pet *osoittaa suosiotaan* applaud, clap your hands

suosiolla willingly, gladly, without being asked

suosiollinen friendly, amicable, kind, benevolent *jonkun suosiollisella avustuksella* (ystävän) with someone's kind assistance; (yhdistyksen tms) with the generous support of someone

suosiollisesti amicably, kindly, benevolently *suhtautua suosiollisesti johonkuhun* take a beneficent/benevolent interest in someone

suosionosoitus 1 (teko) favor, dispensation, courtesy **2** *suosionosoitukset* applause

suositella recommend

suosittaa recommend

suosittelu (re)commendation

suosittu popular

suositus recommendation

suosituskirje letter of recommendation

suostua 1 agree/consent (to), be willing (to), comply (with) *Hän ei suostunut* (tekemään niin) She refused (to do it that way) **2** (hyväksyä) accept, approve *Hän ei suostunut kosintaani* She rejected my proposal, she turned me down

suostuminen agreement, consent, willingness, compliance, acceptance, approval (ks suostua)

suostumus agreement, consent, willingness, compliance, acceptance, approval (ks suostua)

suostutella (try to) talk (someone) into (doing something), (try to) persuade (someone to do something); (maanitella) coax, wheedle

suotava desirable, advisable

suotta for nothing, for no reason/purpose; (tarpeettomasti) unnecessarily *Älä suotta vaivaudu* Don't bother

suotuisa favorable, advantageous, propitious; (ark) good

supista whisper

supistaa 1 (vähentää) cut back, decrease, reduce **2** (pienentää) reduce, cut down **3** (rajoittaa) restrict, limit **4** (lyhentää) shorten, cut short **5** (tiivistää) abridge, condense **6** (mat) reduce **7** (lääk) contract, constrict

supistua 1 (fyysisesti) contract, shrink **2** (vähentyä tms) be cut back/down/short, be decreased/reduced/restricted/limited /shortened/abridged/condensed (ks supistaa)

supistus 1 (synnytyssupistus) contraction, (mon) labor *Supistukset tulevat jo 10 minuutin välein* The contractions are coming ten minutes apart *Kuinka kauan supistukset kestivät?* How long were you in labor? **2** (vähentäminen tms) reduction, restriction, limitation, abridgement, condensation (ks supistaa)

supisuomalainen Finnish to the core

suppea 1 (pieni) small *suppeissa puitteissa* on a small scale **2** (rajoittunut) restricted, limited, narrow *sanan suppeassa merkityksessä* in the (re)strict(ed)/narrow sense of the word **3** (lyhyt) short, brief, concise *suppea sanakirja* a concise dictionary **4** (tiivis) compact, abridged, condensed **5** (perus) basic *matematiikan suppea kurssi* the basic course in mathematics

sureva (surua tunteva) grieving, (poismenneen omainen) bereaved

surina hum, whir, drone

surista hum, whir, drone

surkastua 1 (kasvu) be stunted, (lihas) atrophy **2** (kuihtua) wither/waste away (myös ihminen)

surkea 1 (kehno) terrible, (ark) lousy *surkeassa kunnossa* in terrible/lousy shape **2** (viheliäinen) wretched; (ark) nasty, mean *surkea temppu* a dirty/mean trick **3** (valitettava) unfortunate *surkea onnettomuus* an unfortunate accident **4** (murheellinen) miserable, unhappy, downcast *katsoa surkeana muiden ilonpitoa* watch miserably while others have fun **5** (surkuteltava) pathetic, pitiful, pitiable *surkea ilmestys* a pathetic sight **6** (sydäntä särkevä) heart-wrenching *surkea itku* a heart-wrenching cry

surkeus misery

surku *Minun käy häntä surku* I feel sorry for her

surkuhupaisa (säälittävä) pathetic; (näytelmän/romaanin juoni) tragicomic

surkutella feel sorry for; (yhdessä) commiserate (with)

surma death *saada surmansa* die, be killed /slain; (leik) meet your maker

surmata kill, slay

surra 1 (kuollutta) mourn/grieve (over) **2** (huolehtia) worry (about), be worried **3** (olla pahoillaan) be sorry

suru sorrow, grief/grieving, mourning *Otan osaa suruunne* My condolences/sympathies (in your sorrow)

surullinen sad; (ihminen myös) sorrowful, mournful, melancholy; (tapahtuma myös) tragic *Äiti tulee hyvin surulliseksi kun teet noin* It makes Mommy very sad when you do that *surullista kyllä* unfortunately

surullisuus sadness, sorrow

surun murtama grief-stricken

surunvalittelu condolence(s)

suruton 1 blithe, casual **2** (maallinen) worldly

surutta without a second thought, blithely

survoa 1 crush, mash; (soseeksi) purée; (jauhaa) grind **2** (ihmisiä jonnekin) stuff, jam, cram

susi 1 (eläin) grey wolf *yksinäinen susi* lone wolf (myös kuv) **2** (ark) dud, botch(ed job), hash, (auto) lemon

susi lammasten vaatteissa a wolf in lamb's clothing

sutkaus (karkea) (wise)crack; (hienompi) witticism, bon mot

suttaantua 1 (likaantua) get dirty/messy **2** (mennä hyvin) work/turn out (fine)

suu 1 mouth *Suu kiinni!* Shut up! Be quiet! *piestä suutaan* run off at the mouth, beat your gums *soittaa suutaan* shoot off your mouth *olla suuna päänä* talk big, strut *pitää pienempää suuta* quiet/pipe down *pitää suurta suuta* talk big, be all talk *puhua suulla suuremmalla* ks hakusana

2 (aukko: luolan tms) entrance, (aseen) muzzle, (letkun tms) nozzle *oven suussa* at the door, in the doorway

suudella kiss

suudelma kiss

suuhunpantava something to eat, eats, grub; (mutusteltava) munchies

suukko kiss

suukopu *pitää suukopua* kick up a fuss

suulas talkative

suullinen oral

suullisesti orally

suun kautta orally

suunnanmuutos change of course/direction

suunnata 1 direct *suunnata jonkun huomio johonkin* direct someone's attention to something *suunnata kysymys jollekulle* ask someone a question, address a question to someone **2** (tähdätä) aim, point, train

suunnaton immense, enormous

suunnattomasti immensely, enormously

suunnilleen approximately, roughly, about

suunnistaa take your bearings, get oriented; (urh) do/practice orienteering

suunnitella plan, design *suunnitella matkaa* plan a trip, map out your itinerary, figure out what you want to do on your trip *suunnitella taloa* design a house, draw up designs for a house

suunnitelma plan, scheme *Se ei sovi minun suunnitelmiini* That doesn't fit in to/with my plans, that's not what I had in mind

suunnitelmallinen systematic, methodical

suunnitelmallisesti systematically, methodically

suunnitelmallisuus systematic/methodical planning

suunnittelematon unplanned, poorly planned, unthought-out

suunnittelu planning, design

suunsoittaja bigmouth, motormouth

suunsoitto big talk, all talk, hot air

suunta 1 direction, way; (laivan, lentokoneen ja kuv) course *katsoa molempiin suuntiin* look both ways *jotakin siihen suuntaan* something along those lines *suuntaan tai toiseen* one way or the other *jossakin Mik-*

kelin suunnalla somewhere near/around Mikkeli **2** (kehityssuunta) trend, tendency; (taiteen) school, movement

suuntainen *jonkin suuntainen* parallel with something

suuntanumero area code

suuntaus 1 (suuntaaminen) orientation **2** (taiteen tms) trend, tendency

suuntautua 1 (ihminen) turn, tend, be oriented toward, direct your activities/efforts (toward) *ulospäin suuntautunut ihminen* extrovert, outgoing person *oikeistoon suuntautunut ihminen* right-winger, right-leaning person, a person with right-wing /conservative tendencies **2** (esine, tapahtuma) be directed/aimed (toward/at) *Matkamme suuntautui etelään* We headed south

suuntaviivat 1 (ohjeelliset) guidelines, outlines **2** (kuvailevat) trend, tendency

suuntäysi mouthful *kirota suuntäydeltä* curse up a blue streak

suunvuoro a chance to speak *En saanut koko iltana suunvuoroa* I couldn't get a word in edgewise all evening

suupala a bite (to eat)

suupaltti blabbermouth, chatterbox

suur- great, grand; (kaupunkialue) greater

suurehko largish

suurenmoinen great, wonderful, stupendous, magnificent

suurennella magnify, exaggerate, (ark) blow (something) up (out of all proportion) **2** (kerskailla) brag, boast, talk big

suurennos enlargement

suurennus magnification, enlargement

suurennuslasi magnifying glass

suurentaa 1 magnify, enlarge **2** (tietok: ikkunaa) maximize

suuret ikäluokat baby boom (generation)

suuri 1 big, large, great *kaksi kertaa niin suuri kuin* twice as big as, double the size of *olla suureksi avuksi* be a lot of help, be a big help *luulla suuria itsestään* have an inflated opinion of yourself, be stuck-up, have a big/swelled head **2** (suurialainen) wide, extensive *silmät suurina* wide-eyed

3 (korkea) high **4** *suurella äänellä* loudly, in a loud voice

suurilukuinen numerous

suurimittainen large-scale; (taiteellisesti ansiokas) magnificent

suurimmillaan at its greatest/peak/height

suurin biggest, greatest, largest *suurin sallittu nopeus* maximum speed

suurin osa the majority (of), most (of), the lion's share (of)

suuri osa a/the majority (of), a large part (of) *suureksi osaksi* largely

suurisuinen bigmouthed; (kerskaileva) boastful; (uhoava) blustering

suuritehoinen powerful

suurituloinen high-income

suuritöinen laborious; (ark) hard, tough

suurkaupunki metropolis

suurkaupunkilainen metropolitan

suurlähettiläs ambassador

suurlähetystö embassy

suurpiirteinen (suvaitsevainen) broad-minded, tolerant, permissive **2** (löyhä) lax, negligent, lackadaisical

suurpiirteisesti tolerantly, benevolently; lackadaisically

suurpiirteisyys broad-/open- mindedness, an open mind, tolerance; laxity, negligence

suursiivous thorough (house)cleaning, spring cleaning

suuruinen *Minkä suuruisen sekin kirjoitit?* How big a check did you write? How much did you write the check for?

suuruudenhullu megalomaniac

suuruudenhulluus megalomania

suuruus 1 size, magnitude, dimensions **2** (laajuus) extent **3** (määrä) amount **4** (henkinen) greatness; (kuuluisuus) fame, celebrity; (sydämen) largeness/capacity of heart

suuruusluokka (tähden) magnitude, (purjeveneen) class *Mitä suuruusluokkaa sinun palkkasi on?* What are they paying you, roughly?

suurvalta superpower

suusta suuhun *kulkea suusta suuhun* spread by word of mouth *suusta suuhun -tekohengitys* mouth-to-mouth resuscitation

suutahtaa lose your temper, flare up

suutari 1 cobbler *Jerusalemin suutari* the Wandering Jew **2** (pommi) dud

suutelu kissing; (ark) making out

suuttua 1 (vihastua) get mad (at), lose your temper (at), fly into a rage (at); (ark) blow your top, blow a fuse, have a cow **2** (loukkaantua) get offended, take offense, get hurt; (ark) go into a snit/huff

suuttumus anger, rage, fury

suutuksissa angry, (ark) pissed off

cuutuspäissään in a fit/burst of anger/rage

suvaita 1 tolerate, stand *En suvaltse häniä tähän taloon* I refuse to let him enter this house, I will not have him in this house **2** (alentuvasti) condescend, deign *Hän ei suvainnut vastata kirjeeseeni* He didn't deign to answer my humble missive

suvaitsematon intolerant

suvaitsemattomuus intolerance

suvaitsevainen tolerant

suvaitsevaisuus tolerance

suvanto smooth waters

suvereeni sovereign *hallita jotakin suvereenisti* have a perfect command of something, have total mastery over something

suvi summer

suvunjatkaminen procreation, reproduction

Sveitsi Switzerland

sveitsiläinen *s, adj* Swiss

svetisismi a Swedish-influenced word or phrase in Finnish, Sveticism

sydämellinen warm(-hearted), friendly *sydämellinen vastaanotto* a warm reception

sydämellisesti warmly *Haluan toivottaa teidät sydämellisesti terve tulleiksi* Let me welcome you all warmly

sydämellisyys warm-heartedness, warmth

sydämensiirto heart transplant

sydämetön heartless

sydän 1 heart (*myös kuv*) *sydämensä halusta* to your heart's content *koko sydämestä* from the bottom of your heart *vihlaista jonkun sydäntä* cut someone to the quick *Sydämeni sykkii sinulle* My heart aches for you *totella sydämensä ääntä* follow your heart **2** (kynttilän) wick, (maapallon) core, (suklaakonvehdin) filling, (puun) pith

sydänkohtaus heart attack

sydän kurkussa with your heart in your mouth

sydänsairaus heart disease

sydänsuru heartache

sydäntalvi the depth of winter

sydäntä lämmittävä heart-warming

sydäntä särkevä heart-breaking

sydänystävä bosom buddy/friend

syke pulse (*myös kuv*) *kaupungin syke* the pulse/heartbeat of the city

sykintä beat(ing), pulsation; (sähkön) ripple

sykkiä beat, throb, pound

syksy fall, (ylät) autumn

syksyinen autumnal *Tänään on syksyinen ilma* Fall is in the air today

syksymmällä closer to (the) fall

sykähdys throb, beat

sykähdyttää stir you

cykähtää throb, beat, pound; (hypähtää) leap

sykäys (puhelun) billing unit

syleillä hug, embrace

syleily hug, embrace

syli 1 (istuvan) lap, (seisovan) arms **2** (pituusmitta) fathom **3** (halkomitta) cord

sylillinen armful

sylitietokone laptop (computer)

sylkeä spit

sylki saliva, (ark) spit *puhua mitä sylki suuhun tuo* say the first thing that pops into your head

symboli symbol

symboliikka symbolism

symbolinen symbolic

symmetria symmetry

symmetrinen symmetrical

symmetrisyys symmetricality

sympaattinen sympathetic *Hän on oikein sympaattinen* He's very friendly, he's a really nice guy

sympatia sympathy

synagoga synagogue

synkata *Eiks meillä synkkaa aika hyvin?* We get along pretty well, don't we? We're pretty well in tune/sync with each other, don't you think?

synkistyä 1 (taivas) darken, get dark and threatening **2** (ihminen) get sad/depressed

/disheartened/downcast *Hänen ilmeensä synkistyi* Her face fell

synkkyys gloominess

synkkä gloomy, dismal, dreary, bleak, depressing

synkkäilmeinen glum, doleful

synnillinen sinful

synninpäästö absolution/forgiveness of sins

synnintunto contrition, repentance

synnitön sinless, without sin

synnyinseutu the region you were born in

synnynnäinen innate, inborn

synnyttäjä woman in labor, parturient

synnyttää 1 (vauva) deliver, give birth to **2** (pentu) drop; (eri eläimistä: lehmä) calve, (tamma) foal, (vuohi) kid, jne **3** (keskustelua tms) give birth/rise to, spark, breed, produce, generate **4** (sähköä) generate, produce

synnytys delivery, birth; (supistukset) labor

synnytysoppi obstetrics

synonyymi synonym

syntaksi syntax

synteesi synthesis

synteettinen synthetic

syntetisoida synthesize

synti sin *Anna meille meidän syntimme anteeksi* Forgive us our trespasses/debts /sins

syntinen s sinner *adj* sinful

syntipukki scapegoat

syntisyys sinfulness

synty birth, (ja kehitys) genesis *pohtia syntyjä syviä* ponder profound matters, talk philosophy, solve the world's problems

syntyessään at birth

syntyisin born (in)

syntyjään originally, by birth

syntymä birth

syntymäaika birthdate

syntymäpäivä birthday

syntymäpäiväjuhlat birthday party

syntymäpäiväonnittelu birthday greeting /card

syntymätodistus birth certificate

syntyperäinen native

syntyvyyden säännöstely birth control

syntyvyys birth rate, natality

syntyä 1 be born *Meille on syntynyt kolmas lapsemme* We've just had our third child *Hän on syntynyt muusikoksi* She's a born musician *Milloin sinä olet syntynyt?* When were you born? What's your birthday? **2** (saada alkunsa) originate, spring up, break out, arise, come into being/existence; (jostakin) come/derive from *Syntyi kiusallinen hiljaisuus* There was an embarrassed silence *Mitähän tästä vielä syntyy?* Whatever will come of this?

syntyä keskosena be born prematurely, (ark) be a preemie

syntyä kuolleena be stillborn

syrjä edge, side, border *mäen syrjässä* on the hillside, at the foot of the hill (ks myös syrjässä)

syrjähyppy affair *tehdä syrjähyppy* cheat on your husband/wife

syrjäinen remote, distant

syrjäseutu remote/outlying area

syrjäsilmin with a sidelong glance

syrjässä aside *jättää/panna syrjään* set/put (something aside), ignore, neglect; (kokouksessa) table, shelve *vetäytyä syrjään* step aside, withdraw *pysytellä syrjässä* stand/keep aloof, stay out of the fracas /fray, keep your distance

syrjäyttää 1 (menetelmä tms) replace, supplant **2** (ihminen: työntää sivuun) supplant, oust, edge out, (valtias) depose, (kuningas) dethrone; (jättää sivuun) pass over **3** (huomautus) pass over, ignore, disregard **4** (fys) displace **5** (tietok) override

sysimusta pitch black

systeemi system

systemaattinen systematic

sysätä push, shove; (ajatuksia syrjään) dismiss *sysätä syy jonkun niskoille* blame someone else for something; (ark) pass the buck

sysäys push, shove

syttyminen ignition, combustion; (sodan tms) outbreak

syttyä 1 (tuleen) ignite, catch fire, burst into flames, light (on fire) **2** (valo) light up, be lit, go on *Hänen silmiinsä syttyi ilo* Her eyes lit up with happiness **3** (tähti) come out **4** (sota tms) break out **5** (kuv) spark, kindle *Hän syttyy helposti* (asiaan) She gets excited/enthusiastic about things quickly; (seksuaalisesti) She's easily aroused

sytytin 1 (räjähteen) detonator, (detonating) fuse **2** (savukkeen) lighter

sytyttää 1 (tuli) light (a fire, something on fire), start a fire; (tuleen) set (something) on fire, set fire to (something) *sytyttää tulitikku* light/strike a match **2** (räjähde) detonate; (ark) fire, blow **3** (mielenkiinto) (en)kindle, stir, arouse, excite **4** (kapina tms) incite, inflame **5** (ark: leikata) understand, get it *Nytkö sulla vasta sytytti?* Did you just get it? *Hänellä sytyttää nopeasti* He's sharp, he's quick on the uptake

sytytys 1 (tulen, auton) ignition **2** (räjähteen) detonation **3** (hoksaaminen) understanding, grasp *Hänellä on hidas sytytys* He's slow on the uptake

syvennys depression, indentation, hollow; (seinässä) recess, niche, alcove

syventynyt johonkin engrossed/wrapped up /absorbed in something

syventyä 1 deepen, grow deeper **2** (aiheeseen) go into (something) more deeply, deal with (something) in greater detail

syventävät opinnot advanced studies; (lähin vastine) Master's-level major studies, 500-level coursework

syventää 1 deepen, make/dig (a hole) deeper **2** (aihetta) amplify, go into (something) more deeply, deal with (something) in greater detail

syvetä deepen, grow deeper

syvyinen -deep, in depth

syvyys depth (myös kuv), deepness *meren syvyyksissä* in the depths of the ocean *pohjaton syvyys* the bottomless pit, the abyss

syvä deep, (kuv) profound *syvä epätoivo* utter/total despair *syvässä unessa* fast /sound asleep

syvällinen deep, profound

syvällisyys depth, profundity

syvällä deep *syvällä sisämaassa* deep in the heart of the country *Onko hän niin syvälle vajonnut?* Has he stooped/fallen so low?

syvänne deep

syvässä deep *kolme metriä syvässä vedessä* in water nine feet deep

syvästi deeply, profoundly *rakastaa jotakuta syvästi* love dearly

syy 1 (aihe(uttaja)) cause *ilman laillista syytä* without legal cause *syy ja seuraus* cause and effect **2** (motiivi) reason, motive; (perustelu) ground(s); (veruke) excuse *Minulla oli hyvät syyt toimia niin kuin toimin* I had good reasons/grounds for acting as I did, my motives were good for doing what I did *sitä suuremmalla syyllä* all the more reason (to do something), all the more so **3** (vika) fault; (syyte) blame *sysätä syy jonkun niskoille* blame someone else for something, put the blame on someone else; (ark) pass the buck *Syy on sinun* It's your fault

syyllinen s guilty party, offender, culprit *adj* guilty

syyllistyä be guilty of; (rikokseen) commit

syyllisyydentunne (feeling of) guilt, guilty conscience

syyllisyys guilt *kiistää syyllisyyttensä* protest your innocence, (oikeudessa) plead not guilty

syylä wart

syyntakeeton irresponsible; (laillisesti) non compos mentis

syynätä inspect, (ark) snoop (into)

Syyria Syria

syyrialainen s, adj Syrian

syys- fall

syyskuu September

syyslukukausi (kahdesta) fall semester, (kolmesta) fall quarter

syyspäiväntasaus autumnal equinox

syystä (kyllä) with (good) reason *sattuneesta syystä* for obvious reasons *jostakin syystä* for some reason (or other) *meistä riippumattomista syistä* for reasons beyond our control, due to circumstances beyond our control

syyte accusation, charge, indictment *asettaa syytteeseen* accuse, charge, indict; (oikeudessa) bring (someone) to trial, prosecute *joutua syytteeseen jostakin* be accused/charged/indicted/prosecuted for something *luopua syytteestä* drop charges *vapauttaa syytteestä* acquit

syytetty the accused

syyttäjä 1 accuser **2** (lak) prosecutor, district attorney, DA

syyttä suotta for no particular reason

syyttää 1 blame (something on someone, someone for something), accuse (someone of something) *Syytä itseäsi!* It's your own fault, you have only yourself to blame **2** (laillisesti) accuse, charge, indict

syyttää 1 (sylkeä) spew, spit **2** (iskuja) rain (down), (rahaa) blow, (moitteita) heap

syytön innocent, (oikeuden päätöksellä) not guilty

syytös accusation, charge

syödä 1 eat *syödä pilleri* take a pill *syödä lounas* eat/have lunch **2** (kala) bite **3** (syövyttää) eat (away at); (vesi maata) erode, wash away; (happo metallia) corrode **4** (auto bensiiniä) consume, use; (leiki guzzle *Kuinka paljon se syö satasella?* What kind of mileage do you get? **5** (sakissa) take, capture

syödä sanansa go back on your word, renege on a promise

syöjä eater, devourer (myös kuv) *kuusi syöjää pöydässä* six mouths at the table

syöksy rush, dash; (sukellus) dive, plunge; (putoaminen) plunge, fall

syöksykierre (lentokoneen) spin, (ihmisen) downward spiral

syöksyä 1 (juosta tms) rush, dash, charge **2** (sukeltaa) dive, plunge **3** (pudota) plunge, fall (headlong), plummet **4** (törmätä) crash

syöksähtää rush, burst; (kyyneleet) gush

syöminen eating

syömingit feast; (ark) food bash, tongue orgy, blowout

syömä- eating

syömäkelpoinen edible

syömälakko hunger strike

syömäpuikot chopsticks

syömäri glutton, pig, big eater

syömätön 1 (ihminen) someone who hasn't eaten *olla päiväkausia syömättömänä* go for days without eating **2** (ruoka) uneaten

syönti eating *syönnin jälkeen* after a meal, after eating

syöpyä 1 eat into; (maaperä) erode, (metalli) corrode **2** *syöpyä mieleen* be (indelibly) engraved/inscribed on your mind/memory *syvään syöpynyt* deep-seated, deeply ingrained

syöpä cancer, (perunan ja kuv) canker

syöpäläinen vermin (myös mon)

syöpäsairaus cancer (disease), carcinosis

syöpäaiheuttava carcinogenic

syöstä 1 (suistaa) push, shove; (viskata) fling, hurl **2** (sylkeä: tulta) spit, (savua) spew (out)

syötti bait (myös kuv), (sorsan) decoy (myös kuv)

syöttää 1 feed *syötetty vasikka* the fatted calf *syöttää jollekulle pajunköyttä* feed someone a line *Älä syötä minulle tuota paskaa!* Don't give me that (bull)shit **2** (tenniksessä, lentopallossa tms) serve, (pesäpallossa) pitch, (jalkapallossa) pass

syöttö 1 feeding **2** (tekn) feed, supply; (tietok) input **3** (tenniksessä, lentopallossa tms) serve, (pesäpallossa) pitch, (jalkapallossa) pass

syövyttää 1 eat into; (maata) erode, (metallia) corrode **2** (jonkun muistiin) engrave, inscribe, etch

syövytys erosion, corrosion

sä you, ya

säde 1 (fys ja kuv) ray, (kuun) (moon)beam; (vain kuv) glimmer **2** (geom) radius

sädekehä halo

säe (runon) line, verse **2** (laulun) phrase

säestys accompaniment

säestäjä accompanist

säestää accompany

sähke telegram, cable; (ark) wire

sähkö electricity (myös kuv)

sähköasentaja electrician

sähköinen 1 electrical (myös kuv:) electifying *Sinun tukkasi on ihan sähköinen* Your hair is standing on end (with static electricity) **2** (elektroninen) electronic *sähköinen posti* electronic mail *sähköiset viestimet* the electronic media

sähköisku (electric) shock

sähköistys electrification
sähköistää electrify
sähköjohto wire, cord
sähköjuna electric train
sähkölaitos electric company
sähkölamppu light bulb
sähkölasku electricity bill
sähkölämmitys electric heating
sähkömoottori electric motor
sähköpistoke plug
sähköposti 1 (tietoverkon palvelu) e-mail (myös cmail), electronic mail *order tickets by email* tilaa liput sähköpostitse **2** (viesti) e-mail (myös email), electronic mail *I received an email from my cousin* sain serkultani sähköpostin
sähköpostilaatikko mailbox, inbox
sähköpostiosoite e-mail address
sähkösanoma telegram, cable(gram), (ark) wire
sähköttää telegraph, cable, wire
sähkövalo electric light
sähkövoima electric power
säie strand, fiber
säihkyä sparkle, glitter, glint
säikky jumpy, nervous, easily spooked
säikkyä startle, jump, spook
säikähdys scare, fright
säikähtää be scared/frightened/startled
säikäyttää frighten, startle, spook
säiliö tank, (iso) reservoir, (kaivomainen) cistern
säiliöauto tanker, tank truck
säilykkeet canned foods/goods
säilyttää 1 keep (up), retain, maintain, preserve *säilyttää tasapainonsa/arvokkuutensa* maintain your balance/dignity **2** (varastoida) store (up), stow/put/salt away, lay up/by/aside, keep *Mitä varten säilytät näitä vanhoja lehtiä* Why do you keep all these old magazines?
säilytys 1 storage, safekeeping; (vaatteiden) cloakroom **2** (säilyttäminen) preservation, conservation
säilyä 1 last, endure, keep, remain; (olla ylläpidettynä) be kept up/preserved *Eihän tämä maito säily viikonlopun yli* This milk

won't keep over the weekend, will it? **2** (hengissä) escape, survive, be spared
säilö storage, (turva) safekeeping *panna säilöön* (matkalaukku) leave in storage; (juoppo) lock up (for the night), put (a drunk) in the tank
säilöä preserve, (ark) can; (etikkaliemeen) pickle
säkeistö (runon) stanza, (laulun) verse
säkenöidä sparkle, flash
säkki sack, bag
säkkipimeä pitch(black) dark
säle slat, (aidan) picket
säleaita picket fence
säleikkö trellis, lattice
sälekaihdin Venetian blind
sälli guy, fella
sälyttää load/burden/saddle (someone with something) *sälyttää syy jonkun niskoille* pass the buck
sämpylä bun
sängynpeite bedspread
sänki stubble
sänky bed
säntillinen punctual, meticulous, precise
säpinä action
säppi latch, hook, hasp, clasp
säpäle splinter *mennä säpäleiksi* splinter *lyödä säpäleiksi* smash/break/bust into pieces/smithereens
särkeä 1 (rikkoa) break, crush, smash; (ark) bust **2** (sattua) ache, hurt *Minun päätäni särkee* My head aches, I've got a headache
särky ache, pain
särkylääke analgesic, (ark) painkiller
särkyä 1 break (up/down), burst; (säpäleiksi) shatter **2** (ääni) break, crack
särmikäs rough, unpolished, abrasive
särmä edge *hioa jostakusta särmät pois* rub the rough edges off of someone
särähtää crack *särähtää korvaan* grate on your ear, sound wrong, hit you wrong
särö 1 crack *säröllä* cracked **2** (äänentoistossa) distortion, (radiossa) static
säröillä crack *Heidän avioliittonsa alkoi silloin jo säröillä* Their marriage was already on the rocks back then

säteilevä 1 (fys) radiative **2** (ilosta) radiant, beaming

säteillä radiate (myös kuv)

säteily radiation

säteilyvaara radiation danger

sätky *saada sätkyt* fly off the handle

sätkynukke marionette, puppet

sätkytellä flap, wiggle, jerk; (vastaan) wriggle/struggle (to get free)

sätkähtää chug, putt-putt

sättiä scold, nag/carp at

sävel 1 (nuotti) note **2** *sävelet* strains, sounds **3** (sävelmä) melody, air, tune **4** (sävy) tone, note

sävellaji key

sävellys composition, song

sävelmä melody, air, tune

säveltäjä composer

säveltää compose, write

sävy 1 (värin) shade, tint, tone **2** (äänen) tone, tinge, nuance

sävyisyys compliance, docility, peaceability

sävyisä compliant, docile, peaceable

sävyttää 1 (värillä) dye, tint **2** (tunteella) tinge, color, infuse

sävähtää flinch, start/(le) *sävähtää punaiseksi* blush/flush suddenly

sävays flair, finesse, soupcon

säväyttää startle

säyseys meekness, mildness, gentleness

säyseä meek, mild, gentle

sää weather

säädellä adjust

säädin controller, regulator, adjustor

säädyllinen 1 (kunnollinen) decent, presentable, respectable **2** (kohtuullinen) reasonable

säädyllisyys decency, presentability

säädyttömyys indecency, impropriety

säädytön 1 indecent, immodest, improper, unseemly **2** (kohtuuton) unreasonable, exorbitant

säädös statute, regulation, ordinance *säännöt ja säädökset* the rules and regulations

säännuste weather forecast

sääli pity *Minun käy sinua sääliksi* I feel sorry for you *Sääli hyvää juustoa, joutua*

nyt tämmöiseen käyttöön It's a shame to waste a good cheese like this

säälimättömästi mercilessly

säälimätön unpitying, merciless

säälittävä pathetic, pitiable, pitiful

säälittää arouse pity in *Hän säälittää minua* I feel sorry for him *Minua säälittää ajatella että* It makes me sad to think that

säälä (take) pity (on), feel sorry/pity for

säännöllinen regular

säännöllisesti regularly, as a rule

säännöllisyys regularity

säännönmukainen regular *säännönmukaisessa järjestyksessä* in due order

säännöstellä 1 (palkkoja, hintoja) regulate, control **2** (ruokaa, bensaa tms) ration (out)

säännöstely 1 (palkkojen, hintojen) regulation, control **2** (ruoan) rationing

säännöstö code

säännötön irregular

sääntö rule, regulation, law *Poikkeus vahvistaa säännön* The exception proves the rule

sääri shin, (koko jalka) leg *upeat sääret* great legs

säästeliäs economical

säästyä 1 (jäädä säästöön) be left (over), be saved **2** (joltakin) be spared, escape

säästäväinen prudent, frugal, economical, parsimonious

säästää 1 (rahaa) save (up), put/sock/salt away, lay/put aside **2** (muuta) keep, save, store, put away/aside **3** (ihmistä) spare *Säästä minut selityksiltäsi!* Spare me your explanations! **4** (olla säästäväinen) economize/scrimp/stint (on), be prudent/frugal /economical/parsimonious

säästö saving(s) *On minulla muutama pennonen säästössä* I've got a dollar or two put/stashed away

säästöpankki savings bank

säästöporsas piggy bank

säätiedotus weather report

säätila weather (conditions)

säätiö foundation

sääty 1 (hist) estate *viides sääty* the fifth estate **2** (luokka) (social) class

säätyläinen member of the upper crust (upper class or haute bourgeoisie)

sääty-yhteiskunta class society

säätää 1 (tekn) adjust, regulate, (TV:tä tms) tune **2** (lak) prescribe, ordain, decree

säätö adjustment, control, tuning

söpö cute

sössö mush

sössöttäjä mushmouth

sössöttää 1 (s-vika) lisp **2** (känni) talk thickly

sössölys 1 (s-vika) lisp(ing) **2** (känninpuhe) mushmouthed talk

T, t

taa behind *mennä nurkan taa* go around behind the corner

taaimmainen ks takimmainen

taaja 1 (paikallisesti) dense, thick **2** (ajallisesti) rapid, quick

taajama populated/built-up area, population center

taajeta become denser

taajuus 1 (metsän tms) density **2** (radioaallon) frequency

taakka load, burden (myös kuv)

taakse *adv* in the back *Jukka nukahti sinne taakse* Jukka fell asleep back there, in the back *postp* behind *saada tukijoita taakseen* get backers, get people to support you *katsoa taakseen* look back(wards) (myös kuv), look behind you

taaksepäin backwards, (laiva) astern *siirtaa kello tunnin verran taaksepäin* move the clock back an hour *katsoa ajassa taaksepäin* take a retrospective look (at past events, back in time), look back(wards) in time

taala dollar, (ark) buck *tuhannen taalan paikka* million-dollar spot

taampana further back

taannehtia move/look back(wards) in time, retrospectively

taannehtivasti retroactively

taannoin recently, not long ago, the other day

taannoinen recent

taannuttaa retard, set (something) back

taantua (lääk) decline, degenerate; (psyk) regress; (biol) revert

taantumuksellinen *s, adj* reactionary

taantumuksellisuus reaction

taantumus reaction

taapertaa (lapsi) toddle, (ankka, ihminen) waddle

taas 1 again *Miten se taas menikään* How did it go again? *Joko taas!* What, again? Not again! **2** (kun taas) while, where(as) *Seija oli nukkumassa, minä taas siivoamassa* While Seija was sleeping, I was cleaning; Seija was sleeping, whereas I (on the other hand) was cleaning

taata guarantee, ensure, warrant; (luvata) promise, (vakuuttaa) assure, (mennä takuuseen) vouch (for) *En voi taata sitä, mutta* I can't promise (you) anything, but; no guarantees, but

taateli date

taatelipalmu date (palm)

taatto grandpa, gramps

taattu guaranteed, certain, assured

tabletti 1 (pilleri) tablet **2** (pöytään) placemat

tabu taboo

tae guarantee *Onko takeita siitä että...* Is there any way we can be sure that...

taempana further back

taempi (something) further back *tuo taempi kuppi* that cup further back

taeta 1 (ajallisesti) go back (in time), (psyk) regress *Takenen jälleen lapsuus vuosiin* This takes me back to my childhood days again **2** (paikallisesti) go backwards, retrace your steps

taffeli 1 (piano) square piano **2** (pöytä) buffet table **3** (vuori) mesa

tahallaan on purpose, intentionally

tahallinen 470

tahallinen intentional

tahansa ever *kuka tahansa* whoever *mikä tahansa* whatever *miten tahansa* however *milloin tahansa* whenever *missä/mihin/ minne tahansa* wherever *Mistä tahansa tuletkin* Wherever you come from

tahaton unintentional, accidental

tahdikas tactful, diplomatic, discreet

tahdikkuus tact, diplomacy, discretion

tahdistin pacemaker

tahdistus synchronization

tahditon 1 (epätahtinen) out of rhythm, arrhytmic **2** (epähieno) tactless

tahdittaa bar, divide (music) into measures

tahdittomuus tactlessness, indiscretion

tahdoit tai et whether you want to or not, willy-nilly

tahdonalainen voluntary

tahdonvoima willpower

tahdoton involuntary

tahko 1 (geom) face **2** (juustotahko) (cheese) wheel **3** (tahkokivi) grindstone, (tekn) grinder

tahkota grind, whet/sharpen (something on a grindstone)

tahma sticky/gooey substance, (ark) goo; (kielessä) fur

tahmainen sticky, gooey; (kieli) furred, coated

tahmea (pinta) sticky; (neste) thick, viscous

tahmeasti stickily

tahmeta get/become sticky, (maalista myös) get tacky

tahna (hammastahna) toothpaste, (voileipä-tahna) spread

taho quarter, level *Siltä taholta ei voi odottaa mitään* Nothing can be expected from that quarter *Ylemmät tahot ovat päättäneet* The higher-ups have decided; the decision was made higher up, at higher levels; the decision came from above

tahra (myös kuv) spot, stain, blemish

tahraantua spot, stain, soil

tahraantumaton 1 (ei tahraannu) stain-resistant, stain-proof **2** (ei ole tahrattu) unstained (myös kuv)

tahrainen stained (myös kuv)

tahraton (myös kuv) unsoiled, clean; (vain kuv) impeccable

tahria spot, stain, soil, dirty *tahria sormensa liimaan* get glue on your fingers

tahriintua spot, stain, soil

tahti 1 (mus: viivojen välissä) bar; (tahtilaji) time (signature); (poljento) time, beat, rhythm, tempo *8-tahtinen johdanto* eight-bar intro *3/4-tahti* three-four time *lyödä jalalla tahtia* beat time with your foot, tap your foot to the beat *kävellä samassa tahdissa* walk in step *marssia rumpujen tahdissa* march to a drum cadence *pysyä tahdissa* (musiikissa) stay on the beat, (marssissa) stay in step, (soudussa) stay in stroke, (jonkun kanssa) keep up (with someone) *eksyä tahdista* (musiikissa) get off (the) beat, (marssissa) get out of step *Tahdissa, mars!* Double-time, march! **2** (elämän) tempo, rhythm; (vauhti) pace **3** (moottorin) stroke *4-tahtinen moottori* four-stroke engine

tahtipuikko baton *toimia jonkun tahtipuikon mukaan* follow someone's lead, march to someone's drum

tahto will, volition; (toivomus) wish(es), request *viimeinen tahto* (testamentti) last will (and testament); (toivomus) last/final request/wish *vapaa/hyvä/paha tahto* free /good/ill will *Tapahtukoon sinun tahtosi myös maan päällä niin kuin taivaassa* Thy will be done on earth as it is in heaven *ehdoin tahdoin* deliberately, intentionally, on purpose

tahtoa 1 (saada aikaan tahdonvoimalla) will, resolve **2** (haluta) want, wish, desire *Tahdotko lisää kahvia?* Would you like some more coffee? *Tahdon kotiin!* I want to go home! *Se tahtoo sanoa että* (ihminen) What he's getting at is, what she's trying to say is; (sana, fraasi) it means, the implication is *Tahdon* (vihkiäiskaavassa) I do **3** (taipua) tend to, have a tendency to, be inclined to *Niin siinä tahtoo käydä* That's the way these things (usually/often) go **4** *Mitä tämä tahtoo sanoa?* What does this mean? What is this trying to say?

tahtomattaan 1 (vastoin tahtoaan) against your will **2** (tahattomasti) unintentionally, accidentally

tai or *tai muuten* or else *tai paremmin* or rather

taianomainen magical

taide art

taideaine art

taideakatemia art school/college, academy of the arts

taidearvostelu art review

taide-esine work of art, objet d'art

taidegalleria art gallery

taidegrafiikka graphic art

taidehistoria art history

taidekasvatus art education

taidekokoelma art collection

taidekäsityö arts and crafts

taidekäsityöläinen artisan

taidelukio high school for the visual arts

taidemuoto art form *taidemuodot* the various arts

taidemuseo art museum

taidenäyttely art exhibition

taideteollinen pertaining to industrial art

taideteollisuus industrial art

taideteos work of art

taidokas 1 (ihminen) skillful **2** (teos) well /skillfully made/done/executed

taidokkaasti skillfully

taidollinen 1 skillful **2** (taitoon liittyvä) skill-related *taidolliset puutteet* deficiencies in skill

taidonnäyte demonstration of skill

taidoton unskilled, unskillful

taifuuni typhoon

taika magic (myös kuv)

taikaisku *kuin taikaiskusta* as if by magic, as if at the wave of a magic wand

taikakeino magic *käyttää taikakeinoja* use magic, wave your magic wand *taikakeinoin* by magic

taikalamppu magic lamp

taikasauva magic wand

taikatemppu magic trick

taikausko superstition

taikauskoinen superstitious

taikavoima magic(al power)

taikina (vaivattava) dough, (nestemäinen) batter, (tahna) paste

taikka or (ks tai)

taikoa conjure; (taikuri) do magic tricks, (noita) cast spells *taikoa joku sammakoksi* turn (someone) into a frog *taikoa jänis hatusta* pull a rabbit out of a hat *Mistä nyt senkin rahan taion!* Where am I going to find that (kind of) money?

taikuri magician, wizard; (ark) whiz

taikuruus wizardry (myös kuv)

taimen trout

taimi (puun) sapling; (kasvin) seedling

taimitarha nursery

taimpana furthest back, all the way at the back

tai muuta sellaista and so on, et cetera

tainnoksissa unconscious, insensible; (ark) out cold

tainnuttaa knock (someone) unconscious, stun

taintua faint, lose consciousness, (ark) pass out)

taipale (matka) trip, journey; (vaihe) leg (of the trip)

taipua 1 (fyysisesti) bend, give **2** (henkisesti) give in, yield; (alistua) submit; (suostua) consent, agree **3** (kielellisesti) (be) inflect(ed); (substantiivi, adjektiivi) (be) decline(d), (verbi) (be) conjugate(d) **4** (fys) diffract

taipuilla sway, wave

taipuisa flexible, (com)pliant, pliable

taipumaton inflexible (myös fyysisesti), uncompromising, unyielding, unbending

taipumattomuus inflexibility

taipumus tendency, inclination, propensity, (pre)disposition *Sinulla on taipumus myöntyä kun haluat kieltäytyä* You tend to say yes when you mean no

taipuvainen 1 (taipuisa) flexible, (com)pliant, pliable **2** (tekemään jotakin) inclined, (pre)disposed *olla taipuvainen tekemään jotakin* tend to do something, have a tendency to do something, be apt/inclined /disposed to do something

taistelija fighter, warrior

taistella fight, (do) battle (with/against), combat, struggle (with/against)

taistelu fight, battle, combat, struggle

taistelukenttä battleground, battlefield

taistelukykyinen battle-ready, fit for battle /combat

taisteluhalu feistiness, pugnacity, bellicosity, belligerence

taisteluhaluinen feisty, pugnacious, bellicose, belligerent

taistelutahto fighting spirit, morale

taistelutoveri comrade-in-arms

taisteluvahvuus battle strength

taisteluvalmis battle-/combat-ready

taisteluväsymys combat fatigue

taisto battle, combat, fray

taitaa *pää*v know, master, command, have a command/mastery of, have a proficiency in *Hän taitaa englantinsa* She knows her English *apuv* **1** (voida) can *Taidatko sanoa sitä sen paremmin?* Could you say it any better? **2** *Ei hän taida tulla* He's probably not coming, I don't think she's going to show up

taitamaton inexpert, inexperienced, unskilled, unskillful, incompetent, incapable, unable

taitava expert, experienced, skilled, skillful, competent, (cap)able

taitavuus expertise, skill, competence, (cap)ability

taite 1 (paperin) fold, (kankaan) crease **2** (putken tms) bend, curve **3** (vuosisadan tms) turn *vuosisadan taitteessa* at the turn of the century

taiteellinen artistic

taiteikas artful

taiteilija artist

taiteilijanimi professional name; (kirjailijan) pen name, nom du plume; (näyttelijän) stage name

taiteilijasielu artistic type

taiteilla 1 (tasapainoilla) balance **2** (tehdä taitavasti) do (something) skillfully/artfully/brilliantly *Maalivahti taiteili pallon hyppysiinsä* The goalie made a brilliant save **3** (saada aikaan taitavasti) finagle *Puoluejohtajat taiteilivat kansanedusta-*

jille 1 000 euron palkankorotuksen The party bosses finagled a thousand-euro-a-month raise for members of parliament

taitella (ruumista, oksia tms) bend; (lautasliinoja) fold

taiten skillfully

taito skill; (ruoanlaiton tms) art, knack; (kielen tms) proficiency, command, mastery *Minulla on taidot vähän ruosteessa* I'm a little rusty (at this)

taitoinen able, skilled in *lukutaitoinen* literate, able to read

taitoluistelu figure skating

taitoniekka expert, virtuoso; (ark) whiz

taitotieto know-how

taitovoimistelu gymnastics

taittaa 1 (paperi tms) fold *taittaa sivun kulma* dogear a page(/book) *taittaa haulikko* break a shotgun *taittaa kokoon* fold (something) up, (veitsi) close, snap shut **2** (niska tms) break **3** (fys: valo) refract **4** (sivu toimituksessa) lay out **5** (matka) do, cover a (certain) distance *taittaa 500 km:n matka neljässä tunnissa* go 500 km in four hours

taitto 1 (sivun) layout **2** (urh) pike

taitto-ovi folding door

taittovirhe astigmatism

taittua 1 (paperi tms) fold (up) **2** (niska tms) break **3** (fys: valo) be refracted **4** (matka) pass *Matka taittui nopeasti* The miles flew by, the trip was over quickly

taituri wizard, (ark) whiz; virtuoso

taiturillinen masterly, virtuoso

taituroida do something with grace *Hän taituroi riman yli* He somehow managed to clear the bar

taituruus wizardry, virtuosity

taivaallinen heavenly (myös kuv)

taivaanisä (our) heavenly father

taivaan lintu *vapaa kuin taivaan lintu* free as a bird

taivaanmerkki 1 (enne) heavenly portent **2** (horoskoopissa) sign (of the zodiac) **3** *Kyllä minä hänelle taivaanmerkit näytän!* I'll get him for this, he'll pay dearly for this

taivaanranta horizon

taivaanvaltakunta the kingdom of heaven

taivainen heavenly

taival (matka) trip, journey; (vaihe) leg (of the trip)

taivallus journey

taivaltaa travel, journey, tramp

taiwanilainen *s, adj* Taiwanese

taivas 1 (fyysinen) sky, (run) the heavens *Voi taivas!* Heavens! *kaikkea taivaan ja maan välillä* everything under the sun *tie on auki taivasta myöten* the sky's the limit *olla seitsemännessä taivaassa* to be in seventh heaven *taivasta kohti* skyward(s), up to the skies *vanha kuin taivas* as old as Methusaleh, as old as the hills *räjähtää taivaan tuuliin* be blown to kingdom come *kadota taivaan tuuliin* vanish into thin air **2** (usk) heaven *päästä taivaaseen* go to heaven *taivas suokoon että* heaven grant that *taivas tietää* heaven knows *taivasta kohti* heavenward *taivaan tähden* for heaven's sake *taivas varjelkoon* heaven help us

taivasalla out(-of-)doors, under the stars

taivastella 1 (katsella) gaze/stare (wistfully /longingly) **2** (vetkutella) dawdle, dillydally

taive bend

taivutella coax, wheedle, (try to) persuade (someone to do something)

taivuttaa 1 (fyysisesti) bend, (raajaa) flex **2** (henkisesti) coax, persuade, get (someone) to do something **3** (kielellisesti) inflect; (substantiivia, adjektiivia) decline; (verbiä) conjugate

taivutus 1 (fyysinen) bending, flexion **2** (henkinen) coaxing, persuasion **3** (kielellinen) inflection, declination, conjugation

taju 1 (aisti) sense; (käsitys) conception, idea, notion *Sulla ei ole mitään tajua siitä mitä me ollaan täällä tehty sun hyväkses* You have no conception of what we've been doing for you here **2** (tajunta) consciousness, awareness *menettää taju* lose consciousness, (ark) go out cold *tulla tajuihinsa* regain consciousness, (ark) come to

tajuamaton 1 (joka ei tajua) unaware, ignorant, oblivious **2** (jota ei tajua) incomprehensible, unfathomable, unimaginable *tajuamattoman nopea* unimaginably fast

tajuinen 1 (tajuissaan oleva) conscious *puoliksi tajuinen* half-/semi-conscious *alitajuinen* subconscious **2** (tietoinen) conscious, aware *tulla tajuiseksi jostakin* become conscious/aware of something **3** (ymmärrettävä) accessible *helppotajuinen* easily accessible *kansantajuinen* popular, accessible

tajuissaan conscious

tajunta consciousness, the conscious mind, awareness

tajuta understand, realize, grasp, be(come) aware/conscious of; (ark) see, get *Tajuutsa?* Ya get it?

tajuton 1 unconscious, senseless, (ark) out cold **2** (ark: hullu, älytön) crazy

tajuttomuus unconsciousness, coma

taka- back, (auton) rear, (anat) posterior, (eläinen) dorsal

takaa from behind; (toiselta puolelta) from the other side of, from across *haudan takaa* from beyond the grave *Takki on takaa revennyt* This coat is torn in the back *Tunnemme toisemme vuosien takaa* We go way back (years and years)

takaa-ajaja pursuer

takaa-ajo chase, pursuit

taka-ajatus ulterior motive, an axe to grind

taka-ala background *jäädä taka-alalle* be ignored/neglected/forgotten

takaapäin from behind, from the back *puukottaa jotakuta takaapäin* stab someone in the back (myös kuv)

takaikkuna rear window

takainen 1 (vokaali) back **2** *jonkin takainen* behind something, in back of something

takaisin back, re- *sinne ja takaisin* there and back *maksaa takaisin* repay, pay (someone/something) back *Haluan takaisin* I want to go back

takaisinmaksu refund, reimbursement, (velan) repayment

takaisinponnahdus rebound

takaisku setback

takajalka hind leg *nousta takajaloilleen* (fyysisesti) rear up on your hind legs; (kuv) get your back up, raise your hackles

takakautta (ihmisen tms) from behind; (talon tms) the back way, through the back door /entrance, around back

takakenossa leaning back(wards)

takakäteen 1 (myöhemmin) later, afterwards, subsequently **2** (taaksepäin) backwards

takalisto 1 (takamus, pakarat) backside, rear end *housujen takalisto* the seat of the/your pants **2** (harv: syrjäseutu) backwoods, (run) hinterlands; (ark) boondocks, boonies, sticks

takallinen 1 (jossa on takka) (something) with a fireplace *takallinen leivinuuni* a woodstove with a fireplace **2** (takan täysi) armload, armful *Poltettiin kolme takallista puita* We burned three armloads of firewood

takalukossa double-locked, (kuv) deadlocked

takamaa hinterland, backwoods

takamus 1 (ihmisen) rear (end), backside, bottom, behind **2** (eläimen) rump, hindquarters **3** (housujen) seat

takana behind

takanapäin behind (someone), (kuv) behind (someone's) back *Se aika on nyt takanapäin* That's all behind us/you now, that's old history, that's water under the bridge

takanojassa leaning back(wards)

takanurkka back/rear/far corner

takaosa back, rear

takaovi 1 back/rear door, (julkisen rakennuksen) back/rear entrance **2** *takaoven kautta* (salaa) under the counter

takapajuinen backward

takapajula (kylä) hick town, one-horse town, wide place in the road

takapakki *ottaa takapakkia* (alkaa peräytyä) back-pedal, (kokonaan) back out *Sitten tuli takapakkia* Then we/he hit a snag, then they discovered a problem/hitch

takaperin backwards

takaperoinen 1 (takaperin tapahtuva) backward **2** (taantuva) backward, retrograde **3** (nurinkurinen) topsy-turvy, ass-backward

takapiha back yard

takapiru 1 (vallankäyttäjä) puppetmaster *Tässä on joku takapiru* Someone's pulling our strings here **2** (korttipelissä) kibitzer

takaportti 1 (pihan) back/rear gate **2** (sopimuksen) escape clause **3** (tietok) back door

takapuoli 1 back(side), rear *jonkin takapuolella* in the back of something, behind something **2** (takamus) rear (end), backside, bottom, behind

takapuskuri back/rear bumper

takapyörä rear wheel, (rengas) rear tire

takapää rear (end)

takaraja 1 (urh) back line, (tenniksessä) baseline **2** (määräaika) deadline

takarivi back row

takatalvi spring/summer frost

takatasku back/hip pocket *Hänellä on jotakin takataskussaan* She's got something up her sleeve

takaus guarantee, surety

takautua return (to), go back (to)

takautuva retroactive

takautuvasti retroactively

takavalo taillight

takavarikko confiscation

takavarikoida confiscate, seize, (ark) take away; (poliisi-/sotilastarkoituksiin) commandeer

takaveto rear-wheel drive

takavetoinen rear-wheel-drive

takaviistossa leaning backwards, at a backwards slant

takavuosina in the/years past, in past years

takkelella 1 (puheessa) stammer, stutter **2** (kehityksessä) stop and start, be spasmodic/halting/erratic

takeltaa stammer, stutter

takeltelu stammering, stuttering, erratic progress

takeneva 1 (psyk) regressive **2** (sukututkimuksessa) ascending *takenevassa polvessa* in an ascending line

takerrella stumble, fumble, flounder *takerrella sanoissaan* stumble over your words

takertua cling (to), seize (on)

takertuminen clinging

takia 1 (syystä) *Sinun takiasi myöhästyin* (sinun vikasi oli) I was late because of you, on account of you, due/owing to you *minkä takia* what for, why **2** (hyväksi) for (the sake of) *Sinun takiasi menin* (sinun eduksesi) I went there for you

takimmainen (farthest/furthest) back, rear

takka fireplace *takan ääressä* by the fire /hearth

takkahuone fireplace room

takkatuli fire in the fireplace

takki jacket, coat *saada takkiinsa* (fyysisesti) get the stuffing beat out of you; (rahallisesti) lose your shirt, take it in the shorts

takku tangle, (ihmisen tukassa) snarl

takkuinen tangled

takoa (tehdä takomalla) forge; (lyödä, myös kuv) beat, pound, hammer *takoa kun rauta on kuumaa* strike while the iron is hot

takomo forge

takorauta wrought iron

taksa rate, price, fare

taksi taxi, cab

taksiasema taxi stand

taksikuski taxi/cab driver, cabbie

taksoittaa assess, appraise *taksoittaa työnsä* set an hourly rate for your work

taktiikka tactics

taktikko tactician

taktikoida (suunnitella) plan (your) tactics; (toimia) do something strategically

taktinen tactical

takuu 1 (koneen tms) guarantee, warranty *mennä takuuseen* (jostakin) guarantee, (jostakusta) vouch for **2** (lainan tms) surety, security **3** (vangin) bail *vapauttaa takuita vastaan* release on bail

takuulla absolutely, definitely, certainly; (ark) for sure, *(interj)* you bet(cha)

talentti talent

tali tallow

talikko pitchfork

talja 1 (eläimen) skin, hide, fur **2** (väkipyörästö) pulley, tackle

talkki talcum, (ark) talc

talkoohenki neighborly/community/pitch-in-and-help spirit

talkoot community effort; (hist) bee *sadonkorjuutalkoot* harvest bee *ompelutalkoot* sewing bee

tallata trample/tread (on)

tallella (jäljellä) left, (olemassa) extant *Onko sinulla vielä tallella* Do you still have

tallelokero safe-deposit box

tallenne record(ing)

tallentaa 1 record **2** (tietok) save

tallessa (turvassa) in safekeeping *ottaa talteen* (panna turvaan) put (something) in a safe place, set (something) aside (where it won't get broken/lost), (tallentaa) record

tallettaa deposit

tallettaja depositor

talletus deposit

talletustodistus 1 (pankin) certificate of deposit, CD **2** (varaston) warehouse receipt

talli 1 (hevosen) stall, stable **2** (autourheilun) stable, team **3** (autotalli) garage

tallustaa trudge/shamble/plod (along/off)

tallustella trudge/shamble/plod (along)

talo 1 (rakennus) building *kerrostalo* apartment building *parkkitalo* parking garage **2** (omakotitalo) house **3** (ark: firma) house *talon lehti* house organ *Talo tarjoaa* It's on the house **4** (maatila) farm

talonmies janitor, custodian

talonpoika peasant

talonpoikainen peasant

talonpoikaisjärki common sense

talonväki (members of the) household

taloudellinen 1 (liiketaloudellinen tms) economic, financial **2** (säästäväinen) economical, thrifty

taloudellisesti economically

taloudellisuus economicality, economy

taloudenhoitaja housekeeper

taloudenhoito housekeeping

talous 1 (yhden talon väki) household, **2** (rahat) finances, (koko maan rahat) economy

talousarvio budget

talouselämä economy, economic/commercial/financial life

taloushistoria economic history

talousihme economic miracle

talouspakote economic sanction

talouspolitiikka economic policy

taloussuunnittelu economic planning

taloustavara household goods

taloustiede economics, (ark) econ

taloustieteellinen economic

talsia trudge, shamble, plod

taltta chisel

talttua calm/settle down, subside

talttua (tyynnyttää) calm/settle down, pacify; (eläintä) curb; (intoa tms) restrain

taluttaa lead *sokea sokeaa taluttamassa* the blind leading the blind

talutusnuora leash

talvehtia (spend/pass the) winter; (olla talviunessa) hibernate

talvenkestävä (kasvi) hardy, (talo) winterproof(ed)

talvi winter

talviaamu winter morning

talvihorros hibernation

talvikausi the winter season

talvikäyttö winter use

talvimaisema winter landscape/scene

talvinen winter, wintry

talviolympialaiset the Winter Olympics

talvipäivänseisaus winter solstice

talvisaika winter *talvisaikaan* in the winter

talvisin in the winter, winters

talvisota the Winter War

talviteloilla in dry dock for the winter

talviuni hibernation

talviurheilu winter sport(s)

talvivaatteet winter clothes/clothing

talvivarustus winter equipment

tamaani hyrax

tamineet gear, duds, togs

tamma mare

tammi 1 (puu) oak **2** (peli) checkers

tammihärkä (kovakuoriainen) European stag beetle

tammikuinen January

tammikuu January

tamminkainen (kovakuoriainen) European stag beetle

tammipakkanen January cold/freeze

tammiparketti oak parquet (floor)

tammukka brown trout

tampata 1 (maata) trample/tread/tamp (down/flat) **2** (mattoa) beat

tamperelainen s person from Tampere *adj* (pertaining to) Tampere

tamponi tampon

tamponoida (plug something with a) tampon

tanakka sturdy, solid, husky

tandempyörä tandem bicycle

tangentti tangent

tango tango

tanhu (Finnish) folk/square dance

tanhuta (folk/square) dance

tankata 1 (auto) fill the tank, get some gas, gas/tank up; (lentokone) refuel **2** (takella) stammer, stutter; (jankuttaa) harp on

tankkaus (auton) filling, (lentokoneen) refueling

tankki tank *Tankki täyteen ysiseiskaa/lyijytöntä* Fill 'er up with premium/unleaded

tanko bar *ohjaustanko* handlebars

tanner ground, field *taistelutanner* battleground/-field

Tansania Tanzania

tansanialainen s, adj Tanzanian

tanska (kieli) Danish

Tanska Denmark

tanskalainen s Dane adj Danish

tanssi dance

tanssia dance; (eri tansseja: valssia) waltz (myös kuv), (tangoa) tango, jne *tanssia jonkun pillin mukaan* dance to someone's tune, march to someone's drum

tanssiaiset dance, (hieno) ball

tanssielokuva dance movie

tanssija dancer

tanssit dance *mennä tansseihin* go to a dance, go out dancing

tanssittaa dance (with someone), spin (someone around the floor)

taolainen Taoist

taolaisuus Taoism

tapa 1 (tapa tehdä) way, manner, (keino) means *Et tietäisi parempaa tapaa tehdä tätä?* You wouldn't happen to know (of) a better way of doing this, would you? *millä tavalla* how, in what way *tavallaan, tavalla tai toisella* ks hakusanat **2** (pinttynyt tapa) habit, custom, way *päästä tavasta* break a/the habit *parantaa tapansa* mend your ways *tapana, tapansa mukaisesti, tavan takaa* ks hakusanat **3** (yhteisön normatiivinen tapa) custom, tradition, convention, norm *Maassa maan tavalla* When in Rome, do as the Romans do **4** *tavat* (käytöstavat) manners *noudattaa hyviä tapoja* mind your manners, be on your best behavior

tapaamisoikeus visitation/visiting rights

tapahtua happen, occur, take place *Mitä helvettiä täällä tapahtuu?* What the hell is going on here?

tapahtuma 1 event, incident, occurence, occasion, happening *tapahtumien kulku* the course of events **2** (tilitapahtuma tms) transaction

tapahtumaköyhä uneventful

tapahtumaköyhä uneventful

tapalla 1 (ihmistä) see, go out with, date **2** (sanoja tms) grope/tumble for

tapailla hymyä try to smile, give a half-hearted/feeble smile

tapailla sävelmää pianosta pick out a song on the piano

tapailu going out (together), dating

tapainen 1 -like, -mannered *miekantapainen* sword-like *pahatapainen* ill-mannered *juuri hänen tapaistaan* just like him **2** (jonkinlainen) some sort of *olla juoksupojan tapaisena kaupassa* work in a store as some sort of errand boy *hymyntapainen huulillaan* with a half-smile on her lips

tapakristitty nominal Christian

tapana *olla tapana* be in the habit of, have a habit of doing *Minulla oli tapana kulkea tuntikausia metsässä* I used to roam through the woods for hours, I would wander through the woods for hours on end *kuten on tapana sanoa* as the saying goes *pitää tapanaan* make a habit of doing

tapani Boxing Day

tapaninpäivä Boxing Day

tapansa mukaisesti as usual/always *Opettaja meni tapansa mukaisesti ensimmäiseksi taululle* As always the teacher went straight to the board

tapaoikeus case law

tapattaa 1 (eläin) have (it) put to sleep **2** (ihminen laillisesti) have (someone) executed; (laittomasti) have (someone) killed/hit, put a contract out on (someone), put a hit on (someone) *tapattaa itsensä* get yourself killed

tapaturma accident

tapaturmaisesti accidentally

tapaturmavakuutus accident insurance

tapauksessa *parhaassa/pahimmassa tapauksessa* at best/worst *joka tapauksessa* in any case/event, at any rate, anyway/how *ei missään tapauksessa* in no case, under no circumstances *yhdeksässä tapauksessa kymmenestä* nine times out of ten, in nine cases out of ten

tapauksittain case by case

tapaus 1 (tapahtuma) event, incident, occurrence, occasion *iloinen tapaus* a happy occasion/occurrence **2** (yksittäinen) case, instance *joka tapauksessa* ks tapauksessa

tapauskohtainen case-by-case

tapella fight (myös sanoilla)

tapetoida (put up) wallpaper *tapetoida seinät* paper the walls

tapetti wallpaper *olla tapetilla* (julkisuudessa) be in the public eye, be getting a lot of attention; (kehitteillä) be on the drawing board

tappaa kill, murder, slay; (salaa) assassinate; (sl) hit, knock/bump off, rub out

tappaja killer, murderer, assassin, hitman

tappava lethal, deadly, killing *tappava vauhti* killing/numbing pace

tappavasti lethally

tappelu fight (myös sanallinen)

tappelupukari scrapper, brawler

tappi 1 peg, plug, bung, tap **2** (ark) *iso tappi* big shot *lyhyt tappi* shrimp

tappio 1 (sot, urh) defeat (myös kuv) *kärsiä tappio* suffer a defeat *olla tappiolla* be losing/behind **2** (liik) loss (myös kuv) *käydä/myydä tappiolla* run/sell at a loss

tappiomielila defeatism

tappo 1 kill(ing), slaying **2** (lak: kuolemantuottaminen) homicide, (huolimattomuudesta aiheutuva) manslaughter

tapuli 1 (kellotapuli) belltower **2** (karkko) stack

taputella pat, tap *taputella olkapäälle* pat (someone) on the back

taputtaa 1 (selkään tms) pat, tap; (lujasti) slap, clap *taputtaa jotakuta päähän* pat someone on the head; (kuv) condescend to someone, patronize someone **2** (käsiään) clap, applaud

taputus 1 (selkään tms) pat, tap; (luja) slap, clap **2** (suosionosoitus) clap(ping), applause

tarha 1 (karjatarha) pen, enclosure; (hevostarha) corral, paddock; (lammastarha) sheepfold **2** (puutarha) garden; (hedelmätarha) orchard **3** (minkkitarha) mink farm /ranch **4** (lastentarha) kindergarten

tariffi (tuontitariffi tms) tariff; (taksa) rate, price, charge, fee

tarina story, tale, anecdote

tarinoida 1 (kertoa tarinoita) tell stories, spin yarns **2** (jutella) chat, talk, rap, pass the time of day, shoot the breeze

tarinointi 1 story-telling **2** (juttelu) chatting, talking, rapping

tarjeta be warm enough, withstand the cold *Tarkenetko?* Are you warm enough?

tarjoilija (mies) waiter, (nainen) waitress

tarjoilla wait (on tables), be a waiter/waitress, serve *Teille ei tarjoilla enää* You've had enough, we can't serve you any more

tarjolla available *Tarjolla on useita vaihtoehtoja* There are several options

tarjonta 1 (tavaroiden) supply **2** (TV-ohjelmien) offerings, (ark) what's on **3** (lääk) presentation *perätarjonta* breech presentation

tarjota 1 (tarjoutua antamaan) offer (myös huutokaupassa:) bid *tarjota apuaan* offer your help/assistance, offer to lend a hand *tarjota enemmän* outbid (someone) **2** (suoda) offer, present, provide, afford *tarjota hyvä esimerkki jostakin* be a good example of, exemplify perfectly *Tehdas tarjoaa työpaikkoja 500:lle* The factory will employ 500 people, will provide jobs for 500, will create 500 jobs **3** (maksaa toisen puolesta, kustantaa) treat *Minä tar-*

joan tänään This is my treat, tonight's on me *Talo tarjoaa* It's on the house **4** (tarjoilla) serve, (ojentaa) pass

tarjotin tray

tarjous 1 (ehdotus) offer, bid **2** (alennusmyynti) sale *tarjouksessa* on sale, reduced price

tarjoutua 1 offer/volunteer (to do something, your services) **2** (lääk) present

tarkalleen exactly, precisely

tarkastaa 1 (suorittaa tarkastus) inspect, (sot myös) review **2** (tutkia) examine, test, check; (tilit) audit; (etsiä) (conduct a thorough) search

tarkastaja inspector

tarkastamo testing station/plant

tarkastelija observer

tarkastella study, examine, consider, look at; (tarkkailla) observe

tarkastelu study, examination, consideration, observation

tarkastus inspection

tarkata 1 monitor, watch/study closely/carefully/alertly **2** (herkistää) strain (your eyes/ears)

tarke diacritic(al mark)

tarkennin focus

tarkennus focus(ing)

tarkentaa 1 (kameraa, projektoria) focus **2** (asiaa) define, delineate, specify, particularize, itemize

tarkentua sharpen

tarkistaa 1 (varmistaa) check, verify **2** (muuttaa) revise, correct *tarkistaa ylöspäin* revise upwards, (ark) up

tarkistus 1 (varmistus) check(ing), verification **2** (muutos) revision, correction

tarkka 1 (mittaus tms) accurate, exact, precise **2** (ihminen: säntillinen) precise, punctual, meticulous; (nirso) particular, picky **3** (aisti, kuva) sharp **4** (selvitys) close, full, exhaustive; (yksityiskohtainen) detailed **5** (tarkkaavainen) attentive, alert

tarkka-ampuja sharpshooter; (sala-ampuja) sniper

tarkkaan accurately, exactly, precisely, punctually, closely, fully, in detail, attentively, alertly (ks tarkka)

tarkkaavainen attentive, alert

tarkkaavaisesti attentively, alertly

tarkkailija observer

tarkkailla observe, watch; (virallisesti: esim lääk) monitor

tarkkailu observation, monitoring

tarkkailuluokka special-education class

tarkkapiirtoinen (TV tms) fine-resolution, high definition (TV) *tarkkapiirtotelevisio* HDTV

tarkkarajainen clearly defined

tarkkasilmäinen sharp-eyed; (kuv) observant, discerning

tarkkuus accuracy, exactitude, precision

tarkoin closely

tarkoittaa 1 mean; (sanakirjan mukaan) denote, signify; (viitata johonkin/johonkuhun) refer to **2** (joksikin, jollekulle) mean, intend, aim, design *Tarkoitin sen sinulle* I meant/intended it for you, it was supposed to be for you *Hän tarkoittaa hyvää* She means well

tarkoittaa totta mean it/business

tarkoituksellinen 1 (tahallinen) intentional **2** (jolla on jokin tarkoitus) purposeful

tarkoituksellisesti intentionally, purposefully (ks tarkoituksellinen)

tarkoituksenmukainen (asiallinen) appropriate, suitable; (toimiva) functional; (tuottava) productive; (edullinen) expedient

tarkoituksenmukaisesti suitably, appropriately, functionally, productively, expediently (ks tarkoituksenmukainen)

tarkoituksenmukaisuus appropriateness, suitability, expedience

tarkoitukseton purposeless, useless, pointless

tarkoitus 1 purpose, function *elämän tarkoitus* the meaning of life *täyttää tarkoituksensa* serve its purpose, fulfill its function *Mikä tämän vekottimen tarkoitus on?* What's this thing for? **2** (aikomus) intent(ion) *Tarkoitus oli että sinä tulet ensin* The idea was to have you arrive first, the way it was supposed to go was you were to enter first *Tarkoitukseni oli hyvä* I meant well, I had good intentions

tarkoitusperä purpose, intention, end, aim

tarkoitus pyhittää keinot the end justifies the means

tarmo energy, vigor; (ark) pep, hustle

tarmokas energetic, vigorous; (ark) peppy, go-getting

tarmokkaasti energetically, vigorously

tarmokkuus energy, vigor, zeal, drive

tarmoton enervated, sluggish, listless

tarpeeksi enough, sufficient/adequate (amounts of), sufficiently, adequately *Onko meillä tarpeeksi viinaa?* Do we have enough booze?

tarpeellinen necessary, essential

tarpeellisuus necessity

tarpeen necessary, essential *Onko tuo tarpeen?* Is that necessary?

tarpeen mukaan according to (someone's) need, as the need arises

tarpeen vaatiessa if need be, if necessary

tarpeen varalta just in case

tarpeessa needy; (seksuaalisesti, sl) horny *jonkin tarpeessa* in need of something *Auto olisi pesun tarpeessa* The car could stand washing, could do with a wash(ing)

tarpeeton unnecessary, inessential, useless, extraneous, superfluous

tarpeettomuus uselessness, superfluity

tarpeisto 1 (lak) appurtenances (myös kuv) **2** (teatteri) props (myös kuv)

tarpoa trudge, shamble, stalk, plod

tarra sticker

tarrautua grab/cling onto, (tarttua) stick to

tarttua 1 (takertua) stick (on/to/in), adhere (to), cling (to), catch (on), get caught (on) *Miksei tämä postimerkki tartu?* Why won't this stamp stick on? **2** (tauti, haukotus, hilpeys ym) catch, be catching/infectious /contagious **3** (tarrata) grab (onto), seize, take (ks hakusanat)

tarttua aseisiin take up arms

tarttua asiaan take something up, make something your concern

tarttua härkää sarvista take the bull by the horns (myös kuv)

tarttua syöttiin take the bait (myös kuv)

tarttua tilaisuuteen seize the day

tarttua työhön get down to work/business, get cracking

tarttuva catching, infectious, contagious; (ark) catchy

tarttuvuus infectiousness, contagiousness

tartunta infection, contagion

tartuntatauti infectious/contagious disease

tartuttaa infect (someone with something) (myös kuv)

taru 1 myth, legend, fable **2** (kuvitelma) fairy-/tall-tale, fantasy *Todellisuus on usein tarua ihmeellisempi* Truth is often stranger than fiction

tarunhohtoinen fabled, fabulous

tarunomainen fabled, fabulous

tarusto mythology

tarve need(s), want(s); (vaatimus) demand, requirement(s) *jos tarve vaatii* if need be, if necessary *Kahvi olisi nyt hyvään tarpeeseen* A cup of coffee would hit the spot right now *rakennustarpeet* building supplies *tehdä tarpeensa* relieve yourself

tarveharkinta discretionary power as to need(iness)

tarvikkeet materials, supplies, equipment, gear, accessories

tarvis need (ks tarve)

tarvita *päät* need, require *Me tarvitsemme lisää paperia* We need more paper *apuv* have/need to *Ei sinun tarvitse mennä* You don't have/need to go

tasaantua even out; (rauhoittua) steady, calm /settle down, normalize

tasa-arvo equality

tasa-arvoinen equal

tasa-arvoisuus equality, egalitarianism

tasa-arvolaki Equality Act

tasa-arvovaltuutettu ombudsman for equality

tasainen 1 even, (tie) level, (litteä) flat **2** (sileä) smooth **3** (muuttumaton) steady; (vakio) constant, uniform **4** (säännöllinen) regular **5** (tyyni) placid, calm

tasaisesti evenly, levelly, flatly, smoothly, steadily, constantly, uniformly, regularly, placidly, calmly (ks tasainen)

tas::jako even distribution/sharing/division

tasajalkaa 1 (hypätä) with both feet *hypätä tasajalkaa* (kuv) be impatient, jump up and down on one foot **2** (marssia) in step

tasalla *jonkin tasalla* level with something *tehtäviensä tasalla* up/equal to your task *tilanteen tasalla* equal to the occasion *nousta tilanteen tasalle* rise to the occasion *ajan tasalla* up to date, current *palaa maan tasalle* burn to the ground

tasaluku 1 (parillinen) even number **2** (pyöreä) round number/figure

tasalämpöinen warm-blooded

tasamaa flatland

tasan 1 (tarkalleen) exactly, precisely *Se tekee tasan 300 euroa* That comes to exactly 300 euros *tasan klo 20* at 8 p.m. sharp **2** (tasaisesti) evenly *jakaa tasan* divide up evenly *pelata tasan* tie *tasan 30* 30 all

tasanko plain

tasanne 1 plateau, (penger) terrace **2** (portaikon) landing

tasapaino balance (myös kuv), equilibrium

tasapainoaisti sense of balance

tasapainoilla balance; (kuv) walk a fine line (between this and that)

tasapainoinen (well-)balanced

tasapainotaiteilija equilibrist

tasapainottaa balance, equilibrate

tasapaksu 1 (tukki) same-diameter **2** (kuv) monotonous

tasaparinen abruptly pinnate

tasapeli tie, draw; (tenniksessä) deuce; (šakissa) stalemate

tasapohjainen flat-bottomed

tasapuolinen fair, equitable; (puolueeton) impartial

tasapuolisesti fairly, equitably, impartially

tasapuolisuus fairness, equitability, impartiality

tasaraha exact change

tasasivuinen equilateral

tasasuhtainen 1 (tasamukainen) symmetrical **2** (sopusuhtainen) (well-)proportioned **3** (tasapainoinen) (well-)balanced **4** (tasapuolinen) equitable

tasata 1 (tasoittaa) even out, level; (tukkaa, pensasaitaa tms) trim **2** (sivun oikeaa marginaalia) justify **3** (jakaa tasaisesti) split /divide up/share (evenly)

tasaus leveling, trimming, justification, division

tasavalta republic

tasavaltalainen *s, adj* republican

tasavertainen equal, equally matched, on an equal footing with

tasavirta direct current, DC

tasaväkinen even, well/equally matched

tasaväkisesti evenly, equally

tasavälein at even intervals

tase balance sheet *kauppatase* balance of trade

tasku pocket *maksaa omasta taskustaan* pay (for something) out of your own pocket *tuntea jokin kuin omat taskunsa* know something like the back of your hand

taskukamera pocket camera

taskukello pocket watch

taskukirja pocket book

taskulamppu flashlight

taso 1 grade, standard; (geom) plane *samalla tasolla* at the same level as *samassa tasossa kuin* level with *korkean tason virkamies* a high-level/-ranking official **2** (lentokone) plane, (siipi) wing *vesitaso* seaplane **3** (työtaso) work table, desk top; (laskutaso) horizontal surface **4** (mus) pitch

tasoinen -level, -ranking, -grade

tasoissa 1 even (-up/-steven), (pelissä) tied **2** (sujut) quits, even

tasoittaa 1 level/smooth (off/out) **2** (urh) even up (the score), tie (the score)

tasoittua even out

tasoitus 1 leveling, smoothing **2** (urh, esim golfissa) handicap; (tasoitusmaali) tying point/goal/basket/jne

tasoituskilpailu handicap

tasoitusmaali tying point/goal/basket/jne

tasoristeys grade crossing

tassu paw (myös leik ihmisen kädestä)

tatti boletus

tatuoida tattoo

tatuointi tattoo(ing)

taudinaiheuttaja pathogen

taudinmääritys diagnosis

tauko 1 pause, break, interval **2** (esityksen) intermission **3** (mus) rest

taukoamaton incessant, unceasing, ceaseless

taukoamatta incessantly, without a break

taulapää numbskull, blockhead, shit-for-brains

taulu 1 (kirjoitustaulu tms) board *ilmoitustaulu* notice board *liitutaulu* (black)board **2** (kytkintaulu tms) (switch)board, (instrument) panel **3** (maalaus) painting **4** (maalitaulu) target **5** (taulukko) table

taulukko table

taulukkolaskentaohjelma spreadsheet

taulukko-ohjelma spreadsheet (program)

taulukoida tabulate

taulunäyttely art exhibit

tauota stop, cease, pause

tausta 1 background **2** (yhtye) backing, back-up group **3** (takaosa) back

tausta-ajo (tietok) background run

taustakuva (tietok) wallpaper

taustamusiikki background music

tauti disease, illness

tautinen diseased, sick(ly); (ark) cool

tavallaan in a way *omalla tavallaan* in his /her own way

tavalla tai toisella one way or another, by hook or by crook

tavallinen ordinary, everyday, usual, common

tavallisesti ordinarily, usually

tavallisuus ordinariness

tavanmukainen ks tavanomainen

tavanomainen 1 (tavallinen) habitual, customary, usual **2** (sovinnainen) conventional **3** (mitäänsanomaton) boring, blasé

tavanomaisesti habitually, customarily, usually, conventionally (ks tavanomainen)

tavanomaisuus habituality, conventionality

tavan takaa habitually, constantly, repeatedly, over and over again

tavantakainen repeated

tavarajuna freight train

tavaraliikenne freight traffic, commercial transportation

tavaramerkki trademark

tavaraseloste specification

tavara(t) 1 (omistettavat) belongings, effects; (ark) things, stuff **2** (myytävät) goods, items, articles, merchandise **3** (kuljetettavat) freight *matkatavarat* (kaikki) baggage, (matkalaukut) luggage

tavaratila trunk, (UK) boot

tavata *pää* **1** (kohdata: vieras) meet; (tulla) see, run/bump into *Hauska tavata!* (vieraalle) Nice to meet you! (tutulle) Nice to see you! *Tapasin Janitan tänään kadulla* I bumped into Janita in the street today **2** (löytää) find *Tapasimme hänet lukemasta* We found her reading **3** (yllättää) catch *tavata joku verekseltään* catch someone red-handed **4** (lukea) spell *apuv* be in the habit of *Hän tapasi istua joka iltapäivä elokuvissa* She used to go to the movies every afternoon

tavaton 1 (outo) unusual, extraordinary *tavattoman iso* unusually/extraordinarily large **2** (iso) immense, enormous

tavattomasti terribly, awfully *Häntä harmittaa niin tavattomasti* He's really/terribly upset

tavoite goal, objective, aim

tavoitehakuinen goal-oriented

tavoitella 1 (jotakin käsiinsä) reach for, (ihmistä, eläintä tms) try to catch **2** (tavoitetta) seek, pursue, reach for, aspire to *tavoitella tähtiä taivaalta* shoot/reach for the stars

tavoittaa (saada kiinni: fyysisesti) catch (up with), (puhelimella tms) reach *Olen yrittänyt tavoittaa sinua koko eilisen päivän* I tried to get ahold of you all day yesterday

tavoittelu pursuit, aspiration *oman edun tavoittelu* looking out for number one *voiton tavoittelu* profit seeking, the quest for the almighty dollar

tavu 1 (sanan) syllable **2** (tietok) byte *kilotavu* kilobyte, KB; (ark) K *megatavu* megabyte, MB; (ark) meg

tavujako hyphenation

tavuttaa hyphenate

te you, (US etelän murt) y'all

teatraalinen theatrical, histrionic

teatteri theater (myös kuv)

teatteriesitys theater performance

teatteritalo theater

teddy-karhu Teddy bear

tee tea

tee itse do-it-yourself

tee itse -opas do-it-yourself manual/guide

teekkari engineering student

teekuppi tea cup

teelusikallinen teaspoonful

teelusikka teaspoon

teenjuoja tea-drinker

teennäinen artificial; (ihminen) affected; (ark) put-on, phony, fakey

teennäisesti artificially; in an affected /artificial way, phonily

teennäisyys artificiality, affectation, phoniness, fakiness

teepussi tea-bag

teerenpilku freckle

teeri black grouse *En ole mikään eilisen teeren poika* I wasn't born yesterday

tee se itse do-it-yourself

teesi thesis

teeskennellä pretend, feign; (ark) put on

teeskentelemätön 1 (ihminen) unpretentious, unaffected, natural, plain, simple; (naiivi) ingenuous **2** (asenne tms) unpretended, unfeigned

teeskentelevä pretentious, affected; (ark) hoity-toity, stuck-up, put-on

teeskentely pretension, pretense, pretensiousness, affectation

teettää 1 (avain tms) have (something) made; (puku tms) have (something) sewn /tailored; (muotokuva tms) have (something) painted **2** (lisää työtä) make, generate *En aio ottaa apulaista, se teettää vain lisää töitä* I'm going to do without an assistant, it just makes more work

teflonpannu Teflon pan

tehdas factory, mill, plant

tehdasmainen industrial

tehdastuotanto industrial production

tehdastyöläinen factory worker

tehdasvalmisteinen factory-made

tehdä *tr* make *Oletko tehnyt tämän itse?* Did you make/build/sew/draw/jne this (all by) yourself? (ark) Did you do this yourself? *Mistä se on tehty?* What is it made of? *Teet itsesi vain naurunalaiseksi* You'll just make a fool of yourself *itr* do *Mitä teet?* What are you doing? *Tehtyä ei saa teke-*

mättömäksi What's done is done (and can't be undone), no use crying over spilled milk *Helpommin sanottu kuin tehty* Easier said than done

tehdä ehdotus make a suggestion

tehdä ero draw a distinction

tehdä haavaa wound, cut, hurt *Ei haukku haavaa tee* Sticks and stones will break my bones but words will never hurt me

tehdä halkoja chop wood

tehdä hallaa harm, be harmful to, have a harmful effect on

tehdä heinää make hay

tehdä historiaa make history

tehdä housuihinsa go in your pants, do it in your pants

tehdä huonoa feel bad

tehdä huorin fornicate, commit adultery

tehdä hyvä vaikutus make a good impression

tehdä hyvää feel good

tehdä iso numero jostakin make a big deal (out) of something

tehdä itse do it yourself

tehdä itsensä ymmärretyksi make yourself understood

tehdä jollekulle mieliksi try to please someone

tehdä jonkun tahto obey (someone)

tehdä juoksu (pesäpallossa) hit a home run

tehdä kaikkensa do everything possible, everything in your power

tehdä kanne file a (law)suit, bring charges (against), sue (someone)

tehdä kantelu file/lodge a complaint

tehdä kaupat make a deal, (talon) close

tehdä kauppakirja draw up a deed

tehdä kauppansa do the trick

tehdä keksintö make a discovery

tehdä kipeää hurt, sting, ache

tehdä kiusaa tease, pester, bother

tehdä kuje play a trick/prank (on someone)

tehdä kunniaa salute

tehdä kuolemaa be dying

tehdä kuperkeikka turn a somersault; (kuv) flipflop

tehdä kärpäsestä härkänen make a mountain out of a molehill

tehdä käsin make by hand *käsin tehty* home-/hand-made

tehdä lapsi have a child, make a baby *Hannu teki lapsen naapurin tytölle* Hannu got the girl next door pregnant

tehdä leipää bake bread

tehdä loppu jostakin put a stop/an end to something

tehdä lähtöä be leaving

tehdä löytö make a discovery

tehdä muistiinpanoja take/jot down/make notes

tehdä myönnytyksiä make concessions

tehdä nimi itselleen make a name for yourself

tehdä oikeutta jollekin do justice to something

tehdä palvelus do (someone) a favor

tehdä parannus (katua) repent, (muuttaa tapojaan) mend your ways

tehdä parhaansa do your best

tehdä pentuja have/drop young

tehdä pilaa jostakin make fun of something, ridicule something

tehdä poikkeus make an exception

tehdä päätelmiä draw inferences, infer

tehdä päätös make a decision

tehdä rahaa make money

tehdä ristinmerkki cross yourself

tehdä ruokaa fix food/breakfast/lunch /dinner, cook

tehdä selkoa jostakin report on something

tehdä selväksi make (something) clear

tehdä sovinto make up

tehdä suunnitelmia make plans

tehdä syntiä commit (a) sin

tehdä taikatemppuja do magic tricks

tehdä tarjous make an offer

tehdä tarpeensa relieve yourself, heed the call of nature

tehdä tehtävänsä do the trick

tehdä tekemällä crank something out *tekemällä tehty* contrived, artificial

tehdä tiedettä do science

tehdä tikusta asiaa do something on a flimsy pretext

tehdä tilaa make room

tehdä tiliä make reckoning

tehdä tuhojaan wreak havoc (on)
tehdä tuloaan be in the wings, be announcing its arrival, be coming up in a big way
tehdä tyhjäksi undo
tehdä työtä work
tehdä työtä käskettyä follow instructions
tehdä täyskäännös do an aboutface
tehdä valinta choose, make a choice
tehdä vastarintaa resist
tehdä velvollisuutensa do your duty
tehdä virhe make a mistake
tehdä voitavansa do what you can
tehdä vääryyttä jollekin do an injustice to something, be unfair to something
tehdä ylitöitä work overtime
tehdä hyvin please (help yourself)
teho 1 (tehtaan) capacity (myös kuv), (moottorin) power *tehdä työtä täydellä teholla* work at your full capacity **2** (vaikutus) effect, impact
tehokas 1 effective, efficient *Hän on erittäin tehokas opettaja, kaikki oppilaat ovat oppineet paljon* He is an extremely effective teacher, all his students have learned a lot *Hän on erittäin tehokas työntekijä, hän ei haaskaa hetkeäkään* She is an extremely efficient worker, she uses every second of her time to good use **2** (moottori) powerful **3** (aine) active
tehokeino effect
tehokkaasti effectively, efficiently
tehokkuus effectiveness, efficiency
tehosekoitin blender
tehostaa 1 make (something) more effective /efficient, improve (something's) effectiveness/efficiency *tehostettu ohjaus* power-(-assist) steering **2** (valvontaa) tighten **3** (omaa kauneuttaan) heighten, enhance, touch up **4** (asiaa) stress, emphasize
tehoste 1 effect **2** (lak) sanction
tehostua become more effective/efficient, intensify
tehota affect/impact (someone), have an effect/impact (on someone)
tehoton 1 ineffective, ineffectual **2** (moottori) powerless, (ark) gutless **3** (aine) inactive

tehovahvistin power amplifier
tehtaanmyymälä factory shop
tehtaanpiippu factory smokestack
tehtävä 1 task, duty *ottaa tehtäväkseen* take it upon yourself to *tehdä tehtävänsä* do the trick *Minulla on mieluinen tehtävä esitellä* It gives me great pleasure to introduce **2** (koulutehtävä) assignment, (mon) homework; (harjoitustehtävä) exercise, (yksittäinen) problem **3** (sot ja kuv) mission *elämän tehtävä* your mission in life **4** (funktio) function, (rooli) role **5** *ei mitään tehtävää* nothing to do
teidänlaisenne *s* people/men/guys/women /jne like you, your sort/kind/ilk, the likes of you *adj* like you
teikäläinen *s* one of your people *adj* your *teikäläiset tavat* your customs
teilata 1 (hist) break (someone) on the wheel **2** (ehdotus) reject, (taideteos/-esitys) pan
teilaus bad/scathing review
teini high school student
teini-ikä teenage
teini-ikäinen teenager, (ark) teen
teipata tape
teippi tape
teititellä address (someone) by his/her last name
teitittely formal address
tekaista make up, fake
tekaistu made-up, fake
tekeillä under construction/way, in progress /preparation
tekele (neutraalisti) piece; (halv) piece of junk/shit
tekeminen *Minulla ei ole mitään tekemistä* I don't have anything to do *tekemiset* doings, comings and goings *Sinulla on täysi tekeminen tuon kanssa* You're going to have your hands full with that *tekemisissä* ks hakusana
tekemisissä *En aio olla missään tekemisissä hänen kanssaan* I will have nothing to do with him, I'm through with him *joutua jonkun kanssa tekemisiin* have to deal with someone, have someone to deal with
tekemätön undone *Tehtyä ei saa tekemättömäksi* What's done can't be undone

tekeytyä pretend to be, try to pass yourself off as, pose as *tekeytyä kuuroksi* pretend /feign/affect/sham deafness

tekijä 1 (kirjan) writer, author; (näytelmän) playwright; (runon) poet; (laulun) composer, (erikseen sanojen) lyricist; jne **2** (aiheuttaja) factor (myös mat) *Sinä olit tärkeä tekijä hänen päätöksessään* You were an important factor influencing his decision **3** (taitaja) hand *Sinä olet vanha tekijä näissä asioissa* You're an old hand at these things

tekijänoikeus copyright

tekijänpalkkio royalty

tekniikka 1 (koneet tms) technology **2** (menettelytapa) technique

teknikko technician

teknillinen technical

teknillinen korkeakoulu institute of technology

tekninen technical

tekniset (työntekijät, mon) technical staff

teknologia technology

teko- artificial, synthetic, false

teko act(ion), deed *En kadu tekoani* I don't regret (doing) what I did *tavata itse teosta* catch (someone) in the act *amerikkalaista tekoa* made in America, American-made

tekohammas false tooth; (mon) dentures, false teeth

tekohengitys artificial respiration

tekokukka fake/plastic/silk flower

tekosyy excuse, alibi

tekoäly artifical intelligence, AI

Teksas Texas

tekstata print

tekstaus printing

teksti 1 text, (präntti) print *Katsotaan tekstiä tarkemmin* Let's take a closer look at the text **2** (valokuvan alla) caption **3** (TV-/elokuva-käännös) subtitle **4** (liturginen teksti) Scripture reading, lesson, text **5** (oopperan) libretto **6** (ark: puhetta) talk *Kaisa puhui suoraa tekstiä* Kaisa didn't mince her words

tekstiili textile

tekstiilitaide textile art

tekstinkäsittely word processing

tekstinkäsittelylaite word processor

tekstinkäsittelyohjelma word- processing program, word processor

tekstitelevisio teletext

tela 1 roller, cylinder, (kirjoituskoneen) platen **2** *telat* (veneen) stocks *laskea teloiltaan* launch *vetää teloilleen* dock

telaketju caterpillar tread/track

telakka drydock

telefax telefax *lähettää telefaxilla* (tele)fax

telejatke teleconverter

telekokous (tietok) computer conference, teleconference

telekopiointi telefax, facsimile

telekopiointilaite telefax machine, facsimile machine, fax (machine)

teleliikenne telegraph communications

teleneuvottelu videoconference

teleobjektiivi telephoto lens

telepalvelu telegraph service

teleskooppi telescope

teleskooppiantenni telescopic antenna

teletex teletex

televisio television, TV

televisioantenni television/TV antenna

televisioida televise

televisiointi televising, airing, television broadcast(ing)

televisiokuuluttaja television/TV announcer

televisio-ohjelma television/TV program

televisioprojektori TV projector, television projector

televisiovastaanotin television/TV set

telex telex *lähettää telexillä* telex, wire

teli spindle, truck

teline 1 stand, rack, easel **2** (rakennustelineet) scaffolding **3** (starttitelineet) (starting) blocks **4** (voimistelun) apparatus

telinevoimistelu apparatus gymnastics

teljetä bar, (salvata) bolt

telki bar, (salpa) bolt *telkien takana* behind bars

telkkä goldeneye

telmiä frolic

teloittaa execute

teloittaja executioner

teloitus execution

teltta tent

telttailla go camping
temmata snatch, grab, jerk, pull, tear
temmellys frolicking, romping
temmellyskenttä battlefield
temmeltää 1 (telmiä) frolic, romp **2** (myrsky) rage, blow **3** (ajatukset) storm, whirl
tempaista 1 snatch, grab, pull, tear, jerk **2** (painnonnostossa) jerk
tempaus 1 snatch, grab, pull, tear, jerk **2** (painnonnostossa) jerk **3** (hyväntekeväisyystempaus) campaign, benefit, telethon **4** (yllättävä teko) coup
tempautua be carried away (by) (myös kuv)
temperamentti temperament
tempo tempo
tempoa tug/pull/strain at
tempoilla tug/pull/strain at
temppeli temple
temppu trick, stunt, gag, prank
temppuilla 1 play/pull tricks/stunts/pranks **2** (konstailla) be difficult/refractory, act up (myös auto)
temppuilu 1 tricks, stunts, pranks **2** (konstailu) acting up
tenava kid
tendenssi tendency
tenho charm, enchantment, magic glow
tennis tennis
tenniskenttä tennis court
tenniskilpailu tennis tournament
tennismaila tennis racket
tennismestaruus tennis championship
tennisottelu tennis match
tennisverkko tennis net
tenori tenor
tentaattori examiner
tentti exam(ination)
tenttiä take an examination (in/on)
tenä *tehdä tenä* refuse to budge, go on strike, stop dead, dig in your heels, kick up a fuss
teollinen industrial
teollisesti industrially
teollistuminen industrialization
teollisuus industry
teollisuuslaitos industrial plant
teologi theologian; (pappi) minister, clergy(wo)man; (teol kand) M.Div.

teologia theology
teologinen theological
teoreetikko theoretician, theorist
teoreettinen theoretical
teoretisoida theorize
teoria theory
teos work, (kirja) book, (nide) volume
tepastella step, strut, sashay
tepponen trick *tehdä tepposia* play tricks on you *Sinun mielikuvituksesi taitaa tehdä tepposia* I think you're letting your imagination run away with you
tepsiä work, take effect, have an effect; (purra) bite
terapeutti therapist
terapeuttinen therapeutic
terapia therapy
terassi terrace
terhakka animated, lively, buoyant; (koiranpentu) frisky; (kissanpentu) playful; (kili tms) kicksome
terhi madwort
termi term
termiini futures
termiitti termite
terminaalipotilas terminal patient
terminologi terminologist
terminologia terminology
termipankki term bank
termistö terminology
termostaatti thermostat
teroitin (pencil) sharpener
teroittaa 1 (terää) sharpen, (hiomakoneella) grind, (hiomakivellä) whet **2** (katsettaan tms) strain **3** (tähdentää) stress, impress on (someone the importance of something), insist on (something)
teroittua sharpen, get sharp(er)
terrieri terrier
terrori terror(ism)
terrorismi terrorism
terrorisoida terrorize
terroristi terrorist
terssi (mus) third
terttu bunch, cluster
terva tar *liikkua kuin täi tervassa* move like a bug in molasses
tervahauta tar-burning pit

tervapääsky Eurasian swift
tervaskanto resinous stump
tervata tar
tervaus tarring
terve adj (hyvässä kunnossa) well, healthy; (henkisesti) sane interj 1 (tavateessa) hi! howdy! *Tervetuloa!* Welcome! 2 (erotessa) bye! see ya! *Tervemenoa vaan!* Good riddance!
terveellinen healthy, wholesome; (ark) good for you
terveellisesti healthily, wholesomely
terveellisyys healthiness
terveesti healthily
tervehdys greeting; (ylät) salutation; (sot) salute
tervehdyssivu (tietok) doormat
tervehdyttävä curative, restorative, beneficial
tervehenkinen wholesome
tervehtiä greet, (sot) salute
terveiset greetings *Vie terveiset perheellesi!* Say hi to the family
terve järki common sense
terve sielu terveessä ruumiissa a sound mind in a sound body
terve talonpoikaisjärki good common sense
tervetuliaiset welcome party
tervetuliaisjuhla welcome party
tervetullut welcome
tervetuloa welcome
terveydeksi! (malja) to your health! (aivastavalle) bless you! Gesundheit!
terveydellinen health-related *terveydellisistä syistä* for reasons of health
terveydenhoito health care
terveydentila (the state of your) health
terveys health *terveydelle vaarallinen* hazardous to your health *hyväksi terveydelle* good for (what ails) you
terveyssisar public health/clinic nurse
terä 1 (sahan) blade, (poran) bit; (leikkaava) edge 2 (mustekynän) nib; (kuulakärkikynän) point; (tussin) tip; (lyijykynän) lead, point 3 (hampaan) crown 4 (viljan) ear 5 (jalan, sukan) foot 6 (kuv: teho) bite, sting 7 *tehdä terää* do you good
teräksinen steel

teräs steel
teräsbetoni reinforced concrete
terästää 1 (kirvestä tms) steel 2 (katsettaan tms) strain 3 (boolia tms) spike 4 (kuv: teräväittää) sharpen
terävyys sharpness; (älykkyys myös) intelligence
terävyysalue depth of field
terävä 1 (kärki tai kieli tms) sharp, pointed, keen 2 (ihminen) sharp, smart, quick
teräväpiirteinen (ihminen) sharp-featured; (kuva) clear, finely resolved
teräväpiirtotelevisio high-definition television, HDTV
teräväsilmäinen sharp-eyed
terävästi sharply
terävä-älyinen sharp-/quick-witted
testaaja tester
testamentata will, bequeath
testamentti 1 (lak) (last) will (and testament) 2 (raam) Testament
testata test
testi test
testikuva test pattern
teuraseläin animal to be slaughtered
teurastaa slaughter (myös kuv:) butcher
teurastaja slaughterer, (lihakauppias) butcher (myös kuv)
teurastamo slaughterhouse
teurastus (myös kuv) slaughter, butchery
Thaimaa Thailand
thaimaalainen s, adj Thai
thriller thriller
tiainen titmouse
tie road, (polku) path, (reitti) route, way *Tie nousi pystyyn* We reached a deadend *saman tien* immediately; (voisitko...) while you're at it *Hän oli jo tiessään* She was already on her way, she'd vanished already *tiehensä, tiellä, tietä* ks hakusanat
tiede science; (humanistisilla aloilla) scholarship
tiedeakatemia Finnish Academy for the Sciences (and Letters)
tiedekeskus science center
tiedemies scientist, (humanistisilla aloilla) scholar

tiedenainen scientist, (humanistisilla aloilla) scholar

tiedollinen intellectual, mental, pertaining to knowledge

tiedonala branch of knowledge

tiedonanto communiqué, notification, notice, bulletin

tiedonjulkistamispalkinto prize for the popularization of science

tiedonsiirto data transmission

tiedon valtatie information superhighway

tiedossa 1 (tietämä) *Sinulla oli kuulemma tiedossa hyvä lääkäri* Somebody said you knew of a good doctor **2** (luvassa) *Hänellä on tiedossa iso yllätys* She has a big surprise in store for her, is she ever going to be surprised

tiedostaa be(come) aware/conscious of, realize

tiedostamaton subconscious

tiedostaminen realization

tiedosto (tietok) file

tiedonhallintaohjelma database management program

tiedostopalvelin file server

tiedoton unconscious, subconscious

tiedottaa inform, notify, announce; (julkistaa) publicize

tiedottaja publicist, publicity/press secretary

tiedotus 1 (tiedottaminen) publicity **2** (tiedote) notice, announcement, report, warning (ks myös tiedonanto)

tiedotustilaisuus briefing, (lehdistötilaisuus) press conference

tiedotustoiminta publicity

tiedotusvälineet the media

tiedustella 1 (kysyä) ask, inquire **2** (sot) scout, reconnoiter

tiedustelu 1 (kysely) inquiry **2** (sot) reconnaisance **3** (vakoilu) intelligence

tiedustelupaketti (tietok) ping packet *lähettää tiedustelupaketti* ping (somebody)

tiedustelupalvelu intelligence service

tiedustelusatelliitti intelligence satellite

tiedä häntä who knows?

tiehensä *ajaa/juosta tiehensä* drive/run off *lähteä tiehensä* be on your way, take off *Mene tiehesi siitä!* Get out of here!

tiehye duct

tiehyt duct

tiellä in the way *Mene pois tieltä!* Get out of the/my way! *väistyä tieltä* make way/room for, get out of (someone's) way *Hän lähti ja jäi sille tielle* He left and never came back *Hän on sillä tiellään vieläkin* He hasn't been heard of since

tienata earn/make (money) *Paljonko tienaat siinä uudessa työpaikassasi?* How much do you make in that new job of yours?

tienesti pay, income, earnings *lähteä tienestiin* get a job

tienhaara fork in the road; (kuv) parting of the ways, crossroad(s)

tienoo region, area *näillä tienoilla* around here somewhere *keskiyön tienoilla* around midnight

ties who knows *Ja hän on ties missä* And who knows where she is *seksiä ja väkivaltaa ja ties mitä muuta* sex and violence and I don't know what all else

tieteellinen scientific, (humanistisilla aloilla) scholarly

tieteellisyys science, (humanistisilla aloilla) scholarship

tietenkin of course

tietenkään of course not

tieten tahtoen knowingly, with full knowledge/awareness (of what he/she was doing)

tieto 1 (yksittäinen tieto) fact, piece of information, (tieteessä) datum; (mon) facts, information, data **2** (tietämä, tietäminen) knowledge *Minulla ei ole tarpeeksi tietoa siitä* I don't know enough about it *pitää omana tietonaan* keep (something) to yourself, keep quiet about (something) *tällä tietoa* as things look/stand now *saattaa jonkun tietoon* inform/tell someone about (something) *saada tietoonsa* find out (that, about something), hear, learn *tiedossa, tietoakaan ks hakusanat* **3** (vakoilutieto) intelligence

tietoakaan *Ei ole tietoakaan* (keväästä) There's no sign (of spring); (lumesta) there's no trace (of snow); (sateesta) there's no rain in sight, no chance (of rain);

(ruoasta: kaapissa) the cupboards are bare, there isn't a crumb of food in the house; (ateriasta) there's no indication that we're ever going to eat

tietoinen *s* the conscious (mind), consciousness *adj* knowledgeable, aware, conscious

tietoisesti consciously; (tahallaan) deliberately, intentionally

tietoisuus consciousness, awareness

tietojensaanti (tietok) information retrieval

tietokannan hallintaohjelma database management program

tietokanta database

tietokantaohjelma database, database management program

tietokirja nonfiction book

tietokirjallisuus nonfiction

tietokone computer *mikrotietokone* microcomputer *sylitietokone* laptop (computer) *pöytätietokone* desktop computer *minitietokone* minicomputer *suurtietokone* mainframe *supertietokone* supercomputer

tietokoneanimaatio computer animation

tietokoneavusteinen computer-aided, computer-assisted

tietokoneavusteinen opetus computer-assisted instruction, CAI

tietokoneavusteinen suunnittelu computer-aided design, CAD

tietokoneavusteinen valmistus computer-aided manufacturing, CAM

tietokonegrafiikka computer graphics

tietokoneintegroitu valmistus computer-integrated manufacture, CIM

tietokonekieli computer language

tietokonemonitori computer monitor

tietokoneohjelma (computer) software

tietokonepeli computer game

tietokonepääte computer terminal

tietokonerikollisuus computer crime

tietokoneslangi computerese

tietokonetomografia computerized axial tomography, CAT

tietokonevirus computer virus

tietoliikenne (data) communications

tietomurto (tietok) cracking, data trespass

tietopankki data bank

tietoperäinen theoretical

tietopuolinen theoretical

tietosanakirja encyclopedia

tietosodankäynti (tietok) cyberwar, information warfare

tietosuoja data protection/security

tietotekniikka information/data technology, teleinformatics

tietotekniikkataitoiset (leik digitaaliälymystö) the digerati

tietotoimisto news agency, wire service

tietoverkkorikos cybercrime

tietoyhteiskunta information society

tietty 1 (eräs) a certain/given *Se pitään tehdä tietyllä tavalla* It has to be done in a certain (specific/specified) way **2** (ark: tietysti) of course, (ark) natch

tietue (tietok) record

tietymätön *olla teillä tietymättömillä* to have vanished without a trace, be nowhere to be found

tietysti of course, naturally; (ark) natch

tietyö road construction

tietyömaa road construction area

tietyömies road construction worker

tietä *näyttää tietä* show the way *tietä pitkin* along/down the road *rauhanomaista tietä* by peaceful means *virallista tietä* through official channels

tietäjä seer, wise(wo)man, soothsayer *kolme itämaan tietäjää* the Three Wise Men

tietämys knowledge, (tietotaito) knowhow

tietämyskanta knowledge bank, data bank

tietämä 1 *kaikki tietämäni* everything I know /knew **2** *klo 6:n tietämissä* around six (o'clock)

tietämätön ignorant, uninformed

tietävinään *Hän ei ollut tietävinään mitään* She played dumb, she pretended not to know anything, not to know what I was talking about *Ei olla tietävinämmekään* Let's just play dumb/innocent *Hän on tietävinään kaikki asiat maan päällä* He thinks he knows everything

tietäväinen (tietävä) knowledgeable; (kärkevän tietävä) knowing

tietää 1 know (of/about), be aware/conscious /knowledgeable about *Jokainenhan tietää että* It's common knowledge that *saada* *tietää* find out, hear *Ei sitä koskaan tiedä* You never know (about these things) *tietää rajansa* know your limits *ettäs* (sen) *tiedät* for your information *mene ja tiedä, tiedä häntä* who knows *tietävinään, tietääkseen* ks hakusanat **2** (tarkoittaa) mean, (enteillä) bode *Tämä tietää monen päivän lisätyötä* This is going to mean many more days of work *tietää hyvää/huonoa* bode well/ill

tietääkseen 1 *Hän ei ollut tietääkseen minusta* She ignored me, she pretended not to notice me **2** *minun tietääkseni* as far as I know, to the best of my knowledge

tihentyä 1 (paikallisesti) grow denser, thicken, tighten **2** (ajallisesti) quicken, pick/speed up, become more frequent, increase in frequency

tihentää 1 (paikallisesti) make denser, thicken, tighten **2** (ajallisesti) quicken, pick/speed up, increase (the frequency of) *tihentää tahtia* speed up, pick up the pace, quicken your steps

tihetä *Tunnelma tiheni* The crowd tensed, a wave of tension/excitement swept over the audience (ks myös tihentyä)

tiheys density, thickness, tightness; pace, frequency (ks tiheä)

tiheä 1 (paikallisesti) dense, thick; (tiukka) tight, (lähekkäinen) close(-knit) **2** (ajallisesti) quick, rapid, fast; (usein toistuva) frequent *tiheään* frequently, often, at short intervals; (jatkuvasti) incessantly, all the time

tihkua (verta, märkää) ooze, seep; (vesitippoja) drip, trickle; (sadetta) drizzle; (tietoja) leak/trickle (out)

tihkukytkin (tuulilasinpyyhyhinten) intermittent/pulse wipers

tihkusade drizzle

tihutyö act of vandalism/sabotage

Tiibet Tibet

tiibetiläinen *s, adj* Tibetan

tiikeri tiger

tiili brick

tiiliskivi brick (myös kuv)

tiilitalo brick house

tiimalasi hourglass

tiine pregnant, gravid; (eri eläimistä: tamma) with foal, (lehmä) with calf, jne

tiira tern

tiirikka lockpick, picklock

tiirikoida pick a lock, (tietok) crack a code

tiistai Tuesday

tiistaiaamu Tuesday morning

tiistainen Tuesday

tiistaipäivä Tuesday

tiistaisin Tuesdays

tiiviisti 1 (suljettu) tightly, hermetically **2** (pakattu, tampattu tms) densely, compactly **3** (tehdä työtä) closely, intimately; (olla yhdessä) a lot **4** (opiskella) intens(iv)ely **5** (selostaa, kertoa tms) concisely

tiivis 1 (kansi tms) tight(ly closed/sealed) *vesitiivis* waterproof *ilmatiivis* airtight **2** (tiheä) dense, compact **3** (kosketus, yhteistyö tms) close, intimate **4** (kurssi) intensive **5** (kertomus tms) concise, condensed

tiiviste 1 (mehutiiviste) concentrate, (maitotiiviste) condensed milk **2** (tiivisterengas) washer, (tiivistenauha) insulating tape, (tiivistemassa) caulking, (autoon, putkityöhön tms) gasket

tiivistelmä summary, abstract, précis; (ooppenan tms) synopsis

tiivistyä 1 become tighter, (tunnelma) become tense(r)/excited **2** (fys) condense

tiivistää 1 (ikkunaa tms) seal/calk (up) **2** (ihmisjoukkoa) pack/squeeze (in more tightly/closely), tighten/close up (the ranks) **3** (kertomusta tms) tighten up, condense; (referoida) summarize, sum up (in a few words) **4** (nestettä) condense, concentrate

tiiviys tightness, density, compactness, closeness, intimacy, intensity, concision, condensation (ks tiivis)

tikahtua be bursting/choking/convulsed (with laughter/tears)

tikanheitto darts

tikapuut ladder

tikari dagger

tikaripyrstöt horseshoe crabs

tikasauto ladder truck

tikata stitch, (täkkiä) quilt

tikittää tick *Aikapommi tikittää* (kuv) Time is ticking/slipping away

tikitys ticking

tikka 1 (lintu) woodpecker **2** (heitettävä) dart

tikkaat ladder

tikkataulu dartboard

tikkaus quilting

tikki 1 stitch (myös lääk) *vikatikki* dropped stitch; (kuv) mistake, error, (ark) booboo **2** (bridgessä) trick

tikku stick, (sormessa) splinter *seistä kuin tikku paskassa* stand around with your thumb up your ass *tehdä tikusta asiaa* do something on a flimsy pretext **2** (tulitikku) match, (hammastikku) toothpick

tikkukaramelli lollipop, sucker

tikli (lintu) Eurasian goldfinch

tila 1 (tilat) premises, grounds, property; (yksi tila) room **2** (tilaa) room, space *Vie läkö on tilaa?* Do you have any more room/space? **3** (olotila) condition, status, state *Mikä hänen tilansa on?* (lääk) What's her condition/status? (ark) How is she? **4** (maatila: hieno) estate, (tavallinen) farm **5** (paikka ja urh) place *Joku on minun tilallani* Someone has taken my place *laittaa joku muu sinun tilallesi* replace you; (urh) substitute (in) for you, pull/yank you out (of the game) *kolmas tila* third place **6** (lääk) position *perätilassa* in the breech position

tilaaja 1 (tavaran) orderer, buyer, purchaser **2** (lehden) subscriber

tilaisuus 1 (mahdollisuus) chance, opportunity *elämäsi tilaisuus* the chance of a lifetime *heti tilaisuuden tullen* at the first opportunity, the first chance you/I get *päästää tilaisuus käsistään* miss your chance/opportunity *käyttää tilaisuutta hyväkseen* take the opportunity (to do something) **2** (tapahtuma) event, occasion, function, ceremony

tilallinen farmer

tilanahtaus cramped quarters, lack of space

tilanne 1 situation *tällaisessa tilanteessa* in a situation like this *pitää joku tilanteen tasalla* keep someone informed/up-to-date

(about what's going on) *Tilanne on tämä* Here's the situation, this is where we stand **2** (asema) status, station, position **3** (urh) score *Mikä on tilanne?* What's the score? Who's winning/ahead?

tilannekatsaus overview/review of the situation

tilanpuute lack of space, cramped quarters

tilapäinen temporary

tilapäisesti temporarily

tilapäisjärjestely temporary arrangement

tilapäisratkaisu temporary solution

tilapäistyö temporary employment

tilapäisyys temporariness

tilasto statistic(s) *En halua olla pelkkä tilasto* I don't want to be just a mere statistic/number

tilastoida compile statistics on

tilastointi the compilation of statistics

tilastollinen statistical

tilastollisesti statistically

tilastotiede statistics

tilastotieto statistic(s)

tilata 1 (tavara, ateria, puhelu tms) order **2** (lentolippu, hotellihuone, ravintolapöytä tms) reserve **3** (lääkäri) make an appointment for **4** (taksi) call **5** (lehti) subscribe to **6** (muotokuva, juhlasävellys tms) commission

tilaus order, reservation, subscription, commission (ks tilata) *Tulit kuin tilauksesta* You're just the person/man/woman I wanted to see

tilaushinta subscription price

tilausjulkaiseminen (tietok) on-demand publishing

tilauskoulutus (tietok) education on demand

tilausvideo (tietok) video on demand

tilava roomy, spacious, big; (ylät) capacious, commodious, voluminous

tilavasti spaciously

tilavuus (cubic) volume, (veto) capacity

tilavuusalkio (tietok) voxel

tilavuusmitta cubic measure

tiilhi waxwing

tili 1 account *sulkea/avata tili* close out/open an account *ylittää tilinsä* overdraw your account, (ark: shekillä) bounce a check

tilikausi 492

Onko teillä tili Saks Fifth Avenuessa? Do
you have an account at Saks? ostaa tilille
(luottokortilla) charge; (allekirjoittamalla)
buy on credit, put it on your account/tab
2 (kuv) account, reckoning *Tästäkin sinun
täytyy tehdä tiliä* You're going to have to
account for this too, I'm going to want a
full explanation for this too *panna koke-
mattomuuden tiliin* put it down to inexpe-
rience, chalk it up to inexperience *panna
jonkun tiliin* blame someone (for some-
thing) **3** (ark:palkka) pay/(check)
tilikausi accounting period
tilintarkastaja auditor; certified public
accountant, CPA
tilintarkastus audit
tilinteko account *tilinteon päivä* (usk ja kuv)
day of reckoning
tilinumero account number
tiliote bank statement
tilipussi paycheck
tilipäivä payday
tilisiirto bank transfer
tilitapahtuma transaction
tilittää 1 account (for something), report on
2 (kuv) examine, explore, analyze; (men-
neitä) reminisce about
tilitys 1 account, report **2** (kuv) examination,
exploration, analysis; (menneiden) remin-
iscence
tiikitä seal/stuff/stop up, caulk
tilkka drop *Tilkka viiniä ei tekisi pahaa* I
wouldn't mind a drop of wine
tilkku patch, scrap *maatilkku* a patch of land
tilli dill
tilpehööri (ark) necessities, essentials
tilukset estate, grounds
timantti diamond
timanttihäät diamond wedding anniversary
timanttikaivos diamond mine
timanttikilpikonna terrapin
timanttilevy diamond record
timanttisormus diamond ring
timotei timothy (grass)
tina tin; (-astia) pewter; (tinajuote) solder
hävitä kuin tina tuhkaan vanish into thin
air *tinassa* tipsy
tinata 1 tin-plate **2** (juottaa) solder

tingassa *lähteä viime tingassa* leave at the
last minute *tulla viime tingassa* arrive just
in (the nick of) time *ettei jäisi viime tin-
kaan* so as not to leave it to the last minute
tingata demand, press/badger for
tinkiminen 1 (ostajan) haggling, dickering
2 (myyjän) coming down, (price-)reduc-
tion **3** (kuv) compromise, flexibility
tinkimätön 1 (kuri tms) strict, rigid, inflex-
ible **2** (rehellisyys) unbribable, unflinch-
ing, upright **3** (tieteellisyys) rigorous
tinkiä 1 (ostaja) haggle, dicker **2** (myyjä)
come down (on the price), knock off (the
price) **3** (kuv) compromise, settle for less,
bend, be flexible
tipahdella drip
tipahtaa drop, fall off
tipotiessään vanished (into thin air), gone
tippa 1 drop *Sinä et välitä tippaakaan tästä
koko hommasta* You don't give a damn
/hoot (in hell)/shit about this whole thing
En ole maistanut tippaakaan I haven't had
a drop **2** (kyynel) tear *Tuli tippa silmään*
It brought tears to my eyes **3** (IV-tippa)
(IV-)drip **4** *tipalla ja tipalla* nip and tuck, close *On
tipalla, ehditäänkö* It's going to be nip and
tuck whether we'll make it *Oli tipalla, ettei
käynyt huonommin* That was a close call
/shave/one
tippaleipä May-Day fritter
tippua 1 drip **2** (ark: tipahtaa) drop, fall off
tippua joukosta drop/fall/lag behind the
others **3** (ark: hellittä) *Ei tipu* No way, not a
chance, not a cent from me
tippukivi dripstone
tippukiviluola stalactite cave
tippuri gonorrhea, (ark) the clap/drip
tipu chick (myös tytöstä)
tiputella drop
tiputtaa 1 (laittaa tippoja) apply/squeeze/drip
a few drops (into) **2** (ark: pudottaa) drop,
let fall
tiputus intravenous (IV) drip, dripfeed; (ark)
drip *olla tiputuksessa* be fed intrave-
nously, be on the drip
tiristä sizzle
tirkistelijä voyeur, Peeping Tom

tirkistellä peek, steal a peek/look/glimpse, look surreptitiously

tirkistely voyeurism

tirskua titter, snicker

tiskaaja dishwasher

tiskata wash (the) dishes, do the dishes

tiski 1 (pöytä) counter, desk *myydä tiskin alta* sell (something) under the counter *lyödä hanskat tiskiin* quit **2** (tiskattava) (dirty) dishes

tiskikone dishwasher

tislaamo (laitos) distillery, (kone) still

tislata distill

tislaus distillation

tisle distillate

tismalleen exactly, precisely *Tismalleen!* Exactly! That's just it! That's right!

tissi tit, boob; (leik) titty

titteli title

tiuha tight, dense, close (ks myös tiivis)

tiukalla 1 (kovilla) *panna joku tiukalle* press someone, come down hard on someone *joutua tiukalle* have a tough time of it, be hard pressed/put **2** (vähän) *Aika on tiukalla* We're pretty hard pressed/put for time, we're running short on time *Raha on tiukalla* Money is tight

tiukassa tight *Se on liian tiukassa* It's too tight; (kun yrittää irrottaa) it's stuck

tiukasti tight(ly) *pitää tiukasti kiinni* hold on tight *seurata tiukasti jonkun kannoilla* follow close on someone's heels, close behind someone; dog someone's heels *pysyä tiukasti asiassa* stick close/strictly to the subject

tiukata demand (an answer), press (someone for a response)

tiukentaa tighten (myös kuv), restrict

tiukentaminen tightening, restriction

tiukentua tighten

tiukka 1 tight *tiukka ote* tight/firm grip *tiukka aikataulu* tight/busy/hectic/full schedule *tiukalla, tiukassa, tiukasti* ks hakusanat **2** (kova) strict, stern, tough *olla tiukka* (jollekulle) be rough/tough (on); (tinkimättä) stand/hang tough *tehdä tiukkaa, tiukan paikan tullen* when the going gets tough *olla tiukkana* to be tough/rough

tiukka kuri strict/rigid discipline **3** (ottelu) close

tiukkailmeinen tight-lipped, stern- faced

tiukkapipo martinet, old biddy *Se on aikamoinen tiukkapipo* She's really got a bug up her ass

tiukkuus tightness, strictness, sternness, toughness (ks tiukka)

tiuku bell *Mitä tiuku repii?* You got the time?

tiuskaista snap, (ark) bite (someone's) head off

tiuskia snap, (ark) bite (someone's) head off

tivata 1 (vastausta) demand, press (someone for) **2** (maksua) dun

tms. or some such, or the like; etc.

todella really, truly, actually *En todellakaan ymmärrä sinua* I really/truly/just don't understand you

todellinen real, true, actual, genuine *Hän näyttää todellista pitemmältä* She looks taller than she really is

todellinen arvo (liik) intrinsic value

todellisuudenmukainen realistic, true to life

todellisuudentaju sense of reality, grip on reality

todellisuus reality, actuality, real life *palauttaa joku todellisuuteen* bring someone back down to earth, back to reality *menettää kosketuksensa todellisuuteen* lose (all) touch with reality

todellisuus on tarua ihmeellisempi truth is stranger than fiction

todellisuuspohjainen based on/in reality

todenmukainen 1 (kuva tms) realistic, life-like **2** (kuvaus tms) true-to-life, veracious

todenmukaisesti realistically

todennus (tietok) authentication

todennäköinen probable

todennäköisesti probably

todennäköisyys probability

todennäköisyyslaskenta probability calculation

todenperäinen authentic, genuine

todenperäisyys authenticity

todentaa verify, authenticate

toden teolla really *Minua pelotti toden teolla* I was really frightened, I was scared half out of my mind *ryhtyä toden teolla töihin*

get right down to work/business, really
pitch in and work

toden tullen if push comes to shove, if things
really get tough

toden tuntuinen 1 (nukke tms) lifelike *Se on
ihan toden tuntuinen* It feels like the real
thing **2** (tarjous tms) legitimate-sounding
Minusta se on toden tuntuinen tarjous
I think the offer's legit

todesta ottaa todesta take (someone) seri-
ously

todeta 1 (huomauttaa) state, note **2** (huo-
mata) notice, discover, find (out) *todeta
oikeaksi* authenticate

todistaa 1 (todisteilla) prove (myös mat),
demonstrate, substantiate *todistettava* ks
hakusana **2** (todistajana) (give/bear) wit-
ness (to), testify/attest (to); (lak) depose;
(usk) give a testimonial (of/to) *oikeaksi
todistettu kopio* certified copy

todistaja witness *kutsua todistajaksi* (oikeu-
teen) subpoena a witness; (oikeudessa)
call a witness (to the stand) *todistajien läs-
näollessa* in the presence of witnesses

todistajanlausunto (kirjallinen) deposition,
(oikeussalissa) testimony

todistajanpalkkio witness's fee

todistamaton 1 unproved, unproven **2** (todis-
tajan allekirjoitus puuttuu) unwitnessed,
unattested

todiste piece of evidence; (mon) evidence

todisteeton unsubstantiated

todistella try to prove (something) *todistella
syyttömyyttään* protest your innocence

todistelu argumentation; protests

todistettava *todistettavissa oleva* provable
todistettavasti as can be proved *mikä oli
todistettava, MOT* quod erat demonstran-
dum, QED

todistus 1 (mat) proof, demonstration **2** (lak:
todisteet) evidence; (todistevahvistus)
proof; (todistajan lausunto) testimony;
(todistajan allekirjoitus) attestation, certi-
fication **3** (asiakirja) certificate **4** (usk) tes-
timonial *Älä sano väärää todistusta
lähimmäisestäsi* Thou shalt not bear false
witness against thy neighbor **5** (koulu-)
school report

todistusaineisto evidence

todistusvoima probative force

todistusvoimainen probative, probatory,
conclusive

toffee toffee, taffy

tohelo butterfingers, bungler, screwup

toheloida bungle (things), screw (things) up

tohista fuss/stir/bustle/flutter about

tohjona smashed/busted up

tohkeissaan enthusiastic/excited about, (ark)
jazzed up about

tohtia dare, venture, have the nerve *En tohti-
nut kysyä* I couldn't bring myself to ask

tohtori doctor

tohtorinarvo doctorate, doctoral degree

tohtorinhattu doctoral tophat

tohtorin väitöskirja doctoral dissertation

tohveli slipper

tohvelisankari henpecked husband

toi that, (murt) that-there

toilaus blunder, stupid thing to do

toimeenpaneva executive

toimeenpano execution *Jätämme tämän
suunnitelman toimeenpanon teille* We'll
leave it up to you how you carry out the
plan, put the plan into practice

toimeentulo income, livelihood, living;
(niukka) subsistence *juuri toimeentulon
rajoilla* at the subsistence level

toimeentulomahdollisuudet chance to make
a living, means of subsistence

toimeksi panna toimeksi get busy, get to
work *antaa toimeksi* hire/commission/ask
(someone) to do (something) *ottaa toi-
meksi* undertake (to do) something), take it
upon yourself to do (something) *saada toi-
meksi* be asked/charged to do (something)

toimelias hard-working, industrious

toimenpide 1 measure, step; (mon) meas-
ures, action *ryhtyä toimenpiteisiin* take
measures/steps/action **2** (homma) opera-
tion, (ark) thing *Koko toimenpide ei vienyt
kuin puoli tuntia* The whole thing couldn't
have taken more than half an hour

toimeton idle, inactive

toimettomuus idleness, inactivity

toimi 1 (askare) chore, task, job, duty; (mon)
activities, business, affairs, action *tyhjin*

toimin doing nothing, killing time *toimeksi* ks hakusana **2** (toimenpide) action, measure (ks myös toimenpide) **3** (työpaikka) job, post, position *puhelin toimeen* work /office (phone) number **4** *tulla toimeen* (jonkun kanssa) get along (with someone); (jollakin) get by (on something), manage, make do, make both ends meet, keep body and soul together *tulla toimeen ilman* do without *jonkun toimesta* (done/ordered) by someone

toimia 1 (ihminen: ryhtyä toimiin) act, take action/steps/measures; (jonakin) act/serve (as), be *toimia lakimiehenä/lääkärinä* practice law/medicine *toimia illan isäntänä* host the party, (juontajana) emcee the ceremony *Nyt on aika toimia* Now is the time for action **2** (kone tms) work, function, operate *Miten tämä toimii?* How does this work? *Kone ei toimi* The machine is broken, isn't working, is out of order, is not in working order

toimiala line (of business/activities), field (of operations)

toimialue (tietok) domain

toimielin organ

toimihenkilö clerical worker/employee

toimikas twill

toimikausi term (of office)

toimikortti (tietok) smart card

toimikunta committee, commission

toimilupa (operating) license; (myymäläketjun myöntämä) franchise

toiminimi company/business name

toiminnallinen functional

toiminnanjohtaja chief executive officer (CEO), president, managing director

toiminta action, activity/activities, operation(s), functioning (yhdyssanoissa jää usein kääntämättä) *ryhtyä toimintaan* take action *aloittaa liiketoiminta Kaakkois-Aasiassa* begin business operations in South-East Asia *ottaa selvää koneen toiminnasta* figure out how the machine works *kasvatustoiminta* education *tiedotustoiminta* publicity

toimintaedellytys foundation for operations

toimintahäiriö (koneen) malfunction, (ihmisen) functional disorder

toimintakertomus annual report

toimintakykyinen functional, operative, in working order

toimintakyvytön dysfunctional, inoperative, out of order

toimintamalli operational/functional model

toimintamuoto operational/functional mode

toimintaperiaate principle

toimintasuunnitelma plan of action

toiminto function, operation

toimintonäppäin (tietokoneen) function key, (ark) F-key

toimipaikka 1 (työpaikka) job, post, position **2** (toimipiste) office, branch, agency

toimisto office, bureau, agency

toimistopäällikkö department head

toimistotekniikka office technology

toimistotyö clerical/secretarial work

toimitsija 1 (agentti) agent, (yhtiön) trustee **2** (urh) official

toimittaa 1 (lähettää) send, (liik) deliver; (viedä) take; (hakea) get, fetch; (antaa) give, supply/provide (someone) with **2** (suorittaa) hold, conduct, perform, preside at **3** (kirjaa, sanomalehteä tms) edit

toimittaja 1 (kirjan, sanomalehden vastaava) editor; (sanomalehden tutkiva) reporter, journalist **2** (liik) supplier

toimituksellinen editorial

toimitus 1 (liik: lähetys) delivery; (toiminta) operation; (tapahtuma) transaction **2** (kirjan) editing; (sanomalehden: toimituskunta) editorial board/staff; (toimitushuone) editorial office(s) **3** (toimittaminen) performance, execution **4** (usk) ceremony, service

toimitusaika delivery time

toimitusehdot terms of delivery

toimitusjohtaja Chief Executive Officer (CEO), (UK) managing director

toimituskulut handling/service fee

toimituspäällikkö (sanomalehden) editor-in-chief

toimitussihteeri (sanomalehden) editorial assistant

toimiupseeri warrant officer

toimiva working, active, functional

toimivalta authority, powers, jurisdiction

toinen *s* the other, another; (ensinmainittu kahdesta) one (mon) the others, the rest *joku toinen* someone/-body else *Anna toinen vain* Just give me one for the other *adj* **1** (järjestyksessä) the second *Aleksanteri II* Alexander II (lue: the second) *Eikö toinen sanominen vielä riitä?* Wasn't it enough to tell you a second time? **2** (ensimmäinen kahdesta) one *Hän näkee vain toisella silmällä* She can only see out of one eye *Anna toinen käsi* Give me one of your hands **3** (toinen kahdesta, muu) the other, another, other *joku toinen kerta* some other time *puoletta toiselle* from one side to the other *toinen... toinen, toiseksi, toisiaan* ks hakusana

toinen pilari (EU:n yhteinen ulko- ja turvallisuuspolitiikka) the second pillar

toinen... toinen one... the other *Tässä on vasta toinen kenkä, missä toinen on?* This is only one shoe, where's the other? *toiset... toiset* some... some/the others/rest *Toiset tykkäsivät, toiset inhosivat* (kaikki muut inhosivat) Some liked it, but the others hated it; (jotkut muut inhosivat) some liked it, some/others hated it

toipilas convalescent

toipua recover (from something), convalesce, get over (sth), get well

toisaalla elsewhere, somewhere else, in another place/direction/area

toisaalta on the one/other hand, on second thought *Toisaalta haluan lähteä, mutta toisaalta en viitsisi jättää sinua yksin* On the one hand I want to go, but on the other hand I don't feel like leaving you alone *Niin, mutta toisaalta silloin en näkisi Petriä* Yes, but on second thought, then I would miss Petri

toisarvoinen (of) secondary/minor (importance)

toiseksi second(ly) *jäädä toiseksi* come in second, place second *toiseksi nuorin* the second youngest, the next to youngest *toiseksi viimeinen* the next to last, the penultimate *Ensiksikin... toiseksi(kin)/toisek-* *seen* First(ly)... second(ly); in the first place...in the second place

toisen asteen koulutus secondary education

toisenlainen different (from), unlike

toisiaan each other, one another *He rakastavat toisiaan kovasti* They love each other deeply, they're very much in love (with each other)

toisin otherwise, differently, in another/a different way *Minä ajattelen toisin* I think otherwise/differently *olla toisin* be different *toisin kuin* (ennen substantiivia) unlike (something), (ennen verbiä) contrary to what (you say, people believe) *Toisin kuin yleisesti luullaan* Contrary to popular belief

toisinajattelija dissident

toisinto variant, version, redaction

toisiopalvelin (tietok) mirror server

toisiosivusto (tietok) mirror site

toisluokkalainen second-grader

toispaikkakuntalainen out-of-towner

toispuolinen one-sided, uneven, unequal, unilateral

toispuolisuus one-sidedness, unevenness/unequal distribution, unilaterality

toissailtainen (something that happened) the night before last

toissakesäinen (something that happened) the summer before last

toissapäiväinen (something that happened) the day before yesterday

toissavuotinen (something that happened) the year before last

toissijainen secondary

toissijaisesti secondarily

toissijaisuus secondariness

toistaa 1 repeat *toistaa omaa puhettaan* repeat/reiterate your own words *toistaa toisen puhetta* repeat/spit back/echo what someone else said **2** (levysoitin tms) reproduce

toistaiseksi 1 for the time being, until further notice, for an indefinite period *A: Miten kauan olette siellä? B: Toistaiseksi* A: How long will you be there? B: Indefinitely **2** (tähän mennessä) so far, until now, up till now *Ei ole saatu toistaiseksi mitään* So far we've gotten nothing

toistakymmentä more than ten

toistamiseen (once) again, once more, (for) a second time

toistasataa more than a hundred

toiste s redundancy adv joskus toiste some other time

toistella repeat over and over, reiterate

toisto 1 repetition, repetitiveness, reiteration **2** (äänen) reproduction, sound-quality

toistua (be) repeat(ed), happen again Tämä ei saa toistua! Just don't let it happen again!

toistuvaisavustus periodical support

toitottaa 1 (torvea) honk, toot **2** (asiaa) proclaim, announce, trumpet

toive wish, hope herättää toiveita raise (someone's) hopes, give (someone) hope romuttaa toiveet dash (someone's) hopes Toiveeni romuttuivat täysin My hopes were wiped out/dashed Toiveeni toteutui I got my wish onnistua yli toiveiden succeed beyond all expectation, do better than you dared hope

toiveajattelu wishful thinking

toiveikas hopeful, optimistic

toiveikkaasti hopefully, optimistically

toiveikkuus hope, optimism

toivo hope muuttaa Amerikkaan paremman elämän toivossa move to America in hopes/the hope of a better life viimeinen toivomme our last hope maajoukkueen nuoret toivot the national team's young hopefuls Siitä ei ole toivoakaan There's not a chance of that

toivoa 1 hope Toivon pääseväni ensi vuodeksi opiskelemaan USA:han I hope to be able to study in the States next year **2** (haluta) desire, want, wish Toivon tulevani rikkaaksi ja kuuluisaksi I want to be rich and famous Toivon etten olisi ikinä nähnyt häntä I wish I'd never laid eyes on her **3** (olettaa) trust Toivomme saavamme suorituksenne pikimmiten We trust we will receive your remittance ASAP

toivomus wish, (pyyntö) request jonkun toivomuksesta at someone's request saada kolme toivomusta be granted three wishes

toivonkipinä a spark/glimmer of hope

toivon mukaan I hope, hopefully

toivotella wish (someone something) toivotella onnea wish (someone) good luck toivotella hyvää joulua wish (someone a) Merry Christmas

toivoton hopeless, desperate toivoton tapaus hopeless case

toivottaa wish (someone something) toivottaa kaikkea hyvää wish (someone) all the best toivottaa joku hiiden kattilaan tell someone to go to hell

toivottavasti hopefully, I hope

toivottomasti hopelessly, desperately

toivottomuus hopelessness, desperation

toivotus greeting, wish onnen toivotukset good luck wishes

tokaista say, utter, remark

toki 1 (tottahan toki) sure, of course A: Tunnethan Riston? B: Toki! A: You know Risto, don't you? B: (I) sure do, of course (I do) **2** (kehotuksissa) Tule toki sisään Come on in Mene toki Go ahead (and go) **3** (sentään) still, at least Rahat olivat toki tallella, vaikka reppu olikin kadonnut The money was still there, though the pack was gone Muistit toki ottaa turkin mukaan At least you remembered your fur

Tokio Tokyo

tokko 1 (tuskin) hardly Tokkopa hän sinne haluaa I doubt he'll want to go, I hardly think he'll be going **2** (onko) whether En tiedä, tokko hän tietää koko asiasta I have no idea whether he even knows about it

tokkurassa (unesta) sleepy, drowsy, half-asleep; (alkoholista) smashed

tola shape hyvällä/huonolla tolalla in good /bad shape poissa tolaltaan (huolestuneisuudesta/surusta) beside yourself with worry/grief) saattaa asia oikealle tolalle put something right

tolkku 1 (järki) sense En saa mitään tolkkua tästä I can't make heads or tails of this Ei siinä ole mitään tolkkua että It's pointless /senseless to **2** kuukausitolkulla for months on end

tolkuton senseless, (tarkoitukseton) pointless, (kohtuuton) unreasonable

tolkuttomasti senselessly, pointlessly, unreasonably

tollo moron, dunderhead, dummy

tolppa post, pole; (jalkapallosua) goalpost

tolvana lunkhead, numbskull, dunce

tomaatti tomato

tomppeli bonehead, dolt, oaf

tomu dust (myös kuv)

tomuinen dusty

tomuta be dusty, throw up/off a lot of dust

tongit pliers

tonkia 1 (eläin) root/grub ((around) in) **2** (ihminen tavaroita) dig/root/rummage around in, ransack; (papereita) rifle (through) **3** (ihminen asioita) stick your nose in (someone's business), poke around in

tonkiminen rooting, grubbing, digging, rummaging, ransacking, rifling, poking (ks tonkia)

tonni 1 ton (myös kuv) *Tämä matkalaukku painaa ainakin tonnin!* This suitcase must weigh a ton! **2** (ark: 1 000) a grand *Voitin kymppitonnin lotossa* I won ten grand in the lottery

tonnikala tuna

tonnikaupalla by the ton, tons of

tonnikeiju beefy beauty

tontti lot, (rakennustontti) building site

tonttu 1 elf **2** (tyttö) Brownie

tonttuilla fool/monkey around

topakka brisk, bustling

topata pad; (sohvaa tms) upholster; (eläintä) stuff

topografia topography

tora wrangle, squabble; (ark) spat, tiff

toraisa quarrelsome, argumentative

torakka cockroach, (ark) roach

tori marketplace; (aukio) square, plaza

torjua 1 (kieltäytyä) reject, refuse, rebuff; (kieltää) deny **2** (psyk) repress **3** (ehkäistä) prevent, fight, control, avert **4** (pysäyttää: urh) stop, block, catch, (make a) save; (sot: hyökkäys) repel; (lyönti) intercept

torjunta 1 (kieltäytyminen) rejection, refusal, rebuff; (kielto) denial **2** (psyk) repression **3** (ehkäisy) prevention, control **4** (urh)

stop, block, catch, save **5** (sot: puolustus) defense

torjuva negative, repressive, defensive

torjuvasti negatively, repressively, defensively

torkahtaa doze/nod off

torkku sleepyhead *Illan virkku, aamun torkku* Early to bed, early to rise makes a man healthy, wealthy, and wise *ottaa torkut* take a nap, snooze

torkkua take a nap, snooze, doze

torni 1 tower, (kirkon) steeple **2** (sot) turret **3** (šakissa) rook, castle

tornipöllö barn owl

torpedo torpedo

torpedoida torpedo (myös kuv)

torppa (tila) croft, (mökki) crofter's cottage

torppari crofter

torso torso (myös kuv) *jäädä torsoksi* be left incomplete/unfinished/half-done, remain a torso

torstai Thursday

torttu tart

torttutaikina pastry dough

torua scold, berate, haul (someone) over the coals

torveilla 1 (mahtailla) talk big, shoot off your mouth **2** (kuljeksia) wander, roam, amble aimlessly

torvi 1 horn; (sot) bugle *soittaa torvea* honk your horn **2** (rulla) roll, (putki) pipe **3** (ark) jerk, asshole, fool

torvisoittokunta brass band

tosi *s* the truth, reality, the real thing *Nyt on tosi kyseessä* This is the real thing *todella, todesta, tosiaan, tosissaan* ks hakusanat *adj* **1** (totuudenmukainen) true *Puhu totta* Tell me the truth (ks myös hakusana) **2** (todellinen) real, serious *tosi tilanteessa* in a real(-life) situation *tosi paikan tullen* if push comes to shove, if it gets right down to it *ryhtyä tosi toimiin* take serious action *adv* (todella) really, (ark) real *Se oli tosi kivasti tehty* That was real(ly) nice of you *tosi iso talo* a real(ly) big house

tosiaan really *Oletko tosiaan sitä mieltä?* Is that what you really think?

tosiasia fact

tosiasiallinen factual, true, real, actual *tosiasiallinen syy* the real/true reason

tosi kuin vesi as true as the day is long, as right as rain

tosin (it's) true *Hän on tosin vanhempi, mutta minä olen fiksumpi* True, he's older, but I'm smarter; he's older, it's true, but I'm smarter

tosiolevainen (the) real

tosioloissa in real life, in real-life situations

tosiseikka fact

tosissaan serious, in earnest *Oletko tosissasi?* Are you serious? *Olen ihan tosissani* I mean it/business, I'm not fooling around

tositapahtuma real event *Elokuva perustuu tositapahtumiin* The movie is based on a true story

tosite receipt

tossu 1 (baletti/aamutossu) slipper **2** (lenkki-tossu tms) tennis/jogging shoe, sneaker **3** *olla tossun alla* be henpecked, be tied to someone's apron strings, be under someone's thumb

totalisaattori parimutuel *pelata totalisaattoria* bet on the horses

totalitaarinen totalitarian

totalitarismi totalitarianism

toteamus statement, utterance, remark

toteemi totem

toteen *käydä toteen* come true *näyttää toteen* prove, verify

totella 1 obey **2** (kuv) respond to, be responsive

toteuttaa carry (something) out/through, put (something) into effect/practice *toteuttaa itseään* fulfill yourself; (ark) do your own thing

toteutua come true

toteutus implementation, achievement, fulfillment

totinen serious, grave, earnest, sober; (yksitotinen) staid, humorless *Tämä on totista työtä* This is serious business *Hän on aika totinen poika* He's a bit of a Boy Scout

totisesti seriously, gravely, earnestly, soberly

totisuus seriousness, gravity, earnestness, sobriety

toto parimutuel *pelata totoa* bet on the horses

tota true *Ei oo totta!* I don't believe it! You gotta be kidding! *Tämä on sinun, eikö totta?* This is yours, isn't it? *Ihanko totta?* Really? You don't say *hitunen totta* a grain of truth *Se on ihan totta* That's so true *Tottahan sinä minut muistat?* You remember me, don't you? Surely you remember me? *Tarua vai totta?* Fact or fiction?

totta ihmeessä (you're) damn right/tootin'

totta kai of course, naturally; (ark) natch, sure

totta puhuen to tell the truth, frankly

totta tosiaan 1 (tosiaankin) true, for sure, certainly **2** (aivan niin) you're/that's right

tottelematon disobedient; (auto tms) unresponsive

tottelemattomasti disobediently

tottelemattomuus disobedience

tottelevainen obedient

tottelevaisuus obedience

tottua get used/accustomed (to something) *Kaikkeen tottuu kun se tarpeeksi usein sattuu* You can get used to anything

tottumaton inexperienced

tottumattomasti clumsily, fumblingly

tottumus 1 habit *vanhasta tottumuksesta* out of habit **2** (kokemus) experience

totunnainen conventional, customary, habitual

totutella get used to (doing something), (tutustua) familiarize yourself (with something)

totuttautua ks totutella

totutusajo breaking in

totuudellinen truthful

totuus truth *Karvaskin totuus on parempi kuin kiduttava epätietoisuus* The least pleasant truth is better than the most pleasant uncertainty

totuusarvo truth value

touhu activity, bustle, (ark) to-do *koko touhu* the whole shebang

touhukas active, bustling, busy

touhuta bustle/hustle/dash/putter about, do this and that

toukka larva, caterpillar

touko spring crop

toukohärkä (kovakuoriainen) blister beetle, oil beetle
toukokuinen May
toukokuu May
toveri friend, pal, buddy; (kommunistitoveri) comrade
toverihenki camaraderie
toverillinen friendly, comradely; (leik) palsy-walsy, buddy-buddy
toverillisuus comradeship
toveripiiri circle of friends
toveriseura companionship, company
toverukset friends, pals, buddies
toveruus companionship, comradeship
tovi while, (murt) spell *istua tovi* sit for a while/spell
t-paita T-shirt
traaginen tragic
traagisesti tragically
traditio tradition
traditionaalinen traditional
tragedia tragedy
tragikoominen tragicomic
traktori tractor
trampoliini trampoline
transistori transistor
transitiivinen transitive
transkriboida transcribe
transkriptio transcript(ion)
translitteraatio transliteration
translitteroida transliterate
transsendentaalinen transcendental
transsi trance
trauma trauma
traumaattinen traumatic
treffit date *käydä treffeillä jonkun kanssa* date someone *pyytää jotakuta treffeille* ask someone out (on a date) *sokkotreffit* blind date
tremolo tremolo
trikki trick
trikkikuvaus trick photography, special effect
trikoo tricot
triljoona quintillion
trilleri thriller
trilogia trilogy
trimaraani trimaran
trio trio

triviaali trivial
trokari bootlegger
trokata bootleg
trooppinen tropical
tropiikki tropic
trubaduuri troubadour, minstrel
trukki forklift
trumpetisti trumpet player
trumpetti trumpet
trusti trust
tryffeli truffle
tsaari czar, tsar
tsaaritar czarina, tsarina
tsaarivalta czarism, tsarism
Tšad Chad
tšadilainen *s, adj* Chadian
tšekki (asukas ja kieli) Czech
Tšekki Czech Republic
tšekkiläinen *s, adj* Czechoslovakian
Tšekkoslovakia Czechoslovakia
tšekkoslovakialainen *s, adj* Czechoslovakian
tsintsilla chinchilla
tuberkuloosi tuberculosis
tuhannes thousandth
tuhannesosa one-thousandth
tuhannesti *tuhannesti anteeksi* a thousand apologies
tuhansittain thousands of, by the thousands
tuhat *ajaa tuhatta ja sataa* drive hellbent for leather
tuhat thousand *tuhatneljäsataa* fourteen hundred
tuhatjalkainen centipede, millipede
tuhatjalkaishyönteiset uniramians
tuhatkertainen thousandfold
tuhatpäinen *tuhatpäinen joukko* a crowd a thousand strong
tuhattaituri Jack-of-all-trades
tuhdisti (ruokaa) lots/plenty of
tuhertaa 1 (töhertää) fumble at/with **2** (piirtää, kirjoittaa) scribble, scrawl, doodle
tuhista (nuhaisena) sniffle; (vihaisena) snort *Nenä tuhisee* My nose is all stuffed up
tuhka ash(es) *kadota kuin tuhka tuuleen* vanish into thin air
tuhkanharmaa ash-gray
tuhkarokko measles

Tuhkimo Cinderella
tuhkimotarina Cinderella story
tuhlaaja prodigal
tuhlaajapoika prodigal son
tuhlaavainen extravagant, wasteful, prodigal
tuhlaavaisuus prodigality, wastefulness, extravagance
tuhlari spendthrift
tuhlata waste, throw away; (ylät) squander; (ark) blow
tuhlautua be wasted
tuhma naughty, bad
tuhmasti naughtily
tuhmuus naughtiness
tuho 1 damage, devastation, annihilation, destruction **2** (perikato) destruction, fall, ruin, undoing **3** (usk ja kuv) doom
tuhoaminen 1 ks tuho **2** (tuholaisten) extermination
tuhocläin vermin, pest
tuhoisa damaging, devastating, destructive, ruinous
tuhoisasti destructively
tuholainen 1 (eläin) vermin, pest **2** (ihminen) saboteur
tuholaisohjelma (tietok) malicious code, malware
tuhopaketti (tietok) ping of death
tuhopolttaja arsonist
tuhopoltto arson
tuhota 1 devastate, annihilate, destroy, ruin, exterminate *tuhota jonkun onni* wreck someone's happiness **2** (tuholaisia) exterminate
tuhottomasti tons of
tuhoutua be devastated/destroyed
tuhoutuminen devastation, destruction
tuhrata dirty, soil, blacken, smudge, smear
tuhrautua be spent/wasted
tuhria dirty, soil, blacken, smudge, smear
tuhruinen dirty, soiled, smudged, smeared; (ark) black
tuhrusilmäinen bleary-eyed
tuhti 1 (ihminen) strapping big, lusty, husky **2** (ateria) hefty, man-sized
tuhto thwart
tuijottaa stare; (lumoutuneena) gaze; (ihmetellen) gape; (vihaisena) glower, glare *tui-*

jottaa omaan napaansa contemplate your own navel
tuijottaminen staring, gazing, gaping, glowering, glaring (ks tuijottaa)
tuijotus staring, gazing, gaping, glowering, glaring (ks tuijottaa)
tuikahdella twinkle
tuikata 1 (sujauttaa) slip, stick *tuikata seteli kantajan käteen* slip a bill into the bellhop's hand *tuikata toista puukolla selkään* slip/stick a knife into someone's back *tuikata toiselle kättä* stick out your hand **2** (tuleen) light/set (something) on fire
tuike twinkle
tuikea 1 (katse) stern, fierce, angry **2** (maku) hot, fiery
tuiki very, highly, extremely *tuiki tärkeä asia* a matter of the greatest significance
tuikkia 1 twinkle **2** ks tuikata
tuikku 1 (valo) light, lamp **2** (ark: naukku) swig
tuima 1 (ihminen) stern, fierce, angry **2** (tuuli tms) sharp, biting **3** (ruoka: tuikea) hot, fiery; (suolainen) salty
tuiskia snap (at)
tuisku gust/flurry of snow, snow flurry/storm
tuiskuta blow/gust/flurry/whirl about
tuiskuttaa blow/gust/flurry/whirl (snow) about
tuittupäinen hotheaded
tuittupää hothead
tukaani (lintu) toucan
tukahduttaa 1 (haukotus, sisäinen ääni tms) stifle, smother, suppress **2** (kapina tms) suppress, quell, put down
tukahduttava 1 (kuumuus) stifling **2** (vallankäyttö) repressive, oppressive
tukahduttavasti stiflingly, repressively, oppressively
tukala embarrassing, awkward, ticklish
tukea 1 (fyysisesti tai henkisesti) support, shore/prop/back up **2** (rahallisesti) back financially, give financial support to, subsidize **3** (tukeutua) lean/rest/rely on
tukehduttaa suffocate, choke
tukehtua suffocate, choke
tukehtuminen suffocation, choking
tukeutua lean/rest/rely on

tukeva 1 (rakennelma) firm, steady, solid(ly built), sturdy **2** (ihminen) sturdy, strong; (lihava) stocky, beefy, chunky **3** (ateria) hefty, man-size, substantial
tukevasti firmly, solidly, sturdily
tukevuus 1 (rakennelman) solidity, sturdiness **2** (ihmisen) stockiness, beefiness, chunkiness
Tukholma Stockholm
tuki support (myös kuv:) backing *antaa tukea jollekulle/jollekin* support, lend your support to *ottaa tukea jostakin* lean on/against, brace/balance yourself (on/against)
tukiaiset subsidy *maatalouden tukiaiset* farm subsidies
tukija supporter, backer; (taiteen) patron
tuki- ja liikuntaelimistö locomotor system
tuki- ja liikuntaelinsairaus locomotor disease
tukikeskus (tietok) info center
tukikohta (sot) base
tukilisä supplementary benefit
tukimaksu contribution
tukimies (urh) half(back)
tukiopetus remedial instruction
tukiosa supplementary benefit
tukipalvelu support service, hotline
tukipiste 1 (fys) point of support, (vivun) fulcrum **2** (tukikohta) base
tukistaa pull (someone's) hair; (kuv) chew (someone) out, criticize, rap (someone) on the knuckles
tukka hair *leikkauttaa tukkansa* have/get your hair cut *Ihan nousee tukka pystyyn* That really raises my hackles *olla koko ajan toistensa tukassa* be constantly at each others' throats
tukkanuottasilla *olla tukkanuottasilla* be at each others' throats
tukkeuma clog, block(age), obstruction; (liikenteen) jam
tukkeutua clog/block/back up
tukki log; (aseen tms) stock, (mankelin) roller *nukkua kuin tukki* sleep like a log
tukkia clog/block/stop/plug (up), obstruct
tukkia suunsa shut up *tukkia jonkun suu* shut someone up, quiet/muzzle/silence someone

tukko 1 (hiustukko tms) tuft, (pumpuli-/rahatukko) wad **2** (veritukko) clot **3** (side) bandage **4** (tukkeuma) clog, plug, stopper *nenä tukossa* stuffed-up nose *Auto jäi tukoksi tielle* The car was blocking the road
tukku 1 ks tukko **2** *myydä tukkuna* sell wholesale
tukkualennus wholesale discount
tukkukauppa (kaupanteko) wholesale trade; (liike) wholesaler, wholesale store *tukkukaupalla hyviä neuvoja* a whole lot of free advice
tukkukauppias wholesaler
tukuittain wholesale
tuleentua ripen
tulehdus infection, inflammation
tulehtua get infected/inflamed
tuleminen coming
tulemus coming *Kristuksen toinen tulemus* the Second Coming of Christ
tuleva upcoming, forthcoming, future
tulevaisuudenkuva outlook, prospect
tulevaisuuden suunnitelma plan for the future
tulevaisuudentutkija futurologist
tulevaisuudentutkimus futurology
tulevaisuudenusko belief in the future, optimism
tulevaisuus future *lähitulevaisuudessa* in the near future
tuli 1 (myös sot ja kuv) fire *tulessa* on fire *syttyä tuleen* catch fire *sytyttää tuleen* light (something) on fire *hiljaisella tulella* over a low flame *kahden tulen välissä* between a rock and a hard place **2** *Onks sulla tulta?* Gotta light?
tuliainen present *Toitko tuliaisia?* Did you bring us anything?
tuliase firearm
tulikatka (äyriäinen) flame shrimp
tulikoe trial by fire
tulikuuma redhot
tuliliemi firewater
tulimeri sea of fire
tuli mitä tuli come what may, come hell or high water
tulimmainen *Tuhat tulimmaista!* Blast it!

tulinen fiery, burning, passionate, ardent

tulin näin voitin I came, I saw, I conquered

tulipalo fire

tulipaloale fire sale

tulipalopakkanen biting cold

tuliperäinen volcanic

tulirokko scarlet fever

tulisesti passionately, ardently

tulistua flare up (at someone)

tulisuus passion, ardor

tuliterä brand new

tulitikku match

tulitikkulaatikko matchbox

tulittaa fire (on), shell

tulitus fire, shelling

tulivuorenpurkaus volcanic eruption

tulivuori volcano

tulkata interpret

tulkinnallinen interpretive

tulkinnallisesti interpretively

tulkinta interpretation

tulkita interpret *tulkita väärin* misinterpret, misconstrue, misunderstand

tulkkaus interpretation

tulkki interpreter *simultaani-/konsekutiivi-tulkki* simultaneous/consecutive interpreter

tulkoon valkeus let there be light

tulla *pääv 1* come, arrive *Milloin tulit?* When did you get here? What time did you arrive? *Tule 8:n maissa* Come around eight *mennen tullen* coming and going **2** (jok-sikin, jotakin jotakin) be(come), get, grow, turn *tulla sairaaksi* get sick *Ei siitä tule mitään* It's not going to work *Kuka tuli valituksi?* Who was elected? *Tulin siitä surulliseksi* It made me sad *apuv* **3** (tulla tekemään) will, be going to *Sinä tulet yllättymään* You're going to be surprised, you'll be surprised **4** (tulla tehdä) must be, should be, is to be *Työn tulee olla huomenna valmis* The job is to be finished tomorrow

tulla ajatelleeksi come/happen to think of (something)

tullaan tullaan! coming!

tulla esiin come out (myös kuv), appear

tulla eteen come along/up, appear *Kohta pitäisi tulla talo eteen* We should be coming to the house pretty soon *Neuvottelussa tuli seinä eteen* The negotiations ran up against a brick wall

tulla halvemmaksi be cheaper

tulla hulluksi go crazy; (ark) flip your wig, lose your marbles

tulla hyvälle/pahalle päälle get in a good /bad mood

tulla hyvästä perheestä come of a good family

tulla hyvään tarkoitukseen go to a good cause

tulla hätä käteen panic

tulla ikävä miss (someone) *Minun tulee kotia ikävä* I'm going to miss home, I'm going to be homesick

tulla ilmi be revealed/uncovered, be found out

tulla johonkin ikään reach the age of

tulla johtopäätökseen draw the conclusion that

tulla jollekulle *Mikä sinulle tuli?* What came over you?

tulla jonkun korviin *Minun korviini on tullut huhuja siitä että* A little bird told me that, rumor has it that

tulla jonkun silmille/nenille hyppimään jump all over someone

tulla julki come out, be revealed *Salat tulevat julki* Secrets will out

tulla julkisuuteen become public, come out

tulla järkiinsä come to your senses

tulla jäädäkseen come to stay

tulla kipeäksi get sick

tulla kuuloon *En tule kuuloonkaan* I won't hear of it, not another word about that, it's out of the question

tulla kyseeseen *Minkälainen tulisi kyseeseen?* (kaupassa tms) What kind would you be interested in? *Sellainen ei tule kyseeseenkään* That is out of the question

tulla lähelle jotakuta become very dear/ important to someone, touch someone in an important way

tulla maaliin toisena come in second, cross the finish-line second

tulla mieleen occur, come to mind *Tuli tässä mieleen että* It occurred to me that, it struck me that, one thing that came to mind was that *Ei tulisi mieleenkään* I would never dream of it

tulla nälkä get hungry

tulla puheeksi come up *Tuli puheeksi uskonto ja* We started talking about religion and

tulla päivänvaloon be brought out into the light of day, see the light of day

tulla selville become clear/obvious

tulla sinuiksi (ihmisen kanssa) get on friendly terms with (someone); (koneen kanssa) learn how to use (something)

tulla sokeaksi go blind

tullata clear (something) through customs; (tutkia) check, examine *ei mitään tullattavaa* nothing to declare

tulla tajuihinsa come to

tulla tavaksi become a habit

tulla tehneeksi do/make accidentally *Tulin paljastaneeksi salaisuuden* I accidentally let the secret slip

tulla tehtäväksi have to be done *Talo tulee myytäväksi huutokaupassa* The house is going to have to be auctioned off

tulla toimeen 1 (jonkun kanssa) get along with **2** (jollakin) get by on

tulla tulokseen reach a result, draw a conclusion

tulla täyteen fill up

tullaus (customs) clearance

tullauttaa clear (your luggage) through customs

tulla vastaan 1 (asemalle) go/come meet (someone at the station) *Tuletko minua vastaan?* Will you be there to meet me? **2** (autoja tiellä) pass you (going the other way) **3** (tulla eteen) appear *Seuraavaksi tuli karhu vastaan* Next we came upon a bear **4** (kuv: tehdä kompromissi) meet (someone) halfway *Kyllä minä olen tullut enemmän kuin vastaan* I've met you more than halfway

tulla voimaan go into effect

tulla vähästä tyytyväiseksi be easily satisfied

tulla yleisesti tunnetuksi become commonly known

tulla yllättäen be sudden

tulla äitiinsä take after your mother

tullen *tarpeen tullen* if need be *toden tullen* if push comes to shove (ks myös hakusanat)

tulli 1 (laitos ja maksu) customs, (maksu) duty **2** (moottoritiellä, sillalla) toll

tullihallitus (SF) National Board of Customs; (US) Bureau of Customs

tulliton duty-exempt

tullivapaa duty-free

tullivapaus freedom/exemption from duties

tulo 1 coming, arrival, approach **2** *tulot* (yksilön) income, earnings; (liikkeen) receipts, sales and revenues; (hallinnon) revenue; (hyväntekeväisyystilaisuuden tms) proceeds

tuloaika arrival time, time of arrival

tulo- ja menoarvio budget

tulokas 1 newcomer **2** (tietok) newbie

tuloksellinen productive, successful, fruitful

tulokseton unproductive, unsuccessful, fruitless

tulokero (tietok) inbox

tulonjako distribution of income

tulonsiirto transfer of income

tulos 1 result, product, fruit; (lopputulos) outcome *odottaa testituloksia* wait for test results *tuottaa tulosta* bear fruit *sillä tuloksella että* with the result that *vaalin tulokset* the results of the election *pelin tulos* the outcome/final score of the game *urheilutulokset* sports results/scores **2** (liikkeen tuotto) return(s)

tulospalvelu result service

tulostaa (tietok) print (something out)

tulostase profit and loss statement

tuloste printout

tulostin printer

tulosvastuu accountability

tulotaso 1 income level **2** (fys) plane of incidence

tulovero income tax

tuloverotus income taxation

tulppa 1 stopper, plug **2** (sytytystulppa) spark plug, (ark) plug **3** (lääk) embolus, (tulpan tukkeuma) embolism

tulppaani tulip

tulva flood *tulvillaan jotakin* flooded with something *(myös kuv)*

tulvia flood *(myös kuv:)* pour; (ihmisiä) flock

tuma nucleus

tumma dark

tummaihoinen dark-skinned, dusky

tummanpuhuva dark, ominous, foreboding

tummentaa darken

tummua darken, turn dark(er)

tummuus darkness

tumppi 1 (tupakan) butt **2** (miehen) shorty, short stuff, shrimp

tunari bungler, butcher, screwup

tunaroida bungle, butcher, screw up

tundra tundra

tungeksia crowd, push, shove (in)

tungetella 1 (tungeksia) crowd, push, shove (in) **2** (tunkeutua) intrude (on), invade (someone's privacy), trespass (on someone's property), barge in; (juhliin) (gate-)crash

tungetteleva intrusive

tungettelevasti intrusively

tungettelu crowding, pushing, shoving, intrusion, invasion (of privacy), trespassing, gate-crashing (ks tungetella)

tungos crowd, push, press

tunika tunic

Tunisia Tunisia

tunisialainen *s, adj* Tunisian

tunkea *tr 1* (tavaraa sisään) jam, cram, stuff **2** (pois tieltä) shove, push, elbow *itr* (tunkeutua) shove/push/elbow (your way into /onto), crowd (into/onto)

tunkeilija intruder, trespasser; (juhlissa) gate-crasher; (asiassa) interloper

tunkeilla 1 (tungeksia) crowd, push, shove (in) **2** (tunkeutua) intrude (on), invade (someone's privacy), trespass (on someone's property), barge in; (juhliin) (gate-)crash

tunkeutua intrude (on), invade (someone's privacy), trespass (on someone's property), barge in; (juhliin) (gate-)crash

tunkeutuminen intrusion, invasion, trespassing

tunkio dungheap, (komposti) compost (pile)

tunkkainen stuffy, musty, fusty, stale

tunkkaisuus stuffiness, mustiness, fustiness, staleness

tunkki (auton) jack

tunne 1 feeling, emotion, sentiment *soittaa tunteella* play with feeling *vedota tunteisiin* appeal to (someone's) feelings/emotions *Tässä ei ole tunteille sijaa* We can't let ourselves be guided by emotion/sentiment on this **2** (tuntu) feeling, sense, sensation, inkling *Minulla on sellainen tunne että hän ei tule* I've got a hunch that he isn't coming, my guess is that he won't show, I suspect he won't be coming

tunne-elämä emotional life

tunneittain hourly, every hour, once an hour

tunnekuohu surge of emotion/feeling

tunneli tunnel

tunnelma mood, atmosphere, ambience *luoda tunnelmaa* create a romantic atmosphere *Tunnelma oli jo korkealla* The party was already in full swing

tunnelmamusiikki mood music

tunnepuoli emotional side

tunneseikka emotional factor

tunneside emotional tie, sentimental attachment

tunnettu (well-)known, renowned, famous; (ark) (big-)name *kuten tunnettua* as is well known, as everyone knows/is aware, as is common knowledge *tehdä tunnetuksi* (ilmoittaa) let (someone) know about (something); (tehdä kuuluisaksi) make (someone/something) famous/(well-)known, make a name for (someone)

tunnetusti as is well known *Suomi on tunnetusti interferon-tutkimuksen uranuurtajamaa* As I'm sure you're aware, Finland is a world leader in interferon research

tunnevaltainen emotional

tunnistaa recognize, identify; (ark) know

tunnollinen conscientious

tunnollisuus conscientiousness

tunnoton 1 (fyysisesti) numb, without feeling; (puutunut) asleep; (kivulle tms) insensible **2** (henkisesti) unfeeling, uncaring, insensitive; (häikäilemätön) unscrupulous, ruthless, remorseless

tunnus 1 sign, badge, mark; (kuva) symbol, emblem **2** (laivan) colors, (lentokoneen) markings **3** (sot) insignia **4** (tietok) access code

tunnuslaulu theme song

tunnuslause slogan, catchphrase, motto

tunnusmerkki distinctive/characteristic/distinguishing mark/feature

tunnussana password

tunnustaa confess, admit, acknowledge, recognize; (leik) 'fess up *tunnustaa syntinsä* confess your sins *tunnustaa tehneensä väärin* confess/admit/acknowledge/recognize that you did the wrong thing, acted wrongly *tunnustaa lapsensa* acknowledge a child (as your own) *tunnustaa hallitus* recognize a government

tunnustautua profess *tunnustautua kristityksi* profess Christianity *tunnustautua homoseksuaaliksi* come out of the closet

tunnusteko miracle *tehdä tunnustekoja* perform miracles

tunnusteleva tentative, exploratory

tunnustelija 1 (sot) scout **2** (esineuvottelija) (initial) negotiator

tunnustella 1 feel/grope (your way, around in the dark) *tunnustella jonkun pulssia* take someone's pulse **2** (sot) scout (out), reconnoiter **3** (kuv) put out feelers (to see whether), explore; (jonkun mielipidettä) sound/feel (someone) out **4** (tietok) finger

tunnustelu feeling, groping, scouting, reconnaissance, exploratory inquiries (ks tunnustella)

tunnustuksellinen 1 (uskonto, runo) confessional **2** (opetus tms) denominational

tunnustukseton nondenominational

tunnustus 1 (rikoksen, synnin tms) confession **2** (uskon) creed **3** (hyvien tekojen tms) acknowledgement, recognition, token of esteem/gratitude

tuntea 1 know *Tunsin hänet heti* I knew /recognized her immediately *Tunnetko miten hyvin italialaista kirjallisuutta?* How well do you know Italian literature, how familiar/conversant are you with Italian literature? *Alexis Stenvall tunnetaan paremmin nimellä Aleksis Kivi* Alexis

Stenvall is better known as Aleksis Kivi **2** (aistia, kokea) feel; (hajua) smell *Tunnetko kun teen näin?* Can/do you feel this? *Tunnen suurta myötätuntoa häntä kohtaan* I feel great sympathy for him, I have great compassion/fellow-feeling for him *tuntea itsensä/olonsa* ks hakusanat **3** (vaistota) sense *Tunsin että hän ei ollutkaan kovin halukas yhteistyöhön* I sensed that he wasn't all that enthusiastic about working with us after all

tuntea itsensä feel; (nälkäiseksi) feel hungry, (kylmäksi) feel cold, jne

tuntea olonsa feel; (epämukavaksi) feel uncomfortable, (paremmaksi) feel better, (turvattomaksi) feel insecure

tunteellinen emotional, sentimental, mawkish; (ark) mushy, sappy, corny

tunteellisesti emotionally, sentimentally, mawkishly

tunteellisuus emotionalism, sentimentality, mawkishness

tunteeton unfeeling, uncaring, unemotional; rational, cold

tunteettomasti unfeelingly, uncaringly, unemotionally; rationally, coldly

tunteettomuus lack of feeling/emotion, rationalism, coldness

tunteikas emotional

tunteilla get emotional/sentimental/maudlin /mawkish, gush over

tunteilu indulging/wallowing in emotion(alism)/sentiment(ality)

tuntematon *s 1* (an) unknown (myös mat) *suuri tuntematon* the great unknown **2** (vieras) stranger, unfamiliar face *adj 1* unknown, unfamiliar, obscure *matkustaa tuntemattomana* travel incognito **2** (nimeltä) anonymous

tuntematon sotilas the Unknown Soldier

tuntemus 1 (tunne, tuntu) sense, sensation, hunch **2** (perehtyneisyys) knowledge, expertise, familiarity, acquaintance, proficiency

tunti 1 hour *100 km tunnissa* 100 kilometers per hour, 60 miles per/an hour *tunnin matkan päässä* an hour('s drive) away/from here *veloittaa 50 euroa tunnilta* charge 50 euros an hour **2** (oppitunti) class, period *Mikä tunti meillä on seuraavaksi* What do we have next? *soittotunti* piano/trumpet/clarinet/jne lesson *laulutunti* voice lesson

tuntija expert (in), master (of), authority (on); (viinin) connoisseur; (ihmistuntija) judge (of people); (ark) ace, whiz, shark

tuntikaupalla (for) hours on end, for hours (and hours)

tuntinopeus speed per hour *ajaa 100 km:n tuntinopeudella* drive at a hundred kilometers per/an hour, do 100 kph

tuntiopettaja hourly instructor

tuntipalkka hourly pay *olla tuntipalkalla* be /get paid by the hour

tunto 1 sense, feeling *Minulla ei ole mitään tuntoa vasemmassa pikkusormessa* I don't have any feeling in my left little finger, (ark) in my left pinkie *Tunto on usein laiminlyöty aisti* (Our sense of) touch is an often neglected sense *velvollisuuden/vastuun tunto* sense of duty/responsibility **2** (tietoisuus) awareness, consciousness **3** (omatunto) conscience *kauheuksia tunnollaan* horrible crimes/atrocities on your conscience

tuntoaisti sense of touch

tuntoaistimus sensation of touch, tactile sensation

tuntomerkki distinguishing/identifying feature/mark

tuntu 1 touch (myös kuv), feel *Ilmassa on jo kevään tuntua* There's a feel/touch of spring in the air **2** (tunne) feeling *Minulla on sellainen tuntu että* I've got a feeling that

tuntua feel, seem *Tuntuuko tämä?* Can you feel this? *Miltä tuntuu?* How do you feel? *Minusta tuntuu että* I think/feel that, it seems to me that *Ei tunnu missään* (ei satu) I feel no pain, I don't hurt; (ei näy sen vaikutusta) It's had no effect, it's changed nothing, nothing's different/changed

tuntuinen -feeling, -seeming *Tämä on avaran tuntuinen huone* This room feels big /spacious

tuntuma contact, touch, connection *jonkin tuntumassa* near something, in the neigh-

borhood/vicinity of something *saada tuntuma johonkin* get a feel for something *sormituntuma* a feel (for) *menettää tuntuma johonkin* lose your feel/touch for something

tunturi fell

tunturihaukka gyrfalcon

tunturipöllö snowy owl

tuntuva marked, noticeable, perceptible; (iso) considerable, heavy, substantial

tuntuvasti markedly, noticeably, perceptibly, considerably, heavily, substantially

tuo that (one) *Tuo on äitini* That's my mother *tuolla tavalla* like that *tuo tuossa* that, (murt) that-there *tuo tuolla* that one over there (ks myös tuolla, tuon ja tuossa)

tuoda bring, (hakea) get *Toisitko minulle lasin vettä?* Could you bring/get me a glass of water? *puhua mitä sylki suuhun tuo* talk off the top of your head, ramble on mindlessly, say the first thing that comes to mind

tuoda esiin bring forward/up, raise, draw (people's) attention to

tuoda ilmi bring out, show, reveal

tuoda kotiin bring home (myös kuv)

tuoda maahan import, (aate, muoti tms) introduce *Kristinuskon toivat maahamme ruotsalaiset* Christianity was introduced into Finland by the Swedes

tuoda posti deliver the mail

tuoda terveisiä bring (someone's) greetings

tuoda tullessaan bring (with it), bring about

tuohi birch bark

tuohikulttuuri (halv) hokey folk culture

tuohivirsu birch-bark shoe

tuohtua get irritated/worked up/pissed off (at/about something, at someone)

tuoja 1 (onnen) bringer; (sanoman) bearer, messenger **2** (maahan) importer

tuokio moment, while, time *tuossa tuokiossa* in a second/moment/jiffy

tuoksahtaa smell *Äsken tuoksahtivat tuoreet pullat* I just caught a whiff of fresh-baked buns

tuoksina uproar, commotion, turmoil

tuoksu smell, scent, aroma, odor; (ylät) fragrance, perfume, cachet; (ark) whiff

tuoksua smell (of)

tuoli chair, (ilman selkänojaa) stool

tuolinjalka chair/stool leg

tuolinselkä chair back

tuolirivi row of chairs

tuolla (over) there *Tuolla on kolme lasta* There are three children over there (ark: hänellä) She has three children *tuolla alhaalla/ylhäällä/ulkona* down/up/out there

tuollainen that kind of, a (something) like that *Ja minä en ota tuollaista miestä* I wouldn't take/marry a man like that (if he was the last man on earth)

tuolla lailla like that

tuolla puolen beyond

tuollapäin over there

tuolloin then, at that time

tuomari 1 (päättävä) judge (myös Jumalasta), magistrate, justice; (asianajaja) lawyer; (sovintotuomari) arbitrator **2** (erotuomari: voimistelun tms) judge, (ottelun) referee, (baseballissa) umpire

tuomaristo jury

tuomas Thomas *epäilevä tuomas* Doubting Thomas

tuomi black cherry

tuomio 1 (tuomarin) sentence, decision (myös erotuomarin) *joutua tuomiolle jostakin* be tried for something *langettaa tuomio* sentence (someone for something) **2** (lautamiehistön) verdict (myös kuv) **3** (Jumalan) judgment *viimeinen tuomio* the Last Judgment

tuomioistuin court (of law)

tuomiokapituli chapter

tuomiokirkko cathedral

tuomiokunta judicial district

tuomiopäivä the Day of Judgment

tuomiovalta jurisdiction *Se ei ole minun tuomiovaltani alainen* That's out of my jurisdiction

tuomiset present *Meillä pitäisi olla lapsille tuomiset* We need to get something to bring the kids

tuomita 1 (lak: jostakin) convict; (johonkin) sentence, condemn; (juttua) try, hear, sit, adjudicate *tuomita vankilaan* sentence

(someone) to jail, give (someone) a jail sentence **2** (usk) judge *Älkää tuomitko, ettei teitä tuomittaisi* Judge not, lest ye be judged **3** (kuv) judge, condemn *tuomittu epäonnistumaan* doomed (to failure) **4** (urh) referee, (baseballissa) umpire

tuommoinen ks tuollainen

tuonela Hades, the Underworld

tuon ikäinen (someone) of that age, (someone) that old

tuon kaltainen (something) like that

tuon laatuinen 1 (tuota laatua oleva) (something) of that quality **2** (tuon kaltainen) (something) like that, (something) of that order

tuon muotoinen (something) shaped like that, (something) of that shape

tuonne (over) there *Se kuuluu tuonne* It goes over there

tuonnepäin that way, in that direction; (vanh) thither, (leik) thataway *He menivät tuonnepäin* They went that(a)way

tuonpuoleinen *s* **1** the beyond **2** (usk) the hereafter *adj* transcendental, otherworldly *tuonpuoleinen elämä* the afterlife, life after death

tuonti import(s)

tuontitavara imports, import(ed) goods

tuon tuostakin (every) now and then/again, from time to time, off and on

tuoppi beer mug/stein, tankard

tuore (hedelmä, tapahtuma) fresh; (tapahtuma myös) recent *tuoreessa muistissa* fresh in your memory

tuoreeltaan 1 (heti) right away **2** (tuoreena) fresh *Osa syötiin tuoreeltaan, loput pantiin pakkaseen* Some we ate (fresh), the rest we froze

tuoremehu (unsweetened fruit) juice; (appelsiinimehu) orange juice

tuossa there *Ota tuosta* Help yourself *Mikäpä tuossa* Sure, why not *Tuossa nyt näet* See? I told you so *tuossa kuuden paikkeilla* around six

tuossa tuokiossa in a jif(fy)/flash/sec(ond) *Tulen takaisin tuossa tuokiossa* I'll be back in a flash

tuotanto 1 (tal) production, (tehtaan) output **2** (kirjailijan) oeuvre, works

tuotantoelämä industrial life

tuotantokustannus production cost

tuotantotulos output

tuota pikaa lickety-split, in a jif(fy)/flash /sec(ond)

tuote product (myös kuv)

tuotekehittely research and development, R and D

tuottaa 1 (tuotteita, elokuvaa) produce **2** (satoa tms) yield, bear **3** (rahaa) bring in, generate **4** (ongelmia) generate, cause, make, bring

tuottaja producer (myös elokuvan); (tehdastuotteen myös) manufacturer, (maataloustuotteen myös) grower

tuottava productive, profitable

tuollavuus productivity

tuotteliaisuus productivity

tuottelias productive

tuotto proceeds, returns, yield, intake; (voitto) profit

tuottoisa profitable, lucrative

tupa 1 (talo) cottage, house *Oma tupa oma lupa* My home is my castle **2** (huone) greatroom

tupajumi (kovakuoriainen) furniture beetle

tupakanhimo craving for a cigarette

tupakanpoltto (cigarette-)smoking

tupakeittiö combined kitchen-living room

tupakka tobacco; (savuke) cigarette *panna tupakaksi* light up *mennä ulos tupakalle* step outside for a smoke

tupakkalakko *tehdä tupakkalakko* quit smoking, give up smoking

tupakoida smoke *Ethän tupakoi kiitos* Thank you for not smoking

tupakoimaton *s* nonsmoker *adj* nonsmoking

tupakointi smoking

tupakointikielto ban/prohibition on smoking; (kyltti) No Smoking sign

tupata *tr* **1** (ahtaa) stuff, jam, cram **2** (pistää) stick **3** (tyrkyttää) force (something/yourself on someone) *itr* **4** (tuppautua: jonnekin sisälle) push/force your way in, (jonkun seuraan) impose (yourself on some-

one) **5** (olla taipuvainen) tend, be in the habit of (doing)

tupaten täynnä stuffed, jammed/crammed (full), packed (to overflowing)

tupenrapinat *Nyt tuli tupenrapinat* Now we've/I've done/had it

tupla- double

tuplata 1 double **2** (kouluaine) retake

tuplautua be doubled

tuppautua (jonnekin sisälle) push/force your way in; (jonkun seuraan) impose (yourself on someone)

tuppi (puukon) sheath, (miekan) scabbard

tuppisuinen 1 (ei suostu puhumaan) closemouthed/-lipped, taciturn, uncommunicative **2** (ei pysty puhumaan) speechless, tongue-tied

tuppisuu *s* the silent type, not a big talker *adj* silent, quiet, taciturn, reticent, uncommunicative

tuppisuuna *adv* silently, quietly, reticently, without making a sound, without saying a word

tuppo tuft, wad

tuprahtaa 1 (savu, pöly) billow, roil **2** (tuleen) go up with a whoosh **3** (ihminen) burst in

tupruta 1 (savu) billow, roil **2** (lumi tms) whirl, swirl

tupruttaa 1 (savuketta) puff (away on) **2** (lunta) blow

tupsahdus thump

tupsahtaa 1 (pudota tms) drop/fall with a thump, thump down **2** (savu) billow, roil **3** (ihminen paikalle) burst/drop in, (talo täyteen väkeä) fill up

tupsu 1 (hiustupsu) tuft **2** (vaatteen) tassel

tupsulakki hat with a tassel

turako (lintu) turaco

turbaani turban

turbo turbo(charged engine/car)

turbomoottori turbo(charged) engine

turha *s* **1** (turhuus) nothing *Mitä turhia!* (ei kestä) Forget it, never mind, it was nothing; (ei hyödytä) What's the point? What good will it do? *suuttua turhasta* get all worked up over nothing *suuttua turhaan* get all worked up for nothing *mennä tur-*

haan make a wasted trip, go on a wild-goose chase *kiistellä turhista* argue about nothing **2** (tarpeettomuus) *Älä turhaan vaivaudu* Don't bother *Älä turhaan pelkää* There's no need to be afraid *adj* **1** (hyödytön) useless, pointless, futile *Sitä on nyt turha toivoa* Don't hold your breath **2** (tarpeeton) unnecessary, superfluous, gratuitous *turha huomautus* unnecessary/gratuitous remark

turhamainen conceited, (vanh) vain, (ark) stuck-up

turhamaisuus vanity, conceit

turhan unnecessarily *Se on turhan iso* (liian iso) It's too big; (sitä voisi pienentää) it doesn't have to be that big

turhanpäiten for nothing (ks myös turha)

turhanpäiväinen trivial, trite (ks myös turha)

turhauma frustration

turhauttaa frustrate *Minua turhauttaa tämä* I'm frustrated with this, this is frustrating me

turhautua get frustrated (with something)

turhautuma frustration

turhautunut frustrated

turhuus vanity; (mon) trifles, fripperies *törsätä turhuuksiin* blow your money on useless things *turhuuden markkinat* vanity fair

turismi tourism

turisti tourist

turkanen *Voi turkanen sentään!* Goshdarn it! *turkasen kallis* darned expensive

turkis fur

turkiseläin fur(-bearing) animal

Turkki Turkey

turkki 1 (eläimen) fur **2** (kieli) Turkish

turkkilainen *s* Turk *kiroilla kuin turkkilainen* swear up a blue streak *adj* Turkish

turkkilainen sauna Turkish bath

turkkilo (kovakuoriainen) burying beetle

turkkuri furrier

turkoosi turquoise

turkulainen *s* person from Turku *adj* pertaining to Turku

turma 1 accident, crash **2** (tuho) destruction, perdition

turmella 1 (fyysisesti) damage, ruin, spoil **2** (moraalisesti) corrupt

turmeltua 1 (fyysisesti) be damaged/ruined /spoiled **2** (moraalisesti) be corrupted

turmelus corruption, depravity

turmio destruction, ruin, perdition *viedä turmioon* lead (you) to your ruin, lead you to (doom and) destruction

turnajaiset (hist) tourney, tilt, joust; (myös urh) tournament

turnaus (hist) tourney, tilt, joust; (myös urh) tournament

turpa 1 (eläimen) muzzle **2** (ihmisen) mouth, face *Turpa kiinni!* Shut your mouth/face! *antaa turpiin* bust (someone) in the chops

turska Atlantic cod

tursuta ooze

turta numb (myös kuv)

turtua (fyysisesti ja henkisesti) go numb, be numbed; (vain henkisesti) stop caring (about), become hardened (to)

turtumus torpidity

turva 1 (turvallisuus) safety, security *olla turvassa* be safe *tuntea olevansa turvassa* feel safe/secure **2** (suoja) safeguard, protection, shelter, defense *ottaa joku turviinsa* take someone under your wing/protection *lain turvin* under the protection of the law *pimeyden turvin* under cover of darkness **3** (apu) *apurahan turvin* supported by a grant, with financial assistance from (someone) *kainalosauvojen turvin* on crutches

turvaamistoimenpide precautionary measure

turvaistuin (child's) car seat

turvajoukot security forces; (YK:n rauhanturvaajat) (UN) Peacekeeping Forces

turvakoti shelter

turvalaite safety device

turvallinen safe, secure

turvallisesti safely

turvallisuus safety, security

turvallisuusneuvosto (YK:n) Security Council; (USA:n) National Security Council

turvata *tr* (suojella, varmistaa) protect, safeguard, secure *itr* (turvautua) trust (in), rely (on)

turvatarkastus security inspection/check

turvatoimenpiteet security measures

turvaton 1 (ihminen: suojaton) defenseless, vulnerable; (epävarma) insecure **2** (paikka) unsheltered, unprotected, open, vulnerable

turvattomuus insecurity

turvautua 1 (luottaa) trust (in), rely (on), put /place your faith/trust in **2** (ryhtyä käyttämään) resort/turn to

turvavyö seat/safety belt

turve 1 (mätäs) turf, sod *turpeen alla* (haudattu) six feet under **2** (polttoturve) peat

turvevoimala peat-burning power plant

turvota swell up

turvotus swelling

tusina dozen *kaksi tusinaa kananmunia* two dozen eggs

tusinakaupalla dozens of (something), (something) by the dozen

tusinatavara *Se on tusinatavaraa* It's a dime a dozen

tusinoittain dozens of (something), (something) by the dozen *tusinoittain halvempaa* cheaper by the dozen

tuska pain, distress, agony, suffering *Se oli tuskan takana* It was a real bear/a real pain (in the ass/neck) *saada työllä ja tuskalla aikaan* do something with great effort

tuskaa lievittävä analgesic, pain-killing

tuskaantua get/grow impatient/irritated /bored with, get/grow sick/tired of

tuskailla 1 (olla huolissaan) worry/agonize about, be in a blue funk about, sweat *Älä tuskaile turhaan* Don't sweat the small stuff **2** (tehdä kovalla vaivalla) sweat/ agonize over

tuskainen (tuskissaan) in pain; (kivulias) painful; (kipua ilmentävä) pained, agonized, anguished

tuskallinen painful, distressing, grievous, trying

tuskanhiki cold sweat

tuskanhuuto agonized/anguished cry, cry of pain

tuskastua get/grow impatient/irritated/bored with, get/grow sick/tired of

tuskin 1 hardly, barely; (ylät) scarcely *Tuskin tunnen häntä* I hardly/barely know her

2 *Tuskinpa vain!* (en usko) I doubt it; (en taida) don't count on it, don't hold your breath *Tuskin menee!* Count me out

tussi 1 (muste) drawing ink **2** (kynä) felt-tipped pen

tussu (sl) pussy

tuta *saada tuta* (ylät) be made to feel (something)

tutina trembling

tutiseva trembling; (vanhuuttaan) doddering

tutista tremble, shiver, shake, quiver

tutka radar

tutkailla 1 (tarkkailla) watch, observe, keep an eye out (for something), keep your eye on (someone/something) **2** (tutkia) explore **3** (tunnustella) sound/feel (someone) out, put out feelers

tutkain 1 (avaruus-/syvyystutkain) (space /depth) probe; (miinanpaikallistamistutkain) prod **2** (tietok) scanner **3** (raam) goad, prick *potkia tutkaimia vastaan* kick against the pricks

tutkia 1 study, examine, investigate, inspect; (ark) look over/into *Tutkia kaikki paikat* Look/search everywhere **2** (tieteellisesti) study, research; (tuntematonta seutua tms) explore **3** (kuulustella: tenttijää) examine, test; (epäiltyä) interrogate, question

tutkielma (scholarly) thesis; (väitöskirja) dissertation; (lyhyt) essay, paper

tutkija (humanistinen) scholar, (empiirinen) researcher

tutkijakoulutus graduate studies

tutkijalautakunta 1 (onnettomuuden) board of inquiry, investigative committee/commission **2** (sot) court of inquiry **3** (poliisin) Internal Affairs Divison, IAD **4** (verojen) tax appeals board

tutkimaton 1 (alue) unexplored **2** (ilme) inscrutable *Tutkimattomat ovat Herran tiet* Mysterious are the ways of the Lord

tutkimus 1 (tutkiminen) examination, investigation, inquiry, scrutiny; (tieteellinen) study, research, scholarship **2** (tutkielma) study, scholarly book

tutkintavankeus pretrial detention *ottaa tutkintavankeuteen* take (someone) into custody

tutkintavanki prisoner awaiting trial

tutkinto 1 (tentti) exam(imation) **2** (lopputut-kinto) degree

tutkintovaatimukset course/degree requirements, syllabus

tutkiskella 1 (tutkia) study, explore, look closely at **2** (miettiä) ponder, contemplate, reflect on

tutkiskelu study, exploration; contemplation, reflection (ks tutkiskella)

tutkistella ks tutkiskella

tuttava friend, acquaintance, someone you know

tuttavallinen 1 (ihminen) friendly, familiar **2** (puhe-/kirjoitustapa) casual, chatty, conversational

tuttavallisesti familiarly, casually, conversationally (ks tuttavallinen)

tuttavaperhe family friends, a family you know

tuttavapiiri your circle of friends

tuttavuus acquaintance, friendship; (vars asian kanssa) familiarity

tutti 1 (hupitutti) pacifier **2** (pullon) nipple

tuttipullo baby bottle

tuttu *s* friend, acquaintance *mun yksi tuttu* a friend/buddy of mine *adj* **1** (ihminen) (someone) you know *Onko tuo sinulle tuttu mies?* Do you know that guy? **2** (asia, naama tms) familiar

tutun näköinen familiar-looking *Onko tämä tutun näköinen?* Does this look familiar?

tutun tuntuinen familiar-feeling *Onko tämä tutun tuntuinen?* Does this feel familiar?

tutustua 1 (ihmiseen) get to know (someone), make friends with (someone), make (someone's) acquaintance **2** (asiaan) acquaint/familiarize yourself with (something) *tutustua paikkakunnan nähtävyyksiin* go sightseeing

tuuba tuba

tuubi tube

tuudittaa cradle, rock; (lullata) lull

tuudittautua lull yourself (into something)

tuuhea thick, bushy

tuulahdus breath (of air/wind) *raikas tuulahdus* a breath of fresh air

tuulenhenki breath of wind, breeze

tuulenpuuska gust of wind

tuulensuoja shelter from the wind

tuulen suunta wind direction

tuulesta temmattu made-up (out of the whole cloth), fabricated, fictitious

tuuletin fan

tuuleton windless, still, dead

tuulettaa 1 air (out) (myös kuv:) refresh *tuulettaa itseään* refresh yourself, go out for some rest and relaxation *tuulettaa kaupungin tunkkaista kulttuurielämää* let some fresh air into the city's stuffy cultural life

tuuletus ventilation, airing

tuuli 1 (ilma) wind (myös kuv) *tuulen alapuolella* downwind (from) *tuulta vasten* against/into the wind *tietää mistä tuuli puhaltaa* know which way the wind is blowing *haistella tuulia* see which way the wind is blowing *räjäyttää taivaan tuuliin* blow up, blow to smithereens **2** (mieliala) mood *hyvällä/huonolla tuulella* in a good /bad mood, in high/low spirits

tuuliajolla adrift

tuulihattu 1 (savupiipun) cowl **2** (leivonnainen) cream puff **3** (ihminen) weathercock, (tyttö) flibbertigibbet

tuulilasi windshield

tuulimylly windmill

tuulinen windy

tuulispää gust of wind *mennä tuulispäänä* go like the wind

tuuliviiri weathervane

tuulla *Tuulee* It's windy *Sitten alkoi tuulla* Then the wind started to blow *panna tuulemaan* (ryhtyä työhön) (roll up your sleeves and) get down to work, pitch in (and work); (tuulettaa tunkkaista tilannetta) stir things up, let in some fresh air

tuuma 1 (mitta) inch *olla antamatta tuumaakaan periksi* not budge/give an inch **2** (aja-tus) thought, idea; (suunnitelma) plan, scheme

tuumailla think (about), consider, ponder, reflect (on)

tuumasta toimeen no sooner said than done *ryhtyä tuumasta toimeen* stop talking about it and start doing it, put your money where your mouth is

tuumata think (about), consider, ponder, reflect (on)

tuumia think (about), consider, ponder, reflect (on)

tuupata push, shove

tuupertua keel over

tuuraaja substitute, stand-in

tuurata 1 (olla sijaisena) stand in (for someone), relieve (someone), take over (for someone) **2** (onnistaa) *Minua tuurasi* I hit it lucky, I got lucky **3** (lyödä tuuralla) pick, chip, hack

tuuri 1 (onni) luck *Sinulla kävi tuuri* You got lucky **2** (vuoro) turn, (työvuoro) shift

tuusa *mennä tuusan nuuskaksi* get smashed to pieces

tuutin täydeltä at full blast, cranked all the way up

tuutti 1 (paperi-/jäätelötuutti) cone **2** (suppilo) hopper

tuutulaulu lullaby

tv TV

tyhjennys emptying; (suoliston) evacuation, (mahalaukun) pumping, (postilaatikon) collection, pick-up

tyhjentyä empty (out); (akku) run down, discharge

tyhjentää empty; (tankki tms vedestä) drain; (rengas tms ilmasta) deflate; (varastot tms tarvikkeista) deplete, exhaust

tyhjentää huone(isto) vacate a room/an apartment

tyhjentää kaupunki evacuate a city

tyhjentää lautasensa clean your plate

tyhjentää mahalaukku pump (someone's) stomach

tyhjentää oikeussali clear the courtroom

tyhjentää pöytä clear the table

tyhjentää suolensa move/evacuate your bowels, have a bowel movement (BM)

tyhjiin *vuotaa tyhjiin* (tankki tms) leak out; (ihminen) bleed to death *käyttää tyhjiin* use up, exhaust *raataa itsensä tyhjiin* run yourself down, burn yourself out, exhaust yourself

tyhjillään empty; (talo) deserted, abandoned, uninhabited; (huone) vacant *jättää tyhjil-*

leen (talo) desert, abandon; (huone) move out of, vacate

tyhjiö vacuum

tyhjyys emptiness; (kuv) the void, nothingness, empty space *tuijottaa tyhjyyteen* stare off into space

tyhjä *s* **1** (tyhjää tilaa) (empty) space/room *Täällä on vielä tyhjää* There's more space /room over here **2** (tyhjä kohta/aukko) blank *jättää tyhjäksi kun ei tiedä sanaa* leave a blank when you don't know a word *Minulla löi tyhjää* My mind went blank, I blocked on it *äänestää tyhjää* abstain **3** (ei mitään) nothing *Tyhjästä on paha nyhjäistä* You can't get blood out of a turnip, you can't get something from/for nothing *katsoa jotakuta kuin tyhjää* look right /straight through someone, pretend someone isn't there, treat someone like air *aloittaa tyhjästä* start from scratch *Se on yhtä tyhjän kanssa* It's pointless *adj* (myös kuv) empty, vacant, blank *tyhjä katse* vacant /blank stare *tehdä tyhjäksi* undo, baffle, foil *tyhjin käsin* empty-handed *tyhjiin, tyhjillään* ks hakusanat

tyhjä akku dead/run-down battery

tyhjä kumi flat tire

tyhjäkäynti idling *Tyhjäkäynti kielletty* Turn off your engine

tyhjän panttina idle, serving no useful purpose *istua tyhjän panttina* sit around doing nothing

tyhjänpäiten for nothing (ks myös turhanpäiten)

tyhjänpäiväinen trivial, trite, pointless (ks myös turhanpäiväinen)

tyhjäntoimittaja idler, loafer, good-for-nothing

tyhjäpaino dead weight

tyhjä panos blank

tyhjä pullo empty

tyhjä seinä blank wall

tyhjästä temmattu made-up (out of the whole cloth), fabricated, fictitious

tyhjätä (tietot) clear

tyhmeliini dummy

tyhmyri dolt

tyhmyys stupidity

tyhmä dumb, stupid *tyhmä kuin pässi* dumb as an ox *tyhmä kuin kana* silly as a goose *Olinpas minä tyhmä!* How stupid of me! What an idiot I was!

tyhmästi stupidly *Se oli tyhmästi tehty* That was a dumb/stupid thing to do

tykinlaukaus gunshot, cannon shot/blast *tervehtiä 12 tykinlaukauksella* give a 12-gun salute

tykistö artillery

tykki gun, artillery piece; (vanh) cannon

tykkänään completely, totally, utterly, altogether *Top tykkänään!* Whoa there! Hold your horses!

tykyttää beat, pound, throb; (ylät) palpitate

tykytys beating, pounding, throbbing; (ylät) palpitation

tykätä 1 (pitää) like *Mitäs tykkäät uudesta hameestani?* How do you like my new dress? **2** (olla mieltä) think *Tykkään että se on liian iso* I'd say it's too big, I think it's too big

tykö (un)to *Sallikaa lasten tulla minun tyköni* Suffer the little children to come unto me

työtarpeet necessities, essentials

tylppä blunt

tylppäkärkinen blunt

tylsistyttää dull

tylsistyä grow/get dull

tylsistää dull

tylsä 1 (terä) dull, blunt **2** (tilaisuus tms) dull, boring

tylsäkärkinen blunt

tylsämielinen *s* moron, idiot *adj* moronic, idiotic

tylsänpuoleinen on the dull/boring side

tyly 1 (ihminen: ynseä) cold; (lyhytsanainen) curt, short, brusque; (julma) cruel, mean, nasty **2** (luonto tms) hostile, indifferent

tylysti coldly, curtly, shortly, brusquely, cruelly, meanly, nastily, hostilely, indifferently (ks tyly)

tylyys coldness, curtness, shortness, brusqueness, cruelty, meanness, nastiness, hostility, indifference (ks tyly)

tympeys disgust, repulsion, revulsion

tympeä 1 (asia) disgusting, repulsive, revolting, sickening, nauseating **2** (mieli) dis-gusted, repulsed, revolted, sickened, nauseated

tympäistä 1 (kyllästyttää) bore, tire, weary **2** (etoa) disgust, repulse, revolt

tympääntyä get (sick and) tired of, get bored with

tynkä *s* stub, stump *adj* (fore)short(ened), incomplete, unfinished

tynnyri barrel; (oluttynnyri) keg, (viinitynnyri) cask *tynnyristä laskettu olut* draft beer

tynnyrillinen barrelful

typeryys stupidity, silliness, foolishness, folly

typerä stupid, dumb, silly, foolish

typerästi stupidly, foolishly

typistää 1 (korvia) crop, (häntää) dock **2** (pensasta) trim, clip, cut back; (puuta) prune **3** (tekstiä) prune, cut, shorten

typografia typography

typpi nitrogen

typykkä 1 (tyttö) chick *tytön typykkä* sweet little thing **2** *hännän typykkä* stubby tail

tyranni tyrant

tyrannia tyranny

tyrannisoida tyrannize

tyrehdyttää 1 (vuoto: veden) stop, check; (veren) stanch **2** (kuv) check, arrest, halt, bring (something) to a standstill

tyrehtyä 1 (vuoto) stop, dry up (myös inspiraatiosta) **2** (kuv) stop, come to a halt

tyrkkiä push, shove, jostle

tyrkyttää (ruokaa tms) force (something on someone), insist (that someone do/take something); (itseään) impose (on someone)

tyrkätä 1 (työntää) push, shove **2** (antaa) thrust, stick **3** (tökätä) jab, poke

tyrmistynyt dumbfounded, stunned, bewildered, shocked

tyrmistys bewilderment, shock

tyrmistyttää dumbfound, stun, bewilder, shock

tyrmistyä be dumbfounded/stunned/bewildered/shocked

tyrmä (hist) dungeon; (vankila) jail, (selli) cell

tyrmätä 1 (nyrkkeilyssä) knock out (myös kuv), KO **2** (torjua) reject (something out of hand) **3** (haukkua) criticize, (arvostelussa) pan

tyrmäys knock-out, KO

tyrsky (aalto) breaker; (mon) breakers, (aallokko) surf

tyssätä (pysähtyä) come to a halt, get deadlocked, get bogged down; (epäonnistua) flop, fail

tyttärenpoika grandson

tyttärentytär granddaughter

tyttö girl

tyttölapsi girl

tyttönimi maiden name

tyttöystävä girlfriend

tytär daughter

tytäryhtiö subsidiary, affiliate

tyven *s* still, calm, serenity *yön tyvenessä* in the still of the night *tyveneen joutunut* becalmed *adj* still, calm, serene

tyvi base

tyydyttymätön unsaturated

tyydyttyä be saturated

tyydyttävä 1 (tyydytystä antava) satisfying, gratifying **2** (riittävä) satisfactory, fair

tyydyttää satisfy, gratify; (tarvetta) meet, supply

tyydytys satisfaction, gratification

tyyli style *Tuossa kaverissa on tyyliä* There goes a guy with style, that fellow certainly has style

tyylihuonekalu period piece (of furniture)

tyylikkyys stylishness, style

tyylikkäästi stylishly, fashionably

tyylikäs stylish, fashionable, chic, trendy

tyylillinen stylistic

tyylinen -style, in the (something) style

tyylitellä stylize

tyylittely stylizing, stylization

tyylivirhe stylistic error/fault

tyynesti calmly, serenely

tyyneys calmness, serenity

tyyni *s* still, calm, serenity *tyyntä myrskyn edellä* the/a calm before the storm *joutua tyyneen* be becalmed *adj* still, calm, serene *Tyynessä vedessä suuret kalat kytevät* Still waters run deep

Tyynimeri the Pacific (Ocean)

tyynni *kaikki tyynni* all of it/them, (ark) the whole bunch/lot (of them), the whole kit 'n caboodle

tyynnyttää calm (someone down), pacify, placate, appease; pour oil on troubled waters

tyyntyä calm down, (myrsky) abate

tyyny pillow

tyynyliina pillow case

tyynynpäällinen pillow case

tyypillinen typical

tyypillisesti typically

tyypittää type(cast), classify, categorize

tyyppi type *Sä et ole mun tyyppiäni* You're not my type

tyyppinen -type *minkä tyyppinen* what type /kind of

tyyris pricy

tyyssija 1 (hyvän asian) seat, center, stronghold, bastion **2** (pahan asian) seedbed, den, nest

tyystin completely, entirely, totally

tyytymättömyys dissatisfaction, discontent

tyytymätön unsatisfied, dissatisfied, discontented

tyytyväinen satisfied, content(ed), gratified, pleased; (itseensä) smug, self-satisfied, complacent

tyytyä 1 be satisfied/content (with), content yourself (with) **2** (saada tyytyä) accept, settle (for), resign (yourself to)

työ (työnteko, teos, fys) work *työn alla oleva työ* work in progress *tehdä työtä* work, be working *käydä työssä* work, be employed *mennä töihin* go to work *olla töissä* be at work *Se käy työstä kun kaksosia paimentaa* It's a full-time job looking after twins *Sinulla on tuossa täysi työ* You've got your work cut out for you *lisensiaatin työ* licentiate thesis **2** (työpaikka, myös tietok) job *etsiä työtä* look for a job, go job-hunting *hakea työtä* apply for a job, submit a job application *olla jollakulla töissä* be working for someone, have a job somewhere **3** (työssäolo) employment *ottaa joku työhön* employ/hire someone *Minulla ei ole työtä* (ei työpaik-

kaa) I'm unemployed, I'm out of work; (ei
tekemistä) I've got nothing to do **4** (teh-
tävä) task, chore; (teko) deed, act *laupeu-
den työ* an act of kindness **5** (toimiala) line,
business *Mitä työtä teet, mitä teet työk-
sesi?* What do you do (for a living)? What
line/business are you in? **6** (työvoima)
labor

työaika 1 (työssäoloaika) (working) hours
Minkälainen työaika sinulla on? What are
your hours? **2** (työntekoaika) working
time *Yö on minulle tehokkainta työaikaa*
I work best at night

työaine working material

työansiot earnings

työasema workstation

työasento working position

työehtosopimus collective (labor) contract
/agreement

työehtosopimusneuvottelut collective bar-
gaining

työeläke employee pension

työelämä working life *mennä työelämään* go
(out) to work, get a job

työhakemus job application

työhalu *Minulla ei ole oikein työhalua* I don't
feel much like working *pursuta työhalua*
be brimming over with enthusiasm for a
job

työhullu workaholic

työhuone 1 (henkisen työn: kotona) study,
den; (työpaikalla) office **2** (fyysisen työn)
(work)shop

työinto enthusiasm for your work

työjuhta beast of burden; (ihminen) work-
horse

työjärjestys order of business, (esityslista)
agenda, (eduskunnassa) order of the day

työkalu tool, implement, utensil, instrument

työkalulaatikko toolbox

työkaveri fellow worker, a friend at work,
someone you work with; (kollega) col-
league

työkokemus job experience

työkyky ability to work

työkykyinen able to work, fit for work

työkyvyttömyys disability

työkyvyttömyyseläke disability pension

työkyvytön disabled

työllistäminen employment

työllistää employ

työllisyys employment

työllisyysmääräraha employment appropria-
tion

työllisyystilanne employment/job situation

työläinen worker, working (wo)man; (työ-
väen jäsen) working-class (wo)man

työläs 1 (vaikea, raskas) difficult, hard,
heavy; (ylät) laborious; (ark) tough
2 (tylsä) boring, tedious

työläästi with much effort/difficulty; (hen-
gittää) heavily

työmaa 1 (building/construction) site **2** (kuv)
job *kivinen työmaa* a rocky field to plow, a
tough job

työmaaruokala canteen

työmahdollisuudet employment/job oppor-
tunities

työmarkkinajärjestö labor organization

työmehiläinen worker bee

työmuurahainen worker ant

työmyyrä eager beaver

työmäärä workload

työnantaja employer

työnantajajärjestö employers' organization

työnantajapuoli management

työnarkomaani workaholic

työnhakija (job) applicant

työnimi working title

työnjako division of labor

työnjohtaja fore(wo)man, supervisor

työnjohto management

työnsaanti employment

työnsaantimahdollisuus employment oppor-
tunity

työntekijä employee, worker

työntekijäjärjestö labor organization/union,
employees' organization

työntekijäpuoli labor

työnteko work(ing)

työntyä 1 (mennä) push/shove (your way)
2 (sojottaa) protrude, project, stick out

työntää 1 push, shove; (sulloa) stuff, cram,
jam; (tyrkätä) stick **2** (polkupyörää) walk,
(sairaalavuodetta) wheel **3** (versoa) put
out, (lehtiä) sprout

työntää esiin stick out
työntää kieli suustaan stick out your tongue (at someone)
työntää kuulaa put the shot
työntää syrjään dismiss, set/put (something) aside, put (something) out of your mind, (kokouksessa) table
työntää syy jonkun niskoille blame someone else (for something), shift the blame to someone else, pass the buck
työntö 1 push, shove, thrust **2** (fys) thrust, propulsion **3** (urh: painonnostossa) jerk, (kuulan) put
työnvälitystoimisto employment agency
työnäyte sample
työpaikka 1 (ansiotyö) job, post, position **2** (paikka) workplace, place of work
työpaikkailmoitus job ad(vertisement)/notice
työpaikkakoulutus on-the-job training, OJT
työpaja workshop
työpäivä work(ing) day
työpöytä desk
työrauha *Annetaan hänelle työrauha* Let's let her work in peace
työryhmäohjelmisto (tietok) groupware, teamware
työrytmi work(ing) place
työskennellä work
työskentely work(ing)
työssäkäyvä working
työstää work (on) (myös kuv) (koneella) machine
työstökone machine tool
työsuhde employment
työsuhdeasunto (yhtiön) employee housing, (oppilaitoksen) faculty/staff housing
työsuhdeauto company car
työsuojelu occupational health and safety
työsuojelulainsäädäntö occupational health and safety legislation
työsuunnitelma working schedule, (koulun) curriculum
työtaakka workload
työtahti work(ing) pace, pace of work
työtaistelu industrial action, labor battle
työtapa approach, method
työtapaturma industrial/occupational accident

työteho 1 (ihmisen) working efficiency, output **2** (koneen) output, (teho) power
työteliäs hard-working, industrious
työterveyshuolto occupational health service
työtodistus work certificate; (lähin vastine) reference, letter of recommendation
työtoveri fellow worker, colleague (ks myös työkaveri)
työttömyys unemployment
työttömyyseläke unemployment pension
työttömyyskorvaus unemployment benefit
työttömyystyö public/relief work(s)
työttömyysvakuutus unemployment insurance
työtulo earned income
työtunti (working) hour, (miestyötunti) man-hour
työtuomioistuin labor (arbitration) court
työturvallisuus industrial/occupational safety
työturvallisuuslaki industrial/occupational safety legislation
työtä pelkäämätön unafraid of work
työtä tekevä working
työtön unemployed
työvaatteet work clothes
työvaltainen labor-intensive
työviikko work week
työvoima (työläiset) work force, (voima) labor
työvoimaministeri (Suomi) Minister of Labor, (US) Secretary of Labor
työvoimaministeriö (Suomi) Ministry of Labor, (US) Department of Labor
työvoimapula labor/manpower shortage
työvoimareservi labor/manpower reserves/pool
työvoimatoimisto employment agency
työväenaate working-class ideology, workers' movement
työväenluokka working class, proletariat
työväenopisto workers' institute; (lähin vastine) night school
työväentalo community hall
työväenteatteri workers' theater, (draama) socialist drama/theater
työväenyhdistys workers' association

työväestö workers; (työväenluokka) working class

työympäristö working environment

tädillinen auntly, aunt-like

tähden 1 (syystä) because of, on account of, due to, for *minkä tähden* what for *Tulin sen tähden kun...* I came because I... **2** (hyväksi) for (someone's) sake *Herran tähden* for God's sake

tähdentää (place/put great) stress (on), emphasize, insist on

tähdistö constellation

tähdittää (elokuvaa) star in

tähdätä aim *tähdätä aseella jotakuta* aim /point a gun at someone, train a gun on someone *tähdätä ivansa johonkuhun* aim /direct your sarcasm at/towards someone *Mihin sinä sillä tähtäät?* What are you getting/driving/hinting at?

tähkä (viljan) spike, (maissin) ear

tähteet (seuraavan päivän ruoassa) leftovers, (eläimelle annettua) scraps

tähti 1 star (myös kuv) *nouseva/laskeva tähti* rising/setting star (myös kuv) *Minusta tulee vielä tähti* Some day I'm going to be a star *tähtien valossa* by starlight *tähtien valaisema* starlit **2** (kirjoituskoneen, tekstin) asterisk *merkitä tähdellä* mark (something) with an asterisk

tähtien sota Star Wars

tähtihetki high point/light

tähtilippu the Stars and Stripes

tähtitaivas starry/star-studded sky

tähtitiede astronomy

tähtitieteellinen astronomical (myös kuv)

tähtitorni (astronomical) observatory

tähtiurheilija star athlete

tähtäin sight(s) *pitkän/lyhyen tähtäimen* long-/short-term/-range *Marjalla on valtuustopaikka tähtäimessään* Marja has her sights/heart set on a council seat, Marja's aiming/shooting for a council seat

tähtäinhiiri (tietok) cross-hair pointer

tähtäys aim(ing), sight *ottaa tarkka tähtäys johonkin* take aim/sight at something, draw a bead on something

tähyillä watch, observe, scan

tähystin (kiväärin, lääk) scope

tähystys 1 lookout, observation **2** (lääk) -scopy *rakon tähystys* cystoscopy *peräaukon tähystys* proctoscopy

tähystäjä lookout

tähystää 1 watch, observe, look out (for), keep a lookout (for) **2** (lääk) scope, perform a cystoscopy/proctoscopy/jne

tähän here *Tähän sattui* It hurts right here *En jätä asiaa tähän* You'll hear from me again, I'll be back, I won't leave it at that *Nukahdan kohta tähän paikkaan* Pretty soon I'm going to fall asleep right here

tähän asti this/thus far, until now

tähänastinen heretofore, previous, the (something) till now

tähän mennessä so/thus far

täi louse (mon lice)

täkki quilt

täky bait

täkänä double weave

tällainen (something) like this *Se on tällainen vekotin* It's a gizmo like this *Tällaisenko halusit?* Is this the kind you wanted? *Haluatko tällaisen?* Do you want one of these?

tälli blow

tällä hetkellä at present, at the present time /moment, currently, just/right now; (näinä päivinä) nowadays, these days

tällä kerralla this time

tällä lailla like this

tällä tavoin like this, in the way/fashion *Tee tällä tavoin* Do (it like) this

tällä välin in the meantime/-while, meanwhile, since then

tällöin 1 (tähän aikaan) at this/that time, (silloin) then **2** (tässä tapauksessa) in this/that case

tämmöinen ks tällainen

tämä 1 this (one/thing) *tänä päivänä* today, nowadays *tähän päivään/hetkeen asti* until today/the present (moment) *tänä aamuna* this morning *tänä iltana* this evening, tonight *tämä minun takkini* this coat of mine *Asian laita on tämä* Here's the situation **2** (viimeksi mainittu) he, she, it; (jälkimmäinen) the latter *Pyysin Pekkaakin* *tulemaan, mutta tämä kieltäytyi* I asked Pekka to come too, but he refused

tämänaamuinen this morning's, (the something) this morning *tämänaamuinen kokous* the meeting (we had) this morning, this morning's meeting

tämän ajan ihmiset people today

tämänhetkinen the current/present

tämänkaltainen (someone/something) like this, such a(n) *Olen varautunut tämänkaltaisiin tilanteisiin* I'm prepared for situations like this

tämänkertainen (something) this time *tämänkertainen voittaja* this year's winner

tämänkesäinen this summer's, (something) this summer

tämänluonteinen (something of) this sort /type/nature, (something) like this

tämänpituinen (something) this long *Sen pitää olla suunnilleen tämän pituinen* I need one about this long

tämänpuoleinen (something) on this side *Otan tämänpuoleisen* I'll take the one closest to me

tämänpäiväinen today's

tämäntapainen (something of) this sort/type /nature, (something) like this

tämän tästäkin (every) now and then

tämän vuoksi because of this, on account of this, due to this, for this

tämä puoli this side *tällä puolella katua, kadun tätä puolta* on this side of the street

tämä puoli ylöspäin this side up

tänne here *Anna tänne!* Give it to me! (ark) Gimme! Give it here!

tännempänä more this way, over this way more/closer

tännepäin this way, towards us/me

tänään today

täplikäs spotty, spotted, speckled, blotchy

täplittää spot, speckle, blotch

täplä spot, speck, blotch

täpläpussinäätä quoll

täpärä close, narrow

täpärästi *Se oli täpärällä* That was a close one/call/shave, a tight squeeze *Oli täpärällä ettei ehditty* We almost didn't make

it, we barely made it, we nearly missed it *Aika on täpärällä* Time is (running) short

täpärästi narrowly, just barely *pelastua täpärästi* just barely make it (out of there) alive, escape narrowly, have a close call /shave

täpötäynnä filled to the brim, full to overflowing, stuffed/jammed full

tärinä trembling, shaking, quivering, vibration; (ark) vibe

täristä tremble, shake, quiver, vibrate

tärisyttää shake, rattle

tärkeillä swagger, strut, throw your weight around, boss people around

tärkeily swagger(ing), strut(ting), bossiness

tärkeä 1 important, significant **2** (tärkein, pää-) main, major, chief **3** (tärkeilevä) self-important

tärkkelys starch

tärkki starch

tärkätä starch

tärpätti turpentine

tärppi 1 (kala) bite **2** (onni) strike it lucky, get lucky *Nyt tärppäsi* Now I did/made /hit/got it

tärsky 1 crash **2** *tärskyt* (ark) date *tehdä tärskyt* make a date, arrange to meet someone

tärskähtää crash, smash

tärvellä ruin, spoil, destroy; (ark) trash

tärveltyä be ruined/spoiled/destroyed

tärvätä waste, squander; (ark) blow

tärvääntyä be wasted/squandered on; (ark) get blown on

tärykalvo eardrum

tärähdys shock, bump, jolt *aivotärähdys* concussion

tärähtänyt cracked

tärähtää 1 (täristä) tremble, shake, quake **2** (iskeytyä) crash, bash, smash, crack **3** (henkisesti) crack up

täräyttää 1 (iskeä) hit, crack, bash, smash, strike **2** (ampua) hit, shoot **3** (räväyttää) blast, hurl, blurt out **4** (tehdä yhtäkkiä) up and *Sitten hän ostaa täräytti suurimman kilpailijansa* Then she up and bought out her biggest competitor

täsmennys clarification, specification

täsmentää clarify, make (something) clear, specify, be specific (about something)

täsmäase smart weapon

täsmälleen exactly, precisely; (ark) on the dot

täsmällinen 1 exact, precise, accurate **2** (ajan suhteen) prompt, punctual **3** (ihminen) punctilious, meticulous, fastidious

täsmätä 1 match (up), tally; (tilit) balance; (ark) jibe **2** (täsmäyttää) synchronize

tässä here A: *Miten olet jaksellut?* B: *Mikäpäs tässä* A: How've you been feeling? B: Not too bad/shabby, okay, all right *On tässä muutakin tekemistä kuin* I've got better things to do than

tässä ja nyt here and now

tässä yhtenä päivänä (menneisyydessä) a few days ago, (tulevaisuudessa) one of these days

tästedes from now on, from here on in

täten 1 (näillä sanoilla) hereby **2** (näin ollen) thus **3** (tällä tavalla) like this

täti 1 (sukulainen) aunt, (ark) auntie *Maijatäti* Aunt Maija **2** (nainen) lady, woman

täti-ihminen woman

tätimäinen old-womanish/-ladyish, prim

tätä nykyä nowadays, these days

täydellinen 1 (ei virheitä) perfect **2** (kokonainen) complete, full

täydellisesti perfectly, completely, fully

täydellisyys perfection

täydennys 1 supplement, addition, fresh supply **2** (sot) reinforcements

täydennysosa supplement

täydentää 1 supplement, add to, fill *täydentää toisiaan* complement each other **2** (sot) (provide/send) reinforce(ments)

täynnä full, filled *Olen ihan täynnä* I'm stuffed *täynnä kuin Turusen pyssy* so full you're about to pop *olla syli täynnä polttopuita* have an armload of firewood *olla täynnä itseään* be full of yourself, be stuck up

täysautomaattinen fully automatic

täysi 1 full *Siellä oli jo täysi meno päällä* Things were already in full swing *täysin tunnein* every hour on the hour *täyttä, täysillä* ks hakusanat 2 (täydellinen) full,

whole, complete, entire, total, utter, perfect **3** (puhdas) solid, pure *Tämä on täyttä ainetta* This is the real thing/stuff **4** *ottaa täydestä* fall for (something) hook, line, and sinker; swallow (something) whole *mennä täydestä* pass undetected, (onnistua) come off without a hitch

täysiaikainen full-term

täysihoito (hotellissa) full board; (asuntolassa) room and board

täysihoitola boarding house

täysi-ikäinen adult, of age *olla täysi-ikäinen* be of age *tulla täysi-ikäiseksi* come of age

täysi-ikäisyys majority, adulthood

täysikasvuinen full-grown

täysikokoinen full-size

täysillä at full tilt/speed/blast, flat out

täysilukuisina complete *saapua täysilukuisena paikalle* arrive in full strength/numbers

täysimittainen full-scale/-blown/-size /-length

täysin fully, completely, entirely, totally, utterly, perfectly

täysinäinen full

täysipainoinen 1 (fyysisesti) (something) of full weight **2** (henkisesti) full, balanced, full-bodied

täysistunto plenary session

täysivaltainen 1 (jäsen) full(y authorized) **2** (kansalainen) legally competent **3** (diplomaatti) plenipotentiary **4** (valtio) sovereign

täysiverinen full-blooded, thoroughbred, pedigreed

täysjyväleipä whole-grain bread

täysosuma bull's eye

täystyöllisyys full employment

täyte 1 (ruoan) filling, stuffing, center **2** (tekstin tms) filler

täyteen full *Tankki täyteen lyijytöntä* Fill it up with unleaded, please *juoda päänsä täyteen* get stewed to the gills *Huomenna tulee kymmenen vuotta täyteen siitä kun...* Tomorrow it will be ten years since...

täyteinen 1 (umpinainen) solid **2** (yhdyssanassa) full of, filled with *ilon- ja surun-*

täyteinen kesä a summer filled with joy and sorrow

täytekakku cake

täytekynä fountain pen

täyteläinen 1 (vartalo tms) full, rounded, plump **2** (ääni, maku tms) full, rich, full-bodied

täytetty 1 filled **2** (topattu) stuffed **3** (raam) finished

täyttymys fulfillment

täyttyä 1 (tila) fill (up) **2** (aika) run out **3** (toive) come true, be fulfilled/realized

täyttää 1 full **2** *räyrä päällili/hiiküü/vuuhtia* at full blast/tilt/speed *täyttä kurkkua* at the top of your lungs

täyttävä 1 filling, substantial

täyttää 1 fill (up), stuff *täyttää auton tankki* fill your tank, tank/gas up *täyttä taskunsa/joulukalkkuna/haukka* stuff your pockets/a Christmas turkey/a hawk **2** (lomake) fill in/out, complete **3** (lupaus) fulfill; (toive, tarve, vaatimustaso) meet; (tehtävänsä) serve

täyttää (astian)pesukone load a dishwasher /washing machine

täyttää ilmalla inflate

täyttää käsky obey a command/an order, do what you're told (to do)

täyttää lupauksensa keep your promise

täyttää miehen mitta do a man's job

täyttää mitat meet (certain) standards

täyttää pyyntö comply with a request, do what someone asks you to do

täyttää tahto do (someone's) bidding

täyttää tarve meet/supply a need

täyttää tehtävänsä serve its purpose

täyttää toiveet meet/fulfill (someone's) expectations, come up to (someone's) expectations

täyttää uudestaan refill

täyttää vaatimukset meet/reach/attain (someone's) standards, (ark) come up to snuff/scratch

täyttää vatsansa fill your belly (with), stuff yourself (with)

täyttää velvollisuutensa do your duty

täyttää virka 1 (määrätä joku siihen) fill a post/position, appoint someone to a post

/position **2** (toimia siinä) perform your duties, be in office

täyttää vuosia have a birthday *täyttää pyöreitä vuosia* celebrate a major birthday *30 täyttäneet* those thirty and older

täytyä must, have (got) to *Sinun tätyyy mennä* You've got to go, you have to go, you must go *Sinun on täytynyt olla hyvin nuori* You must have been very young

täytäntöönpano execution

tää (ark) this, (murt) this-here

täällä here *Hei, Jorma täällä* Hi, this is Jorma

täältä from here *50 km täältä pohjoiseen* fifty kilometers north of here

töherrys scribble, scribbling, scrawl

töhertää scribble, scribbling, scrawl

töhriä smear, smudge, soil

tököro 1 (ihminen) clumsy, awkward, blundering, bungling **2** (esine: luonnosti tehty) crude, rough, inept; (hankala käsitellä) cumbersome, bulky, unwieldy

tökerösti clumsily, awkwardly, crudely, roughly, ineptly (ks tökerö)

tökkiä poke, jab, dig

töksähtelevä jerky, (kuv) clumsy

töksähtää jerk (to a halt)

tökätä poke, jab, dig

tölkki (lasinen) jar, (metallinen) can, (pahvinen) carton

töllötin (televisio) boob tube, idiot box

töllöttää gape/gawk/rubberneck at; (TV:tä) be glued to the TV

tömistellä stamp, stomp

tömistä rumble, thunder

tömistää stamp/stomp (your feet)

töniä push, shove, jostle

tönäistä push, shove, nudge

töpeksiä (tyriä) foul (something) up

töpinä *panna töpinäksi* set to (something) with a will

töppäys screw-up

töpätä (tyriä) screw up

törkeä 1 (karkea) coarse, boorish, base **2** (rivo) indecent, obscene, disgusting; (ark) gross **3** (lak) gross, grand, felonious *törkeä rikos* felony *törkeä huolimattomuus* gross negligence *törkeä varkaus* grand larceny *törkeä pahoinpitely* felonious/aggravated assault

törkeästi coarsely, boorishly, basely, obscenely, disgustingly, grossly (ks törkeä)

törkimys lout, boor, churl; (ark) scumbag

törkkiä 1 (tökätä) poke, jab, dig **2** (toikkaroida) stagger

törky filth, garbage, trash, junk

törmä (joen) bank, (rinne) slope, (jyrkänne) bluff

törmäilijä stumblebum

törmäillä stumble (around wildly), bump /crash into things

törmätä 1 (osua) collide (with), hit, crash /bump (into) **2** (tavata) bump/run into *Törmäsin tänään Eevaan kaupungilla* I ran

/bumped into Eeva in town today **3** (rynnätä) dash (out) **4** (käsitykset tms) clash, conflict

törröttää stick/jut out, protrude, project

törsätä waste, squander; (ark) blow

tötterö cone

töyhtö tuft, plume; (linnun) crest

töyhtöhyyppä (lintu) northern lapwing

töykeä rude, surly

töykeästi rudely

töykätä push, shove; (tuikata) stick

töyssy bump

töyssyttää bump, jolt

töytäistä push, shove; (tökätä) poke

töytäisy push, shove, poke

töötätä toot (your horn)

U,u

udella pry, snoop, poke your nose into (someone's affairs) *En halua udella mutta* I don't want to pry but *Älä utele!* Butt out! Mind your own business!

ufo UFO, unidentified flying object

Uganda Uganda

ugandalainen *s, adj* Ugandan

ugristi Ugric philologist

ugristiikka Ugric philology

uhalla upon pain of death *kieltää sakon uhalla* threaten to fine someone if they don't stop something *kieltää kuoleman uhalla* forbid upon pain of death *henkensä uhalla* risking your life, at risk to your life *kaiken uhalla* at all costs, no matter what the cost, come what may *Kerron uhallakin* I don't care what you do/say, I'm going to tell you anyway *En uhallakaan lähde sinne* You couldn't pay me enough to go there, I wouldn't go there for a million dollars

uhanalainen endangered *uhanalainen laji* endangered species

uhata 1 threaten *uhata aseella* threaten someone with a gun, point a gun at someone, hold someone at gunpoint *uhata nyr-*

killä threaten to hit someone, shake your fist at someone *sodan/sateen uhatessa* at the threat of war/rain **2** (olla vaarana) be imminent, be in danger (of) *Sota uhkaa* War is imminent *Koko hanke uhkasi kaatua* The whole enterprise threatened to come to nothing, the whole enterprise was in danger of foundering

UHF UHF, ultrahigh frequency

uhitella 1 (uhmailla) defy (someone) **2** (uhkailla) threaten (someone)

uhka threat, danger, risk *uhka Suomen turvallisuudelle* a threat to Finland's national security

uhkaava 1 threatening, menacing, dangerous *uhkaava taivas/koira* menacing sky/dog **2** (pian tapahtuva) imminent, impending *uhkaava kriisi/myrsky* impending/imminent crisis/storm

uhkaavasti threateningly, dangerously *lähestyä uhkaavasti* (uhaten) approach uttering threats, come closer looking threatening /menacing; (uhkaavan lähelle) get dangerously close

uhkapeli game of chance, (sen pelaaminen) gambling; (kuv) gamble *pelata uhkapeliä* gamble *Tämä hanke on aikamoista uhkapeliä* This is a big gamble

uhkapeluri gambler

uhkarohkea 1 (rohkea) daring, bold, audacious **2** (tyhmä) foolhardy, rash, reckless

uhkaus threat

uhkavaatimus ultimatum

uhkea 1 (talo) stately, grand, sumptuous **2** (kasvillisuus) lush, luxuriant **3** (povi) ample, (nainen) buxom, busty, big-breasted

uhkua 1 (fyysisesti) radiate, emit, give off **2** (henkisesti) rädlate, exude, be bubbling /sparkling/overflowing with

uhma defiance

uhmaikä negative age, defiant stage; (kaksivuotiaassa) the terrible twos

uhmakas defiant

uhmamieli defiance

uhmamielinen defiant

uhmapäinen 1 (omapäinen) stubborn, obstinate, pigheaded **2** (uhkarohkea) daring, reckless, (tyhmänrohkea) foolhardy

uhmata defy (myös kuv) *uhmata luonnon lakeja* defy the laws of nature *kuolemaa uhmaava temppu* death-defying stunt *uhmata isäänsä* defy your father, stand up to your father, talk back to your father *uhmata perinteitä* fly in the face of tradition

uho 1 (ilmavirta) exhalation, emanation **2** (ilmapiiri, henki) spirit **3** (touhu) hustle, bustle, commotion **4** (into) excitement, animation, passion **5** (uhmamieli) bluster, swagger, machismo

uhota 1 (hehkua) radiate, emit, give off **2** (kerskailla) boast, brag, talk big **3** (uhmailla) act defiant, bluster, talk big

uhotella 1 (kerskailla) boast, brag, talk big **2** (uhmailla) act defiant, bluster, talk big

uhottelu boasting, bragging, defiance, bluster(ing), big talk

uhrata 1 sacrifice *uhrata uransa hoitaakseen vanhaa äitiään* sacrifice your career to take care of your aging mother **2** (omistaa) devote, spend, give, waste *uhrata aikaan-*

sa lukemiseen (viettää) spend your time reading, devote (a lot of) your time to reading; (haaskata) waste your time reading *En uhrannut hänelle enää ajatustakaan* I didn't waste another thought on him *uhrata henkensä maansa puolesta* give your life for your country, die for your country **3** (antaa uhri) offer (up), make an offering

uhraus sacrifice *taloudellinen uhraus* financial sacrifice

uhrautua sacrifice yourself, your life (for)

uhrautuvainen 1 (self-)sacrificing, giving (of yourself) **2** (itseään kieltävä) self-denying / effacing

uhri 1 (uhrilammas tms) offering, sacrifice **2** (väkivallan tms kohde) victim *raiskausuhri* rape victim *sodan uhrit* the casualties of war

uhrilahja offering, (kirkossa myös) collection

uhrilammas sacirificial lamb (myös kuv), (vain kuv) scapegoat

uida 1 swim *mennä uimaan* go swimming, go for a swim **2** (kelluа: laiva, tukkilautta tms) float

uiguuri Uig(h)ur

uija swimmer

uikku (lintu) grebe

uikuttaa whimper, whine

uima-allas swimming pool

uimahalli (public/indoor) swimming pool

uimahousut swim(ming) trunks

uimahyppy dive *uimahypyt* (lajina) diving

uimakoulu swim(ming) lessons

uimalasit (swim) goggles

uimaopettaja swimming teacher

uimaopetus swimming lesson(s)

uimapaikka swimming hole

uimapuku swimsuit, bathing suit

uimaranta swimming area/beach

uimari swimmer

uimataito ability to swim

uimuri float

uinahtaa drift/float off to sleep, doze/drop off

uinailla doze, snooze, sleep lightly

uinti swimming

uintikilpailu swimmeet

uinua doze, sleep (lightly), (run) slumber

uiskennella swim/paddle around

uistella troll

uistin lure

uitella 1 (veneitä tms) float **2** (jalkoja tms) splash

uittaa 1 (lapsia tms) take (someone) for a swim *märkä kuin uitettu koira/rotta* wet as a drowned rat **2** (kastaa) dip, (liota) soak, drench **3** (päihittää) trounce, clean (someone's) clock **4** (tukkeja) raft, (karjaa) drive, (hevosia) swim

uitto (tukkien) log-rafting, (karjan) driving a herd across a river

uiva swimming, floating *uiva ooppera* floating opera *uiva panssarivaunu* amphibious tank

uivelo smew

ujellus whistle, wail, whine

ujeltaa whistle, wail, whine; (ohi) whiz

ujo shy, timid, bashful

ujostella 1 be (too) shy (to do something) **2** (olla kehtaamatta) be (too) embarrassed /ashamed (to do something) **3** (pelätä) be afraid (to) *ujostella puhua vierasta kieltä* be afraid/embarrassed to speak a foreign language

ujostelu shyness, embarrassment, shame; acting shy/embarrassed/ashamed

ujosti shyly, timidly, bashful

ujostuttaa *Minua ujostuttaa* I'm embarrassed /afraid *Häntä ujostuttaa* He's just (feeling) shy

ujous shyness, timidity, bashfulness

ujuttaa squeeze/edge/inch your way into (a small place) *ujuttaa puheeseen* (manage to) work (something) into conversation

ukaasi 1 (hist) ukase **2** (ark) order, command, edict

ukkeli old man/geezer

ukki grandpa, gramps

ukko old man *Jos minun ukkoni kuulee tästä, hän panee aivan ranttaliksi* (isä, aviomies) If my old man hears about this, he'll hit the roof

ukkomies married man

ukkonen (jylinä) thunder; (myrsky) thunderstorm, electrical storm; (salama) lightning *Ukkonen iski taloon* The house was struck by lightning

ukkosenilma thunderstorm

ukkoskuuro thundershower

ukkosmyrsky thunderstorm

ukkospilvi thundercloud

ukkostaa thunder (myös kuv)

ukonilma thunderstorm

ukon käppänä shriveled-up old man

ukonputki hogweed

ukonsieni parasol mushroom

ukraina Ukranian

Ukraina Ukraine

ukrainalainen Ukranian

U-käännös U-turn

ula VHF (very high frequency) *olla ihan ulalla* be out of it, be completely lost, have no idea what people are talking about

ulappa the open sea, the middle of the lake

ulappalinnut petrels

ulataksi radio taxi

ulina whine/whining, wail(ing), howl(ing)

ulista whine, wail, howl

uljaasti 1 (urheasti) bravely, boldly, courageously **2** *astella uljaasti* step pretty

uljas 1 (urhea) brave, bold, courageous; (run) gallant, valiant **2** (uhkea) grand, stately, handsome

ulkoa 1 (sisään) from (the) outside *tulla ulkoa lämmittelemään* come inside to warm up **2** (ulkomuistista) by heart *Osaan sen ulkoa* I know it by heart *opetella ulkoa* learn something by heart, (vanhan ajan kouluissa) learn something by rote

ulkoapäin 1 (liike) from the outside *Ellei teillä ole omassa porukassa asiantuntijoita, täytyy pyytää apua ulkoapäin* If none of your group is an expert, you'll have to get outside help **2** (paikka) on/ from the outside *teljetä ovi ulkoapäin* bolt the door on/from the outside **3** (ulkonäkö) outwardly, on the outside *Ulkoapäin se on ihan hyvännäköinen talo* Outwardly the house looks fine, It's a nice enough looking house on the outside

ulkoasiainministeri (Suomi) Foreign Minister; (US) Secretary of State; (UK) Foreign Secretary

ulkoasiainministeriö (Suomi) Foreign Minisry; (US) Department of State, State Department, (ark) State; (UK) the Foreign Office

ulkoasiainvaliokunta foreign affairs committee

ulkoasu 1 (vaatteet) outfit, outdoorwear, (pakkas-/sadevaatteet) snow/rain gear **2** (ulkonäkö) (outward) appearance(s), the way something looks *esitmlän ulkoasu* (ulkonäkö) how a paper looks, (välimerkit ym) a paper's mechanics

ulkoavaruus outer space

ulkohuone outhouse, (sl) shithouse

ulkoilla take a walk, play/exercise out-of-doors

ulkoilma fresh air *ulkoilmassa* out in the open, outdoors, in the great out-of-doors *nukkua ulkoilmassa* sleep under the stars

ulkoilu walking/playing/exercising out-of-doors

ulkoilualue outdoor recreation area

ulkoiluttaa (koiraa) walk, (lasta) take a child) out(side) to play

ulkoinen outer, outward, external *ulkoinen kauneus/tyyneys* outward beauty/calm *ulkoiset syyt* external causes *hänen ulkoinen olemuksensa* her outward appearance, her/his outer self

ulkoinen liitäntä external interface

ulkoisesti outwardly, externally, in appearance *muistuttaa ulkoisesti* bear a certain superficial resemblance to, (ark) look like

ulkoistaa 1 externalize **2** (liiketoiminta) outsource

ulkoistaminen externalization

ulkoistus (liiketoiminnan) outsourcing

ulkokautta *kiertää ulkokautta* go around by /on the outside

ulkokohtainen 1 (kylmän tieteellinen) detached, dispassionate, disinterested, objective **2** (pintapuolinen) superficial, shallow

ulkokohtaus (elokuvassa) exterior (scene)

ulkokultainen hypocritical

ulkokuntalainen *s* out-of-towner, non-resident *adj* out-of-town, non-resident

ulkokuori 1 covering, casing, case, shell, (puun) bark, (maapallon) crust **2** (ihmisen) exterior, front *Tuon karkean ulkokuoren alla sykkii lämmin sydän* Under that rough exterior beats a warm/good heart *Hänen ystävällisyytensä on pelkkää ulkokuorta* His kindness is all front/show, is a sham

ulkokuvaus exterior(s), exterior/location shots

ulkolainen *s* foreigner *adj* foreign

ulkolaitamoottori outboard motor

ulkolinjapuhelu long-distance (phone) call, (UK) trunk call

ulkoluku rote learning

ulkomaa foreign country *ulkomailla, ulkomaille* abroad *ulkomailta* from abroad

ulkomaailma the outside world, the big wide world out there

ulkomaalainen foreigner; (lak) alien

ulkomaalaistoimisto office for alien affairs

ulkomaankauppa foreign trade

ulkomaanmatka trip abroad

ulkomainen foreign

ulkomeri the open sea

ulkoministeri (Suomi) Foreign Minister; (US) Secretary of State; (UK) Foreign Secretary

ulkoministeriö (Suomi) Foreign Ministry; (US) Department of State, State Department, (ark) State; (UK) the Foreign Office

ulkomitat outer measurements

ulkomuisti rote memory *lukea runo ulkomuistista* recite a poem from memory, by heart

ulkomuoto (outer) appearance(s)

ulkona 1 outside, (ulkoilmassa) outdoors, out-of-doors **2** (kodin/kentän ulkopuolella) out *syödä ulkona* eat out *Ulkona!* (urh) Out! *roikkua ulkona* hang out **3** *ulkona kuin lumiukko* out of it

ulkonainen outward, external

ulkonaisesti outwardly, externally

ulkonaliikkumiskielto curfew

ulkonema protuberance, protrusion, projection; (jalkojen alla) ledge, (pään päällä) overhang

ulkonäkö (outer) appearance(s), looks *hyvällä ulkonäöllä siunattu* blessed with good looks

ulkopoliittinen foreign-policy, pertaining to foreign policy

ulkopoliittisesti in terms of foreign policy

ulkopolitiikka foreign policy

ulkopuolella outside *maalata ovi vain ulkopuolelta* paint a door only on the outside, paint only the outside surface of the door *kuulustelussa ulkopuolelle jääneet* those left out of the interrogation *rakennuksen ulkopuolella* outside the building

ulkopuoli the outside, exterior

ulkopuolinen *s* outsider *tuntea itsensä ulkopuoliseksi* feel left out, feel out of it *adj* outside, outward, external *hakea ulkopuolista apua* get outside help *Skandinavian ulkopuoliset maat* countries outside Scandinavia

ulkorata outer/outside lane

ulkosalla outdoors, out-of-doors, in the open (air) *nukkua ulkosalla* sleep under the stars

ulkoseinä outer wall

ulkosuomalainen Finnish expatriate/emigrant

ulkotyö outdoor work

ulkovalaisin outdoor lamp/light

ulkovalaistus outdoor lighting

ulkovuorossa in the field

ullakko attic

uloimpana farthest out

uloin outermost

uloke projection; (jalkojen alla) ledge, (pään päällä) overhang

ulompana farther/further out

ulompi outer

ulos out(side/-doors) *mennä ulos* go out, go outside, go outdoors *kävellä ovesta ulos* walk out the door *katsoa ikkunasta ulos* look out the window *ajaa ulos* drive/skid off the road *Ulos!* Out! Get out! *ULOS* (kyltti) EXIT

ulosanti delivery, (self-)presentation *Hänellä on hyvää sanottavaa mutta huono ulosanti* He's got something to say but doesn't know how to say it, he's got a good theme

but poor delivery, he's got a good message but presents it badly

uloshengitys exhalation, (ark) breathing out

uloskirjaus (tietok) logout, logoff, signoff

ulosmitata repossess

ulosmittaus repossession

ulosotto recovery (proceedings), (laskun) collection

ulosottomies repossessor, (laskun) collector

ulosottoviranomainen collection agency

ulospäin outwardly *Hän ei näyttänyt mitään ulospäin* He gave no sign (of what he was thinking/feeling) outwardly

ulospääsy exit

ulostaa defecate, move your bowels, make a bowel movement (BM)

uloste feces, excrement

ulostus defecation, bowel movement

ulostuslääke laxative

ulottaa extend (something) to *ulottaa määräykset koskemaan lapsiakin* extend the regulations to cover children too *ulottaa matkansa johonkin* continue/push on to

ulottaa juurensa johonkin (kasvi) send roots down to, (suku) have roots that go back to, that are traceable to

ulotteinen dimensional *kolmiulotteinen* three-dimensional, (ark) three-D

ulottua 1 (olla tilana levinneenä) extend, stretch, reach *ulottua silmänkantamattomiin* extend/stretch/reach as far as the eye can see **2** (yletyä) reach *ulottua sormenpäillään puukkoon* be able to reach the knife with your fingertips **3** (olla jollakin tasolla) come/be up/down to *ulottua poikaa vyötäröön* come up to the boy's waist

ulottumattomissa out of reach, beyond reach; (pyssyn tms) out of range

ulottuvilla within reach, (käsien) at hand, (pyssyn tms) within range

ulottuvuus 1 (geom) dimension *Aika on neljäs ulottuvuus* Time is the fourth dimension **2** (sot, mus) range *tykistön ulottuvuus* artillery range *Käyrätorvi on ulottuvuudeltaan melko laaja* The French horn has a fairly wide range **3** (liik, lak) scope, extent *sopimuksen ulottuvuus* the scope of the contract/agreement *lain ulottuvuus* the extent/coverage of the law **4** (urh) reach *Sinulla on nyrkkeilijäksi liian pieni ulottuvuus* You've got too short a reach to be a boxer *hevosen ulottuvuus* (šakki) the knight's reach

ultraviolettisäteily ultraviolet radiation

ulvoa 1 (susi) howl, (tuuli) shriek **2** (ark: itkeä) bawl *ulvoa naurusta* howl with laughter

ummehtua 1 (aine) get musty/moldy, mold, mildew **2** (ilma) get stuffy, go stale

ummehtunut 1 (aine) musty, moldy, mildewed **2** (ilma) stuffy, stale

ummessa 1 (kiinni) closed, shut *Osaan mennä sinne vaikka silmät ummessa* I could get there blindfolded, with my eyes shut **2** (tukossa: oja, polku) blocked (off), (tunne) all locked up *Nyt on sekin tie ummessa* Now that door is closed too **3** (lehmä) dried up **4** (ohi) up, over, expired *Aikai on ummessa* Your time is up *Haku-/voimassaoloaika on ummessa* The application deadline/expiration date is past

ummetus constipation

ummikko monolingual person, someone who can only speak his/her native language

ummistaa close *ummistaa silmänsä jollekin* close your eyes to something, blind yourself to something, ignore something, let someone do something behind your back

umpeen 1 (kiinni) closed, shut *panna silmät umpeen* close/shut your eyes **2** (tukkoon: oja, polku) (get) blocked (off), (tunne) (get) locked up *Tuuli on tuiskuttanut polun umpeen* The path is blocked by snowdrifts *Nyt Pekka meni täydellisesti umpeen* Now Pekka has withdrawn (into his shell) entirely, completely shut out the outside world **3** (lehmä) (go) dry **4** (ohi) up, over, expired *mennä umpeen* expire

umpeutua 1 (aika) expire **2** (haava) heal **3** close, shut, get blocked (off), withdraw (ks umpeen)

umpi *s* **1** deep, unbroken snowdrift(s) **2** *kysyä ummet ja lammet* (juoruilija) pry into all the (gory) details, wheedle all the juicy tidbits out; (poliiisi tms) interrogate a sus-

pect thoroughly, take a witness's full statement *puhua ummet ja lammet* (ikävän perusteellisesti) give you a blow-by-blow narration, tell the whole story down to the last tedious detail; (kierrellen) beat around the bush **3** (eläimen ummetus) obstipation

adv completely *umpikuuro* stone deaf

umpihumalassa dead drunk

umpikuja dead end, blind alley

umpilevy (tietokoneen) hard disk

umpilisäke appendix

umpilisäkkeen tulehdus appendicitis

umpimielinen withdrawn, reserved, uncommunicative; (juro) morose, sullen

umpimähkäinen random, haphazard

umpimähkään at random, haphazardly

umpinainen 1 (suljettu) (en)closed, (tiivis) sealed (off) **2** (kauttaaltaan samaa ainetta) solid *umpinainen suklaamuna* solid chocolate egg

umpisolmu knot that won't slip: overhand /square knot

umpisuolentulehdus appendicitis

umpisuoli appendix

undulaatti budgerigar, (ark) budgie

uneksia (day)dream (of/about) *Enemmän rahaa kuin mistä olisin voinut uneksiakaan* More money than I could have dreamed of

uneksija dreamer

uneliaasti sleepily, drowsily

unelias sleepy, drowsy

unelma dream *pyrkiä toteuttamaan unelmaansa* work to make your dream come true

unelmoida (day)dream *Mitä sinä täällä istut ja unelmoit, töihin siitä!* What are you doing sitting around daydreaming, get back to work!

unelmointi (day)dreaming

unenlahjat the ability to sleep well *Ykällä on hyvät unenlahjat* Ykä's a sound sleeper

unenomainen dreamlike

unenpöpperöinen (still) half-asleep, drowsy

unenpöpperössä (still) half-asleep, drowsy

unentarve need for sleep *Mulla on 8 tunnin unentarve* I need 8 hours of sleep every night

uneton sleepless, insomniac

unettaa put you to sleep, make you feel sleepy *Minua unettaa* I'm (feeling) sleepy /drowsy, I feel like going to sleep

unhola *joutua unholaan* be forever forgotten

uni 1 (yöuni) sleep *herätä syvästä unesta* awake from a deep sleep *unten mailla* in the land of Nod, in sleepland *Uni painaa silmiäni* My eyes are heavy with sleep *En saa unta, unen päästä kiinni* I can't (get to) sleep **2** (unennäkö) dream *Kauniita unia!* Sweet dreams!

unikeko 1 sleepyhead **2** (hiiri) (fat) dormouse

unikko poppy

uninen sleepy, drowsy

unissaan asleep *kävellä unissaan* sleepwalk, walk in your sleep

unissakävelijä sleepwalker

unityö (psykoanalyysissä) dreamwork

univormu uniform

unkari (kieli) Hungarian

Unkari Hungary

unkarilainen *s, adj* Hungarian

unohdus forgetfulness, lapse of memory *joutua unohduksiin* be forgotten *kauan unohduksissa ollut* long-forgotten

unohtaa 1 forget *Unohda koko asia* Forget the whole thing, forget it *En ole unohtanut sinua* I haven't forgotten you *Unohdin sulkea oven* I forgot to close the door *Unohdin pankin kokonaan!* I forgot all about the bank! *Sinä unohdat aina kaiken!* You're so forgetful! **2** (jättää) leave, (jättää tekemättä) neglect *unohtaa takkinsa kotiin* (accidentally) leave your jacket at home *unohtaa kiittää* neglect/forget to say thank you

unohtaminen forgetting

unohtua 1 be forgotten *Sinulta taisi unohtua* You must have forgotten *esittämättä jäänyt, täysin unohtunut näytelmä* an unperformed, completely neglected/forgotten play **2** (jäädä) get/be left (behind) *Unohtuiko tämä sateenvarjo sinulta?* Is this your umbrella? Did you leave this umbrella (behind) (at our place)?

unohtumaton unforgettable

unssi ounce

untuva feather, (mon) down

untuvatakki down jacket

untuvatäkki down quilt

uoma 1 (joen tms) (river)bed **2** (vako) furrow

upea 1 magnificent, splendid **2** (talo) stately, grand **3** (puku tms) gorgeous, stunning **4** (ark) great *Se olisi upeaa* That would be great

upota 1 (veteen laiva tms, hankkeeseen rahaa) sink *Tähän tiehen on uponnut jo 1,5 miljöä* We've already sunk 1,5 mil into this road **2** (kuraan) get stuck (in), (get) bog(ged) down (in) **3** (maahan, savi tms bite **4** (kuulijaan) go over, strike home *Vitsit upposivat hyvin yleisöön* His jokes went over well *Valmentajan palopuhe upposi pelaajiin* The coach's pep talk struck home, hit the players where they lived, did its work on the players

upottaa 1 (laiva, rahaa) sink **2** (peittää vedellä) flood **3** (laittaa veden alle) immerse, submerge, (ark) dip (in water) **4** (kastaa upottamalla) baptize (by total immersion) **5** (puukko, keihäs) plunge **6** (katseensa) drill, (surunsa) drown *upottaa katseensa johonkuhun* drill/burn your eyes into someone *upottaa surunsa viinaan* drown your sorrows (in the bottle) **7** (kaappi seinään) build in/flush, (naula) countersink, (pistorasia) install flush, (kone betoniin) embed **8** (lauseenvastike lauseeseen) embed **9** (tietok) insert **10** (kivi sormukseen) set, mount

upotus 1 sinking, immersion, submersion **2** (kaste) total immersion **3** (koristeupotus) inlay **4** (lukkoa varten) mortise

upuusi brand-new, brand spanking new

uppiniskainen insolent, impudent, defiant, disobedient

uppoamaton unsinkable

uppopuu sunken log, (laivalta nähtynä) snag

upporikas filthy rich, rolling in money/it

uppoutua 1 (pehmeään sänkyyn) sink (back /down) into **2** (velkoihin) drown in (debt) **3** (työhön tms) get wrapped up in, get absorbed in

upseeri officer

ura 1 (tekn) groove, slot, slit **2** (maan pinnassa: polku, myös kuv) path, trail, track; (pyörän jälki) rut *ajautua väärälle uralle* get off on the wrong track, go off on a tangent *luoda/uurtaa uusia uria* break new paths/ground, blaze new trails *jäädä polkemaan samaa uraa* fall into a rut **3** (tietok) track **4** (karrieeri) career *uransa huipulla* at the peak of your career **5** (mat) locus

uraani uranium

uraauurtava ground-/path-breaking, trailblazing, pioneering

urakka 1 (liik) contract, (ark) job **2** (kuv) job *Huh mikä urakka!* Whew, what a job!

urakkapalkka *tehdä urakkapalkalla töitä* (rakennus- yms töissä) get paid by the piece, on a piecework basis, get paid by the job; (ark) get paid a lump sum

urakointi contracting

urakoitsija contractor

uranuurtaja pioneer, trailblazer

uraputki the career ratrace

urautua fall into a rut

urea urea

urhea brave, bold, courageous; (run) gallant, valiant

urheilija athlete

urheilu sports

urheiluauto sports car

urheiluhullu sports nut/fan

urheilukalastus sport fishing

urheilukenttä sports field: baseball/football /soccer/jne field

urheilukilpailu sports/athletic competition

urheilulaji sports event

urheiluloma skiing holiday

urheiluseura athletic club

urhoollinen brave, bold, courageous; (run) gallant, valiant

urhoollisesti bravely, boldly, courageously; (run) gallantly, valiantly

urkintatekniikka (tietok) spyware

urkkia pry, probe, snoop (around/about); (vakoilla) spy *urkkia tietoja* ferret out information

urkuparvi organ loft

urkuri organist

urologi urologist

uros male

uroteko heroic deed, feat of valor

urotyö heroic deed, feat of valor

urputtaa (ark) gripe, grouse, moan and groan

Uruguay Uruguay

uruguaylainen *s, adj* Uruguayan

urut organ

USA USA, US, United States of America

usea 1 many, (ark) a lot (of) *useassa kohdin* in many places *useita ihmisiä* a lot of people, quite a few people **2** (eri) various *Siihen on useita syitä* There are various reasons (for that)

useampi more, (mon) most *Useampi päivä olisi liikaa* More days would be too many *Useammat ihmiset valitsevat juuri noin* Most people make the same choice (as you)

useasti often, frequently

useimmiten most often/commonly/usually, in most cases; (ark) more often than not

usein often, frequently

uskalias 1 (rohkea) daring, bold **2** (riskille altis) risky

uskallus courage, boldness, daring

uskaltaa dare, venture, have the courage to, be bold/brave enough to *Etpäs uskalla hypätä jänishousu!* You're too scared to jump, chicken/scaredy-cat! *parempi hinta kuin uskalletiiin toivoakaan* a better price than we dared hope for, than we expected *Joka ei mitään uskalla, ei mitään voitakaan* Nothing ventured, nothing gained

uskaltautua venture

usko belief, faith *usko siihen että* the belief that *siinä uskossa että* in the belief that *usko Jumalaan/sinuun* faith in God/you *Usko tekee teidät vapaiksi* Faith will set you free *tulla uskoon* be born again, accept Jesus Christ as your personal savior

uskoa 1 (olla jossakin uskossa, luulla) believe, think *uskoa tietävänsä kaikki* think you know everything *uskoa kirjan menestyvän hyvin* believe/think that a book will be a success **2** (pitää jotakin totena) believe, (ark) buy *En usko hetkeäkään tuota* I don't believe/buy that for a second *Uskokaa tai älkää* Believe it or not *En olisi hänestä uskonut* I never would have believed it of him, I never thought he had it in him **3** (ottaa vakavasti) believe, obey, listen (to), take (someone) seriously *Äitiä pojat eivät uskoneet, vain isää* The boys would never listen to their mother, only their father; would only obey their father, take him seriously, never their mother **4** (luottaa johonkin) believe (in), trust, have faith (in) *uskoa joulupukkiin /ihmelääkkeeseen* believe in Santa Claus/a wonder drug **5** (antaa jollekulle: huoleksi) entrust, (tehtäväksi) charge *Uskon sinulle nämä kassakaapin avaimet* I'm going to entrust the keys to the safe to you **6** (kertoa luottamuksellisesti) confide, trust (someone) with a secret *uskoa intiimi asia ystävälle* confide an intimate matter to a friend, trust a friend with an intimate secret

uskolla parantaja faith-healer *uskolla parantaminen* faith-healing

uskollinen 1 faithful, loyal, true *uskollinen aviomies/-vaimo* faithful husband/wife *uskollinen työntekijä* loyal employee *uskollinen ystävä* true friend **2** (horjumaton) staunch, devoted *uskollinen kannattaja* staunch/devoted follower

uskollisesti faithfully, loyally, truly, staunchly, devotedly

uskollisuus faithfulness, fidelity, devotion *aviouskollisuus* marital fidelity *palvelijan uskollisuus* a servant's devotion

uskomaton incredible, unbelievable, beyond belief

uskomus belief

uskonasia matter of faith

uskonnollinen religious *Hän on syvästi uskonnollinen* She's very religious

uskonnonopettaja religion teacher

uskonnon opetus religious education/instruction; (kouluaineena) religion (class)

uskonnonvapaus freedom of religion

uskonpuhdistaja Reformer

uskonpuhdistus Reformation

uskonpuute lack of faith

uskonto religion

uskontunnustus creed *apostolinen uskontunnustus* the Apostolic Creed *Nikean uskontunnustus* the Nicean Creed

uskotella 1 (itselleen) pretend (that, to be), fool/deceive yourself (into thinking), try to convince yourself (that) **2** (toiselle: itsekin uskoen) try to convince someone (that, of something), try to make someone believe something; (kyynisesti) fool/deceive/dupe (someone) *Turha minulle tuommoista on uskotella* (ark) Don't try that line on me, don't feed me that bullshit, don't give me that garbage

uskoton s unbeliever, infidel *adj* **1** (pettävä: aviopuolisolle) unfaithful, faithless, cheating; (maalle tms) disloyal *olla uskoton puolisolleen* cheat on your spouse **2** (usk) unbelieving

uskottava credible, believable, plausible

uskottomuus (aviollinen) infidelity; (muu) disloyalty, unfaithfulness

uskottu s (läheinen ystävä) intimate; (jolle kertoo kaiken: mies) confidant, (nainen) confidante *adj* trusted, intimate

uskoutua confide (in), take (someone) into your confidence

uskovainen s devout Christian; (ark) born-again Christian *adj* religious, devout

usuttaa 1 (ihmisiä) provoke, incite, urge; (ark) egg on **2** (koiraa tms) sic *Usuta koirasi hänen kimppuunsa* Sic your dog on him

usva mist, fog

usvainen misty, foggy

utare udder

uteliaasti curiously, inquisitively

uteliaisuus curiosity, inquisitiveness; (ark) nosiness

utelias s (ark) snoop, nosy Parker *adj* curious, inquisitive; (ark) nosy, snooping

utopia Utopia, (ark halv) pipe-dream

utopisti Utopian, (ark) optimist, (halv) dreamer

utopistinen Utopian, (ark) optimistic

utu mist

utuinen misty

uudehko newish

uudelleen again, once more/again, newly; (eri verbien liitteenä) re- *arvioida uudelleen* reappraise, reevaluate *miettiä uudelleen* reconsider, rethink *yhä uudelleen* again/time and again, over and over (again) *Me järjestimme olohuoneen huonekalut uudelleen* We rearranged the furniture in our living room

uudenaikainen modern, up-to-date; (murt halv) newfangled

uuden veroinen good as new, like new

uudenvuodenaatto New Year's Eve

uudenvuodenjuhla New Year's Eve party

uudenvuodentervehdys New Year's card

uudestaan ks uudelleen

uudestisyntyminen rebirth; (usk) regeneration, (ark) being born again

uudestisyntynyt reborn; (usk) born again

uudisasukas settler, colonist

uudisasutus settlement, colony

uudisraivaaja pioneer settler/farmer, homesteader

uudistaa 1 (uusia: lehtitilaus, kirjalaina, lääkeresepti, ystävyyttä jne) renew **2** (korjata: yl) redo; (taloa tms) renovate, remodel; (kirjaa) revise; (suunnitelmaa) revamp **3** (korjata: lainsäädäntöä tms) reform **4** (korvata uudella) replace **5** (uudenaikaistaa) modernize, bring up to date

uudistua be transformed/renewed *Minulla on ihan uudistunut olo!* I feel like a new (wo)man!

uudistumaton nonrenewable *uudistumattomat luonnonvarat* nonrenewable natural resources

uudistus 1 (uusiminen) renewal **2** (talon tms korjaaminen/korjaus) renovation, remodeling **3** (kirjan tms korjaaminen/korjaus) revision **4** (lainsäädännön tms korjaaminen/korjaus) reform **5** (uuden korvaaminen/korjaus) replacement **6** (uudenaikaistus /-isminen) modernization

uumenissa *maan/laivan uumenissa* deep in the bowels of the earth/ship *metsän uumenissa* in the middle/depths of the forest *sielun uumenissa* in the nether regions of the soul

uumoilla have a feeling/hunch (about, that) *uumoilla petosta* (ark) smell a rat

uuni 1 oven, stove **2** (tekn: sulatus-/polttouuni) furnace, (kalkkiuuni) limekiln, (tiiliuuni) (brick)kiln *polttaa savimaljaa uunissa* fire pottery in a kiln

uupua 1 (rasittua) get exhausted/tired; (ark) get (all) pooped out *olla uupunut kuuntelemaan* be tired/sick of listening **2** (puuttua) (be) lack(ing), be missing/absent *kirja joka ei saisi uupua mistään kirjastosta* a book that no library can do without, should lack

uupumaton inexhaustible, untiring

uupumus exhaustion, fatigue

uurastaa work (at something), slave away; (ark) bust your buns, work your ass off

uurastus hard work

uurna 1 (tuhkauurna tms) urn **2** (vaaliuurna) ballot box

uurre 1 (ponttilaudan tms) groove **2** (otsaryppy) furrow, line **3** (pylvään) flute, (mon) fluting

uurtaa 1 (puuta tms) groove, carve **2** (otsaa) furrow, line *huolten uurtama otsa* a brow lined/furrowed by care

uurteinen grooved, furrowed, fluted (ks uurre)

uusi new, novel, fresh *Tarvitaan uusia ideoita* We need new/novel ideas, we need a fresh approach *Huomenna on uusi päivä* Tomorrow's another day *uudemman kerran* once again *Mitä uutta?* What's new? *Kuuluuko mitään uutta?* Any news?

uusia 1 (lehtitilaus, kirjalaina, sopimus, lääkeresepti jne) renew **2** (korjata: yl) redo; (taloa tms) renovate, remodel; (sisustus) redecorate; (kirjaa) revise; (suunnitelmaa) revamp; (järjestys) rearrange **3** (tentti) retake, (kisoja) repeat, (ottelu) replay, (TV-ohjelma) rerun, (radio-ohjelma) rebroadcast **4** (korvata uudella) replace, renew **5** (uudenaikaistaa) modernize, bring up to date renew

uusi aalto new wave

uusi aika (hist) the modern period

Uusi-Englanti New England *Uuden-Englannin asukas* New Englander

uusiksi *Se meni uusiksi* Now we have to start over (again), start from scratch *ottaa uusiksi* try something/it again

uusi maailma (Amerikka) the New World

uusinta 1 (uudelleen esitetty: TV-ohjelma) rerun, (radio-ohjelma) repeat (broadcast) **2** (pelikohdan hidastus) (instant) replay **3** (uusintaottelu) rematch, make-up game, (nyrkkeilyssä) return bout/fight **4** (taudin) relapse

Uusi-Seelanti New Zealand

uusiseelantilainen *s* New Zealander

uusi tulokas newcomer

uusiutua 1 (biol) (be) regenerate(d) **2** (tauti) recur *Hänen tautinsa on uusiutunut* He's suffered a relapse

uusi vasemmisto the New Left

uusivuosi New Year('s)

uusköyhyys the new poverty

uuslukutaidottomuus the new illiteracy

uusmoralismi the new moralism

uute extract

uutinen (piece of) news *Minulla on sinulle uutinen* I've got news for you

uutiset the news

uutiskuvaaja press photographer

uutislähetys newscast, (ark) the news

uutistoimisto press agency

uutistoimittaja news editor

uutisviihde (tietok) infotainment

uuttaa extract

uuttera hard-working, diligent, industrious

uutterasti diligently, industriously

uutukainen *uuden uutukainen* brand-new

uutuudenviehätys novelty

uutuus 1 (esineen) newness, novelty *uutuuttaan jäykät kengät* shoes that haven't been broken in yet **2** (esine) novelty, (uusi tuote) new model *Uutuus!* (pakkauksen kyljessä) New (and improved)!

uutuusarvo novelty value

uuvuksissa exhausted; (ark) bushed, (all) pooped (out)

uuvuttaa exhaust, tire *Simo uuvutti minua puoli tuntia matkakertomuksillaan* Simo wore me down for half an hour with stories of his travels/with his travelogues

uuvutussota war of attrition

V, W, v, w

vaa'ankieli pointer, indicator *olla vaa'ankielenä* tip the scales

vaade claim

vaadin reindeer doe

vaadittaessa on demand/request

vaadittava required, requisite

vaahdota foam, (saippua) lather, (olut) froth

vaahtera maple

vaahterasiirappi maple syrup

vaahterasokeri maple sugar

vaahto foam, (saippuan) lather, (oluen) froth

vaahtokumi foam rubber

vaahtokupla soap bubble

vaahtokylpy bubble bath

vaahtomuovi foam(ed) plastic

vaahtopesu shampoo

vaahtopäinen whitecapped, (meren rannalla) breaking

vaahtopää whitecap, (meren rannalla) breaker

vaahtosammutin foam extinguisher

vaaita level

vaaitus leveling

vaaja 1 (paalu) pile **2** (kiila) wedge

vaaka 1 scale, balance *kallistaa vaaka jonkun eduksi* tip the scales/balance in someone's favor **2** (voimistelussa) horizontal stand, (taitoluistelussa) arabesque **3** (horoskoopissa) Libra

vaaka-asento horizontal position

vaakakuppi pan *Tämä ei vaakakupissa paljon paina* This doesn't count for much (in the grand scheme of things)

vaakalauta *Minun koko tulevaisuuteni on tässä vaakalaudalla* My whole future is at stake here, my future hangs in the balance here *panna henkensä vaakalaudalle* (jonkun puolesta) risk your life for someone, (jonkin edestä) stake your life on something

vaakasivu (tietok) landscape page

vaakasuora horizontal *vaakasuoraan* horizontally

vaakataso horizontal plane

vaakavieritys (tietok) horizontal scrolling

vaakaviiva horizontal line

vaaksa hand, span *Parempi virsta väärää kuin vaaksa vaaraa* Better safe than sorry

vaaksiainen crane-fly

vaaksiaishämähäkki daddy-long-legs-spider

vaakuna (coat of) arms, seal

vaalea 1 (iho) white, light(-colored), fair(-complexioned) 2 (tukka) blond, (nainen) blonde, fair(-haired)

vaaleahko blondish

vaaleaihoinen white, light(colored), fair(-complexioned)

vaaleanpunainen pink

vaaleatukkainen fair(-haired), blond, (nainen) blonde

vaaleaverikkö blonde

vaaleaverinen blond(e)

vaalentaa lighten, (hiukset) bleach

vaaleta lighten

vaali election (ks myös vaalit)

vaalia cherish, (hoivata) tend, take (tender) care of, care for (tenderly)

vaaliehdokas candidate (for elective office)

vaaliheimolainen like-minded person

vaalihuoneisto polling place

vaalijärjestelmä election process

vaalikampanja (election) campaign

vaalikausi term

vaalikelpoinen eligible

vaalikelpoisuus eligibility (for office)

vaalikelvoton ineligible

vaalilautakunta election committee/board

vaaliliitto (electoral) coalition

vaalilippu ballot

vaaliluettelo list of voters, electoral register

vaalilupaus election promise

vaalimainonta campaign advertising

vaalimainos campaign ad(vertisement), (TV:ssä) spot

vaaliohjelma platform

vaalioikeus right to vote, suffrage *naisten vaalioikeus* women's suffrage

vaalipaikka polling place

vaalipetos election fraud, rigged election

vaalipiiri electoral district

vaalipuhe election speech

vaalipäivä election day

vaaliruhtinas (hist) Elector

vaalisalaisuus secret ballot

vaalit election; (vaaliuurnat, äänestäminen) polls *yleiset vaalit* general election *menestyä vaaleissa* be successful at the polls

vaalitaistelu campaign battle

vaalitentti campaign debate

vaalitulos election return(s)

vaalitulospalvelu election coverage

vaaliuurna voting/ballot box, poll *käydä vaaliuurnilla* go to the polls

vaalivalvojaiset election coverage

vaalivoittaja the winner of the elections

vaalivoitto electoral victory

vaan 1 but; (but) rather, (but) on the contrary *Ei hän vaan minä* Not him, me; not him but me; (ylät) not he but rather I *ei ainoastaan...vaan myös* not only...but also *En ole vastahakoinen vaan innostunut* I'm not at all reluctant, on the contrary, I'm excited 2 (ark: vain) just, only; on, ahead *Se oon vaan mä* It's just me *Tuu vaan* Come on *Mee vaan* Go ahead

vaania lurk/skulk/sneak/slink (about), lie in ambush

vaappu plug

vaappua 1 (ankka, ihminen) waddle; (hoiperrella) stagger 2 (polkupyörä, tuoli tms) wobble 3 (juna, auto tms) jostle, bounce 4 (vene) rock 5 (kuv) waver, hover *vaappua kahden vaiheilla* waver between two possibilities, be torn *Voitto vaappui hiuskarvan varassa* Victory hung by a thread

vaara 1 (mäki) hill 2 danger, risk; (ylät) peril, hazard, jeopardy *saattaa joku vaaraan* endanger/imperil/jeopardize someone('s life) *antautua siihen vaaraan että* run the risk of (doing something)

vaarallinen dangerous, risky; (ylät) perilous, hazardous

vaarallisesti dangerously, perilously, hazardously

vaarallisuus danger(ousness), peril, hazard

vaarantaa endanger, risk, imperil, jeopardize, hazard, place/put (someone/something) in danger/peril, at hazard/risk

vaarantua be endangered/imperiled/jeopardized, be placed/put in danger/peril, at hazard/risk

vaaraton safe, innocuous, not dangerous

vaaravyöhyke danger zone

vaari 1 (isoisä) grandpa, gramps **2** *ottaa vaari(n)* (take) heed, take (someone) seriously, pay attention to (someone's warning)

vaarua list

vaasi vase

vaate garment, piece/article of clothing; (mon) clothes, clothing *Vaatteet tekevät miehen* Clothes make the man

vaate-esittely fashion show

vaateharja clothes brush

vaatehuone walk-in closet

vaatekaappi wardrobe, closet

vaatekappale garment, piece/article of clothing

vaatekauppa clothing store

vaatekerta outfit, (matkalla) change of clothes

vaatekoi clothes moth

vaatekomero wardrobe, closet

vaateliaisuus demanding nature, exactingness, discrimination, sophistication, fastidiousness, meticulousness (ks vaatelias)

vaatelias 1 demanding, exacting **2** (sofistikoitunut) sophisticated, discriminating **3** (turhantarkka) fastidious, meticulous, nitpicking; (ark) picky

vaatettaa clothe, (pukea) dress

vaatetus clothing

vaatetusala the clothing business, the garment industry *vaatetusalan liike* clothing store

vaatetusliike clothing store

vaatia 1 (tekemään) demand, insist, require, call for, ask *En voi vaatia sitä sinulta* I can't insist that you do it, (pakottaa) I can't require/force you to do it, (pyytää) I

couldn't possibly ask you to do that *Tämä tehtävä vaatii kärsivällisyyttä* This job requires/calls for patience **2** (itselleen) claim, demand *vaatia korvauksia* file a claim for damages *vaatia rahansa takaisin* demand your money back **3** (tarvita) need, take *Tuo kukka vaatii liikaa tilaa* That plant takes up too much room *Lapset vaativat paljon rakkautta* Children need plenty of love **4** *vaatia antautumaan* demand (that someone) surrender *vaatia tekijää esiin* call for the aurhor/composer (tms) *vaatia eroamaan* ask for (someone's) resignation *vaatia kaksintaisteluun* challenge (someone) to a duel **5** *vaatia ihmishenkiä* (onnettomuus tms) claim (human) lives

vaatia kuuliaisuutta demand obedience of, insist on obedience from, exact obedience from

vaatia liikaa demand too much, make exorbitant demands (on)

vaatia uhreja cause casualties, claim lives

vaatimalla vaatia (put your foot down and) insist

vaatimaton modest, humble *vaatimaton ihminen* modest/unassuming/unpretentious /humble person *vaatimaton talo* humble /lowly/shabby/ordinary house *vaatimaton maku* simple taste(s) *vaatimaton rooli* minor/bit part *Et saa olla turhan vaatimaton!* You shouldn't be so modest!

vaatimattomasti modestly, unassumingly, unpretentiously, humbly, simply (ks vaatimaton)

vaatimattomuus modesty, humility, simplicity

vaatimus 1 demand *täyttää jonkun vaatimukset* meet someone's demands, do what someone expects of you **2** (pääsy/tutkintovaatimus) requirement *täyttää vaatimukset* meet the requirements **3** (vaatimustaso) standard *täyttää vaatimukset* be up to standard, meet the standards **4** (vaade) claim *esittää vaatimus* file a claim, lay claim to

vaatimustaso standard(s)

vaativa demanding, exacting

vaatteet clothes

vaatturi tailor, haberdasher

vadelma raspberry

vaellus 1 travel, trek, wandering(s) **2** (eläinten, kansojen) migration **3** (pyhiinvaellus) pilgrimage (myös kuv)

vaellusromaani picaresque novel

vaeltaa 1 travel, trek, wander, roam, ramble *Hänen katseensa aina vaeltaa kun hänelle puhuu* His eyes always wander all over the place when you talk to him **2** (eläimet, kansat) migrate

vaeltaja wanderer, rambler; (partiossa) Explorer (Scout)

vagina vagina

vaha wax *olla kuin vahaa jonkun käsissä* be like wax/putty in someone's hands

vahakabinetti wax museum

vahakangas oilcloth

vahakenno honeycomb

vahakuva wax figure

vahakynä wax applicator

vahamaalaus wax painting

vahamainen waxy, (tieteessä) ceraceous

vahamuseo wax museum

vahanukke wax figure

vahas stencil

vahata wax

vahatulppa wax (ear)plug

vahdata watch, keep an eye on; (vartioida myös) guard *Mitä sinä minua vahtaat, hoida omat asiasi* What're you spying on me for, mind your own business

vahdinvaihto changing of the guard

vahingoittaa damage, injure, hurt, harm, wreck

vahingoittua be damaged/injured/hurt/harmed, suffer damage(s)/injury, come to harm

vahingoittumaton intact, unhurt, unharmed, unscathed; (ark) all in one piece

vahingollinen injurious, harmful, bad (for you)

vahingonilo pleasure in someone else's misfortune, malicious pleasure/delight

vahingonkorvaus damages, indemnity

vahingonkorvausvaatimus claim for damages

vahingonkorvausvelvollisuus liability for damages, indemnity liability

vahinko 1 (onnettomuus) accident, mishap, piece of misfortune *vahingossa* by accident, accidentally; (erehdyksessä) by mistake *Minulle tuli vahinko housuun* I had an accident in my pants **2** (vaurio) damage, harm, injury, impairment *Kyllä minä korvaan kaikki vahingot* I'll pay for all damages *Vahingosta viisastuu* Those who don't learn from their mistakes are condemned to repeat them; live and learn **3** (sääli) pity, shame *Vahinko ettet voi tulla* A pity/shame you can't come *Sepä vahinko!* That's too bad! What a (crying) shame!

vahinko ei tule kello kaulassa disaster strikes when you least expect it

vahti watch, guard *olla vahdissa* stand watch/guard, be on guard (duty)

vahtia watch, guard, protect, keep an eye on; (varrota) keep an eye out for

vahtikoira watch/guard dog

vahtimestari 1 (siivooja/korjaaja) janitor, custodian **2** (portieeri) doorman, porter

vahva strong (myös kiel), powerful, robust; (ark) tough *Kärsivällisyys ei ole vahvempia puoliani* Patience is not one of my strengths, my strong suits

vahvasti strongly *Epäilen vahvasti, ettei hän tule* I strongly suspect he isn't coming

vahvennus 1 (vahventuminen) strengthening *odottaa jään vahvennusta* wait till the ice is stronger/thicker **2** (vahventava lisäys) reinforcement *seinärakenteiden vahvennus* wall reinforcement *saada vahvennukseksi uusia pelaajia* get reinforcements **3** (lihavointi) bold(ing)

vahventaa strengthen, harden, fortify; (tukea) reinforce

vahventua get stronger(/better/thicker jne) *Joukkue on vahventunut viime kaudesta* The team's improved since last season

vahvero chanterelle

vahvike 1 reinforcement **2** (ark: paukku) fortifier, pick-me-up *kaataa kahviin vahvikkeeksi konjakkia* spike the coffee with brandy

vahvistaa 1 (vahventaa) strengthen, harden, fortify; (tukea) reinforce, build/shore/prop up **2** (tekn: ääntä) amplify **3** (todentaa, varmentaa) confirm, verify, corroborate, substantiate, validate; (laki) ratify

vahvistaa huhu confirm a rumor

vahvistaa kauppa close a deal

vahvistaa muistiaan refresh your memory

vahvistaa taitoaan impove your skill

vahvistamaton 1 (tieto) unconfirmed, unsubstantiated, unverified **2** (laki) unratified

vahvistin amplifier

vahvistua 1 (dollari) strengthen **2** (lihakset) get stronger, gain strength

vahvistus 1 fortification, reinforcement *jenkkivahvistus* American basketball player, Yankee reinforcement **2** (tiedon) confirmation, verification, corroboration, substantiation; (periaatteen) validation; (lain) ratification

vahvuinen 1 (ihmismäärä) -man, -person, strong *60:n vahvuinen kuoro* a 60-person choir, a choir 60 strong **2** (paksuus) -thick *metrin vahvuinen jää* meter-thick ice

vahvuus 1 (voimakkuus, ihmismäärä) strength **2** (paksuus) thickness **3** (linssin) power

vai or *En oikein tiedä, olenko tulossa vai menossa* I'm not quite sure whether I'm coming or going *Vai niin* Is that so, is that a fact, really *Vai sinäkin tulit* So you came too *Olin oikeassa vai mitä?* I was right, wasn't I?

vaientaa silence, gag, muzzle; (ark) shut someone up

vaientaminen silencing

vaieta 1 (lakata puhumasta) fall silent **2** (olla puhumatta) keep silent, say nothing, hold your tongue

vaihdanta exchange *mielipiteiden vaihdanta* exchange of opinions *tavaroiden vaihdanta* exchange of commodities

vaihdantatalous barter economy

vaihde 1 (muutos) change, (vaihdos) turn *vuosisadan vaihteessa* at the turn of the century *vaihteeksi, vaihteen vuoksi* for a change, (ark) for a switch **2** (rautatien, tietok) switch **3** (puhelinvaihde) switchboard

4 (auton, pyörän: laite) gear, (nopeus) speed *vaihtaa ykkösvaihde päälle* shift into low/first (gear) *Pyörässä on kymmenen vaihdetta* It's a tenspeed

vaihdekeppi (ark) stick

vaihdelaatikko transmission, (ark) tranny

vaihdella *tr* **1** (vaihtaa) change, keep changing **2** (muunnella) vary, (vuorotella) alternate *itr* **3** (muuttua) vary, fluctuate, shift *A: Miten lämmintä täällä on kesällä? B: Sehän vaihtelee* A: How warm is it here in the summer? B: It varies **4** (vuorotella) alternate, switch

vaihdepyörä 1 (polkupyörä) gearshift bicycle **2** (tekn) gearwheel

vaihdetanko gearshift, (ark) stick

vaihdevuodet menopause

vaihdin (CD-vaihdin) CD changer, (ilman) ventilator, (lämmön) heat exchanger

vaihdokas changeling

vaihdokki trade-in

vaihdos change

vaihduksissa interchanged *joutua vaihduksiin* be interchanged

vaihdunta (ilman) ventilation, replenishment; (työntekijöiden) turnover

vaihe 1 phase, period, stage; (mon) development, progress, history *seurata Don Quijoten värikkäitä vaiheita* follow the colorful adventures of Don Quixote *Wittgensteinin myöhempi vaihe* the later Wittgenstein, Wittgenstein's late(r) period **2** *olla kahden vaiheilla* be caught between two choices/alternatives, be torn

vaiheikas rich, eventful, checkered

vaiheittain in stages/phases *ottaa vaiheittain käyttöön* phase in

vaiheittainen gradual

vaihejännite phase voltage

vaihemittari phasemeter

vaihetyö production-line work *olla vaihetyössä* work on the (production) line

vaihetyöntekijä production-line worker

vaihtaa 1 change, switch, shift; (päinvastaiseksi) reverse *vaihtaa junaa* change trains *vaihtaa autoon akku* replace your car battery *Missä täällä voi vaihtaa rahaa?* Where can I change some money around here? *Voitko vaihtaa tämän kympin pienemmäksi?* Do you have change for a ten? *vaihtaa kantaansa* change your stance/opinion/position *vaihtaa vaatteita* change (your) clothes *vaihtaa vartio* change the guard (on duty) *vaihtaa öljyt* change the oil **2** (keskenään) exchange, switch, swap *Vaihdetaanko leipiä?* You wanna trade/swap sandwiches? *vaihtaa vanha autonsa uuteen* trade your old car in on a new one *Pitäisi vaihtaa nämä eurot dollareiksi* I need to exchange these euros for dollars

vaihtaa jalkaa change feet; (painoa) shift your weight from one foot to the other
vaihtaa karvaa shed its winter fur/coat
vaihtaa kylkeä turn over (onto the other side)
vaihtaa maisemaa get a change in scenery, move on to greener pastures
vaihtaa miekka auroon beat your swords into plowshares
vaihtaa nahkansa shed its skin
vaihtaa nimensä change your name
vaihtaa omistajaa change owners(hip)
vaihtaa paikka change places
vaihtaa pari sanaa exchange a few words
vaihtaa pienemmälle vaihteelle downshift
vaihtaa pois barter away
vaihtaa puolta change sides
vaihtaa rahaksi (sekki) cash a check; (omaisuus) realize your property
vaihtaa salkkuja switch briefcases
vaihtaa sormuksia exchange rings
vaihtaa vaihdetta change gears, shift
vaihtaa vauva kuiviin change the baby('s diaper)
vaihtaa viestiä (urh) pass the baton, make the change
vaihteisto transmission, (ark) tranny
vaihteleva varying, variable, changeable; (tal) fluctuating *vaihteleva pilvisyys* variable cloudiness *vaihtelevalla menestyksellä* with varying success
vaihtelevuus variety, variability
vaihtelu 1 (vaihteleminen) variation, (tal) fluctuation **2** (erilaisuus) variety, change
vaihtelu virkistää variety is the spice of life
vaihteluväli range

vaihto 1 change, ex/interchange *mielipiteiden vaihto* exchange/interchange of ideas **2** (junan tms) change, (bussin) transfer **3** (tavaran) barter, trade **4** (liikevaihto) trade, sales, volume, turnover **5** (pelaajan) substitution
vaihtoarvo exchange value, (käytetyn) trade-in value
vaihtoauto used car
vaihtoehto alternative
vaihtoehtoinen alternative
vaihtoehtoliike alternative movement
vaihtojännite alternating/A.C. voltage
vaihtokauppa trade, barter, (ark) swap *Tehdäänkö vaihtokaupat?* You wanna trade /swap?
vaihtokelpoinen interchangeable, compatible
vaihtokurssi exchange rate
vaihtolöyönti (lähin vastine) sacrifice
vaihtolämpöinen cold-blooded
vaihtomies (urh) substitute
vaihtonäppäimen lukitsin shift lock
vaihtonäppäin shift key
vaihto-objektiivi interchangeable lens
vaihto-oikeus right of exchange
vaihto-omaisuus floating assets, inventory
vaihto-oppilas exchange student
vaihtopelaaja substitute
vaihtoraha change
vaihtotalous barter economy
vaihtotase balance of (current) payments
vaihtotavara barter(able) good(s)
vaihtovaatteet a change of clothes/clothing
vaihtovelkakirja convertible debenture
vaihtovelkakirjalaina convertible debenture loan
vaihtovirta alternating current, A.C.
vaihtovirtavastus impedance
vaihtoväline medium of exchange
vaihtua change, turn; (päinvastaiseksi) reverse *Nyt meidän osamme ovat vaihtuneet* Now the shoe's on the other foot, the tables are turned *Ei aikaakaan ennen kuin vuosituhat vaihtuu* It won't be long before we're into a new millennium *Salkkumme vaihtuivat vahingossa* We got our briefcases mixed up by accident, our briefcases accidentally got switched

vaihtuva korko variable interest (rate)

vaihtuvakorkoinen laina variable-interest loan/mortgage

vaihtuvuus (työntekijöiden tms) turnover

vaikea 1 difficult, hard; (ark) tough *vaikea tilanne* a difficult/awkward/embarrassing situation *vaikea valinta* a difficult/tough choice/decision *Minun on aika vaikea mennä sanomaan hänelle että* It's pretty difficult/hard/tough for me to go and tell her to *Älä viitsi olla vaikea* Stop being difficult *Sinua on niin vaikea miellyttää* You're so hard to please **2** (vakava) serious *vaikea sairaus/vamma* a serious illness/injury

vaikeakulkuinen rough, difficult

vaikealukuinen hard to read

vaikeaselkoinen difficult/hard to understand *Se on aika vaikeaselkoinen kirja* It's a hard/difficult read, it's pretty tough sledding

vaikeasti *vaikeasti luettava* difficult/hard to read, (huonon käsialan vuoksi) almost illegible **2** *vaikeasti sairas* seriously ill

vaikeatajuinen difficult/hard to read (ks myös vaikeaselkoinen)

vaikeatöinen hard to use

vaikeavammainen *s* seriously disabled person *adj* seriously disabled

vaikeneminen silence

vaikeneminen on kultaa silence is golden

vaikeneminen on myöntymisen merkki silence means consent

vaikeroida 1 (voihkia) groan, moan **2** (voivotella) bemoan, bewail

vaikerointi groaning, (be)moaning, bewailing

vaikerrella moan and groan, bewail, lament

vaikertaa moan, groan

vaikeus difficulty, (mon) trouble *olla vaikeuksissa* be in (big) trouble *Siinä se vaikeus onkin* That's the problem *Pukeutuminen tuotti suuria vaikeuksia* Dressing herself was almost too much for her

vaikeusaste degree of difficulty

vaikeusjärjestys order of difficulty

vaikeuttaa make (something more) difficult, impede, hinder, hamper; (pahentaa) aggravate; (mutkistaa) complicate

vaikeutua become (more) difficult; (pahentua) be aggravated; (mutkistua) get complicated

vaikka 1 (vaikka on) (al)though, even though *Kyllä sinun täytyy mennä vaikka oletkin sairaana* You've got to go, even though you're sick; I don't care how sick you are, you still have to go **2** (vaikka olisi) even if *Kyllä sinun täytyisi mennä vaikka olisit itse Ukko Jumala* You'd have to go even if you were God in Heaven **3** (joskin) (even) though/if *Hän näytti paremmalta vaikka vieläkin vähän kalpealta* She looked better, though still a little pale **4** (jos) if *En ihmettelisi vaikka ei tulisi ollenkaan* I wouldn't be a bit surprised if you decided not to come at all **5** (esimerkiksi) say *Mennään vaikka elokuviin* Why don't we go, say, to the movies **6** (jos haluat) if you like *Saat vaikka koko satsin* You can have the whole lot if you want *Lähdetään vaikka heti* I'm ready to go right now (if you're in such a hurry) **7** (tahansa) *any vaikka kuka* anybody/-one, no matter who *Älä sano että minä olen täällä, vaikka kuka soittaisi* No matter who calls, say I'm not here (ks myös hakusanat)

vaikka kuinka no matter how *Vaikka kuinka yritin en voinut* I couldn't do it, no matter how I tried *Hän väänteleheti vaikka kuinka* She contorted herself every which way, I couldn't believe how she twisted her body *Olen sanonut sulle vaikka kuinka monta kertaa* If I've told you once I've told you a million times; how many times do I have to tell you? *Siellä oli vaikka kuinka paljon väkeä* There were crowds of people, the place was crawling with people

vaikka millä mitalla loads, tons *väkeä vaikka millä mitalla* thousands/tons of people

vaikka missä anywhere, no matter where *Olen hakenut sitä vaikka mistä* I've been looking for it everywhere

vaikka mitä anything *Hän tekisi vaikka mitä päästäkseen eteenpäin* He would do anything to get ahead *Hän huusi ja kiroili ja teki vaikka mitä* She screamed and swore and did I don't know what all else

vaikka muille jakaa way too much/many *Minulla on paperia vaikka muille jakaa* I've got more paper than I know what to do with

vaikku (ear)wax

vaikute influence *saada vaikutteita jostakusta* be influenced by someone

vaikutelma impression, feeling, sense *saada se vaikutelma että* get the impression that, be under the impression that, have a feeling/sense/hunch that, gather that

vaikutin motive

vaikuttaa 1 (johonkuhun, johonkin) influence, affect, have an effect on *Se vaikutti minuun voimakkaasti* It affected/moved /influenced me powerfully, it had a powerful effect/influence on me *Älä anna sen vaikuttaa sinuun* Don't let it influence /sway/persuade you, don't let it have an effect on your decision **2** (joltakin) seem, look, appear *Se vaikuttaa minusta hyvältä* It looks good to me *Siltä vaikuttaa* So it seems **3** (toimia) work *Missä hän vaikuttaa nykyään?* Where's he working now adays?

vaikuttaja 1 (ihminen) influential person, trend-setter, opinion leader; (ark) mover and shaker *Siellä olivat kaikki kaupungin vaikuttajat* All the political movers and shakers in town were there **2** (geol) agent, (fysiol) effector

vaikuttava 1 impressive **2** (kem) active

vaikutteinen 1 (vaikutteita saanut) showing the influence of *slaavilaisvaikutteinen* showing a Slavic influence **2** (kem) -acting

vaikutus 1 influence, effect, impact *TV:n vaikutus nuoriin* the influence/effect/impact of TV on adolescents **2** (vaikutelma) impression *vaikutuksille altis* impressionable *Hän teki vähän kylmän vaikutuksen* He struck me as being a little cold *Se teki minuun suuren vaikutuksen* I was really impressed by it **3** (kem) action

vaikutusaika duration of action

vaikutuspiiri sphere of influence

vaikutusvalta influence, authority, clout

vaikutusvaltainen influential, powerful

vaikutusvoima 1 (ihmisen) influence **2** (myrskyn tms) power, (myrkyn tms) potency

vailla 1 (ilman) without, un-, -less *suojaa vailla* defenseless, without protection, unprotected *olla jotakin vailla* lack/want (for something), need (something) *Olin viittä vaille rakastunut häneen kun hän lähti* I was on the verge of falling in love with him when he took off **2** (ennen) till, to *viittä vaille* (kymmenen) five to/till (ten)

vaillinki deficit

vaillinnainen 1 (epätäydellinen) imperfect, incomplete, deficient, defective **2** (osittainen) partial

vaimea 1 (ääni) faint, soft, subdued **2** (tunnelma) subdued, lukewarm; (vastaanotto) indifferent

vaimennin 1 (trumpetin tms) mute, (rummun) muffler, (pianon) damper **2** (äänenvaimennin: auton) muffler, (pistoolin) silencer **3** (iskunvaimennin: auton) shock absorber, (ark) shock; (tekn) shock compressor/reducer

vaimennus damping, attenuation

vaimennuspainike (nauhurissa) record mute

vaimentaa 1 (liikettä) damp(en) (myös kuv), lessen, reduce; (pehmentää) cushion, soften, deaden, absorb *vaimentaa jonkun intoa* put a damper/curb/check on someone's enthusiasm **2** (ääntä) muffle, mute, absorb

vaimeta 1 (ääni) fade/die out/away, grow faint(er) **2** (myrsky: into) subside, die down **3** (värähtely) damp out

vaimo 1 wife, (sl) the old lady **2** (raam: nainen) woman

vain 1 just, only; (ylät) merely, solely, purely *Haluan vain tietää* I just/only/merely want to know *Vain me kaksi tiedetään tästä* We're the only two who know about this, just you and I know about this, nobody but you and me know about this *Älä vain pudota sitä* Just don't drop it, whatever you do don't drop it *Tule niin pian kuin vain voit* Come just as soon as you can **2** (kunpa vain) if only *Tietäisit vain mitä kaikkea täällä tapahtuu* If only you knew what all goes on around here *Kunhan vain*

vainaa

pidät mielessäsi että Just as/so long as you
bear in mind that **3** *Eihän se vain ole
tulossa tänne?* He's not coming here, is
he? Please let him not be coming here!
Ettei sille ole vain sattunut mitään? I hope
she's all right, I wonder if something's hap-
pened to her **4** *Tulkoon vain!* Let her
come! I don't give a damn if she does come
Menköön vain Let him go (for all I care);
goodbye to him and good riddance **5** (ta-
hansa) any *Mitä vain haluat* Anything you
like *Sanoit mitä vain* No matter what you
say, whatever you say

vainaa dead *Sä oot kuule vainaa* You're dead
meat

vainaja dead person; (euf) the departed;
(yhdyssanassa) the late; (lak) the
deceased/decedent *miesvainajani* my late
husband

vainajainpalvonta worship of the dead

vainio field

vain minun kuolleen ruumiini yli over my
dead body

vaino persecution, harassment, oppression

vainoharha paranoia, persecution complex

vainoharhainen *s* paranoiac *adj* paranoid

vainooja persecutor, oppressor, tormentor

vainota 1 persecute, harass, oppress, torment
2 (kuv) haunt, dog, pursue

vainu 1 (haju) scent **2** (hajuaisti) nose *Vai-
nuni sanoo että tulee myrsky* A storm is
coming, I can feel/smell it; my bunion says
we're in for bad weather

vainukoira bloodhound

vainuta scent, nose out

vaippa 1 (vauvan) diaper *vaihtaa kuivat vai-
pat* change a baby **2** (viitta) cloak, cape,
mantle **3** (geol, nilviäisen) mantle **4** (put-
ken, tankin, luodin) jacket; (konekiväärin)
casing; (kaapelin) sheath(ing) **5** (lieriön)
surface **6** (liekin) inner cone, middle
/reducing zone **7** (lumivaippa) blanket,
(usvavaippa) shroud *verhoutua salaperäi-
syyden vaippaan* be shrouded in mystery

vaippaeläimet simple chordates

vaipua 1 (fyysisesti) drop, fall, sink *vaipua
polvilleen* drop/fall/sink to your knees
2 (moraalisesti) fall, sink *vaipua niin*

alas että stoop so low as to **3** (henkisesti)
get engrossed/absorbed (in something);
(ark) get wrapped up (in something)

vaipua epätoivoon fall into despair

vaipua hypnoosiin fall into a hypnotic trance

vaipua jonkun jalkoihin prostrate yourself
before someone, fall at someone's feet

vaipua uneen fall asleep, drift off to sleep

vaipua unelmiinsa daydream, let your atten-
tion wander

vaipua unhoon be forgotten, sink into the
waters of Lethe

vaisto 1 (psyk, biol) instinct **2** (taju) sense,
intuition, hunch *Mitä sinun vaistosi
sanoo?* How does it feel to you?

vaistomainen instinctive

vaistomaisesti instinctively

vaistonomainen instinctive, instinctual

vaistonvarainen instinctive, instinctual

vaistota sense, know instinctively/intui-
tively; (vainuta) scent

vaisu 1 (ääni) faint, soft, quiet **2** (valo) dim,
faint **3** (muisto) faint, faded **4** (ilo) faint,
weak, limp, listless, lifeless **5** (ilme) life-
less, blank **6** (toiminta) lifeless, spiritless,
half-hearted

vaisusti faintly, lifelessly

vaitelias 1 (ei puhelias) quiet, reticent, taci-
turn, close-lipped, silent **2** (vaiti) silent,
mum

vaiti silent, quiet, mum *Ole vaiti!* Be still
/quiet! Silence! Shut up!

vaitiolo silence

vaitiololupaus vow of silence

vaitiolovelvollisuus professional confidenti-
ality

vaiva 1 (hankaluus) trouble, bother, incon-
venience, annoyance, irritation *En halua
olla vaivaksi* I don't want to bother/incon-
venience/disturb you *nähdä vaivaa* go to a
lot of trouble, take great pains, put your-
self out, go out of your way (to do some-
thing) *Se ei maksa vaivaa* It's not worth it,
not worth the trouble/effort *etsiä jotakin
vaivojaan säästelemättä* leave no stone
unturned in your search for something *Se
on kuule turha vaiva* It's no use/good,
there's no point, it's useless/pointless

2 (tauti tms) trouble, ailment, complaint; (särky) ache, pain *Hänellä on kaikenlaisia vaivoja* She has all sorts of things wrong with her, all kinds of aches and pains

vaivaantua 1 (rasittua) get strained **2** (nolostua) get embarrassed **3** (kiusaantua) get (sic and) tired (of something)

vaivaantunut ill at ease, uneasy, feeling awkward/embarrassed

vaivainen *s* pauper, indigent, down-and-outer, charity case *adj* **1** (sairas) sick, infirm, ailing; (murt) poorly **2** (köyhä) poor, poverty-stricken; (ark) down and out **3** (raajarikko) crippled, disabled **4** (mitätön) measly, paltry, ridiculous, (ark) lousy *vaivaiset viisi euroa* a lousy five euros

vaivaisesti poorly

vaivaishiiri harvest mouse

vaivaiskoivu dwarf birch

vaivaispaju dwarf willow

vaivaispalmu dwarf fan palm

vaivaispäästäinen pygmy shrew

vaivalla hankittu hard-earned

vaivalloinen difficult, trying, troublesome, toilsome

vaivalloisesti with (great) difficulty

vaivannäkö pains, efforts, trouble

vaivata 1 (ihmistä) trouble, bother, inconvenience, annoy, irritate, disturb, pester *Mikä sinua vaivaa?* (mieltä) What's troubling/bothering/disturbing/eating you? (ruumista) What's wrong with you? What's the matter with you? (käytöstä) What's wrong with you? What's gotten into you? *vaivata kysymyksillä* bother /annoy/irritate/pester someone with questions **2** (taikinaa) knead

vaivaton easy, effortless, painless

vaivattomasti easily, effortlessly, painlessly

vaivautua bother, take the time (to do something), go to the trouble (to do something) *Älä suotta vaivaudu* Don't bother, don't go to all that trouble

vaivihkaa secretly, in secret, covertly, furtively, stealthily, on the sly

vaivihkainen covert, furtive, stealthy

vaivoin barely, hardly

vaivuttaa 1 (uneen) luull (someone) to sleep **2** (maahan) knowck (someone) down, deck (someone)

vaja shed

vajaa 1 (mitta) short, (ark) shy; (mon) less than *Se on pikkuisen vajaa* It's a little short/shy *vajaat kymmenen kiloa* just under ten kilos **2** (miehitys tms) short-handed

vajaakehittynyt underdeveloped

vajaamielinen *s* mentally retarded/handicapped person *adj* mentally retarded/handicapped

vajaamittainen undersized

vajaatoiminta insufficiency

vajaatyöllistetty underemployed

vajanainen 1 ks vajaa **2** (epätäydellinen) deficient, insufficient

vajaus 1 (vaje) deficit **2** (puute: vitamiinin tms) deficiency, (ruoan tms) shortage

vajavainen 1 (epätäydellinen) incomplete, imperfect **2** (puutteellinen) deficient, defective **3** (riittämätön) insufficient, inadequate

vajavaisesti incompletely, imperfectly, defectively, insufficiently, inadequately (ks vajavainen)

vajavaisuus incompleteness, imperfection, deficiency, defect, insufficiency, inadequacy (ks vajavainen)

vaje deficit

vajentaa lower *vajentaa kolikkoa* clip a coin *vajentaa kuormaa* lighten a load

vajeta (pino) dwindle, (taso) drop

vajoama depression, hollow

vajota 1 (fyysisesti) sink (in); (rakennelma) settle, subside **2** (moraalisesti) sink, stoop, lower yourself; (ylät) descend; (ark) go to the dogs, go to pot, go from bad to worse *Olisiko hän voinut vajota niin alas?* Could he have stooped so low? **3** (henkisesti) sink, give in to *vajota epätoivoon* give in to despair, give up all hope

vajottaa 1 (ihminen) sink, lower, bury, put down **2** (lumi, kura tms) not hold you up, be boggy; (ark) be squishy/gooshy/mushy *Tämä lumihan vajottaa* I'm sinking into this snow

vakaa 1 (esine) steady, solid, firm, sturdy, stable **2** (ihminen: luotettava) stable, steady, reliable; (vakava) serious, earnest, stolid

vakaannuttaa 1 stabilize, steady, firm up **2** (rahanarvo) (vakiinnuttaa) set/fix up, put on a solid /firm footing, put on a regular basis, regularize, settle

vakaantua stabilize, settle down

vakaantumaton unstable, unsettled, up in the air

vakaasti steadily, solidly, firmly, sturdily, stably, reliably, seriously, earnestly, stolidly (ks vakaa)

vakain stabilizer

vakanssi 1 (avoin toimi) vacant post/position, vacancy **2** (toimi) post, position

vakaumuksellinen devoted, dedicated

vakaumus conviction, strong/firm belief *olla uskollinen vakaumukselleen* have the courage of your convictions, practice what you preach

vakaus 1 (se että jokin on vakaa) stability **2** (mittausväline) inspection (of weights and measures)

vakaustoimisto Bureau of Standards, (UK) Office of Weights and Measures

vakauttaa 1 (taloutta, auton/lentokoneen kulkua tms) stabilize **2** (velka) consolidate

vakava serious *vakava tilanne* serious/grave /critical situation *vakava ihminen* serious /earnest/stolid person *pysyä vakavana* keep a straight face *vakavissaan* ks hakusana

vakavamielinen serious, sober-minded, stolid

vakavanlaatuinen serious, critical

vakavarainen solid, (financially) sound, stable, well-established, respectable

vakavaraisuus respectability, financial soundness, solvency

vakavasanainen serious(ly worded)

vakavasti seriously, earnestly; (sairas) critically, gravely

vakavissaan serious, in earnest *Puhutko vakavissasi?* Are you serious? Do you mean that? *vain puolittain vakavissaan* only half-serious *En sanonut sitä vakavis-*

sani I didn't really mean it, I was only joking/kidding

vakavoitua sober, get/turn serious

vakavuus 1 seriousness, gravity **2** (vakaus) stability

vakiinnuttaa 1 set/fix up, put on a solid/firm footing, put on a regular basis, regularize, settle **2** (vakaannuttaa) stabilize, steady, firm up

vakiintua 1 (käytäntö tms) be settled/established, (vakaantua) stabilize **2** (ihminen) settle down

vakiintumaton unsettled, unstable

vakiintunut established

vakinainen permanent *vakinainen virka* permanent position, (yliopistossa) tenured post *vakinainen armeija* standing army

vakinaisesti permanently

vakinaistaa make (something) permanent *vakinaistaa virka* establish a permanent post/position; (lähin vastine) decide to hire at the tenure-track level

vakinaistua 1 (virka) be made permanent **2** (viranhaltija) receive a permanent appointment, (opettaja) get tenure(d)

vakio constant *pysyä vakiona* remain stable/ constant, not change/vary

vakioida standardize

vakioitua be standardized

vakituinen regular, steady *kulkea vakituisesti jonkun kanssa* go steady with someone

vakka (kori) basket, (hist ja mitta) bushel *Vakka kantensa valitsee* Like attracts like

vako (auralla tehty) furrow, (tien pinnassa) rut, (tekn) groove

vakoilija spy, (intelligence) agent

vakoilla spy (on), do intelligence/espionage work

vakoilu spying, espionage, intelligence

vakoiluskandaali spy/espionage scandal

vakosametti corduroy

vakuumi vacuum package

vakuus collateral, security; (pantti) pledge; (vahvistus) witness *varmemman vakuudeksi* just in case, to be on the safe side

vakuutettu *s* the insured *adj* insured, covered/ protected by insurance

vakuuttaa 1 (vakuutella) insist, declare, affirm, assert, assure (someone of something); (vastalauseeksi) protest *Vakuutan että puhun totta* I assure/tell/promise you that I'm telling the truth **2** (saada vakuuttuneeksi) convince, persuade, satisfy, win (someone) over **3** (ostaa vakuutus) insure, take out (an) insurance (policy)

vakuuttamaton uninsured

vakuuttautua make sure (of something)

vakuuttua be convinced/persuaded/satisfied, convince/satisfy/assure yourself (of something) *Hän ei saanut minua vakuuttuneeksi* I didn't find his assurances convincing, I wasn't convinced by his protests

vakuutus 1 (vakuuttelu) insistence, declaration, affirmation, assertion, assurance, protest **2** (talon, auton tms) insurance (policy)

vakuutusasiamies insurance agent

vakuutusliike insurance company, insurer

vakuutusmaksu (insurance) premium

vakuutusyhtiö insurance company

vala oath *vannoa vala* take/swear an oath, (ark) swear *ottaa joltakulta vala* administer an oath to someone, swear someone in; (oikeussalissa) put someone under oath *väärä vala* perjury *vannoa väärä vala* perjure yourself, commit perjury

valaa 1 cast, (muottiin) mold *valaa betonia* lay concrete *valaa kynttilöitä* dip candles *sopia kuin valettu* fit like a glove *samaan muottiin valettu* cut out of the same cloth **2** (kuv) instill/infuse (some life into something), imbue (something with life), inspire (some life in someone), impart (some life to something)

valaa kannuja (kuv) put your foot in your mouth

valaanpyynti whaling

valaa öljyä tuleen throw/cast oil on the fire

valahtaa 1 (läiskähtää) spill **2** (pudota) drop, fall, slip **3** *valahtaa kalpeaksi* go white (as a sheet/ghost)

valaiseva illuminating (myös kuv:) instructive, illustrative

valaisin lamp, light

valaista 1 light (up), illuminate **2** (selventää) illuminate, elucidate, illustrate, shed (some) light on (something); (valistaa) enlighten

valaistus light(ing), illumination

valaliitto confederacy, confederation; (raam) covenant

valallinen sworn, (something) said/made under oath

valamiehistö jury

valamies juror

valamiesoikeus jury court

valantehnyt kielenkääntäjä sworn translator

valas whale

valehdella lie *valehdella vasten kasvoja* tell a barefaced lie *valehdella niin että korvat heiluvat* tell a whopper, lie through your teeth *Valehtelet!* You're a dirty liar! You're lying! That's a lie!

valehtelija liar

valehtelu lying

valehurskaus false/sham piety, hypocrisy

valeisku feint, fake

valekuva virtual image

valelaite dummy

valelause dummy statement

valella pour (something on something) *valella paistia* baste a roast

valenimi false name

valeoikeudenkäynti mock trial

valeovi false/blind door

valepohja false/fake bottom

valepuku disguise *pukeutua valepukuun* disguise yourself (as someone) *valepuvussa* in disguise

valepukuinen disguised, in disguise, dressed up (as something)

valeraaja phantom limb

valeraskaus false pregnancy

valeriaana valerian

valeruumis phantom body

Wales Wales

walesilainen *s, adj* Welsh

valesopimus sham contract

valetaistelu mock battle/fight

valetodistus sophistry

valevirus (tietok) hoax virus

valhe lie, falsehood, untruth *emävalhe* whopper, a big fat (dirty) lie *pelkkää valhetta* a pack of lies *valkoinen valhe* white lie

valheellinen false, untrue, untruthful; (harhaanjohtava) misleading

valheellisesti falsely, untruthfully

valheellisuus falsehood, falsity

validi valid

validiteetti validity

validius validity

valikko (tietok) menu

valikkopohjainen (tietok) menu-driven

valikkotoiminen (tietok) menu-driven

valikoida select, (pick and) choose; (karsia) screen

valikoima 1 (valinnanvara) choice, range, selection **2** (valitut palat) selection, collection; (antologia) anthology

valikoitu select, exclusive

valikoiva discriminating; (liian tarkka) picky

valimo foundry

valinkauha (casting) ladle *joutua valinkauhaan* (kuv) be thrown into the crucible

valinnainen optional, elective

valinnainen aine elective, option

valinnaisvaruste (optional) accessory, option

valinnan vapaus freedom of choice

valinnan vara choice, range, selection

valinta 1 choice, choosing, selection *luonnollinen valinta* natural selection *presidentin valinta* presidential election **2** (urh) trial (heat)

valintainen (tietok) dial-up

valintamyymälä store; (pieni) convenience store; (iso) supermarket

valintaverkko (tietok) dial-up network

valintaääni dialtone

valiojoukko the elite, the select few, the cream (of the crop)

valiokunta committee

valistaa enlighten, inform; (sivistää) educate, edify

valistunut enlightened, (well-)educated /informed; (suvaitsevainen) tolerant, liberal

valistus enlightenment, education *sukupuolivalistus* sex education *valistuksen aika* the Enlightenment

valistusaate 1 (valistamisen) the cause of education, educational ideal **2** (valistusajan) Enlightenment ideal; (mon) Enlightenment ideology/thought

valistusaika the Enlightenment

valita 1 choose, pick, select **2** (vaaleissa) elect **3** (puhelinnumero: pyörittää) dial, (näppäillä) punch **4** (radioasema) tune in (to)

valitella 1 (voihkia) moan, groan **2** (valittaa) complain (about) **3** (pyydellä anteeksi) apologize (for)

valitettava unfortunate, deplorable, regrettable

valitettavasti unfortunately

valitsija selector; (äänestäjä) voter

valitsijamies elector, member of the Electoral College

valitsijamiesvaalit Electoral College vote

valitsin selector, (pyöreä) dial

valittaa 1 (voihkia) moan, groan **2** (purnata) complain/grouse/gripe (about); (inistä) whine (about) **3** (vedota korkeampaan instanssiin) appeal **4** (pyytää anteeksi) apologize (for), make your apologies, be sorry, say you're sorry; (ylät) deplore, regret

valittaja complainer, whiner, moaner and groaner; (lak) appellant

valittelu 1 (vaivojen) complaining, whinig; (ark) bitching and moaning **2** (surun) commiseration, expression of sympathy

valittu select, elect *valitut kohdat maailmankirjallisuudesta* selections from world literature *Valitut Palat* Reader's Digest *valittu joukko* select group *valittu kansa* the chosen people *Jumalan valitut* the Elect *vastavalittu presidentti* the President-elect

valitus 1 (voihkinta) moan, groan **2** (purnaus) complaint, gripe; (ininä) whine **3** (vetoomus korkeampaan instanssiin) appeal *tehdä päätöksestä valitus* appeal a decision **4** (anteeksipyyntö) apology; (ylät) regret

valitusaika appeal period

valitusmenettely appeal procedure

valitusoikeus right to appeal

valituspersute grounds for an appeal

valitusvirsi lament(ation)

valjaat harness *valjaissa* (hevonen) harnessed; (kuv) in harness

valjastaa harness (myös kuv), (ikeeseen) yoke (myös kuv)

valjeta 1 (muuttua valkoisemmaksi) whiten, bleach **2** (muuttua kirkkaammaksi: pilvinen taivas, asia) clear up; (öinen taivas, asia) dawn *Nyt minulle alkaa viimeinkin valjeta* Now things are starting to clear up, I'm finally starting to see my way clear, now it finally dawned on me (what's going on)

valju 1 (kasvot) wan, pallid, pale **2** (muisto tms) dim, faded

valkaista 1 (kangasta) bleach **2** (salaattia tms) blanch **3** (seinä tms) whitewash (myös kuv)

valkaisu bleaching, blanching, whitewashing

valkaisuaine bleach

valkama 1 boatdock **2** (run: satama) haven

valkata choose, pick

valkea *s* **1** fire **2** (šakissa) white *adj* white

valkea kääpiö (tähti) white dwarf

valkeus white(ness); (usk) light *Tulkoon valkeus* Let there be light

valkohai great white shark

valkohehku white heat

valkohehkuinen white-hot, incandescent

valkohäntäpeura white-tailed deer

valkoihoinen *s, adj* white

valkoinen *s, adj* white *valkoisille vaarallinen kaupunginosa* a dangerous part of town for whites *Valkoinen talo* the White House

Valkoinen kirja (tiettyä politiikkakokonaisuutta selostava EU:n asiakirja) the White Book

valkoisenaan white (with snow/petals tms)

valkokaali white cabbage

valkokaarti the White Guard

valkokaartilainen member of the White Guard

valkokangas projection screen, screen

valkokastike white sauce, (maitokastike) béchamel sauce

valkokaulusrikollinen white-collar criminal

valkokaulusrikollisuus white-collar crime

valkokaulustyöntekijä white-collar worker

valkokulta platinum

valkolainen whitey, honky

valkolakki student's (white) cap

valkonaama paleface

valkopesu hot-water cycle *kestää valkopesun* can be washed in hot water

valkopippuri white pepper

valkopyykki whites

valkosipuli garlic *valkosipulin kynsi* clove of garlic

valkosipulisuola garlic salt

valkosolu white (blood) cell/corpuscle

valkotasapaino (videokuvauksessa) white balance

valkotukkainen white-haired

valkoturska whiting

Valko-Venäjä Byelorussia

valkovenäläinen Byelorussian

valkoviini white wine

valkoviklo (lintu) greenshank

valkovuokko wood anemone

valkovuoto leukorrhea, (ark) white discharge

valkuainen (egg)white, albumen

valkuaisaine protein

vallan quite; (ark) pretty darn *vallan hyvä tähän tarkoitukseen* pretty darn good for this

vallanhimo power-hunger, lust for power

vallanhiminen power-hungry

vallankaappaus coup (d'état), (mon) coups (d'état), putsch

vallankaappausyritys attempted coup (d'état)

vallankahva the reins of power *pitää kiinni vallankahvasta* hold the reins of power, snatch the reins of power

vallankin especially, particularly

vallankumouksellinen revolutionary

vallankumous revolution

vallankäyttö exercise of power

vallanperijä heir (to the throne), successor

vallanperimyssota war of succession

vallanpitäjä ruler, (mon) the powers that be

vallantavoittelija aspirant to power

vallantavoittelu aspiration(s) to power

vallassa in power *olla vallassa* be in power, hold sway/dominion *pitää vallassaan* hold (someone) in your power *Ei ole minun*

Vallat
546

vallassani myöntää sitä It is not in my power to grant you that *himojensa vallassa* (hyvä) in the throes of passion, (paha) overpowered by lust *levottomuuden vallassa* unable to sit still, consumed by anxiety/restlessness *rikkaruohojen vallassa* overgrown with weeds

Vallat (USA) the States *Valloissa* in the States

vallata 1 seize, capture, occupy, take (over) *vallata alaa* gain ground, advance *vallata hallintorakennus* occupy the administration building **2** (asuttamaton maa-alue tms) claim, stake a claim for; (suoalue, meri) reclaim **3** *Minut valtasi silmitön pelko* I panicked, I was suddenly filled with irrational fear *Minut valtasi lohduton suru* I was wracked/overcome with inconsolable grief

vallaton wild, unruly

vallattomuus wildness, unruliness

vallesmanni sheriff, marshall

valli 1 (maavalli) (em)bank(ment); (sot) bulwark, rampart **2** (biljardipöydän) cushion

vallihauta moat

vallita 1 (olla vallalla) prevail, predominate *vallitsevissa olosuhteissa* under prevailing circumstances **2** (hallita) dominate, administer

vallittaa (fortify with a) rampart

valloillaan loose, free *päästää mielikuvituksensa valloilleen* give free rein to your imagination, let your imagination run wild

valloittaa 1 (maa) conquer, take **2** (yleisö tms) captivate, mesmerize, enrapture, win over

valloittaja conqueror *Vilhelm Valloittaja* William the Conqueror

valloittamaton impregnable

valloitus conquest (myös kuv)

valloitusretki expedition of conquest

valmennus training, coaching, preparation

valmennuskurssi prep(aratory) course

valmennusleiri training camp

valmennusohjelma training program

valmentaa train, coach, prepare

valmentaja trainer, coach

valmiiksi finished, (tehty) pre- *tehdä valmiiksi* finish, (ark) wrap up *valmiiksi pakattu* prepack(ag)ed *valmiiksi äänitetty* prerecorded *valmiiksi naurettu* (jos nauru tulee ääninauhalta) with canned laughter, with a laugh track, (studioyleisön naurua sisältävä) recorded live before a studio audience *valmiiksi pureskeltu* predigested

valmis 1 (ihminen: johonkin) ready, prepared; (halukas) willing *Täytyy olla valmis mihin tahansa* You have to be ready/prepared for anything *Oletko valmis?* Are you ready? Are you all set? *Valmiina, paikoillenne, nyt!* Take/on your marks, get set, go! (ark) ready, set, go! **2** (ihminen: koulusta) graduated, finished *Milloin sinä olet valmis?* When are you going to graduate? When are you getting out of here? **3** (toiminta tms) finished, completed, done *Eikö se sanakirja ole ikinä valmis?* Aren't you ever going to get that dictionary finished?

valmismatka package tour

valmispuku off-the-rack suit

valmistaa make, prepare *valmistaa ruoka* make/fix/cook/prepare dinner *valmistaa puhe* write/prepare a speech *valmistamaton puhe* extempore/impromptu/off-the-cuff speech *valmistaa pumppuja* make/manufacture/produce pumps *Häntä täytyy valmistaa siihen* You've got to build/lead up to it, prepare her for it

valmistaja manufacturer, maker

valmistalo prefab(ricated) house

valmistautua get ready (for something), prepare (yourself for something) *valmistautua tenttiin* study/cram for an exam *valmistautua henkisesti johonkin* get yourself psyched up for something

valmistautumaton unprepared

valmistautuminen preparation

valmiste 1 (teollisuusvalmiste) product; (mon) (manufactured) goods **2** (kem, anat) preparation

valmisteinen -made, of (a certain) make *suomalaisvalmisteinen* Finnish-made, made in Finland, of Finnish make

valmistelematon unprepared

valmistella prepare; (järjestellä) arrange, set up; (luonnostella) draft

valmisteltu prepared, arranged

valmistelu preparation(s), arrangement(s)

valmistua 1 (talo tms) be finished/completed /done **2** (opiskelija) graduate, finish/get your degree *valmistua filmaisteriksi 5 vuodessa* get an MA in five years

valmistuminen 1 (talon tms) completion **2** (opiskelijan) graduation

valmistus making, preparation, manufacture (ks valmistaa)

valmisvaatteet ready-made clothes; (ark) off-the-rack clothes

valmius 1 (valmistuneisuus) completion **2** (valmistautuneisuus) readiness, preparedness; (sot) standby, alert **3** (halukkuus) readiness, willingness **4** (kyky) ability, facility, faculty

valmiusasemat standby *olla valmiusasemissa* be on standby, be on the alert; (sot) be ready and willing, be ready to go/march

valo light; (lamppu) lamp; (valaistus) lighting *tulla julkisuuden valoon* come to light *kynttilän valossa* by candlelight *näiden tapahtumain valossa* in the light of what happened today *saattaa huonoon valoon* put (someone) in a bad light *näyttää vihreää valoa* give (someone) the green light, the go-ahead *Mene pois valon edestä!* Get out of my light!

valoanturi light sensor

valodiodi light-emitting diode, LED

valoisa *s* daylight *ennen valoisaa* before daybreak, while it's still dark *adj* **1** light; (huone) well-lighted/-lit; (aurinkoinen) sunny **2** (luonne) sunny, bright, cheerful

valoisuus sunniness, brightness, cheerfulness

valokala lantern fish

valokopio photocopy

valokopioida (photo)copy

valokopiokone photocopier, photocopying machine

valokuva photograph; (ark) photo, snap(shot)

valokuvaaja photographer

valokuvaamo photography studio

valokuvanäyttely photography exhibition

valokuvata photograph

valokuvataide photographic art

valokuvauksellinen photogenic

valokuvaus photography

valokuvauskilpailu photography competition

valokuvauskone camera, photographic equipment/apparatus

valokynä (tietok) light pen

valoladonta photocomposition

valonarka 1 (silmä) photophobic **2** (valokuvauksessa) photo-/light- sensitive

valon nopeus the speed of light

valopilkku bright spot; (kuv) bright side, ray of light/hope

valottaa 1 (filmi) expose **2** (asiaa) shed (some) light on

valotus exposure

valotusaika exposure

valotusarvo exposure value

valotusmittari light meter, exposure meter

valovoima 1 (tähden) luminosity **2** (fys) luminous intensity **3** (kameran) F-stop **4** (kuv) brilliance

valovoimainen brilliant

valovuosi light year

valssata roll

valssi 1 (tanssi) waltz **2** (tekn) roller

valta 1 power (myös valtio) *päästä valtaan* rise to power, assume/take control *Mikäli se on vallassani* If it's in my power (to do) *antaa valtaa jollekin* surrender/yield to something, give way to something *valtansa kukkuloilla* at the height of your power **2** (hallitusvalta) dominion, domination, rule, authority, sway **3** (vaikutusvalta) sway, influence **4** *Valloissa* (ark) in the States **5** *vallalla* prevailing, common

valta-asema position of power, influential /powerful position

valtaelinkeino principal industry

valtaistuin throne

valtakirja power of attorney

valtakunnallinen national

valtakunnallisesti nationally

valtakunta country, nation, realm; (kuningaskunta, myös usk) kingdom; (kuv) realm, domain *Kolmas Valtakunta* the Third Reich *tulkoon sinun valtakuntasi* thy kingdom come

valtameri ocean

valtataistelu power struggle

valtatie highway

valtaus 1 conquest, seizure, capture, occupation, takeover **2** (asumattoman maa-alueen tms) claim, (suoalueen, meren) reclamation

valtava immense, enormous, huge

valtavasti immensely, enormously, hugely

valtavuus immensity, enormity

valtias ruler, sovereign

valtiatar ruler, mistress

valtikka scepter

valtimo 1 artery **2** (pulssi) pulse *tunnustella valtimoa* take (someone's) pulse

valtio 1 (hallitus) state, government; (US) the Federal Government **2** (maa) country, nation

valtiojohtoinen state-run/-owned

valtiokirkko state church

valtiollinen state, government(al), (US) Federal; (julkinen) public; (valtakunnallinen) national

valtiollistaa socialize, nationalize

valtiomahti governmental power/authority

valtiomies statesman

valtioneuvos Councillor of State

valtioneuvosto Cabinet

valtion obligaatio government bond

valtionpäämies head of state

valtiontalous national economy

valtiopäivät parliament

valtiosääntö constitution

valtiosääntöuudistus constitutional reform

valtiotiede political science, (ark) poly sci

valtiovarainministeri (Suomi) Minister of Finance, (US) Secretary of the Treasury

valtiovarainministeriö (Suomi) Ministry of Finance, (US) Department of the Treasury

valtiovierailu official/state visit

valtiovieras official/state visitor

valtoimenaan loose, free(ly), unrestrained(ly) *Mielikuvitukseni mellasti valtoimenaan* My imagination ran wild

valtti trump (myös kuv): asset

valtuus power, authority; authorization *täydet valtuudet* full authority, (ark) a free

hand *ylittää valtuutensa* exceed/overstep your authority

valtuuskunta delegation

valtuusto (kunnan) (municipal/county) council

valtuutettu 1 (valtuuston jäsen) council(wo)man/-person, council member **2** (valtuuskunnan jäsen) delegate **3** (lak) agent, representative, proxy

valtuuttaa authorize, empower; (diplomaatti) accredit

valtuutus authorization; (valtakirja) power of attorney

valu casting

valua run, flow, stream, pour *Hiki valui hänestä* The sweat was running/pouring /dripping off her *antaa pestyn astian/puseron valua kuivaksi* let a washed dish /blouse drip dry *Kaikki se työ valui hukkaan* All that work went down the drain toilet *Peitot valuivat yöllä lattialle* The blankets slid off onto the floor during the night

valumuotti (betonin) form, (metallin) mold

valurauta cast iron

valuttaa (vettä hanasta) run, (vettä riisistä tms) strain, (hiekkaa sormista) let (the sand) flow (through your fingers)

valuutanvaihto money/currency exchange

valuutta currency

valuuttakurssi exchange rate

valveilla awake

valveutunut aware, conscious

valvoa 1 (olla valveilla) be/stay awake/up *valvoa myöhään* stay up/awake late *Vieläkö valvot?* Are you still awake? **2** (tarkkailla) oversee, supervise; (katsoa) watch, keep an eye on; (lakia) enforce; (tenttiä) supervise, proctor, monitor

valvoja 1 (työn) overseer, supervisor, superintendent **2** (lain) enforcer **3** (tentin) supervisor, proctor, monitor

valvojaiset 1 (vainajan) wake **2** (pääsiäisyön) vigil **3** (uudenvuodenaaton) party

valvonta 1 (työn) supervision, control, direction **2** (toiminnan) surveillance **3** (lain) enforcement

valvottaa keep (someone) up/awake

vanhin

vamma 1 (parannettava) injury, wound; (psyykkinen) trauma **2** (pysyvä) handicap, disability, impairment

vammainen s handicapped/disabled person; (mon) the handicapped, the disabled adj handicapped, disabled näkö-/kuulovammainen sight-/hearing- impaired kehitysvammainen mentally/developmentally /emotionally handicapped/retarded

vammaishuolto social work with the handicapped/disabled

vamppi vamp

vampyyri vampire

vana wake (myös kuv)

vanavesi wake (myös kuv)

vandalismi vandalism

vaneri 1 (levy) plywood **2** (viilu) veneer

vanginvartija prison guard

vangita 1 (panna vankilaan) imprison, incarcerate, jail **2** (pidättää) arrest, place (someone) under arrest, take (someone) into custody, put (someone) in detention **3** (jonkun huomio) captivate, enthrall, enrapture

vanha s old/elderly person; (mon) the elderly, the aged, senior citizens adj **1** old, aged vanha polvi the older generation elää vanhaksi live to a ripe old age vanhalla iällä when you're old vanha kunnon Martti good old Martti vanha vitsi old joke vanhempi, vanhin ks hakusanat 2 (pitkäaikainen) old, long-standing, well-established **3** (vanhentunut) obsolete, obsolescent, old-fashioned, out-of-date **4** (entinen) old, former ennen vanhaan back in the olden days **5** (käytetty) used, second-hand vanhain tavarain kauppa second-hand store

vanhahko oldish

vanhahtava oldish, old-feeling, slightly archaic/out-of-date

vanha kaarti the Old Guard

vanha konsti on parempi kuin pussillinen uusia old dogs can't learn new tricks

vanha kuin taivas (as) old as the hills

vanhanaikainen old-fashioned

vanhanaikaisuus old-fashionedness

vanhapiika old maid

vanhapoika bachelor

vanhastaan Se on vanhastaan tuttu (ihminen) He's an old friend (of mine), we're old friends, we go way back; (asia) I know all about that, I knew how to work/do that when you were still a gleam in your daddy's eye

vanha suola janottaa old love never dies

vanhatestamentillinen Old-Testament

Vanha testamentti Old Testament

vanha virsi the same old story

vanhemmiten the older I/you get, later in life

vanhempainilta open house

vanhempainkokous parents' meeting; (opettajien kanssa) parent-teacher association (PTA) meeting

vanhempainneuvosto parents' council

vanhempi s **1** (perheen) parent **2** (kirkon) elder adj **1** older, (vanh vars perheessä) elder vanhempi veli/sisko older/big brother /sister Hän on kolme vuotta minua vanhempi She's three years older than me **2** (eläkeläisestä) elderly vanhempi mieshenkilö an elderly gentleman **3** (samannimisen pojan isästä) Senior (Sr.); (ransk) päre; (lat) the Elder Henry James vanhempi Henry James, Senior (Sr.) Alexandre Dumas vanhempi Alexandre Dumas päre Marcus Porcius Cato vanhempi Marcus Porcius Cato the Elder/Censor

vanheneminen 1 aging **2** (umpeutuminen) expiration, (tentin) getting out-of-date, (rikoksen) limitation

vanhentua 1 age, get old(er) **2** (vanhanaikaistua) get old-fashioned, fall out of fashion, become out-of-date/obsolete

vanhentunut 1 aged, old **2** (umpeutunut) expired, (tentti) out-of-date, (rikos) statute-outlawed/-barred **3** (vaate, aate tms) old-fashioned, out-of-date/-fashion, no longer fashionable/in/trendy, obsolete

vanheta 1 get old, age **2** (umpeutua) expire, (tentti) get out-of-date, (rikos) fall under the statute of limitations

vanhin s **1** (ammattikunnan) senior member, grey eminence, grand old man **2** (kylän, seurakunnan tms) elder adj **1** oldest, (vanh vars perheessä) eldest **2** the (most) senior; (sot) ranking

vanhoillinen conservative

vanhoillisesti conservatively

vanhoillisuus conservatism

vanhurskaasti righteously; (hurskastellen) self-righteously

vanhurskas righteous; (hurskasteleva) self-righteous

vanhurskaus righteousness; (hurskastelu) self-righteousness

vanhus old/elderly person, senior citizen; (leik vanhemmista) the old folks

vanhuudenhöperö senile

vanhuus (old) age

vanhuuseläke retirement/(old-age pension)

vanhuusvuodet the declining/golden years, the years of your old age, the autumn /evening of your life

vanilja vanilla

vankasti steadfastly *pysyä vankasti kannassaan* hold fast to your position, remain firm in your conviction, stick to your guns

vankeinhoito correctional treatment (of prisoners)

vankeus imprisonment, detention; (eläimen) captivity *saada viisi vuotta vankeutta* get five years in prison, get sentenced to five years' imprisonment *kärsiä vankeutta* serve a prison sentence; (ark) do time

vankeusaika prison term

vanki prisoner (myös kuv), convict, inmate; (ark) con *ottaa vangiksi* capture, take (someone) prisoner *pitää vankina* keep (someone) prisoner/in jail, confine

vankikapina prison riot

vankileiri prison camp

vankityrmä dungeon

vankka 1 (tuoli tms) sturdy, solid, strong **2** (käsitys tms) strong, firm, steady, steadfast; (jääräpäinen) stubborn

vankkarakenteinen sturdy, strong, solid, sturdily/strongly/solidly built

vankkumaton unshakeable, unyielding, unflinching, unfailing, steady, steadfast

vankkurit wagon

vannas 1 (auran) (plow) share **2** (keulan) stem, (perän) sternpost

vanne 1 (tynnyrin tms) hoop **2** (pyörän) rim; (ark: auton pyörä) wheel *talvirenkaat Saabin vanteilla* snow tires on Saab wheels

vannoa swear, take an oath, vow *Enpä mene vannomaan* I don't know for sure, I can't say for sure, I can't guarantee it *Olisin voinut vaikka vannoa että* I could have sworn that

vannoa kostoa vow (to get) revenge

vannoa luopuvansa jostakin swear off something

vannoa uskollisuutta jollekulle swear/pledge allegiance to someone

vannoa väärin commit perjury, perjure yourself

vannomatta paras you never know, you can never be sure (about these things)

vannottaa make (someone) swear (to something) *vannottaa joku olemaan vaiti* swear someone to secrecy

vannoutua swear, vow

vannoutunut sworn, confirmed, dedicated, devoted

vantaalainen *s* person from Vantaa *adj* pertaining to Vantaa

vanu (absorbent) cotton

vanua mat/felt (up)

vanukas pudding

vanupuikko Q-tip

vanuttaa full, mill

vapa (fishing) rod/pole

vapaa free, (tyhjä) vacant *pitää iltapäivällä vapaata* take the afternoon off, have a free afternoon *Onko tämä huone vapaa?* Is this room free/vacant/unoccupied, can we use this room? *täyttää vapaata paikkaa* fill a vacant post *päästää vapaaksi* let (someone/an animal) go (free), let (someone /something) loose, release, free *vapaalla jalalla* (ei naimisissa) free, unhooked, footloose and fancy-free; (karannut) on the loose *Hän on aika vapaa seksiasioissa* She's pretty free/easy/loose/uninhibited

/liberal about sex *ajaa vapaalla* coast
vaihtaa vapaalle (auto) put (the car) in
neutral; (itsensä) cast off the workaday
world, get ready to boogie/party, let loose
vapaa-aika free/leisure/spare time
vapaa-ajattelija free thinker
vapaa ajattelu free(dom of) thought
vapaaehtoinen *s* volunteer *adj* voluntary
vapaakappale free copy; (tekijän) author's
copy, (arvostelijan) review copy
vapaakappaleoikeus (kirjaston) free copy
right
vapaa kasvatus permissive childrearing
/upbringing
vapaa kauppa free trade *Euroopan vapaa
kaupan järjestö* European Free Trade
Association, EFTA
vapaa lehdistö free(dom of) the press
vapaalippu (free) pass, free/complimentary
ticket
vapaa maailma the free world
vapaamielinen free-thinking, broad-/open-
minded, liberal, tolerant
vapaapalokunta volunteer fire department
vapaapäivä day off, (pyhä) holiday
vapaa pääsy free admission, no charge, no
entrance fee
vapaa sana free(dom of) speech *Sana on
vapaa* The floor is open
vapaaseurakunta independent/nonstate con-
gregation; (vapaakirkko) Free Church
vapaasti freely *saada tehdä vapaasti mitä
haluaa* be free to do whatever you want
Kysyhän vapaasti (Feel free to) ask what-
ever you like *puhua vapaasti* speak freely
/openly; (pitää valmistamaton puhe) speak
ex tempore, make an impromptu speech
vapaasti seisova free-standing
vapaa tahto free will
vapaat kädet *antaa jollekulle vapaat kädet*
give someone free hands, a free rein
vapaat sukupuolisuhteet free sex, casual
sexual relations
vapaa työpaikka help wanted
vapaauinti freestyle
vapaavalintainen optional
vapahtaa (usk) redeem
vapahtaja (usk) the Redeemer

Vapaudenpatsas the Statue of Liberty
vapaus 1 freedom, liberty *ottaa tiettyjä vapa-
uksia* take certain liberties (with) *runoili-
jan vapaus* poetic license 2 (toiminnan)
freedom, latitude, scope 3 (erivapaus)
exemption
vapausrangaistus loss of liberty, prison sen-
tence
vapaussota war of independence
vapaustaistelija freedom fighter
vapauttaa 1 (set) free/loose, let loose/go, lib-
erate, emancipate 2 (lak: syytteistä) acquit
(someone of), (vankilasta) release (some-
one from), (velvoitteesta) exempt (some-
one from), (tehtävistään – erottaa) relieve
(someone of her duties) 3 (myynti, jakelu
tms) lift the restrictions on, decontrol,
deregulate
vapauttaminen liberation, emancipation,
acquittal, release, exemption, relief,
decontrol(ling), deregulation (ks vapaut-
taa)
vapautua 1 (tulla vapautetuksi) be freed/set
free/let go/released/liberated/emancipated
/relieved/deregulated *Minulla on niin va-
pautunut olo* I feel so relieved *vapautua
jännityksestä* loosen up 2 (vapauttaa it-
sensä) free yourself of, (päästä eroon) get
rid of (someone/something) 3 (huone) be
vacated, (virka) become vacant, (puhelin)
become free
vapautuminen release, liberation, emancipa-
tion
vapautus 1 release, liberation, emancipation
2 (erivapaus) exemption
vapautusarmeija liberation army
vapautusliike liberation/emancipation move-
ment
vapina the shivers/shakes
vapista shiver, shake
vappu May Day
vappuhuiska May Day pompom
vappujuhla May Day celebration
vappukulkue May Day parade
vapunvietto May Day celebration/party
vara 1 room, margin; (tahallaan jätetty)
allowance *parantamisen varaa* room for
improvement *toivomisen varaa* a lot to be

desired *valinnan varaa* a choice/selection, something/plenty to choose from *tulkinnan varaa* interpretive play **2** *olla johonkin varaa* be able to afford something **3** *pitää varansa* watch out, watch your step, be on your guard, keep your eyes open **4** *varalla, varassa* ks hakusanat

vara- 1 (ihminen) vice; (apulais-) deputy, lieutenant, assistant; (pelaaja) substitute, second-string **2** (esine) extra, spare; (hätä-) emergency

varaaja 1 (kuuman veden) hot-water heater **2** (sähkön) condenser

varainhoitaja treasurer

varakas wealthy, rich, affluent, prosperous, well-to-do, well-off

varalla 1 (varattuna) in reserve/store; (saatavilla) on/at hand, (readily) available **2** (varten) *for pahan päivän varalle* for a rainy day *säästää vanhojen päivien varalle* save up for retirement *siltä varalta että* (jotain sattuu) in case (something happens) *kaiken varalta* just in case, just to make sure, to be on the safe side

varallisuus wealth, assets; (omaisuus) property, (pääoma) capital

varallisuusvero capital tax

varaosa spare part

varapresidentti vice president

varapuheenjohtaja vice chairperson

vararikko bankruptcy

varas thief *Tilaisuus tekee varkaan* Opportunity makes the thief *varkain, varkaissa* (ks hakusanat)

varaslähtö false start

varassa *on olla jonkin varassa* (fyysisesti) rest on, (kuv) rely/depend on *heittäytyä jonkun/jonkin varaan* depend/count/bank on (someone/something) *rakentua jonkin varaan* be based/founded on, be grounded in

varastaa 1 steal (myös kuv); (ark) snitch, swipe **2** (plagioida) plagiarize, steal from, copy; (ark) crib **3** (ottaa varaslähtö) jump the gun (myös kuv)

varasto 1 supply, supplies, stock, store(s) *varastossa* (liik) in stock; (varastoituna) in storage, stored/stocked/put away; (varalla)

in store *pitää varastossa* (liik) stock *loppua varastosta* (liik) be out of stock **2** (rakennus) store(house/-room), warehouse

varastopäällikkö stock manager

varastotila storage space

varat 1 (luonnon) resources, reserves **2** (varasto) stores, stocks **3** (rahat) funds, (maksukyky) means, (varallisuus) assets *elää yli varojen* live beyond your means *olla varoissaan* be wealthy/well-to-do, (ark) be flush *Se maksetaan valtion varoista* It's being funded by the government

varata 1 (varastoida) store (up), stock (up with); (akkua tms) charge **2** (pitää varalla) set/put (something) aside (for something); (myöntää varoja johonkin) appropriate /allocate/earmark (funds for something) **3** (pitää varattuna, tilata) reserve *varata aika* make an appointment (with a doctor) *varata pöytä* make a reservation (at a restaurant) *varattu* reserved; (WC) occupied; (ihminen, puhelin) busy

varaton penniless, indigent

varattomuus indigence

varatuomari Master of Jurisprudence; (ark) lawyer, attorney-at-law

varaukseton unreserved, unqualified; (fys) uncharged

varauksettomasti unreservedly, without reservation/qualification

varauloskäynti exit

varaus 1 (tilaus) reservation **2** (pidättyvyys) reservation, qualification; (ehto) condition, proviso, provision, stipulation *tietyin varauksin* with certain reservations/qualifications; (ehdoin) on certain conditions, with certain provisos/stipulations **3** (akun tms) charge

varautua 1 be prepared (for something), prepare yourself (for something), be/get ready (for something) **2** (tukeutua: fyysisesti) lean on, (kuv) rely/draw on **3** (tekn) be charged

varaventtiili safety valve (kuv)

varhain early *Jo varhain hän tiesi* Even at a tender age she knew

varhainen early *liian varhainen* premature

varhaisaamu early (in the) morning

varhaiskeskiaika the early Middle Ages

varhaiskypsä precocious

variaatio variation

varietee variety show, vaudeville

varikko 1 (sot, rautatie) depot **2** (autourheilussa) the pit(s)

variksenpelätin scarecrow

varioida vary, introduce variations on

varis crow

varista fall/drop (off) *puista varisee lehtiä* the trees are losing/shedding/dropping their leaves

varistaa 1 (kasvi) shed, lose, drop **2** (ravistaa) shake

varistella ks varistaa

varjella protect/guard (against), keep (something) safe from/against *Herra varjelkoon!* Good God/Lord! (katol) The saints preserve us!

varjelu protection

varjo 1 (jonkun/jonkin) joutua jonkun varjoon be overshadowed by someone *Hän oli vain varjo entisestään* He was a mere shadow of his former self **2** (katve, myös myt: haamu) shade *30 astetta varjossa* ninety (degrees) in the shade **3** (suoja: auringon) shade, (sateen) umbrella **4** (suoja: kuv) cover, (dis)guise, pretext, pretense *ystävyyden varjolla* under the pretense/pretext of friendship *uskonnon varjolla harjoitettu julmuus* cruelty practiced under (the) cover/guise of religion

varjoaine contrast medium, opaque matter

varjoisa shady, shaded; (pimeä) shadowy

varjokuva 1 (varjo kuviona) shadow (figure) **2** (siluetti) silhouette

varjonyrkkeily shadow-boxing

varjopuoli 1 (haittapuoli) drawback, disadvantage **2** (paha puoli) dark/sordid/seamy side, less pleasant aspect(s)

varjostaa 1 (varjota, peittää) shade, (over)shadow; (kuv) overshadow, cast a shadow on **2** (seurata) shadow, tail

varjostaja shadow, tail

varjostin shade

varjostus shading

varkain secretly, in secret, furtively, covertly, stealthily

varkaissa *omenavarkaissa* stealing apples *yllättää joku autovarkaista* catch someone stealing a car

varkaus theft; (lak) larceny

varkausvakuutus theft insurance

varma 1 (ihminen) sure, certain, confident, self-assured *olla varma itsestään* be/feel sure of yourself, be self-confident/-assured *olla varma asiastaan* know what you're talking about **2** (asia: luotettava) sure, certain, dependable, definite, reliable *Yksi asia on varmaa* One thing's (for) sure /certain **3** (asia: turvallinen) secure, safe *pelata varman päälle* play it safe **4** (toiminta: vankka) sure, steady, firm **5** (yhdyssanoissa) -proof *idioottivarma* foolproof, failsafe

varmaan probably, most likely, almost certainly *Sinä varmaankin haluat lainata rahaa* I bet you want to borrow money off me *Ei hän varmaankaan tule* I bet she isn't coming, she's probably not going to show

varmahko fairly sure/certain

varmasti certainly, definitely, absolutely, positively; (luotettavasti) reliably *Kyllä minä varmasti tulen* I'll definitely be there, you can count on my being there

varmennus 1 (varmistus) assurance **2** (allekirjoitus) countersignature, (sekin) endorsement

varmentaa 1 (varmistaa) ensure, assure, make sure of, warrant; (ark) clinch **2** (todentaa) verify, validate, substantiate **3** (tosittaa) certify **4** (sekki tms) countersign, endorse

varmentua become sure/certain, be confirmed

varmistaa 1 (asia) ensure, assure, make sure of, warrant **2** (vahvistaa: asiaa) confirm, establish, prove; (ark) clinch **3** (vahvistaa: esinettä) strenghten, tighten, cinch (down) **4** (sot: turvata) secure, (lujittaa) fortify, (vakauttaa) stabilize; (ase) put/flip the safety on **5** (tietok) back up

varmistautua check (on), make sure (of)

varmistin safety

varmistua 1 (ihminen: ottaa selvää) find out (for certain), make sure/certain (of some-

varmistus 554

thing); (tulla vakuutetuksi) be(come) (more and more) convinced (of something) **2** (asia) be confirmed

varmistus 1 (varmistaminen) check(ing) **2** (vahvistus) confirmation **3** (varmistin) safety **4** (tietotek) check; backup

varmistustiedosto backup file

varmuudella with certainty/confidence, confidently

varmuuden vuoksi just to make/be sure, to be on the safe side, to play it safe, just in case

varmuus 1 (asiasta) certainty, confidence; (itsevarmuus) self-confidence *saada varmuutta jostakin, päästä varmuuteen jostakin* find out (for sure) about something **2** (asian: turvallisuus) safety, security; (luotettavuus) reliability **3** (toiminnan) sureness, steadiness, firmness

varmuusaste degree of certainty

varmuuskerroin safety factor

varmuuskopio (tietovälineestä) back-up copy, back-up *ottaa varmuuskopio tiedostosta* to back up a file

varmuuskopiointi (tietok) backup

varmuustulitikku safety match

varoa 1 (käsitellä varoen) be careful (with /of), handle carefully *Varo ettet pudota sitä* Be careful not to drop it, don't drop it *Käsiteltävä varoen* Fragile, handle with care **2** (olla varuillaan) watch/look (out for something), be on your guard *Varo putoavia kiviä* Watch out for falling rocks *varoa sanojaan* watch what you say, guard your tongue *Varo!* Look out! Careful! Watch it! *Varo autoja!* Look/watch out for cars *Varokaa koiraa* Beware of dog

varoiksi ks varmuuden vuoksi

varoitella 1 (varoittaa) (fore)warn, admonish **2** (varotella) be careful, tread carefully

varoittaa (fore)warn, caution, alert (someone to danger), admonish

varoittelu (fore)warning, caution(ing), admonition

varoitus (fore)warning, caution(ing), admonition

varoitusaika notice *puolen tunnin varoitusajalla* at a half-hour's notice

varoitushuuto warning shout

varoke fuse

varokeino precautionary/security measure

varomaton 1 (harkitsematon) imprudent, indiscreet, rash, incautious **2** (huolimaton) incautious, careless

varomattomasti imprudence, indiscretion, rashness, lack of caution, carelessness (ks varomaton)

varotoimi precautionary/security measure

varovainen 1 (huolellinen) careful, cautious **2** (harkitsevainen) cautious, prudent, guarded, wary **3** (konservatiivinen) conservative, moderate *varovainen arvio* conservative estimate

varovaisuus carefulness, cautiousness, caution, prudence, guardedness, wariness (ks varovainen)

varovasti 1 carefully, with care, cautiously **2** (harkiten) cautiously, prudently, guardedly, warily

varoventtiili safety valve (myös kuv)

varpaankynsi toenail

varpaillaan on your toes (myös kuv)

varpaisillaan on your tiptoes (myös kuv)

varpu 1 (oksa) twig, (koristeeksi) sprig **2** (vitsa) stick, wand

varpunen house sparrow

varras 1 spit, (uunissa) rotisserie; (tikku) skewer **2** (ruoka) shishkebab, shashlik **3** (leipävarras) (bread) pole

varrastaa skewer, spit

varrella 1 (paikallisesti) along(side), by the side of, on *joen varrella* along(side) the river **2** (ajallisesti) during/in (the course of) *elämänsä varrella* in your lifetime, during your life, in the course of your life

varrellinen 1 (työkalu) (a tool) with a handle **2** (kasvi) stemmed, stalked

varsa foal; (orivarsa) colt, (tammavarsa) filly

varsi 1 (kahva) handle; (kirveen) haft, helve; (viikatteen) snath(e) **2** (tekn) rod, arm, shaft **3** (rak: pylvään) shaft, (portaan) flight **4** (anat: luun) shaft, (kasvaimen) pedicel, peduncle **5** (siitepölyhiukkasen) pedicel **6** (kasvin) stem, stalk; (köynnös) vine; (naatti) top **7** (piipun) stem **8** (saappaan, sukan) leg **9** (vierus) side (ks myös varrella) **10** (vartalo) figure, frame

varsin quite, fairly; (ark) pretty

varsinainen 1 (todellinen) true, proper, real, actual; (ensisijainen) primary *sanan varsinaisessa merkityksessä* in the strict/literal /true sense of the word **2** (säännönmukainen) regular, ordinary; (pysyvä) permanent *varsinaiset jäsenet* permanent members **3** (ark: aikamoinen) real *varsinainen törppö* a real jackass

varsinaisesti 1 (oikeastaan) actually, really, as a matter of fact, in fact/actuality **2** (tarkalleen ottaen) strictly speaking **3** (ensi sijassa) primarily, chiefly, principally, in the first place

Varsinais-Suomi Finland Proper, Southwestern Finland

vartalo 1 (ihmisen) figure, frame, form, body; (keskiosa) trunk, torso *kaunis vartalo* beautiful figure **2** (sanan) stem

vartalonmyötäinen tight(-fitting), close-fitting, snug

varta vasten especially, expressly; (ark) just *Tein sen varta vasten sinulle* I did it just for you

varteenotettava 1 (huomattava) notable, noteworthy, substantial *varteenotettava summa* a substantial/tidy sum, quite a bit of money **2** (vakavasti otettava) serious *Minusta hän on varteenotettava hakija* I find her a serious contender, I think we should take her candidacy seriously, I think she has a good chance of winning

varten *Onko tämä minua varten?* Is this for me? *Mitä varten?* What for? Why? *Sitäkö varten teit sen?* Is that why you did it?

vartija 1 (security) guard, watchman; (sot myös) sentry, sentinel **2** (valvoja) attendant, keeper **3** (kuv) guardian, watchdog

vartinen (työkalu) -handled **2** (kasvi) -stemmed

vartio 1 guard *pitää vartiota* stand guard *vartion vaihto* the changing of the guard **2** (ajanjakso) watch, (laivalla) bell

vartioida 1 (keep) guard/watch (over), patrol **2** (urh) cover, guard

vartiointi 1 security **2** (urh) covering, guarding

vartiointiliike security firm

vartiopaikka guard/watch/sentry) post

vartti quarter *varttia vaille viisi* a quarter to five *akateemisen vartti* the academic practice of starting lectures at a quarter after the hour

varttitunti a quarter (of an) hour, fifteen minutes

varttua grow (up (to be)), mature/develop (into)

varttuneen tieteenharjoittajan apuraha senior research fellowship

varuillaan on your guard/toes, on the lookout (for) *Jos et ole varuillasi sinun käy kalpaten* You're going to be in trouble if you don't watch out

varuskunta garrison

varusohjelma (tietok) (system) program

varustaa 1 equip, fit (up/out), outfit, supply; (mualla) provision, (aseilla) arm; (linnoittaa) fortify **2** (valmistaa) prepare, get (someone) ready (for something); (tehdä valmisteluja) make arrangements/preparations

varustamo shipfitter, shipowning company

varustautua 1 (hankkia varusteet) equip/outfit yourself; (ark) rig/trick yourself out; (aseilla ja kuv) arm yourself *varustautua sotaan* arm yourself for war, gear up for war **2** (valmistautua) get ready (to do something), make arrangements/preparations (for something)

varusteet 1 equipment, outfit, gear; (ark) stuff **2** (lisävarusteet) accessories

varustelu (re)armament

varustus 1 (varusteet) equipment, outfit, gear; (ark) stuff **2** (sot) fortification(s)

varvas toe *astua jonkun varpaille* step/tread on someone's toes

varvastossut 1 (balettitossut) ballet slippers **2** (kumiset) thongs, zorries, flipflaps, japflaps

vasa 1 (hirven tms) fawn, (poron) calf **2** (rak) joist

vasalli vassal

vasara hammer (eri merkityksiä); (puheenjohtajan) gavel

vasarahai hammerhead shark

vasaroida hammer (out)
vasemmanpuoleinen lefthand
vasemmisto the Left
vasemmistoenemmistö left majority
vasemmistolainen s leftist, leftwinger *adj* leftist, leftwing
vasemmistolaisuus leftism
vasemmistosiipi the left wing
vasen *s käänny seuraavasta vasemmalle* take the next left, turn left at the next corner/street/intersection
vasenkätinen s lefthander, (ark) southpaw *adj* lefthanded
vasenkätisyys lefthandedness
vasensuora left-justified
vasikka 1 (elävä) calf, (syötävä) veal **2** (ilmiantaja) informer; (ark) snitch
vasikoida 1 (synnyttää) calve **2** (ilmiantaa) inform; (ark) snitch
vaski (messinki) brass, (kupari) copper, (pronssi) bronze
vaskisoitin brass instrument; (mon) the brass (section)
vasomotorinen vasomotor
vasta *s* birch switch *adv* **1** (ei ennen kuin) not until/till, only *Hän tulee vasta huomenna* She isn't coming until tomorrow *Hän tulee vasta kun kaikki on valmiina* She'll only come when everything's ready, she won't come until **2** (vain) only *Hän on vasta pieni poika* He's only a little boy **3** (vastikään) just *Vastahan söytiin!* We just ate! **4** (tulevaisuudessa) in the future *Tervetuloa vastakin!* Welcome back! Come back again! **5** *Siinä vasta auto!* Now there's a (real) car!
vasta- (jotakin vastaan) counter- **2** (vastikään) new/fresh(ly)(-) *vastasyntynyt* newborn *vastanainut* just married, newly wed *vastaleivottu* fresh-baked
vasta-aine 1 (lääke) antidote **2** (anat) antibody **3** (fys) antimatter
vastaaja 1 (lak) defendant, (avioerojutussa) respondent **2** (tenniksessä) receiver
vastaan 1 (vastakkainasettelusta) against, versus (vs.) *pelata/taistella jotakuta vastaan* play/fight somebody *Onko sinulla jotain häntä vastaan?* Do you have some-

thing against him? *Suomi vastaan Ruotsi* Finland vs. (lue: versus) Sweden *Kymmenen yhtä vastaan että hän voittaa* Ten to one he wins, (ark) ten'll getcha one he wins *olla jotakin vastaan* be against something, be opposed to something, object to something *panna vastaan* resist (ks myös hakusana) *sanoa vastaan* talk back **2** (vasten) against **3** (kaupasta) (in exchange/return /payment) for *kohtuullista maksua vastaan* for a reasonable fee *kuittia vastaan* against a receipt *ottaa vastaan* receive (ks myös hakusana) **4** (kulkemisesta: kohti) towards you, (vastakkaiseen suuntaan) the other way *Voitko tulla minua vastaan junalle?* Can you pick me up at the train station? *Hän ajoi meitä vastaan tiellä* We passed her/she passed us on the road ks myös vastassa **5** (takaisin) back *hymyillä vastaan* smile back
vastaanotto 1 (ihmisen, asian, lähetyksen) reception **2** (hotellin) reception (desk); (lääkärin) doctor's office; (professorin tms) office hours *tilata* (lääkäriltä) *vastaanotto* make an appointment (to see someone)
vastaanottoaika office hours
vastaanottoapulainen receptionist
vastaanpano resistance, opposition
vastaansanomaton 1 (ihminen) meek, compliant, submissive, passive, willing to be led (around by the nose) **2** (asia) incontrovertible, incontestable, uncontested, indisputable, undisputed
vastaansanomatta without a protest/murmur
vastaantulija 1 (ihminen) passerby, (auto) oncoming car **2** (urh) pushover
vastaava *s* (mon) assets *adj* **1** (samanlainen) equivalent, corresponding, similar, parallel, comparable **2** (johtava) managing, responsible, (person) in charge
vastaavanlainen comparable, similar, analogous
vastaava päätoimittaja editor-in-chief
vastaavasti correspondingly, similarly, comparably; (samassa suhteessa) proportionately, in proportion (to)

vastaavuus equivalence, correspondence, similarity

vastaehdotus counterproposal

vastahakoinen 1 (ihminen) reluctant, unwilling, disinclined **2** (aine) intractable

vastahakoisesti reluctantly, unwillingly

vastahankaan *asettua vastahankaan* get your back up, dig your heels in, refuse to budge

vastahyökkäys counterattack

vastainen 1 (vastapäinen) opposing, opposite (to) *pääalttarin vastainen seinä* the wall opposite (to) the altar **2** (välinen) *sunnuntain vastaisena yönä* Saturday night *Venäjän vastaisella rajalla* at the Russian border **3** (jotakin pain oleva) facing **4** (jotakin vastaan oleva) against you *Tuuli oli vastainen* The wind was against us, we were heading into the wind **5** (jotakin vastoin oleva) contrary (to) *Se olisi omien etujesi vastaista* That wouldn't be in your own best interests, that would be contrary to your own interests **6** (yhdyssanoissa) anti- *kommunismin vastainen* anticommunist **7** (tuleva) future *vastaisen varalle* (huonon ajan varalle) for a rainy day, (myöhemmän käytön varalle) for future reference/use

vastaisku counterblow, counterstrike, (miekkailussa) counter(thrust); (ydinsodassa) second strike *antaa vastaisku* strike back, counter

vastaisuus 1 (tulevaisuus) the future *vastaisuuden varalta* in the future, for future reference, if this ever happens again **2** (vastustaminen) opposition *sodanvastaisuus* pacifism

vastakaiku sympathy, a sympathetic response *saada vastakaikua* be well received, gain /win favor

vastakarvaan the wrong way (myös kuv:) against the grain

vastakeino countermeasure

vastakkain 1 (toisiaan vastapäätä) opposite /facing each other, face to face *asettaa vastakkain* (kaksi ihmistä) bring (two people) face to face (with each other), confront (someone with someone); (kaksi ideaa tms) juxtapose **2** (toisiaan vastaan)

against each other, in opposition *Ottelussa olivat kaksoset vastakkain* The fight was between two twins **3** (yhteen) together *painaa kätensä lujasti vastakkain* press your hands tightly together *törmätä vastakkain* crash into (someone/something), collide with (someone/something)

vastakkainasettelu juxtaposition

vastakkainen opposite, opposed, contrary, contradictory, reverse

vastakohta 1 opposite, contrary **2** (vastakohtaisuus) contrast, opposition; (vihamielisyys) antagonism, conflict

vastakohtainen opposite, contrary

vastakysymys counterquestion

vastalahja return present

vastalause protest

vastaleivottu fresh-baked; (kuv) brand-new

vastamyrkky antidote

vastanäyttelijä costar

vastapaino counterweight/-balance *olla vastapainona jollekin* counterbalance something

vastapuhelu collect call *soittaa vastapuhelu jollekulle* place a collect call to someone, call someone collect

vastapuoli 1 (kääntöpuoli) reverse, flip/ counter side **2** (vastaan oleva puoli) the opposition, the opposing team/side; (vastaava puoli) counterpart

vastapäin against, opposite to, in opposite directions

vastapäinen opposite, facing

vastapäivään counterclockwise

vastapäätä opposite to, across from

vastarakkaus mutual love *saada vastarakkautta* be loved in return, have your love requited/returned

vastaranta the opposite bank/shore

vastarinta resistance, opposition

vastarintajärjestö resistance organization

vastarintaliike resistance movement; (ranskalainen natseja vastaan) the (French) Resistance

vastassa 1 (edessä) in front of **2** (esteenä) blocking the way, in the/your way *Rajalla oli poliisi vastassa* We were stopped at the border by the police **3** (vastapäätä) opposite **4** *He ovat meitä vastassa asemalla* They'll meet us at the station, they'll pick us up at the station *junaa/lentokonetta vastassa* meeting a train/plane

vastata 1 (johonkin: kysymykseen) reply /respond (to), answer; (tunteeseen, tuleen tms) return **2** (jostakin) be responsible /answerable/accountable (for), take responsibility (for); (seurauksista) bear /shoulder the consequences (for) *Kuka vastaa ruoasta?* Who'll bring the food? **3** (jotakin) correspond to, be equivalent /analogous/proportionate/equal to; (toiveita) meet, satisfy, come up to; (tarinat keskenään) match (up), tally, jibe, coincide

vastata jonkun velasta be liable for someone's debt

vastata kustannuksista shoulder the expense, cover the cost

vastata oikeudessa jostakin stand trial for something

vastata puhelimeen answer the phone; (ark) get the phone *Minä vastaan!* I'll get it!

vastata samalla mitalla answer in kind, give as good as you got, pay (someone) back in the same coin, fight fire with fire

vastata seurauksista take full responsibility

vastatusten ks vastakkain

vastatuuli headwind, (kuv) contrary/adverse wind *vastatuuleen* against/into the wind, upwind, windward

vastaus 1 (kysymykseen) reply, response, answer **2** (ongelmaan) answer, solution

vastauskonpuhdistus Counter-Reformation

vastausta pyydetään R.S.V.P.

vastavaikutus reaction, counteraction

vastavallankumous counterrevolution

vastavalosuoja lens hood

vastaveto countermove

vastavierailu return visit

vastavirta countercurrent *vastavirtaan* upstream, against the current

vastavoima counterforce, opposite force

vastavuoroinen reciprocal, mutual

vastavuoroisesti reciprocally, mutually

vastaväite counterargument, rebuttal, refutation, objection

vastaväittäjä 1 objector, questioner, opponent **2** (väitöstilaisuudessa) ex officio opponent; (lähin vastine) member of the doctoral reading committee

vastedes in the future, from now on, from here on out; (ylät) henceforth/-forward

vasten against, next to; (törmätä) into *ajaa aurinkoa vasten* drive into the sun

vastenmielinen repulsive, repellent, disgusting, repugnant *Tuntui vastenmieliseltä sanoa että* I hated to say that, it really rubbed me the wrong way to say that

vastenmielisyys repulsiveness, disgust, repugnance, antipathy

vastentahtoinen unwilling (ks myös vastahakoinen)

vastike 1 (vastine) equivalent, counterpart, analogue **2** (korvike) substitute, surrogate **3** (maksu) payment, compensation; (yhtiövastike) maintenance charge *vastikkeetta* free of charge

vastine 1 (vastike) equivalent, counterpart, analogue **2** (lak) plea **3** *saada vastinetta rahoilleen* get your money's worth, get something for your money

vastoin against, contrary/counter to *sitä vastoin* whereas, while (on the other hand)

vastoinkäyminen setback, reverse, hardship, misfortune

vastus resistance *Sinä olet ikuinen vastuksena minulle* You're nothing but trouble for me *ilman vastus* drag *magneettinen vastus* reluctance

vastustaa resist; (olla jotakin vastaan) (be) oppose(d to), object to *Voin vastustaa mitä vain, paitsi kiusausta* I can resist anything but temptation

vastustamaton irresistable

vastustella resist, protest

vastustus resistance, opposition

vastuu responsibility, (vastuuvelvollisuus) liability, (tilivelollisuus) accountability *joutua vastuuseen jostakin* have to answer for something *olla jonkun vastuulla* be somebody's responsibility *olla vastuussa jostakin* be responsible/answerable/ accountable/liable for something *sysätä vastuu jonkun niskoille* shift the blame/

responsibility to someone else, (ark) pass the buck (to someone else) *vältellä vastuuta* shirk (your) responsibility

vastuualue area/scope/sphere of responsibility

vastuullinen responsible

vastuunalainen responsible, answerable, accountable

vastuunnoton irresponsible

vastuuntoinen responsible

vastuuvakuutus liability insurance

vastuuvapaus discharge from liability

vasuri 1 (ihminen) lefthander, lefty, southpaw **2** (käsi) left (hand)

vati (pesuvati) basin; (tarjoiluvati) platter, (serving) plate *vaatia jonkun päätä vadille* demand someone's head on a platter

Vatikaani Vatican

Vatikaanivaltio Vatican City

vatkain beater, mixer; (vispilä) whisk

vatkata (munia) beat, (kermaa) whip, (voita) cream

vatsa stomach, abdomen; (ark) belly, gut *täydellä/tyhjällä vatsalla* on a full/an empty stomach *Tie miehen sydämeen käy vatsan kautta* The way to a man's heart is through his stomach *maata vatsallaan* lie on your stomach, (ylät) lie prone

vatsahaava ulcer

vatsakipu stomachache

vatsalihas stomach muscle

vatsastapuhuja ventriloquist

vatsastapuhuminen ventriloquism

vatsatauti stomach/intestinal flu

watti watt

vattu raspberry

vatupassi level

vatvoa 1 (villaa tms) mill, full **2** (lihasta tms) rub, knead **3** (asiaa) hash over, turn over and over

vauhdikas 1 (ihminen) speedy, fast, quick **2** (elokuva tms) action-packed, fast-paced

vauhdittaa 1 speed up, facilitate, expedite **2** (urh) set the pace

vauhko 1 (pelokas) skittish **2** (pelästynyt) spooked, startled **3** (ark: poissa tolaltaan) (all) worked up, upset; (hurja) wild

vauhti speed, pace, rate; (fys) velocity; (ark) clip *ottaa vauhtia* get a (good) run (at something) *antaa vauhtia* give (someone) a push *päästä vauhtiin* get going (good), hit your stride *täydessä vauhdissa* in full swing, at top speed

vauhtihurjastelija speed-demon

vaunu 1 (hevosvaunut: yksinkertaiset) cart, (hienot) carriage, (postivaunut) stagecoach, (sotavaunut) chariot **2** (lastenvaunut) baby carriage/buggy **3** (työntövaunut) cart, trolley **4** (raitiovaunu) trolley, streetcar **5** (junavaunu) car **6** (kirjoituskoneen) carriage

vauras wealthy, affluent, well-to-do, prosperous, rich

vaurastua prosper, flourish, get rich/wealthy /affluent

vauraus wealth, affluence, prosperity

vaurio damage

vaurioittaa damage

vaurioitua be damaged

vauva baby, infant

vauvaikä infancy

vavahduttaa shake (myös kuv:) stir

vavahtaa shake *vavahtaa hereille* wake up with a start, jerk awake

vavista tremble

vavistus trembling

WC toilet; (hnone) half-bath

web-osoite web address

web-palvelin web server

web-posti webmail

web-selain web browser

web-sivu webpage

web-sivusto website

web-vastaava webmaster

weddellinhylje Weddell seal

vedenalainen *s* submarine, (ark) sub *adj* underwater, submarine, subaquatic; (uponnut) sunken, submerged, submersed

vedenpaisumus flood, deluge *vedenpaisumuksen aikainen* (leik) antediluvian

vedenpinta 1 (kupissa tms) (water) surface **2** (altaassa) water level, (maassa) water table

vedenpitävä watertight

vedenrajassa (reunassa) by the water, at the water's edge; (pinnassa) on the surface (of the water)

vedin 1 (kahva) handle, (nuppi) knob **2** (tekn) extractor, puller

vedonlyönti betting

vedos 1 (kirjapainossa, taidegrafiikassa) proof, (valokuvauksessa) print, (tietok) dump **2** (tietok) dump

vedostaa (tietok) dump

vedota 1 (käännyä jonkun puoleen, viehättää) appeal *vedota jonkun tunteisiin* appeal to someone's emotions **2** (esittää jotakin selitykseksi) plead *vedota tietämättömyyteen* plead ignorance

vedättää 1 (hammas) have (a tooth) pulled/extracted **2** (auto liian isolla vaihteella) lug

vegetarismi vegetarianism

vegetaristi vegetarian

vehje thing; (vekotin) gadget, gizmo, thingamajig; (mon) stuff, (sl) shit

vehkeilijä schemer, plotter, conniver, conspirator

vehkeillä scheme, plot, connive, conspire

vehkeily scheming, plotting, conspiring

vehmas lush, luxuriant, green; (viljava) fertile

vehnä wheat

vehnäjauho wheat flour

vehnäleipä wheat/white bread

vehreä green, verdant

veikata 1 (arvata) guess, (lyödä vetoa) bet *Veikkaan, että hän ei tule* I bet he isn't coming **2** (täyttää veikkauskuponki) bet on soccer

veikeillä play pranks/games/tricks, be mischievous/impish

veikeä (veitikkamainen) mischievous, impish, prankish; (hauska) playful, sportive

veikkaus 1 (arvaus) guess, (vedonlyönti) bet **2** (veikkauskuponjin täyttö) betting on soccer, (toiminta) the soccer pools

veikkauskuponki soccer betting form

veikko guy, fellow

veikkonen 1 brother, buddy; (nuoremmalle miehelle) son(ny), kid *Odota veikkonen minuakin* Hey, wait for me **2** *Voi veikkoset* Oh brother, my my, Jeez

veisata sing (hymns) *viis veisata jostakin* not give a damn/hoot/shit about something

veistellä 1 (puuta) whittle **2** (vitsejä) crack

veisto carpentry, woodworking

veistos sculpture, statue

veistämö (puun) carpentry/woodworking shop; (kiven) carver's shop

veistää 1 (puuta) whittle, carve; (kiveä) carve, sculpt **2** (vitsejä) crack (jokes), (juttua) spin (yarns)

veitikka imp, prankster

veitikkamainen impish, prankish, mischievous

veitsenteroitin knife-sharpener/-grinder

veitsenterävä razor-sharp

veitsi knife

veivata crank, turn, grind

veivi crank (handle) *heittää veivinsä* kick the bucket

vekara kid

vekkihame pleated skirt

vekkuli s 1 (ihminen) imp, rascal, scamp **2** (kuje) prank, gag, stunt, joke *adj* funny, droll

vekseli bill (of exchange), (promissory) note

vektori vector

velaksi on credit/time, on the installment plan

velallinen debtor *niin kuin mekin annamme anteeksi meidän velallisillemme* as we forgive our debtors

velaton debt-free, (omaisuus) unencumbered

velho wizard, sorcerer; (nainen) witch, sorceress

velhokala stonefish

veli brother *Hyvä Veli* (kirjeessä) Dear... (saajan nimi)

velikulta sport, good old boy

velimies brother

velipuoli (saman isän, eri äidin poika, tai päinvastoin) half-brother; (isä- tai äitipuolen poika) step-brother

veljeillä fraternize

veljeily fraternization

veljekset brothers

veljellinen fraternal

veljenrakkaus brotherly love

veljenvaimo sister-in-law

velka debt *varat ja velat* (kirjanpidossa) assets and liabilities *joutua velkaan* get/go into debt *olla jollekulle jotakin velkaa* owe someone something *Sinä olet minulle anteeksipyynnön velkaa* You owe me an apology *velaksi, veloissa* ks hakusanat

velkaantua go/get into debt

velkainen debt-ridden, (talo) (heavily) mortgaged

velkakirja promissory note, (ark) IOU

velkoja creditor

velli gruel

vellua swell, surge, heave, churn

velmu s sport, good old boy *adj* funny, amusing

veloissa in debt *olla korviaan myöten veloissa* be up to your ears in debt

veltosti sluggishly, indolently, lethargically, listlessly, lazily

veltostua go slack/limp, get fat and lazy

veltto 1 (lihas tms) slack, limp, flabby, flaccid **2** (ihminen, olo) sluggish, indolent, lethargic, listless, lazy

velttoilla laze around, slack off

velttoilu lazing around, taking it easy

velttous 1 (lihaksen tms) slackness, limpness, flabbiness, flaccidity **2** (ihmisen) sluggishness, indolence, lethargy, listlessness, laziness

velvoite obligation, commitment, (lak) court order, injunction

velvoittaa oblige, bind; (vaatia) require, insist *Aateluus velvoittaa* (ransk) Noblesse oblige

velvoitus obligation, commitment

velvollinen obliged, (duty-)bound, under an obligation (to do something)

velvollisuudentuntoinen dutiful, responsible

velvollisuus duty, obligation; (mon) duties, responsibilities *tehdä velvollisuutensa* do your duty

vene boat *olla samassa veneessä* be in the same boat

veneenrakentaja boatbuilder

venelaituri boat dock

venematka boat trip

venepakolaiset the boat people

Venetsia Venice

venetsialainen s, adj Venetian

venevaja boathouse

Venezuela Venezuela

venezuelalainen s, adj Venezuelan

ventovieras total stranger

ventti s (korttipeli) Blackjack, Twenty-one *adj* beat, bushed, dead

venttiili 1 (trumpetin, auton, pyörän) valve **2** (tuuletusventtiili) vent(ilator)

venytellä stretch (yourself); (voimistella) do stretching exercises, warm up

venyttely stretching exercises

venyttää 1 stretch *venyttää markkaa solkeaksi* pinch pennies **2** (kokousta) prolong, protract, draw/drag out

venytys stretch

venytysharjoitus stretching exercise

venytysliike stretching exercise

venyvyys stretchiness, elasticity

venyvä stretchy, elastic

venyä 1 stretch; (urh) stretch/push yourself **2** (kokous tms) be prolonged/protracted, go on and on **3** (olla kärsivällinen) be patient, have patience

venähdys strain

venähtää strain

Venäjä Russia

venäjä Russia

venäjänkielinen Russian

venäläinen s, adj Russian

venäläisyys Russianness

venäyttää strain

veranta veranda(h), porch

verbaalinen verbal

verbi verb

verekseltään 1 (heti) immediately, right away, without delay **2** (rysän päältä) red-handed, in the act, (lat) in flagrante delicto **3** (tuoreeltaan) fresh

verenhimoinen bloodthirsty

verenimijä bloodsucker

verenkierto circulation

verenluovuttaja blood donor

verenluovutus giving blood

verenpaine blood pressure

verenperintö *kulkeutua verenperintönä* run in the family

verensiirto blood transfusion

verenvuodatus bloodshed
verenvuoto bleeding, hemorrhaging *kuolla verenvuotoon* bleed to death
verestää 1 (silmä) be bloodshot **2** (muistoaan tms) refresh, revive, renew; (kielitaitoaan) brush up
veretön bloodless
verevä 1 (iho) ruddy, florid, rubicund **2** (ihminen) full-blooded, lusty
verho 1 (ikkunaverho) curtain; (mon) drape(rie)s **2** (kuv) cloak, veil, shroud, blanket
verhoilla upholster
verhoilu upholstery
verhokangas curtain material/fabric
verhosuljin (valok) focal-plane/curtain shutter
verhota 1 (peittää) cover, wrap, drape **2** (päällystää) cover, (sur)face; (paneeleilla) panel, (tiileillä) brick
verhotanko curtain rod
verhous covering; (lautaverhous) wood siding, paneling; (tiiliverhous) brick face
verhoutua wrap/clothe/drape yourself (in something) *verhoutua salaperäisyyteen* be shrouded in mystery
veri blood *vuotaa verta* bleed *Veri on vettä sakeampaa* Blood is thicker than water *kaivata verta nenästään* be looking for a punch in the nose *veressä* bloody, bleeding
verikoe blood test
verikoira bloodhound
verilöyly bloodbath, massacre
verimakkara blood sausage
verinen bloody
veripalttu blood sausage
verirahat blood money
veriryhmä blood type
verisesti *loukkaantua verisesti johonkuhun* take mortal offense at someone
veriside blood bond
verisolu blood cell/corpuscle
verisukulainen blood relative/relation
verisukulaisuus blood kinship, consanguinity
verisuoni blood vessel
verisyys bloodiness

verisyöpä cancer of the blood, leukemia
verivelka blood guilt
verka (broad)cloth
verkakangas (broad)cloth
verkkainen slow, deliberate; (rauhallinen) unhurried, leisurely
verkkaisesti slowly, deliberately, unhurriedly
verkkaisuus slowness
verkkarit warmup/sweat/jogging suit
verkko 1 net(ting) *syöksyä verkolle* (tenniksessä) rush the net *saada/kietoa verkkoihinsa* (kuv) catch, (en)snare **2** (verkosto) network **3** (hämähäkin ja kuv) web *salajuonten/valheiden verkko* web of intrigue /lies **4** (tietotek) net
verkkofoorumi (tietok) discussion forum
verkkojohto power cord
verkkojuttelu (tietok) chat
verkkokahvila (tietok) Internet café
verkkokalastus net-fishing
verkkokalvo retina
verkkokamera (tietok) webcam
verkkokauppa (tietok) e-commerce
verkkoliiketoiminta (tietok) e-business
verkkomaksu (tietok) e-payment
verkko-opiskelu (tietok) e-learning
verkko-ostelu (tietok) home shopping
verkkopalvelin (tietok) network server
verkkopalvelu (tietok) network service
verkkoraha (tietok) e-cash, digital cash
verkkoryhmä directory area
verkkotalous (tietok) digital economy
verkkotunnus (tietok) cybername
verkkovierailu roaming
verkkoyhteys (tietok) network connection
verkon hallinta (tietok) network management
verkonkäyttäjä (tietok) netizen
verkottaa (tietok) network
vermutti vermouth
vernissa linseed oil
vero tax, (tuontivero tms) duty
veroasteikko tax(ation) scale/schedule
verohelpotus tax break
veroilmoitus tax return
veroinen *olla jonkun veroinen* be someone's equal, be as good as someone, equal/rival

someone, be comparable with someone, be on a par with someone *uuden veroinen* as good as new

verokarhu the taxman

verokavallus tax fraud

verollinen 1 (ihminen) tax-paying **2** (tulo) taxable

veroluokka tax bracket

veronalainen 1 (verollinen) taxable **2** (Veronasta) Veronan

veronmaksaja taxpayer

veronpalautus tax return

verotoimisto tax office; (US) Internal Revenue Service (IRS) office

veroton (tax-)exempt

verottaa tax, levy a tax on; (kuv) tax, take a heavy toll on

verottaja the taxman

verotuksellinen fiscal

verolulul tax revenue(s)

verotus taxation

verouudistus tax/fiscal reform

verovelvollinen *s* taxpayer *adj* taxable

veroviranomaiset tax authorities

verovähennys tax deduction

verovähennyskelpoinen deductible

veroäyri tax rate/percentage

verrannollinen 1 (vertauskelpoinen) comparable, (vars filos) commensurate **2** (mat) proportional, proportionate

verrata compare, make/draw a comparison (between) *vertaa* (vrt) compare (cf) *verrattuna johonkin* compared to/with something *olla verrattavissa johonkin* be comparable with something

verraten comparatively, relatively, fairly; (ark) pretty

verraton 1 wonderful, excellent, splendid; (ark) great, super *verrattoman* extremely, exceedingly, highly, very **2** (lyömätön) unbeaten, unrivaled, unmatched, matchless, peerless, unparalleled

verrattain comparatively, relatively, fairly; (ark) pretty

verrattomasti incomparably, by far, far and away

verryttely warm(ing) up

verryttelypuku warmup/sweat/jogging suit

versio version

verso sprout, shoot

versoa 1 sprout, (put out) shoot(s) **2** (kuv) spring up, take shape/form, germinate

verstas (work)shop

verta *vetää vertoja jollekulle* rival/equal someone, be someone's equal/match/peer *Kukaan ei vedä vertoja hänelle* She is beyond compare, she is second to none, no one can match her *vertaansa vailla* beyond compare, second to none, unparalleled, unmatched, matchless, peerless *jonkin verran* a little/bit, (jossain määrin) to some extent *metrin verran* about a meter *minkä verran* how much, (miissä määrin) to what extent *En välitä siitä penninkään vertaa* I wouldn't give a plug nickel for it *Ei tässä ole senkään vertaa, että sinä saat* There isn't even enough for you *kaksin verroin parempi* twice as good

verta hyytävä bloodcurdling

vertailla compare, make/draw a comparison (between)

vertailu comparison

vertailukelpoinen comparable, commensurate

vertailukohde (samanlainen asia) parallel; (malli) model

vertailutesti comparative test

vertainen equal *kohdella jotakuta vertaisenaan* treat someone as your equal *seurustella vertaistensa kanssa* fraternize with your peers *tavata vertaisensa* meet your match *ensimmäinen vertaistensa joukossa* first among equals, (lat) primus inter pares *Se hakee vertaistaan* It is beyond compare, it is unparalleled/unmatched/matchless/peerless

vertaiskäsittely (tietok) peer processing, peer-to-peer (P2P) computing

vertaisryhmä peer group

vertaisverkko (tietok) peer-to-peer (P2P) network

vertaisviestintä (tietok) peer communications

vertauksellinen figurative, symbolic, allegorical

vertaus 1 (vertailu) comparison **2** (kuvail-maus) figure (of speech), trope, metaphor; (kuin-vertaus) simile **3** (symbolinen ta-rina) parable; (allegoria) allegory *puhua vertauksin* speak in parables

vertauskuva 1 (symboli) symbol, emblem, type **2** ks vertaus

vertauskuvallinen figurative, symbolical, metaphorical, allegorical

vertauskuvallisesti figuratively, symbolic-ally, metaphorically, allegorically

veruke excuse, pretext, subterfuge *keksiä verukkeita* make excuses

veräjä gate

vesa 1 (puun tms) shoot, sprout, sucker; (vanh) scion **2** (perheen) scion; (mon) off-spring

vesakko coppice (forest)

vesi water *Se toi veden kielelle* It made my mouth water *vedet silmissään* with tears in your eyes *sataa vettä* rain *Kasvimaa kai-paa vettä* The garden needs rain/watering *heittää vettä* make water, urinate; (leik) water your lizard

vesihana water faucet

vesihiihto waterskiing

vesihiihtäjä waterskier

vesihämähäkki isher spider

vesihöyry steam

vesijohto water pipe, (pää-) water main

vesijohtovesi water from the tap, tap water

vesijäähdytteinen water-cooled

vesijäähdytys water-cooling

vesikatto roof

vesikauhu rabies

vesikauhuinen rabid

vesikirppu water flea

vesikouru (räystäskouru) rain gutter; (tukki-kouru) flume

vesilasi water glass

vesiliikenne water traffic

vesilintu waterfowl *heittää jollakin vesilin-tua* pitch/chuck/heave something (out the window)

vesilisko newt

vesiliukoinen water-soluble

vesillelasku launch(ing)

vesimaamyyrä Pyrenean desman

vesimaksu water charge

vesimittari (eläin) pondskater

vesimokkasiinikäärme cottonmouth snake

vesipallo (peli) water polo; (pallo) water-polo ball

vesiperä (kalastuksessa) water haul *vetää vesiperää* (kuv) draw a blank

vesiposti (pihassa) water faucet; (kadulla) fire hydrant

vesiraja 1 (veden korkeus) water level, (lai-van) water line **2** (rannan) water's edge, waterside, waterfront **3** (valtion) sea boundary

vesirokko chickenpox

vesisika capybara

vesiskootteri jet ski

vesistö lake system, (natural) waterway

vesisuksi waterski

vesisuoni water vein

vesisänky waterbed

vesitiivis watertight

vesitse by water

vesittyä be watered down, be diluted

vesittää 1 (laimentaa, myös kuv) water down, dilute **2** (kastella) water, irrigate

vesivahinko water damage

vesivoima hydroelectric power

vesivoimala hydroelectric plant

vesiväri watercolor

vesiväritys watercolor

vesoa 1 (kasvaa vesaa) sprout, put out shoots **2** (leikata vesat) trim/prune (off the new growth)

vesseli kid, tyke

vesuri bill(hook)

vetelehtiä laze/loaf around, slack off

vetelys loafer, slacker, do-nothing, good-for-nothing, no-count

vetelä 1 loose, runny, watery *olla vatsa vete-länä* have diarrhea, (ark) have the runs/trots **2** (veltto) slack, sluggish, lethargic

vetelästi loosely, runnily, slackly, slug-gishly, lethargically (ks vetelä)

veteraani veteran, (ark) vet

vetinen watery, waterlogged, soggy, wet

vetistellä blubber, (leik) turn on the water-works

vetisyys wateriness, sogginess, wetness

vetkutella 1 (pyrstöä) wag **2** (kuv) dawdle

veto 1 pull(ing), haul(ing), tow(ing); (vetäisy) yank(ing), jerk(ing), tug(ging) **2** (vetovoima) pull, attraction **3** (lääk) traction *jalka vedossa* your leg in traction **4** (ilmavirta) draft **5** (auton) drive *neliveto* four-wheel drive *etuveto* front-wheel drive **6** (ihmisen) strength, energy *Minulla on veto lopussa* I'm dead(-tired/-beat) *hyvässä vedossa* in fine form **7** (sivelttimen tms) stroke **8** (pelissä) move *rohkea veto* a bold move **9** (lak) (notice of) appeal **10** (pol) veto *kaataa lakiesitys vetollaan* veto a bill

vetoinen 1 (huone) drafty **2** (laiva, astia) ...in capacity *litran vetoinen kannu* a liter pitcher, a pitcher that holds a liter **3** (auto) -drive *etuvetoinen auto* a car with front-wheel drive

vetojuhta draft animal

vetonaula drawing card

vetonumero drawing card

veto-oikeus (right/power of) veto

vetoomus appeal

vetovalikko (tietok) drop-down/pull-down menu

vetovoima 1 (tekn) pulling/tractive/traction force/power **2** (fys) gravitation, gravity, pull, attraction **3** (henkinen) attraction, appeal

vetreä lithe, limber, supple

veturi locomotive, engine

veturinkuljettaja engineer

veturitalli locomotive shed/depot

vety hydrogen

vetypommi hydrogen bomb

vetäistä yank, jerk, tug (at), give (something) a quick yank/jerk/tug

vetäjä 1 (vetojuhta) draft animal **2** (urh) frontrunner, pacesetter **3** (juontaja) Master of Ceremonies, emcee **4** (johtaja) leader

vetävyys attraction, appeal, effectiveness, spaciousness (ks vetävä)

vetävä 1 (viehättävä) attractive, appealing, fetching **2** (iskevä) impressive, striking, effective **3** (tilava) spacious, roomy

vetäytyä 1 (fyysisesti) move/back away (from); (tulvavesi tms) recede **2** (sosiaali-

sesti, myös sot) withdraw, retire, retreat; (vastuusta) shirk

vetää 1 pull, haul, tow; (vetäistä) yank, jerk, tug (on) **2** (sot) withdraw **3** (kello tms) wind **4** (johtaa) lead, run, manage, conduct; (juontaa) emcee **5** (kaapelia) lay, run **6** (vettä: pullo) hold, take; (laiva) draw **7** (ilmaa) *Takka vetää hyvin* The fireplace draws well *Täällä vetää!* There's a draft in here! **8** *panna paperit vetämään* apply, send in your application **9** (tietok) drag and drop

vetää hammas pull/extract a tooth

vetää henkeä inhale, breathe in; (kuv: hiiskua) breathe a word

vetää hirsiä catch some Z's, get some shuteye

vetää hirteen string (someone) up

vetää jonkun huomio johonkin draw someone's attention to something

vetää jonkun maine lokaan drag someone's name in the dirt

vetää kiinni pull (something) shut *Kiinni veti!* Done! It's a deal!

vetää käteen (alat) jack/jerk off

vetää köyttä have a tug-of-war

vetää leukaa do chin-ups

vetää leukaan crack/smack (someone) in the jaw

vetää lonkaa stretch out your legs

vetää lyhyempi korsi draw the short(er) straw

vetää miekkansa draw your sword

vetää nenästä pull (someone's) leg

vetää oikeuteen sue (someone)

vetää puoleensa attract (myös kuv)

vetää pyssynsä draw (on someone)

vetää rajaa draw a line; (tehdä eroa) make a distinction (between)

vetää rakoa (urh) pull out in front

vetää sanansa takaisin take (something) back, take back (what you said)

vetää sisään retract, pull in

vetää suonta cramp (up)

vetää vastuuseen bring (someone) to justice

vetää vatsa sisään suck up your gut

vetää vertoja jollekulle equal/rival someone, be someone's equal/match/peer *Kukaan ei *vedä vertoja hänelle* She is beyond compare, she is second to none, no one can match her

vetää vessa flush the toilet *vetää alas vessasta* flush (something) down the toilet

vetää viimeisiään breathe your last

VHF VHF, very high frequency

viallinen defective, faulty

viaton innocent, (harmiton) harmless

viattomasti innocently, harmlessly

viattomuus innocence

video video *Minulla on se elokuva videolla* I have the movie on video

videokamera video camera

videokasetti videocassette

videokasettinauhuri videocassette recorder, VCR

videokokous videoconference

videonauha videotape

videonauhuri (kasetti) videocassette recorder, VCR, (kelanauha) videotape recorder, VTR

videoneuvottelu videoconference

videopuhelin videophone

videovuokraamo video rental (store/department)

viedä 1 (kuljettaa) take, carry, convey, transport, deliver; (ark) tote, lug, haul **2** (johdattaa) take, lead (myös tanssissa), conduct, guide; (johtaa) result in *Kaikki tiet vievät Roomaan* All roads lead to Rome **3** (kähveltää) take, steal, rob; (ark) swipe **4** (tavaraa maasta) export **5** *Piru vie(köön)!* Damn it!

viedä aikaa take time

viedä eteenpäin advance, further

viedä harhaan mislead, lead (someone) astray

viedä huippuunsa perfect (something)

viedä joltakulta henki take someone's life

viedä loppuun finish (something up), complete, bring (something) to a conclusion

viedä mennessään take with you; (tulva tms) sweep/carry away

viedä pitkälle go a long ways with (something) *viedä liian pitkälle* take (something) too far

viedä päätökseen finish (something up), complete, bring (something) to a conclusion

viedä tahtonsa läpi have/get your way

viedä tilaa take (up) space

viedä voittoon lead (someone) to victory

viedä yöunet keep you awake

viedä äärimmäisyyksiin take (something) to extremes

viehe lure

viehkeä alluring, charming, entrancing

viehkeästi alluringly, charmingly, entrancingly

viehtymys interest (in), fascination (with)

viehättävä attractive, charming, appealing

viehättävästi attractively, charmingly, appealingly

viehättää attract, charm, appeal (to)

viehätys attraction, charm, appeal

viehätysvoima attraction, charm, appeal

viejä exporter

viekas clever, crafty, cunning

viekkaasti cleverly, craftily, cunningly

viekkaus cleverness, craft(iness), cunning

viekoitella lure, tempt, entice, (seksuaalisesti) seduce *viekoitella joltakulta jotakin* con someone out of something

vielä 1 still, yet, even *Hän ei ole tullut vielä* She hasn't come yet, she still hasn't come *Vielä viime kuussa se oli kunnossa* It was still working last month, it was working fine as late/recently as last month *ei vielä* not yet *vielä parempi* still/even better *yhä vieläkin* even now/today **2** (lisäksi) further(more), more(over) *Otatko vielä yhden?* Would you like one more, will you take another (one)? *On vielä todettava että* It is further to be noted that *Mitä vielä haluat?* What else do you want?

vieläpä even *Asia on vaikea, vieläpä mahdoton ratkaista* It's a difficult, even impossible problem to solve

viemiset presents, gifts *Onko meillä mitään viemisiä?* Do we have anything to take with us?

viemäri drain; (viemärioja) gutter; (viemäristö) sewer (system)

viemäristö sewer system

Wien Vienna

wienerleipä Danish pastry

wieniläinen *s, adj* Viennese

vieno soft, gentle, muted, hushed

vienosti softly, gently, in hushed tones

vienti export

vientikauppa export trade

vientikiintiö export quota

vientiluotto export credit

vientimaksu export duty

vientitavara export goods

vientituote product for export

vieraannuttaa alienate, estrange; (tehdä vieraantuntuiseksi) defamiliarize

vieraantua become alienated/estranged (from someone)

vieraantuminen alienation, estrangement

vieraanvara food kept on hand in case someone drops by

vieraanvarainen hospitable

vierailija visitor, guest; (TV- ohjelmassa) special guest, guest star

vierailla 1 visit, pay (someone) a visit **2** (TV-ohjelmassa tms) guest(-star on), make a special appearance in

vierailu visit

vierailuaika visiting hour(s)

vieraisilla visiting *mennä vieraisille* go visiting, go see someone

vieraissa *käydä vieraissa* cheat on your spouse

vieras *s* **1** (tuntematon ihminen) stranger *Älä puhu vieraille!* Never talk to strangers! **2** (vierailija) guest, visitor; (kuv ja ylät) visitant *adj* **1** (tuntematon) strange, unknown, unfamiliar, alien *Ei ajatus ole täysin vieras minulle* The idea has occurred to me **2** (johonkin kuulumaton) alien, foreign *vieras aine* alien/foreign substance **3** (ulkomainen) foreign *vieras työvoima/korostus/kieli* foreign labor/accent/language

vierasmaalainen *s* foreigner, (lak) alien *adj* foreign

vieraspaikkakuntalainen out-of-towner, stranger, nonlocal

vierasperäinen foreign

vierastaa 1 (arkailla) be shy **2** (kaihtaa) shy away from, shun, steer clear of **3** (oudoksua) find (something) strange

vierastyöläinen foreign/guest worker

vierasverkko (tietok) extranet

viereinen next, adjacent *Menkää viereisestä ovesta* Use the next door *kirkon viereinen kauppa* the store next to the church

vierekkäin side by side, next to each other

vierekkäinen adjacent, adjoining; (ylät) contiguous *Meillä on vierekkäiset huoneet* We have adjacent/adjoining rooms, we have rooms next to each other

vierellä *jonkun vierellä* at someone's side, beside someone, next to someone *Kuljetko kotvan vierelläni?* Will you walk with me a while?

vieressä beside, next to, alongside, by; (lähellä) close to, near by *Menehän istumaan mummin viereen* Go sit by grandma, pull up a chair next to grandma

vieri side *kulkea aidan viertä* walk along the fence

vierittää 1 (kiveä tms) roll **2** (tietok) scroll **3** *vierittää syy jonkun niskoille* blame someone else for it, (ark) pass the buck

vieritys (tietok) scrolling

vierityspalkki (tietok) scroll bar

vieri vieressä right next to each other, close together

vieriä 1 (kivi tms) roll *Vierivä kivi ei sammallu* A rolling stone gathers no moss **2** (aika) roll by/on, pass *vuosien vieriessä ohi* as the years roll by

vieroittaa 1 (vauva) wean **2** (aineriippuvainen tms) break (someone) of a habit, cure (someone's) addiction, help (someone) kick the habit **3** (vieraannuttaa) alienate, estrange

vieroitus 1 (vauvan) weaning **2** (aineriippuvaisen) withdrawal

vieroitusoire withdrawal symptom

vieroksua 1 (kaihtaa) shy away from, shun, steer clear of **2** (oudoksua) find (something) strange

vieroksunta repulsion

vierusta side

vierustoveri the person next to you

vierähtää 1 (vieriä) roll *Kivi vierähti sydämeltäni* That took a load off my mind **2** (pudota) fall, drop **3** (aika) pass, slip by /away; (ark) zip by

viesti 1 (sana) message, news, word; (ylät) tidings **2** (sot, tietok) communication **3** (urh) relay (race)

viestikapula baton

viestimet the media

viestinjuoksu relay race

viestintä communication

viestintäsatelliitti telecommunication satellite

viestittää communicate; (sot) signal

viestitys communication; (sot) signaling

vietellä lure, tempt, entice; (seksuaalisesti) seduce

vieteri spring *Onpa sinulla lyhyt vieteri* You certainly are on a short fuse

vie terveisiä! send my love/greetings, say hello

Vietnam Vietnam

vietnamilainen *s, adj* Vietnamese

viettelijä seducer, lady-killer, lady's man, Don Juan, Casanova

viettelijätär seductress, charmer, sweet-talker, temptress, siren

viettely seduction

viettelys (al)lure(ment), enticement, temptation; (seksuaalinen) seduction

vietti drive

vietto 1 (mäen) slope, gradient **2** (juhlien) celebration

viettää 1 (olla kalteva) slope **2** (aikaa) spend, pass; (ark) kill *viettää talvi etelässä* spend the winter in the south **3** (juhlia) celebrate *viettää synttäreitä* celebrate a birthday

vietävä *Hän huusi kuin vietävä* He screamed like a stuck pig *vietävän nälkä* damned hungry

vietävästi *Väsyttää niin vietävästi* I'm so damned sleepy

viha 1 (suuttumus) anger, fury, rage; (ylät) wrath *pitää vihaa jonkun kanssa, olla vihoissa jonkun kanssa* feud with someone *pistää vihaksi* make you mad **2** (inho) hatred, hate, hostility; (vihollisuus) enmity *unohtaa vanhat vihat* bury the hatchet *jou-*

tua jonkun vihoihin make an enemy, fall into someone's disfavor

vihaaja hater *miesten vihaaja* man-hater, misanthropist; (ark) ball-breaker *naisten vihaaja* woman-hater, misogynist; (ark) chauvinist pig

vihainen angry, furious; (ark) mad; (ylät) wrathful, irate

vihaisesti angrily, furiously, wrathfully

vihamielinen hostile

vihannes vegetable

vihanneskeitto vegetable soup

vihastua get angry/mad, lose your temper; (ark) fly off the handle, blow your top, hit the roof

vihastus anger, indignation, exasperation

vihastuttaa anger, enrage; (ark) make (someone) mad (at you)

vihata hate, loathe, abhor, detest *Joka vitsaa säästää se lastaan vihaa* Spare the rod and spoil the child

vihdoin finally, at last

vihdoin viimein at long last, finally, eventually

viheliäinen 1 (huono) terrible, miserable, execrable; (ark) lousy **2** (alhainen) base, mean, vile; (ylät) contemptible, despicable, dastardly; (ark) dirty

vihellellä whistle (away)

vihellys 1 whistle **2** *vihellykset* (yleisön epäsuosion ilmaukset) boos, catcalls, hisses, jeers

viheltää whistle

viheralue park

viheriö (golf) green

viherkaihi glaucoma

vihertävä green

vihertää be green

vihi *saada vihiä jostakin* get wind of something

vihillä *mennä vihille* get married; (ark) get hitched, tie the knot

vihjailla hint, insinuate

vihjailu hinting, insinuation

vihjata hint, insinuate

vihjaus hint

vihje hint, (ark) tip

vihkiminen 1 (avioparin) wedding **2** (papin) ordination, (piispan) consecration **3** (kirkon) consecration, dedication; (rakennuksen, tien tms) opening, inauguration

vihkiytyä 1 (tutustua) familiarize yourself (with); (saloihin) penetrate (the mysteries); (salaseuraan) be initiated (into) *asiaan vihkiytyneet* initiates, those in the know **2** (omistautua) dedicate/devote yourself (to)

vihkiä 1 (aviopari) marry, wed, join (a couple) in holy matrimony **2** (papiksi) ordain, (piispaksi) consecrate **3** (kirkko) consecrate, dedicate; (käyttöön) open, inaugurate **4** (elämänsä) devote/dedicate /consecrate (your life to)

vihkiäiset 1 (avioparin) wedding **2** (papin) ordination, (piispan) consecration **3** (kirkon) consecration, dedication; (rakennuksen, tien tms) opening, inauguration

vihkiäistilaisuus wedding/ordination/consecration/dedication/opening/inaugural ceremony (ks vihkiäiset)

vihko notebook/-pad

vihlaista cut, pierce, rend *vihlaista sydäntä* cut you to the quick, tear at your heartstrings *vihlaiseva kipu* stabbing/shooting pain

vihloa *vihloa korvia* grate on your ears *vihloa hermoja* jar on your nerves *vihloa hampaita* have a stabbing pain in your teeth

vihmoa drizzle

vihne awn

vihoitella (pitää vihaa) be angry/mad (at someone); nurse/hold a grudge (against someone); (huutaa) rant and rave **2** (haava: tulehtua) get inflamed/infected

vihoittaa anger, enrage, make (someone) angry/mad

vihollinen enemy, (ylät) foe

vihollisalue enemy territory

vihollisjoukot enemy troops

vihollisuudet hostilities

vihoviimeinen the very last *Tämä on vihoviimeistä työtä* This is a lousy/shitty job

vihreä *s* (pol) Green *adj* green (myös kuv: kokematon) *vihreä nuorukainen* green /callow youth, greenhorn

vihreä aalto synchronized traffic lights

vihreänä kateudesta green with envy

vihreä peukalo green thumb

vihreä valo *näyttää vihreää valoa* give (someone) the green light, the go-ahead

vihta birch-switch

vihtoa slap yourself/someone with a birch-switch

vihuri gust (of wind)

vihurirokko German measles, (lääk) rubella

viidakko jungle

viidenkymmenen villitys midlife fling

viidennes (one-)fifth

viides fifth

viideskymmenes fiftieth

viidessadas five-hundredth

viidesti five times

viidestoista fifteenth

viidestuhannes five-thousandth

viihde entertainment

viihdekirjailija popular novelist

viihdekirjallisuus popular literature, light reading

viihdemusiikki pop music

viihdeohjelma entertainment program

viihdyke pastime, diversion

viihdyttää 1 (hauskuuttaa) entertain, divert, amuse **2** (hyssytellä) soothe, calm, pacify

viihtyisä pleasant, comfortable, cozy; (ark) comfy, homey

viihtyisästi pleasantly, comfortably, cozily

viihtyä 1 (ihminen: nauttia) enjoy yourself, like (something, it somewhere); (olla kuin kotonaan) feel at home; (tulla viihdytetyksi) be amused/entertained *Viihdytkö täällä?* Do you like it here? **2** (kasvi) thrive, flourish

viikata fold

viikate scythe *Väinämöisen viikate* (tähtikuvio) Orion's Belt

viikatemies (myt: kuolema) the Grim Reaper

viikinki Viking

viikko week *viikon päästä* a week from now, in a week *ensi/viime viikolla* next/last week *ensi viikon torstaina* a week from Thursday *ensi viikon loppupuolella* late next week *kaksi viikkoa sitten* two weeks ago *viikosta toiseen* week after week

viikkokaupalla week after week, for weeks on end

viikkolehti weekly (magazine)

viikkosiivous weekly cleaning

viikkotunti (koulussa) period per week

viikkotuntimäärä number of periods/class-hours per week

viikonloppu weekend

viikonloppualennus weekend discount

viikonloppuisin weekends, on the weekend

viikonloppusa weekend daddy

viikottain weekly

viikottainen weekly

viikset 1 (miehen) mustache **2** (kissan) whiskers

viikuna fig

viikunanlehti figleaf

viila file, (karhea) rasp

viilata file *viilata linssiin* fool, dupe, trick; pull the wool over (someone's) eyes

viilentyä cool off/down

viilettää *mennä viilettää* burn up the road, go hell-bent for leather, hightail it

viiletä cool off/down

viileys coolness

viileä cool *viileä kuin viilipytty* cool as a cucumber

viileäkaappi cooler

viileästi coolly

viili natural yoghurt

viillos cut, slash; (lääk) incision

viilto cut, slash; (lääk) incision

viiltohaava cut, slash

viiltää cut, slash, slit *viiltää kurkkunsa /ranteensa auki* slit your throat/wrists

viilu veneer

viima cutting/icy wind

viime last, past *viime viikolla/vuonna* last week/year *viime vuosina* over the past few years

viimeinen 1 last, final *viimeinen pisara /oljenkorsi* the last straw *sanoa viimeinen sana* have the last word **2** (viimeisin) latest, most recent; (ark) last *viimeistä huutoa* the latest thing, all the rage, in *Viimeinen tieto jonka sain oli että* Last I heard *Kiitos viimeisestä* We had a great

time at your house the other night, thanks for having us over the other day

viimein(kin) at last, finally

viimeiseksi last of all, lastly, finally

viimeisillään (kuolemaisillaan) on your last leg; (raskaana) nine months pregnant

viimeistelemätön unpolished, unfinished

viimeistellä polish, finish, touch up, put the finishing touches on

viimeistely polishing, finishing, touching up

viimeistään at the latest, no later than

viimekertainen *pyytää anteeksi viimeker-taista käytöstään* apologize for acting the way you did

viimekesäinen last summer's, (something that happened) last summer

viimeksi last; (lopuksi) lastly, finally, in con-clusion *Milloin hänet on viimeksi nähty?* When was she last seen?

viimeksi mainittu the last-mentioned

viimekuinen last month's, (something that happened) last month

viimetalvinen last winter's, (something that happened) last winter

viimeviikkoinen last week's, (something that happened) last week

viimevuotinen last year's, (something that happened) last year

viina hard liquor, (ark) booze, sauce

viinaan menevä boozing

viinakauppa liquor store

viinamäen mies boozer, drinker, lush

viinanjuonti boozing, drinking

viinapäissään (when) drunk

viineri Danish (pastry)

viini wine

viini, laulu ja naiset wine, women, and song

viinimarja currant

viinimarjapensas currant bush

viinirypäle grape

viipale slice

viipaloida slice

viipaloitu sliced

viipottaa *tr* **1** (heiluttaa) wave, wag **2** (kiikut-taa) carry (something) along **3** *Minua viipottaa* I feel faint *itr* **4** (heilua) wave, wag **5** *mennä viipottaa* go/fly like the wind **6** (sojottaa) stick/jut out

viipurinrinkeli pretzel

viipymättä without delay, promptly

viipyä 1 (jäädä, pysyä) stay, remain; (asiassa) dwell (on); (ylät) linger, (ark) hang around *Kauanko voit viipyä?* How long can you stay? **2** (viivytellä) take your time (doing something), do (something) slowly, dawdle *Missä hän nyt viipyy?* What's keeping her? Where is she? What's taking her so long? **3** (viivästyä) be delayed/late

viiru stripe, streak

viisaasti wisely

viisas *s* wise (wo)man, sage *adj* **1** (ihminen) wise, intelligent; (ylät) sagacious; (ark) smart *kaukaa viisas* far-sighted **2** (toimen pide tms) wise, sensible, sound

viisastelija smart-aleck/-ass, wise-acre/-ass, wise guy

viisastella wise off, be a smart-aleck/-ass

viisastelu sophistry, casuistry

viisasten kivi the philosophers' stone

viisastua become wise; (ark) wise up

viisaus wisdom

viisi five *tuntea jokin kuin viisi sormeaan* know something like the back of your hand *viittä vaille* (kellonajasta) five till; (kuv) almost, practically

viisihenkinen (perhe/seurue) (family/party) of five

viisikko brood

viisikymmenkertainen fiftyfold

viisikymmenluku the fifties

viisikymmentä fifty

viisikymppinen in your fifties

viisimiehinen five-man

viisinkertainen fivefold, five-time, quintuple

viisinumeroinen five-digit

viisiottelu pentathlon

viisipaikkainen five-seater

viisisataa five hundred

viisitoista fifteen

viisituhatta five thousand

viisivuotinen five-year

viisivuotissuunnitelma five-year plan

viisto oblique; (taso) sloping, slanting; (reuna) beveled, mitered

viistossa at a slant, aslant *taka-/etuviistossa* leaning backward/forward *taulut viistossa*

seinällä the paintings hanging crookedly on the wall *laskea viistoon hiihtorinnettä* traverse the ski slope *mennä viistoon kadun poikki* cut obliquely/diagonally /cattycorner across the street

viistää 1 (laahata) drag **2** (viistota) bevel, miter

viisu song, broadsheet

viisumi visa

viisumipakko required visa

viis veisata jostakin not give a damn/hoot /shit about something

viitata 1 (kädellä: kohti) point (at/to); (tännemmäs) beckon/wave (to); (koulussa) raise your hand **2** (enteillä) point (to), indicate, suggest **3** (puheessa) refer/allude (to), make a reference/allusion (to) *viitaten kirjeeseenne* with reference to your letter

viite reference; (kirjeessä) re; (kirjassa) (foot-/end-)note

viitisen around five

viitoittaa mark *hyvin viitoitettu tie* well-marked road

viitoittamaton unmarked

viitonen (the number) five; (seteli) fiver, five-spot

viitoset quintuplets

viitostie highway 5

viitsiä 1 (olla kiltti) *Viitsisitkö tulla vähän tänne?* Could you come here for a minute? Would you mind stepping over here? *Älä viitsi* Stop it, please; do you mind? **2** (haluta) feel like (doing something), be bothered (to do something) *En viitsi lähteä* I don't feel like going, I couldn't be bothered to go

viitta 1 (vaate) cape, cloak, robe **2** (tien) sign

viittaus 1 (ele) motion, sign(al), gesture **2** (viite) reference, allusion **3** (vihjaus) hint, insinuation

viitteellinen allusive, evocative, suggestive; (epäsuora) indirect, veiled

viitteellisesti allusively, evocatively, suggestively, indirectly

viittoa 1 motion, gesture, beckon, signal **2** (viittomakielellä) sign

viittoilla 1 ks viittoa **2** (lipuilla) semaphore

viittomakieli sign language

viiva line *vetää viiva jonkin yli* cross/strike something out *mennä viivana* fly/dash off

viivain ruler

viivakoodi bar code

viivata rule, line *viivattu paperi* ruled/lined paper

viive lag

viivoitin ruler

viivoitus ruling, lineation

viivytellä delay, dawdle, dillydally, drag your feet

viivyttää delay, put off, defer, postpone

viivytys delay

viivähtää stay (on), linger, tarry; (asiassa) dwell (on)

viivästyminen delay

viivästys delay

viivästyä be delayed/late

vika 1 fault, flaw, weakness, shortcoming, defect *Ei se minun vikani ollut* It wasn't my fault *mennä vikaan* go wrong **2** (ruumiillinen) defect, disability, disorder, disease, trouble *Ei minussa mitään vikaa ollut* There was nothing wrong with me

vikailmoitus false alarm

vikapaikka the wrong place

vikapisto dropped stitch; (kuv) blunder, screwup

vikatikki wrong stitch; (kuv) blunder, screwup

vikinä 1 (hiiren) squeaking **2** (lapsen) whining

vikistä 1 (hiiri) squeak **2** (lapsi) whine

vikitellä lure, tempt, entice; (seksuaalisesti) seduce

vikkelyys quickness, nimbleness

vikkelä quick, nimble

vikkelästi quickly, nimbly

Viktoria (kuningatar) Victoria

viktoriaaninen Victorian

vikuroida balk

vilahtaa flash

vilaus flash *nähdä vilaukselta* catch a glimpse of

vilauttaa flash

Vilhelm (kuninkaan nimenä) William

Vilhelm Valloittaja William the Conqueror

viliinä (hustle) and bustle, commotion, stir

vilistä swarm, surge, throng, teem

vilistää dash/dart (off)

vilja grain; (kasvava) crops

viljatuote grain product

viljava fertile, fruitful

viljavuori surplus grain, grain glut

viljelemätön untilled

viljelijä farmer

viljellä 1 (maata) cultivate, farm, till **2** (kasveja) raise, grow **3** (biologia näytteitä) culture **4** (henkisiä hyveitä) use, cultivate

viljelmä 1 (maatila) farm **2** (vihannesmaa) garden **3** (iso) plantation **4** (biol) culture

viljely 1 (maan) cultivation, agriculture, agronomy, farming **2** (hengen) cultivation, culture

viljelykelpoinen arable

viljelys cultivated/arable land, field(s), plantation *olla viljelyksessä* be tilled/cultivated, be under cultivation

vilkaista (take a quick) glance (at), glance /look through/over (quickly)

vilkas 1 (elävä) lively, animated, vivacious; (ark) perky, peppy **2** (voimakas) vivid *vilkas mielikuvitus* vivid imagination **3** (vikkelä) quick, fast, rapid *livahtaa vilkkaasti tiehensä* dash/dart off, beat a hasty retreat **4** (liik) brisk, (ark) hot *Kaupankäynti on vilkasta* They're selling like hotcakes **5** (kiireinen) busy, bustling, hectic *vilkas liikenne* heavy traffic

vilkasliikenteinen busy

vilkastua 1 (ihminen) liven/perk up, become (more) lively/animated **2** (kaupankäynti) pick up

vilkkaasti animatedly, with animation, vivaciously, perkily, peppily, vividly, quickly, fast, rapidly, briskly, busily, hectically (ks vilkas)

vilkku 1 (auton) turn indicator, blinker **2** (vilkkuva valo) flashing light

vilkkuvalo flashing light

vilkuilla glance (around), sneak/steal a glance/look/peek *vilkuilla sivuille* (fyysisesti) cast sidelong glances; (seksuaalisesti) look at other (wo)men

vilkutella 1 (vilkkua) flash, (tuikkia) twinkle **2** (heilutella) wave **3** (juosta) dash

vilkuttaa 1 (vilkkua) flash, (tuikkia) twinkle **2** (heilutella) wave **3** (iskeä silmää) wink

vilkutus 1 flash(ing), twinkle, twinkling, wave, waving, wink(ing) ks vilkuttaa **2** (tietok) blinking

villa 1 (lampaan) wool, (mon) fleece **2** (talo) villa

villainen woolen

villakoira 1 (koira) poodle **2** (pölykerä) dustbunny

villakoiran ydin the main thing, the essence of the thing

villapaita sweater

villasukat woolen socks/stockings

villatakki sweater jacket

villi s **1** (alkukantainen) savage **2** (johonkin kuulumaton: liittoon) nonunion worker; (puolueeseen) independent; (urheiluseuraan, lähin vastine) free agent adj **1** (alkukantainen) wild, uncivilized, primitive, savage; (kesyttämätön) untamed, unruly **2** (johonkin kuulumaton: liittoon) nonunion; (puolueeseen) independent; (urheiluseuraan) unaffiliated villi lakko wildcat strike

villieläin wild animal/beast, (mon) wildlife

villi-ihminen savage

villiintyä 1 (lapsi) get wild, get out of hand /control **2** (väkijoukko) run riot **3** (kasvit) run wild

villi länsi the Wild West

villilännenelokuva Western

villisti wildly

villitys craze, fad viidenkympin villitys midlife fling

villitä drive (someone) wild; (agitoida) agitate, incite, stir up, foment

vilpillinen deceitful, fraudulent

vilpillisyys deceit(fulness), fraudulence

vilpittömyys sincerity, honesty

vilpitön sincere, honest, guileless

vilpoisa cool, breezy

vilppi deceit, fraud, guile

vilske bustle, stir, commotion

viltti blanket

vilu cold Eikö sinun tule vilu? (yleensä) Don't you get cold? (nyt) Aren't you getting cold? olla viluissaan be freezing

viluinen cold, (ark) freezing

vilustua catch (a) cold olla vilustunut have a cold

vilustuttaa itsensä catch (a) cold

viluttaa Minua viluttaa I'm cold

vilvoitella cool off

vimma 1 fury, furor, frenzy, rage **2** (ark: halu) itch, yen, mania

vimmaantua 1 (suuttua) fly into a fury/rage /passion **2** (joutua himon valtaan) be possessed by a passion

vimmastua fly into a fury/rage/passion

vimmattu s mad(wo)man adj furious, frantic, frenzied, possessed

vimmatusti like hell/mad/crazy

vinguttaa make (something) squeal vinguttaa viulua scrape the violin/fiddle

vinha 1 (nopea) fast, furious, breakneck, headlong vinhaa vauhtia at a breakneck pace **2** (erikoinen) odd, peculiar, weird vinhan näköinen mies a weird-looking man

vinhasti fast and furious, hell-bent for leather, headlong

vinkkeli 1 (suora kulma) (right) angle vinkkelissä on the square **2** (ark: näkökanta) point of view käsitellä asiaa toisesta vinkkelistä come at it from another angle, get another viewpoint on it

vinkki hint, tip

vinksahtaa (osua harhaan) miss, slip vinksahtanut (tärähtänyt) cracked, touched (in the head), off your rocker, gonzo

vinkua 1 (luoti) whiz, whistle; (hengitys) wheeze **2** (ovi) squeak, (lapsi, koira) whine

vino 1 (taso) sloping, slanting, inclined vinot silmät slanty eyes **2** (viiva) diagonal, oblique **3** vino hymy wry smile vino suu twisted mouth vinossa ks hakusana

vinoilla taunt, gibe (at), twit

vinoneliö diamond, (geom) rhomb(us) vinoneliön muotoinen rhomboid

vinossa 1 (fyysisesti) crooked, aslant, askew **2** (vialla) wrong Tässä on jotain vinossa Someone's wrong/fishy here, everything isn't right here

vinosti diagonally, obliquely

vinoutua get distorted/warped/twisted

vinoutuma distortion

vinoviiva (/) (forward) slash

vintilä brace (and bit), crank brace

vintiö scamp

vintti 1 (kaivon) sweep **2** (ullakko) attic, loft, garret

vinttikoira greyhound

vintturi winch

vinyyli vinyl

vioittua be damaged/impaired/injured; (ark) get busted, go on the blink/fritz

violetti violet

vipata 1 (pyytää, saada vippiä) bum, scrounge *vipata kaverilta tupakkia* bum a smoke off a friend **2** (antaa vippi) loan, lend *Vippaaks vitosen?* Can you spare me a five-spot?

vipeltää cut loose, go like the wind

vippaskonstilla by hook or by crook

vipu 1 (fys, tekn) lever **2** (ansa) trap, snare

virallinen 1 official **2** (sävy tms) formal

virallinen kielenkääntäjä official translator

virallisesti officially, (muodollisesti) formally

virallisuus official nature, (muodollisuus) formality

viraltapano dismissal, suspension

viranhakija job applicant, candidate for a post/position

viranhaku job application

viranhaltija office-holder, incumbent, appointee

viranhoitaja substitute, deputy

viranomainen authority

viransijainen substitute, deputy

viransijaisuus substitute job, deputyship, locum post

virantoimitus the performance/discharge of your official duties *virantoimituksessa* on duty *virantoimituksen ulkopuolella* off duty *pidättää virantoimituksesta* suspend

virasto office, agency, bureau

virastoaika office/business hours

virastotalo office building

virastotyö office/clerical/secretarial work

vire 1 (ilman) breeze, (veden, naurun) ripple **2** (äänen) note, tone

vireessä 1 (soitin) in tune, (laulu) on key **2** (pyssy) cocked **3** (ihminen) in the mood, ready (and willing), raring to go

vireillepano (oikeusjutun) institution of proceedings

vireillä (oikeusjuttu) pending; (kysymys) under discussion; (asia) active *panna vireille* institute, start, take (something) up

vireilläolo (oikeusjutun) pendency, lis pendens

vireys activity, vigor

vireä 1 (ihminen) alert, aware, active **2** (toiminta) active, lively, vigorous

virhe 1 error, mistake; (laiminlyönti) oversight **2** (vika) flaw, defect; (luonteen) fault, shortcoming **3** (urh) foul

virheellinen 1 erroneous, mistaken, inaccurate, incorrect, false *virheellinen ääntäminen* mispronunciation **2** (viallinen) flawed, defective, faulty

virheellisesti erroneously, mistakenly, inaccurately, incorrectly, falsely

virheellisyys inaccuracy, incorrectness, falsity

virheettömyys flawlessness, faultlessness, correctness, accuracy

virheettömästi flawlessly, faultlessly, impeccably, correctly, accurately

virheetön flawless, faultless, impeccable, correct, accurate

virhelopetus (tietok) abort

virhemahdollisuus chance of error

virheprosentti percent of error

virike stimulus, impulse, impetus; (ark) shot in the arm *saada virikettä jostakin* be stimulated/inspired/influenced by something, take impetus from something

virikkeettömyys lack of stimulation/inspiration

virikkeetön unstimulating, uninspiring

virikkeinen stimulating, inspiring

virikkeisyys stimulation, inspiration

viritin tuner

viritinvahvistin receiver

virittäytyä work/psyche yourself up (for something)

virittää 1 (soitin) tune **2** (pyssy) cock **3** (ansa) lay, set **4** (puhe tms) pitch, couch *korkealle*

viritetty idealismi high-pitched idealism
koomiseen sävyyn viritetty ylistyspuhe comically couched eulogy
virittää juonia plot, scheme, connive
virittää kameran laukaisin set the delayed timer
virittää kello set a clock
virittää laulu strike up a tune/song
virittää mielenkiintoa spark (someone's) interest
virittää moottori tune up an engine; (lisätä tehoa) hop up an engine
virittää riitaa pick a fight
virittää vastaanotin jollekin aaltopituudelle tune in to a radio station
viritys tuning
viritä break out, crop up, burst forth, be kindled *Hänen kysymyksestään virisi vilkas keskustelu* Her question sparked a lively discussion
virka office; (toimi) post, position, job *olla virassa, hoitaa virkaa* hold an office *astua virkaan* assume your office/post/responsibilities/duties, be inaugurated/installed /inducted into office *asettaa virkaan* inaugurate/install/induct (someone) into office *julistaa virka haettavaksi* advertise a post *viran täyttäminen* filling a post, appointing someone to a post *viran täyttämättä jättäminen* stopping a job search, leaving a post vacant
virka-aika 1 (päivittäinen: viraston) office hours, (työntekijän) working hours **2** (virkakausi) term (of office)
virkaanastujaisesitelmä inaugural address
virkaanastujaiset inauguration
virka-apu executive assistance
virka-asema official rank/position
virkaatekevä acting
virkaehtosopimus collective bargaining contract
virkaehtosopimusneuvottelut collective negotiations/bargaining
virkaheitto dismissal, discharge, suspension
virkailija official, bureaucrat; (pankkivirkailija) teller, clerk
virkaintoinen officious
virkakausi term of office

virkakelpoisuus qualifications
virkakirje official/franked letter
virkamatka business trip
virkamies official, bureaucrat, civil servant
virkanainen professional/career woman
virkanimike (official/job) title
virkapuhelu official/business (tele)phone call
virkapuku uniform
virkarikos malfeasance
virkasuhde post, position
virkasääntö official regulations
virkata crochet
virkatehtävä official duty
virkateitse through official channels
virkatodistus extract from the civil register
virkatoimi post, position
virkatoveri colleague
virkavalta 1 (viranomaiset) the authorities, government **2** (poliisi) the (police) force, (ark) the cops **3** (virkavaltaisuus) bureaucracy, (ark) red tape
virkavapaa (fyysisesti) freshen (you) up; (fyysisesti ja henkisesti) refresh; (henkisesti) cheer/buoy/perk (you) up *virkistää muistiaan* refresh your memory *virkavapaalla, -na* on leave
virkavapaus leave of absence
virkaveli colleague
virkavirhe misconduct (in office)
virke sentence
virkeä active, alert, lively
virkeästi actively
virkistys recreation, relaxation, refreshment
virkistysmatka recreational trip, vacation
virkistyä pick/perk up, be refreshed
virkistää (fyysisesti) freshen (you) up; (fyysisesti ja henkisesti) refresh; (henkisesti) cheer/buoy/perk (you) up *virkistää muistiaan* refresh your memory
virkkaa say, utter
virkkaus crocheting, crochet-work
virkkuu crocheting, crochet-work
virkkuukoukku crocheting needle
virne grin
virnistellä ks virnuilla
virnistys grin; (kivusta) grimace
virnistää grin; (kivusta) grimace
virnuilla 1 smirk, grin *Älä virnuile siinä! Wipe that smirk/grin off your face!* **2** (ivallisesti) sneer, jeer
Viro Estonia

viro 576

viro (kieli) Estonian
virolainen s, adj Estonian
virota revive, recover; (ark) come to
virpoa go trick-or-treating (on Palm Sunday) *Virvon varron, tuoreeks terveeks, vitsa sulle palkka mulle* Trick or treat!
virrata flow, run, pour, stream
virsi hymn *Lyhyestä virsi kaunis* Short and sweet
virsikirja hymnal, hymn book
virsta verst *Parempi virsta väärää kuin vaaksa vaaraa* Better safe than sorry
virstanpylväs milestone
virta 1 (veden) current; (joki) river, stream **2** (sähkön) current **3** (autojen, ihmisten) stream, flow, flood *kulkea virran mukana* go with the flow, drift with the tide
virtahepo hippopotamus
virtakytkin power switch
virtalähde power source
virtaus 1 (veden) current, flow **2** (muodin tms) tendency, trend
virtaviivainen streamlined
virtsa urine
virtsaneritys excretion of urine
virtsanäyte urine specimen
virtsata urinate
virtuaalimuisti virtual memory
virtuaalipääte virtual terminal
virtuaalitodellisuus virtual reality
virtuoosi virtuoso
virua lie hurt/sick/unconscious; (ylät) languish
virus virus
virustentorjuntaohjelma antivirus program
virusvalhe (tietok) virus hoax
virveli rod and reel
virvoitusjuoma soft drink
virvokkeet refreshments
visa 1 (koivu) curly birch, (puutavara) curly-grained wood **2** (tietovisa) quiz (show)
visainen knotty
visaisuus knottiness
viserrys chirp(ing), twitter(ing)
visertää chirp, twitter *Älä muuta viserrä!* You can say that again!
visio vision

viskaali 1 prosecutor, (assistant) district attorney, (A.)D.A. **2** (leik: iso kiho) big-wig
viskata 1 (viljaa) winnow **2** (heittää) pitch, chuck, heave, throw, toss
viskatsa (eläin) plains viscacha
viskellä pitch, chuck, heave, throw, toss
viski whiskey, scotch, bourbon
viskoa throw, cast, hurl
vispata whip
vispikerma (vispattu) whipped cream, (vispattava) whipping cream
vispilä (wire) whisk
vissi certain *Se onkin vissin varmaa että* It's a sure thing that *vissiksi ajaksi myönnetty laina* a loan granted for a certain period
vissiin 1 (varmasti) certainly, definitely, absolutely, positively **2** (varmaankin) probably, likely
visuaalinen visual
visusti carefully, closely, painstakingly
vitamiini vitamin
vitamiininpuute vitamin deficiency
vitamiinipilleri vitamin pill
vitaminoida vitamin-enrich *vitaminoitu* vitamin-enriched
vitivalkoinen snow-white, white as snow, pure white
vitkalaukaisin (kameran) self-timer
vitkastella delay, dawdle, dillydally
vitkastelu delay(ing), dawdling
vitonen five-spot/note, fiver
vitsa twig *saada vitsaa* get a whipping/birching/thrashing *antaa vitsaa* give (someone) a whipping/birching/thrashing
vitsailla joke around, make/crack jokes
vitsaus plague, scourge
vitsi joke *Hänellä on nyt vitsit vähissä* She's laughing out of the other side of her mouth now *Siinä se koko vitsi onkin* That's the whole point
vitsikkyys wittiness
vitsikkäästi wittily
vitsikäs funny, witty,
vitsiniekka wit
vittu cunt, pussy, twat *Voi vittu!* Fuck! *Haista vittu!* Fuck you! *Ja vitut!* The fuck you say! Bullshit!

vittuilla be a prick, fuck someone over

vittumainen shitty, a real bastard of a

vittunaama fuckface, clitlips

vitunmoinen a fuck of a

vituttaa *Minua vituttaa tuommoinen* That really pisses me off

viuhahtaa 1 whiz, whistle **2** (juosta alasti) streak

viuhahtaja streaker

viuhka fan

viuhkamainen fan-shaped

viulisti violinist, (pelimanni) fiddler

viulu violin, fiddle *maksaa viulut* pay the piper

viulunsoittaja fiddler, violinist

vivahde nuance, shade

vivahdus nuance, shade

vivahdusero nuance

vivahtaa be tinged with *harmaalta vivahtavat hiukset* hair tinged with gray *violettiin vivahtava sininen* purplish blue

vivuta pry

vohkia swipe, lift, snatch

vohveli waffle, (keksi) wafer cookie

vohvelirauta waffle iron

voi s butter *interj* oh *Voi sinua!* Poor you! *Voi kun tietäisin!* I wish I knew!

voida *pääv* be, feel, do *Kuinka voitte?* How are you feeling/doing? *Voi paksusti* Keep your end up *apuv* can, be able to; (saada, saattaa) may *Voisitko auttaa minua?* Could you please give me a hand? *En voinut kuin nauraa* I couldn't help but laugh *Olen voinut erehtyä* I may be wrong *Toivoisin voivani* I wish I could *Teen kaiken minkä voin* I'll do everything I can/everything in my power *Kunpa voisin!* I wish I could!

voide lotion, cream

voidella 1 (tekn: rasvata) grease; (öljytä) oil, lubricate, (ark) lube; (vahata) wax **2** (ihoa) rub lotion/cream/oil into/on(to) **3** (raam) anoint

voihkia moan, groan

voijuusto butter/cream cheese

voileipä sandwich

voileipäpöytä buffet table

voima (myös henkinen) power, force, strength *käydä voimille* tire you out, tax your strength *voimalla* by brute strength, by main force *hänen sanansa voimalla* on the strength of his word *voimassa, voimin, voimissa* ks hakusanat

voimailu athletics

voimainkoetus trial of strength

voimakas 1 strong, forceful, powerful, potent **2** (raju) violent, heavy, drastic

voimakkaasti strongly, forcefully, powerfully, potently, violently, heavily, drastically (ks voimakas)

voimakkuus strength, force, power, potency, violence (ks voimakas) *äänen voimakkuus* volume, intensity

voimala power plant

voimalaitos power plant

voimallinen mighty, powerful, potent

voimanlähde (tekn) power source; (kuv) source of strength

voimaperäinen strong, powerful, intensive

voimaperäisesti strongly, powerfully, intensively

voimariini butter-margarine mix, spreadable butter

voimasana swearword, curse word

voimassa in force/effect, valid *tulla voimaan* take effect, become valid *voimassa oleva* valid *lakata olemasta voimassa* expire

voimassaoloaika (period of) validity

voimaton 1 (veltto) limp, slack, weak, feeble **2** (toimintakyvytön) powerless, helpless, incapacitated

voimattomuus limpness, slackness, weakness, feebleness, powerlessness, helplessness, incapacity (ks voimaton)

voimavarat resources

voimin *kaikin voimin* with all your strength, with everything you've got *omin voimin* by your own efforts *uusin voimin* with renewed strength/vigor *yhdistetyin voimin* by a combined effort, in concert

voimissa *hyvissä voimissa* in good shape/ condition *täysissä voimissaan* in full possession of your faculties *parhaissa voimissa* in your prime *voimissaan* feeling your strength/oats

voimistaa strengthen, build up strength

voimistelija gymnast

voimistelu gymnastics

voimistelusali gymnasium

voimistua get stronger, gain strength, be strengthened

voinokare pat of butter

voitava *tehdä voitavansa* do what you can, do your best

voitelu 1 (tekn: rasvalla) greasing, (ark) grease job; (öljyllä) lubrication, oiling, (ark) lube; (vahalla) waxing **2** (raam) anointing *viimeinen voitelu* Extreme Unction

voiteluaine lubricant

voitokas triumphant, victorious

voitollinen triumphant, victorious

voitonhaluinen profit-seeking

voitonhetki your moment of triumph/glory

voitonjuhla triumphal/victory celebration

voitonmaku the taste of victory

voitonmerkki V for Victory

voitonriemu triumph

voitonriemuinen triumphant, triumphal

voitonvarma confident of victory

voittaa 1 (joku, myös kuv) beat, conquer, overcome *Rakkaus voittaa kaiken* Love conquers all **2** (kilpailussa, sodassa tms) win *voittaa aikaa/alaa* gain time/ground *voittaa rahaa hevoskilpailuissa* win money on the horses **3** (saada voittoa) (make a) profit (on), make *Paljonko voitit kaupassa?* How much (profit) did you make on the deal?

voittaja winner, (ylät) victor

voittajajoukkue the winning team

voittamaton 1 (este tms) insuperable, unsurmountable **2** (joukkue tms) invincible, unbeatable

voitto 1 (sodassa tms) victory, triumph **2** (pelissä) win, (ylät) victory **3** (kaupoissa) profit

voittoinen predominantly, mainly *havupuuvoittoinen metsä* a predominantly evergreen forest

voittoisa victorious

voittopuolisesti predominantly, mainly

voiveitsi butter knife

voivotella 1 (voihkia) moan and groan **2** (sadatella) bitch and moan, complain; (ylät) bemoan, bewail

voivuori surplus butter

vokaali vowel

vollottaa bawl

voltti volt

volyymi volume

vompatti wombat

vonkua howl, shriek

voro thief, bandit

vossikka horse-drawn cab

votka vodka

votkaturisti vodka tourist, tourist who goes to Russia/Estonia for the cheap alcohol

vouhottaa fuss/fret (over); (ark) make a big deal over/about

vouti bailiff, overseer

vulgaari vulgar

vuodattaa (vettä tms) pour out, (verta, kyyneleitä) shed

vuodattaa koko sielunsa johonkin put your whole soul in something, pour yourself into something

vuodattaa sydäntään pour out your heart /troubles (to someone)

vuodattaa ylistystä sing (someone's) praises

vuodatus 1 (veren, kyynelten) shedding *veren vuodatus* bloodshed **2** (sanojen, tunteiten tms) pouring out, flood, outburst; (ylät) effusion

vuode bed *olla vuoteen oma* be laid up in bed (with something)

vuodenaika season *tähän vuodenaikaan* (at) this time of (the) year

vuodenvaihde *viime vuodenvaihteessa* around the end of last year, early this year *Se tulee vuodenvaihteessa* It'll be coming around the end of the year

vuodepaikka bed *200 vuodepaikkaa* (sairaalassa) 200 beds, (hotellissa) accommodations for 200

vuodevaatteet bedclothes

vuohi goat

vuoka 1 (astia) pan **2** (ruoka) casserole

vuokaavio flowchart

vuokko (kasvi) anemone

vuokra rent, (pitkäaikainen) lease

vuokra-aika lease (period) *Vuokra-aika päättyy vuodenvaihteessa* The lease will expire at the end of the year

vuokraaja renter, (talon) tenant; (liisaaja) lessee, leaseholder

vuokraamo rental agency/store/outlet

vuokraemäntä landlady

vuokrahuoneisto rental apartment

vuokraisäntä landlord

vuokralainen tenant

vuokranantaja lessor, landlord/-lady

vuokrasäännöstely rent control

vuokrata rent, (pitkaksi aikaa) lease, (laivaa, lentokonetta) charter

vuokraus rental, lease, charter

vuoksi s high/flood tide *postp* **1** (johdosta) because of, owing/due to, on account of, as a result of *tilan puutteen vuoksi* due to lack of space **2** (tähden) for (someone's sake), in the interest(s) of *Teln sen perheeni vuoksi* I did it for my family

vuoksi ja luode ebb and flow

vuolas 1 (virta) rapid, swift, fast-flowing, torrential **2** *vuolas puhe/selittely* a torrent /flood/outburst of words /explanations

vuolla whittle/carve (out/at/up)

vuolle current, flow, torrent (myös kuv)

vuolukivi soapstone

vuono (Norjassa) fjord, (Skotlannissa) firth

vuorata 1 (vaatetta) line **2** (taloa: laudoilla) (clap)board, (tiilillä) brick

vuoraus (ulkovuoraus) siding, (sisävuoraus) paneling

vuorenhuippu (mountain) peak, summit

vuorenrinne (mountain) slope

vuori 1 (takissa) lining **2** (luonnossa) mountain *Kamerunvuori* Mount/Mt. Cameroon

vuorikauris Alpine ibex, Himalayan ibex

vuorineuvos Honorary Mining Councilor

vuorisaarna the Sermon on the Mount

vuoristo mountain range

vuoristorata roller coaster

vuorisusi dhole

vuoriton unlined

vuoro 1 turn *mennä vuoron perään* take turns going *vuoroin, vuorostaan* ks hakusanat *Nyt on teidän saunavuoronne* (omakotitalossa) It's your turn to take a sauna; (ker-

rostalossa) the sauna is all yours **2** (urh: lyöntivuoro) at-bat, halfinning **3** (työvuoro) shift **4** (kulkuneuvon) departure; (linja-auto) bus, (juna) train, (laiva) sailing, (lento) flight *Finnairin vuoro AY 145 Los Angelesiin, portti A4* Finnair flight AY 145 to Los Angeles, gate A4 *pikavuoro Ouluun* the Oulu express, the express bus to Oulu

vuoroin (vuorotellen) alternately, taking turns, one at a time

vuoroin... vuoroin now... now, sometimes... sometimes *vuoroin täällä vuoroin siellä* sometimes here, sometimes there; here and there in turn

vuorottain in turn, by turns, alternately

vuorokaudenaika time of (the) day (or night)

vuorokausi 24-hour period; (ark) day *avoinna vuorokauden ympäri* open round the clock, open 24 hours

vuorokausittain daily

vuorolento scheduled/regular/commercial flight

vuoroliikenne scheduled/regular bus traffic

vuoropuhelu dialogue

vuoropäivinä on alternate days, every other day

vuorostaan in turn, for your part; (toisaalta) on the other hand

vuorotella take turns, alternate *Voin vuorotella sinun kanssasi* Let's take turns, I'll spell you

vuorotellen alternately, by turns, in turn *Ajetaan vuorotellen* Let's take turns driving, let's spell each other at the wheel

vuorottaa 1 (vuorotella) alternate **2** (lomittaa) relieve **3** (mat) invert

vuorottaja relief

vuorottelu alternation, turn-taking; (työssä) rotation

vuorotyö shift work

vuorotyöläinen (rotating) shift worker

vuorovaikutus interaction, reciprocity

vuorovaikutussuhde interrelation, reciprocal relation

vuorovesi tide

vuoroviljely crop rotation

vuorovuosina in alternate years, every other year

vuosi year *vuonna 1992* in 1992 *ensi/viime vuonna* next/last year *viime vuosina* the last few years *jo vuosia* for years *täyttää vuosia* have a birthday *joka vuosi* every year, yearly, annually

vuosikerta 1 (lehden) (annual) volume **2** (viinin) vintage

vuosikertomus annual report

vuosikirja annual, yearbook

vuosikurssi class

vuosikymmen decade

vuosiloma annual vacation

vuosimaksu annual fee

vuosineljännes quarter

vuosisata century

vuosisatainen 1 (ikivanha) centuries-/age-old **2** (satavuotis-) centennial

vuosittain annually, yearly

vuosittainen annual, yearly

vuosituhantinen millennial

vuosituhat millennium

vuositulot annual income

vuota hide, (turkis) pelt

vuotaa 1 leak **2** (valua) run, trickle, flow; (tihkua) ooze, seep; (tippua) drip, drop *Minulla vuotaa nenä* I've got a runny nose *vuotaa verta* bleed

vuotaa kuiviin run/drain dry/out; (ihminen) bleed to death

vuotaa tietoja lehdistölle leak information to the press

vuotaa yli overflow

vuoteenkastelu bedwetting

vuoto 1 leak(ing), leakage **2** (veren) bleeding, flow; (eritteen) discharge

vuotuinen yearly, annual

vuoviiva flowline

vyyhti (villanlangan) skein, (köyden) hank

vyö belt *isku vyön alle* a blow below the belt

vyöhyke belt, zone

vyöry 1 (veden) wave, flood **2** (maan) landslide (myös pol), (lumen) avalanche (myös kuv)

vyöryttää roll (up/out) *vyöryttää syy jonkun niskoille* blame someone else, pass the buck to someone else

vyörytys (tietok) bootstrapping

vyöryä (aallokko) run, roll, crest; (maa tms) slide/tumble down

vyöttää belt *vyöttää kupeensa* (raam) gird your loins

vyötärö waist(line)

väentiheys population density

väentungos crush, press, jam, crowd

väen väkisin by (main) force

väestö population

väestökeskus population center

väestönkasvu population growth

väestönlaskenta census

väestönsuoja airraid shelter

väestönsuojelu civil defense

väestörekisteri civil register

väestöryhmä segment of the population

väheksyntä dismissal, downplaying, belittling, ridicule, disparagement (ks väheksyä)

väheksyvä dismissive, belittling, disparaging, derogatory

väheksyvästi dismissively, disparagingly, derogatorily

väheksyä 1 (aliarvioida) underrate, underestimate **2** (korostaa jonkin pienuutta) dismiss, downplay, play down **3** (halveksia) belittle, ridicule, disparage; (ark) run down

vähemmistö minority

vähemmän less, (harvempia) fewer *enemmän tai vähemmän* more or less *Mitä vähemmän väkeä sitä vähemmän vaivaa* The smaller the group the smaller the bother

vähennettävä (mat) minuend

vähennys 1 (vähentyminen) decline, decrease, fall, drop, reduction **2** (veroissa) deduction **3** (vähennyslasku) subtraction

vähennyskelpoinen deductible

vähentyä 1 decline, decrease, fall/drop (off), diminish, be reduced **2** (kuu) wane

vähentää 1 (alentaa) decrease, reduce, diminish **2** (veroissa) deduct **3** (mat) subtract

vähimmäis- minimum

vähimmäisnopeus minimum speed

vähimmäispalkka minimum wage

vähimmäisvaatimus minimum demand

vähin the least *Vähin mitä voin tehdä* The least I can do

vähin erin little by little, bit by bit

vähintään at least

vähin äänin quietly, secretly, on the sly/quiet

vähissä olla *vähissä* be (running) short *Aika on vähissä* We're running out/short of time, we're almost out of time, time's almost up *vähissä varoissa* short of funds /money, hard up (for money) *vähissä vaatteissa* scantily clad, almost naked

vähitellen gradually, little by little, bit by bit; (ennen pitkää) eventually, by and by

vähiten (the) least; (pienin lukumäärä) (the) fewest

vähittäishinta retail price

vähittäiskauppa retail (trade)

vähittäismyynti retail sales

vähä little *vähät rahat* the little money I have *Vähät siitä!* What do I care (about that)? *vähin, vähän, vähällä, vähässä* ks hakusanat

vähäeleinen spare, plain, unpretentious, unaffected

vähähiilarinen (ark) low-carb *vähähiilarinen ruokavalio* low-carb diet

vähäinen small, slight, insignificant, minor *vähäisen* ks vähän

vähällä olla *vähällä tehdä jotakin* be about to do something, come close to doing something, narrowly escape doing something, have a close call *Olin vähällä pudota, vähältä piti etten pudonnut* I almost fell *päästä vähällä* get off easily *tulla toimeen vähällä* get along on little *jäädä vähälle huomiolle* be (almost entirely) neglected /ignored

vähälukuinen few in number

vähäluminen talvi a winter with (unusually) light snowfall

vähän 1 (pikkuisen) a little/bit, some; (vain pikkuisen) (only a) little, very little, not much **2** (muutamia) a few, some; (vain muutamia) (only a) few, very few, not many **3** *Minä vähän ajattelin että* I sort of thought that

vähän väliä every now and then/again, periodically, occasionally; (usein) frequently, every little while

vähäpätöinen insignificant, trivial, unimportant

vähäsanainen laconic, taciturn *vähäsanainen nainen* a woman of few words

vähässä *vähässä suolassa* lightly pickled *supistaa mahdollisimman vähään* reduce to the bare minimum *vähään tyytyväinen* easily satisfied, content with little *Hän ei vähästä säikähdä* She doesn't scare easily *Älä noin vähästä suutu!* Don't get all worked up over nothing

vähätellä 1 (aliarvioida) underrate, underestimate **2** (korostaa jonkin pienuutta) minimize, downplay, play down **3** (halveksia) belittle, ridicule, disparage; (ark) run down

vähättely minimizing, downplaying, belittling, ridicule, disparagement (ks vähätellä)

vähä vähältä little by little

väijyksissä in wait/hiding, (sot) in ambush

väijytys ambush

väijyä lurk, (sot) lie in ambush

väistyä 1 (antaa tietä) make/give way (to), yield (to), retreat **2** (vetäytyä) withdraw, recede, fall back, go away

väistämätön unavoidable, inescapable, inevitable, unavertable

väistää avoid, evade, dodge; (paeta) escape, get/duck out of

väistää jonkun katsetta avoid someone's eye

väistää kiperää kysymystä evade/sidestep a difficult question

väistää oikealle (liikenteessä) swerve to the right, move to the right (lane)

väite 1 claim, contention, assertion, argument **2** (lak) plea **3** (logiikassa) proposition, predication

väitellä 1 (kinastella) argue, debate, discuss **2** (tohtoriksi) defend your (doctoral) dissertation, (tulla tohtoriksi) get your doctorate *Mistä sinä väittelit?* What did you do your dissertation on? *Milloin sinä väittelit?* When did you get your doctorate?

väittelijä 1 debator, polemicist, controversialist **2** (väitöstilaisuudessa) doctoral candidate

väittely argument, debate, discussion, polemic, controversy

väittämä claim; (logiikassa) proposition; (mat) theorem

väittää 1 claim, contend, assert, argue **2** (lak) plead **3** (logiikassa) predicate

väittää kivenkovaan insist

väittää vastaan argue (back), contradict

väitös 1 (väitöstilaisuus) dissertation defense **2** (geom) proposition **3** ks väite

väitöskirja (doctoral) dissertation

väkevyys strength

väkevä (ruumis, ruoka) strong, powerful

väkevästi strongly, powerfully

väki people, (ark) folks; (porukka) crowd, bunch, group *mies-/naisväki* the men-/womenfolks

väkijoukko crowd, (väkivaltainen) mob

väkijuoma alcoholic beverage, liquor; (ark) booze

väkilannoite (artificial) fertilizer

väkiluku population

väkinäinen 1 (vaikea) forced, strained, awkward **2** (teeskentelevä) pretentious, affected, artificial

väkinäisesti forcedly, with strain, awkwardly, pretentiously, affectedly, with affectation, artificially (ks väkinäinen)

väkinäisyys strain, pretension, affectation, artificiality (ks väkinäinen)

väkipakolla by force

väkipyörä pulley

väkirehu concentrated feed

väkisin 1 (väkipakolla) by force, forcibly *maata väkisin* rape, violate, molest **2** (vastoin tahtoaan) involuntarily, against your will *Ajattelen väkisin Sannaa* I can't help thinking about Sanna

väkivalta 1 violence, (hyökkäys) assault *tehdä väkivaltaa* (jollekulle) commit an act of violence (on someone), assault, beat (someone) up; (jollekin) do violence (to something) **2** (voimakeinot) force *väkivalloin* by (sheer) force

väkivaltainen violent

väkivaltaisuus violence

väkä barb, (koukku) hook

väli 1 (ajallinen) time, interval; (tauko) break *kolmen tunnin välein* at three-hour intervals, every three hours *sillä/tällä välin* in the meantime/-while *Lasten välillä on kolme vuotta* The children are three years apart *Jossain välissä minun pitää käydä kaupassakin* At some point I need to go to the store **2** (paikallinen) space, gap, distance; (mus, mat) interval *kulkea Helsingin ja Jyväskylän väliä* run between Helsinki and Jyväskylä **3** (erotus) difference *Paljonko tästä pitäisi maksaa väliä?* What would the difference be between this car's price and ours? **4** *Mitä sillä on väliä?* What difference does it make? *Väliäpä sillä onko* I don't care whether, it's all the same to me whether *Hällä väliä* Who cares? **5** *välit* (suhteet) relations *olla hyvissä/huonoissa väleissä jonkun kanssa* be on good/bad terms with someone *joutua huonoihin väleihin jonkun kanssa* have a falling-out with someone *katkaista välinsä jonkun kanssa* cut someone off, break (off relations) with someone, have nothing more to do with someone

väliaika 1 interval *lyhyin väliajoin* at short intervals **2** (näytelmän tms) intermission **3** (ottelun tms) halftime

väliaikainen 1 temporary **2** (virkaatekevä): *hallitus tms*) provisional, interim; (virkamies) acting **3** (ohimenevä) passing, ephemeral, transient

väliaikatieto interim report

välienselvittely scene, battle; (ark) showdown

väli-ilmansuunta half-cardinal point

välin 1 between *nukahtaa isin ja äitin väliin* fall asleep between mommy and daddy *tulla väliin* intervene, interfere **2** (toisinaan) every now and then/again, occasionally, sometimes

välinputoaja someone who falls between two chairs

välilintulo intervention, interference

välikohtaus incident, scene *rajavälikohtaus* border incident

välikysymys interpellation

välikäsi intermediary, middleman; (ark) go-between *joutua ikävään välikäteen* get caught in the middle of a bad situation, get caught between a rock and a hard place

välilasku stopover

välilevy 1 (anat) disk *Minulta luiskahti välilevy paikoiltaan* I slipped a disk **2** (tekn) spacer (plate)

välillinen indirect

välillisesti indirectly

välillä 1 between *Mutta meidän välillämme ei ole yhtään mitään!* But there's nothing between us! **2** (toisinaan) every now and then/again, occasionally, sometimes

välilyönti space

välilyöntinäppäin space bar

välimatka distance

Välimeri the Mediterranean Sea

välimerkki punctuation mark, (mon) punctuation

välimiesmenettely mediation, arbitration (proceedings)

välimuoto transitional/intermediate form

väline tool, instrument, implement, utensil; (keino) means

välineellinen instrumental

välinen 1 (kahden) between; (kolmen) among; (ark) between *Se on heidän välinen asia* That's their business/concern *Jos tämä voisi olla ihan meidän kahden välinen asia* I'd appreciate it if we could keep this between us, if we could let this be our secret, if this could remain between you, me, and the lamppost **2** *Helsingin ja Jyväskylän väliset junayhteydet* train connections between Helsinki and Jyväskylä, from Helsinki to Jyväskylä/Jyväskylä to Helsinki *Olen täällä tiistain ja keskiviikon välisen yön* I'll be here Tuesday night

väline on viesti the medium is the message

välinepalkki (tietok) tool bar

välineruutu (tietok) toolbox

välinpitämättömyys indifference

välinpitämättömästi indifferently

välinpitämätön indifferent

välinäytös interlude

väliohjelmisto (tietok) middleware

välipala snack

väliraha cash payment *maksaa 10 000:n väliraha* pay a difference of ten thousand euros

välirauha truce

välirikko break

väliseinä 1 (talossa) partition **2** (anat) diaphragm

välissä between *kahden pahan välissä* between a rock and a hard place, between the devil and the deep blue sea *kirjan välissä* between the leaves of a book

välistä 1 from between *Aurinko pilkisti pilvien välistä* The sun peeked out from between/behind the clouds **2** (toisinaan) every now and then/again, occasionally, sometimes

välittyä be transmitted/conveyed/passed on / forwarded

välittäjä 1 (ihminen) mediator, intermediary, middleman, go-between, intercessor; (kaupan) broker, agent; (kiinteistön) real estate agent, realtor **2** (väline) medium, (taudin) carrier

välittää 1 (tavaraa tms eteenpäin) transmit, convey, forward, pass on *Pekka välitti sinun kirjeesi minulle* Pekka brought/sent /forwarded me your letter **2** (toimia välikätenä: hankkia) supply, provide, procure, act as an agent; (neuvotella) (inter)mediate, arbitrate; (tulla väliin) intercede **3** (huolehtia) take care of, handle, deal with; (olla huolissaan) worry (about), bother/trouble (yourself about) *Älä välitä* (vaivaudu) Don't bother; (suutu) never mind (him/her) *Hän ei edes välittänyt kertoa* She didn't even bother to tell me **4** (tykätä) care for/about, like, be fond of *Välitätkö yhtään minusta?* Do you like me at all? Do you care for me at all?

välittömyys directness, frankness, openness, spontaneity

välittömästi 1 (heti) immediately, right away; (vanh) directly **2** (suoraan) directly, frankly, openly, spontaneously

välitunti recess

välitys 1 (neuvottelu) mediation, arbitration, negotiation **2** (väliintulo) intercession, intervention **3** (liik: vaihto) exchange, (asianhoito) agency; (meklaruus) brokerage **4** (tekn) transmission **5** *välityksellä* through, by, via

välityspalkkio broker's fee, commission

välitön 1 immediate, direct **2** (luonne) direct, frank, open, spontaneous

väljentää loosen; (vaatetta) let out; (reikää tms) enlarge, ream, bore; (sääntöjä) relax

väljyys looseness, slack, play; (kaliiperi) calibre

väljä loose, wide, broad *Ulkona on väljempää* There's more room outside, it's less crowded outside

väljä asutus sparsely populated area

väljä hame full skirt

väljähtynyt flat, stale

väljähtyä go flat/stale

väljä kasvatus (pahana pidetty) loose/lax /permissive education/upbringing, (hyvänä pidetty) free/tolerant/indulgent education/upbringing

väljä moraali loose morals

väljä omatunto stretchy/elastic conscience

väljä sanamuoto loose phrasing, a phrasing that leaves plenty of leeway, plenty of room for interpretation

väljät housut loose(-fitting) pants

väljät tilat plenty of room

väljä tulkinta loose/broad interpretation

väljät vedet open waters

välke (kimallus) sparkle; (kimmellys) glitter; (tuike) twinkle, glint; (hohto) shine, gloss

välkehtiä sparkle, glitter, twinkle, glint, shine (ks välke)

välkky 1 ks välke **2** (ark) brain

välkkyä ks välkehtiä

välkähdys flash

vältellä 1 (kysymystä) evade, dodge, sidestep, avoid **2** (ihmistä) avoid, shun

välttyä avoid, escape, get out of *Ei voi välttyä ajatukselta että* I can't help thinking that

välttämättä necessarily *Minun on välttämättä päästävä aamukoneella* I must make the morning plane

välttämättömyys necessity, (väistämättömyys) inevitability *alistua välttämättömyyteen* bow before necessity, give in to the inevitable

välttämättömyystavarat necessities, essentials

välttämätön 1 (tuiki tarpeellinen) essential, necessary, indispensable **2** (väistämätön) inevitable, unavoidable, inescapable *välttämätön paha* necessary evil

välttävä passable, tolerable, (barely) adequate/satisfactory, (only) fair; (arvosanana) pass, satisfactory

välttävästi passably, tolerably, adequately *puhua välttävästi englantia* get by in English

välttää 1 (väistää) avoid, evade, escape, dodge; (katastrofia tms) avert *heti kun silmä välttää* as soon as I turn my back *väärinkäsitysten välttämiseksi* to prevent misunderstanding(s), lest there be any misunderstanding *välttää tekemästä* refrain from doing, make a point of not doing **2** (menetellä) do, be good enough *Vanha hökkeli saa välttää vielä pari vuotta* We'll have to make do with that old shack for another couple of years, that shack will have to do for a few more years

välähdys flash, (vilahdus) glimpse *nähdä välähdykseltä* catch a glimpse of

välähtää flash

välähtää mieleen cross/enter your mind, occur to you

väläys flash

väläytellä flash *väläytellä mahdollisuutta että* raise/hint at/flash the possibility that

väläyttää ks väläytellä

vängätä insist (doggedly/stubbornly) *vängätä vastaan* be difficult, dig in your heels

vänrikki (sot) second lieutenant, (mer) ensign

väpättää 1 (lippu tms) flap; (leuka) quiver, tremble **2** (sättiä) yell/jabber at, chew (someone) out

väre (veden) ripple **2** (vapina) shiver *nostatti kylmiä väreitä selkäpiihin* It sent (cold) shivers down my spine

värehtiä 1 (vesi) ripple **2** (valo) shimmer **3** (ilme) flicker, flit *Hänen kasvoillaan värehti epävarma ilme* A sudden doubt flickered across her face

väreillä ks värehtiä

väri 1 color; (sävy) tint, shade, hue 2 (maali) paint, pigment; (värjäysaine) dye 3 (korteissa) suit

väriaisti color sense

värierottelu (kirjap) color separation

värifilmi color film

värikartta color card/chart

värikkyys colorfulness

värikäs colorful

värillinen colored

värinen -colored *Minkä värinen se on?* What color is it? *Tuo vihreänvärisessä puserossa oleva nainen* That woman in the green blouse

värinä 1 quivering, shivering, trembling; (lääk) fibrillation 2 (tekn) vibration, (tietok) flicker

värisokea color-blind

värisokeus color-blindness

väristä quiver, shiver, shake, tremble

värisuodin color filter

värisuora straight flush

väritelevisio color television

värittyä 1 be colored 2 (ideologisesti) have a slant, be slanted *oikeistolaisesti värittynyt* with a right-wing slant

värittää color; (tarinaa) embroider, embellish

värittömyys colornessness

väritys color(ing/-ation)

väritön colorless, wan

värivalokuva color photo(graph)

värjätä dye, (sävyttää) tint, (petsata) stain; (kuv) tinge

värjäytyä dye; (kuv) turn, be tinged (with)

värjötellä shiver

värkki contraption, thing(umajig), gizmo *On sulla värkeissä varaa* Don't give up yet, you haven't used up all your options yet

värkätä make, build, knock/hammer together

värttinä spindle

värvätä recruit (myös kuv); (hist: väkisin) impress, pressgang

värväys recruitment

värväytyä enlist, sign up

värvääjä recruiter

värähdellä 1 (tekn) vibrate, pulsate, oscillate, quiver 2 (ääni tms) quiver, tremble, shake

värähdys vibration, pulse, oscillation, quiver, tremble, shake (ks värähdellä)

värähtely vibration, oscillation

värähtää quiver, tremble, shake; (liikahtaa) stir

västäräkki pied wagtail

väsyksissä tired (out), exhausted; (ark) beat, dead

väsymys tiredness, weariness, exhaustion; (kuv ja tekn) fatigue

väsymättömästi tirelessly

väsymätön tireless, untiring

väsyneesti tiredly, wearily

väsynyt tired, weary

väsyttää make (you) tired, tire (you) out, exhaust, weary *Minua väsyttää* I'm tired

väsytyshyökkäys (tietok) brute-force attack

väsyä 1 (ihminen) tire, get/grow/become tired (of) 2 (metalli) fatigue

väähtää tire out, run down, flag; (ark) (get) poop(ed) out

vätys loafer, idler, good-for-nothing, do-nothing

vävy son-in-law

väylä channel

vääjäämätön 1 inescapable, unavoidable; (väistämätön) inevitable; 2 (kiistaton) undeniable, indisputable 3 (peruuttamaton) irrevocable

väännellä twist *väännellä jonkun sanoja* twist someone's words *väännellä käsiään* wring your hands *käännellä ja väännellä* twist and turn

väännähtää twist, get twisted *väännähtää pystyyn* drag yourself out of bed

väännös distortion, distorted version

vääntelehtiminen tossing and turning

vääntelehtiä toss and turn

vääntyä turn, twist, warp

vääntää 1 twist, turn, wind, crank 2 (taivuttaa) bend; (kangeta) pry, prise 3 (vääristää) distort *Kääntäminen on vääntämistä* The translator is a traducer, (ital) traduttore traditore

vääntää auki turn on

vääntää esiin wring (something) out (of someone)

vääntää irti twist off

vääntää itkua fake-cry, work up tears

vääntää itsensä sängystä drag yourself out of bed

vääntää kovemmalle turn up

vääntää käyntiin crank up, start

vääntää niskat nurin wring (someone's) neck

vääntää pienemmälle turn down

vääntää pyykkiä wring out wet clothes

vääntää sanoja twist (someone's) words

vääntää sijoiltaan dislocate

vääntää väkisin wrest, wrench

vääpeli sergeant first class

väärennys forgery, falsification; (rahan) counterfeiting

väärennös forgery, (jäljitelmä) imitation; (ark) fake; (raha) counterfeit

väärentäjä forger, (rahan) counterfeiter

väärentämätön authentic, genuine; (tunne) unadulterated, unalloyed

väärentää forge, falsify; (rahaa) counterfeit

väärin wrong(ly), incorrectly; (vilpillisesti) falsely *Se on väärin* That's wrong, that's not right *Oikein vai väärin?* True or false? *Ellen väärin muista* If I remember correctly *kirjoittaa väärin* misspell *ääntää väärin* mispronounce *käsittää/ymmärtää väärin* misunderstand *käyttää väärin* misuse, abuse

väärinkäsitys misunderstanding, misconception

väärinkäyttö misuse, abuse *päihteiden väärinkäyttö* substance abuse

väärinkäytös malfeasance, misconduct, abuse; (lääkärin) malpractice

vääristellä twist, distort, pervert, misrepresent; (tulkita väärin) misinterpret, misread

vääristymä distortion

vääristyä twist, warp, be twisted/warped/contorted

vääristää 1 ks *vääristellä* **2** (vääntää) bend, warp, twist

väärti worth *nimensä väärti* well-named *Se mies oli ruokansa väärti* That man was worth his weight in gold *Luulo ei ole tiedon väärti* Believing isn't knowing, better safe than sorry

vääryys wrong, injustice, iniquity, villainy *kärsiä vääryyttä* be wronged *tehdä jollekulle vääryyttä* do someone an injustice, wrong someone *vääryydellä* wrongfully, unjustly, unfairly *vääryydellä hankittu raha* ill-gotten gain

väärä 1 wrong, false, incorrect, erroneous *myöntää olleensa väärässä* admit your mistake, admit that you were wrong **2** (epäoikeudenmukainen) unjust, unfair; (kiero) crooked **3** (fyysisesti) crooked, bent, curved; (vääntynyt) warped *väärät sääret* bowlegs *selkä vääränä* bent over *Talo oli väärällään väkeä* The place was bursting at the seams with people

väärä kuva wrong idea *saada väärä kuva jostakin* get the wrong idea/impression of something *antaa jollekulle väärä kuva* mislead someone, give someone the wrong idea

väärä pää the wrong end *aloittaa väärästä päästä* start at the wrong end, do something backwards

väärä raha counterfeit money

väärä tieto misinformation *saada vääriä tietoja* be misinformed

väärä todistus false witness *Älä sano väärää todistusta lähimmäisestäsi* Thou shalt not bear false witness against thy neighbor

väärä vala perjury *vannoa väärä vala* commit perjury, perjure/forswear yourself

Y,y

ydin 1 (kasvin) pith, (siemenen) kernel **2** (luun) marrow, (hampaan) pulp **3** (atomin) nucleus **4** (asian) heart, core, essence, substance
ydinase nuclear weapon
ydinaseeton vyöhyke nuclear-free zone
ydinasekielto nuclear weapons ban
ydinenergia atomic energy
ydinfysiikka nuclear physics
ydinfyysikko nuclear physicist
ydinhermo the gist, the essence, (ark) the drift
ydinhiukkanen nucleon
ydinjäte nuclear waste(s)
ydinjätehuolto nuclear waste disposal
ydinkemia nuclear chemistry
ydinkoe nuclear test(ing)
ydinkoekielto nuclear test ban
ydinkohta main/essential point, essence, substance; (mon) the gist
ydinkysymys central/main question
ydinkärki nuclear warhead
ydinperhe nuclear family
ydinreaktio nuclear reaction
ydinreaktori nuclear reactor
ydinräjähde nuclear explosive
ydinräjähdys nuclear explosion
ydinsaaste pollutant(s)/pollution emitted by a nuclear power plant
ydinsota nuclear war
ydinsukellusvene nuclear submarine
ydinsuojelu civil defense for nuclear fallout
ydinsäteily nuclear radiation
ydintalvi nuclear winter
ydintekniikka nuclear technology
ydintutkimus (sub)atomic research, nuclear physics research
ydinvoima nuclear power
ydinvoimala nuclear power plant
yhdeksikkö (number) nine, niner
yhdeksisen around nine
yhdeksäinen (number) nine, niner

yhdeksän nine
yhdeksänkertainen nine-fold
yhdeksänkymmentä ninety
yhdeksänkymmentäluku the (nineteen-)nineties
yhdeksänsataa nine hundred
yhdeksäntoista nineteen *kello yhdeksäntoista* at seven (pm/in the evening)
yhdeksäntuhatta nine thousand
yhdeksänvuotias nine-year-old
yhdeksäs the ninth
yhdeksäskymmenes ninetieth
yhdeksäskymmenesosa one-ninetieth
yhdeksäsluokkainen ninth-grader
yhdeksäsosa one-ninth
yhdeksästoista nineteenth
yhden istuttava one-seater
yhden maattava single, twin
yhdenmukainen uniform, standard, conforming *yhdenmukainen jonkin kanssa* consistent with, analogous to
yhdenmukaisesti uniformly
yhdenmukaistaa unify, standardize, conform
yhdenmukaisuus uniformity, conformity, consistency
yhdenmuotoinen similar (in shape), isomorphic
yhdenmuotoisuus similarity, isomorphism
yhdennäköinen similar-looking, similar in appearance
yhdennäköisyys resemblance
yhdensuuntainen unidirectional, (samansuuntainen) parallel
yhdentekevä irrelevant, insignificant, indifferent *Se on minulle ihan yhdentekevää* It's all the same to me, I don't care one way or the other, it's a matter of utter indifference to me
yhdentyminen unification *Euroopan yhdentyminen* the unification of Europe
yhdentyä merge, fuse, coalesce; (ark) become one

yhdentää integrate, unite

yhdenvertainen equal

yhdessä together *toimia yhdessä* collaborate, cooperate, act in concert

yhdessä hujauksessa in a jiffy

yhdessä humauksessa in a flash

yhdessä hurauksessa in two shakes

yhdessäolo being together, togetherness

yhdestoista eleventh *yhdennellätoista hetkellä* at the eleventh hour

yhdiste (kem) compound

yhdistellä combine, blend, mix; (löytää yhdistelmäkohtia) connect

yhdistelmä 1 (sekoitus) combination, blend, mix **2** (yhteenveto) sum(mary) **3** (paita-housut) outfit, pantsuit

yhdistely combination

yhdistetty (kilpailu) combined competition

yhdistymisvapaus freedom of association /assembly

Yhdistyneet arabiemiirikunnat United Arab Emirates

Yhdistyneet Kansakunnat United Nations

yhdistys organization, association, society

yhdistyä 1 be joined (together), combine **2** (pol) (be) unite(d)

yhdistävä unifying

yhdistää 1 (konkr ja kuv) join, connect, unite, bring together, combine *yhdistää kaksi ihmistä pyhässä avioliitossa* join /unite two people in holy matrimony *yhdistää kaksi perhettä avioliiton kautta* connect two families through marriage *En yhdistänyt sinua Maijaan!* I never connected you up with Maija! *Yhdistän teidät vientisihteerille* I'll connect you with an export secretary **2** (pol: vierienen maa) annex, (vierienen kunta) annex, (pieniä valtioita) unite, (Eurooppa) unify

yhdyntä copulation, (sexual) intercourse

yhdyselämä 1 (pariskunnan) cohabitation, (ark) living together, (halv) shacking up **2** (kylän) communal life

yhdyskunta community

yhdyskuntasuunnittelu community planning

yhdyslause compound/complex/periodic sentence

yhdysmerkki (-) hyphen

yhdysmies contact, intermediary, liaison

yhdyssana compound noun

Yhdysvallat United States, (ark) the States *Amerikan yhdysvallat* United States of America

yhdysvaltalainen American

yhtaikaa simultaneously, (all) at the same time *kaikki yhtaikaa* all together

yhtaikainen simultaneous, concurrent

yhteen together

yhteenajo collision

yhteenkuuluvuudentunne feeling of togetherness, feeling that you belong (together), community spirit

yhteenkuuluvuus togetherness, affinity

yhteen kyytiin all at once, without a break

yhteenlasku addition

yhteen menoon all at once, without a break

yhteen otteeseen once, at one time

yhteenotto clash, confrontation, encounter; (ark) run-in

yhteensattuma coincidence *olla pelkkä yhteensattuma* be sheer coincidence

yhteensopimaton incompatible

yhteensopiva compatible *IBM-yhteensopiva* IBM compatible *alaspäin yhteensopiva* downward compatible *ylöspäin yhteensopiva* upward compatible

yhteensopivuus compatibility

yhteensä *Se tekee yhteensä 575 euroa* That comes to 575 euros, that'll be 575 euros altogether/in all *Yhteensä* (laskun lopussa) Total

yhteentörmäys collision

yhteenveto summary *tehdä yhteenveto jostakin* summarize something

yhteinen common, shared, mutual *yhteiset aineet* (koulussa) general subjects *yhteisin ponnistuksin* in a united/concerted effort *yhtyä yhteiseen iloon* join in the general rejoicing *Heillä ei ole mitään yhteistä* They don't have anything in common

yhteinen pankkitili joint bank account

yhteinen ystävä mutual friend

yhteisantenni communal antenna

yhteisen edun mukainen in the common /public interest *yhteisen etumme mukainen* in our mutual interest

yhteiseurooppalainen pan-European

yhteishenki communal/neighborly spirit, spirit of togetherness/belonging

yhteiskunnallinen (yhteinen) social, (yhteiskuntaan liittyvä) societal

yhteiskunta society

yhteiskuntaelämä social life, life in society

yhteiskuntajärjestelmä social system

yhteiskuntalaitokset social institutions

yhteiskuntaluokka social class

yhteiskuntaoppi social studies

yhteiskuntapoliittinen social-political

yhteiskuntapolitiikka social policy

yhteiskuntaryhmä social group

yhteiskäyttö communal/joint use

yhteismitallinen commensurable

yhteisneuvottelu joint negotiations

yhteisomaisuus (yhteisön) community property, (aviopuolisoiden) joint property

yhteisomistus (yhteisön) community ownership, (aviopuolisoiden) joint ownership

yhteispeli cooperation, teamwork

yhteispohjoismainen Nordic

yhteistoiminta cooperation, collaboration

yhteistyö *ruveta yhteistyöhön* work together, cooperate, collaborate

yhteisvaikutus 1 combined effect **2** (lääk) synergism **3** (äänityksessä) superimposing

yhteisvastuu joint/shared responsibility

yhteisvastuukeräys charitable collection

yhteisvoima joint strength

yhteisvoimin with combined/concerted/joint efforts, by pooling your strength

yhteisymmärrys (mutual) understanding, agreement *päästä yhteisymmärrykseen* come to an agreement, reach an understanding

yhteisyys community *yhteisyyden tunne* feeling of community/solidarity

yhteisö community

yhtenevä convergent

yhtenäinen 1 (yhtä kappaletta oleva) whole, solid, one-piece, of a piece **2** (yhtäjaksoinen) unbroken, uninterrupted *kolmen viikon yhtenäinen poutakausi* three straight weeks of no rain *yhtenäinen vieraiden kuhina* constant stream of visitors/guests **3** (tasalaatuinen) homogenous, smooth, even **4** (yhdenmukainen) uniform, standard(ized), consistent *todistusten yhtenäinen sanamuoto* standard formula for certificates **5** (yhdistynyt) united *yhtenäinen rintama* united front **6** (eheä) unified, harmonious *yhtenäinen kokonaisuus* unified /harmonious whole **7** (järjestelmällinen) orderly, organized

yhtenäisesti uniformly

yhtenäiskoulu comprehensive school

yhtenäistämispyrkimys standardization efforts

yhtenäistää standardize, unify

yhtenäisyys homogeneity, uniformity, consistency, unity, harmony

yhtenään constantly, continuously, all the time, always *yhtenään epäkunnossa* always on the blink/fritz

yhteys 1 connection *tässä yhteydessä* in this connection *suora yhteys eilisiin tapahtumiin* a direct connection with what happened yesterday *Firmallamme on hyviä yhteyksiä koko maan johtoihmisiin* Our company is well-connected with the ruling class of the country **2** (liikenneyhteydet) service *Täällä on hyviä linja-autoyhteydet kaupunkiin* We have good bus service into town **3** (viestinytteydet) communications **4** (kosketus, vaikutussuhde) connection, contact *Edetäkseen uralla täytyy luoda hyviä henkilökohtaisia yhteyksiä* To get ahead you need to make good personal contacts/connections *olla yhteydessä johonkuhun* be in contact with someone *panna yhteydet poikki jonkun kanssa* break off all contact with someone *ottaa yhteyttä johonkuhun* contact someone **5** (yhteenkuuluvuussuhde) relation(ship) *ei mitään yhteyttä todelliseen elämään* no relation to/with the real world **6** (jäsenyys) *ottaa seurakunnan yhteyteen* bring into the church *erottaa kirkon yhteydestä* (katolinen) excommunicate **7** (ykseys) oneness, unity *tajunnan yhteys* the oneness/unity /holism of consciousness **8** (asiayhteys) context *Sanan merkitys ilmenee yleensä siitä yhteydestä, jossa sitä käytetään* The meaning of a word is usually clear from the context in which it is used

yhteyttäminen assimilation

yhteyttää assimilate

yhteytys assimilation

yhtikäs *ei yhtikäs mitään* (ark) not one goldurned dadblasted thing

yhtiö corporation, (ark) company

yhtiöjärjestys articles of incorporation

yhtiökokous general/stockholders' meeting

yhtiömuoto corporate form

yhtiöpääoma share capital, joint stock

yhtiötoveri partner

yhtiövastike maintenance fee

yhtye band, ensemble

yhtymä 1 combination **2** (tal) concern, consortium, syndicate

yhtyä 1 (fyysisesti) combine, join, meet *Huulemme yhtyivät silloin intohimoiseen suudelmaan* Then our lips met/joined in a passionate kiss **2** (seksuaalisesti) copulate, (raam) know *Ja mies Aatami yhtyi vaimoonsa Eevaan* And the man Adam knew his wife Eve **3** (poliittisesti) join/band together, unite *yhtyä vieraiden joukkoon* join the guests *yhtyä yhdeksi valtioksi* unite to form a single state **4** (toimintaan) join in *yhtyä lauluun/ilonpitoon* join in the singing/merry-making **5** (mielipiteeseen) agree/concur (with), endorse; (ark) go along with *Yhdytkö Y:hyn?* Do you agree with Y?

yhtä aikaa simultaneously

yhtäjaksoinen uninterrupted, constant, continuous

yhtäjaksoisesti without interruption, constantly, continuously

yhtäkkinen sudden, unexpected

yhtäkkiä suddenly, without warning, unexpectedly, out of the blue

yhtä kuin *olla yhtä kuin* equal, add up to *Se on yhtä kuin nolla* That adds up to a big zero, that comes to nothing

yhtä lailla by the same token, still

yhtäläinen similar, (yhdenvertainen) equal, (identtinen) identical

yhtäläisyysmerkki (=) equal sign

yhtälö equation

yhtä mittaa in a steady stream, constantly, continuously

yhtämittainen constant, continuous, continual

yhtämittaisesti constantly, continuously, continually

yhtä perää one after the other, constantly, continuously

yhtäpitämättömyys discrepancy

yhtäpitämätön discrepant

yhtäpitävyys agreement

yhtäpitävä (mutually) consistent *Tarinat olivat yhtäpitävät* The stories tallied/matched up/jibed, were in agreement

yhtäpitävästi in agreement

yhtäsuuruusmerkki (=) equal sign

yhtäällä...toisaalla (over) here... (over) there, in one place...another

yhtään any, at all *A: Eikö jäänyt yhtään rahaa? B: Ei yhtään* A: Don't you have any money left? B: None, not a penny/cent *A: Eikö se yhtään lohduta? B: Ei yhtään* A: Doesn't that make you feel at all better? B: Not at all

yhyy! boohoo!

yhä still, ever *yhä enemmän* more and more *yhä isompi* bigger and bigger

yhä edelleen still

yhä kasvava ever-increasing, still growing

yhä uudelleen over and over, time and again, time after time

YK UN, the United Nations

ykkönen number one, (leik) numero uno

ykkössija (ensimmäinen sija) first place

ykseys oneness, unity

yksi one *olla yhtä jonkin kanssa* be one and the same as something *pitää yhtä* (pitää toistensa puolta) stick together, (olla yhtäpitävä) tally, jibe *yhtä sun toista* this and that, this and that other

yksiavioinen monogamous

yksiavioisuus monogamy

yksiin *käydä yksiin* tally, match (up), (ark) jibe

yksi ja sama all the same, all one *Se on minulle yksi ja sama* It's all the same to me, all one to me, (sl) it's no sweat off my balls/ass

yksikantaan 1 (itsepintaisesti) doggedly **2** (lyhyesti) curtly

yksikerroksinen (talo) single-/one-story, (kakku tms) single-layered, (WC-paperi) single-ply

yksikielinen monolingual

yksikkö unit

yksikköhinta unit price, price per unit

yksikseen all by yourself, on your own, (all) alone

yksi lysti *Se nyt on yksi lysti* What difference does it make? Who cares? Who gives a damn/shit?

yksilö individual

yksilöidä individualize

yksilöityä be individualized

yksilöllinen individual

yksilöllisesti individually

yksilöllisyys individuality

yksilönkehitys ontogeny

yksimielinen unanimous

yksimielisesti unanimously

yksin (ilman muita) (all) alone, (all) by yourself *Tein sen ihan yksin* I did it all by myself *Oletko yksin?* Are you alone? **2** (vain) only, alone *Kunnia kuuluu yksin minulle* The glory belongs to me alone, only to me, the glory is all mine

yksinhuoltaja single parent

yksinkertainen 1 simple *yksinkertainen ruokavalio* simple/plain diet *yksinkertainen tehtävä* simple/easy/elementary task *yksinkertainen puhetapa* plain/simple /straightforward address *yksinkertaista väkeä* simple/uneducated/unsophisticated /plain folks *yksinkertainen poika* simple-minded boy **2** (yksikerroksinen) single; (ikkuna) single-glazed, (WC-paperi) single-ply; (yksisuuntainen) one-way

yksinkertaisesti simply

yksinkertaistaa simplify

yksinkertaistua be simplified

yksinkertaistus simplification

yksinkertaisuus simplicity *Voi pyhä yksinkertaisuus!* O blessed ignorance!

yksinlaulu solo *saksalainen yksinlaulu* lied

yksinlento solo (flight)

yksinmyynti exclusive/sole sales rights

yksinoikeus exclusive/sole rights, monopoly

yksinomaan exclusively, only, solely, entirely

yksinpuhelu monologue

yksinumeroinen single-digit

yksinvalta monarchy, autocracy

yksinvaltainen autocratic

yksinvaltias autocrat

yksinvaltius autocracy

yksinäinen 1 (itsekseen oleva) alone, lone, solitary, single *yksinäinen ratsastaja* the Lone Ranger *yksinäinen ihminen* loner *yksinäinen lintu pyörähti lentoon* a single /solitary/lone bird burst into flight **2** (haikea yksinolostaan) lonely, lonesome *tuntea olonsa yksinäiseksi* feel lonely/lonesome **3** (erillinen) solitary *yksinäinen huone/kammio* solitary room/cell **4** (naimaton) single, unmarried

yksinäinen susi lone wolf, loner

yksinäistyä get lonely/lonesome

yksinäisyys solitude, loneliness, lonesomeness

yksinään 1 (ilman muita) (all) alone, (all) by yourself *Tein sen ihan yksinäni* I did it all by myself **2** (vain) only, alone *Yksinään sinä voit auttaa minua* Only you can help me, you alone can help me

yksioikoinen simple *yksioikoinen järjenjuoksu* one-track mind

yksipuolinen 1 one-sided *yksipuolinen sopimus* unilateral agreement/contract *yksipuolinen ruokavalio* unbalanced diet **2** (puolueellinen) biased, partial, prejudiced, narrow-minded *yksipuolinen päätös* biased/prejudiced decision

yksipuolisesti unilaterally, partially, prejudicially (ks yksipuolinen)

yksipuolisuus one-sidedness, unilateralism, bias, partiality, (ks yksipuolinen) prejudice, narrow-mindedness

yksiselitteinen unambiguous, straightforward, clear

yksissä together (with someone), in unison /concert

yksissä tuumin *miettiä jotain yksissä tuumin* put your heads together (to figure something out) *päättää jotain yksissä tuumin* decide something unanimously

yksistään 1 (yksinomaan) only, purely, solely *On yksistään hyvä asia että* It's all to the good that *yksistään tieteelle omistautunut* devoted solely/entirely/purely to science **2** (jo) just, alone *Yksistään oopiumissa on yli 20 erilaista alkaloidia* Opium alone has more than 20 different alkaloids

yksisuuntainen (tie) one-way, (sähkövirta) unidirectional

yksitellen one by one, one at a time

yksitoikkoinen monotonous

yksitoikkoisuus monotony

yksitoista eleven

yksitotinen 1 (tosikkomainen) earnest, staid, stolid **2** (yksitoikkoinen) monotonous

yksitotisesti earnestly, stolidly; monotonously, in a monotone

yksitotisuus earnestness, stolidity; monotony

yksittäin one at a time, one by one

yksittäinen single, individual, separate *Muutamia yksittäisiä sanoja lukuun ottamatta hän ei virkannut koko iltana mitään* Apart from a few stray/sporadic words he didn't utter a sound all evening

yksityinen 1 private, (salassa pidettävä) confidential *yksityinen juhla/tie* private party /road **2** (yksittäinen) single, individual, separate

yksityinen koulu private school

yksityisasia private/confidential matter

yksityiselämä private life

yksityisesti privately, confidentially

yksityisetsivä private detective/investigator, private eye, P.I.; (ark) gumshoe

yksityishenkilö private person

yksityiskohta detail

yksityiskohtainen detailed

yksityiskohtaisesti in detail

yksityiskokoelma private collection

yksityiskäyttö private/personal use

yksityisluonteinen confidential

yksityisomaisuus private property

yksityisopettaja private teacher/tutor

yksityisopetus private tuition

yksityisoppilas private pupil

yksityistapaus individual case

yksityisyrittäjä entrepreneur

yksiö studio apartment

ykskaks all at once, all of a sudden, before you could blink an eye

yl (lyh) gen. (generally)

yleensä 1 generally, usually, on the whole, in general **2** (ylipäätään) at all *jos se on nyt yleensä mahdollista* if it's at all possible

yleinen 1 (kaikkien) general *yleinen kielitiede* general linguistics *yleinen tyytymättömyys* widespread dissatisfaction **2** (laajalle levinnyt) common, usual, prevalent *yleinen käsitys on että* it is commonly believed that **3** *taudin yleinen kulku* the usual course of a/the disease **4** (julkinen) public *yleiset kulkuneuvot* public transportation

yleinen asevelvollisuus universal conscription

yleinen mielipide public opinion

yleisesti generally, commonly, usually *yleisesti luullaan että* it's commonly/frequently/widely believed that

yleiskaava formula

yleiskatsaus overview, survey

yleiskieli standard language

yleiskokous general meeting/assembly

yleiskäsite general concept

yleislakko general strike

yleismaailmallinen global, universal, worldwide

yleispiirre general feature

yleispiirteittäin in general, overall

yleispätevyys universality, universal applicability

yleispätevä universal(ly applicable)

yleisradio (broadcasting) network *Suomen yleisradio* Finnish Broadcasting Network

yleisradiosatelliitti direct broadcast satellite, DBS

yleissairaala general hospital

yleissanakirja general dictionary

yleissilmäys overview, survey

yleissivistys liberal education

yleissivistävä liberal-arts

yleisteos introduction (to a field), general survey (of a field)

yleistys generalization *rohkea yleistys* sweeping generalization

yleistyä become (more) common/frequent

yleistää generalize

yleisurheilija track-and-field athlete

yleisurheilu track and field

yleisyys generality, commonality, universality, frequency

yleisö audience, public; (katsojat) spectators, (lukijat) readers *kosiskella yleisöä* (teatterissa) play to the gallery, (kirjallisuudessa) pander to your readers *paljon/vähän yleisöä* large/small attendance, big/small crowd *yleisöltä pääsy kielletty* No Admittance/Entrance

yleisöennätys attendance record

yleisömenestys (teatteri, elokuva) box-office success, (konsertti) sell-out crowd, (romaani) bestseller

yleisömäärä attendance

yleisönosasto letters to the editor *Luin tänään yleisönosastosta jännän jutun* I read an interesting letter to the editor today

yleisöpuhelin public (tele)phone, coin-operated phone

ylellinen luxurious, (ateria) sumptuous, (elämäntapa) extravagant *viettää yleellistä elämää* live a life of ease/luxury, live in the lap of luxury

ylellisesti luxuriously, sumptuously, extravagantly

ylellisyys luxury *Vierashuone on todellinen ylellisyys* A guest room is a real luxury

ylemmyydentunne feeling of superiority

ylemmyydentunto feeling of superiority

ylemmyys superiority

ylempi *s* superior, better; (ark) high mucky-muck *kunnioittaa ylempiään* respect your superiors/betters *adj* upper, higher-up; (sosiaalisesti) superior, better

ylempänä higher/further up

ylen very, extremely, exceedingly, terribly *ylen onnellinen* blissfully/terribly happy

ylen antaa 1 (oksentaa) throw up **2** (hylätä) throw over

ylen määrin a lot, too much *ylen määrin humalassa* dead drunk, drunk as a skunk

sataa ylen määrin pour down rain (for weeks)

ylennys 1 (työssä) promotion *saada ylennys* get promoted, get a promotion *hyvät ylennysmahdollisuudet* good career prospects **2** (mielen) uplift

ylenpalttinen 1 (runsas) overflowing, profuse, lavish *ylenpalttinen onni* overflowing bliss *ylenpalttiset kiitokset* profuse thanks *ylenpalttinen ateria* lavish meal *ylenpalttinen ystävällinen/kiitollinen/ylistävä* effusive **2** (liiallinen) excessive, to excess *ylenpalttinen juominen* excessive drinking, drinking to excess *ylenpalttinen syöminen* overeating

ylenpalttisesti profusely, lavishly *kiitellä ylenpalttisesti* gush

ylenpalttisuus profusion, excess(iveness)

ylensyödä overeat, eat too much

ylensyönti overeating

ylentää 1 (fyysisesti) raise, lift, elevate **2** (korkeampaan virkaan) promote, give (someone) a promotion **3** (korkeampaan arvoasemaan) raise *ylentää aatelissäätyyn* raise to the peerage **4** (mieltä) uplift, elevate *mieltä ylentävä elokuva* uplifting movie

ylettyvillä within reach, at hand

ylettyä 1 reach *Yletytkö tuonne ylähyllylle siihen maljakkoon?* Can you reach (me) that vase on the top shelf? **2** (olla jollakin tasolla) be/come up/down to *Vesi ylettyi minua vyötäröön* The water was up to my waist

ylettää reach, be/come up/down to

yletä 1 (nousta) rise **2** (kasvaa) grow (up) **3** (edetä urallaan) move up, advance, be /get promoted

yletön excessive *yletön vaatimus* impossible /unreasonable/exorbitant demand *yletöntä juomista* excessive/immoderate drinking

ylevyys sublimity, sublimeness, loftiness

ylevä uplifting, sublime, lofty

ylevästi sublimely, loftily

ylhäinen 1 (jalosukuinen) noble, high-born **2** (korkeassa asemassa) high *ylhäinen virkamies* high official **3** (herraskainen) aristocratic, lordly *ylhäinen käytös* lordly /regal bearing

ylhäisyys excellency *Teidän Ylhäisyytenne* Your Excellency

ylhäisö 1 (aatelisto) the nobility, the aristocracy **2** (yläluokka) the upper class/crust, the ruling class(es)

ylhäällä high (up), up *Se on tuolla ihan ylhäällä* It's (way) up there, it's right there, way up high *Minä olin ylhäällä koko yön lasten kanssa* I was up all night with the kids

ylhäältä päin from above *ylhäältä päin tullut käsky* an order from higher up *katsoa jotakin ylhäältä päin* (fyysisesti) get a bird's eye view of something, look at something from above; (halveksien) look down on something

yli 1 over *hypätä aidan yli* jump over the fence *vuotaa yli* overflow *ampua yli* (fyysisesti) shoot high, (kuv) overdo it *hypätä yli* (fyysisesti) jump over, (kuv) skip (over) *ajaa yli* run over (someone), run (someone) down **2** (enemmän kuin) more than *maksaa yli 1 000 euroa* cost more than 1000 euros, in excess of 1000 euros **3** (jälkeen) after, past *5 yli 5* 5 after/past 5 **4** (poikki) across *tien yli* across the street **5** (tuolla puolen) beyond *voimiensa yli* beyond your strength *elää yli varojensa* live beyond your means *mennä yli ymmärryksen* be over your head, beyond your comprehension

yliampuva overdone, exaggerated

yliarvioida overestimate

yliarviointi overestimation

yliassistentti (pre-/postdoctoral) instructor

ylihintaan *myydä ylihintaan* overcharge (for)

ylihintainen overpriced

ylihuomenna the day after tomorrow

yli-ihminen superman

yli-insinööri senior engineer

ylijäämä surplus; (tavaramäärästä) remainder, (aineesta) residue; (ark) what's left over

ylikansallinen supranational

ylikuormittaa overload

ylikuormitus overload

ylikäytävä crossing

yli laidan overboard (myös kuv)

yliluonnollinen supernatural

ylilyönti excessive action; (mon) excess of zeal

ylilääkäri (osaston) senior physician/surgeon; (sairaalan) medical director; (vakuutusyhtiön) chief medical officer; (armeijan) surgeon general

ylimalkaan generally, as a general rule, on the whole

ylimalkainen 1 (summittainen) rough, approximate **2** (pintapuolinen) cursory, superficial

ylimalkaisesti roughly, approximately, superficially

ylimenokausi transitional period

ylimerkintä oversubscription

ylimielinen arrogant, haughty, disdainful

ylimielisesti arrogantly, haughtily, disdainfully

ylimielisyys arrogance, haughtiness, disdain

yliminä superego

ylimitoitettu oversized

ylimittainen oversize

ylimmillään at its highest/peak *nousta ylimmilleen* (reach its) peak/climax

ylimmäinen 1 (fyysisesti) highest, uppermost, top *ylimmäinen hylly/laatikko/rappu* top shelf/drawer/step *Hannelen ääni kuului ylimmäisenä* Hannele's voice rose above the others **2** (sosiaalisesti) supreme, highest *ylimmäinen johto* supreme command *ylimmäinen pappi* high priest

ylimys aristocrat

ylimääräinen extra, additional

ylin 1 (fyysisesti) highest, uppermost, top *ylin hylly/laatikko/rappu* top shelf/drawer /step *Hannelen ääni kuului ylimpänä* Hannele's voice rose above the others **2** (sosiaalisesti) supreme, highest *ylin johto* supreme command **2** (suurin) maximum, ceiling, top *ylin hinta* maximum/ceiling /top price

ylinnä highest, (at the) top *ylinnä virkahierarkiassa* at the top of the bureaucratic hierarchy

yliolkainen 1 (välinpitämätön) casual, non-chalant, off-the-cuff **2** (ylimielinen) arrogant, haughty, scornful

yliolkaisesti casually, nonchalantly, off-the-cuff; arrogantly, haughtily, scornfully (ks yliolkainen)

yliolkaisuus casual behavior, nonchalance; arrogance, haughtiness, contemptuousness (ks yliolkainen)

yliopisto university

yliopistokaupunki university city, (pienempi) college town

yliopistolaitos institute of higher education /learning

yliopistollinen academic *yliopistollinen sairaala* university hospital

yliopisto-opetus university instruction

ylioppilas high school graduate, (opiskelijana) undergrad(uate) *ikuinen ylioppilas* eternal student

ylioppilasjuhla graduation party

ylioppilaskoe matriculation exam; (USA:ssa lähin vastine) college boards

ylioppilaslakki student cap

ylioppilastodistus high school diploma

ylipappi high priest

ylipuhua convince, persuade, talk (someone) into (something) *Puhuit minut yli* You talked me into it, you twisted my arm

ylipäällikkö supreme commander; (armeijan) commander-in-chief

ylipäänsä in general, on the whole, at all *Onko se nyt ylipäänsä mahdollista?* Is it at all possible, is it even within the realm of possibility? *Täällä päin asuu ylipäänsä äveriästä väkeä* This neighborhood is pretty much owned by wealthy people

ylirasittua get overtired/overworked; (ark) get stressed out, burn out

ylirasittunut overtired, overworked; (ark) stressed out, burned out

ylistys praise

ylistää praise; (luetella hyveet) extol; (ylistyspuheessa) eulogize; (isänmaallisessa tms runossa) celebrate; (ylempi alaistaan) commend

ylitarjonta oversupply, surplus, glut

ylitse over (ks yli)

ylitsepääsemätön insurmountable, insuperable

ylitsevuotava overflowing, overabundant, effusive; (ark) gushing

ylittämätön 1 (ylitsepääsemätön) insurmountable, insuperable **2** (lyömätön) unbeatable, invincible; (ark) the greatest

ylittää 1 cross *ylittää Atlantti* cross the Atlantic *Atlantin ylittävä* transatlantic **2** exceed, surpass, go over *ylittää kaikki odotukset* exceed all expectations *ylittää itsensä* surpass yourself *Se ei saa ylittää 100 euroa* It can't go over 100 euros, it can't cost more than 100 euros

ylitunti (opettajan) extra hour, (työntekijän) hour of overtime

ylitys 1 (Atlantin, vuoriston) crossing **2** (kiintiön tms) exceeding, surpassing **3** *tilin ylitys* overdraft, (ark) going in the hole **4** (urh: riman) clearance

ylityö overtime

ylityökorvaus overtime (pay) *Minkälaisen ylityökorvauksen täällä saisin?* What kind of overtime do you pay?

ylivalottaa overexpose

ylivalotus overexposure

ylivalta supremacy *saada ylivalta jostakusta* get the upper hand of someone, get the better of someone

yliveto the greatest, the best, number one *Kyllä sä oot yliveto!* (vitsin kertojalle, nauraen) You're too much!

ylivoima superior force/numbers *taipua ylivoiman edessä* yield to superior force

ylivoimainen 1 (lyömätön) invincible, unbeatable; (ark) too strong **2** (ylitsepääsemätön) insurmountable, insuperable *ylivoimaiset mittasuhteet* insurmountable odds *ylivoimainen este* force majeure **3** (valtava) overwhelming *ylivoimainen enemmistö* overwhelming majority

ylivoimaisuus invincibility, insurmountability, insuperability

ylkä (ylät) bridegroom

ylle 1 (yläpuolelle) over, above *nousta pilvien ylle* rise/fly (up) above/over the clouds **2** (päälle) on *Mitä minä panen ylle?* What shall I put on? What shall I wear?

yllyke incitement (to do something), (lapset) dare *saada yllykettä jostakin* take impetus from *tehdä yllykkeestä jotain* do something on a dare

yllyttäjä instigator

yllyttää (hurjiin tekoihin) dare; (pelottavaan tai vastenmieliseen tehtävään) encourage, urge, egg on; (suuttumaan) provoke; (kapinaan) incite, instigate *A: Miksi sinun piti hypätä katolta! B: No kun Janne yllytti!* A: Why did you have to go jump off the roof? B: Janne dared me to!

yllytyshullu dupe, butt, toy

yllä 1 (yläpuolella) over, above *kaupungin yllä* (up) above the city, over the city **2** (päällä) on *Mitä hänellä oli yllään?* What did she have on? What was she wearing? **3** (kirjassa ennen) above *yllä mainittu* above-mentioned **4** (kunnossa) up *pitää yllä* keep up, maintain

ylläpito upkeep, maintenance

ylläpitää keep up, maintain

yllättyä be surprised/astonished/astounded, be taken unawares/aback/by surprise *olla yllättyneen näköinen* look surprised

yllättää surprise, astonish, take (someone) unawares/by surprise; (itse teosta) catch (someone) in the act *yllättää iloiseti* give someone a pleasant surprise *Eniten minua yllätti se että* I was most surprised by the fact that, what surprised me most was that

yllätyksellinen surprising, sudden, abrupt, unexpected

yllätys surprise *Yllätyksekseni totesin että* Much to my surprise I found that, I was surprised to note that

ylpeillä 1 be proud of, feel/take pride (in), be filled with pride (at) **2** (kerskailla) boast, brag

ylpeily boasting, bragging

ylpeydenaihe pride and joy, something to be proud of

ylpeys 1 pride *niellä ylpeytensä* swallow your pride *Ylpeys käy lankeemuksen edellä* (raam) Pride goeth before a fall **2** (ylpeydenaihe) pride and joy **3** (ylimielisyys) haughtiness, arrogance, conceit

ylpeä proud; (ylimielinen) haughty, conceited, (ark) stuck-up *ylpeä isä* proud father *ylpeä ihminen* conceited/stuck-up person

ylpistyä become conceited; (ark) get stuck-up, get a swelled head, let something go to your head

yltiöisänmaallinen superpatriotic, chauvinistic

yltiöpäinen 1 (omapäinen) headstrong **2** (hurja) reckless, daring **3** (kiihkomielinen) fanatic(al) **4** (asiaansa sokeasti uskova) quixotic

yltympäri all over (the place), everywhere

yltyä 1 (tuuli) rise **2** (vauhti) increase **3** (kipu) get worse, intensify

yltä 1 (yläpuolelta) from (up) over/above *kaupungin yltä* from up above the city **2** (päältä) off *riisua vaatteet yltään* take off your clothes, undress

yltäkylläinen plentiful, (over)abundant, profuse

yltäkylläisesti plentifully, (over)abundantly, profusely *elää yltäkylläisesti* live off the fat of the land

yltäkylläisyys plenty, abundance, profusion

yltä päältä from head to toe, from top to bottom, all over

yltää 1 reach *Ylläkö tuonne ylähyllylle siihen maljakkoon?* Can you reach (me) that vase on the top shelf? *yltää johonkin saavutukseen* achieve something **2** (olla jollakin tasolla) be/come up/down to *Vesi ylsi minua vyötäröön* The water was up to my waist

ylväs grand, stately, noble, proud

ylvästelijä boaster, braggart; (ark) big talker

ylvästellä boast, brag; (ark) talk big

yläaste 1 upper level/degree **2** (koulu) junior high (school)

yläikäraja maximum age

yläkerta upstairs *Yläkerta on vielä laittamatta* We still have to remodel the upstairs

yläluokka upper class

ylänkö highlands, uplands

yläosa upper part; (vaateasun) top

yläosaton topless

yläpuoli upper/top part/half

yläpää upper/top end

yläraaja upper limb

yläraja upper limit, maximum

yläreuna upper edge, (sivun) top

yläsänky top bunk

ylävartalo upper body

ylävuode top bunk

ylös up *ylös alas* up and down *Kädet ylös!* Hands up! *nousta ylös* get up, (sängystä) get out of bed, (maasta) stand up

ylösalaisin upside down

ylösnousemus resurrection

ylöspäin upward(s)

ym etc.

ymmällään puzzled, baffled, bewildered, confused

ymmärrettävä understandable, comprehensible *Minusta on toki täysin ymmärrettävää, mitä teit* I do find your action entirely understandable

ymmärrys 1 understanding, comprehension *Se käy yli minun ymmärrykseni* It's over my head, it's beyond me, beyond my comprehension **2** (järki) sense *Pitäisi sinulla olla nyt sen verran ymmärrystä että* You should have sense enough to, you should be smart enough to

ymmärtäväinen understanding, sympathetic

ymmärtäväisesti understandingly, sympathetically

ymmärtäväisyys understanding, sympathy

ymmärtää 1 understand, comprehend, grasp; (ark) get, see *En ymmärrä sinun vitsejäsi* I don't get your jokes **2** (saada selville) figure out, (äkätä) realize; (ark) get *Nyt ymmärrän* Now I get it, now I see **3** (tietää) know *Etkö ymmärtänyt jäädä pois niistä juhlista* Didn't you know better than to go to that party?

ymmärtää väärin misunderstand

ymmärtää yskä take a hint

ympyrä circle (myös kuv) *kiertää ympyrää* go around and around, go around in circles *liikkua tietyissä ympyröissä* move in certain circles *Hänellä on aika pienet ympyrät* (rajoittunut) He's pretty limited, (pieni maailma) his world is pretty small

ympäri *adv* **1** around *pyörittää ympäri* spin (something around/in circles) **2** *puhua ympäri* talk (someone) into (something), convince, persuade *Puhuit minut ympäri* You talked me into it *postp* around *kellon ympäri* around the clock *maailman ympäri* around the world *juosta pari kertaa radan ympäri* run a few laps around the track *prep* all over/around *maailman ympäri* all over the world *heitellä tavaroita ympäri huonetta* throw things all over the room *juosta ympäri kaupunkia kenkien perässä* run all over/around town looking for shoes

ympäriinsä all over (the place)

ympärileikata circumcise

ympärileikkaus circumcision

ympärillä *adv* (all) around *paljon ihmisiä ympärillä* lots of people around (you) *postp* around *Heidän ympärillään oli suloja uteliaita* They were surrounded by hundreds of curious people, rubberneckers swarmed around them in the hundreds

ympäripyöreä 1 (epämääräinen) vague, evasive, noncommittal **2** (kellonymparinen) around-the-clock *tehdä ympäripyöreitä päiviä* work around the clock

ympäristö 1 (lähialue) surroundings, surrounding area, neighborhood, vicinity *yli-opiston ympäristössä* in the neighborhood /vicinity of the university **2** (luonto) environment *ympäristön saastutus/ruiskaus* pollution/rape of the environment

ympäristöhaitta environmental hazard

ympäristöministeri Secretary for the Environment

ympäristöministeriö Department of the Environment

ympäristömyrkky environmental poison

ympäristönsuojelu environmental protection /conservation

ympäristötaide earth art

ympäristötekijät environmental factors/considerations

ympäristövahinko environmental disaster

ympärysvallat (hist) the Allies, Allied forces

ympäröidä surround, encircle, ring

ympätä 1 (puuhun) graft (onto) **2** (kirjaan, puheeseen tms) stuff/cram/fit/force (something) into

yms etc., and the like

ynnä and

ynnätä add (up)

ynseys coldness, indifference, unfriendliness

ynseä cold, indifferent, unfriendly

ynseästi coldly, indifferently *kohdella ynseästi ystäväänsä* give a friend the cold shoulder

ypöyksin all alone

yritteliäisyys enterprise, enterprising spirit; (ark) go-get-em spirit, get-up-and-go

yritteliäs enterprising, ambitious; (ark) go-get-em

yrittäjä entrepreneur

yrittää try, attempt, endeavor; (ark) take a shot (at), have a go (at) *yrittää parhaansa* try/do your best *Älä yritä!* Don't pull that (shit) on me, don't give me that *Ei yrittänyttä laiteta* There's no harm in trying; nothing ventured, nothing gained

yritys 1 (hanke) attempt, endeavor, effort *epäonnistunut yritys* failure, failed attempt; (ark) flop *kaikista yrityksistä huolimatta* despite all efforts **2** (yritteliäisyys, liikeyritys yleensä) enterprise, venture *yhteinen yritys* joint venture *yksityinen yritys* private enterprise/venture **3** (firma) business, company, firm, corporation

yritysdemokratia industrial democracy

yritysgrafiikka (tietokoneella tuotettu) business graphics

yritys ja erehdys trial and error

yrityslehti company (news)paper/magazine /newsletter; (halv) house organ

yritysosto acquisition

yrityspolitiikka company policy

yritystalous company finances

yritystoiminta entrepreneurial activity

Yrjö (kuninkaan nimenä) George

yrjö barf, puke, ralph

yrjötä be sick, throw up, barf, puke

yrtti herb

yrttitee herbal tea

yskittää *Minua yskittää* I have a cough

yskiä cough

yskä cough *ymmärtää yskä* take the hint, get the message

yskänpastilli cough drop

yskös sputum, expectoration

ystävykset buddies, companions, pals

ystävyys friendship

ystävä friend *Hän on hyvä ystäväni* He's a good friend of mine *Hädässä ystävä tutaan* A friend in need is a friend indeed

ystävällinen friendly, kind(ly), amicable

ystävällisesti kindly, amicably *Voisitko ystävällisesti kertoa minulle* Could you please tell me

ystävällisyys friendliness, kindness

ystävänpalvelus favor, friendly turn

ystävänpäivä Valentine's day

ystävätär girlfriend, woman friend

ytimekkyys conciseness, pithiness

ytimekkäästi concisely, pithily

ytimekäs concise, pithy, to the point

Yukonin territorio (Kanadan) Yukon Territory

yö night *ensi yönä* tonight *viime yönä* last night *jäädä yöksi* spend/stay the night, stay overnight *yötä päivää* night and day, day and night *tiistain vastaisena yönä, tiistaita vasten yöllä* Monday night

yöjumalanpalvelus latenight worship service *pääsiäisen yöjumalanpalvelus* Easter vigil

yök yuck, ick

yökerho night club

yökkiä throw up, barf, puke

yököpeli night owl (myös kuv)

yököttää *Minua yököttää* I feel sick (to my stomach), I'm nauseous *Sä yökötät mua* You make me sick/puke

yölento night flight (leik) redeye flight

yöliikenne night traffic

yöllinen nocturnal, nightly

yömyöhään late at night

yöpaikka place to spend the night, a room /bed for the night

yöpakkanen night frost

yöpakkaset (pol) disturbances in Finland's relations with the Soviet Union

yöpimeä the dark of the night

yöpommitus nighttime bombing

yöpyä spend the night

yötyö (työpaikka) night job, (yövuoro) grave-yard shift *hankkia lisärahoja yötyöllä* moonlight, go moonlighting *saada* (tällä viikolla) *yötyötä* pull graveyard (this week)

yöuni (night's) sleep *saada hyvä yöuni* get a good night's sleep
yövartija night watchman
yövartio night watch; (raam) vigil, watch
yövuoro night shift, (ark) graveyard shift

Z,z

Zaire Zaire
zairelainen *s, adj* Zairean

zeniitti zenith
zeppeliini blimp, (hist) Zeppelin

Ä,ä

äes harrow
äestys harrowing
äestää harrow
äh! pshaw! bull(shit)!
äheltää 1 (ähkiä) huff, puff **2** (ahertaa) sweat
ähkäistä grunt, groan
ähkäisy grunt, groan
ähä! 1 (vahingoniloa) nyahahah! nah nah! **2** (oivallus) ahah! so! **3** (mielihyvä) ahhh
äidillinen motherly, maternal
äidillisesti maternally
äidinkielenopettaja (äidinkielen mukaan: suomen) Finnish teacher, (ruotsin) Swed-ish teacher, (englannin) English teacher jne
äidinkielenopetus Finnish/Swedish/English (jne) teaching
äidinkieli native language/tongue, mother tongue
äidinmaidonkorvike (baby) formula
äidinmaito mother's milk
äidinrakkaus maternal love
äidinvaisto maternal instinct
äijä old man/geezer/fart *Mun äijä räyhää kotona* (isä/aviomies) My old man's on the rampage at home
äitelä 1 sickly sweet **2** (sentimentaalinen) saccharine, sugary, sentimental; (ark)

corny, schmaltzy, mushy **3** (typerä) mawkish, insipid, vapid
äiti mother; (ark) Mom, Mommy *odottava äiti* expectant mother, mother-to-be
äitienpäivä Mother's Day
äitikortti (tietokoneen) motherboard
äitiysloma maternity leave
äityä 1 (ryhtyä) take/fall to *äityä ryyppää-mään* hit the bottle *äityä kiroamaan* let loose a string of curses, start swearing a blue streak **2** (kiihtyä) get excited/worked up/upset
äkeys anger
äkeä angry; (kuv) ticked/pissed/browned off
äkeästi angrily
äkikseltään suddenly, unexpectedly, at short notice, without warning *En ollut äkiksel-tään tuntea sinua* At first I didn't recognize you
äkillinen sudden, abrupt *äkillinen sairaus* acute illness
äkisti quickly
äkkiarvaamatta without warning, unexpect-edly, out of the blue
äkkijyrkkä 1 (pudotus) sheer, precipitous **2** (mielipide) extremist, fanatical
äkkikäännös 1 (fyysinen) sudden turn **2** (hen-kinen) sudden aboutface/turnabout

äkkilähtö *Hänelle tuli äkkilähtö* She had to hightail it out of there, she had to make tracks, she had to beat it

äkkinäinen *s* (aloittelija) greenhorn, tenderfoot, tyro *adj* **1** (äkillinen) sudden, abrupt **2** (hätäinen) hasty, rushed **3** (harjaantumaton) unpracticed

äkkinäisesti suddenly, abruptly, hastily, in a rush

äkkinäisyys suddenness, abruptness, hastiness

äkkipikainen 1 (liian nopeasti toimiva) rash, reckless **2** (nopeasti suuttuva) quick-tempered, hot-headed

äkkipikaisesti rashly, recklessly

äkkisyvä precipitous, steep *Varo, edessäsi on äkkisyvää!* Watch out, there's a sudden dropoff right in front of you

äkkiä 1 (yhtäkkiä) suddenly, abruptly, all of a sudden **2** (äkisti) quickly *Sano äkkiä!* Tell me quickly!

äksy mean, nasty, ill-/bad-tempered

äkäinen 1 (ärtynyt) hopping mad, burned up, furious **2** (ärtyisä) irascible, irritable, testy, snappish, crusty

äkäisesti furiously, irascibly, irritably, testily (ks äkäinen)

äkäisyys irascibility, irritability

äkämä (paise) boil, (kasvannainen) gall

äkäpussi shrew, harridan

älli smarts, brains *Eiks sulla oo älliä päässä?* Ain't you got no smarts?

ällikällä lyödä dumbfounded

ällistynyt taken aback, dumbfounded

ällistys surprise, amazement, astonishment

ällistyttää amaze, astonish, astound

ällistyä be taken aback, be taken by surprise, be dumbfounded

äly 1 (älykkyys) intelligence, intellect *älyn kirkas valo* the clear/shining light of intellect **2** (järkevyys) brains, sense, wit(s); (ark) smarts *Eikös äly sano mitään?* Don't you have any common sense? Can't you figure it out on your own? *vaivata älyään jollakin* rack your brains over something

älykkyys intelligence, intellect

älykkyysikä mental age

älykkyysosamäärä intelligence quotient (IQ)

älykkyystesti IQ test

älykkäästi intelligently

älykäs intelligent, smart; (ark) brainy

älyllinen intellectual, rational, logical

älyllisesti intellectually, rationally, logically

älymystö intelligentsia, the intellectuals

älynlahjat intelligence, brains

älyttömyys 1 (älyn puute) idiocy, senselessness, folly, stupidity **2** (älytön teko) absurdity *viedä älyttömyyksiin* reduce something to absurdity, take something to absurd extremes

älyttömästi 1 (tyhmästi) senselessly, idiotically, foolishly, stupidly **2** (valtavasti) an awful lot *Siellä oli älyttömästi ihmisiä* The place was crawling with people

älytä realize, become aware of, figure out *Nyt minä älysin!* Now I got it! Now I see!

älytön 1 (ei-älyllinen) irrational, mindless, brutish **2** (tyhmä) senseless, idiotic, foolish, stupid

älä don't *älkäämme* let's not *Älköön tulko esiin* He/she shouldn't step forward *Älköön kukaan tulko esiin* Nobody step forward!

älähtää cry out, shriek, yelp

äläkkä to-do, fuss, stink *Siitä nousi valtava äläkkä* They made a big fuss/stink about it

ämmä old lady/woman/cow/sow *ämmien juttuja* (old) wives' tales

ämpäri bucket, pail

ängetä (fyysisesti) push/shove/elbow your way (in), (sanallisesti) cut/break in

änkyttäjä stutterer, stammerer

änkyttää stutter, stammer

änkytys stutter, stammer

äpärä bastard, illegitimate child

äreys irascibility, irritability

äreä irascible, irritable, testy, snappish, crusty

äreästi irascibly, irritably, testily

ärhäkkä 1 (äkäinen) snappish **2** (terhakka) peppy, zippy, full of get-up-and-go **3** (haukkuva) yapping

ärjyä bellow, holler, roar (at the top of your lungs)

ärsyke 1 (ärsyttävä aine) irritant **2** (psyk) stimulus **3** (kiihotin) impulse, incentive, enticement, motivation

ärsyttää 1 (fyysisesti ja henkisesti) irritate, (henkisesti) bother, exasperate; (ark) bug, drive you crazy **2** (kiusata) tease, harass, hector **3** (psyk) stimulate

ärsytys irritation, exasperation, harassment, stimulation (ks ärsyttää)

ärsyyntyä get irritated (at someone/something, about something), lose your temper (at/about), fly off the handle

ärtyisä irritable, touchy, peevish

ärtyisästi irritably, peevishly, irascibly

ärtymys irritability, peevishness, irascibility

ärtyä 1 (lääk) get inflamed **2** (henkisesti) lose your temper, fly off the handle

äsh! pshaw! hah! huh! oh come now! get off it!

äskeinen last, past, recent *äskeinen asiakas* the customer that just left, that was just here *äskeiset sanasi* the last thing you said, your last words *äskeinen matkasi* that trip you just got back from

äsken 1 (juuri) just (now), just a moment /minute/second ago *Tulin äsken* I just got here, I just now arrived, I only stepped in a moment ago **2** *äsken tullut* newly arrived *äsken syntynyt* newborn *äsken mainittu* just mentioned, (the a)fore-mentioned

äskettäin (hiljattain) recently; (taannoin) a little while ago, some time ago

äskettäinen recent *Tuo sinun äskettäinen huomautuksesi* What you just said

ässä 1 (kirjain) (the letter) S **2** (korttipelissä, tenniksessä jne) ace

ässävika (ark) lisp

äveriäs wealthy, well-to-do, well-off

äyri 1 (raha) öre **2** (veröäyri) tax unit

äyriäinen (elävä) crustacean, (syötävä) shellfish

äyriäiset crustaceans

äyskäri bailer

äyskäröidä bail (out)

äälio dope, dolt, ninny, asshole, damn fool, jerk

äänekkäästi loudly, noisily, vocally, in a loud voice

äänekäs loud, noisy, (erikseen ihmisestä) vocal

äänenkannattaja (yhtiön) house organ, (puolueen) party organ

äänenmurros *Hänellä on äänenmurros* His voice is changing/breaking

äänen nopeus the speed of sound

äänenpaino stress, emphasis

äänensävy tone (of voice)

äänentoisto sound reproduction

äänentoistolaitteisto audio equipment, sound-reproducing equipment

äänestys vote, ballot; (äänestäminen) voting, (vaalit) election

äänestyslippu ballot

äänestäjä voter

äänestää vote

ääneti silently, in silence, quietly, without making a sound

äänettömästi silently, in silence, quietly, without making a sound

äänetön silent, quiet, soundless

aani 1 (mikä tahansa aani) sound, noise *ääntä nopeampi* supersonic **2** (äänensävy) tone *puhua vihaisella äänellä* speak angrily, in an angry tone **3** (ihmisääni) voice (myös kuv) *olla koko ajan äänessä* run your mouth the whole time, always have your yap going *kansan ääni* the voice of the people *yhteen äänen* with one throat, (yksimielisesti) unanimously **4** (lauluääni) key, pitch *pysyä äänessä* stay on pitch/key *avata ääni* warm up (for singing) **5** (äänestyksessä) vote *1 000 äänen enemmistöllä* by a 1000-vote margin, by a majority of 1000

äänielokuva (hist) sound movie, (ark) talkie

ääniharava vote-puller

äänihuuli vocal cord

äänikirje talking letter

äänilevy record

äänimerkki honk *antaa äänimerkki* honk /sound your horn

äänimäärä number of votes

ääninen (yleensä) -sounding, (ihmisäänestä) -voiced

äänioikeus right to vote, suffrage

äänite recording

äänitorvi 1 (auton) horn **2** (kuv) mouthpiece

äänittää record

äänitys recording
äänivalli sound barrier
äänne sound
äänneasu phonetic form
ääntämisohje pronunciation guide
ääntää 1 pronounce, enunciate, articulate **2** (äännähdellä) grunt
äärellinen finite
äärellisyys finitude
äärellä by, near, close to
ääressä by, at *tietokoneen ääressä* at the computer
äärettömyys infinity
äärettömästi infinitely
ääretön infinite
ääri 1 (reuna: maailman) edge, end, (kupin) brim *Seuraan sinua maailman ääriin asti* I'll follow you to the ends of the earth

täyttää kuppi ääriään myöten fill a cup to the brim **2** (raja) limit, bound(ary) *Katsomo oli ääriään myöten täynnä* The bleachers were jammed/packed full
ääriaines extremist element
äärimmillään at its peak/zenith *Nälänhätä oli äärimmillään* Starvation was at its worst
äärimmäinen 1 extreme, utmost, supreme *äärimmäisin ponnistuksin* by a supreme effort **2** (kauimmainen) farthest, furthest, remotest **3** (viimeisin) final, last, ultimate
äärimmäisessä tapauksessa as a last resort
äärimmäisyys extremity
äärioikeisto the far right
ääriryhmä extremist group
ääriviiva outline

Ö, ö

öh! argh, ugh, ow
öinen nocturnal, nightly
öisin at night, nights
öljy oil
öljyinen oily, (ääni) unctuous
öljykriisi oil crisis
öljylamppu kerosene lamp/lantern
öljylämmitys oil heating
öljymaalaus oil painting
öljymaali oil paint
öljypoltin oil burner

öljytä oil; (rasvata) grease, lubricate; (ark) lube
öljyvahinko oil spill
öljyväri oil color
öljyvärimaalaus oil painting
öljy-yhtiö oil company
öristä growl, snarl
öykkäri bully, rowdy, roughneck, tough guy
öykkäröidä 1 (käytöksellä) act tough, push people around, rough people up **2** (puheella) shoot off your mouth, wise off

ENGLANTI SUOMI

A,a

A, a [eɪ] A, a

a, an [ə, eɪ, æn] epämääräinen artikkeli, *an* esiintyy vokaalin edellä *a bottle, an arm, a house, a/an hotel; he bought a car* hän osti auton *that's a way to do it* (painokkaana) voihan sen noinkin tehdä

aardvark ['ɑːd,vɑːk] s maasika

aback [əˈbæk] *adv: to be taken aback* järkyttyä, hämmästyä, älistyä

abacus [əˈbækəs ˈæbəkəs] s (mon abaci, abacuses) helmitaulu

1 abandon [əˈbændən] *s: with wild abandon* hillitiömästi, antaumuksellisesti, innostuneesti

2 abandon *v* hylätä, luopua jostakin, lopettaa *they abandoned ship* he jättivät laivan

abandoned *adj* hylätty, autio (rakennus)

abandonment s jättäminen, hylkääminen, luopuminen, lopettaminen

abase [əˈbeɪs] *v* alentaa (arvoa ym), häpäistä, olla häpeäksi jollekulle

abase yourself *v* alentua tekemään jotakin

abashed [əˈbæʃt] *adj* nolo, nolostunut, häpeissään, hämillään

abatement [əˈbeɪtmənt] s tyyntyminen, väheneminen, lasku

abattoir [ˈæbəˌtwɑː] s teurastamo

abbess [ˈæbəs] s abbedissa, nunnaluostarin johtajatar

abbey [ˈæbi] s **1** luostari **2** luostarikirkko

abbot [ˈæbət] s apotti, (munkki)luostarin johtaja

abbreviate [əˈbriːvieɪt] *v* lyhentää

abbreviated *adj* lyhennetty, lyhyt

abbreviation [əˌbriːviˈeɪʃən] s lyhennys, lyhenne

ABC [ˈeɪbiːˈsiː] s **1** aakkoset *it's as easy as ABC* se on lastenleikkiä, se on helppoa kuin mikä **2** *American Broadcasting Company*, yksi Yhdysvaltain neljästä suuresta televisioverkosta

abdicate [ˈæbdɪˌkeɪt] *v* erota, luopua (virasta, vallasta, kruunusta)

abdication [ˌæbdɪˈkeɪʃən] s ero, eroaminen, (vallasta, kruunusta) luopuminen

abdomen [ˈæbdəmən] s **1** vatsa **2** (hyönteisen) takaruumis

abdominal [ˌæbˈdɒmɪnəl] *adj* vatsa- *abdominal muscles* vatsalihakset

abduct [æbˈdʌkt] *v* siepata, ryöstää, kidnapata

abduction [æbˈdʌkʃən] s sieppaus, ryöstö, kidnappaus

abductor [æbˈdʌktər] s sieppaaja, (lapsenym) ryöstäjä, kidnappaaja

abeam [əˈbiːm] *adv* poikittain

aberrant [əˈbɛrənt] *adj* poikkeava, epänormaali

aberration [ˌæbəˈreɪʃən] s **1** poikkeavuus **2** erehdys, hetken mielijohde *I must have had an aberration* minä en ollut täysin järjissäni

abet [əˈbet] *v* kannustaa (rikokseen, paheeseen tms) *to aid and abet someone* auttaa jotakuta rikoksessa

abeyance [əˈbeɪəns] *s: to be in abeyance* olla (toistaiseksi) kesken, ei olla enää voimassa/käytössä *to fall into abeyance* jäädä pois käytöstä, unohtua, jäädä unholaan

abhor [əbˈhɔː] *v* kammoksua, inhota

abhorrence s kammo *to hold something in abhorrence* kammoksua jotakin

abhorrent *adj* kammottava, kauhistuttava

abide [əˈbaɪd] *v* abode/abided, abode/abided: sietää *he couldn't abide her company* hän ei voinut sietää hänen seuraansa

abide by *v* pitää (sanansa, lupauksensa), pitää kiinni (sanasta, lupauksesta, päätöksestä)

abiding *adj* kestävä, pysyvä, pitävä, iankaikkinen

ability [əˈbɪləti] s **1** kyky (tehdä jotakin) *ability to pay* maksukyky *I'll do it to the best of* *my ability* teen sen parhaani mukaan **2** taito, lahja, lahjakkuus, kyky *a man of many abilities* monipuolinen mies *she has great ability* hän on pystyvä/lahjakas/taitava

abject [ˈæbˈdʒekt] *adj* **1** (olot) kurja, huono, surkea **2** (ihminen, käytös) nöyristelevä; kurja (valehtelija)

abjection [ˌæbˈdʒekʃən] *s* **1** kurjuus **2** nöyristely

abjure [əbˈdʒuər] *v* **1** kieltää (jonkin paikkansapitävyys), kiistää, perua (puheensa) **2** lakata, sanoa irti, perua

ablaze [əˈbleɪz] *adj, adv* **1** tulessa, ilmiliekeissä *the arsonist set the building ablaze* pyromaani sytytti rakennuksen tuleen **2** *ablaze with* hehkua, loistaa, punoittaa *her cheeks were ablaze with color* hänen poskensa hehkuivat punaisina

able [eɪbəl] *adj* **1** *to be able to do something* kyetä, osata, voida, pystyä tekemään jotakin **2** pätevä, pystyvä, osaava, taitava, kyvykäs

abloom [əˈblum] *adj, adv* kukassa, kukkiva, täydessä kukassa

ablution [əˈbluʃən] *s* (uskonnollinen ym) peseytyminen, käsienpesu

abnormal [æbˈnɔːməl] *adj* poikkeava, epänormaali

abnormality [ˌæbnɔːˈmæləti] *s* poikkeavuus

abnormity [æbˈnɔːmɪti] *s* poikkeus, poikkeavuus

aboard [əˈbɔːd] *adv, prep* kyydissä, kyytiin, laivassa, laivaan, junassa, junaan, lentokoneessa, lentokoneeseen, linja-autossa, linja-autoon; (kuv) mukana, mukaan

abode [əˈbəʊd] *s* koti, asunto *welcome to my humble abode* tervetuloa matalaan majaani *he is of no fixed abode* hänellä ei ole vakinaista asuinpaikkaa

abolish [əˈbɒlɪʃ] *v* lakkauttaa (esim orjuus), kumota (esim laki)

abolition [ˌæbəˈlɪʃən] *s* lopettaminen, lakkauttaminen, lopetus, lakkautus

abominable [əˈbɒmɪnəbəl] *adj* kammottava, inhottava, vastenmielinen, kurja, huono

abominate [əˈbɒmɪneɪt] *v* kammoksua, kammoa, inhota

abomination *s* **1** kammo, inho **2** kammottava/inhottava asia

aboriginal [ˌæbəˈrɪdʒənəl] *s* alkuasukas *adj* alkuperäinen, syntyperäinen

abort [əˈbɔːt] *v* **1** keskeyttää raskaus, abortoida **2** peruuttaa, keskeyttää, kumota *The pilot aborted the landing.* Lentäjä keskeytti laskeutumisen.

abortion [əˈbɔːʃən] *s* raskaudenkeskeytys, abortti

abortive [əˈbɔːtɪv] *adj* epäonnistunut, myttyyn mennyt

abound in/with *v* jossakin viliseе/kuhisee jotakin, jossakin on jotakin vaikka millä mitalla *these woods abound with rabbits* jäniksiä (kaniineita) vilisee tässä metsässä

about [əˈbaʊt] *adv, prep* **1** suunnilleen, kutakuinkin, noin *about three p.m.* (kello) kolmen (15) maissa *it's about time* no jo oli aikakin! *that's about the size of it* sen pituinen se, siinä koko juttu, se siitä *yes, that's about right* suunnilleen niin se oli *to be up and about* olla jalkeilla *to bring something about* saada jotakin aikaan, johtaa johonkin *to come about* tapahtua, seurata **2** jostakin, jotakin koskien, -sta/stä *tell me all about it* kerro kaikki *I know about it* tiedän siitä, olen kuullut siitä *how about a sandwich?* maistuisiko sinulle voileipä? *and what about me?* entä miten minun käy? **3** ympärillä, ympärille *she had a scarf about her neck* hänellä oli huivi kaulassa *he looked about him* hän katseli ympärilleen **4** lähistöllä, ympärillä, siellä täällä *the trees about the house* taloa ympäröivät puut *all about the room* (siellä täällä/hujan hajan) pitkin huonetta **5** jossakin *I have no money about me* minulla ei ole rahaa mukana *there is something about him that makes me curious* jokin hänessä saa uteliaisuuteni heräämään *be quick about it* pidä kiirettä äläkä jahkaile **6** *to be about to do something* aikoa juuri tehdä jotakin, olla tekemäisillään jotakin *she was about to leave when Tom came* hän aikoi juuri lähteä kun Tom tuli *the movie is about to end* elokuva on loppumaisillaan, loppuu kohta

above [əˈbʌv] *adv, prep* **1** yläpuolella, ylhäällä **2** (tekstissä) edellä *as stated above* kuten edellä todettiin **3** (lämpötilasta) nollan (0 fahrenheitasteen, -17, 8 °C) yläpuolella *it's almost five above* siellä on melkein +5 °F **4** yllä, ylle, yläpuolella *to fly above the clouds* lentää pilvien yläpuolella **5** yli, enemmän kuin *above average* keskimääräistä suurempi, korkeampi, enemmän tms *above all* ennen kaikkea **6** jonkin ulkopuolella, yläpuolella *to be above suspicion* olla kaiken epäilyksen ulkopuolella *he is not above lying* hän on valmis vaikka valehtelemaan, hän alentuu jopa valehtelemaan **7** *to live above your means* elää yli varojensa *the above persons* edellä mainitut (henkilöt)

aboveboard [əˈbʌvˈbɔːd] *adj* rehellinen *adv* rehellisesti, avoimesti

abrasion [əˈbreɪʒən] *s* **1** hiertyminen, hankautuminen, kuluminen **2** (ihon) hiertymä

abrasive [əˈbreɪsɪv] *s* hankausaine; hiomapaperi *adj* **1** hankaava, hiova, hiertävä **2** raastava (ääni), hyökkäävä, hankala (ihminen)

abreast [əˈbrest] *adv* rinnakkain, rinta rinnan *to keep abreast of the news/times* pysytellä ajan tasalla, seurata uutisia/aikaansa

abridge [əˈbrɪdʒ] *v* lyhentää (kirjaa tms)

abridgement *s* **1** lyhentäminen **2** lyhennelmä, lyhennetty painos/laitos

abroad [əˈbrɔːd] *adv* ulkomailla, ulkomaille *to go abroad* lähteä ulkomaille

abrupt [əˈbrʌpt] *adj* **1** äkkinäinen, jyrkkä (mutka, muutos) **2** töykeä, tyly, epäystävällinen **3** jyrkkä (rinne, mäki)

abruptness *s* **1** äkkinäisyys, yllättävyys **2** töykeys, epäystävällisyys **3** (mäen) jyrkkyys

abscess [ˈæbses] *s* paise

abscond [əbˈskɒnd] *v* paeta, karata, lähteä karkuun

absence [ˈæbsəns] *s* **1** poissaolo *in the absence of the director* johtajan poissaollessa *the boy had many absences from school* pojalla oli paljon poissaoloja **2** puute *absence of courage* rohkeuden puute **3** *leave of absence* virkavapaa, loma, poissaololupa

absent *v* olla poissa (koulusta, työstä) *he absented himself from school* hän oli poissa koulusta

absent *adj* **1** ei läsnä, poissaoleva *he was absent from the meeting* hän ei ollut läsnä kokouksessa **2** ajatuksiinsa uppoutunut, poissaolevan näköinen

absentee [ˌæbsənˈtiː] *s* poissaolija

absentee ballot *s* poissaäänestys

absently *adv* hajamielisesti

absent-minded *adj* hajamielinen, ajatuksiinsa uppoutunut

absolute [ˌæbsəlut] *adj* **1** ehdoton, koko, aukoton **2** rajaton (valta), yksinvaltainen (hallitsija) **3** kiistaton, ehdottoman varma

absolutely *adv* täysin, ehdottomasti, jyrkästi, ilman muuta

absolute majority [məˈdʒɒrti] *s* ehdoton enemmistö

absolution [ˌæbsəˈluʃən] *s* synninpäästö

absolve [əbˈzalv] *v* vapauttaa (syytöksistä, lupauksesta), päästää (synnistä, velvollisuuksistaan)

absorb [əbˈzɔːb] *v* **1** imeä itseensä (nestettä, lämpöä, valoa) **2** omaksua, imeä itseensä (tietoa) **3** viedä jonkun kaikki voimat/huomio

absorbed in *adj* uppoutunut, syventynyt (esim työhönsä)

absorbent *s* imukykyinen aine *adj* imukykyinen

absorption [əbˈzɔːpʃən] *s* **1** imeytyminen **2** uppoutuminen, syventyminen

abstain [əbˈsteɪn] *v* ei tehdä jotakin, pidättäytyä jostakin *to abstain from alcohol/voting/comment* ei juoda (alkoholia), ei äänestää/käydä äänestämässä, ei sanoa mielipidettään ääneen

abstainer *s* **1** raitis ihminen *total abstainer* täysin raitis, raivoraitis **2** joku joka jättää äänestämättä

abstemious [əbˈstiːmiəs] *adj* **1** pidättyväinen **2** joka syö/juo vähän, pieniruokainen

abstention [əbˈstenʃən] *s* **1** raittius **2** äänestämättä jättäminen **3** tyhjä (ääni, äänestyslippu)

abstinence [ˈæbstənəns] *s* raittius, pieniruokaisuus *total abstinence* täydellinen raittius, raivoraittius

abstract [ˈæbstrækt] *s* lyhennelmä, tiivistelmä

abstract [æbˈstrækt] *v* **1** erottaa (metallia) **2** saada irti (tietoa) *adj* **1** abstrakti, käsitteellinen *in the abstract* teoriassa **2** vaikeatajuinen

abstracted *adj* hajamielinen, omissa ajatuksissaan oleva

abstraction [æbˈstrækʃən] *s* **1** hajamielisyys **2** teoria, haihattelu *to lose yourself in abstractions* unohtaa käytäntö/todellisuus

abstruse [æbˈstruːs] *adj* vaikeatajuinen, vaikeaselkoinen

absurd [əbˈsɜːd] *adj* järjetön, älytön

absurdity *s* **1** järjettömyys **2** järjetön/älytön teko/puhe, järjettömyys

abundance [əˈbʌndəns] *s* yltäkylläisyys, paljous, runsaus *to have something in abundance* olla jotakin yllin kyllin, vaikka millä mitalla

abundant *adj* runsas, riittävä (todiste)

abuse [əˈbjuːz] *v* **1** rikkoa/pettää (jonkun luottamus), käyttää hyväkseen jotakin **2** haukkua, syyttää (julmasti/perusteetta) **3** pahoinpidellä

abuse [əˈbjuːs] *s* **1** väärinkäyttö **2** väärinkäytös, rikkomus **3** haukkumiset, kiroilu **4** pahoinpitely

abusive [əˈbjuːsɪv] *adj* **1** ruma (kieli, puhe) *abusive language* haukkumiset, kiroilu **2** joka pahoinpitelee jotakuta *she has an abusive husband* hänen miehensä pahoinpitelee häntä

abysmal [əˈbɪzməl] *adj* pohjaton, rajaton, loputon

abyss [əˈbɪs] *s* **1** pohjaton kuilu **2** horna

AC alternating current vaihtovirta

academe [ˈækədiːm] *s* akateeminen maailma, yliopistomaailma

academic [ˌækəˈdemɪk] *s* akateemikko, akateemisesti koulutettu (henkilö), korkeakoulun opettaja tai tutkija *adj* **1** akateeminen, yliopisto- **2** epäkäytännöllinen, liian teoreettinen **3** sovinnainen, kankea

academic freedom *s* akateeminen vapaus

academician [ˌækədəˈmɪʃən] *s* **1** akateemikko, akatemian jäsen **2** akateemikko, akateemisesti koulutettu (henkilö)

academy [əˈkædəmi] *s* oppilaitos, opisto; yliopistomaailma *military academy* eräänlainen sisäoppilaitos; sotakorkeakoulu

accede [ækˈsiːd] *v* **1** suostua, myöntyä (pyyntöön) **2** nousta (valtaistuimelle), astua (virkaan)

accelerate [əkˈseləreɪt] *v* kiihdyttää (vauhtia), kiihtyä, nopeuttaa, nopeutua

acceleration *s* kiihtyminen, nopeutuminen, vilkastuminen, (auton) kiihtyvyys

accelerator *s* (auton) kaasupoljin

accent [ˈæksent, ækˈsent] *v* **1** murtaa, puhua vierasperäisesti korostaen **2** painottaa (sanaa, tavua, asiaa), korostaa

accent [ˈæksent] *s* **1** sanapaino, paino *the accent is on the first syllable* paino on ensimmäisellä tavulla **2** aksentti, korkomerkki **3** (vierasperäinen/murteellinen) korostus *she speaks English with an accent* hän puhuu englantia murtaen **4** paino, korostus *the accent is on computers* tietokoneet ovat muodissa/korostuneesti esillä

accentuate [ækˈsentʃʊeɪt] *v* korostaa, tähdentää

accentuation [ækˌsentʃʊˈeɪʃən] *s* (asian) korostus, (sanojen) painotus

accept [əkˈsept] *v* **1** ottaa vastaan (lähetys, lahja, kutsu), ottaa (vastuu), suostua **2** hyväksyä, myöntää, ymmärtää, tunnustaa *we must accept the fact that* meidän on hyväksyttävä/myönnettävä (se tosiasia) että

acceptable *adj* **1** riittävä, tyydyttävä, hyväksyttävä **2** mieluisa, tervetullut

acceptance [əkˈseptəns] *s* **1** tunnustus *to meet with general acceptance* saada osakseen yleistä tunnustusta **2** vastaanotto, hyväksyntä

1 access [ˈækses] *s* **1** tie, väylä, reitti, ovi, luukku **2** oikeus/mahdollisuus käyttää jotakin/käydä jonkun puheilla

2 access *v* **1** päästä käsiksi johonkin, voida käyttää jotakin **2** (tietoa) etsiä, hakea, avata (tiedosto)

accessibility [əkˌsesəˈbɪləti] *s* saatavuus, käyttömahdollisuus, kulkuyhteys, pääsy, saavutettavuus *the accessibility of materials* materiaalien saatavuus *accessibility to services* palveluiden saatavuus *the accessibility to the nearby cities* kulkuyhteydet lähikaupunkeihin

accessible [ək'sesəbəl] *adj* ulottuvissa/käytettävissä oleva, yleisölle avoin, altis (imartelulle)

accessory [ək'sesəri] *s* **1** rikostoveri **2** lisävaruste **3** asuste

accident [æksɪdənt] *s* **1** onnettomuus, tapaturma, kolari, vahinko, haaveri **2** sattuma *by accident* sattumalta *it was pure accident that I met her* tapasin hänet aivan sattumalta *it's no accident that you failed* ei ollut ihme että epäonnistuit

accidental [æksə'dentəl] *adj* odottamaton, yllätyksellinen, sattuman sanelema

1 acclaim [ə'kleɪm] *s* **1** suosionosoitukset *critical acclaim* myönteiset arvostelut, arvostelijoiden antama tunnustus

2 acclaim *v* **1** osoittaa suosiotaan jollekulle, taputtaa käsiään jollekulle **2** valita huutoäänestyksellä

acclamation [æklə'meɪʃən] *s* **1** suosionosoitukset **2** huutoäänestys *to elect someone by acclamation* valita joku huutoäänestyksellä

acclimate ['æklə,meɪt] *v* mukauttaa, mukautua, totuttaa, tottua (uuteen ilmastoon, uusiin oloihin)

acclimatization [ə,klaɪmətə'zeɪʃən] *s* totuttaminen, totuttautuminen, tottuminen, mukauttaminen, mukautuminen

acclimatize [ə'klaɪmə,taɪz] *v* mukauttaa, mukautua, totuttaa, tottua *to become acclimatized* mukautua, totuttautua (uuteen ilmastoon, uusiin oloihin)

accommodate [ə'kɒmədeɪt] *v* **1** tehdä tilaa jollekulle/jollekin **2** majoittaa jonnekin, mahtua jonnekin *the car can accommodate four adults* autoon mahtuu neljä aikuista **3** mukauttaa, sovittaa johonkin, muuttaa johonkin sopivaksi

accommodating *adj* avulias, valmis myönnytyksiin

accommodation *s* majoituspaikka, hotellihuone

accompaniment [ə'kʌmpənɪmənt] *s* **1** (mus) säestys **2** johonkin liittyvä asia; sivuseikka

accompanist [ə'kʌmpənəst] *s* (mus) säestäjä

accompany [ə'kʌmpəni] *v* **1** (mus) säestää **2** olla/mennä/tulla jonkun mukana, saattaa **3** esiintyä samanaikaisesti jonkun kanssa, liittyä johonkin

accomplice [ə'kʌmpləs] *s* rikostoveri

accomplish [ə'kʌmplɪʃ] *v* saada aikaan/valmiiksi/tehdyksi *that didn't accomplish anything* siitä ei ollut mitään hyötyä, se oli ihan turha teko/huomautus

accomplished *adj* **1** pätevä, taitava, osaava **2** valmis, tehty

accomplishment *s* **1** (tavoitteiden) saavuttaminen, (työn) valmistuminen **2** saavutus, aikaansaannos **3** taito, kyky

1 accord [ə'kɔːd] *s* yhteisymmärrys, yksimielisyys; sopimus *Gerry is in accord with his boss* Gerry on pomonsa kanssa samaa mieltä *of its own accord* itsestään *of your own accord* omin päin, vapaaehtoisesti *with one accord* yksimieliset/kuin yhdestä suusta/yhteen ääneen

2 accord *v* suoda, antaa jollekulle jotakin

accordance [ə'kɔːdəns] *s*: *in accordance with* jonkin mukaisesti

accordingly *adv* siksi, sen vuoksi, siis

according to *prep* jonkin/jonkun mukaan *according to the rules* sääntöjen mukaan *according to size* koon mukaan *according to height* pituusjärjestyksessä, pituusjärjestykseen

accordion [ə'kɔːdiən] *s* harmonikka

accost [ə'kɒst] *v* lähestyä, puhutella jotakuta

1 account [ə'kaʊnt] *s* **1** tili *to open a bank account* avata pankkitili *to settle your account with someone* maksaa velkansa jollekulle, (kuv) selvittää välinsä jonkun kanssa **2** selonteko, lehtikirjoitus *by his own account* oman selityksensä mukaan *by all accounts* ilmeisesti/yleisön siltä että **3** (mainostoimisto) asiakas **4** *of no/little account* mitätön, merkityksetön *to take account of someone/something* ottaa joku/jokin huomioon *on no account* ei missään

nimessä/tapauksessa *on this/that account*
sen vuoksi, sen tähden
2 account *v* pitää jonakin, katsoa joksikin *to
account someone guilty* pitää jotakuta
syyllisenä

accountable *adj* vastuussa jostakin, tilivel-
vollinen jollekulle

accountant *s* **1** tilintarkastaja **2** veroneuvoja

account for *v* **1** selittää *how do you account
for it?* miten sinä sen selität? **2** muodostaa,
olla *this area accounts for two thirds of
world production* tällä alueella valmiste-
taan kaksi kolmannesta maailman koko-
naistuotannosta

accredit [ə'kredɪt] *v* **1** nimittää/määrätä suur-
lähettilääksi, akkreditoida **2** (koulusta) an-
taa/saada oikeus valmistaa oppilaita kor-
keakoulupetukseen

accrue [ə'kru] *v* kasvaa (korkoa), poikia, koi-
tua jonkun osaksi

accumulate [ə'kjumjə,leɪt] *v* kerätä, kertyä,
kasata, kasautua, kasvaa (korkoa)

accumulative [ə'kjumjə'leɪtɪv] *adj* kasaan-
tuva, kasaava, kumulatiivinen

accumulator [ə'kjumjə,leɪtər] *s* akku (myös
tietok)

accuracy [ækjərəsi] *s* tarkkuus

accurate [ækjərət] *adj* tarkka (kello, sanois-
saan), huolellinen (työssään)

accursed [ə'kɜːst] *adj* kirottu, viheliäinen

accusation [,ækjə'zeɪʃən] *s* syytös, syyte

accuse [ə'kjuz] *v* **1** syyttää *he stands accused
for murder* häntä syytetään murhasta
2 moittia

accustomed *adj* lempi-, tavanomainen *my
accustomed seat* lempipaikkani, lempituo-
lini

ace [eɪs] *s* **1** ässä, valtti *to have an ace up
your sleeve* olla jotakin takataskussaan/yl-
lätyksenä **2** mestari, loistourheilija yms
3 *he came within an ace of succeeding* hän
oli vähällä onnistua

acerbic [ə'sɜːbɪk] *adj* kitkerä, hapan (myös
kuv), katkera

acerbity [ə'sɜːbəti] *s* (maun) kitkeryys, hap-
pamuus (myös kuv), katkeruus, piikik-
kyys, ilkeys, pahantuulisuus

1 ache [eɪk] *s* kipu, särky, jomotus

2 ache *v* särkeä, jomottaa, olla kipeä

ache for *v* kaivata kipeästi/kovasti jotakin

achieve [ə'tʃiv] *v* **1** saada aikaan **2** saavuttaa
(mainetta, menestystä, kunniaa)

achievement *s* saavutus, aikaansaannos

acid [æsɪd] *s* **1** happo **2** LSD *adj* hapan
(maku, puhe, käytös)

acidity [ə'sɪdəti] *s* happamuus

acid rain *s* happosade

acknowledge [ək'nalədʒ] *v* **1** tunnustaa,
myöntää **2** ilmoittaa (että lähetys on saapu-
nut) **3** kiittää jostakin, tunnustaa (ansiot)
4 tervehtiä, vastata tervehdykseen

acknowledgement *s* tunnustus, kiitos, vas-
taus (kirjeeseen), vahvistus (lähetyksen
saapumisesta) *in acknowledgement of
something* jonkin merkiksi, osoitukseksi
jostakin

acme [ækmi] *s* huippu, huipentuma *he is at
the acme of his career* hän on uransa hui-
pulla

acne [ækni] *s* akne, finnit, finnitauti

acorn [eɪkɔːn] *s* tammenterho

acoustic [ə'kustɪk] *adj* akustinen, ääntä, kuu-
lumista tai kaikusuhteita koskeva

acoustics [ə'kustɪks] *s* **1** (tiede) akustiikka
2 huoneakustiikka, akustiikka

acquaint [ə'kweɪnt] *v* tutustuttaa johonkin *to
be acquainted with someone/something*
tuntea joku, hallita/osata jokin asia *to be-
come acquainted with someone/something*
tutustua johonkuhun/johonkin, saada
kuulla jostakin, perehtyä johonkin *to ac-
quaint yourself with someone/something*
tutustua johonkuhun/johonkin

acquaintance [ə'kweɪntəns] *s* **1** tuttu, tuttava
2 tuttavuus, asiantuntemus, tuntemus, hal-
linta *to make the acquaintance of someone*
tutustua johonkuhun, oppia tuntemaan
joku *his acquaintance with the subject is
limited* hän tuntee alaa vain huonosti

acquiesce [,ækwi'es] *v* myöntyä, alistua,
suostua, nöyrtyä johonkin

acquiescence [,ækwi'esəns] *s* myöntyminen,
nöyrtyminen, alistuminen; nöyryys

acquiescent *adj* nöyrä, alistuvainen, alistu-
nut; joka on samaa mieltä

acquire [ə'kwaɪər] v hankkia, oppia *to acquire a taste for something* oppia pitämään jostakin, päästä jonkin makuun

acquisition [‚ækwə'zɪʃən] s 1 kerääminen, keruu 2 ostos, hankinta; yritysosto 3 arvokas lisä, uusi jäsen/työntekijä

acquisitive [ə'kwɪsətɪv] adj omistushaluinen, ahne

acquit [ə'kwɪt] v 1 vapauttaa syytteestä, julistaa syyttömäksi 2 selviytyä, käyttäytyä tietyllä tapaa *she acquitted herself well* hän hoiti asiansa hienosti

acquittal [ə'kwɪtəl] s syytöksestä vapauttaminen, vapauttava tuomio

acre [eɪkər] s eekkeri (0,4 hehtaaria)

acreage [eɪkərɪdʒ] s maa-ala, pinta-ala

acrid [ækrɪd] adj kitkerä, karvas (haju, maku)

acrimonious [‚ækrɪ'məʊniəs] adj pisteliäs, piikikäs, kiivas, kärkevä (puhe, kiista)

acrimony [ækrɪ‚məʊni] s piikikkyys, kiivaus, kärkevyys

acrobat [ækrə‚bæt] s akrobaatti, sirkusvoimistelija

acrobatic [‚ækrə'bætɪk] adj akrobaattinen

acronym [ækrə‚nɪm] s kirjainsana, useiden sanojen alkukirjaimista muodostettu sana (esim *NASA* sanoista *National Aeronautics and Space Administration*)

across [ə'krɒs] prep 1 yli, poikki *to run across the road* juosta tien yli/poikki 2 toisella puolella, toiselle puolelle *across the river* joen vastarannalla 3 ristissä, ristikkäin, poikittain *he was sprawled across the bed* hän makasi vuoteella poikittain

across-the-board [ə'krɒsðə‚bɔːd] adj yleinen, kaikkia koskeva, kautta linjan

across the board fr kautta linjan, yleisesti

1 act [ækt] s 1 teko *an act of madness* hullu teko/temppu *he was caught in the act* hänet saatiin kiinni itse teosta/verekseltään 2 laki, asetus 3 (näytelmän) näytös 4 (ohjelman osan muodostava) esitys, numero 5 teeskentely *it's all an act* se on pelkkää teeskentelyä/teatteria

2 act v 1 toimia 2 (esim lääkkeestä) vaikuttaa 3 näytellä, esittää jotakin osaa 4 teeskennellä, esittää jotakin *don't act stupid!* älä esitä/leiki/teeskentele tyhmää!

act as v toimia jonakin, toimia jossakin ominaisuudessa, hoitaa jonkun tehtäviä

acting s näytteleminen adj sijais-, virkaatekevä

action [ækʃən] s 1 toiminta *now is the time for action* on aika toimia/ryhtyä toimiin *to take action* ryhtyä toimiin *course of action* menettely 2 (näytelmän, romaanin, elokuvan) tapahtumat 3 teko 4 oikeudenkäynti *to bring action against someone* haastaa joku oikeuteen, ryhtyä kanne jotakuta vastaan 5 vaikutus 6 (sot) taistelu *he was killed in action* hän kaatui sodassa

activate [æktə‚veɪt] v käynnistää (laite), kytkeä päälle (hälytin), sytyttää (pommi), aktivoida

active [æktɪv] adj aktiivinen, toimiva, vilkas, reipas *to be active in politics* olla aktiivisesti mukana politiikassa *to be under active consideration* olla vakavasti harkittavana

activist [æktəvəst] s aktivisti, aktiivinen osallistuja/kannattaja

activity [æk'tɪvɪti] s 1 puuha, harrastus, työ, toiminta 2 vireys, energia

act on v 1 noudattaa, seurata (neuvoja, ohjeita, hetken mielijohdetta), ryhtyä toimenpiteisiin 2 (lääkkeestä tms) vaikuttaa

actor [æktər] s näyttelijä

act out v esittää, näytellä

actress [æktrəs] s näyttelijätär, näyttelijä

actual [ækʃuəl] adj todellinen, varsinainen *in actual fact* oikeastaan, itse asiassa

actuality [‚ækʃu'æləti] s todellisuus, tosiasiat, (mon myös) realiteetit

actuate [ækʃueɪt] v 1 kannustaa 2 käynnistää

act up v reistailla, vaivata jotakuta, aiheuttaa harmia, mutkitella

acumen [ækjumən] s taju, vainu

acupuncture [ækju‚pʌŋkʃər] s akupistely

acute [ə'kjuːt] adj 1 (aisti) terävä, tarkka 2 (sairaus) äkillinen, akuutti 3 (ongelma) vakava, kova, pakottava, (pula) huutava

acute accent s akuutti aksentti (´)

acute angle s terävä kulma

ad [æd] s lehtimainos, mainos, ilmoitus *to run an ad in the paper* panna ilmoitus lehteen

A.D. *anno domini* jKr.

adage [ǽdədʒ] s sananparsi, vanha viisaus

adamant [ǽdəmənt] adj tiukka, järkkymätön; joka ei anna periksi

Adam's apple s aataminomena

adapt [əˈdæpt] v sovittaa, mukauttaa, sopeutua, mukautua (uusiin oloihin tms)

adaptable [əˈdæptəbəl] adj sopeutuvainen, sopeutuva, sopeutumiskykyinen, mukautuvainen, mukautuva

adaptation [ˌædæpˈteiʃən] s (televisio/näyttämö)sovitus

adapter [əˈdæptər] s sovitin; putkiyhde

add [æd] v 1 laskea yhteen 2 lisätä

addendum [əˈdendəm] s (mon addenda) lisäys, liite

adder [ǽdər] s kyykäärme, kyy

addict [ǽdikt] s narkomaani a drug addict narkomaani cocaine addict kokainisti heroin addict heroinisti

addicted to adj riippuvainen jostakin, -narkomaani he is addicted to movies hän on elokuvahullu

addiction [əˈdikʃən] s riippuvuus

addictive [əˈdiktiv] adj riippuvuutta aiheuttava

adding machine s laskukone

addition [əˈdiʃən] s 1 yhteenlasku 2 lisä; uusi työntekijä 3 in addition to lisäksi

additional adj ylimääräinen, lisä the batteries are additional paristot eivät kuulu hintaan, paristoista veloitetaan erikseen

additive [ǽdətiv] s lisäaine food additive elintarvikelisäaine

add onto v the neighbors are adding onto their house naapurit laajentavat taloaan

address [əˈdres] v 1 puhua jollekulle, pitää puhe 2 puhutella jotakuta jollakin tittelillä 3 osoittaa, kohdistaa, suunnata jotakin jollekulle 4 kirjoittaa osoite kuoreen/kirjeeseen

address [ǽdres əˈdres] s 1 osoite 2 puhe 3 (golf) aloitusasento jossa pallo on mailan takana

addressee [ˌædreˈsi] s (kirjeen) vastaanottaja

add to v lisätä, vaikuttaa osaltaan johonkin

adduce [əˈdus] v tuoda esiin, esittää

add up v 1 laskea yhteen could you add this column of figures up for me? voisitko las-

kea nämä luvut yhteen? 2 merkitä, tarkoittaa, seurata, täsmätä, olla merkitsevä/järkevä 3 this offer just doesn't add up en parhaallakaan tahdolla saa tolkkua tästä tarjouksesta, se on aivan päätön

add up to v tehdä yhteensä it adds up to a pretty penny siitä tulee sievoinen summa

adenoids [ǽdəˈnoidz] s (mon) kitarisat

adept [əˈdept] adj taitava

adequacy [ǽdəkwəsi] s riittävyys he doubts his adequacy for the job hän epäilee onko hänestä siihen työhön

adequate [ǽdəkwət] adj riittävä, tarpeeksi hyvä

adequately adv riittävästi, tarpeeksi, tarpeeksi hyvin

adherence [ədˈhiərəns] s 1 pito, kiinnipysyminen 2 uskollisuus

adherent s kannattaja

adhere to [ədˈhiər] v 1 kiinnittyä 2 pysyä uskollisena jollekin, pitää kiinni mielipiteestään tms

adhesion [ədˈhiʒən] s 1 kiinnittyminen, pito, kiinnipysyminen 2 (kudosten) yhteenkasvaminen, kiinnikasvaminen

adhesive [ədˈhisiv] s 1 liima, sideaine 2 nueltava postimerkki adv tarttuva, itsestään kiinnittyvä

ad hoc [æd hak] adj, adv tilapäinen, tiettyä tarkoitusta varten perustettu

adjacent [əˈdʒeisənt] adj viereinen, vierekkäinen, rinnakkainen, naapuri-

adjectival [ˌædʒəkˈtaivəl] adj adjektiivi-

adjective [ǽdʒəktiv] s adjektiivi

adjoin [əˈdʒoin] v olla vierekkäin, olla jonkin vieressä

adjourn [əˈdʒɜrn] v 1 siirtää myöhemmäksi, lykätä 2 lopettaa (kokous) 3 siirtyä toiseen paikkaan, mennä shall we adjourn to the parlor? siirrymmekö olohuoneeseen?

adjournment s siirto (myöhemmäksi), lykkääminen

adjudge [əˈdʒʌdʒ] v (tuomioistuimesta) päättää, määrätä the court adjudged him guilty oikeus totesi hänet syylliseksi

adjudicate [əˈdʒudikeit] v 1 (tuomari) päättää, määrätä 2 olla tuomarina, toimia välittäjänä

adjudication *s* tuomitseminen, ratkaiseminen; tuomio, ratkaisu

adjudicator *s* tuomari; sovittelija

adjunct [ˈædʒʌŋkt] *s* **1** lisävaruste **2** (kieliopissa) määrite, attribuutti

adjuration [ˌædʒʊˈreɪʃən] *s* harras pyyntö

adjure [əˈdʒʊər] *v* vannottaa joku tekemään jotakin, vaatia hartaasti

adjust [əˈdʒʌst] *v* **1** sopeutua, mukautua **2** säätää

adjustable *adj* säädettävä

adjustment *s* **1** sopeutuminen **2** säätö **3** säädin

adjutant [ˈædʒətənt] *s* adjutantti, avustaja

ad lib [ˌædˈlɪb] *adv* vapaasti

ad-lib *v* keksiä/lisätä omiaan, improvisoida

admeasure [ædˈmeʒər] *v* mitata, annostella

administer [ədˈmɪnəstər] *v* **1** johtaa, hallita, hoitaa hallintoa/hallintoasioita **2** antaa (apua, lääkettä, rangaistus)

administration [ədˌmɪnəsˈtreɪʃən] *s* **1** valtion-hallinto, hallinto **2** myös *The Administration* Yhdysvaltain hallitus (valtionhallinnon toimeenpaneva haara: presidentti ja hallitus) *during the Bush administration* Bushin hallituskaudella

administrative [ədˈmɪnəˌstrətɪv] *adj* hallinnollinen, hallinto-

administrator [ədˈmɪnəˌstreɪtər] *s* **1** hallinto-virkailija **2** pääkäyttäjä **3** (kuolin)pesänselvittäjä

admirable [ˈædmərəbəl] *adj* ihailtava, erinomainen

admiral [ˈædmərəl] *s* amiraali

admiration [ˌædməˈreɪʃən] *s* ihailu, ihastus

admire [ədˈmaɪər] *v* **1** ihailla, ihmetellä **2** ihastella, kehua

admirer [ədˈmaɪərər] *s* ihailija

admiring *adj* ihaileva

admissible [ədˈmɪsəbəl] *adj* sallittu, luvallinen, hyväksyttävä

admission [ədˈmɪʃən] *s* **1** sisäänpääsy, pääsy *no admission* pääsy kielletty **2** pääsy-maksu **3** tunnustus *by/on his own admission* kuten hän itse myönsi *that meant an admission of failure* se merkitsi tappion tunnustamista

admit [ədˈmɪt] *v* **1** päästää sisään **2** olla tilaa tietylle ihmismäärälle **3** myöntää, tunnustaa *she admitted stealing the money* hän myönsi varastaneensa rahat

admit of *v* sallia

admittance [ədˈmɪtəns] *s* sisäänpääsy, pääsy *no admittance* pääsy kielletty

admit to *v* tunnustaa *he admitted to a feeling of envy* hän myönsi olevansa kateellinen

admixture [ædˈmɪkstʃər] *s* sekoitus

admonish [ədˈmɒnɪʃ] *v* nuhdella, ojentaa, varoittaen moittia

admonition [ˌædməˈnɪʃən] *s* nuhtelu, ojennus

ad nauseam [æd ˈnɔːziæm] *adv* kiusaa, kyllästyttävässä määrin, pitkästymiseen saakka

ado [əˈduː] *without further ado* sen pitemmittä puheitta *much ado about nothing* paljon melua tyhjästä

adobe [əˈdoʊbi] *s* auringossa kuivattu savi- ja olkitiili *adj* savi- ja olkitiilistä tehty *adobe house* savitiilitalo

adolescence [ˌædəˈlesəns] *s* nuoruus

adolescent *s, adj* nuori

adopt [əˈdɒpt] *v* **1** adoptoida, ottaa ottolapseksi **2** omaksua (ajatus, tapa) **3** hyväksyä (esim lakiehdotus)

adoption [əˈdɒpʃən] *s* adoptio, ottolapseksi ottaminen *his country of adoption* hänen uusi kotimaansa

adoptive [əˈdɒptɪv] *adj* adoptio- *adoptive parents* adoptiovanhemmat

adorable [əˈdɔːrəbəl] *adj* ihastuttava, hurmaava

adoration [ˌædəˈreɪʃən] *s* ihailu, palvonta, (rajaton) rakkaus jotakuta kohtaan

adoring *adj* ihaileva, rakastava

adorn [əˈdɔːn] *v* koristella

adornment *s* koristeet, somisteet, korut

adrenalin [əˈdrenəlɪn] *s* adrenaliini

adrift [əˈdrɪft] *adj, adv* **1** (laiva, vene) tuuliajolla **2** *to come adrift* irrota, (kuv) mennä myttyyn *to cast/turn someone adrift* jättää joku oman onnensa nojaan

adroit [əˈdrɔɪt] *adj* taitava, nokkela, terävä

adroitness *s* taitavuus, nokkeluus, terävyys

adulation [ˌædʒəˈleɪʃən] *s* **1** ihannointi **2** imartelu

adult [əˈdʌlt] s, adj aikuinen, täysi-ikäinen, täysikasvuinen

adulterate [əˈdʌltəreɪt] v jatkaa (ruokaa, juomaa) huonoilla aineilla, laimentaa, huonontaa sekoittamalla

adulterous [əˈdʌltərəs] adj aviorikos-, uskoton

adultery [əˈdʌltəri] s aviorikos, uskottomuus *to commit adultery* tehdä aviorikos

adulthood s aikuisikä

1 advance [ədˈvæns] s 1 edistys(askel), kehitys 2 lisäys, kasvu 3 lähentely-yritys *that Johnson boy is always making advances at me* tuo Johnsonin poika aina vaan lähentelee minua 4 *in advance* etukäteen, ennakolta, ennen jotakuta *thanking you in advance* (kirjeessä) kiitän teitä jo etukäteen *to be well in advance of your time* olla paljon aikaansa edellä

2 advance v 1 edetä, kulkea eteenpäin 2 edistyä, kehittyä, edetä (uralla) 3 (hinnoista) nousta, nostaa, kallistua 4 aikaistaa, siirtää aikaisemmaksi 5 auttaa, olla avuksi, edistää 6 maksaa ennakkoa/etukäteen *Could you advance me $100 out of next month's paycheck?* Voisitko antaa ensi kuun palkastani 100 dollaria ennakkoa? *to advance towards someone/something* lähestyä jotakuta/jotakin

advancement s 1 ylennys 2 edistäminen, parantaminen

advantage [ədˈvæntɪdʒ] s 1 etu, etumatka 2 hyöty 3 *to take advantage of* käyttää hyväkseen *to have an advantage over* olla etulyöntiasemassa johonkuhun nähden, olla edellä jostakusta *to have the advantage of numbers* olla miesylivoima, olla lukumääräinen ylivoima, olla enemmän kuin vastustajia

advantageous [ˌædvənˈteɪdʒəs] adj edullinen, hyödyllinen

advent [ˈædvent] s 1 alku, keksiminen 2 *Advent* adventti

adventitious [ˌædvenˈtɪʃəs] adj satunnainen

adventure [ədˈventʃər] s seikkailu, seikkailuretki, jännitys *she is fond of adventure* hän on seikkailunhaluinen

adventurer s 1 seikkailija 2 uhkarohkea/epärehellinen onnenonkija, seikkailija

adventurous s 1 seikkailunhaluinen 2 jännittävä, vaarallinen

adverb [ˈædvərb] s adverbi

adverbial [ədˈvərbɪəl] s adverbiaali adj adverbiaali-

adversary [ˈædvərˌseri] s vastustaja, vihollinen

adverse [ədˈvərs ˈædvərs] adj epäedullinen, epäsuotuisa, huono, ankara (arvostelu)

adversity [ədˈvərsəti] s hätä, vastoinkäyminen, vaikeus

advertise [ˈædvərˌtaɪz] v mainostaa

advertisement [ˌædvərˈtaɪzmənt, ədˈvərtɪzmənt] s 1 mainonta 2 mainos *the company put an advertisement in the paper for their new product* yritys pani lehteen ilmoituksen/mainoksen uudesta tuotteestaan

advert to [ədˈvərt] v 1 viitata johonkin, huomauttaa jostakin 2 poiketa asiasta, siirtyä toiseen asiaan

advice [ədˈvaɪs] s neuvo, neuvot *let me give you a piece of advice* haluan antaa sinulle hyvän neuvon *I didn't ask for your advice* en kysynyt sinulta neuvoa *to act on someone's advice* noudattaa jonkun neuvoa

advisable [ədˈvaɪzəbəl] adj suositeltava, viisas

advise [ədˈvaɪz] v 1 neuvoa, suositella 2 ilmoittaa *she keeps me advised of the latest news* hän kertoo minulle uusimmat uutiset

adviser [ədˈvaɪzər] s neuvonantaja

advisory s varoitus, tiedotus *travelers' advisory* kelivaroitus adj neuvoa-antava

advocacy [ˈædvəkəsi] s (jonkun tai jonkin) puolustus, kannatus

advocate [ˈædvəkeɪt] v kannattaa, puoltaa

advocate [ˈædvəkət] s 1 (jonkun tai jonkin) puolustaja, kannattaja, puolestapuhuja 2 asianajaja

aegis [ˈiːdʒəs] *under the aegis of* jonkun/jonkin turvin/suojeluksessa

aerate [ˈereɪt] v ilmastaa, sekoittaa ilmaa johonkin

aeration [erˈeɪʃən] s ilmastus, ilman sekoittaminen johonkin

aerial [eriəl] *s* antenni *adj* ilma-, lento-
aerial reconnaissance lentotiedustelu

aerobatics [ˌerəˈbætɪks] *s* taitolento

aerobics [eˈroubɪks] *s* aerobinen harjoittelu/
liikunta

aerodynamics [ˌerədaɪˈnæmɪks] *s* aerodyna-
miikka

aeronautics [ˌerəˈnɔːtɪks] *s* ilmailu

aeroplane [erəpleɪn] *s* lentokone

aerosol [erəsəl] *s* suihke, aerosoli; suihke-
pullo

aerospace [erəspeɪs] *s* Maan ilmakehä ja
avaruus *adj* avaruus-

aesthete [esθiːt] *s* esteetikko

aestheticism [əsˈθetɪˌsɪzəm] *s* estetismi

aesthetics [əsˈθetɪks] *s* estetiikka

afar [əˈfɑː] *adv* kaukana, kauas *from afar*
kaukaa

affability [ˌæfəˈbɪləti] *s* ystävällisyys, seural-
lisuus

affable [æfəbəl] *adj* ystävällinen, seurallinen

affair [əˈfeə] *s* **1** asia, juttu *in the current
state of affairs* nykytilanteessa *a man of
affairs* liikemies *that's my affair* se on mi-
nun oma asiani, se ei kuulu sinulle/muille
2 rakkaussuhde, suhde *the boss had an
affair with his secretary* pomolla oli suhde
sihteerinsä kanssa

affect [əˈfekt] *v* **1** vaikuttaa johonkin **2** liikut-
taa jotakuta, vaikuttaa voimakkaasti jon-
kun tunteisiin **3** (sairaus) iskeä johonku-
hun *his heart is affected* hänellä on vikaa
sydämessä **4** teeskennellä *she affected ig-
norance* hän teeskenteli tietämätöntä **5** pi-
tää yllään, pitää kovasti jostakin, olla ko-
vasti mieleen *he affected traditional
clothes* hän pukeutui (mielellään) perintei-
siin vaatteisiin

affect [æfekt] *s* (psykologiassa) tunne, affekti

affectation [ˌæfekˈteɪʃən] *s* teeskentely, teen-
näinen käytös, esiintyminen, puhetapa tms

affected [əˈfektəd] *adj* teennäinen, epäaito
(käytös, esiintyminen tms)

affection [əˈfekʃən] *s* rakkaus *to feel affec-
tion for* pitää kovasti jostakin

affectionate [əˈfekʃənət] *adj* rakastava, hellä

affective [æˈfektɪv] *adj* tunteellinen, tunne-,
affektiivinen

affidavit [ˌæfəˈdeɪvət] *s* kirjallinen vakuutus
(jota käytetään oikeudessa todisteena)

affiliate [əˈfɪliət] *v* liittyä, liittää (järjestön
tms jäseneksi)

affiliation [əˌfɪliˈeɪʃən] *s* liittyminen, liittämi-
nen, yhteys *political affiliation* poliittinen
kanta, puoluejäsenyys

affinity [əˈfɪnəti] *s* **1** samankaltaisuus, lähisu-
kuisuus **2** sukulaisuus **3** veto *to feel affinity
for/to* tuntea vetoa johonkuhun/johonkin

affirm [əˈfɜːm] *v* vahvistaa, todistaa, vakuut-
taa oikeaksi tms

affirmation [ˌæfəˈmeɪʃən] *s* vakuutus, var-
mistus, todistus

affirmative [əˈfɔːmətɪv] *s* (vastaus) kyllä *adj*
myönteinen (vastaus)

affirmatively *adv* (vastata) myönteisesti,
kyllä

affix [æfɪks] *s* (sanan) etuliite tai jälkiliite,
affiksi

affix [əˈfɪks] *v* kiinnittää

afflict [əˈflɪkt] *v* vaivata, kiusata *to be af-
flicted with a disease* sairastaa, kärsiä jos-
takin sairaudesta

affluence [æfluəns] *s* vauraus, hyvinvointi,
yltäkylläisyys

affluent [æfluənt] *adj* vauras, hyvinvoipa

afford [əˈfɔːd] *v* **1** olla varaa johonkin *I can't
afford to make another mistake* minulla ei
ole varaa enää yhteenkään virheeseen
2 tarjota, antaa *that affords me an excel-
lent opportunity to move out of this house*
sitä saan hyvän syyn muuttaa pois tästä
talosta

affordable [əˈfɔːdəbəl] *adj* edullinen, halpa,
johon jollakulla on varaa *the price is very
affordable* hinta on hyvin edullinen

afforest [əˈfɔrəst] *v* metsittää, istuttaa metsää
jonnekin

afforestation [əˌfɔrəsˈteɪʃən] *s* metsitys, met-
sän istutus

affray [əˈfreɪ] *s* kahakka, tappelu, yhteenotto

1 affront [əˈfrʌnt] *s* loukkaus

2 affront *v* loukata

aficionado [əˌfɪʃəˈnɑːdou] *s* asianharrastaja,
harrastaja

afield [əˈfiːld] *adv* kaukana *far afield* kau-
kana

afire [ə'faɪər] *adj* **1** tulessa *the arsonist set the house afire* tuhopolttaja sytytti talon palamaan **2** (tunteista) palava, hehkuva *to be afire with anger* kiehua kiukusta

aflame [ə'fleɪm] *adj* **1** liekeissä, tulessa **2** (tunteesta) palava, hehkuva *she was aflame with desire* hän paloi intohimosta

afloat [ə'fləʊt] *adj, adv* **1** (veden) pinnalla *to stay afloat* kellua, ei upota **2** velaton, pystyssä (ei vararikossa) **3** (huhu) liikkeellä

afoot [ə'fʊt] *adv* käynnissä, tekeillä

aforementioned [ə'fɔːrˌmenʃənd] *adj* edellä mainittu

aforesaid [ə'fɔːrsed] *adj* edellä mainittu

afoul [ə'faʊl] *to come/fall/run afoul of the law* rikkoa lakia

afraid [ə'freɪd] *adj* **1** *to be afraid of* pelätä *he was afraid to leave her alone* hän pelkäsi jättää hänet yksin **2** *I'm afraid that* pelkäänpä että, olen pahoillani mutta, ikävä kyllä, valitettavasti

afresh [ə'freʃ] *adv* uudelleen alusta, uudestaan

African-American *s* amerikanafrikkalainen, afroamerikkalainen, musta (yhdysvaltalainen) *adj* mustien, musta

Afrikaans [ˌæfrɪ'kɑːns] *s* afrikaansin kieli, afrikaans

Afrikaner [ˌæfrɪ'kɑːnər] *s* afrikandi, Etelä-Afrikan tasavallassa asuva valkoihoinen afrikaansin puhuja

aft [æft] *adv* (laivan, lentokoneen) perässä

after [æftər] *prep* **1** jälkeen *after breakfast* aamiaisen jälkeen *the day after tomorrow* ylihuomenna *the week after next* kahden viikon päästä **2** jäljessä, perässä *the man closed the door after him* mies sulki oven perässään **3** huolimatta, sittenkin *I went there after all* menin sinne sittenkin **4** *day after day* päivästä toiseen **5** jonkun tyylinen, jotakuta mukaileva *a painting after a Brueghel* Brueghelin tyyliä jäljittelevä maalaus **6** *to be after someone* yrittää saada joku kiinsä/kiinni, ajaa takaa jotakuta *they asked after you* he kysyivät mitä sinulle kuuluu *adj: in after years* myöhempinä vuosina *adv* myöhemmin, jonkin jälkeen *the year after* seuraavana vuonna

what comes after? mitä sen jälkeen/seuraavaksi tapahtuu? *konj* sen jälkeen kun *we started to talk after he had left* aloimme jutella kun hän oli lähtenyt

after-effect [ˈæftərəˌfekt] *s* jälkivaikutus, sivuvaikutus

afterlife [ˈæftərˌlaɪf] *s* **1** kuoleman jälkeinen elämä **2** jonkin tapahtuman jälkeinen elämä, jonkun myöhempi elämä

aftermath [ˈæftərˌmæθ] *s* seuraus, jälkimainingit *in the aftermath of something* jonkin jälkeen

afternoon [ˌæftər'nuːn] *s* iltapäivä

aftershave [ˈæftərˌʃeɪv] *s* partavesi

aftertax [ˈæftərˌtæks] *adj* kiiteen jäävä, verojen jälkeinen, netto-

afterthought [ˈæftərˌθɔːt] *s* jälkikiäteen saatu ajatus, jälkiviisaus *if you have any afterthoughts about it, do tell me* kerro ihmeessä jos mieleesi tulee asiasta vielä jotakin muuta *I just said it as an afterthought* tulipahan vain mieleeni, kunhan sanoin, en minä sillä mitään tarkoittanut

afterward [ˈæftərˌwərd] *adv* jälkeenpäin, myöhemmin

again [ə' gen] *adv* **1** taas, uudestaan, jälleen *I'll see you again in three days* tavataan jälleen kolmen päivän päästä *time and time again* jatkuvasti, yhä uudestaan *what was your name again?* mikä sinun nimesi olikaan? **2** *as many/much again* kaksi kertaa niin monta/paljon *but then again* mutta toisaalta

against [ə'genst] *prep* **1** vastaan *do you have something against it?* onko sinulla jotakin sitä vastaan? *they were against higher taxes* he vastustivat verojen kiristämistä **2** vasten *I stood with my back against the wall* seisoin selkä seinää vasten *against the light* valoa vasten **3** vastapäätä *we were ten against their twenty* meitä oli kymmenen ja heitä kaksikymmentä

agape [ə'geɪp] *adv* auki, ammolla *he stood there with his mouth agape* hän seisoi suu (hämmästyksestä) auki

agate [ˈægət] *s* **1** akaatti **2** marmorikuula

1 age [eɪdʒ] *s* **1** ikä *what age are you?* kuinka vanha sinä olet? *they are of an age* he ovat samanikäiset, yhtä vanhat *act your age!* ole ihmisiksi *to be over/under age* olla liian vanha, olla alaikäinen **2** vanhuus, ikä *youth and age* nuoruus ja vanhuus **3** aikakausi, kausi *the Stone Age* kivikausi **4** pitkä aika *I had to wait there for ages* jouduin odottamaan siellä iät ja ajat

2 age *v* vanheta, ikääntyä

aged [eɪdʒd] *s the aged* vanhukset *adj* vanha, ikääntynyt

aged [eɪdʒd] *adj* jonkin ikäinen *a boy aged three* kolmivuotias poika

ageism [eɪdʒɪzəm] *s* ikäsorto, iän perusteella tapahtuva syrjintä, vanhusten syrjintä

agency [eɪdʒənsi] *s* **1** toimisto, yritys, laitos, virasto **2** *through the agency of* jonkun avulla/toimesta *through the agency of water* vedellä

agenda [ə'dʒendə] *s* **1** (kokouksen) esityslista **2** tarkoitus(perä) *he's got an agenda and I wish I knew what it was* tietäisinpä mitä hän ajaa takaa, mitä hänellä on mielessä, mihin hän pyrkii

agent [eɪdʒənt] *s* **1** (yrityksen, tuotteen) edustaja **2** (esiintyvän taiteilijan tai salainen) agentti **3** (tiede) vaikuttava aine/tekijä

agglomerate [ə'glomərət] *v* kasata, kasautua

agglomeration [ə,glomə'reɪʃən] *s* kasauma, kasa

aggrandize [ə'grændaɪz] *v* kasvattaa, suurentaa, laajentaa

aggrandizement [ə'grændaɪzmənt] *s* kasvattaminen, suurentaminen, laajentaminen

aggravate [ˈægrə,veɪt] *v* **1** pahentaa, huonontaa **2** ärsyttää

aggravating *adj* ärsyttävä, kiusallinen, harmillinen

aggregate [ˈægrəgət] *s* kokonaisuus, summa *considered in the aggregate* kokonaisuutena ottaen/ajatellen/tarkastellen

aggression [ə'greʃən] *s* hyökkäys, hyökkäävyys, aggressio

aggressive [ə'gresɪv] *adj* **1** hyökkäävä, riidanhaluinen, aggressiivinen **2** tarmokas, yritteliäs, aggressiivinen

aggressor *s* hyökkääjä (henkilö tai valtio)

aggrieved [ə'griːvd] *adj* loukkaantunut, surullinen

aghast [ə'gɑːst] *adj* tyrmistynyt, kauhistunut

agile [ˈædʒaɪl] *adj* (ruumiillisesti) ketterä, notkea; (henkisesti) nokkela, terävä

agility [ə'dʒɪləti] *s* (ruumiillinen) ketteryys, notkeus; (henkinen) nokkeluus, terävyys

aging [eɪdʒɪŋ] *s* vanheneminen, ikääntyminen *adj* vanheneva, ikääntyvä

agitate [ˈædʒəteɪt] *v* **1** sekoittaa, ravistaa (nestettä) **2** järkyttää, saattaa pois tolaltaan **3** yllyttää (ihmisiä kannattamaan/vastustamaan jotakuta/jotakin)

agitated *adj* järkyttynyt, poissa tolaltaan

agitation [ˌædʒə'teɪʃən] *s* **1** (nesteen) sekoittaminen, ravistelu **2** järkytys **3** väittely, kiistely **4** (poliittinen ym) yllytys

agitator [ˈædʒə,teɪtər] *s* (poliittinen) yllyttäjä, agitaattori

aglow [ə'gloʊ] *adj* hehkuva, loistava *to be aglow with health* uhkua terveyttä

agnostic [æg'nɑːstɪk] *s* agnostikko *adj* agnostinen

agnosticism [æg'nɑːstɪ,sɪzəm] *s* agnostisismi

ago [ə'goʊ] *adv* sitten *two years/a week/a few hours ago* kaksi vuotta/viikko/muutama tunti sitten *as long ago as the 15th century* jo 1400-luvulla

agog [ə'gɑːg] *adj* jännittynyt, malttamaton, innokas *to be agog with curiosity* olla täynnä uteliaisuutta *to be agog for news* odottaa malttamattomana uutisia

agonized [ˈægə,naɪzd] *adj* tuskainen, tuskanshe had an agonized look* hänellä oli tuskanilme kasvoillaan

agonizing [ˈægə,naɪzɪŋ] *adj* tuskallinen

agony [ˈægəni] *s* tuska, kärsimys

agoraphobia [ˌægərə'foʊbiə] *s* avoimen paikan kammo, agorafobia

agrarian [ə'greriən] *adj* maatalous-

agree [ə'griː] *v* **1** suostua johonkin **2** päättää, sopia, olla samaa mieltä jostakin *we agreed to wait* päätimme odottaa *he and she cannot agree on anything* he eivät ole samaa mieltä mistään

agreeable [ə'griːəbəl] *adj* **1** viehättävä, miellyttävä **2** samaa mieltä jostakin *are you* *agreeable to that?* suostutko sinä siihen? sopiiko se sinulle?

agreement *s* 1 sopimus *to come to an agreement* päästä sopimukseen, solmia sopimus 2 yksimielisyys *to be in agreement with someone* olla jonkun kanssa samaa mieltä

agree on *v* sopia, päästä yksimielisyyteen jostakin *a new price was agreed on yesterday* eilen sovittiin uudesta hinnasta

agree to *v* suostua johonkin, hyväksyä jotakin *the father did not agree to his daughter's marriage* isä ei hyväksynyt tyttärensä avioliittoa

agree with *v* 1 sopia yhteen *the green sofa does not agree with the rest of the furniture* vihreä sohva ei sovi yhteen muiden huonekalujen kanssa 2 täsmätä, olla yhdenpitävä *these two sets of figures do not agree* nämä numerot eivät täsmää

agriculture [ˈægrɪˌkʌltʃər] *s* maatalous, maanviljely

aground [əˈgraʊnd] *adj, adv* (laivasta) karilla, karille *to go/run aground* ajaa karille

ahead [əˈhed] *adv* edessä, edellä, ennen *I was two hours ahead of them* minulla oli kahden tunnin etumatka heihin *he was ahead of his time* hän oli aikaansa edellä *go ahead* ole hyvä vain, sano pois vain *in the years ahead* seuraavina/tulevina vuosina

AI *Amnesty International; artificial intelligence* tekoäly

1 aid [eɪd] *s* 1 apu 2 apuväline

2 aid *v* auttaa

aide [eɪd] *s* avustaja

aide-de-camp [ˌeɪddəˈkæmp] *s* adjutantti, avustaja

AIDS *acquired immunodeficiency syndrome* aids, immuunikato

ail [eɪl] *v* 1 vaivata jotakuta *I don't know what's ailing me* en tiedä mikä minua vaivaa 2 sairastaa, olla sairaana

aileron [ˈeɪləˌrɑn] *s* (lentokoneen) siiveke

ailment [ˈeɪlmənt] *s* sairaus

1 aim [eɪm] *s* 1 tähtäys *to take careful aim at something* ottaa (aseella) tarkka tähtäys johonkin, tähdätä tarkasti johonkin 2 tavoite, päämäärä *we did not achieve our aim* tavoitteemme ei toteutunut

2 aim *v* 1 tähdätä (ase) 2 suunnitella, aikoa, tähdätä johonkin 3 heittää, suunnata (isku) 4 kohdistaa, tarkoittaa *the movie is aimed at an adult audience* elokuva on tarkoitettu aikuisille

aimless *adj* päämäärätön, tarkoitukseton

1 air [eər] *s* 1 ilma *by air* lentokoneella, lentopostissa *on/off the air* (radio- tai televisioasemasta) lähettää/ei lähettää ohjelmaa *in the air* olla liikkeellä; olla epävarmaa 2 vaikutelma, käytös, tunnelma, ilmapiiri *there was an air of mystery in the affair* asiassa oli jotakin salamyhkäistä *to put on airs* teeskennellä hienoa/tärkeää, olla olevinaan

2 air *v* 1 tuulettaa (huone) 2 viedä (vaatteita) ulos tuulettumaan 3 tuoda julki/esiin (mielipiteensä)

airbag [ˈeərˌbæg] *s* (henkilöauton) turvatyyny

air base [eər beɪs] *s* lentotukikohta

airborne [ˈeərbɔrn] *adj* 1 laskuvarjo-, ilmakuljetus- *airborne troops* laskuvarjojoukot, ilmakuljetusjoukot 2 *to be airborne* olla ilmassa/lennossa

air-condition [ˌeərkənˈdɪʃən] *v* 1 ilmastoida 2 asentaa ilmastointilaite/ilmastointilaitteet jonnekin

air-conditioned [ˌeərkənˈdɪʃənd] *adj* ilmastoitu

air conditioning [ˌeərkənˈdɪʃənɪŋ] *s* 1 ilmastointi 2 ilmastointilaite *a car with air-conditioning*

aircraft [ˈeərkræft] *s* (mon aircraft) lentokone

aircraft carrier [ˈeərkræftˌkeəriər] *s* lentotukialus

air dam [eər dæm] *s* (auton) etuspoileri

air-dry [ˈeərˈdraɪ] *v* tuulettaa kuivaksi, ripustaa kuivumaan

airfare [ˈeərfeər] *s* lentolipun hinta

airfield [ˈeərfiəld] *s* kiitorata; (pieni) lentokenttä

air force [ˈeərfɔrs] *s* ilmavoimat

air freight [ˈeərˈfreɪt] *s* lentorahti

airless [ˈeərləs] *adj* ilmaton; (huoneen ilma) ummehtunut; (sää) tuuleton, tyyni

airlift [ˈeərˌlɪft] *s* ilmasilta

airline [ˈeərlaɪn] *s* lentoyhtiö

airliner [eərlaınər] s matkustajalentokone

1 airmail [eərmeıəl] s lentoposti

2 airmail v lähettää lentopostissa

airplane [eərpleın] s lentokone

airplay [eər,pleı] s äänitteen soittaminen radiossa *their new record did not get much airplay* heidän uutta levyään ei juuri soitettu radiossa

airport [eərport] s lentokenttä, lentoasema

air pressure [eər,preʃər] s ilmanpaine

air raid [eər,reıd] s ilmahyökkäys

airship [eərʃıp] s ilmalaiva

airsick [eər,sık] adj pahoinvoiva (lentokoneessa)

airsickness s matkapahoinvointi (lentokoneessa)

air space [eər,speıs] s ilmatila

airspeed [eər,spid] s lentonopeus

airstrip [eər,strıp] s (pieni tai väliaikainen) kiitorata, lentokenttä

airtight [eər,taıt] adj **1** ilmatiivis **2** aukoton (todistelu, puolustuslinja)

airway [eərweı] s lentoreitti

airy [eəri] adj **1** ilmava, tilava, avara (huone) **2** pinnallinen, huoleton, epämääräinen, tuulesta temmattu

aisle [aıl] s (kirkon, teatterin, lentokoneen istuinrivien välinen) käytävä

ajar [ə'dʒɑr] adj, adv (ovi) raollaan, auki

a.k.a. *also known as* alias

akimbo [ə'kımbou] *with arms akimbo* kädet lanteilla

akin to [ə'kın] adj sukua jollekin, joka muistuttaa jotakin, jonkin kaltainen

alabaster [ˈæləˌbæstər] s alabasteri(kipsi)

à la carte [ˌɑˈlɑˈkɑrt] adv à la carte, ruokalistan mukaan

alacrity [əˈlækrıti] s **1** innokkuus, aulius, halukkuus **2** eloisuus, vilkkaus, pirteys *with alacrity* nopeasti

à la mode [ˌɑˈlɑˈmoud] adv **1** muodin mukaisesti, muodikkaasti **2** (ruoka) jäätelön kanssa tarjoiltu

1 alarm [əˈlɑrm] s **1** hälytys to *raise/give/ sound alarm* antaa hälytys **2** hälytin *burglar alarm* varashälytin, murtohälytin **3** pelko, säikähdys, pelästys to *cause someone alarm* pelästyttää joku

2 alarm v **1** varoittaa, hälyttää **2** pelästyttää, säikäyttää

alarm clock s herätyskello

alarming adj hälyttävä, pelottava

alarmist s tuhon profeetta, pelon lietsoja *adj* tuhoa ennustava, pelkoa lietsova

alas [əˈlæs] *interj* ikävä kyllä, valitettavasti

alb [ælb] s alba, messupaita

albatross [ˈælbəˌtrɑs] s albatrossi

albeit [al'bit] *konj* joskin, vaikkakin

albino [ælˈbænou] s albiino

album [ælbəm] s **1** valokuvakansio, leikekansio, kansio **2** LP, äänilevy, albumi

albumen [ælˈbjumən] s munanvalkuainen

alchemist [ælkəməst] s alkemisti

alchemy [ælkəmi] s alkemia

alcohol [ˈælkəˌhɑl] s alkoholi

alcoholic [ˌælkəˈhɑlık] s alkoholisti *adj* alkoholipitoinen, alkoholi-

alcoholism [ˈælkəhəˌlızm] s alkoholismi

alcove [ælkouv] s alkovi, huoneen syvennys

alder [aldər] s tervaleppä

alderman [aldərmən] s (*mon* aldermen) (kaupungin)valtuuston jäsen

ale [eıəl] s (vaalea) olut

1 alert [ə'lɜrt] s hälytys to *give the alert* antaa (esim palo)hälytys to *be on the alert* olla valmiina/varuillaan/valmiina, olla varuillaan

2 alert v varoittaa jotakuta; määrätä taistelu/ toimintavalmiuteen

3 alert adj valpas, terävä, tarkkaavainen

alfresco [ælˈfreskou] adj ulkoilma-, ulko-*adv* ulkona, ulkoilmassa

alga [ˈældʒə] s (*mon* algae [ˈældʒi]) levä

algebra [ˈældʒəbrə] s algebra

algorithm [ˈælgəˌrıðəm] s algoritmi

1 alias [eıliəs] s salanimi, peitenimi, aliasnimi

2 alias adv alias, nimellä *Mr. Pruitt alias Mr. Jones* Mr. Pruitt joka esiintyy/on esiintynyt nimellä Mr. Jones

aliasing s aliasilmiö

1 alibi [ˈæləbaı] s **1** alibi **2** veruke, selitys

2 alibi v esittää/hankkia jollekulle alibi *Bill alibied her* Bill antoi Bill hänelle alibin

alien [eıliən] s, adj ulkomaalainen, vierasmaalainen s avaruusolento *adj* vieras *human sacrifice is alien to that culture* ihmisuhrit eivät kuulu siihen kulttuuriin

alienate ['eiliə,neit] *v* karkottaa, loitontaa, vieraannuttaa, etäännyttä, loitontua *to alienate yourself from someone* loitontua jostakusta

alienation [,eiliə'neiʃən] *s* loitontuminen, loitontaminen, etääntyminen, vieraantuminen

alight [ə'lait] *v* laskeutua (esim satulasta), (lintu:) laskeutua (esim oksalle) *adj* **1** tulessa, palava **2** tunteiden täyttämä *to be alight with happiness* pursua onnea

align [ə'lain] *v* **1** ojentaa, oikaista, panna ojennukseen, suoristaa **2** yhtyä (jonkun näkemykseen/kantaan)

alignment [ə'lainmənt] *s* **1** ojennus, suora rivi tms **2** ryhmittyminen, yhdistyminen

alike [ə'laik] *adj, adv* sama, samanlainen, samannäköinen, samalla tavalla, samoin, sekä että *they look very alike* he ovat hyvin samannäköiset *she says it's all alike to her* hän sanoi että se on maihe yhdentekevää *day and night alike* yötä päivää

alimentary [,æli'mentəri] *adj* ruuansulatus-
alimentary canal *s* ruuansulatuskanava

alimony ['æli,mouni] *s* elatusapu

alive [ə'laiv] *adj* **1** elossa, hengissä **2** esillä, käynnissä *this question should be kept alive* tämä kysymys tulisi pitää esillä/vireillä
alive to *to be alive to something* tietää jotakin, olla selvillä jostakin
alive with *to be alive with people* vilistä/kuhista ihmisiä/väkeä

alkali ['ælkə,lai] *s* emäs

alkaline ['ælkə,lain 'ælkələn] *adj* emäksinen

all [ɔ:l] *s* kaikkensa *he gave his all* hän antoi/teki kaikkensa, hän yritti parhaansa *adj* kaikki, koko *all the students/staff* kaikki oppilaat/koko henkilökunta *adv* **1** kokonaan *dressed all in white* pukeutunut täysin valkoisiin **2** paljon, entistä (parempi, enemmän tms) *all the prettier* entistä nättimpi *pron* kaikki *all in all* kaikki kaikkiaan *all of two dollars* kokonaiset kaksi dollaria *not at all* (vastauksena kiitokseen:) ei kestä (kiittää), ole hyvä *once and for all* lopullisesti, kerta kaikkiaan

all alone *adv* yksin; omin avuin

all along *adv* pitkin matkaa, koko matkan; kaiken aikaa, alusta pitäen

all and sundry *fr* kaikki, joka iikka (ark)

all-around [,ɔ:lə'raund] *adj* monipuolinen, yleis-

allegation [,ælə'geiʃən] *s* väite, syytös, syyte

allege [ə'ledʒ] *v* väittää

alleged [ə'ledʒd] *adj* niin sanottu, luuloteltu, väitetty

allegiance [ə'lidʒəns] *s* uskollisuus, kannatus

allegiant [ə'lidʒənt] *adj* uskollinen

allegoric [,ælə'gɔrik] *adj* vertauksellinen, kuvaannollinen

allegorical *adj* vertauksellinen, kuvaannollinen

allegory ['ælə,gɔri] *s* allegoria, vertauskuva

allergic to [ə'lərdʒik] *adj* allerginen jollekin, (myös kuv) herkkä jollekin

allergy ['ælərdʒi] *s* allergia

alleviate [ə'li:vieit] *v* lievittää, helpottaa (kipua, kärsimystä)

alleviation [ə,li:vi'eiʃən] *s* lievitys, helpotus

alley ['æli] *s* kapea katu, kuja *that's right up my alley* se on minun heiniäni, minun makuuni *blind alley* umpikuja (myös kuv)

all for *to be all for something* kannattaa jotakin innokkaasti, haluta kovasti

all fours *on all fours* nelinkontin

alliance [ə'laiəns] *s* **1** (esim valtio)liitto, allianssi **2** yhteys, yhteenkuuluvuus

allied [ælaid] *v:* ks ally *adj* **1** liittolais-, liittoutunut **2** lähisukuinen, sukulais-

alligator ['ælə,geitər] *s* alligaattori

all-important [,ɔ:l'im'pɔrtənt] *adj* ensiarvoisen tärkeä, erittäin tärkeä (varsinkin jonkun muun mielestä) *all right, where's this all-important paper you keep harping on?* no niin, näytäpäs nyt se niin hirveän tärkeä paperisi

all-inclusive [,ɔ:lin'klu:siv] *adj* kaiken kattava, kokonais-

alliteration [ə,litə'reiʃən] *s* alkusointu, alliteraatio

allocate ['ælə,keit] *v* myöntää (varoja johonkin tarkoitukseen)

allocation [,ælə'keiʃən] *s* määräraha(n myöntäminen)

allot [əˈlɑt] v myöntää, antaa, jakaa, varata

allotment s osuus, kiintiö

all over adv **1** kaikkialla *I have been looking for you all over* olen etsinyt sinua kaikkialta, joka paikasta **2** ohi, lopussa, mennyttä *it's all over between us* välimme ovat poikki

allow [əˈlɑʊ] v **1** sallia, luvata, antaa lupa *I am not allowed to go there alone* en saa mennä sinne yksin **2** antaa, myöntää, varata *he allowed me one month to finish the job* hän antoi minulle kuukauden aikaa työn tekemiseen

allowable [əˈlɑʊəbəl] adj sallittu, luvallinen, ei kielletty

allowance [əˈlɑʊəns] s **1** rahasumma, avustus, määräraha, viikkoraha **2** *make allowances for* ottaa jotakin huomioon

allow for v varautua johonkin, ottaa jotakin etukäteen huomioon *we have to allow for small delays* meidän on varauduttava pieniin viivästymisiin

allow of v hyväksyä, sallia

alloy [əˈlɔɪ] s metalliseos

all right adj, adv, interj **1** selvä! hyvä on *that's all right* ei se mitään, ei se haittaa **2** kunnossa *I'm all right* minulla ei ole mitään hätää/nyt olen terve **3** riittävä, ihan hyvä *they did all right* he pärjäsivät aika hyvin

allspice [alspais] s maustepippuri

all-star [alstar] adj tähti-, tähtipelaajista koottu, all-star-

allude to [əˈlud] v viitata johonkin, mainita ohimennen jostakin

alluring [əˈlʊrɪŋ] adj puoleensavetävä, houkutteleva

allusion [əˈluʒən] s vihjaus, piiloviittaus

allusive [əˈlusɪv] adj joka on täynnä vihjauksia/piiloviittauksia, vihjaileva

alluvial [əˈluviəl] adj tulvamaa-, jokipenger-

ally [əˈlaɪ] v (ally, allied, allied) **1** liittoutua jonkun kanssa, solmia liitto *to ally yourself with/to* **2** yhdistää, sitoa *they are allied by interests* heitä sitoo toisiinsa yhteinen etu

ally [əˈlaɪ] s (mon allies) liittolainen; auttaja

almanac [ˈɑlməˌnæk] s **1** almanakka, kalenteri **2** tilasto-, taulukko- ym tietoa sisältävä vuosikirja/hakuteos

Almighty [ˈɑlˈmaɪti] s Kaikkivaltias, Jumala adj almighty kaikkivaltias *okay, if you're so almighty smart, you tell me* jos siis olet niin helkkarin viisas niin sano sinä

almond [ˈɑlmənd] s manteli

almost [ˈɑlmoʊst] adv lähes, melkein *she almost fell* hän oli vähällä kaatua

alms [ɑlmz] s (mon alms) almu, köyhäinavustus

aloft [əˈlɑft] adv **1** korkealla, korkealle, ilmassa, ilmaan **2** (mer) korkealla mastossa, takilassa

alone [əˈloʊn] adj, adv **1** yksin *he lives alone* hän asuu yksin *you are not alone in thinking that* sinä et ole ainoa joka ajattelee noin *leave me alone* jätä minut rauhaan, anna minun olla **2** ainoastaan, yksin *you alone can decide* vain sinä voit päättää asiasta *let alone* jostakin puhumattakaan

along [əˈlɑŋ] adv **1** eteenpäin *to move along* kulkea, jatkaa matkaa **2** paikalla, paikalle *I'll be along pretty soon* minä tulen paikoin perässä **3** mukana, mukaan *why don't you come along* lähde ihmeessä mukaan prep pitkin, suuntaisesti *along the road/river(bank)* tietä pitkin, jokea/joen rantaa pitkin

alongside [əˈlɑŋˈsaɪd] adv, prep rinnalla, rinnalle, vierellä, vierelle

alongside of prep (ark) johonkuhun/johonkin verrattuna

along with adv jonkun/jonkin lisäksi/kanssa

aloof [əˈluf] adj kylmäkiskoinen adv erillään, omissa oloissaan, syrjässä

aloofness s kylmäkiskoisuus

aloud [əˈlaʊd] adv **1** ääneen, normaalilla äänellä *to read something aloud* lukea jotakin ääneen **2** kovalla äänellä

alp [ælp] s alppi

alpaca [ælˈpækə] s alpakka (eräs laamalaji ja sen villa)

alpha [ˈælfə] s alfa, kreikan kielen ensimmäinen kirjain

alpha and omega [oʊˈmeɪgə] fr alku ja loppu, a ja o

alphabet ['ælfə,bet] *s* aakkoset

alphabetically *adv* aakkosjärjestyksessä

alphabetical order [,ælfə'betikəl] *s* aakkosjärjestys

alphabetize ['ælfəbə,taɪz] *v* aakkostaa, panna aakkosjärjestykseen, järjestää aakkosittain

alpha male ['ælfə,meɪəl] *s* määräävään asemaan pyrkivä miestyyppi, alfauros, johtajauros

alphanumeric *adj* aakkosnumeerinen

alpine ['ælpaɪn] *adj* alppi-, Alppien

alpine skiing *s* laskettelu, slalomhiihto

alpine swift *s* (lintu) alppikiitäjä

alpinism ['ælpə,nɪzəm] *s* vuorikiipeily, alppikiipeily

alpinist ['ælpənəst] *s* **1** vuorikiipeilijä, alppikiipeilijä **2** alppihiihtäjä

Alps [ælps] *s* (mon) Alpit

already [,al'redɪ] *adv* jo *we have been there already, we have already been there* olemme jo käyneet siellä

also [alsou] *adv* myös, lisäksi, sitä paitsi *his new house is not only large but also expensive* hänen uusi talonsa on sekä iso että kallis

also-ran *s* häviäjä, huonosti sijoittunut kilpailija/ehdokas

altar [altər] *s* alttari

alter [altər] *v* muuttaa

alterable [altərəbəl] *adj* jota voi muuttaa, muuttuva

alteration [,altə'reɪʃən] *s* muutos, muunnos

alternate [altərnət] *adj* vuorottainen, vuorowe buy groceries on alternate days* käymme ruokaostoksilla joka toinen päivä *they work on alternate days* he tekevät työtä vuoropäivin

alternate [altərneɪt] *v* vuorotella, vaihdella *to alternate one thing with another* käyttää vuorotellen

alternate between *v* vuorotella; olla/tehdä vuoroin sitä, vuoroin tätä

alternating current *s* vaihtovirta

alternative [al'tɜrnətɪv] *s* vaihtoehto *you have no alternative but to go* sinulla ei ole muuta vaihtoehtoa/mahdollisuutta kuin lähteä *adj* vaihtoehtoinen

although [al'ðou] *konj* (= though) vaikka

altitude ['æltə,tud] *s* korkeus (merenpinnasta)

altitude sickness *s* vuoristotauti

alto [æltou] *s* (mus) altto *alto saxophone* alttosaksofoni

altogether [,altə'geðər] *s: in the altogether* apposen alasti, ilkosillaan *adv* **1** kokonaisuutena, kaiken kaikkiaan *taken altogether, it was a pretty nice trip* kaikkiaan matka oli ihan hauska **2** täysin, aivan *but did not altogether agree with me* isä ei ollut kanssani täysin samaa mieltä

altruism ['æltru,ɪzəm] *s* epäitsekkyys, altruismi

altruist [æltruɪst] *s* epäitsekäs ihminen, altruisti

altruistic [æltru'ɪstɪk] *adj* epäitsekäs, altruistinen

aluminum [ə'lumɪnəm] *s* alumiini

always [alwiz alweɪz] *adv* aina, jatkuvasti, alinomaa *you're always complaining* sinä se jaksat aina valittaa

a.m. *ante meridiem* ennen puoltapäivää, aamupäivällä *11 a.m.* klo 11 *11 p.m.* klo 23

amalgamate [ə'mælgəmeɪt] *v* sekoittaa, yhdistää

amalgamation [ə,mælgə'meɪʃən] *s* yhdistelmä, sekoitus

amass [ə'mæs] *v* kerätä, kasata (omaisuutta, rahaa), kääriä (rahaa)

amateur [æmətʃər, æmətər, æmətjuər] *s* **1** harrastelija, amatööri (ammattilaisen vastakohtana) **2** (väheksyen:) (osaamaton) aloittelija, harrastelija, amatööri

amateurish [æmətʃərɪ, æmətərɪ, æmətjuərɪ] *adj* osaamaton, taitamaton, harrastelijamainen, aloittelijan

amateurism [æmətʃərɪzəm, æmətərɪzəm, æmətjuərɪzəm] *s* osaamattomuus, taitamattomuus

amaze [ə'meɪz] *v* ällistyä, hämmästyä *he was amazed at the result* hän hämmästyi tuloksesta

amazement *s* ällistys, hämmästys

amazing *adj* ällistyttävä, hämmästyttävä, ihmeellinen

Amazon ['æmə,zan] *s* **1** amatsoni (kreikkalaisen mytologian sotaisan naiskansan jäsen) **2** miesmäinen nainen, amatsoni **3** Amazon

ambassador [æmˈbæsədər] *s* **1** suurlähettiläs **2** edustaja, lähettiläs

ambassadorial [æmˌbæsəˈdɔːriəl] *adj* (suur)lähettiläs

ambassadress [æmˈbæsədɹəs] *s* **1** (naispuolinen) suurlähettiläs **2** (naispuolinen) edustaja, lähettiläs

amber [ˈæmbər] *s* **1** meripihka **2** keltainen/kellertävä väri *adj* keltainen, kellertävä

ambidextrous [ˌæmbəˈdekstrəs] *adj* molempikätinen, sekä vasen- että oikeakätinen

ambience [ˈæmbɪəns ˌæmbɪˈɑːns] *s* tunnelma, ilmapiiri

ambiguity [ˌæmbəˈɡjuːəti] *s* **1** kaksiselitteisyys, kaksimiellsyys **2** kaksiselittcinen/kaksimielinen asia/ilmaus ym

ambiguous [æmˈbɪɡjuəs] *adj* kaksiselitteinen, kaksimielinen, kaksimerkityksinen, epäselvä

ambition [æmˈbɪʃən] *s* **1** kunnianhimo **2** tavoite, päämäärä

ambitious [æmˈbɪʃəs] *adj* kunnianhimoinen (ihminen, tavoite), rohkea, uskalias (yritys)

ambitiousness *s* kunnianhimo

ambivalence [æmˈbɪvələns] *s* **1** tunteiden ristiriitaisuus, ambivalenssi **2** epävarmuus, epäröinti, vittkastelu, jahkailu

ambivalent *adj* epävarma, epäröivä; jolla on ristiriitaisia tunteita

1 amble [ˈæmbəl] *s* hidas käynti/kävely, matelu, (hevosen) tasakäynti

2 amble *v* kävellä hitaasti, madella, (hevosesta) kulkea tasakäyntiä

ambrosia [æmˈbrouʒə] *s* **1** ambrosia, (kreikkalaisen mytologian) jumalten ruoka **2** jokin joka maistuu tai tuoksuu hyvältä, herkku, ambrosia

ambulance [ˈæmbjələns] *s* sairasauto, ambulanssi

1 ambush [ˈæmbʌʃ] *s* väijytys

2 ambush *v* väijyä, olla väijyksissä

ambusher *s* väijyjä

ameba [əˈmiːbə] *s* ameba

ameliorate [əˈmiːliəreɪt] *v* parantaa, parantua, kohentaa, kohentua

amenable [əˈmenəbəl] *adj* **1** joka on valmis kuuntelemaan/ottamaan vastaan jotakin *he*

is amenable to good advice hän on valmis kuuntelemaan hyviä neuvoja **2** velvollinen noudattamaan (lakia), edesvastuullinen

amend [əˈmend] *v* parantaa, korjata, muuttaa

amendable [əˈmendəbəl] *adj* jota voi parantaa, korjata, muuttaa

amendment [əˈmendmənt] *s* **1** parannus, korjaus, muutos **2** (Yhdysvaltain perustuslain) lisäys

amends [əˈmendz] *make amends for something/to someone* korvata, hyvittää, pyytää anteeksi

amenity [əˈmenəti] *s* **1** miellyttävyys *the amenity of the climate* miellyttävä ilmasto **2** (mon) mukavuudet, palvelut, julkiset tilat *we live close to all the amenities* asumme alueella jossa on hyvät liikenneyhteydet ja runsaasti kauppoja

Americanism [əˈmerɪkəˌnɪzəm] *s* **1** amerikanenglannin sana, ilmaus tms **2** amerikkalaisuus, amerikkalainen tapa tms

American plan *s* (hotellissa) huoneen ja aterioiden yhteishinta

Ameslan *American Sign Language* amerikkalainen viittomakieli

amethyst [ˈæməθəst] *s* ametisti

amiability [ˌeɪmiəˈbɪləti] *s* ystävällisyys, sydämellisyys

amiable [ˈeɪmiəbəl] *adj* ystävällinen, sydämellinen

amicable [ˈæmɪkəbəl] *adj* sopuisa, säyseä, ystävällinen

amid [əˈmɪd] *prep* joukossa, keskellä, aikana

amidships [əˈmɪdʃɪps] *adv* (mer) laivan keskellä, keskilaivassa

amidst [əˈmɪdst] *prep* joukossa, keskellä, aikana

amiss [əˈmɪs] *adj, adv* huono, paha, vialla, vinossa *there is something amiss* kaikki ei ole kohdallaan, jokin on vialla/vinossa *to take something amiss* loukkaantua jostakin, panna jotakin pahakseen *they spoke amiss of you* he puhuivat sinusta nurjasti

amity [ˈæməti] *s* ystävyys

ammeter [ˈæmˌmiːtər] *s* ampeerimittari

ammo [ˈæmoʊ] *s* (ark lyh sanasta ammunition) ammukset, ampumatarvikkeet

ammonia [əˈmoʊnjə] *s* ammoniakki

ammunition [ˌæmjuˈnɪʃən] s 1 ammukset, ampumatarvikkeet 2 (kuv) (väittelyssä ym) ammus, ase

amnesia [æmˈniːʒə] s muistinmenetys

amnesiac [æmˈniːziæk] s, adj muistinsa menettänyt, muistinmenetyksestä kärsivä

amnesty [ˈæmnəsti] s (yleinen) armahdus

amniotic fluid [ˌæmniˈætɪk ˈfluːd] s (lääk) lapsivesi

amoeba [əˈmiːbə] s ameba

amok [əˈmʌk] to run amok raivota, saada raivonpuuska; lähteä amokjuoksulle, olla amokjuoksulla

among [əˈmʌŋ] prep joukossa, seassa, keskellä they were hiding among the bushes he piileksivät pensaikossa/pensaiden seassa among other things muun muassa among the inhabitants of this country tämän maan väestössä New York City is among the largest cities in the world New York on yksi maailman suurimmista kaupungeista you will have to share the money among yourselves teidän on jaettava rahat keskenänne

amoral [ˌeɪˈmɒrəl] adj amoraalinen, moraalikäsityksistä riippumaton

amorality [ˌeɪməˈræləti] s amoraalisuus

amorous [ˈæmərəs] adj lemmenkipeä, rakastunut, ihastunut, rakkaus-

amorphous [əˈmɔːfəs] adj amorfinen, ei-kiteinen; epämääräinen

amortization [əˌmɔːtəˈzeɪʃən] s (lainan) kuoletus

amortize [ˈæmɔːtaɪz əˈmɔːtaɪz] v kuolettaa (laina)

amount [əˈmaʊnt] s määrä, (raha)summa a huge amount of junk valtavasti roinaa a small amount of money pieni rahasumma

amount to v olla/tehdä (yhteensä); olla, merkitä it amounts to the same thing se on aivan sama asia, se merkitsee aivan samaa

amour [əˈmɔːr, əˈmʊər] s (salainen) rakkaussuhde

ampere [ˈæmˌpeər] s ampeeri

ampersand [ˈæmpərˌsænd] s &-merkki

amphibian [æmˈfɪbiən] s 1 amfibinen eläin, maalla ja vedessä liikkuva eläin 2 amfibiolentokone 3 amfibioajoneuvo

amphibious [æmˈfɪbiəs] adj amfibinen, maalla ja vedessä liikkuva

amphitheater [ˈæmfəˌθiːətər] s amfiteatteri

amphora [ˈæmfərə] s amfora, eräs antiikin ajan maljakkotyyppi

ample [ˈæmpəl] adj runsas, täysin riittävä, suuri, tilava

amplification [ˌæmpləfəˈkeɪʃən] s 1 (äänen) vahvistaminen 2 täsmennys, tarkemmat tiedot

amplifier [ˈæmpləˌfaɪər] s vahvistin

amplify [ˈæmpləˌfaɪ] v 1 vahvistaa (ääntä) 2 täsmentää, selittää tarkemmin

amplitude [ˈæmpləˌtuːd] s 1 laajuus, runsaus, iso koko/määrä 2 (fys) amplitudi, värähdyslaajuus

amply [ˈæmpli] adv runsaasti, riittävästi, avokätisesti

amputate [ˈæmpjəˌteɪt] v amputoida, poistaa esim raaja leikkaamalla

amputation [ˌæmpjəˈteɪʃən] s amputaatio, esim raajan poisto leikkaamalla

amputee [ˌæmpjəˈtiː] s amputoitu henkilö, joku jolta on poistettu esim raaja leikkaamalla

amuck [əˈmʌk] to run amuck raivota, saada raivonpuuska

amulet [ˈæmjələt] s amuletti, maskotti

amuse [əˈmjuːz] v huvittaa, hauskuttaa, naurattaa, olla hauskaa

amusement [əˈmjuːzmənt] s huvitus; huvittelu, hauskuttelu, hauskanpito

amusement park s huvipuisto

amusement tax s huvivero

amusing [əˈmjuːzɪŋ] adj huvittava, hauska

an [æn ən] epämääräinen artikkeli (vokaalin edellä) an angel enkeli

anachronism [əˈnækrəˌnɪzəm] s 1 anakronismi, aikavirhe, väärä ajoitus 2 vanhanaikainen, vanhentunut, aikansa elänyt tapa/ihminen ym

anaconda [ˌænəˈkændə] s anakonda

anaemia [əˈniːmiə] ks anemia

anaemic [əˈniːmɪk] adj 1 aneeminen, vähäverinen 2 heikko, voimaton, aneeminen

anaesthesia [ˌænəsˈθiːʒə] s anestesia, narkoosi, nukutus, puudutus

anesthetize

anaesthetic [ænəs'θetik] **1** anestesia, narkoosi, nukutus, puudutus **2** nukutusaine, puudutusaine

anaesthetist [ə'nesθə,tist] s nukutuslääkäri

anaesthetize [ə'nesθə,taiz] v nukuttaa, puuduttaa

anagram ['ænə,græm] s anagrammi, yhden sanan kirjainten järjestystä muuttamalla tehty toinen sana

anal [einəl] adj anaali-, anaalinen, peräaukko-

analgesia [,ænəl'dʒiziə] s analgesia, kivuntunnottomuus

analgesic [,ænəl'dʒizik] s kipulääke, särkylääke

analog [ænəlog] s vastine

analogous [ə'næləgəs] adj analoginen, vastaava, yhdenmukainen, samankaltainen

analogously adv vastaavasti

analogue [ænəlog] s vastine

analogy [ə'nælədʒi] s **1** analogia, yhtäläisyys, yhdenmukaisuus, vastaavuus **2** vertaus to draw an analogy between two things verrata kahta asiaa

analphabet [æn'ælfə,bet] s lukutaidoton ihminen

analphabetic [æn,ælfə'betik] adj lukutaidoton

analysis [ə'nælə,sis] s **1** erittely, tutkimus, analyysi **2** psykoanalyysi

analyst [ænələst] s **1** tutkija, erittelijä, analyytikko **2** psykoanalyytikko

analytic [,ænə'litik] adj erittelevä, analyyttinen; kylmän asiallinen

analytical [,ænə'litikəl] adj erittelevä, analyyttinen; kylmän asiallinen

analyze ['ænə,laiz] v **1** analysoida, tutkia, eritellä **2** tehdä jollekulle psykoanalyysi

anarchic [æn'arkik] adj anarkinen, sekasortoinen, mielivaltainen

anarchism ['ænər,kizəm] s anarkismi

anarchist ['ænər,kist] s anarkisti

anarchy [ænarki] s anarkia, laittomuus, sekasorto

anathema [ə'næθəmə] s **1** pannaan julistus, kirkonkirous **2** vastenmielinen ajatus/asia something is anathema to someone joku ei

voi sietää jotakin, jokin on jollekulle äärimmäisen vastenmielistä

anatomical [,ænə'tɑmikəl] adj anatominen

anatomist [ə'nætəməst] s anatomian tutkija/ opettaja, anatomi

anatomy [ə'nætə,mi] s anatomia, (ruumiin)-rakenne, oppi (ruumiin)rakenteesta

ancestor [ænsestər] s esi-isä, kantaisä, (myös mon) esivanhemmat

ancestral [æn'sestrəl] adj esi-isien ancestral home alkukoti, kotipaikka

ancestress [ænsestrəs] s kantaäiti, esiäiti

ancestry [ænsestri] s syntyperä, suku

1 anchor [æŋkər] s ankkuri

2 anchor v **1** ankkuroida, ankkuroitua **2** kiinnittää, kiinnittyä

anchorage [æŋkə,ridʒ] s ankkuripaikka

anchorman [æŋkər,mən] s (radiossa ja televisiossa miespuolinen) uutisten päälukija, uutisankkuri

anchorwoman [æŋkər,wumən] s (radiossa ja televisiossa naispuolinen) uutisten päälukija, uutisankkuri

anchovy [æn,tʃouvi] s sardelli; (säilykkeenä) anjovis

ancient [einʃənt] adj **1** muinainen, antiikin **2** ikivanha

and [ænd] konj ja more and more yhä enemmän he tried and tried hän yritti yrittämistään, hän yritti yhä uudestaan

andiron [ænd,aiərn] s (takan) rautatuki, paistotuki

anecdote [ænək,dout] s anekdootti, kasku

anemia [ə'nimiə] s anemia, vähäverisyys, verenvähyys

anemic [ə'nimik] adj **1** aneeminen, vähäverinen **2** heikko, voimaton, aneeminen

anemometer [,ænə'mɑmətər] s tuulimittari

anemone [ə'nemni] s vuokko sea anemone merivuokko

anesthesia [,ænəs'θiʒə] s anestesia, narkoosi, nukutus, puudutus

anesthetic [,ænəs'θetik] s nukutusaine, puudutusaine

anesthetist [ə'nesθə,tist] s nukutuslääkäri

anesthetize [ə'nesθə,taiz] v nukuttaa, puuduttaa

anew [ə'nu] *adv* **1** uudestaan **2** eri tavalla, uudella tavalla

angel [eındʒəl] *s* enkeli (myös kuv)

angelic [ˌæn'dʒelik] *adj* enkelimäinen, taivaallinen, ihastuttava

1 anger [æŋgər] *s* suuttumus, kiukku, viha

2 anger *v* suututtaa, vihastuttaa, saada suuttumaan/kiukustumaan/vihastumaan

1 angle [æŋgəl] *s* **1** kulma *an acute angle* terävä kulma **2** näkökulma, ote

2 angle *v* **1** onkia **2** (kuv) kalastaa, yrittää saada **3** kallistaa, kääntää tiettyyn kulmaan **4** kertoa/kirjoittaa jotakin tietystä näkökulmasta, pyrkiä sanoillaan/kirjoituksellaan/kysymyksillään johonkin, ajaa takaa jotakin

angler [æŋglər] *s* onkija

Anglican [æŋglikən] *s* anglikaani (Englannin anglikaanisen kirkon jäsen) *adj* anglikaaninen

Anglicism [æŋglɪˌsɪzəm] *s* englantilaisuus, englantilainen tapa ym, brittienglannin sana, ilmaus ym, anglismi

Anglicize [æŋglɪˌsaɪz] *v* englantilaistaa, sovittaa englantiin kieleen

Anglo-Saxon [ˌæŋglou'sæksən] *s* **1** anglosaksi; englantilainen **2** anglosaksi, anglosaksin kieli, muinaisenglanti *adj* anglosaksinen; englantilainen; englantilaisperäinen

angora [æŋ'gɔrə] *s* angoravilla

angry [æŋgri] *adj* **1** vihainen, kiukkuinen, äkäinen **2** tulehtunut (haava) **3** uhkaava, synkkä (taivas, pilvi, meri)

anguish [æŋgwɪʃ] *s* ahdistus, tuska, kärsimys

anguished *adj* ahdistunut, hätääntynyt, kärsivä

angular [æŋgjulər] *adj* **1** kulmikas **2** hintelä, luiseva, laiha **3** (käytös) kankea, kömpelö, jäykkä

angularity [ˌæŋgjə'lerəti] *s* **1** kulmikkuus **2** laihuus **3** (käytöksen) kankeus, jäykkyys

animal [ænəməl] *s* eläin *adj* eläimellinen

animal kingdom *s* eläinkunta

animate [ænəmət] *adj* elävä, eloisa, vilkas

animate [ænəmet] *v* vilkastuttaa, tuoda eloa johonkuhun/johonkin, innostaa

animation [ˌænə'meɪʃən] *s* animaatioelokuvien/piirroselokuvien valmistus

animosity [ˌænə'masəti] *s* vihamielisyys, riita

ankle [æŋkəl] *s* nilkka

annals [ænəlz] *s* (mon) annaalit, vuosikirjat

1 annex [æneks] *s* lisärakennus, siipirakennus

2 annex *v* **1** ottaa (alue luvattomasti) haltuunsa **2** lisätä, laajentaa, liittää johonkin

annexation [ˌænek'seɪʃən] *s* **1** anneksio, luvaton alueliitos, aluevaltaus **2** laajennus

annihilate [ə'naɪəˌleɪt] *v* tuhota, hävittää (maan tasalle)

annihilation [əˌnaɪə'leɪʃən] *s* tuho, hävitys

anniversary [ˌænə'vərsəri] *s* vuosipäivä, esim hääpäivä, syntymäpäivä

annotate [ænəˌteɪt] *v* tehdä merkintöjä johonkin, lisätä huomautuksia johonkin *an annotated text* selityksin varustettu teos

annotation [ˌænə'teɪʃən] *s* huomautus, selitys

announce [ə'naʊns] *v* **1** ilmoittaa, tuoda julki **2** kuuluttaa, esitellä lyhyesti

announcement [ə'naʊnsmənt] *s* ilmoitus, tiedotus, tiedonanto, kuulutus *I have an announcement to make* haluan kertoa/ilmoittaa jotakin

announcer *s* (radio- tai televisio)kuuluttaja

annoy [ə'nɔɪ] *v* harmittaa, kiusata, ärsyttää *he was very annoyed with the woman/about the problem* hän oli vihainen naiselle/ongelma harmitti häntä kovasti

annoyance [ə'nɔɪəns] *s* **1** ärtymys, kiukku, suuttumus **2** vaiva, riesa, harmi

annoying *adj* ikävä, harmillinen, kiusallinen, ärsyttävä

annual [ænjuəl] *s* **1** vuosikirja **2** yksivuotinen kasvi *adj* **1** vuosittainen, kerran vuodessa tapahtuva **2** vuotuinen, vuosi- *annual salary* vuosipalkka

annual ring *s* (puun) vuosirengas, vuosilusto

annul [ə'nʌl] *v* kumota (laki), perua, purkaa (sopimus), mitätöidä, julistaa (avioliitto) mitättömäksi

annulment *s* kumoaminen, purkaminen, peruminen, mitätöinti

anode [ænoud] *s* anodi

anoint [ə'nɔɪnt] *v* voidella *he was anointed king* hänet voideltiin kuninkaaksi

anointment *s* (esim kuninkaaksi) voitelu

anomalous [ə'namələs] *adj* **1** epäsäännöllinen, poikkeava *'give' is an anomalous verb* give on epäsäännöllinen verbi **2** epämuodostunut

anon. *anonymous* anonyymi, nimetön

anon [ə'nan] *adv* (vanh) pian, heti

anonymity [ˌænə'nimiti] *s* nimettömyys, tuntemattomuus, anonymiteetti

anonymous [ə'nanəməs] *adj* nimetön, tuntematon, anonyymi

anorectic [ˌænə'rektik] *s* anorektikko, anoreksiaa sairastava henkilö

anorexia [ˌænə'reksiə] *s* anoreksia, anorexin nervosa, sairaalloinen ruokahaluttomuus (eräs syömishäiriö)

another [ə'nʌðər] *adj, pron* toinen, (vielä) yksi, uusi *can you make another (one)?* voitko sinä tehdä vielä yhden? *perhaps another time* ehkä joskus toiste *that's another of the many problems we are having so* on yksi meidän monista ongelmistamme *she thinks she is another Grace Kelly* hän luulee olevansa uusi Grace Kelly

1 answer [ænsər] *s* **1** vastaus **2** ratkaisu

2 answer *v* vastata (kysymykseen, kirjeeseen, puhelimeen) **2** vastata (tarkoitusta), sopia, kelvata

answerable [ænsərəbəl] *adj* **1** johon voi vastata; jonka voi kumota **2** tilivelvollinen, vastuussa jollekulle

answer back *v* sanoa/mutista vastaan

answer for *v* vastata/olla vastuussa jostakin, taata, mennä takuuseen jostakin

answer to *v* **1** olla vastuussa/tilivelvollinen jollekulle **2** vastata (kuvausta), olla (kuvauksen) mukainen **3** totella nimeä, olla nimeltään *he answers to the name of Robert* hänen nimensä on Robert

ant [ænt] *s* muurahainen *sit still for a second, you look like you have ants in your pants* pysy hetki aloillasi, sinullahan on kuin tuli hännän alla

antagonism [æn'tægə,nizəm] *s* vihamielisyys, vastustus

antagonist [æn'tægə,nist] *s* **1** vastustaja, vihamies **2** (lääkeaine) vastavaikuttaja, antagonisti

antagonistic [æn,tægə'nistik] *adj* vihamielinen, vastustava, vastakkainen

antagonize [æn'tægənaiz] *v* vihoittaa, suututtaa

antarctic [ænt'artik ænt'arktik] *adj* antarktinen, etelänapa-

antebellum [ˌæntə'beləm] *adj* (Yhdysvaltain sisällis)sotaa edeltävä

antecedence [ˌæntə'sidəns] *s* etusija

antecedent *s* **1** aiempi/edeltävä tapahtuma tms **2** (mon) esi-isät **3** (mon) menneisyys **4** (kielioppissa) korrelaatti (sana johon pronomini viittaa)

antechamber [ˈæntəˌʃeimbər] *s* odotushuone, eteinen

antedate [ˈæntəˌdeit] *v* **1** aikaistaa, päivätä aikaisemmaksi **2** edeltää, tapahtua aikaisemmin kuin

antediluvian [ˌæntədi'luviən] *adj* **1** vedenpaisumusta edeltävä **2** vanhanaikainen, aikansa elänyt

antelope [æntəloup] *s* antilooppi

antenatal [ˌæntə'neitəl] *adj* syntymää edeltävä

antenna [æn'tenə] *s* (mon antennae [æn'teni]) **1** tuntosarvi **2** antenni (mon antennas)

anterior [æn'tiəriər] *adj* edeltävä, aikaisempi; edempänä oleva, etu-

anthem [ænθəm] *s* hymni *national anthem* kansallislaulu

anthology [æn'θalədʒi] *s* antologia, runokokoelma, proosakokoelma

anthracite [ˈænθrəˌsait] *s* antrasiitti

anthropoid [ˈænθrəˌpɔid] *s* ihmisapina *adj* ihmistä muistuttava

anthropological [ˌænθrəpə'lɑdʒikəl] *adj* antropologinen

anthropologist [ˌænθrə'pɑlədʒəst] *s* antropologi

anthropology [ˌænθrə'pɑlədʒi] *s* antropologia

antibiotic [ˌæntibar'atik] *s* antibiootti *adj* antibioottinen

antibody [ˈæntiˌbadi] *s* vasta-aine

anticipate [æn'tisə,peit] *v* **1** odottaa *I anticipate a lot of criticism* odotan/uskon saavani osakseni paljon arvostelua **2** ennakoida, arvata **3** edeltää, tehdä/tapahtua aikaisemmin kuin

anticipation [æn͵tɪsəˈpeɪʃən] *s* **1** odotus, toive **2** ennakointi

anticlimax [͵æntɪˈklaɪmæks] *s* **1** pettymys **2** antikliimaksi

anticlockwise *adv* (UK) vastapäivään

antics [ˈæntɪks] *s* (mon) temput, metkut, oikut

anticyclone [͵æntɪˈsaɪkloʊn] *s* korkeapaine, korkeapaineen alue, antisykloni

antidote [ˈæntɪ͵doʊt] *s* vastamyrkky (myös kuv)

antifreeze [ˈæntɪ͵friːz] *s* pakkasneste

anti-hero [ˈæntɪ͵hɪəroʊ] *s* antisankari

antipathy [ænˈtɪpəθi] *s* vastenmielisyys, antipatia

antipodes [ænˈtɪpə͵diːz] *s* (mon) maapallon vastakkaisella puolella oleva paikka/olevat paikat

antiquated [ˈæntɪ͵kweɪtəd] *adj* vanhanaikainen, vanhentunut

antique [ænˈtiːk] *s* antiikkiesine *adj* **1** antiikkinen, antiikin ajan **2** antiikkinen, vanhanaikainen

antiquity [ænˈtɪkwəti] *s* **1** antiikki **2** (mon) muinaisesineet

anti-Semitism [͵æntɪˈsemətɪzəm] *s* juutalaisviha, antisemitismi

antiseptic [͵æntɪˈseptɪk] *s* antisepti, antisepti- nen aine *adj* antiseptinen

antisocial [͵æntɪˈsoʊʃəl] *adj* yhteiskunnan vastainen, antisosiaalinen; epäsosiaalinen, eristäytyvä, epäseurallinen

antithesis [ænˈtɪθəsɪs] *s* (mon antitheses [ænˈtɪθəsiːz]) **1** vastakohta, vastakkaisuus **2** antiteesi

antithetical *adj* vastakkainen; antiteettinen

antitoxin [͵æntɪˈtaksɪn] *s* vastamyrkky

antivirus program virustentorjuntaohjelma

antler [ˈæntlər] *s* (hirven)sarvi, sarven haara

antonym [ˈæntə͵nɪm] *s* vastakohta, merkitykseltään vastakkainen sana, antonyymi

anus [ˈeɪnəs] *s* peräaukko, anus

anvil [ˈænvəl] *s* alasin (myös kuuloluista puhuttaessa)

anxiety [æŋˈzaɪəti] *s* **1** ahdistuneisuus, ahdistus, pelko **2** innokkuus, kiihko, halu

anxious [ˈæŋʃəs, æŋkˈʃəs] *adj* **1** ahdistunut, pelokas, huolestunut **2** ahdistava, pelottava

anxious for/to *adj* innokas, halukas *I am anxious for any help you can give* kaikki mahdollinen apu on minulle kovasti tarpeen

anxiousness *s* **1** ahdistuneisuus, pelokkuus **2** innokkuus, halukkuus

any [eni] *adj, pron* **1** kukaan, mitään, yhtään, mitään *not any* ei kukaan, mitään, yhtään, mitään *he does not have any money/friends* hänellä ei ole lainkaan rahaa/yhtään ystäviä *do you have any money/friends?* onko sinulla (yhtään) rahaa/ystäviä/ystäviä? **2** kuka/mikä tahansa *any pen will do* mikä/millainen tahansa kynä kelpaa *any* komparatiivin jäljessä *I can't wait any longer* en voi odottaa enää *if you hit it any harder it will break* se särkyy jos lyöt sitä (yhtään) kovemmin *is it any good?* onko siitä mihinkään?, tekeekö sillä mitään? *it won't help you any* siitä ei ole sinulle mitään apua *at any rate* joka tapauksessa, kuitenkin *in any case* joka tapauksessa, kuitenkin

anybody [eni͵bɑdi] *s, pron* **1** kukaan, joku *not anybody* ei kukaan *they did not want anybody to leave* he eivät halunneet kenenkään lähtevän **2** kuka tahansa *anybody who can read* kuka tahansa joka osaa lukea, kuka tahansa lukutaitoinen **3** tärkeä ihminen *everybody who is anybody was there* kaikki merkkihenkilöt olivat paikalla

anyhow [ˈeni͵haʊ] *adv* mitenkään, millään, joka tapauksessa, kuitenkin *I said not to, but the boy took it anyhow* poika otti sen vaikka minä kielsin

anymore [ˈeni͵mɔr] *adv* enää *she doesn't live here anymore* hän ei enää asu täällä

anyone [ˈeni͵wʌn] *adv* ks anybody

anyplace [ˈeni͵pleɪs] *adv* ks anywhere

anything [ˈeni͵θɪn] *pron* **1** mitään *not anything* ei mitään *do you have anything to say?* onko sinulla mitään sanottavaa? **2** mikä/mitä tahansa *not just anything* ei aivan mitä tahansa *give the guests something to drink; anything will do* anna vieraille (jotakin) juotavaa, ihan mitä vain *adv* yhtään, vähääkään, lainkaan, ollenkaan *not anything* ei yhtään, ei vähääkään, ei lainkaan, ei ollenkaan *is the new type-writer anything like the old one?* muistuttaako uusi kirjoituskone yhtään vanhaa?

anything *but fr* kaikkea muuta kuin *the plan is anything but definite* suunnitelma ei ole vielä ollenkaan lukkoon lyöty

anytime ['eni,taɪm] *adv* milloin tahansa *you may go anytime you want* saat lähteä milloin haluat *I can do better than that any-time* pystyn parempaan milloin tahansa

anyway [eniweɪ] *adv* joka tapauksessa, kuitenkin *I said no but the boy took it anyway* poika otti sen vaikka kielsin

anywhere [eniweər] *adv* **1** missään, mistään, mihinkään *not anywhere* ei missään, mistään, mihinkään *he never goes anywhere* hän ei koskaan käy missään, hän on aina kotona **2** missä tahansa, mistä tahansa, minne tahansa *you can sit anywhere* voit istua missä tahansa **3** paikasta *do you have anywhere to live?* onko sinulla asuntoa?

aorta [eɪˈɔːrtə] *s* aortta

apart [əˈpɑːrt] *adv* **1** etäisyydestä *the build-ings are about a mile apart* rakennukset ovat noin mailin päässä toisistaan *I can't tell them apart* minä en erota niitä/heitä toisistaan **2** syrjässä, syrjään, sivussa, sivuun *they were standing apart from the others* he seisoivat muista erillään **3** lukuun ottamatta *shyness apart, he is okay* ujoutta lukuun ottamatta hän on ihan mukiinmenevä ihminen

apart from *adv* lukuun ottamatta *apart from the climate, this is a nice country* tämä on ilmastoa lukuun ottamatta mukava maa

apartheid [əˈpɑːrt,haɪt] *s* apartheid, rotuerottelu (Etelä-Afrikassa)

apartment [əˈpɑːrtmənt] *s* vuokrahuoneisto, vuokra-asunto

apartment house *s* kerrostalo, vuokratalo

apathetic [ˌæpəˈθetɪk] *adj* apaattinen, välinpitämätön, haluton, tylsä

apathy [ˈæpəθɪ] *s* apatia, välinpitämättömyys, tylsyys

1 ape [eɪp] *s* **1** apina **2** matkija

2 ape *v* matkia, apinoida

aperitif [əˌperəˈtiːf] *s* aperitiivi

aperture [ˈæpərˌtʃər] *s* (kameran) aukko

APEX [eɪpeks æpeks] *Advance Purchase Excursion* eräs lentolippujen alennusluokka, APEX

apex [eɪpeks] *s* (mon **apexes**, **apices** [æpəsiz]) kärki, huippu, (kuv) huipentuma

aphid [eɪfɪd] *s* (eläin) kirva *rose aphid* ruusukirva

apiece [əˈpiːs] *adv* kappale, kukin, kultakin, kullekin *we have two dollars apiece* meillä on kummallakin kaksi dollaria

aplomb [əˈplʌm] *s* itsevarmuus (puheessa, käytöksessä)

apocalypse [əˈpɑːkəˌlɪps] *s* **1** ilmestys, apokalypsi *the Apocalypse* Johanneksen ilmestys(kirja) **2** maailmanloppu

apocryphal [əˈpɑːkrəfəl] *adj* anonyymi, nimetön, alkuperältään tuntematon, hämäräperäinen

apologetic [əˌpɑːləˈdʒetɪk] *adj* anteeksipyytelevä, pahoittelevia *they were very apologetic* he pyysivät kovasti anteeksi, he olivat kovasti pahoillaan

apologize [əˈpɑːləˌdʒaɪz] *v* pyytää jotakulta anteeksi jotakin *she apologized to him for being late* hän pyysi anteeksi myöhästymistään

apology [əˈpɑːlədʒɪ] *s* **1** anteeksipyyntö, pahoittelu **2** jokin huono, surkea, viheliäinen *that's a poor apology for a car* onpas melkoinen autonromu

apoplectic [ˌæpəˈplektɪk] *adj* **1** halvauksenomainen, halvaus-, apoplektinen **2** raivostunut (ihminen), silmitön (raivo)

apoplexy [ˈæpəˌpleksɪ] *s* (aivo)halvaus

aposteriori [aˌpɑːstərɪˈɔːrɪ] *adv* seurauksesta syyhyn eteen, kokemuksen perusteella, jälkeen päin

apostle [əˈpɑːsəl] *s* apostoli (myös kuv)

apostrophe [əˈpɑːstrəˌfɪ] *s* heittomerkki (')

apothecary [əˈpɑːθəˌkerɪ] *s* apteekkari

appall [əˈpɔːl] *v* kauhistuttaa, tyrmistyttää, järkyttää

appalling *adj* kauhistuttava, tyrmistyttävä, järkyttävä

apparatus [ˌæpəˈrætəs] *s* laite, (mon myös) välineet, varusteet

apparel [əˈpærəl] *s* vaatteet

apparent [ə'pərənt] *adj* **1** ilmeinen, (ilmi)-selvä *it's apparent to me that this needs work* minusta tämä vaatii selvästi työtä **2** näennäinen *the error is only apparent* se vain näyttää virheeltä

apparently *adv* ilmeisesti; näyttää siltä että

apparition [,æpə'rɪʃən] *s* näky, ilmestys, haamu

appeal [ə'pɪəl] *s* **1** vetoomus, pyyntö **2** vetovoima, viehätys

appeal *v* **1** vedota johonkuhun, pyytää/anoa joltakulta jotakin *they appealed to the public for money* he anoivat yleisöltä rahaa **2** valittaa oikeustuomiosta, vedota korkeampaan oikeuteen **3** vedota johonkuhun, viehättää *how does that appeal to you?* mitä sinä siitä ajattelet? miltä se sinusta tuntuu?

appealing *adj* **1** anova (katse) **2** puoleensavetävä, viehättävä, houkutteleva

appear [ə'pɪər] *v* **1** ilmestyä, tulla näkyviin *he appeared from out of nowhere* hän ilmestyi (yhtäkkiä kuin) tyhjästä **2** saapua, tulla, ilmestyä paikalle **3** esiintyä jossakin *to appear in Las Vegas/in public/in court* esiintyä Las Vegasissa/julkisuudessa/olla oikeudessa **4** (kirja) ilmestyä **5** näyttää, vaikuttaa *it appears extremely difficult* se näyttää/vaikuttaa äärimmäisen vaikealta

appearance *s* **1** esiintyminen **2** ulkonäkö *at first appearance* ensi näkemältä *she tried to keep up appearances* hän yritti vaalia ulkokuortaan *to all appearances he is a crook* hän on kaikesta päätellen roisto

appease [ə'pɪz] *v* rauhoittaa, tyynnyttää, lepyttää

appendicitis [ə,pendə'saɪtəs] *s* umpilisäkkeen tulehdus

appendix [ə'pendɪks] *s* (mon *appendixes, appendices* [ə'pendə,siz]) **1** (kirjan) liite **2** umpilisäke

appertain [,æpər'teɪn] *v* kuulua johonkin, koskea jotakin *that does not appertain to the discussion* se ei kuulu tämän keskustelun piiriin

appetite [ˈæpə,taɪt] *s* ruokahalu, nälkä (myös kuv) *I have no appetite for classical music* klassinen musiikki ei kiinnosta minua

appetizer [ˈæpə,taɪzər] *s* alkupala

appetizing *adj* ruokahalua kiihottava (myös kuv), herkullinen (myös kuv)

applaud [ə'plɔd] *v* **1** taputtaa käsiään, osoittaa suosiotaan **2** ylistää, kehua, kannattaa *they applauded his courage* he ylistivät/kehuivat hänen rohkeuttaan

applause [ə'plɔz] *s* kättentaputukset, suosionosoitukset

apple [æpəl] *s* omena

appliance [ə'plaɪəns] *s* kone, laite, kodinkone *household appliance* kodinkone

applicable [ə'plɪkəbəl *æpləkəbəl*] *adj* joka voidaan soveltaan johonkin, joka koskee jotakin, asianmukainen *the price is 12 000 plus applicable taxes* hinta on 12 000 dollaria lisättynä mahdollisilla /asianmukaisilla veroilla

applicant [æpləkənt] *s* työnhakija

application [,æplə'keɪʃən] *s* **1** (esim voiteen) levitys **2** (lääke)voide **3** käyttö, soveltaminen **4** ahkeruus, ponnistelu, kova työ **5** (työ-paikka)hakemus, (laina-)anomus

applicator [ˈæplə,keɪtər] *s* sivellin, levitin; asetin

applied [ə'plaɪd] *adj* sovellettu, soveltava *applied linguistics* soveltava kielitiede

apply [ə'plaɪ] *v* **1** levittää, sivellä (maalia, voidetta) **2** käyttää, soveltaa *they applied a new method to solve the problem* he käyttivät ongelman ratkaisemiseksi uutta menetelmää **3** hakea (työpaikkaa), anoa (määrärahaa, apurahaa) *she applied to the company for a job* hän haki yrityksestä paikkaa **4** *to apply yourself/your mind/your intelligence/your energies to something* yrittää tosissaan, keskittää voimansa johonkin, keskittyä, vaivata päätään jollakin

appoint [ə'pɔɪnt] *v* **1** nimittää *he was appointed to the office* hänet nimitettiin virkaan **2** määrätä, sopia *at the appointed time* sovittuun aikaan, määräaikaan

appointment [ə'pɔɪntmənt] *s* **1** (sovittu) tapaaminen **2** virka, työpaikka

apportion [ə'pɔrʃən] *v* jakaa

apposite [ˈæpəzət *ə'pazət*] *adj* osuva, sattuva (huomautus), aiheellinen (kysymys)

appraisal [əˈpreɪzəl] *s* arviointi, käsitys, mielipide

appraise [əˈpreɪz] *v* arvioida, punnita, mittailla *their house was appraised for tax purposes* heidän talonsa arvo arvioitiin verotusta varten

appreciable [əˈpriːʃəbəl] *adj* huomattava, selvä *there has been an appreciable increase in sales* myynti on kasvanut selvästi

appreciate [əˈpriːʃɪˌeɪt] *v* **1** ymmärtää, tiedostaa, olla selvillä jostakin *I appreciate your situation* ymmärrän tilanteesi, ymmärrän missä tilanteessa sinä olet **2** arvostaa, pitää arvossa, antaa arvoa jollekulle/jollekin *I sure do appreciate your help* arvostan kovasti apuasi/olen todella kiitollinen avustasi *she doesn't appreciate modern poetry* hän ei osaa arvostaa nykyrunoutta **3** (hinnat) kallistua, (arvo) nousta *real estate prices have appreciated greatly in the past months* kiinteistöjen hinnat ovat nousseet kovasti viime kuukausina

appreciation [əˌpriːʃɪˈeɪʃən] *s* **1** ymmärrys, käsitys, tietoisuus **2** (avun, kykyjen, taiteen jne) arvostus **3** kiitollisuus **4** kallistuminen, arvonnousu

apprehend [ˌæpriˈhend] *v* **1** pidättää, saada kiinni **2** ymmärtää, käsittää **3** pelätä

apprehension [ˌæpriˈhenʃən] *s* **1** pelko, huolestuneisuus **2** pidätys, vangitseminen **3** ymmärrys, ymmärtäminen

apprehensive *adj* pelokas, levoton, ahdistunut, huolestunut

1 apprentice [əˈprentɪs] *s* oppilas, harjoittelija, oppipoika

2 apprentice *v* lähettää/määrätä joku jonkun oppiin/harjoittelijaksi/oppipojaksi

apprenticeship [əˈprentiˌʃɪp] *s* oppi, oppiaika, harjoitteluaika

1 approach [əˈprəʊtʃ] *s* **1** lähestyminen **2** (lentokoneen) laskeutuminen **3** (aamun) koitto **4** tie, reitti, pääsy

2 approach *v* **1** lähestyä *we are now approaching Dallas* lähestymme parhaillaan Dallasia *Christmas is approaching* joulu alkaa olla lähellä **2** kysyä, pyytää, puhua jollekulle jostakin *she approached her*

boss about a rise hän pyysi pomoltaan palkankorotusta

approachable *adj* (ihmisestä) tavattavissa; jonka kanssa on helppo tulla toimeen; (paikasta) jonne on helppo päästä

appropriate [əˈprəʊprɪət] *adj* sopiva, tarkoituksenmukainen; asiallinen, perustellu; asianmukainen, oikea

appropriate [əˈprəʊprɪeɪt] *v* **1** takavarikoida, ottaa, anastaa, omia (toisen ajatuksia) **2** myöntää, varata (varoja, määrärahoja)

appropriation [əˌprəʊprɪˈeɪʃən] *s* **1** takavarikointi **2** määräraha

approval [əˈpruːvəl] *s* hyväksyntä, hyväksyminen, tunnustus, suostumus *we bought the VCR on approval* ostimme kuvanauhurin nähtäväksi/palautusoikeudella

approve [əˈpruːv] *v* hyväksyä, suostua, myöntyä *the proposal was approved* ehdotus hyväksyttiin *I don't approve of your methods* minä en hyväksy menetelmiäsi

approving *adj* tyytyväinen, hyväksyvä

approximate [əˈprɒksɪmət] *adj* summittainen, likimääräinen; noin, suunnilleen *his estimates were approximate only* hänen arvionsa olivat vain likimääräisiä *the approximate flying time is two hours* lento-aika on noin kaksi tuntia

approximate [əˈprɒksɪˌmeɪt] *v* vastata suunnilleen/kutakuinkin jotakin, olla lähellä jotakin

approximately [əˈprɒksɪmətli] *adv* suunnilleen, noin, kutakuinkin

approximation [əˌprɒksɪˈmeɪʃən] *s* arvio, kutakuinkin/suunnilleen tarkka/oikea arvo tms *that is an approximation only* se on pelkkä arvio

apricot [ˈeɪprɪˌkæt] *s* aprikoosi

April [ˈeɪprəl] *s* huhtikuu

apriori [ˌaprɪˈɔːri] *adv* syystä seuraukseen edeten, edeltäkäsin

apron [ˈeɪprən] *s* **1** esiliina **2** (lentokentän) asemataso

apropos [ˌæprəˈpəʊ] *adj* osuva, sattuva (huomautus)

apropos of *prep* jotakin koskien; mitä johonkin tulee; *-sta/stä apropos of nothing* sivumennen sanoen, muuten

apse [æps] *s* (arkkitehtuurissa) apsis

apt [æpt] *adj* 1 sopiva, osuva 2 kyvykäs, nokkela, teräväpäinen

aptitude [ˈæptɪˌtud] *s* lahjakkuus, kyvyt, soveltuvuus, taito *I have no aptitude whatever for mathematics* minulla ei ole lainkaan matematiikon lahjoja/laskupäätä

aptness *s* 1 sopivuus, osuvuus 2 lahjakkuus, soveltuvuus, taito, kyvyt

aquamarine [ˌækwəməˈriːn] *s* akvamariini, eräs puolijalokivi *adj* akvamariinin värinen, sinivihreä

aquarium [əˈkweːriəm] *s* (mon aquariums, aquaria) akvaario

aquatic [əˈkwætɪk] *adj* (kasveista, urheilusta) vesi-

aqueduct [ˈækwəˌdʌkt] *s* akvedukti, vesijohto

aquifer [ˈækwəfər] *s* akviferi, pohjavettä kuljettava maanalainen kerrostuma

arable [ˈerəbəl] *adj* viljelyskelpoinen

arbiter [ˈɑːrˌbaɪtər] *s* välittäjä, sovittelija, välitysmies

arbitrary [ˈɑːrbəˌtreəri] *adj* mielivaltainen

arbitrate [ˈɑːrbəˌtreɪt] *v* sovitella, välittää, toimia välittäjänä (riidassa)

arbitration *s* (riidan) välitys, välitystuomio, välimiesoikeus

arbitrator *s* välittäjä, sovittelija, välitysmies

arbor [ˈɑːrbər] *s* lehtimaja, puutarhamaja

arc [ɑːrk] *s* 1 (ympyrän) kaari 2 valokaari

arcade [ɑːrˈkeɪd] *s* katettu (kauppa)käytävä *video arcade* videopelisali

arcane [ɑːrˈkeɪn] *adj* hämäräperäinen, salamyhkäinen, harvinainen, tuntematon

arcanum [ɑːrˈkeɪnəm] *s* (mon arcana) salaisuus, salaperäinen asia, arvoitus, mysteeri(o)

1 arch [ɑːrtʃ] *s* 1 holvi, holvikaari 2 (anat) jalkaholvi 3 (leik) *Golden Arches* McDonald'sin pikaruokaravintoloiden keltainen M-tunnus

2 arch *v* 1 köyristää, taivuttaa kaarelle 2 kaartua *the foliage arches over the path* lehvät kaartuvat polun yli

3 arch *adj* ilkikurinen; veitikkamainen

archaeological [ˌɑːrkiəˈlɑːdʒɪkəl] *adj* arkeologinen

archaeologist [ˌɑːrkiˈɑːlədʒɪst] *s* arkeologi

archaeology [ˌɑːrkiˈɑːlədʒi] *s* arkeologia, muinaistiede

archaic [ɑːrˈkeɪɪk] *adj* 1 vanhentunut, käytöstä pois jäänyt 2 ikäloppu, kypsä tunkiolle vietäväksi

archaism [ˈɑːrkeɪɪzəm] *s* 1 vanhentunut, käytöstä jäänyt sana tms 2 vanhanaikaisuus, vanhanaikaisten sanojen tms käyttö

archangel [ˈɑːrkˌeɪndʒəl] *s* arkkienkeli

archbishop [ˌɑːrtʃˈbɪʃəp] *s* arkkipiispa

archeological [ˌɑːrkiəˈlɑːdʒɪkəl] *adj* arkeologinen

archeologist [ˌɑːrkiˈɑːlədʒɪst] *s* arkeologi

archeology [ˌɑːrkiˈɑːlədʒi] *s* arkeologia, muinaistiede

archer [ˈɑːrtʃər] *s* jousiampuja

archery [ˈɑːrtʃəri] *s* jousiammunta

architect [ˈɑːrkəˌtekt] *s* arkkitehti

architectural [ˌɑːrkəˈtektʃərəl] *adj* rakennustaiteellinen, arkkitehtoninen

architecture [ˈɑːrkəˌtektʃər] *s* arkkitehtuuri, rakennustaide, rakennustaito

archives [ˈɑːrkaɪvz] *s* (mon) arkisto

archly [ˈɑːrtʃli] *adv* ilkikurisesti, veitikkamaisesti

archway [ˈɑːrtʃweɪ] *s* holvikäytävä

Arctic Arktis

arctic [ˈɑːrktɪk, ˈɑːrtɪk] *adj* arktinen, pohjoisten (napa)seutujen

ardent [ˈɑːrdənt] *adj* innokas

ardor [ˈɑːrdər] *s* into, innostus, innokkuus

arduous [ˈɑːrdʒuəs] *adj* raskas, vaikea

area [ˈeriə] *s* 1 pinta-ala 2 alue *in this area* tällä alueella 3 ala, alue *his area of expertise is computers* hän on tietokonealan asiantuntija

area code *s* (puhelinliikenteessä) suuntanumero

arena [əˈriːnə] *s* areena, taistelukenttä, kilpakenttä, ala, alue *in the political arena* politiikassa, politiikan kilpakentällä *arena of war* sotanäyttämö

argon [ˈɑːrgɑːn] *s* argon, eräs jalokaasu

arguable [ˈɑːrgjuəbəl] *adj* 1 jota voidaan perustella *it is arguable that he should be released* on perusteltua väittää että hänet tulisi vapauttaa 2 josta voidaan keskustella/väitellä, (kysymys:) avoin *I find the* *question* arguable minusta kysymyksestä voi olla kahta mieltä

argue [argju] *v* **1** kiistellä, riidellä, väitellä *why are you guys always arguing?* miksi te aina riitelette? **2** väittää, esittää *he argued that taxes should be lowered* hän oli sitä mieltä että verotusta olisi kevennettävä **3** keskustella, väitellä jostakin, pohtia jotakin **4** suostutella joku johonkin/luopumaan jostakin *I tried to argue her into going with me* yritin taivutella hänet lähtemään mukaani *he tried to argue me out of it* hän yritti suostutella minut muuttamaan mieleni

argument *s* **1** kiista, riita **2** keskustelu, väittely **3** syy, peruste, argumentti

argumentation [ˌargjəmənˈteiʃən] *s* **1** keskustelu **2** todistelu, argumentaatio

argumentative [ˌargjəˈmentətiv] *adj* riidanhaluinen

aria [ariə] *s* aaria

arid [ærid] *adj* kuiva (maa, ilmasto)

arise [əˈraiz] *v* arose, arisen **1** ilmetä, tulla esiin **2** nousta ylös, nousta seisomaan

aristocracy [ˌærəsˈtakrəsi] *s* **1** aristokratia, ylimystö, aatelisto, yläluokka; (älyllinen, ammatillinen) eliitti **2** aristokratia, ylimysvalta

aristocrat [əˈristəˌkræt] *s* aristokraatti, yläluokan jäsen

aristocratic *adj* aristokraattinen, yläluokan, ylhäinen

arithmetic [əˈriθməˌtik] *s* aritmetiikka, laskuoppi

arithmetical [ˌeriθˈmetəkəl] *adj* aritmeettinen, laskuopillinen, laskuoppi-

ark [ark] *s* (Raamatussa) (Nooan) arkki

arm [arm] *s* **1** käsivarsi *to keep someone at arm's length* kohdella jotakuta kylmästi *to receive someone with open arms* ottaa joku avosylin vastaan **2** (vaatteen) hiha **3** (käsivartta jossain määrin muistuttavista esineistä ym) (joen) haara, (tuolin) käsinoja, (levysoittimen) äänivarsi

armada [arˈmadə] *s* armada, iso sotalaivasto *the Spanish Armada* (hist) Espanjan armada, (kuv) voittamaton armada

armadillo [ˌarməˈdilou] *s* vyötiäinen

armament [arməmənt] *s* **1** (mon) aseet **2** (mon) sotavoimat, asevoimat **3** asevarustelu *nuclear armament* ydinvarustelu

armful [armfəl] *s* syllinen; iso kasa, koko joukko

armhole [armhoul] *s* (vaatteen) kädentie

armistice [arməstəs] *s* aselepo

armor [armər] *s* **1** haarniska *a suit of armor* haarniska(puku) **2** panssari **3** panssarivaunut yms

armored *adj* panssaroitu, panssari- *the president has an armored limousine* presidentillä on panssaroitu auto

armory [arməri] *s* asevarasto, asevarikko

armpit [armpit] *s* **1** kainalokuoppa **2** surkea, kurja paikka, pohjanoteeraus *he thinks our little city is the armpit of the universe* hänen mielestään meidän pikku kaupunkimme on varsinainen kyläpahanen

armrest *s* (tuolin ym.) käsinoja

arms [armz] *s* (mon) aseet *small arms* käsiaseet *to lay down your arms* laskea aseensa, lakata taistelemasta *to take up arms against someone* tarttua aseisiin, hyökätä jotakuta vastaan *to be up in arms about something* olla raivoissaan jostakin

arms control *s* aseriisunta

arms race *s* kilpavarustelu

arm-twisting *s* suostuttelu, taivuttelu

army [armi] *s* armeija, (myös kuv:) suuri joukko

aroma [əˈroumə] *s* hyvä tuoksu

aromatic [ˌærəˈmætik] *adj* hyvänhajuinen

around [əˈraund] *adv, prep* **1** ympärillä, ympärille *I looked all around* katselin joka suuntaan **2** lähellä, lähistössä; noin, suunnilleen *we traveled around the Rockies* matkustelimme Kalliovuorilla *it's around 7:00* kello on seitsemän paikkeilla

arouse [əˈrauz] *v* **1** herättää joku **2** innostaa, herättää jonkun kiinnostus **3** kiihdyttää (voimakkaita tunteita: seksuaalisia haluja, vihaa) *she was clearly aroused* hän oli selvästi kiihtynyt/kiihdyksissään/halukas

arraign [əˈrein] *v* syyttää (oikeudessa), asettaa syytteeseen jostakin

arrange [əˈreindʒ] *v* **1** järjestää, panna (tavaroita) järjestykseen **2** sopia, järjestää, varata, hankkia *can you arrange an appointment for me at 2:00?* pystytkö järjestämään minulle ajan kahdelta? *the travel agent arranged a vacation in the Bahamas for them* matkatoimiston virkailija järjesti heille lomamatkan Bahamasaarille *that can be easily arranged* se järjestyy/onnistuu helposti **3** (mus) sovittaa

1 array [ə'reɪ] *s* **1** järjestys, asettelu *in battle array* taistelujärjestyksessä **2** vaatteet *in military array* sotilasvaatteissa **3** suuri joukko/määrä

2 array *v* järjestää, asetella, ryhmittää (sotajoukot) taisteluun

arrears [ə'rɪəz] *to be in arrears* (maksu) olla myöhässä

1 arrest [ə'rest] *s* **1** pidätys, vangitseminen *to make an arrest* pidättää, vangita **2** pysähtyminen, pysähtäminen, pysähdys *cardiac arrest* sydämen pysähdys

2 arrest *v* **1** pidättää, vangita *the window displays arrested their attention* heidän huomionsa kiinnittyi näyteikkunoihin **2** ehkäistä, estää, pysäyttää

arresting *adj* huomiotaherättävä, kiintoisa, kiehtova

arrival [ə'raɪvl] *s* **1** saapuminen, tulo **2** (uusi) tulokas **3** saapuva lento, juna yms **4** (aikataulussa tms) tuloaika, saapumisaika

arrive [ə'raɪv] *v* **1** saapua, tulla *to arrive at a town/in a city* saapua pieneen/isoon kaupunkiin *they finally arrived at a decision* he päättivät viimein asiasta **2** menestyä *until you own a Rolls-Royce, you really haven't arrived* vasta Rolls-Royce on todellisen menestyksen merkki

arrogance [erəgəns] *s* ylimielisyys

arrogant [erəgənt] *adj* ylimielinen

arrow [erou] *s* (jousen) nuoli; nuoli(merkki)

arrowhead [erou͵hed] *s* nuolenpää

arsenal [arsənəl] *s* asevarasto, asevarikko, arsenaali (myös kuv)

arsenic [arsənɪk] *s* arseeni, arsenikki

arson [arsən] *s* tuhopoltto

arsonist *s* tuhopolttaja, pyromaani

1 art [art] *s* **1** taide *arts and sciences* taide ja tiede **2** taito *the fine art of diplomacy* dip-

lomatian vaativa taito **3** (mon) humanistiset tieteet *Arts Faculty* humanistinen tiedekunta

2 art *v* (vanhentunut muoto verbistä be, käytetään vielä esim Jumalasta) *thou art* sinä olet

artefact [ˈɑːtəˌfækt] *s* keinotekoinen, ihmisen valmistama esine

arteriosclerosis [ɑːˌtɪəriəʊsklə'rəʊsɪs] *s* (lääk) arterioskleroosi, valtimonkovettustauti

artery [artəri] *s* **1** valtimo *coronary artery* sepelvaltimo **2** (liikenteen) valtaväylä, (joen) valtasuoni

artesian well [ɑː'tɪʒən wel] *s* arteesinen kaivo

artful [artfəl] *adj* ovela, juonikas, kavala, taitava

art house *s* taide-elokuvia, klassikkoja yms esittävä teatteri

arthritic [ɑː'θrɪtɪk] *adj* niveltulehdus-

arthritis [ɑː'θraɪtɪs] *s* niveltulehdus *rheumatoid arthritis* nivelreuma

artichoke [ˈɑːtɪˌtʃəʊk] *s* (latva-)artisokka

article [artɪkəl] *s* **1** esine, kauppatavara, artikkeli *an article of furniture/clothing* huonekalu, vaate, vaatekappale **2** lehtikirjoitus, artikkeli **3** (sopimuksen) kohta, osa, artikla **4** (kieliopissa) artikkeli

articulate [ɑː'tɪkjələt] *adj* selvä (puhuja/puhe), selvästi ilmaistu/lausuttu, sujuva *the speaker was not very articulate* puhuja ei ilmaissut itseään järin selvästi

articulate [ɑː'tɪkjəˌleɪt] *v* **1** ääntää *to articulate clearly* ääntää selvästi **2** esittää, tuoda esiin (näkemyksensä, perusteet), pukea sanoiksi (ajatukset), artikuloida

articulated bus *s* nivelbussi

articulateness *s* ilmaisukyky

articulation [ɑːˌtɪkjə'leɪʃən] *s* **1** ääntäminen, artikulaatio **2** nivel; niveltyminen

artifact [ˈɑːtəˌfækt] *s* keinotekoinen, ihmisen valmistama esine

artifice [artɪfəs] *s* **1** oveluus, juonikkuus, kekseliäisyys **2** temppu, metku **3** taiteellisuus, fiktiivisyys

artificial [ˌɑːtə'fɪʃəl] *adj* **1** keinotekoinen, teko- **2** teennäinen

artificial insemination [ɪnˌsemə'neɪʃən] *s* (ihmisen) keinohedelmöitys; (eläimen) keinosiemennys

artificial intelligence [ɪn'telədʒəns] s tekoäly

artillery [ɑr'tɪləri] s tykistö

artisan [ɑrtəsən] s käsityöläinen

artist [ɑrtəst] s taiteilija (myös kuv)

artiste [ɑr'tist] s esiintyvä taiteilija

artistic [ɑr'tɪstɪk] adj 1 taiteellinen 2 taiteilijan *she has an artistic temperament* hänellä on taiteilijan luonteenlaatu 3 taidokas, taitava, hyvällä maulla tehty

artistry [ɑrtəstri] s 1 taiteellisuus 2 taito

artless [ɑrtlɪs] adj viaton, teeskentelemätön

arty [ɑrti] adj (muka) hieno

as [æz] konj 1 (silloin) kun, sillä aikaa kun, sitä mukaa kun, -na/-nä, -essa/-essä *as a child* lapsena *it got warmer as we approached the coast* ilma lämpeni lähestyessämme rannikkoa 2 kun, koska *as I don't have any money, I can't go to the movies* en voi mennä elokuviin koska minulla ei ole rahaa 3 vaikka *much as I like you, I don't want to marry you* en halua mennä kanssasi naimisiin vaikka pidänkin sinusta kovasti 4 siten, miten *you can do as you please* voit tehdä mitä itse haluat 5 *so as to* jotakin tehdäkseen: *I rose so as to go* nousin lähteäkseni *would you be so kind as to help me carry this?* voisitko ystävällisesti auttaa minua tämän kantamisessa? 6 *such as* kuten, esimerkiksi *many writers, such as Bellow and Singer* monet kirjailijat, kuten Bellow ja Singer *adv* kuin *just as expensive as* aivan yhtä kallis kuin *please take as many as you want* ota niin monta kuin haluat

ASAP [ˌeɪeɪes'pi] (tekstiviestissä, sähköpostissa) *as soon as possible*

asbestos [ˌæz'bestəs] s asbesti

asbestosis [ˌæzbes'təʊsɪs] s (lääk) asbestoosi

ascend [ə'send] v nousta, kohota

ascendancy [ə'sendənsi] s johtoasema, ylivalta *His star is in the ascendancy* Hän on matkalla huipulle, hänen tähtensä on nousussa

ascension [ə'senʃən] s 1 nousu 2 *the Ascension* (Kristuksen) taivaaseenastuminen *ascension to the throne* kruununperimys

ascent [ə'sent] s nousu, kiipeäminen

ascertain [ˌæsər'teɪn] v varmistaa, ottaa selvää

ascetic [ə'setɪk] s askeetti adj askeettinen, karu, koruton

asceticism [ə'setəˌsɪzəm] s askeesi

ASCII *American Standard Code for Information Interchange*

ascorbic acid [əs'kɔrbɪk 'æsəd] s askorbiinihappo, C-vitamiini

ascribe to [əs'kraɪb] v 1 katsoa jonkin johtuvan jostakin, katsoa jonkin syyksi *she ascribes her success to hard work* hän katsoo menestyksensä johtuvan kovasta yrittämisestä 2 pitää tärkeänä *they ascribed no importance to the demonstrations* he eivät pitäneet mielenosoituksia merkittävinä

aseptic [eɪ'septɪk] adj aseptinen, puhdas, tartunta-aineista vapaa

asexual [eɪ'sekʃuəl] adj sukupuoleton, suvuton

asexuality [ˌeɪsekʃu'ælɪti] s sukupuolettomuus, suvuttomuus

ash [æʃ] s 1 saarni 2 tuhka *she kept dropping cigarette ash on my new carpet* hän tiputteli jatkuvasti tupakan tuhkaa uudelle matolleni 3 (man kuolleen poltetusta ruumiista) tuhka, tomu

ashamed [ə'ʃeɪmd] adj häpeissään *he was ashamed of his behavior* hän häpesi käytöstään

ashen [æʃən] adj 1 tuhkanharmaa 2 kalmankalpea

ashore [ə'ʃɔr] adv maissa, maihin; rannalla, rannalle *to run ashore* rantautua *to go/put ashore* nousta maihin

ashtray [æʃtreɪ] s tuhkakuppi

ashy [æʃi] adj 1 tuhkanharmaa 2 kalmankalpea 3 tuhkan peittämä

aside [ə'saɪd] s 1 sivuhuomautus 2 (teatterissa) näyttelijän itsekseen lausumat sanat adv sivussa, sivuun, syrjässä, syrjään *he pushed me aside to tell me the news* hän työnsi minut syrjään kertoakseen uutisen

asinine [æsənaɪn] adj typerä, älytön

1 ask [æsk] s (tal) myyntikurssi, myyntinoteeraus

2 ask v 1 kysyä, tiedustella *he asked me the time* hän kysyi minulta kelloa 2 pyytää, kutsua *he finally asked her to dinner* lopulta hän pyysi naista ulos syömään **3** pyytää, vaatia *I am asking for help, I am asking you to help me* pyydän (sinulta) apua **4** (hinnasta) pyytää, vaatia *how much are you asking for the car?* paljonko pyydät autosta?

ask after *v* tiedustella jonkun vointia, kysyä mitä jollekulle kuuluu

askance [əsˈkæns] *to look askance at someone/something* katsoa jotakuta/jotakin alta kulmien, suhtautua johonkuhun/johonkin epäluuloisesti, nyrpistää nenäänsä jollekulle/jollekin

askew [əsˈkjuː] *adv* vinossa

ask for it *fr* kerjätä hankaluuksia/selkäänsä

ask in *v* pyytää jotakuta tulemaan sisään, kutsua sisään

asking *it's yours for the asking* sinun ei tarvitse kuin pyytää niin saat sen

ask out *v* kutsua joku ulos (esim syömään, treffeille)

a.s.l. *above sea level* merenpinnan yläpuolella

aslant [əˈslænt] *adv*, *prep* vinossa

asleep [əˈsliːp] *adj* **1** unessa *he is fast asleep* hän nukkuu sikeästi **2** (raajoista) puutunut, tunnoton

as of *fr* jostakin lähtien/lukien *as of today/ March* **1** tästä päivästä lähtien, maaliskuun 1. päivästä lähtien

asparagus [əsˈpærəgəs] *s* parsa

aspartame [əsˈpɑːrteɪm ˈæspərˌteɪm] *s* aspartaami, eräs makeutusaine

aspect [æspekt] *s* **1** ulkonäkö **2** puoli, näkökulma *from the technical aspect* teknisesti, tekniseltä kannalta **3** (rakennuksesta:) *the house has a southerly aspect* talo on etelään päin **4** (kieliopissa) aspekti

aspect ratio [reɪˈʃoʊ] *s* (televisio-kuvan ym) sivusuhde, (kuvan) leveyden ja korkeuden suhde

aspen [æspən] *s* haapa

asperity [əsˈperəti] *s* tylyys, tuimuus

aspersion [əsˈpɜːrʒən] *to cast aspersions on someone/something* puhua nurjasti jostakusta

asphalt [æsfælt] *s* asfaltti

asphyxia [æsˈfɪksiə] *s* tukehtuminen

asphyxiate [æsˈfɪksieɪt] *v* tukehtua

asphyxiation [əsˌfɪksiˈeɪʃən] *s* tukehtuminen

aspic [æspɪk] *s* (ruuanlaitossa) hyytelö

aspirant [æspərənt] *s* (viran, työpaikan) tavoittelija, ehdokas, hakija

aspirate [æspərət] *s* **1** aspiraatta **2** h-äänne

aspirate [æspəreɪt] *v* aspiroida, ääntää h-äänne

aspiration [ˌæspəˈreɪʃən] *s* tavoite, päämäärä, haave

aspire [əsˈpaɪər] *v* pyrkiä johonkin, tavoitella jotakin, janota jotakin

aspirin [æsprən] *s* aspiriini; aspiriinitabletti

as regards *fr* jotakin koskien, mitä johonkin tulee

ass [æs] *s* **1** aasi **2** typerys, aasi **3** (alat) perse

assail [əˈseɪl] *v* hyökätä, pommittaa (kysymyksillä) *he is assailed with doubts* epäilykset kalvavat häntä

assailant [əˈseɪlənt] *s* hyökkääjä

assassin [əˈsæsɪn] *s* salamurhaaja

assassinate [əˈsæsəneɪt] *v* murhata (poliittisista syistä)

assassination [əˌsæsəˈneɪʃən] *s* salamurha

1 assault [əˈsɔːlt] *s* rynnäkkö, hyökkäys

2 assault *v* hyökätä (rynnäköllä), käydä kimppuun

assemble [əˈsembəl] *v* koota, kokoontua *cars are assembled on the assembly line* autot kootaan/valmistetaan liukuhihnalla *the guests assembled in the living room* vieraat kokoontuivat olohuoneeseen

assembler *s* **1** kokoonpanija, kokoaja, asentaja **2** (tietok) (symbolisen konekielen) kääntäjä

assembly [əˈsembli] *s* **1** kokous **2** väenkokous, väkijoukko **3** kokoaminen, asennus, valmistus

assembly line *s* liukuhihna, kokoonpanolinja

1 assent [əˈsent] *s* suostumus *he gave his assent to the plan* hän suostui suunnitelmaan, hän hyväksyi suunnitelman *by common assent* yksimielisesti

2 assent *v* suostua johonkin, hyväksyä jotakin

assert [əˈsɜːrt] *v* **1** väittää, vakuuttaa (syyttömyyttään) **2** pitää kiinni jostakin, puolustaa (oikeuksiaan) *to assert yourself* puolustautua, pitää puolensa

assertion [ə'sɔːʃən] *s* väite

assertive [ə'sɜːtɪv] *adj* (itse)varma

assess [ə'ses] *v* arvioida, punnita (jonkun tai jonkin arvo, merkitys, mahdollisuudet tms)

assessment [ə'sesmənt] *s* arvio *in my assessment* minun mielestäni

asset [ˈæset] *s* (yl mon) **1** varat, omaisuus **2** etu, arvokas lisä *he is an invaluable asset to this company* hän on korvaamattoman arvokas työntekijä

assiduous [ə'sɪdwəs] *adj* **1** jatkuva, hellittämätön **2** tunnollinen, ahkera

assign [ə'saɪn] *v* antaa, määrätä, nimittää *the smallest room was assigned to me* minulle annettiin kaikkein pienin huone *I wouldn't assign too much importance to what she said* en panisi hänen sanoilleen paljoakaan painoa *he was assigned to a new post* hänet määrättiin/nimitettiin uuteen tehtävään/virkaan

assignable to *adj* jostakin johtuva, jonkun/ jonkin aiheuttama/tekemä, jonkun/jonkin tiliin laskettava

assignment [ə'saɪnmənt] *s* tehtävä

assimilate [ə'sɪməleɪt] *v* sulauttaa (ruokaa, tietoa), sulautua (alkuperäisväestöön), omaksua (tietoa)

assimilation [ə,sɪmə'leɪʃən] *s* **1** sulauttaminen **2** omaksuminen

assist [ə'sɪst] *v* auttaa, avustaa *to assist someone in doing/with something* auttaa jotakuta tekemään jotakin, auttaa jotakuta jossakin

assistance [ə'sɪstəns] *s* apu

assistant [ə'sɪstənt] *s* apulainen, avustaja

associate [ə'səʊsɪət ə'səʊʃət] *s* liiketoveri, työtoveri, kollega *adj* apulais-

associate with [ə'səʊsɪeɪt ə'səʊʃɪeɪt] *v* **1** yhdistää, liittää, yhdistää mielessään, assosioida **2** pitää seuraa jonkun kanssa, seurustella

association [ə,səʊsɪ'eɪʃən] *s* **1** yhteistyö, suhteet johonkuhun/johonkin **2** yhdistys, seura, järjestö **3** assosiaatio, mielleyhtymä

associative [ə'səʊsɪətɪv] *adj* assosiatiivinen, mielleyhtymä-

assorted [ə'sɔːtɪd] *adj* sekalainen; erinäinen

assortment *s* sekoitus, valikoima, lajitelma *a whole assortment of something* koko joukko jotakin

assuage [ə'sweɪdʒ] *v* lievittää (kiukkua, pelkoa), tyydyttää, sammuttaa (nälkä, jano, halu)

assume [ə'sjuːm] *v* **1** olettaa *assuming that you are telling the truth* olettaen että sinä puhut totta **2** edellyttää *a basic understanding of computers is assumed before you can sign up for the course* kurssille ilmoittautuvilta edellytetään perustiedot tietokoneen käytöstä **3** anastaa, ottaa käsiinsä (valta, ohjakset) **4** ottaa (uusi nimi); levittää kasvoilleen (tietty ilme); muuttua (ulkonäöltään, merkitykseltään), saada (uusi merkitys) *old values have recently assumed new importance* vanhojen arvojen merkitys on viime aikoina jälleen kasvanut

assumed *adj* **1** väärä, tekaistu, peite- (nimi ym) **2** teennäinen, epäaito

assumption [ə'sʌmpʃən] *s* **1** oletus **2** edellytys **3** valtaannousu, vallan anastus; virkaan astuminen **4** teennäinen ilme *she looked at the teacher with an assumption of innocence* hän katsoi opettajaa viatonta teeskennellen/kasvoillaan viaton ilme *the Assumption* Neitsyt Marian taivaaseenastuminen

assurance [ə'ʃɔːrəns] *s* **1** vakuutus, lupaus, varmistus **2** itseluottamus **3** luottamus *in the assurance that he would come* siinä uskossa että hän tulisi

assure [ə'ʃʊər] *v* **1** vakuuttaa, luvata, taata (tekevänsä jotakin) **2** varmistaa, taata

assured *adj* varma, taattu *you can rest assured that everything will be all right* voit luottaa siihen että kaikki järjestyy

asterisk [ˈæstərɪsk] *s* asteriski, tähti(merkki) (*)

astern [ə'stɜːn] *adv* (laivan) perässä, perään

asteroid [ˈæstərɔɪd] *s* asteroidi

asthma [ˈæzmə] *s* astma

asthmatic [ˌæz'mætɪk] *adj* astmaattinen

astir [ə'stər] *adj, adv* touhua täynnä, innoissaan

astonish [əs'tanıʃ] *v* hämmästyttää, ällistyttää

astonishing *adj* hämmästyttävä, yllättävä

astonishment *s* hämmästys, ihmetys, yllätys

astound [əs'taond] *v* hämmästyttää, tyrmistyttää, yllättää

astral [æstrəl] *adj* 1 tähti- 2 astraali- *astral body* astraaliruumis

astray [ə'strei] *adj, adv* eksyksissä *to go astray* eksyä, (kuv) joutua hakoteille/harhateille *to lead someone astray* johdattaa joku tahallaan harhaan

astride [əs'traid] *adj, adv, prep* hajareisin (jonkin päällä)

astringent [əs'trindʒənt] *adj* (sana, puhe) piikikäs, kärkevä

astrologer [əs'trolədʒər] *s* astrologi, tähdistä ennustaja

astrological [ˌæstrə'lodʒikəl] *adj* astrologinen

astrology [əs'trolədʒi] *s* astrologia, tähdistä ennustaminen

astronaut ['æstrə,nat] *s* astronautti

astronautics [ˌæstrə'natıks] *s* avaruusmatkailu, avaruustekniikka

astronomer [əs'tranəmər] *s* astronomi, tähtitieteilijä

astronomical [ˌæstrə,namıkəl] *adj* tähtitieteellinen, (myös kuv:) suunnaton

astronomy [əs'tranəmi] *s* astronomia, tähtitiede

astute [əs'tut] *adj* viisas, valpas, terävä

astuteness *s* viisaus, terävyys, valppaus

asunder [ə'sʌndər] *adv* rikki, hajalla, hajalle, erillään, erilleen *what God hath joined, let no man put asunder* minkä Jumala on yhdistänyt, sitä älköön ihminen erottako

asylum [ə'sailəm] *s* 1 turvapaikka *the refugees asked for political asylum* pakolaiset anoivat poliittista turvapaikkaa 2 mielisairaala

asymmetria [ˌeɪsə'metrɪə] *s* asymmetria

asymmetric [ˌeɪsə'metrɪk] *adj* asymmetrinen, epäsymmetrinen

at [æt] *prep* 1 paikasta: *at the door* ovella, oven luona *to arrive at a town/the airport*

tulla kaupunkiin/lentokentälle 2 suunnasta: *to look at someone* katsoa jotakuta/johonkuhun päin 3 ajasta: *at five a.m.* kello viisi/viideltä aamulla *one at a time* yksitellen, yksi kerrallaan *at the age of five* viisivuotiaana *at his death* (hänen) kuollessaan 4 toiminnasta: *he is at work* hän on työssä/töissä/työpaikalla *I am not very good at this* minä en oikein hallitse/osaa tätä 5 nopeudesta, määrästä: *to drive at 55 m.p.h.* ajaa 55 mailia tunnissa (88 km/h)

at any rate *fr* joka tapauksessa; ainakin, sentään

ate [eit] ks eat

at every turn *fr* joka käänteessä/vaiheessa, jatkuvasti

at first sight *fr* ensi näkemältä, päälle päin

at full speed *fr* täyttä vauhtia (myös kuv)

at full throttle *fr* (kuv) nasta laudassa, täyttä häkää/vauhtia

atheism [eiθiizəm] *s* ateismi

atheist [eiθiist] *s* ateisti

atheistic *adj* ateistinen

athlete [æθlit] *s* urheilija, yleisurheilija

athletic [æθ'letik] *adj* 1 urheilu- 2 atleettinen, lihaksikas; joka pärjää hyvin lajissa kuin lajissa, urheilullinen

athletics *s* 1 urheilu 2 (UK) yleisurheilu

Atlantic Ocean Atlantin valtameri, Atlantti

atlas [ætləs] *s* kartasto

ATM *automated teller machine* pankkiautomaatti

atmosphere ['ætməs,fiər] *s* 1 ilmakehä; kaasukehä 2 ilmapiiri, tunnelma

atmospheric [ˌætməs'firik] *adj* 1 ilmakehän, ilman- *atmospheric pressure* ilmanpaine 2 tunnelmallinen

atoll [ə'tal] *s* atolli, kehäriutta

atom [ætəm] *s* 1 atomi 2 hitunen *they smashed the building to atoms* he hajottivat rakennuksen maan tasalle

atom bomb [ætəm,bam] *s* ydinpommi, atomipommi

atomic [ə'tamik] *adj* ydin-, atomi-

atomic bomb [ə,tamik'bam] *s* ydinpommi, atomipommi

atomic energy [ə,tamik'enərdʒi] *s* ydinenergia, atomienergia

at one *to be at one with someone* olla samaa mieltä jonkun kanssa; olla sovussa jonkun kanssa

atone for [ə'toun] *v* sovittaa (synti, teko)

atonement [ə'tounmənt] *s* sovitus; (Kristuksen) sovintouhri

at one time *fr* **1** kerran **2** samanaikaisesti, yhtä aikaa

at present *adv* tällä hetkellä, nyt

at risk *to be at risk* olla vaarassa

atrocious [ə'trouʃəs] *adj* **1** julma, raaka **2** hirvittävä(n huono), kamala

atrocity [ə'trasəti] *s* julmuus, raakuus, julma/raaka teko

atrophy [æt'rəfi] *s* surkastuma

at someone's service *to be at someone's service* olla jonkun käytettävissä/palveluksessa

at sword's points *they are always at sword's points* he ovat aina napit vastakkain, he ovat aina riidoissa

attach [ə'tætʃ] *v* **1** kiinnittää, kiinnittyä, liittää, liittyä, oheistaa (kirjeeseen) *no blame attaches to him* häneen ei kohdistu syytöksiä, häntä pidetään syyttömänä **2** pitää jonakin *they attach very little importance to the new developments in the area* he eivät pidä alueen viimeaikaisia tapahtumia lainkaan tärkeinä

attaché [æ'tueʃei] *s* (diplomatiassa) attasea, avustaja

attaché case *s* asiakirjasalkku

attached file *s* (tietok) liitetiedosto

attached to *adj* pitää jostakusta/jostakin kovasti, roikkua jossakussa, olla kiintynyt johonkuhun

attachment *s* **1** kiinnittäminen, liittäminen **2** lisälaite **3** (kirjeen) liite, (sähköpostin) liitetiedosto **4** kiintymys

1 attack [ə'tæk] *s* **1** hyökkäys (myös kuv) **2** (sairaus)kohtaus

2 attack *v* **1** hyökätä (kimppuun) **2** (sairaus) iskeä, (sairauskohtaus) alkaa

attacker [ə'tækər] *s* hyökkääjä

attain [ə'tein] *v* saavuttaa, saada *I have not yet attained my goals* en ole vielä päässyt tavoitteisiini

attainable *adj* mahdollinen; joka on mahdollista saavuttaa/saada, saavutettavissa

attainment *s* **1** saavuttaminen, saaminen **2** (yl mon) saavutus, aikaansaannos

1 attempt [ə'temt] *s* yritys *at the first attempt* ensi yrityksellä *an attempt was made on the president's life* presidentti yritettiin murhata *an attempt at something/doing something* epäonnistunut yritys

2 attempt *v* yrittää

attend [ə'tend] *v* **1** käydä (kirkossa, koulua), mennä jonnekin, olla läsnä/paikalla **2** hoitaa, palvella *which doctor is attending you?* kuka lääkäreistä hoitaa sinua?

attendance [ə'tendəns] *s* **1** *in attendance* läsnä, paikalla, luona, mukana **2** läsnäolo **3** osanottajamäärä, yleisö

attendant [ə'tendənt] *s* palvelija, valvoja, hoitaja *adj* johonkin liittyvä *depression and its attendant problems* masennus ja siihen liittyvät ongelmat

attendee [ə,ten'di] *s* (konferenssin ym) osanottaja

attend to *v* **1** huolehtia/pitää huoli jostakusta/jostakin **2** kuunnella, tarkata

attention [ə'tenʃən] *s* **1** huomio *she called our attention to a recent rumor* hän otti esiin/puheeksi erään uuden huhun *to pay attention to something* keskittyä johonkin **2** (yl mon) huomaavaisuuden osoitus, huomio **3** (sot) asento *to stand at attention* seisoa asennossa *Attention!* Huomio! Asento!

attentive [ə'tentiv] *adj* tarkkaavainen

attentiveness *s* tarkkaavaisuus

attenuate [ə'tenju,eit] *v* lieventää, heikentää, hiljentää, vähentää

attenuating circumstances *s* lieventävät asianhaarat

attenuator [ə'tenju,eitər] *s* (elektroniikassa) vaimennin

attest [ə'test] *v* vakuuttaa, vannoa, todistaa, vahvistaa (oikeaksi, todeksi)

attestation [,ætes'teiʃən] *s* todistus, vakuutus, vahvistus

attest to *v* kertoa, todistaa, olla osoitus jostakin *that if anything attests to his courage* se jos mikä on merkki hänen rohkeudestaan

at the end of your tether *he is at the end of his tether* häneltä on voimat/kärsivällisyys loppussa

at the point of *to be at the point of something* olla jonkin partaalla

at the same time *fr* **1** samaan aikaan **2** kuitenkin, silti, siitä huolimatta

at the worst *fr* pahimmassa tapauksessa, myös at worst

at this point in time *fr* nyt, tällä hetkellä, tässä vaiheessa

attic [ˈætɪk] *s* ullakko

at times *fr* toisinaan, ajoittain, aika ajoin

1 attire [əˈtaɪər] *s* vaatteet *in formal attire* juhlavaatteissa

2 attire *v* pukeutua

attitude [ˈætɪˌtud] *s* **1** asenne, suhtautuminen *he said that you have an attitude problem* hän sanoi että sinä suhtaudut asiaan väärin, sinä olet kuulemma uppiniskainen **2** (ruumiin) asento, ryhti

attorney [əˈtərni] *s* asianajaja, lakimies *power of attorney* valtakirja

attorney-at-law [əˌtərniətˈlɑ] *s* asianajaja

attorney general *s* **1** Yhdysvaltain osavaltioiden ylin oikeusviranomainen **2** Yhdysvaltain (liittovaltion) oikeusministeri

attract [əˈtrækt] *v* **1** vetää puoleensa, houkutella *a magnet attracts metal* magneetti vetää puoleensa rautaa *the new company is attracting many investors* uusi yritys on saamassa paljon sijoittajia *I am not attracted to the proposition* ehdotus ei houkuttele minua *the revelation attracted a good deal of publicity* paljastus sai osakseen paljon julkisuutta **2** *attract interest* kasvaa korkoa

attraction [əˈtrækʃən] *s* **1** vetovoima, veto, houkutus **2** houkutus, huvi

attractive [əˈtræktɪv] *adj* puoleensavetävä, viehättävä, miellyttävä, houkutteleva, hyvä, kaunis

attractiveness *s* viehätys, viehätysvoima, kauneus

attributable to [əˈtrɪbjətəbəl] *adj* johdettavissa jostakin, laskettavissa jonkun/jonkin tiliin

attribute [ˈætrəˌbjut] *s* **1** ominaisuus, piirre **2** (kieliopissa) attribuutti

attribute to [əˈtrɪbjut] *v* katsoa jonkin johtuvan jostakin, katsoa jotakin jonkin syyksi, laskea jonkun/jonkin tiliin *he attributes his success to hard work* hän katsoo menestyksensä perustuvan ahkeruuteen/yrittämiseen

attune to [əˈtun] *v* sopeutua, mukautua, totuttautua johonkin, päästä samoille aaltopituuksille *I am not attuned to the group yet* en ole vielä päässyt ryhmän henkeen

at variance *fr* **1** *what you did is at variance with your orders* sinä et noudattanut ohjeitasi, sinä teit toisin kuin sinua käskettiin **2** *we are at variance with each other* olemme (asiasta) eri mieltä

at work *to be at work* olla työpaikalla/työssä; olla toiminnassa

at worst *fr* pahimmassa tapauksessa, myös at the worst

at your wit's end *to be at your wit's end* olla ymmällään, olla helisemässä

atypical [eɪˈtɪpɪkəl] *adj* ei tyypillinen/ominainen, poikkeava

aubergine *s* (UK) munakoiso

auburn [ˈɔbərn] *adj* punaruskea

1 auction [ˈɑkʃən] *s* huutokauppa

2 auction *v* huutokaupata

auctioneer [ˌɑkʃəˈnɪər] *s* huutokauppameklari

audacious [əˈdeɪʃəs] *adj* **1** hävytön, röyhkeä **2** rohkea, uhkarohkea, uskalias

audacity [əˈdæsəti] *s* **1** hävyttömyys, röyhkeys **2** rohkeus, uhkarohkeus, uskaliaisuus

audible [ˈɑdəbəl] *adj* (korvin) kuultava, selvästi kuuluva

audience [ˈɑdɪəns] *s* **1** yleisö, (televisio)katsojat, (radio)kuuntelijat, (kirjan) lukijat **2** audienssi

audio [ˈɑdɪoʊ] *s* **1** audiolaite, äänentoistolaite, äänentoistolaitteet **2** ääni *turn the audio off* sulkea/vaimentaa (esim television) ääni *turn the audio up* pistää (esim televisiota) kovemmalle *adj* audio-, kuulo-, äänentoisto- *audio equipment* stereolaitteet

audiophile [ˈɑdɪoʊˌfaɪl] *s* hifi-harrastaja *adj* hifi- *an audiophile magazine* hifi-lehti

audiotape [ˌɑdɪoˈteɪp] s ääninauha

audiovisual [ˌɑdɪoˈvɪʒʊəl] adj audiovisuaalinen

1 audit [adɪt] s tilintarkastus; (USA:ssa pistokokeena suoritettava) verotarkastus
2 audit v 1 tarkastaa tilit, tehdä tilintarkastus; tarkastaa verot I got audited this year minulta tarkastettiin tänä vuonna verot 2 olla kuunteluoppilaana

1 audition [aˈdɪʃən] s (teatterissa, mus) esiintymiskoe
2 audition v käydä esiintymiskokeessa; olla arvostelijana esiintymiskokeessa

auditor [adɪtər] s 1 tilintarkastaja 2 kuunteluoppilas

auditorium [ˌadɪˈtɔrɪəm] s katsomo, konserttisali, luentosali, juhlasali, auditorio

auditory [ˈadɪˌtɔri] adj kuulo-

auger [ˈagər] s käsipora; kaira

augment [agˌment] v lisätä, lisääntyä, kasvattaa, kasvaa

augur [agər] s (hist) auguuri, ennustaja

augur ill fr enteillä pahaa

augur well fr enteillä hyvää

augury [agəri] s 1 ennustaminen 2 enne, merkki

August [agəst] s elokuu

august [aˈgʌst] adj arvokas, juhlallinen, ylevä

auk [ak] s ruokki

aunt [ænt ant] s täti

auntie [ænti, anti] s (ark) täti

au pair [ˌouˈpeər] s au pair -tyttö/-poika

aura [ɔrə] s aura; sädekehä, tuulahdus the girl has an aura of peacefulness about her tytön olemus on hyvin tyyni, tyttö suorastaan säteilee tyyneyttä

aural [ɔrəl] adj kuulo-, korva-

aureole [ɔrioəl] s 1 sädekehä 2 (esim auringon) korona 3 sumuvarjo, glooria

auricle [ɔrikəl] s korvalehti

aurora australis [ɔˌrɔrəsˈtrælɪs] s eteläinen pallonpuoliskon revontulet, eteläisen pallonpuoliskon revontulet

aurora borealis [əˌrɔrəborˈiælɪs] s revontulet, pohjantulet

auscultate [ˈaskəlˌteɪt] v (lääk) auskultoida, kuunnella

auscultation [ˌaskəlˈteɪʃən] s (lääk) auskultaatio, kuuntelu(tutkimus)

auspices [aspɪsəz] under the auspices of jonkun/jonkin suojeluksessa/tuella

auspicious [asˈpɪʃəs] adj lupaava (alku), suotuisa

austere [asˈtɪər] adj ankara, karu, koruton

austerity [asˈterəti] s ankaruus, karuus, koruttomuus

austerity program s säästöohjelma, säästötoimenpiteet

authentic [aˈθentik] adj aito, oikea, luotettava

authenticate [aˈθentəˌkeɪt] v todistaa aidoksi/oikeaksi

authentication s aidonnus, todennus

authenticity [ˌaθenˈtɪsəti] s aitous, luotettavuus

author [aθər] s 1 kirjoittaja, tekijä, kirjailija 2 aiheuttaja, isä

authoress [aθərəs] s 1 (naispuolinen) kirjoittaja, tekijä, kirjailija(tar), naiskirjailija 2 aiheuttaja

authoritarian [aˌθɔrəˈterɪən] adj autoritaarinen, alistava

authoritative [əˈθɔrəˌteɪtɪv] adj 1 määräävä, komenteleva; kunnioitusta herättävä 2 luotettava, arvovaltainen

authority [əˈθɔrəti] s 1 valta, valtuudet, määräysvalta you have no authority here sinä et voi määräillä täällä 2 (myös mon) viranomainen 3 asiantuntija 4 yleisesti tunnustettu/arvovaltainen teos/(tiedon)lähde I have it on best authority kuulin/tarkistin sen parhaasta mahdollisesta lähteestä, (myös:) puhun suulla suuremmalla

authorization [ˌaθərəˈzeɪʃən] s lupa, valtuudet

authorize [aθəraɪz] v 1 valtuuttaa he was not authorized to open the safe hänellä ei ollut lupaa/valtuuksia avata kassakaappia 2 hyväksyä, antaa (lupa/määräraha)

authorized biography [barˈagrəfi] s aiheena olevan henkilön luvalla kirjoitettu elämäkerta

authorized translator [trænsˌleɪtər] s virallinen kielenkääntäjä, valantehnyt kielenkääntäjä

auto [atou] s auto

autobiographic [ˌɔːtəbaɪəˈgræfɪk] adj omaelämäkerrallinen

autobiographical [ˌɔːtəbaɪəˈgræfɪkəl] adj omaelämäkerrallinen

autobiography [ˌɔːtəbaɪˈɒgrəfi] s omaelämäkerta

autocracy [ɔːˈtɒkrəsi] s itsevaltius, autokratia

autocrat [ˈɔːtəkræt] s itsevaltias, autokraatti

autocratic [ˌɔːtəˈkrætɪk] adj 1 itsevaltainen, autokraattinen 2 omapäinen, itsepäinen

auto-dialer [ˌɔːtoʊˈdaɪələr] s (puhelimen) pikavalitsin

autodidact [ˌɔːtəˈdaɪdækt] s itseoppinut

1 autograph [ˈɔːtəɡrɑːf] s nimikirjoitus

2 autograph v kirjoittaa nimensä (kirjoittaamaansa kirjaan), omistaa *an autographed copy* tekijän nimikirjoituksella varustettu kirja

automate [ˈɔːtəmeɪt] v automatisoida

automatic [ˌɔːtəˈmætɪk] s automaattiase adj itsetoimiva, automaattinen

automation [ˌɔːtəˈmeɪʃən] s automatisointi, automaatio

automobile [ˈɔːtəməbiːl] s auto

automotive [ˌɔːtəˈmoʊtɪv] adj auto- *an automotive magazine* autolehti

autonomous [ɔːˈtɒnəməs] adj itsenäinen, riippumaton, autonominen

autonomy [ɔːˈtɒnəmi] s itsenäisyys, itsehallinto, riippumattomuus, autonomia

autopsy [ˈɔːtɒpsi] s ruumiinavaus

autosuggestion [ˌɔːtəsəɡˈdʒestʃən] s (psyk) itsesuggestio

autumn [ˈɔːtəm] s syksy

autumnal [ɔːˈtʌmnəl] adj syksyinen, syys-

autumnal equinox [ɔːˌtʌmnəlˈiːkwəˌnæks] s syyspäiväntasaus

auxiliary [ɔːɡˈzɪljəri] s (kieliopissa) apuverbi adj apu-, lisä-, vara-

auxiliary verb s apuverbi

AV *audiovisual* audiovisuaalinen

avail [əˈveɪl] s *to be of little/no avail* joistakin on vain vähän apua/jostakin ei ole mitään apua *all his attempts were to no avail* hän yritti turhaan, hänen ponnisteluistaan ei ollut mitään apua

availability [əˌveɪləˈbɪləti] s (esim kauppatavaran) saatavuus, tarjonta

available [əˈveɪləbəl] adj saatavana, tarjolla, kaupan

avail yourself of v käyttää hyväkseen jotakin, tarttua tilaisuuteen

avalanche [ˈævəˌlɑːntʃ] s lumivyöry, maavyöry, (myös kuv:) vyöry, tulva

avarice [ˈævərəs] s ahneus

avaricious [ˌævəˈrɪʃəs] adj ahne

avenge [əˈvendʒ] v kostaa

avenger [əˈvendʒər] s kostaja

avenida [ˌævəˈniːdə] s (espanjasta) puistokatu, katu

avenue [ˈævənuː] s puistokatu, katu

1 average [ˈævərɪdʒ] s keskitaso, keskiarvo

2 average adj keskinkertainen, keskimääräinen, tavallinen *the average citizen* keskivertokansalainen, tavallinen ihminen *Joe Average* keskivertokansalainen, tavallinen ihminen, Matti Meikäläinen

3 average v: *he averaged 60 miles an hour* hänen keskinopeutensa oli 60 mailia tunnissa *she averages $3,000 a month* hän ansaitsee keskimäärin 3000 dollaria kuukaudessa

averse to [əˈvɜːrs] adj haluton, vastahakoinen tekemään jotakin, jonka ei tee mieli jotakin

aversion [əˈvɜːrʒən] s vastahakoisuus, inho, valituksen aihe *I have a strong aversion to formal dinners* minä en pidä alkuunkaan juhla-aterioista

avert [əˈvɜːrt] v 1 kääntää katseensa/ajatuksensa pois jostakin 2 estää, ehkäistä 3 karistaa (epäilykset)

aviary [ˈeɪviˌeri] s lintuhäkki, (eläintarhan) lintutalo

aviation [ˌeɪviˈeɪʃən] s ilmailu

aviator [ˈeɪviˌeɪtər] s lentäjä

avid [ˈævɪd] adj innokas, halukas *she is an avid fan of yours* hän on suuri ihailijasi *he is avid for success* hän haluaa kovasti menestyä, hän janoaa menestystä, hänellä on kova menestyksen nälkä

avidity [əˈvɪdəti] s innokkuus, kova halu, jano (kuv), nälkä (kuv)

avidly adv innokkaasti, halukkaasti

avocado [ˌævəˈkɑːdoʊ ˌævəˈkædoʊ] s avokado

avoid [əˈvɔɪd] v välttää, välttyä, karttaa, estää, ehkäistä

avoidable *adj* joka voidaan välttää tai estää

avoidance [ə'vɔɪdəns] *s* välttäminen, välttely

avoirdupois [ˌævədə'pɔɪz] *s* **1** (US, UK) punnitusjärjestelmä jossa 1 naula on 16 unssia **2** lihavuus, läski

avoirdupois weight *s* (US, UK) punnitusjärjestelmä jossa 1 naula on 16 unssia

avow [ə'vaʊ] *v* myöntää, tunnustaa, vakuuttaa

avowal [ə'vaʊəl] *s* tunnustus, vakuutus

avowed [ə'vaʊd] *adj* vannoutunut

await [ə'weɪt] *v* odottaa *he is awaiting further instructions* hän odottaa uusia ohjeita *big problems awaited him* häncllä oli edessään isoja ongelmia

awake [ə'weɪk] *v* awoke, awoken/awoked **1** herätä (unesta) **2** herättä tajuamaan *adj* hereillä, valveilla

awaken ks awake

awake to *to be awake to something* ymmärtää, tiedostaa, olla selvillä jostakin

1 award [ə'wɔːd] *s* palkinto

2 award *v* palkita, antaa (palkinto) *she was awarded the degree of Master of Arts* hänelle myönnettiin filosofian kandidaatin pätevyys

awareness *s* tietoisuus, tieto, käsitys, ymmärrys

aware of [ə'weəʳ] *adj* tietoinen, selvillä, perillä jostakin *he was not aware of the new law* hän ei tiennyt uudesta laista

awash [ə'wɒʃ] *adj* veden peitossa

away [ə'weɪ] *adv* **1** päässä, etäisyydellä *one mile away* mailin päässä **2** jatkuvasti, lakkaamatta *to work away* ahertaa, huhkia **3** pois, poissa *to look away* kääntää katseensa pois *I was away on business* olin poissa työasioilla

awe [aː] *s* kunnioitus, pelko *they are in awe of his accomplishments* he suhtautuvat kunnioittavasti hänen saavutuksiinsa

awe-inspiring [ˈaɪnˌspaɪrɪŋ] *adj* kunnioitusta herättävä, upea, mahtava

awesome [asəm] *adj* **1** kunnioitusta herättävä **2** (nuorten kielessä) loistava, upea

awe-struck [ˈaˌstrʌk] *adj* kunnioittava, kunnioituksen täyttämä/tyrmistämä

awful [afəl] *adj* hirvittävä, kamala, toivoton

awhile [ə'waɪəl] *adv* hetken aikaa, hetkeksi

awkward [akwəd] *adj* **1** vaikea, hankala **2** kiusallinen, nolo **3** kiusaantunut, nolostunut **4** kömpelö, avuton

awkwardness *s* **1** hankaluus, vaikeus **2** kiusallisuus **3** nolostuminen **4** kömpelyys, avuttomuus

awl [aəl] *s* naskali

awning [anɪŋ] *s* ulkokaihdin, markiisi

awoke [ə'wouk] ks awake

awoken [ə'woukn] ks awake

awry [ə'raɪ] *adv* to go awry mennä pieleen/myttyyn

ax [æks] *s* kirves *to get the ax* saada potku! *to give someone the ax* antaa jollekulle potkut, erottaa *to have an ax to grind with someone* olla kana kynimättä jonkun kanssa, olla vanhoja kalavelkoja

axe [æks] ks ax

axiom [æksiəm] *s* aksiooma, selviö

axiomatic [ˌæksiə'mætɪk] *adj* itsestään selvä, aksiomaattinen

axis [æksɪs] *s* (mon axes) akseli (vrt *axle*) *the Earth rotates on its axis* Maa pyörii akselinsa ympäri *the Axis powers* (hist) akselivallat (Saksa, Italia, Japani)

axle [æksəl] *s* (tekniikassa) akseli *the rear axle of a car* auton taka-akseli

aye [aɪ] *s* (äänestyksessä) jaa-ääni *interj* kyllä

azalea [ə'zeɪljə] *s* atsalea

azure [ə'ʒər] *adj* taivaansininen

B,b

B, b [bi] B, b

B.A. *Bachelor of Arts* hum. kand. (lähinnä)

1 babble ['bæbəl] *s* **1** (lapsen) jokeltelu, (turha) lörpötys **2** (veden) solina

2 babble *v* **1** (lapsi) jokeltaa, (aikuinen) pölistä, lörpötellä **2** (vesi) solista

babe [beɪb] *s* **1** lapsi, lapsonen **2** (nainen) beibi, (mies) kaveri, heppu

babel ['bæbəl] *s* **1** sekasorto, myllerrys **2** *the Tower of Babel* Baabelin torni

baboon [bæ'bun] *s* paviaani

baby ['beɪbi] *s* **mon babies 1** lapsi, pikkulapsi, vauva (myös kuv) **2** (tyttö, nainen) beibi

baby boom ['beɪbi,bum] *s* (toisen maailmansodan jälkeinen) suuri ikäluokka

baby bust *s* pieni ikäluokka

baby carriage [kerɪdʒ] *s* lastenvaunut

babyish ['beɪbiɪʃ] *adj* lapsellinen

baby shower *s* tulevaa äitiä odottavalle naiselle järjestetty vauva-aiheinen naistenjuhla, vauvakutsut *she threw a baby shower for her friend* hän järjesti ystävälleen vauvakutsut

baby-sit ['beɪbi,sɪt] *v olla* lapsenvahtina

babysitter ['beɪbi,sɪtər] *s* lapsenvahti

bachelor ['bætʃələr] *s* **1** poikamies, naimaton mies **2** alimman korkeakoulututkinnon suorittanut henkilö, ks Bachelor of Arts, Bachelor of Science

Bachelor of Arts *s* alin korkeakoulututkinto; sen suorittanut henkilö, humanististen tieteiden kandidaatti

Bachelor of Science *s* alin korkeakoulututkinto; sen suorittanut henkilö, luonnontieteiden kandidaatti

bacillus [bə'sɪləs] *s* (mon bacilli) basilli

1 back [bæk] *s* **1** (ihmisen, eläimen, tuolin, kirjan ym) selkä **2** (talon) takaosa, (huoneen) perä

2 back *v* **1** peruuttaa (auto) **2** tukea, kannattaa *I'm backing your campaign 100 percent* minä tuen (vaali)kampanjaasi sataprosenttisesti **3** lyödä vetoa jonkin puolesta

4 panna taustaksi, päällystää kääntöpuolelta jollakin

3 back *adv* **1** (tilasta) takana, taakse, takaisin *let's go back* lähdetään takaisin **2** *I hit him back* minä iskin vuorostani häntä **3** (ajasta) sitten *several decades back* useita kymmeniä vuosia sitten

backache ['bæk,eɪk] *s* selkäsärky, selkäkipu

back and forth *adv* edestakaisin

back away *v* perua (sanansa), purkaa (sopimus)

backbite ['bæk,baɪt] *v* panetella

backbone ['bæk,bəʊn] *s* selkäranka (myös kuv)

back-breaking ['bæk,breɪkɪŋ] *adj* raskas, uuvuttava

back country ['bæk,kʌntri] *s* syrjäseutu, asumaton seutu

back down *v* antaa periksi, myöntyä

backer ['bækər] *s* **1** vedonlyöjä **2** tukija, kannattaja

1 backfire ['bæk,faɪər] *s* (polttomoottorin) pamahdus

2 backfire *v* **1** (polttomoottori) pamahtaa **2** epäonnistua, johtaa takaiskuun, kostautua

backgammon ['bæk,gæmən, ,bæk'gæmən] *s* backgammon(-peli)

background ['bækgraʊnd] *s* tausta

backgrounder *s* tiivistelmä, taustatiedot

backhanded ['bæk,hændəd] *adj* **1** ironinen (kohteliaisuus) **2** vasemmalle kalteva (käsiala)

backlash ['bæk,læʃ] *s* takaisku, vastaisku

backlog ['bæk,lɒg] *s* keskeneräiset/rästissä olevat työt

back off *v* peruuttaa (auto)

back office *s* (tal) kaupankäyntiä palveleva ja tukeva taustatoimintoja suorittava organisaation osa

back on to *v olla* jonkun takana *our house backs on to a park* talomme takana on puisto

back out v 1 peruuttaa (auto) 2 perua (sanansa), purkaa (sopimus)

1 **backpack** ['bæk,pæk] s rinkka, reppu

2 **backpack** v vaeltaa, patikoida (rinkka/reppu) selässä

backpacker s vaeltaja, patikoija

backpacking s (jalkaisin) retkeily, vaeltaminen, patikointi

backseat [,bæk'si:t] s (auton) takaistuin *to take a back seat to someone* (kuv) astua syrjään jonkun tieltä, tehdä tilaa jollekulle

backseat driver s 1 joku joka antaa takaistuimelta ohjeita auton kuljettajalle, takapenkkikikuski 2 (kuv) toisten asioihin puuttuja

backside ['bæk,said] s takapuoli

backslash s kenoviiva (\)

backstage ['bæk,steidʒ] adv (teatterin) takanäyttämössä, kulissien takana, näyttämön takana

back story s taustatiedot

1 **backstroke** ['bæk,strouk] s selkäuinti

2 **backstroke** v uida selkäuintia/selällään

backswing ['bæk,swiŋ] (golf) mailan taaksevienti

backtrack ['bæk,træk] v palata jonnekin omia jälkiään seuraten

back up v 1 tukea, varmistaa *I'll back you up on this.* Tuen sinua tässä asiassa. 2 perustella *Can you back it up with some facts?* Voitko perustella sen muutamalla sanalla? 3 (tietot) varmuuskopioida

backup s 1 apu,tuki,vara- *a backup system* varajärjestelmä *to get backup* saada apua 2 (tietot) varmuuskopiointi, varmuuskopio *to make a backup* ottaa varmuuskopio

backward ['bæk,wərd] adj 1 takapajuinen, kehittymätön 2 arka, ujo, vastahakoinen 3 (henkisesti) jälkeenjäänyt 4 taaksepäin suuntautuva *a backward glance* vilkaisu taaksepäin adv ks backwards

backwardness s (henkinen) jälkeenjääneisyys, (alueen) takapajuisuus

backwards adv taaksepäin, takaperin, väärinpäin *to look backwards* katsoa taakseen/taaksepäin/menneisyyteen *you have that shirt on backwards* paitasi on väärinpäin *to bend over backwards to do something*

tehdä kaikkensa jonkin eteen, olla erittäin avulias, nähdä paljon vaivaa

backwoods ['bæk,wudz] s syrjäseutu

backyard [,bæk'ja:rd] s takapiha *in your own backyard* omassa perheessä, kotipiirissä, lähipiirissä

bacon ['beikən] s pekoni

bacteria ks bacterium

bacterial [bæk'tiəriəl] adj bakteeri-

bacterium [,bæk'tiəriəm] s (mon bacteria) bakteeri

bad [bæd] s paha *to be in bad with someone* olla huonoissa väleissä jonkun kanssa *adj* (worse, worst) 1 huono, ikävä (uutinen, sää), paha (tapa) *she speaks very bad English* hän puhuu englantia erittäin huonosti *smoking is bad for you* tupakointi on epäterveellistä 2 vakava (virhe, onnettomuus) 3 pilaantunut *the eggs have gone bad* munat ovat pilaantuneet 4 paha (mieli) *don't feel bad about it* älä siitä välitä, älä pane sitä pahaksesi

badge [bædʒ] s 1 virkamerkki, jäsenmerkki 2 tunnus, merkki

1 **badger** ['bædʒər] s mäyrä, metsäsika

2 **badger** v vaivata, häiritä, kiusata

bad language s kiroilu, rumat puheet

badly adv (worse, worst) 1 huonosti (tehty) 2 pahasti, vakavasti (haavoittunut) 3 kovasti *she wants it badly* hän haluaa sitä kovasti

bad-mannered [,bæd'mænərd] adj pahatapainen, huonotapainen, epäkohtelias

badminton [bædmintən] s sulkapallo

bad-tempered [,bæd'tempərd] adj pahansuinen, pahantuulinen

bad word s kirosana

baffle v tyrmistyttää, ällistyttää, saada tyrmistymään/ällistymään

1 **bag** [bæg] s 1 pussi, laukku, kassi, (golf) bägi, mailareppu, mailalaukku 2 (sl) ruma/vanha akka 3 *to let the cat out of the bag* paljastaa salaisuus *I was left holding the bag* minä sain kaikki syyt niskaani (vaikka olin syytön tai vain osasyyllinen)

2 **bag** v 1 pussittaa, panna pusseihin/laukkuihin 2 saada (metsästyksessä) saaliiksi 3 ottaa kiinni jostakin, tarttua johonkin

bagel [beɪgəl] s (makeuttamaton) rinkeli

baggage [bægədʒ] s matkatavarat

baggy [bægɪ] adj (baggier, baggiest) (vaatteesta:) liian iso

bagpipes [bægˌpaɪps] s (mon) säkkipilli

bail [beɪəl] s takaus(maksu) (jota vastaan syytetty päästetään vapaaksi oikeudenkäynnin alkuun saakka) to be/let someone out on bail olla/päästää joku vapaaksi takausta vastaan to jump bail jäädä saapumatta oikeuteen (ja menettää takausmaksu)

bailiff [beɪlɪf] s oikeudenpalvelija

bailiwick [beɪlɪˌwɪk] s jonkun ala it's not my bailiwick se ei ole minun heiniäni

bail out v 1 maksaa syytetyn takuus (jotta tämä pääsee vapaaksi oikeudenkäyntiin saakka) 2 pelastaa joku pinteestä, auttaa joku pulasta 3 hypätä ulos (uppoavasta veneestä, putoavasta lentokoneesta), irrottautua vaikeasta tilanteesta 4 äyskäröidä (vettä veneestä)

1 bait [beɪt] v syötti (myös kuv)

2 bait v 1 panna syöttiä, houkutella 2 kiduttaa, kiusata, härnätä

bake [beɪk] v 1 leipoa 2 paahtaa, paahtua kovaksi (auringossa)

baker s leipuri

baker's dozen [ˌbeɪkərzˈdʌzn] s kolmetoista

bakery s leipomo

bakeshop s leipomo

baking powder [paʊdər] s leivinjauhe

baking soda s ruokasooda

balalaika [ˌbaləˈlaɪkə] s balalaikka

1 balance [bæləns] s 1 vaaka to hang in the balance (kuv) olla vaakalaudalla 2 tasapaino to keep/lose your balance pysyä tasapainossa/menettää tasapainonsa 3 (tal) tase, saldo on balance kaiken kaikkiaan, kokonaisuutena ottaen 4 jäljellä oleva määrä, loput, jäännös for the balance of the year loppuun vuotta

2 balance v 1 pitää tasapainossa 2 tehdä tilinpäätös, laskea menot ja tulot 3 (tuloista ja menoista) mennä tasan, (tilit) täsmätä 4 verrata (toisiinsa), punnita hyviä ja huonoja puolia, tasapainotella

balanced adj tasapainoinen

balanced diet s monipuolinen ruokavalio

balance of payments s maksutase

balance of power s (sotilaallinen) voimatasapaino

balance of terror s (kauhun tasapaino (suurvaltojen välillä)

balance of trade s kauppatase

balance out v tasapainottaa, tasapainottua, kumota toisensa, täydentää toisiaan

balcony [bælkəni] s parveke, (teatterin) parvi/parveke

bald [bald] adj balder, baldest 1 kalju(päinen) 2 koruton (totuus), ytimekäs, suora (puhe)

balderdash [ˈbaldər,dæʃ] s roskapuhe, hölynpöly

baldly adv (puhua) suoraan

baldness s 1 kaljuus 2 koruttomuus, ytimekkyys

baldy s (ark) kaljupää

1 bale [beɪəl] s paali; nippu

2 bale v 1 paalata, paalittaa, niputtaa

baleful [beɪəlfəl] adj paha, pahansuopa, uhkaava, vaarallinen

balk [bak] v 1 estää (suunnitelma) 2 (hevonen) pysähtyä 3 (ihminen) säpsähtää jotakin, järkyttyä jostakin, ei suostua johonkin

balky [baki] adj vikuroiva, jukuripäinen, omapäinen

1 ball [bal] s 1 pallo, kerä to be on the ball olla ajan tasalla, seurata aikaansa, olla valpas to play ball pelata palloa, (kuv) suostua yhteistyöhön 2 tanssit to have a ball olla hauskaa 3 (sl) kives, muna (ks balls)

2 ball v (sl) naida, nussia

ballad [bæləd] s balladi

ballast [bæləst] s (mer) painolasti

ball bearing [ˌbalˈbeərɪŋ] s kuulalaakeri

ballerina [ˌbæləˈrinə] s ballerina, balettitanssijatar

ballet [bæleɪ] s baletti

ballet dancer s balettitanssija

ballet slipper s (balettitanssijan) varvastossu

ball game s 1 baseball 2 it's a whole new ball game se on kokonaan eri juttu

ballistic [bəˈlɪstɪk] adj ballistinen (ohjus)

ballistics s ballistiikka

ball of the foot s päkiä

1 balloon [bə'lun] *s* **1** ilmapallo **2** (kuuma)ilmapallo

2 balloon *v* paisua kuin ilmapallo, pullistua, täyttyä

1 ballot [bælət] *s* **1** äänestyslippu **2** (salainen) äänestys, vaalit **3** äänimäärä

2 ballot *v* äänestää

ballot box *s* vaaliuurna

ballpoint pen *s* kuula(kärki)kynä

ballroom ['bal,rum] *s* tanssisali

balls [balz] *s* (mon sl) kivekset, munat, pallit; (kuv) rohkeus, sisu, häikäilemättömyys *he's got balls, going in there unarmed* hänellä on munaa, kun meni sinne ilman asetta

ballsy [balzi] *adj* (sl) rohkea, sisukas, häikäilemätön

1 ballyhoo ['bæli,hu ,bæli'hu] *s* ylenpalttinen mainonta, mainoshömpötys

2 ballyhoo *v* mainostaa ylenpalttisesti

balm [bam] *s* palsami, (myös kuv:) lohtu

balmy [bami balmi] *adj* **1** samettinen (ilma) **2** hyväntuoksuinen, hyvää tekevä

baloney [bə'louni] *s* **1** mortadella(makkara) **2** roska, pöty *don't give me that baloney* älä syötä pajunköyttä, älä puhu roskaa

balsam [balsəm] *s* **1** palsami **2** palsamipuu

Baltic [,baltik] *adj* **1** Itämeren, Itämerta koskeva **2** Baltian (maiden), Baltiaa koskeva

baluster [bæləstər] *s* **1** (kaiteen) välipuula, välitanko **2** (mon) kaide

balustrade ['bæləs,treid] *s* (parvekkeen tms) kaide

bamboo [bæmbu] *s* bambu

bamboozle [,bæm'buzəl] *v* hämätä, hämmentää, huijata, huiputtaa *they bamboozled him into giving them some money* he narrasivat häneltä rahaa

1 ban [bæn] *s* kielto, (kirkon) panna

2 ban *v* kieltää; antaa porttikielto

banal [bə'næl beməl] *adj* lattea, kulunut, arkinen

banality [bə'næləti] *s* latteus, kulunut huomautus tms

banana [bə'nænə] *s* banaani *to go bananas* seota

1 band [bænd] *s* **1** nauha, hihna **2** sormus *wedding band* vihkisormus **3** juova, viiru **4** (rosvo)joukko **5** orkesteri, bändi **6** (radion) aaltoalue

2 band *v* rengastaa (lintu)

1 bandage [bændədʒ] *s* (haava)side

2 bandage *v* sitoa (haava)

bandanna [,bæn'dænə] *s* (kaulassa pidettävä) iso liina, (ohueksi kierretty) kaulaliina

bandit [bændit] *s* (maantie)rosvo

bandstand ['bæn,stænd] *s* orkesterilava

band together *v* liittyä yhteen

bandwagon ['bænd,wægən] *to* climb/get/ jump *on the bandwagon* liittyä joukkoon, ruveta jonkin (muotiasian) kannattajaksi

bandwidth *s* kaistanleveys

bandy [bændi] *to bandy blows/words with someone* tapella/riidellä jonkun kanssa *adj* (sääristä:) väärä(t)

1 bang [bæŋ] *s* **1** isku, tälli **2** pamahdus **3** (mon) otsatukka

2 bang *v* **1** lyödä, iskeä, läimäyttää, paiskata (kiinni), läimähtää, paiskautua (kiinni) **2** paukkua, paukahtaa, pamahtaa

bang into *v* törmätä johonkin

bangle [bæŋgəl] *s* rannerengas; nilkkarengas

bang up *v* kolhia, kolhaista, rutata (ark)

banish [bænɪʃ] *v* karkottaa maasta **2** heittää mielestään

banishment *s* (maasta)karkotus

banister [bænɪstər] *s* kaide

banjo [bændʒou] *s* banjo

1 bank [bæŋk] *s* **1** (ranta/rata)penger, rinne, (kilparadan tms mutkan) kallistus **2** (järven/joen) ranta **3** (joen/meren hiekka)särkkä **4** (pilvi)muuri, (lumi)kinos **5** pankki, pelipankki, elinpankki, tietopankki

2 bank *v* **1** kallistaa (tietä, lentokonetta) **2** pengertää **3** panna (rahaa) pankkiin, pitää pankissa

bank account [bæŋk,kaunt] *s* pankkitili

banker *s* pankkimies/nainen, pankinjohtaja, pankkiiri

bank holiday *s* (UK) yleinen vapaapäivä kahtena maanantaina toukokuussa ja yhtenä elokuussa

banking *s* **1** (tien, lentokoneen) kallistuma, kallistus **2** pankkiala, pankissa asiointi

banknote ['bæŋk,nout] *s* seteli

bank on v luottaa johonkin, olla varma jostakin

1 bankroll ['bæŋk,roul] s käteinen raha

2 bankroll v rahoittaa

bankrupt [bæŋkrʌpt] adj vararikon tehnyt to go bankrupt tehdä vararikko, mennä konkurssiin morally bankrupt moraalisen vararikon tehnyt

bankruptcy [bæŋkrʌpsi] s vararikko, konkurssi

bank up v 1 kasata/kasaantua kinoksiksi 2 (lentokone, moottoripyörä) kallistua kääntteessä

banner [bænər] s 1 lippu 2 (esim kahden tangon väliin pingotettu kankainen) juliste, banderolli

banns [bænz] s (mon) (kirkossa annettu avioliitto)kuulutus publish wedding banns kuuluttaa avioliittoon

banquet [bæŋkwət] s juhla-ateria, pidot, banketti

2 banquet v järjestää juhla-ateria (jollekulle); osallistua juhla-ateriaan

baptism [bæp,tızəm] s kaste, kastetoimitus

baptismal [,bæp'tızməl] adj kaste-

baptize [bæptaız] v kastaa, ristiä, antaa nimeksi

1 bar [barr] s 1 tanko bar of soap saippua bar of chocolate suklaapatukka 2 baari, kapakka; baarikaappi 3 kalteri, telki to be behind bars olla telkien takana, olla vankilassa 4 este that is no bar to my success se ei estä minua menestymästä 5 (mus) tahti, tahtiviiva 6 hiekkasärkkä 7 asianajajan ammatti/päteyvys

2 bar v 1 teljetä (ovi) 2 sulkea, tukkia (tie), olla jonkun/jonkin tiellä 3 sulkea pois kilpailusta, antaa porttikielto, ei päästää jonnekin

3 bar adj jotakin lukuun ottamatta bar none poikkeuksetta

barb [barb] s (ongen, nuolen) koukku, (piikkilangan) piikki (myös kuv)

barbarian [,bar'berıən] s barbaari, raakalainen, sivistymätön ihminen adj raakalaismainen, sivistymätön, alkeellinen

barbaric [,bar'berık] adj raakalaismainen, sivistymätön, alkeellinen

barbarism ['barbə,rızəm] s raakalaismaisuus, sivistymättömyys, alkeellisuus; paha kielivirhe, barbarismi

barbarity [,bar'berəti] s raakalaismaisuus, julmuus, raakuus, julma teko

barbarize ['barbə,raız] v raaistaa, raaistua

barbarous [barbərəs] adj raakalaismainen, sivistymätön, alkeellinen

1 barbecue ['barbı,kju] s 1 (piha)grilli 2 grillijuhlat 3 grillissä valmistettu liha

2 barbecue v grillata

barbed wire [barb'waiər] s piikkilanka

barber [barbər] s parturi

barbiturate [,bar'bıt∫ərət] s barbituraatti, unilääke, nukutusaine

bar code [bar,koud] s (tuotteen nimen ja hinnan ilmoittava) viivakoodi

bard [bard] s bardi, runoilija, runolaulaja

1 bare [beər] v paljastaa the angry dog bared his teeth vihainen koira näytti hampaitaan the President bared his midriff and showed the nation his appendectomy scar presidentti paljasti vatsansa ja näytti kansakunnalle umpilisäkearpensa

2 bare adj 1 paljas, alaston, tyhjä to lay something bare paljastaa jotakin 2 pelkkä a bare majority niukka enemmistö the bare idea makes me sick pelkkä ajatuskin on minusta kuvottava

bareback ['ber,bæk] adj, adv (hevonen) satuloimaton, ilman satulaa

bare bones ['ber'bounz] s (mon kuv) luuranko, asian ydin

barefaced ['ber,feıst] adj häpeämätön (valhe)

barefisted ['ber'fıstəd] adj (tappelu) paljain nyrkein käytävä

barefoot ['ber,fut] adj, adv paljasjalkainen, paljain jaloin

bareheaded ['ber,futəd] adj, adv (jolla on) pää paljaana, (joka on) ilman hattua, (joka on) paljain päin

barelegged ['ber,legd, 'ber,legəd] adj, adv (jolla on) sääret paljaana, jolla ei ole sukkia/pitkiä housuja, ilman sukkia/pitkiä housuja

barely adv hädin tuskin, juuri ja juuri, nipin napin

barf [barf] v (ark) yrjö, oksennus v (ark) yrjötä, oksentaa

1 bargain [bargən] s **1** kauppa, sopimus, tarjous *to drive a hard bargain* olla kova tinkimään, asettaa kovat ehdot **2** erikoistarjous, edullinen/halpa tarjous

2 bargain v neuvotella, tinkiä hinnasta

bargain away v luopua (tyhmästi) jostakin, menettää

bargain for v osata odottaa, arvata *we got more than we had bargained for* haukkasimme liian ison palan

bargain on v luottaa johonkin

barge [bardʒ] s proomu

barge in v marssia (ilmoittamatta) sisään, keskeyttää, häiritä

barge into v **1** tavata sattumalta, törmätä johonkuhun **2** ks barge in

baritone [berətoun] s baritoni

1 bark [bark] s **1** (puun) kuori **2** (koiran) haukku *his bark is worse than his bite* ei haukkuva koira pure, hän ei ole niin vaarallinen kuin miltä hän näyttää/kuulostaa **3** (alus) parkki

2 bark v **1** kuoria (puu) **2** iskeä, lyödä (vahingossa itsensä johonkin, varsinkin sääriluunsa), raapia (vahingossa) ihonsa auki **3** (koira, hylje) haukkua *you're barking up the wrong tree* sinä haukut väärää puuta, sinä olet väärässä **4** (ase) paukkua

bark at v haukkua jotakuta, huutaa jollekulle

bark out v kajottaa, huutaa (käskyjä)

barley [barli] s ohra

bar mitzvah [ˌbarˈmitsvə] s **1** bar mitsva **2** (13-vuotias juutalais)poika joka juhlii bar mitsvaa

barn [barn] s **1** navetta, talli **2** lato

bar none fr poikkeuksetta

barnyard [barnyərd, ˈbarnˌyard] s navetan piha, tallipiha

barometer [bəˈramətər] s barometri, ilmapuntari (myös kuv)

barometric [ˌberəˈmetrik] adj barometrinen *barometic pressure* ilmanpaine

baron [berən] s paroni *he is a Texas oil/cattle baron* on teksasilainen öljypohatta/karjanomistaja

baroness [berənəs] s paronitar

baronet [berənət] s baronetti (englantilainen aatelisarvo)

baronial [bəˈrouniəl] adj paronin; aatelisille sopiva

baroque [bəˈrouk] s, adj barokki(-)

barrack [berək] s (yl mon) (sotilas)kasarmi

barracuda [ˌberəˈkudə] s barrakuda

barrage [bəˈraʒ] s **1** (sot) sulkutuli **2** (kysymysten, sana-, kirje)tulva

barrel [berəl] s **1** tynnyri, myös tilavuusmittana (163,656 l) **2** (aseen) piippu

barrel along v viilettää, ajaa kovaa vauhtia

barrel organ s posetiivi

barren [berən] adj (naisesta) hedelmätön, (seudusta) karu, (henkisesti) köyhä

barrenness s hedelmättömyys, karuus, miellkuvituksettomuus

barrette [bəˈret, baˈret] s hiussolki

1 barricade [berəˌkeid] s katusulku, barrikadi

2 barricade v sulkea katu, rakentaa katusulku, linnoittautua

barrier [beriər] s este, (kuv) muuri, aita *language barrier* kielimuuri *the sound barrier* äänivalli

barring prep ellei, jos ei *barring an accident, we'll get there in time* me ehdimme sinne ajoissa jos meille ei satu haaveria

barrister v (UK) asianajaja jolla on oikeus esiintyä tuomioistuimessa (vrt *solicitor*) **2** (ark) asianajaja

barrow [berou] s kärryt

bartender [bartendər] s baarimestari, baarimikko

1 barter [bartər] s vaihtokauppa

2 barter v käydä vaihtokauppaa, vaihtaa *to barter furs for salt* vaihtaa turkiksia suolaan *to barter for peace* neuvotella rauhasta, hieroa rauhaa

barter away v luopua jostakin, menettää jotakin (arvokasta)

basal metabolism [ˌbeisəlməˈtæbəlizəm] s perusaineenvaihdunta

1 base [beis] s **1** pohja, perusta, perustus, tyvi, kanta **2** tukikohta, leiri **3** (geometriassa, matematiikassa, kieliopissa) kanta **4** (baseballissa) pesä *to be off base* (kuv) olla väärässä

2 base adj alhainen, halpamainen

baseball [beɪsbɔl] *s* **1** baseball(-peli) **2** baseball-pallo

baseball bat *s* baseball-maila

baseball glove *s* baseball-räpylä

baseboard [beɪsbɔrd] *s* jalkalista

basement [beɪsmənt] *s* kellarikerros

base on/upon *v* perustaa/perustua johonkin

bases 1 [beɪsəs] ks base **2** [beɪsiz] ks basis

1 bash [bæʃ] *s* **1** isku, tälli **2** juhlat, kemut

2 bash *v* iskeä, lyödä, pamauttaa

basher [bæʃər] *s* (ark) teilaaja, mollaaja

bashful [bæʃfəl] *adj* ujo, arka

basic [beɪsɪk] *adj* perus

basics *s* (mon) perusteet, alkeet *the basics of English grammar*

basil [bæzəl leɪzɪl] *s* basilika (eräs mauste)

basilica [bəˈsɪlɪkə] *s* (arkkitehtuurissa) basilika

basin [beɪsən] *s* **1** kulho, astia, vati *washbasin* pesuallas **2** (geologiassa) allas *the Great Basin* Suuri allas (Lounais-Yhdysvalloissa) *tidal basin* vuorovesiallas

basis [beɪsəs] *s* (mon bases) perusta, pohja *that claim has no basis in reality* se väite on täysin perusteeton

bask [bæsk] *to bask in the sun* paistatella päivää *to bask in someone's favor* paistatella jonkun suosiossa

basket [bæskət] *s* kori

basketball [bæskət,bɑl] *s* **1** koripallo(peli) **2** koripallo

bas mitzvah [,bas'mɪtsvə] *s* **1** bas mitsva **2** (13-vuotias juutalais)tyttö joka juhlii bas mitsva

bass [bæs] *s* (mon bass) meriahven

bass [beɪs] *s* (mus, mon bass) basso(ääni, -kitara tms) *adj* basso-

bassoon [bəˈsun] *s* (mus) fagotti

basswood [bæswʊd] *s* lehmus

bastard [bæstərd] *s* **1** avioton lapsi **2** (alat) paskiainen, kusipää **3** (alat) hankala/vaikea homma/juttu

bastardize [bæstər,daɪz] *v* vääretää

bastardized *adj* **1** vääärennetty **2** huono, murrettu, barbaarinen (kieli)

baste [beɪst] *v* **1** harsia, paikata väliaikaisesti **2** (ruuanlaitossa) kostuttaa lihaa sen omalla liemellä

bastion [bæstʃən] *s* **1** (linnoituksen) bastioni, vallinsarvi **2** (kuv) tukipilari, turva, suoja

1 bat [bæt] *s* **1** lepakko *as blind as a bat* umpisokea **2** (baseball-, pöytätennis- ym) maila *right off the bat* heti

2 bat *v* lyödä (mailalla) *to go to bat for someone* auttaa/tukea jotakuta *without batting an eye* silmääkään räpäyttämättä

batch [bætʃ] *s* joukko, kasa, nippu, erä

bateau [bæ'toʊ] *s* (mon bateaux) (soutu)vene

bath [bæθ] *s* (mon baths [bæðz]) kylpy, kylpyamme *to have/take a bath* kylpeä, käydä kylvyssä

bathe [beɪð] *v* kylpeä, kylvettää, käydä uimassa, huuhdella, pestä

bathed [beɪðd] *to be bathed in something* olla yltä päältä jossakin, kylpeä (esim hiessä, kyynelissä)

bather [beɪðər] *s* kylpijä, (UK) uimari

bathing suit [beɪðɪŋˌsut] *s* uimapuku

bathing trunks [beɪðɪŋˌtrʌŋks] *s* uimahousut

bathroom [bæθˌrum] *s* **1** kylpyhuone **2** (US) wc *to go to the bathroom* mennä vessaan

bathtub [bæθˌtʌb] *s* kylpyamme

baton [bə'tan] *s* **1** (mus) tahtipuikko **2** (poliisin) pamppu, patukka **3** komentosauva **4** viestikapula **5** rumpalin sauva

battalion [bə'tæljən] *s* **1** pataljoona **2** (kuv) kokonainen pataljoona, iso joukko

batten [bætən] *s* **1** (puu)lista **2** (purjeen) latta

batten down *v* sulkea tiukasti

1 batter [bætər] *s* **1** (esim ohukais)taikina **2** (baseballissa) lyöjä

2 batter *v* hakata, lyödä, piestä, pahoinpidellä, kolhia (auto) *battered wife* pahoinpidelty vaimo

battery [bætəri] *s* **1** akku; paristo **2** (tykistö)patteri **3** koko joukko, rivi, ryhmä *a battery of computers stood in the room* huoneessa oli pitkä rivi tietokoneita **4** pahoinpitely *assault and battery* pahoinpitely

1 battle [bætəl] *s* taistelu (myös kuv), kamppailu

2 battle *v* taistella, kamppailla *I am trying to battle my way through this book* yritän kahlata tämän kirjan läpi *they are battling for freedom* he taistelevat vapautensa puolesta *he is still battling with his tax form* hän on vieläkin veroilmoituksensa kimpussa

battle-ax ['bætəl,æks] *s* sotakirves **2** (naisesta) äkäpussi, noita-akka, (pirtti)hirmu

battlefield ['bætəl,fiːld] *s* taistelutanner, taistelukenttä

battleground ['bætəl,graʊnd] *s* taistelutanner, taistelukenttä

battle line *s* rintamalinja

battleship ['bætəl,ʃɪp] *s* sotalaiva

batty [bætɪ] *adj* (sl) (harmittoman) hullu, tärähtänyt

bauble [babəl] *s* rihkama, hely

bawdy [badɪ] *adj* karkea, rivo

bawl [baːl] *v* huutaa, parkua, ulvoa

bay [beɪ] *s* **1** laakeripuu **2** (mon) laakeriseppele (myös kuv:) kunnia, maine **3** (meren, järven) lahti **4** syvennys **5** (laivan) sairashuone **6** säiliö, lokero *overhead storage bay* lentokoneen matkustamon säilytyslokero **7** (ajokoiran) haukku *to hold/keep someone/something at bay* pitää joku/jokin loitolla/aisoissa/aloillaan **8** (hevonen) raudikko, rautias

1 bayonet [,beɪə'net] *s* pistin

2 bayonet *v* iskeä/surmata pistimellä

bayou [baɪu] *s* (Mississippin alajuoksun rämeiset) suvantovedet

bay window *s* erkkeri-ikkuna

bazaar [bə'zɑːr] *s* **1** basaari **2** (sekatavara)kauppa, myymälä **3** (hyväntekeväisyys)myyjäiset

bazooka [bə'zuːkə] *s* sinko

B & B *bed and breakfast*

BBC *British Broadcasting Corporation*

B.C. *before Christ* eKr.

be [biː] *v* (preesens) I am (I'm), you are (you're), she/he is (she's/he's), we are (we're), you are (you're), they are (they're); (imperfekti:) I was, you were, she/he was, we/you/they were; (perfekti, pluskvamperfekti:) has/have/had been (she's/she'd been, I've/I'd been); (lyhennettyjä kieltomuotoja:) we/you/they aren't, she/he isn't, I/she/he wasn't, we/you/they aren't, we/you/they weren't; (kestomuotoja:) I am being, you are being **1** olla *today is Thurs-*

day tänään on torstai *I am a policeman* minä olen poliisi *he is fat* hän on lihava *this pen is mine* tämä on minun kynäni *for the time being* toistaiseksi **2** tulla joksikin *he wants to be famous/an astronaut* hän haluaa tulla kuuluisaksi/astronautiksi **3** olla käynyt jossakin *she has never been to America* hän ei ole koskaan käynyt Amerikassa **4** liitekysymyksissä: *she is very pretty, isn't she?* eikö hän olekin nätti? *you are not going to leave now, are you?* et kai sinä aio nyt lähteä? *apuv* **1** (partisiipin preesensin kanssa ilmaistaessa jatkuvaa tekemistä kestomuodolla:) *he is watching television* hän katselee televisiota **2** (partisiipin perfektin kanssa ilmaistaessa passiivia) *the house was built* talo rakennettiin **3** (to-infinitiivin kanssa ilmaistaessa pakkoa, käskyä, aikomusta, suunnitelmaa) *you are to be there at six* sinun kuuluu/pitää/tulee olla siellä kuudelta *they are to be married* he aikovat mennä naimisiin

beach [biːtʃ] *s* (hiekka)ranta

beachbag ['biːtʃ,bæg] *s* rantakassi

beachhead ['biːtʃ,hed] *s* sillanpääasema (myös kuv)

beachwear ['biːtʃ,weər] *s* rantavaatteet, uimapuvut

beacon [bikən] *s* majakka *radio beacon* radiomajakka

bead [biːd] *s* **1** (muovi/savi/puu)helmi (jossa on reikä) **2** (mon) (muovi/savi/puu)helmet, helmi(kaula)nauha **3** pisara *beads of sweat* hikipisarat

beady [biːdɪ] *adj* pieni (esim silmä)

beady-eyed ['biːdɪ,aɪd] *adj* nappisilmäinen

beagle [bigəl] *s* beagle, pieni englanninajokoira

beak [biːk] *s* linnun nokka

beaker *s* **1** laboratoriolasi **2** juomalasi

1 beam [biːm] *s* **1** (metalli/puu)palkki, hirsi **2** (valon)säde, (radio/tv-/tutka)signaali

2 beam *v* **1** säteillä (valoa/lämpöä, myös kuv) **2** lähettää (radio/tv-)signaali

bean [biːn] *s* papu *to be full of beans* puhua joutavia/pötyä *to spill the beans* paljastaa salaisuus

bear 652

1 bear [beər] s karhu (myös kuv)
2 bear v bore, borne/born **1** kantaa *to bear arms* kantaa asetta, olla aseistettu *to bear a grudge* kantaa kaunaa *his car bears the marks of use* hänen autonsa on käytetyn näköinen **2** tuntea (rakkautta jotakuta kohtaan) **3** sietää, kestää *I couldn't bear his company* en voinut sietää hänen seuraansa **4** synnyttää *she bore three children before she turned 20* hän synnytti kolme lasta ennen 20. syntymäpäiväänsä *when were you born?* milloin olet syntynyt? **5** kääntyä *to bear left* kääntyä vasempaan

bearable adj siedettävä
beard [bɪərd] s parta
bearded adj parrakas
bearer [beərə] s **1** lähetti *bearer of bad news* ikävien uutisten/jobinpostin tuoja **2** (li-pun-, arkun)kantaja **3** (sekin) asettaja
bearing s **1** käytös **2** ryhti **3** vaikutus, merkitys *to have some/no bearing on something* liittyä etäisesti johonkin/ei olla mitään tekemistä jonkin kanssa **4** suunta *to find/lose your bearings* (kuv) päästä kärryille/pudota kärryiltä **5** (tekn) laakeri
bear on v liittyä johonkin, koskea jotakin *how does that bear on the question?* miten se liittyy tähän?
bear out v vahvistaa *I can bear out his story* minä voin vahvistaa että hän puhuu totta
bear up v kestää *she couldn't bear up under pressure* hän ei kestänyt painetta
beast [bist] s **1** eläin **2** (ihmisestä) eläin, peto
beastly adj kurja, inhottava, viheliäinen
beast of burden s työjuhta (myös kuv)
1 beat [bit] s **1** syke, lyönnit **2** tahti, rytmi **3** yksittäisen poliisin toimialue, piiri
2 beat v beat, beaten **1** lyödä, hakata, iskeä jotakuta/jotakin *to beat time* lyödä tahtia *to beat around the bush* empiä, vitkastella, kiertää kuin kissa kuumaa puuroa *to beat a path to someone's door* rynnätä jonkun luokse **2** vatkata *to beat eggs* vatkata munia **3** voittaa, lyödä (pelissä ym) **4** (sydän) sykkiä, hakata, lyödä
beat down v **1** (sade) piiskata, (aurinko) paahtaa **2** laskea (hintaa), tinkiä (hinnasta)

beaten [bitən] adj **1** (ihmisestä) lyöty, voitettu **2** (polusta) tallattu *off the beaten track* syrjässä, syrjäseudulla, (kuv) uusilla poluilla/urilla
beater s **1** mattopiiska **2** vispilä **3** riistan ajaja, ajomies
beatific [ˌbɪəˈtɪfɪk] adj autuas, taivaallinen
beatnik [bitnɪk] s beatnikki, 1950-luvun 'pettyneen' beat-sukupolven jäsen
beat off v torjua (hyökkääjiä)
beat out v **1** sammuttaa hakkaamalla (tuli-palo), oikaista vasaroimalla (kolhu), lyödä (tahtia), hakata (rumpua) **2** voittaa, ehtiä ensin *to beat out someone for a job* saada työpaikka (juuri ja juuri) toisen nenän edestä
be at stake fr olla vaakalaudalla/pelissä *what's your stake in this?* paljonko sinä olet pannut peliin?; (kuv) mikä osuus sinulla on tässä?
beat up v **1** hakata, antaa selkään jollekulle **2** vatkata
beau [bou] s (mon beaux) miesystävä, poikaystävä, ihailija
beautician [ˌbjuːˈtɪʃən] s kosmetologi
beautiful [bjutɪfəl] adj kaunis, hieno, loistava
beautify [ˈbjutəˌfaɪ] v kaunistaa, somistaa, koristaa
beauty [bjuti] s **1** kauneus, erinomaisuus *beauty contest* missikilpailut *the beauty of it is that I don't pay any tax* parasta siinä on etten maksa siitä veroa **2** kaunotar *your new convertible is a real beauty* uusi avoautosi on todella upea
beauty parlor s kauneushoitola
beauty spot s kauneuspilkku
beaver [bivər] s **1** majava **2** (sl) naisen sukupuolielimet, mirri
became [brˈkeɪm] ks become
because [brˈkʌz] konj koska *A: Why did you do it? B: Because!* A: Miksi teit sen? B: Kunhan tein!
because of prep vuoksi, takia
beck [bek] s *to be at someone's beck and call* totella kiltisti jotakuta, olla jonkun käskyläinen
beckon [bekən] v viittoa (jotakuta tulemaan lähemmäksi)

become [bɪ'kʌm] v became, become **1** tulla joksikin *he became a writer* hänestä tuli kirjailija **2** sopia jollekulle, pukea *that new tie does not become you* tuo uusi solmio ei pue sinua

becoming s joksikin tuleminen (to become) *adj* viehättävä, jollekulle sopiva, pukeva

1 bed [bed] s **1** sänky, vuode **2** alusta, jalusta **3** (meren, järven) pohja **4** kukkapenkki

2 bed v **1** (ark) viedä sänkyyn, naida *to wed and bed* viedä avioon ja vuoteeseen **2** istuttaa (kasveja)

bed-and-breakfast [,bedən'brekfəst] s aamiaismajoitus, huone ja aamiainen **2** aamiaismajoituspaikka, majatalo, pieni hotelli (jossa huoneen hintaan kuuluu aamiainen)

bedazzle [bɪ'dæzəl] v ällistyttää, hämmästyttää *the audience was bedazzled at the conjurer's skill* yleisö haukkoi hämmästyksestä henkeään nähdessään miten hyvä taikuri oli

bedclothes [ˈbed,kləʊðz] s (mon) vuodevaatteet

bedding s **1** vuodevaatteet **2** (eläinten) pahnat

bed down v **1** yöpyä jossakin, asettua yöksi jonnekin **2** panna (lapsi) nukkumaan **3** majoittaa joku jonnekin

bedevil [bɪ'devəl] v sotkea (suunnitelmat), mutkistaa (asioita), vaivata, kiusata

bedfellow [ˈbed,feləʊ] s petikaveri, (kuv) aisapari *those two make strange bedfellows* he ovat outo parivaljakko

bedlam [bedləm] s metakka, äläkkä, meteli, rähinä

bedpan [ˈbed,pæn] s (potilaan) alusastia

bedraggled [bɪ'drægəld] adj **1** läpimärkä **2** pää päältä kurassa **3** yötön, sottainen

bedridden [ˈbed,rɪdən] adj vuoteenoma, joka on vuodepotilaana *because of his illness, he was bedridden for two weeks* hän joutui olemaan sairautensa vuoksi kaksi viikkoa vuoteessa

bedroom [ˈbed,rum] s makuuhuone

bedroom community s nukkumalähiö

bedside manner s (lääkärin) otte potilaisiin, hoitotyyli

bedspread [ˈbed,spred] s (vuoteen) päiväpeite

bee [bi] s mehiläinen

beech [bitʃ] s pyökki

1 beef [bif] s naudanliha, häränliha

2 beef v valittaa

beefsteak [ˈbif,steik] s pihvi

beefy adj lihaksikas, vahva

beehive [ˈbi,haɪv] s mehiläispesä

beeline [bilaɪn] *to make a beeline for* mennä/ suunnistaa suoraa päätä/oikopäätä jonnekin

been [bɪn] ks be

beeper [bipər] s kaukohakulaite, piippari (ark)

beer [bɪər] s olut, kalja (ark)

beery adj **1** (haju, maku jne) olut-, oluen **2** (ihminen) oluenhajuinen, kaljan vilkastama

beeswax [ˈbiz,wæks] s mehiläisvaha *none of your beeswax* (ark) (se) ei kuulu sinulle

beet [bit] s punajuuri

beetle [bitəl] s kovakuoriainen

beetroot [ˈbit,rut] s (UK) punajuuri

befall [bɪ'fɑl] v befell, befallen: sattua, tapahtua, käydä

befit [bɪ'fɪt] v sopia (jollekulle, johonkin)

befitting adj asianmukainen, jollekulle sopivaa, jonkun arvon mukainen

before [bɪ'fɔur] prep ... jostakin, järjestyksestä, sijainnista) ennen *the day before yesterday* toissapäivänä *A comes before B* A on (aakkosissa) ennen B:tä *adv* aikaisemmin, ennen *he hadn't driven a car before* hän ei ollut vielä koskaan ajanut autoa *konj* ennen kuin *eat your dinner before it gets cold* syö ruokasi ennen kuin se jäähtyy

beforehand [bɪ'fɔur,hænd] adv etukäteen, edeltäkäsin

befriend [bɪ'frend] v ystävystyä jonkun kanssa, tutustua johonkuhun

befuddle [bɪ'fʌdəl] v hämätä, sekoittaa, johtaa harhaan

beg [beg] v **1** kerjätä **2** pyytää, anoa *I beg you to reconsider* pyydän tosissani sinua harkitsemaan asiaa uudelleen *I beg your pardon?* anteeksi (kuinka)? *I beg to differ* olen asiasta eri mieltä

beggar [begər] s kerjäläinen

beggarly adj viheliäinen, mitätön

begin [bɪˈɡɪn] *v* began, begun: aloittaa, alkaa
to begin with ensimmäiseksi, alkajaisiksi

beginner [bɪˈɡɪnər] *s* aloittelija

beginner's luck *s* aloittelijan onni

beginning *s* alku *let's begin at the beginning*
aloitetaan alusta

begrudge [bɪˈɡrʌdʒ] *v* kadehtia *do you be-
grudge me my good fortune?* etkö soisi
minulle tätä onnenpotkua?

beguile [bɪˈɡaɪl] *v* **1** huiputtaa, johtaa har-
haan **2** houkutella **3** viettää aikaa muka-
vissa merkeissä, nauttia ajasta

begun [bɪˈɡʌn] ks begin

behalf [bɪˈhæf] *in/on behalf of someone/
something* jonkun/jonkin nimissä, puo-
lesta

behave [bɪˈheɪv] *v* **1** käyttäytyä *to behave
well/badly* käyttäytyä kiltisti/huonosti
please make your child behave käske lap-
sesi olla ihmisiksi/kunnolla **2** *behave
yourself* käyttäytyä kunnolla, olla ihmi-
siksi/kiltisti

behavior [bɪˈheɪvjər] *s* käytös, käyttäytymi-
nen

behavioral [bɪˈheɪvjərəl] *adj* käyttäytymis-;
behavioristinen

behaviorism [bɪˈheɪvjəˌrɪzəm] *s* behaviorismi

behaviorist [bɪˈheɪvjərɪst] *s* behavioristi

behead [bɪˈhed] *v* katkaista pää, teloittaa
(katkaisemalla pää)

behemoth [ˈbiːəˌmɒθ, bəˈhiːməθ] *s* (kuv) hir-
viö, jättiläinen, mammutti

behest [bɪˈhest] *s* käsky, määräys

behind [bɪˈhaɪnd] *s* takapuoli *adv*, *prep* (ti-
lasta): takana, taakse, jäljessä, jäljeen *be-
hind the wall* seinän takana *don't leave me
behind* älä jätä minua *he is behind all oth-
ers in his work* hän on työssään jäljessä
kaikista *we are weeks behind schedule*
olemme useita viikkoja aikataulusta jäl-
jessä *to be behind the times* olla ajastaan
jäljessä

behindhand *adj*, *adv* myöhästynyt, myö-
hässä, jäljessä

behold [bɪˈhoʊld] *interj* katso!

beholden *to adj* kiitollisuudenvelassa jolle-
kulle

behoove [bɪˈhuːv] *v* sopia jollekulle, olla jon-
kun arvon mukaista *it does not behoove
the president to travel by taxi* presidentin
arvolle ei sovi ajaa taksilla

beige [beɪʒ] *adj* beige, beesi

be in a (bad) spot *fr* olla pinteessä, olla tuka-
lassa tilanteessa

be in full swing *fr* olla täydessä vauhdissa

being [biːɪŋ] *s* **1** olemassaolo *to come into
being* syntyä, saada alkunsa **2** olemus,
luonne *deep in my being I know I'm right*
sisimmässäni tiedän olevani oikeassa
3 oleminen, olemassaolva, luonto, luo-
makunta *all being is infinitely valuable*
kaikki oleva on mittaamattoman arvokasta
4 (elävä) olento *human being* ihminen

be in someone's shoes *fr* olla jonkun toisen
asemassa/housuissa

be in someone's way *fr* olla jonkun tiellä/
esteenä, estää jotakuta tekemästä jotakin

be in style *fr* olla muodissa

be in the swim *fr* olla menossa mukana

be in the wind *big changes are in the wind*
(kuv) luvassa on suuria muutoksia

be in the works *fr* olla tekeillä/valmisteilla

be in tune *the piano is in tune* piano on
(oikeassa) vireessä

belated [bɪˈleɪtəd] *adj* myöhästynyt, myöhäi-
nen

1 belch [beltʃ] *s* **1** röyhtäisy **2** (kaasun, sa-
vun) purkaus

2 belch *v* **1** röyhtäistä **2** (tulivuori) purkautua,
(savupiippu) tupruttaa savua ilmaan

belfry [belfrɪ] *s* (kirkon) kellotapuli, kello-
torni *to have bats in the belfry* olla löylyn-
lyömä, ei olla täysijärkinen

belief [bɪˈliːf] *s* usko, uskomus, uskonkappale

believable [bɪˈliːvəbəl] *adj* uskottava

believe in *v* **1** uskoa johonkuhun/johonkin *I
believe in God* minä uskon Jumalaan
2 uskoa, luottaa johonkuhun/johonkin *she
doesn't believe in doctors* hän ei usko/
luota lääkäreihin **3** kannattaa, hyväksyä,
pitää jostakin *they do not believe in vio-
lence* he eivät hyväksy väkivaltaa

believer *s* **1** uskovainen **2** *I am a firm be-
liever in discipline* minä kannatan kuria,

minä uskon kuriin *that made a believer of her* se sai hänet uskomaan/vakuuttumaan

belittle [bɪˈlɪtəl] v vähätellä, pilkata

bell [bel] s (soitto)kello *the name doesn't ring a bell* nimi ei kuulosta tutulta, en muista nimeä

belligerent [bəˈlɪdʒərənt] adj sotaa lietsova, sodanhaluinen, sotaisa, riidanhaluinen, hyökkäävä

bellow [beloʊ] v mylviä, karjua

bellows [belouz] s (mon) palkeet

bellpush [ˈbelˌpʊʃ] s (ovi)kellon painike

belly [beli] s maha *to go belly up* kuolla, (kuv) mennä konkurssi

1 bellyache [ˈbeliˌeɪk] s mahakipu, vatsakipu

2 bellyache v purnata, valittella *quit your bellyaching and get back to work* lakkaa valittamasta ja painu takaisin töihin

bellybutton [ˈbeliˌbʌtən] s (ark) napa

bellyful [ˈbelifəl] s kyllliksi, tarpeeksi *I've had a bellyful of her* olen kurkkuani myöten täynnä häntä

bellyland [ˈbeliˌlænd] v tehdä (lentokoneella) mahalasku

belly-landing [ˈbeliˌlændɪŋ] s mahalasku

belong [bɪˈlɒŋ] v kuulua jollekulle, jonnekin *that motorcycle belongs to Mr. Pruitt* tuo on Mr. Pruittin moottoripyörä *she feels that she doesn't belong* hänestä tuntuu että hän on väärässä paikassa *do you belong to a book club?* kuulutko kirjakerhoon?

belongings [bɪˈlɒŋɪŋz] s (mon) omaisuus, tavarat

beloved [bɪˈlʌvəd] s, adj rakas(tettu)

below [bɪˈloʊ] adv, prep alhaalla, alhaalle, alapuolella, alapuolelle, alla, alle *he could see it below the surface of the water* hän näki sen vedenpinnan alapuolella *the temperature is below zero* lämpötila on pakkasen puolella *it was below him to do that* oli hänen arvollleen sopimatonta tehdä niin *as will be explained below* (kirjassa:) kuten alempana/edempänä selitetään *two miles below the rapids* kahden mailin päässä kosken alapuolella *to hit someone below the belt* iskeä jotakuta vyön alapuolelle/ alle (myös kuv)

1 belt [belt] s 1 vyö 2 hihna *fan belt* (auton) tuulettimen hihna 3 vyö(hyke) *the Sun Belt* Yhdysvaltain eteläiset (aurinkoiset) osavaltiot

2 belt v 1 kiinnittää vyöllä 2 piiskata, sivaltaa (vyöllä) 3 (sl) lyödä, hakata 4 viilettää, kiitää kovaa vauhtia

belting s selkäsauna

belt out v päästää ilmoille, kajottaa

bemoan [bɪˈmoʊn] v valittaa, surkutella (kohtaloa)

bench [bentʃ] s 1 penkki 2 (työ)penkki, työpöytä 3 tuomarin istuin; tuomarit

benchmark [ˈbentʃˌmɑːrk] s 1 kiintopiste, (myös kuv:) mittapuu 2 (tietok) koetin (jolla verrataan laitteiden tai ohjelmien suorituskykyä)

1 bend [bend] s 1 (tien)mutka 2 *the bends* sukeltajantauti

2 bend v bent, bent: taivuttaa, taipua, kumartua *to bend over backwards to do something* tehdä kaikkensa jonkin eteen, olla erittäin avulias, nähdä kovasti vaivaa

bend down v (ihminen) kumartua, kyyristyä, (oksa) taipua alaspäin, taivuttaa (oksaa) alaspäin

bend over v kumartua, kyyristyä

beneath [bɪˈniːθ] adv, prep alapuolella, alapuolelle, alhaalla, alhaalle, alla, alle *our tent is beneath the hills* telttamme on kukkuloiden alapuolella/juurella *such behavior is beneath you* tuollainen käytös on sinun arvosi alapuolella/ei ole sinun arvoistasi

benediction [ˌbenəˈdɪkʃən] s (papin antama) siunaus, varsinkin luterilaisessa liturgiassa se joka alkaa 'Herra siunatkoon sinua...'

benefaction [ˌbenəˈfækʃən] s hyväntekeväisyys, hyvä(t) työ(t)

benefactor [ˈbenəˌfæktər] s hyväntekijä, suosija, suojelija, tukija

benefactress [ˈbenəˌfæktrəs] s (naispuolinen) hyväntekijä, suosija, suojelija, tukija

beneficial [ˌbenəˈfɪʃəl] adj hyödyllinen, hyödyksi, hyväksi *to be beneficial to someone/something* tehdä hyvää jollekulle/jollekin

beneficiary [ˌbenəˈfiʃəri ˌbenəˈfiʃieri] s edunsaaja

1 benefit [benəfit] s **1** etu, hyöty there is no benefit in doing it more carefully sitä ei kannata tehdä tämän huolellisemmin to give someone the benefit of the doubt antaa armon käydä oikeudesta **2** avustus, raha unemployment benefit työttömyysavustus

2 benefit v hyödyttää jotakuta, hyötyä jostakin

benevolence [bəˈnevələns] s hyväntahtoisuus, hyvyys

benevolent [bəˈnevələnt] adj hyväntahtoinen, lempeä, ystävällinen

benign [bəˈnain] adj **1** hyväntahtoinen, hyvä **2** (kasvain) hyvänlaatuinen

bent [bent] s taipumus, lahjakkuus; mielenlaatu, luonteenlaatu he has a musical bent/ he has a bent for music hän on musikaalinen v: ks **bend**

be of service may I be of service? voinko auttaa (teitä)?, voinko olla avuksi?

be on the road fr **1** olla tien päällä, olla matkalla **2** olla kiertueella

be on the spot fr olla pinteessä/kiusallisessa tilanteessa

be on the track of to be on the track of someone/something olla jonkun/jonkin jäljillä

be on the wing fr **1** olla lennossa/ilmassa **2** olla liikkeellä/vauhdissa/menossa

be on your toes fr olla varpaillaan/varpaisillaan/varovainen

be out of tune the piano is out of tune piano on epävireessä

bequeath [brˈkwiθ] v testamentata, jättää perinnöksi (myös kuv)

bequest [brˈkwest] s perintö

berate [brˈreit] v nuhdella, ojentaa, moittia

bereave [brˈriːv] v bereft/bereaved, bereft/bereaved to be bereaved of something olla menettänyt jotakin to be bereaved of olla menettänyt jonkun (kuolemalle)

bereaved s, adj sureva, surun murtama, kuolleen omainen/omaiset

bereavement s **1** kuolemantapaus, poismeno **2** suuri suru, menetys

bereft [brˈreft] ks **bereave**

beret [breiː] s baskeri, baretti

berry [beri] s marja

berserk [bəˈzɜːk] to go berserk menettää malttinsa, raivostua

1 berth [bɜːθ] s **1** (junassa, laivassa tms) vuode, nukkumapaikka **2** laituripaikka **3** to give someone a wide berth (kuv) kiertää joku kaukaa

2 berth v kiinnittää laiva/vene laituriin

beset [brˈset] v beset, beset; piirittää, saartaa to be beset with difficulties olla täynnä vaikeuksia, olla suurissa vaikeuksissa

beside [brˈsaid] prep rinnalla, rinnalle, vieressä, viereen there were trees beside the road tien vierellä kasvoi puita to be beside yourself with rage olla suunniltaan (raivosta) that's beside the point se ei kuulu asiaan

besides adv, prep sitä paitsi, lisäksi nobody came besides me minun lisäkseni sinne ei tullut muita

besiege [brˈsiːdʒ] v piirittää, saartaa

besiege with v ahdistella jotakuta jollakin, hukuttaa joku johonkin

be soft on someone fr olla pihkassa/ihastunut/heikkona johonkuhun

be spoiling for something fr (ark) odottaa malttamattomana jotakin

best [best] s paras you're the best sinä olet paras he went there in his Sunday best hän meni sinne pyhätamineissaan/parhaimmissaan/ykkösvaatteissaan I will do my best to help you out teen parhaani auttaakseni sinua to the best of my knowledge minun tietääkseni he was at his best in the competition hän oli kilpailussa parhaimmillaan/edukseen let's try to make the best of this mess yritetään selviä tästä sotkusta mahdollisimman hyvin, yritetään kääntää se jotenkin eduksemme adj, adv paras, parhaiten

bestial [bestʃəl] adj julma, raaka, eläimellinen

bestiality [ˌbestʃˈræləti] s julmuus, raakuus, eläimellisyys

best man s best man, sulhasen ystävä joka avustaa häntä vihkimistilaisuudessa

bestow [brˈstou] v antaa/myöntää/suoda jollekulle jotakin they bestowed a great *honor on him by coming for a visit* he soivat hänelle suuren kunnian käymällä hänen luonaan

bestseller [ˌbestˈselər] *s* bestseller, menestysteos

1 bet [bet] *s* veto, vedonlyönti

2 bet *v* bet, bet: lyödä vetoa (myös kuv) *he bets on horses* hän harrastaa raviveikkausta *you bet* aivan varmasti!

beta blocker [ˈbeɪtəˌblɒkər] *s* (lääk) betasalpaaja

betoken [bɪˈtəʊkən] *v* **1** ilmaista, todistaa **2** enteillä, ennakoida

betray [bɪˈtreɪ] *v* **1** pettää, kavaltaa *you betrayed me* sinä petit minut *his face betrayed him* hänen kasvonsa paljastivat/kavalsivat hänet **2** paljastaa (salaisuus) **3** olla uskoton, pettää *he betrayed his wife* hän petti vaimoaan

betrayal [bɪˈtreɪəl] *s* (ystävien/puolison, luottamuksen) pettäminen, (salaisuuden) paljastaminen, (periaatteesta) luopuminen

betrayer [bɪˈtreɪər] *s* petturi, kavaltaja, (salaisuuden) paljastaja

betrothal [bɪˈtrəʊðəl, bɪˈtraθəl] *s* kihlaus

betrothed [bɪˈtrəʊðd, bɪˈtraθt] *s, adj* kihlattu

1 better [betər] *s* **1** vedonlyöjä **2** parempi *all the better* sitä parempi, hyvä niin *watch how you talk to your betters* varo mitä puhut sivistyneiden/parempien ihmisten kanssa

2 better *v* parantaa, ylittää (aiempi tulos)

3 better *adj* **1** parempi (kuin) *this book is better than that* **2** terve, terveempi *John's feeling better* John voi jo paremmin, on paranemaan päin *I'm sure he'll get better soon* hän paranee varmasti pian, tulee pian terveeksi

4 better *adv* paremmin, enemmän *I like this ice cream better* minusta tämä jäätelö on parempaa *you'd better leave right now* sinun on parasta/syytä lähteä nyt heti

better half *s* parempi puolisko, (kuv) aviopuoliso, (yl) vaimo

betterment *s* **1** parantaminen **2** parannus

bettor [betər] *s* vedonlyöjä

between [bɪˈtwiːn] *prep* välissä, väliin *good restaurants are few and far between* hyviä

ravintoloita on harvassa *prep* **1** välissä, välillä, väliin *our town is located between two big lakes* kaupunkimme on kahden ison järven välissä *between two and four people can go there at a time* sinne mahtuu/voi mennä kahdesta neljään ihmistä kerrallaan **2** kesken *the crooks divided the money between them* konnat jakoivat rahat keskenään *between ourselves/between you and me* meidän kesken sanoen

between a rock and a hard place *fr* tiukoilla, kahden tulen välissä; puun ja kuoren välissä

1 bevel [bevəl] *s* vino/viisto/kalteva pinta tai kappale, särmä, viiste

2 bevel *v* kallistaa, tehdä kaltevaksi/vinoksi/viistoksi

beverage [bevrədʒ] *s* juoma

bevy [bevi] *s* **1** (lintu)parvi **2** (ihmis)joukko

beware [bɪˈweər] *v* varoa *beware of the dog* (kyltissä) varo koiraa!

bewilder [bəˈwɪldər] *v* tyrmistyttää, hämmentää, sekoittaa *I was bewildered by my anger* hänen kiukkunsa sai minut hämilleni

bewitch [bɪˈwɪtʃ] *v* noitua, lumota, hurmata

bewitching *adj* lumoava, hurmaava

beyond [bɪˈjɒnd] *adv, prep* **1** (tilasta) takana, toisella puolen *they live beyond the mountains* he asuvat vuorten toisella puolella **2** (ajasta) yli *I can't make plans beyond next year* en osaa suunnitella ensi vuotta pitemmälle **3** kuvaannollisesta ylittymisestä: *it's beyond me* se menee yli minun ymmärrykseni *the company's success is beyond all expectations* yrityksen menestys on ylittänyt kaikki odotukset *beyond that, he revealed nothing* sen lisäksi hän ei paljastanut mitään

beyond price *fr* suunnattoman/sanoinkuvaamattoman/korvaamattoman arvokas/kallis

1 bias [baɪəs] *s* vastustus, ennakkoluulo, puolueellisuus *the customer had a strong bias against our product* asiakas suhtautui tuotteeseemme nurjasti jo etukäteen

2 bias *v* värittää asiaa tiettyyn suuntaan, kallistaa/kallistua tiettyyn suuntaan *he was trying to bias her against/towards* accept-

biased   658

ing the offer hän yritti taivuttaa hänet hyl-
käämään/hyväksymään tarjouksen
biased [baɪəst] *adj* ennakkoluuloinen, puolu-
eellinen
bias-ply tire ['baɪəsˌplaɪ] *s* ristikudosrengas
bib [bɪb] *s* **1** (lapsen) ruokalappu **2** (vaatteen)
rintalappu
Bible [baɪbəl] *s* Raamattu
Biblical [bɪbləkəl] *adj* Raamatun, raamattu-
bibliographer [ˌbɪblɪˈagrəfər] *s* bibliografi
bibliography [ˌbɪblɪˈagrəfɪ] *s* bibliografia, kir-
jaluettelo, (kirjan lopussa) lähdeluettelo
bicarbonate of soda [ˌbarˈkarbənət] *s* ruoka-
sooda, natriumbikarbonaatti
bicentenary [baɪˈsentəˌneri] *s* kaksisataavuo-
tisjuhla
bicentennial [ˌbaɪsenˈteniəl] *s* kaksisataavuo-
tisjuhla *adj* kaksisataavuotis-
biceps [baɪseps] *s* (mon biceps) hauis(lihas)
bicker [bɪkər] *v* kinata, riidellä (pikkuasi-
oista)
1 bicycle [baɪsəkəl] *s* polkupyörä
2 bicycle *v* polkupyöräillä
bicycle path *s* pyöräitie
1 bid [bɪd] *s* **1** (osto)tarjous; (tal) ostokurssi,
ostonoteeraus **2** yritys *his bid for fame led
nowhere* hänen yrityksensä tulla kuului-
saksi ei kantanut hedelmää
2 bid *v* bid, bid: tarjota, tehdä tarjous
3 bid *v* bade, bid/bidden (vanh) **1** sanoa *to
bid someone goodbye* sanoa jollekulle nä-
kemiin **2** käskeä, määrätä
biennial [barˈeniəl] *adj* **1** kaksivuotinen
2 joka toinen vuosi tapahtuva
bier [bɪər] *s* (ruumis)paarit
bifocal [barˈfoukəl] *adj* (silmälaseista:) kak-
siteho-
bifocals [barˈfoukəlz] *s* (mon) kaksitehosil-
mälasit
big [bɪg] *adj, adv* iso, suuri, pitkä, tärkeä,
paksu (valhe) *my big sister* isosiskoni
when you're big kun kasvat isoksi *to be big
with child* olla raskaana *he is too big for
his britches* hänellä on noussut päähän *to
talk big* mahtailla, rehennellä *to have a big
mouth* olla suuri suustaan
bigamist [bɪgəməst] *s* bigamisti

bigamous [bɪgəməs] *adj* bigaminen, kaksi-
avioinen
bigamy [bɪgəmɪ] *s* kaksiavioisuus, bigamia
big bang [ˌbɪgˈbæŋ] *s* alkuräjähdys
big brother [ˌbɪgˈbrʌðər] *s* **1** isoveli **2** (kuv)
isoveli, kansalaisia tarkasti valvova esi-
valta
bighead [ˈbɪgˌhed] *s* omahyväinen, itserakas
ihminen
bigot [bɪgət] *s* hurskastelija, kiihkoilija
bigoted [bɪgətəd] *adj* suvaitsematon, ahdas-
mielinen
bigotry [bɪgətrɪ] *s* suvaitsemattomuus, ahdas-
mielisyys
big screen (ark) elokuvat *to appear on the
big screen* esiintyä valkokankaalla
bijou [biˈʒu] *adj* (pieni ja) sievä, viehättävä,
ihastuttava
1 bike [baɪk] *s* **1** polkupyörä **2** moottoripyörä
2 bike *v* **1** polkupyöräillä **2** moottoripyöräillä
bikini [bəˈkinɪ] *s* bikinit
bilateral [ˌbarˈlætərəl] *adj* bilateraalinen,
kahdenkeskinen
bilberry [bɪlberɪ] *s* (mon bilberries) mustikka
bile [baɪəl] *s* **1** sappi(neste) **2** kiukku, ärtyi-
syys
bilge [bɪldʒ] *s* **1** (aluksen pohjalla oleva) vuo-
tovesi, pohjavesi **2** roskapuhe, pötypuhe
bilingual [ˌbarˈlɪŋgwəl] *adj* kaksikielinen
bilious [bɪliəs] *adj* **1** kiukkuinen, ärtyisä
2 huonovointisen/sairaan näköinen
1 bill [bɪl] *s* **1** linnun nokka **2** laskuja lippu
post no bills ilmoitusten/mainosten kiin-
nittäminen kielletty **4** lakiesitys **5** seteli
2 bill *v* **1** laskuttaa *he did not bill me for that*
hän ei veloittanut siitä mitään **2** mainostaa
(näyttelijää, näytelmää)
billboard ['bɪlˌbord] *s* mainostaulu
billiards [bɪljərdz] *s* (mon) biljardi(peli) *bil-
liard table* biljardipöytä
billion [bɪljən] *s* miljardi
1 billow [bɪlou] *s* aalto, pilvi *a billow of
smoke*
2 billow *v* aaltoilla, (purje) pullistua, (savu)
tupruta
billowy [bɪlouɪ] *adj* aaltoileva, pullistunut
(purje), tupruileva (savu)
billy-goat [ˈbɪlɪˌgout] *s* (kili)pukki

bitmap

bin [bɪn] s astia, lokero, säiliö

binary [ˈbaɪˌneri] adj binaarinen, binäärinen, binaari-, binääri-

bind [baɪnd] to be in a bind olla pulassa/ pinteessä v bound, bound: sitoa (kiinni, haava, hiukset, kirja), velvoittaa/sitoa joku tekemään jotakin I'm legally bound to record another album sopimus velvoittaa minut levyttämään uuden levyn

binder s kirjansitoja

bindery s kirjansitomo

binding s (kirjan) kannet; sidonta adj (sopimus yms) sitova

bind up v sitoa (haava, hiukset)

bingo [bɪŋɡoʊ] s bingo

binoculars [bəˈnɑkjələrz] s (mon) kiikari a pair of binoculars kiikari

biochemical [ˌbaɪoʊˈkemɪkəl] adj biokemiallinen, biokemian

biochemist [ˌbaɪoʊˈkemɪst] s biokemisti

biochemistry [ˌbaɪoʊˈkemɪstri] s biokemia

biodegradable [ˌbaɪoʊdrˈɡreɪdəbəl] adj luonnossa hajoava

biographer [baɪˈɑɡrəfər] s elämäkerran kirjoittaja

biographic [ˌbaɪəˈɡræfɪk] adj elämäkerrallinen

biographical [ˌbaɪəˈɡræfɪkəl] adj elämäkerrallinen

biography [baɪˈɑɡrəfi] s elämäkerta, biografia

biological [ˌbaɪəˈlɑdʒɪkəl] s biologinen, biologian

biologist [baɪˈɑlədʒɪst] s biologi

biology [baɪˈɑlədʒi] s biologia

bioluminescence [ˌbaɪoʊˌlumɪˈnesəns] s bioluminesenssi (eräiden eläinten ja kasvien kyky säteillä valoa)

biotin [baɪətɪn] s biotiini (eräs B-vitamiini)

bipartisan [ˌbaɪˈpartəzən] adj kaksipuolue-, kahden puolueen

biplane [baɪpleɪn] s kaksitaso(inen lentokone)

birch [bɜːrtʃ] s koivu

bird [bɜːrd] s lintu to kill two birds with one stone tappaa kaksi kärpästä yhdellä iskulla a little bird told me kuulinpahan vain, tiedänpähän vain a bird in the hand is worth two in the bush parempi pyy pivossa kuin

kymmenen oksalla to flip someone the bird (sl) näyttää jollekulle keskisormea

birdie [bɜːrdi] s (golf) birdie, lyöntitulos, jossa pallo saadaan reikään yhdellä lyönnillä alle par-luvun

biro [baɪroʊ] s (UK) kuulakynä

birth [bɜːrθ] s 1 synnytys, syntymä, synty she gave birth to a baby boy hän synnytti poikalapsen 2 syntyperä he is Canadian by birth hän on syntynyt Kanadassa/syntyjään kanadalainen

birth control s ehkäisy, syntyvyyden säännöstely

birthday [ˈbɜːrθdeɪ] s syntymäpäivä

birthrate [ˈbɜːrθˌreɪt] s syntyvyys, syntyneisyys

biscuit [bɪskət] s (US) sämpylä, (UK) keksi, pikkuleipä

bisect [ˌbaɪˈsekt] v leikata/jakaa/jakautua kahtia, puolittaa

bishop [bɪʃəp] s 1 piispa 2 (šakissa) lähetti

bishopric [bɪʃəprɪk] s hiippakunta

bison [baɪsən] s (mon bison) biisoni

bit [bɪt] s 1 pala, muru not a bit ei tippaakaan, ei lainkaan to do your bit esittää numeronsa/osansa, tehdä/hoitaa osuutensa 2 (binäärijärjestelmässä) bitti 3 (hevosen) kuolaimet 4 porankärä

bit by bit fr vähitellen, vähä vähältä

1 bitch [bɪtʃ] s 1 (koira) narttu 2 (sl) häijy akka, muija

2 bitch v (sl) valittaa, narista

1 bite [baɪt] s 1 puraisu, purema, pureminen his bark is worse than his bite ei haukkuva koira pure, ei kissä kinnata pelätä 2 suupala 3 (kalan) nappaus (ongessa)

2 bite v bit, bitten 1 purra, puraista, haukata he bit off more than he can chew hän haukkasi liian ison palan (myös kuv) to bite your tongue purra kieltään, katua sanojaan 2 (hyönteinen) pistää

bite into v viskeä hampaansa johonkin, puraista, pureutua, porautua, syöpyä johonkin

bite off v purra poikki/irti don't bite my head off! älä hypi silmille!

bitmap s (tietok) bittikartta

bit part s pieni sivuosa (elokuvassa, näytelmässä)

bitten [bitən] ks bite

bitter [bitər] adj 1 karvas, kitkerä, katkera (maku, pettymys, riita, viha) 2 kova (talvi), purevа, kylmä (pakkanen, tuuli)

bitter end to do something to the bitter end tehdä jotakin hampaat irvessä/katkeraan loppuun asti

bitterly adv 1 katkerasti (pettynyt) 2 erittäin (kylmä)

bitterness s 1 kitkeryys, katkeruus (myös kuv) 2 (pakkasen, tuulen) kovuus, purevuus

bitumen [bə'tumən ,bai'tumən) s bitumi

biweekly [,bar'wikli] adj 1 kahden viikon välein tapahtuva/ilmestyvä 2 kahdesti viikossa tapahtuva/ilmestyvä

bizarre [bə'zaər] adj outo, kummallinen, eriskummallinen, epätavallinen

blab [blæb] v (sl) 1 pölistä, puhua kuin papupata 2 paljastaa salaisuus, kieliä, vasikoida

1 black [blæk] s 1 musta (väri) 2 musta (ihminen)

2 black v mustata, mustua

3 black adj 1 musta 2 mustien, mustia koskeva 3 synkkä, toivoton 4 vihainen 5 pilkkopimeä

black belt [blæk,belt] s (judossa) musta vyö

blackberry [blæk,beri] s karhunvatukka

blackbird [blæk,bəd] s mustarastas

blackboard [blæk,bord] s liitutaulu

black box s (lentokoneen) musta laatikko

black currant [,blæk'kərənt] s mustaherukka

blacken [blækən] v mustata, maalata/liata mustaksi they tried to blacken his reputation he yrittivät mustata/tahrata hänen maineensa

black eye [,blæk'ai] s 1 mustelma silmässä to have a black eye olla silmä mustana 2 (kuv) häpeä(pilkku), häpeän aihe, miinuspiste

black-fly s (mon black-flies) mäkärä

black grouse [graus] s (lintu) teeri

blackhead [blæk,hed] s mustapää

black ice [,blæk,ais] s musta jää (maantiellä)

1 blacklist [blæk,list] s musta lista

2 blacklist v merkitä/panna mustalle listalle

black magic [,blæk'mædʒik] s musta magia

1 blackmail [blæk,meil] s kiristys

2 blackmail v kiristää

blackmailer s kiristäjä

1 black market [,blæk'markət] s musta pörssi

2 black market v myydä mustassa pörssissä/pimeästi, ostaa mustasta pörssistä/pimeästi

black out v 1 pyörtyä, menettää tajuntansa 2 pimentää, sammuttaa valot 3 unohtaa jotakin (hetkeksi), ei muistaa

blackout [blæk,aut] s 1 sähkökatkos 2 muistikatkos 3 pyörtyminen, tajunnan menetys 4 (sodan aikana ikkunoiden ym) pimennys

black sheep [,blæk'ʃip] s musta lammas

blacksmith [blæk,smiθ] s seppä

blackspot s 1 accident blackspot vaarallinen paikka (jossa on sattunut paljon kolareita tms) 2 työttömyyspesäke

black widow spider s (hämähäkki) mustaleski

black work [blæk,wək] s pimeä(t) työ(t)

bladder [blædər] s virtsarakko

blade [bleid] s 1 (veitsen, partakoneen) terä; (sl) puukko 2 (airon, potkurin) lapa 3 (ruohon) korsi

1 blame [bleim] s 1 syy, vika 2 syytös, moite

2 blame v syyttää, moittia to blame someone for something syyttää jotakuta jostakin to blame something on someone panna/laskea jokin jonkun syyksi you have only yourself to blame for that siitä saat syyttää vain itseäsi they put the blame for the failure on us he syyttivät meitä epäonnistumisesta

blameless adj syytön, viaton, tahraton

blamelessly adv syyttömästi, viattomasti

blameworthy [bleim,wəði] adj syyllinen, syypää, nuhtelun ansaitseva

bland [blænd] adj 1 ystävällinen, hyväntahtoinen, avulias 2 leuto (ilma), mieto (maku) 3 mitäänsanomaton, väritön, tylsä

blandly adv ks bland

blandness s 1 ystävällisyys, hyväntahtoisuus, kohteliaisuus 2 (ilman) leutous, (maun) mietous 3 värittömyys, mitäänsanomattomuus, tylsyys

1 blank [blæŋk] *s* **1** tyhjä tila/kohta (kaavak-keessa) **2** paukkupatruuna **3** *to draw a blank* jäädä tyhjin käsin, epäonnistua; ei muistaa

2 blank *adj* **1** tyhjä (paperi), täyttämätön (lomake) *I tried to recall the number but my mind went blank* yritin muistaa numeron mutta muistini ei pelannut **2** ilmeetön, tyrmistynyt (katse)

blank check [ˌblæŋkˈtʃek] *s* avoin sekki *they gave him a blank check* (kuv) he antoivat hänelle vapaat kädet

1 blanket [ˈblæŋkət] *s* peitto, pcitc (myös kuv) *a blanket of snow* lumipeite

2 blanket *v* peittää *everything was blanketed with snow* kaikki peitti lumen alle

3 blanket *adj* (kaiken) kattava, yleis-, yleistävä (väite)

blankly *adv* (katsoa/tuijottaa) ilmeettömänä, tyrmistyneenä

blankness *s* **1** tyhjyys **2** ilmeettömyys

blank verse [ˌblæŋkˈvɜːs] *s* silosäe

1 blare [bleər] *s* (torven) törähdys

2 blare *v* törähtää (torvea), (torvi) törähtää, (radio) pauhata

blaspheme [blæsˌfiːm] *v* pilkata Jumalaa

blasphemer [blæsˈfɜːmər] *s* (jumalan)pilk-kaaja, herjaaja

blasphemous [ˈblæsfəməs] *adj* (Jumalaa) pilkkaava, herjaava

blasphemy [ˈblæsfəmi] *s* (jumalan)pilkka, herjaus

1 blast [blæst] *s* **1** tuulenpuuska **2** räjähdys, pamahdus; räjähdysaalto, paineaalto **3** (torven) törähdys

2 blast *v* **1** räjäyttää **2** laukaista (raketti) **3** mennä myttyyn, kaatua kasaan, romahtaa

blast furnace [ˈblæstˌfɜːnəs] *s* masuuni

blastoff [ˈblæsˌtɒf] *s* (raketin) laukaisu

blast off [ˌblæsˈtɒf] *v* (raketista) nousta ilmaan, (astronautista) nousta raketilla ilmaan

blatant [ˈbleɪtənt] *adj* räikeä, häpeämätön, törkeä

1 blaze [bleɪz] *s* **1** tuli, roihu **2** (tulen, värien) hehku, loiste **3** (vihan) purkaus, puuska

2 blaze *v* **1** palaa, liekehtiä **2** (aurinko) polttaa, (silmät) palaa, hehkua **3** (aseista) tulittaa, sylkeä tulta **4** pursuta (vihaa), palaa (vihasta)

blazer *s* bleiseri, irtotakki

blaze up *v* (tuli) leimahtaa, ruveta roihuamaan

blazing *adj* **1** palava, tulessa, ilmiliekeissä **2** paahtava, polttava (aurinko) **3** (silmistä) palava, hehkuva

1 bleach [bliːtʃ] *s* valkaisuaine, kloori

2 bleach *v* **1** valkaista **2** muuttua valkoiseksi (esim auringossa)

bleak [bliːk] *adj* kurja (ilma), viheliäinen, ankea, lohduton, iloton, synkkä (tulevaisuus)

bleary [blɪəri] *adj* samea, sumea, (silmistä) tihruinen, (näkö) hämärä

bleary-eyed [ˈblɪərɪˌaɪd] *adj* (unen, paljon lukemisen jälkeen) tihrusilmäinen

1 bleat [bliːt] *s* (lampaan) määkiminen

2 bleat *v* määkiä

bleed [bliːd] *v* bled, bled: vuotaa verta (myös kuv)

1 blemish [blemɪʃ] *s* tahra (myös kuv), puute, vika

2 blemish *v* vahingoittaa, pilata, mustata (maine)

1 blend [blend] *s* sekoitus, sekoite

2 blend *v* sekoittaa

bless [bles] *v* blessed/blest, blessed/blest: siunata *she is blessed with good looks* häntä on siunattu hyvällä ulkonäöllä

blessed [blesəd] *adj* **1** pyhä, siunattu, autuas **2** vahvistavana sanana: *every blessed book* joka ainoa kirja

blessing *s* siunaus (myös kuv) *it was a blessing in disguise* se oli onni onnettomuudessa *you can count your blessings* saat kiittää onneasi

blew [bluː] ks blow

1 blight [blaɪt] *s* **1** (puun) home- tai nokisieni **2** (kuv) häpeäpilkku, piina, riesa, tahra *sexual discrimination against women is a blight on the business world* naisten syrjintä tahraa liike-elämän maineen

2 blight *v* tahrata (maine), pilata (mahdollisuudet, elämä), tehdä tyhjäksi (toiveet)

1 blind [blaind] *s* **1** (ikkunan) rullakaihdin; sälekaihdin **2** (hevosen) silmälappu

2 blind *v* sokaista (myös kuv) *he is blinded by love* rakkaus on sokaissut hänet, tehnyt hänet sokeaksi

3 blind *adj* sokea, (myös kuv:) päämäärätön, umpimähkäinen, silmitön (viha, ihailu) *she is blind from birth* hän on ollut syntymästään saakka sokea *blind rage* sokea raivo *to turn a blind eye to something* ei olla huomaavinaan jotakin

blind alley [ˌblaindˈæli] *s* umpikuja (myös kuv)

blind date [ˌblaindˈdeit] *s* **1** sokkotreffit **2** sokkotreffiseuralainen *who was your blind date, anybody I know?* kenen kanssa sinulla oli sokkotreffit, tunnenko minä hänet?

1 blindfold [ˈblaindˌfould] *s* silmille pantu side

2 blindfold *v* sitoa/peittää jonkun silmät *to be able to do something blindfolded* osata jotakin vaikka silmät ummessa

3 blindfold *adj* jonka silmät on sidottu

blindness *s* sokeus (myös kuv)

blind spot [ˈblaindˌspat] *s* **1** (silmän) sokea täplä **2** (näkökentän) kuollut kulma **3** heikkous, Akilleen kantapää *it's his blind spot* se on hänen heikkoutensa/hän ei suostu myöntämään sitä/hänellä on siinä sokea piste

1 blink [bliŋk] *s* silmänräpäys *on the blink* epäkunnossa

2 blink *v* (silmä) räpähtää, (valo) välähtää

blinkers *s* (mon) (hevosen) silmälaput *with blinkers on* (myös kuv) laput silmillä

bliss [blis] *s* onni, autuus

blissful *adj* autuas, ihana, onnellinen

1 blister [ˈblistər] *s* (maalipinnan, iho)rakkula

2 blister *v* nousta/nostaa rakkuloille

1 blitz [blits] *s* **1** salamasota, ilmahyökkäys *the Blitz* Saksan ilmasota Isossa-Britanniassa 1940-1941 **2** mainoshyökkäys

2 blitz *v* **1** hyökätä jonnekin **2** (kuv) pommittaa jotakuta jollakin

blizzard [ˈblizərd] *s* lumimyrsky

bloated [ˈbloutəd] *adj* **1** turvonnut, paisunut **2** (kuv) täynnä itseään, liiallinen

blob [blab] *s* pisara, tippa, tahra, läiskä

bloc [blak] *s* ryhmä, ryhmittymä, joukko *the Eastern bloc* itäryhmä, itäryhmän maat

1 block [blak] *s* **1** (puu)pölkky, (kivi)lohkare, möhkäle **2** rakennus, ryhmä rakennuksia **3** kortteli; korttelinmitta **4** tukkeutuma, este, sulku *road block* tiesulku **5** joukko, erä *a block of IBM stock* erä IBM:n osakkeita

2 block *v* **1** sulkea, tukkia *the police have blocked the road* poliisi on sulkenut tien **2** estää, asettua poikkiteloin jonkun eteen *we blocked their takeover attempt* estimme heidän valtausyrityksensä

1 blockade [blaˈkeid] *s* saarto

2 blockade *v* saartaa

blockage [ˈblakidʒ] *s* **1** tukkiminen **2** tukkeutuma, tukos

blockbuster [ˈblakˌbastər] *s* jymymenestys

blog [blag] *s* (sanoista biographical web log) omaloki

blond [bland] *s* vaalea(ihoinen/tukkainen) ihminen *adj* (tukka, iho) vaalea

blonde [bland] *s* vaalea(ihoinen/tukkainen) nainen/tyttö, vaaleaverikkö *adj* (tukka, iho) vaalea

blood [blʌd] *s* veri (myös kuv) *it makes my blood boil* se saa vereni kiehumaan *there is no bad blood between us* me olemme keskenämme hyvissä väleissä *boasting is in his blood* mahtailu on hänellä veressä

blood bank [ˈblʌdˌbæŋk] *s* veripankki

bloodbath [ˈblʌdˌbæθ] *s* verilöyly

blood brother [ˈblʌdˌbrʌðər] *s* veriveli

bloodcurdling [ˈblʌdˌkərdəliŋ] *adj* vertahyytävä

blood donor [ˈblʌdˌdounər] *s* verenluovuttaja

blood group [ˈblʌdˌgrup] *s* veriryhmä

bloodhound [ˈblʌdˌhaund] *s* **1** verikoira **2** etsivä, nuuskija

bloodless [ˈblʌdləs] *adj* **1** veretön *bloodless coup* veretön vallankaappaus **2** väritön, vaisu, innoton, laimea

blood orange [ˈblʌdˌɔrəndʒ] *s* veriappelsiini

blood pressure [ˈblʌdˌpreʃər] *s* verenpaine

bloodshed [ˈblʌdˌʃed] *s* verenvuodatus

bloodshot [ˈblʌdˌʃat] *adj* (silmistä) verestävä, punainen, punoittava

bloodsport ['blʌd,spɔːt] s metsästys, kukkotappelut yms

bloodstream ['blʌd,striːm] s verenkierto

bloodsucker ['blʌd,sʌkər] s verenimijä (myös kuv); (erityisesti) (veri)juotikas, iilimato

blood sugar ['blʌd,ʃugər] s verensokeri

blood test ['blʌd,test] s verikoe

bloodthirsty ['blʌd,θɜːsti] adj verenhimoinen

blood transfusion [,blʌdtræns'fjuːʒən] s verensiirto

blood type ['blʌd,taip] s veriryhmä

blood vessel ['blʌd,vesəl] s verisuoni

bloody [blʌdi] adj 1 verinen, verta vuotava 2 (erityisesti UK, volmlistavana sanana) kirottu, viheliäinen *you're a bloody genius* sinä olet helvetinmoinen nero!

1 bloom [bluːm] s kukka, kukinta, kukoistus *to be in full bloom* olla täydessä kukkaansa

2 bloom v kukkia, kukoistaa (myös kuv)

1 blossom [blasəm] s kukka, kukoistus

2 blossom v kukkia, kukoistaa (myös kuv) *his business is blossoming* hänen liikeyrityksensä kukoistaa

blossom out v puhjeta kukkaan (myös kuv), kukoistaa, kehittyä/pyöristyä naiseksi

1 blot [blat] s mustetahra 2 (kuv) tahra *the incident is a blot on his reputation* tapaus mustaa hänen maineensa

2 blot v 1 tahrata, tahria 2 kuivata (muste imupaperilla)

blotch [blatʃ] s (iho)läiskä, tahra

blot out v peittää (näkyvistä), pyyhkiä (pois/mielestään), unohtaa

blouse [blaus] s (naisten, tyttöjen) pusero

1 blow [bleu] s 1 (nyrkin)isku 2 (kuv) isku, järkytys

2 blow v blew, blown 1 (tuuli, ihminen) puhaltaa *to blow your nose* niistää nenänsä 2 puhaltaa, soittaa (puhallinsoitinta) 3 (sulake) palaa 4 (sl) tuhlata (rahaa), panna menemään *he blew all his money on cars* hän tuhlasi kaikki rahansa autoihin 5 *he blew his brains out* hän ampui itsensä

blower s 1 puhallin 2 (lasin)puhaltaja

blown ks blow

blow out v 1 sammuttaa, puhaltaa sammuksiin 2 (ilmarengas) puhjeta

blowout s 1 renkaan puhkeaminen 2 sulakkeen palaminen 3 isot rämäpäiset juhlat

blow over v 1 kaatua tuulessa; (tuuli) kaataa 2 (myrsky, suuttumus) asettua, laantua, tyyntyä

blow up v 1 räjähtää (myös kuv), räjäyttää 2 suurentaa (valokuva) 3 pumpata ilmaa (renkaaseen)

blowup s 1 räjähdys, riita 2 (valokuva)suurennos

BLT *bacon, lettuce, and tomato* pekonisalaattitomaattivoileipä

1 blubber [blʌbər] s 1 valaanrasva 2 itku, vollous

2 blubber v pillittää, vääntää lohduttomasti itkua

1 bludgeon [blʌdʒən] s sauva, patukka, pamppu

2 bludgeon v 1 iskeä/lyödä patukalla 2 pakottaa *my boss bludgeoned me into working on weekends* pomoni pakotti minut tekemään työtä viikonloppuisin

1 blue [bluː] s 1 sininen (väri) 2 *out of the blue* yllättäen, varoituksetta, kuin salama kirkkaalta taivaalta

2 blue adj 1 sininen *he is a little blue around the gills* hän näyttää hieman sairaalta/huonovointiselta *once in a blue moon* joskus harvoin 2 alakuloinen, masentunut

bluebell s kissankello

blueberry s (mon blueberries) mustikka

blue-blooded ['bluː,blʌdəd] adj siniverinen, jalosukuinen

bluebottle ['bluː,batəl] s lihakärpänen

blue cheese ['bluː'tʃiːz] s sinihomejuusto

blue-chip ['bluː,tʃip] adj ensiluokkainen, paras mahdollinen

bluecoat ['bluː,kout] s 1 (virkapukuinen) poliisi

blue-collar [,bluː'kalər] s tehdastyöläinen, työläinen *adj* tehdastyöläisten, työläis- *blue-collar workers* (tehdas)työläiset

blueprint ['bluː,print] s 1 rakennuspiirustus 2 suunnitelma

blues [bluːz] 1 (mon) alakuloisuus, masennus *to have the blues* olla maassa 2 blues(musiikki)

bluestocking ['bluː,stakiŋ] s sinisukka, älykkönäinen

blue tit *s* sinitiainen

blue whale ['blu͟,weɪəl] *s* sinivalas

1 bluff [blʌf] *s* **1** jyrkänne, jyrkkä niemeke, kallionkieleke **2** hämäys, harhautus, bluffi
to call someone's bluff selvittää onko joku tosissaan

2 bluff *v* hämätä, harhauttaa, vetää nenästä, bluffata

3 bluff *adj* vilpitön, hyvää tarkoittava

1 blunder [blʌndər] *s* kömmähdys, virhe, erehdys, munaus

2 blunder *v* **1** törmätä johonkin/johonkuhun, kompuroida **2** kömmähtää, munata, tunaroida

blunt [blʌnt] *v* **1** tylpistää **2** tehdä tyhjäksi, vesittää *adj* **1** (esine) tylsä, tylppä **2** (ihminen) tyly, suora(sukainen)

bluntness *s* tylyys, suorasukaisuus

1 blur [blɜr] *s* sumeus, epäselvyys *it all became a blur* kaikki sumeni silmissäni/mielessäni

2 blur *v* (katse, silmät, ajatukset) sumentua *after that everything blurred in my eyes* sen jälkeen kaikki sumeni silmissäni

blurb [blɜrb] *s* kirjan kannen mainosteksti

blurt out [blɜrt] *v* paljastaa (vahingossa) *she blurted out the secret* salaisuus pääsi vahingossa hänen suustaan

1 blush [blʌʃ] *s* punastelu, punastuminen *at first blush* ensi näkemältä

2 blush *v* **1** punastua **2** hävetä

1 bluster [blʌstər] *s* **1** (myrskyn, tuulen) pauhu, jyly **2** (kerskaileva/isotteleva) ärjyntä, räyhääminen **3** (puheen) kohina, hälinä

2 bluster *v* **1** (myrsky, tuuli) pauhata, jylistä **2** (kerskaillen/isotellen) ärjyä, räyhätä **3** (ihmisjoukko) hälistä

blustery *adj* myrskyinen (ilma), navakka (tuuli)

boa [bouə] *s* boa(käärme)

boa constrictor ['bouəkən,strɪktər] *s* kuningasboa

boar [bɔər] *s* **1** karju **2** villisika

1 board [bɔərd] *s* **1** lauta **2** (ilmoitus)taulu, kyltti **3** lautakunta, johtokunta **4** ateriat *room and board* täysihoito **5** *to go by the board* epäonnistua, mennä myttyyn *above board* rehellinen *across the board* kautta linjan, yleisesti

2 board *v* **1** laudoittaa, peittää laudoilla **2** ottaa/mennä täysihoitoon **3** nousta laivaan, lentokoneeseen tms.

boarder [bɔərdər] *s* **1** täysihoidossa oleva henkilö, (ali)vuokralainen **2** sisäoppilaitoksen oppilas

boarding *s* **1** laudoitus **2** täysihoito **3** koneeseen/laivaanmeno

boarding house ['bɔərdɪŋˌhaʊs] *s* täysihoitola

boarding pass ['bɔərdɪŋˌpæs] *s* (lentomatkustuksessa) tarkistuskortti

boarding school ['bɔərdɪŋˌskuːl] *s* sisäoppilaitos

boardroom ['bɔərd,rʊm] *s* johtokunnan kokoushuone

boardwalk ['bɔərd,wɔːk] *s* laudoista tehty ranta(kävely)katu

1 boast [boust] *s* kehuskelu, rehentely

2 boast *v* **1** rehennellä, kehua, leuhkia **2** olla (kehumisen arvoinen) hyvä asia *Southern California boasts a wonderful climate* Etelä-Kaliforniassa on hieno ilmasto

boastful *adj* leuhka

1 boat [bout] *s* **1** vene *we're all in the same boat* (kuv) olemme kaikki samassa veneessä **2** laiva *whatever floats your boat* makunsa kullakin

2 boat *v* kuljettaa veneellä/laivalla

boathouse ['bout,haʊs] *s* venevaja

boatswain [bousən] *s* pursimies

1 bob [bab] *s* **1** niiaus, (pään) nyökkäys **2** poikatukka

2 bob *v* **1** pomppia, hyppiä, heilua ylösalas **2** niiata **3** nyökätä (päätään) **4** (lintu) heilauttaa pyrstöään

bobbin [babən] *s* (lanka)puola

1 bobsled ['bab,sled] *s* (kilpa)rattikelkka

2 bobsled *v* ajaa/laskea (kilpa)rattikelkalla

bode ill/well [boud] *fr* (ei) enteillä hyvää *the recent inflation bodes ill for the economy* viimeaikainen inflaatio ei enteile hyvää talouselämän kannalta

bodice [badəs] *s* **1** (naisten puvun) miehusta, yläosa **2** liivi, korsetti, suojus

bodily [badəli] *adj* ruumiillinen, ruumiin *adv* **1** henkilökohtaisesti **2** voimakeinoin, väkisin, pakolla

body [badi] s **1** (ihmisen, eläimen elävä/kuollut) ruumis, (ihmisen) keho; (ihmisen) vartalo, (eläimen) ruho **2** (auton) kori **3** (ihmis)ryhmä, joukko *the body politic* valtio, kansakunta **4** ydin, valtaosa **5** määrä, joukko, kokonaisuus *a body of evidence* todistusaineisto *a body of water* vesimassa: järvi, joki, meri

bodybuilder ['badi,bildər] s kehonrakentaja

bodyguard ['badi,gard] s henkivartija

body text s leipäteksti

bog [bag] s suo

bog down v juuttua kiinni/paikoilleen *the project is bogged down* hanke polkee paikallaan, ei etene

bogey s **1** (golfissa) kummitus, mörkö, peikko **2** [bougi] (golfissa) bogey, bogi, lyöntitulos, jossa pallo saadaan reikään yhdellä lyönnillä yli par-luvun

boggle [bagəl] *to boggle the mind* olla ällistyttävää/uskomatonta

boggy [bagi] *adj* (maasto) soinen

bogieman ['bugi,mæn] s kummitus, mörkö

bogus [bougəs] *adj* huijari-, väärennetty, väärä

Bohemian [bou'himiən] s **1** Böömin asukas, böömiläinen **2** boheemi (myös *bohemian*) *adj* **1** böömiläinen, Böömin **2** boheemi-

1 boil [boɪəl] s **1** paise **2** kiehumispiste *bring to a boil* (ruuanlaitto-ohjeissa) kiehauta

2 boil v kiehua, keittää (meri, tunteet) kuohua

boil away v **1** kiehua edelleen **2** kiehua tyhjiin

boil down to *fr* merkitä, olla (pohjimmiltaan) kyse *what it boils down to is money* loppujen lopuksi kyse on rahasta, viime kädessä se on rahakysymys

boiler [boɪlər] s **1** kuumavesisäiliö, höyrykattila

boilerplate s pohjateksti

boiling point s kiehumispiste (myös kuv)

boil over v **1** kiehua yli **2** (tilanne) kiristyä kiehumispisteeseen/räjähdyspisteeseen, (ihminen) räjähtää, menettää malttinsa

boisterous [boistərəs] *adj* rämäkkä (nauru), riehakas (tilaisuus, ihminen)

bok choy s pinaattikiinankaali, pak-choi

bold [bould] *adj* **1** rohkea, peloton, uskalias **2** hävytön **3** voimakas (väri, käsiala, tyyli) **4** (puoli)lihava (teksti)

boldness s **1** rohkeus, uskaliaisuus **2** hävyttömyys, röyhkeys **3** voimakkuus, selvyys

bollard [balərd] s (laiturin) pollari

1 bolster [boulstər] s (vuoteella pidettävä) poikkityyny

2 bolster v tukea (käsitystä, hanketta), rohkaista, kannustaa

1 bolt [boult] s **1** (ikkunan, oven) salpa **2** ruuvi, pultti **3** salamanisku *a bolt of lightning* **4** ryntäys, pakoyritys *he made a bolt for the door* hän yritti karata ovesta

2 bolt v **1** salvata (ikkuna, ovi) **2** ruuvata, kiinnittää ruuvilla/pultilla **3** rynnätä, karata **4** (hevonen) pillastua

bolt out v rynnätä, livistää

1 bomb [bam] s **1** pommi **2** (sl) täydellinen katastrofi, fiasko, läskiksi mennyt yritys

2 bomb v **1** pommittaa **2** epäonnistua täysin, mennä myttyyn/läskiksi, ei menestyä alkuunkaan

bombard [bam'bard] v pommittaa (myös kuv) *the reporters bombarded him with questions* toimittajat pommittivat häntä kysymyksillä

bombardment [,bam'bardmənt] s pommitus (myös kuv)

bomber [bamər] s pommikone

bombshell ['bam,fel] s **1** pommi **2** täydellinen yllätys; uutispommi

bond [band] s **1** (kirjallinen) sopimus, lupaus **2** (kuv) side **3** (tal) obligaatio, joukkovelkakirja

bondage [bandədʒ] s orjuus, vankeus

bond dealer s arvopaperikauppias

bondsman [bandmən] s **1** takaaja **2** orja

bone [boun] s luu *to feel something in your bones* tuntea jotakin luissaan *to have a bone to pick with someone* olla kana kynimättä jonkun kanssa, olla kalavelkoja jonkun kanssa *make no bones about it, he is guilty* hänen syyllisyydestään ei ole (minun mielestäni) epäilystäkään

bone-dry [,boun'draɪ] *adj* rutikuiva

bone marrow ['boun,merou] s luuydin

bone of contention s (kuv) kiistakapula

bone up on v päntätä päähänsä

bonfire ['bɑn,faɪər] s kokko, rovio, nuotio

bonnet [bɑnət] s 1 (naisten, lasten) myssy 2 (UK) (auton) konepelti

bonus [bounəs] s 1 bonus, lisä (palkkio tms)

bony [bouni] adj 1 luiseva 2 (kala) ruotoinen

boo [bu] v buuata (esiintyjälle tms)

booby [bubi] s idiootti

booby trap ['bubi,træp] s 1 ansa 2 piilopommi (jonka uhri pahaa aavistamatta laukaisee)

1 book [buk] s 1 kirja (myös kirjan osasta) 2 (lippu-, postimerkki)vihko, kansikko *book of matches* tulitikkukansikko 3 (mon) (liikeyrityksen) kirjanpito, kirjat

2 book v 1 kirjata, merkitä kirjoihin 2 (poliisi) pidättää, vangita 3 varata (paikka, lippu), buukata

bookable [bukəbəl] adj (lippu) ennakkomyynnissä oleva, (paikka) numeroitu

bookcase ['buk,keɪs] s kirjahylly(kkö)

bookie [buki] s vedonvälittäjä

bookkeeping s kirjanpito

book learning ['buk,lərnɪŋ] s kirjaoppi, teoria

booklet [buklət] s kirjanen, esite

book loss s (tal) realisoimaton tappio

bookmaker ['buk,meɪkər] s vedonvälittäjä

bookmark ['buk,mɑrk] s kirjanmerkki

bookmobile ['bukmou,biəl] s kirjastoauto

bookrack ['buk,ræk] s 1 kirjatuki, kirjateline 2 kirjahylly

bookshelf ['buk,ʃelf] s kirjahylly

bookstore ['buk,stɔr] s kirjakauppa

book value s (tal) kirjanpitoarvo

bookworm ['buk,wərm] s lukutoukka

1 boom [bum] s 1 (purjeen) puomi 2 jylinä, jyrähdys 3 (taloudellinen) korkeasuhdanne, noususuhdanne, (kaupan) vilkastuminen, (hintojen) nousu

2 boom v 1 jylistä, jyristä 2 (talouselämä, kauppa) vilkastua, olla korkeasuhdanne/ noususuhdanne

1 boomerang ['bumə,ræŋ] s bumerangi

2 boomerang v (sanat, teot) kostautua, kääntyä tekijäänsä tms vastaan

boor [buər] s moukka

boorish [burɪʃ] adj moukkamainen

1 boost [bust] s lisäys, kasvu, parannus

2 boost v lisätä, kasvattaa, suurentaa

booster s 1 lisävahvistin *booster rocket* kantoraketti 2 tukija, kannattaja 3 tehosterokotus

1 boot [but] s 1 saapas, kenkä *to get the boot* saada kenkää, saada potkut *to give someone the boot* antaa jollekulle kenkää/potkut, erottaa 2 (UK) (auton) tavaratila

2 boot v 1 potkaista 2 käynnistää (tietokoneohjelma)

booth [buθ] s 1 (myynti)koju, puhelinkoppi, äänestyskoppi, (elokuvateatterin, ravintolan) aitio

1 booze [buz] s (ark) viina

2 booze v (ark) ryypätä

boozy [buzi] adj (ark) 1 humalainen, känninen *a boozy driver* känninen kuski 2 viinaanmenevä, juoppo *a boozy guy* viinaanmenevä mies 3 kostea *a boozy lunch* kostea lounas

1 border [bɔrdər] s 1 reuna 2 (maiden välinen) raja 3 (kapea) kukkapenkki

2 border v reunustaa *the road is bordered by elms* tien vierellä kasvaa jalavia

borderline ['bɔrdər,laɪn] s rajaviiva adj rajatila- *he is a borderline case* (myös:) hän on rajatapaus

border on v olla jonkun rajalla/rajanaapurina, rajoittua johonkin; lähennellä jotakin, olla lähes *your handwriting borders on the illegible* käsialastasi on lähes mahdotonta saada selvää

1 bore [bɔr] s 1 (poraus)reikä 2 (putken, sylinterin sisä)halkaisija, (aseen) kaliiperi 3 kiusa, harmi, ikävä/pitkäveteinen ihminen/asia *he is a real bore* hän on tylsä ihminen

2 bore v 1 porata 2 pitkästyttää, ikävystyttää *I was bored stiff by his lectures* ikävystyin kuollakseni hänen luennoillaan 3 ks bear

boredom [bɔrdəm] s ikävyys, pitkästyminen, tylsyys

boring adj pitkäveteinen, ikävystyttävä, tylsä

born *to be born* syntyä, (myös kuv:) saada alkunsa *when were you born?* milloin olet syntynyt?

borne [bɔrn] ks bear

borrow [barou] v lainata (joltakulta jotakin, myös ajatuksia) *may I borrow your car for an hour?* saanko lainata autoasi tunniksi?

bosom [buzəm] s 1 (vanh) rinta, rintakehä; (naisen) rinta 2 (kuv) rinta, sydän *a bosom friend* sydänystävä *deep in her bosom* syvällä sisimmässään, sydämessään

1 **boss** [bas] s pomo

2 **boss** v määräillä, komentaa, komennella

bossy [basi] adj komenteleva, määräilevä

bot s 1 robotti 2 (tietok) robottiohjelma

botanical [bə'tænikəl] adj kasvitieteellinen

botanical gardens s (mon) kasvitieteellinen puutarha

botanist [batənist] s kasvitieteilijä

botany [batəni] s kasvitiede

1 **botch** [batʃ] s hutiloiden tehty työ/korjaus

2 **botch** v hutiloida, korjata/tehdä huonosti, pilata, tunaroida

both [bouθ] adj, pron molemmat, kumpikin *both houses* kumpikin talo, (usein:) *both of them are coming/they are both coming* he tulevat kumpikin *both Finland and Sweden* sekä Suomi että Ruotsi

1 **bother** [baðər] s vaiva, riesa, harmi

2 **bother** v 1 häiritä, vaivata, kiusata 2 vaivautua

bothersome ['baðərˌsəm] adj harmittava, hankala, kiusallinen

1 **bottle** [batəl] s pullo

2 **bottle** v pullottaa

bottleneck ['batəlˌnek] s pullonkaula (myös kuv)

bottle up v (tunteista) padota, patoutua, niellä, pitää sisällään

bottom [batəm] s 1 pohja, tyvi, alapää, alareuna 2 (housun) lahje 3 (pöydän) pää 4 (pihan) perä 5 takapuoli, pylly (ark)

bottomless adj pohjaton, loputon, ehtymätön, ääretön

bottom line [ˌbatəm'lain] s 1 tase, voitto tai tappio 2 lopputulos 3 ratkaiseva tekijä, keskeinen seikka (kuv) (kaunistelematon) totuus *the bottom line is, we have no choice* totuus on ettei meillä ole vaihtoehtoja

bough [bau] s (puun) oksa

bought [bat] ks buy

boulder [bouldər] s kivenjärkäle, kalliolohkare

1 **bounce** [bauns] s (pallon) ponnahdus

2 **bounce** v 1 (pallo) ponnahtaa, kimmota, pompata 2 hyppiä ylösalas 3 rynnätä 4 (sekki) olla katteeton

bounce back v toipua (iskusta, myös kuv)

bouncing adj terhakka

1 **bound** [baund] s 1 hyppy, ponnahdus 2 (mon) rajat, kohtuus *out off/within bounds* (pelissä) ulkona/sisällä, (kuv) kohtuuton/kohtuullinen

2 **bound** v 1 hypätä, pomppia, ponnahtaa 2 ks bind *the new regulations are bound to cause a lot of problems* uudet määräykset aiheuttavat varmasti paljon ongelmia

boundary [baundəri baundrí] s raja(viiva)

bound for adj matkalla, menossa jonnekin *he is bound for Chicago*

boundless [baundləs] adj rajaton, loputon, ehtymätön

bound to *you are bound to become famous* sinusta tulee varmasti kuuluisa

bound up in *she is bound up in her studies* hän on uppoutunut kirjoihinsa

bountiful [bauntəfəl] adj 1 antelias, avokätinen 2 runsas, ylenpalttinen

bounty hunter s palkkionmetsästäjä

bouquet [ˌbou'kei] s 1 kukkakimppu 2 (viinin) tuoksu

bourgeois [baundəri baundrí] s porvari adj porvarillinen, keskiluokkainen

bourgeoisie [ˌbuʒwa'zi] s porvaristo, keskiluokka

bout [baut] s 1 (taudin, vihan, innostuksen, tarmon) puuska 2 (nyrkkeily)ottelu

boutique [bu'tik] s (muodikas vaate)myymälä, kauppa, putiikki

1 **bow** [bau] s 1 kumarrus 2 (myös mon) (laivan, veneen) keula, kokka

2 **bow** v 1 kumartaa (jollekulle/päättään) 2 alistua, antaa periksi *he bowed to fate* hän alistui kohtaloonsa

1 **bow** [bou] s 1 (ase, viulun) jousi 2 rusetti

2 **bow** v 1 soittaa (viulua) jousella 2 (oksa) taipua

bowel [bauəl] s (yl mon) 1 suoli *to move your bowels* ulostaa 2 (maan) uumenet

1 **bowl** [bouəl] s 1 kulho 2 keilapallo 3 (mon) keilapeli

2 **bowl** v keilata, pelata keilapeliä

bowler [ˈboulər] s keilaaja
bowler hat s knallihattu
bowl over v kaataa kumoon, (kuv) tyrmistyttää
bow out v (kuv) luopua leikistä
1 box [baks] s **1** (tulitikku-, posti- ym) laatikko, rasia **2** (teatteri- ym) aitio
2 box v **1** panna laatikkoon, paketoida **2** nyrkkeillä
boxer s **1** nyrkkeilijä **2** (koira) bokseri
boxing s nyrkkeily
boxing glove s nyrkkeilykäsine
boxing match s nyrkkeilyottelu
boxing ring s nyrkkeilykehä
box office [ˈbakˌsafəs] s (teatterin) kassa, lipunmyynti
boy [boi] s poika
1 boycott [ˈboiˌkat] s boikotti
2 boycott v boikotoida
boyfriend [ˈboiˌfrend] s poikaystävä, miesystävä
boyhood [ˈboiˌhud] s poikavuodet, nuoruus
boyish adj poikamainen
bra [bra] s rintaliivit (sanasta brassiere)
1 brace [breis] s **1** tuki **2** poranvarsi **3** (UK, mon) olkaimet, henkselit **4** (mon) hammasraudat
2 brace v **1** tukea (jokin johonkin) **2** (refl) valmistautua, varautua (iskuun, huonoon uutiseen)
bracelet [ˈbreislət] s rannerengas, ranneketju
bracing [ˈbreisiŋ] adj (ilma) virkistävä, piristävä
bracken [ˈbrækən] s sananjalka
1 bracket [ˈbrækət] s **1** tuki, seinäkiinnike **2** sulkumerkki, (mon) sulkeet **3** (luokittelussa) ryhmä, luokka
2 bracket v **1** merkitä sulkeisiin **2** yhdistää, lukea/laskea samaan joukkoon/ryhmään/luokkaan
brackish [ˈbrækiʃ] adj (vedestä) hieman suolainen
brag [bræg] v leuhkia, rehennellä, mahtailla
1 braid [breid] s (hius)palmikko
2 braid v palmikoida (hiukset)
Braille [breil] s sokeainaakkoset, Braillen pistekirjoitus

1 brain [brein] s aivot, (myös kuv:) äly, järki, älypää
2 brain v pamauttaa päähän; tappaa päähän iskemällä
brainchild [ˈbreinˌtʃaild] s keksintö it is his brainchild hän on ajatuksen isä, hän sen keksi
brain drain [ˈbreinˌdrein] s aivovienti
brainless adj aivoton, älytön
brain scan [ˈbreinˌskæn] s (lääk) aivokuvaus
brainstorm [ˈbreinˌstorm] s **1** neronleimaus **2** aivoriihi v pitää aivoriihi
1 brainwash [ˈbreinˌwaʃ] s aivopesu
2 brainwash v aivopestä
brainwave [ˈbreinˌweiv] s **1** (lääk) aivokäyrä **2** (ark) neronleimaus
brainy [ˈbreini] adj älykäs, terävä, fiksu
braise [breiz] v paistaa, kypsentää (lihaa)
1 brake [breik] s jarru
2 brake v jarruttaa, hiljentää vauhtia
brake pedal [ˈbreikˌpedal] s jarrupoljin
bramble [ˈbræmbəl] s karhunvatukka, karhunvatukkapensas
bran [bræn] s lese
1 branch [brænʧ] s oksa, haara (myös kuv) branch office haarakonttori
2 branch v haarautua, jakautua
branch out v (liikeyritys) laajentaa (toimintaansa uudelle alueelle)
1 brand [brænd] s **1** tavaramerkki, tuotenimi **2** polttorauta
2 brand v **1** merkitä (karjaa) polttoraudalla **2** (kuv) leimata joku joksikin
brandish [ˈbrændiʃ] v uhata (aseella), heilutella (kädessään)
brand name [ˈbrændˌneim] s **1** tavaramerkki, tuotenimi **2** (ark) julkkis, kuuluisuus, iso nimi
brand-name [ˈbrændˌneim] adj **1** (tuote) merkki- **2** (ark) kuuluisa
brand-new [ˈbrændˌnu] adj upouusi, tuliterä
brandy [ˈbrændi] s brandy; konjakki
brash [bræʃ] adj itsevarma, röyhkeä, hävytön
brass [bræs] s **1** messinki **2** (mus) vaskisoittimet to double in brass hoitaa toistakin tehtävää, toimia myös jossakin toisessa tehtävässä **3** hävyttömyys, röyhkeys

brass band s torvisoittokunta

brassiere [brəˈzɪər] s rintaliivit

brat [bræt] s kakara, vintiö

bravado [brəˈvɑːdou] s yltiöpäinen rohkeus; mahtailu

brave [breɪv] v uhmata (vaaroja), kohdata jotakin pelottomasti adj urhea, rohkea, uskalias

bravery [breɪvəri] s rohkeus, urheus, uskaliaisuus

1 brawl [brɔːl] s tappelu, kahakka *barroom brawl* kapakkatappelu

2 brawl v tapella, riidellä

1 bray [breɪ] s aasin kiljahdus

2 bray v (aasi) kiljahtaa

brazen [breɪzən] adj 1 messinkinen, messinki- 2 häpeämätön

brazier [breɪʒər] s 1 (hiili)tuli 2 hiilipannu, hiilipata

1 breach [briːtʃ] s 1 (säännön, sopimuksen) rikkomus, (velvollisuuden) laiminlyönti 2 aukko, reikä

2 breach v puhkaista, tehdä aukko/reikä johonkin

bread [bred] s 1 leipä (myös merkityksessä elanto) 2 (sl) raha

bread and butter s 1 voileipä 2 leipätyö, elanto

bread-and-butter adj perus-, tavallinen, mitäänsanomaton

breadth [bredθ] s leveys

breadwinner [bred,wɪnər] s (perheen) elättäjä

1 break [breɪk] s 1 murtuma, lohkeama, repeämä, aukko, katkos 2 (työ- tai muu) tauko 3 (suhteen, välien) katkeaminen, välirikko 4 muutos, käänne, vaihtelu 5 pako, pakoyritys 6 onni, tilaisuus, mahdollisuus

2 break v broke, broken 1 murtua (myös äänestä), murtaa, lohjeta, lohkaista, katketa, katkaista, särkyä, särkeä *to break a record* rikkoa ennätys 2 rikkoa (lupaus, sopimusta) 3 läpäistä, ylittää, murtaa (äänivalli), puhkaista (iho) 4 keskeytyä, keskeyttää (puhe, hiljaisuus, matka) 5 *to break new ground* aukoa uusia uria 6 *to break the news* kertoa uutinen, paljastaa jotakin

breakable adj helposti särkyvä, hauras

breakage [breɪkədʒ] s murtuma, lohkeama, särö

break away v 1 irrota, irrottaa 2 karata, juosta tiehensä 3 erota jostakusta/jostakin, katkaista siteensä johonkuhun/johonkin

break down v 1 särkeä, särkyä, rikkoa, hajottaa, hajota, murtaa, murtua (myös henkisesti:) luhistua 2 (suunnitelma) epäonnistua, (viestintäyhteys) katketa, (avioliitto) kariutua 3 eritellä, analysoida, jakaa/jakautua osiin

breakdown [breɪk,daʊn] s 1 (laitteen) vika, toimintahäiriö, särkyminen 2 (viestintäyhteyden) katkos, katkeaminen 3 erittely, analyysi 4 (ruumiillinen tai henmo)romahdus

1 breakfast [brekfəst] s aamiainen

2 breakfast v syödä aamiaista

break in v 1 keskeyttää 2 murtautua jonnekin 3 opettaa työ uudelle työntekijälle

break into v 1 murtautua jonnekin 2 ruveta tekemään jotakin, puhjeta (lauluun, itkuun)

break off v 1 lakata (tekemästä jotakin), lopettaa 2 katkaista, irrottaa, murtaa

break open v 1 avautua, avata, murtaa auki

break out v 1 (tuli, sota) syttyä, (tauti) puhjeta, alkaa 2 karata, paeta

breakthrough [breɪk,θruː] s läpimurto (myös kuv)

break through v puhkaista, läpäistä, murtautua jonkin läpi

breakup [breɪk,ʌp] s hajoaminen, särkyminen; (erityisesti) avioliiton/parisuhteen kariutuminen/purkautuminen/purkaminen

break up v 1 hajota, hajottaa, murtaa, murtua 2 jakaa (osiin, keskenään) 3 (avioliitto, parisuhde) kariutua, (aviopari, avopari) erota

breakwater [breɪk,wɔːtər] s sallonmurtaja

breast [brest] s 1 (naisen) rinta 2 (vartalon) rinta

breath [breθ] s hengitys, hengenveto *after climbing the steps, he was out of breath* portaat kiivettyään hän oli hengästynyt

breathalyzer [breθə,laɪzər] s (puhalluskokeessa käytettävä) alkoholimittari

breathe [briŏ] v **1** hengittää; vetää henkeä; hengittää ulos **2** kuiskata, hiiskua
breathe in v hengittää sisään, vetää henkeä
breathe out v hengittää ulos
breather s hengähdystauko
breathless adj hengästynyt
breathtaking ['breθteɪkɪŋ] adj henkeäsalpaava
bred [bred] ks breed
breech [briːtʃ] s (aseen) perä
1 breed [briːd] s **1** (eläin)rotu **2** laji, tyyppi
2 breed v bred, bred **1** kasvattaa (karjaa, kukkia) **2** kasvattaa (lasta), opettaa (käyttäytymään), kouluttaa well bred hyvin kasvatettu (lapsi) **3** (eläin) synnyttää, lisääntyä **4** aiheuttaa, johtaa johonkin
breeding s **1** (karjan, kasvien) kasvatus **2** (eläinten) lisääntyminen **3** (ihmisen) kasvatus, hyvät tavat, (myös) hyvä suku breeding shows kasvatus näkyy
breeze [briːz] s **1** leuto tuuli, tuulenhenkäys, tuulahdus **2** (ark) helppo juttu, lastenleikki **3** to shoot the breeze rupatella, jutella; puhua palturia/omiaan
breeze in v porhaltaa/pyyhältää sisään
breeze out v porhaltaa/pyyhältää ulos/pois
breezy adj **1** (mukavan) tuulinen, vilpoisa **2** hilpeä, hyväntuulinen
brethren [breŏrən] s (mon) jäsentoverit, (uskon- tms) veljet
brevity [brevəti] s lyhyys, ytimekkyys, tiiviys
1 brew [bruː] s **1** olut **2** (yrtti)tee
2 brew v **1** panna (olutta); käydä **2** hauduttaa (teetä), hautua **3** (kuv) hautoa, hautua, olla alulla trouble's brewing pinnan alla kiehuu/kuohuu
brewer [bruːər] s oluenpanija
brewery [bruːəri] s olutpanimo
1 bribe [braɪb] s lahjus
2 bribe v lahjoa
bribery [braɪbəri] s lahjonta
bric-a-brac ['brɪkəbræk] s (pikku)rihkama
brick [brɪk] s tiili, tiiliskivi
bricklayer ['brɪkˌleɪər] s muurari
brick wall to run into a brick wall jollakulla tulee seinä vastaan, joku ei suostu johonkin

brickwork ['brɪkˌwɜːk] s tiiliseinä, tiilimuuri, tiilirakennelma
bridal [braɪdəl] adj morsius-
bride [braɪd] s morsian
bridegroom ['braɪdˌgruːm] s sulhanen
bridesmaid ['braɪdzˌmeɪd] s morsiusneito
1 bridge [brɪdʒ] s **1** silta **2** (laivan komento)silta **3** nenänselkä **4** (viulun yms) talla, kielisilta **5** bridge(peli)
2 bridge v rakentaa silta jonkin ylitse, silloittaa (myös kuv), (kuv) olla/toimia siltana kahden asian välillä
1 bridle [braɪdəl] s (hevosen) suitset
2 bridle v panna hevoselle/(kuv) jollekulle suitset suuhun, (kuv) hillitä, panna kuriin
1 brief [briːf] s **1** selvitys, selonteko (esim oikeusjutusta) **2** (mon) lyhyet alushousut **3** in brief lyhyesti, parilla sanalla
2 brief v perehdyttää joku johonkin, antaa jollekulle jostakin perustiedot/alustavat tiedot, saattaa joku ajan tasalle
3 brief adj lyhyt
brigade [brɪˈgeɪd] s **1** (sot) prikaati **2** fire brigade palokunta
bright [braɪt] adj **1** kirkas, valoisa **2** iloinen, hilpeä, hyväntuulinen **3** älykäs, terävä, nokkela
brighten v kirkastaa, kirkastua, vaalentaa, vaalentua, piristää, piristyä
brighten up v piristää (huonetta esim värikäällä verhoilla tai seinämaaleilla), piristyä (hyvästä uutisesta), ilostuttaa, ilostua
brightly adv **1** kirkkaasti **2** iloisesti **3** terävästi, nokkelasti, älykkäästi
brightness s **1** kirkkaus **2** iloisuus **3** nokkeluus
brilliance [brɪljəns] s **1** kirkkaus, loisto **2** erinomaisuus **3** nerokkuus, älykkyys
brilliant [brɪljənt] adj **1** loistava (myös kuv), häikäisevä (myös kuv), kirkas **2** nerokas, älykäs, lahjakas
brim [brɪm] s (hatun) lieri, (astian) reuna
brim over v olla ääriään/reunojaan myöten täynnä
brine [braɪn] s (säilöntään käytettävä) suolavesi
bring [brɪŋ] v brought, brought **1** tuoda, ottaa mukaansa please bring something to eat

bronze

ota mukaan syötävää **2** johtaa johonkin, aiheuttaa, tuoda *the news brought tears to her cheeks* uutinen sai kyyneleet nousemaan hänen silmiinsä **3** (refl) saada itsensä (tekemään), saada itsestään irti, pystyä, iljetä, kehdata *he couldn't bring himself to fire the woman* hän ei hennonnut antaa naiselle potkuja **4** tuottaa, ansaita, tuoda *the sale of the company brought them a nice bundle* he käärivät sievoisen summan myymällä yrityksen

bring about v saada aikaan, johtaa johonkin

bring along v **1** ottaa mukaan, tuoda mukanaan **2** aiheuttaa jotakin, johtaa johonkin

bring back v **1** palauttaa, tuoda takaisin **2** palauttaa/tuoda mieleen **3** herättää henkiin, ottaa uudelleen käyttöön

bring down v **1** ampua alas (lintu, lentokone), vetää alas (leija) **2** kaataa (eläin, vastustaja, hallitus) **3** laskea, alentaa (hintoja)

bring forward v **1** ottaa esille/puheeksi **2** aikaistaa, siirtää aikaisemmaksi

bring in v **1** korjata (sato) **2** tuottaa (voittoa), kasvaa (korkoa, osinkoa) **3** esittää (lakiehdotus) **4** sekoittaa joku johonkin, ottaa joku mukaan johonkin *let's not bring the principal into this* ei sotketa rehtoria tähän **5** (lak) langettaa *the jury brought in a verdict of guilty* oikeus totesi syytetyn syylliseksi **6** ottaa käyttöön (tapa), saattaa muotiin

bring off v onnistua jossakin, saada aikaan jotakin

bring on v **1** aiheuttaa jotakin, johtaa johonkin **2** kehittää, valmentaa jotakin

bring out v **1** tuoda selvästi esiin, korostaa **2** houkutella joku ulos kuorestaan, saada joku vapautumaan **3** julkaista (kirja)

bring to a boil v r kiehauttaa

bring up v **1** kasvattaa joku (isoksi) **2** oksentaa **3** ottaa esille/puheeksi

brink [briŋk] s reuna (myös kuv) *on the brink of disaster* katastrofin partaalla

brisk [brisk] adj **1** reipas, ripeä (ihminen, kävely) **2** raikas, virkistävä (ilma, tuuli)

1 bristle [brisəl] s (sian, harjan, siveltimen) harjas, (parran) sänki

2 bristle v nousee karvat pystyyn (myös kuv), suuttua

bristle with v olla tupaten täynnä jotakin, jossakin viliseé/kuhisee jotakin

brittle [britəl] adj hauras

1 broad [brɔːd] s **1** jonkin leveä osa *the broad of the back* hartiaseutu **2** (sl) muija, donna

2 broad adj **1** leveä **2** laaja, kattava, yleinen **3** (puheessa) selvä/voimakas (korostus) **4** epämääräinen, ylimalkainen, karkea **5** *in broad daylight* keskellä kirkasta päivää

broadband adj (tietok) laajakaistainen

broad bean s härkäpapu

1 broadcast ['brɔːdˌkɑːst] s radiolähetys, televisiolähetys

2 broadcast v broadcast, broadcast **1** lähettää radiossa/televisiossa **2** (kuv) levittää (uutista), mainostaa (näkemystään), julistaa

broad jump s (urh) pituushyppy

broadly adv **1** yleisesti **2** suuresti, hyvin (erilainen) **3** (hymyillä) leveästi

broad-minded [ˌbrɔːdˈmaɪndəd] adj suvaitseva, avarakatseinen

broadsheet s **1** suurikokoinen sanomalehti (erotuksena tabloidista) **2** juliste

broadside ['brɔːdˌsaɪd] s (kuv) voimakas hyökkäys jotakuta/jotakin vastaan *to fire a broadside* ampua täydeltä laidalta

broccoli [brɔkəli] s (mon broccoli) parsakaali

brochure [ˌbrəʊˈʃʊər] s esite, mainos

brogue [brəʊg] s **1** raskas kenkä **2** irlantilainen korostus

broil [brɔɪl] v grillata, pariloida

broke [brəʊk] ks break adj (sl) auki, peeaa, rahaton

broken [brəʊkən] ks break

broker [brəʊkər] s meklari, (kaupan)välittäjä

bronchial [brɑŋkɪəl] adj keuhkoputki-, bronkiaali-

bronchitis [ˌbrɑŋˈkaɪtəs] s keuhkoputkentulehdus, bronkiitti

bronchus [brɑŋkəs] s (mon bronchi) keuhkoputki

1 bronze [brɑnz] s **1** pronssi **2** punaruskea, kuparin väri **3** pronssiveistos yms

2 bronze v **1** ruskettua, ruskettaa **2** pronssata (vauvan kengät)

brooch [brəʊtʃ] s rintakoru
1 brood [bruːd] s (linnun) pesue, poikue (myös kuv)
2 brood v (lintu) hautoa (myös kuv)
brood on v hautoa mielessään, pohtia
brood over v hautoa mielessään, pohtia
broody adj alakuloinen, apea
brook [brʊk] s puro
broom [brum] s luuta
broth [brɒθ] s lihaliemi
brothel [brɒθəl] s bordelli
brother [brʌðər] s (mon brothers, merkityksessä 'uskonveli, jäsentoveri' brethren) veli
brotherhood [ˈbrʌðər,hʊd] s 1 veljeys 2 veljeskunta
brother-in-law [ˈbrʌðərɪn,lɑ] s (mon brothers-in-law) lanko
brought [brɔt] ks bring
brow [braʊ] s 1 kulmakarva 2 otsa 3 (rinteen, mäen) harja, laki
browbeat [ˈbraʊ,bit] v browbeat, browbeaten: pelotella, ahdistella, tyrannisoida they browbeat him into accepting the deal he pakottivat hänet hyväksymään kaupan
1 brown [braʊn] s 1 ruskea (väri)
2 brown v ruskettua, ruskettaa, ruskistua, ruskistaa
3 brown adj ruskea
brown hare s rusakko
browse [braʊz] v 1 (karja) laiduntaa, olla laitumella 2 selailla (kirjaa, lehteä), tutkiskella (esim kirjakaupan tai kirjaston hyllyjä) 3 (tietok) selata
browser s (tietok) selain
1 bruise [bruz] s mustelma
2 bruise v lyödä mustelmille, saada mustelma
brunch [brʌntʃ] s lounasaamiainen, brunssi, aamupäiväateria
brunette [bruˈnet] s ruskeatukkainen (vaaleaihoinen) nainen, tummaverikkö
brunt [brʌnt] to bear the brunt of something joutua kärsimään eniten jostakin
1 brush [brʌʃ] s 1 harja, sivellin toothbrush hammasharja 2 (matala) pensaikko 3 hipaisu, kevyt kosketus 4 lyhyt yhteenotto, kahakka

2 brush v 1 harjata 2 koskettaa, hipaista
brush aside v heittää mielestään, ei piitata jostakin, jättää (kommentti) omaan arvoonsa
brush away ks brush aside
brush up v verestää, elvyttää, palauttaa mieleensä he is trying to brush up his French hän yrittää verestää ranskan taitoaan
brusque [brʌsk] adj töykeä, epäkohtelias
brusquely adv töykeästi, epäkohteliaasti
brusqueness s töykeys, epäkohteliaisuus
Brussels sprout [ˈbrʌsəlz,spraʊt] s ruusukaali
brutal [brutəl] adj julma, raaka
brutality [bruˈtæləti] s julmuus, raakuus, julma/raaka teko
brute [brut] s eläin (myös kuv) adj eläimellinen, raaka
brutish [brutiʃ] adj eläimellinen
BSE (bovine spongiform encephalitis) hullun lehmän tauti
1 bubble [bʌbəl] s kupla
2 bubble v kuplia
bubble bath s kylpyvaahto
bubblegum [ˈbʌbəl,gʌm] s purukumi
bubbly [bʌbli] s samppanja adj kuplia
1 buck [bʌk] s 1 urosjänis, uroskaniini, urospeura ym 2 (sl) dollari, taala
2 buck v 1 (hevonen) hypätä ilmaan, heittää (ratsastaja) selästään 2 piristää, innostaa jotakuta
bucket [bʌkət] s sanko
bucketful s sangollinen
1 buckle [bʌkəl] s (vyön) solki
2 buckle v 1 sitoa vyö, sitoa kiinni 2 (pyörä, metalli) taipua
buckle up v käyttää turvavyötä, kiinnittää turvavyö
1 bud [bʌd] s (kukan) nuppu, (sipulin, lehden) silmu
2 bud v puhjeta nuppuun
Buddhism [ˈbud,ɪzəm] s buddhalaisuus
Buddhist [budɪst] s, adj buddhalainen
budding s nupullaan oleva (myös kuv), aloitteleva budding career lupaavasti alkanut ura
budge [bʌdʒ] v 1 liikahtaa, saada liikahtamaan 2 (kuv) antaa periksi, taipua
budgerigar [bəˈdʒerɪgɑr] s undulaatti

budget [bʌdʒət] s budjetti, tulo- ja menoarvio

budget for v varautua johonkin menoerään, varata rahaa johonkin tarkoitukseen, budjetoida

1 buff [bʌf] s **1** (paksu, pehmeä) nahka *in the buff* apposen alasti, ilkosillaan **2** kellanruskea **3** harrastaja *she is a movie buff* hän on elokuvahullu

2 buff v kiillottaa (metallia)

buffalo [bʌfəlou] s puhveli; biisoni

1 buffer [bʌfər] s **1** (junan) puskuri **2** päätepuskuri

2 buffer v puskuroida

buffered adj puskuroitu

buffet [bəfeɪ] s **1** seisova pöytä **2** juhla jossa on seisova pöytä

1 buffet [bʌfət] s (nyrkin)isku

2 buffet v iskeä, lyödä, paiskata

buffoon [bəfuːn] s pelle (myös kuv)

1 bug [bʌg] s **1** ludc **2** (ark) ötökkä, hyönteinen **3** salakuuntelumikrofoni **4** (ark) pöpö, virus **5** (sl) (laite)vika *I still don't have all the bugs ironed out* en ole vieläkään saanut sitä kunnolla toimimaan

2 bug v 1 asentaa salakuuntelumikrofoni jonnekin *their house is bugged* heidän talossaan on salakuuntelulaitteet **2** kuunnella salaa **3** (ark) vaivata, risoa, ärsyttää, kiusata

bugbear [bʌgbeər] s (kuv) kummitus, peikko *the bugbear of higher taxes* (myös:) korkeampien verojen pelko

bugle [bjuːgl] s (sot) merkkitorvi

bugler [bjuːglər] s (sot) merkkitorven soittaja

1 build [bɪld] s ruumiinrakenne

2 build v built, built; rakentaa, koota, luoda

builder s rakentaja, rakennustyöläinen, rakennusurakoitsija

building s **1** rakennus, talo **2** toimistorakennus, pilvenpiirtäjä *the Chrysler Building*

build on v rakentaa jonkin varaan, luottaa johonkin

build-up s **1** lisäys, kasvu **2** mainostus

build up v **1** syntyä, muodostua, muodostaa **2** kasvaa, kasvattaa, lisääntyä, lisätä **3** mainostaa jotakuta, tuoda jotakuta kovasti esiin

bulb [bʌlb] s **1** (kasvi)sipuli **2** hehkulamppu **3** (valokuvauskoneessa) B-asento (jossa

suljin on auki niin kauan kuin laukaisinta painetaan)

bulbous [bʌlbəs] adj sipulimainen, sipuli *bulbous nose* sipulinenä

bulb vegetables s (mon) (syötävät) sipulit

1 bulge [bʌldʒ] s pullistuma, kyhmy

2 bulge v pullistua, pullistaa

bulimia [bəˈlimiə] s (lääk) bulimia, ahmimishäiriö

bulimic [bəˈlimik] s bulimikko, bulimiaa sairastava henkilö

bulk [bʌlk] s **1** (suuri) määrä, joukko, suurin osa *in bulk* tukuttain

bulky adj suuri, iso, kömpelön kokoinen, tilaa vievä

bull [bul] s **1** härkä, sonni **2** uroshirvi, urosnorsu, urosvalas ym **3** (sl) roskapuhe; rehentely

bulldoze [bʌlˈdoʊz] v **1** raivata/tasoittaa puskutraktorilla **2** pelotella, pakottaa

bulldozer s puskutraktori

bullet [bʌlət] s luoti

bulletin [bʌlətn] s tiedotus, ilmoitus

bulletproof [bʌlətˌpruf] adj luodinkestävä

bullet train s nuolijuna, luotijuna

bullfinch s punatulkku

bullfrog s härkäsammakko

bullion [buljən] s harkkokulta, harkkohopea

bullish [bulɪʃ] adj (sijoittajista ym) optimistinen

bullock [bulək] s kuohittu sonni, härkä

bull's eye [ˈbel.zaɪ] s maalitaulun keskusta *you really hit the bull's eye that time* osuit aivan naulan kantaan

1 bully [buli] s uhottelija, tyranni

2 bully v uhotella, uhkailla, pelotella

bulwark [bulwərk] s **1** valli, suojamuuri (myös kuv)

1 bum [bʌm] s **1** pummi **2** takapuoli, pylly (ark)

2 bum v kerjätä, saada kerjäämällä

3 bum adj kelvoton, mitätön *bum leg* huono jalka

bum around v pummailla, lorvia, maleksia

bumblebee [bʌmbəlˌbi] s kimalainen

1 bump [bʌmp] s **1** isku **2** törmäys **3** (tien) kuoppa; muhkura

2 bump v **1** iskeä, iskeytyä, tömähtää **2** pomppia, hyppiä, heittelehtiä

bum pack s (UK) vyölaukku

bumper s (auton) puskuri

bump into v törmätä johonkuhun, tavata sattumalta

bumpkin [bʌmpkən] s (maalais)juntti

bump off v (sl) tappaa, ottaa päiviltä

bumpy adj **1** (tie) kuoppainen; muhkurainen **2** (kyyti) epätasainen

bum's rush [bʌmzˈrʌʃ] to give someone the bum's rush heittää joku ulos jostakin, antaa jollekulle kenkää

bun [bʌn] s **1** pulla, sämpylä **2** (hius)nuttura

bunch [bʌntʃ] s terttu, ryväs, nippu, rykelmä, joukko there's a whole bunch of cars outside ulkona on valtavasti autoja

bunch up v koota/kokoontua yhteen/ryhmäksi/nipuksi

bundle [bʌndəl] s nippu, nivaska he made a bundle on that deal hän pisti siinä kaupassa rahoiksi

bundle up v **1** niputtaa, koota yhteen/nipuksi **2** pukeutua lämpimästi, pukea lämpimät ulkovaatteet päälle; kääriytyä lämpimään peittoon

1 bung [bʌŋ] s tappi, tulppa

2 bung v sulkea tapilla

bungalow ['bʌŋgə,lou] s (pieni yksi- tai puolitoistakerroksinen) omakotitalo, (loma)mökki

bungle [bʌŋgəl] v hutiloida, tehdä hutiloiden, tunaroida

bung up v **1** (putki, nenä) tukkeutua, mennä tukkoon **2** kolhia (ks bang up)

bunk [bʌŋk] s punkka, (laiva)vuode

bunker s **1** (sot) bunkkeri **2** (golf) hiekkaeste

bunny [bʌni] s jänöjussi, pupujussi, pupu; (Playboyn) puputyttö

1 buoy [bui] s **1** poiju **2** pelastusrengas

2 buoy v merkitä poijuilla

buoyancy [bɔiənsi] s **1** kelluvuus **2** iloisuus, hyväntuulisuus **3** (hintojen, markkinoiden) vakavuus, vakaisuus, markkinoiden) vilkkaus

buoyant [bɔiənt] adj **1** kelluva **2** iloinen, hyväntuulinen **3** (hinnat, markkinat) vakaat, (kaupankäynti) vilkas

buoy up v **1** pitää jotakin/jotakuta pinnalla, kelluttaa **2** (kuv) pitää (haaveet, toivo) elossa/yllä

1 burden [bərdən] s taakka, (myös kuv:) rasite, vaiva white man's burden valkoisen miehen (moraalinen) taakka

2 burden v olla taakka/taakkana/taakaksi jollekulle

burdensome ['bərdən,səm] adj rasittava, raskas, vaivalloinen

bureau [bjərou] s (mon bureaus, bureaux) **1** lipasto **2** (valtion) virasto

bureaucracy [bjəˈrakrəsi] s byrokratia, virkavalta

bureaucrat ['bjərə,kræt] s byrokraatti

bureaucratic [bjərəˈkrætɪk] adj byrokraattinen, virkavaltainen

burger [bərgər] s (ham)purilainen

burger joint (ark) hampurilaisravintola

burglar [bərglər] s murtovaras

burglar alarm ['bərglərən,larm] s murtohälytin, varashälytin

burglarize [bərgləraiz] v tehdä murtovarkaus

burglarproof ['bərglər,pruf] adj murronkestävä

burglary [bərgləri] s murtovarkaus

burgle [bərgəl] v tehdä murtovarkaus

burial [beriəl] s hautaus, hautajaiset

burlap [bərlæp] s säkkikangas

burly adj (ihminen) vankkarakenteinen, isoluinen, (pelottavan/uhkaavan) iso, lihaksikas the loanshark sent over two burly henchmen to talk sense into me koronkiskuri lähetti kaksi pahannäköistä kätyriä puhumaan minulle järkeä

1 burn [bərn] s palohaava, palovamma

2 burn v burnt, burnt: polttaa, palaa (myös kuv) he is burning with anger hän palaa kiukusta

burn away v palaa palamistaan, palaa edelleen

burn down v palaa/polttaa poroksi/maan tasalle/loppuun

burnish [bərnɪʃ] v kiillottaa, hioa/hangata kiiltäväksi

burn out v **1** (tuli) sammua, palaa loppuun **2** (kuv) palaa loppuun, väsyttää itsensä loppuun **3** savustaa (vihollinen) ulos jostakin

burnout [bərnaʊt] s **1** työuupumus, loppuunpalaminen **2** loppuunpalanut ihminen

burn up v **1** polttaa (roskia, polttoaineita, liikakiloja) **2** suututtaa, saada raivostumaan **3** (raketti) palaa ilmakehään osuessaan

1 burp [bərp] s röyhtäisy

2 burp v röyhtäistä

1 burrow [bərou] s (kaniinin ym) pesä, kolo

2 burrow v kaivaa pesä/kolo

bursar [bərsər] s (yliopiston) kamreeri

1 burst [bərst] s **1** räjähdys **2** repeämä, halkeama **3** (innostuksen, voiman)puuska

2 burst v burst, burst: **1** räjähtää, räjäyttää **2** revetä, haljeta, (kuplasta) puhjeta, (nupusta) aueta **3** rynnätä jonnekin/jostakin **4** olla haljeta innostuksesta/halusta, ei malttaa odottaa *she is bursting to open her present* hän palaa halusta avata lahjansa

burst in v keskeyttää joku/jokin, tuppautua seuraan/keskusteluun

burst into v ruveta/alkaa yhtäkkiä tehdä jotakin, puhjeta johonkin *she burst into tears* hän puhkesi kyyneliin

burst out v **1** (tunteista) nousta pintaan, puhjeta *She burst out laughing/crying* Hän puhkesi nauruun/itkuun **2** rynnätä jostakin

burst with v olla vähällä haljeta jostakin, olla täynnä jotakin *he is bursting with anger* hän on pakahtua kiukkuunsa

bury [beri] v buried, buried **1** haudata (ruumis) **2** piilottaa, kätkeä, haudata (aarre) *she buried her face in her hands* hän peitti kasvonsa käsillään **3** *bury yourself in* uppoutua/syventyä johonkin, haudata itsensä työhön ym

1 bus [bʌs] s (mon buses, busses) linja-auto, bussi

2 bus v (bused/bussed, bused/bussed) mennä/viedä linja-autolla (ks busing)

busboy s nisse, apulaistarjoilija

bush [buʃ] s **1** pensas **2** (Afrikan, Australian viljelemätön, harvaan asuttu) pensasmaa, salomaa

bushy adj (bushier, bushiest) **1** pensaita kasvava, pensaiden peittämä **2** tuuhea

busily [bizəli] adv kiireisesti, innokkaasti

business [biznəs] s **1** kaupankäynti, liikeala **2** liikeyritys, kauppa **3** asia, tehtävä *it's*

none of your business se ei kuulu sinulle *get down to business* ruveta töihin, panna hihat heilumaan, panna toimeksi *mind your own business* pidä huoli omista asioistasi

business failure s konkurssi, vararikko

businesslike [biznəs,laik] adj asiallinen

businessman [biznəsmən] s liikemies

businesswoman s liikenainen

busing [bʌsin] s koululaisten kuljettaminen linja-autoilla lähintä koulua kauempaan kouluun, jotta samassa koulussa on riittävästi erirotuisia lapsia

busker s (UK) katumuusikko

busman's holiday s työloma

bus pass s (kausi- tms) bussilippu

busser s (ark) nisse, apulaistarjoilija

bus shelter s katettu bussipysäkki

bus stop s [ˈbʌs,stap] s linja-autopysäkki

1 bust [bʌst] s **1** (veistos) rintakuva **2** povi, naisen rinnat

2 bust v särkeä, iskeä mäsäksi/säpäleiksi *go bust* tehdä vararikko, mennä konkurssiin

1 bustle [bʌsəl] s touhu, hyöriä

2 bustle v touhuta, hyöriä, hääriä, puuhata; hoputtaa, kiirehtiä

busy [bizi] adj **1** (busier, busiest) kiireinen (ihminen, työpäivä) *I can't come, I'm busy* en ehdi, minulla on kiireitä **2** (puhelimesta) varattu v puuhata jotakin, häärätä, touhuta

but [bʌt] konj mutta not this but that ei tamä vaan tuo adv pelkkä, ei...kuin, (sanan cannot kanssa) vain *you're (nothing) but an amateur* sinä olet pelkkä harrastelija/aloittelija *I cannot but regret my decision* voin vain katua päätöstäni *prep* paitsi *it was anything but fun* se oli kaikkea muuta kuin hauskaa

1 butcher [butʃər] s teurastaja (myös kuv)

2 butcher v teurastaa (myös kuv)

butchery s (kuv) teurastus

but for prep lukuun ottamatta, ilman *but for your help, we'd be lost* ilman sinun apuasi me olisimme pulassa

butler [bʌtlər] s hovimestari

1 butt [bʌt] s **1** tynnyri **2** aseen perä **3** (sl) persukset, takapuoli **4** (tupakan) tumppi, natsa **5** maalitaulu, kohde (myös kuv esim vitsin, pilkan kohteesta)

2 butt v tönäistä, tuupata päällään

butte [bjut] s pieni pöytävuori

1 butter [bʌtər] s voi

2 butter v voidella voilla, levittää voita johonkin

buttercup [bʌtər,kʌp] s leinikki

butterfly [bʌtər,flai] s (mon butterflies) perhonen

butterscotch [bʌtər,skatʃ] s kinuski, kermakarameli, kermatoffee

butter up v imarrella, mielistellä, hännystellä

butt in v keskeyttää keskustelu, tuppautua seuraan

buttock [bʌtək] s pakara

1 button [bʌtən] s **1** nappi **2** painonappi, painike

2 button v napittaa, kiinnittää/kiinnittyä napilla

1 buttonhole [bʌtən,houl] s napinläpi

2 buttonhole v saada/ottaa joku kiinni ja jutella tämän kanssa, (ottaa hihasta kiinni ja) jututtaa (pitkään)

button up v **1** napittaa kiinni **2** (kuv kaupasta, sopimuksesta) solmia

1 buttress [bʌtrəs] s tukipilari (myös kuv)

2 buttress v vahvistaa, tukea

buxom [bʌksəm] adj **1** (naisen kehosta) rintava, isorintainen **2** (naisen luonteesta) lupsakka

1 buy [bai] s ostos a good buy edullinen ostos

2 buy v bought, bought **1** ostaa **2** uskoa I don't buy that sitä en usko

buyer [baiər] s (tavaratalon ym) sisäänostaja

1 buzz [bʌz] s (hyönteisen) surina, (puheen) sorina

2 buzz v **1** (hyönteisestä, korvista) surista **2** kutsua joku paikalle summerilla **3** lentää vaarallisen lähellä toista lentokonetta

buzzard [bʌzərd] s hiirihaukka

buzzer s summeri

buzzword [bʌz,wərd] s (kapulakielinen) muotisana

by [bai] prep **1** luona, luokse, lähellä, läheltä, lähelle, vieressä, vierestä, viereen he is sitting by the window hän istuu ikkunan ääressä the house is located by the road/river/school talo sijaitsee tien/joen/koulun vieressä/lähellä **2** kautta I came by the main road tulin päätietä **3** ohi, ohitse he rushed by me hän kiiruhti ohitseni **4** tekijästä, aiheuttajasta he was killed by a bomb hän sai surmansa pomminiskusta I did it by myself minä tein sen yksin, omin päin **5** menetelmästä, keinosta, tavasta we came by car/land me tulimme autolla/maitse the door to the vault is opened by turning this handle holvin ovi avataan kääntämällä tätä kahvaa **6** jonkun/jonkin mukaan, jostakin päätellen it's fine by me se sopii minulle, minulla ei ole mitään sitä vastaan **7** erosta, välimatkasta the truck missed the car by a few inches rekka-auto meni vain muutaman tuuman päästä henkilöautosta **8** mennessä by five, he was really nervous kello viiden aikaan hän oli jo erittäin hermostunut

bygone [bai,gan] s to let bygones be bygones unohtaa menneet adj mennyt in bygone days ennen vanhaan

by-law [bai,la] s (paikallinen, yrityksen tai oppilaitoksen sisäinen) sääntö, määräys, säädös

1 bypass [bai,pæs] s ohitustie (joka kiertää taajaman)

2 bypass v **1** ohittaa ohitustietä ajamalla **2** välttää jotakin, välttyä joltakin

bypass surgery s ohitusleikkaus

byproduct [bai,pradəkt] s sivutuote

bystander [bai,stændər] s sivustakatsoja, syrjästäkatsoja

byte [bait] s (tietok) tavu

by the skin of your teeth fr nipin napin, juuri ja juuri, (jokin on) hiuskarvan varassa

by the way fr muuten by the way, how is your dad? mitä muuten isälläsi kuuluu?

C,c

C, c [si] C, c

cab [kæb] *s* **1** taksi **2** (veturin, maansiirtokoneen, trukin) ohjaamo, hytti

cabaret [kæbəˈreɪ] *s* kabaree, varietee

cabbage [kæbɪdʒ] *s* kaali *green cabbage* keräkaali *white cabbage* valkokaali

cabbie [kæbɪ] *s* (ark) taksinkuljettaja

cabin [kæbən] *s* **1** (lentokoneen) matkustamo, (laivan, köysiradan) hytti **2** mökki

cabinet [kæbənət] *s* **1** kaappi, vitriini **2** hallitus

1 cable [keɪbəl] *s* **1** kaapeli, touvi **2** (sähkö)kaapeli **3** (tal) GBP/USD-kurssi

2 cable *v* sähköttää, lähettää sähke

cable car *s* köysirata (vuoristossa); köysivetoinen raitiovaunu

1 cackle [kækəl] *s* **1** (kanan) kotkotus **2** (naurun)hekotus **3** hölötys, lörpöttely

2 cackle *v* **1** (kanasta) kotkottaa **2** nauraa hekottaen/hekostella **3** hölöttää, lörpötellä

cactus [kæktəs] *s* (mon cacti, cactuses) kaktus

CAD *computer-assisted/aided design* tietokoneavusteinen suunnittelu

caddie [kædɪ] *s* (golf) caddie, mailojen kantaja, mailapoika

cadet [kəˈdet] *s* **1** kadetti **2** poliisikokelas

cadge [kædʒ] *v* kerjätä, lainata, vipata joltakulta jotakin

café [kæˈfeɪ] *s* kahvila

cafeteria [kæfəˈtɪərɪə] *s* (itsepalvelu)kahvila, ruokala

caffeine [kæfiːn] *s* kofeiini

1 cage [keɪdʒ] *s* (eläin-, lintu)häkki

2 cage *v* sulkea häkkiin, pitää häkissä

cagey [keɪdʒɪ] *adj* salamyhkäinen, varovainen, ovela

cairn [keərn] *s* (esim maamerkiksi koottu) kivipyramidi

cajole [kəˈdʒəʊl] *v* suostutella, houkutella (imartelemalla) *he cajoled her into doing*

---

the job hän houkutteli naisen (imartelemalla) tekemään työn

1 cake [keɪk] *s* **1** (täyte)kakku **2** pala: *a cake of soap* saippua *a fish cake* kalapihvi **3** *a piece of cake* helppo homma, lastenleikkiä

2 cake *v* peittää/peittyä kuraan **2** (kurasta, meikistä) kuivua kiinni johonkin

calamity [kəˈlæmət] *s* katastrofi

calcium [kælsɪəm] *s* kalsium

calculable [kælkjələbəl] *adj* joka on laskettavissa/arvioitavissa

calculate [ˈkælkjəˌleɪt] *v* laskea; arvioida **2** suunnitella, tarkoittaa, tähdätä johonkin *the announcement was calculated to divert attention from the main issue* ilmoituksen tarkoituksena oli viedä huomio pois pääasiasta **3** olettaa, uskoa (tapahtuvaksi)

calculate on *v* varautua johonkin, olettaa jotakin

calculating *adj* laskelmoiva, juonitteleva

calculation [kælkjəˈleɪʃən] *s* **1** laskelma, arvio **2** laskelmointi, juonittelu

calculator *s* laskin

caldron [kɔːldrən] *s* **1** pata **2** noidankattila (myös kuv)

calendar [kæləndər] *s* **1** kalenteri, ajanlasku **2** kalenteri, päivyri, almanakka

calf [kæf] *s* (mon calves) **1** vasikka, norsun/hylkeen/valaanpoikanen **2** pohje

caliber [kæləbər] *s* (aseen) kaliiperi **2** laatu, laji, luokka, kaliiperi

1 call [kɔːl] *s* **1** huuto, (linnun) kutsu, (torven) törähdys **2** puhelu, puhelinsoitto **3** (lennon lähtö)kuulutus **4** kutsu, käsky *this doctor is on call today* tämä lääkäri päivystää tänään **5** käynti, vierailu *they made/paid a call on her* he kävivät hänen luonaan **6** tarve, syy, aihe *you had no call telling him he is an idiot* sinulla ei ollut mitään perustetta haukkua häntä idiootiksi *the call of nature* virtsahätä

2 call *v* **1** huutaa, kutsua, (torvesta) törähtää, soida **2** olla nimenä, kutsua/sanoa joksikin *I am called Phoebe* nimeni on Phoebe **3** kutsua paikalle/sisään/todistajaksi/koolle *to call a strike* julistaa/aloittaa lakko

call a spade a spade *fr* puhua suoraan, sanoa asiat niin kuin ne ovat *to call a spade a spade, he is hopeless* hän on suoraan sanoen toivoton (tapaus)

call down *v* moittia, haukkua, sättiä

caller *s* **1** vieras, kävijä **2** (puhelin)soittaja

call for *v* **1** olla tarpeen, (tilanteesta:) vaatia **2** noutaa, tulla hakemaan joku

calligraphy [kəˈlɪɡrəfi] *s* kalligrafia, kaunokirjoitus

call in *v* vaatia (laina takaisin)maksettavaksi/palautettavaksi

calling *s* kutsumus, ammatti

call in sick *fr* ilmoittautua sairaaksi, ei mennä työhön (sairauden vuoksi)

call it quits *fr* lopettaa, luopua (yrityksestä)

call off *v* **1** peruuttaa, perua, lopettaa **2** käskeä/kutsua pois

call on *v* **1** piipahtaa jossakin, käydä jonkun luona *I called on her on my way back* piipahdin paluumatkalla hänen luonaan **2** vedota johonkuhun, anoa/pyytää/kutsua/vaatia jotakuta tekemään jotakin

call option [ˈkælˌɒpʃən] *s* (tal) osto-optio

callous [ˈkæləs] *adj* **1** (ihosta) kovettunut, parkkiintunut (myös kuv) **2** kovasydäminen, kylmäkiskoinen

call out *v* **1** huutaa (apua), huudahtaa, parahtaa **2** hälyttää, kutsua palvelukseen

callover [ˈkælˌəʊvər] *s* (tal) julkihuuto

callow [ˈkæləʊ] *adj* kypsymätön, nuori, kokematon

call the shots *fr* määrätä (missä kaappi seisoo), pitää jöötä (ark)

call the tune *fr* määrätä, olla määräävässä asemassa

call to order *fr: to call a meeting to order* aloittaa kokous

call-up *s* kutsunta (sotilaspalvelukseen)

call up *v* **1** soittaa jollekulle (puhelimella) **2** palauttaa mieleen, muistaa **3** kutsua (sotilas)palvelukseen

callus [ˈkæləs] *s* känsä

call your shots *fr* ilmoittaa aikeensa

1 calm [kɑːm] *v* rauhoittaa, tyynnyttää

2 calm *adj* tyyni (ilma, mieliala), rauhallinen, tuuleton

calm down *v* rauhoittaa, rauhoittua, (mielialasta, tuulesta) tyynnyttää, tyyntyä

calmness *s* rauhallisuus, tyyneys, tuulettomuus

calorie [ˈkæləˌri] *s* kalori

calumet [ˈkæljəˌmet] *s* rauhanpiippu

calve [kæv] *v* vasikoida, poikia

calypso [kəˈlɪpˌsəʊ] *s* calypso, kalypso

CAM *computer-aided manufacturing* tietokoneavusteinen valmistus

camber [ˈkæmbər] *s* **1** kuperuus **2** (auton) pyörän kallistuma, camber

camcorder [ˈkæmˌkɔːrdər] *s* kameranauhuri, videokamera(n ja nauhurin yhdistelmä)

came [keɪm] *ks* come

camel [ˈkæməl] *s* kameli

cameo [ˈkæmɪəʊ] *s* (mon cameos) **1** kamee(koru) **2** *ks* cameo part

cameo part (role) *s* (kuuluisan näyttelijän yhden kohtauksen mittainen) sivuosa (elokuvassa)

camera [ˈkæmrə] *s* valokuvauskone, (valo-/elokuva/video)kamera

1 camouflage [ˈkæməˌflɑːʒ] *s* naamio(inti) (myös kuv)

2 camouflage *v* naamioida (myös kuv), salata, peittää

1 camp [kæmp] *s* leiri (myös kuv) *he joined the conservative camp* hän siirtyi vanhoillisten leiriin

2 camp *v* leiriytyä; retkeillä, telttailla

1 campaign [kæmˈpeɪn] *s* **1** sotaretki **2** vaalikiertue, vaalikampanja, mainoskampanja

2 campaign *v* olla sotaretkellä/vaalikiertueella

campaigner *s* **1** soturi **2** vaaliavustaja, kannattaja, puolestapuhuja (for), vastustaja (against)

camper *s* retkeilijä, telttailija; leiriläinen

campfire [ˈkæmpˌfaɪər] *s* (leiri)nuotio

campground [ˈkæmpˌɡraʊnd] *s* leirintäalue

campus [ˈkæmpəs] *s* kampus, yliopiston alue

1 can [kæn] *s* **1** (säilyke- tai muu) tölkki, purkki, kannu, (roska)tynnyri **2** (sl) vankila **3** (sl) vessa

2 can *v* purkittaa, säilöä, panna/pakata tölkkiin/purkkiin *can it* (sl) turpa kiinni! *apuv* (could, kielt lyh can't, cannot, couldn't) **1** voida, kyetä, pystyä, osata *can you do it alone?* selviätkö siitä yksin, osaatko tehdä sen yksin? *I can't hear you* en kuule mitä sanot **2** saada, voida *you can go now* voit jo lähteä **3** voida, saattaa *life can be hard* elämä voi olla joskus vaikeaa **4** tehdä mieli, voida *I could die* minä häpesin kuollakseni, olisin voinut kuolla häpeään

canal [kəˈnæl] *s* kanava *the alimentary canal* ruuansulatuskanava

canary [kəˈneri] *s* kanarialintu

cancel [ˈkænsəl] *v* **1** mitätöidä (leimamerkki, postimerkki) **2** peruuttaa (tilaus, tilaisuus, paikkavaraus, lehtitilaus)

cancellation [ˌkænsəˈleiʃən] *s* **1** (leimamerkin, postimerkin) mitätöinti **2** (tilauksen, tilaisuuden, paikkavarauksen, lehtitilauksen) peruutus **3** peruutuspaikka (hotellissa, lentokoneessa ym)

cancel out *v* kumota toisensa

Cancer *horoskoopissa* Rapu

cancerous [ˈkænsərəs] *adj* syöpä-

candid [ˈkændɪd] *adj* rehellinen, avoin, vilpitön, aito

candidate [ˈkændədət] *s* **1** ehdokas **2** kokelas

candid camera *s* piilokamera

candidly *adv* rehellisesti, avoimesti, vilpittömästi, aidosti

candle [ˈkændl] *s* kynttilä

candlestick [ˈkændlˌstɪk] *s* kynttilänjalka

can-do [ˈkænˈduː] (ark) myönteisyys, optimismi

candor [ˈkændər] *s* rehellisyys, avoimuus, vilpittömyys

candy [ˈkændɪ] *s* makeiset, karamelli(t)

1 cane [keɪn] *s* **1** ruoko *sugar cane* sokeriruoko **2** keppi, raippa

2 cane *v* antaa jollekulle keppiä, piiskata, antaa raippparangaistus

canine [ˈkeɪnaɪn] *adj* koira-

caning [ˈkeɪnɪŋ] *s* raippparangaistus

canister [ˈkænəstər] *s* kanisteri, metalliastia, metallisäiliö

cannabis [ˈkænəbəs] *s* kannabis

cannery [ˈkænərɪ] *s* säilyketehdas

cannibal [ˈkænəbəl] *s* ihmissyöjä

cannibalism [ˈkænəbəˌlɪzəm] *s* kannibalismi, ihmissyönti

cannibalize [ˈkænəbəˌlaɪz] *v* purkaa osiksi (vanha auto, lentokone ym)

cannon [ˈkænən] *s* (mon cannon, cannons) kanuuna, tykki

cannot [kəˈnæt kæˈnæt] ks can

1 canoe [kəˈnuː] *s* kanootti

2 canoe *v* meloa (kanootilla)

canon [ˈkænən] *s* **1** (kirkollinen) kaanon **2** yleinen periaate/ohje, kaanon **3** (mus) kaanon **4** (katolinen, anglikaaninen) kaniikki

canonical [kəˈnænɪkəl] *adj* kanoninen, (katolisen) kirkkolain mukainen

canonize [ˈkænəˌnaɪz] *v* kanonisoida, julistaa pyhimykseksi, (kuv) nostaa suureen arvoon

canopy [ˈkænəpɪ] *s* **1** markiisi **2** baldakiini, kateverho, kunniakatos **3** (lentokoneen ohjaamon) kuomu

cant [kænt] *s* **1** hurskastelu **2** varkaiden kieli **3** ammattikieli, jargon **4** kallistuma

can't [kænt] ks can

cantankerous [ˌkænˈtæŋkərəs] *adj* riidanhaluinen, pahantuulinen, nyrpeä, ärrä

canteen [ˌkænˈtiːn] *s* **1** kanttiini, ruokala, kahvila, myymälä **2** leili, kenttäpullo

1 canter [ˈkæntər] *s* (ratsastuksessa) hiljainen/lyhyt laukka

2 canter *v* ratsastaa hiljaista/lyhyttä laukkaa, laukata hiljaa

cantilever [ˈkæntɪˌlevər ˈkæntɪˌliːvər] *s* uloke, tuki, kannatin

cantilever bridge *s* ulokesilta

canvas [ˈkænvəs] *s* (mon canvasses) **1** purjekangas; öljyjkangas **2** öljyjmaalaus

canvass [ˈkænvəs] *v* **1** kerätä/kalastaa ääniä **2** kaupitella, mainostaa (tuotetta, ehdokasta) **3** luodata/tunnustella mielipiteitä

canyon [ˈkænjən] *s* kanjoni

1 cap [kæp] *s* **1** lippalakki **2** myssy, pipo **3** (pullon, purson) korkki, suljin

2 cap *v* **1** korkittaa, sulkea (korkilla) **2** kertoa parempi juttu/vitsi kuin, parantaa jonkun tulosta/ennätystä, pistää paremmaksi

capability [keɪpəˈbɪlətɪ] *s* **1** lahjakkuus, pätevyys, kyvyt, taidot **2** sotilaallinen voima, iskuvoima

capable [keɪpəbəl] *adj* pätevä, osaava, lahjakas, taitava

capable of *adj* **1** (ihmisestä) joka pystyy/kykenee johonkin *I am not capable of doing it* en pysty siihen/en selviä siitä **2** (esineestä, tilanteesta) joka voi tehdä jotakin, jolle voidaan tehdä jotakin *the machine is capable of breaking down any minute* laite saattaa hajota minä hetkenä hyvänsä

capacity [kəˈpæsətɪ] *s* **1** (astian) tilavuus **2** kyky, taito **3** ominaisuus *in my capacity as director* johtajan ominaisuudessa

cape [keɪp] *s* **1** viitta **2** niemi

capercaillie [ˌkæpərˈkeɪljɪ] *s* metso

capillary [ˈkæpɪˌlerɪ] *s* hiussuoni

1 capital [ˈkæpɪtəl] *s* **1** pääkaupunki **2** iso kirjain **3** pääoma

2 capital *adj* kuolemalla rangaistava

capitalism [ˈkæpɪtəˌlɪzəm] *s* kuolemanrangaistus

capitalist [ˈkæpɪtəˌləst] *s* kapitalisti

capitalize [ˈkæpɪtəˌlaɪz] *v* **1** kapitalisoida **2** rahoittaa **3** kirjoittaa isolla kirjaimella

capitalize on *v* käyttää hyväkseen jotakin, hyötyä jostakin

capital letter *s* iso kirjain

capital punishment *s* kuolemanrangaistus

capitulate [kəˈpɪtʃəˌleɪt] *v* antautua

capitulation [kəˌpɪtʃəˈleɪʃən] *s* antautuminen

capsize [ˈkæpˌsaɪz] *v* (veneestä, laivasta) kaatua

capstan [ˈkæpˌstæn] *s* (ankkuri) vintturi; (nauhurin) vetoakseli

capsule [ˈkæpsəl] *s* **1** (kasvin) kota **2** (lääke)kapseli **3** avaruuskapseli

1 captain [ˈkæptən] *s* (armeijan, laivan, urheilujoukkueen) kapteeni, urheilujoukkueen johtaja

2 captain *v* johtaa jotakin, toimia kapteenina

caption [ˈkæpʃən] *s* (sanomalehden, kirjan) kuvateksti *closed-captioned* (kuulovammaisille) tekstitetty (televisiolähetys)

captivate [ˈkæptəˌveɪt] *v* kiehtoa jotakuta, saada lumoihinsa

captive [ˈkæptɪv] *s* vanki, vangittu eläin/ihminen *adj* vangittu

captivity [ˈkæpˈtɪvətɪ] *s* (eläimen, ihmisen) vankeus

captor [ˈkæptər] *s* vangitsija, pyydystäjä

1 capture [ˈkæptʃər] *s* **1** vangitseminen, valtaus, valloitus **2** saalis, vanki

2 capture *v* **1** vangita, ottaa kiinni **2** vallata

car [kɑr] *s* **1** auto **2** junanvaunu, raitiovaunu **3** hissin kori

caramel [ˈkærml] *s* karamelli(seos)

carat [ˈkerət] *s* (kullasta, jalokivistä) karaatti

caravan [ˈkerəˌvæn] *s* **1** karavaani **2** (UK) asuntovaunu **3** (romani)vaunut

carbohydrate [ˌkɑrbəˈhaɪdreɪt] *s* **1** hiilihydraatti **2** hiilihydraattipitoiset ruuat, tärkkelys

carbon [ˈkɑrbən] *s* **1** hiili **2** hiilipaperi **3** (hiilipaperi)kopio, jäljennös

carbon dioxide *s* hiilidioksidi

carbon emissions *s* (mon) hiilidioksidipäästöt

carbs *s* (mon ark) *carbohydrates* hiilihydraatit, hiilarit

carbuncle [ˈkɑrbʌŋkəl] *s* (lääk) karbunkkeli, ajospahka

carburetor [ˈkɑrbəˌreɪtər] *s* (polttomoottorin) kaasutin

carcass [ˈkɑrkəs] *s* (eläimen) ruho, raato

card [kɑrd] *s* kortti *playing card* pelikortti, *postcard* postikortti *birthday card* onnittelukortti *credit card* luottokortti

cardboard [ˈkɑrdˌbɔrd] *s* pahvi

cardiac [ˈkɑrdɪˌæk] *adj* sydän- *cardiac insufficiency* sydämen vajaatoiminta

cardigan [ˈkɑrdəgən] *s* villatakki

cardinal [ˈkɑrdnəl kɑrdənəl] *s* **1** (roomalaiskatolisessa kirkossa) kardinaali(kollegion jäsen) **2** (lintu) kardinaali **3** *cardinal red* kirkkaanpunainen väri *adj* tärkein, pää, kardinaali-

cardinal number *s* kardinaaliluku, perusluku

cardinal virtue *s* **1** kardinaalihyve **2** (suuri) hyve

1 care [keər] *s* **1** huoli, huolenpito *take care of* huolehtia, pitää huolta jostakusta/jostakin **2** huosta, hoiva *we left the kids in my mother's care* jätimme lapset äitini hoivaan **3** (yl mon) huolet, murheet

2 care *v* **1** välittää, piitata *I don't care what they think* minulle on sama mitä mieltä he ovat **2** haluta, tehdä mieli, välittää, pitää *would you care to follow me, please?* voisitteko ystävällisesti seurata minua?

1 career [kəˈrɪər] *s* ura, ammatti

2 career *v* viiletttää, kiitää

careerist [kəˈrɪərəst] *s* uraihminen

care for *v* **1** huolehtia, pitää huoli jostakusta/jostakin **2** haluta, tehdä mieli, pitää *would you care for another?* saako olla/laluatko lisää?

carefree [ˈkerˌfri] *adj* huoleton

careful [ˈkerfəl] *adj* **1** varovainen **2** huolellinen

carefulness *s* **1** varovaisuus **2** huolellisuus

careless *adj* **1** huolimaton *a careless mistake* huolimattomuusvirhe **2** välinpitämätön, huoleton, piittaamaton

carelessness *s* **1** huolimattomuus **2** välinpitämättömyys, huolettomuus, piittaamattomuus

1 caress [kəˈres] *s* hyväily

2 caress *v* hyväillä

caretaker [ˈkerˌteɪkər] *s* kiinteistönhoitaja, talonmies, huoltaja, (esim lapsen tai kokoelman) hoitaja

cargo [ˈkɑːrgoʊ] *s* (mon cargoes) rahti(tavara)

car hire *s* (UK) autovuokraamo; autonvuokraus

1 caricature [ˈkærəkəˌtʃər] *s* pilakuva, pilapiirros, karikatyyri

2 caricature *v* piirtää pilakuva jostakusta, karrikoida

carjack [ˈkɑːrˌdʒæk] *v* kaapata auto

carjacking *s* autokaappaus

carnage [ˈkɑːrnədʒ] *s* verilöyly

carnal [ˈkɑːrnəl] *adj* lihallinen, aistillinen

carnation [ˌkɑːrˈneɪʃən] *s* neilikka

carnival [ˈkɑːrnəvəl] *s* **1** tivoli **2** laskiaisaika, karnevaali

carnivore [ˈkɑːrnəˌvɔːr] *s* lihansyöjä (eläin tai ihminen)

carnivorous [kɑːrˈnɪvərəs] *adj* lihansyöjä

1 carol [ˈkærəl] *s* laulu *Christmas carol* joululaulu

2 carol *v* laulaa (iloisesti)

1 carp [kɑːrp] *s* (mon carp) karppi

2 carp *v* **1** valittaa, kitistä, narista **2** moitiskella

car park *s* (UK) pysäköintialue

carpenter [ˈkɑːrpəntər] *s* puuseppä, kirvesmies

carpentry [ˈkɑːrpəntri] *s* puu(sepän)työt, kirvesmiehen työt

1 carpet [ˈkɑːrpət] *s* matto *wall-to-wall carpeting* kokolattiamatto

2 carpet *v* peittää matolla

1 carpool [ˈkɑːrˌpuːl] *s* kimppakyyti

2 carpool *v* ajaa/viedä kimppakyydillä

carriage [ˈkærɪdʒ] *s* **1** vaunu(t) *baby carriage* lastenvaunut **2** ryhti **3** (UK) junanvaunu

carrier [ˈkærɪər] *s* **1** kuljetusliike, huolintaliike, lentoyhtiö, linja-autoyhtiö **2** alus *an aircraft carrier* lentotukialus **3** taudinkantaja

carrion [ˈkærɪən] *s* haaska, raato

carrot [ˈkærət] *s* porkkana

carry [ˈkæri] *v* (carried, carried) **1** kantaa **2** kuljettaa, viedä **3** olla/pitää mukanaan, kantaa (asettaa) *he never carries any cash on him* hänellä ei ole koskaan käteistä mukanaan **4** kannattaa, tukea **5** (äänestä) kuulua, kantautua **6** (sanomalehdistä, televisiosta) julkaista/kertoa (uutinen) **7** olla tietynlainen ryhti *he carries himself very erect* hänellä on hyvin suora ryhti **8** *fr:* to carry a child olla raskaana, odottaa *the loan carries a five per cent interest* lainan korko on viisi prosenttia *his promise carries a lot of weight* hänen lupauksensa painaa paljon, hänen lupauksellaan on suuri merkitys

carry away *v* to get carried away innostua liikaa

carry back *v* palauttaa/tuoda mieleen, muistuttaa jostakin

carry forward *v* siirtää (uuteen sarakkeeseen)

carry off *v* voittaa

carry on *v* **1** johtaa (liikeyritystä) **2** pitää melua, käyttäytyä sopimattomasti **3** jatkaa jotakin

carry-on s (lentokoneessa) käsimatkatavara *adj: carry-on luggage* käsimatkatavara

carry out v toteuttaa, panna toimeen

carry-out s 1 ravintola jossa valmistetaan ruokaa mukaan otettavaksi 2 ravintolaruoka joka otetaan mukaan muualla syötäväksi

carry over v siirtää, lykätä

carry-over s 1 (kirjanpidossa) siirto 2 jäänne (menneeltä ajalta), vanha tapa, perinne

carry through v 1 auttaa jotakuta selviytymään jostakin 2 pitää sanansa/lupauksensa, toteuttaa

1 cart [kart] s kärry(t)

2 cart v 1 kuljettaa kärry(i)llä, kärrätä (myös kuv) 2 kuljettaa *to put the cart before the horse* panna kärryt hevosen eteen, aloittaa väärästä päästä

cartilage [ˈkɑːtəˌlɪdʒ] s rusto

carton [kɑːtən] s pahvilaatikko *carton of cigarettes* tupakkakartonki

cartoon [ˌkɑːˈtuːn] s 1 pilapiirros 2 piirroselokuva

cartoonist [ˌkɑːˈtuːnɪst] s pilapiirtäjä

cartridge [ˈkɑːtˌrɪdʒ] s 1 patruuna 2 (levysoittimen) äänirasia 3 filmikasetti, nauhakasetti

carve [kɑːv] v 1 veistää, kaivertaa 2 leikata (liharuokaa), paloitella

1 cascade [kæsˈkeɪd] s 1 vesiputous 2 ryöppy

2 cascade v ryöpytä (myös kuv)

1 case [keɪs] s 1 tapaus *in his case* hänen tapauksessaan/kohdallaan *in any case* joka tapauksessa 2 potilas, tapaus 3 oikeudenkäynti, oikeusjuttu 4 (kielioppiosa) sija 5 laatikko, kotelo 6 aakkoskoko *lower case* pienaakkonen *upper case* suuraakkonen

2 case v panna laatikkoon, koteloon

case history s tapauskertomus; sairaushistoria

case-insensitive *adj* (tietok) aakkoskoosta riippumaton

case-sensitive *adj* (tietok) aakkoskoosta riippuva

1 cash [kæʃ] s 1 käteinen (raha) 2 raha

2 cash v lunastaa (sekki)

cash crop [ˈkæʃˌkrap] s myyntiin tarkoitettu sato

cashew [ˈkæʃuː kəˈʃuː] s cashewpähkinä, cashewpuu

cashier [kæˈʃɪər] s kassa(nhoitaja)

cash in on v pistää rahoiksi jollakin, rikastua jollakin

cash machine s (ark) pankkiautomaatti

cashmere [ˈkæʒmɪər] s kašmir(villa)

cashpoint s (UK) pankkiautomaatti

cash register [ˈkæʃˈredʒɪstər] s kassakone

casino [kəˈsiːnoʊ] s (mon casinos) (peli)kasino

cask [kæsk] s tynnyri

casket [ˈkæskət] s 1 rasia 2 ruumisarkku

casserole [ˈkæsəˌroʊl] s (astiasta ja ruuasta) vuoka, laatikko

cassette [kəˈset] s kasetti *audio/video cassette* ääninauhakasetti/videokasetti

cassock [ˈkæsək] s (papin) kasukka

1 cast [kɑːst] s 1 heitto 2 (valu)muotti, valettu esine, valos 3 kipsiside 4 (näytelmän, elokuvan) näyttelijät, esiintyjät 5 (silmien) karsastus

2 cast v cast, cast 1 heittää 2 valaa 3 luoda nahkansa/varjo johonkin *she cast a quick glance at him* hän vilkaisi miestä nopeasti 4 valita (näytelmän, elokuvan) näyttelijät, jakaa osat 5 *to cast doubt on someone/something* heittää epäilyksiä jostakusta/jostakin *to cast a vote* äänestää

castanets [ˈkæstəˈnets] s (mon) kastanjetit

cast aside v hylätä, heittää menemään, luopua

castaway [ˈkɑːstəˌweɪ] s haaksirikkoinen, haaksirikkoutunut

cast [kæst] s kasti

caster [ˈkɑːstər] s 1 (huonekalun yms) pyörä 2 (auton pyörän) olkatapin takakallistuma, caster 3 (suola- ym) sirotin

castigate [ˈkɑːstəˌgeɪt] v nuhdella, ojentaa, kurittaa, rangaista

castigation [ˌkɑːstəˈgeɪʃən] s nuhtelu, ojennus, kuritus, rangaistus

casting [ˈkɑːstɪŋ] s 1 valos, valettu esine 2 (näytelmän, elokuvan) osajako, näyttelijöiden valinta

cast iron [ˈkɑːstˈtaɪərn] s valurauta

cast-iron *adj* **1** valurauta- **2** (kuv) raudankova

castle [kæsəl] *s* **1** linna **2** (šakissa) torni

cast off *v* **1** irrottaa laiturista **2** luopua, hylätä, heittää menemään

castor [kæstər] *s* **1** (huonekalun) pyörä **2** (suola- ym) sirotin

castor oil *s* risiiniöljy

castrate [ˈkæs͵treɪt] *v* kuohita

castration [͵kæsˈtreɪʃən] *s* kuohinta, kastraatio

casual [kæʒwəl kæʒjuəl] *adj* **1** satunnainen, sattumalta/hetken mielijohteesta tapahtuva **2** välinpitämätön, (puoli)huolimaton *it was just a casual remark* en sanonut sitä tosissani **3** rento, vapaa, arkinen *she was dressed very casually* hän oli pukeutunut hyvin arkisesti **4** tilapäinen, väliaikainen *casual worker* tilapäistyöntekijä

casualty [ˈkæʒjuəl͵tɪ] *s* **1** (sodassa) kaatunut, (sodan, onnettomuuden) uhri, kuollut, loukkaantunut **2** (UK) päivystyspoliklinikka

cat [kæt] *s* **1** kissa **2** kissaeläin **3** katamaraani

catacombs [ˈkætə͵koumz] *s* (mon) katakombit

1 catalog [ˈkætə͵lag] *s* luettelo

2 catalog *v* luetteloida

catalyst [ˈkætə͵lɪst] *s* (kem) katalysaattori *act as a catalyst* katalysoida, (kuv) panna alulle, käynnistää

1 catapult [ˈkætəpəlt] *s* **1** ritsa **2** (hist, lentokialuksen) katapultti

2 catapult *v* ampua/laukaista katapultilla

catapult seat *s* heittoistuin

cataract [ˈkætə͵rækt] *s* **1** vesiputous **2** harmaakaihi

catarrh [kəˈtɑːr] *s* katarri, hengitysteiden ja ruuansulatuskanavan limakalvojen tulehdus

catastrophe [kəˈtæstrə͵fi] *s* katastrofi, luonnonmullistus

catastrophic [͵kætəsˈtræfɪk] *adj* katastrofaalinen, romahdusmainen, mullistava, tuhoisa

1 catch [kætʃ] *s* **1** (kalastus/metsästys) saalis (myös kuv) **2** (pallon sieppaaminen) koppi **3** ansa *there must be a catch in it* siihen on varmasti koira haudattuna **4** salpa, koukku

2 catch *v* caught, caught **1** saada (metsästys/kalastus)saaliiksi, saada kiinni (pallo, karannut), saada koppi **2** yllättää, saada kiinni tekemästä jotakin *I caught him red-handed* sain hänet kiinni verekseltään/itse teosta **3** tarttua, jäädä kiinni johonkin **4** ehtiä (junaan, lentokoneeseen) **5** ymmärtää, käsittää *if you catch my drift* jos ymmärrät yskän/mitä ajan takaa **6** saada tartuntaa johonkin, saada tauti **7** *to catch your breath* saada hengityksensä tasaantumaan, (kuv) hengähtää *to catch someone's eye* osua jonkun silmään, saada joku huomaamaan joku

catch fire *v* syttyä tuleen (myös kuv) syttyä, innostua

catching *adj* (taudista) tarttuva (myös kuv)

catch on *v* **1** tulla muotiin/suosioon **2** ymmärtää, käsittää

catch sight of *fr* saada näkyviin, nähdä, huomata; iskeä silmänsä johonkin

catchup [ˈkætʃʊp] *s* ketsumppi

catch up with *v* ottaa/saada joku kiinni (myös kuv), kuroa välimatka umpeen (myös kuv)

catchword [ˈkætʃ͵wərd] *s* iskusana, avainsana

catchy *adj* (catchier, catchiest) (melodiasta) mieleenpainuva

categorical [͵kætəˈgɔrəkəl] *adj* ehdoton, jyrkkä

categorize [ˈkætəgə͵raɪz] *v* luokitella

category [ˈkætəgɔri] *s* luokka, kategoria

cater [keɪtər] *v* **1** huolehtia (juhlien) pitopalvelusta **2** olla suunnattu jollekulle/jollekin, sopia jollekulle/jollekin *to cater for/to all tastes* olla kaikkien makuun, tarjota jokaiselle jotakin

catercorner [ˈkætə͵kərnər] *adj* diagonaalinen, lävistäjän suuntainen, vino *adv* diagonaalisesti, vinosti

caterer [keɪtərər] *s* pitopalvelu, pitopalvelun järjestäjä

caterpillar [ˈkætə͵pɪlər] *s* toukka

caterpillar tread® *s* telaketju

cathedral [kəˈθidrəl] *s* tuomiokirkko, katedraali

cathode [ˈkæ͵θoud] *s* katodi

catholic [kæθlɪk] *s* (roomalais)katolilainen *adj* **1** yleinen, laaja-alainen, moninainen **2** (roomalais)katolinen

Catholicism [kəˈθæləˌsızəm] s (roomalais)katolilaisuus

catnap [ˈkæt.næp] s nokoset, torkut

catsup [ˈkætsəp] s ketsuppi

cattle [ˈkætəl] s (mon) karja

catty [ˈkætı] adj ilkeä, katala, kavala

catwalk s (muotinäytöksissä mallien esiintymislava) catwalk

caucus [ˈkɔkəs] s vaalikokous

cauldron [ˈkɔldrən] s **1** pata **2** noidankattila (myös kuv)

cauliflower [ˈkɔləˌflavər] s kukkakaali

1 cause [kɔz] s **1** syy, peruste *cause and effect* syy ja seuraus **2** asia *he is working for/ in the human rights cause* hän toimii ihmisoikeuksien asialla

2 cause v aiheuttaa, tuottaa, johtaa, olla syynä johonkin

3 cause konj ('cause) koska

causeway s **1** pengertie **2** (päällystetty) maantie

caustic [ˈkɔstık] adj **1** syövyttävä **2** pureva, piikikäs, ivallinen

1 caution [ˈkɔʃən] s **1** varovaisuus **2** varoitus

2 caution v varoittaa

cautionary [ˈkɔʃəˌnerı] adj opettavainen, varoittava

cautious [ˈkɔʃəs] adj varovainen

cautiousness s varovaisuus

cavalcade [ˈkævəlˌkeıd] s kavalkadi, juhlallinen (ratsu)kulkue

cavalry [ˈkævəlrı] s ratsuväki

cave [keıv] s luola

cave in v **1** luhistua, sortua (kasaan) **2** antaa periksi, antautua

cavern [ˈkævərn] s luola

cavernous [ˈkævərnəs] adj **1** (huoneesta) valtavan suuri **2** (ääni) matala, syvä **3** (silmät) syvät

caviar [ˈkævıˌar] s kaviaari

cavity [ˈkævıtı] s (hampaan) reikä

cavy s (eläin) cavy

cayenne [kaıˈen kerˈen] s cayennenpippuri

CD *corps diplomatique; certificate of deposit* (tal) talletustodistus; *Compact Disc*

cease [sis] v lopettaa, lakata

ceasefire [ˌsisˈfaıər] s tulitauko, aselepo

ceaseless [ˈsisləs] adj loputon, jatkuva

ceaselessly adj loputtomasti, jatkuvasti

cedar [sidər] s setri

ceiling [siliŋ] s laipio, katto (myös kuv)

celebrate [ˈseləˌbreıt] v **1** juhlia (syntymäpäivää) **2** ylistää (jonkun saavutuksia)

celebrated adj kuuluisa, maineikas

celebration [ˌseləˈbreıʃən] s **1** juhla(t) **2** ylistys

celebrity [səˈlebrətı] s **1** maine, kuuluisuus **2** kuuluisa henkilö, kuuluisuus, julkkis

celery [ˈselərı] s selleri

celestial [səˈlestʃəl] adj **1** taivaan, taivaalla oleva **2** (kuv) taivaallinen

celibacy [ˈseləbəsı] s naimattomuus, selibaatti

celibate [ˈseləbət] s naimaton ihminen adj naimaton

cell [sel] s **1** (vanki)selli **2** (pieni) huone (luostarissa) **3** solu (myös kuv ihmisryhmästä) **4** matkapuhelin

cellar [selər] s kellari

cellist [tʃelıst] s sellisti

cello [tʃelou] s (mon cellos) sello

cell phone [ˈselˌfoun] s (US) matkapuhelin, kännykkä

cellular [seljələr] adj solu-

cellular phone s (US) matkapuhelin

Celsius [selsıəs] s celsiusaste

1 cement [səment] s **1** sementti **2** liima

2 cement v **1** sementoida **2** liimata **3** (kuv) lujittaa, vahvistaa *this deal will cement our relationship* tämä sopimus lujittaa välejämme

cemetery [ˈseməˌteərı] s hautausmaa

1 censor [sensər] s sensori

2 censor v sensuroida

censorship [ˈsensərˌʃıp] s sensuuri, (lehtien, kirjojen, elokuvien) ennakkotarkastus

1 censure [senʃər] s nuhtelu, arvostelu, moite

2 censure v nuhdella, arvostella, moittia

census [sensəs] s väestönlaskenta

cent [sent] s sentti (dollarin sadasosa) *per cent* prosentti

Centaur [sentar] s (tähdistö) Kentauri

centenary [ˈsentəˌnerı] s satavuotispäivä, satavuotisjuhla adj satavuotis-

centennial [sen'teniəl] s satavuotispäivä, satavuotisjuhla adj satavuotis-

1 center [sentər] s **1** keskipiste (myös kuv) **2** keskus, keskusta **3** (amerikkalaisessa jalkapallossa) sentteri

2 center v keskittää, keskittyä

center on v keskittää/keskittyä johonkin *their interest centers on the upcoming election* heidän huomionsa kohdistuu/keskittyy tuleviin vaaleihin

centigrade ['sentə,greid] adj celsiusasteita *the temperature was 28 degrees centigrade* lämpötila oli 28 celsiusastetta

centimeter ['sentə,mitər] s senttimetri

centipede ['sentə,pid] s juoksujalkainen

central [sentrəl] adj **1** keskeinen (sijainti), keski-, keskusta- **2** keskeinen (kuv), tärkeä, pää-

central heating s keskuslämmitys

centralization [,sentrələ'zeiʃən] s keskitys

centralize ['sentrə,laiz] v keskittää

centrifugal [sen'trifəgəl] adj keskipakoinen *centrifugal force* keskipakovoima

century [sentʃər] s vuosisata

ceramic [sə'ræmik] adj keraaminen, savi-

ceramics s **1** savenvalu **2** keramiikka, saviesineet **3** keraamit *high-tech ceramics* uudet keraamit

cereal [sɔriəl] s (viljatuote) muro *breakfast cereals* aamiaismurot

cerebrum [sə'ribrəm] s (mon cerebrums, cerebra) isoaivot

ceremonial [,serə'mouniəl] s seremonia, juhlamenot, juhlatilaisuus adj juhlallinen, juhla-, virallinen

ceremonious [,serə'mouniəs] adj juhlallinen, juhla-, virallinen

ceremony [serə,mouni] s **1** seremonia, juhlamenot, juhlatilaisuus **2** muodollisuus, muodollisuudet

certain [sertən] adj **1** varma, väistämätön *he is certain to become famous* hän tulee varmasti kuuluisaksi **2** eräs, tietty *a certain Mr. Jones wants to speak to you muuan/joku Mr. Jones haluaa päästä puheilleenne*

certainly adv varmasti, varmaankin

certainty [sertənti] s varmuus, väistämättömyys

certificate [sər'tifikət] s todistus

certify [sərtəfai] v todistaa (virallisesti), vahvistaa

cesspool [sespʋəl] s lokakaivo (myös kuv) likakaivo

1 chafe [tʃeif] s hiertymä

2 chafe v **1** hiertää **2** ärsyttää, hermostuttaa

chaff [tʃæf] s akanat

chaffinch [tʃæfintʃ] s peippo

chagrin [ʃə'grin] s harmi, nolostus *to my chagrin I noticed that* harmikseni huomasin että

1 chain [tʃein] s **1** ketju (myös kuv), kahle (myös kuv) *a chain of events* tapahtumien ketju

2 chain v kahlehtia (myös kuv), sitoa ketjulla

chain reaction [,tʃein'rækʃən] s ketjureaktio

chainsmoker [tʃein,smoukər] s ketjupolttaja

chainstore [tʃein,stor] s (myymälä)ketjun myymälä

1 chair [tʃeər] s **1** tuoli *electric chair* sähkötuoli **2** puheenjohtajuus **3** puheenjohtaja **4** oppituoli, professuuri

2 chair v toimia kokouksen puheenjohtajana

chairman (mon chairmen) s puheenjohtaja (mies)

chairperson s puheenjohtaja

chairwoman (mon chairwomen) s puheenjohtaja (nainen)

chalet [ʃə'lei] s sveitsiläismökki

1 chalk [tʃɑk] s liitu

2 chalk v kirjoittaa/merkitä liidulla

chalk up *to chalk something up to something* lukea jonkin syyksi, katsoa johtuvan jostakin

1 challenge [tʃæləndʒ] s haaste

2 challenge v haastaa

challenged [tʃæləndʒd] adj *physically challenged* liikuntarajoitteinen *mentally challenged* kehitysrajoitteinen *domestically challenged* (leikkisästi) avuton/osaamaton keittiössä, huono ruoanlaittaja

challenger s (kaksintaisteluun, kilpailuun) haastaja

challenging adj haastava, vaativa

chamber [tʃeimbər] s **1** (vanh) kamari, huone **2** (aseen) patruunapesä **3** (sydämen) kammio **4** (mon) tuomarin huone

chambermaid ['tʃeɪmbər,meɪd] s sisäkkö

chamber music ['tʃeɪmbər,mjuzɪk] s kamarimusiikki

chameleon [ʃə'miliən, kə'miljən] s kameleontti (myös kuv)

chamois [ʃæmɪ] s säämiskä

1 champ ['tʃæmp] s (ark) mestari, voittaja

2 champ v **1** (hevosesta) pureksia **2** olla kärsimätön to champ at the bit olla kärsimätön, ei malttaa odottaa

champagne [ʃæm'peɪn] s samppanja

1 champion ['tʃæmpiən] s **1** kannattaja, puolustaja, puolestapuhuja **2** mestari, voittaja

2 champion v kannattaa, puolustaa, puhua jonkin asian puolesta

championship ['tʃæmpiən,ʃɪp] s **1** mestaruus **2** mestaruusottelu, mestaruuskilpailu **3** (asian) kannatus, puolustus

1 chance ['tʃæns] s **1** sattuma, onni by chance sattumalta **2** mahdollisuus your chances are slim sinulla on huonot mahdollisuudet **3** tilaisuus please give me another chance anna minun yrittää uudestaan **4** riski I don't want to take chances minä en halua ottaa riskejä

2 chance v **1** sattua he chanced to meet her hän tapasi naisen sattumalta **2** yrittää, kokeilla (onneaan)

chancel ['tʃænsəl] s (kirkon) kuori

chancellor ['tʃænsələr] s kansleri

chance on v tavata sattumalta, törmätä johonkuhun

chancy adj uskalias, rohkea

chandelier [,ʃændə'lɪər] s kattokruunu

1 change ['tʃeɪndʒ] s **1** muutos I have to make some changes to the manuscript minun on korjailtava käsikirjoitusta **2** vaihtelu he needs a change of pace hän tarvitsee vaihtelua elämäänsä **3** vaihtoraha

2 change v **1** vaihtaa, vaihtua to change the oil/gear/one's name/hands vaihtaa öljyt/vaihdetta/nimeä/omistajaa I'll change quickly minä vaihdan nopeasti vaatteita **2** muuttaa, muuttua you have changed a lot since we last met olet muuttunut paljon viime näkemästä he changed his mind hän muutti mielensä

changeable adj ailahteleva (luonne, mieliala), epävakainen (luonne, sää)

changeless adj muuttumaton, vakaa, samanlainen

1 channel ['tʃænəl] s **1** kanaali the English Channel Englannin kanaali **2** (television) kanava **3** (kuv) kanava, tie, väline, keino to go through channels tehdä jotakin virkateitse, oikeita kanavia pitkin

2 channel v kanavoida, kanavoitua (myös kuv)

1 chant ['tʃænt] s laulu

2 chant v **1** laulaa **2** hokea

chaos [keɪas] s kaaos, sekasorto

chaotic [keɪ'atɪk] adj kaoottinen, sekasortoinen

1 chap ['tʃæp] s **1** ihon hilseily, huulten rohtuminen **2** (UK ark) mies, kaveri

2 chap v (ihosta) hilseillä, (huulista) rohtua

chapel ['tʃæpəl] s kappeli

chaplain ['tʃæplən] s kappalainen, sotilaspappi

chapter ['tʃæptər] s **1** (kirjan) luku **2** (järjestön yms) paikallisosasto

char ['tʃar] v polttaa mustaksi/karrelle, kärventää

character [kerəktər] s **1** luonne, olemus **2** luonteenlujuus he is a man of character hänellä on luja luonne **3** (romaani)henkilö **4** heppu, tyyppi, persoonallisuus he is quite a character hän on aikamoinen persoonallisuus **5** kirjain, merkki, lyönti the printer's output is 200 characters per second kirjoitin tulostaa 200 merkkiä sekunnissa

characteristic [,kerəktə'rɪstɪk] s (luonteen)piirre, ominaisuus

characteristic of adj luonteenomainen, tyypillinen jollekulle/jollekin

characterize ['kerəktə,raɪz] v **1** luonnehtia, kuvailla **2** olla luonteenomaista/ominaista jollekulle/jollekin

characterless adj mitäänsanomaton, laimea

charade [ʃə'reɪd] s **1** arvausleikki, jossa pyritään arvaamaan vastapuolen pantomiimina esittämät sanat **2** (kuv) täydellinen farssi

charcoal ['tʃar,koʊəl] s puuhiili

1 charge [tʃɑːdʒ] *s* **1** syyte, syytös **2** hyökkäys **3** maksu, veloitus **4** luotto *will that be cash or charge?* maksatteko käteisellä vai luottokortilla? **5** johtoasema, vastuu *who's in charge here?* kuka täällä määrää/kuka on täällä johtajana? **6** taakka, rasite **7** räjähde, panos **8** (sähkö)varaus, lataus

2 charge *v* **1** syyttää *he was charged with murder* häntä syytettiin murhasta **2** hyökätä **3** rynnätä, törmätä johonkin **4** veloittaa, laskuttaa, ottaa maksuksi *he charged it to his Visa card* hän maksoi sen Visa-kortillaan **5** antaa tehtäväksi, määrätä johonkin tehtävään *they charged him to lead the ad campaign* hänet pantiin mainoskampanjan johtajaksi **6** ladata (ase, akku), varata (akku)

chariot [tʃæriət] *s* (hist) (sota)vaunut

charisma [kəˈrɪzmə] *s* **1** karisma **2** vetovoima, karisma

charitable [tʃærɪtəbəl] *adj* **1** ihmisrakas, hyväntahtoinen, antelias **2** hyväntekeväisyys-

charity [tʃærəti] *s* **1** lähimmäisenrakkaus **2** suvaitsevaisuus, hyväntahtoisuus **3** almu, avustus **4** hyväntekeväisyys **5** hyväntekeväisyysjärjestö

charlatan [ʃɑːlətən] *s* huijari, petturi

1 charm [tʃɑːm] *s* **1** viehätysvoima **2** taika, lumous **3** amuletti, maskotti

2 charm *v* **1** viehättää, olla mieleen **2** lumota, taikoa

1 chart [tʃɑːt] *s* **1** taulukko, diagrammi **2** (mon) (äänilevyjen myynti)lista

2 chart *v* kartoittaa, seurata, merkitä muistiin

1 charter [tʃɑːtə] *s* **1** peruskirja, (yhdistyksen) säännöt (lentokoneen, linja-auton) tilaus, charter *on charter* tilausajossa, tilauslennolla, charter-lennolla

2 charter *v* tilata (lentokone, linja-auto)

charwoman [tʃɑːwʊmən] *s* (nais)siivooja

1 chase [tʃeɪs] *s* takaa-ajo, jahti, riistan ajo

2 chase *v* ajaa takaa, jahdata (myös kuv)

chase after *v* juosta jonkun/jonkin perässä

chase away *v* ajaa/karkottaa tiehensä

chasm [kæzəm] *s* railo, kuilu (myös kuv)

chassis [ʃæsɪ] *s* (auton) alusta, (lentokoneen pää)laskuteline, (television, radion, vahvistimen) runko

chaste [tʃeɪst] *adj* **1** siveä, puhdas, neitseellinen **2** koruton, yksinkertainen

chasten [tʃeɪsən] *v* nuhdella, ojentaa; pysähtyä miettimään

chastise [tʃæsˌtaɪz] *v* rangaista, kurittaa

chastisement [ˈtʃæsˌtaɪzmənt] *s* rangaistus, kuritus

chastity [tʃæstəti] *s* siveys, koskemattomuus, neitsyys

1 chat [tʃæt] *s* rupattelu, jutustelu, (tietok) verkkojuttelu, chattailu

2 chat *v* rupatella, jutella *to chat with someone about something*, (tietok) chattailla

chateau [ˈʃætəʊ] *s* (mon chateaux, chateaus) linna (Ranskassa)

1 chatter [tʃætə] *v* **1** hölynpöly, tyhjät puheet **2** puheensorina, (kirjoituskoneen) naputus, (linnun) sirkutus

2 chatter *v* **1** pälistä, hölöttää, puhua pälpättää; (lintu) sirkuttaa **2** (hampaista) kalista

chatterbox [tʃætəbaks] *s* hölöttäjä, polisija, papupata

chatty *adj* **1** puhelias, juttutuulella **2** (kirjoitustyylistä) puhekielimäinen, tuttavallinen

1 chauffeur [ʃəʊˈfɜː] *s* autonkuljettaja

2 chauffeur *v* ajaa autoa, viedä autolla, kuskata

chauvinism [ʃəʊvəˌnɪzəm] *s* sovinismi, kansalliskiihko, sukupuolisorto

chauvinist [ʃəʊvəˌnɪst] *s* sovinisti, kansalliskiihkoilija, sukupuolisortaja

chauvinistic [ˌʃəʊvəˈnɪstɪk] *adj* sovinistinen

cheap [tʃiːp] *adj* **1** halpa *to buy something on the cheap* ostaa jotakin pilkkahintaan **2** huono, heikko, rihkama- **3** alhainen (teko), halpamainen (käytös), halpa (huvi)

cheapen *v* halventaa (myös kuv), halventua

cheapskate [tʃiːpˌskeɪt] *s* kitupiikki

1 cheat [tʃiːt] *s* **1** petturi, huijari **2** petos, huiputus

2 cheat *v* pettää, huiputtaa, vetää nenästä

cheating *s* petkuttaminen, huiputtaminen, (avio)uskottomuus *adj* epärehellinen, petollinen, kiero, uskoton

1 check [tʃek] *s* **1** tarkistus, tutkimus **2** hillike, pidäke **3** ruutukuvio, ruudutus **4** sekki **5** matkatavarasäilytys, vaatesäilytys

2 check v **1** tarkistaa, tutkia, ottaa selvää jostakin, kysellä **2** hillitä, pidättää jotakin/jotakuta, pitää aisoissa **3** jättää/antaa (päällysvaate, matkatavara) säilytettäväksi/kuljetettavaksi

checkbook ['tʃek,buk] s sekkivihko

checkered adj ruudullinen, kirjava (kuv: menneisyys)

check in v kirjoittautua hotelliin

check-in s (hotellin) vastaanotto

checklist ['tʃek,lıst] s muistilista

1 checkmate [tʃek,meıt] s **1** (šakki)matti **2** loppu, tappio

2 checkmate v **1** šakittaa **2** panna joku selkä seinää vasten, tehdä tyhjäksi jonkun suunnitelmat

check out v maksaa laskunsa ja lähteä hotellista

check-out s (valintamyymälän) kassa

check up v tarkistaa, tutkia

check-up s (lääkärin)tarkastus

check up on v tarkistaa, tutkia, ottaa selvää (esim jonkun menneisyydestä)

1 cheek [tʃik] s **1** poski **2** röyhkeys, (olla) otsa(a)

2 cheek v uhmata jotakuta, olla jollekulle röyhkeä, härnätä

cheeky adj härnötön, röyhkeä

1 cheer [tʃıər] v **1** suosionosoitus, ylistys, ylistyshuuto, hurraahuuto **2** rohkaisu, kannustus, piristys

2 cheer v **1** hurrata, juhlia, osoittaa suosiotaan **2** rohkaista, kannustaa, piristää

cheerful adj iloinen (ihminen, väri), pirteä (ihminen, sisustus), hyväntuulinen, hilpeä

cheerfulness s iloisuus, hyväntuulisuus, hilpeys

cheerily adv iloisesti, hilpeästi, pirteästi

cheering s juhlinta, hurraahuudot adj **1** juhliva, hurraava **2** piristävä, rohkaiseva, kannustava

cheerless adj iloton, apea, synkkä, harmaa, (mahdollisuuksista:) heikko

cheer up v piristää, piristyä, rohkaista, saada/antaa rohkeutta

cheery adj iloinen, hilpeä, pirteä

cheese [tʃiz] s juusto *cheese!* (valokuvattaessa:) muikku!

cheeseburger ['tʃiz,bərgər] s juustohampurilainen

cheetah [tʃitə] s gepardi

chef [ʃef] s keittiöpäällikkö, keittiömestari (pää)kokki, (ark) kokki, ruuanlaittaja

chemical [kemıkəl] s kemikaali adj kemiallinen

chemist [kemıst] s **1** kemisti **2** (UK) apteekkari **3** (UK) apteekki (myös chemist's)

chemistry [keməstrı] s **1** kemia **2** henkilökemia, ihmissuhteet

cherish [tʃerıʃ] v helliä (jotakuta, muistoja), vaalia (jotakuta, tunteita, muistoja)

cherry [tʃerı] s kirsikka adj kirsikanpunainen

cherub [tʃerəb] s kerubi (myös kuv)

chess [tʃes] s šakki(peli), šakki

chest [tʃest] s **1** laatikko **2** lipasto **3** rinta(kehä)

chestnut [tʃesnət] s kastanja adj kastanjanruskea, punaruskea

chew [tʃu] v pureskella, pureksia

chew away v pureskella, nakertaa (hiljakseen)

chewing-gum ['tʃuıŋ,ɡʌm] s purukumi

chew off v purra irti, haukata

chew out v antaa jonkun kuulla kunniansa, haukkua perinpohjaisesti

chew up v pureskella kunnolla, jauhaa/pureksia hienoksi/silpuksi, hienontaa

chic [ʃik] adj tyylikäs(kkyys), hyvä maku adj tyylikäs, elegantti

chick [tʃık] s kananpoika, linnunpoika(nen), tipu (myös kuv naisesta)

chickadee [tʃıkədı] s hömötiainen

chicken [tʃıkən] s **1** kana **2** broileri **3** pelkuri, jänis

chicken out v jänistää, mennä sisu kaulaan, jäädä pois pelkojensa vuoksi

chickenpox ['tʃıkən,paks] s vesirokko

chick flick [tʃık,flık] (ark) naisille mieluinen elokuva, naisten elokuva

chief [tʃif] s (heimon, yrityksen) päällikkö, johtaja adj tärkein, pää-

chiefly adv pääasiassa, lähinnä, enimmäkseen

chieftain [tʃıftən] s (heimon, intiaani)päällikkö

chilblain ['tʃıl,beın] s (lääk) kylmänkyhmy

child [tʃaɪəld] s (mon children) lapsi (myös kuv)

childhood ['tʃaɪəld,hʊd] s lapsuus

childish adj lapsellinen

childless adj lapseton

childlike ['tʃaɪəld,laɪk] adj lapsenomainen

children ['tʃɪldrən] (mon) ks child

chili [tʃɪli] s 1 (mauste) chili(pippuri) 2 (ruokalaji) chili con carne

1 chill [tʃɪl] s 1 puistatus 2 viileys, kylmyys (myös kuv) 3 to catch a chill vilustua

2 chill v viilentää, viilentyä, jäähdyttää, jäähtyä, kylmentää, kylmetä (myös kuv)

3 chill adj viileä, kylmä (myös kuv)

chill out [,tʃɪl'aʊt] v (ark) rauhoittua

chilly adj viileä, kylmä (myös kuv)

1 chime [tʃaɪm] s 1 (ovi- tai muun kellon) kilahdus 2 soiva (ovi)kello

2 chime v (kellosta) kilahtaa, soida

chime in v keskeyttää joku, sanoa väliin jotakin

chimney [tʃɪmni] s savupiippu

chimney sweep s nuohooja, nokikolari (ark)

chimpanzee [,tʃɪmpæn'zi] s simpanssi

chin [tʃɪn] s leuka

china [tʃaɪnə] s posliini, posliiniesineet

chinchilla [tʃɪn'tʃɪlə] s tsintsilla

1 chink [tʃɪŋk] s 1 halkeama, lohkeama, repeämä 2 kilinä 3 (halv) kiinalainen

2 chink v 1 tukkia, tilkitä 2 kilistä

1 chip [tʃɪp] s 1 lastu, sirpale, siru 2 pelimerkki 3 (mikro)siru 4 (golfissa) chippi, matala lyönti jolla lähestytään viheriötä 5 (UK mon) ranskanperunat

2 chip v 1 lohkaista, lohkeilla, lohjeta, (maali) hilseillä 2 (golfissa) lyödä chippi, chipata

chip away v hakata/nokkia irti pitkään

chipboard ['tʃɪp,bɔːd] s lastulevy

chip in v 1 keskeyttää 2 pulittaa, antaa (rahaa keräykseen) he chipped in a couple of bucks häneltä liikeni pari taalaa

chipmunk ['tʃɪp,mʌŋk] s maaorava

chip off v irrottaa (maali), irrota, hilseillä

1 chirp [tʃɜːp] s (linnun) viserrys, liverrys, (heinäsirkan) siritys

2 chirp v (linnusta) visertää, livertää, (heinäsirkasta) sirittää

chirpy adj iloinen, hyväntuulinen, pirteä

1 chisel [tʃɪzəl] s taltta

2 chisel v työstää taltalla, taltata

chiseled adj 1 taltalla työstetty 2 (kasvonpiirteistä) hieno, kaunis, komea

chit [tʃɪt] s 1 lapsi, nuori ihminen, nuori nainen 2 ravintolalasku (jota ei makseta heti), piikki (ark)

chital [tʃɪtl] s aksishirvi

chivalrous [ʃɪvəlrəs] adj ritarillinen

chivalrously adv ritarillisesti

chivalry [ʃɪvəlri] s 1 ritarilaitos 2 ritarillisuus

chive [tʃaɪv] s ruohosipuli, ruoholaukka

1 chloroform ['klɔːrəˌfɔːm] s kloroformi

2 chloroform v nukuttaa/puuduttaa kloroformilla

chlorophyll ['klɔːrəˌfɪl] s lehtivihreä, klorofylli

chocoholic [,tʃɒkə'hɒlɪk] (ark) suklaata himoitseva henkilö, suklaa-addikti

chocolate [tʃæklət] s 1 suklaa 2 kaakaojuoma adj suklaanruskea

1 choice [tʃɔɪs] s 1 valinta, vaihtoehto they gave me no choice minulle ei annettu valinnan varaa you have three choices sinulla on kolme vaihtoehtoa 2 valikoima

2 choice adj 1 ensiluokkainen, laatu-, valikoitu (tavara) 2 huoliteltu (puhe)

choir [kwaɪə] s 1 kuoro 2 (arkkitehtuurissa) kuori

choir stall s (kirkossa) kuorituoli

1 choke [tʃəʊk] s (polttomoottorin) rikastin, (ark) ryyppy

2 choke v 1 tukehtua, tukahduttaa (myös kuv) 2 kuristaa 3 tukkia

choke back v niellä, tukahduttaa (kyyneleet, tunteet)

choke collar s (koiran) kuristuspanta, kuristava kaulain

choke down v niellä, tukahduttaa (kyyneleet, tunteet)

choker [tʃəʊkə] s kaulanauha, kaulapanta, helminauha

cholera [kalərə] s kolera

choose [tʃuːz] v (chose, chosen 1 valita 2 päättää he chose not to go hän päätti olla menemättä

choosy adj nirso, valikoiva

1 chop [tʃap] *s* isku, lyönti **2** kyljys

2 chop *v* **1** iskeä, lyödä **2** pilkkoa, paloitella

chopper *s* **1** kyljyskirves, lihakirves **2** (ark) helikopteri **3** chopper(-moottoripyörä)

choppy *adj* **1** (tuulesta) puuskainen **2** (aallokosta) säännötön, hakkaava

chopsticks ['tʃap,stɪks] *s* (mon) syömäpuikot

choral [kɔːrəl] *adj* kuoro-

chord [kɔːd] *s* **1** (geometriassa) jänne **2** (musiikissa) sointu

chore [tʃɔː] *s* **1** (arki)askare, puuha **2** riesa, vaiva

choreographer ['kɒrɪə,græfər, kɒrɪ'ægrəfər] *s* koreografi

choreography [,kɒri'ægrəfi] *s* koreografia

chorister [kɒrɪstər] *s* kuorolaulaja, kuoropoika

chortle [tʃɔːrtəl] *v* hihittää hykerrellä

1 chorus [kɔːrəs] *s* **1** kuoro *in chorus* yhteen ääneen **2** kertosäe

2 chorus *v* laulaa/lausua/esittää/hokea kuorossa

chose [tʃəʊz] ks choose

chosen ks choose

Christ [kraɪst] Kristus

christen [krɪsən] *v* ristiä, kastaa, antaa nimeksi

christening *s* ristiäiset, kaste(tilaisuus)

Christian [krɪstʃən] *s* kristitty *adj* kristitty, kristillinen

Christianity [,krɪstʃi'ænti] *s* **1** kristinusko, kristillisyys **2** kristillisyys, hurskaus

Christian name *s* etunimi

Christmas [krɪsməs] *s* joulu

Christmastime ['krɪsməs,taɪm] *s* joulunaika

Christmas tree *s* **1** joulukuusi **2** (öljynporauksessa) tuotantoventtiilistö

chrome [krəʊm] *s* **1** kromi **2** (väri)dia

chromium [krəʊmɪəm] *s* kromi

chromosome ['krəʊmə,səʊm] *s* kromosomi

chronic [krɑnɪk] *adj* krooninen, pitkäaikainen, jatkuva

chronically *adv* kroonisesti, pitkäaikaisesti (sairas)

1 chronicle [krɑnɪkəl] *s* kronikka, aikakirja

2 chronicle *v* kronikoida

chronicler *s* kronikoitsija

chronological [,krɑnə'lɑdʒɪkəl] *adj* kronologinen, aikajärjestyksessä oleva

chronology [krə'nɑlədʒi] *s* kronologia, ajanlasku, aikajärjestys

chronometer [krə'nɑmətər] *s* kronometri, tarkkuuskello

chrysanthemum [krə'sænθəməm] *s* krysanteemi

chubby [tʃʌbɪ] *s* (sl) erektio *adj* pyylevä, pyöreä

1 chuck [tʃʌk] *s* **1** (poranterää pitelevä) istukka **2** (sl) sapuska

2 chuck *v* **1** heittää, viskata **2** lopettaa, panna välit poikki

1 chuckle [tʃʌkəl] *s* hihitys, hykertely

2 chuckle *v* hihittää, hykerrellä, nauraa itsekseen

chum [tʃʌm] *s* kaveri, ystävä

chummy *adj* tuttavallinen, (liian) ystävällinen

chump [tʃʌmp] *s* **1** typerys, ääliö **2** puupölkky, puunpala

chunk [tʃʌŋk] *s* pala(nen), kimpale, möhkäle

chunky *adj* **1** tanakka, paksu **2** jossa on isoja (maapähkinän) paloja *chunky peanut butter*

church [tʃɜːtʃ] *s* kirkko (laitos ja rakennus)

churchgoer [tʃɜːtʃ,ɡəʊər] *s* kirkossakävijä

church register *s* kirkonkirjat

1 churn [tʃɜːn] *s* kirnu

2 churn *v* **1** kirnuta (vedestä) hyökyä, (pyörä, potkuri) pyöriä vimmatusti, (tunteet, vesi) kuohua

churn out *v* suoltaa (tekstiä)

chute [ʃuːt] *s* **1** maalijuna, kuilu **2** koski, putous **3** (ark) laskuvarjo

chutney [tʃʌtni] *s* chutney(-mausteseos)

CIA *Central Intelligence Agency* Yhdysvaltain keskustiedustelupalvelu

cider [saɪdər] *s* siideri

cigar [sə'ɡɑː] *s* sikari

cigarette [,sɪɡə'ret] *s* savuke, tupakka

cigarette lighter *s* tupakansytytin

1 cinch [sɪntʃ] *s* **1** satulavyö **2** lastenleikki, helppo juttu/nakki *it's a cinch* se on helppoa

2 cinch *v* sopia asiasta, varmistaa sopimus

cinder [sɪndər] *s* **1** kekäle **2** (mon) tuhka

cinema [sɪnəmə] s **1** elokuvat(aide) **2** (UK) elokuvateatteri

cinematographer [‚sɪnəmə'tagrəfər] s (elokuvan) kuvaaja

cinematography [‚sɪnəmə'tagrəfɪ] s (elokuvan) kuvaus *director of cinematography* kuvauksen ohjaaja

cinnamon [sɪnəmən] s kaneli adj **1** kaneli- **2** kanelinvärinen

cinnamon roll ['sɪnəmən‚rɔʊl] s eräänlaisesta korvapuustista

1 cipher [saɪfər] s **1** nolla **2** numero **3** (ihmisestä) täysi nolla **4** salakirjoitus, salakirjoitusmenetelmä, salakieli

2 cipher v **1** kirjoittaa salakielellä, koodata **2** (vanh) laskea, tehdä laskutehtäviä

circa [sɜrkə] prep noin

1 circle [sɜrkəl] s **1** ympyrä **2** rengas **3** (esim ystävä/perhe)piiri

2 circle v **1** ympyröidä (kynällä), ympäröidä **2** pىırıttää, saartaa **3** lentää ympyrässä/ympärillä

circle around v kulkea ympäriinsä/sinne tänne, kiertää kehää

circuit [sɜrkət] s **1** kierto, kulku, mutka, lenkki **2** virtapiiri **3** kilparata **4** urheiluliiga, -sarja

circuit breaker s (virran)katkaisin, pääkatkaisin

circuitous [sər'kjuətəs] adj mutkikas, vaivalloinen, kierto-

circuitry [sɜrkətrɪ] s virtapiirit

circular [sɜrkjələr] s **1** kiertokirje **2** ristiside adj pyöreä, pyörivä

circulate [sɜrkjə‚leɪt] v **1** kiertää, kierrellä (ympäriinsä, paikasta toiseen) **2** kierrättää, panna kiertämään **3** levittää (huhua, tietoa)

circulation [‚sɜrkjə'leɪʃən] s **1** (veren, rahan) kierto **2** (lehden) levikki

circumcision [‚sɜrkəm'sɪʒən] s ympärileikkaus

circumference [sər'kʌmfrəns] s ympärysmitta

circumlocution [‚sɜrkəmloʊ'kjuʃən] s kiertoilmaus, kaunisteleva ilmaus

circumnavigate [‚sɜrkəm'nævəgeɪt] v purjehtia (maailman, saaren, niemen) ympäri, kiertää

circumnavigation [‚sɜrkəmnævə'geɪʃən] s (maailman)ympäripurjehdus

circumscribe ['sɜrkəm‚skraɪb] v **1** ympyröidä, merkitä ympyrällä **2** rajoittaa

circumscription [‚sɜrkəm'skrɪpʃən] s **1** rajoitus **2** (kolikon) reunakirjoitus

circumspect ['sɜrkəm‚spekt] adj varovainen, harkitseva

circumspection [‚sɜrkəm'spekʃən] s varovaisuus, harkinta

circumstance ['sɜrkəm‚stæns] s **1** seikka, näkökohta, (mon) olot, olosuhteet **2** (mon) taloudelliset olot, varallisuus

circumstantial [‚sɜrkəm'stænʃəl] adj **1** yksityiskohtainen, perusteellinen **2** epäolennainen, sivu-

circumstantial evidence s (lak) aihetodiste

circumvent ['sɜrkəm‚vent, sɜrkəm'vent] v kiertää, välttää, välttyä joltakin

circus [sɜrkəs] s **1** sirkus **2** aukio

cirrus [sɪrəs] s cirrus, untuvapilvi

cistern [sɪstərn] s (wc:n) huuhtelusäiliö

citation [sar'teɪʃən] s **1** sitaatti, lainaus **2** kunniamaininta **3** haaste (saapua oikeuteen) **4** sakko(lappu)

cite [saɪt] v **1** siteerata, lainata **2** mainita (myös ohimennen) **3** (laki) syyttää

citizen [sɪtəzən] s **1** kansalainen **2** (kaupungin) asukas

citizenship [sɪtəzən‚ʃɪp] s kansalaisuus, kansalaisoikeus

citric acid [sɪtrɪk'æsəd] s sitruunahappo

citrus [sɪtrəs] s sitrushedelmä adj sitrus-

city [sɪtɪ] s **1** kaupunki **2** *the city* (puhujaa lähin suuri) kaupunki **3** *the City* Lontoon City

city hall s kaupungintalo

civic [sɪvɪk] adj **1** kaupungin, kaupunki- **2** kansalais-

civic center s **1** (kaupungin) kulttuurikeskus, kulttuurirakennus **2** (kaupungin) hallintokeskus, hallintorakennus **3** monitoimitalo

civics [sɪvɪks] s (mon, verbi joko yksikössä tai mon) kansalaistaito

civil [sɪvəl] adj **1** kansalais- **2** siviili- **3** kohtelias, huomaavainen

civil engineer [‚sɪvəl‚endʒə'nɪər] s rakennusinsinööri; tie- ja vesirakennusinsinööri

civilian [sə'vɪljən] s siviili adj siviili-

civility [sə'vɪləti] s kohteliaisuus

civilization [,sɪvəlɪ'zeɪʃən] s 1 sivilisaatio, kulttuuri 2 sivistäminen

civilize ['sɪvəˌlaɪz] v sivilisoida, sivistää

civil rights s (mon) kansalaisoikeudet

civil servant [,sɪvəl'sɜːvəns] s valtion virkamies

civil service [,sɪvəl'sɜːvəs] s valtionhallinto

1 claim [kleɪm] s 1 vaatimus 2 väite 3 osuus 4 (kultakentän yms) valtausoikeus

2 claim v 1 vaatia (itselleen), väittää omakseen *the Israelis claim this area* israelilaiset väittävät tätä aluetta omakseen 2 väittää *he claims to be American* hän väittää olevansa amerikkalainen

claim back v vaatia takaisin/maksettavaksi/palautettavaksi

clairvoyance [,kleɪr'vɔɪəns] s selvänäköisyys

clairvoyant [,kleɪr'vɔɪənt] s selvänäkijä

clam [klæm] s (venus)simpukka

1 clamber [klæmbər] s kompurointi

2 clamber v kompuroida, nousta/kulkea kömpelösti

clammy [klæmi] adj kostea, nihkeä

clamor [klæmər] s 1 meteli, mölinä, äläkkä 2 äänekäs vaatimus

clamor against v vastustaa äänekkäästi jotakin

clamor for v vaatia äänekkäästi jotakin

1 clamp [klæmp] s kiinnitin, puristin

2 clamp v kiinnittää, puristaa

clamp down on v panna (joku, menot, rikollisuus) kuriin, koventaa otteita

clan [klæn] s klaani; suku; heimo

clandestine [,klæn'destən] adj salainen

clang [klæŋ] v kilahtaa

1 clap [klæp] s 1 kättentaputus 2 (sl) tippuri

2 clap v 1 taputtaa käsiään 2 peittää nopeasti kädellään

claret [klerət] s punaviini, bordeauxviini adj viininpunainen

clarification [,klerəfɪ'keɪʃən] s selvitys, selvennys

clarify [,klerə,faɪ] v 1 selvittää, selventää 2 kirkastaa, kirkastua, seljetä, puhdistaa, puhdistua

clarinet [,klerə'net] s klarinetti

clarinetist [,klerə'netɪst] s klarinetisti

clarity [klerəti] s 1 kirkkaus 2 selkeys, helppotajuisuus

1 clash [klæʃ] s yhteentörmäys (myös kuv), yhteenotto (myös kuv), (ihmisten, värien) yhteensopimattomuus, (etujen) ristiriitaisuus

2 clash v törmätä/ottaa yhteen (myös kuv), ei sopia yhteen, olla ristiriidassa keskenään

1 clasp [klæsp] s 1 suljin, haka(neula) 2 ote

2 clasp v 1 tarttua johonkin 2 ristiä (kätensä) 3 sulkea, napsauttaa kiinni, kiinnittää hakaneulalla

1 class [klæs] s 1 koululuokka 2 oppitunti 3 luokkahuone 4 yhteiskuntaluokka 5 luokka, ryhmä 6 (ark) tyyli, hyvä maku *she's got class* hänessä on tyyliä

2 class v luokitella itsensä/joku/jotakin johonkin ryhmään

class act s (ark) hieno temppu, erinomainen asia

classic [klæsɪk] s klassikko adj klassinen (myös kuv)

classical adj klassinen

classical music s klassinen musiikki

classification [,klæsɪfɪ'keɪʃən] s luokittelu, jaottelu

classified ['klæsɪˌfaɪd] adj 1 luokiteltu 2 salainen

classify ['klæsɪˌfaɪ] v luokitella, lukea/laskea johonkin kuuluvaksi

1 clatter [klætər] s (särkyvien astioiden) kilinä, räminä, (kavioiden) kopse

2 clatter v kilistä, rämistä, kopista

clause [klaz] s 1 (kieliopissa) lause; lauseke 2 (lak) klausuuli

claustrophobia [,klastrə'foʊbiə] s ahtaan paikan kammo, klaustrofobia

claustrophobic [,klastrə'foʊbɪk] adj klaustrofobinen, ahtaan paikan kammoa kokeva /aiheuttava

1 claw [kla] s 1 (eläimen) kynsi 2 (ravun yms) sakset 3 (vasaran) sorkka

2 claw v 1 raapia, kynsiä, raadella 2 hapuilla jotakin, yrittää saada ote jostakin

clay [kleɪ] s savi

1 clean [klin] v puhdistaa, siivota, pestä, pyyhkiä, korjata pois

2 clean adj **1** puhdas, siisti (myös kuv) **2** kiltti (vitsi), viaton (viihde) **3** tahraton (menneisyys) **4** (sl) aseeton

3 clean adv (voimistavana sanana:) kokonaan, täysin *it'll blow your head clean off* se tekee päästäsi selvää jälkeä

clean-cut [ˌkliːnˈkʌt] adj puhdas(linjainen)

cleaner s **1** siivooja **2** puhdistusaine **3** (mon) *cleaners* pesula *to take someone to the cleaners* tehdä jostakusta selvää jälkeä, antaa jollekulle selkään; voittaa selvästi, kynia puhtaaksi

cleanliness [ˈklenlinəs] s puhtaus, siisteys *cleanliness is next to godliness* puhtaus on puoli ruokaa

cleanly [ˈklenli] adj (ihmisestä) siisti adv [ˈkliːnli] siististi

cleanness [ˈkliːnnəs] s **1** siisteys, puhtaus **2** kilttcys, viattomuus

clean off v pestä, peseytyä, pyyhkiä, siivota, huuhdella

clean out v **1** pestä, siivota, puhdistaa (myös kuv) **2** kynia joku puhtaaksi

cleanse [klenz] v puhdistaa (myös kuv: synnistä)

cleanser [ˈklenzər] s pesuaine, (ihon)puhdistusaine

clean-shaven [ˌkliːnˈʃeɪvən] adj sileäleukainen

clean up v **1** pestä, peseytyä, puhdistaa **2** korjata (irtolaisia ym) talteen, puhdistaa **3** pistää rahoiksi

cleanup [ˈkliːnʌp] s **1** pesu, siistiytyminen **2** (irtolaisten ym) talteen korjaaminen, puhdistus **3** suuri rahallinen voitto

1 clear [klɪər] s: *he is in the clear* hän on selvillä vesillä/kuivilla

2 clear v **1** (säästä) kirkastua, (pilvistä) hajaantua, (sumusta) hälvetä **2** avata (tukos), siivota, puhdistaa **3** korjata (astiat pöydästä) **4** tehdä tilaa, väistyä syrjään **5** tyhjentää (kirjelaatikko) **6** todeta syyttömäksi, puhdistaa jonkun maine **7** ylittää (aita/rima), ohittaa **8** varmistaa että sekillä on katettu

3 clear adj **1** kirkas, puhdas (myös kuv) **2** selvä (käsitys, käsky, pää) **3** vapaa,

avoin, esteetön *the road is clear* tie on vapaa

4 clear adv loitolla, kaukana *steer clear of someone/something* pysytellä kaukana jostakin/jostakin

clearance [ˈklɪərəns] s **1** esim *ground clearance* (auton) maavara *overhead clearance* (ajoneuvon) suurin sallittu korkeus (alikulkuväylässä) **2** (metsän)aukeama **3** tyhjennysmyynti **4** lupa (päästä käsiksi salaiseen aineistoon/päästä valvottuun paikkaan)

clear away v **1** korjata/viedä pois/pöydästä **2** (säästä) kirkastua, (pilvisiä) hajaantua

clear-cut adj selvä, selväpiirteinen (tapaus, kasvot)

clearing s (metsän)aukeama

clearly adv selvästi

clear off v **1** siivota, korjata astiat pöydästä **2** häipyä, alkaa nostella

clear out v **1** tyhjentää **2** häipyä, livistää

clear up v **1** (säästä) kirkastua, (pilvistä) hajaantua **2** siivota, korjata (sotku) **3** ratkaista (arvoitus), selvittää (väärinkäsitys) **4** maksaa (velka)

cleave [kliːv] v cleft/cleaved, cleft/cleaved **1** halkaista (kahtia kirveellä tms) **2** pitää lujasti kiinni jostakin/jostakusta, tarrautua

clef [klef] s nuottiavain

1 cleft [kleft] s halkio, halkeama, kuilu (myös kuv)

2 cleft v ks cleave

clemency [ˈklemənsi] s **1** lempeys, armeliaisuus, armo **2** (sään) lauhkeus

clement [ˈklemənt] adj (sään) lauhkea

clench [klentʃ] v puristaa (esim käsi nyrkkiin)

clergy [ˈklɜːdʒi] s papisto

clergyman [ˈklɜːdʒɪmən] s miespappi

clergywoman s naispappi

clerical [ˈklerɪkəl] adj **1** papillinen, papin- **2** toimisto-, konttori-

clerk [klɑːk] s **1** toimistotyöntekijä **2** myymäläapulainen, myyjä

clever [ˈklevər] adj **1** nokkela (ihminen, teko), terävä(päinen), taitava, nerokas (ihminen, ajatus, laite)

cleverness s nokkeluus, terävyys, nerokkuus

cliché [ˌkliːˈʃeɪ] s klisee, kulunut sanonta

1 click [klɪk] s naksahdus, loksahdus, napsautus

2 click v naksahtaa, loksahtaa, napsauttaa

client [klaɪənt] s (lakimiehen, liikkeen) asiakas

clientele [ˌklaɪənˈtel] s asiakkaat, asiakaskunta

cliff [klɪf] s kallionjyrkänne, (rannikolla myös) kliffi

climactic [ˌklaɪˈmæktɪk] adj: a climactic event huipentuma, huipputapaus

climate [klaɪmət] s 1 ilmasto 2 (kuv) ilmapiiri

climatic [ˌklaɪˈmætɪk] adj ilmastollinen, ilmaston

1 climax [klaɪmæks] s 1 huipentuma 2 orgasmi

2 climax v 1 huipentua 2 saada orgasmi

1 climb [klaɪm] s kiipeäminen

2 climb v kiivetä (myös kuv), nousta (myös kyytiin)

climb down v laskeutua, nousta/kiivetä alas jostakin

climber s 1 vuorikiipeilijä 2 kiipijä, pyrkyri 3 köynnöskasvi

climb in v nousta kyytiin/sisään/jonnekin

clinch [klɪntʃ] v saattaa päätökseen, ratkaista, solmia (sopimus)

clincher s ratkaiseva seikka

cling [klɪŋ] v clung, clung: tarttua, takertua, pitää lujasti kiinni jostakin (myös kuv) he clung stubbornly to his old-fashioned views hän piti jääräpäisesti kiinni vanhanaikaisista käsityksistään

clinic [klɪnɪk] s klinikka, sairaala the Mayo Clinic Mayon sairaala

clinical adj 1 kliininen 2 (kuv) viileä, asiallinen, koruton

1 clink [klɪŋk] s kilahdus

2 clink v kilahtaa

1 clip [klɪp] s 1 puristin, nipistin, (korun) klipsi paper clip paperiliitin, klemmari (ark) 2 (aseen patruuna)lipas 3 arkistofilmi(n katkelma) 4 isku, lyönti 5 leikkaaminen, saksiminen, keriminen

2 clip v 1 leikata, saksia, lyhentää, keritä 2 kiinnittää (puristimella), kiinnittyä

3 niellä sanojensa loput **4** lyödä, iskeä **5** hipaista, raapaista

clipboard [ˈklɪpˌbɔːd] s **1** (lomakkeiden yms) keräilyalusta **2** (tietok) leikepöytä, leikealue

clipping s lehtileike

clique [kliːk kliːk] s klikki, nurkkakunta

clitoris [klɪtərəs] s klitoris, häpykieli

1 cloak [kləʊk] s **1** viitta **2** (kuv) verho, salamyhkäisyys, turva

2 cloak v (kuv) verhota, salata

cloakroom [ˈkləʊkˌruːm] s vaatesäilö

1 clock [klak] s kello

2 clock v mitata/saada ajaksi I clocked the race car at 51 seconds mittasin kilpa-auton ajaksi 51 sekuntia

clock in v aloittaa työ johonkin aikaan, tulla työhön, leimata kellokortti

clockmaker [ˈklak.meɪkər] s kelloseppä

clock out v lopettaa työ johonkin aikaan, lähteä kotiin, leimata kellokortti

clockwise [ˈklak.waɪz] adv myötäpäivään

clod [klad] s **1** (multa- ym) möykky **2** typerys; maatiainen

1 clog [klag] s puukenkä

2 clog v tukkia, tukkeutua

1 cloister [klɔɪstər] s **1** ristikäytävä **2** luostari

2 cloister v sulkea luostariin, (kuv) siirtää (pois tieltä) eläkkeelle

cloistered adj **1** jossa on ristikäytävä **2** eristynyt, eristetty, suojaisa he lives a very cloistered life hän elää maailmalta syrjässä

1 clone [kləʊn] s klooni

2 clone v kloonata

close [kləʊs] adj **1** (ajasta, tilasta) lähellä, lähi- **2** läheinen they were very close friends he olivat hyvin läheiset ystävät **3** tiheä, tiivis (käsiala, rivi) **4** tarkka (tutkimus, keskittyminen, käännös); tarkkaavainen **5** täpärä (tulos), lähes tasavikainen (kilpailu) adv (ajasta, tilasta) lähellä, partaalla

1 close [kləʊz] s loppu to bring/come to a close lopettaa, loppua, päättää, päättyä

2 close v **1** sulkea, sulkeutua, panna/mennä kiinni please close the door sulje ovi **2** lopettaa, loppua, päättää, päättyä he closed his bank account/the meeting/the *factory* hän lopetti pankkitilinsä, päätti/lopetti kokouksen, sulki tehtaan *the play closed Monday* näytelmä poistettiin ohjelmistosta maanantaina **3** lähestyä, tulla lähemmäksi **4** pörssipäivään loppunoteerauksesta *Exxon stock closed at $195* Exxonin osakkeiden loppunoteeraus oli $195 **5** solmia, viimeistellä *we closed the deal at daybreak* saimme kaupan solmituksi aamunkoitteessa

close call *that was a close call* se oli täpärällä

close-down ['klouz,daun] *s* (yrityksen) sulkeminen, lopettaminen, lakkautus

close down *v* (yrityksestä) sulkea ovensa, lopettaa (toimintansa)

close in on *v* lähestyä jotakuta, olla jonkun jäljillä, käydä johonkuhun kiinni

closely [klousli] *adv* **1** läheisesti, tiiviisti, lähi- *they are closely related* he ovat läheistä sukua toisilleen/he ovat lähisuku(la)isia **2** (kuunnella, seurata, tutkia) tarkasti, huolellisesti

closeout ['klouz,aut] *s* **1** (myymälän, tietyn tavaran) loppuunmyynti **2** loppuunmyytävä tavara

closet [klazət] *s* (vaate) komero *adj* salainen *he is a closet homosexual* hän ei tunnusta avoimesti olevansa homoseksualisti

close up [klouz/Ap] *v* sulkea, sulkeutua, umpeutua, panna lukkoon

close-up [klousʌp] *s* **1** (valokuva)suurennos **2** lähikuva *adj* lähi-, etäisyyskohtainen

close with ['klous,wið] *v* solmia sopimus jonkun kanssa, hyväksyä tarjous

closure [klouʒər] *s* (tehtaan, tien, liikkeen) sulkeminen, (haavan) umpeutuminen

1 clot [klat] *s* **1** tukko, hyytymä **2** typerys

2 clot *v* (verestä) hyytyä, hyydyttää, ahtauttaa (verisuonet), ahtautua

cloth [kla⊖] *s* **1** kangas *it's made of cloth* **2** liina *a table cloth* pöytäliina

clothe [klouð] *v* vaatettaa, pukea, pukeutua (myös kuv)

clothes [klouðz, klouz] *s* (mon) vaatteet

clothing [klouðɪŋ] *s* **1** vaatteet **2** peite, päällys

1 cloud [klaud] *s* **1** pilvi (myös savupilvi yms) **2** pilvi, sankka parvi

2 cloud *v* **1** sumentaa, samentaa, peittää (näkyvistä) **2** synkistää, synkistyä (ilmeestä), saada näyttämään/tuntumaan synkältä

cloudberry ['klaud,beri] *s* (mon cloudberries) muurain, suomuurain

cloud over *v* (taivaasta) mennä pilveen, (kasvoista) synkistyä

cloud up *v* sumentua, sumentaa, samentaa, höyrystyä

cloudy *adj* **1** (taivaasta) pilvinen **2** (nesteestä) samea

clout [klaut] *s* **1** isku, lyönti **2** (vaikutus)valta

clover [klouvər] *s* apila

1 clown [klaun] *s* klovni, (sirkus)pelle (myös kuv)

2 clown *v* pelleillä

1 club [klʌb] *s* **1** nuija, maila **2** (pelikortissa) risti **3** kerho, klubi

2 club *v* **1** nuijia, hakata, lyödä **2** klubbailla

1 cluck [klʌk] *s* (kanan) kotkotus

2 cluck *v* kotkottaa

clue [klu] *s* vihje, johtolanka, aavistus

clue in *v* kertoa jollekulle jotakin, paljastaa, perehdyttää joku johonkin

1 clump [klʌmp] *s* joukko, rykelmä (puita, kukkia), möykky

2 clump *v* **1** tarpoa, tallustaa **2** koota yhteen/rykelmäksi

clumsiness *s* kömpelyys

clumsy [klʌmzi] *adj* **1** (ihminen, esine, kirjoitus, yritys) kömpelö **2** (teko, huomautus) epähieno, sopimaton, moukkamainen

clung [klʌŋ] ks cling

1 cluster [klʌstər] *s* ryhmä, joukko, rykelmä, terttu, nippu,

2 cluster *v* kokoontua, kasaantua, kertyä, ruuhkautua

1 clutch [klʌtʃ] *s* **1** ote (myös kuv), puristus **2** (auton ym) kytkin

2 clutch *v* puristaa, tarttua, pitää lujasti kiinni

clutch at *v* yrittää saada kiinni/ote jostakin, hapuilla jotakin

1 clutter [klʌtər] *s* (seka)sotku, epäjärjestys

2 clutter *v* lojua sikin sokin jossakin

1 coach [koutʃ] *s* **1** (umpinaiset) hevosvaunut **2** (UK) (kaukoliikenteen) linja-auto **3** (lentokoneen) turistiluokka **4** (urheilu)valmentaja **5** yksityisopettaja

2 coach v valmentaa, opettaa

coagulate [kou͡ægjəˌleit] v koaguloitua, hyytelöityä

coagulation [kou͡ægjəˈleiʃən] s koagulaatio, hyytelöityminen

coal [koəl] s hiili

coalesce [ˌkoəˈles] v yhdistää, yhdistyä

coalescence [ˌkoəˈlesəns] s yhdistäminen, yhdistyminen

coalfield [ˈkoəlˌfiəld] s hiilikenttä

coalgas [ˈkoəlˌgæs] s hiilikaasu

coalition [ˌkoəˈliʃən] s koalitio, liitto

coalmine [ˈkoəlˌmain] s hiilikaivos

coarse [kɔːs] adj karkea (pinta, esine, piirteet, puhe), hiomaton, kömpelö

coarsen v karhentaa, karhentua, karkeuttaa, tehdä/tulla karkeaksi (myös kuv)

1 coast [koust] s rannikko

2 coast v 1 laskea pulkalla/kelkalla/polkupyörällä mäkeä 2 ajaa (autoa) vapaalla 3 selvitä vähällä vaivalla, (kuv) matkustaa jonkun siivellä

coastal adj rannikko-

coast guard s rannikkovartiosto

coastline s rannikko

coast-to-coast adj koko Yhdysvallat käsittävä, maanlaajuinen

1 coat [kout] s 1 (päällys)takki 2 (eläimen) turkki 3 (maali- tai muu) kerros

2 coat v maalata, sivellä, päällystää, kuoruttaa *to be coated with something* olla päällystetty jollakin/yltä päältä jossakin

coat hanger s vaateripustin

coating s päällyste, pinta, kerros

coat of arms s vaakuna

coax [kouks] v (yrittää) suostutella, taivutella, houkutella *they coaxed me into signing the agreement* he saivat minut allekirjoittamaan sopimuksen

coaxing s suostuttelu, taivuttelu adj imarteleva, mielistelevä

cob [kab] s 1 pieni hevonen 2 urosjoutsen 3 maissintähkä

cobalt blue [ˈkoubalt͡blu] s, adj koboltinsininen

1 cobble [kabəl] s mukulakivi

2 cobble v päällystää mukulakivillä

cobblestone [ˈkabəlˌstoun] s mukulakivi

cobra [koubrə] s kobra

cobweb [ˈkab͡web] s hämähäkinverkko

cocaine [kouˌkein] s kokaiini

1 cock [kak] s 1 kukko 2 koiras(lintu) 3 (vesi)hana 4 (aseen) hana 5 (sl) penis

2 cock v 1 virittää (ase, kameran suljin) 2 höristää (korviaan), kallistaa (päätään, hattua)

cock-eyed [ˈkakˌaid] adj 1 kieroilmäinen 2 (sl) älytön, mieletön 3 (sl) juopunut

cockle [kakəl] s 1 (sydän)simpukka

cockney [kakni] s 1 Lontoon (työläis)murre 2 syntyperäinen (työväenluokkaan kuuluva) lontoolainen

cockpit [ˈkakˌpit] s (lentokoneen) ohjaamo

cockroach [ˈkakˌroutʃ] s torakka

cocktail [ˈkakˌteiəl] s (alkoholi-, hedelmä)cocktail

cock up v munata, tyriä, mokata (ark)

cocoa [koukou] s 1 kaakao 2 kaakaojuoma

coconut [ˈkoukənət kou͡kanʌt] s kookospähkinä

C.O.D. [ˌsiou'di] *Cash On Delivery* jälkivaatimuksella, postiennakolla

cod [kad] s turska

coddle [kadəl] v hemmotella, hellitellä (lasta, sairasta)

1 code [koud] s 1 säännöt, määräykset, ohjeet 2 salakieli, koodi 3 (tietokonekielissä) koodi

2 code v koodata, kääntää salakielelle

codec s (tietok) koodekki

codeine [koudin] s kodeiini

coeducation [kou͡edʒəˈkeiʃən] s (miesten ja naisten) yhteiskoulutus

coeducational adj yhteiskoulu(tus)-

coerce [kou͡ərs] v pakottaa

coercion [kou͡ərʃən] s pakkokeinot, pakottaminen

coercive [kou͡ərsiv] adj pakko-

coexist [ˌkou͡g'zist] v elää/olla olemassa rinnakkain

coexistence [ˌkou͡g'zistəns] s rinnakkaiselo

coexistent adj rinnakkainen, samanaikainen

coextensive [ˌkou͡k'stensiv] adj samanaikainen, yhtä suuri/laaja/pitkä, samansisältöinen

coffee [kafi] s kahvi

coffee break s kahvitauko

coffee house s kahvila (jossa esitetään joskus elävää musiikkia)

coffee maker s kahviautomaatti

coffee shop s kahvilaravintola

coffin [kafən] s ruumisarkku

cog [kag] s (hammaspyörän) hammas

cogitate ['kadʒə,teit] v miettiä, pohtia, harkita

cogitation [,kadʒə'teiʃən] s pohdinta, harkinta, (mon) mietteet, ajatukset

cognac [kounjak] s konjakki

cognition [,kag'niʃən] s kognitio

cognitive [kagnətiv] adj kognitiivinen

cognizance [kagnəzəns] s tietoisuus, tieto

cognizant adj tietoinen jostakin she is not cognizant of the ramifications hän ei ymmärrä asian seurauksia

cohabit [kou'hæbit] v olla avoliitossa, asua yhdessä

cohabitation [kou,hæbə'teiʃən] s avoliitto

cohere [ko'hiər] v olla yhtenäinen kokonaisuus, pysyä yhdessä/koossa (myös kuv)

coherence [kou'hiərəns] s yhtenäisyys, tiiviys, yhdessä/koossapysyminen

coherent adj 1 ymmärrettävä, järkevä 2 yhtenäinen, tiivis, aukoton

cohesion [kou'hiʒən] s 1 (tieteessä) koheesio 2 yhtenäisyys, yhteenkuuluvuus, lujuus

cohesive [kou'hisiv] adj 1 (tieteessä) kohesiivinen 2 yhtenäinen, sulkeutunut (ryhmä), luja

cohort [kouhɔrt] s kohortti (myös kuv), sotajoukko, joukko, ryhmä

1 coiffure [kwa'fjuər] s kampaus

2 coiffure v kammata jonkun hiukset

1 coil [kɔil] s 1 vyyhti, kela 2 (sähkö)kela 3 (ehkäisyväline) kierukka

2 coil v vyyhdetä, kelata, kiertää/kiertyä kerälle

1 coin [kɔin] s kolikko

2 coin v 1 lyödä rahaa 2 keksiä uusi sana/sanonta

coinage [kɔinədʒ] s 1 rahan lyöminen 2 uusi sana/sanonta

coincide [,kouən'said] v olla samassa paikassa, samaan aikaan, samanlaiset, käydä yksiin

coincidence [kou'ɪnsədəns] s 1 (yhteen)sattuma 2 samanaikaisuus, samanlaisuus

coincident [kou'ɪnsədənt] adj samanaikainen, samassa paikassa tapahtuva, samansisältöinen, yhtäläinen

coincidental [kou,ɪnsə'dentəl] adj satunnainen

coition [kou'iʃən] s yhdyntä

coitus [koətəs] s yhdyntä

coke [kouk] s 1 Coca-Cola® 2 koksi 3 (sl) kokaiini

colander [kaləndər] s siivilä, vihanneskeihikko

cold [kould] s 1 kylmyys, pakkanen 2 vilustuminen, kylmettyminen, nuha to catch a cold vilustua adj 1 kylmä (myös kuv: epäystävällinen) I am cold minun on kylmä, minua paleltaa in cold blood kylmäverisesti 2 tajuton, pyörtynyt 3 (arvuuttelussa) ei lähelläkään oikeaa vastausta adv 1 ulkoa she learned the notes cold hän opetteli muistiinpanot ulkoa 2 kylmiltään, valmistelematta 3 (voimistavana sanana) siltä istumalta, sen pitemmittä puheitta

cold-blooded adj 1 (eläin) tasalämpöinen 2 (kuv) kylmäverinen

cold comfort [,kould'kʌmfərt] s laiha lohtu

cold feet to get cold feet alkaa jänistää, mennä sisu kaulaan

coldness s kylmyys (myös kuv)

cold shoulder to get/give the cold shoulder saada tyly kohtelu, kohdella tylysti

cold turkey s (huumeiden käytön) yhtäkkinen täydellinen lopetus

cold war s kylmä sota

coliseum [,kalə'siəm] s stadion, amfiteatteri tms

collaborate [kə'læbə,reit] v 1 olla/toimia yhteistyössä 2 veljeillä vihollisen kanssa, olla kätyri

collaboration [kə,læbə'reiʃən] s 1 yhteistyö 2 veljeily vihollisen kanssa

collaborator [kə'læbə,reitər] s 1 kumppani, työtoveri 2 kätyri

collage [kə'laʒ] s kollaasi

1 collapse [kə'læps] s 1 romahdus, luhistuminen, sortuminen 2 (lääk) kollapsi; hermoromahdus **3** (kuv) epäonnistuminen, tuho, luhistuminen

2 collapse *v* **1** romahtaa, luhistua, sortua (kasaan) **2** (lääk) luhistua, saada kollapsi; saada hermoromahdus **3** (kuv) epäonnistua, tuhoutua, luhistua, mennä myttyyn

collapsible *adj* (kokoon)taittuva

1 collar [kalər] *s* **1** kaulus **2** (koiran) kaulapanta **3** (sl) pidätys, vangitseminen

2 collar *v* ottaa/saada kiinni, vangita, pidättää

colleague [kalig] *s* kollega, työtoveri

collect [kəˈlekt] *v* **1** kerätä, kerääntyä, koota, kokoontua, kasata, kasautua **2** noutaa, hakea **3** kerätä, periä, kantaa (vero, maksu, velka) *adv* vastaanottajan laskuun *to call collect* soittaa vastapuhelu

collect call *s* vastapuhelu

collected *adj* **1** (teokset) kootut **2** rauhallinen, hillitty

collection [kəˈlekʃən] *s* **1** kokoelma, joukko **2** kerääminen, keräys **3** (kirkon) kolehti

collective [kəˈlektiv] *adj* yhteis-, joukko-, ryhmä-, kollektiivi-, kokonais-

collector [kəˈlektər] *s* **1** keräilijä **2** perijä

college [kalədʒ] *s* **1** college, korkeakoulu, yliopisto **2** korkeakoulun, yliopiston osa **3** ammattiopisto **4** (UK) yksityinen toisen asteen oppilaitos

collegiate [kəˈlidʒət] *adj* college-, yliopisto-, opiskelija-

collide [kəˈlaid] *v* **1** törmätä yhteen **2** (kuv) ottaa yhteen, riidellä

collier [kaljər] *s* **1** hiililaiva **2** hiilikaivostyöläinen

colliery *s* hiilikaivos

collision [kəˈliʒən] *s* yhteentörmäys (myös kuv)

collision course *s* törmäyskurssi (myös kuv)

collocation [ˌkaləˈkeiʃən] *s* (kielioppissa) kollokaatio, rinnakkain esiintyminen

colloq. *colloquial* arkikielta

colloquial [kəˈloukwiəl] *adj* puhekielen, arkikielen

colloquialism [kəˈloukwiəˌlizəm] *s* puhekielen, arkikielen ilmaus/sanonta

colloquially *adj* puhekielen, arkikielen omaisesti

collusion [kəˈluʒən] *s* salaliitto

colon [koulən] *s* **1** paksusuoli **2** kaksoispiste

colonel [kərnəl] *s* eversti

colonial [kəˈlouniəl] *s* uudisasukas, siirtolainen *adj* siirtomaa-

colonialism [kəˈlouniəˌlizəm] *s* kolonialismi

colonialist [kəˈlouniəˌlist] *s* kolonialismin kannattaja

colonist [kalənəst] *s* uudisasukas, siirtolainen

colonize [kalənaiz] *v* asuttaa, tehdä siirtokunnaksi/siirtomaaksi

colonnade [ˌkaləˈneid] *s* pylväikkö, kolonnadi

colony [kaləni] *s* siirtokunta, siirtomaa

1 color [kʌlər] *s* **1** väri **2** (ihon)väri, kasvojen väri *that brought the color to his face* se sai hänet punastumaan **3** väri(aine) **4** (kuv) väri, tunnelma *local color* paikallisväri **5** väritys, väärentäminen, puolueellisuus **6** lippu *to show your true colors* tunnustaa väriä, paljastaa todelliset ajatuksensa/todellinen luonteensa

2 color *v* **1** värittää, värjätä, värjäytyä **2** (kuv) värittää (tarinaa), väärentää

color blind *adj* **1** värisokea **2** jolla ei ole rotuennakkoluuloja

color blindness *s* värisokeus

colored *adj* **1** värillinen (halventavasti myös ihmisestä), kirjava **2** (kuv) väritetty, vääristetty

colorfast [ˈkʌlərˌfæst] *adj* värinpitävä (kangas)

colorful *adj* värikäs (myös kuv), kirjava (myös kuv)

colorfulness *s* värikkyys (myös kuv), kirjavuus (myös kuv)

coloring *s* **1** ihonväri **2** väriaine **3** värittäminen, maalaaminen **4** (kuv) värittäminen, vääristäminen

coloring book *s* (lasten) värityskirja

colorization [ˌkʌləriˈzeiʃən] *s* vanhojen mustavalkoelokuvien väritys tietokoneitse

colorless *adj* väritön (myös kuv:) harmaa, ankea

colorlessness *s* värittömyys (myös kuv:) harmaus, ankeus

color picture *s* väri(valo)kuva

color printer [ˌkʌlərˈprɪntər] s väritulostin

color scheme s väriyhdistelmä, värit

color television s väritelevisio

colt [koʊlt] s varsa

column [kaləm] s 1 pylväs, pilari 2 (sanoma-lehden) palsta 3 sarake 4 jono, (perättäi-nen) rivi

columnist [ˈkaləmˌnɪst] s kolumnisti

coma [koʊmə] s 1 (komeetan) huntu, koma 2 kooma

comatose [ˈkoʊməˌtoʊs] adj koomassa oleva, kooma-

1 comb [koʊm] s kampa

2 comb v 1 kammata (tukka), harjata (hevo-nen) 2 etsiä, haravoida (kuv) tarkkaan (for jotakin)

1 combat [kambæt] s taistelu

2 combat v taistella, sotia (myös kuv)

combatant [ˈkəmˈbætənt] s taistelija, soturi

combative [kəmˈbætɪv] adj riidanhaluinen, hyökkäävä

combination [ˌkambəˈneɪʃən] s yhdistelmä, pari

1 combine [ˈkamˌbaɪn] s liikeyhtymä, kon-serni

2 combine v yhdistää, yhdistyä, liittää/liittyä yhteen

combined [kəmˈbaɪnd] adj yhteinen, yhdis-tetty, yhteis-

combo [kambou] s yhdistelmä (combina-tion): a TV/VCR combo televisio jossa on sisäänrakennettu kuvanauhuri

comb out v 1 kammata 2 tehdä puhdistus (kuv), poistaa (virheet)

comb through v etsiä, haravoida (kuv) tark-kaan

combustible [kəmˈbʌstəbəl] s palava aine adj palava

combustion [kəmˈbʌstʃən] s palaminen, polt-taminen

1 come [kʌm] s (sl) sperma

2 come v come, come 1 tulla, saapua, päästä jonnekin she has come a long way hän on tullut kaukaa, (kuv) hän on päässyt pit-källe we've come to an agreement olemme päässeet sopimukseen 2 tulla, olla, kuulua A comes before B A on ennen B:tä 3 tapah-tua 4 lopputuloksesta: come true toteutua,

käydä toteen it came off se irtosi 5 saada orgasmi he came hänellä tuli 6 infinitiivin kanssa: I did not come to think of it then se ei tullut silloin mieleeniäni

come about v tapahtua, sattua, käydä

come across v 1 sattua tapaamaan, törmätä johonkuhun 2 (ark) pulittaa, maksaa 3 (ark) pitää sanansa, täyttää lupauksensa 4 olla selvä, käydä selvästi ilmi

come along v 1 lähteä mukaan 2 edetä 3 tarjoutua, ilmetä

come around v 1 tulla tajuihinsa 2 muuttaa mielensä 3 käydä jossakin, vierailla, pii-pahtaa 4 leppyä, tyyntyä

come at v käydä/hyökätä jonkun kimppuun

come back v 1 palata jonnekin, tulla takaisin 2 palautua mieleen, muistua mieleen, muistaa 3 vastata (tietyllä tavalla)

come by v hankkia, saada käsiinsä

come clean v tunnustaa, kertoa kaikki

comedian [kəˈmidiən] s koomikko

comedienne [kəˌmidiˈen] s komedienne

come down v 1 periytyä 2 (kuv) joutua kalte-vallе/luisuvalle pinnalle, mennä jossakin suhteessa alaspäin 3 (sl) tapahtua some se-rious shit is coming down jotain suurta on tekeillä

come down on v 1 vastustaa 2 moittia, hauk-kua, sättiä

come down with v sairastua johonkin

comedy [kamədi] s komedia (myös kuv), hu-vinäytelmä

come forward v tarjoutua (tekemään jotakin)

come in for v saada osakseen

come in handy fr olla hyvään tarpeeseen, olla apua

come into v 1 saada, päästä käsiksi johonkin 2 periä

come off v 1 tapahtua, sattua 2 selvitä hie-nosti, onnistua 3 irrota (myös kuv) olla onnistunut, mennä hyvin

come off it fr älä viitsi (valehdella)!, lopeta!

come on v 1 tavata, kohdata sattumalta 2 alkaa 3 (huudahduksena esim) älä viitsi!, lopeta!; kiirehdi! 4 (sl) lähennellä

come out v 1 (kirjasta) ilmestyä 2 paljastua, tulla ilmi 3 päättyä, loppua (tietyllä tapaa)

4 tunnustautua homoseksualistiksi *come out of the closet* (kuv) tulla ulos kaapista
come short *fr* jäädä vajaaksi, ei riittää; ei kelvata

comet [kɒmət] *s* komeetta

come through *v* **1** selvitä jostakin **2** pitää sanansa, täyttää lupauksensa *I'm not sure she will come through for me* en ole varma voinko luottaa hänen apuunsa

come to *v* **1** virota, tulla tajuihinsa **2** (hinnasta) tehdä yhteensä

come to terms *fr* **1** päästä sopimukseen **2** (kuv) alistua, nöyrtyä (esim kohtaloonsa)

come to your senses *fr* tulla järkiinsä, järkiintyä

come up *v* tulla puheeksi/esiin/käsittelyyn

come upon *v* kohdata/tavata/löytää sattumalta

come up to *v* **1** lähestyä, puhutella jotakuta **2** (yl kielteisenä): ei olla lähelläkään jotakin, ei olla läheskään samaa luokkaa kuin

come up with *v* pystyä antamaan, keksiä, hankkia, pulittaa

1 comfort [kʌmfərt] *s* **1** mukavuus **2** lohtu, lohdutus

2 comfort *v* lohduttaa

comfortable [kʌmftərbəl] *adj* mukava (olo, tuoli, toimeentulo)

comic [kamık] *s* **1** koomikko **2** sarjakuvalehti *adj* koominen, huvittava, hauska

comical *adj* koominen, huvittava, hauska

comic book *s* sarjakuvalehti

comics *s* (mon) sarjakuvat

coming [kʌmıŋ] *s* saapuminen, tulo *adj* **1** tuleva **2** lupaava *he is a coming politician*

comma [kamə] *s* pilkku

1 command [kəˈmænd] *s* **1** käsky, määräys **2** käskyvalta *to be in command* johtaa, määrätä, olla johtajana **3** valta, hallinta *my command of Russian is very poor* osaan venäjää erittäin huonosti

2 command *v* **1** käskeä, määrätä **2** komentaa, johtaa (alusta, armeijaa) **3** hallita, olla käytössään *he commands an enormous vocabulary* hänellä on valtava sanavarasto **4** tarjota (näköala), jostakin näkee jonnekin

5 herättää (kunnioitusta) **6** vaatia (korkea hinta)

commandant [ˌkaman'dant] *s* komendantti

commandeer [ˌkaman'dıər] *v* **1** kutsua (väkisin/pakottaa) sotilaspalvelukseen **2** ottaa (yksityisomaisuutta) armeijan käyttöön

commander [kəˈmændər] *s* komentaja, johtaja

commanding *adj* **1** (olemus) kunnioitusta herättävä, (ääni) komenteleva, määräävä **2** (näköala) avara, laaja

commandment [kəˈmændmənt] *s* käsky *the Ten Commandments* Jumalan kymmenen käskyä

commando [kəˈmæn,dou] *s* kommando(joukkojen sotilas)

commemorate [kəˈmeməˌreɪt] *v* muistaa jotakuta edesmennyttä, juhlistaa mennyttä tapahtumaa

commemoration [kə,meməˈreɪʃən] *s* **1** muistojuhla **2** muistomerkki

commemorative [kəˈmemərə,tıv] *adj* muistojuhla-

commence [kəˈmens] *v* aloittaa, alkaa

commencement [kəˈmensmənt] *s* **1** alku **2** lukukauden päätösjuhla

commend [kəˈmend] *v* **1** ylistää **2** suositella **3** antaa jonkun huostaan

commendable *adj* kiitettävä

commensurate with [kəˈmensərət] *adj* jotakin vastaava

1 comment [kament] *s* huomautus, kannanotto *to make a comment on/about* huomauttaa jostakin, lausua mielipiteensä jostakin

2 comment *v* huomauttaa, ottaa kantaa, lausua mielipiteensä

commentary [ˈkamən,teri] *s* **1** selitysteos tms *a Bible commentary* Raamatun selitysteos **2** (radio/televisio)selostus

commentate [ˈkamən,teɪt] *v* selostaa (radiossa, televisiossa)

commentator [ˈkamən,teɪtər] *s* (radio/televisio)selostaja

commerce [kamərs] *s* kauppa, kaupankäynti

commercial [kəˈmɔrʃəl] *s* televisiomainos *adj* kaupallinen

commercialize [kəˈmɔrʃə,laɪz] *v* kaupallistaa

commiserate [kə'mɪzəˌreɪt] v ottaa osaa jonkun suruun *to commiserate with someone in something*

commiseration [kəˌmɪzə'reɪʃən] s osanotto (toisen suruun)

1 commission [kə'mɪʃən] s **1** komissio, toimikunta **2** välityspalkkio, myyntipalkkio, provisio *I work on commission* teen työtä provisiota vastaan **3** käyttö, liikenne *to put into commission, to take out of commission, to be out of commission* ottaa käyttöön/liikenteeseen, poistaa käytöstä/liikenteestä, olla poissa käytöstä/liikenteestä (myös kuv) **4** (työ)tilaus, (tyo)määräys **5** upseeriksi nimitys

2 commission v **1** palkata joku tekemään jotakin, tilata (maalaus) **2** nimittää upseeriksi

commissioner [kə'mɪʃənər] s **1** toimikunnan jäsen **2** *police commissioner* poliisipäällikkö

commit [kə'mɪt] v **1** tehdä (rikos, virhe) *he committed murder/an error* hän teki murhan/virheen **2** määrätä (mielisairaalaan, vankilaan) **3** sitoutua (johonkin, *to*) **4** panna (paperille), painaa (mieleen)

commitment s sitoumus, lupaus, sitoutuminen *to make a firm commitment* luvata vakaasti, sitoutua lujasti

committee [kə'mɪti] s komitea, toimikunta, valiokunta

commodity [kə'madəˌti] s (kauppa)tavara, maataloustuote, (pörssissä) hyödyke

1 common [kamən] s yhteisniitty *to have something in common with* (kuv) olla jotakin yhteistä jonkun/jonkin kanssa

2 common adj **1** yhteinen **2** yleinen, tavallinen **3** huono(laatuinen) **4** (tavoista) karkea, huono

commoner [kamənər] s **1** tavallinen ihminen **2** (UK) aatteliton ihminen

common knowledge s (asia joka on) kaikkien tiedossa, yleisesti tunnettu

common law s angloamerikkalainen lakijärjestelmä, tapaoikeus

common-law wife s avovaimo

common noun s yleisnimi

commonplace ['kamən͵pleɪs] s latteus, itsestäänselvyys adj tavallinen, arkinen

Commons [kamənz] s Ison-Britannian parlamentin alahuone

common sense s terve (talonpoikais)järki

Commonwealth of Nations ['kamən͵weəlθ-əv'neɪʃənz] Kansainyhteisö, Brittiläinen kansainyhteisö

commotion [kə'moʊʃən] s meteli, häly, sekaannus, äläkkä

communal [kə'mjunəl] adj **1** kunnallinen, kunnan **2** yhteinen, yhteis-

commune [kamjun] s kommuuni

commune [kə'mjun] v **1** käydä ehtoollisella **2** keskustella jonkun kanssa, olla yhteydessä johonkuhun

communicable [kə'mjunɪkəbəl] adj **1** (sairaus) tarttuva **2** (ajatus) jonka voi välittää toisille

communicate [kə'mjunɪ͵keɪt] v **1** tarttua (tauti) **2** viestiä, olla yhteydessä **3** välittää (tunne), pukea sanoiksi **4** (huoneista) olla yhteydessä toisiinsa, olla varustettu väliovella

communication [kə͵mjunɪ'keɪʃən] s **1** (taudin) tartuttaminen, tarttuminen **2** viestintä, ajatustenvaihto **3** viesti, uutinen, sanoma **4** (tieto)liikenneyhteys **5** käytävä, väliovi

communicative [kə'mjunɪkətɪv] adj puhelias, halukas puhumaan

communion [kə'mjunjən] s **1** yhteys, yhteydenpito, keskustelu **2** seurakunta **3** ehtoollinen

communiqué [kə͵mjunɪ'keɪ] s kommunikea, tiedonanto

communism ['kamjə͵nɪzəm] s kommunismi

communist ['kamjə͵nɪst] s kommunisti adj kommunistinen

community [kə'mjunəti] s **1** yhteisö, kunta **2** (suuri) yleisö, ihmiset, yhteiskunta **3** munkkikunta, nunnakunta **4** yhteys, yhteisyys, yhteisomistus

1 commute [kə'mjut] s työmatka

2 commute v **1** tehdä työhön/työstä *she commutes by car* hän käy työssä omalla autolla **2** lieventää tuomiota **3** vaihtaa jokin johonkin

commuter s työmatkan tekijä adj heiluri-, lähi commuter traffic heiluriliikenne, lähiliikenne, sukkulaliikenne

compact [kəmˈpækt] adj kompakti, pieni ja vahva, tiivis, tilankäytöltään tehokas a compact flat tilankäytöltään tehokas huoneisto a compact dog pieni mutta vahva koira

compact v (lumesta, maasta) tallata/tallautua kovaksi

compact [kæmpækt] s 1 puuterirasia 2 pieni henkilöauto 3 virallinen sopimus

compact disc s cd-levy

companion [kəmˈpænjən] s seuralainen, ystävä

companionable adj seurallinen

companionship s seura

company [ˈkʌmpəni] s 1 seura why don't you keep him company for a while? pidä hänelle vähän aikaa seuraa 2 (liike)yritys he has a small computer company hänellä on pieni tietokonefirma 3 (sot) komppania

comparable [kæmpərəbəl] adj vastaava, verrattavissa oleva

comparative [kəmˈperətɪv] s (kieliopissa) — komparatiivi adj 1 vertaileva comparative linguistics vertaileva kielitiede 2 aika, melko, verraten we live in comparative comfort elämme verraten mukavasti

compare [kəmˈpeər] s: beyond compare kaiken vertailun yläpuolella, verraton v 1 verrata to compare something with something 2 voida verrata these two cars don't compare well näitä kahta autoa ei voi verrata toisiinsa, nämä kaksi autoa eivät ole ollenkaan tasaveroiset

comparison [kəmˈperəsən] s 1 vertailu by/in comparison with johonkin verrattuna there is no comparison niitä ei voi verrata/kaan, ne eivät ole ollenkaan tasaveroiset 2 (kieliopissa) vertailu

compartment [kəmˈpartmənt] s 1 lokero 2 (juna)osasto

compass [ˈkʌmpəs] s 1 kompassi 2 (mon) harppi a pair of compasses harppi 3 (kuv) alue, puitteet, piiri

compassion [kəmˈpæʃən] s myötätunto

compassionate [kəmpæʃənət] adj myötätuntoinen

compatibility [kəmˌpætəˈbɪlətɪ] s johonkin sopivuus, yhteensopivuus

compatible [kəmˈpætəbəl] adj johonkin sopiva, yhteensopiva, jonkin mukainen

compatriot [kəmˈpeɪtrɪət] s maanmies, saman maan kansalainen

compel [kəmˈpel] v pakottaa joku tekemään jotakin

compelling adj 1 (syy) pakottava 2 (vaikutus, esitys, silmät) voimakas, voimakkaasti vaikuttava

compensate [ˈkæmpənˌseɪt] v korvata, hyvittää, (psyk) kompensoida

compensation [ˌkæmpənˈseɪʃən] s korvaus, hyvitys, (psyk) kompensaatio

compete [kəmˈpiːt] v kilpailla to compete with someone for something kilpailla jonkun kanssa jostakin to compete against someone kilpailla jotakuta vastaan

competence [kæmpətəns] s 1 pätevyys, taidot, osaaminen 2 (lak) pätevyys 3 (kielitieteessä) kompetenssi

competent [kæmpətənt] adj 1 pätevä (tekemään jotakin), osaava 2 (tiedot) riittävä 3 (lak) pätevä

competition [ˌkæmpəˈtɪʃən] s 1 kilpailu, kilpaileminen 2 kilpailu(tilaisuus), ottelu

competitive [kəmˈpetɪtɪv] adj 1 (ihminen) innokas/valmis kilpailemaan 2 (hinta) kilpailukykyinen 3 (ala) jolla vallitsee kova kilpailu

competitor [kəmˈpetɪtər] s kilpailija (liikealalla, ottelussa ym)

compilation [ˌkæmpəˈleɪʃən] s kokoelma

compile [kəmˈpaɪl] v koota, laatia, tehdä (sanakirja, luettelo)

compiler s 1 (sanakirjan, luettelon) tekijä 2 (tietok) kääntäjä

complacency [kəmˈpleɪsənsɪ] s omahyväisyys

complacent [kəmˈpleɪsənt] adj omahyväinen, itsekylläinen, itserakas

complain [kəmˈpleɪn] v valittaa, esittää valitus

complaint [kəmˈpleɪnt] s 1 valitus 2 vaiva, sairaus

1 complement [kampləmənt] *s* **1** täydennys **2** (miehistön) täysi vahvuus **3** (kieliopissa) objekti; predikatiivi **4** (joukko-opissa) komplementti **5** komplementtiväri

2 complement *v* **1** täydentää **2** saada/tehdä valmiiksi

complementary [ˌkampləˈmentəri] *adj* täydentävä, toisiaan täydentävät, (väri) komplementti-

complete [kəmˈplit] *adj* **1** täydellinen, täysi, ehjä, eheä, kokonainen, yhtenäinen *this is a complete set* tämä on täydellinen sarja, tästä ei puutu yhtään *you are a complete fool* sinä olet täysi typerys **2** valmis

completion [kəmˈpliʃən] *s* **1** valmistuminen, valmiiksi saaminen **2** täydentäminen, täydennys **3** (opintojen) päättäminen, valmistuminen

complex [kampleks] *s* **1** (rakennus/teollisuus)kompleksi **2** (psyk) kompleksi

complex [kəmˈpleks] *adj* mutkikas, moni-mutkainen

complexion [kəmˈplekʃən] *s* **1** ihonväri, sävy **2** (kuv) kanta, sävy, väri *his political complexion* hänen poliittinen kantansa

complexity [kəmˈpleksəti] *s* mutkikkuus, monimutkaisuus

compliance [kəmˈplaiəns] *s* kuuliaisuus, tottelevaisuus, (sääntöjen) noudattaminen

compliant [kəmˈplaiənt] *adj* **1** kuuliainen, tottelevainen **2** avulias

complicate [ˈkampləkeit] *v* mutkistaa (asioita)

complicated [ˈkampləˌkeitəd] *adj* mutkikas, monimutkainen

complication [ˌkampləˈkeiʃən] *s* **1** mutkikkuus, monimutkaisuus **2** (lääk) komplikaatio, lisätauti

complicity [kəmˈplisəti] *s* rikostoveruus, kanssasyyllisyys

1 compliment [kampləmənt] *s* **1** ylistys, kiitos, kehu, kohteliaisuus **2** (mon) terveiset; onnittelut

2 compliment *v* ylistää, kiittää, kehua

complimentary [ˌkampləˈmentəri] *adj* **1** ylistävä, imarteleva, kohtelias **2** ilmainen *the drinks are complimentary* juomat ovat il-

maisia *a complimentary copy* ilmainen (lehden) numero

comply with [kəmˈplai] *v* totella, noudattaa sääntöjä/sopimusta, suostua, myöntyä (pyyntöön, vaatimukseen)

component [kəmˈpounənt] *s* osa, (erillis-) komponentti, osatekijä *adj* osa-, erillinen, erillis-

compose [kəmˈpouz] *v* **1** säveltää (musiikkia) **2** kirjoittaa (kirje, runo) **3** (kirjapainossa) latoa **4** koota ajatuksensa, rauhoittua **5** koostaa, koostua, muodostaa, muodostua *the mixture is composed of water and chemicals* seos on vettä ja kemikaaleja

composed *adj* rauhallinen, rauhoittunut, tyyni

composer *s* säveltäjä

composite [kamˈpazət] *s* **1** mykerökukkainen kasvi **2** komposiittimateriaali, yhdistemateriaali *adj* yhdistelmä-, (eri osista) yhdistetty

composition [ˌkampəˈziʃən] *s* **1** koostumus, rakenne **2** (kirjeen, runon) kirjoittaminen **3** sävellys(työ) **4** aine(kirjoitus) **5** (kirjapainossa) ladonta

compositor [kəmˈpazətər] *s* (kirjapainossa) latoja

compost [ˈkamˌpoust] *s* komposti

composure [kəmˈpouʒər] *s* mielenmaltti, rauhallisuus, tyyneys *I finally regained my composure* vihdoin minä rauhoituin/sain mielenmalttini takaisin

1 compound [ˈkamˌpaund] *s* **1** suljettu alue, ryhmä rakennuksia, (sota)vankilan piha, eläintarhan aitaus **2** yhdyssana **3** (kemiallinen) yhdiste

2 compound [kəmˈpaund] *v* **1** mutkistaa, sekoittaa (asioita) **2** sekoittaa (yhteen) **3** sopia (oikeusjuttu, velanmaksu) *adj* yhdistelmä-, (eri osista) yhdistetty

comprehend [ˌkamprɪˈhend] *v* **1** ymmärtää, käsittää **2** sisältää, käsittää *her new book comprehends both psychology and psychiatry* hän käsittelee uudessa kirjassaan sekä psykologiaa että psykiatriaa

comprehensibility [ˌkamprɪˌhensəˈbiləti] *s* ymmärrettävyys

comprehensible 704

comprehensible [ˌkɑmprɪˈhensəbəl] *adj* ymmärrettävä *not comprehensible* käsittämätön

comprehension [ˌkɑmprɪˈhenʃən] *s* **1** käsityskyky, ymmärrys **2** mukaan lukeminen, sisältyminen, sisältäminen **3** (luetun/kuullun) ymmärtämiskoe

comprehensive [ˌkɑmprɪˈhensɪv] *adj* laaja, kattava, perusteellinen

comprehensive school *s* (UK) peruskoulu

compress [kəmˈpres] *v* puristaa (kokoon), puristua, tiivistää (myös tekstiä), tiivistyä, lyhentää (kirjaa)

compress [ˈkɑmˌpres] *s* (lääk) kompressi, harsotaitos

compression [kəmˈpreʃən] *s* (kokoon)puristus, tiivistys, lyhentäminen

comprise [kəmˈpraɪz] *v* käsittää, kattaa, koostua jostakin

1 compromise [ˈkɑmprəˌmaɪz] *s* kompromissi, sovinto, ratkaisu

2 compromise *v* **1** tinkiä jostakin, tehdä kompromissi **2** vaarantaa, panna alttiiksi **3** saattaa häpeään, tahrata (maine)

compromising *adj* epäilyttävä (tilanne), vahingollinen (maineelle)

compulsion [kəmˈpʌlʃən] *s* **1** pakko **2** (psyk) pakkomielle, kompulsio

compulsive [kəmˈpʌlsɪv] *adj* pakonomainen, pakko-, kompulsiivinen

compulsory [kəmˈpʌlsəri] *adj* pakollinen

compunction [kəmˈpʌŋkʃən] *s* omantunnonpistot, syyllisyyden tunne

compute [kəmˈpjuːt] *v* laskea (tietokoneella tai muuten)

computer [kəmˈpjuːtər] *s* tietokone

computerize [kəmˈpjuːtəˌraɪz] *v* tietokoneistaa

comrade [ˈkɑmˌræd] *s* toveri (myös pol)

1 con [kɑn] *s* **1** huijaus, puhallus **2** (ark) vanki

2 con *v* huijata, pettää

concave [kɑnˈkeɪv] *adj* kovera

conceal [kənˈsiəl] *v* peittää, kätkeä, salata

concealment *s* salailu, salaaminen, kätkeminen

concede [kənˈsiːd] *v* **1** luopua jostakin, luovuttaa, antaa pois **2** myöntää (jotakin, jollekin jotakin) **3** antaa periksi, antautua

conceit [kənˈsiːt] *s* omahyväisyys, itserakkaus

conceited *adj* omahyväinen, itserakas

conceitedly *adv* omahyväisesti, itserakkaasti

conceitedness *s* omahyväisyys, itserakkaus

conceivable [kənˈsiːvəbəl] *adj* uskottava, kuviteltavissa oleva *it is not conceivable that* on mahdotonta edes kuvitella että

conceivably *adv* mahdollisesti

conceive [kənˈsiːv] *v* **1** tehdä/tulla raskaaksi, hedelmöityä **2** keksiä, kuvitella, suunnitella **3** ymmärtää, käsittää, mieltää

1 concentrate [ˈkɑnsənˌtreɪt] *s* (esim mehu-) tiiviste, (esim) väkevöite, konsentraatti

2 concentrate *v* **1** keskittyä, keskittää, kohdistua, kohdistaa **2** (kem) väkevöidä

concentration [ˌkɑnsənˈtreɪʃən] *s* **1** keskittyminen, keskittymiskyky **2** (esim joukkojen) keskitys **3** (kem) tiiviste, väkevöite

concentric [kənˈsentrɪk] *adj* (ympyrä) samankeskinen

concept [ˈkɑnsept] *s* käsitys, käsite

conception [kənˈsepʃən] *s* **1** käsitys, käsite *in its original conception* alun perin, alkuperäisessä asussaan **2** hedelmöitys, sikiäminen

conceptual [kənˈsepʃuəl] *adj* käsitteellinen

conceptualism [kənˈsepʃuəˌlɪzəm] *s* konseptualismi

1 concern [kənˈsɜrn] *s* **1** asia *it's really none of your concern* se ei kuulu sinulle **2** huolenaihe, huolestuminen

2 concern *v* **1** koskea jotakin, liittyä johonkin, kuulua jollekulle **2** välittää, olla kiinnostunut/huolissaan jostakin

concerning *prep* jotakin koskien, mitä johonkin tulee, jostakin

concert [kɑnsɜrt] *s* **1** konsertti **2** *in concert* yhteistyössä, yhteisvoimin

concert [kənˈsɜrt] *v* ponnistella yhdessä, yhdistää voimat

concerted *adj* (yritys) yhteinen, yhteis-

concertina [ˌkɑnsərˈtinə] *s* harmonikka

concerto [kənˈtʃeərtəu] *s* konsertto

concession [kənˈseʃən] *s* **1** myönnytys *tax concessions* verohelpotukset **2** (UK) alennuslippu; alennukset

conciliate [kənˈsɪliˌeɪt] *v* lepyttää, saada leppymään, tyynyttää, sovittaa (kiista)

conciliation [kənˌsɪliˈeɪʃən] s lepyttely, leppyminen, sovinto

conciliatory [kənˈsɪliəˌtɔri] adj sovinnollinen, lepyttelevä

concise [kənˈsaɪs] adj tiivis, ytimekäs

conciseness s tiiviys, ytimekkyys

conclude [kənˈkluːd kənˈkluːd] v 1 lopettaa, päättää 2 päätellä, tulla johonkin johtopäätökseen

conclusion [kənˈkluːʒən kənˈkluːʒən] s 1 lopetus, päätös, loppu *in conclusion* lopuksi, viimeiseksi 2 johtopäätös

conclusive [kənˈkluːsɪv kənˈkluːsɪv] adj 1 vakuuttava, aukoton (todiste) 2 lopullinen (päätös)

concoct [kənˈkɑkt kənˈkɑkt] v 1 (ruuasta) laittaa, valmistaa, kyhätä kokoon 2 keksiä omasta päästään, sepittää

concoction [kənˈkɑkʃən kənˈkɑkʃən] s 1 (ruuasta) pöperö 2 sepite, tuulesta temmattu juttu, tekosyy

concord [ˈkɑnˌkɔrd, ˈkɑŋˌkɔrd] s 1 sopusointu 2 yksimielisyys

concordance [kənˈkɔrdəns kənˈkɔrdəns] s 1 sopimus 2 (esim Raamatun) konkordanssi, sanahakemisto

concourse [ˈkɑnˌkɔrs, ˈkɑŋˌkɔrs] s 1 ihmisjoukko, väentungos 2 (asema)halli 3 (puiston ajo/kävely)tie

concrete [ˈkɑnˈkriːt] adj konkreettinen, konkraantuntuva *the concrete sense of a word* sanan kirjaimellinen merkitys

concrete [ˈkɑnˌkriːt] s betoni

concur [kənˈkɜr, kənˈkɜr] v 1 olla samaa mieltä jostakin, suostua johonkin 2 osua samaan aikaan 3 vaikuttaa yhdessä johonkin *everything concurred to make it a perfect celebration* kaikki meni hyvin ja juhlista tuli täydelliset

concurrence s 1 yksimielisyys, suostumus, kannatus 2 (tapahtumien) samanaikaisuus 3 (mat) leikkauspiste

concurrent adj 1 yksimielinen 2 samanaikainen 3 yhteinen, yhteis- 4 samansisältöinen

concussion [kənˈkʌʃən kənˈkʌʃən] s aivotärähdys

condemn [kənˈdem] v 1 tuomita (jonkun teko, joku vankeuteen, myös kuv:) *because he had no education he was condemned to lousy jobs* hän oli koulutuksen puutteessa tuomittu tekemään hanttihommia 2 julistaa (rakennus) asuinkelvottomaksi, määrätä purettavaksi

condemnation [ˌkændəmˈneɪʃən] s tuomio, tuomitseminen

condemnatory [kənˈdemnəˌtɔri] adj tuomitseva, (arvostelu) musertava

condensation [ˌkɑndənˈseɪʃən] s 1 tiivistyminen 2 (tiivistyneen kosteuden muodostamat) vesipisarat 3 (tekstin) lyhentäminen 4 (tekstin) lyhennelmä, tiivistelmä

condense [kənˈdens] v 1 tiivistää, tiivistyä, lauhduttaa, lauhtua, nesteyttää, nesteytyä 2 lyhentää, tiivistää (tekstiä)

condescend [ˌkɑndəˈsend] v 1 alentua/nöyrtyä tekemään jotakin 2 käyttäytyä ylimielisesti, kohdella jotakuta alentavasti

condescending adj 1 alentava 2 ylimielinen

condiment [ˈkɑndəmənt] s (ruuan) lisuke, mauste (esim suola, mausteet, ketsuppi, sinappi) -

1 condition [kənˈdɪʃən] s 1 ehto, edellytys *I'll do it on one condition* teen sen yhdellä ehdolla 2 tila, kunto *he is in no condition to work* hän ei ole työkunnossa 3 (mon) olot, olosuhteet *in Alaska, the conditions are harsh* Alaskassa on kovat elinolot

2 condition v 1 opettaa, totuttaa, valmentaa, (psyk) ehdollistaa 2 määrätä, rajoittaa, asettaa ehdoksi, edellyttää

conditional [kənˈdɪʃənəl] s (kieliopissa) konditionaali *adj* 1 ehdollinen, jostakin riippuvainen 2 (kieliopissa) konditionaalinen, ehto-

condolences [kənˈdoʊlənsəz] s (mon) surunvalittelut

condom [ˈkɑndəm] s kondomi

condominium [ˌkɑndəˈmɪniəm] s rivi/kerrostalo-osake

condone [kənˈdoʊn] v 1 hyväksyä, suvaita 2 olla piittaamatta jostakin

conducive to [kənˈduːsɪv] adj jotakin edistävä, hyväksi jollekin

conduct [ˈkɑnˌdʌkt] s 1 käytös, käyttäytyminen 2 asioiden hoito, menettely, johto

conduct [kən'dʌkt] v **1** käyttäytyä **2** opastaa, johdattaa **3** johtaa (yritystä), hoitaa (asioita), käydä (keskustelua, kirjeenvaihtoa) **4** johtaa orkesteria **5** johtaa sähköä/lämpöä

conduction [kən'dʌkʃən] s (lämmön, sähkön) siirtyminen, johtuminen

conductive [kən'dʌktɪv] adj (lämpöä, sähköä) johtava

conductor [kən'dʌktər] s **1** orkesterinjohtaja **2** rahastaja, konduktööri **3** (tekn) johde, johdin *semiconductor* puolijohde

cone [koun] s **1** kartio *ice-cream cone* jäätelötötterö **2** käpy

confection [kən'fekʃən] s konvehti, makeinen

confectioner s makeisten valmistaja/kauppias, (myös) kondiittori, sokerileipuri

confectionery [kən'fekʃə,neri] s **1** makeiskauppa, (myös) konditoria **2** makeiset, konvehdit

confederacy [kən'fedərəsi] s **1** liitto, yhdistys **2** valtioliitto **3** *Confederacy* Yhdysvaltain etelävaltioiden liittokunta (1860-1865)

confederate [kənfedərət] s **1** liittolainen (henkilö, valtio) **2** rikostoveri **3** *Confederate* Yhdysvaltain etelävaltioiden kannattaja, etelävaltiolainen (1860-1865) adj **1** liitto- **2** *Confederate* Yhdysvaltain etelävaltioiden liittoa (1860-1865) koskeva, siihen kuuluva

confederation [kən,fedə'reiʃən] s **1** liitto, yhdistys **2** valtioliitto **3** *Confederation* Yhdysvaltain 13 ensimmäisen osavaltion liitto

confer [kən'fər] v neuvotella, keskustella jonkun kanssa jostakin, pohtia yhdessä

conference [kanfrəns] s neuvottelu, konferenssi *in conference* kokouksessa

confer (up)on v myöntää, antaa (titteli), suoda (kunnia) jollekulle

confess [kən'fes] v tunnustaa (tekonsa, syntinsä), myöntää

confession [kən'feʃən] s tunnustus

confessional s rippituoli, rippi

confetti [kən'feti] s konfetti, pienet eriväriset paperinpalaset joita heitellään ilmaan juhlakulkueissa ym

confidant [,kanfə'dant] s uskottu

confidante [,kanfə'dant] s (naispuolinen) uskottu

confide in [kən'faid] v uskoutua jollekulle, kertoa, paljastaa

confidence [kanfədəns] s **1** itseluottamus, itsevarmuus **2** luottamus, usko johonkuhun *I have no confidence in his abilities* minä en usko/luota hänen kykyihinsä **3** salaisuus, luottamuksellinen tieto

confident [kanfədənt] adj **1** luottavainen, varma jostakin **2** itsevarma

confidential [,kanfə'denʃəl] adj **1** luottamuksellinen **2** luotettava

confidentiality [,kanfədenʃi'æləti] s luottamuksellisuus

configuration [kənfigə'reiʃən] s **1** kokoonpano, muoto, järjestys, konfiguraatio **2** (kem) konfiguraatio

confine [kən'fain] v **1** rajoittaa *she confined her remarks to the current situation* hän käsitteli ainoastaan nykytilannetta **2** sitoa *he is confined to bed* hän on vuoteenomana

confined adj **1** (tilasta) ahdas **2** (ilmapiiristä) ahdistava, tukahduttava

confinement s (ihmisen, eläimen) vankeus, (vuoteenomana oleminen) sairausaika

confirm [kən'fərm] v **1** varmistaa, vahvistaa (paikkansapitävyys, käsitystä) **2** (usk) konfirmoida

confirmation [,kanfər'meiʃən] s **1** vahvistus, varmistus **2** (usk) konfirmaatio

confiscate ['kanfis,keit] v takavarikoida

confiscation [,kanfəs'keiʃən] s takavarikointi

conflict [kən'flikt] v olla ristiriidassa jonkin kanssa, olla jonkin vastainen

conflict [kanflikt] s **1** selkkaus, yhteenotto **2** ristiriita, erimielisyys

conflicting [kanfliktiŋ] adj ristiriitainen

confluence [kanfluəns] s (jokien) yhtymäkohta

conform [kən'fərm] v **1** mukautua, sopeutua johonkin **2** vastata jotakin, olla jonkin mukainen

conformity [kən'fɔrməti] s vastaavuus, sääntöjen tms mukaisuus

confound [kən'faund] v **1** hämmästyttää, hämmentää, tyrmistyttää **2** sekoittaa, sotkea

confront [kənˈfrʌnt] v **1** kohdata, joutua vastakkain jonkun kanssa **2** näyttää jollekulle jotakin, kovistella jotakuta jollakin *the police confronted me with the evidence against me* poliisi esitti minulle minua koskevat raskauttavat todisteet

confrontation [ˌkanfrənˈteɪʃən] s yhteenotto, selkkaus, välienselvittely

confuse [kənˈfjuːz] v **1** sekoittaa, hämmentää **2** sekoittaa keskenään/toisiinsa, sotkea jokin johonkin

confusing [kənˈfjuːzɪŋ] adj hämäävä, sekava

confusion [kənˈfjuːʒən] s **1** sekaannus, hämmennys, tyrmistys **2** sekasoitku, epäjärjestys **3** (toisiinsa/keskenään) sekoittaminen

congeal [kənˈdʒiːl] v hyytyä, kovettua, jähmettyä

congelation [ˌkandʒəˈleɪʃən] s hyytyminen, kovettuminen, jähmettyminen

congenial [kənˈdʒiːnjəl] adj **1** miellyttävä (ihminen, ilmapiiri, työ) **2** lyvin (yhteen)so piva, *congenial spirit*

congenital [kənˈdʒenɪtəl] adj synnynnäinen, myötäsyntyinen

congested [kənˈdʒestəd] adj ruuhkainen, ahdas, tukkeutunut

congestion [kənˈdʒestʃən] s ruuhka, liikakansoitus, ahtaus

conglomerate [kənˈglamərət, kənˈglamərət] s (geologiassa) konglomeraatti; (liikealalla) konglomeraatti, monialayhtymä adj seka-

conglomerate [kənˈglaməˌreɪt, kənˈglaməˌreɪt] v kasata, kasaantua, sekoittaa, sekoittua

conglomeration [kənˌglaməˌreɪʃən, kənˈglaməˌreɪʃən] s kasaantuma, sekoitus

congratulate [kənˈgrætʃuˌleɪt kənˈgrætʃuˌleɪt] v onnitella

congratulations [kənˌgrætʃuˌleɪʃənz, kənˈgrætʃuˌleɪʃənz] s (mon) onnittelut, (huudahduksena:) onnea!

congregate [ˈkaŋgrəˌgeɪt] v kokoontua, kerääntyä

congregation [ˌkaŋgrəˈgeɪʃən] s **1** väkijoukko, väenpaljous **2** (usk) seurakunta

congress [ˈkaŋgrəs] s **1** kongressi, kokous **2** *Congress* Yhdysvaltain kongressi

congruence [ˈkaŋgruəns] s **1** yhtäläisyys **2** (geom, mat, kieliopissa) kongruenssi

congruent [ˈkaŋgruənt] adj **1** jonkin mukainen, johonkin sopiva, yhtäläinen **2** (geom, mat) kongruentti

congruous [ˈkaŋgruəs] adj jonkin mukainen, johonkin sopiva, yhtäläinen

conical [ˈkanɪkəl] adj kartiomainen, kartion muotoinen

conifer [ˈkanɪfər] s havupuu

coniferous [kəˈnɪfərəs] adj havu(puu)-

conjectural adj pelkkään arvailuun perustuva

1 conjecture [kənˈdʒektʃər] s arvaus, arvailu, luulottelu, luulo

2 conjecture v arvailla, luulotella, luulla, oletraa

conjugal [ˈkandʒəgəl] adj avioliiton, avio-

conjugate [ˈkandʒəˌgeɪt] v (verbistä:) taivuttaa, (verbi:) taipua

conjugation [ˌkandʒəˈgeɪʃən] s (verbin) taivutus

conjunction [kənˈdʒʌŋkʃən] s **1** (kieliopissa) konjunktio **2** yhteys, yhteistyö

conjure [ˈkandʒər] v taikoa, tehdä taikatemppuja

conjurer [ˈkandʒərər] s taikuri

conjure up v taikoa/loihtia esiin (myös kuv)

connect [kəˈnekt] v yhdistää, yhdistyä, liittää/liittyä yhteen (myös kuv) *the two companies are in no way connected* yritykset civät ole missään yhteydessä toisiinsa, ovat täysin itsenäisiä

connection [kəˈnekʃən] s **1** yhteys *we had a bad connection* puhelinyhteys oli huono **2** suhde *he has excellent connections in the business world* hänellä on erinomaiset suhteet liikemaailmaan **3** (liikenteessä) jatkoyhteys, jatkolento *she missed her connection* hän myöhästyi jatkolennolta/junasta/linja-autosta

connective [kəˈnektɪv] adj side-

connectivity s (tietok) liitettävyys

connivance [kəˈnaɪvəns] s **1** juonittelu, vehkeily **2** piittaamattomuus, välinpitämättömyys (rikkeestä)

connive [kəˈnaɪv] v juonitella, vehkeillä

connoisseur [ˌkanəˈsɜːr] s nautiskelija, (jonkin alan) tuntija, harrastaja

connotation [ˌkɒnəˈteɪʃən] s konnotaatio, (sanan herättämät) assosiaatiot

conquer [ˈkɒŋkər] v valloittaa, vallata

conqueror s valloittaja *William the Conqueror* Vilhelm Valloittaja

conquest [ˈkɒŋkwest] s valloitus, valtaus

consanguinity [ˌkɒnsæŋˈgwɪnəti] s verisukulaisuus, veriveljeys

conscience [ˈkɒnʃəns] s omatunto *I have a clear conscience* omatuntoni on puhdas *I have it on my conscience* se painaa omaatuntoani

conscientious [ˌkɒnʃiˈenʃəs] adj tunnontarkka, tunnollinen

conscientiousness s tunnollisuus

conscious [ˈkɒnʃəs] adj 1 tajuissaan 2 *conscious of* tietoinen/selvillä/perillä jostakin *he was not conscious of any conflict* hän ei huomannut asiassa ristiriitaa 3 tahallinen

consciousness [ˈkɒnʃəsnəs] s 1 tajunta *she lost/regained consciousness* hän menetti tajuntansa/tuli tajuihinsa 2 tietoisuus, tajunta 3 tieto jostakin, jonkin tietäminen

conscript [ˈkɒnskrɪpt] s asevelvollinen

conscript [kənˈskrɪpt] v kutsua asepalvelukseen

conscription [kənˈskrɪpʃən] s (asepalvelukseen) kutsunta

consecrate [ˈkɒnsɪkreɪt] v pyhittää, vihkiä

consecration [ˌkɒnsɪˈkreɪʃən] s pyhittäminen, pyhitys, vihkiminen

consecutive [kənˈsekjətɪv] adj 1 peräkkäinen 2 (kieliopissa) konsekutiivinen, seuraus-

consecutively adj peräkkäin, juoksevasti (numeroitu)

consensus [kənˈsensəs] s konsensus, yksimielisyys

1 consent [kənˈsent] s lupa, suostumus

2 consent v suostua, antaa lupa johonkin

consequence [ˈkɒnsəkwens] s 1 seuraus *in/as a consequence* joten, jonkin seurauksena 2 tärkeys, merkitys *nothing of consequence* ei mitään merkittävää

consequent [ˈkɒnsəkwent] adj jostakin/jotakin seuraava, jonkin seurauksena tapahtuva

consequential [ˌkɒnsəˈkwenʃəl] adj 1 jostakin/jotakin seuraava, jonkin seurauksena tapahtuva 2 tärkeilevä, ylimielinen

conservation [ˌkɒnsərˈveɪʃən] s 1 (esim luonnon, rakennusten) suojelu 2 (esim veden) säästäminen

conservatism [kənˈsɜːvətɪzəm] s konservatismi, vanhoillisuus

1 conservative [kənˈsɜːvətɪv] s 1 vanhoillinen ihminen 2 (politiikassa) konservatiivi

2 conservative adj 1 vanhoillinen 2 (poliittisesti) konservatiivinen 3 (arvio, sijoitus) varovainen

conservatory [kənˈsɜːvətɔri] s 1 konservatorio 2 talvipuutarha

1 conserve [kənˈsɜːv] s hillo

2 conserve v 1 säästää (voimia, luonnonvaroja) 2 säilyttää ennallaan, suojella (rakennusta) 3 hillota, säilöä

consider [kənˈsɪdər] v 1 harkita, pohtia, miettiä 2 ottaa huomioon, piitata 3 pitää jonakin *this is widely considered the best computer available* tätä pidetään yleisesti markkinoiden parhaana tietokoneena

considerable adj huomattava, merkittävä

considerate [kənˈsɪdərət] adj huomaavainen, kohtelias, avulias

consideration [kənˌsɪdəˈreɪʃən] s 1 harkinta, pohdinta 2 huomio *we took everything into consideration* otimme kaiken huomioon *in consideration of* jonkin seikan valossa, jonkin seikan huomioon ottaen 3 huomaavaisuus, kohteliaisuus, avuliaisuus 4 näkökohta, (osa)tekijä *the price is no consideration* hinnalla ei ole väliä, hinta ei merkitse mitään

considering prep jotakin huomioon ottaen, jonkin valossa, jonkin huomioon nähden

consign [kənˈsaɪn] v 1 lähettää (kauppatavaraa) 2 luovuttaa, antaa *the child was consigned to his mother's care* lapsi uskottiin äitinsä huostaan

consignment [kənˈsaɪnmənt] s (kauppatavara)lähetys

consignor [kənˈsaɪnər] s lähettäjä

consistency [kənˈsɪstənsi] s 1 johdonmukaisuus 2 yhdenmukaisuus 3 (aineen) koostumus 4 (nesteen) sakeus

consistent adj johdonmukainen

consistent with adj yhdenmukainen, jonkin mukainen

consist in v muodostua jostakin, johtua jostakin, perustua johonkin *her job consists in typing and answering the phone* hänen työnsä käsittää/on konekirjoitusta ja puhelimeen vastaamista

consist of [kən'sıst] v koostua jostakin, rakentua jostakin *that soft drink consists of water, sugar, and flavoring* tuo virvoitusjuoma on tehty vedestä, sokerista ja makuaineesta

consolation [ˌkansə'leıʃən] s lohdutus, lohtu *that's small consolation* se on laiha lohtu

console [kən'soəl] v lohduttaa

console [kansoʊl] s 1 konsoli, käyttöpaneeli, ohjauspaneeli, kojetaulu 2 (lattialla seisova) kaappitelevisio

consolidate [kən'salə,deıt] v 1 lujittaa, vahvistaa 2 yhdistää, sulauttaa (yrityksiä yhteen)

consolidation [kənˌsalə'deıʃən] s 1 lujittaminen, lujittuminen, vahvistaminen, vahvistuminen 2 yhdistäminen, sulauttaminen

consonant [kansənənt] s konsonantti

consonant with adj sopusoinnussa jonkin kanssa

consort [kansɔrt] s puoliso

consort with [kən'sɔrt] v 1 pitää seuraa jonkun kanssa, veljeillä jonkun kanssa *he has been consorting with criminals* hän on ollut liikkunut rikollispiireissä 2 olla sopusoinnussa jonkin kanssa, sopia yhteen jonkin kanssa

conspicuous [kən'spıkjʊəs] adj silmiinpistävä, huomiota herättävä *he was conspicuous by his absence* hän loisti poissaolollaan

conspiracy [kən'spırəsı] s salaliitto

conspirator [kən'spırətər] s salaliittolainen

conspire [kən'spaıər] v 1 juonitella, olla salaliitossa 2 (tapahtumista, kohtaloista) käänhtyä jotakuta vastaan

constable [kanstəbəl] s 1 (maaseudulla) nimismies 2 (UK) poliisimies, konstaapeli

constabulary [kən'stæbjə,lerı] s poliisi(voimat)

constancy s 1 (lämpötilan, tunteiden) muuttumattomuus, tasaisuus 2 (ystävän) uskollisuus

constant [kanstənt] s (mat) vakio adj 1 jatkuva, alinomainen 2 tasainen, vakio- (lämpötila) 3 uskollinen (ystävä, kannattaja), luja, määrätietoinen

constantly adv jatkuvasti, alinomaa, vähän väliä

constellation [ˌkanstə'leıʃən] s 1 tähdistö, tähtikuvio 2 (kuv) kuvio, asiaintila

consternation [ˌkanstər'neıʃən] s tyrmistys, pettymys, huolestuminen

constipate [kansta,peıt] v aiheuttaa ummetusta

constipated adj jolla on ummetusta, ummetuksesta kärsivä

constipation [ˌkanstə'peıʃən] s ummetus

constituency [kən'stıʧʊənsı] s vaalipiiri

constituent [kən'stıʧʊənt] s 1 äänestäjä, valitsija 2 osa(tekijä) adj yksittäinen, osa- *the constituent parts of this machine/proposal* tämän koneen/ehdotuksen osat

constitute [kansta,tut] v 1 muodostaa, rakentaa *to be constituted of* muodostua, rakentua, koostua jostakin 2 olla *that constitutes treason* se on maanpetos 3 perustaa (toimikunta), antaa toimivaltuudet

constitution [ˌkanstə'tuʃən] s 1 (valtion) perustuslaki, (järjestön) säännöt 2 (ihmisen) luonto, kunto, terveys, ruumiinrakenne 3 rakenne, koostumus

1 constitutional adj 1 perustuslaillinen 2 luontainen, ruumiillinen 3 terveellinen

2 constitutional s (vanh) (kunto)kävely

constrain [kən'streın] v 1 pakottaa 2 hillitä

constraint [kən'streınt] s 1 pakko 2 rajoitus 3 itsehillintä

constrict [kən'strıkt] v 1 puristaa, painaa 2 (lihaksesta, verisuonesta) supistaa, supistua 3 rajoittaa (myös kuv), estää, hankaloittaa

constriction [kən'strıkʃən] s 1 (verisuonen, lihas)supistus 2 rajoitus, este, hankaluus

constrictor [kən'strıktər] s 1 supistajalihas 2 (käärme) kuningasboa

construct [kanstrʌkt] s ajatusrakennelma

construct [kən'strʌkt] v rakentaa

construction [kən'strʌkʃən] s 1 (laitteen, rakennuksen) rakentaminen 2 (laitteen, ro-

constructive 710

maanin, lauseen) rakenne **3** rakennus, ra-
kennelma **4** tulkinta
constructive [kən'strʌktɪv] *adj* rakentava (ar-
vostelu, henki)
constructor [kən'strʌktər] *s* rakentaja, raken-
nusliike
consul [kansəl] *s* konsuli
consular [kansələr, kansjələr] *adj* konsulin
consulate [kansələt, konsjələt] *s* konsulaatti
consult [kən'sʌlt] *v* **1** kysyä jonkun mielipi-
dettä, konsultoida, käydä lääkärissä, kes-
kustella lääkärinsä kanssa, katsoa (tieto-)
sanakirjasta **2** keskustella, neuvotella jos-
takin
consultant [kən'sʌltənt] *s* konsultti
consultation [ˌkansəl'teɪʃən] *s* konsultaatio,
neuvottelu, keskustelu
consultative [kən'sʌltətɪv] *adj* neuvoa-an-
tava
consume [kən'sum] *v* **1** nauttia (ruokaa, juo-
maa), syödä, juoda **2** kuluttaa, kuluttaa/
käyttää loppuun **3** (tulesta) tuhota, hävittää
consumed *with adj* (olla) täynnä jotakin, pur-
sua jotakin *to be consumed with hatred*
olla suunniltaan vihasta, uhkua vihaa
consumer *s* kuluttaja
consummate [kansəmeɪt] *v* **1** panna täytän-
töön/toimeen **2** (aviopuolisoista) olla en-
simmäistä kertaa sukupuoliyhteydessä, si-
netöidä (avioliitto) yhdynnällä
consummate [kən'sʌmət] *adj* täydellinen,
ylittämätön
consummation [ˌkansə'meɪʃən] *s* **1** täytän-
töönpano, toimeenpano **2** (aviopuolisoi-
den) ensimmäinen sukupuoliyhteys
consumption [kən'sʌmpʃən] *s* **1** kulutus, ku-
luttaminen *fuel consumption* polttoaineen-
kulutus **2** (vanh) keuhkotuberkuloosi
consumptive [kən'sʌmptɪv] *adj* jolla on
keuhkotuberkuloosi
contact [kən'tækt] *v* ottaa yhteyttä johonku-
hun, olla yhteydessä johonkuhun
contact [kantækt] *s* **1** yhteys, kosketus **2** yh-
teyshenkilö **3** (mon) suhteet, yhteydet *he
has very good contacts in the business
community* hänellä on erinomaiset suhteet
liike-elämään **4** (mon) piilolasit **5** (sähk)
kosketus, kontakti

contagion [kən'teɪdʒən] *s* **1** (sairauden) tar-
tunta **2** tartuntatauti **3** (kuv) kulkutauti, le-
viäminen
contagious [kən'teɪdʒəs] *adj* (taudista) tart-
tuva (myös kuv)
contain [kən'teɪn] *v* **1** sisältää *the box con-
tains jewels* laatikossa on jalokiviä **2** hillitä
(itsensä, kyyneleensä) **3** estää (esim tau-
din, ongelman) leviäminen, saada hallin-
taan
container [kən'teɪnər] *s* **1** astia, laatikko
2 (tavarankuljetuksessa) kontti
contaminate [kən'tæmə,neɪt] *v* saastuttaa,
saastua (myös radioaktiivisesti), myrkyt-
tää, pilaantua
contamination [kən,tæmə'neɪʃən] *s* saastu-
minen (myös radioaktiivinen), myrkyttä-
minen, pilaantuminen
contemplate ['kantəm,pleɪt] *v* tarkastella,
miettiä, harkita, aikoa tehdä jotakin
contemplation [ˌkantəm'pleɪʃən] *s* tarkastelu,
harkinta, pohdinta
contemporary [kən'tempə,reri] *s* aikalainen
adj **1** samanaikainen **2** nykyajan, nykyinen
contempt [kən'tempt] *s* halveksunta, vähek-
syntä, piittaamattomuus *in contempt of
something* jostakin välittämättä/piittaa-
matta *to hold something in contempt* hal-
veksua, väheksyä jotakin
contemptible [kən'temtɪbəl] *adj* halveksut-
tava, väheksyttävä
contemptuous [kən'temtʃuəs] *adj* halvek-
siva, väheksyvä *he was contemptuous of
his boss* hän halveksui/väheksyi pomoaan
contend [kən'tend] *v* väittää
contend with *v* taistella jonkun/jonkin
kanssa/jotakuta vastaan, kilpailla, yrittää
selvitä jostakin
1 content [kən'tent] *s* tyytyväisyys
2 content *v* tehdä/saada joku tyytyväiseksi
she contented herself with lower pay hän
tyytyi pienempään palkkaan
3 content [kantent] *adj* tyytyväinen
contented [kən'tentəd] *adj* tyytyväinen
contention [kən'tenʃən] *s* **1** väite **2** kiista,
riita
contentious [kən'tenʃəs] *adj* **1** kiistanalainen
2 riidanhaluinen

contentment [kən'tentmənt] *s* tyytyväisyys

contents [kantens] *s* (mon.) 1 sisältö, sisällys 2 (kirjan) sisällysluettelo *table of contents* sisällysluettelo

contest [kantest] *s* kilpailu, ottelu

contest [kən'test] *v* 1 kilpailla, taistella jostakin, olla ehdokkaana 2 kiistää, (lak) moittia (testamenttia, tuomiota)

contestant [kən'testənt] *s* kilpailija, osanottaja, ehdokas

context [kantekst] *s* yhteys, puitteet, asiayhteys, (kiel) lauseyhteys, konteksti

contextual [kən'tekst[uəl]] *adj* asia/lauscyh teydestä ilmenevä, kontekstuaalinen

contiguous [kən'tıgjuəs] *adj* 1 (sijainnista) vierekkäinen, naapuri-; lähekkäinen, lähi- 2 (ajasta) peräkkäinen

continence [kantənəns] *s* 1 (sukupuolinen) pidättyväisyys 2 (lääk) pidätyskyky

continent [kantənənt] *s* 1 manner 2 *Continent* Euroopan manner (erotuksena Isosta-Britanniasta), Keski-Eurooppa *adj* 1 maltillinen, itsensä hillitsevä, (sukupuolisesti) pidättyväinen 2 (lääk) pidätyskykyinen

continental [kantə'nentəl] *s* mannermaalainen, keskieurooppalainen *adj* 1 manner- 2 mannermainen, keskieurooppalainen

contingency [kən'tındʒənsi] *s* mahdollisuus, sattuma *I am prepared for every contingency* olen varautunut kaikkeen *he left nothing to contingency* hän ei jättänyt mitään sattuman varaan

contingent [kən'tındʒənt] *s* 1 joukko-osasto 2 (ihmis)joukko, ryhmä 3 kiintiö

contingent upon *adj* jostakin riippuvainen, jostakin riippuen

continual [kən'tınjuəl] *adj* jatkuva, alinomainen, loputon

continuation [kən,tınju'eıʃən] *s* jatko, jatkaminen

continue [kən'tınju] *v* jatkaa, jatkua

continuity [kantə'nuəti] *s* jatkuvuus

continuous [kən'tınjuəs] *adj* jatkuva, yhtenäinen

contort [kən'tɔrt] *v* vääristää (kasvonsa, jonkun sanoja)

contortion [kən'tɔrʃən] *s* 1 vääntely (kasvojen) vääristymä 2 (kuv) kiemurtelu, kiertely, temppuilu

contortionist [kən'tɔrʃə,nıst] *s* käärmeihminen

contour [ˈkan,tuər] *s* 1 ääriviiva, piirre, muoto 2 (kartan) korkeuskäyrä

contour *v* 1 muotoilla (esine) 2 mukauttaa (tie) maisemaan 3 piirtää (karttaan) korkeuskäyrät

contraband [ˈkantrə,bænd] *s* kieltotavara, salakuljetettu tavara

contraception [,kantrə'sepʃən] *s* (raskauden) ehkäisy

contraceptive [,kantrə'septıv] *s* ehkäisyväline *adj* ehkäisy-

contract [kantrækt] *s* 1 sopimus 2 tilaus 3 *the mob put out a contract on him* mafia palkkasi murhaajan tappamaan hänet

contract [kən'trækt] *v* 1 eri merkityksiä: *to contract an illness* sairastua *to contract a debt* ottaa laina/velkaa *to contract a marriage* solmia avioliitto, mennä naimisiin *to contract an alliance* solmia liitto 2 supistaa, supistua (lihas, otsa, silmäterä), lyhentää (sana, esim *do not* muotoon *don't*) 3 tilata (taideteos), palkata (joku tekemään jotakin)

contraction [kən'trækʃən] *s* supistuminen, (lihas-, synnytys)supistus, (sanan) lyhentäminen, lyhenne(tty muoto)

contractor [ˈkan,træktər] *s* urakoitsija

contradict [,kantrə'dıkt] *v* 1 väittää/sanoa vastaan 2 olla ristiriidassa jonkin kanssa

contradiction [,kantrə'dıkʃən] *s* ristiriita *a contradiction in terms* mahdottomuus, mahdoton/järjetön ajatus

contradictory [,kantrə'dıktəri] *adj* ristiriitainen (väite), riidanhaluinen (ihminen)

contraindication [,kantrə,ındə'keıʃən] *s* (lääk) vasta-aihe

contrary [kantreri] *s* vastakohta *on the contrary* päin vastoin, ei suinkaan *adj* 1 vastakkainen (suunta, näkemys), vastainen (tuuli) 2 vastahakoinen, jääräpäinen (ihminen), vikuroiva (hevonen)

contrary to *adv* jonkin vastainen

contrast [kantræst] *s* **1** vastakohta **2** vertailu **3** (televisio/valokuvan) kontrasti

contrast [kən'trɑːst] *v* **1** vertailla, verrata **2** olla ristiriidassa jonkin kanssa, erottua (selvästi/edukseen yms) jostakin

contravene [ˌkantrə'viːn] *v* rikkoa, loukata (lakia, tapaa)

contravention [ˌkantrə'venʃən] *s* (lain, tavan) rikkomus, loukkaus

contribute [kən'trɪbjuːt] *v* **1** edistää, edesauttaa, vaikuttaa osaltaan johonkin *his good looks contributed to his success as an actor* hyvä ulkonäkö vaikutti osaltaan hänen menestykseensä näyttelijänä **2** osallistua keräykseen, lahjoittaa jotakin **3** kirjoittaa (avustajana) lehteen

contribution [ˌkantrə'bjuːʃən] *s* **1** osuus, panos **2** lahjoitus **3** lehtikirjoitus

contributor [kən'trɪbjutər] *s* (lehden, keräyksen) avustaja, kirjoittaja, artikkelin tekijä

contrivance [kən'traɪvəns] *s* **1** laite, vekotin **2** keksintö, kekseliäisyys **3** juonittelu

contrive [kən'traɪv] *v* **1** keksiä (suunnitelma) **2** onnistua tekemään, saada aikaan, järjestää, juonitella

contrived *adj* teennäinen, epäaito

1 control [kən'trəʊl] *s* **1** johto, valvonta, hallinta *to be in control of an office/your feelings/yourself* johtaa konttoria/hallita tunteensa/itsensä *to lose control of a vehicle/of a situation/of yourself* menettää ajoneuvon/tilanteen hallinta/itsehallintänsä **2** tarkastus *ticket control* lippujen tarkastus **3** säätö, valvonta **4** säädin, ohjain (myös kuv) *tone control* äänensävyn säädin

2 control *v* **1** johtaa, valvoa, hallita **2** säätää, säädellä (lämpötilaa, nopeutta, kasvua)

control tower *s* lennonjohtotorni

controversial [ˌkantrə,vɜːʃəl] *adj* erimielisyyttä aiheuttava, kiistanalainen

controversy ['kantrə,vɜːsi] *s* kiista, riita

convalesce [ˌkanvə'les] *v* toipua, parantua, olla toipilaana/parantumassa

convalescence [ˌkanvə'lesəns] *s* parantuminen, toipilasaika

convalescent *s* toipilas *adj* toipilas-, parantumassa oleva

convene [kən'viːn] *v* **1** kutsua koolle (kokoukseen) **2** kokoontua (neuvotteluun, kokoukseen)

convener *s* kokouksen koollekutsuja

convenience [kən'viːnjəns] *s* **1** (mon) mukavuudet *modern conveniences* nykyajan mukavuudet **2** mukavuus *in your room, a telephone is provided for your convenience* huoneessanne on puhelin

convenience store *s* elintarvikekioski

convenient [kən'viːnjənt] *adj* mukava, kätevä, sopiva, edullinen (sijainti)

convent [kanvent] *s* nunnaluostari

convention [kən'venʃən] *s* **1** tapa **2** sovinnaisuus, konventio **3** konferenssi

conventional *adj* sovinnainen, perinteinen, tapojen mukainen

converge [kən'vɜːdʒ] *v* lähestyä (toisiaan)

convergence [kən'vɜːdʒəns] *s* **1** lähestyminen **2** yhtyminen, leikkaaminen

converge on *v* kerä[än]tyä, kasaantua jonnekin

conversation [ˌkanvə'seɪʃən] *s* keskustelu, puhe *and the rest is conversation* ja loppu on pelkää puhetta

conversational [ˌkanvə'seɪʃənəl] *adj* **1** tuttavallinen, rento **2** puhekielen

converse [kanvɜːs] *s* vastakohta

converse [kən'vɜːs] *v* keskustella *adj* vastakkainen

conversion [kən'vɜːʃən] *s* **1** muunto, muuttaminen, konversio **2** (usk) kääntymys

convert [kən'vɜːt] *v* **1** muuntaa, muuttaa, muuttua joksikin **2** (usk) käännyttää, kääntyä

convert [kanvɜːt] *s* (usk, kuv) käännynnäinen

converter [kən'vɜːtər] *s* muunnin, muuntaja *D/A converter* digitaali-analogiamuunnin

convertible [kən'vɜːtɪbəl] *s* avoauto *adj* **1** joka voidaan muuntaa/muuttaa joksikin **2** vapaasti vaihdettava (valuutta)

convex [kan'veks] *adj* kupera

convey [kən'veɪ] *v* **1** kuljettaa, johtaa **2** välittää (ajatus, tunne, terveiset), saada ymmärtämään jotakin

conveyance [kən'veɪəns] *s* **1** kuljetus **2** kulkuneuvo

convict [kanvıkt] *s* rangaistusvanki, rikoksesta tuomittu henkilö

convict [kən'vıkt] *v* tuomita rikoksesta, todeta syylliseksi

conviction [kən'vık∫ən] *s* **1** (lak) tuomio **2** vakaumus *he has the courage of his convictions* hän on hyvin suoraselkäinen *I am open to conviction* olen valmis muuttamaan kantaani (mikäli perusteita ilmenee)

convince [kən'vıns] *v* saada joku vakuuttumaan jostakin

convinced *adj* vakuuttunut jostakin

convincing *adj* vakuuttava, uskottava

convivial [kən'vıvıəl] *adj* **1** hyväntuulinen **2** seurallinen

convocation [,kanvə'keı∫ən] *s* **1** kokoon/koolle kutsuminen **2** kokous, kokoontuminen

1 convoy [kʌnvoı] *s* (laiva/lento)saattue

2 convoy *v* saattaa

convulse [kən'vʌls] *v* ravistella (myös kuv), (lääk) kouristella

convulsion [kən'vʌl∫ən] *s* ravistus, mullistus, (lääk) kouristus

convulsive [kən'vʌlsıv] *adj* kouristuksenomainen, kouristus-

coo [ku] *v* (kyyhkysestä) kujertaa

1 cook [kuk] *s* kokki

2 cook *v* **1** valmistaa, laittaa, keittää, paistaa, leipoa (ruokaa) **2** (ruuasta) valmistua, klehua, kypsyä, paistua **3** väärentää, sormeilla (tilejä)

cookbook [kukbuk] *s* keittokirja

cookie [kukı] *s* **1** keksi, pikkuleipä **2** (tietok) eväste, kuitti **3** *she is a smart cookie* hän on terävä ihminen, hänellä leikkaa hyvin

cook up *v* sepittää, keksiä omasta päästään

1 cool [kuəl] *s* (ilman) viileys, (myös kuv:) mielenmaltti *don't lose your cool* älä pillastu, hillitse itsesi

2 cool *v* **1** jäähdyttää, jäähtyä, viilentyä **2** rauhoittua

3 cool *adj* **1** viileä **2** (viileän) rauhallinen **3** (viileän) välinpitämätön, kylmä(kiskoinen) **4** kylmäverinen **5** (sl) erinomainen, loistava

cool down *v* **1** viilentää, viilentyä, esim palautua/palauttaa ruumiinlämpö normaaliksi liikunnan jälkeen **2** rauhoittaa, rauhoittua

coolness *s* viileys (myös kuv)

cool off *v* rauhoittua, rauhoittaa, rentoutua

cool out *v* rentoutua, rauhoittua

coop [kup] *s* (kana)koppi

cooperate [kou'apəreıt] *v* olla/toimia yhteistyössä jonkun/jonkin kanssa

cooperation [kou,apə'reı∫ən] *s* yhteistyö

1 cooperative [kou'apəratıv] *s* osuuskunta

2 cooperative *adj* **1** avulias, halukas/valmis yhteistyöhön **2** osuustoiminnallinen, osuuskunta-

coopt [kou'apt] *v* kooptoida, valita jäseneksi nykyisten jäsenten päätöksellä

coop up *v* sulkea/ahtaa joku jonnekin

coordinate [kou'ɔːrdənət] *s* **1** koordinaatti **2** joku/jokin rinnakkainen *adj* rinnakkainen, rinnakkais-, rinnastava

coordinate [kou'ɔːrdə,neıt] *v* rinnastaa, järjestää, koordinoida

coordination [kou,ɔːrdə,neı∫ən] *s* rinnastus, järjestäminen, koordinaatio

coordinator *s* **1** järjestäjä, koordinaattori **2** (kielioppissa) rinnastuskonjunktio

coot [kut] *s* nokikana *old coot* vanha äijänkäppärä

cop [kap] *s* (sl) poliisi

cope [koup] *v* selviytyä, tulla toimeen *he couldn't cope with his problems* hän ei selvinnyt ongelmistaan

copier [kapiər] *s* **1** jäljittelijä, matkija **2** (valo)kopiokone

copious [koupiəs] *adj* runsas, ylenpalttinen

cop out *v* (sl) luopua leikistä

copper [kapər] *s* **1** kupari **2** (sl) poliisi

copse [kaps] *s* metsikkö

copulate ['kapjə,leıt] *v* paritella

copulation [,kapjə'leı∫ən] *s* paritteu

1 copy [kapı] *s* **1** jäljennös, kopio **2** (yksittäinen) kirja, lehti

2 copy *v* **1** jäljentää, kopioida **2** matkia, jäljitellä

copyright ['kapi,raıt] *s* tekijänoikeus

coral [kɔrəl] *s* koralli

cord [kɔrd] *s* nuora, köysi *vocal cords* äänihuulet

cordial [kɔrdʒəl] *adj* kohtelias

cordon [ˈkɔːdən] s vartioketju, vartiomiesten/poliisien/sotilaiden muodostama ketju

cordon off v eristää (alue)

corduroy [ˈkɔːdəˌrɔɪ] s vakosametti

1 core [kɔː] s **1** (omenan) kota **2** (maapallon) ydin **3** (kuv) ydin, keskeisin/olennaisin sisältö

2 core v poistaa (omenasta) kota

1 cork [kɔːk] s **1** korkki(aine) **2** (pullon)korkki

2 cork v korkita, sulkea korkilla

corkscrew [ˈkɔːkˌskruː] s korkkiruuvi

cormorant [ˈkɔːmərənt] s merimetso

corn [kɔːn] s **1** maissi **2** jyvä **3** (UK) vilja **4** känsä

cornea [ˈkɔːnɪə] s (silmän) sarveiskalvo

1 corner [ˈkɔːnə] s **1** nurkka (myös tal) *in the corner of the room* huoneen nurkassa **2** kulma *at/on the corner of the street* kadunkulmassa

2 corner v **1** panna joku ahtaalle **2** (auto) kääntyä (mutkassa)

cornering s (tal) nurkanvaltaus

cornerstone [ˈkɔːnəˌstəʊn] s kulmakivi (myös kuv)

cornet [ˈkɔːnet] s (mus) kornetti

cornflakes [ˈkɔːnˌfleɪks] s (mon) maissihiutaleet

cornflour [ˈkɔːnˌflaʊə] s maissijauho

cornflower [ˈkɔːnˌflaʊə] s ruiskaunokki

corn starch [ˈkɔːnˌstɑːt] s maissitärkkelys

corona [kəˈrəʊnə] s (auringon) korona

coronary [ˈkɔːrəˌneri] s sydäninfarkti *adj* sepelvaltimo-

coronary artery s sepelvaltimo

coronary bypass s (sydämen)ohitusleikkaus

coronary thrombosis [θramˈbəʊsɪs] s sydäninfarkti

coronation [ˌkɔːrəˈneɪʃən] s kruunajaiset

coroner [ˈkɔːrənər] s kuolinsyyntutkija, patologi

coronet [ˈkɔːrənet kɔːrəˈnet] s (pieni) kruunu

corporal [ˈkɔːpərəl] s korpraali *adj* ruumiillinen

corporate [ˈkɔːpərət] *adj* **1** osakeyhtiön, (suuren liike)yrityksen **2** yhteis-

corporation [ˌkɔːpəˈreɪʃən] s **1** (UK) kunta, kaupunki **2** (US) osakeyhtiö

corporeal [ˌkɔːpəˈriəl] *adj* ruumiillinen

corps [kɔː] s **1** (sot) joukot *Marine Corps* merijalkaväki **2** armeijakunta

corpse [kɔːps] s (kuollut) ruumis, kalmo

corpuscule [ˈkɔːˌpʌsəl] s verisolu *red/white corpuscules* punasolut/valkosolut

1 corral [kəˈræl] s karja-aitaus

2 corral v koota/sulkea (karja) aitaukseen

1 correct [kəˈrekt] v korjata, oikaista (virhe, puhujaa)

2 correct *adj* **1** oikea (vastaus) **2** (käytös) sopiva, moitteeton, korrekti *that was the correct gesture* se oli oikea ele

correction [kəˈrekʃən] s **1** korjaus, oikaisu **2** *house of correction* (vanh) kasvatuslaitos

correctness [kəˈrektnəs] s **1** (vastauksen) paikkansapitävyys **2** (käytöksen) sopivuus, moitteettomuus

correlate [ˈkɔːrəˌleɪt] v yhdistää, verrata, olla yhteydessä toisiinsa, korreloida

correlation [ˌkɔːrəˈleɪʃən] s yhtäläisyys, yhteys, korrelaatio

correspond [ˌkɔːrəsˈpand] v **1** vastata jotakin, olla samanlainen kuin **2** olla kirjeenvaihdossa

correspondence [ˌkɔːrəsˈpandəns] s **1** vastaavuus, yhtäläisyys **2** kirjeenvaihto (myös merkityksessä:) kirjeet

correspondent [ˌkɔːrəsˈpandənt] s **1** kirjeenvaihtotoveri **2** (sanomalehden) kirjeenvaihtaja

corridor [ˈkɔːrədər] s käytävä

corroborate [kəˈrabəˌreɪt] v vahvistaa, tukea (käsitystä, selitystä) *I corroborated her version of the story* vahvistin hänen selostuksensa tapahtumista

corrode [kəˈrəʊd] v syöpyä, ruostua

corrosion [kəˈrəʊʒən] s korroosio, syöpyminen, ruostuminen

corrosive [kəˈrəʊsɪv] s ruostumista/korroosiota aiheuttava aine *adj* ruostumista/korroosiota aiheuttava, korroosiivinen

corrugated [ˈkɔːrəˌgeɪtəd] *adj* aalto-

1 corrupt [kəˈrʌpt] v rappeuttaa, turmella, pilata

2 corrupt *adj* rappeutunut, turmeltunut, lahjuksia vastaanottava, rötös-

corruption [kəˈrʌpʃən] s korruptio, lahjonta, rappio, turmelus

corset [ˈkɔːsət] s korsetti, kureliivit

cortege [kɔːˈteʒ kɔːˈtaʒ] s (hautajais)kulkue

cosmetic [ˌkazˈmetɪk] s kauneudenhoitoaine *adj* kosmeettinen, kauneudenhoito-, kauneus-

cosmic [ˈkazmɪk] *adj* 1 kosminen, maailmankaikkeutta koskeva 2 (kuv) suunnaton, valtava

cosmonaut [ˈkazməˌnat] s kosmonautti

cosmopolitan [ˌkazməˈpalətən] s maailmankansalainen, kosmopoliitti *adj* yleismaailmallinen, kosmopoliittinen

cosmos [ˈkazmɒs] s kosmos, maailmankaikkeus

1 cost [kast] s 1 kustannukset 2 hinta (myös kuv) *regardless of cost* hintaan katsomatta, mihin hintaan hyvänsä

2 cost *v* cost, cost: maksaa (myös kuv), olla hintana *how much did your new hat cost?* paljonko uusi hattusi maksoi? *the mistake cost him a pretty penny* erehdys maksoi hänelle sievoisen summan

1 costar [ˈkouˌstar] s (elok) toinen pääosan esittäjistä

2 costar *v* esittää toista pääosaa, olla toisessa pääosassa

cost-effective [ˌkastrˈfektɪv] *adj* edullinen, halpa (valmistustapa tms)

costly [ˈkastlɪ] *adj* kallis (tavara, hanke, maku)

cost of living s elinkustannukset

costume [ˈkastʃum, kastum] s (näyttelijän) esiintymispuku *bathing costume* uimapuku

costume party s naamiaiset

cot [kat] s 1 leirivuode, kenttävuode 2 mökki 3 (UK) lastensänky

cottage [ˈkatədʒ] s mökki

cotton [ˈkatən] s puuvilla

cotton (on) to *v* 1 mieltyä johonkuhun/johonkin, alkaa pitää jostakusta/jostakin 2 hyväksyä jotakin 3 käsittää, päästä jyvälle jostakin

1 couch [kautʃ] s sohva

2 couch *v* ilmaista, pukea sanoiksi *he couched his opinion in reserved language* hän ilmaisi mielipiteensä varautunein sanankääntein

couchette [kuˈʃet] s (UK) 1 makuuvaunun vuodeistuin 2 makuuhytti *a three-berth couchette* kolmen hengen makuuhytti

cougar [kugər] s puuma

1 cough [kaf] s yskä; yskähdys

2 cough *v* yskiä

could [kud] ks can

council [ˈkaunsəl] s neuvosto

councilor [ˈkaunsələr] s neuvoston jäsen

1 counsel [ˈkaunsəl] s 1 neuvo 2 asianajaja

2 counsel *v* 1 neuvoa, antaa neuvoja 2 kehottaa *to counsel patience* kehottaa kärsivällisyyteen

counselor [ˈkaunsələr] s 1 neuvonantaja 2 asianajaja 3 opinto-ohjaaja 4 (lasten) leiriopas

1 count [kaunt] s 1 luku(määrän laskeminen) *at the last count* kun viimeksi laskettiin 2 (lak) syytteen kohta, syyte 3 huomio *I took no count of what the others said* minä en piittanut toisten puheista 4 kreivi 5 (nyrkkeilyssä) kymmeneen lasku

2 count *v* 1 laskea (sataan, minta, äänet) 2 pitää jotakuta jonakin, lukea/laskea joku joksikin *you can count yourself lucky* saat kiittää onneasi

countable *adj* joka voidaan laskea (myös kieliopissa)

count down *v* laskea takaperin, tehdä lähtölaskenta

countdown [ˈkauntˌdaun] s lähtölaskenta

1 countenance [ˈkauntənəns] s 1 kasvot 2 tuki

2 countenance *v* (ylät) sallia, suvaita

1 counter [kauntər] s 1 tiski, myyntipöytä, kassa, lippuluukku, (pitkä keittiön) pöytä 2 pelimerkki 3 laskin(laite)

2 counter *v* 1 vastata (iskuun, hyökkäykseen) 2 vastustaa (määräystä) 3 kumota (päätös)

counteract [ˌkauntərˈakt] *v* kumota (vaikutus), vaikuttaa/taistella jotakin vastaan

counteraction [ˌkauntərˈækʃən] s vastavaikutus, vastatoimi

counteractive [ˌkauntərˈæktɪv] *adj* vasta-, vastustus

counterattack [ˈkauntərəˌtæk] s vastahyökkäys

counterbalance [ˈkauntərˌbæləns] s vastapaino

counterbalance [ˌkauntərˈbæləns] v olla/toimia jonkin vastapainona

counterclockwise [ˌkauntərˈklakwaız] adv vastapäivään

counterfeit [ˈkauntərfət] v väärentää adj väärä, väärennetty

counterforce [ˈkauntərˌfɔrs] s vastavoima, vastustus

1 countermand [ˌkauntərˈmænd] s (käskyn) peruutus

2 countermand v peruuttaa/kumota käsky

countermeasure [ˈkauntərˌmeʒər] s vastatoimi, vastatoimenpide

counteroffer [ˈkauntərˌafər] s vastatarjous

counterpart [ˈkauntərˌpart] s 1 vastine, joka vastaa jotakuta/jotakin 2 jäljennös, kopio 3 vastakappale

counterproductive [ˌkauntərprəˈdʌktıv] adj vahingollinen getting mad would be counterproductive suuttumisesta olisi enemmän haittaa kuin hyötyä

counterrevolution [ˌkauntərˌrevəˈluʃən] s vastavallankumous

countersign [ˈkauntərˌsaın] v varmentaa (sekki toisella) nimikirjoituksella

counter to adv vastoin jotakin, jonkin vastaisesti

countess [ˈkauntəs] s kreivitär

count in v lukea/laskea mukaan

countless adj lukematon

count on v luottaa johonkuhun/johonkin, laskea jonkun/jonkin varaan

count out v 1 jättää joku pois laskuista 2 (laskea ja) jakaa jotakin jollekulle

country [ˈkʌntri] s 1 maa 2 kansa 3 maaseutu 4 maisema 5 kantrimusiikki

country club s golfkerho

countryman [ˈkʌntrımən] s (mon countrymen) 1 maanmies 2 maalainen

country music s kantrimusiikki

countryside [ˈkʌntriˌsaıd] s maaseutu

county [ˈkaunti] s (US) piirikunta, (UK) kreivikunta

coup [ku] s 1 isku, tempaus, saavutus 2 vallankaappaus

coup d'état [ˌkudeɪˈta] s vallankaappaus

1 couple [ˈkʌpəl] s 1 pari a married couple aviopari 2 pari, muutama, jokunen a couple of blocks from here parin korttelin päässä

2 couple v 1 yhdistää, yhdistyä (pariksi) 2 (eläimet) paritella

couplet [ˈkʌplət] s säepari, riimipari

coupling [ˈkʌplıŋ] s 1 yhdistäminen, liittäminen 2 kytkin, liitin

coupon [ˈkjupan kupan] s (esim tarjous)kuponki

courage [ˈkərədʒ] s rohkeus

courageous [kəˈreıdʒəs] adj rohkea, urhea, peloton

courgette [kuərˈʒet] s (UK) kesäkurpitsa

courier [ˈkəriər] s 1 kuriiri 2 (UK) matkaopas

1 course [kɔrs] s 1 suunta, kurssi, kulku, kesto the illness has run its course sairaus on kestänyt aikansa/on ohi 2 aika, kesto in the course of my studies opiskellessani, opiskeluaikanaan in due course aikanaan 3 (oppi)kurssi 4 (hoito-)ohjelma 5 ruokalaji 6 of course tottakai, tietenkin

2 course v 1 (verestä, kyyneleistä) virrata 2 metsästää

1 court [kɔrt] s 1 oikeus, oikeussali his case came up in court yesterday hänen oikeusjuttunsa käsiteltiin eilen 2 hovi at court hovissa 3 kenttä basketball/handball/volleyball/tennis court koripallo/käsipallo/lentopallo/tenniskenttä

2 court v 1 (vanh) kosiskella (myös kuv) 2 etsiä (hankaluuksia), uhmata kohtaloaan

courteous [ˈkərtiəs] adj kohtelias

courtesy [ˈkərtəsi] s 1 kohteliaisuus 2 (by) courtesy of jonkun suosiollisella avustuksella, lainannut käyttöön se ja se adj ilmainen courtesy shuttle (hotellin asiakkaita kyyditsevä) ilmainen lentokenttäbussi tms

courthouse [ˈkərthaus] s oikeustalo

courtier [ˈkɔrtiər] s hovimies

1 court-martial [ˈkɔrtˌmarʃəl ˌkɔrtˈmarʃəl] s sotaoikeus

2 court-martial v viedä/joutua sotaoikeuteen, syyttää sotaoikeudessa

courtship [ˈkɔrtʃıp] s seurustelu

courtyard [ˈkɔrtjard] s (sisä)piha

crane

cousin [kʌzən] *s* serkku *first cousin* serkku *second cousin* pikkuserkku

cove [kouv] *s* (pieni) lahti

1 cover [kʌvər] *s* **1** (laatikon, kirjan) kansi, suojus, peite **2** (kirje)kuori **3** suoja, turva, piilo *under cover of darkness* pimeyden turvin **4** vakuutussuoja **5** ks cover version

2 cover *v* **1** peittää, peittyä, kattaa *the streets were covered in/with snow* kadut olivat paksun lumen peitossa **2** peittää, salata (hämmästyksensä, virheensä) **3** käsitellä, kattaa, kertoa (lehdessä), uutisoida jostakin *her latest book covers a lot of ground* hän käsittelee uusimmassa kirjassaan monia asioita **4** levyttää tuttu musiikkikappale uudestaan (ks cover version)

coverage [kʌvərədʒ] *s* **1** uutisointi, selostus (televisiossa, radiossa, lehdissä) **2** vakuutussuoja(n laajuus)

cover for *v* **1** olla/toimia jonkun sijaisena **2** salata jonkun poissaolo/virhe

cover letter *s* saatekirje

cover story *s* **1** (lehden) kansikuvajuttu, (yksi) pääjuttu **2** veruke, meriselitys

1 covert [kouvərt] *s* **1** päällys, kuomu, peite **2** piilopaikka

2 covert *adj* vaivihkainen, salainen

cover up *v* **1** peittää, salata **2** peittää kokonaan, haudata alleen

1 cow [kau] *s* **1** lehmä **2** naaras(norsu, -virtahepo, -valas)

2 cow *v* pelotella, uhkailla

coward [kauərd] *s* pelkuri

cowardice [kauərdəs] *s* pelkuruus, arkuus

cowardly *adj* arka, pelokas, pelkurimainen

cowberry *s* (mon cowberries) puolukka

cowboy [kauboɪ] *s* karjapaimen, cowboy

cowl [kaul] *s* huppu

1 cox [kaks] *s* (kilpasoutuveneen) perämies

2 cox *v* pitää perää, olla perämiehenä

coxswain [kaksən] *s* (kilpasoutuveneen) perämies

coy [koɪ] *adj* (teennäisen) ujo, kaino

coyote [kar'outi] *s* kojootti

cozy [kouzi] *adj* kodikas, mukava (huone, olo)

cozyness *s* kodikkuus, mukavuus

CPR *cardiopulmonary resuscitation* sydänelvytys

CPU *central processing unit* (tietokoneen) keskusyksikkö

crab [kræb] *s* taskurapu

1 crack [kræk] *s* **1** lohkeama, murtuma **2** läimähdys, pamahdus **3** isku, tärähdys **4** eräs laimentamaton kokaiinilaji, crack

2 crack *v* **1** murtua, lohjeta **2** läimähtää, pamahtaa **3** (äänestä) murtua **4** ratkaista (arvoitus), purkaa (salakieli) **5** murtautua

crack down on *v* (viranomaisista) koventaa otteitaan (taistelussa rikollisuutta vastaan)

cracker *s* **1** suolakeksi **2** sähikäinen **3** paukkukaramelli **4** maatiainen, maajussi **5** (tietok) murtautuja

crackerjack ['krækərˌdʒæk] *s* jokapaikan höylä, tuhattaituri

cracking *v* (tietok) systeemimurto, tietomurto

1 crackle [krækəl] *s* rätinä, ritinä

2 crackle *v* rätistä, ritistä

crackpot [krækpat] *s, adj* tärähtänyt

crack up *v* **1** seota, tulla hulluksi **2** purskahtaa/ratketa nauruun

1 cradle [kreidəl] *s* **1** kehto (myös kuv) **2** kehikko, runko

2 cradle *v* pidellä (varovasti sylissään)

craft [kraft] *s* **1** käsityö, käsityötaito, taideteollisuus **2** taito, taitavuus, osaaminen **3** oveluus, juonikkuus **4** alus, vene, laiva

craftiness *s* oveluus, juonikkuus, nokkeluus

craftsman [kræfsmən] *s* käsityöläinen

craftsmanship [kræfsmənˌʃɪp] *s* käsityötaito, ammattitaito

crafty [kræfti] *adj* ovela, juonikas

crag [kræg] *s* kallio

craggy [krægi] *adj* kallioinen, rosoinen, kulmikas

cram [kræm] *v* **1** ahtaa, sulloa täyteen **2** päntätä päähänsä (läksyjä)

1 cramp [kræmp] *s* lihaskouristus

2 cramp *v* **1** aiheuttaa lihaskouristus **2** ahtaa, sulloa **3** estää, rajoittaa, haitata

crampon ['kræmˌpan] *s* (kenkään kiinnitettävä) jäärauta

cranberry [krænˌberi] *s* karpalo

1 crane [kreɪn] *s* **1** kurki **2** nostokurki

2 crane *v* kurottautua, kurottaa (kaulaansa)

cranial [kreınıəl] *adj* kallon, kallo-
cranium [kreınıəm] *s* (mon craniums, crania) kallo

1 crank [kræŋk] *v* **1** kampi **2** höynähtänyt/ tärähtänyt ihminen
2 crank *v* kääntää/käynnistää ym kammella
cranky *adj* **1** outo, kummallinen, löylynlyömä (ihminen) **2** ärtyisä, äksy
1 crash [kræʃ] *s* **1** kolari, onnettomuus, lentokoneen putoaminen, rysähdys (myös äänestä), törmäys **2** (talouden) romahdus
2 crash *v* **1** joutua kolariin/onnettomuuteen, (lentokoneesta) pudota, rysähtää (myös äänestä), törmätä johonkin **2** romahtaa (taloudellisesti), mennä vararikkoon **3** mennä kuokkavieraana jonnekin *they crashed the party* he menivät juhliin kuokkimaan **4** (sl) nukahtaa, sammua **5** (tietok) kaatua
crass [kræs] *adj* törkeä, tökerö (virhe, käytös), ällistyttävä (tietämättömyys)
1 crate [kreıt] *s* laatikko
2 crate *v* pakata laatikkoon
crater [kreıtər] *s* kraatteri
cravat [krəvæt] *s* **1** kravatti, solmio **2** (vanh) kaulaliina
crave [kreıv] *v* kaivata/haluta kovasti
craving *s* voimakas halu
1 crawl [krɔːl] *v* **1** ryömintä, matelu (myös kuv) *the traffic on the freeway slowed down to a crawl* moottoritien liikenne eteni enää vain ryömintävauhtia **2** krooli(uinti)
2 crawl *v* ryömiä, madella (myös kuv)
crayfish [kreıfɪʃ] *s* rapu
1 crayon [kreıˌən kræn] *s* väriliitu
2 crayon *v* värjätä väriliiduilla
1 craze [kreız] *s* villitys, hullutus
2 craze *v* tehdä hulluksi *the woman had a crazed look in her eyes* naisella oli hullun kiilto silmissään
craziness *s* hulluus (myös kuv), älyttömyys
crazy *adj* hullu (myös kuv) *I'm not crazy about the idea* minä en ole erityisen innostunut ajatuksesta *she is crazy about him* hän on hulluna häneen
1 creak [krik] *s* narahdus
2 creak *v* narahtaa
creaky *adj* nariseva

1 cream [krim] *s* **1** kerma (myös kuv:) parhaimmisto, hienosto **2** voide, kreemi **3** kermanväri
2 cream *v* **1** kuoria kerma (myös kuv:) viedä parhaat palat **2** lisätä kermaa (kahviin, teehen) **3** (sl) tehdä selvää jälkeä jostakusta, voittaa perinpohjin
creamy *adj* kermainen, kermamainen, voidemainen
1 crease [kris] *s* taite, poimu, laskos, (housun)prässit, ryppy
2 crease *v* taittaa, poimuttaa, laskostaa, prässätä, rypistää
create [kriˈeıt] *v* **1** luoda **2** aiheuttaa (ongelmia), pitää (melua)
creation [kriˈeıʃən] *s* **1** luominen **2** luomakunta
creative [kriˈeıtıv] *adj* luova, kekseliäs
creativeness [kriˈeıtıvnəs] *s* luovuus
creativity [kriˈeıˈtıvətı, kriəˈtıvətı] *s* luovuus
creator [kriˈeıtər] *s* luoja, tekijä, keksijä, (ajatuksen) isä *Creator* Luoja
creature [kriˈtʃər] *s* eläin, ihminen
crèche [kreʃ] *s* (UK) päiväkoti
credence [kriːdəns] *s* usko, luottamus (jonkin paikkansapitävyyteen) *give credence to something* uskoa, luottaa johonkin
credentials [krəˈdenʃəlz] *s* (mon) suositukset, todistukset, henkilöllisyyspaperit
credibility [ˌkredəˈbılətı] *s* uskottavuus
credible [kredəbəl] *adj* uskottava
credit [kredət] *s* **1** usko, luottamus **2** tunnustus, arvonanto **3** (pankki)luotto **4** (pankki)saatavat
creditable [kredətəbəl] *adj* kiitettävä, hyvä, oivallinen
credit card *s* luottokortti
credit line *s* luottoraja
creditor [kredətər] *s* velkoja
credit with *v* laskea/lukea jonkun ansioksi /syyksi
credulity [krəˈdjulətı] *s* hyväuskoisuus, herkkäuskoisuus, narrattavuus
credulous [kredʒələs] *adj* hyväuskoinen, herkkäuskoinen, narrattava
creed [krid] *s* **1** usko **2** uskontunnustus
creek [krik] *s* **1** puro **2** (UK) kapea merenlahti

1 creep [krip] *s* hyypiö, retale

2 creep *v* crept, crept **1** ryömiä, madella, hiipiä **2** (ihosta) nostaa kananlihalle

creeper *s* köynnöskasvi

creeps *to give someone the creeps* pelästyttää, kauhistuttaa, kuvottaa, inhottaa

creepy *adj* pelottava, kauhistuttava

cremate ['kri,meit] *v* polttaa ruumis

cremation [kri'meiʃən] *s* kremaatio, ruumiin polttaminen

crematorium [,krimə'tɔriəm] *s* (mon crematoriums, crematoria) krematorio

crematory [krimə,tɔri] krematorio

crepe [kreip] *s* **1** kreppi(kangas) **2** surunauha **3** ohukainen, crêpe

crescendo [krə'ʃendou] *s* **1** (mus) crescendo **2** (kuv) purkaus, tulva, ryöppy

crescent [kresənt] *s* **1** kuunsirppi **2** kuunsirpin muotoinen esine **3** voisarvi, croissant

cress [kres] *s* (kasvi) krassi

1 crest [krest] *s* **1** (aallon, vuoren, hevosen) harja **2** (kuv) huippu **3** (kukon)heltta, (linnun) töyhtö

2 crest *v* **1** kiivetä (vuoren) huipulle **2** (kuv) huipentua *his fame crested in the early 1990s* hänen maineensa oli laajimmillaan 1990-luvun alussa

crestfallen ['krest,fɔlən] *adj* (täysin) lannistunut, myrtynyt, (raskaasti) pettynyt

cretin [kritən] *s* **1** kretiini **2** (kuv) idiootti

crevasse [krə'væs] *s* railo

crevice [krevəs] *s* lohkeama, halkeama

crew [kru] *s* **1** (laivan, lentokoneen) miehistö **2** (urheilu)joukkue **3** (työ)ryhmä, tiimi

crewcut [krukʌt] *s* sänkitukka

1 crib [krib] *s* **1** (US) lastensänky, häkkisänky **2** seimi **3** lunttilappu

2 crib *v* **1** luntata (kokeessa) **2** plagioida

cricket [krikət] *s* **1** heinäsirkka **2** kriketti(peli)

cricketer *s* kriketinpelaaja

cried [kraid] ks *cry*

crime [kraim] *s* rikos, rikollisuus

criminal [krimənəl] *s* rikollinen *adj* rikollinen, rikosoikeudellinen

criminal law *s* rikoslaki

criminal lawyer *s* rikosasianajaja

criminally *adv* **1** rikollisesti *an institute for the criminally insane* vankimielisairaala **2** (kuv) törkeästi, hävyttömästi

crimson [krimzən] *s, adj* purppuranpunainen

cringe [krindʒ] *v* **1** säpsähtää, vavahtaa **2** nöyristellä, (kuv) ryömiä jonkun edessä

1 crinkle [krinkəl] *s* ryppy

2 crinkle *v* rypistää, rypistyä

1 cripple [kripəl] *s* rampa, invalidi

2 cripple *v* **1** rampauttaa **2** (kuv) lamauttaa, tehdä toimintakyvyttömäksi

crippling *adj* lamauttava, musertava

crisis [kraisəs] *s* (mon crises) kriisi, murros, ratkaisun hetki, taitekohta

1 crisp [krisp] *s* (UK) perunalastu

2 crisp *adj* (ruoka) rapea, tuore, (ilma) raikas, virkistävä, (ääni) reipas, selvä, (vastaus, kirjoitustyyli) reipas, terävä, ytimekäs, (ulkonäkö) siisti, huoliteltu

crisscross [kriskras] *v* **1** kulkea ristiin rastiin, sinne tänne **2** merkitä rastilla *adv* ristiin rastiin

criterion [krai'tiəriən] *s* (mon criteria) kriteeri, tunnusmerkki, valintaperuste

critic [kritik] *s* kriitikko, arvostelija

critical *adj* kriittinen (eri merkityksissä:) ratkaiseva, vaarallinen (hetki, tila); ankarasti arvosteleva, moittiva; arvosteluun, kritiikkiin liittyvä; kriittiseen tutkimukseen liittyvä, tarkka *don't be too critical of him* älä arvostele häntä liian ankarasti *critical acclaim* myönteiset arvostelut

criticism ['krita,sizəm] *s* arvostelu, kritiikki, moite

criticize ['krita,saiz] *v* arvostella, kritisoida, moittia, haukkua

1 croak [krouk] *s* (sammakon) kurnutus, (variksen, ihmisen) rääkäisy

2 croak *v* (sammakko) kurnuttaa, (varis, ihminen) rääkyä

crock [krak] *s* **1** (savitavara)ruukku **2** (sl) pöty(puhe), roska(puhe)

crockery [krakəri] *s* savitavara

crocodile ['krakə,dail] *s* krokotiili

crocodile tears *s* (mon kuv) krokotiilinkyynelet *she shed some crocodile tears* hän vuodatti krokotiilinkyyneleitä

crocus [kroukəs] *s* (mon crocuses) krookus

crook

1 crook [krʊk] *s* **1** (paimen)sauva **2** (tien-) mutka **3** (ark) roisto, konna

2 crook *v* taipua/taivuttaa mutkalle, (tiestä) kääntyä

crooked [krʊkəd] *adj* käyrä, kiero (myös kuv), epärehellinen

crooner [krunər] *s* nyyhkylaulaja

1 crop [krap] *s* **1** (maat) sato **2** joukko, ryhmä, kimppu

2 crop *v* leikata/katkaista (lyhyeksi), lyhentää, typistää (korvia)

crop up *v* ilmetä, tulla esiin, nousta (ongelma)

croquet [krouˈkeɪ] *s* kroketti(peli)

1 cross [kras] *s* **1** risti (myös kuv) *to bear your cross* kantaa ristinsä **2** (kaavakkeessa yms) rasti **3** risteytys, (kuv) sekasikiö

2 cross *v* **1** ylittää, kulkea jonkin yli/poikki *they crossed the desert at night* he ylittivät aavikon yöllä **2** ristiä, panna ristiin, mennä ristiin *I'll keep my fingers crossed for you* minä pidän sinulle peukkua *the roads cross a few miles from here* tiet risteävät muutaman mailin päässä

3 cross *adj* pahantuulinen, vihainen, kiukkuinen

crossbow [ˈkrasˌbou] *s* varsijousi

cross-breed *s* sekarotuinen eläin

1 crossbreed [ˈkrasˌbrid] *s* risteytys, sekarotuinen ihminen/eläin

2 crossbreed *v* risteyttää

1 cross-check [ˌkrasˈtʃek] *s* tarkistus

2 cross-check *v* tarkistaa

cross-country [ˌkrasˈkʌntri] *adj* **1** maasto-, murtomaa- **2** maan poikki ulottuva (lento)

cross-country skiing *s* murtomaahiihto, maastohiihto

cross-examination [ˌkrasəgˌzæməˈneɪʃən] *s* ristikuulustelu

cross-examine [ˌkrasəgˈzæmən] *v* ristikuulustella

cross-eyed [ˈkrasˌaid] *adj* kierosilmäinen

cross-fade [ˈkrasˌfeid] *s* (video) ristikuva, siirtymä kuvasta toiseen siten että edellinen kuva häipyy samalla kun seuraava kuva tulee näkyviin

crossfire [ˈkrasˌfaiər] *s* ristituli

crossing *s* **1** ylitys **2** risteys, ylikäytävä

crosslegged [ˌkrasˈlegəd] *adj* jalat ristissä

cross paths with *v* tavata (joku)

cross reference *s* (kirjassa) viittaus

cross-reference *v* varustaa viittauksilla

crossroads [ˈkrasˌroudz] *s* (mon, verbi mon tai yksikössä) (tien)risteys

cross-section [ˈkrasˌsekʃən] *s* poikkileikkaus, läpileikkaus (myös kuv)

crosswalk [ˈkrasˌwak] *s* suojatie

crossword puzzle [ˌkraswərdˈpʌzəl] *s* sanaristikko

crotch [kratʃ] *s* **1** puunhaara **2** nivuset **3** (vaatteen) haaravahvike

1 crouch [krautʃ] *s* kyykky(asento), kyyristyminen

2 crouch *v* kyyristyä, käydä kyykkyyn

croupier [ˈkrupiˈeɪ krupiər] *s* pelinhoitaja

1 crow [krou] *s* **1** varis **2** rääkäisy, huudahdus

2 crow *v* **1** (kukko) kiekua, (varis) raakkua, rääkäistä, (ihminen) huudahtaa **2** (over) leuhkia, mahtailla, rehennellä jollakin

crowbar [ˈkrouˌbar] *s* sorkkarauta

crowberry *s* (mon crowberries) variksenmarja

1 crowd [kraud] *s* **1** väkijoukko, väentungos **2** yleisö **3** suuri yleisö, enemmistö

2 crowd *v* ahtautua, ahtaa, tunkeutua, tunkea, sullouttua, sulloa jonnekin *she crowded her stuff into the bag* hän sulloi tavaransa laukkuun *the place was crowded with people* paikka oli tupaten täynnä (väkeä)

crowded *adj* täpötäysi

1 crown [kraun] *s* **1** kruunu **2** päälaki, (hatun) kupu

2 crown *v* **1** kruunata (myös kuv) **2** *be crowned with* peittää, olla jonkin päällä

crowning *s* kruunajaiset *adj* joka kruunaa jonkin *a crowning accomplishment* kaiken kruunaava saavutus

crucial [kruʃəl] *adj* ratkaiseva, elintärkeä

crucifix [ˈkrusəˌfiks] *s* krusifiksi

crude [krud] *s* (ark) raakaöljy *adj* **1** raaka, jalostamaton *crude oil* raakaöljy **2** karkea, hiomaton, alkeellinen, kömpelö

crudity *s* karkeus, hiomattomuus, alkeellisuus

cruel [kruəl] *adj* julma, raaka, raakamainen

cruelty *s* julmuus, raakuus, julma/raaka teko

cruet [kru:t] *s* (ruokapöydässä) etikka/öljy-pullo

1 cruise [kru:z] *s* risteily, (leppoisa auto)ajelu

2 cruise *v* risteillä, ajaa (autolla) matkanopeutta/kiirehtimättä, lentää matkanopeutta *cruise the loop* ajaa korttelirallia

cruiser *s* **1** (sot) risteilijä **2** huvivene

crumb [krʌm] *s* **1** (leivän)muru **2** (kuv) hitunen, hiukkanen, tippa

crumble [krʌmbəl] *v* **1** murentua, murtua **2** (kuv) murtua, luhistua, (toiv) sammua

crumple [krʌmpəl] *v* **1** rypistyä, rypistää **2** romahtaa, luhistua

1 crunch [krʌntʃ] *s* (suun) rouskutus, (askelten) narske **2** pula *an energy crunch* energiapula **3** kova/vakava paikka, kuumat oltavat

2 crunch *v* **1** rouskuttaa, rouskua, narskuttaa, narskua **2** kiristää (taloutta), panna koville

1 crusade [kru:seid] *s* ristiretki (myös kuv:) taistelu jonkin puolesta/jotakin vastaan

2 crusade *v* lähteä/osallistua ristiretkelle, olla ristiretkellä, (kuv) taistella jonkin puolesta/jotakin vastaan

crusader *s* ristiretkeläinen, esitaistelija

1 crush [krʌʃ] *s* **1** väentungos, (ark) ryysis **2** ihastus *he had a crush on her* hän oli ihastunut/pihkassa tyttöön **3** hedelmämehu (jossa on jäljellä maltoa)

2 crush *v* **1** musertaa, musertua, rutistaa, puristaa, jäädä puristuksiin **2** rypistää, rypistyä **3** (kuv) lannistaa, masentaa, sammuttaa (toivo) *she was crushed when she heard he had died* hän oli musertua suruusa kun hän kuuli miehen kuolleen

1 crust [krʌst] *s* **1** kuori, maankuori **2** crust *v* (kuori) kovettua, peittää jokin (kuorella)

crustacean [krʌsteiʃən] *s* äyriäinen

crusty *adj* **1** rapea, kovettunut (kuori) **2** kärttyisä, pahantuulinen

crutch [krʌtʃ] *s* **1** kainalosauva **2** (kuv) henkinen/moraalinen tuki

crux [krʌks] *s* ongelman/asian ydin

1 cry [krai] *s* **1** parahdus, huudahdus, huuto, voihkaisu, ulvahdus **2** itkunpuuska

2 cry *v* cried, cried **1** huutaa, parahtaa, ulvoa, ulvahtaa, voihkaista, voihkia **2** itkeä

crybaby [kraɪˌbeɪbɪ] *s* **1** itkupillu **2** ruikuttaja

cry down *v* vähätellä, (kuv) lyödä lyttyyn

cry off *v* perua sanansa/lupauksensa

cry out *v* **1** huutaa (jollekulle jotakin) **2** tehdä välttämättömäksi, sopia erinomaisesti johonkin tarkoitukseen

crypt [kript] *s* krypta

cryptic [kriptik] *adj* arvoituksellinen

crystal [kristəl] *s* **1** kide **2** kristalli(lasi)

crystalline [kristələn] *adj* kide-

crystallize [kristəlaiz] *v* kiteytyä (myös kuv:) tiivistyä, täsmällistyä, kiteyttää

cry up *v* ylistää, kehua, mainostaa

cub [kʌb] *s* **1** (eläimen) pentu **2** toimittajan-alku **3** kolkkapoika

cubbyhole [kʌbɪˌhoul] *s* **1** lokero, laatikko **2** pieni huone, soppi

1 cube [kju:b] *s* kuutio (myös mat:) kolmas potenssi

2 cube *v* (mat) korottaa kolmanteen potenssiin

cubic [kju:bik] *adj* kuutiomainen, kuutio-

cubic measure *s* tilavuusmitta

1 cuckoo [kuku] *s* käki

2 cuckoo *adj* tärähtänyt

cucumber [kju:kʌmbər] *s* kurkku *cool as a cucumber* viileä kuin viilipytty

cud [kʌd] *s* (el) märehdinty ruoka

1 cuddle [kʌdəl] *s* halailu, rutistus, (ark) halit

2 cuddle *v* **1** halata, (ark) halia, rutistaa, pitää hyvänä, hyväillä, kyhnytellä **2** käydä mukavaan (lepo)asentoon, kääriytyä kerälle, käpertyä (kainaloon)

cuddly *adj* söpö, halittava, hellyytettävä, hellyydenkipeä

cudgel [kʌdʒəl] *v* lyödä/pamauttaa patukalla, piestä

1 cue [kju:] *s* **1** (televisio, teatteri) aloitusmerkki **2** vihje, neuvo **3** biljardikeppi, myös *billiards cue*

2 cue *v* antaa aloitusmerkki

cue in *v* **1** antaa aloitusmerkki **2** etsiä naunhalta haluttu kohta, kelata nauha haluttuun kohtaan **3** selittää/kertoa jollekulle jotakin, perehdyttää, saattaa tilanteen tasalle

1 cuff [kʌf] *s* (paidan) ranneke, kalvosin *off the cuff* suoralta kädeltä, valmistelematta

2 cuff *v* läimäyttää

cuisine [kwɪ'zin] s ruuanlaitto, ruoka *Finnish cuisine* suomalainen keittiö

cul-de-sac [ˈkʌldəˌsæk] s umpikuja

culminate in [ˈkʌlmə,neɪt] v huipentua johonkin

culmination [ˌkʌlmə'neɪʃən] s huipentuma, kulminaatio

culprit [ˈkʌlprət] s syyllinen, syypää

cult [kʌlt] s (usk, kuv) kultti, palvonta

cultivate [ˈkʌltə,veɪt] v 1 viljellä 2 sivistää, kultivoida, vaalia, kehittää

cultivated adj 1 viljelty 2 sivistynyt, kehittynyt

cultivation [ˌkʌltə'veɪʃən] s 1 viljely 2 sivistäminen, kehittäminen, vaaliminen 3 sivistyneisyys

cultivator s 1 (maat) kultivaattori 2 viljelijä 3 vaalija, kehittäjä

cultural [ˈkʌltʃərəl] adj 1 kulttuuri- 2 viljely-

1 culture [ˈkʌltʃər] s 1 kulttuuri, sivistys 2 viljely 3 (laboratorio)viljelmä

2 culture v viljellä (maata, laboratoriossa)

cultured adj 1 sivistynyt 2 viljelty

culvert [ˈkʌlvərt] s viemäri, johto, putki

cumbersome [ˈkʌmbərsəm] adj kömpelö/hankala käsitellä

cumulative [ˈkjumjələtɪv] adj kasaantuva, kumulatiivinen

cumulus [ˈkjumjələs] s (mon cumulus) cumulus, kumpupilvi

cuneiform [ˈkjuˈneɪəˌfɔrm ˈkjunɪəˌfɔrm] s nuolenpääkirjoitus adj nuolenpää-

cunning [ˈkʌnɪŋ] s oveluus, juonikkuus adj ovela, juonikas

1 cup [kʌp] s 1 kuppi, muki, malja (myös kuv) *my cup runneth over* maljani on ylitsevuotavainen 2 pokaali 3 (mittana) kuppi (0,22 dl)

2 cup v taivuttaa käsi kouraan/pivoon, tarttua kouralla/pivolla

cupboard [ˈkʌbərd] s (astia)kaappi

cur [kər] s rakki, piski

curable [ˈkjʊərəbəl] adj joka voidaan parantaa

curative [ˈkjʊərətɪv] adj parantava, parannus-

curator [kjəˈreɪtər ˈkjərəˌtər] s (museon) intendentti

1 curb [kərb] s 1 (hevosen) päitset 2 (kuv) suitset, rajoitus, este 3 kadun reunakivi

2 curb v 1 hillitä (hevosta), pitää (hevonen aisoissa 2 (kuv) hillitä, rajoittaa, jarruttaa, panna jollekulle suitset suuhun

curb stone s kadun reunakivi

curd [kərd] s rahka

1 cure [kjʊər] s hoito(menetelmä), parannuskeino, lääke (myös kuv)

2 cure v 1 parantaa, parantua, tehdä terveeksi 2 (kuv) parantaa, auttaa joku pääsemään eroon jostakin 3 (ruokaa) kuivata, savustaa, suolata, säilöä

curfew [ˈkərfju] s ulkonaliikkumiskielto

curiosity [ˌkjəri'asəti] s 1 uteliaisuus, tiedonjano 2 kuriositeetti, erikoinen/omituinen esine

curious [ˈkjəriəs] adj 1 utelias, tiedonjanoinen, (myös:) liiallisen utelias 2 outo, kumma, erikoinen, eriskummallinen

curiously enough adv ihmeellistä kyllä

1 curl [kərəl] s (hius)kihara

2 curl v kihartaa, kihartua

curl up v kiertyä kerälle, käpertyä kokoon

curly [ˈkərli] adj kihara

curly brackets s aaltosulkeet { }

currant [ˈkərənt] s 1 korintti 2 herukka

currency [ˈkərənsi] s 1 valuutta 2 yleisyys, levinneisyys *to gain currency* yleistyä, levitä, tulla yleiseen käyttöön

1 current [ˈkərənt] s 1 (vesi/ilma/sähkö)virta 2 suunta(us), yleinen mielipide

2 current adj nykyinen, tämänhetkinen, tämän päivän, ajankohtainen

curriculum [kəˈrɪkjələm] s (mon curriculums, curricula) opetussuunnitelma, opinto-ohjelma, koulutusohjelma

curriculum vitae [viter] s (työpaikkahakemuksessa: lyhyt) elämäkerta, ansioluettelo

curry [ˈkəri] s (mauste, ruoka) curry

1 curse [kərs] s 1 kirosana 2 kirous, kirot *I felt I was under his curse* tunsin olevani hänen kiroissaan 3 kirous, vitsaus, paha asia *crime is a curse of many big cities* rikollisuus on monen suuren kaupungin kirous

2 curse v 1 kirota, kiroilla, sadatella, noitua, haukkua, moittia 2 kirota *he cursed us to hell* hän kirosi meidät helvettiin *she is cursed with a bad back* hänellä on harminaan huono selkä, hän saa kärsiä huonosta selästään

cursed [kərst kərsəd] *adj* kirottu, viheliäinen

cursor [kərsər] *s* (tietok) kohdistin, kursori

curt [kərt] *adj* **1** vähäpuheinen, lyhyt, ytimekäs **2** tyly(n vähäpuheinen, lyhyt)

curtail [kər'teɪəl] *v* rajoittaa, lyhentää

curtailment *s* rajoittaminen, lyhentäminen

1 curtain [kərtən] *s* **1** (ikkuna)verho *it's the curtains for me* minä olen mennyttä **2** esirippu **3** (kuv: salamyhkäisyyden) verho

2 curtain *v* varustaa/peittää verhoilla

curtain call *s* (teatt) esiinhuuto

curtain off *v* erottaa väliverholla

1 curtsy [kərtsi] *s* niiaus

2 curtsy *v* niiata

1 curve [kərv] *s* **1** mutka, kaarre **2** muoto, muodot **3** (graafisen esityksen, mat) käyrä

2 curve *v* kääntyä, kaartua, olla kaareva/pyöreä

curved *adj* kaareva, käyrä, pyöreä

1 cushion [kuʃən] *s* tyyny

2 cushion *v* pehmentää, vaimentaa (iskua, myös kuv)

custard [kʌstərd] *s* vanukas

custody [kʌstədi] *s* **1** holhous, huosta *the child is now in the custody of his mother* lapsi on nyt äitinsä huostassa **2** pidätys *the police took the man in(to) custody* poliisi pidätti miehen

custom [kʌstəm] *s* **1** (perinteinen) tapa **2** (käyttäytymis)tapa, tottumus

customer *s* **1** asiakas **2** (ark) ihminen, tapaus *he is a tough customer* hän on vaikea tapaus

customs [kʌstəmz] *s* (mon, verbi yksikössä) tulli(maksu/laitos/paikka)

1 cut [kʌt] *s* **1** viilto, haava **2** leikkaaminen, viiltäminen **3** (hintojen, menojen, määrärahojen) leikkaus, supistus, vähennys **4** (vaatteiden) leikkaus **5** (lihan) paloittelu, (lihan)pala **6** (ark) osuus, osa

2 cut *v* cut, cut **1** leikata, leikkautua, viiltää, katkaista, silpoa, saada haava, hakata (kiveen) **2** (kuv) katkaista (sähkö, välit), keskeyttää (puhuja) **3** leikata (menoja), laskea (hintaa), lyhentää (työaikaa, tekstiä), vähentää (tuotantoa) **4** pinnata jostakin, ei mennä jonnekin **5** (viivoista, teistä) lei-

kata, risteytyä **6** jakaa (osiin)

cut above *fr: to be a cut above average* olla keskimääräistä parempi, olla keskitason yläpuolella

cut across *v* ylittää

cut-and-dried [ˌkʌtənˈdraɪd] *adj* selvä, mutkaton, yksinkertainen

cut and paste *v* (tietok) saksia

cutback [ˈkʌtbæk] *s* (menojen, määrärahojen) leikkaus, supistus, vähentäminen

cut back *v* **1** vähentää, supistaa **2** lyhentää, leikata (lyhyemmäksi) **3** palata (elokuvassa, romaanissa) ajassa taaksepäin

cut down *v* **1** vähentää, supistaa **2** hävittää, tuhota, kaataa (kuin heinää)

cute [kjut] *adj* **1** sopo, sievä **2** hyvä, hieno, nokkela **3** näsäviisas, nenäkäs

cuticle [kjutikəl] *s* kynsinauha

cut in *v* **1** keskeyttää, sanoa väliin **2** viedä toisen tanssipari kesken tanssin

cut it out *v* lopettaa

cutlass [kʌtləs] *s* lyhyt miekka

cutlery [kʌtləri] *s* aterimet, ruokailuvälineet

cutlet [kʌtlət] *s* (liha) leike, (kala) file

cut off *v* **1** keskeyttää, sammuttaa, katkaista, lopettaa, lakata **2** leikata irti, katkaista

cut out *v* **1** poistaa, jättää pois **2** *you certainly have your work cut out for you* sinulla näyttää tosiaan olevan kädet täynnä työtä

cut out for *adj* sopia johonkin, olla omiaan johonkin

cut short *fr* loppua/katketa/katkaista kesken/lyhyeen

cutter [kʌtər] *s* **1** (työkalu) veitsi, leikkuri, terä *wire cutter* lankaleikkuri **2** (henkilö) leikkaaja, hioja **3** (mer) kutteri

cutthroat [ˈkʌtˌθrəut] *adj* armoton (kilpailu), kova (ala)

cutting *s* **1** leikkaaminen, leikkuu **2** (kuv: hintojen, menojen, määrärahojen) alentaminen, laskeminen, leikkaaminen *adj* terävä, pureva (myös kuv:) pilkallinen, ilkeä

cut up *v* **1** pilkkoa, paloitella, leikellä **2** silpoa, haavoittaa **3** mekastaa, riehua

CV *curriculum vitae* elämäkerta (työpaikkahakemuksessa tms)

cyanide [ˈsaɪəˌnaɪd] *s* syanidi

cybercrime *s* tietoverkkorikos

cybername s verkkotunnus
cyberspace ['saɪbər,speɪs] s kyberavaruus
cyberwar s tietosodankäynti
cyborg s kyborgi, kone-eliö
1 cycle [saɪkl] s **1** sykli, kierto, jakso, sarja **2** polkupyörä; moottoripyörä
2 cycle v ajaa polku/moottoripyörällä, pyöräillä
cyclic [sɪklɪk] adj jaksoittainen
cyclical [sɪkləkəl] adj jaksoittainen
cyclist [saɪklɪst] s polkupyöräilijä; moottoripyöräilijä
cyclone [saɪkloun] s sykloni, pyörremyrsky
cygnet [sɪgnət] s joutsenen poikanen

cylinder [sɪləndər] s **1** sylinteri, lieriö **2** (moottorin) sylinteri
cylindrical [sə'lɪndrəkəl] adj sylinterimäinen, lieriömäinen
cymbals [sɪmbəlz] s (mus mon) lautaset
cynic [sɪnɪk] s kyynikko
cynical [sɪnəkəl] adj kyyninen
cynicism ['sɪnə,sɪzəm] s kyynisyys
cypress [saɪprəs] s sypressi
cyst [sɪst] s rakkula
czar [zar] s **1** tsaari **2** johtohenkilö, mahtimies, pohatta
czarina [za'rinə] s tsaritsa, tsaarin puoliso, keisarinna

D, d

D, d [di] D, d
3-D [,θri'di] three-dimensional kolmiulotteinen
1 dab [dæb] s hiukkanen, hitunen, pikkuisen jotakin
2 dab v hipaista/sipaista/levittää pikkuisen jotakin jonnekin, pyyhkiä kevyesti jollakin
dabble [dæbəl] v **1** loiskuttaa/pärskyttää vettä käsillä **2** tehdä jotakin huvikseen, olla harrastelija-, kokeilla onneaan jossakin
dabbler [dæblər] s harrastelija
dachshund [daksənt] s mäyräkoira
dad [dæd] s isä, isi, isukki
daddy [dædi] s isä, isi, isukki
daffodil [dæfə,dɪl] s narsissi
daft [dæft] adj typerä, älytön, järjetön
dagger [dægər] s tikari
1 daily [deɪli] s sanomalehti, päivälehti
2 daily adj päivittäinen, päivä- adv päivittäin
daintily adv **1** sirosti, sievästi, viehättävästi **2** pikkutarkasti, turhantarkasti
daintiness s **1** sirous, sievyys **2** pikkumaisuus, nirsoilu
dainty [deɪnti] adj **1** siro, sievä, viehättävä **2** herkullinen **3** pikkutarkka, turhantarkka, nirso

dairy [deri] s **1** meijeri **2** maitokauppa **3** maitohuone **4** lypsykarjatila
dairy cattle s lypsykarja
dairy farm s lypsykarjatila
dais [deɪəs deɪs] s puhujakoroke, puhujalava
daisy [deɪzi] s päivänkakkara
dale [deɪl] s (runollisesti) laakso
1 dam [dæm] s pato
2 dam v padota (myös kuv:) hillitä, estää, pysäyttää
1 damage [dæmədʒ] s **1** vahinko, vaurio **2** (mon) vahingonkorvaus(maksu)
2 damage v **1** vahingoittaa, vaurioittaa **2** (kuv) kolhia (itsetuntoa), vahingoittaa (mainetta)
damaging adj vahingollinen, haitallinen, turmiollinen
Damascus [də'mæskəs] Damaskos
dame [deɪm] s **1** nainen, rouva **2** vanha rouva **3** (sl) muija **4** (UK) eräs aatelistitteli
damn [dæm] s I don't give a damn minä en piittaa siitä tippaakaan it's not worth a damn se ei ole minkään arvoinen, siitä ei ole mihinkään v **1** (usk) kirota, tuomita kadotukseen **2** (kuv) haukkua, pistää lyttyyn **3** sadatella **4** damn him/the consequences piru hänet periköön, vähät minä hänestä/seurauksista, viis hänestä/seura-

uksista *adj* kirottu, viheliäinen, pahuksen *it's a damn shame* se on häpeä, se on kurjaa/ikävää *adv* hitto vie, pahus soikoon, hiton, pahuksen *interj* pahus!, hitto!

damnation [,dæm'neɪʃən] *s* (usk) kirous, kadotus *interj* pahus!, hitto!

damned [dæmd] *adj* 1 kirottu, viheliäinen, pahuksen 2 ihmeellinen, kummallinen 3 *the damned* kirotut, kadotukseen tuomitut

damnedest [dæmdəst] *adj* paras *to do your damnedest* tehdä parhaansa/kaikkensa, panna parastaan

1 damp [dæmp] *s* kosteus

2 damp *v* 1 kostuttaa 2 (kuv) sammuttaa, lannistaa

3 damp *adj* kostea, (ilma) nihkeä

dampen [dæmpən] *v* 1 kostuttaa 2 (kuv) sammuttaa, lannistaa

damper [dæmpər] *s* 1 (hormin) savupelti, säätöpelti 2 ilonpilaaja *put a damper on* latistaa tunnelma, pilata ilo

1 dance [dæns] *s* 1 tanssi 2 tanssit, tanssiaiset

2 dance *v* tanssia (myös kuv)

dancer *s* tanssija

dandelion [dændə,laɪən] *s* voikukka

dandruff [dændrəf] *s* hilse

Dane [deɪn] *s* tanskalainen

danger [deɪndʒər] *s* vaara, uhka

dangerous *adj* vaarallinen

dangerously *adv* vaarallisen, uhkaavan

dangle [dæŋgəl] *v* roikkua, heilua, heiluttaa

Danish [deɪnɪʃ] *adj* 1 tanskan kieli 2 viineri *adj* tanskalainen

dank [dæŋk] *adj* kylmänkostea

Danube [dænjub] *s* Tonava

dapper [dæpər] *adj* huoliteltu, siisti, sliipattu (ark)

dare [deər] *v* dared, dared 1 uskaltaa, rohjeta 2 yllyttää, usuttaa jotakuta tekemään jotakin 3 uhmata *apuv* (kysymyksissä ja kieltolauseissa) uskaltaa, rohjeta *I dare not go there* en uskalla mennä sinne

daredevil [deər,devəl] *s* uhkarohkea ihminen, rämäpää *adj* uhkarohkea, tyhmänrohkea, rämäpäinen

daring *s* uskaliaisuus, rohkeus *adj* uskalias, rohkea

dark [dark] *s* pimeys, pimeä (myös kuv) *he was totally in the dark about it* hän ei tiennyt asiasta mitään *adj* 1 pimeä, synkkä, kolkko 2 tumma (väri, iho) 3 (kuv) synkkä (ajatus), alakuloinen, kolkko, hirvittävä (salaisuus, uhkaus)

Dark Ages *s* (mon) 1 keskiaika 2 varhaiskeskiaika

darling [darlɪŋ] *s* kulta(nen), rakas ihminen, (puhutteluna:) kultaseni, rakkaani *adj* rakas

1 darn [darn] *s* 1 parsittu paikka *not give a darn* vähät välittää, viis veisata

2 darn *v* 1 parsia 2 *darn him/it* pahuksen mies/pahus soikoon!

3 darn *adj* pahuksen, viheliäinen

1 dart [dart] *s* 1 tikka(nuoli) 2 ryntäys *he made a dart for the door* hän pinkaisi/ryntäsi/ampaisi ovelle

2 dart *v* ampaista, rynnätä, pinkaista *to dart a glance* vilkaista

darts *s* (mon, verbi yksikössä) tikkapeli, tikanheitto

Darwinism [darwə,nɪzəm] *s* darvinismi

1 dash [dæʃ] *s* 1 ryntäys, pinkaisu *he made a dash for the door* hän pinkaisi/ryntäsi/ampaisi ovelle 2 loiske, loiskahdus, läiskähdys 3 hiukkanen, hyppysellinen 4 ajatusviiva, (morseaakkosissa) viiva 5 lennokkuus, into, tarmo 6 (auton) kojelauta

2 dash *v* 1 pinkaista, rynnätä, ampaista 2 paiskata, paiskautua 3 lannistaa, tehdä tyhjäksi, murskata (toiveet)

dashboard [dæʃ,bord] *s* (auton) kojelauta

dashing *adj* 1 tarmokas, reipas 2 komea, tyylikäs

data [deɪtə dætə] *s* (mon sanasta *datum*, verbi mon tai yksikössä) tiedot, data, informaatio

database [deɪtəbeɪs dætəbeɪs] *s* 1 tietokanta 2 (tietok) tietokantaohjelma

1 date [deɪt] *s* 1 päivämäärä 2 (sanontoja:) *out of date* poissa muodista, vanhanaikainen, vanhentunut *up to date* ajan tasalla, tuore 3 tapaaminen, treffit 4 mies/naisseuralainen, mies/nainen/poika/tyttö jonka kanssa joku menee ulos

2 date v **1** päivätä, varustaa päivämäärällä **2** seurustella/mennä ulos jonkun kanssa **3** jäädä/käydä vanhanaikaiseksi

date back to v olla peräisin joltakin ajalta, olla syntynyt/saanut alkunsa johonkin aikaan

dated adj vanhanaikainen, vanhentunut, aikansa elänyt

daub [dab] v **1** sivellä, levittää **2** töhriä, töhertää

daughter [datər] s tytär

daughter-in-law s miniä

daunt [dant] v lannistaa, masentaa

daunting adj lannistava, masentava

dauntless s lannistumaton, rohkea, peloton, urhea

dawdle [dadəl] v **1** vetelehtiä, olla joutilaana **2** löntystellä, laahustaa

dawdle away v panna hukkaan, tuhlata, vetelehtiä

1 dawn [dan] s **1** aamunkoitto **2** (kuv) synty, alku

2 dawn v (aamusta) valjeta

dawn on v valjeta/kirkastua jollekulle it dawned on her that she was not the only one hän oivalsi ettei hän ollut ainoa

day [deɪ] s **1** päivä the day after tomorrow ylihuomenna in four days neljän päivän kuluttua one of these days (vielä) jonakin päivänä day after day jatkuvasti, päivittäin, joka päivä, päivä päivältä day by day päivittäin, joka päivä, päivä kerrallaan the other day äskettäin, tässä yhtenä päivänä to call it a day lopettaa (työ toistaiseksi/tältä päivältä) have a nice day hyvää päivänjatkoa! day in, day out päivästä päivään, joka päivä **2** (myös mon) aika, ajat these days nykyisin, nykyaikana, näinä päivinä in days to come tulevina aikoina, tulevaisuudessa

daybreak ['deɪbreɪk] s aamunkoitto

1 daydream ['deɪdrim] s valveuni, haave, haaveilu

2 daydream v haaveilla, uneksia

daylight ['deɪlaɪt] s päivänvalo in broad daylight keskellä kirkasta päivää

daylight saving s kesäajan käyttö, kesäaika

daylight saving time s kesäaika

day school s **1** (lasten) päiväkoulu **2** (iltakoulun vastakohta) päiväkoulu

day shift s (työssä) päivävuoro

daze [deɪz] s in a daze pyörällä päästään v saattaa joku pyörälle päästään

dazed adj pyörällä päästään

dazzle [dæzəl] v **1** sokaista the sun dazzled him **2** saada haukkomaan henkeään, ällistyttää

dazzling adj **1** sokaiseva(n kirkas) **2** henkeäsalpaava

1 dead [ded] s: the dead kuolleet the dead of night sydänyö

2 dead adj **1** kuollut, (myös kuv:) hiljainen, autio it's a dead place siellä ei tapahdu mitään **2** (kuv) kuuro, mykkä I am dead to the finer points of your theory en ymmärrä mitään teoriasi yksityiskohdista the line went dead puhelinyhteys katkesi **3** täydellinen, ehdoton dead silence kuolemanhiljaisuus, hiirenhiljaisuus the dead center of a circle ympyrän keskipiste **4** rättiväsynyt, lopen uupunut

dead ahead adv suoraan edessäpäin/eteenpäin

deaden v vaimentaa, hiljentää, pehmentää, lieventää; kuolettaa, turruttaa, puuduttaa

dead end s umpikuja (myös kuv)

dead heat s tasatilanne, ratkaisematon kilpailu

deadline [dedlaɪn] s määräaika, takaraja

deadly adj **1** tappava, hengenvaarallinen, myrkyllinen **2** veri- (vihollinen) adv kalman- deadly pale kalmankalpea

deadpan [dedpæn] adj, adv naama peruslukemilla

Dead Sea [ded'si:] Kuollutmeri

deaf [def] adj **1** kuuro **2** (kuv) kuuro, välinpitämätön, piittaamaton

deafen v **1** tehdä kuuroksi **2** (melusta) olla korviahuumaava

deafening adj korviahuumaava/vihlova

deaf-mute s ['def‚mjut] s kuuromykkä

1 deal [di:l] s **1** kauppa, sopimus, diili (ark) to close a deal tehdä/solmia kauppa it's a deal sovittu! **2** (ark) kohtelu he gave us a raw deal hän kohteli meitä kaltoin

3 joukko, määrä *a great deal of work, a good deal of trouble* paljon työtä/vaivaa
2 deal *v* dealt, dealt **1** jakaa (pelikortit) **2** (sl) välittää (huumeita)

dealer *s* **1** (tal) kauppias *bond dealer* arvopaperikauppias *foreign exchange dealer* valuuttakauppias, diileri **2** (korttipelissä) jakaja **3** (sl) huumeiden välittäjä

dealership [diːlərʃɪp] *s* **1** myyntiedustus **2** kauppa, myymälä

dealt [delt] ks deal

deal with *v* **1** käsitellä jotakin, koskea jotakin *this book deals with foreign policy* tämä teos käsittelee ulkopolitiikkaa **2** selvitä jostakin, pystyä ratkaisemaan *he couldn't deal with all his problems* hän ei selvinnyt kaikista ongelmistaan

dean [diːn] *s* dekaani

1 dear [dɪər] *s* rakas, kulta(nen), (puhutteluna myös:) kultaseni, rakkaani

2 dear *adj* **1** rakas, läheinen, kiva (ystävä) **2** suloinen, ihastuttava **3** (kirjeen alussa:) hyvä/rakas/arvoisa **4** kallis (tavara, kauppa), korkea (hinta)

dearly *adv* **1** erittäin kovasti *he loves her dearly* hän rakastaa naista erittäin paljon **2** (maksaa) kalliisti (myös kuv)

dearth [dɜːθ] *s* pula, puute jostakin

death [deθ] *s* kuolema (myös kuv:) loppu *at death's door* kuoleman kielissä *to bore someone to death* ikävystyttää joku kuoliaaksi *to put something to death* surmata, lopettaa (eläin) *a fight to the death* taistelu elämästä ja kuolemasta, taistelu viimeiseen hengenvetoon

deathly *adj* **1** tappava (isku), kuolettava **2** kuoleman-, kalman-

debase [dɪˈbeɪs] *v* halventaa, häpäistä, loukata

debasement *s* halventaminen, halveksunta, häpäisy, loukkaus

debatable [dɪˈbeɪtəbl] *adj* kyseenalainen, epävarma, avoin (kysymys)

1 debate [dɪˈbeɪt] *s* väittely, kiista, neuvottelu, keskustelu

2 debate *v* väitellä, kiistellä, neuvotella, keskustella

debilitate [dɪˈbɪləˌteɪt] *v* heikentää, haitata, lamauttaa

debilitating *adj* heikentävä, lamauttava, haitallinen

debility [dɪˈbɪləti] *s* **1** heikkous, haitta **2** sairaus, vamma

1 debit [debət] *s* **1** (kirjanpidossa) debet, veloituspuoli **2** tiliveloitus

2 debit *v* **1** merkitä veloituspuolelle **2** veloittaa tililtä

debris [dəˈbriː] *s* sirpaleet, jäänteet, roskat

debt [det] *s* velka

debtor [detər] *s* velallinen

debut [deɪˈbjuː] *s* ensiesiintyminen

debutante [ˌdebjəˈtɑːnt] *s* debytantti, tyttö joka astuu virallisesti seuraelämään

Dec. *December* joulukuu

decade [dekeɪd] *s* vuosikymmen

decadence [dekədəns] *s* rappio, turmelus, dekadenssi

decadent [dekədənt] *adj* rappeutunut, turmeltunut, dekadentti

decaf [diːkæf] *s* kofeiiniton kahvi/tee

decapitate [dɪˈkæpəˌteɪt] *v* teloittaa, katkaista kaula

1 decay [dɪˈkeɪ] *s* **1** mätä, laho **2** (kuv) rappio, mädännäisyys, turmelus

2 decay *v* **1** mädäntyä, pilaantua, lahota **2** rappeutua, turmeltua, heiketä **3** (radioaktiivisesta aineesta) hajota

1 decease [dɪˈsiːs] *s* kuolema

2 decease *v* kuolla *the deceased* kuollut, edesmennyt

deceit [dəˈsiːt] *s* huijaus, kavaluus, juonittelu

deceive [dəˈsiːv] *v* huijata, pettää (myös:) olla uskoton

deceiver *s* huijari, petturi

decelerate [dɪˈseləˌreɪt] *v* hidastaa (nopeutta), hidastua, laskea, vähentää, vähentyä

deceleration [dɪˌseləˈreɪʃən] *s* (nopeuden) hidastaminen, hidastuminen, lasku, vähentäminen, väheneminen

December [dɪˈsembər] *s* joulukuu

decency [diːsənsi] *s* **1** hyvät tavat, kunnollisuus *he had the decency to say he was sorry* hän huomasi sentään pyytää anteeksi **2** (pukeutumisen) säädyllisyys

decent [disənt] *adj* **1** hyvätapainen, (käytök-seltään) moitteeton **2** (pukeutumiseen) säädyllinen, vaatteet päällä **3** (ark) mukiin-menevä

decently *adv* **1** hyvätapaisesti, moitteetto-masti **2** säädyllisesti

deception [dɪ'sepʃən] *s* petos, huijaus, har-hautus

deceptive [dɪ'septɪv] *adj* petollinen, harhaut-tava

deceptively *adv* petollisesti, petollisen, kava-lasti, kavalan

decide [dɪ'saɪd] *v* **1** tuomita **2** ratkaista, päät-tää **3** tulla johonkin tulokseen, tehdä jokin johtopäätös, saada joku tekemään jotakin *what they said decided him* heidän sanansa saivat hänet tekemään päätöksen

decided *adj* **1** selvä, ratkaiseva (ero, paran-nus) **2** määrätietoinen, päättäväinen (ihmi-nen) **3** vankkumaton, luja (mielipide)

decidedly *adv* **1** ehdottomasti, selvästi **2** päättäväisesti

deciduous [dɪ'sɪdʒʊəs] *adj* lehti-, lehtipuu-

decimal [desəməl] *s* desimaaliluku *adj* desi-maali-

decimate ['desə,meɪt] *v* hävittää/tuhota lähes sukupuuttoon/kaikki

decipher [dɪ'saɪfər] *v* tulkita, saada/ottaa sel-vää jostakin

decision [dɪ'sɪʒən] *s* **1** tuomio **2** ratkaisu, pää-tös **3** päättäväisyys, määrätietoisuus

decisive [dɪ'saɪsɪv] *adj* **1** ratkaiseva **2** päättä-väinen, määrätietoinen

decisively *adv* **1** ratkaisevasti **2** päättäväi-sesti

deck [dek] *s* **1** (laivan) kansi **2** korttipakka *not play with a full deck* olla ruuvi löy-sällä, ei olla täysjärkinen **3** dekki, nauhuri

declaration [,deklə'reɪʃən] *s* julistus

declare [dɪ'kleər] *v* **1** julistaa, ilmoittaa, tuoda julki **2** ilmoittaa tulliviranomaisille *do you have anything to declare?* onko teillä tullattavaa?

1 decline [dɪ'klaɪn] *s* rappio, heikentyminen, lasku, väheneminen

2 decline *v* **1** rappeutua, heikentyä, laskea, taantua **2** kieltäytyä, sanoa ei **3** (maasta) viettää, laskea

decode [di'koʊd] *v* purkaa (salakielinen viesti), selvätä

decompose [,dikəm'poʊz] *v* **1** mädäntyä, ha-jota **2** hajottaa/jakaa osiinsa

decomposition [di,kampə'zɪʃən] *s* **1** mätäne-minen, hajoaminen **2** osiin hajottaminen/jakaminen

decompress [,dikəm'pres] *v* alentaa painetta

décor [,der'kɔr] *s* **1** sisustus(tyyli) **2** koristeet, somisteet

decorate ['dekə,reɪt] *v* **1** koristaa, koristella, somistaa **2** sisustaa **3** antaa jollekulle kun-niamerkki, palkita

decoration [,dekə'reɪʃən] *s* **1** sisustus **2** koris-telu **3** koriste, somiste **4** mitali, kunnia-merkki

decorative ['dekərə,tɪv] *adj* koristeellinen, koriste-

decorator ['dekə,reɪtər] *s* sisustaja, somistaja, sisustussuunnittelija

decoy [dikɔɪ] *s* **1** houkutuslintu (myös kuv) **2** syötti (myös kuv)

decoy [də'kɔɪ] *v* houkutella

decrease [dikris] *s* lasku, väheneminen, taantuma

decrease [dɪ'kris] *v* laskea, vähentyä, pienen-tyä, heiketä

1 decree [dɪ'kri] *s* määräys, käsky, julistus, (tuomioistuimen langettama) tuomio

2 decree *v* määrätä, käskeä, julistaa, (tuo-mioistuimesta) langettaa tuomio

decrepit [də'krepət] *adj* (ihminen) vanhuu-denheikko, (rakennus) ränsistynyt

decry [dɪ'kraɪ] *v* parjata, moittia, arvostella

dedicate ['dedə,keɪt] *v* **1** omistautua jollekin asialle, paneutua johonkin antaumukselli-sesti **2** vihkiä (kirkko) käyttöön **3** omistaa (kirja) jollekulle

dedication [,dedə'keɪʃən] *s* **1** (asialle) omis-tautuminen, hartaus, antaumus **2** (kirkon) vihkiminen **3** (kirjan) omistus(kirjoitus)

deduce [dɪ'dus] *v* päätellä, tehdä jokin johto-päätös, (logiikassa) dedusoida

deduct [dɪ'dʌkt] *v* vähentää (summa)

deduction [dɪ'dʌkʃən] *s* **1** vähennys; verovä-hennys; alennus **2** (logiikassa) deduktio

deed [did] *s* **1** teko **2** (lak) luovutuskirja, siirtokirja, kauppakirja

1 deep [dip] *s the deep* meri

2 deep *adj* **1** syvä *a deep lake* syvä järvi *a deep shelf* syvä hylly **2** leveä (nauha) **3** (ääni) matala, syvä **4** voimakas (suru), suuri (salaisuus, helpotus, kiinnostus), syvällinen (ajattelija, ajatus), vaikeaselkoinen (vertaus)

3 deep *adv* syvällä, syvälle *deep into the future* kauas tulevaisuuteen

deepen *v* syventää, syventyä, suurentaa, suurentua, voimistaa, voimistua

deep-freeze *v* pakastaa

deeply *adv* **1** syvään, syvälle **2** (kuv) syvästi (kiitollinen), pahasti (loukkaantunut), erittäin (kiinnostunut)

deepness *s* **1** syvyys **2** leveys **3** (kuv) (ajattelun) syvällisyys, (kiinnostuksen, helpotuksen) voimakkuus, suuruus

deer [dıər] *s* hirvieläimistä *fallow deer* kuusipeura *mule deer* muulipeura *red deer* saksanhirvi *roe deer* metsäkauris *rusa deer* timorinhirvi *sika deer* japaninhirvi *swamp deer* barasinga *tufted deer* tupsuhirvi *water deer* vesikauris *white-tailed deer* valkohäntäpeura

deface [dı'feıs] *v* rumentaa, tärvellä

defacement *s* tärvely, turmelu

defamation [ˌdefə'meıʃən] *s* panettelu, parjaus, mustaus

defame [dı'feım] *v* panetella, parjata, mustata (mainetta, kunniaa)

1 default [dı'fɔlt] *s* **1** saapumatta jääminen, maksamatta jättäminen **2** pula, puute *in default of* jonkin puutteessa **3** (tietok) oletusarvo

2 default *v* jäädä saapumatta, jättää maksamatta

defaulter *s* joku joka jää saapumatta/jättää maksamatta

default in *v* jättää maksamatta

1 defeat [dı'fit] *s* tappio, häviö

2 defeat *v* **1** voittaa, kukistaa **2** murskata (toiveet), lannistaa

defeatism [dı'fitızəm] *s* tappiomieliala

defecate [ˈdefəˌkeıt] *v* ulostaa

defecation [ˌdefəˈkeıʃən] *s* ulostus

defect [difekt] *s* vika, puute

defect [dı'fekt] *v* loikata (toiseen maahan)

defection [dı'fekʃən] *s* loikkaus (toiseen maahan)

defective [dı'fektıv] *adj* viallinen, epäkunnossa

defector [dı'fektər] *s* loikkari

defend [dı'fend] *v* puolustaa (myös kuv), suojella

defendant [dı'fendənt] *s* (oik) vastaaja, syytetty

defender *s* puolustaja, (lak) puolustusasianajaja

defense [də'fens difens] *s* puolustus (oikeudessa, pelissä), maanpuolustus

defenseless *adj* puolustuskyvytön, suojaton

defensible *adj* (väite, menettely) oikeutettu, perusteltu

defensive *s on the defensive* puolustuskannalla (myös kuv) *adj* **1** puolustus- *defensive armament* puolustusaseet **2** (ihminen) defensiivinen, joka on puolustuskannalla

defer [dı'fɜ] *v* lykätä (päätöstä)

defer to *v* myöntyä, alistua, antaa periksi *I'll defer to your wishes* alistun tahtoosi

defiance [də'faıəns] *s* uhma, tottelemattomuus *in defiance of* jonkin vastaisesti, jostakin piittaamatta

defiant [də'faıənt] *adj* uhmamielinen, kapinallinen, itsepäinen

deficiency [dı'fıʃənsi] *s* **1** puute, puutos, vähyys *a vitamin deficiency* vitamiininpuutos **2** vaje

deficient [dı'fıʃənt] *adj* riittämätön, puutteellinen, vajavainen *this food is deficient in vitamin A* tässä ruuassa ei ole riittävästi A-vitamiinia

deficit [defəsıt] *s* vaje *a budget/trade deficit* budjettivaje, kauppataseen vaje

defile [dı'faıəl] *v* liata, tahrata (myös kuv:) häpäistä

defilement *s* likaaminen, tahraaminen (myös kuv:) häpäisy

definable [dı'faınəbəl] *adj* joka voidaan määritellä, selvä, selvärajainen

define [dı'faın] *v* **1** määritellä, määrittää **2** korostua, näkyä selvästi *the tower was clearly defined against the sky* torni näkyi selvästi taivasta vasten

definite [defənət] *adj* selvä, ehdoton, yksiselitteinen, ilmeinen, varma *a definite answer/improvement* selvä vastaus/parannus

definite article *s* määräinen artikkeli (the)

definitely *adv* selvästi, ehdottomasti, varmasti

definition ['defə,nɪʃn] *s* **1** määritelmä *look up the definition of a word in the dictionary* katsoa sanan määritelmä sanakirjasta **2** (tehtävien, valtuuksien) määrittely **3** (kuvan) selvyys, terävyys, (tekn) erottelukyky *high-definition television* teräväpiirtotelevisio

definitive [də'fɪnətɪv] *adj* selvä, ehdoton, ratkaiseva, lopullinen *the definitive book on the subject* alan päätteos, perusteos

deflate [dɪ'fleɪt] *v* **1** päästää ilmaa (renkaasta) **2** (tal) johtaa deflaation **1** lannistaa (into)

deflation [dɪ'fleɪʃən] *s* **1** ilman päästäminen/tyhjentyminen (renkaasta) **2** (tal) deflaatio

deflect [dɪ'flekt] *v* kääntää/kääntyä/ohjata/ohjautua sivuun, poikkeuttaa/poiketa suunnasta

deflection [dɪ'flekʃən] *s* (sivuun) kääntäminen/kääntyminen, (suunnasta) poikkeutus/poikkeaminen

defog [diː'fɒg] *v* **1** poistaa kosteus (auton ikkunasta) **2** (kuv) selvittää, hälventää

deforest [diː'fɒrəst] *v* kaataa, hakata (metsää)

deform [dɪ'fɔːm] *v* muuttaa jonkin muotoa, johtaa epämuodostumaan, epämuodostaa, rumentaa, pilata, (kuv) turmella

defraud [dɪ'frɔːd] *v* huijata, petkuttaa *the con artist defrauded him of all his money* konna huijasi häneltä kaikki rahat

defrost [diː'frɒst] *v* sulattaa (pakaste, jääkaappi)

defroster *s* (auton) tuulilasin puhallin

deft [deft] *adj* taitava, näppärä, kätevä

deftly *adv* taitavasti, näppärästi, kätevästi

defunct [dɪ'fʌŋkt] *adj* kuollut, lakkautettu, kumottu, unohdettu

defy [dɪ'faɪ] *v* **1** uhmata, vastustaa, ei totella **2** usuttaa (jotakuta tekemään jotakin) **3** *to defy definition/description* olla mahdoton määritellä/kuvata sanoin

degenerate [dɪ'dʒenərət] *adj* rappeutunut, heikentynyt, huonontunut

degenerate [dɪ'dʒenə,reɪt] *v* rappeutua, heikentyä, huonontua

degradation [,degrə'deɪʃən] *s* **1** (arvon) alennus **2** (kuv) alennus, turmelus, rappio

degrade [də'greɪd] *v* **1** alentaa (esim sotilasarvoa) **2** (kuv) alentaa jotakuta, tuottaa jollekulle häpeää, olla jollekulle pahaksi

degree [də'griː] *s* **1** aste, vaihe, jakso **2** aste, lämpöaste, kulma-aste, kaariaste **3** (yliopisto)tutkinto

dehydrate [diː'haɪ,dreɪt] *v* kuivattaa, poistaa vesi jostakin

dehydration [,diːhaɪ'dreɪʃən] *s* vedenpoisto, dehydraatio, (lääk) nestehukka

deign [deɪn] *v* suvaita *to deign to do something* suvaita tehdä jotakin

deity [ˈdiːəti] *s* **1** jumala **2** jumaluus, jumalallisuus

déjà vu [,deɪʒɑ'vuː] *s* déjà vu -tuntemus, entiselämys

dejected *adj* masentunut, allapäin, synkkä

dejection [dɪ'dʒekʃən] *s* masennus, synkkyys, depressio

1 delay [dɪ'leɪ] *s* viivästys, viivytys, lykkäys, myöhästyminen

2 delay *v* viivyttää, lykätä myöhemmäksi, myöhästyä *our flight has been delayed* lentomme myöhästyy

delectable [dɪ'lektəbəl] *adj* **1** herkullinen **2** miellyttävä, erinomainen, nautinnollinen

delegate [ˈdeləgət] *s* valtuutettu, edustaja

delegate [ˈdeləˌgeɪt] *v* valtuuttaa, määrätä johonkin tehtävään; antaa jonkun tehtäväksi, jakaa tehtäviä toisille, delegoida

delegation [,delə'geɪʃən] *s* **1** valtuuskunta **2** valtuuttaminen; delegointi, tehtävien jakaminen toisille

delete [də'liːt] *v* poistaa (tekstistä), jättää/pyyhkiä pois, yliviivata

deletion [dɪ'liːʃən] *s* poisto (tekstistä)

deli [deli] *s* einekauppa

deliberate [dɪ'lɪbərət] *adj* **1** pohtia, miettiä, keskustella, neuvotella

deliberate [dɪ'lɪbərət] *adj* **1** tahallinen **2** rauhallinen, harkittu, harkitseva, varovainen

deliberation [də,lɪbə'reɪʃən] *s* **1** harkinta, pohdinta **2** keskustelu, neuvottelu **3** varovaisuus, rauhallisuus

delicacy ['delɪkəˌsi] s **1** herkku, herkkupala **2** (asian, ihmisen) arkaluonteisuus **3** hienotunteisuus **4** herkkyys, hauraus

delicate [delɪkət] adj **1** hento (ihminen), hauras (astia, luu), hieno **2** herkkä(tunteinen); hienotunteinen **3** arkaluonteinen (asia, ihminen) **4** tarkkuutta vaativa **5** (ruoka) herkullinen, (maku) hieno

delicatessen [ˌdelɪkə'tesən] s eineskauppa

delicious [dɪ'lɪʃəs] adj **1** herkullinen **2** ihastuttava, erinomainen

1 delight [dɪ'laɪt] s ilo, ilonaihe; nautinto

2 delight v ilahduttaa, tuottaa iloa/nautintoa jollekulle *I'd be delighted to come* tulen mielelläni

delightful adj ilahduttava, ihastuttava, hieno

delinquency [dɪ'lɪŋkwənsi] s **1** laiminlyönti **2** rikollisuus *juvenile delinquency* nuorisorikollisuus **3** erääntynyt maksu/velka

delirious [dɪ'lɪərɪəs] adj **1** (lääk) houraileva, houreinen **2** haltioissaan *he was delirious with joy* hän oli suunniltaan ilosta

delirium [dɪ'lɪərɪəm] s **1** (lääk) sekavuustila, houretila, delirium **2** haltioituminen, suunnaton ilo, innostus

deliver [dɪ'lɪvər] v **1** toimittaa (tavaraa asiakkaalle); kantaa (postia) **2** (kuv) pitää *how do we know you'll deliver?* mistä tiedämme että teet kuten lupasit/ettet petä meitä? **3** (usk) vapahtaa, pelastaa *deliver us from evil* päästä meidät pahasta **4** pitää (puhe), julistaa (tuomio) **5** auttaa synnytyksessä **6** *to deliver a blow* lyödä, iskeä

deliverance [dɪ'lɪvərəns] s vapahdus, vapautus, pelastus jostakin

delivery [dɪ'lɪvəri] s **1** (tavaran)toimitus, (postin)kanto **2** (lapsen) synnytys **3** ulosanti, puhetapa **4** (usk) pelastus, vapahdus

delude [dɪ'luːd] v harhauttaa, johtaa harhaan *they deluded me into thinking that I could go with them* he saivat minut uskomaan/uskottelivat minulle että pääsisin heidän mukaansa *to delude yourself* kuvitella liikoja

delusion [dɪ'luːʒən] s harhaluulo, harhakuvitelma

delusions of grandeur s (mon) suuruudenhulluus

deluxe [dɪ'lʌks] adj loisto-, ylellinen, luksus- *a deluxe hotel*

delve into [delv] v **1** kaivaa (taskusta) **2** (kuv) peneutua, syventyä johonkin

1 demand [dɪ'mænd] s **1** vaatimus **2** kysyntä

2 demand v **1** vaatia (itsellen) *he demanded an answer* **2** vaatia, edellyttää *the job of an air-traffic controller demands great concentration* lennonvalvojan työssä vaaditaan tarkkaa keskittymistä

demanding adj vaativa, tiukka

demeanor [dɪ'miːnər] s olemus, käytös

demented [dɪ'mentəd] adj **1** (lääk) dementiasta/tylsistymisestä kärsivä **2** (ark) hullu, tärähtänyt

dementia [dɪ'menʃə] s (lääk) dementia, tylsistyminen, (ark) hulluus

democracy [dɪ'mækrəsi] s demokratia (järjestelmä, maa), kansanvalta

democrat [deməkræt] s **1** demokraatti **2** *Democrat* Yhdysvaltain demokraattisen puolueen jäsen, demokraatti

democratic [ˌdemə'krætɪk] adj kansanvaltainen, demokraattinen

demolish [dɪ'mɒlɪʃ] v **1** purkaa (rakennus), kaataa, hajottaa, hävittää **2** (kuv) musertaa, lyödä lyttyyn **3** (ark) pistää poskeensa, syödä kokonaan

demolition [ˌdemə'lɪʃən] s (rakennuksen) purku, purkaminen

demon [diːmən] s **1** demoni **2** (ark) kiusankappale; työhullu; paholainen, piru

demonic [dɪ'mænɪk] adj **1** demonien **2** riivattu, mieletön

demonstrate [demənˌstreɪt] v **1** osoittaa, todistaa **2** osoittaa mieltään, osallistua mielenosoitukseen

demonstration [ˌdemən'streɪʃən] s **1** osoitus, todiste, todistus **2** havaintoesitys **3** mielenosoitus

demonstrative [dɪ'mænstrətɪv] adj **1** joka paljastaa, osoittaa tunteensa **2** havainto-, esimerkki- **3** (kieliopissa) demonstratiivinen

demonstrator [demənˌstreɪtər] s **1** mielenosoittaja **2** (tuote-)esittelijä, havaintoesityksen pitäjä

demoralize [dɪˈmɔrəˌlaɪz] v lannistaa, nujertaa, masentaa

demote [dɪˈmout] v alentaa (jonkun arvoa)

demotion [dɪˈmouʃən] s (arvon)alennus

demure [dɪˈmjʊər] adj 1 hiljainen, vaatimaton 2 teennäisen kaino/ujo, kainosteleva

den [den] s 1 (eläimen) pesä 2 (kuv) pesä, tyyssija 3 työhuone (kotona)

denial [dəˈnaɪəl] s 1 (pyynnön) evääminen 2 (väitteen) kiistäminen, kieltäminen

denizen [ˈdenəzən] s asukas

Denmark [ˈdenˌmark] Tanska

denomination [dɪˌnaməˈneɪʃən] s 1 nimi 2 (mitta-, raha)yksikkö 3 uskontokunta, lahko the Lutheran denomination luterilainen kirkko

denominator [dɪˈnaməˌneɪtər] s (mat) nimittäjä

denote [dəˈnout] v merkitä, tarkoittaa, olla merkki jostakin

denounce [dəˈnaʊns] v 1 tuomita, parjata, haukkua 2 sanoa irti (sopimus)

dense [dens] adj 1 tiheä, taaja (metsä, asutus) 2 sakea (neste, sumu) 3 tyhmä, hidasjärkinen

densely adv tiheään, taajaan (asuttu)

density [densəti] s tiheys, taajuus population density asumistiheys

1 dent [dent] s kolhu, kuhmu make a dent in päästä (työn) alkuun, saada jotakin aikaan

2 dent v kolhaista, kolhia

dental [dentəl] adj hammas-

dentist [dentəst] s hammaslääkäri

denunciation [dɪˌnʌnsiˈeɪʃən] s 1 tuomio, tuomitseva suhtautuminen, parjaus, parjaaminen 2 (sopimuksen) irtisanominen, purkaminen

deny [dəˈnaɪ] v 1 evätä (hakemus, pyyntö) 2 kiistää (väite)

deodorant [diˈoudərənt] s deodorantti

depart [dɪˈpart] v 1 lähteä 2 poiketa he is again departing from company policy hän poikkeaa jälleen yrityksen linjasta

departed s the departed edesmennyt adj 1 edesmennyt 2 mennyt, kadotettu, entinen

department [dɪˈpartmənt] s 1 osasto 2 (US) ministeriö the Department of Agriculture/ State maatalousministeriö/ulkoministeriö 3 (yliopiston) laitos 4 (ark) that's not my department se ei kuulu minulle, se ei ole minun heiniäni

department store s tavaratalo

departure [dɪˈpartʃər] s 1 lähtö 2 poikkeama (säännöstä), (uusi) suunta, (uusi) lähtökohta

dependable adj luotettava

dependent s 1 jostakusta riippuvainen omainen, (alaikäinen) lapsi 2 verovähennykseen oikeutettu perheenjäsen adj riippuvainen to be dependent on something riippua jostakin, olla jonkin varassa

depend on [dəˈpend] v 1 riippua, olla riippuvainen jostakin 2 luottaa johonkuhun/johonkin

depict [dɪˈpɪkt] v kuvata, kuvailla, esittää (jonkinlaiseksi)

deplete [dɪˈplit] v käyttää loppuun to be depleted huveta, loppua

deplorable adj 1 valitettava 2 paheksuttava, tuomittava

deplore [dɪˈplɔr] v 1 pahoitella, olla pahoillaan jostakin 2 paheksua, tuomita

deport [dɪˈport] v karkottaa (maasta)

deportation [ˌdɪpɔrˈteɪʃən] s karkotus, pakkosiirto

depose [dɪˈpouz] v syrjäyttää

1 deposit [dɪˈpazət] s 1 talletus, tilillepano 2 käsiraha; kautio 3 kerros 4 (malmi-, öljy)esiintymä

2 deposit v 1 tallettaa, panna tilille 2 maksaa käsiraha/kautio

depot [dipou] s 1 rautatieasema 2 linja-autoasema 3 asevarasto 4 varasto(rakennus)

deprave [dɪˈpreɪv] v turmella, raaistaa

depravity [dɪˈprævəti] s turmelus, raakuus

depreciate [dɪˈpriʃieɪt] v 1 (arvosta) laskea, halventua 2 vähätellä, väheksyä, halveksua

depreciation [dɪˌpriʃiˈeɪʃən] s 1 (arvon) lasku 2 vähättely, väheksyntä, halveksunta

depredation [ˌdeprəˌdeɪʃən] s hävitys, ryöstö

depress [dəˈpres] v 1 masentaa, lannistaa 2 painaa (alas, myös kuv)

depressant s rauhoittava aine/lääke

depressed adj **1** masentunut, alakuloinen, lannistunut **2** (talous)lamasta kärsivä **3** alentunut, laskenut, heikentynyt **4** syvennetty, upotettu (esim kädensija)

depressing adj masentava

depression [dəˈpreʃən] s **1** masennus, depressio **2** (taloudellinen) lama(kausi) *the* (Great) *Depression* 1930-luvun lamakausi **3** matalapaine(en alue) **4** syvennys, upotus

depressive s masentunut, depressiivinen ihminen adj masentava, masentunut, depressiivinen

deprivation [ˌdeprɪˈveɪʃən] s **1** evääminen, kieltäminen **2** (psyk) deprivaatio **3** puute; hätä

deprive [dɪˈpraɪv] v evätä joltakulta jotakin, jättää joku ilman jotakin

depth [depθ] s syvyys (myös kuv)

depths [depθs] s (mon, kuv) *she was in the depths of despair* hän oli epätoivon kourissa *In his book, he sank to incredible depths* hän vajosi kirjassaan uskomattoman alhaiselle tasolle *it came from the depths of space* se tuli syvältä/kaukaa avaruudesta

deputation [ˌdepjʊˈteɪʃən] s **1** valtuuskunta **2** valtuutus

deputy [ˈdepjʊti] s **1** valtuutettu, sijainen **2** apulaisšeriffi

derail [dɪˈreɪl] v suistaa/suistua kiskoilta

derange [dɪˈreɪndʒ] v **1** sekoittaa, sorkea **2** rikkoa, saattaa epäkuntoon **3** tehdä hulluksi

deranged adj hullu, seonnut

derelict [ˈderəlɪkt] s irtolainen, koditon ihminen adj **1** hylätty, heitteille jätetty **2** joka on laiminlyönyt velvollisuutensa

dereliction [ˌderəˈlɪkʃən] s (velvollisuuden) laiminlyönti

derivation [ˌderəˈveɪʃən] s **1** alkuperä **2** (sanan, kem) johdannainen

derivative [dɪˈrɪvətɪv] s (sanan, kem) johdannainen adj **1** johdannainen, jostakin johdettu **2** jäljittelty, matkittu

derive [dɪˈraɪv] v **1** saada **2** johtaa (sanoja) *the word kiosk is derived from the Persian* sana *kiosk* on peräisin persian kielestä **3** olla peräisin jostakin

derogatory [dɪˈrɒɡətəri] adj halventava, häpäisevä, loukkaava

descend [dɪˈsend] v **1** laskeutua, (ihminen/tie) astua/viettää alas jostakin **2** laskea, vähentyä, alentua

descendant [dɪˈsendənt] s jälkeläinen

descend from v **1** olla jonkun jälkeläinen **2** *be descended from* olla peräisin jostakin, olla jonkun jälkeläinen

descent [dɪˈsent] s **1** laskeutuminen, alastulo, lasku **2** alamäki, (alaspäin viettävä) rinne **3** syntyperä, suku **4** hyökkäys

describe [dɪˈskraɪb] v kuvata, kuvailla (joksikin, *as*)

description [dɪsˈkrɪpʃən] s kuvaus, kuvailu

descriptive adj **1** kuvaava **2** deskriptiivinen, kuvaileva, esittävä

desecrate [ˈdesɪkreɪt] v häpäistä, häväistä

desert [dezət] s autiomaa, erämaa adj autiomaa-, erämaa-

desert [dəˈzərt] v **1** karata armeijasta **2** hylätä, jättää joku, lähteä jostakin

deserted [dəˈzɜːtəd] adj autio, asumaton

deserter [dəˈzɜːtər] s sotilaskarkuri

deserve [dəˈzɜːv] v ansaita, olla ansainnut jotakin *she deserves to be humiliated* hän on ansainnut nöyryytyksensä

1 design [dəˈzaɪn] s **1** piirustus, suunnitelma **2** suunnittelu, muotoilu, design **3** kuvio **4** aie, suunnitelma *I have no designs for tonight/on her* en ole sopinut mitään täksi illaksi/en yritä lähennellä häntä

2 design v **1** piirtää, suunnitella, muotoilla; rakentaa **2** aikoa, suunnitella, tarkoittaa *the widget is designed for indoor use only* vempain on tarkoitettu vain sisäkäyttöön

designate [ˈdezɪɡneɪt] v tarkoittaa, merkitä jotakin, viitata johonkin

designer [dɪˈzaɪnər] s suunnittelija, muotoilija, piirtäjä

desirable [dɪˈzaɪrəbəl] adj houkutteleva, viehättävä, puoleensavetävä

1 desire [dɪˈzaɪər] s halu, mielihalu, kaipaus, himo, toive

2 desire v haluta, kaivata, himoita, toivoa

desist [dɪˈsɪst] v lakata, lopettaa, pidättyä (tekemästä jotakin, *from*)

desk [desk] s (kirjoitus)pöytä

desolate ['desə‚leɪt] v 1 lannistaa 2 autioittaa

desolate [desələt] adj 1 lohduton 2 autio

desolation [‚desə'leɪʃən] s 1 lohduttomuus 2 autioituminen

1 despair [dəs'peər] s epätoivo

2 despair v olla epätoivoinen, menettää toivonsa

despairing adj epätoivoinen

desperate [desprət] adj epätoivoinen, toivoton

desperately adv epätoivoisesti, toivottomasti

desperation [‚despə'reɪʃən] s epätoivo

despicable [dəs'pɪkəbəl] adj vastenmielinen, inhottava

despise [dəs'paɪz] v halveksia, väheksyä

despite [dəs'paɪt] prep jostakin huolimatta

despondency [dəs'pandənsi] s masennus, lamaannus, toivottomuus

despondent adj lannistunut, masentunut, lamaantunut, toivoton

despot [despət] s despootti, itsevaltias, hirmuvaltias

dessert [də'zərt] s jälkiruoka

destination [‚destə'neɪʃən] s määränpää, matkakohde

destine [destən] v (passiivissa tulevaisuudesta:) *she was destined never to see her parents again* hän ei enää koskaan ollut näkevä vanhempiaan *he is destined to become a pianist* hänellä on kaikki edellytykset tulla pianistiksi

destiny [destəni] s 1 kohtalo, kaitselmus, sallimus 2 (yksittäinen) kohtalo *it was my destiny to end up a bum* minun kohtaloni oli päätyä kulkuriksi

destitute ['destə‚tut] adj varaton

destroy [dəs'trɔɪ] v 1 hävittää, tuhota 2 lopettaa (eläin) 3 tehdä loppu jostakin, murskata (toivo), vahingoittaa (mainetta)

destroyer [dəs'trɔɪər] s hävittäjä (alus)

destruction [dəs'trʌkʃən] s tuho, hävitys, vahinko, vaurio (myös kuv)

destructive [dəs'trʌktɪv] adj tuhoisa (myrsky, tuli) 2 murskaava (arvostelu), tuhoisa (asenne), hajottava

detach [dɪ'tætʃ] v irrottaa

detached adj 1 (talo, osa) erillinen, irrallinen 2 välinpitämätön, etäinen 3 puolueeton

detachment s 1 välinpitämättömyys, etäisyys 2 puolueettomuus 3 (sot) erillisosasto

detail [dɪ'teɪəl, diteɪəl] s 1 yksityiskohta 2 (sot) erillisosasto

detail [dɪ'teɪəl] v 1 kuvata yksityiskohtaisesti/tarkasti 2 määrätä erikoistehtävään

detain [dɪ'teɪn] v pidättää jotakuta, ei päästää menemään, viivyttää, (poliisista:) pidättää joku

detect [də'tekt] v huomata, havaita, selvittää (rikos), saada selville/kiinni

detection [də'tekʃən] s selviäminen, havaitseminen, kiinni joutuminen/saaminen

detective [də'tektɪv] s (poliisi-, yksityis)etsivä

detention [dɪ'tenʃən] s 1 pidätys; vankeus 2 viivästys

deter (from) [dɪ'tər] v pidätellä/estää tekemästä jotakin

detergent [dɪ'tərdʒənt] s pesuaine

deteriorate [də'tɪriə‚reɪt] v rappeutua, ränsistyä, turmeltua, heiketä

deterioration [də‚tɪriə'reɪʃən] s rappio, ränsistyminen, turmelus

determination [də‚tərmə'neɪʃən] s 1 määrätietoisuus, päättäväisyys 2 selvitys, määritys

determine [də'tərmən] v 1 määrätä, vaikuttaa ratkaisevasti johonkin 2 varmistaa, selvittää 3 määritellä, sopia 4 päättää *he determined to leave her alone* hän päätti jättää naisen rauhaan 5 saada joku päättämään jotakin *the news determined him to leave the country* uutinen sai hänet poistumaan maasta

determined adj määrätietoinen, päättäväinen *he is determined to leave the country* hän on päättänyt lähteä maasta

deterrent [də'tərənt] s pelote, uhka *the nuclear deterrent* ydinpelote *adj* pelottava

detest [dɪ'test] v inhota, kammoksua

dethrone [dɪ'θroun] v syöstä vallasta/valtaistuimelta, syrjäyttää

detonate ['detə‚neɪt] v sytyttää, laukaista, räjäyttää

detonation [‚detə'neɪʃən] s sytytys, räjäytys

detonator ['detə‚neɪtər] s sytytin, räjähdysnalli

1 detour [ditʊər dɪ'tʊər] *s* kiertotie

2 detour *v* ohjata (liikenne) kiertotietä

detract from [dɪ'trækt] *v* vähentää, heikentää (laatua, arvoa, mainetta)

detraction [dɪ'trækʃən] *s* vähättely, halveksunta

detriment [detrəmənt] *s* vahinko, haitta

detrimental [ˌdetrə'mentəl] *adj* vahingollinen, haitallinen

devastate [devəs͵teɪt] *v* **1** autioittaa, hävittää maan tasalle, tuhota **2** (kuv) musertaa, nujertaa, murskata

devastation [ˌdevəs'teɪʃən] *s* tuho, hävitys

develop [də'veləp] *v* **1** kehittää (itseään, kykyjään, ajatusta, filmi), kehittyä (myös tilanteesta) **2** hyodyntää (luonnonvaroja), rakentaa (taloja jonnekin), saneerata, laajentaa (yritystä), suunnitella (tuote) **3** käydä ilmi

developer *s* **1** rakennusliike, rakentaja **2** (valokuva)kehittämö

developing country *s* kehittyvä maa, kehitysmaa

development *s* **1** kehitys, kehittyminen, kehittäminen, kasvu **2** tapahtuma, muutos **3** (filmin) kehitys **4** rakentaminen (uudelle alueelle), (vanhan alueen) saneeraus, (yrityksen) laajentaminen **5** (vastavalmistunut) tai uudehko asuma-alue

deviate from [divieɪt] *v* poiketa jostakin (totuudesta, suunnasta)

deviation [ˌdivi'eɪʃən] *s* poikkeama

device [də'vaɪs] *s* **1** laite **2** suunnitelma, keino, juoni, temppu

devil [devəl] *s* paholainen, piru (myös ihmisestä ja sadatteluna)

devilish *adj, adv* pirullinen, pirullisesti

devious [diviəs] *adj* katala, kiero

devise [də'vaɪz] *v* laatia (suunnitelma), keksiä

devoid of [də'vɔɪd] *adj* vailla, ilman jotakin

devote [də'vəʊt] *v* omistaa (aikaa, vaivaa) jollekin *he is devoted to his studies* hän on omistautunut opiskelulle

devoted [də'vəʊtɪd] *adj* uskollinen (puoliso, kannattaja), (asialleen) omistautunut, harras

devotee [ˌdevə'ti] *s* kannattaja, harrastaja, ihailija

devotion [dɪ'vəʊʃən] *s* **1** uskollisuus, antaumus, omistautuminen **2** jonkin omistaminen/vihkiminen johonkin tarkoitukseen, (mon, usk) hartaus

devour [dɪ'vaʊər] *v* **1** niellä, pistää poskeensa **2** tuhota, hävittää

devout [dɪ'vaʊt] *adj* hurskas, harras

dew [du] *s* kaste, kosteus

dewy [duwi] *adj* kasteinen, kostea

dexterity [deks'terəti] *s* taitavuus, näppäryys, kätevyys; nokkeluus, kekseliäisyys

dexterous [dekstrəs] *adj* **1** taitava, näppärä, kätevä (käsistään); nokkela, kekseliäs **2** oikeakätinen

diabetes [ˌdaɪə'bitəs ͵daɪə'bitiz] *s* diabetes, sokeritauti

diabetic [ˌdaɪə'betɪk] *s* diabeetikko, sokeritautinen *adj* diabeettinen, sokeritautinen, diabeetikon

diabolic [ˌdaɪə'bɑlɪk] *adj* pirullinen

diabolical *adj* pirullinen

diagnose [ˌdaɪəg'nəʊs] *v* tehdä taudinmääritys, määrittää tauti

diagnosis [ˌdaɪəg'nəʊsəs] *s* (mon diagnoses) diagnoosi, taudinmääritys

diagnostic [ˌdaɪəg'nɑstɪk] *adj* diagnostinen

diagnostician [ˌdaɪəgnɑs'tɪʃən] *s* diagnostikko

diagonal [daɪ'ægənəl] *s* lävistäjä *adj* diagonaalinen, lävistäjän suuntainen, vino

diagram [daɪə͵græm] *s* diagrammi, kaavakuva, kyrästö

diagrammatic [ˌdaɪəgrəmætɪk] *adj* kaavakuva-, käyrä-

1 dial [daɪəl] *s* **1** (kello-, mittari)taulu **2** (puhelimen) valintalevy

2 dial *v* valita (numero puhelimella)

dialect [daɪə͵lekt] *s* murre (alueelliselle, sosiaaliselle tai ammatilliselle puhujaryhmälle ominainen kieli)

dialogue [daɪə͵lɔg] *s* kaksinpuhelu, keskustelu, vuoropuhelu, dialogi

dialtone valintaääni

diameter [daɪ'æmətər] *s* halkaisija

diametric [ˌdaɪə'metrɪk] *adj* **1** vastakkaisella puolella oleva **2** täysin vastakkainen

diamond [daɪmənd] *s* **1** timantti **2** vinoneliö **3** (pelikortissa) ruutu

diaphragm ['daɪəˌfræm] *s* 1 (anatomiassa) pallea 2 (ehkäisyväline) pessaari 3 (kameran) himmennin 4 (kaiuttimen ym) kalvo

diarist [daɪərɪst] *s* päiväkirjan pitäjä; kronikoitsija

diarrhea [ˌdaɪə'rɪə] *s* ripuli *verbal diarrhea* puheripuli

diary [daɪərɪ] *s* päiväkirja; muistio

diastole [daɪ'æstlɪ] *s* sydänlihaksen lepovaihe) diastole

1 dice [daɪs] *s* (mon) nopat (arkikielessä myös yhdestä nopasta) *no dice* (sl) ei onnistu!, ei kiinä!

2 dice *v* paloitella, pilkkoa (kuutioiksi)

dicey [daisi] *adj* kiperä, täpärä, hankala *it's a dicey situation* kinkkinen tilanne

dictate [dɪkteɪt] *v* sanella (myös kuv:) määrätä

dictation [ˌdɪk'teɪʃən] *s* 1 sanelu 2 sanelusta kirjoitettu teksti

dictator [dɪkteɪtər] *s* diktaattori, itsevaltias

dictatorial [ˌdɪktə'tɔːrɪəl] *adj* diktatorinen, itsevaltainen

dictatorship ['dɪkteɪtəˌʃɪp] *s* diktatuuri, itsevalta

diction [dɪkʃən] *s* 1 ääntämys, lausuntatapa 2 sanavalinta

dictionary ['dɪkʃəˌnerɪ] *s* sanakirja *bilingual dictionary* kaksikielinen sanakirja

did [dɪd] ks do

1 die [daɪ] *s* 1 noppa (mon *dice*) 2 (tekn) (valu)muotti, leimasin

2 die *v* 1 kuolla (myös kuv), (sotilaasta myös) kaatua *I'm dying of boredom* olen kuolla ikävään, olen pitkästynyt kuolakseni 2 (moottori) sammua 3 (tapa) jäädä pois käytöstä, (muisto) unohtua 4 *be dying to* ei malttaa odottaa jotakin, odottaa kärsimättömänä

die away *v* (ääni) vaimentua, vaieta, lakata vähitellen

die casting *s* painevalu

die-hard *s* härkäpää, jukuripää; patavanhoillinen ihminen *adj* härkäpäinen, jukuripäinen; patavanhoillinen

die hard *v* olla (henki) sitkeässä

die off *v* kuolla yksi toisensa jälkeen, kuolla kupsahdella

die out *v* 1 (suvusta) sammua 2 vaimentua, vaieta, lakata vähitellen

diesel [dɪzl] *s* diesel(polttoaine/moottori) *adj* diesel-

1 diet [daɪət] *s* 1 ruokavalio 2 laihdutuskuuri, dieetti *she is on a diet* hän laihduttaa 3 valtiopäivät

2 diet *v* laihduttaa, olla dieetillä

dietary ['daɪəˌterɪ] *adj* ravinto-

dietetic [ˌdaɪə'tetɪk] *adj* ravinto-; laihdutus-

diff. *difference* ero

differ [dɪfər] *v* 1 erota jostakin (*from*), olla erilainen kuin 2 olla eri mieltä kuin (*with*)

different [dɪfrənt] *adj* 1 erilainen, eri *this is a different story* tämä on kokonaan eri juttu 2 eri *we went to many different places* kävimme monessa eri paikassa

difficult [dɪfɪkəlt] *adj* vaikea, vaikeaselkoinen, vaikeatajuinen, hankala, vaativa *he is a very difficult person* hänen kanssaan on hankala/vaikea tulla toimeen *Barth is a difficult writer* Barth kirjoittaa vaikeatajuisesti

difficulty ['dɪfəˌkʌltɪ] *s* vaikeus, hankaluus

diffidence [dɪfədəns] *s* ujous, arkuus

diffident *adj* ujo, arka, kaino

diffuse [dɪ'fjuːs] *adj* 1 hajautunut 2 epäselvä, monisanainen

diffuse [dɪ'fjuːz] *v* levittää, hajottaa

diffusion [dɪ'fjuːʒən] *s* levitys, leviäminen, hajotus, hajoaminen, diffuusio

1 dig [dɪg] *s* isku, tönäisy *I gave him a dig in the ribs* tökkäisin häntä kylkiluihin 2 piikkäs/kärkevä/ilkeä huomautus 3 (arkeologinen) kaivuus

2 dig *v* dug, dug 1 kaivaa *he dug a hole in the ground/in his pockets* hän kaivoi kuopan maahan/kulutti reiät taskuihinsa 2 tökkäistä, töniä, iskeä 3 (sl) tykätä, digata 4 (sl) tajuta *dig it, man?* tajuatko?

digerati [ˌdɪdʒərati] *s* (mon) (leikkisästi) digitaalijärjestö, tietokoneita ja Internetiä paljon käyttävät

digest [daɪ'dʒest] *v* 1 (ruoka) sulaa, sulattaa 2 (kuv) sulattaa, omaksua (asia)

digest [daɪdʒest] *s* tiivistelmä, yhteenveto

digestion [daɪ'dʒestʃən] *s* ruuansulatus

digestive [daɪ'dʒestɪv] *adj* ruuansulatus-

digestive system s ruuansulatuselimistö

digger s 1 kaivaja 2 kaivuri, kaivinkone

dig in v 1 (sot) kaivautua (asemiin) 2 ei antaa periksi, pitää kiinni mielipiteestään 3 ruveta syömään, käydä kiinni ruokaan

dig into v käydä käsiksi (työhön, ateriaan)

digit [dɪdʒɪt] s 1 numero (0–9) 2 sormi, varvas

digital [dɪdʒətəl] adj 1 sormi-, varvas- 2 digitaalinen

digital camera s digitaalikamera, digikamera

digitize v (tietok) digitalisoida

dignified [ˈdɪɡnəˌfaɪd] adj arvokas (ihminen, käytös, ryhti), arvossa pidetty (ihminen)

dignify [ˈdɪɡnəˌfaɪ] v 1 kunnioittaa, osoittaa kunnioitusta he dignified the occasion with his presence hän kunnioitti tilaisuutta läsnäolollaan 2 I won't dignify your question with an answer en pidä kysymystäsi vastauksen arvoisena, jätän kysymyksesi omaan arvoonsa

dignitary [ˈdɪɡnəˌteri] s arvohenkilö, merkkihenkilö

dignity [dɪɡnəti] s 1 arvokkuus 2 asema; korkea asema

dig out v 1 kaivaa (kuoppa) 2 kovertaa, kaivaa 3 kaivaa esiin, ottaa selvää jostakin

digress [dɪˈɡres daɪˈɡres] v poiketa/eksyä asiasta

digression [dɪˈɡreʃən daɪˈɡreʃən] s sivuasia, poikkeama asiasta

digs [dɪɡz] s (ark) kämppä, asunto I'm gonna go to my digs real quick to change käyn äkkiä kotona vaihtamassa kuteet

dig up v 1 löytää kaivamalla, kaivaa esiin 2 löytää (tietoa)

1 dike [daɪk] s 1 pato 2 oja 3 pengertie 4 (sl) lesbo

2 dike v padota, pengertää

dilapidated [dəˈlæpəˌdeɪtəd] adj ränsistynyt, rähjäinen, nuhruinen

dilate [daɪleɪt] v laajentaa, laajentua, suurentaa, suurentua, paisuttaa, paisua your eyes are dilated silmäteräsi ovat laajentuneet

dilation [daɪˈleɪʃən] s laajeneminen, suureneminen, paisuminen

dilemma [dəˈlemə] s pulmatilanne, vaikea valinta

diligence [dɪləˌdʒəns] s ahkeruus, uutteruus

diligent [dɪləˌdʒənt] adj ahkera, uuttera; huolellinen

dilute [dəˈlut] v laimentaa, vesittää (myös kuv)

dim [dɪm] v himmentää, himmentyä, hämärtää, hämärtyä adj 1 himmeä, hämärä (valo, näkö, muisto) 2 (ark) tyhmä, hidasjärkinen

dime [daɪm] s kymmenen centin kolikko they are a dime a dozen ne ovat tusinatavaraa

dimension [dəˈmenʃən] s 1 ulottuvuus the fourth dimension neljäs ulottuvuus 2 (myös mon) mitta, ulottuvuus 3 (mon, kuv) laajuus, ulottuvuus the dimensions of the problem ongelman laajuus

dimensional adj -ulotteinen a three-dimensional movie kolmiulotteinen elokuva

diminish [dəˈmɪnɪʃ] v vähentää, vähentyä, (hinta, innostus) laskea, (mahdollisuudet) heiketä

diminished adj vähentynyt, supistunut, heikentynyt, laskenut

diminutive [dɪˈmɪnjəˌtɪv] s (kieliopissa) deminutiivi, diminutiivi (esim sanasta drop (pisara) johdettu droplet (pieni pisara) adj hyvin pieni

dimly adv (nähdä, muistaa) hämärästi, himmeästi, (nähdä, näkyä, kuulla) heikosti

dimple [dɪmpəl] s hymykuoppa, (leuassa) pieni kuoppa

dim-witted [ˌdɪmˈwɪtəd] adj tyhmä, heikkoälyinen

1 din [dɪn] s melu, meteli, mekastus

2 din v nakuttaa, mekastaa, pitää meteliä

dine [daɪn] v syödä, aterioida, ruokailla

diner [daɪnər] s 1 ruokailija, ravintola-asiakas 2 ravintolavaunu 3 ruokabaari (joskus junanvaunun kaltainen)

dinghy [dɪŋi] s pieni (soutu)vene

dinginess [dɪndʒɪnəs] s sottaisuus, ränsistyneisyys

dingy [dɪndʒi] adj sottainen, siivoton, ränsistynyt

dinner [dɪnər] s 1 päivällinen 2 juhla-ateria

dinner jacket s smokki

dinosaur [ˈdaɪnəˌsɔr] s dinosaurus

diocese [ˈdaɪəˌsis] s hiippakunta

1 dip [dɪp] *s* **1** pulahdus, lyhyt uinti **2** kuoppa, syvennys **3** (ruoka) dippikastike

2 dip *v* **1** kastaa/työntää johonkin **2** pulahtaa veteen, käväistä uimassa **3** pudota, (lämpötila, osakekurssi) laskea, (vene) sukeltaa

diphtheria [dɪpˈθɪəriə, dɪfˈθɪəriə] *s* kurkkumätä

diphthong [ˈdɪpθɑŋ, dɪfˈθɑŋ] *s* diftongi (esim [ou] sanassa *home* [houm])

diploma [dəˈpləʊmə] *s* diplomi, todistus, kunniakirja

diplomacy [dəˈpləʊməˌsi] *s* diplomatia (myös kuv:) tahdikkuus

diplomat [ˈdɪpləˌmæt] *s* diplomaatti (myös kuv)

diplomatic [ˌdɪpləˈmætɪk] *adj* diplomaattinen (myös kuv:) joustava, tahdikas

dire [daɪər] *adj* **1** hirvittävä, kamala **2** kova, paha (pula)

1 direct [dəˈrekt] *v* **1** suunnata, kohdistaa **2** ohjata, johtaa (työtä, yritystä) **3** ohjata, opastaa, neuvoa tie

2 direct *adj* **1** suora (tie, viiva, vaikutus, lento, lainaus, ihminen), välitön, suorasukainen **2** täydellinen (vastakohta)

direction [dəˈrekʃən] *s* **1** suunta (myös kuv) **2** (yritys)johto; johtaminen **3** (elokuvan) ohjaus **4** (mon) neuvot, ohjeet *can you give me directions to the school?* voisitko neuvoa miten pääsen koululle?

directive [dəˈrektɪv] *s* käsky, ohje, määräys

director [dəˈrektər] *s* **1** (yrityksen, laitoksen) johtaja **2** (elokuva)ohjaaja

directory [dəˈrektəri] *s* (yritys-, puhelin)luettelo

dire straits *to be in dire straits* olla ahtaalla, pahassa pulassa

dirt [dɜːrt] *s* **1** maa, multa; lika, pöly, kura; uloste; roska *a dirt road* hiekkatie **2** (kuv) ruma kieli, rumat puheet **3** *to do someone dirt* kohdella kaltoin, tehdä jollekulle pahaa

dirty *v* liata (kätensä, myös kuv), tahrata (maine) *adj* **1** likainen, kurainen **2** kurja (ilma); likainen, harmaa (väri) **3** likainen (mielikuvitus, teko, temppu), rivo (vitsi, sana, kieli)

disability [ˌdɪsəˈbɪləti] *s* vamma, (työ)kyvyttömyys

disable [dɪsˈeɪbəl] *v* **1** vammauttaa, tehdä työkyvyttömäksi **2** tuhota, lamaannuttaa, tehdä toimintakyvyttömäksi **3** tehdä/osoittaa jäiviksi **4** passivoida

disabled [dɪsˈeɪbəld] *s* vammainen *adj* **1** vammainen **2** jäävi

disablement *s* **1** vamma **2** tuhoaminen, lamauttaminen

disadvantage [ˌdɪsədˈvæntədʒ] *s* haitta, huono puoli, hankaluus

disadvantaged *s: the disadvantaged* vähäosaiset *adj* vähäosainen

disadvantageous [ˌdɪsˌædvænˈteɪdʒəs] *adj* haitallinen, epäedullinen

disagree [ˌdɪsəˈɡriː] *v* **1** olla eri mieltä (with) **2** riidellä, kinata **3** poiketa toisistaan, ei olla yhtäpitävät, ei täsmätä **4** (ruoka, ilmasto) ei sopia jollekulle

disagreeable *adj* epämiellyttävä, vastenmielinen, pahantuulinen

disagreement *s* **1** erimielisyys **2** riita, kina **3** erilaisuus, eroavuus, ristiriita

disappear [ˌdɪsəˈpɪər] *v* kadota, hävitä, lakata

disappearance [ˌdɪsəˈpɪrəns] *s* katoaminen, häviäminen, lakkaaminen

disappoint [ˌdɪsəˈpɔɪnt] *v* **1** tuottaa jollekulle pettymys **2** murskata, lannistaa, tehdä tyhjäksi (toive, aie)

disappointed *adj* pettynyt (ihminen), rauennut (toive)

disappointing *adj* huono, valitettava *the outcome was disappointing* lopputulos oli pettymys

disappointment *s* pettymys

disapproval *s* paheksunta

disapprove of [ˌdɪsəˈpruːv] *v* paheksua, ei hyväksyä

disarm [dɪsˈɑːrm] *v* **1** riisua aseista (myös kuv) **2** vähentää aseistusta, harjoittaa aseistariisuntaa

disarmament [dɪsˈɑːrməmənt] *s* aseistariisunta

1 disarray [ˌdɪsəˈreɪ] *s* epäjärjestys, sekasotku

2 disarray *v* sotkea, panna sekaisin

disaster [dɪˈzæstər] *s* (luonnon)mullistus, katastrofi (myös kuv) *he is a disaster* (ark) hän on toivoton tapaus

disastrous [dɪˈzæstrəs] *adj* katastrofaalinen (myös kuv)

disband [dɪsˈbænd] *v* lakkauttaa (järjestö), lopettaa toimintansa, (ihmisjoukko, järjestö) hajaantua

disbelief [ˌdɪsbəˈliːf] *s* epäusko, epäily *suspension of disbelief* (romaanissa, elokuvassa) tarinaan eläytyminen

disbelieve [ˌdɪsbəˈliːv] *v* ei (voida) uskoa

disc [dɪsk] *s* 1 äänilevy *Compact Disc* cd-levy 2 (tietokoneen muisti)levy, levyke 3 (selkänikamien) välilevy 4 levy, laatta

discard [dɪsˈkɑːd] *v* hylätä, heittää menemään

discern [dɪˈsɜːn] *v* erottaa, nähdä, huomata

discernible *adj* jonka voi huomata, (silmin) nähtävä, (korvin) kuultava *the difference is hardly discernible* eroa tuskin huomaa

discharge [dɪsˈtʃɑːdʒ] *s* 1 erottaminen, vapautus, (kuorman) purku, (tehtävän) hoito 2 erite, päästö

discharge [dɪsˈtʃɑːdʒ] *v* 1 erottaa (työntekijä), vapauttaa (vanki), päästää (potilaat/lapset) sairaalasta/kotiin, vapauttaa (tehtävästä, velvollisuudesta) 2 erittää, erittyä, purkautua 3 laukaista (ase) 4 suorittaa, tehdä, toimittaa (tehtävänsä, velvollisuutensa) 5 purkaa (lasti)

disciple [dɪˈsaɪpəl] *s* opetuslapsi (myös kuv), oppilas

disciplinarian [ˌdɪsəpləˈneəriən] *s* kova kurinpitäjä

disciplinary [ˈdɪsəpləˌneri] *adj* kurinpito-

1 discipline [ˈdɪsəplən] *s* 1 kuri, kurinpito, kurinalaisuus, järjestys 2 rangaistus, kuritus 3 opinala, tieteen haara

2 discipline *v* 1 kurittaa, rangaista 2 opettaa, valmentaa 3 hillitä (tunteet)

disclaim [dɪsˈkleɪm] *v* kieltää, kiistää (vastuu)

disclose [dɪsˈkləʊz] *v* paljastaa, tuoda julki/ilmi

disclosure [dɪsˈkləʊʒər] *s* paljastus

disco [ˈdɪskəʊ] *s* disko

discolor [dɪsˈkʌlər] *v* muuttaa jonkin väriä, pilata jonkin väri, värjääntyä, (väri) muuttua, haalistua

discomfort [dɪsˈkʌmfərt] *s* epämukavuus, kiusallisuus, vaiva

disconcert [ˌdɪskənˈsɜːt] *v* järkyttää, saattaa pois tolaltaan

disconcerting *adj* järkyttävä

disconnect [ˌdɪskəˈnekt] *v* irrottaa (johto, toisistaan), katkaista (yhteys, puhelu)

disconnected *adj* 1 katkonainen, pätkivä 2 hajanainen, epäyhtenäinen

disconsolate [dɪsˈkɒnsələt] *adj* lohduton, toivoton, synkkä

discontent [ˌdɪskənˈtent] *s* tyytymättömyys

discontented *s* tyytymätön

discontinue [ˌdɪskənˈtɪnjuː] *v* lakata, lakkauttaa (lehden tilaus, tuotteen valmistus)

discord [ˈdɪskɔːd] *s* 1 epäsopu 2 (mus ja kuv) riitasointu

discordant [dɪsˈkɔːdənt] *adj* epäsopuinen

discotheque [ˈdɪskəˌtek] *s* diskoteekki

discount [dɪsˈkaʊnt] *v* alentaa (hintaa), antaa alennusta

discount [dɪsˈkaʊnt] *s* alennus

discourage [dɪsˈkʌrɪdʒ] *v* 1 lannistaa 2 varoittaa, kehottaa jotakuta luopumaan jostakin aikeisesta *Mary discouraged Jim from going there alone* Mary sai Jimin uskomaan ettei tämän kannattanut mennä sinne yksin 3 torjua (yritys, ylistys), estää, ei kannustaa/rohkaista

discouragement *s* 1 lannistus, masennus 2 varoitus, kehotus olla tekemättä jotakin 3 torjunta, estäminen

discouraging *adj* 1 lannistava, masentava 2 varoittava 3 torjuva, ei kannustava

discourse [ˈdɪskɔːs] *v* keskustella, puhua jostakin, pohtia jotakin

discourse [ˈdɪskɔːs] *s* keskustelu, pohdinta, puhe, diskurssi

discourteous [dɪsˈkɜːtiəs] *adj* epäkohtelias

discourtesy [dɪsˈkɜːtəsi] *s* epäkohteliaisuus

discover [dɪsˈkʌvər] *v* saada/päästä selville, havaita, löytää (uutta)

discoverer *s* löytäjä

discovery [dɪsˈkʌvəri] *s* löytö

1 discredit [dɪsˈkredət] *s* häpeä, huono maine/huuto

2 discredit *v* 1 lyödä lyttyyn; saattaa huonoon maineeseen/huutoon/häpeään 2 ei uskoa 3 kumota, todistaa perättömäksi

discreet 740

discreet [dɪsˈkriːt] *adj* hienovarainen, hienotunteinen, tahdikas

discrepancy [dɪsˈkrepənsɪ] *s* ero, ristiriita

discrete [dɪsˈkriːt] *adj* erillinen, erillisosista koostuva

discretion [dɪsˈkreʃən] *s* **1** hienovaraisuus, hienotunteisuus, tahdikkuus **2** valinnanvapaus *you can come and go at your (own) discretion* saat tulla ja mennä aivan vapaasti/oman mielesi mukaan

discriminate [dɪsˈkrɪmə‚neɪt] *v* (osata) erottaa (toisistaan)

discriminate against *v* syrjiä

discriminating *adj* vaativa, tarkka, tarkkanäköinen, hieno (maku)

discrimination [dɪsˌkrɪmə‚neɪʃən] *s* **1** syrjintä *racial discrimination* rotusyrjintä, rotusorto **2** erottaminen (toisistaan) **3** tarkkanäköisyys

discus [ˈdɪskəs] *s* (urh) kiekko

discuss [dɪsˈkʌs] *v* keskustella, puhua, neuvotella jostakin, käsitellä

discussion [dɪsˈkʌʃən] *s* keskustelu, neuvottelu

1 disdain [dɪsˈdeɪn] *s* halveksunta, väheksyntä
2 disdain *v* halveksua, väheksyä

disdainful *adj* halveksiva, väheksyvä

disease [dɪˈziːz] *s* sairaus

diseased *adj* sairas

disembark [ˌdɪsəmˈbɑːk] *v* nousta laivasta/maihin, poistua lentokoneesta, purkaa laivasta/lentokoneesta

disembarkation [ˌdɪsəmbɑːˈkeɪʃən] *s* laivasta/lentokoneesta poistuminen/purkaminen

disengage [ˌdɪsənˈgeɪdʒ] *v* irrottaa, irrota

disentangle [ˌdɪsənˈtæŋgəl] *v* selvittää ((ongelma)vyyhti), setviä, ratkaista

disfigure [dɪsˈfɪgjər] *v* rumentaa, pilata, murjoa, vääristää

disfigurement *s* ruhjoutuminen, vääristyminen, vääristäminen

1 disgrace [dɪsˈgreɪs] *s* häpeä, häväistys
2 disgrace *v* häpäistä, saattaa häpeään, olla häpeäksi

disgraceful *adj* häpeällinen, surkea, törkeä

disgruntled [dɪsˈgrʌntəld] *adj* tyytymätön, katkera, kaunaa kantava, pahantuulinen, pottuuntunut (ark)

1 disguise [dɪsˈkaɪz] *s* naamio, valepuku, veruke

2 disguise *v* naamioida, peittää, salata

1 disgust [dɪsˈkʌst] *s* kuvotus, ällötys, inho, vastenmielisyys

2 disgust *v* kuvottaa, ällöttää, inhottaa

disgusting *adj* kuvottava, ällöttävä, inhottava, vastenmielinen

dish [dɪʃ] *s* **1** kulho, (syvä) lautanen *dish antenna* lautasantenni **2** (mon) (ruoka-)astiat **3** ruokalaji **4** (sl) donna, hyvännäköinen nainen

dishearten [dɪsˈhɑːtən] *v* lannistaa, masentaa

disheveled [dɪˈʃevəld] *adj* siivoton, epäsiisti, nuhruinen

dishonest [dɪsˈɒnəst] *adj* epärehellinen, vilpillinen

1 dishonor [dɪsˈɒnər] *s* häpeä; loukkaus

2 dishonor *v* häpäistä; loukata

dishonorable *adj* **1** (teko, asia) häpeällinen **2** (ihminen) kunniaton

dishwasher [ˈdɪʃˌwɒʃər] *s* **1** astianpesijä, tiskaaja **2** astianpesukone

disillusion [ˌdɪsəˈluːʒən] *v* saada pettymään/toiveet raukeamaan

disillusionment *s* pettymys, toiveiden raukeaminen

disinfect [ˌdɪsənˈfekt] *v* desinfioida

disinfectant [ˌdɪsənˈfektənt] *s* desinfiointiaine

disinherit [ˌdɪsənˈherət] *v* tehdä perinnöttömäksi

disintegrate [dɪsˈɪntə‚greɪt] *v* hajottaa, hajota, pirstoa, pirstoutua

disintegration [dɪsˌɪntə‚greɪʃən] *s* hajoaminen, hajottaminen, pirstominen, pirstoutuminen

disinter [ˌdɪsənˈtər] *v* kaivaa (ruumis) haudasta

disinterested [dɪsˈɪntrəstəd] *adj* **1** puolueeton **2** ei kiinnostunut, pitkästynyt

disinterment *s* haudasta kaivaminen

disjointed [dɪsˈdʒɔɪntəd] *adj* katkonainen, pätkivä, epäyhtenäinen, hajanainen

diskette [dɪsˈket] *s* (tietok) levyke, disketti

1 dislike [dɪsˈlaɪk] *s* vastenmielisyys, vastahakoisuus

2 dislike *v* ei pitää jostakin

dislocate ['dɪsləʊˌkeɪt, 'dɪsləkeɪt] v siirtää; panna pois sijoiltaan; (kuv) sekoittaa, panna sekaisin

dislocation [ˌdɪslə'keɪʃən] s siirto, siirtyminen, muutto; sijoiltaanmeno; (kuv) myllerrys

dislodge [dɪs'lɑdʒ] v **1** irrottaa **2** pakottaa perääntymään

disloyal [dɪs'lɔɪəl] adj epäluotettava, petollinen, epälojaali

disloyalty s epäluotettavuus, petollisuus, epälojaalisuus

dismal [dɪzməl] adj synkkä, surullinen, apea; surkea, täydellinen (epäonnistuminen)

dismantle [dɪs'mæntəl] v purkaa, hajottaa osiin

1 dismay [dɪs'meɪ] s tyrmistys

2 dismay v tyrmistyttää, saada tyrmistymään

dismember [dɪs'membər] v **1** raadella/leikellä paloiksi, silpoa **2** (kuv) hajottaa, pirstoa, lakkauttaa

dismiss [dɪs'mɪs] v **1** erottaa (työntekijä) **2** päästää menemään, lopettaa (kokous) *class dismissed!* tunti on päättynyt! **3** vähätellä, sivuuttaa (epäolennaisena) **4** (lak) vapauttaa (syytetty), hylätä (kanne, muutoksenhakemus)

dismissal s **1** erottaminen (työstä) **2** (jonkun) päästäminen (menemään), (kokouksen) lopetus **3** vähättely, sivuuttaminen **4** (lak) (syytetyn) vapautus, (kanteen, muutoksenhakemuksen) hylkääminen *Your Honor, I move for dismissal* (tuomarille): pyydän että kanne hylätään

dismissive adj vähättelevä, piittaamaton

dismount [dɪs'maʊnt] v laskeutua (satulasta)

disobedience [ˌdɪsə'biːdɪəns] s tottelemattomuus

disobedient adj tottelematon

disobey [ˌdɪsə'beɪ] v ei totella, rikkoa (lakia)

1 disorder [dɪs'ɔːrdər] s **1** epäjärjestys, sekaannus **2** levottomuus, mellakka **3** (lääk) häiriö, vaiva

2 disorder v sekoittaa, sotkea, panna epäjärjestykseen

disordered adj **1** sekainen, sotkuinen, sekava, hajanainen **2** (lääk) (ruumiillisesti) sairas, (henkisesti) häiriintynyt

disown [dɪs'oʊn] v kieltää (tuntevansa, omistavansa) *he disowned his heirs* hän jätti perillisensä ilman perintöä

disparate [dɪspərət] adj erilainen, ei vertailukelpoinen

disparity [dɪs'perəti] s erilaisuus, ero

dispassion [dɪs'pæʃən] s objektiivisuus, puolueettomuus, asiallisuus

dispassionate [dɪs'pæʃənət] adj objektiivinen, puolueeton, asiallinen

1 dispatch [dɪs'pætʃ] s **1** lähettäminen **2** viesti, sanoma, (lehti)uutinen **3** ripeys, nopeus

2 dispatch v **1** lähettää (matkaan, sähke, joukkoja) **2** hoitaa (nopeasti/ripeästi) **3** surmata, tappaa

dispel [dɪs'pel] v hälventää (sumu, väärinkäsitys, huhu, luulo)

dispensary [dɪs'pensəri] s **1** sairaalan lääkevarasto, (myymälän) apteekkiosasto **2** paikka jossa annetaan ilmaista/halpaa sairaanhoitoa ja lääkkeitä

dispensation [ˌdɪspən'seɪʃən] s **1** jakaminen, jakelu, (lääkkeen valmistus ja) myynti **2** erivapaus

dispense [dɪs'pens] v **1** jakaa (neuvoja, oikeutta) **2** myydä (lääkkeitä) **3** vapauttaa joku jostakin, myöntää erivapaus

dispense with v **1** jättää väliin, hypätä yli **2** hankkiutua eroon jostakin, luopua jostakin **3** vapauttaa jostakin, myöntää erivapaus jostakin

displace [dɪs'pleɪs] v **1** (pakko)siirtää, (virasta) erottaa, syrjäyttää **2** korvata (jollakin)

1 display [dɪs'pleɪ] s **1** (tunteiden) paljastaminen, näyttäminen, (omaisuudella) komeilu, (rohkeuden) osoittaminen **2** näyttely, myynti, esitys **3** näyttö (ruutu) *visual display terminal* näyttöpääte

2 display v **1** näyttää (tietokoneen näytössä, kykynsä), osoittaa (kiinnostusta) **2** panna nähtäväksi/näytteille, esitellä **3** komeilla, mahtailla (jollakin)

displease [dɪs'pliːz] v ärsyttää, harmittaa, suututtaa, ei olla mieleen jollekulle

displeasure [dɪs'pleʒər] s mielipaha, ärtymys, kiukku

disposable 742

disposable [dɪs'pəuzəbəl] *adj* **1** kertakäyttöinen **2** käytettävissä oleva

disposal [dɪs'pəuzəl] *s* **1** jostakin eroon hankkiutuminen *waste disposal* jätehuolto **2** käyttö: *I am at your disposal* olen käytettävissäsi/palveluksessasi

dispose of [dɪs'pəuz] *v* heittää menemään, hankkiutua eroon jostakin

disposition [ˌdɪspə'zɪʃən] *s* **1** mielenlaatu **2** (syytetyn/todistajan) lausunto

dispossess [ˌdɪspə'zes] *v* **1** takavarikoida **2** luopua, hylätä **3** häätää

dispossessed *adj* **1** häädetty, koditon **2** juureton, irtolais- **3** (kuv) juureton, koditon

dispossession [ˌdɪspə'zeʃən] *s* **1** takavarikointi **2** luopuminen **3** häätö

disproportionate [ˌdɪsprə'pɔːʃənət] *adj* kohtuuton *his income is disproportionate to the amount of work he does* hänen tulonsa eivät ole missään suhteessa hänen työmääräänsä

disprove [dɪs'pruːv] *v* kumota, todistaa vääräksi/perättömäksi

disputable [dɪs'pjuːtəbəl] *adj* kiistanalainen, epävarma

1 dispute [dɪs'pjuːt] *s* riita, kiista

2 dispute *v* **1** kiistää, kieltää, väittää perättömäksi/vääräksi **2** kiistellä, riidellä

disqualification [dɪsˌkwalɔfə'keɪʃən] *s* **1** poissulkeminen, evääminen **2** poissulkemisen, eväämisen syy **3** (urh) kilpailukielto, kilpailusta erottaminen, diskvalifiointi

disqualify [dɪs'kwalɔˌfaɪ] *v* **1** tehdä kelvottomaksi johonkin, sulkea pois jostakin **2** kieltää tekemästä jotakin, evätä oikeus johonkin, julistaa jäävi **3** (urh) erottaa kilpailusta, kieltää kilpailemasta, diskvalifioida

1 disquiet [dɪs'kwaɪət] *s* levottomuus, jännitys, ahdistus

2 disquiet *v* ahdistaa, hermostuttaa, tehdä levottomaksi

disquieting *adj* ahdistava, hermostuttava, levottomuutta herättävä

1 disregard [ˌdɪsrə'gaːd] *s* piittaamattomuus, välinpitämättömyys, ylenkatse

2 disregard *v* ei piitata/välittää/ottaa huomioon, halveksia

disrepair [ˌdɪsrə'peər] *s* ränsistyneisyys, epäkunto

disreputable [dɪs'repjətəbəl] *adj* huonomaineinen, pahamaineinen; siivoton

disrepute [ˌdɪsrə'pjuːt] *s* huono/paha maine

disrespect [ˌdɪsrə'spekt] *s* kunnioituksen puute, epäkunnioitus, halveksunta

disrespectful *adj* epäkunnioittava, halveksuva

disrupt [dɪs'rʌpt] *v* keskeyttää, häiritä, sekoittaa, panna sekaisin

disruption [dɪs'rʌpʃən] *s* keskeytys, häiriö

dissatisfaction [ˌdɪssætɪs'fækʃən] *s* tyytymättömyys

dissatisfy [dɪs'sætɪsˌfaɪ] *v* tehdä tyytymättömäksi, ei tyydyttää *she was dissatisfied with the results* hän ei ollut tyytyväinen tuloksiin

dissect [dɪ'sekt daɪ'sekt] *v* **1** tutkia (leikkaamalla) eläimen ruumis, tehdä (ihmisen ruumiille) ruumiinavaus, preparoida (kasvi) **2** (kuv) tutkia tarkkaan

dissection [dɪ'sekʃən daɪ'sekʃən] *s* (eläimen) ruumiin tutkiminen (leikkaamalla), ruumiinavaus, preparointi

disseminate [dɪ'semə,neɪt] *v* levittää (tietoa)

dissemination [dɪˌsemə'neɪʃən] *s* (tiedon-) välitys, levitys

dissension [dɪ'senʃən] *s* erimielisyys, riita, kiista, levottomuus, tyytymättömyys

1 dissent [dɪ'sent] *s* erimielisyys, (usk) eriuskoisuus

2 dissent *v* olla eri mieltä kuin (from)

dissertation [ˌdɪsə'teɪʃən] *s* **1** (tieteellinen) esitelmä; kirjoitus **2** (tohtorin)väitöskirja

dissident [dɪsədənt] *s* toisinajattelija, (usk) eriuskoinen *adj* toisinajatteleva, hallitusta arvosteleva/vastustava

dissimilar [dɪ'sɪmələr] *adj* erilainen, poikkeava

dissimilarity [dɪˌsɪmə'lerəti] *s* ero, erilaisuus, poikkeavuus

dissociate [dɪ'səusiˌeɪt] *v* **1** erottaa, pitää erillään **2** *to dissociate yourself from* katkaista välinsä johonkin, pyrkiä eroon jostakin, luoda etäisyyttä johonkin

dissociation [dɪˌsousɪˈeɪʃən] s erottaminen, erillään pitäminen, eroon hakeutuminen

dissolution [ˌdɪsəˈluʃən] s 1 sulaminen, liukeneminen 2 hajottaminen, hajautuminen, purkaminen

1 dissolve [dɪˈzalv] s (elo-/videokuvauksessa) häivytys

2 dissolve v 1 sulaa, sulattaa, liueta, liuottaa 2 purkaa (avioliitto), hajottaa (kokous, eduskunta), hajaantua 3 (elo-/videokuvauksessa) häivyttää

dissolvent [dɪˈzalvənt] s liuote adj liuottava

dissuade [dɪsˈweɪd] v varoittaa jostakin jostakin, (yrittää) suostutella joku luopumaan jostakin

dissuasion [dɪsˈweɪʒən] s varoittelu, suostuttelu (ks dissuade)

distance [ˈdɪstəns] s etäisyys, välimatka

distant [ˈdɪstənt] adj 1 kaukainen, etäinen he came in a distant second hän tuli toiseksi pitkin välimatkan päässä voittajasta 2 viileä, umpimielinen

distantly adv kaukaisesti, etäisesti, distantly related etäistä sukua

distaste [dɪsˈteɪst] s vastenmielisyys, vastahakoisuus

distasteful adj vastenmielinen

distend [dɪsˈtend] v paisuttaa, turvottaa, laajentaa (verisuonia)

distended [dɪsˈtendəd] adj pullistunut, paisunut, turvonnut

distension [dɪsˈtenʃən] s paisuminen, turvotus

distill [dɪsˈtɪl] v 1 tislata, polttaa (viinaa) 2 (kuv) tiivistää, tiivistyä, kiteyttää, kiteytyä

distillation [ˌdɪstəˈleɪʃən] s 1 tislaus, (viinan) poltto 2 tisle 3 (kuv) tiivistäminen, kiteytys; tiivistelmä

distiller s tislaaja, tislaamo, (viinan)polttimo/polttaja

distinct [dɪsˈtɪŋkt] adj 1 erilainen, erillinen 2 selvä 3 omaperäinen

distinction [dɪsˈtɪŋkʃən] s 1 ero, erilaisuus, (toisistaan) erottaminen 2 korkea arvo, ylhäisyys 3 erikoispiirre, ominaisuus he has the distinction of being the fastest in the group hänellä on kunnia olla ryhmän no-

pein 4 erinomainen arvosana to graduate with distinction valmistua erinomaisin arvosanoin

distinctive adj 1 josta ei voi erehtyä, huomiota herättävä 2 yksilöllinen, omaperäinen, jollekulle/jollekin luonteenomainen, tyypillinen

distinguish [dɪsˈtɪŋwɪʃ] v 1 erottaa (toisistaan, jostakin) 2 to distinguish yourself ansioitua, kunnostautua

distinguishable adj 1 jotka voidaan erottaa toisistaan they are easily distinguishable heidät on helppo erottaa (toisistaan) 2 selvä, selvästi näkyvä, merkittävä (pa rannus)

distinguished adj 1 ansioitunut, arvovaltainen 2 hienostunut, kultivoitunut

distort [dɪsˈtɔrt] v vääristää (myös sanoja, tosiasioita), vääristyä, värittää (kuv: totuutta)

distortion [dɪsˈtɔrʃən] s vääristäminen, vääristys, vääristymä, värittäminen (kuv), (äänentoistossa:) särö

distract [dɪsˈtrækt] v häiritä (keskittymistä), viedä huomio pois jostakin (from)

distraction [dɪsˈtrækʃən] s 1 häiriö, häiritsevä seikka 2 hermostuneisuus, levottomuus to drive someone to distraction (kuv) tehdä joku hulluksi 3 huvitus, viihde

distraught [dɪsˈtrat] adj järkyttynyt, poissa tolaltaan

1 distress [dɪsˈtres] s 1 hätä, ahdistus, murhe, epätoivo 2 puute, kurjuus, köyhyys

2 distress v ahdistaa, saada hätääntymään/epätoivoiseksi

distressed adj 1 ahdistunut, hätääntynyt, epätoivoinen 2 köyhä, varaton

distressing adj valitettava, huolestuttava, pelottava

distribute [dɪsˈtrɪbjut] v jakaa, levittää

distribution [ˌdɪstrəˈbjuˈən] s jakelu, levitys, jakauma

distributor [dɪsˈtrɪbjətər] s 1 jakaja, levittäjä 2 tukkuliike, maahantuoja 3 (autossa) virranjakaja

district [ˈdɪstrɪkt] s 1 (hallinto)alue 2 alue the theater district Manhattanin teatterialue *school district* koulupiiri **3** (UK: kreivikunnan osa) piirikunta

1 distrust [‚dɪs'trʌst] *s* epäluottamus, epäily

2 distrust *v* ei luottaa johonkin/johonkuhun, epäillä, suhtautua epäillen

distrustful *adj* epäluuloinen, epäilevä

disturb [dɪs'tɜːb] *v* häiritä, keskeyttää

disturbance *s* häiriö, keskeytys

disuse [dɪs'juːs] *s* käytön puute *to fall into disuse* jäädä pois käytöstä

1 ditch [dɪtʃ] *s* oja

2 ditch *v* heittää menemään, hylätä, luopua, karata joukon luota, katkaista välinsä johonkuhun

dither [dɪðər] *v* empiä, jahkailla

1 ditto [dɪtəu] *s* (sprii)moniste

2 ditto *adv* samoin, kuten edellä/yllä

ditty [dɪtɪ] *s* loru; laulu

divan [də'væn] *s* divaani, sohva

1 dive [daɪv] *s* **1** sukellus (veteen, vedessä, myös lentokoneesta), hyppy **2** äkillinen (osakehintojen) lasku

2 dive *v* dived/dove, dived **1** sukeltaa (veteen, vedessä, myös lentokoneesta ja kuv), hypätä **2** työntää (käsi taskuun) **3** ampaista, pinkaista jonnekin

diver *s* **1** sukeltaja **2** kuikka

diverge [dɪ'vɜːdʒ] *v* poiketa (toisistaan), erota

diverse [dɪ'vɜːs] *adj* erilainen, sekalainen, kirjava

diversify [dɪ'vɜːsə‚faɪ] *v* monipuolistaa, laajentaa (harrastuksia, liiketoimintaa)

diversion [dɪ'vɜːʒən] *s* **1** ohjaaminen uuteen tarkoitukseen *the diversion of funds into charity* varojen käyttö hyväntekeväisyyteen **2** ajanviete, huvitus **3** harhautus

diversity [dɪ'vɜːsəti] *s* vaihtelu, moninaisuus, kirjavuus

divert [dɪ'vɜːt] *v* **1** ohjata (keskustelu/huomio) pois jostakin, ohjata/määrätä (varoja) uuteen tarkoitukseen **2** huvittaa, viihdyttää

1 divide [dɪ'vaɪd] *s* jakaja *the Continental Divide* Yhdysvaltain Kalliovuorten vedenjakaja

2 divide *v* jakaa (osiin, huomionsa, luku), jakautua

dividend ['dɪvə‚dend] *s* osinko, (kuv) korko

divine [dɪ'vaɪn] *v* ennustaa (tulevaisuutta) *adj* **1** jumalallinen **2** (kuv) jumalainen, taivaallinen

diviner *s* ennustaja

diving *s* sukellus *skin diving* vapaasukellus, peruisvälinesukellus *scuba diving* urheilusukellus, laitesukellus

divinity [dɪ'vɪnəti] *s* **1** jumaluus, jumalallisuus **2** jumaluusoppi, teologia

divisible [dɪ'vɪzəbəl] *adj* jaollinen (jollakin *by*)

division [dɪ'vɪʒən] *s* **1** jakaminen, jako **2** (mat) jakolasku **3** (yrityksen, viraston) osasto, (laatikon) lokero **4** tavujako **5** erimielisyys **6** (sot, urh) divisioona

divisive [dɪ'vaɪsɪv] *adj* erimielisyyttä aiheuttava

1 divorce [dɪ'vɔːs] *s* **1** avioero **2** (kuv) ero, pesänjako

2 divorce *v* **1** erota, ottaa avioero **2** (kuv) erota, katkaista välinsä johonkin

divulge [dɪ'vʌldʒ] *v* paljastaa (salaisuus)

dizzily *adv* **1** (kävellä) hoippuen **2** (kuv) (päätä) huimaavasti

dizziness *s* huimaus

dizzy [dɪzɪ] *adj* **1** *I feel dizzy* minua/päätäni huimaa **2** (kuv) (päätä) huimaava **3** (sl) tyhmä, aivoton

DJ *disck jockey* deejii, tiskijukka

DNA *deoxyribonucleic acid* DNA

1 do [duː] *s* **1** *the dos and don'ts of creative writing* luovan kirjoittamisen säännöt **2** (ark) kampaus

2 do *v* (I/you do, (s)he does, we/you/they do, I/you don't, (s)he doesn't, we/you/they don't, I/you/(s)he/we/you/they did/didn't, I have done) **1** tehdä (merkitys tulee usein substantiivista): *he did nothing to prevent it* hän ei tehnyt mitään sen estämiseksi *she did the dishes* hän pesi astiat/tiskasi *I have done some writing* minä olen kirjoittanut jonkin verran *he did well* hän pärjäsi hyvin *I was doing 70 when the cops got me* ajoin 70:tä kun poliisi pysäytti minut **2** voida *the patient is doing well* potilas voi/jaksaa hyvin **3** kelvata, menetellä *that will have to* *do* sen on pakko kelvata **4** saada valmiiksi *I'm done* minä olen valmis

3 do *apuv* **1** (kysymyslauseessa) *did you do it?* teitkö sinä sen? **2** (kieltolauseessa) *she did not do it* hän ei tehnyt sitä **3** (korostuksena) *you do understand it?* ymmärräthän sinä sen varmasti? **4** (liitekysymyksessä) *you took it, didn't you* otithan sinä sen? **5** (verbin toiston välttämiseksi) *sometimes it helps and sometimes it doesn't* joskus siitä on apua ja joskus ei **6** (vertailussa) *I make more money than he does* minä tienaan enemmän kuin hän

do away with *v* **1** lakkauttaa, lopettaa **2** tappaa

do by *v* kohdella *to do well by someone* kohdella jotakuta hyvin/reilusti

docile [dəsəl] *adj* säyseä, sävyisä

1 dock [dak] *s* **1** tokka, telakka *wet dock* satama-allas **2** laituri(paikka) **3** (oik) syytetyjen penkki

2 dock *v* **1** telakoida, (avaruusaluksista) telakoitua **2** lyhentää, leikata (myös kuv), typistää (häntää)

1 doctor [daktər] *s* lääkäri, tohtori (myös oppiarvona) *Doctor of Medicine/Philosophy* lääketieteen/filosofian tohtori

2 doctor *v* **1** tohtoroida, hoitaa **2** peukaloida, parannella (luvattomasti), väärentää

doctorate [daktərət] *s* tohtorin arvo

doctrinaire [,daktrə'neər] *adj* ahdasmielinen, epäkäytännöllinen, kiihkoileva

doctrine [daktrən] *s* oppi, doktriini

1 document [dakjəmənt] *s* asiakirja, dokumentti

2 document *v* dokumentoida, todistaa asiakirjoilla, varmentaa

documentary [,dakjə'mentəri] *s* dokumentti-ohjelma/elokuva *adj* dokumentaarinen, dokumentti-, todellisuuspohjainen

documentation [,dakjəmən'tei∫ən] *s* asiakirjat; (tietokoneen/ohjelman) käyttöohje ja tekniset tiedot, dokumentaatio

1 dodge [dad3] *s* **1** väistö(liike) **2** temppu, niksi

2 dodge *v* **1** väistää (isku, kysymys), vältellä, kierrellä **2** kiertää (lakia, määräyksiä, veroja)

dodger [dad3ər] *s* tax dodger* veronkiertäjä *draft dodger* kutsuntapinnari

DOE *Department of Energy* Yhdysvaltain energiaministeriö

does [dʌz] ks do

doesn't [dʌzənt] *does not* ks do

1 dog [dag] *s* **1** koira **2** (ark) kaveri *you're a lucky dog* sinulla kävi hyvä tuuri, sinun kelpaa olla

2 dog *v* seurata jonkun kannoilla, vainota

dog-eared *adj* **1** joka on koirankorvilla **2** nuhruinen, ränsistynyt

dogged [dagəd] *adj* jääräpäinen, härkäpäinen, omapäinen

doggedness *s* jääräpäisyys, härkäpäisyys, omapäisyys

doghouse ['dag,haus] *s* koirankoppi *in the doghouse* huonossa huudossa, häpeäpenkillä, epäsuosiossa

dog it *v* **1** laiskotella työssä, pinnata työstä **2** livistää, mennä sisu kaulaan

dogma [dagmə] *s* dogmi, opinkappale

dogmatic [dag'mætik] *adj* dogmaattinen, jyrkkä, ankara, joustamaton

dogmatism [damə,tızəm] *s* dogmatismi; dogmaattisuus, jyrkkyys, ankaruus

do in *v* **1** tappaa (myös kuv:) olla vähällä tappaa *I'm all done in* olen rättiväsynyt **2** huijata, pettää

doldrums [douldrəmz] *to be in the doldrums* olla masentunut, alakuloinen, allapäin

dole [doul] *s* **1** (hyväntekeväisyys)avustus **2** (UK) työttömyysavustus *to be on the dole* saada työttömyysavustusta

doleful *adj* apea, surullinen, alakuloinen, synkkä (ilme, näkymät)

dole out *v* jakaa (antaa)

doll [dal] *s* **1** nukke **2** (ark) (hyvännäköinen) donna

dollar [dalər] *s* dollari

doll up *v* pyntätä, pynttäytyä, sonnustaa, sonnustautua (parhaimpiinsa)

dolphin [dalfən] *s* delfiini

domain [dou'mem] *s* **1** ala, piiri, alue **2** hallintoalue, valtakunta **3** *mixing in the digital domain* (äänitteen tuotannossa) digitaalinen miksaus **4** (tietok) toimialue

dome [doum] *s* kupoli

domestic [də'mestik] s kotiapulainen adj kodin, koti- domestic pleasures kodin ilot

domestic animal s lemmikki(eläin); kotieläin

domesticate [də'mestə,keit] v 1 kesyttää (eläin, myös kuv ihmisestä) 2 omaksua, sovittaa omiin oloihin (ajatus, tapa)

dominance s johtoasema, ylivalta, vallitsevuus (myös biol)

dominant [dɑmənənt] adj hallitseva, vallitseva (myös biol)

dominate [dɑmə,neit] v hallita, vallita, johtaa

domineer [,dɑmə'niər] v määräillä, komennella

domineering [,dɑmə'niriŋ] adj määräilevä, komenteleva

dominion [də'minjən] s 1 valta 2 hallintoalue 3 (Ison-Britannian) dominio

dominoes [dɑmə,nouz] s (mon) domino(peli)

donate [douneit] v lahjoittaa (hyväntekeväisyyteen)

donation [dou'neiʃən] s lahjoitus (hyväntekeväisyyteen)

done [dʌn] ks do

donkey [dɑŋki] s aasi

donor [dounər] s lahjoittaja a blood donor verenluovuttaja

don't [dount] do not ks do

donut s donitsi, munkkirinkilä (doughnut)

1 doom [dum] s tuomio, kohtalo he met his doom last year hän kuoli viime vuonna a sense of doom kuolemanpelko

2 doom v tuomita I am doomed minä olen hukassa he was doomed to failure hänet oli tuomittu epäonnistumaan

doomsday [dumzdei] s tuomiopäivä

door [dɔr] s ovi (myös kuv:) tie the door to happiness onnen ovi

doorman [dɔrmən] s portieeri

doormat [dɔr,mæt] s 1 ovimatto to treat someone like a doormat (kuv) pyyhkiä jalkansa johonkuhun, kohdella jotakuta törkeästi 2 (tietok) tervehdyssivu

doorstep [dɔr,step] s kynnys

do out of v huijata joltakulta jotakin he did me out of all my money hän huijasi minulta kaikki rahani

do over v sisustaa, tehdä uudelleen

1 dope [doup] s 1 (ark) huumeet 2 (ark) typerys, idiootti 3 (ark) uutiset, tiedot

2 dope v huumata

dope pusher s huumekauppias, huumeiden välittäjä

dopey [doupi] adj 1 (ark) typerä, älytön 2 (ark) tokkurainen, pöpperöinen

dormant [dɔrmənt] adj uinuva, (eläin) talviunilla, (hanke) jäässä

dormitory [dɔrmə,tɔri] s 1 asuntola 2 makuusali

dosage [dousədʒ] s annos, annostus, annostelu

1 dose [dous] s annos

2 dose v 1 annostella 2 antaa/ottaa lääkettä

dossier [dɑsi'ei] s 1 (asiapaperi)kansio to keep a dossier on someone seurata (salaa) jonkun edesottamuksia 2 (yliopistossa) nimikirja(n ote)

1 dot [dat] s 1 täplä 2 piste

2 dot v täplittää (myös kuv) summer cottages dotted the landscape kesämökit täplittivät maisemaa

dotage [doutədʒ] s seniiliys, (ark) vanhuudenhöperyys

dot-com [,dat'kam] s Internet-yritys (myös dotcom)

dote on [dout] v hemmotella, lelliä

do to death fr toistaa jotakin kyllästymiseen saakka

1 double [dʌbəl] s 1 kaksinkertainen määrä, tupla-annos tms 2 kaksoisolento 3 sijaisnäyttelijä

2 double v 1 kaksinkertaistaa, kaksinkertaistua, (ark) tuplata, tuplaantua 2 esittää kaksoisroolia; toimia jonkun sijaisnäyttelijänä

3 double adj kaksinkertainen, kaksois-, tupla-, kahden hengen (huone, vuode)

4 double adv kaksinkertaisesti, (ark) tuplasti; kaksin verroin

double up v 1 jakaa huone, asua/nukkua samassa huoneessa (tilanpuutteen vuoksi) 2 taipua kaksin kerroin (tuskasta, naurusta)

doubly adv kaksinkertaisesti; kaksin verroin, erityisesti, varsinkin

1 doubt [daʊt] s epäily, epäilys *I have strong doubts about his sincerity* epäillen kovasti hänen vilpittömyyttään *no doubt he has already left* hän on epäilemättä jo lähtenyt

2 doubt v epäillä *I doubt whether this will work out* epäilen onnistuuko tämä

doubtful adj **1** epävarma **2** hämäräperäinen, kyseenalainen

doubtless adv epäilemättä

dough [dəʊ] s **1** taikina **2** (sl) raha

doughnut [dəʊnət] s donitsi, munkkirinkilä

do up v **1** kääriä paperiin **2** laittaa (tukka) **3** pukea, pyntätä **4** panna (napit) kiinni **5** väsyttää, uuvuttaa **6** pestä, siivota **7** kunnostaa, saneerata

douse [daʊs] v kastaa/upottaa veteen; valaa/kaataa vettä jonkin päälle

dove [dʌv] s **1** kyyhkynen **2** (kuv) pasifisti (vastakohta: *hawk*)

1 dovetail [dʌvteɪl] s (rak) pyrstöliitos

2 dovetail v **1** (rak) liittää pyrstöliitoksella **2** (kuv) sovittaa/sopia yhteen

do with v kelvata, tehdä mieli, olla hyvään tarpeeseen *I could do with a cup of coffee* kahvi kyllä maistuisi

do without v tulla toimeen ilman (jotakin)

1 down [daʊn] s **1** untuva **2** (tal) laskusuhdanne

2 down v **1** kaataa (vastustaja), ampua (lentokone) alas **2** (kuv) päihittää (vastustaja) **3** juoda, kaataa kurkkuunsa

3 down adv **1** alas *to go up and down* nousta ja laskea, liikkua ylös alas *the temperature has gone down* lämpötila on laskenut **2** (paikkakunnasta, alueesta: ei tarvitse suomentaa) *he went down to Phoenix* hän meni Phoenixiin **3** pitkäkseen, maassa, maahan *he knocked me down* hän iski minut kumoon **4** muistiin, ylös *I wrote down the address* kirjoitin osoitteen muistiin

4 down adj (tietok) kaatunut

5 down prep alas, alhaalla, pitkin *he lives down the street* hän asuu (tämän) saman kadun varrella

down-and-out adj **1** rahaton, taskut tyhjänä **2** rättiväsynyt, voimaton

downfall [daʊnfɔl] s **1** tuho, rappio **2** kaatosade

downhill [daʊnhɪl] adv alamäkeen *to go downhill* laskeutua; (kuv esim liikeyritys) mennä alamäkeen, (ihminen) joutua hunningolle

down-home adj koti-, maaseutu- *down-home cooking* kotiruoka

downloading s (tietok) imurointi

down payment s käsiraha

downplay [daʊnpleɪ] v vähätellä (merkitystä)

downpour [daʊnpɔr] s kaatosade

downright [daʊnraɪt] adj ilmiselvä *it's a downright lie* se on silkkaa valhetta adv suorastaan; erittäin

downsize [daʊnsaɪz] v pienentää *after the oil crises, American cars were downsized* öljykriisien jälkeen amerikkalaiset alkoivat valmistaa pienempiä autoja *companies are downsizing* yritykset karsivat työntekijöitä

downstairs [daʊnsteərz] adj alakerroksen, alakerran *the downstairs apartment* alakerran huoneisto adv alakerrassa, alakertaan, alhaalla, alas *he/come/go downstairs*

downtown [daʊntaʊn] s (kaupungin) keskusta adv keskustassa, keskustaan

down under s Australia adv Australiassa, Australiaan

downward [daʊnwərd] adj alaspäin suuntautuva (liike) *a downward thrust* alastyöntö adv (tilasta) alaspäin

dowry [daʊrɪ] s myötäjäiset

dowse [daʊz, daʊs] v **1** ks douse **2** etsiä (vesisuonia) taikavarvulla

1 doze [dəʊz] s torkut

2 doze v torkahtaa

dozen [dʌzən] s tusina *baker's dozen* kolmetoista

Dr. *Doctor* tri

drab [dræb] adj (kuv) tylsä, ikävä

1 draft [drɑːft] s **1** luonnos **2** (pankki) vekseli, asete, tratta **3** (sot) kutsunnat **4** (ilmavirtaus) veto **5** vetämiinen, veto **6** tynnyriolut

2 draft v **1** suunnitella, luonnostella **2** vetää (jotakin; myös ilmanvirtauksesta) **3** valita /kutsua sotilaspalvelukseen

drafty adj (huone ym) vetoisa, jossa vetää

1 drag [dræg] s **1** naara **2** ilmanvastus **3** (ark) pitkäveteinen/tylsä asia **4** (ark) (transvestiitti)miehen käyttämät naisten vaatteet *the men were in drag* miehet olivat pukeutuneet naisten vaatteisiin

2 drag *v* **1** naarata **2** kiskoa, vetää, laahata perässään **3** pitkittää, pitkittyä, (kuv) venyttää/venyä loputtomiin **4** (tietok) vetää *to drag a file into a folder* vetää tiedosto kansioon

drag and drop *fr* (tietok) vetää ja pudottaa (hiirellä)

drag in *v* (kuv) ottaa puheeksi, tuoda esille

dragnet ['dræg,net] *s* **1** (kal) laahusnuotta **2** (poliisin toimeenpanema) suuretsintä

dragon [dregɔn] *s* lohikäärme (myös kuv)

drag on *v* (tilaisuus) venyä/jatkua loputtomiin

dragonfly ['drægɔn,flaɪ] *s* (mon dragonflies) sudenkorento

drag out *v* pitkittää, venyttää (keskustelua, tilaisuutta)

1 drain [dreɪn] *s* **1** viemäri, viemäriputki, tyhjennysputki *to go down the drain* epäonnistua; mennä hukkaan **2** rasite, taakka

2 drain *v* **1** kuivata, kuivattaa, laskea vesi jostakin, (vesi) virrata jonnekin **2** uuvuttaa, viedä voimat

drainage [dreɪnɑdʒ] *s* **1** kuivaus, kuivatus, veden laskeminen/poistuminen jostakin **2** (lääk) dreenaus, drenaasi

drama [drɑmə] *s* **1** näytelmä, draama **2** näyttämötaide **3** (huomiota herättävä) tapahtuma

dramatic [drə'mætɪk] *adj* **1** näytelmä-; teatteri- **2** dramaattinen, jyrkkä, yhtäkkinen; jännittävä

dramatics *s* (verbi yksikössä tai mon) dramatiikka **2** (verbi mon) teatraalisuus

dramatist [dramətɪst] *s* näytelmäkirjailija

dramatize ['dramə,taɪz] *v* **1** dramatisoida, sovittaa näytelmäksi **2** liioitella, käyttäytyä teatraalisesti

dramedy [drɑmədi] *s* draaman ja komedian aineksia sisältävä televisio-ohjelma (sanoista *drama* ja *comedy*)

1 drape [dreɪp] *s* (mon) verhot

2 drape *v* **1** verhota, peittää/varustaa verhoilla **2** drapeerata, laskostaa

drastic [dræstɪk] *adj* yhtäkkinen, jyrkkä, raju *to take drastic measures* ryhtyä äärimmäisiin toimenpiteisiin

1 draw [drɑ] *s* **1** tasapeli, ratkaisematon lopputulos **2** (kuv) vetonaula

2 draw *v* drew, drawn **1** vetää, kiskoa **2** nostaa (vettä kaivosta) **3** piirtää **4** saada (innoitusta) **5** kerätä/saada (suuri yleisö) **6** kasvaa (korkoa)

draw ahead *v* ohittaa joku/jokin

draw away *v* **1** vetää pois jostakin **2** jättää taakseen, kasvattaa välimatkaa

drawback ['drɑ,bæk] *s* haitta, hankaluus, huono puoli

drawbridge ['drɑ,brɪdʒ] *s* nostosilta

draw down *v* kuluttaa/kulua loppuun, ehtyä

drawer [drɔr] *s* (lipaston, kirjoituspöydän) laatikko

draw in *v* sekaantua johonkin, puuttua johonkin

drawing [drɑɪŋ] *s* piirustus (työ/taide)

drawing room *s* olohuone; salonki

1 drawl [drɑːl] *s* hidas/leveä puhetapa

2 drawl *v* puhua hitaasti/leveästi

draw off *v* perääntyä jostakin, poistua

draw on *v* **1** lähestyä **2** käyttää (hyväkseen), nojautua johonkin, perustua johonkin, ammentaa (kokemuksestaan)

draw out *v* **1** vetää/ottaa esiin **2** saada joku puhumaan **3** pitkittää, venyttää **4** nostaa (rahaa pankista)

draw up *v* **1** laatia (laillinen asiakirja) **2** (auto) pysähtyä

1 dread [dred] *s* kauhu, pelko

2 dread *v* pelätä

dreadful *adj* **1** pelottava, kauhistuttava **2** (ark) hirvittävä(n huono), kamala(n huono)

1 dream [drim] *s* **1** uni (unennäkö) **2** unelma, haave

2 dream *v* dreamt/dreamed, dreamt/dreamed **1** nähdä unta jostakin **2** uneksia, unelmoida, haaveilla jostakin

dreamer *s* uneksija

dreamily *adv* haaveksivasti; uneliaasti

dreamlike *adj* unta muistuttava, unenomainen

dreamt [dremt] *ks* dream

dream up v keksiä, kyhätä kokoon (mielessään)

dreamy adj **1** haaveksiva, unelmiinsa vaipunut **2** unelias (ääni), rauhoittava (musiikki), pehmeä (väri) **3** ihastuttava, unelmien

dreariness s yksitoikkoisuus, pitkäveteisyys, ikävyys

dreary adj yksitoikkoinen, pitkäveteinen, ikävä

1 dredge [dredʒ] s ruoppaaja

2 dredge v ruopata

dredge up v (kuv) tonkia esiin, tuoda päivänvaloon (jotakin kielteistä)

dregs [dregz] s (mon) pohjasakka (myös kuv)

drench [drentʃ] v kastella läpimäräksi

1 dress [dres] s **1** (naisen) puku court dress kävelypuku maternity dress äitiyspuku **2** vaatteet; pukeutuminen

2 dress v pukea, pukeutua to get dressed pukeutua

dress down v **1** nuhdella, sättiä, moittia **2** hakata, antaa selkään

dresser s lipasto; astiakaappi

dressing s **1** pukeutuminen, pukeminen **2** (lääk) sidos **3** salaatinkastike

dress rehearsal [ˌdresriˈhɜːsəl] s (näytelmän) kenraaliharjoitus

dress shirt s frakkipaita

dress suit s frakki

dress up v **1** pukeutua parhaimpiinsa/hienosti **2** (kuv) koristella, kaunistella

drew [druː] ks draw

1 dribble [ˈdrɪbəl] s **1** (vesi)tippa **2** kuola

2 dribble v **1** (nesteestä) tippua, tihkua **2** (lapsi, koira) kuolata **3** kuljettaa (koripalloa)

dried [draɪd] v ks dry adj kuivatettu (hedelmä)

1 drift [drɪft] s **1** virtaus continental drift mannerliikunto **2** kinos, kasa **3** tuuliajo (myös kuv) **4** poikkeama (suunnasta, arvosta)

2 drift v **1** (tuuli) kuljettaa (lunta, hiekkaa, pilviä) **2** poiketa (suunnasta, arvosta) **3** olla tuuliajolla (myös kuv), vaeltaa, kiertää

drifter s irtolainen, maankiertäjä

1 drill [drɪl] s **1** pora, kaira **2** (sot) harjoittelu; sulkeiset **3** (koul) harjoitus

2 drill v **1** porata **2** (sot, koul) harjoittaa, opettaa

1 drink [drɪŋk] s **1** juoma, juotava **2** (alkoholista) ryyppy, lasillinen **3** ryyppääminen, juominen

2 drink v drank, drunk **1** juoda **2** juoda (alkoholia), ryypätä don't drink and drive jos juot, älä aja

drinkable adj juomakelpoinen, juotava

1 drip [drɪp] s **1** pisara **2** (lääk) infuusio, (ark) tiputus

2 drip v pisaroida, putoilla/tihkua pisaroina

1 drive [draɪv] s **1** (auto)matka, ajo it's a short drive from here se on lyhyen ajomatkan päässä **2** pihatie **3** vietti **4** tarmo, into, veto **5** hanke, kampanja (sot) hyökkäys **6** (auto) ohjaus left-hand drive vasemmanpuoleinen ohjaus **7** (auto) veto four-wheel drive neliypyörävcto **8** (golfissa) aloituslyönti

2 drive v drove, driven **1** ajaa (liikkeelle, pois jostakin) **2** ajaa (autoa) **3** ajaa/viedä autolla **4** käyttää, olla voimanlähteenä **5** tehdä joku jonkin, saattaa/ajaa johonkin tilaan that noise drives me nuts melu tekee minut hulluksi **6** panna joku koville

drive at v pyrkiä (puheissaan) johonkin, ajaa takaa jotakin

driven v ks drive adj **1** määrätietoinen, tarmokas, yritteliäs **2** pakkomielteinen

driver s **1** ajaja, ajuri, kuljettaja **2** (golf) puuykkönen **3** (tietok) ajuri, ohjain

driver's license s (US) ajokortti

drive someone to the wall 1 tehdä joku hulluksi **2** panna koville they drove him to the wall he panivat hänet ahtaalle/seinää vasten/lujille

driveway [ˈdraɪvˌweɪ] s pihatie

driving licence s (UK) ajokortti

1 drizzle [ˈdrɪzəl] s tihkusade

2 drizzle v sataa tihkuttaa

dromedary [ˈdrɒməˌderɪ] s (eläin) dromedaari, yksikyttyräinen kameli

1 drone [drəʊn] s **1** (koirasmehiläinen) kuhnuri **2** surina **3** yksitoikkoinen (puhe)ääni

2 drone v **1** surista **2** puhua yksitoikkoisella äänellä

drone on *v* jaaritella; venyä, jatkua loputtomiin

1 droop [drup] *s* kyyryasento

2 droop *v* 1 olla/seistä kyyryssä; roikkua, nuokkua **2** (kuv) herpaantua

1 drop [drap] *s* **1** pisara, tippa **2** korkeusero, pudotus, putoaminen; hyppy **3** (teatteri) esirippu

2 drop *v* **1** tihkua, pisaroida **2** pudottaa, pudota **3** hiljentää/madaltaa (ääntään) **4** jättää kyydistä/jonnekin **5** (hinta, lämpötila) laskea, pudota **6** sanoa ohimennen/vahingossa, lipsahtaa, vihjaista *to drop names/a hint* leuhkia (tuntemillaan) nimillä/vihjaista, antaa ymmärtää **7** kirjoittaa (kortti, lyhyt kirje) **8** jättää joku/jokin pois jostakin **9** *wait for the other shoe to drop* odottaa epämiellyttävää seurausta **10** (golfissa) dropata, pudottaa esim kentän ulkopuolelle joutunut pallo uudelleen kentälle käsivarsi suorana olkapäähän korkeudelta

drop behind *v* jäädä jälkeen toisista/jostakin

drop by *v* pistäytyä, piipahtaa

drop-by *s* pistäytyminen, piipahdus

drop ears *s* (mon) (koiran) luppakorvat

drop-in *s* yllätysvieras

droplet *s* (pieni) pisara

drop off *v* **1** nukahtaa **2** vähentyä, laskea

dropout *s* **1** (koulunkäynnin, kurssin) keskeyttäjä, (kilpailussa) luovuttaja **2** vaihtoehtoihminen

drop out *v* erota jostakin; jättää koulu(nkäynti) kesken; astua kyydistä (kuv)

drought [draut] *s* kuivuus

1 drove [drouv] *s* (eläin)lauma, (ihmis)parvi/joukko

2 drove *v* ks drive

drown [draun] *v* **1** hukkua, hukuttaa (myös kuv): *he drowned his sorrows in alcohol* hän hukutti surunsa viinaan **2** peittää alleen, tulvia

drown in *v* (kuv) hukkua johonkin, olla korviaan myöten jossakin

drowning *s* hukkuminen; hukkunut

drown out *v* (ääni) peittää, estää kuulumasta

drowse [drauz] *v* torkkua

drowsy *adj* uninen, unenpöpperöinen, unelias

1 drudge [drʌdʒ] *s* ahertaja, puurtaja, työmyyrä

2 drudge *v* ahertaa, uurastaa, puurtaa

drudgery *s* aherrus, uurastus

1 drug [drʌg] *s* **1** lääke **2** huume, huumausaine

2 drug *v* huumata

drugstore *s* drugstore (eräänlainen apteekkikimkalio)

1 drum [drʌm] *s* **1** (mus) rumpu **2** (öljy)tynnyri **3** (korvan) tärykalvo

2 drum *v* rummuttaa

drummer *s* rumpali *to march to a different drummer* kulkea omia polkujaan

drum out *v* erottaa

drumstick [drʌm͵stik] *s* **1** rumpupalikka, rumpukapula **2** kanankoipi (ruokana)

drum up *v* **1** hankkia (asiakkaita), yrittää saada (kannatusta), (kuv) lyödä rumpua jostakin/jonkin puolesta **2** keksiä, kehittää

1 drunk [drʌŋk] *s* humalainen; juoppo

2 drunk *v* ks drink

3 drunk *adj* juopunut, humalassa

drunken *adj* (ihminen) juopunut, humalassa; (tilaisuus) märkä, ryyppy-

dry [draɪ] *v* dried, dried: kuivata, kuivua *adj* kuiva (myös kuv) *I am dry* kurkkuani kuivaa, minulla on jano *dry town/country* paikkakunta/maa jossa alkoholin myynti(ä) on kielletty/rajoitettu

dry cleaning *s* kuivapesu, kemiallinen pesu

dryer *s* kuivain *hair dryer, clothes dryer* hiustenkuivain, (pyykin)kuivauskone, kuivausrumpu

dry out *v* **1** kuivata/kuivua (täysin) **2** panna (alkoholisti)/ruveta katkaisuhoitoon

dry spell [ˈdraɪ͵spel] *s* kuivan/sateeton kausi

dry up *v* **1** kuivata/kuivua (täysin) **2** loppua, lakata **3** (ark) vaieta, lakata puhumasta

DST *daylight saving time* kesäaika

dual [dʊəl] *adj* kaksois-, kaksi- *a personal computer with dual floppy drives* henkilökohtainen tietokone jossa on kaksi levykeasemaa

dual carriageway *s* (UK) kaksiajoratainen tie

dub [dʌb] v **1** jälkiäänittää (elokuva ym) **2** kopioida (äänite) **3** lyödä ritariksi tms **4** nimittää joksikin *they dubbed him a maestro* häntä alettiin kutsua maestroksi **5** sohaista, työntää

dubbing s (elokuvan ym) jälkiäänitys

dub in v lisätä äänitteeseen jotakin

dubious [dubiəs] adj **1** epäröivä, epävarma **2** kyseenalainen, hämäräperäinen

dub out v poistaa äänitteestä jotakin

duchess [dʌtʃəs] s herttuatar

duchy [dʌtʃi] s herttuakunta

1 duck [dʌk] s ankka

2 duck v **1** kyyristyä (äkkiä) **2** vetää päänsä veden alle, työntää joku hetkeksi veteen

duckling s ankanpoikanen *ugly duckling* ruma ankanpoikanen

duct [dʌkt] s **1** (anatomia) tiehyt, kanava **2** johdin, putki

dud [dʌd] s **1** fiasko, pannukakku **2** (ammus) suutari

dude s (ark) kaveri, jätkä, hemmo *hey, dude, what's up?* mitä jäbä, kuis huiskii?

1 due [du] s **1** (mon) (jäsen- tai muu) maksu **2** to give him his due, he did try hard täytyy myöntää että hän yritti kovasti

2 due adj **1** erääntynyt (maksu) **2** jollekulle kuuluva; määrä tehdä jotakin *when is the baby due?* mikä on laskettu synnytysaika? *you are due to leave here at ten* sinun on määrä lähteä tuolta kymmeneltä **3** asianmukainen, asiaan kuuluva *with all due respect* kaikella kunnioituksella *in due course/time* aikanaan **4** due to ks hakusanaa

3 due adv suoraan (johonkin suuntaan) *due south* kohti etelää

1 duel [duəl] s kaksintaistelu (myös kuv)

2 duel v osallistua kaksintaisteluun

duelist s kaksintaistelija

duet [du'et] s duetto

due to prep vuoksi, takia, tähden, johdosta *the concert was canceled due to the rain* konsertti peruutettiin sateen vuoksi

duke [duk] s herttua

dukedom [dukdəm] s **1** herttuan arvo **2** herttuakunta

dull [dʌl] v sumentaa (aisteja), hämärtää (muistia), tylsistyttää (terää, älyä), himmentää; vaimentaa (kipua, ääntä) adj **1** tylsä (terä) **2** hidasälyinen **3** pitkäveiteinen, tylsä, innoton **4** himmeä, haalea (väri ym), vaimea (ääni), pilvinen/harmaa (taivas)

duly [duli] adj asianmukaisesti, kuten odottaa saattaa; ajoissa

dumb [dʌm] adj **1** mykkä **2** (ark) tyhmä, typerä **3** (tietokone) tyhmä (vastakohta *intelligent*, älykäs)

dumbbell [dʌmbel] s käsipaino

dummy [dʌmi] s **1** vaatenukke, sovitusnukke **2** (kirjan tai muun esineen) malli, valekirja **3** (ark) typerys

1 dump [dʌmp] s **1** kaatopaikka **2** rähjäinen paikka (kaupunginosa, huone) **3** (tietok) vedos

2 dump v **1** heittää menemään, kaataa/panna jonnekin **2** hylätä, jättää (poika-/tyttöystävä) **3** myydä polkuhintaan, dumpata **4** (tietok) vedostaa

dumping s polkumyynti, dumppaus

dumping-ground s kaatopaikka

dumpling [dʌmpliŋ] s (ruuanlaitossa) myky, kokkare

dumpy [dʌmpi] adj tanakka, lyhyenläntä

dunce [dʌns] s typerys

dune [dun] s (hiekka)dyyni

dung [dʌŋ] s lanta

dungarees [ˌdʌŋgə'riz] s (mon) **1** (työ)haalarit **2** farkut

dungeon [dʌndʒən] s vankiluola

dunk [dʌŋk] v **1** kastaa, upottaa (ihminen veteen, pulla kahviin) **2** lyödä koripallo koriin

1 dupe [dup] s (ark) **1** huijauksen uhri **2** (dian/valokuvan) kaksoiskappale

2 dupe v huijata, pettää, vetää nenästä

duplicate [duplə,kət] s jäljennös, kopio, kaksoiskappale, moniste adj kaksois-, jäljennösnös-

duplicate [duplə,keit] v jäljentää, kopioida, monistaa

duplication [ˌduplə'keiʃən] s jäljentäminen, kopiointi, monistus

duplicator s monistuskone

durability [dərə'bɪlɪtɪ] s kestävyys

durable [dərəbəl] adj kestävä, pitkäikäinen

duration [də'reɪʃən] s (ajallinen) kesto

duress [də'res] s pakko

during [dərɪŋ] prep aikana, kuluessa

dusk [dʌsk] s iltahämärä

dusky adj **1** hämärä, pimeähkö **2** tummahoinen; tumma (väri)

1 dust [dʌst] s pöly

2 dust v pyyhkiä pölyt jostakin

duster [dʌstər] s **1** pölyriepu **2** siivoustakki

dust mop s moppi

dust off v **1** verestää vanhat taidot; ottaa uudestaan käyttöön **2** antaa selkään, hakata

dusty adj pölyinen

dutiful [dutəful] adj tunnollinen, velvollisuudentuntoinen, tottelevainen

duty [dutɪ] s **1** velvollisuus, tehtävä to be on/ off duty olla/ei olla työvuorossa, olla/ei olla jonkun virka-aika **2** tulli

duty-free [ˌdutɪ'friː] adj tullivapaa, tulliton

1 dwarf [dwɔːrf] s kääpiö

2 dwarf v saada joku/jokin näyttämään pieneltä, (kuv) jättää varjoonsa my work was

dwarfed by his achievements minun työni kalpeni hänen saavutustensa rinnalla

dwell [dwel] v dwelt, dwelt: asua jossakin

dwelling s asumus

dwell on v takertua johonkin asiaan, puhua/ajatella pitkään

dwindle [dwɪndəl] v vähentyä, heikentyä, laskea, huveta

1 dye [daɪ] s väri(aine)

2 dye v dyed, dyed, dyeing: värjätä (kangas)

dyke [daɪk] s (sl) lesbo

dynamic [daɪˈnæmɪk] adj **1** dynaaminen dynamic range dynamiikka **2** (ihminen) energinen

dynamics [daɪˈnæmɪks] s (mon, verbi mon paitsi fysiikan merkityksessä) dynamiikka

1 dynamite [ˈdaɪnəˌmaɪt] s dynamiitti

2 dynamite v räjäyttää dynamiitilla)

dynamo [ˈdaɪnəˌmoʊ] s dynamo

dynasty [ˈdaɪnəstɪ] s dynastia

dysentery [ˈdɪsənˌterɪ] s punatauti

dyslexia [dɪsˈleksɪə] s dysleksia, eräs lukemishäiriö

dyspepsia [dɪsˈpepsɪə] s ruuansulatushäiriö

E,e

E, e [iː] E, e

each [iːtʃ] pron, adj, adv kukin each and every one of them kukin heistä I gave them a dollar each annoin kullekin heistä dollarin they hate each other he vihaavat toisiaan they each went to a different school kukin heistä kävi eri koulua

eager [iːgər] adj innokas, halukas

eagerness [iːgərnəs] s innokkuus, halukkuus

eagle [iːgəl] s **1** kotka **2** (golfissa) eagle, lyöntitulos jossa pallo saadaan reikään kaksi lyöntiä alle par-luvun

eagle owl s huuhkaja

ear [ɪr] s **1** korva (myös kuv) she was all ears hän oli pelkkänä korvana I have no ear for languages minulla ei ole kielikorvaa to play by ear soittaa korvakuulolta **2** tähkä

eardrum [ɪrdrəm] s tärykalvo

earflap [ɪrflæp] s (päähineen) korvalappu

earl [ərl] s jaarli, kreivi

earldom [ərldəm] s **1** jaarlin/kreivin arvo **2** kreivikunta

early [ərlɪ] adj aikainen, varhainen from an early age nuoresta pitäen as early as jo adv aikaisin, varhain to rise early nousta (vuoteesta) aikaisin early on (jo) varhain, varhaisessa vaiheessa

early bird s aamuvirkku

earmark [ɪrˌmɑrk] v varata/määrätä käytettäväksi johonkin tarkoitukseen

earmuff [ɪrmʌf] s korvalappu

earn [ərn] s ansaita (rahaa, kiitosta), kasvaa (korkoa) they make money the old-fashioned way, they earn it he hankkivat rahansa vanhanaikaisesti ansaitsemalla ne

earnest [ˈɜːnəst] *s: in earnest* vakavissaan, tosissaan *adj* vakava (ihminen), harras (pyyntö)

earnings [ˈɜːnɪŋz] *s* (mon) ansiot, tulot, palkka

earphones [ˈɪəˌfəʊnz] *s* (mon) korvakuulokkeet, (etenkin) nappikuulokkeet

earring [ˈɪərɪŋ] *s* korvarengas

1 earth [ɜːθ] *s* **1** Maa, maapallo **2** maa **3** maaperä **4** (sähkö) maa

2 earth *v* (sähkö) maadoittaa

earthen [ˈɜːθən] *adj* maallinen, savinen

earthenware [ˈɜːθənˌweə] *s* savitavara

earthquake [ˈɜːθˌkweɪk] *s* maanjäristys

earthworm *s* kastemato

earthy [ˈɜːθɪ] *adj* **1** *it has an earthy smell/taste* se tuoksuu/maistuu mullalta **2** karkea, hiomaton (käytös, ihminen)

1 ease [iːz] *s* **1** mukava olo *to be at ease* olla mukava olo, tuntea olonsa mukavaksi *at ease!* (sot) lepo! **2** helppous, vaivattomuus *he did it with ease* se sujui häneltä helposti **3** joutilaisuus *to live a life of ease* olla kissanpäiviä

2 ease *v* **1** helpottaa (oloa), lievittää (kipua), keventää (mieltä, taakkaa), keventyä **2** höllentää, löysätä (otetta, kuria) **3** tehdä jotakin varovasti *I eased my car into the narrow space* ajoin autoni varovasti ahtaaseen tilaan *she eased the cork off the champagne bottle* hän irrotti varovasti samppanjapullon korkin

easel [iːzl] *s* (taidemaalarin) maalausteline

ease off *v* laantua, rauhoittua, hiljentyä

ease out *v* erottaa (tehtävästä) vähin äänin

ease up *v* laantua, rauhoittua, hiljentyä

easily [ˈiːzəlɪ] *adv* **1** helposti **2** selvästi, ehdottomasti *she is easily the most capable of them* hän on selvästi pätevin heistä

easiness [izinɪs] *s* helppous

east [iːst] *s* **1** (ilmansuunta) itä **2** *the East* (itäiset maat) itä *Near East* Lähi-itä *Middle East* Lähi-itä *Far East* Kaukoitä *adv* itään *there are mountains east of here*

eastbound [ˈiːstˌbaʊnd] *adj* idän suuntainen, itään kulkeva/virtaava

Easter [ˈiːstə] *s* pääsiäinen

easterly [ˈiːstəlɪ] *s* itätuuli *adj* itäinen, itä-

eastern [ˈiːstən] *adj* itäinen, itä-

easternmost [ˈiːstənˌməʊst] *adj* itäisin

easy [iːzɪ] *adj* **1** helppo *it's easy as pie* se on helppoa kuin mikä, se on lasten leikkiä **2** mukava, rento, kevyt (olo, tyyli, liike) *adv* rennosti, rauhallisesti *take it easy* ota rennosti, älä jännitä/hermostu

easy chair *s* laiskanlinna, nojatuoli

eat [iːt] *v* ate, eaten **1** syödä **2** (ark) kaivella, kismittää *what is eating him?* mikä häntä vaivaa?

eat away *v* kuluttaa, murentaa

eatery [iːtərɪ] *s* syömäpaikka, ravintola tms

eat out *v* syödä ulkona/ravintolassa

eat up *v* **1** kuluttaa loppuun **2** nauttia kovasti jostakin **3** uskoa, niellä, ottaa täydestä

eaves [iːvz] *s* (mon) räystäs

eavesdrop [ˈiːvzˌdrɒp] *v* kuunnella salaa

1 ebb [eb] *s* **1** laskuvesi, luode *ebb and flow* vuoksi ja luode **2** (kuv) aallonpohja

2 ebb *v* **1** (vuorovesi) laskea **2** (kuv) laantua, kuihtua

ebony [ˈebənɪ] *adj* musta, eebenpuunvärinen

e-business *s* verkkoliiketoiminta

EC *European Community* Euroopan yhteisö, EY

eccentric [ɪkˈsentrɪk] *s* omituinen/erikoinen ihminen *adj* **1** epäkeskinen **2** omituinen, erikoinen

eccentricity [ˌeksenˈtrɪsətɪ] *s* **1** epäkeskisyys **2** omituisuus, erikoisuus; oikku

ecclesiastical [ɪˌkliːzɪˈæstɪkəl] *adj* kirkollinen

ECG *lyh* electrocardiogram sydänsähkökäyrä, EKG

echidna [əˈkɪdnə] *s* nokkasiili *short-beaked echidna* nokkasiili, myös: *common echidna*

1 echo [ˈekəʊ] *s* kaiku

2 echo *v* **1** kaikua **2** (kuv) toistaa (mitä joku on sanonut)

echolocation [ˌekəʊləʊˈkeɪʃən] *s* kaikuluotaus

1 eclipse [ɪˈklɪps] *s* (auringon/kuun)pimennys

2 eclipse *v* **1** pimentää **2** (kuv) jättää varjoonsa

ecological [ˌiːkəˈlɒdʒɪkəl] *adj* ekologinen

ecology [ɪˈkɒlədʒɪ] *s* ekologia

e-commerce ['i:kɒmərs] s verkkokauppa, verkkokaupankäynti

economic [ˌiːkə'nɒmɪk] adj 1 taloudellinen, talouselämän, taloustieteellinen 2 säästäväinen

economical [ˌiːkə'nɒmɪkəl] adj 1 säästäväinen 2 taloudellinen, talouselämän, taloustieteellinen

economics [ˌiːkə'nɒmɪks] s 1 (verbi yksikössä) taloustiede 2 (verbi monikossa) taloudelliset näkökohdat, taloudellisuus

economist [ɪ'kɒnəmɪst] s taloustieteilijä, ekonomisti

economize [ɪ'kɒnəˌmaɪz] v säästää, olla säästäväinen, käyttää säästeliäästi

economy [ɪ'kɒnəmi] s 1 säästäväisyys 2 säästö 3 talous, talouselämä *national economy* kansantalous 4 (lentokoneen) turistiluokka adj säästö-

economy class s (lentokoneen) turistiluokka

ecosystem ['iːkəʊsɪstəm] s ekosysteemi

ecstasy ['ekstəsi] s hurmio, ekstaasi

ecstatic [ek'stætɪk] adj (olla) haltioissaan, hurmiossa

eczema ['eksɪmə, ek'ziːmə] s ihottuma

1 eddy ['edi] s (tuuli/vesi)pyörre

2 eddy v pyörtää

1 edge ['edʒ] s 1 (veitsen) terä *to be on edge* olla hermostunut 2 reuna, (tien) vieri, raja, ääri

2 edge v 1 teroittaa (veitsi) 2 reunustaa 3 hivuttaa, hivuttautua, työntää/edetä hitaasti *he edged his way towards the exit* hän hivuttautui ovea kohti

edgewise ['edʒˌwaɪz] *not to get a word in edgewise* ei saada suunvuoroa

edgy ['edʒi] adj hermostunut

edible ['edəbəl] adj syötävä, syötäväksi kelpaava, ruoka-

edit [edɪt] v 1 julkaista (lehteä) 2 toimittaa (tekstiä) 3 koostaa, leikata (filmi)

edition [ə'dɪʃən] s (kirjan) laitos, painos

editor [edətər] s 1 (lehden) toimittaja, (kirjan) (kustannus)toimittaja, (filmin) leikkaaja 2 (tietok) toimitusohjelma

editorial [edə'tɔːrɪəl] s (sanomalehti) pääkirjoitus, (televisio, radio) mielipide adj toimituksellinen, toimituksen-, mielipide-

editor-in-chief s päätoimittaja

educate ['edʒəˌkeɪt] v sivistää, valistaa, opettaa, kasvattaa, kouluttaa, koulia

educated ['edʒəˌkeɪtəd] adj sivistynyt

educated guess s karkea arvio *I don't know the answer but I can make an educated guess* en tiedä vastausta mutta voin yrittää arvata

education [ˌedʒə'keɪʃən] s 1 koulutus, kasvatus, opetus, valistus 2 kasvatustiede, pedagogiikka

educational [ˌedʒə'keɪʃənəl] adj kasvatusta/koulutusta/opetusta koskeva, kasvatus-, koulutus-, opetus-

educative ['edʒəˌkeɪtəv] adj kasvattava, opettavainen

educator ['edʒəˌkeɪtər] s 1 opettaja, kasvattaja 2 kasvatustieteilijä, pedagogi

edutainment [ˌedʒə'teɪnmənt] s opetusviihde (sanoista *education*, opetus, ja *entertainment*, viihde)

EEC *European Economic Community* Euroopan talousyhteisö

EEG *electroencephalogram* elektroenkefalogrammi, aivosähkökäyrä, EEG

eel [iːl] s ankerias

eerie [ɪri] adj pelottava, kammottava

efface [ɪ'feɪs] v pyyhkiä pois

1 effect [ɪ'fekt] s 1 seuraus, vaikutus *cause and effect* syy ja seuraus *my warning had no effect on him* hän ei piittanut varoituksestani 2 voimassaolo *the law came/was put into effect last year* laki tuli voimaan viime vuonna *the law takes effect tomorrow* laki astuu voimaan huomenna 3 *in effect* itse asiassa, loppujen lopuksi; voimassa 4 *words to that effect* hän sanoi jotain sen suuntaista 5 (myös *special effects*) (elokuvan tms erikois)tehosteet

2 effect v saada aikaan, johtaa johonkin, tehdä *she effected a sale/payment* hän teki kaupan/maksoi maksun

effective [ɪ'fektɪv] adj 1 tehokas, vaikuttava 2 todellinen, varsinainen 3 joka on voimassa *effective immediately* alkaen (nyt) heti

effectiveness [ɪ'fektɪvnəs] s tehokkuus, vaikutus

effeminate [ɪˈfemɪnət] *adj* naismainen

effervesce [ˌefəˈves] *v* **1** kuohua, kuplia **2** (kuv) vaahdota, olla haltioissaan

effervescence [ˌefəˈvesəns] *s* **1** kuohuminen, kupliminen **2** (kuv) vaahtoaminen, haltioituneisuus

effervescent [ˌefəˈvesənt] *adj* **1** kuohuva, kupliva **2** innokas, haltioitunut

effete [ɪˈfiːt] *adj* heikko, voimaton; turmeltunut

efficiency [ɪˈfiʃənsɪ] *s* **1** yksiö **2** pätevyys, taitavuus, tehokkuus

efficient [ɪˈfiʃənt] *adj* pätevä, osaava, tehokas

effigy [ˈefɪdʒɪ] *s* kuva *the demonstrators burned the president in effigy* mielenosoittajat polttivat presidentin kuvan/president tiä esittävän nuken

effort [ˈefət] *s* vaiva, ponnistelu, yritys *he made no effort to help us* hän ei yrittänytkään auttaa meitä

effortless [ˈefətləs] *adj* vaivaton, helppo, kevyt, rento

effrontery [əˈfrʌntərɪ] *s* röyhkeys, häpeämättömyys

e.g. *for example,* (lat) *exempli gratia* esim.

egg [eg] *s* **1** (kanan)muna **2** munasolu

egg *v* kannustaa, yllyttää, rohkaista

eggbeater [ˈegˌbiːtə] *s* vispilä

eggplant [ˈegˌplænt] *s* munakoiso

eggshell [ˈegʃel] *s* munan kuori

egg white [ˈegˌwaɪt] *s* (kananmunan) valkuainen

egg yolk [ˈegˌjəʊk] *s* (kananmunan) keltuainen

ego [ˈiːgəʊ] *s* (psykologia) minä, ego; (ark) itsetunto *he has a bloated ego* hän luulee itsestään liikoja, hän on liian itsekeskeinen

egocentric [ˌegəʊˈsentrɪk ˌiːgəʊˈsentrɪk] *adj* itsekeskeinen

egotist [ˈegəʊtɪst ˈiːgəʊtɪst] *s* egoisti

egotistic [ˌegəʊˈtɪstɪk ˌiːgəˈtɪstɪk] *adj* itsekäs

egregious [ɪˈgriːdʒəs] *adj* törkeä, räikeä

eider *s* (lintu) haahka

eiderdown [ˈaɪdəˌdaʊn] *s* **1** haahkanuntuva **2** untuvapeite

eight [eɪt] *s* kahdeksan

eighteen [ˌeɪˈtiːn] *s* kahdeksantoista

eighteenth [ˌeɪˈtiːnθ] *adj* kahdeksastoista

eighth [eɪtθ] *adj* kahdeksas

eightieth [ˈeɪtɪəθ] *adj* kahdeksaskymmenes

eighty [ˈeɪtɪ] *s* kahdeksankymmentä

either [ˈiːðə, ˈaɪðə] *adj, pron* **1** jompikumpi, kumpi tahansa *you can take either car* voit ottaa kumman auton haluat **2** kumpikin *there is a goal at either end of the field* kentän kummassakin päässä on maali *konj* (kielteisen lauseen jälkeen) -kaan/-kään *she does not like mushrooms and I don't like them either* hän ei pidä sienistä enkä pidä minäkään *adv* joko (tai) *either lead, follow or get out of the way* mene joko edellä tai jäljessä tai pysy sitten poissa tieltä

ejaculate [ɪˈdʒækjʊˌleɪt] *v* **1** huudahtaa, sanoa yhtäkkiä **2** saada siemensyöksy

ejaculation [ɪˌdʒækjʊˌleɪʃən] *s* **1** huudahdus, älähdys **2** siemensyöksy

eject [ɪˈdʒekt] *v* **1** heittää/ajaa ulos/pois **2** syöstä ilmoille, suihkuttaa, tupruttaa

ejection [ɪˈdʒekʃən] *s* ulosheitto

ejector seat *s* heittoistuin

eke out [iːk] *v* **1** *to eke out a living* tulla jotenkuten toimeen **2** täydentää (tulojaan), yrittää saada (varasto) riittämään

EKG *electrocardiogram* elektrokardiogrammi, sydänsähkökäyrä, EKG

elaborate [ɪˈlæbəˌreɪt] *v* täsmentää, selittää tarkemmin, käsitellä yksityiskohtaisesti

elaborate [ɪˈlæbərət] *adj* mutkikas, monimutkainen, perusteellinen, yksityiskohtainen

elaboration [ɪˌlæbəˈreɪʃən] *s* **1** hiominen, yksityiskohtien laadinta **2** selitys, täsmennys

eland [ˈiːlənd] *s* hirviantilooppi *giant eland* jättiläishirviantilooppi

elapse [ɪˈlæps] *v* (aika) kulua, mennä umpeen

elastic [ɪˈlæstɪk] *s* kuminauha *adj* joustava, elastinen

elasticity [ˌɪlæˈstɪsɪtɪ] *s* joustavuus, elastisuus

elate [ɪˈleɪt] *v* saada/saattaa haltioihinsa

elated *adj* haltioissaan, lumoissaan

elation [ɪˈleɪʃən] *s* haltioituminen, suuri innostus, juhlatunnelma

1 elbow [ˈelbəʊ] *s* kyynärpää

2 elbow *v* ahtautua, tunkeutua, hivuttautua

elbow out v syrjäyttää joku

elbow room elintila

elder ['eldər] s vanhempi/korkea-arvoisempi ihminen; (kirkon) luottamushenkilö adj (komparatiivi sanasta old) vanhempi

elderly ['eldərli] adj vanha, iäkäs the elderly vanhukset, eläkeläiset

eldest ['eldɪst] adj (superlatiivi sanasta old) vanhin

e-learning s verkko-opiskelu

elect [i'lekt] v valita Bill Clinton was elected president in 1992 Bill Clinton valittiin presidentiksi vuonna 1992 I elected not to participate päätin olla osallistumatta adj valittu President elect vastavalittu presidentti

election [i'lekʃən] s vaalit

election campaign s vaalikampanja

elective [i'lektɪv] adj valinta-, vaali-; valinnainen (kurssi)

elector [i'lektər] s 1 äänestäjä, valitsija 2 valitsijamies 3 Elector (hist) vaaliruhtinas

electoral [i'lektərəl] adj vaali-; valitsijamies-

electorate [i'lektərɪt] s äänestäjät

electric [i'lektrɪk] adj sähkö-

electrical [i'lektrɪkəl] adj sähkö-

electric eel s sähköankerias

electrician [ˌelək'trɪʃən] s sähköasentaja

electricity [ilek'trɪsəti] s sähkö

electrify [i'lektrəˌfai] v sähköistää (myös kuv:) saada innostumaan

electrocute [i'lektrəˌkjut] v surmata (tapaturmaisesti) sähköiskulla; teloittaa (kuolemaantuomittu) sähkötuolissa

electrocution [iˌlektrə'kjuːʃn] s (tapaturmainen) sähköiskuun kuoleminen; kuolemaantuomitun teloitus sähkötuolissa

electrode [i'lekˌtroud] s elektrodi

electron [i'lekˌtran] s elektroni

electronic [ˌilɑk'trɒnɪk] adj elektroninen

electronic mail s sähköposti (tietoverkon palvelu, viesti)

electronics [ˌilɑk'trɒnɪks] s (mon, verbi yksikössä) elektroniikka

elegance ['elɪɡəns] s eleganssi, tyyli, tyylikkyys

elegant ['elɪɡənt] adj elegantti, tyylikäs, aistikas

elegantly adv elegantisti, tyylikkäästi

element ['elɪmənt] s 1 alkuaine 2 (mon) luonnonvoimat, luonto 3 elementti: to be in/out of your element olla/ei olla elementissään 4 (mon: jonkin alan) alkeet 5 osa, tekijä, seikka courage is an important element of success rohkeudella on menestymisessä merkittävä osuus there was an element of threat in his voice hänen äänessään oli mukana uhkaa 6 aines the radical element radikaalit

elemental [ˌelə'mentəl] adj 1 alkeellinen, alkukantainen, koruton 2 luonnon 3 alkuaine-

elementary [ˌelə'mentəri] adj 1 alkeellinen, alkeis- 2 alkeiskoulun 3 alkuaine-

elementary school s alkeiskoulu (vastaa Suomen peruskoulun ala-astetta)

elephant ['elɪfənt] s norsu

elevate ['eləˌveit] v 1 nostaa, kohottaa 2 (kuv) ylentää (mieltä)

elevation [ˌelə'veiʃən] s 1 korkeus (merenpinnasta) 2 (virka)ylennys 3 (ajatusten ym) ylevyys, juhlavuus 4 (arkkitehtipiirustus) pystykuva, etukuva

elevator ['eləˌveitər] s 1 hissi 2 (vilja)siilo; elevaattori 3 (lentokoneen) korkeusperäsin

eleven [i'levən] s yksitoista

eleventh [i'levənθ] adj yhdestoista

elicit [i'lɪsɪt] v saada/onkia (tietoa)

eligibility [ˌelɪdʒə'bɪləti] s sopivuus, soveltuvuus

eligible ['elədʒəbəl] adj 1 valintakelpoinen, johonkin sopiva the prisoner will be eligible for parole in three years vanki voi anoa ennenaikaista vapautusta kolmen vuoden kuluttua 2 haluttu, tavoittelemisen arvoinen

eliminate [i'lɪməˌneit] v eliminoida, sulkea pois, jättää laskuista

elimination [iˌlɪmə'neiʃən] s pois sulkeminen/jättäminen, eliminointi

elite [ə'lit] s eliitti, parhaimmisto, kerma

elitism [ə'liˌtizəm] s elitismi

elitist [ə'li.tɪst] adj elitistinen

elk [elk] s 1 hirvi 2 vapiti

ellipse [i'lɪps] s ellipsi

ellipsis s (mon ellipses) **1** (kiel) ellipsi, (sanan) poisjättö **2** kolme pistettä (...)

elliptical [ɪ'lɪptɪkəl] adj elliptinen

elm [elm] s jalava

elongate [i'laŋ,geɪt] v pidentää, venyttää

elongation [i,laŋ'geɪʃən] s pidennys, venytys

elope [i'loup] v karata (rakastajansa kanssa)

elopement [i'loup,mənt] s karkaaminen (rakastajansa kanssa)

eloquence [eləkwəns] s kaunopuheisuus, puhetaito

eloquent [eləkwənt] adj kaunopuheinen, ɒsuva(sti ilmaistu)

else [els] adv **1** toinen, muu *let's go somewhere else* mennään muualle *somebody else should do it* jonkun muun pitäisi tehdä se *no one else wanted it* kukaan muu ei halunnut sitä *isn't there anything else to eat?* eikö ole mitään muuta syötävää? *you're something else!* olet sitten olet ihmeellinen! *who else but you* kukapa muu kuin sinä **2** muutoin, muussa tapauksessa *shut up now or else!* tuki suusi heti tai sinun käy huonosti!

elsewhere [els,weər] adv muualla, toisaalla, muualle, toisaalle *I wish I were elsewhere* kunpa olisin jossakin muualla *they came from elsewhere* he tulivat jostakin muualta

elude [ɪ'luːd] v välttää, karttaa, välttyä (joutumasta kiinni)

elusive [ɪ'luːsɪv] adj jota on vaikea saada kiinni; vaikeasti määriteltävä, (kuv) josta on vaikea saada otetta, epämääräinen (vastaus)

emaciated [i'meɪʃi,eɪtəd] adj aliravittu, kovasti laihtunut

emaciation [i,meɪʃi,eɪʃən] s aliravitsemus, huomattava laihtuminen

e-mail [i:meɪəl] s sähköposti (myös email, electronic mail; tietoverkon palvelu, viesti)

emanate [emə,neɪt] v olla peräisin jostakin, lähteä/tulla jostakin *rap music emanated from the cellar* kellarista kuului rapmusiikkia

emancipate [ɪ'mænsɪpeɪt] v vapauttaa (orjat), saattaa (naiset) tasa-arvoiseksi

emancipated adj vapautunut (nainen, asenne), vapautettu (orja)

emancipation s vapautuminen, vapauttaminen, emansipaatio

embalm [em'bɑm] v palsamoida (ruumis)

embankment [em'bæŋkmənt] s (ranta)penger, maapato

1 embargo [em'bɑgou] s embargo; kauppasaarto

2 embargo v julistaa kauppasaartoon

embark [em'bɑk] v nousta laivaan/lentokoneeseen tms

embarkation [,embɑːkeɪʃən] s laivaan/lentokoneeseen tms nousu

embark on v aloittaa, ruveta, ryhtyä

embarrass [ɪm'berəs] v nolostuttaa, tehdä noloksi *I felt embarrassed by your behavior* minä häpesin käytöstäsi

embarrassed adj nolo, kiusaantunut

embarrassing adj nolo, kiusallinen

embarrassment [ɪm'herəsmənt] s nolostuminen, kiusaantuminen, häpeä, kiusallinen asia

embassy [embəsɪ] s suurlähetystö

embed [əm'bed] v **1** upottaa, sijoittaa **2** (tekn) sulauttaa

embellish [ɪm'belɪʃ] v **1** koristella, kaunistaa, somistaa **2** (kuv) kaunistella, lisätä omiaan johonkin

embellishment s **1** koru, koriste **2** koristelu, somistus **3** (kuv) kaunistelu

embers [embərz] s (mon) hiillos

embezzle [ɪm'bezəl] v kavaltaa

embezzlement s kavallus

embitter [ɪm'bɪtər] v katkeroittaa, tehdä katkeraksi, synkistää (välit)

emblem [embləm] s tunnus, merkki

emblematic [,emblə'mætɪk] adj tunnusomainen (jollekin, *of*)

embodiment [ɪm'bɑdɪmənt] s ruumiillistuma *she is the embodiment of goodness* hän on itse hyvyys, todellinen hyvyyden ruumiillistuma

embody [ɪm'bɑdɪ] v **1** ilmaista, pukea sanoiksi **2** ilmentää jotakin *the painting embodies the artist's idea of freedom* maalaus ilmentää taiteilijan vapauskäsitystä

emboss [ım'bas] v puristaa/leimata johonkin kohokuvio

1 embrace [ım'breıs] s halaus, syleily

2 embrace v **1** halata, syleillä jotakuta **2** (kuv) ottaa avosylin vastaan, omaksua innokkaasti

embroider [ım'brɔıdər] v koruommella

embroidery s **1** koruompelimo **2** koruommel

embryo ['embrıəʊ] s **1** sikiö **2** (kuv) alku(vaihe), itu, siemen

embryonic [,embrı'ɒnık] adj **1** sikiö- **2** (kuv) alku-, alustava

em-dash s pitkä ajatusviiva (—)

emerald ['emərəld] s smaragdi adj smaragdinvihreä

emerge [ı'mɜːdʒ] v **1** saapua, tulla, nousta pintaan the sun emerged from behind the clouds aurinko tuli esiin pilvien takaa **2** syntyä, saada alkunsa **3** tulla esiin, paljastua

emergence [ı'mɜːdʒəns] s paljastuminen, esiintulo, synty, alku

emergency s hätä, hätätila, hätätapaus

emergency room s (sairaalan) (ensiapu)poliklinikka

emery ['emərı] s smirgeli

emigrant ['emıgrənt] s maastamuuttaja, emigrantti

emigrate ['emıgreıt] v muuttaa maasta

emigration [,emı'greıʃən] s maastamuutto

eminence ['emınəns] s **1** arvovalta **2** eminenssi

eminent ['emınənt] adj arvostettu, arvovaltainen

emir [e'mıər] s emiiri

emirate ['emıreıt] s emiirikunta

emission [ı'mıʃən] s (lämmön, valon) säteily, luovutus, päästö; (tal) emissio, osakeanti, liikkeellelasku

emit [ı'mıt] v säteillä, luovuttaa, emittoida, laskea liikkeelle

emolument [ı'mɒljʊmənt] s palkkio, korvaus

emote [ı'məʊt] v ilmaista tunteitaan; tunteilla

emoticon [ı'məʊtıkɒn] s hymiö

emotion [ı'məʊʃən] s tunne, mielenliikutus, emootio

emotional adj tunne-, tunteellinen, emotionaalinen, tunteikas, herkkätunteinen

emotionless adj tunteeton (ihminen), ilmeettömät (kasvot)

emotive [ı'məʊtıv] adj tunteikas, emotionaalinen

empathize ['empəθaız] v eläytyä toisen osaan, tuntea empatiaa jotakuta kohtaan

empathy ['empəθı] s empatia, eläytyminen

emperor ['empərər] s keisari

emphasis ['emfəsıs] s **1** korostus, painotus the new director put more emphasis on sales uusi johtaja pani aiempaa enemmän painoa myyntipuolelle **2** (sana)paino, korko the emphasis is on the second syllable paino on toisella tavulla

emphasize ['emfəsaız] v **1** korostaa, painottaa, (kuv) alleviivata **2** (äännettäessä) painottaa, korostaa

emphatic [ım'fætık] adj painokas, voimakas, korostunut, ehdoton

empire ['empaıər] s valtakunta, keisarikunta, imperiumi

empirical [em'pırıkəl] adj empiirinen, kokemusperäinen

empiricism [em'pırısızəm] s empirismi

empiricist s empiirikko, empiristi

1 employ [ım'plɔı] s työ, palvelus he is in the employ of an automobile manufacturer hän on erään autotehtaan palveluksessa

2 employ v **1** ottaa palvelukseen, pestata **2** käyttää we employed a new method to fix the problem käytimme uutta menetelmää ongelman ratkaisemiseen

employee [,emplɔı'iː] s työntekijä

employer s työnantaja

employment s **1** työ, työpaikka **2** työhönotto **3** käyttö

emporium [em'pɔːrıəm] s tavaratalo

empower [əm'paʊər] v **1** valtuuttaa she empowered her attorney to represent her hän valtuutti asianajajan edustajakseen **2** mahdollistaa, antaa tilaisuus, mahdollisuus johonkin **3** tehdä täysivaltaiseksi, lisätä jonkun oman voiman tai omien kykyjen tuntoa, lisätä rohkeutta toimia omien ehtojen mukaisesti

empowerment [əm'paʊərmənt] s **1** valtuuttaminen, valtuutus **2** mahdollistaminen, tilaisuus/mahdollisuus johonkin **3** täysivaltaisuus, kyky vaikuttaa omaan elämään, voimantunnon kasvu

empress ['emprəs] s keisarinna

emptiness ['emptınıs] s tyhjyys (myös kuv)

1 empty ['empti] s tyhjä pullo, palautuspullo

2 empty v tyhjentää

3 empty adj tyhjä (myös kuv) *the box is empty* laatikko on tyhjä *those are just empty words* nuo ovat aivan tyhjiä sanoja

emu [imu] s (lintu) emu

emulate ['emjulett] v **1** jäljitellä, matkia **2** (tietok) emuloida

emulation ['emju'leıʃən] s **1** jäljittely, matkiminen **2** (tietok) emulaatio

emulsion [i'mʌlʃən] s emulsio

enable [ə'neıbl] v tehdä mahdolliseksi, mahdollistaa *the money enabled him to go to college* hän pystyi aloittamaan opiskelun rahojen turvin

1 enamel [i'næməl] s **1** hammaskiille **2** emali

2 enamel v emaloida

enchant [ın'tʃænt] v **1** ihastuttaa, saada lumoihinsa **2** lumota, taikoa, loihtia

enchanting adj ihastuttava, lumoava

enchantment s ihastus, taika, taikuus, lumous

enchilada [ˌentʃə'ladə, ˌentʃi'ladə] s **1** enchilada, meksikolaisperäinen lihalla ja kasviksilla täytetty tortillakäärö jonka päällä tarjoillaan chilikastiketta **2** *the whole enchilada* koko roska, kaikki **3** *the big enchilada* pomo

encircle [ın'sɜrkl] v ympäröidä

enclose [ın'klouz] v **1** aidata **2** oheistaa, liittää (kirjeeseen) *enclosed please find our brochure* oheistan esitteemme

enclosure [ın'klouʒər] s aitaus

encomium [en'koumiəm] s (mon encomiums, encomia) ylistyspuhe

encore [a:n'kɔ:r] v ylimääräinen esitys konsertin yms lopussa, (esiintyjälle huudahdus) uudestaan!

1 encounter [ın'kauntər] s kohtaaminen, tapaaminen

2 encounter v kohdata, tavata (sattumalta)

encourage [ın'kʌrıdʒ] v kannustaa, rohkaista

encouragement s kannustus, rohkaisu

encouraging [ın'kʌrıdʒıŋ] adj rohkaiseva, kannustava, innostava

encroach [ın'kroutʃ] v tunkeutua (jonkun alueelle), loukata (jonkun oikeuksia), viedä (jonkun aikaa), häiritä

encroachment s (alueelle) tunkeutuminen, tungettelu, häiriö, (oikeuksien) loukkaus

encyclopedia [en,saıklə'pidiə] s tietosanakirja

1 end [end] s **1** loppu *at the end of the meeting/week* kokouksen lopussa/viikon lopulla *in the end* lopuksi, loppujen lopuksi *dad was pleased no end by the gift* isä oli lahjasta erittäin mielissään **2** kärki, pää, tynkä *the end of the road/stick* tien/kepin pää *we try to make ends meet* me yritämme saada rahat riittämään, tulla toimeen *the police put an end to the ruckus* poliisi teki riehasta lopun **3** tarkoitus, päämäärä *the end justifies the means* tarkoitus pyhittää keinot *to some people, money is an end in itself* joillekin raha on itsetarkoitus

2 end v lopettaa, loppua, päättää, päättyä

endanger [ın'deındʒər] v vaarantaa, saattaa vaaraan/uhanalaiseksi

en-dash [] s lyhyt ajatusviiva (–)

endear [ın'dıər] v saada joku pitämään jostakin, saada joku lämpenemään jollekin

endearing adj rakastettava, miellyttävä, herttainen

1 endeavor [ın'devər] s yritys, ponnistelu

2 endeavor v yrittää, ponnistella

endemic [en'demık] adj kotoperäinen, paikallinen, endeeminen

ending ['endıŋ] s (kirjan, näytelmän ym.) loppu, lopetus, (sanan) pääte

endless [endləs] adj loputon

endorse [ın'dɔrs] v **1** kannattaa, tukea (esim vaaliehdokasta) **2** allekirjoittaa, vahvistaa nimellään (sekki, maksu ym)

endorsement s **1** kannatus, tuki **2** (sekin, kuitin) allekirjoitus, vahvistus

endow [ın'dau] v **1** lahjoittaa, perustaa lahjoituksella **2** jollakulla on jokin lahja/kyky *he is endowed with charming looks* häntä on siunattu hyvällä ulkonäöllä

endowment s **1** lahjoitus **2** lahja, kyky

endurance [ın'durəns] s kestävyys, sinnikkyys, sitkeys, sietokyky

endure [ɪnˈdʊr] *v* **1** kestää, sietää *I can't endure this pain any longer* en kestä enää näitä kipuja/tätä tuskaa **2** joutua kestämään, kärsiä *she had to endure a lot of hardship before she finally became successful* hän joutui kokemaan kovia ennen kuin alkoi viimein menestyä

enduring *adj* pysyvä, säilyvä, pitkäaikainen, loputon

end-user *s* peruskäyttäjä

enemy [ˈenəmi] *s* vastustaja, vihollinen

energetic [ˌenərˈdʒetɪk] *adj* **1** energinen, tarmokas, reipas, innokas **2** ponnekas, jyrkkä (vastalause), ehdoton (kielto)

energize [ˌenədʒaɪz] *v* **1** ladata, varata, kytkeä sähkö **2** (kuv) innostaa, sähköistää

energy [ˈenədʒi] *s* energia, tarmo, into

enfold [ɪnˈfəʊld] *v* syleillä, halata

enforce [ɪnˈfɔːs] *v* toteuttaa, panna toimeen, valvoa (lain) noudattamista, pakottaa (tottelemaan)

enforceable *adj* joka voidaan toteuttaa, jonka noudattamista voidaan valvoa

enforcement *s* lain valvonta, (tottelemaan) pakottaminen

engage [ɪnˈɡeɪdʒ] *v* **1** pestata, palkata, ottaa palvelukseen (erit esiintyvä taiteilija väliaikaisesti) **2** temmata mukaansa, olla mieleen *the movie engaged their attention* elokuva tempasi heidät mukaansa **3** mennä kihloihin *we are not yet engaged* emme ole vielä kihloissa **4** sitoutua, sitoa, lupautua (tekemään jotakin) **5** (sot) ottaa yhteen, taistella

engage in *v* harrastaa, harjoittaa jotakin *he did not wish to engage in such activities* hän ei halunnut sekaantua moisiin puuhiin

engagement *s* **1** tapaaminen **2** kihlaus **3** (esiintyvän taiteilijan) työ, esiintyminen **4** (sot) yhteenotto, selkkaus **5** sitoutuminen, lupaus, meno *I have many social engagements this week* joudun käymään tällä viikolla usein kylässä/eri tilaisuuksissa

engine [ˈendʒɪn] *s* **1** moottori, kone **2** veturi

1 engineer [ˌendʒɪˈnɪər] *s* **1** teknikko, insinööri **2** veturinkuljettaja **3** (kuv) junailija, järjestäjä, toimeenpanija

2 engineer *v* **1** rakentaa, valmistaa **2** (kuv) junailla, järjestää, panna toimeen

engineering *s* **1** tekniikka, koneenrakennus, rakentaminen, insinöörityö **2** (kuv) junailu, järjestely, toimeenpano

engrave [ɪnˈɡreɪv] *v* **1** kaivertaa **2** painua mieleen

engraving *s* kaiverrus; kupari/puupiirros

engross [ɪnˈɡrəʊs] *v* temmata mukaansa *she sat engrossed in her novel* hän oli uppoutunut romaaniinsa

engrossing *adj* mukaansatempaava, kiehtova

engulf [ɪnˈɡʌlf] *v* ympäröidä, peittää kokonaan, hukkua (myös kuv)

enhance [ɪnˈhæns] *v* lisätä, vahvistaa, korostaa, voimistaa

enigma [əˈnɪɡmə] *s* arvoitus

enigmatic *adj* arvoituksellinen

enjoy [ɪnˈdʒɔɪ] *v* **1** nauttia, iloita **2** saada nauttia, olla *she enjoys good health* hänellä on hyvä terveys

enjoyable *adj* nautinnollinen, hauska, mukava, hyvä

enjoyment *s* nautinto, ilo

enlarge [ɪnˈlɑːdʒ] *v* **1** laajentaa, laajentua, suurentaa, suurentua, kasvattaa, kasvaa

enlargement *s* **1** (valokuva)suurennos **2** laajennus, laajentaminen, laajentuminen

enlarge on *v* käsitellä yksityiskohtaisesti, puhua pitkään jostakin

enlighten [ɪnˈlaɪtən] *v* valistaa, sivistää

enlightenment *s* valistus, sivistys *the Enlightenment* valistusaika

enlist [ɪnˈlɪst] *v* **1** värvätä/värväytyä (sotilaspalvelukseen) **2** hankkia *he enlisted the help of a famous lawyer* hän palkkasi avukseen kuuluisan asianajajan

enormity [ɪˈnɔːməti] *s* (rikkomuksen, teon) valtavuus, suunnattomuus, hirvittävyys

enormous [ɪˈnɔːməs] *adj* valtava, suunnaton

enough [ɪˈnʌf] *adj, adv* tarpeeksi, riittävästi, kylliksi *I've had enough* minä olen saanut tarpeekseni/kyllikseni *do you have enough money?* onko sinulla tarpeeksi/riittävästi rahaa? *your answer is not good enough* vastauksesi ei kelpaa/ei ole riittävä *strangely enough, he was not angry* kaikeksi ihmeeksi hän ei ollut vihainen

enquire [ɪŋ'kwaɪər] v tiedustella, kysyä

enquiry ['ɪŋkwəri] s 1 tiedustelu, kysely; kysymys 2 tutkimus, selvitys; kuulustelu

enrich [ən'rɪtʃ] v rikastaa, rikastuttaa, lisätä johonkin jotakin

enrichment s rikastus, lisääminen

enroll [ən'rəʊl] v ottaa jäseneksi, merkitä opiskelijaksi, kirjoittautua, ilmoittautua

enrollment s 1 ilmoittautuminen, (esim yliopistoon) kirjoittautuminen 2 opiskelijamäärä

en route [,ɑn'ruːt, ɑn'rʊt] adv matkalla en route to Detroit matkalla Detroitiin

ensemble [,ɑn'sɑmbəl] s yhtye; yhteisesitys, ensemble

ensign [ensən] s 1 lippu, kansallislippu 2 symboli, tunnus, merkki 3 (Yhdysvaltain rannikkovartiostossa) vänrikki

enslave [ən'sleɪv] v orjuuttaa, tehdä orjaksi

ensue [ɪn'suː] v seurata, olla seurauksena

ensuing adj seuraava

en suite [,ɑn'swiːt] adj (UK) (makuuhuone jossa on) oma kylpyhuone

ensure [en'ʃər] v varmistaa, taata

entail [ɪn'teɪl] v aiheuttaa, johtaa johonkin, liittyä johonkin

entangle [ɪn'tæŋɡl] v 1 sotkea, sotkeutua he became entangled in a web of intrigue hän sotkeutui juonittelun verkkoon 2 tyrmistyttää, hämmentää

enter [entər] v 1 astua/tulla/mennä sisään/jonnekin 2 liittyä, astua palvelukseen, ilmoittautua 3 merkitä/kirjoittaa ylös

enter into v 1 osallistua 2 paneutua, perehtyä 3 liittyä, kuulua, olla osana jotakin 4 joutua johonkin tilaan

enterprise ['entər,praɪz] s 1 yritys, hanke, suunnitelma 2 aloitekyky, yritteliäisyys, rohkeus 3 liikeyritys

enterprising adj yritteliäs, aloitekykyinen, kekseliäs, rohkea

entertain [,entər'teɪn] v 1 viihdyttää, huvittaa 2 pitää vieraana 3 pohtia, elätellä, hautoa mielessään (ajatusta)

entertainer s viihdetaiteilija

entertaining adj viihdyttävä, viihteellinen

entertainment s 1 viihde, huvi 2 esitys

enthrall [en'θrɔːl] v ihastuttaa, saada lumoihinsa

enthrone [en'θrəʊn] v nostaa valtaistuimelle; vihkiä (kirkolliseen) virkaan

enthuse [en'θuːz] v olla haltioissaan (jostakin, over), saada haltioihinsa

enthusiasm [en'θuːzi,æzəm] s into, innostus

enthusiast [en'θuːzɪəst] s innokas harrastaja she is a golf enthusiast hän on innokas golfaaja

enthusiastic [en,θuːzi'æstɪk] adj innokas

entice [en'taɪs] v kiehtoa, houkutella, vetää puoleensa

enticement s houkutus, kiusaus

enticing adj houkutteleva, kiehtova, puoleensavetävä

entire [ən'taɪər] adj 1 koko the entire family gathered in the dining room koko perhe kokoontui ruokailuhuoneeseen 2 ehjä, joka on yhtenä kappaleena

entirety [ən'taɪrəti] s kokonaisuus the problem in its entirety ongelma kokonaisuudessaan

entitle [ən'taɪtl] v oikeuttaa, antaa oikeus johonkin you are entitled to your opinion sinulla on oikeus mielipiteeseesi

entity [entɪti] s kokonaisuus, olemus

entomology [,entə'mɒlədʒi] s hyönteistiede, entomologia

entrails [entreɪlz] s (mon) sisälmykset (myös kuv) the entrails of a watch kellon sisälmykset

entrance [entrəns] s 1 sisäänkäynti 2 tulo, saapuminen (huoneeseen)

entrance [ən'trɑːns] v lumota

entrancing adj hurmaava, lumoava

entrant s aloittelija, osanottaja, kokelas

entreat v anoa, pyytää hartaasti

entreaty s harras pyyntö

entrench [ɪn'trentʃ] v 1 (sot) kaivautua maahan, linnoittautua 2 (kuv) urautua, juurtua syvään

entrepreneur [,ɑntrəprə'nər ,ɑntrəprə'nʊər] s (yksityis)yrittäjä

entrust [ən'trʌst] v uskoa (jonkun huostaan, jollekulle työ); paljastaa (salaisuus jollekulle) they entrusted him with their fate he antoivat kohtalonsa hänen käsiinsä

entry [entri] *s* **1** saapuminen, tulo **2** ovi, si-säänkäynti, portti **3** hakusana, merkintä **4** kilpailija, kilpailuun ilmoitettu esine/eläin yms

enumerate [i'nju:mə₀reɪt] *v* luetella

enunciate [i'nʌnsi₀eɪt] *v* ääntää, artikuloida

enunciation [i₀nʌnsi'eɪʃən] *s* ääntäminen, artikulaatio

envelop [en'veləp] *v* ympäröidä, peittää

envelope ['envə₀ləup, 'anvə₀ləup] *s* kirjekuori

enviable [enviəbəl] *adj* kadehdittava

envious [enviəs] *adj* kateellinen

environment [ən'vaɪərnmənt] *s* ympäristö, lähistö, lähiseutu; luonto

environmentalist [ən₀vaɪərn'mentəlist] *s* luonnonsuojelija

environs [ən'vaɪərnz] *s* (mon) ympäristö, lähistö, seutu, alue

envisage [ən'vɪsədʒ] *v* kuvitella/nähdä mielessään, odottaa

envision [ən'vɪʒən] *v* odottaa, nähdä mielessään (jotakin tulevaa)

envoy ['an₀vɔi] *s* lähetti; (diplomaatti) lähettiläs

1 envy [envi] *s* kateus; kateuden kohde *to eat your heart out with envy* olla vihreänä kateudesta

2 envy *v* kadehtia *I envy you your job* kadehdin sinun työtäsi

enzyme [enzaɪm] *s* entsyymi

ephemeral [ɪ'femərəl] *adj* katoavainen, ohimenevä

epic [epɪk] *s* **1** (runo) eepos **2** spektaakkeli-elokuva *adj* **1** (runo) eeppinen **2** (elokuva) spektaakkeli- **3** suunnaton, valtava, mittava

epicenter ['epə₀sentər] *s* (maanjäristyksen) pintakeskus, episentrumi

epidemic [₀epə'demɪk] *s* kulkutauti, epidemia *adj* epideeminen

epilepsy ['epə₀lepsi] *s* epilepsia

epileptic [₀epə'leptɪk] *s* epileptikko *adj* epileptinen

epilog ['epə₀lag] *s* epilogi, loppusanat

Episcopal [ɪ'pɪskəpəl] *adj* episkopaalinen

episode ['epə₀səud] *s* **1** tapahtuma, episodi **2** (televisiosarjan ym) osa, jakso

epitaph ['epə₀tæf] *s* hautakirjoitus, epitafi

epithet ['epə₀θet] *s* liikanimi, epiteetti; pilkkanimi

epitome [ɪ'pɪtəmi] *s* **1** todellinen ruumiillistuma, todellinen ilmentymä *she is the epitome of beauty* hän on kauneuden ruumiillistuma **2** (kirjan) lyhennelmä, tiivistelmä

epitomize [ɪ'pɪtə₀maɪz] *v* ilmentää, olla esimerkkinä jostakin *he epitomizes courage* hän on todellinen rohkeuden ruumiillistuma

epoch [epək ipak] *s* aikakausi, ajanjakso

1 equal [ikwəl] *s* tasaveroinen ihminen, vertainen

2 equal *v* olla (sama/yhtä kuin) *two plus two equals four*

3 equal *adj* **1** tasaveroinen, samanveroinen, yhtä suuri tms **2** jonkin veroinen, jonkin tasalla oleva *he is not equal to the demands of his job* työ on hänelle liian vaativa

equality [ɪ'kwaləti] *s* tasa-arvo; samanlaisuus

equalize ['ikwə₀laɪz] *v* tasoittaa, tasapainottaa

equalizer ['ikwə₀laɪzər] *s* (tekn) taajuuskorjain

equanimity [₀ekwə'nɪməti] *s* mielenmaltti, rauhallisuus, tyyneys

equate [i'kweɪt] *v* pitää samana kuin, pitää jonakin, verrata

equation [i'kweɪʒən] *s* (mat) yhtälö; tasapainotus

equator [i'kweɪtər] *s* päiväntasaaja, ekvaattori

equatorial [₀ekwə'tɔriəl] *adj* päiväntasaajan, ekvaattorin

equestrian [i'kwestriən] *adj* ratsastus-, hevosurheilu-

equidistant [₀ikwə'dɪstənt] *adj* yhtä kaukana oleva, tasavälinen

equilibrium [₀ikwə'lɪbriəm] *s* (mon equilibriums, equilibria) tasapaino

equinox ['ikwə₀naks] *s* päiväntasaus

equip [i'kwɪp] *v* varustaa *he was not equipped to handle the job* hänellä ei ollut edellytyksiä selviytyä työstä, työ oli hänelle liian vaativa

equipment *s* **1** varusteet, tarvikkeet, laitteisto **2** (henkiset) edellytykset

equitable [ˈekwətəbəl] *adj* oikeudenmukainen, reilu

equity [ˈekwəti] *s* **1** oikeudenmukaisuus, reiluus **2** nettoarvo, (tal) oma pääoma, (ark) osuus *sweat equity* hartiapankki

equivalent [ɪˈkwɪvələnt] *s* vastine, vastaava henkilö ym *the word has no equivalent in French* sanalla ei ole vastinetta ranskan kielessä *adj* vastaava, yhtäläinen, sama *that is equivalent to admitting guilt* tuo merkitsee jo syyllisyyden myöntämistä

equivocal [ɪˈkwɪvəkəl] *adj* kaksiselitteinen, epämääräinen, epäselvä

equivocate [ɪˈkwɪvəˌkeɪt] *v* vältellä, vastata välttelevästi

era [ɪrə, erə] *s* aikakausi, ajanjakso

eradicate [ɪˈrædəˌkeɪt] *v* (kuv) kitkeä pois, tehdä loppu jostakin

eradication [ɪˌrædəˈkeɪʃən] *s* lopettaminen, pois kitkeminen

erase [ɪˈreɪs] *v* pyyhkiä pois, poistaa (äänitteestä, tietokoneen muistista), jättää mielestään

eraser *s* pyyhekumi

erasure [ɪˈreɪʃər] *s* pois pyyhkiminen, poistaminen

erect [ɪˈrekt] *v* pystyttää, rakentaa *adj* pysty, suora *stand erect!* seiso suorana *an erect penis* erektio

erection [ɪˈrekʃən] *s* **1** pystytys, rakentaminen **2** erektio

ergonomics [ˌərɡəˈnɑmɪks] *s* (mon, verbi mon tai yksikössä) ergonomia

erode [ɪˈrəʊd] *v* murentaa (myös kuv), kuluttaa, aiheuttaa eroosiota, syövyttää *the setback eroded his confidence* takaisku murensi hänen itseluottamustaan

erosion [ɪˈrəʊʒən] *s* eroosio, syöpyminen, mureneminen (myös kuv), lakkaaminen

erotic [əˈrɑtɪk] *adj* eroottinen, kiihottava

eroticism [ɪˈrɑtəˌsɪzəm] *s* erotiikka

err [ər] *v* erehtyä *to err is human* erehtyminen on inhimillistä

errand [erənd] *s* asia, tehtävä *to go on an errand* käydä hoitamassa jokin asia

errant [erənt] *adj* **1** syntinen, hairahtunut; harhaan johdettu **2** vaeltava, kiertävä

erratic [əˈrætɪk] *adj* arvaamaton, ailahteleva, jyrkästi poikkeava

erroneous [əˈrəʊniəs] *adj* väärä, virheellinen

error [erər] *s* virhe *to make an error* erehtyä, tehdä virhe *in error* erehdyksessä, vahingossa *we showed him the error of his ways* ojensimme häntä

ersatz [ɜrzæts] *adj* korvike-

erudite [ˈerjəˌdaɪt] *adj* oppinut, sivistynyt, lukenut

erupt [ɪˈrʌpt] *v* purkautua, (kuv) räjähtää, menettää itsehillintänsä

eruption [ɪˈrʌpʃən] *s* (tulivuoren-, vihan) purkaus

escalate [ˈeskəˌleɪt] *v* yltyä, kiihtyä, laajentua, levitä, kiihdyttää, laajentaa *to escalate the war in Vietnam* laajentaa Vietnamin sotaa

escalation [ˌeskəˈleɪʃən] *s* yltyminen, kiihtyminen, leviäminen

escalator [ˈeskəˌleɪtər] *s* liukuportaat

escapade [ˈeskəˌpeɪd] *s* vallattomuus, hurjastelu, ilottelu, seikkailu

1 escape [ɪˈskeɪp] *s* **1** pako **2** (nesteen, kaasun) vuoto

2 escape *v* **1** karata, paeta, päästä karkuun **2** (neste, kaasu) vuotaa **3** välttyä, välttää *he escaped a certain death by jumping from the train* hän välttyi varman kuoleman hyppäämällä junasta **4** ei muistaa, ei huomata *the date escapes me* en muista päivämäärää

escapism [ɪsˈkeɪpɪzəm] *s* todellisuuspako, eskapismi

eschew [əsˈtʃu] *v* välttää, karttaa

escort [eskɔrt] *s* saattaja, seuralainen; saattue, saattaja-alus

escort [əsˈkɔrt] *v* saattaa, olla seuralaisena, toimia saattueena

esoteric [ˌesəˈterɪk] *adj* esoteerinen, harvoille ja valituille tarkoitettu/avautuva, vaikeatajuinen

espionage [ˈespiəˌnɑʒ] *s* vakoilu

esquire [eskwaɪər] *s* herra, rouva (kirjeissä tms käytettyä kohtelias titteli, lyhennetään *Esq.*)

essay [eseɪ] *s* essee

essayist *s* esseisti

essence [esəns] *s* olemus, ydin, keskeinen sisältö

essential [ɪ'senʃəl] *adj* **1** tärkeä/välttämätön väline/edellytys **2** (mon) alkeet, perusteet, ydin, keskeinen sisältö *adj* olennainen, keskeinen, tärkeä, välttämätön

establish [əs'tæblɪʃ] *v* **1** perustaa, muodostaa, laatia **2** todistaa, osoittaa, varmistaa *it has been established that* on ilmennyt että **3** vakiinnuttaa, saada kannatusta jollekin

established *adj* **1** vakiintunut, asemansa vakiinnuttanut **2** todistettu, varma, yleisesti hyväksytty

establishment *s* **1** perustaminen, muodostaminen **2** todistaminen, varmistaminen **3** laitos, instituutio **4** (yhteiskunnan) valtarakenne, vallanpitäjät, yläluokka; (jonkin alan) pohjat, tajat, kerma

estate [əs'teit] *s* **1** (aatelis-)maatila **2** omaisuus **3** kuolinpesä **4** ikä, elämänvaihe *he attained a man's estate* hän tuli miehen ikään

1 esteem [əs'tim] *s* arvostus, arvonanto, kunnioitus

2 esteem *v* arvostaa, pitää suuressa arvossa, kunnioittaa

estimable [estiməbəl] *adj* **1** kunnioitettava, kunnioituksen arvoinen **2** joka voidaan arvioida

estimate [estəmət] *s* arvio

estimate ['estə,meit] *v* arvioida

estimation [,estə'meiʃən] *s* **1** arvio, mielipide *in my estimation* mielestäni, nähdäkseni **2** kunnioitus, arvostus, arvonanto

estuary ['estʃu,eri] *s* joensuu, estuaari

et cetera [ət'setərə] ja niin edelleen (lyh *etc.*)

etch [etʃ] *v* etsata, syövyttää, (kuv) syöpyä (mieleen)

etching *s* etsaus

eternal [i'tɜːnəl] *adj* ikuinen, iänikuinen, iankaikkinen, alituinen

eternity [i'tɜːnəti] *s* ikuisuus

ether [iːθər] *s* eetteri

ethical [eθikəl] *adj* eettinen; eettisesti/moraalisesti oikea

ethics [eθiks] *s* (verbi mon tai yksikössä) etiikka; eettiset/moraaliset näkökohdat

ethnic [eθnik] *adj* etninen, kansallinen, rotu- *ethnic minority* etninen vähemmistö, kansallinen/rotuvähemmistö

etiquette [etəkət] *s* (hyvät) tavat

etymology [,etə'mɑlədʒi] *s* etymologia, sanan alkuperä

eucalyptus [,jukə'lɪptəs] *s* eukalyptus

euphemism ['jufə,mizəm] *s* eufemismi, kiertoilmaus, kaunisteleva ilmaus

euphemistic *adj* eufemistinen, kaunisteleva, kiertelevä

euphoria [ju'fɔːriə] *s* euforia, hurma

euphoric [ju'fɔːrik] *adj* haltioitunut, hurmaantunut

Euro [jarou] *s* (raha) euro

European plan *s* (hotellissa) huoneen hinta (ilman aterioita)

euthanasia [,juθə'neiʒə] *s* eutanasia, armomurha

evacuate [i'vækju,eit] *v* **1** evakuoida **2** tyhjentää *to evacuate the bowels* ulostaa

evacuation [i,vækju'eiʃən] *s* evakuaatio

evade [i'veid] *v* välttää, karttaa, väistellä, kiertää (veroja)

evaluate [i'vælju,eit] *v* arvioida, (kuv) punnita

evaluation [i,vælju'eiʃən] *s* arviointi

evanescence [,evə'nesəns] *s* katoavaisuus

evanescent [,evə'nesənt] *adj* katoavainen

evangelical *adj* evankelinen

evangelist [i'vændʒəlist] *s* evankelista

evaporate [i'væpə,reit] *v* höyrystyä, haihtua (myös kuv) *his enthusiasm evaporated quickly* hänen innostuksensa haihtui/lakkasi pian

evaporation [i,væpə'reiʃən] *s* höyrystyminen, haihtuminen (myös kuv:) lakkaaminen

evasion [i'veiʒən] *s* välttely *tax evasion* veronkierto

evasive [i'veisiv] *adj* välttelevä

eve [iv] *s* aatto

even [ivən] *v* tasoittaa, tasoittua *adj* **1** tasainen, suora, säännöllinen, yhtä suuri **2** tasoissa oleva *now we are even* nyt olemme tasoissa/sujut **3** parillinen (luku); tasa(raha) *adv* jopa *that's even better* se on vielä parempi *even now he is afraid of flying* hän pelkää lentämistä vieläkin *even if you went* *there* vaikka menisitkin sinne *she did not even say hello to me* hän ei edes tervehtinyt minua *even the chairman attended* itse johtokunnan puheenjohtajakin osallistui tilaisuuteen *even as we speak, millions are starving* parhaillaankin miljoonat näkevät nälkää

evening [ˈiːvnɪŋ] *s* ilta

evenly *adv* **1** tasaisesti **2** (sanoa) tyynesti

evenness *s* **1** tasaisuus, sileys **2** säännöllisyys, tasaisuus

even out *v* tasoittaa, tasoittua, oikaista, oieta; rauhoittua, asettua

event [ɪˈvent] *s* tapahtuma, tapaus, tilaisuus *in any event* joka tapauksessa, kuitenkin *in the event of fire, break the glass* tulipalon sattuessa riko lasi *in the event that* siinä tapauksessa että, siltä varalta että *at all events* joka tapauksessa, kuitenkin

eventual [ɪˈventʃʊəl] *adj* **1** *it lead to the eventual downfall of his business* se johti lopulta hänen liikeyrityksensä luhistumiseen **2** mahdollinen

eventuality [ɪˌventʃʊˈælətɪ] *s* mahdollisuus

eventually *adv* lopulta, viimein, vihdoin

ever [ˈevər] *adv* **1** aina, koskaan *I am ever ready to talk* olen aina valmis juttelemaan *have you ever heard such rubbish?* oletko koskaan kuullut moista roskapuhetta? *should you ever be in the area, do visit us* tule ihmeessä käymään jos satut liikkumaan meillä päin **2** lähtien, alkaen *ever since his childhood* lapsuudestaan lähtien **3** (voimistavana sanana:) erittäin *I enjoyed it ever so much* minä nautin siitä kovasti *did I ever!* usko huviksesi!

evergreen [ˈevərˌgriːn] *s* ainavihanta kasvi *adj* ainavihanta, (kuv) kivihreä

everlasting [ˌevərˈlɑːstɪŋ] *adj* iankaikkinen *life everlasting* iankaikkinen elämä

every [ˈevrɪ] *adj* **1** jokainen *every one of us* jokainen meistä **2** kaikki mahdollinen *there is every chance that we'll get home today* meillä on hyvät mahdollisuudet ehtiä kotiin vielä tänään **3** joka *take this medicine every two hours* ota tätä lääkettä kahden tunnin välein *every once in a while* aina silloin tällöin

everybody [ˈevrɪˌbʌdɪ] *pron* jokainen, kaikki *raw fish is not for everybody* raaka kala ei ole kaikkien makuun

everyday [ˈevrɪˌdeɪ] *adj* arkipäiväinen, arkinen, arki-

everyone [ˈevrɪˌwʌn] *ks* everybody

everything [ˈevrɪˌθɪŋ] *pron* kaikki *the girl means everything to him* tyttö on hänelle kaikki kaikessa

everywhere [ˈevrɪˌweər] *adv* kaikkialla, kaikkialle *from everywhere in the country* kaikkialta maasta

evict [ɪˈvɪkt] *v* häätää (asunnosta)

eviction [ɪˈvɪkʃən] *s* häätö (asunnosta)

1 evidence [ˈevədəns] *s* todiste, todisteaineisto *in evidence* näkyvillä, nähtävissä, esillä

2 evidence *v* todistaa, ilmaista, ilmentää, osoittaa

evident *adj* ilmeinen, varma, selvä

evil [ˈiːvl] *s, adj* paha

evocative of [ɪˈvɑkətɪv] *adj* joka tuo mieleen jotakin, joka muistuttaa jostakin

evoke [ɪˈvoʊk] *v* palauttaa mieleen, muistuttaa jostakin *that song evokes fond memories* laulu tuo mieleen kauniita muistoja

evolution [ˌevəˈluːʃən] *s* evoluutio, kehitys(oppi)

evolutionary *adj* evoluutio-, kehitys-

evolve [ɪˈvɑlv] *v* kehittyä, kehittää

ewe [juː] *s* uuhi (täysikasvuinen naaraslammas)

exacerbate [ɪgˈzæsərˌbeɪt ɪkˈsæsərˌbeɪt] *v* pahentaa, kärjistää

exact [əgˈzækt] *v* vaatia *adj* tarkka, täsmällinen

exacting *adj* vaativa, tarkka, ankara

exactly *adv* **1** täsmällisesti, tarkasti **2** täsmälleen, tarkasti, aivan *his parents were not exactly pleased when they saw his report card* hänen vanhempansa olivat kaikkea muuta kuin mielissään nähtyään hänen todistuksensa *exactly!* aivan!

exactness *s* tarkkuus, täsmällisyys

exaggerate [ɪgˈzædʒəˌreɪt] *v* liioitella, paisutella

exaggeration [ɪgˌzædʒəˈreɪʃən] *s* liioittelu, paisuttelu

exalt 766

exalt [ɪgˈzalt] v **1** ylistää **2** ylentää

exam [ɪgˈzæm] s koe, tentti

examination [ɪgˌzæmɪˈneɪʃən] s **1** koe, tentti, kuulustelu **2** (lääkärin- ym) tutkimus **3** (oikeudessa) kuulustelu

examine [ɪgˈzæmən] v **1** tutkia, tarkastaa **2** kuulustella (oikeudessa, koulussa ym)

examiner [ɪgˈzæmənər] s kuulustelija, tentaattori

example [ɪgˈzæmpəl] s esimerkki for example esimerkiksi she is an example to the rest of us hän on hyvä esimerkki meille muille

exasperate [ɪgˈzæspəˌreɪt] v raivostuttaa, käydä hermoille

exasperating adj raivostuttava, ärsyttävä, turhauttava

exasperation [ɪgˌzæspəˈreɪʃən] s ärtymys, raivostuminen

excavate [ˈekskəˌveɪt] v kaivaa (esim esiin raunioita)

excavation [ˌekskəˈveɪʃən] s (arkeologinen ym) kaivaus

exceed [əkˈsiːd] v ylittää the car exceeded the speed limit auto ajoi ylinopeutta

excel [əkˈsel] v kunnostautua, loistaa, menestyä erinomaisesti

excellence [ˈeksələns] s erinomaisuus, loistavuus

excellent [ˈeksələnt] adj erinomainen, loistava

except [əkˈsept] v tehdä poikkeus jonkun/jonkin kohdalla, ei ottaa lukuun jotakuta/jotakin prep paitsi, lukuun ottamatta we all went there except Mary me kaikki Marya lukuun ottamatta menimme sinne I would like to do it, except for the time factor tekisin sen mielelläni jos minulla olisi aikaa konj mutta, paitsi että they are identical except that one of them is red ne ovat muuten samanlaiset mutta toinen on punainen

excepting prep lukuun ottamatta excepting your tie, you are well dressed olet pukeutunut hyvin solmiotasi lukuun ottamatta

exception [əkˈsepʃən] s **1** poikkeus without exception poikkeuksetta to make an exception tehdä poikkeus **2** vastustus, vastalause

to take exception to something ei hyväksyä, vastustaa jotakin; loukkaantua, pahastua jostakin

exceptional adj poikkeuksellinen, harvinaislaatuinen

except to v ei hyväksyä, vastustaa, esittää vastalause he strongly excepted to their methods hän vastusti voimakkaasti heidän menetelmiään

1 excerpt [ˈeksərpt] s lainaus, sitaatti

2 excerpt v lainata, siteerata

excess [əkˈses] s liika he has money in excess hänellä on rahaa kuin roskaa this is in excess of what I already gave you tämä menee yli sen mitä jo annoin sinulle, tämä on ylimääräistä to do something to excess tehdä jotakin liiaksi, mennä liiallisuuksiin

excess [ekses əkˈses] adj liika you have to pay extra for excess baggage sallitun painon ylittävistä matkatavaroista pitää maksaa erikseen

excessive [əkˈsesɪv] adj liiallinen, kohtuuton, ylenmääräinen

1 exchange [əksˈtʃeɪndʒ] s **1** (tavaran, rahan ym) vaihto he gave me a book in exchange for my CD hän vaihtoi CD:ni kirjaan rate of exchange valuuttakurssi **2** pörssi **3** puhelinkeskus, vaihde

2 exchange v vaihtaa they exchanged meaningful looks he katsoivat toisiaan ymmärtäväisesti, merkitsevästi at Christmas, we exchange gifts jouluna annamme toisillemme lahjoja

excise [ekˈsaɪz] s valmistevero

excitable [ɪkˈsaɪtəbəl] adj helposti innostuva

excite [ɪkˈsaɪt] v **1** innostaa, saada innostumaan **2** kiihottaa (seksuaalisesti), ärsyttää (hermoja) **3** herättää (kiinnostusta)

excited adj **1** innostunut, innoissaan **2** (seksuaalisesti) kiihottunut

excitement s **1** innostus; kohu, häly in all this excitement, I forgot to tell you that… unohdin kaiken tämän hälyn keskellä kertoa sinulle että… **2** (seksuaalinen) kiihotus, (hermo)ärsytys

exclaim [əksˈkleɪm] v huudahtaa

exclamation [ˌekskləˈmeɪʃən] s huudahdus

exclamation point s huutomerkki (!)

exclamatory [əks'klæmə,tɔri] adj huudah-
dus-

exclude [əks'klud] v jättää/sulkea pois, ei ot-
taa mukaan

exclusion [əks'kluʒən] s pois jättäminen/sul-
keminen he doted on her to the exclusion
of all others hän hemmotteli häntä ja lai-
minlöi kaikki muut

exclusive [əks'klusıv] adj **1** vain tietyille/jä-
senille avoin the magazine got exclusive
rights to her story lehti sai yksinoikeudet
hänen tarinaansa mutually exclusive toi-
sensa pois sulkevat **2** hieno, loistelias,
ylellinen, kallis **3** (of) lukuun ottamatta the
price is $80 exclusive of taxes hinta ilman
veroa on 80 dollaria

excommunicate [,ekskə'mjunı,keıt] v erottaa
katolisesta kirkosta ym

excommunication [,ekskəmjunı'keıʃən] s ka-
tolisesta kirkosta erottaminen, kirkonki-
rous

excrement [ekskrəmənt] s uloste

excrete [əks'krit] v erittää; ulostaa

excruciating [əks'kruʃi,eıtıŋ] adj hirvittävä,
valtava, musertava

excruciatingly adv hirvittävän, valtavan

exculpate ['ekskʌl,peıt] v julistaa syyttö-
mäksi, vapauttaa syytteestä

excursion [əks'kɜrʒən] s **1** retki, (lyhyt)
matka, (tutustumis)käynti **2** (kuv) har-
hailu, poikkeama (asiasta)

excusable adj anteeksiannettava

excuse [əks'kjus] s anteeksipyyntö; veruke,
selitys, tekosyy

excuse [əks'kjuz] v **1** antaa anteeksi excuse
me (suokaa) anteeksi (mutta minun on
mentävä/että keskeytän teidät/mutta voi-
sitteko väistyä hieman) you're excused
saat mennä (poistua pöydästä) **2** vapauttaa
(velvoitteesta) he was excused from jury
duty hänet vapautettiin valamiehen tehtä-
västä

execute ['eksə,kjut] v **1** toteuttaa, panna toi-
meen **2** teloittaa

execution [,eksə'kjuʃən] s **1** toteutus, toi-
meenpano **2** teloitus

executioner s teloittaja, pyöveli

executive [ıg'zekjətıv] s **1** (liike/yritys)joh-
taja Chief Executive Officer (CEO) toimi-
tusjohtaja **2** hallituksen toimeenpaneva
haara Chief Executive (Yhdysvaltain) pre-
sidentti adj **1** (liike/yritys)johto-, johtota-
son he has executive ability hänessä on
ainesta johtajaksi/hänellä on johtajan ky-
kyjä **2** toimeenpaneva an executive com-
mittee toimeenpaneva komitea

executor [ıg'zekjətər] s testamentin toimeen-
panija

exemplary [əg'zempləri] adj esimerkillinen,
esikuvallinen

exemplification [əg,zempləfı'keıʃən] s sel-
vennös, esimerkki

exemplify [əg'zemplə,faı] v olla esimerkki
jostakin, havainnollistaa jotakin

exempt [ıg'zempt] v vapauttaa he was ex-
empted from paying the annual dues hänet
vapautettiin vuosimaksusta adj vapaa, va-
pautettu

exemption [ıg'zempʃən] s vapautus tax ex-
emption verovapaus

1 exercise ['eksər,saız] s **1** (taidon, kyvyn)
käyttö **2** ruumiinharjoitus, voimistelu, lii-
kunta cycling is good exercise pyöräily on
hyvää liikuntaa **3** harjoitus military exer-
cises sotaharjoitus **4** harjoite

2 exercise v **1** käyttää (taitoa, kykyä) you
should exercise caution sinun on syytä olla
varovainen **2** voimistella, liikkua, harjoit-
taa ruumistaan **3** (tal) lunastaa (johdan-
naissopimus)

exert [ıg'zərt] v käyttää you should exert
some pressure on him sinun kannattaa pai-
nostaa häntä don't exert yourself too much
älä rasita itseäsi liiaksi

exertion [ıg'zərʃən] s **1** ponnistelu, rasitus
2 (voiman, vallan) käyttö

exhale [eks'heıəl] v hengittää ulos

1 exhaust [əg'zast] s (auton) pakoputki; pa-
kokaasut

2 exhaust v **1** uuvuttaa, väsyttää **2** käyttää
loppuun

exhausted adj **1** uupunut, väsynyt **2** loppu-
nut, tyhjiin huvennut

exhaustion [əg'zastʃən] s uupumus, väsymys

exhaustive adj perusteellinen, tyhjentävä

exhibit

1 exhibit [əgˈzɪbɪt] *s* näyttelyesine (esim taulu)

2 exhibit *v* **1** asettaa näytteille, esitellä **2** osoittaa, olla *the machine exhibits some serious faults* koneessa on pahoja vikoja

exhibition [ˌeksəˈbɪʃən] *s* **1** (taide)näyttely **2** messut, (mailman)näyttely

exhibitionism [ˌeksəˈbɪʃənɪzəm] *s* ekshibitionismi, itsensä paljastaminen

exhibitionist *s* ekshibitionisti, itsensä paljastaja

exhilarate [əgˈzɪləˌreɪt] *v* ilahduttaa, innostaa

exhilarating *adj* ilahduttava, innostava

exhilaration [əgˌzɪləˈreɪʃən] *s* ilo, innostus

exhort [əgˈzɔːt] *v* kehottaa, kannustaa, rohkaista

exhortation [ˌeksɔːˈteɪʃən] *s* kehotus, kannustus, rohkaisu

1 exile [ˈegˌzaɪəl] *s* maanpako

2 exile *v* karkottaa maasta, ajaa maanpakoon

exist [əgˈzɪst] *v* **1** olla olemassa *there exists another way* on olemassa toinenkin keino **2** tulla toimeen, elää *man cannot exist without water* ihminen ei tule toimeen ilman vettä

existence [əgˈzɪstəns] *s* olemassaolo *it is no longer in existence* sitä ei enää ole olemassa

existent *adj* olemassa(oleva), vallitseva

1 exit [ˈeksət] *s* **1** uloskäynti, ovi, portti **2** poistuminen, lähtö

2 exit *v* poistua, lähteä

exodus [ˈeksədəs] *s* **1** (suuri) muutto(liike), maastamuutto **2** *Exodus* (Raam) israelilaisten muutto Egyptistä **3** *Exodus* (Raam) toinen Mooseksen kirja

exonerate [əgˈzɒnəˌreɪt] *v* vapauttaa (syytöksestä)

exoneration [əgˌzɒnəˈreɪʃən] *s* vapautus (syytteestä)

exorbitant [əgˈzɔːbɪtənt] *adj* kohtuuton, liiallinen

exorcise [ˈeksɔːˌsaɪz] *v* manata, karkottaa (pahoja henkiä)

exorcist [ˈeksɔːsɪst] *s* manaaja

exotic [ɪgˈzatɪk] *adj* eksoottinen

expand [əksˈpænd] *v* **1** laajentaa, laajentua *travelling is a good way to expand your*

knowledge matkustaminen on hyvä tapa kartuttaa tietojaan *metal expands in hot weather* metalli laajenee kuumalla säällä

expanse [əksˈpæns] *s* (laaja) alue

expansion [əksˈpænʃən] *s* laajeneminen, laajentaminen *the expansion of metal/trade* metallin laajeneminen/kaupankäynnin laajentaminen

expansive *adj* puhelias, hyväntuulinen

expatriate [ˌeksˈpeɪtriət] *s* ulkomailla asuva, ulkomaalainen *adj* ulkomailla asuva *expatriate Finns* ulkosuomalaiset

expatriate [eksˈpeɪtriˌeɪt] *v* karkottaa maasta

expect [əksˈpekt] *v* **1** odottaa *I don't expect them back before tomorrow* en odota/usko heidän palaavan ennen huomista *as expected, he was late* hän oli myöhässä kuten arvata saattoi *she is expecting a baby* hän odottaa lasta **2** olettaa, uskoa *I expect that you would like to leave immediately* sinä varmaankin haluat lähteä heti **3** vaatia, odottaa *I don't expect you to like me but you have to be polite* sinun ei tarvitse pitää minusta mutta kohtelias sinun pitää olla

expectancy [əksˈpektənsi] *s* odotus, odottaminen

expectant *adj* toiveikas; odottava (äiti)

expectation [ˌekspekˈteɪʃən] *s* **1** (innostunut/jännittynyt) odotus *we waited in expectation* odotimme tuo toiveikkaina **2** toive *your parents have great expectations for you* vanhempasi toivovat sinusta suuria **3** mahdollisuus, todennäköisyys

expediency [əksˈpiːdiənsi] *s* **1** suotavuus, tarkoituksenmukaisuus **2** laskelmointi

expedient [əksˈpiːdiənt] *s* keino; apu, hätäkeino, hätävara *adj* **1** tarkoituksenmukainen, viisas, suositeltava **2** laskelmoitu

expedite [ˈekspəˌdaɪt] *v* nopeuttaa *he tried to expedite the sale* hän yritti nopeuttaa kaupan tekoa

expedition [ˌekspəˈdɪʃən] *s* retki; tutkimusretki

expel [əksˈpel] *v* erottaa, karkottaa, häätää

expend [əksˈpend] *v* kuluttaa, käyttää

expenditure [əksˈpendɪtʃər] *s* **1** menot, kulut **2** käyttö, kulutus

expense [əks'pens] *s* kustannus (myös kuv), kulut *owning a sail boat is a big expense* purjeveneen omistaminen tulee kalliiksi *at the expense of health* terveyden kustannuksella *he is willing to go to any expense to close the deal* hän on valmis vaikka mihin saadakseen kaupan tehdyksi
expensive *adj* kallis
1 experience [əks'pɪərɪəns] *s* **1** kokemus *she has no experience in secretarial work* hänellä ei ole kokemusta sihteerin työstä *I know it from bitter experience* tiedän sen katkerasta kokemuksesta **2** elämys, kokemus *the death of your spouse is a shattering experience* puolison menetys on järkyttävä kokemus
2 experience *v* kokea *we are experiencing some heavy turbulence* lentokoneemme on joutunut voimakkaaseen ilmavirtaan *he experienced joy/sorrow* hän tunsi iloa/surua
experienced *adj* kokenut, harjaantunut *are you experienced in differential calculus?* onko sinulla kokemusta differentiaalilaskennasta?
1 experiment [əks'perəmənt] *s* (tieteellinen) koe
2 experiment *v* kokeilla
experimental [əks,perə'mentəl] *adj* kokeellinen; kokeileva (teatteri ym)
expert [ekspərt] *s* asiantuntija *adj* asiantunteva, asiantuntijan, taitava, taitavasti tehty
expertise [ˈekspərˌtiz] *s* asiantuntemus
expiate [ˈekspiˌeɪt] *v* sovittaa (syntinsä, tekonsa)
expiation [ˌekspi'eɪʃən] *s* (syntien, tekojen) sovitus
expiration [ˌekspə'reɪʃən] *s* **1** (asiapaperin) vanhentuminen, (määräajan) umpeutuminen **2** uloshengitys
expire [əks'paɪər] *v* **1** (asiapaperi, tuote) vanhentua, (määräaika) mennä umpeen **2** nukkua pois, kuolla **3** hengittää ulos
expiry [əks'paɪri] *s* (määräajan) umpeutuminen, (asiapaperin) vanheneminen
explain [ək'spleɪn] *v* selittää *to explain yourself* selittää tekonsa, keksiä selitys jollekin

explanation [ˌekspləˈneɪʃən] *s* selitys
explanatory [ək'splænəˌtɔri] *adj* selittävä, selitys-
expletive [ˈeksplə̩tɪv] *s* kirosana; huudahdus; täytesana
explicable [ək'splɪkəbəl] *adj* joka voidaan selittää
explicit [ək'splɪsɪt] *adj* selvä, avoin, peittelemätön *he was quite explicit about what he wanted* hän sanoi suoraan mitä hän halusi
explicitly *adv* suoraan, avoimesti, peittelemättä *I explicitly told you not to do it* minähän nimenomaan kielsin sinua tekemästä sitä
explicitness *s* selvyys, avoimuus, peittelemättömyys
explode [ək'sploud] *v* räjähtää, räjäyttää; purskahtaa (nauruun), (olla) haljeta (raivosta)
exploit [ˈeksploɪt] *s* sankariteko, seikkailu
exploit [ək'sploɪt] *v* **1** riistää, käyttää hyväkseen **2** hyödyntää (luonnonvaroja)
exploitation [ˌeksplɔɪ'teɪʃən] *s* **1** riisto, hyväksikäyttö **2** (luonnonvarojen) hyödyntäminen
exploration [ˌeksplə'reɪʃən] *s* tutkiminen, tutkimus, tutkimusmatka, (kuv) tunnustelu, (kuv) luotaaminen
explore [ək'splɔr] *v* **1** tutkia **2** (kuv) tunnustella (mahdollisuuksia), luodata
explorer *s* tutkija; tutkimusmatkailija
explosion [əks'plouʒən] *s* **1** räjähdys; pamahdus **2** raivokohtaus, vihan puuska
explosive [əks'plousɪv] *adj* **1** räjähdys-, räjähtävä **2** (kuv) tulenarka, räjähdysaltis
export [ˈeksˌpɔrt] *s*, *adj* vienti(-) *import and export* tuonti ja vienti
export [ək'spɔrt] *v* viedä (maasta)
exportation [ˌekspɔr'teɪʃən] *s* (maasta) vienti
exposé [ˈekspɔˌzeɪ] *s* (esim lehdessä) julkaistu) paljastus
expose [əks'pouz] *v* **1** paljastaa *the short skirt exposed her thighs* lyhyt hame paljasti hänen reitensä **2** altistaa, saattaa alttiiksi jollekin *you should not expose burnt skin to sunlight* palanutta ihoa ei saa pitää auringossa **3** valottaa (filmi)

exposition [‚ekspə'sıʃən] *s* **1** esitys, selitys *the exposition of a new theory* uuden teorian selitys **2** näyttely, messut

exposure [əks'pouʒə] *s* **1** alttius, altistaminen *he died of exposure* hän paleltui kuoliaaksi **2** paljastus, paljastaminen *the exposure of their secret plan/of a criminal/of too much skin* salaisen suunnitelman/rikollisen paljastuminen/liian vähissä pukeissa esiintyminen **3** (rakennuksen) sijainti *a building with a western exposure* länteen päin avautuva rakennus **4** (valokuvaus) valotus *a roll of film with 24 exposures* 24 kuvan filmi **5** julkisuus, esilläolo

expound [əks'paʊnd] *v* esittää, selittää

1 express [əks'pres] *s* **1** pikajuna, pikavuoro **2** pikälähetys *to send a package by express* lähettää paketti pikapostissa

2 express *v* **1** ilmaista; ilmentää **2** lähettää pikapostissa **3** puristaa (hedelmistä mehua)

expression [əks'preʃən] *v* **1** (mielipiteen, tunteen) ilmaus **2** (kasvon)ilme **3** ilme (kuv), ilmeikkyys *there was no expression in his voice* hänen äänensä oli ilmeetön **4** (kielellinen) ilmaus, sanonta

expressive *adj* ilmeikäs, tunteikas

expressly [əks'presli] *adv* **1** (kieltää) jyrkästi, nimenomaan, varta vasten **2** tahallaan, tieten tahtoen

expulsion [əks'pʌlʃən] *s* karkotus (maasta), (koulusta) erottaminen

exquisite [əks'kwızət] *adj* erinomainen, loistava, hieno, ensiluokkainen

extend [əks'tend] *v* ojentaa (käsi), ulottaa, ulottua, jatkaa, jatkua, laajentaa, laajentua, levittää, levitä

extension [əks'tenʃən] *s* **1** pidentäminen, jatkaminen, laajentaminen **2** jatkoaika, lisäaika **3** (rakennuksen) laajennus **4** (puhelin) rinnakkaisliittymä; alanumero

extensive *adj* laaja, mittava, kattava *the explosion caused extensive damage* räjähdys aiheutti suurta vahinkoa

extent [əks'tent] *s* laajuus, suuruus, mitta, määrä, pituus *for the whole extent of the forest* metsän täydeltä laajuudelta, koko metsässä *it was useful to a certain extent* siitä oli jossain määrin apua *I will help you

to the extent that I can minä autan sinua mahdollisuuksieni mukaan

exterior [əks'tıərıə] *s* ulkopuoli, ulkoasu, ulkonäkö *adj* ulko-, ulkoinen

exterminate [əks'tərmə‚neıt] *v* tuhota, hävittää

extermination [əks‚tərmə'neıʃən] *s* tuhoaminen, hävitys

exterminator [əks'tərmə‚neıtər] *s* henkilö tai yritys joka harjoittaa tuholaistorjuntaa

external [əks'tərnəl] *adj* ulkoinen, ulkonainen

extinct [əks'tıŋkt] *adj* sukupuuttoon kuollut (laji), sammunut (tulivuori) *dinosaurs have become extinct* dinosaurukset ovat kuolleet sukupuuttoon

extinction [əks'tıŋkʃən] *s* **1** (tulen) sammutus **2** sukupuutto(on kuoleminen)

extinguish [əks'tıŋgwıʃ] *v* sammuttaa

extinguisher *s* (käsi)sammutin

extort [əks'tɔrt] *v* kiristää

extortion [əks'tɔrʃən] *s* kiristys; kiskonta

extortionate [əks'tɔrʃənət] *adj* kohtuuton *an extortionate price* kiskurihinta

extra [ekstrə] *s* **1** ylimääräinen ihminen/asia **2** statisti *adj* ylimääräinen, lisä-, vara- *it's a source of extra income for him* hän saa siitä lisätuloja *there is an extra charge for a television* televisiosta veloitetaan lisämaksu *you better take an extra pair of socks with you* sinun kannattaa ottaa mukaan varasukat *adv* **1** erityisen *please be extra careful with my car* käsittele autoani erityisen varovasti **2** lisä-, ylimääräinen, erikseen (maksettava) *the batteries are extra* paristoista veloitetaan erikseen

extract [eks‚trækt] *s* **1** uute, mehu **2** ote, lainaus, sitaatti

extract [əks'trækt] *v* **1** vetää irti, irrottaa, poistaa **2** uuttaa **3** (kuv) kaivaa esiin, onkia, saada selville *I was unable to extract a promise from him* en saanut häntä lupaamaan mitään **4** lainata, siteerata

extraction [əks'trækʃən] *s* **1** irrottaminen, poisto **2** syntyperä *she is of Russian extraction* hän on venäläistä syntyperää/venäläissyntyinen

extracurricular [‚ekstrəkə'rıkjələr] *adj* opintojen ulkopuolinen, vapaa-ajan

extradite ['ekstrə,daıt] v luovuttaa (toiseen maahan)

extradition [,ekstrə'dıʃən] s luovutus (toiseen maahan)

extraneous [əks'treınıəs] adj **1** ulkoinen, ulkopuolinen **2** asiaan kuulumaton, epäolennainen *that's extraneous to this* se on sivuseikka, se ei kuulu tähän

extranet s (tietok) vierasverkko

extraordinary [ək'strɔːdı,neri] adj poikkeuksellinen, harvinaislaatuinen

extravagant [ək'strævəgənt] adj **1** kallis (maku), ylellinen (elämäntapa), loistelias (tilaisuus) **2** tuhlaileva **3** liioiteltu, pursuileva, komeileva, mahtaileva

extravaganza [ək,strævə'gænzə] s **1** (mus, teatteri) loistokas esitys, fantasia **2** ylenpalttisuus

extreme [ək'striːm] s ääripää *he went to extremes* hän meni äärimmäisyyksiin adj äärimmäinen (myös kuv), erittäin suuri *extreme happiness* äärimmäinen/suunnaton onni *at the extreme end of the political spectrum* poliittisen kirjon ääripäässä

extremist s ekstremisti, äärimmäisyyksiin menijä adj äärimmäinen

extremity [ək'stremətı] s **1** ääripää, etäisin kohta **2** äärimmäisyys **3** hätä **4** (mon) raajat

extricate ['ekstrə,keıt] v irrottaa, saada irti, vapauttaa

extrovert ['ekstrə,vərt] s ekstrovertti

exuberance s eloisuus, vilkkaus, into

exuberant [ıg'zuːbərənt] adj pursuileva, eloisa, vilkas, mukaansatempaava

exude [ıg'zuːd] v tihkua, pursua (myös kuv), uhkua (myös kuv) *he exudes confidence* hän suorastaan uhkuu itsevarmuutta

1 eye [aı] s **1** silmä *an eye for an eye* silmä silmästä *to be all eyes* seurata/katsoa tarkkaan *Jane tried to catch Paul's eye* Jane yritti saada Paulin huomaamaan hänet *to give someone the eye* katsella ihastellen *she has an eye for clothes* hänellä on silmää vaatteille *she has eyes only for John* hän on iskenyt silmänsä Johniin *to keep an eye on someone/something* pitää silmällä jotakuta/jotakin *to keep an eye out for someone/something* pitää varansa jonkun/jonkin suhteen, olla varuillaan jonkun *to keep your eyes open/peeled* pitää silmänsä auki, olla varuillaan *to lay eyes on something* nähdä *to make eyes at someone* katsella jotakuta ihastuneesti, flirttailla jonkun kanssa *to open someone's eyes* avata jonkun silmät, saada jokin tajuamaan jotakin *to see eye to eye with someone* olla jonkun kanssa samaa mieltä *you're a sight for sore eyes* sinä olet tervetullut näky, onpa mukava nähdä sinut *with an eye to* jotakin silmälläpitäen **2** neulansilmä

2 eye v katsoa, tuijottaa

1 eyeball ['aı,bɔːl] s silmämuna

2 eyeball v mitata katseellaan, silmäillä

eyebrow ['aı,braʊ] s kulmakarva

eyeglasses (mon) silmälasit

eyelash ['aı,læʃ] s silmäripsi

eyelid ['aı,lıd] s silmäluomi

eyeopener ['aı,əʊpənər] s jokin joka saa jonkun silmät avautumaan (kuv)

eyepiece ['aı,piːs] s okulaari

eyesight ['aı,saıt] s näkö (kyky)

eyesore ['aı,sɔːr] s häpeäpilkku, häpeätahra

1 eyewitness ['aı'wıtnəs] s silminnäkijä

2 eyewitness v nähdä omin silmin

F,f

F, f [ef] F, f

F 1 (koulussa) *fail* hylätty **2** fahrenheit-aste(tta)

fable [feibəl] *s* **1** eläintarina, eläinsatu, faabeli **2** taru, satu (myös kuv:) perätön puhe

fabled *adj* **1** tarunomainen, legendaarinen **2** keksitty, kuviteltu

fabric [fæbrik] *s* **1** kangas **2** rakenne *the fabric of society* yhteiskuntarakenne **3** rakennus

fabricate [fæbri̩keit] *v* **1** valmistaa, rakentaa **2** keksiä (omasta päästään) **3** väärentää

fabrication [fæbri̩keiʃən] *s* **1** valmistus, rakentaminen **2** valhe, satu

fabulous [fæbjələs] *adj* **1** tarunomainen, keksitty **2** (ark) uskomaton, loistava, upea

facade [fəsad] *s* julkisivu, fasadi

1 face [feis] *s* **1** kasvot *he lost his face when he was caught lying* hän menetti kasvonsa/maineensa kun hänet saatiin kiinni valehtelemisesta **2** (kasvon)ilme **3** (kellon) taulu **4** (kallio)seinämä **5** (kolikon, pelikortin) etupuoli **6** (rakennuksen) julkisivu **7** häväyttömyys *he had the face to call me an idiot* hän julkesi haukkua minua idiootiksi **2 face** *v* kohdata (myös kuv), katsoa johonkuhun/johonkin päin *his study window faces the ocean* hänen työhuoneensa ikkuna avautuu merelle *you have to face the truth* sinun täytyy katsoa totuutta silmiin

-faced *adj* **1** -kasvoinen *mild-faced* lempeäilmeinen **2** -päällysteinen *brass-faced* messinkipintainen

face down *v* kohdata rohkeasti

face-off *s* **1** yhteenotto, riita **2** (jääkiekossa) aloitus

face-saver *s* maineen pelastus *that was a face-saver* se pelasti hänen kasvonsa

facet [fæsət] *s* **1** (kuv) (asian) puoli, näkökohta **2** (hiotun jalokiven tasopinta) fasetti

face time *s* (tietokuvassa) tapaaminen, keskustelu, yhdessäolo

facetious [fəsiʃəs] *adj* leikkisä, leikillinen

facetiousness *s* leikkisyys

face to face *adv* **1** kasvotusten *to talk face to face* **2** *come face to face with reality* kohdata todellisuus

face up to *v* myöntää, tunnustaa, kohdata

face value *s* (tal) nimellisarvo *to take something at face value* ottaa täydestä

facial [feiʃəl] *s* kasvohoito *adj* kasvo-

facile [fæsəl] *adj* pinnallinen, mitäänsanomaton, helppo

facilitate [fəsilə̩teit] *v* helpottaa, tehdä helpoksi/helpommaksi

facilitation [fəsilə̩teiʃən] *s* helpotus, helpottaminen

facilitator [fəsilə̩teitər] *s* sovittelija

facility [fəsiləti] *s* **1** välineet, varusteet; edellytykset, mahdollisuudet; laitos, tilat *psychiatric facility* mielisairaala *sports facilities* liikuntatilat, urheilutilat **2** helppous, vaivattomuus, taitavuus **3** (mon) mukavuuslaitos, wc **4** ominaisuus **5** kyky, lahjakkuus

facing *s* **1** pinnoite, pinta, päällys(te) **2** (kangas) vuori **3** (mon kauluksen, hihan eriväriset) käänteet

1 facsimile [fæksiməli] *s* **1** kopio, jäljennös **2** faksi, kaukokopiointi(laite)

2 facsimile *v* lähettää faksilla, faksata

fact [fækt] *s* **1** tosiasia, fakta *have you checked all the facts?* oletko tarkistanut faktat? **2** todellisuus *it's part fact, part fiction* siinä on tarua ja totta **3** (eri ilmauksissa) itse asiassa *as a matter of fact* itse asiassa, oikeastaan *he is in fact coming here* hän onkin tulossa tänne *the fact of the matter is that it's too big* asia on niin että se on liian iso *the fact remains that* siitä huolimatta, ei käy kiistämisen että *in view of the fact that* ottaen huomioon että *after the fact* jälkikäteen, jälkeen päin *in fact* itse asiassa *in actual fact* varsinkin, todellisuudessa, vaikka itse asiassa

faction [fækʃən] s **1** puolueryhmä; sirpaleryhmä, nurkkakunta, kuppikunta **2** kiista, skisma **3** faktan ja fiktion yhdistelmä, todellisuuspohjainen fiktio

factional adj puolueryhmien, sirpaleryhmä-, nurkkakuntainen

factionalism s nurkkakuntalaisuus

factious [fækʃəs] adj riidanhaluinen; pikkumainen

fact of life s **1** kylmä totuus/tosiasia **2** (mon) sukupuolivalistus

factoid [fæktoid] s **1** yleinen (harha)luulo **2** sivuseikka, pikkuasia

factor [fæktər] s **1** tekijä, ratkaiseva tekijä *cost is not a factor here* kustannuksilla ei ole nyt väliä *a key factor* avaintekijä **2** kerroin *to increase by a factor of four* nelinkertaistua

factor in v ottaa huomioon

factor into v laskea mukaan

factor out v ei laskea mukaan, jättää pois laskuista

factory [fæktəri] s tehdas

factotum s avustaja, jonkun oikea käsi

fact sheet s infolehti(nen), esite

factual [fæktʃuəl] adj **1** asiallinen **2** tosiasioita/faktoja koskeva *in actual fact* itse asiassa

factually adj *factually incorrect* väärä, joka ei pidä paikkaansa

faculty [fækəlti] s **1** kyky *he is a man of great faculties* hän on kyvykäs mies **2** (yliopiston) tiedekunta *the faculty of mathematics* matemaattinen tiedekunta **3** (tiedekunnan) opettajat, henkilökunta

fad [fæd] s (muoti)villitys

fade [feid] v **1** haalistaa, haalistua, häipyä (näkyvistä), lakata kuulumasta **2** unohtua, (voimat) huveta, (toivo) sammua **3** häivyttää (televisiokuva)

fade away v lakata, kadota, häipyä (näkyvistä), lakata (kuulumasta), unohtua

fade in v häivyttää (televisiokuva näkyviin)

fade out v häivyttää (televisiokuva näkyvistä)

faeces [fiːsiz] s (UK mon) uloste(et)

1 fag [fæg] s **1** (sl) homo **2** (UK) savuke, sätkä

2 fag s väsyttää, uuvuttaa

fagged (out) adj (UK) lopen uupunut, poikki, kuitti, ihan rätti

faggot [fægət] s **1** (sl) hintti **2** ks fagot

fagot [fægət] s **1** risukimppu **2** kimppu, nippu

Fahrenheit [ferənheit] s fahrenheitaste

1 fail s: *without fail* aivan varmasti

2 fail [feiəl] v **1** epäonnistua *the whole attempt failed* koko yritys epäonnistui *when it came my turn to speak, words failed me* kun tuli minun vuoroni puhua en saanut sanaa suustani *if all else fails* viime hädässä, viimeisenä keinona **2** ei päästä/ paastaa läpi (tentissä), reputtaa **3** heikentyä, rappeutua *his health is failing* hänen voimansa alkavat ehtyä *the brakes failed* jarrut pettivät **4** ei tehdä jotakin: *I fail to see the humor in this* minusta tässä ei ole mitään naurarnista

failed adj epäonnistunut *a failed attempt* epäonnistunut yritys

1 failing s vika, puute *her one big failing is that she's slow* hitaus on hänen suurin puutteensa

2 failing adj heikkenevä *failing industries* taantuvat teollisuusalat *he's in failing health* hänen terveytensä on heikko

failing prep *failing that* jos se ei onnistu, muuten, muussa tapauksessa *all else failing* jos mikään muu ei auta *failing a prompt answer* jos vastausta ei saada nopeasti

fail-safe adj idioottivarma

failure [feiljər] s **1** epäonnistuminen *to result in failure* epäonnistua **2** epäonnistuja, tunari **3** laiminlyönti, tekemättä jättäminen *Jane's failure to act caused him a lot of problems* hänelle aiheutui paljon ongelmia siitä että Jane ei ryhtynyt toimiin **4** *engine failure* konevika, moottorivika *heart failure* sydämen vajaatoiminta **5** *business failure* konkurssi **6** *crop failure* kato(vuosi)

1 faint [feint] v pyörtyä

2 faint s pyörtymiskohtaus, hetkellinen tajuttomuus

3 faint adj **1** haalea (väri), heikko (ääni), hämärä (muisto) *I haven't the faintest* minulla ei ole siitä harmainta aavistusta

2 huimaava *I feel faint minua huimaa/ pyörryttää*

faint-hearted *adj* pelokas, empivä, epävarma *not for the faint-hearted* ei (sovi) arkajaloille/pelkureille

1 fair *s* markkinat, messut

2 fair [feər] *adj* **1** oikeudenmukainen, reilu **2** kohtalainen, kohtalaisen suuri/hyvä *yes you have a fair chance of making it* sinulla on melko hyvät mahdollisuudet **3** vaalea(tukkainen/verinen/ihoinen) **4** kaunis (ilma)

3 fair *adv* reilusti, rehdisti *to fight fair* taistella rehdisti

fairground [ˈfeərɡraʊnd] *s* markkinapaikka, markkinat

fair-haired *adj* vaaleatukkainen

fairly *adv* **1** aika, melko *it's fairly common* se on aika yleistä *fairly often* varsin usein **2** reilusti *he was treated fairly* häntä kohdeltiin oikeudenmukaisesti **3** (vanh) suorastaan *the dog fairly flew at me* koira suorastaan lensi kimppuuni

fair-minded *adj* oikeudenmukainen, reilu

fairness *s* oikeudenmukaisuus, reilu peli *in all fairness* (rehellisyyden nimissä) täytyy kuitenkin myöntää, kieltämättä

fair share paljon, kovasti *you've had more than your fair share of sickness* olet ollut todella usein sairaana

fair-weather friend [ˌfeərweðərˈfrend] *s* ystävä johon ei voi luottaa kovan paikan tullen, hyvänpäiväntuttu

fairy [ˈferi] *s* **1** keiju, keijukainen, haltijatar **2** (sl) hintti

fairy tale *s* satu (myös kuv)

fait accompli [ˌfetkɑmˈpli] *s* (ranskaa) tapahtunut tosiasia, ratkaistu asia

faith [feɪθ] *s* usko, luottamus *faith in God/someone/in someone's abilities* usko Jumalaan, usko/luottamus johonkuhun/jonkun kykyihin *to act in good faith* toimia hyvässä uskossa *the Christian faith* kristinusko *to act in bad faith* toimia vilpillisesti

1 faithful *adj* **1** uskollinen (erityisesti ihmisestä) **2** tarkka, uskollinen *the adaption remained faithful to the original text* uusi

sovitus on uskollinen alkuperäiselle tekstille

2 faithful *s* **1** *the faithful* oikeauskoiset **2** jonkin uskollinen kannattaja/tukija *the party faithful celebrated their victory* puolueelle uskolliset juhlivat voittoaan

faithfully *adv* **1** uskollisesti *yours faithfully/ faithfully yours* (kirjeen, sähköpostin lopussa) ystävällisin terveisin, kunnioittaen **2** tarkasti, uskollisesti

faithfulness *s* **1** uskollisuus, luotettavuus **2** tarkkuus, uskollisuus

faithless *adj* uskoton

faithlessness *s* uskottomuus

1 fake [feɪk] *s* **1** väärennös, jäljennös, **2** huijari, petturi, teeskentelijä **3** (urh) hämäys, harhautus

2 fake *v* **1** väärentää, jäljentää *to fake astonishment* esittää hämmästynyttä *he faked his own death* hän lavasti oman kuolemansa *to fake an orgasm* teeskennellä saavansa orgasmi **2** teeskennellä (sairasta), olla olevinaan jotakin, huijata, puijata *he was not familiar with the lyrics but he tried to fake it* hän ei tuntenut laulun sanoja mutta yritti silti selvitä joten kuten **3** (urh) hämätä, harhauttaa

3 fake *adj* teko, vale-, väärennetty, epäaito *fake fur* tekoturkis *a fake tan* tekorusketus *a fake smile* teennäinen hymy *fake money* väärä raha

fakir [ˈfeɪkiər] *s* fakiiri

falcon [ˈfælkən] *s* haukka

falconry *s* haukkametsästys

1 fall [fɔl] *s* **1** pudotus, putoaminen, kaatuminen, romahdus, tuho *the fall of the government* hallituksen kaatuminen *the fall of the Roman empire* Rooman valtakunnan tuho *the cushion broke his fall* tyyny pehmensi hänen putoamistaan **2** (syntiin)lankeemus **3** valtaus, valloitus **4** vesiputous **5** lasku, väheneminen, romahdus *the fall of the interest rates* korkojen lasku **6** syksy **7** (vesi/lumi)sade

2 fall *v* fell, fallen **1** pudota, kaatua *I almost fell from the roof* olin vähällä pudota katolta **2** laskea *the temperature fell ten degrees* lämpötila laski kymmenen astetta

3 tulla vallatuksi, joutua vihollisen käsiin *when darkness fell* pimeän tullen **4** kuolla, kaatua **5** langeta *she fell on/to her knees* hän lankesi polvilleen **6** (juhlapäivä) osua, olla *this year, Christmas Day falls on a Monday* tänä vuonna joulupäivä on maanantai **7** kuulua, olla *that falls outside our jurisdiction* se ei kuulu meidän tuomiovaltaaemme **8** jakautua *the problem falls into well-defined categories* ongelma jakautuu selvärajaisiin osiin **9** tulla joksikin, joutua johonkin tilaan: *she fell asleep/ill/in a coma* hän nukahti/sairastui/joutui koomaan *my life has fallen to pieces* elämäni on aivan pirstaleina

fallacious [fə'leɪʃəs] *adj* virheellinen, joka ei pidä paikkaansa

fallaciousness *s* virheellisyys, paikkansapitämättömyys

fallacy [ˈfæləsi] *s* harhaluulo, virhepäätelmä

fall apart *fr* **1** hajota, särkyä **2** (kuv) musertua, luhistua (esim suruunsa)

fall away *v* lakata kannattamasta jotakuta/jotakin, luopua uskosta tms

fall back *v* **1** perääntyä **2** jättäytyä (muista) jälkeen

fallback *s* varasuunnittelma *a fallback proposal* sovitteluehdotus

fall back on *v* turvautua johonkin, kajota johonkin

fall behind *v* **1** jäädä jälkeen (joukosta, työssä) **2** ei pystyä maksamaan maksuja/velkoja

fall down *v* **1** kaatua **2** (ark) epäonnistua, tunaroida

fall for *v* **1** mennä lankaan **2** rakastua, langeta johonkuhun

fallibility [ˌfæləˈbɪləti] *s* erehtyväisyys

fallible [ˈfæləbəl] *adj* erehtyväinen *we are all fallible* kukaan ei ole erehtymätön

falling-out *s* riita

falling star *s* tähdenlento, meteori

fall off *v* vähentyä, laskea

fall on *v* **1** käydä käsiksi, hyökätä kimppuun **2** kuulua jollekulle, olla jonkun tehtävä **3** kohdata, ajautua johonkin

fall out *v* **1** riidellä, kinata, olla eri mieltä **2** tapahtua, sattua

fallout [ˈfalˌaut] *s* **1** laskeuma *radioactive fallout* radioaktiivinen laskeuma **2** vaikutus, seuraus, seuraukset

fallout shelter *s* säteilysuoja

fallow [ˈfæləʊ] *s, adj* kesanto(-) *to lie fallow* olla kesannolla; olla käyttämättömänä

falls *s* (mon) putous, putoukset *the Niagara Falls* Niagaran putoukset

fall short *v* **1** täyttää vaatimuksia, ei kelvata, ei olla riittävä, jäädä vajaaksi **2** ei riittää, loppua kesken

fall through *v* epäonnistua, ei toteutua

fall to pieces *fr* **1** hajota, särkyä **2** (kuv) musertua, luhistua (esim suruunsa)

fall under *v* kuulua jonkun tehtäviin, johonkin (ryhmään, luokkaan)

false [fals] *adj* **1** väärä *a false assumption/answer* väärä oletus/vastaus **2** uskoton, epäluotettava *a false friend/lover* epäluotettava ystävä/uskoton rakastaja **3** vale- *a false bottom* valepohja *false teeth* tekohampaat *under false pretenses* vilpillisesti

false economy *s* väärä paikka säästäminen

false friend *s* (kiel) harhauttavasti samankaltaiset kahden kielen sanat tai ilmaukset (esim 'fib' (hätä)valhe ja 'fiba' möhläys) **2** (myös false lover) epäluotettava ystävä/uskoton rakastaja

false move *s* vikatikki, kohtalokas virhe

false teeth *s* (mon) tekohampaat

falsetto [falˈsetəʊ] *s* falsetti (poikkeavan korkea laulu- tai puheääni)

falsification [ˌfalsəfəˈkeɪʃən] *s* väärennös, väärennys

falsify [ˈfalsəˌfaɪ] *v* väärentää, vääristää

falsity *s* perättömyys, valheellisuus; epärehellisyys

falter [faltər] *v* kangerrella, empiä, epäröidä, hidastaa (askeleittaan)

faltering *adj* kangerteleva, empivä

fame [feɪm] *s* maine, kuuluisuus *Brian Wilson of Beach Boys fame* Brian Wilson joka tuli kuuluisaksi yhtyeessä Beach Boys *to win fame* niittää mainetta *her main claim to fame is...* hän on kuuluisa lähinnä siitä että...

famed *adj* maineikas, kuuluisa *Tuscany is famed for its art* Toscana on kuuluisa taiteestaan/tunnetaan taiteestaan

familial *adj* perhe- *familial duties* perheen-jäsenen velvollisuudet

familiar [fəˈmɪljər] *adj* **1** tuttu *the name sounds familiar to me/I am not familiar with the name* nimi kuulostaa tutulta/nimi ei ole minulle tuttu, en tunne nimeä **2** tuttavallinen, ystävällinen, arkinen *the author uses a familiar style* tekijä kirjoittaa arkisesti

familiarity [fəˌmɪljiˈerɪti] *s* **1** läheisyys, tuttuus **2** (asian) hallinta

familiarization [fəˌmɪljərəˈzeɪʃən] *s* totuttautuminen, tutustuminen johonkin (with)

familiarize [fəˈmɪljəˌraɪz] *v* **1** tutustuttaa joku johonkin (with), opettaa jollekulle jotakin **2** *to familiarize yourself with* tutustua johonkin

1 family [ˈfæmli] *s* **1** perhe *a family of four* nelihenkinen perhe *to start a family* perustaa perhe **2** suku *it runs in the family* se on sukuvika

2 family *adj* perhe- *family life* perhe-elämä

family man *s* **1** hyvä perheenisä **2** perheellinen mies

family name *s* sukunimi

family tree *s* sukupuu

famine [ˈfæmən] *s* nälänhätä

famish [ˈfæmɪʃ] *v* (ark) olla nälissään, kuolla nälkään *I am famished* minulla on hirvittävä nälkä

famous [ˈfeɪməs] *adj* kuuluisa

famously *adv* **1** kuten kaikki tietävät **2** (UK vanh) *we got along famously* tulimme erinomaisesti toimeen keskenämme

1 fan [fæn] *s* **1** tuuletin, puhallin; viuhka **2** kannattaja, ihailija, fani

2 fan *v* (tuuli) puhaltaa, tuulettaa; leyhytellä viuhkalla **2** levittää (viuhkaksi) **3** (kuv) herättää (kiinnostus, innostus)

fanatic [fəˈnætɪk] *s* fanaatikko, kiihkoilija, yltiöpää *adj* fanaattinen, kiihkoileva, yltiöpäinen

fanatical [fəˈnætəkəl] *adj* fanaattinen, kiihkoileva, yltiöpäinen

fanaticism [fəˈnætəsɪzm] *s* fanaattisuus, fanatismi, suvaitsematon kiihkoilu

fancier *s* kasvattaja *pigeon fancier* kyyhkyjenkasvattaja

fanciful [ˈfænsəfəl] *adj* epätavallinen, koristeellinen, lennokas, korkealentoinen, mielikuvituksekas

1 fancy [ˈfænsi] *v* **1** (ark) haluta, toivoa *Do you fancy a drink?* Haluatko jotain juotavaa? *I don't fancy going out tonight.* Minua ei huvita mennä ulos illalla. **2** (UK ark) olla ihastunut johonkuhun **3** kuvitella (ilmaisemassa ihmästystä) *Fancy that!* Kuvittele! **4** (kirjak) otaksua, luulla *I fancied I heard her sigh.* Luulen, että kuulin hänen huokaisseen.

2 fancy *s* **1** mielikuvitus, kuvitelma **2** mieltymys *he took a fancy to the new convertible* hän ihastui uuteen avoautoon *it caught my fancy* minä innostuin siitä **3** mielijohde, halu, oikku *I had this fancy of gorging on ice cream* mieleeni juolahti/mieleni teki yhtäkkiä mässäillä jäätelöllä

3 fancy *adj* hieno(steleva), tärkeileva, koristeellinen *I don't want anything fancy, just a regular watch* en halua mitään hienoa, ihan tavallisen kellon vain

fanfare [ˈfænˌfeər] *s* fanfaari (myös kuv) *without much fanfare* suurta melua pitämättä, miltei huomaamattomasti

fang [fæŋ] *s* (eläimen) hammas, (käärmeen) myrkkyhammas

fanny *s* **1** (ark) pehvä, peppu **2** (UK alat) tussu, mirri

fan out *v* **1** levittäytyä, hajautua **2** levittää (viuhkaksi)

fantasize [ˈfæntəˌsaɪz] *v* haaveilla jostakin (about), kuvitella että (that), fantisoida

fantastic [fænˈtæstɪk] *adj* **1** mielikuvituksellinen, mielikuvitus- **2** uskomaton **3** loistava, fantastinen **4** valtava

fantasy [ˈfæntəsi] *s* **1** mielikuvitus **2** kuvitelma **3** (mus, teatteri) fantasia

fantasy world *s* mielikuvitusmaailma *she lives in a fantasy world* hän elää omassa mielikuvitusmaailmassaan

fan vaulting *s* (arkkitehtuurissa) viuhkaholvi

fanzine [ˈfænziːn] *s* fanilehti, ihailijalehti

FAQ [fæk] *s* UKK, usein kysytyt kysymykset

1 far [faːr] *adj* farther/further, farthest/furthest: kaukainen, etäinen *at the far end of the room* huoneen perällä *at the far reaches of* *the universe* maailmankaikkeuden äärillä *a far country* kaukainen maa *in the far future* kaukaisessa tulevaisuudessa *this novel is a far cry from yours* tätä romaania ei voi verrattakaan sinun romaaniisi

2 far *adv* **1** kaukana, etäällä *that city is far from here* se kaupunki on kaukana täältä **2** (ajasta) myöhään, pitkään *the war continued far into the next year* sota jatkui pitkälle seuraavaan vuoteen **3** pitkällä, pitkälle *you have come far in your career* urasi on edennyt pitkälle **4** paljon *used far more money than they had thought* he käyttivät paljon enemmän rahaa kuin oli tarkoitus **5** *as far as* sikäli kuin, mitä johonkuhun/johonkin tulee **6** *by far* selvästi, ehdottomasti pisin **7** *so far* so good toistaiseksi kaikki on sujunut hyvin, toistaiseksi (meillä) ei ole mitään hätää **8** *thus far* toistaiseksi, tähän mennessä

faraway ['fɑːrəˌweɪ] *adj* kaukainen, etäinen

farce [fɑːs] *s* farssi

farcical [fɑːsɪkəl] *adj* farssimainen, huvittava, koominen

1 fare [feər] *s* **1** matkalipun hinta, maksu *can you loan me money for the cab fare?* lainaatko minulle rahat taksiin? **2** (taksin) kyyditettävä, asiakas **3** (ravintola)ruoka

2 fare *v* selviytyä *he fared well in the examination* hän pärjäsi hyvin kokeessa

farewell [ˌfeərˈwel] *s* jäähyväiset, hyvästit *to bid farewell to something* jättää jäähyväiset jollekin, lopettaa

far-fetched [ˌfɑːˈfetʃt] *adj* kaukaa haettu

far-flung [ˌfɑːˈflʌŋ] *adj* etäinen, syrjäinen **2** laajalle levinnyt

1 farm [fɑːm] *s* maatila, farmi

2 farm *v* viljellä maata, kasvattaa karjaa, olla maanviljelijä

farmer *s* maanviljelijä, farmari

farmhouse *s* maatalo, maalaistalo, (tilan) päärakennus

farming *s* maanviljely

farmland *s* pellot, viljelysmaa

farm out *v* **1** teettää alihankintana/ulkoisesti **2** antaa joku hoidettavaksi (erityisesti lapsista puhuttaessa) *He was too young to be*

farmed out all day every day. Hän oli liian nuori laitettavaksi kokopäivähoitoon.

farmstead *s* maatalo sivurakennuksineen

farmyard *s* maatalon piha

far-off *adj* kaukainen

far out *adj* (sl) epätavallinen, outo, raju, pimee

far-reaching [ˌfɑːˈriːtʃɪŋ] *adj* kauaskantoinen

farrier [færɪər] *s* (hevosten) kengittäjä

far-sighted [ˌfɑːˈsaɪtɪd] *adj* **1** pitkänäköinen **2** (kuv) kaukonäköinen, kaukokatseinen

1 fart [fɑːt] *s* **1** pieru **2** *old fart* (ihmisestä) vanha pieru, kalkkis

2 fart *v* pieraista

farther [fɑːðər] *adj, adv* (komparatiivi sanasta *far*) kaukaisempi, etäisempi, kauempana, kauemmaksi

farthest [fɑːðəst] *adj, adv* (superlatiivi sanasta *far*) kaukaisin, etäisin, kauimpana, kauimmaksi

farthing [fɑːðɪŋ] *s* (vanha Isossa-Britanniassa käytetty kolikko) neljännespenny

fascinate [ˈfæsəˌneɪt] *v* kiehtoa, kiinnostaa kovasti

fascinating *adj* kiehtova, kiinnostava

fascination [ˌfæsəˈneɪʃən] *s* kiinnostus, innostus; viehätys, vetovoima *to hold a fascination for someone* kiinnostaa jotakuta

fascism [fæʃɪzəm] *s* fasismi

1 fascist [fæʃɪst] *s* fasisti *adj* fasistinen

1 fashion [fæʃən] *s* **1** tapa *she walks in a strange fashion* hän kävelee oudosti *he is a writer after a fashion* hän on jonkinlainen/jonkin sortin kirjailija **2** muoti *miniskirts have gone out of fashion* minihameet ovat jääneet pois muodista

2 fashion *v* muotoilla

fashionable *adj* muodikas, muoti-

1 fast [fæst] *s* paasto

2 fast *v* paastota

3 fast *adj* **1** (lujasti) kiinni, kiinnitetty *to have fast colors* olla värinpitävä *a fast friend* hyvä/luotettava ystävä **2** nopea (vauhti, ihminen, valokuvausfilmi) **3** (kello) edellä *your watch is fast* kellosi on edellä/edistää **4** *he leads a fast life* hänellä menee lujaa

4 fast *adv* **1** lujasti, tiukasti, kiinni *hold fast now* pidä tiukasti kiinni **2** (nukkua) sikeästi **3** nopeasti **4** *he lives fast* hänellä menee lujaa

fast-acting *adj* nopeavaikutteinen

fastback [ˈfæstbæk] *s* viistoperä(inen henkilöauto)

fasten [ˈfæsən] *v* kiinnittää, kiinnittyä

fastener *s* kiinnike, suljin

fastening *s* kiinnike, suljin

fast food *s* pikaruoka

fast forward *s* pikakelaus/selaus eteenpäin

fast-forward *v* kelata/selata kasettia/levyä eteenpäin

fastidious [fæˈstɪdɪəs] *adj* pikkutarkka, turhantarkka, nirso; tunnollinen

fastidiousness *s* pikkutarkkuus; nirsoilu

fast-paced *adj* nopeatempoinen, vauhdikas

fast-talking *adj* lipeväkielinen

fast track *s* (kuv) oikotie

fast-track *v* nopeuttaa, vauhdittaa

1 fat [fæt] *s* rasva

2 fat [fæt] *adj* **1** rasvainen (ruoka) **2** lihava, paksu (ihminen) **3** paksu (kirja, nippu) **4** (taloudellisesti) kannattava; rikas

fatal [ˈfeɪtəl] *adj* tappava, kuolettava; kova, vakava; kohtalokas; *he made a fatal error* hän teki kohtalokkaan erehdyksen *it dealt a fatal blow to him* se aiheutti hänelle kovan takaiskun

fatal flaw *s* vakava puute, kohtalokas vika

fatalism [ˈfeɪtəˌlɪzəm] *s* fatalismi, kohtalousko

fatalistic [ˌfeɪtəˈlɪstɪk] *adj* fatalistinen

fatality [ˌfeɪˈtælətɪ] *s* kuolemantapaus, kuollut *there were no fatalities in the explosion* räjähdyksessä ei kuollut ketään

fate [feɪt] *s* kohtalo

fated *adj* tuomittu *your plan is fated to fail* suunnitelmasi on tuomittu epäonnistumaan

fateful *adj* kohtalokas

fat-free *adj* rasvaton, kevyt-

1 father [ˈfɑːðər] *s* **1** isä **2** (kuv) isä, perustaja, alullepanija *the father of the revolution* vallankumouksen isä **3** (katolisessa kirkossa) isä **4** *Father* Isä, Jumala

2 father *v* **1** siittää *he fathered a child* hän siitti lapsen **2** (kuv) panna alulle, aloittaa

fatherhood *s* isyys

father-in-law *s* (mon *fathers-in-law*) appi

fatherland [ˈfɑːðərˌlænd] *s* isänmaa

1 fathom [ˈfæðəm] *s* (syvyysmitta) syli

2 fathom *v* **1** mitata syvyys **2** käsittää, ymmärtää *I cannot fathom why you did it* en ymmärrä miksi teit sen

fathomless *adj* **1** pohjaton **2** käsittämätön

1 fatigue [fəˈtiːg] *s* **1** väsymys, uupumus *the plane crashed due to metal fatigue* koneen putoaminen johtui metallin väsymisestä **2** (sot) työpalvelu **3** (mon: sot) työvaatteet

2 fatigue *v* väsyttää, väsyä (myös metallista), uuvuttaa, uupua

fatten [ˈfætən] *v* lihottaa, lihoa

fattening *adj* lihottava

fatten up *v* lihottaa

fat-tire *adj* maastopyöräily- *the fat-tire set* maastopyöräilijät

fatty *adj* rasvainen *fatty acids* rasvahapot

fatuity [fəˈtuːətɪ] *s* **1** typeryys, tyhmyys **2** tyhmä huomautus

fatuous [ˈfætʃʊəs] *adj* typerä, tyhmä

faucet [ˈfɔːsɪt] *s* (vesi)hana

1 fault [fɔːlt] *s* **1** vika, virhe, puute *to find fault with someone* haukkua, moittia **2** syy *it's his fault, not mine* se oli hänen eikä minun vika **3** (geologinen) siirros *San Andreas Fault* San Andreaksen siirros (Kaliforniassa)

2 fault *v* moittia, arvostella

fault-finding *s* (ilkeämielinen) arvostelu, moittiminen

faultless *adj* moitteeton, virheetön

faulty *adj* viallinen; virheellinen

fauna [ˈfɔːnə] *s* eläimistö, fauna

faux [fəʊ] *adj* teko-, keino- *faux leather* tekonahka

faux pas [ˌfəʊˈpɑː] *s* kömmähdys, (nolo) virhe *to make a faux pas* kömmähtää

fave [feɪv] *adj* (UK) suosikki-, lempi (sanasta *favourite*)

1 favor [ˈfeɪvər] *s* **1** palvelus *can I ask you a favor?* saanko pyytää sinulta palvelusta/apua? *do me a favor, will you, and shut up!* etkö voisi pitää suusi kiinni? **2** suosio *to win someone's favor* päästä jonkun suosioon *the book found favor with yuppies* kirja sai juppien mieleen *to be out of favor* olla

epäsuosiossa *the teacher treats her with favor* opettaja suosii/lellii häntä **3** kannatus *few people are in favor of raising taxes* vain harvat kannattavat verojen korotusta
2 favor *v* **1** suosia, asettaa etusijalle *as a teacher, you should not favor any student* opettaja ei saisi suosia ketään **2** kannattaa *I favor the idea* kannatan ajatusta **3** suoda, myöntää *she favored him with a kiss* hän soi hänelle suukon **4** säästää, varoa *after the accident, he has been favoring his left leg* onnettomuuden jälkeen hän on varonut vasenta jalkaansa
favorable *adj* suotuisa, myönteinen
favored *adj* **1** suosikki, mieluisin, lempi- **2** suotuisa, edullinen
favorite [fevrıt] *s* suosikki *adj* lempi-, mieli- *tacos are my favorite food* tacot ovat lempiruokaani
favoritism [fevvərətızm] *s* (jonkun epäreilu) suosiminen
1 fawn [fan] *s* **1** peuran vasikka **2** beesi (väri)
2 fawn *v* (koira) heiluttaa häntäänsä (kuv myös ihmisestä:) mielistellä
3 fawn *adj* beesinvärinen
1 fax [fæks] *s* faksi, telekopio
2 fax *v* faksata, lähettää faksi/telekopio
fax machine *s* telekopiolaite, faksi
faze [feız] *v* (ark) järkyttää, saada pois tolaltaan
fealty [fıəlti] *s* vasallin uskollisuus *to swear an oath of fealty to someone* vannoa uskollisuudenvala jollekulle
1 fear [fıər] *s* **1** pelko, ahdistus *we have nothing to fear but fear itself* meillä ei ole muuta pelättävää kuin itse pelko *I didn't want to say anything for fear of making her leave* en sanonut mitään koska en halunnut hänen lähtevän **2** mahdollisuus, pelko *there is little fear of him coming back* ei ole juuri pelkoa siitä että hän palaisi **3** kunnioitus, pelko *to live in fear of God* elää Jumalan pelossa *to put the fear of God into someone* pelästyttää joku pahanpäiväisesti
2 fear *v* pelätä
fearful *adj* **1** pelokas, ahdistunut **2** (vanh) pelottava

fearless *adj* peloton, urhea
fearlessness *s* pelottomuus, rohkeus, urheus
fearsome [fıərsəm] *adj* pelottava
feasibility [ˌfiːzəˈbıləti] *s* toteutettavuus, käytännöllisyys *the feasibility of your plan is in question* on epävarmaa voidaanko suunnitelmasi toteuttaa käytännössä
feasible *adj* **1** mahdollinen, joka voidaan toteuttaa, käyttökelpoinen *it's not feasible to build two tunnels* kahta tunnelia ei voida rakentaa **2** uskottava, todennäköinen
1 feast [fist] *s* **1** juhla **2** juhla-ateria
2 feast *v* **1** juhlia **2** kestitä (kuvasti) **3** *to feast your eyes on something* lepuuttaa silmiään jossakin
feat [fit] *s* teko, saavutus *it was not a little/mean feat* se oli melkoinen saavutus
1 feather [feðər] *s* sulka, höyhen *they are birds of a feather* he ovat samaa maata, kuin vakka ja kansi
2 feather *v* *to feather your nest* (kuv) paikata omia taskujaan
feathered *adj* höyhenpukuinen
featherweight [feðərˌweıt] *s* **1** (nyrkkeilyssä) höyhensarja **2** (kuv) pikkutekijä, mitätön ihminen
feathery *adj* **1** höyhenpeitteinen **2** höyhenenkevyt, höyhenen kaltainen
1 feature [fitʃər] *s* **1** (kasvon/tunnus)piirre, tunnusmerkki, ominaisuus **2** (lehti)kirjoitus, artikkeli, lukujuttu, feature **3** (kokoillan) elokuva
2 feature *v* **1** julkaista (lehdessä) **2** esiintyä (elokuvassa)
featureless *adj* yksitoikkoinen, mitäänsanomaton
febrile [fibraıl, febrəl] *adj* kuumeinen (myös *kuv*), kiihkeä
February [ˈfebjuˌeri ˈfebruˌeri] *s* helmikuu
feces [fisiz] *s* (mon) uloste(et)
feckless *adj* oikukas, ailahteleva
fecund [ˈfiːkənd] *adj* hedelmällinen (myös *kuv*), tuottelias
fecundity [fıˈkʌndəti] *s* hedelmällisyys (myös *kuv*), tuottoisuus
federal [fedərəl fedərəl] *adj* liittovaltion, liitto(valtio)-

federate ['fedə,reɪt] v yhdistää liittovaltioiksi/ federaatioiksi

federation [,fedə'reɪʃən] s liitto, liittovaltio, federaatio

fedora [fə'dɔːrə] s (miesten matala) huopahattu

fed up with adj (ark) kyllästynyt johonkin, kurkkua myöten täynnä jotakin

fee [fiː] s maksu, taksa

feeble [fiːbəl] adj heikko, voimaton

feeble-minded adj **1** heikkolahjainen **2** typerä, älytön

1 feed [fiːd] s **1** ruokinta, syöttö, syöttäminen **2** rehu, ruoka, ateria

2 feed v fed, fed **1** ruokkia, syöttää to feed the animals/fuel to an engine ruokkia eläimet/ syöttää polttoainetta moottoriin **2** syödä

feedback [fiːdbæk] s palaute

feed on v **1** syödä jotakin **2** (kuv) ruokkia vihaansa jollakin, saada voimaa jostakin

1 feel [fiːəl] s tuntu, tuntuma, tunnelma velvet has a soft feel sametti tuntuu pehmeältä he has a feel for languages hänellä on kielikorvaa

2 feel v felt, felt **1** tunnustella, tuntea, tunnustella the new manager is still trying to feel his way around uusi johtaja ei ole vielä toistunut työhönsä I feel like a fool tunnen itseni idiootiksi **2** ajatella she feels that you treated her badly hänestä tuntuu että sinä kohtelit häntä huonosti

feeler s tuntosarvi (myös kuv) he put out feelers to find a new job hän nosti tuntosarvensa pystyyn löytääkseen uuden työpaikan, hän alkoi etsiä uutta työpaikkaa

feel for v säälliä, tuntea myötätuntoa jotakuta kohtaan

1 feeling s **1** tunto he had almost no feeling in his legs hänen jalkansa olivat puutuneet **2** tunne, mielipide I have the feeling that you are trying to avoid me minusta tuntuu että sinä yrität välttellä minua no hard feelings! ei se mitään, en pane sitä pahakseni feelings are running high mielet ovat kuohuksissa

2 feeling adj tunteellinen; myötätuntoinen; (kuv) lämmin

feel like fr huvittaa, haluttaa do you feel like dancing/a cup of coffee? haluatko tanssia/ maistuisiko sinulle kahvi?

feel out v tunnustella (jonkun mielipidettä tms)

feel up v (sl) lääppiä (seksuaalisesti)

feel up to fr tuntea kykenevänsä johonkin, olla valmis johonkin

feet [fiːt] ks foot

feign [feɪn] v teeskennellä, tekeytyä (sairaaksi, tietämättömäksi ym)

feigned adj tekaistu

1 feint [feɪnt] s harhautus

2 feint v harhauttaa

feisty adj **1** terhakka, pirteä **2** ärhäkkä, kipakka

felicitous [fəlɪsətəs] adj osuva, onnistunut

felicity [fə'lɪsəti] s **1** onni, autuus **2** osuvuus, sopivuus, onnistuneisuus

feline [fiːlam] adj kissa-, kissamainen

1 fell [fel] s nahka, talja, vuota **2** tunturi **3** ylänkö

2 fell v ks fall adj: in one fell swoop yhdellä iskulla, yhtä aikaa

fellatio [fə'leɪʃou] s fellaatio

fellow [felou] s **1** toveri, ystävä **2** kaveri, heppu he is a fine fellow hän on mainio kaveri **3** (US yliopiston) stipendiaatti adj kanssa-, -toveri fellow competitor kilpatoveri

fellowship s **1** toveruus, kaveruus **2** (US yliopiston) stipendi

felon [felən] s (lak) törkeän rikoksen tekijä

felonious [fə'lounıəs] adj (lak) törkeä(n rikoksen luonteinen)

felony [feləni] s (lak) törkeä rikos

1 felt [felt] s huopa

2 felt v ks feel

felt-tip pen s huopakynä

felucca [fə'lʌkə] s (Niilin ja Välimeren purjealus) felukki

1 female [fiːmeɪl] s **1** naaras(eläin) **2** nainen, (alat) muija, akka

2 female adj **1** naaras-, naispuolinen, nais- a female elephant/doctor naarasnorsu/nais-lääkäri female company/audience nais-seura/naisyleisö

feminine [femənən] *s* (kieliopissa) feminiini *adj* naisellinen, feminiininen; naismainen

femininity [ˌfəmə'nɪnəti] *s* naisellisuus

feminism [femənɪzəm] *s* feminismi, nais(asia)liike

1 feminist [femənɪst] *s* feministi

2 feminist *adj* feministinen

femoral [fɪ'morəl] *adj* reisi- *femoral artery* reisivaltimo

femur [fiˑmər] *s* reisiluu

fen [fen] *s* kosteikko, suo

1 fence [fens] *s* **1** aita (myös urh) este *to sit on the fence* lykätä ratkaisua, olla kahden vaiheilla **2** varastetun tavaran kätkijä/kauppias

2 fence *v* **1** aidata **2** miekkailla **3** (kuv) väistellä, vältellä

fence in *v* **1** aidata **2** (kuv) rajoittaa, ahdistaa, panna ahtaalle

fence off *v* rajata aidalla, erottaa aidalla, aidata

fencer *s* miekkailija

fencing *s* miekkailu

fender *s* (auton, polku/moottoripyörän) lokasuoja

fend off *v* torjua (isku), puolustautua

fenestration [ˌfenəsˈtreɪʃən] *s* ikkunoiden sijoitus

feng shui [ˌfʌŋˈʃwei] *s* (rakennusten suunnittelussa käytettävä kiinalainen ennakointimenetelmä) fengshui

fennec fox [fenək] *s* aavikkokettu, fennekki

fennel [fenəl] *s* (mauste) fenkoli, saksankumina

feral [fɪrəl] *adj* villiintynyt

ferment [farment] *s* **1** (kem) fermentti, käyte **2** (kem) käyminen *3* (kuv) kuohunta

ferment [farˈment] *v* **1** (kem) käydä **2** (kuv) (suunnitelma) kypsyä; kiehua, olla levotonta

fermentation [ˌfɜrmənˈteɪʃən] *s* **1** (kem) käyminen, fermentaatio **2** (kuv) (suunnitelman) kypsyminen; kiehuminen, levottomuus

fern [fɜrn] *s* saniainen

ferocious [fəˈrouʃəs] *adj* julma, vihainen, raivokas

ferociousness *s* julmuus, viha, raivo

ferocity [fəˈrasəti] *s* julmuus, viha, raivo

ferret [ferət] *s* (eläin) hilleri

ferret out [ferət] *v* kaivaa/onkia esiin, ottaa/saada selville

ferric [ferɪk] *adj* rauta-

Ferris wheel [ferəs] *s* maailmanpyörä

ferrous [ferəs] *adj* rauta-

ferrule [ferəl] *s* **1** (tuki)holkki **2** hela

1 ferry [feri] *s* lautta *we caught the ferry at Bari* jatkoimme Barista lautalla

2 ferry *v* kuljettaa (lautalla, lentokoneella, autolla)

fertile [fɜrtəl] *adj* hedelmällinen (myös kuv)

fertility [fɜrˈtiləti] *s* hedelmällisyys (myös kuv)

fertilization [ˌfɜrtələˈzeɪʃən] *s* **1** hedelmöitys **2** lannoitus

fertilize [fɜrtəlaɪz] *v* **1** hedelmöittää **2** lannoittaa

fertilizer [ˈfɜrtəˌlaɪzər] *s* lannoite

fervent [fɜrvənt] *adj* intohimoinen, palava (halu), horjumaton (kannattaja)

fervor [fɜrvər] *s* intohimo, hartaus, palava into

-fest liitteenä osoittamassa että toiminta jatkuu pitkään, on vilkasta *gabfest* puheenpölinä

fester [festər] *v* **1** (haava) märkiä **2** (kuv) kalvaa/jäytää (mieltä)

festival [festəvəl] *s* juhla, festivaali(t) *a music festival* musiikkijuhla(t)

festive [festɪv] *adj* juhla-

festive season *s* joulu(naika)

festivity [festivəti] *s* (mon festivities) juhla, juhlallisuus; juhlatunnelma, hilpeys

1 festoon [fesˈtun] *s* (kukka)köynnös

2 festoon *v* koristella *the room was festooned with balloons* huone oli koristeltu ilmapalloilla

feta [fetə] *s* feta(juusto)

fetal [fiˑtəl] *adj* sikiö-

fetal position: *she sleeps in a fetal position* hän nukkuu sikiöasennossa

fetch [fetʃ] *v* **1** noutaa, hakea **2** (huutokaupassa) tuottaa

fetching *adj* ihastuttava, hurmaava

1 fete [fet, feɪt] *s* juhla

2 fete *v* juhlia

fetid 782

fetid [fetəd] *adj* pahanhajuinen

fetish [fetɪʃ] *s* fetissi

fetishism [fetɪʃɪzəm] *s* fetisismi

fetishist *s* fetisisti

fetlock *s* (hevosen) vuohistupsu

fetter [fetər] *v* kahlehtia, panna kahleisiin (myös kuv)

fetters [fetərz] *s* (mon) kahleet (myös kuv)

fettle [fetl] *she's in fine fettle* hän on loistokunnossa

fetus [fitəs] *s* sikiö

1 feud [fjud] *s* (suku)riita, kiista

2 feud *v* riidellä, kiistellä

feudal [fjudəl] *adj* feodaali-, lääninherra-

feudalism [fjudəlɪzəm] *s* feodalismi, läänityslaitos

fever [fivər] *s* kuume (myös kuv:) huuma, kiihtymys

fevered [fivərd] *adj* kuumeinen, kiihkeä, hillitön

feverish *adj* kuumeinen (myös kuv:) kiireinen, innokas, kiihkeä

fever pitch *s* (kuv) kiehumispiste *to reach fever pitch* saavuttaa kiehumispiste

few [fju] *adj, pron* harva, muutama, jokunen *few people know it* vain harvat tuntevat sen *a few people know it* muutama ihminen tuntee sen *quite a few people know it* aika moni tuntee sen *too few people know it* liian harvat tuntevat sen *the few who like his paintings* ne harvat jotka pitävät hänen tauluistaan *you can take a few* voit ottaa muutaman *quite a few* varsin moni/paljon *in as few as five countries* vain viidessä maassa *every few years* muutaman vuoden välein *to name but a few* vain muutaman mainitakseni

fewer *adj, pron* komparatiivi sanasta *few: he tried to read it no fewer than three times* hän yritti kokonaiset kolme kertaa lukea sen

fey [feɪ] *adj* **1** omituinen **2** teennäinen

fiancé [ˌfiɑnˈseɪ] *s* sulhanen

fiancée [ˌfiɑnˈseɪ] *s* morsian

fiasco [friˈæskou] *s* fiasko

fiat [fiət] *s* käsky, määräys

1 fib [fɪb] *s* (ark) (hätä)valhe

2 fib *v* (ark) valehdella, puhua perättömiä, huijata

fibber *s* valehtelija; huijari

fiber [faɪbər] *s* **1** kuitu *dietary fiber* ravintokuitu *natural fibers* luonnonkuidut **2** (kuv) selkäranka *moral fiber*

fiberglass [faɪbərˌɡlæs] *s* lasikuitu

fibrous [faɪbrəs] *adj* kuitu-, kuitumainen

fibula [fɪbjələ] *s* pohjelu

fickle [fɪkəl] *adj* ailahteleva, oikukas

fiction [fɪkʃən] *s* **1** kaunokirjallisuus, kertomakirjallisuus, sepitteinen kirjallisuus **2** pöty, tuulesta temmattu/keksitty juttu, satu (kuv)

fictional *adj* kuvitteellinen, keksitty *fictional characters* romaanihenkilöt

fictionalize [fɪkʃənəlaɪz] *v* tehdä jostakin (tositapahtumasta) romaani/elokuva

fictitious [fɪkˈtɪʃəs] *adj* **1** kuvitteellinen, keksitty **2** tekaistu (juttu, nimi), perätön

1 fiddle [fɪdəl] *s* viulu *to play second fiddle to someone* (kuv) soittaa toista viulua

2 fiddle *v* **1** (ark) vinguttaa/soittaa viulua **2** sormeilla, sorkkia, häärätä jonkin kimpussa *don't fiddle with my stereo* jätä minun stereoni rauhaan **3** (kuv) halkoa hiuksia **4** korjailla (luvattomasti), pistää omaan taskuunsa

fiddler [fɪdlər] *s* **1** (ark) viulunsoittaja, viulunvinguttaja **2** huijari, petturi

fidelity [fəˈdeləti] *s* uskollisuus; (käännöksen, äänentoiston) tarkkuus

fidget [fɪdʒət] *v* liikuskella hermostuneesti *will you stop fidgeting with that lighter!* jätä se tupakansytytin rauhaan!

fidgety [fɪdʒəti] *adj* levoton, hermostunut, rauhaton

1 fiduciary [fəˈdjuʃieri] *s* omaisuudenhoitaja, uskottu mies

2 fiduciary [adj] hoitajan haltuun uskottu

fief [fif] *s* lääni(tys)

1 field [fild] *s* **1** pelto **2** (jää-/öljy-/magneetti-/näkö-/jalkapallo-/baseball)kenttä, taistelukenttä/tanner **3** (tutkimus/ammatti)ala **4** (toimiston vastakohtana:) kenttä *they tested the computer for a year in the field* tietokonetta kokeiltiin kentällä vuoden ajan **5** (urh) kenttälajit, kenttäurheilu

2 field *v* **1** (baseball) ottaa (pallo) kiinni, saada koppi **2** vastata taitavasti (kysymykseen) **3** lähettää (pelaaja, ehdokas, työntekijä) kentälle

field day: *to have a field day* olla erittäin hauskaa, nauttia kovasti

fielder *s* (urh) ulkopelaaja

field events *s* (urh) (mon) kenttälaji(kilpailu)t

field glasses *s* (mon) kiikari

field hospital *s* (sot) kenttäsairaala

field marshall *s* (UK) sotamarsalkka

fieldmouse *s* (mon fieldmice) peltohiiri

field of vision *s* näkökenttä

field sports *s* (mon) metsästys ja kalastus

field-test *v* kokeilla/testata käytännössä

field trip *s* opintoretki

field vole *s* peltomyyrä

fieldwork [fíːldwɜːk] *s* kenttätyö

field worker *s* kenttätyöntekijä, esim haastattelija

fiend [fíːnd] *s* **1** paholainen, piru (myös kuv) **2** (ark) hullu *he is a football fiend* hän on intohimoinen (amerikkalaisen) jalkapallon ystävä, jalkapallohullu *he works like a fiend* hän paiskii töitä kuin heikkopäinen **3** (ark) nero *she is a definite fiend at math* hän on nero matematiikassa

fiendish *adj* pirullinen, julma, hirvittävä

fierce [fíəs] *adj* hurja, raju, vihainen, terävä (arvostelu)

fierceness *s* kiivaus *the fierceness of the opposition* kiivas vastustus

fiery [fáɪərɪ] *adj* hehkuva, tulinen (myös kuv)

fiesta [fíˈestə] *s* fiesta, juhla

fife [fáɪf] *s* (pieni sotilasorkesterin) huilu

fifteen [fɪfˈtiːn] *s, adj* viisitoista

fifteenth [fɪfˈtiːnθ] *s, adj* viidestoista

fifth [fɪfθ] *s, adj* viides *to take the fifth* (lak) käyttää vaitiolo-oikeutta

fifties *s* (mon) **1** 50-luku, erit 1950-luku **2** lämpötila 50–59°F (10–15°C) **3** ikävuodet 50–59 *she is in her fifties* hän on viisisäkymmenissä

fiftieth [fɪftɪəθ] *s, adj* viideskymmenes

fifty [fɪftɪ] *s, adj* viisikymmentä

fifty-fifty *adj* tasan, puoliksi

fiftysomething *s* [fɪftɪˌsʌmθɪŋ] *adj* (iältään) viisikyt ja risat

fig [fíg] *s* viikuna

1 fight [fáɪt] *s* **1** tappelu, riita, yhteenotto, taistelu **2** sisu, taisteluhenki

2 fight *v* fought, fought: tapella, riidellä, ottaa yhteen, taistella *the United States fought Japan in the Pacific* Yhdysvallat taisteli Japania vastaan Tyynellämerellä *the doctors are fighting the disease* lääkärit taistelevat tautia vastaan *the rescuers were fighting the fire* pelastajat yrittivät saada tulipalon sammumaan

fight back *v* **1** torjua (hyökkäys), puolustautua **2** niellä (kyyneleet)

fighter *s* **1** taistelija, soturi; nyrkkeilijä **2** hävittäjä (lentokone)

fight off *v* torjua (hyökkäys, sairaus)

fight shy of *fr* välttää, karttaa

fig leaf *s* viikunanlehti (myös kuv)

figment [fígmənt] *s* mielikuvituksen tuote, kuvittelu *that's just a figment of your imagination* kunhan kuvittelet, sinä luulet vain

figurative [fígjərətɪv] *adj* kuvaannollinen *I used the word in a figurative sense* käytin sanaa kuvaannollisessa merkityksessä

figuratively *adv* kuvallisesti sanoen/puhuen

1 figure [fígjər] *s* **1** numero, luku; summa *it has a six-figure price* se maksaa kuusinumeroisen summan **2** kuvio **3** henkilö, hahmo *a key figure* avainhenkilö **5** vartalo *watch your figure* varo liikakiloja *keep your figure* ei lihoa, pysyä hoikkana

2 figure *v* **1** laskea (yhteen, up) **2** (ark) päätellä, arvata, uskoa, luulla *he figured we'd go there alone* hän arvasi/luuli että me sinne yksin **3** esiintyä jossakin *that theme figures centrally in the book* aihealla on kirjassa keskeinen merkitys **4** *it/ that figures* sen saattoi arvata, se olisi pitänyt arvata

figured *adj* kuvioitu, kuvio-

figure eight *s* (kuvio) kahdeksikko

figurehead *s* keulakuva (myös kuv)

figure of speech *s* sanonta *don't worry about what he said, it's just a figure of speech* älä välitä, ei hän mitään pahaa tarkoittanut

figure on *v* **1** luottaa johonkin, laskea jonkin varaan **2** varautua johonkin

figure out v **1** ymmärtää, tajuta, käsittää **2** laskea

figure skater s taitoluistelija

figure skating s taitoluistelu

figure up v (summa) tehdä yhteensä, olla

figurine [ˌfɪɡjəˈriːn] s (pieni veistos tai henkilökuva) figuriini

filament [ˈfɪləmənt] s **1** hehkulanka **2** (auringon) filamentti

filch [fɪltʃ] v (ark) kähveltää, näpistää, pöllää

1 file [faɪəl] s **1** arkistokansio **2** asiakirja **3** (tietokoneen) tiedosto **4** jono *they marched out single file* he marssivat ulos yhtenä jonona **5** viila

2 file v **1** arkistoida **2** (tietok) tallentaa **3** jättää sisään (hakemus) **4** marssia jonossa **5** viilata

file card s arkistokortti, merkintäkortti

file folder s arkistokansio

filial [ˈfɪlɪəl] adj pojan, tyttären *filial duty* lapsen velvollisuudet (vanhempia kohtaan)

1 filibuster [ˈfɪlɪˌbʌstər] v jarruttaa (politiikassa)

2 filibuster v pitää jarrutuspuheita so *filibuster legislation* jarruttamalla estää lain hyväksyminen

filing cabinet s arkistokaappi

filings [ˈfaɪlɪŋz] s (mon) viilanpuru

1 fill [fɪl] s *to have your fill of something* saada kyllikseen/tarpeekseen jostakin *to eat your fill* syödä kyllikseen

2 fill v **1** täyttää, täyttyä *he is filled with sadness* hän on täynnä surua *they have already filled the vacancy* avoin työpaikka on jo täytetty **2** *to fill a need* olla hyvään tarpeeseen, olla kaivattu **3** paikata (hammas)

filler s **1** täyteaine, tilke, kitti **2** (lehdessä) palstantäyte

filler cap s (polttoainesäiliön) korkki, tulppa

1 fillet [ˈfɪˈleɪ] s filee, seläke

2 fillet v leikata fileiksi, fileoida

fill in v **1** täyttää (kaavake, halkeama) **2** toimia jonkun sijaisena, tuurata **3** kertoa jollekulle jotakin, saattaa joku tilanteen tasalle

fill-in s tuuraaja

1 filling s **1** (ruuan) täyte **2** (hampaan) paikka

2 filling adj (ruoka) täyttävä, tukeva, tuhti

filling station s huoltoasema

fillip s kimmoke, yllyke, heräte, virike

fill out v **1** täyttää (kaavake) **2** paisuttaa, paisua, pullistaa, pullistua

fill someone's shoes fr astua jonkun tilalle

fill up v täyttää; tankata (auto) täyteen

fill-up s (polttoainetankin) täyttö

filly [ˈfɪlɪ] s tammavarsa

1 film [fɪlm] s **1** kelmu, kalvo, kerros **2** (valokuvaus)filmi **3** elokuva, filmi

2 film v filmata, kuvata, elokuvata

filmic adj elokuvamainen (kirja)

filmmaker s elokuvaohjaaja

film speed s filmin herkkyys, filmin nopeus

filmy [ˈfɪlmɪ] adj **1** ohut, kalvomainen **2** hämärä

filo pastry [ˈfiːloʊ ˈpeɪstrɪ] s (kreikkalainen voitaikina) filotaikina

1 filter [ˈfɪltər] s suodatin

2 filter v suodattaa

filth [fɪlθ] s lika (myös kuv:) saasta *stop spreading all that filth about your brother* lakkaa puhumasta pahaa veljestäsi

filthiness s likaisuus (myös kuv), törkyisyys

filthy adj likainen (myös kuv) *your hands are filthy* kätesi ovat likaiset *that's a filthy lie* katala valhe *he is a filthy liar* kurja valehtelija *to be in a filthy mood* olla pahalla/hankalalla tuulella

fin [fɪn] s **1** (kalan) evä **2** uimaräpylä **3** (ark) viiden dollarin seteli, vitonen **4** (lentokoneen) sivuvakain

finagle [fəˈneɪɡəl] v (ark) keplotella, petkuttaa, huijata

1 final [ˈfaɪnəl] s **1** (yl mon) lopputentti **2** (urh) loppuottelu, finaali

2 final adj lopullinen, loppu-, viimeinen *final payment* viimeinen (maksu)erä *final goal* lopullinen tavoite *final decision* lopullinen päätös/ratkaisu *final word* viimeinen sana

finale [fəˈnɑːlɪ] s **1** (esityksen) loppuhuipentuma, (oopperan) loppukohtaus, finaali **2** viimeinen eristys, kilpailu tms

finalist s (urh) finalisti

finality [faɪˈnælətɪ] s (päätöksen) lopullisuus; päättäväisyys, määrätietoisuus

finalization [ˌfaɪnəlɑːˈzeɪʃən] s viimeistely

finalize ['faɪnə,laɪz] v viimeistellä, saattaa päätökseen

finally [faɪnlɪ] adv 1 viimein(kin) 2 lopuksi 3 lopullisesti, jyrkästi, määrätietoisesti 4 loppujen lopuksi, sentään

1 finance [faɪnæns] s 1 raha-asiat, finanssit, julkinen talous 2 (mon) (raha)varat

2 finance v rahoittaa

financial [faɪˈnænʃəl] adj finanssi-, raha- *he is a financial wizard* hän on melkoinen finanssihai

financier [ˌfaɪnænˈsɪəʳ] s finanssimies

finch [fɪntʃ] s peippo

1 find [faɪnd] s löytö, löydös *that blazer was a great find* bleiseri oli hieno löytö/ostos

2 find v found, found 1 löytää *I can't find my other shoe* en löydä toista kenkääni 2 saada selville, selvitä jollekulle *she found that not everybody can be trusted* hänelle selvisi ettei kaikkiin voi luottaa 3 etsiä, ottaa selville *can you please find me another pen?* viitsisitkö etsiä minulle toisen kynän? 4 tuntua joltakin, pitää jonakin, olla jotakin mieltä *I find it awkward to apologize to him* minusta on vaikea pyytää häneltä anteeksi 5 esiintyä, todeta *the jury found the defendant guilty* valamiehistö totesi syytetyn syylliseksi

finder s löytäjä 2 (kameran, kaukoputken) etsin

finding s (tutkimus)tulos

find out v saada selville, selvittää jollekulle

1 fine [faɪn] s sakko

2 fine v sakottaa, antaa sakko

3 fine adj 1 hieno (eri merkityksissä), hyvä *the weather is fine* sää on kaunis *he did a fine job* hän hoiti työnsä hienosti *fine sand* hieno hiekka *fine watch* laatukello 2 terve, vahingoittumaton *I am fine, thank you* minä voin hyvin/hienosti, minulla ei ole mitään hätää, (minulle kuuluu) hyvää, kiitos 4 **fine** adv hienosti, hyvin; hienoksi

fine arts s (mon) kaunotaiteet

finely adv hienosti, kauniisti, tarkasti, pieneksi (pilkottu)

finery [faɪnərɪ] s komeus, loisto

finesse [fəˈnes] s taidokkuus, tahdikkuus, neuvokkuus

1 finger [fɪŋgəʳ] s sormi *to keep your fingers crossed* pitää peukkua *I can't put my finger on it, but I think there is something wrong here* en osaa sanoa tarkasti mutta kaikki ei mielestäni ole kohdallaan

2 finger v 1 sormeilla, hypistellä *to twist someone around your little finger* kiertää joku pikkusormensa ympäri, pitää täysin vallassaan 2 (tietok) tunnustella

1 fingerprint ['fɪŋgəˌprɪnt] s sormenjälki

2 fingerprint v ottaa jollakulta sormenjäljet *the police fingerprinted the suspect* poliisi otti epäillyltä sormenjäljet

fingertip [fɪŋgətɪp] s sormenpää *the name is at my fingertips* nimi on aivan kieleni päällä

1 finish [fɪnɪʃ] s 1 maali 2 loppu(kiri) 3 viimeistely, työn laatu

2 finish v 1 lopettaa, loppua, päättää, päättyä, lakata 2 viimeistellä 3 tulla maaliin *as usual, he finished last* tapansa mukaan hän tuli maaliin viimeisenä

finished adj 1 valmis 2 loppu(nut), päättynyt 3 hienosti viimeistelty, hiottu 4 taitava 5 mennyttä *you are finished in this company* sinulla ei ole enää minkäänlaista tulevaisuutta tässä yrityksessä

finish off v 1 tehdä loppu jostakin, tappaa 2 kuluttaa/syödä/juoda loppuun

finish up v saada/tehdä valmiiksi

finish with v 1 saada/tehdä valmiiksi 2 saada tarpeekseen jostakusta/jostakin

finite [faɪnaɪt] adj 1 äärellinen, rajallinen 2 (kielioppia verbin muodosta) finiitti-, persoona-

fir [fɜːʳ] s (jalo)kuusi

1 fire [faɪəʳ] s 1 tuli (myös kuv:) intohimo, kiihko 2 tulipalo 3 tuli(tus) *between two fires* kahden tulen välissä (myös kuv)

2 fire v 1 polttaa 2 tulittaa, ampua *catch fire* syttyä *the building was on fire* talo paloi, oli ilmiliekeissä *to fight fire with fire* panna kova kovaa vastaan, vastata/antaa takaisin samalla mitalla *open fire* avata tuli *he was killed by friendly/enemy fire* hän kuoli omien/vihollisen laukauksista *come *under fire for something* saada paljon kritiikkiä jostakin **3** käynnistää (moottori) **4** innostaa, siivittää (mielikuvitusta)

fire alarm s palohälytys

fire brigade s (vapaa)palokunta

fire department s palolaitos

fire drill s **1** sammutusharjoitus **2** koe(palo)-hälytys

fire engine s paloauto, sammutusauto

fire escape s paloportaat

fire extinguisher s (käsi)sammutin

firefighter s palomies

firefly ['faɪərˌflaɪ] s tulikärpänen

firelight ['faɪərˌlaɪt] s takkavalkea

fireman [faɪərmən] s (mon firemen) palomies

fireplace ['faɪərˌpleɪs] s takka

fireproof ['faɪərˌpruːf] adj tulenkestävä

fire station s paloasema

firewall s (tietoverkon) suojamuuri, tuliseinä, palomuuri

firewood ['faɪərˌwʊd] s polttopuu

fireworks ['faɪərˌwɜːks] s (mon) ilotulitus

firm [fɜːm] s yritys, firma adj, adv luja (myös kuv) *she has firm thighs* hänellä on kiinteät reidet *we made a firm deal* teimme lujan/vakaan sopimuksen *he has the firm support of the labor unions* hänellä on takanaan ammattiyhdistysten luja/vankka tuki

firmness s lujuus, vakavuus; päättäväisyys

firm up v lujittaa

first [fɜːst] s ensimmäinen *at first* aluksi, ensiksi *that's the first I hear about it* en ole aikaisemmin kuullutkaan siitä *from the very first* alusta alkaen adj ensimmäinen *to put first things first* panna asiat tärkeysjärjestykseen, aloittaa tärkeimmästä päästä *first thing (in the morning)* heti alkajaisiksi, ensimmäiseksi (aamulla) adv ensin, ensimmäiseksi; aluksi *first of all* ennen kaikkea, etupäässä *when she first visited New Zealand...* hänen käydessään Uudessa-Seelannissa ensimmäistä kertaa...

first aid s ensiapu

first class s ensimmäinen luokka (kulkuneuvossa, postissa)

first-class adj **1** ensimmäisen luokan (lippu, posti) **2** ensiluokkainen

firstcomer s aloittelija, ensikertalainen

firsthand [ˌfɜːstˈhænd] adj ensi käden (tieto) adv suoraan *she learned it firsthand from the author* hän kuuli sen itse kirjailijalta/tekijältä

first name s etunimi

first-rate adj ensiluokkainen, erinomainen

firth [fɜːθ] s (Skotlannissa) (meren)lahti, vuono

fiscal [fɪskəl] adj fiskaalinen, valtion tuloja koskeva; taloudellinen, raha-

1 fish [fɪʃ] s (mon fish, fishes) kala

2 fish v kalastaa; onkia

fisher s kalastaja

fisherman [fɪʃəmən] s (mon fishermen) kalastaja

fish for v (kuv) kalastella, kerjätä (esim kohteliaisuuksia)

fishhook ['fɪʃˌhʊk] s ongenkoukku

fishing s kalastus

fishing expedition *to go on a fishing expedition* (kuv) kalastella/onkia tietoja, harjoittaa hakuammuntaa

fishline ['fɪʃˌlaɪn] s (ongen) siima

fishnet ['fɪʃˌnet] s kalaverkko adj verkko-*fishnet stockings* verkkosukat

fish out v **1** kaivaa/vetää esiin **2** kalastaa tyhjäksi

fish story s (kuv) perätön tarina, kalajuttu

fishtail [fɪʃˌteɪl] v pujotella, puikkelehtia *fishtail around a corner* luisua sinne tänne kulmassa

fish up v kaivaa/vetää esiin

fishy adj **1** (ark) hämäräperäinen, epäilyttävä **2** (ark) tuulesta temmattu, jota on vaikea uskoa todeksi

fission [fɪʃən] s (fysiikassa) fissio, (atomiytinten) halkeaminen

fist [fɪst] s nyrkki

1 fit [fɪt] s **1** (vaatteen) istuvuus; sopivuus *it's a perfect fit* se istuu/sopii täydellisesti **2** (sairaus-, raivo)kohtaus, (taudin, vihan, itkun) puuska *to throw a fit* saada hepulit *in fits and starts* pätkien, katkonaisesti

2 fit v fit/fitted, fitted sopia, sovittaa, olla sopiva, mahtua *the key fits into the lock* avain sopii lukkoon *she fitted the key into the lock* hän sovitti avainta lukkoon *the price does not fit the product* hinta ja tuote eivät ole sopusoinnussa

3 fit *adj* 1 sopiva, sovelias, asiallinen, asianmukainen *fit for drinking* juomakelpoinen *survival of the fittest* sopivimman eloonjäänti (olemassaolon taistelussa) **2** (joka on hyvässä fyysisessä) kunnossa

fitful *adj* oikukas

fitness *s* (fyysinen) kunto, terveys

fitness training *s* kuntourheilu, kuntoilu

fitter *s* 1 räätäli, ompelija **2** asentaja

fitting *s* (vaatteen) sovitus *adj* sopiva

five [faɪv] *s, adj* viisi

1 fix [fɪks] *s* 1 (ark) jama, pula *I'm in a fix* olen nesteessä **2** (ark) ratkaisu, korjaus *a quick fix for a problem* ongelman pikaratkaisu

2 fix *v* 1 kiinnittää *he fixed the painting to the wall/his eyes fixed on her* hän kiinnitti taulun seinään/hänen katseensa kiinnittyi häneen **2** päättää, sopia, järjestää **3** korjata, oikaista, panna kuntoon *they promised to fix the problem immediately* he lupasivat oikaista asian heti **4** sopia, järjestää luvattomasti *the match was fixed* ottelun tulos oli sovittu etukäteen

fixation [fɪkˈseɪʃən] *s* pakkomielle

fixative [ˈfɪksətɪv] *s* kiinnite, kiinnitysaine

fixture [ˈfɪkstʃər] *s* 1 (mon) varusteet, kalusteet *electrical fixtures* (talon) sähkövarusteet, pistorasiat yms *kitchen fixtures* keittiön kalusteet, vesihanat, pistorasiat yms **2** *he is a fixture in the physics department* (kuv) hän kuuluu fysiikan laitokseen (vakinaisiin) kalusteisiin, hän on juurtunut lähtemättömästi fysiikan laitoksselle

1 fizz [fɪz] *s* poreilu, sihinä

2 fizz *v* poreilla, sihistä

fizzle out *v* (kuv) sammua (vähitellen), jostakin loppuu veto

fizzy [ˈfɪzi] *adj* (juoma) poreileva

fizzy drink *s* hiilihappojuoma

fjord [fjɔːd] *s* vuono

flab [flæb] *s* (ark) ihra(poimu), läski

flabbergast [ˈflæbərˌɡæst] *v* ällistyttää, tyrmistyttää, saada haukkomaan henkeään

flabbergasted [ˈflæbərˌɡæstəd] *adj* ällistynyt

flabbiness *s* 1 velttous **2** (ark) läskisyys, ihraisuus

flabby [ˈflæbi] *adj* 1 veltto, vetelä (myös kuv) **2** (ark) ihrainen, läskinen

flaccid [ˈflæsɪd] *adj* veltto, vetelä, hervoton (myös kuv)

1 flag [flæɡ] *s* lippu

2 flag *v* 1 liputtaa **2** lamaantua, laantua; väsähtää

flag down *v* viitata (taksi) pysähtymään, pysäyttää

flagging *adj* hiipuva, väheneva, heikkenevä *flagging sales* myynnin lasku

flagpole [ˈflæɡpəʊl] *s* lipputanko

flagrant [ˈfleɪɡrənt] *adj* törkeä, häpeämätön, silmiinpistävä

flagrantly *adv* törkeästi, häpeämättömästi, ilmiselvästi

flagship [ˈflæɡˌʃɪp] *s* lippulaiva (myös kuv)

flagship store *s* (ketjun) päämyymälä

flagstaff [ˈflæɡstæf] *s* lipputanko

flagstone [ˈflæɡˌstəʊn] *s* kivilaatta

flag-waver *s* kiihkoisänmaallinen henkilö

1 flail [fleɪl] *s* varsta

2 flail *v* 1 puida varstalla **2** huitoa, heiluttaa (esim käsiään)

flair [fleər] *s* vainu, taju, lahjat *she has no flair for elegance* hän ei osaa olla tyylikäs *she always dresses with flair* hän pukeutuu aina tyylikkäästi

flak [flæk] *s* 1 ilmatorjuntatuli **2** (ark) ankara kritiikki *he took a lot of flak from us for it* hän sai tuutin täydeltä kritiikkiä

1 flake [fleɪk] *s* 1 hiutale *snow/corn flake* maissihiutale, lumihiutale **2** (sl) tärähtänyt (ihminen); laiska (ihminen)

2 flake *v* 1 (maali, iho) hilseillä, lohkeilla **2** leikata hiutaleiksi, silputa

flaky *adj* 1 (maali, iho) hilseilevä, lohkeileva **2** (sl) tärähtänyt, höynähtänyt; pinnallinen

flambé [ˈflæmˌbeɪ] *v* (ruoka) liekittää, flambeerata

flamboyant [flæmˈbɔɪənt] *adj* ylellinen, mahtaileva, pursuileva, pröystäilevä

1 flame [fleɪm] *s* 1 liekki (myös kuv), hehku, innostus **2** ihastus, mies/naisystävä **3** (tietok) flame

2 flame v **1** leimahtaa liekkiin, syttyä (myös kuv) *her eyes flamed* hänen silmänsä leimahtivat/säkenöivät/iskivät tulta **2** (tietok) herjata

flame-resistant adj liekinkestävä

flaming adj liekehtivä, hehkuva (väri), (kuv) palava (tunne)

flamingo [flə'mingəυ] s flamingo

flammable [flæməbəl] adj tulenarka, helposti syttyvä

flange [flændʒ] s (vanteen) sarvi, (bajonetin ym) reunus, rengas

1 flank [flæŋk] s **1** kylki, kuve

2 flank v olla jonkin kupeessa/rinnalla

flannel [flænəl] s flanelli

flannels [flænəlz] s (mon) flanellihousut

1 flap [flæp] s **1** (korva- tai muu) läppä **2** (lentokoneen) laskusiiveke **3** läpsäytys **4** (ääni) läpätys, lepatus

2 flap v **1** läpättää, lepattaa **2** räpyttää, räpytellä; heiluttaa; läiskäyttää *the bird flapped its wings* lintu räpytteli siipiään **3** lyödä, läiskiä, huiskia

flapjack ['flæp‚dʒæk] s **1** ohukainen, räiskäle, ohut pannukakku **2** (UK) kaurahiutaleista, voista ja siirapista valmistettu keksi

1 flare [fleər] s **1** purkauma, liekki, roihu **2** valoraketti, hätäraketti **3** (housunlahkeen, hameen) levennys

2 flare v **1** leimahtaa, hulmahtaa, roihahtaa **2** (lahkeesta, hameesta) levitä (alaspäin); (sieraimista) laajentua

flare up v leimahtaa, syttyä, leimahtaa ilmiliekkiin (myös kuv)

1 flash [flæʃ] s **1** leimahdus, välähdys **2** salama **3** salamalaite **4** lyhyt uutislähetys (kesken ohjelman)

2 flash v **1** leimahtaa, välähtää, väläyttää, välkkyä *he flashed her a smile* mies hymyili hänelle lyhyesti, mies väläytti hänelle hymyn **2** vilahtaa, sujahtaa, viilettää

flashback ['flæʃ‚bæk] s **1** (yhtäkkiä mieleen palautuva epämiellyttävä) muisto **2** (elokuvassa, romaanissa) takauma

flashcard s (opettelussa käytetty) kuva- tai sanakortti

flasher s **1** vilkkuvalo **2** itsensäpaljastaja, ekshibitionisti

flashlight ['flæʃ‚laɪt] s **1** taskulamppu **2** salamavalo(lamppu)

flash memory s (elektroninen) flash-muisti

flashpoint s ongelmapesäke

flashy adj huomiota herättävä, pröystäilevä

flask [flɑːsk] s **1** (koe)pullo **2** taskumatti

flat [flæt] s **1** tasanko **2** lape; kämmen **3** (mus) alennusmerkki **4** (UK) huoneisto, asunto **5** rengasrikko *we had a flat on the way here* autosta puhkesi rengas tänne tullessamme adj, adv **1** litteä, tasainen, suora *put your hands flat against the wall* levitä kätesi seinälle/seinää vasten **2** (kuv) haalea (väri), heikko (kysyntä), väljähtänyt (juoma) **3** (mus) alennettu (nuotti); liian matala **4** kerta- *they charge a flat rate* he veloittavat kertamaksun **5** ehdoton, jyrkkä *a flat refusal* ehdoton kieltäytyminen/ kielto **6** (ark) auki, rahaton *he is flat broke again* hän on taas peeaa

flat-coated adj sileäkarvainen

flat feet s (mon) lättäjalat

flatfish s **1** (mon) kampelakalat **2** kampela **3** meriantura

flatfoot ['flætfυt] s lättäjalka

flatfooted [‚flæt'fυtəd] adj **1** lättäjalkainen **2** kömpelö, kankea **3** tyly, jyrkkä *a flat-footed denial* ehdoton kiistäminen **4** to catch someone flat-footed yllättää joku

flatiron ['flæt‚aɪərn] s (ei-sähköinen) silitysrauta

flatly adv ehdottomasti, jyrkästi to flatly deny kieltää jyrkästi to flatly refuse kieltäytyä ehdottomasti

flatmate [flæt‚meɪt] s (UK) kämppäkaveri

flat-out ['flætaυt] adj **1** täysimittainen to make a flat-out effort antaa kaikkensa, panna parastaan **2** ilmiselvä a flat-out lie härski valhe

flat rate s kiinteä hinta

flats [flæts] s (mon) **1** tasanko, alanko salt flats suolatasanko mud flats mutaranta; (kuivuneen järven) mutapohja **2** matalakorkoiset kengät

flat-screen display s lattanäyttö, litteä näyttö

flat-screen TV s litteä televisio

flatten v tasoittaa, suoristaa, oikaista; kaataa lakoon, maan tasalle

flatten out v tasoittaa, tasoittua, muuttua tasaise(mma)ksi

flatter [flætər] v imarrella, makeilla

flattered [flætərd] adj imarreltu

flatterer s imartelija

flattering adv imarteleva

flattery [flætəri] s imartelu, makeilu

flattop [flæt,tap] s 1 lentotukialus 2 päältä tasaiseksi leikattu sänkitukka

flatulence [flætʃʊlʌns] s 1 flatulenssi, suolikaasu, ilmavaivat 2 (kuv) tärkeily, mahtipontisuus

flatulent adj 1 jolla on ilmavaivoja 2 (kuv) tärkeilevä, mahtipontinen, paisutteleva

flatus [flætəs] s (lääk) suolikaasu, ilmavaivat, flatus

flatware s 1 aterimet 2 (matalat) lautaset

flaunt [flant] v rehennellä, leuhkia jollakin

flautist [flootist flautist] s huilunsoittaja

1 flavor [fleivər] s 1 maku (myös kuv) Baskin-Robbins ice cream comes in 31 different flavors Baskin-Robbinsilla on 31 erimakuista jäätelöä 2 mauste, aromi; sivumaku

2 flavor v maustaa, antaa makua jollekin

flavoring s mauste, aromi

flavorless adj mauton

flavourful [fleivərfəl] adj maukas, maittava, hyvänmakuinen

flaw [fla] s vika, puute

flawed adj virheellinen, ontuva (kuv)

flawless adj virheetön, moitteeton

flax [flæks] s pellava

flaxen adj pellava-

flea [fli] s kirppu

flea market s kirpputori

1 fleck [flek] s täplä, tahra, läiskä

2 fleck v roiskia jonnekin, kurata; täplittää

fled [fled] ks flee

fledgling [fledʒlɪŋ] s 1 (linnun)poikanen 2 aloittelija adj aloitteleva, kokematon

flee [fli] v fled, fled paeta, karata

1 fleece [flis] s 1 lampaanvilla 2 fleece

2 fleece v 1 keritä to fleece sheep keritä lampaita 2 (ark) (kuv) kyniä, nylkeä

fleet [flit] s 1 laivasto; laivue 2 (saman omistajan) autot, autokanta the rental agency

has a fleet of 400, 000 cars autonvuokraamolla on yhteensä 400 000 autoa

fleeting adj lyhytaikainen, ohimenevä, hetkellinen

flesh [fleʃ] s 1 liha to put on flesh lihoa in the flesh ilmielävänä it makes your flesh crawl siitä nousee iho kananlihalle 2 (hedelmän) malto 3 (kuv) liha it's the president in flesh and blood presidentti ilmielävänä pleasures of the flesh lihalliset nautinnot

flesh out v elävöittää, selittää tarkemmin, kertoa lisää

fleshpots [fleʃ,pats] s 1 (mon; usein kuv) lihapadat 2 punaisten lyhtyjen kortteli

flew [flu] ks fly

flex [fleks] v taivuttaa the police are flexing their muscles (kuv) poliisi uhoilee, näyttelee voimiaan

flexibility [fleksə'bɪləti] s notkeus, joustavuus, taipuisuus

flexible [fleksəbəl] adj notkea, joustava, taipuisa, venyvä

flextime [fleks,taim] s liukuva työaika

1 flick [flɪk] s 1 näpäytys (sormella); (piiskan) sivallus 2 (sl) filmi, (elo)kuva

2 flick v näpäyttää; sivaltaa; läimäyttää to flick a switch kääntää (nopeasti) katkaisijaa

1 flicker [flɪkər] s 1 välähdys, välke 2 (kuv) kipinä, aavistus a flicker of hope toivon kipinä a flicker of a smile hymyn kare/väre

2 flicker v välkkyä, (liekki) lepattaa

flick through v selata/plarata (kirjaa, lehteä), selata (kanavia)

flier [flaiər] s 1 lentäjä, pilotti; lentomatkustaja 2 lehtinen, mainos 3 (ark) hyppy to take a flier hypätä, (kuv) ottaa riski

flight [flait] s 1 lento (myös kuv) flight 103 to Chicago lento numero 103 Chicagoon a flight of imagination mielikuvituksen lento 2 pako take flight paeta 1 n portaat a flight of stairs portaat

flight attendant s lentoemäntä

flight deck s (lentokoneen) ohjaamo

flight engineer s (lentokoneen) toinen perämies

flighty adj vilkas, oikukas, ailahteleva

flimsy [flɪmzi] adj heppoinen, huono(sti tehty), hatara, kehno

flinch 790

flinch [flɪntʃ] *v* **1** säpsähtää, säikähtää **2** (kuv) peräantyä

1 fling [flɪŋ] *s* **1** heitto **2** yritys, kokeilu *I took a fling at golf* yritin (huvikseni) pelata golfia **3** irrottelu, ilonpito

2 fling *v* flung, flung: heittää, paiskata

flint [flɪnt] *s* piikivi

1 flip [flɪp] *s* **1** heitto, kääntäminen; näpäytys *at the flip of a switch* (kuv) nappia painamalla, heti **2** hyppy

2 flip *v* **1** heittää, kääntää (äänilevy ym); näpäyttää; avata (kirja) **2** hypätä **3** (sl) saada hepulit, menettää malttinsa

flip-flops *s* (mon) varvassandaalit

flippancy [flɪpənsi] *s* nenäkkyys

flippant [flɪpənt] *adj* nenäkäs

flipper *s* **1** (delfiinin rinta)evä, (pingviinin) siipi **2** uimaräpylä

1 flirt [flɜːt] *s* flirttailija

2 flirt *v* **1** flirttailla, keimailla **2** (kuv) leikitellä (ajatuksella)

flirtation [flɜːˈteɪʃən] *s* flirttailu, keimailu

flirtatious [flɜːˈteɪʃəs] *adj* flirttaileva, keimaileva *to be flirtatious with someone* flirttailla jonkun kanssa

flirtatiousness *s* flirttailu

flit [flɪt] *v* pyrähtää, vilahtaa

1 float [fləʊt] *s* **1** (ongen, verkon) koho **2** (lentokoneen ym) kelluke **3** pelastusliivit, kelluntaliivit, pelastusrengas **4** lautta **5** (juhlakulkueessa: koristellut) vaunut, lava **6** jäätelösooda

2 float *v* **1** kellua; ajelehtia **2** leijua ilmassa **3** perustaa (yritys); laskea liikkeelle (laina); (valuutta:) (antaa) kellua

float around *v* (huhu) olla liikkeellä

1 flock [flɒk] *s* lauma, parvi, (ihmis)joukko

2 flock *v* parveilla, tulla/mennä sankoin joukoin

floe [fləʊ] *s* jäävuori, myös *ice floe*

flog [flɒg] *v* piiskata, ruoskia

flogging *s* piiskaus

1 flood [flʌd] *s* tulva (myös kuv) *a flood of orders* tilausten tulva *the Flood* vedenpaisumus

2 flood *v* tulvia (myös kuv) *the store is flooded with customers* kaupassa vilisee/kuhisee asiakkaita

floodlight [flʌd‚laɪt] *s* valonheitin

flood tide *s* vuoksi, nousuvesi

1 floor [flɔː] *s* **1** lattia **2** kerros *ground floor* pohjakerros, ensimmäinen kerros *first/second floor* (US) ensimmäinen/toinen kerros, (UK) toinen/kolmas kerros **3** pohja *ocean floor* merenpohja

2 floor *v* **1** päällystää lattia jollakin **2** iskeä lattialle **3** painaa (kaasu) pohjaan **4** tyrmistyttää, saada tyrmistymään

floor plan *s* **1** pohjakaava **2** pohjapiirros

1 flop [flɒp] *s* epäonnistuminen, munaus, möhläys

2 flop *v* **1** pudota, kaatua, läpsähtää, lopsahtaa **2** epäonnistua, mennä myttyyn

floppy disk [flɒpɪˈdɪsk] *s* (tietokoneen) levyke

floppy drive *s* (tietokoneen) levykeasema

flora [flɔːrə] *s* **1** kasvisto, floora **2** suolen mikrobikasvusto

floret *s* (esim kukkakaalin kukinnon) kukka

florid *adj* **1** (iho) punakka **2** koristeellinen **3** (kuv) koukeroinen, korusanainen

florist [flɔːrɪst] *s* kukkakauppias

1 floss [flɒs] *s* hammaslanka

2 floss *v* langata (hampaat)

flotsam and jetsam [‚flɒtsəmənˈdʒetsəm] *s* **1** (meressä ajelehtiva) roina **2** (kuv) laitapuolen kulkijat, kodittomat

1 flounder [flaʊndə] *s* kampela

2 flounder *v* **1** räpiköidä **2** (kuv) kompuroida, nikotella

1 flour [flaʊə] *s* jauhot *self-raising flour* leivinjauhetta sisältävät jauhot

2 flour *v* jauhottaa

1 flourish [flɜːrɪʃ] *s* **1** koriste, kiehkura **2** (käden, kepin) heilautus

2 flourish *v* **1** kukoistaa (myös kuv), menestyä hyvin **2** heilauttaa

flourishing *adj* kukoistava (myös kuv), menestyksekäs

flout [flaʊt] *v* rikkoa (sääntöjä), ei piitata, vähät välittää

1 flow [fləʊ] *s* virta(us) *traffic flow* liikenteen virta *to go with the flow* (kuv) mennä joukon mukana, tehdä kuten muutkin

2 flow *v* virrata (myös kuv) *her hair flowed over her shoulders* hiukset roikkuivat hänen olallaan

1 flower [flaʋər] s kukka (myös kuv) *to be in flower* kukkia, olla kukassa

2 flower v kukkia, kukoistaa (myös kuv)

flower pot s kukkaruukku

flowery adj **1** kukkiva, kukkien täyttämä **2** kukikas **3** (kuv) rönsyilevä, koristeellinen (tyyli)

flown [floʊn] ks fly

flu [flu] s (ark) flunssa, nuhakuume

1 flub [flʌb] s (ark) moka

2 flub s (ark) mokata

fluctuate [ˈflʌkˌfuˌeɪt] v vaihdella, olla epävakaa, ailahdella

fluctuation [ˌflʌkˈfuˈeɪʃən] s vaihtelu, epävakaisuus, ailahtelu

flue [flu] s (savu)hormi

fluency [ˈfluənsɪ] s sujuvuus; kielitaito *his fluency in Finnish leaves much to be desired* hänen suomen taidossaan on paljon parantamisen varaa

fluent [ˈfluənt] adj sujuva *she is fluent in several languages* hän puhuu sujuvasti useita kieliä

1 fluff [flʌf] s nöyhtä, nukka

2 fluff v **1** pöyhentää, pöyhiä (tyyny) **2** möhliä *the actor fluffed his lines* näyttelijä kömmähti vuorosanoissaan

fluffy adj **1** pörröinen, pehmeä, pehmoinen **2** (ruoka) kuohkea **3** (kuv) tyhmä, älytön

fluid [fluːəd] s neste *adj* nestemäinen

fluid ounce s nesteunssi, noin 29,57 ml (fl.oz)

fluke [fluk] s (ark) onnekas sattuma

flung [flʌŋ] ks fling

flunk [flʌŋk] v (ark) reputtaa, saada/antaa reput

flunk out v (ark) saada potkut koulusta

flunky s (halv) nöyristelijä, käskyläinen, lakeija

fluorescent lamp [fləˈresənt] s loistelamppu

fluoride [flʊəraɪd] s fluoridi

fluorine [flʊərin] s fluori

fluorocarbon [ˌflʊərəˌkɑːbən] s fluorihiilivety

flurried [flɜːrɪd] adj hermostunut, poissa tolaltaan

1 flurry [flɜːrɪ] s **1** tuulenpuuska, lumipyry, sadekuuro **2** (kuv) (innostuksen) puuska, kova kiire

2 flurry v hermostuttaa, saada joku sekaisin

1 flush [flʌʃ] s tulvahdus; punastuminen; (kuv) huuma

2 flush v **1** (kasvot) punastua, saada (kasvot) punastumaan **2** huuhdella (vedellä) *to flush the toilet* vetää vessa

3 flush adj **1** samassa tasossa kuin, samansuuntainen kuin *the table is flush with/against the wall* pöytä on seinän suuntainen/kiinni seinässä **2** (kuv) jollakulla on paljon jotakin *after she won the lottery, she was flush with money* hänellä oli rutkasti rahaa sen jälkeen kun hän voitti arpajaiset

fluster [flʌstər] v hermostuttaa, hämmentää, saada hermostumaan/hämilleen

flustered [flʌstərd] adj (kiireen vuoksi) hermostunut; hämmentynyt

flute [flut] s huilu

fluted adj (pylväs) uurrettu, rihlattu

flutist [flutɪst] s huilunsoittaja

flutter [flʌtər] v **1** räpytellä (siipiä, silmäripsiä), heiluttaa (viuhkaa), läpättää, vipattaa **2** (sydän) tykyttää

flux [flʌks] s epävakaa tila, muutostila *things are in a state of flux* tilanne on epävakaa

1 fly [flaɪ] s kärpänen

2 fly v flew, flown **1** lentää (myös kuv), lennättää *we flew Delta* me lensimme Deltalla/Deltan koneella *he flew passengers in his plane* hän lennätti/kuljetti koneellaan matkustajia *now time flies!* miten aika lentääkään! *fly a kite* lennättää leijaa *go fly a kite!* (kuv) häivy!, ala nostella! *the door flew open* ovi lennähti auki **2** paeta, karata **3** nostaa (lippu) salkoon **4** (ark) onnistua, mennä täydestä *that won't fly* se ei onnistu, se ei mene läpi

fly-by s ohilento, ylilento

fly-by-night adj **1** epäluotettava, hutiloitu, hätiköity **2** hetkellinen, ohimenevä

flying s lentäminen

flying saucer s lentävä lautanen

flying visit s (ark) pikavisiitti

flyleaf s (kirjan) esilehti

flypaper s kärpäspaperi

fly swatter s kärpäslätkä

1 foal [foʊl] s varsa

foal 792

2 foal *v* varsoa

1 foam [foum] *s* vaahto

2 foam *v* vaahdota

foam rubber *s* vaahtokumi

foamy *adj* **1** vaahdon peittämä, vaahtoava **2** helposti vaahtoava

1 fob [fab] *s* **1** kellon vitjat **2** avaimenperä **3** kellotasku

2 fob *v* huijata, puijata, höynäyttää

fob watch *s* taskukello

focal [foukal] *adj*: *that was the focal point of my career* se oli urani kohokohta

focal point *s* polttopiste (myös kuv)

1 focus [foukas] *s* **1** polttopiste *to bring a camera/something into focus* tarkentaa kamera/(kuv) ottaa jokin puheeksi, kiinnittää toisten huomio johonkin *the pictures were all out of focus* yksikään kuvista ei ollut tarkka, kaikki kuvat oli tarkennettu väärin **2** keskipiste (myös kuv), keskus *she was the focus of attention at the party* hän oli huomion keskipisteenä juhlissa

2 focus *v* tarkentaa (kamera ym), keskittää (myös kuv), keskittyä, (katse) kohdistua, osua *you should try to focus on your job* sinun pitäisi keskittyä työhösi

fodder [fadər] *s* rehu (myös kuv) *cannon fodder* tykinruoka

foe [fou] *s* vihollinen, vastustaja

1 fog [fag] *s* sumu

2 fog *v* sumentaa, sumentua; (kuv) sekoittaa, hämmentää

foggy *adj* **1** sumuinen **2** huuruinen (ikkuna, peili) **3** (kuv) hämärä

foghorn [fag,horn] *s* sumutorvi

fog light *s* (auton) sumuvalo

foible [fɔibəl] *s* omalaatuinen piirre; pikku vika, puute, heikkous

foie gras [fwagra] *s* hanhenmaksa, ankanmaksa

1 foil [fɔiəl] *s* **1** (metalli)kelmu *aluminum foil* alumiinifolio **2** vastakohta, täydennys **3** (miekkailussa) floretti

2 foil *v* tehdä tyhjäksi, estää

foist on *v* syälyttää, tyrkyttää

1 fold [fould] *s* **1** taite, laskos, poimu, ryppy **2** katras, lammaslauma; (yl) joukko *come back to the fold* palata joukkoon

2 fold *v* **1** taittaa, taittua, laskostaa **2** tehdä vararikko

foldaway *adj* kokoontaitettava

folder [foldər] *s* **1** arkistokansio, mappi **2** esite

fold in *v* sekoittaa (varovasti) joukkoon

folding chair *s* taittuva tuoli, klahvituoli

fold up *v* **1** taitaa kokoon, taitella, viikata **2** tehdä vararikko

foliage [fouliadʒ] *s* (puun) lehdet, lehvistö, lehvästö

folio [fouliou] *s* **1** (kirja) folio(koko), kaksitaite **2** sivun numero

folk [fouk] *s* (yl mon) **1** ihmiset, väki, kansa **2** omaiset, jonkun väki *my folks live in Virginia* vanhempani asuvat Virginiassa

folk dance *s* kansantanssi

folklore [fouk,lɔr] *s* folklore, kansankulttuuri

folklorist *s* folkloristi, kansankulttuurin tutkija

folk medicine *s* kansanlääkintä, kansanparannus

folk music *s* kansanmusiikki

folk remedy *s* kansanlääke

folk rock *s* folk rock

folk singer *s* kansanlaulaja

folk song *s* kansanlaulu

folksy [fouksi] *adj* **1** tuttavallinen, ystävällinen; rento **2** kansanomainen, kansan-

folk wisdom *s* vanhan kansan viisaus/oivallus

follicle [falıkəl] *s* (lääk) **1** (rauhas)rakkula, follikkeli **2** karvan juurituppi, follikkeli

follow [falou] *v* **1** seurata, tulla/mennä perässä, kulkea jotakin reittiä *follow me, please* tulkaa perässäni *follow a road* seurata tietä **2** ymmärtää *I'm sorry but I don't follow you* minä putosin kärryiltä **3** noudattaa, seurata *follow the rules/your heart* noudattaa sääntöjä/seurata sydämensä ääntä **4** seurata, tapahtua seuraavaksi *a fire followed the earthquake, the earthquake was followed by a fire* maanjäristystä seurasi tulipalo **5** seurata, lukea, katsoa *do you follow politics/The Sopranos?* seuraatko sinä politiikkaa/tv-sarjaa Sopranos?

follower *s* seuraaja, kannattaja, oppilas

following s kannattajajoukko, seuraajat *the politician has a large following* politiikolla on paljon kannattajia *adj* seuraava *the following day* seuraavana päivänä *among these problems are the following* näihin ongelmiin kuuluvat mm. seuraavat:

follow out v noudattaa (määräyksiä), toteuttaa (käytännössä)

follow suit v noudattaa esimerkkiä

follow-through [ˈfaləuˌθruː] s (golfissa, tenniksessä) saatto, lyönnin jatkaminen mailan kaariliikkeen loppuun sen osuttua palloon

follow through v 1 saattaa päätökseen, toteuttaa loppuun saakka 2 (golfissa, tenniksessä) tehdä täydellinen mailaliike, saattaa (ks follow-through)

follow up v 1 ryhtyä toimiin jonkin asian eteen 2 perehtyä johonkin tarkemmin, tutkia jotakin perusteellisemmin

folly [ˈfali] s tyhmyys, hulluus, älyttömyys

foment [fouˈment] v lietsoa (riitaa), aiheuttaa (hankaluuksia)

fond [fand] *adj* 1 *to be fond of someone/ something* pitää jostakusta/jostakin 2 rakastava, hyvä, hellä; kaunis (muisto)

fondle [ˈfandəl] v hyväillä

fondness s mieltymys, rakkaus

font [fant] s 1 kastemalja 2 kasteallas 3 kirjasinlaji, (tietok) fontti

food [fud] s ruoka, (eläimen) rehu *here's some food for thought for you* tässä on sinulle hengenravintoa, ajattelemisen aihetta

food chain s ravintoketju

food poisoning s ruokamyrkytys

food processor s (keittiön) yleiskone

foodstuff [ˈfudˌstʌf] s elintarvike

1 fool [fuːl] s typerys, hölmö; narri *don't make a fool of yourself by talking too much* älä nolaa itseäsi puhumalla liikaa *he was nobody's fool* häntä ei olut helppo pystynyt narraamaan, hän ei ollut mikään eilisen teeren poika

2 fool v narrata, huijata, puijata *for a while there you had me fooled* hetken aikaa olin vähällä uskoa sinua

fool around v 1 maleksia joutilaana/siellä täällä 2 käydä vieraissa, juosta naisissa/ miehissä

foolhardy [ˈfulˌhardi] *adj* uhkarohkea, tyhmänrohkea

foolish *adj* typerä, älytön

foolishness s typeryys, älyttömyys

foolproof [ˈfulˌpruːf] *adj* idioottivarma

fool with v (kuv) leikkiä (jollakin/jonkun teoilla)

1 foot [fut] s (mon feet [fiːt]) 1 jalka (myös kuv) *we went there on foot* menimme sinne jalan/jalkaisin *at the foot of the mountain/bed* vuoren juurella/vuoteen (jalko)päässä *to be under foot* olla tiellä *to get off on the right/wrong foot* alkaa/aloittaa hyvin, lupaavasti/huonosti *to get your foot in the door* saada jalkansa ovenrakoon, päästä alkuun *to put your best foot forward* esiintyä edukseen, antaa mahdollisimman hyvä kuva itsestään *to set foot on something* ei astua jalallaankaan johonkin 2 (pituusmitta) jalka, 30,5 cm

2 foot v 1 *foot it* kävellä, mennä jalkaisin; kävellä keinuen 2 maksaa *she offered to foot the bill* hän tarjoutui maksamaan laskun

footage [ˈfutɪdʒ] s 1 mitta, pituus (jaloina) 2 (elokuva)filmi(n katkelma)

football [ˈfutˌbal] s 1 (peli) amerikkalainen jalkapallo 2 (pallo) jalkapallo

foothill [ˈfutˌhil] s kukkula (vuoriston edustalla)

foothold [ˈfutˌhold] s jalansija (myös kuv) *to gain a foothold in something* saada jalansija jossakin

footnote [ˈfutˌnout] s alaviite; (kuv) lisäys, lisähuomautus

footprint [ˈfutˌprɪnt] s jalanjälki

footstep [ˈfutˌstep] s 1 askel 2 (kuv) jälki *he followed in his father's footsteps* hän seurasi isänsä jälkiä

for [fɔr] *prep* 1 (tarkoituksesta) varten, jollekulle, jollekin *this parcel is for you* tämä paketti on sinulle *a dictionary for students* koululaissanakirja *he ran for life* hän juoksi henkensä edestä 2 (ajasta) ajan *he has played golf for three years* hän on pelannut golfia kolme vuotta **3** (kannatuksesta, sijaisuudesta) puolesta *I am all for lower taxes* minä kannatan ehdottomasti verojen alentamista *a lawyer acts for his client* asianajaja edustaa asiakastaan **4** (vastineesta) *an eye for an eye* silmä silmästä *he was punished for what he did* hän sai teostaan rangaistuksen **5** (matkan kohteesta) jonnekin *they left for Brazil two days ago* he lähtivät kaksi päivää sitten Brasiliaan **6** (syystä) *the restaurant is famous for its desserts* ravintola on kuuluisa jälkiruuistaan *I did it for no reason* tein sen huvikseni **7** (matkasta) *they drove for forty miles before they found a gas station* he ajoivat 40 mailia ennen kuin löysivät huoltoaseman **8** muita sanontoja *she is tall for a girl* hän on pitkä tytöksi *he has a weakness for chocolate* suklaa on hänen heikkoutensa *he is suprisingly modest for all his money* hän on hämmästyttävän vaatimaton paljoista rahoistaan huolimatta *konj* sillä

forage [forədʒ] *s* rehu
forage for *v* etsiä jotakin
forbear [forˈbeər] *v* forbore, forborne (ylät) pidättyä (tekemästä jotakin)
forbearance [forˈberəns] *s* **1** pidättäytyminen **2** suvaitsevaisuus
forbid [forˈbid] *v* forbad(e), forbidden **1** kieltää **2** estää, ei sallia *his injury forbids him from playing tennis* hän ei vammansa vuoksi voi pelata tennistä
forbidding *adj* ankara, uhkaava
1 force [fors] *s* **1** voima (myös kuv) *the police had to use force to control the crowd* poliisin oli turvauduttava voimakeinoihin saadakseen väkijoukon kuriin *the law is now in force* laki on nyt voimassa *the forces of nature* luonnonvoimat *he joined the work force* hän siirtyi työelämään **2** (mon) asevoimat
2 force *v* **1** pakottaa *they forced me to come* he pakottivat minut mukaansa **2** ahtaa, ahtautua, sulloa *we forced the baggage into the trunk of the car* me ahdoimme matkatavarat auton perään

forceful *adj* voimakas, määrätietoinen, vakuuttava
forceps [forseps] *s* (mon) pihdit, synnytyspihdit
forcible [forsəbəl] *adj* **1** voimakas, vakuuttava **2** pakko-, voimakeinoin tapahtuva
1 ford [ford] *s* kahluupaikka, kahlaamo
2 ford *v* kahlata (joen yli), ylittää (joki)
fore [for] *s* **1** (golfissa) fore, varoitushuuto, jolla ilmoitetaan pallon lähestyvän vaarallisesti toisia pelaajia **2** *to come to the fore* nousta etualalle, tulla näkyviin *adj* etu-
forearm [forarm] *s* kyynärvarsi
forebear [forˈbeər] *s* (yl mon) esi-isät
forebode [forˈboud] *v* ennakoida, ennustaa, olla merkki jostakin
1 forecast [forˌkæst] *s* ennuste *weather forecast* sääennuste
2 forecast *v* forecast, forecast: ennustaa
forecourt [forˌkort] *s* esipiha
forefather [forˌfaðər] *s* esi-isä
forefinger [forˌfingər] *s* etusormi
forefront [forˌfrʌnt] *in the forefront* (kuv) etualalla, etunenässä
forego [forˌgou] *v* **1** edeltää jotakin **2** ks forgo
foregone conclusion [forˌgon] *s* etukäteen selvä lopputulos *his dismissal was a foregone conclusion* jo etukäteen oli selvää että hänet erotettaisiin
forehead [forˌhed] *s* otsa
foreign [forən] *adj* **1** ulkomainen, vieras *foreign films* ulkomaiset elokuvat **2** vieras *foreign matter* vieras aine *foreign to johonkin kuulumaton, ei tyypillinen/ ominainen jollekulle
foreign affairs *s* (mon) ulkopolitiikka
foreign aid *s* ulkomaanapu, kehitysapu
foreigner [forənər] *s* ulkomaalainen
foreign minister *s* ulkoministeri (ei Yhdysvalloissa)
foreign office *s* ulkoministeriö (ei Yhdysvalloissa)
foreign policy *s* ulkopolitiikka
foreman [formən] *s* (mon foremen) **1** työnjohtaja **2** valamiehistön puheenjohtaja
foremost [forˌmoust] *adj* ensimmäinen, tärkein *the thing that is foremost in my*

mind is the new law mielessäni on nyt päällimmäisenä uusi laki **2** *adv* first and foremost ennen kaikkea

forename ['fɔːˌneim] *s* etunimi

forenoon ['fɔːˌnuːn/ˌfɔː'nuːn] *s* aamupäivä

forensic [fə'renzik] *adj* oikeus- *forensic medicine* oikeuslääketiede

foreplay ['fɔːˌplei] *s* esileikki (myös kuv)

forerunner ['fɔːˌrʌnər] *s* edeltäjä

foresee [fɔː'siː] *v* foresaw, foreseen: ennakoida, arvata etukäteen

foreseeable *adj* lähi- *in the foreseeable future* lähitulevaisuudessa

foreshadow [fɔːˈʃædəu] *v* ennakoida, olla merkki jostakin (tulevasta)

foreshore ['fɔːˌʃɔː] *s* ranta

foresight ['fɔːˌsait] *s* (kuv) kaukonäköisyys

foreskin ['fɔːˌskin] *s* esinahka

forest ['fɔrəst] *s* metsä

forestall [fɔː'stɔːl] *v* **1** ehtiä ennen (kilpailijaa) **2** ehkäistä, tehdä tyhjäksi

forester ['fɔrəstər] *s* metsänhoitaja

forest ranger *s* metsänvartija

forestry *s* metsänhoito, metsätalous

foretaste ['fɔːˌteist] *s* esimaku

foretell [fɔː'tel] *v* foretold, foretold: ennustaa

forethought ['fɔːˌθɔːt] *s* harkinta, varovaisuus

forever [fə'revər] *adv* ikuisesti

forewarn [fɔː'wɔːn] *v* varoittaa

forewoman [fɔː'wumən] *s* (mon forewomen) **1** työnjohtaja **2** valamiehistön puheenjohtaja

foreword [fɔːwəd] *s* (kirjan) esipuhe, alkusanat, alkulause

1 forge [fɔːdʒ] *s* **1** (sepän) paja **2** ahjo

2 forge *v* **1** (sepästä) takoa **2** (kuv) muovata, muokata, takoa *through the years, they forged a friendship* vuosien mittaan heistä tuli hyvät ystävät **3** vääristää **4** edetä *we forged ahead through the jungle* etenimme hitaasti viidakon halki

forger *s* väärentäjä

forgery *s* väärennös; väärentäminen

forget [fə'get] *v* forgot, forgotten: unohtaa

forgetful *adj* huonomuistinen

forgettable *adj* jonka unohtaa helposti *a forgettable movie* mitätön elokuva

forgivable [fə'givəbəl] *adj* anteeksiannettava, jonka voi antaa anteeksi

forgive [fə'giv] *v* forgave, forgiven: antaa anteeksi *forgive me, but aren't you Keanu Reeves?* suokaa anteeksi mutta ettekö te olekin Keanu Reeves?

forgiveness *s* anteeksianto *I beg forgiveness* pyydän anteeksi

forgiving *adj* anteeksiantava(inen), sovinnollinen *a forgiving golf club* golfmaila jolla on helppo lyödä hyvin

forgo [fɔː'gəu] *v* forwent, forgone: luopua jostakin

1 fork [fɔːk] *s* **1** haarukka **2** talikko; hanko **3** tienhaara; puunhaara

2 fork *v* **1** nostaa talikolla **2** haarautua

forlorn [fə'lɔːn] *adj* lohduton, onneton, hylätty

1 form [fɔːm] *s* **1** muoto, hahmo *the new rules are beginning to take form* uudet säännöt alkavat muotoutua/hahmottua **2** tavat **3** kaavake, lomake *you have to fill out this application form* sinun pitää täyttää tämä hakemuskaavake **4** kunto, fysiikka *I am in bad form* olen huonossa kunnossa

2 form *v* muotoilla, muotoutua, muodostaa, hahmotella, hahmottua *a thought formed in his head* hänen päässään syntyi ajatus *they form a dissenting group* he muodostavat sirpaleryhmän

formal *adj* muodollinen, virallinen *don't be so formal, mellow out* älä ole niin jäykkä, ota lunkisti *he writes in a formal style* hän kirjoittaa ylätyylillä

formality [fɔː'mæliti] *s* **1** muodollisuus **2** virallisuus, jäykkyys

formalize ['fɔːməˌlaiz] *v* virallistaa, vakiinnuttaa

format ['fɔːˌmæt] *s* koko; rakenne *the professor did not like the format of his thesis* professori ei pitänyt hänen väitöskirjansa lähestymistavasta *there are several different video formats* on useita erilaisia videojärjestelmiä

formation [fɔː'meiʃən] *s* **1** muodostaminen **2** muodostelma

formative [fɔrmətɪv] *adj* muodostava *in his formative years* nuoruusvuosinaan

former [fɔrmər] *adj* **1** entinen **2** ensiksi mainittu

formerly *adv* aikaisemmin, aiemmin, ennen

formidable [far'mɪdəbəl fɔrmədəbəl] *adv* pelottava, hirvittävä, valtaisa, suunnaton

formula [fɔrmjələ] *s mon* formulas, formulae [fɔrmjələɪ] kaava, (lääke)resepti *what's your formula for success?* mikä on menestyksesi salaisuus? *baby formula* vauvanruoka

formulate [fɔrmjə,leɪt] *v* muotoilla, pukea sanoiksi, ilmaista

formulation [,fɔrmjə'leɪʃən] *s* ilmaisu, esitys, sanamuoto

for-profit [fər'prafət] *adj* kaupallinen

for real *to be for real* **1** olla tosissaan, tarkoittaa täyttä totta **2** olla aito/rehellinen/luotettava **3** olla todellinen, ei olla pelkkää puhetta

for rent *fr* (kyltissä, lehti-ilmoituksessa ym) vuokrattavana

forsake [fər'seɪk] *v* forsook, forsaken: jättää, hylätä, luopua

for sale *fr* (kyltissä, lehti-ilmoituksessa ym) myytävänä

for starters *fr* (ark) **1** aluksi, alkajaisiksi **2** ensinnäkin, ensinnäkään

forswear [fɔr'swear] *v* forswore, forsworn **1** luopua jostakin **2** kieltää (paikkansapitävyys)

fort [fɔrt] *s* linnoitus, linnake

forte [fɔrteɪ fɔrt] *s* jokun vahva puoli *mathematics is not her forte* matematiikka ei kuulu hänen vahvoihin puoliinsa

forth [fɔrθ] *adv* eri ilmauksissa: *to set forth* lähteä matkaan *and so forth* ja niin edelleen

forthcoming [,fɔrθ'kʌmɪŋ] *adj* pian alkava/ ilmestyvä/esitettävä *Kevin Costner stars in a forthcoming movie about lawyers* esittää pääosaa asianajajista kertovassa elokuvassa joka tulee pian teattereihin *no help/ money was forthcoming* apua ei liiennyt/ rahaa ei herunut

for the present *fr* toistaiseksi, tällä haavaa, tässä vaiheessa

for the time being *fr* toistaiseksi

forthright [ˈfɔrθ,raɪt] *adj* suora, peittelemätön

forthwith [,fɔrθˈwɪθ] *adj* (ylät) välittömästi, viipymättä

fortieth [fɔrtɪəθ] *adj* neljäskymmenes

fortification [,fɔrtəfə'keɪʃən] *s* **1** linnoitus **2** linnoittaminen **3** vahvistaminen, lujittaminen

fortify [ˈfɔrtə,faɪ] *v* vahvistaa, lujittaa; linnoittaa

fortnight [ˈfɔrt,naɪt] *s* kaksi viikkoa

fortress [fɔrtrəs] *s* linnoitus

fortunate [fɔrtʃənət] *adj* onnekas *that was very fortunate for us* se oli meidän kannaltamme onnellinen tapahtuma

fortune [fɔrtʃən] *s* **1** kohtalo, sattuma, onni **2** omaisuus

fortuneteller [ˈfɔrtʃən,telər] *s* ennustaja

forty [fɔrti] *s, adj* neljäkymmentä

fortysomething [,fɔrti,sʌmθɪŋ] *adj* (iältään) nelkyt ja risat

forum [fɔrəm] *s* forum, foorumi, (tapahtuma)paikka, näyttämö

1 forward [fɔrwərd] *s* (urh) (laita)hyökkääjä

2 forward *v* välittää eteenpäin, lähettää toiseen/uuteen osoitteeseen

3 forward *adj* **1** (tilasta) eteenpäin **2** (ajasta) etukäteen tapahtuva, ennakko- **3-** tungettelevainen, röyhkeä

4 forward *adv* **1** (tilasta) eteenpäin **2** (ajasta) eteenpäin, tulevaisuuteen, (jostakin) lähtien

forwardness *s* röyhkeys, tungettelu

forward slash *s* vinoviiva (/)

fossil [fasəl] *s* fossiili (myös kuv)

foster [fastər] *v* **1** edistää, tukea, kannustaa **2** kasvattaa (kasvattilapsena)

fought [fat] *ks* fight

1 foul [faʊəl] *s* (urh) virhe

2 foul *v* **1** saastuttaa, liata **2** sotkea (siima), sotkeutua **3** (urh) tehdä virhe, rikkoa sääntöjä

3 foul *adj* **1** paha (haju), pahanhajuinen, pilaantunut, saastunut **2** (kuv) kurja, inhottava **3** ruma, törkeä (puhe) **4** (urh) virheellinen, sääntöjen vastainen

foul up *v* (ark) munata, tunaroida

found [faʊnd] v **1** ks find **2** perustaa *the school was founded in 1799* koulu perustettiin 1799 *he founded his belief on what you said* hän perusti käsityksensä sinun sanoihisi **3** sulattaa ja valaa (metallia, lasia)

1 founder [faʊndər] s **1** perustaja **2** (metallin) valaja

2 founder v (laivasta) kariutua (myös kuv:) epäonnistua *our plan foundered at the last minute* suunnitelmamme kariutui/raukesi viime hetkellä

foundry [faʊndri] s valimo

fountain [faʊntən] s **1** lähde **2** suihkukaivo **3** juomalaite (esim koulussa, työpaikalla)

four [fɔər] s, adj neljä *on all fours* nelinkontin

four-cycle [fɔərˌsaɪkəl] adj nelitahtinen

fourteen [ˌfɔərˈtiːn] s, adj neljätoista

fourteenth [ˌfɔərˈtiːnθ] adj neljästoista

fourth [fɔərθ] adj neljäs

fowl [faʊəl] s **1** siipikarja; kana, hanhi, kalkkuna *he is neither fish nor fowl* (kuv) hän ei ole lintu eikä kala, hänestä ei ota selvää **2** linnunliha

1 fox [fɑks] s **1** kettu **2** *Fox* yksi Yhdysvaltain neljästä suuresta televisioverkosta

2 fox v huijata, vetää nenästä

foxberry s (mon foxberries) puolukka

foyer [fɔɪər] s **1** (teatterin, hotellin, kerrostalon eteis)aula **2** (yksityisasunnon) eteinen

fraction [frækʃən] s **1** murto-osa **2** murtoluku

1 fracture [frækʃər] s (luun- ym) murtuma

2 fracture v murtaa, lohkaista, katkaista *he fractured his leg while skiing* häneltä katkesi/murtui hiihtäessä jalka

fragile [frædʒəl] adj (helposti) särkyvä; hento, herkkä *Alaska is an ecologically fragile area* Alaska on ekologisesti herkkää aluetta

fragility [frəˈdʒɪləti] s särkyvyys; herkkyys

fragment [frægmənt] s pala(nen), sirpale; katkelma

fragment [frægˈment] v rikkoa/särkeä/särkyä palasiksi/sirpaleiksi

fragmentary [frægmənˌteri] adj katkonainen, pätkittäinen

fragmentation [ˌfrægmənˈteɪʃən] s särkeminen, särkyminen

fragmented adj katkonainen, sirpaleinen, särkynyt

fragrance [freigrəns] s tuoksu; hajuvesi

fragrant [freigrənt] adj hyvänhajuinen, hyvältä tuoksuva

frail [freɪəl] adj heikko, heiveröinen, helposti särkyvä, herkkä *grandmother is in frail health* isoäidin terveys on heikko *grandmother is frail* isoäiti on heiveröinen nainen

frailty [freɪəlti] s **1** heikkous, heiveröisyys, herkkyys **2** vika, heikkous

1 frame [freim] s **1** runko **2** hahmo, olemus *he is of a slight frame* hän on ruumiinrakenteeltaan heiveröinen **3** (oven, ikkunan) karmi; (taulun, valokuvan) kehys **4** *frame of reference* viitekehys *frame of mind* mielentila

2 frame v **1** kehystää **2** laatia, kehittää **3** ilmaista, pukea sanoiksi **4** sommitella (valokuva)

framework [freɪmˌwɜrk] s (kuv) kehys, runko, puitteet

1 franchise [fræntʃaɪz] s **1** lupa, oikeus; äänioikeus **2** toimilupa, lisenssi, fransiisi (lupa perustaa tiettyyn paikkaan yl maanlaajuiseen ketjuun kuuluva, mutta yksityisen omistama ravintola, myymälä tms)

2 franchise v myöntää/antaa lupa, oikeus, äänioikeus, toimilupa, lisenssi, fransiisi, lisensoida

frank [fræŋk] s (US) nakki adj rehti, aito, rehellinen

frankfurter [fræŋkˌfɜrtər] s nakki

frankly adj rehellisesti; suoraan sanoen

frankness s rehellisyys, aitous, suoruus

frantic [fræntɪk] adj raivostunut, kiihkeä, hätääntynyt

fraternal [frəˈtɜrnəl] adj veljellinen, veljes- *fraternal twins* erimunaiset kaksoset

fraternity [frəˈtɜrnəti] s **1** veljeys **2** veljeskunta; (yliopistossa miesten) oppilaskunta

fraternize [frætərˌnaɪz] v veljeillä (jonkun/vihollisen kanssa, *with*), kaveerata (ark)

fratricide [frætrəˌsaɪd] s **1** veljenmurha **2** veljenmurhaaja

fraud [frɑd] s **1** petos, huijaus **2** petturi, huijari

fraudulence s petollisuus, petos, vilppi

fraudulent [fradʒələnt] adj petollinen, kavala, vilpillinen

fraught with [frat] adj täynnä jotakin, erittäin *the undertaking is fraught with danger* hanke on erittäin vaarallinen

1 fray [frei] s tappelu

2 fray v **1** (vaate) nuhraantua, kuluttaa/kulua puhki **2** (tunteet) kuumeta

frayed adj (hermot) lopussa, kuumat (tunteet)

freak [frik] s **1** oikku, kummajainen; poikkeama **2** friikki *she is a health freak* hän on terveyshullu *adj* outo, kummallinen, epänormaali

freak out v repiä pelihousunsa, saada hepulit

freckle [frekəl] s pisama

freckled adj pisamainen

1 free [fri] v vapauttaa, irrottaa

2 free adj **1** vapaa *they set the prisoner free* vanki päästettiin vapaaksi, vapautettiin *excuse me, is this seat free?* anteeksi, onko tämä paikka vapaa? *free from/of* vapaa jostakin *free of taxes* veroton *free from worry* huoleton **3** ilmainen *free tickets* ilmaisliput, vapaaliput *you can have it for free* saat sen ilmaiseksi **4** *free with* avokätinen *I think you're being too free with your money* minusta sinä tuhlaat rahaa/ käytät rahaa liian avokätisesti

freebie [fribi] s (ark) ilmainen lippu, ateria tms

freedom [fridəm] s vapaus

1 freelance [fri,læns] s freelance(r)

2 freelance v työskennellä freelance(ri)nä

3 freelance adj freelance-

freelancer s freelance(r)

freeload [fri,loud] v loisia, elää toisten siivellä

freeloader [fri,loudər] s pinnari, siivellä eläjä

Freemason [fri,meisən] s vapaamuurari

free share s vapaa osake

free-spirited adj lennokas, huoleton, vapaamielinen

freestyle [fri,stail] s (urh) freestyle, vapaatyyli; vapaapaini; vapaauinti, krooli

freeway [fri,wei] s moottoritie

freewheeling [,fri'wiliŋ] adj (kuv) hillitön, vastuuntunnoton

1 freeze [friz] s **1** pakkanen **2** (palkkojen, hintojen) jäädytys

2 freeze v froze, frozen **1** jäätyä, jäädyttää **2** palella **3** (kuv) jäädyttää (hinnat, palkat, asevarustelu) **4** pakastaa; olla pakkanen **5** pakastaa, panna pakastimeen **6** pysähtyä, pysäyttää, jähmettyä *he froze in his tracks when he saw the angry dog* hän jähmettyi aloilleen kun hän näki vihaisen koiran

freeze-drying s pakastekuivaus

freeze frame s (tv, video) pysäytyskuva

freezer s pakastin, pakastinkaappi, pakastearkku

freezing s nolla astetta *the temperature was below freezing* lämpötila oli pakkasen puolella *adj* (lämpötila): lähellä nollaa, nollassa tai sen alapuolella) jäätävä, kylmä, pakkasen puolella

freezing point s jäätymispiste

1 freight [freit] s rahti

2 freight v rahdata, kuljettaa

freighter s rahtialus (laiva, lentokone, avaruusalus)

freight train s tavarajuna

frenzied adj suunniltaan (kiihtymyksestä, pelosta tms)

frenzy [frenzi] s (suunnaton) kiihko, kauhu, raivo

frequency [frikwənsi] s taajuus, tiheys *frequency of occurrence* esiintymistaajuus/tiheys

frequent [,fri'kwent, fri,kwənt] v käydä jossakin, olla kanta-asiakas jossakin

frequent [fri,kwənt] adj yleinen, usein/tiheään esiintyvä

fresco [freskou] s fresko

fresh [freʃ] adj **1** tuore (myös kuv:) uusi *fresh vegetables* tuoreet (ei säilötyt) vihannekset *a fresh perspective* tuore näkökulma *it's nice to see a fresh face* on mukava vaihtaa uudet kasvot *he wants to make a fresh start* hän haluaa aloittaa alusta **2** röyhkeä, töykeä, hävytön *adv* juuri tapahtunut *to be fresh out of something* jokin on juuri loppunut *fresh from school, he* *was very inexperienced* hän oli hyvin kokematon sillä hän oli astunut työelämään suoraan koulusta

freshman [freʃmən] *s* ensimmäisen vuoden opiskelija (lukiossa, collegessa)

fresh water *s* makea vesi

freshwater *adj* makean veden *freshwater fish*

fret [fret] *v* **1** valittaa, harmitella, murehtia **2** kuluttaa, murentaa, kaivertaa, kalvaa

fretful *adj* ruikuttava, ärtyisä, pahantuulinen, levoton

friar [fraɪər] *s* munkki

friction [frɪkʃən] *s* kitka (myös kuv.) erimielisyys, kiista

Friday [fraɪdi fraɪdeɪ] *s* perjantai *he is my man Friday* hän on oikea käteni

fridge [frɪdʒ] *s* (ark) jääkaappi

fried [fraɪd] *v* ks fry *adj* (rasvassa) paistettu

friend [frend] *s* **1** ystävä; tuttu, tuttava; auttaja *with friends like these, who needs enemies?* on siinäkin ystävä! **2** kveekari

friendship *s* ystävyys

fries [fraɪz] *s* (mon) ranskalaiset (perunat)

frieze [friːz] *s* (arkkitehtuurissa) friisi

frigate [frɪɡət] *s* fregatti

fright [fraɪt] *s* **1** pelko, kauhu; järkytys, pelästys, säikähdys **2** (kuv) pelottava ilmestys, linnunpelätin

frighten *v* pelästyttää *I was very frightened* pelkäsin kovasti

frightening *adj* pelottava, kauhistuttava

frightful *adj* kauhistuttava, hirvittävä

frigid [frɪdʒəd] *adj* (kuv) kylmä, viileä; (seksuaalisesti) frigidi

frigidity [frəˈdʒɪdəti] *s* (kuv) kylmyys, viileys; (seksuaalinen) frigiditeetti

frill [frɪl] *s* **1** röyhelö **2** (mon, kuv) koristeet, kiemurat

fringe [frɪndʒ] *s* **1** hapsu **2** (myös kuv) reuna, ääri(laita) *he is on the lunatic fringe of the cultural spectrum* hän kuuluu kulttuurin kirjon hulluille äärilaidalle

frisk [frɪsk] *v* **1** hyppiä, hyppelehtiä **2** tehdä jollekulle ruumiintarkastus, tarkastaa onko jollakulla (kätketty) ase

fritter [frɪtər] *v* tuhlata, panna hukkaan

frivolity [frəˈvaləti] *s* kevytmielisyys, turhamaisuus

frivolous [frɪvələs] *adj* kevyt(mielinen), vähäpätöinen, yhdentekeväinen, turhamainen

frock [frak] *s* (naisen) puku; (papin) kaapu

frog [frag] *s* **1** sammakko **2** (sl) ranskalainen **3** (vaatteessa) nyörikiinnitin

frogman [fragmən] *s* sammakkomies, sukeltaja

frolic [fralɪk] *v* frolicked, frolicked: ilakoida, pitää hauskaa

from [frʌm] *prep* **1** (paikasta, alkuperästä) jostakin, -sta/-stä *from New York to Detroit* New Yorkista Detroitiin *where do you hail from?* mistä päin sinä olet kotoisin *they took it from me by force* he ottivat sen minulta väkisin *who is that letter from?* keneltä se kirje on? **2** (ajasta) *from 1989* vuodesta 1989 lähtien *from now on* tästä lähtien, vastedes **3** (syystä) *he died from fatigue* hän kuoli väsymykseen *to judge from the price, it should be an excellent camera* hinnasta päätellen sen pitäisi olla erinomainen kamera **4** lähtien, alkaen *from page three* sivulta kolme alkaen *from twenty to thirty people came* sinne saapui 20–30 ihmistä **5** (vertailusta, erosta) *you're different from your brother* sinä olet erilainen kuin veljesi *he was expelled from the school* hänet erotettiin koulusta

1 front [frʌnt] *s* **1** etupuoli, etupää, edusta, (paidan) rinnus, (jonon) kärki *there is a car in front of the house* talon edessä on auto **2** (sot) rintama **3** (kuv) keulakuva **4** (kuv) ylimielisyys *he had the front to insult me* hänellä oli otsaa loukata minua **5** *out front* (talon) edessä; edellä (kilpailijoista); (sanoa) suoraan, kaikistelematta **6** *up front* (maksaa) etukäteen; (kuv) avoin, rehellinen

2 front *v* antaa jonnekin päin *the house fronts the mountains* talo on vuoriin päin

3 front *adj* etu- *you can sit in the front seat* voit istua etuistuimella

frontage [frʌntədʒ] *s* **1** (rakennuksen) edusta **2** rakennuksen edustalla oleva) maa, tontti

front desk *s* (yrityksen, hotellin) vastaanotto

frontier [frʌnˈtɪər] *s* **1** raja **2** rajaseutu **3** (kuv) raja *on the frontiers of human knowledge* ihmistiedon rajamailla

front office s pääkonttori
front runner s 1 edelläkävijä 2 johtoasemassa oleva henkilö
front-wheel drive s (autossa) etuveto
1 frost [frɒst] s 1 pakkanen 2 huurre 3 (kuv) viileys, kylmyys (ihmisten välillä, käytöksessä)
2 frost v huurtaa, huurtua
frostbite ['frɒst,baɪt] s kylmettyminen, paleltuma
frostbitten ['frɒst,bɪtən] adj kylmettynyt, paleltunut
frosting s (kakun) kuorrutus
frosty adj 1 pakkas- 2 huurre- 3 (kuv) kylmä, viileä (käytös)
1 froth [frɒθ] s vaahto
2 froth v vaahdota, kuohua
frothy adj vaahtoava, kuohuva
1 frown [fraʊn] s (otsan) rypistys
2 frown v rypistää otsaansa; paheksua
frown (up)on v paheksua
froze [frəʊz] ks freeze
1 frozen v ks freeze
2 frozen adj 1 jäätynyt (järvi ym) 2 pakaste- *frozen food* 3 (kuv) jäädytetty *frozen assets* jäädytetyt varat
frugal [frugəl] adj 1 säästäväinen 2 koruton, vaatimaton
frugality [fru'gæləti] s 1 säästäväisyys 2 koruttomuus, vaatimattomuus
fruit [frut] s hedelmä (myös kuv), hedelmät
fruit fly s hedelmäkärpänen
fruitful adj hedelmällinen (myös kuv)
fruitfulness s hedelmällisyys (myös kuv)
fruition [fru'ɪʃən] s toteutuminen *to come to fruition* toteutua
fruitless adj hedelmätön (myös kuv), turha
fruitlessness s hedelmättömyys (myös kuv), turhuus
fruity adj 1 hedelmän, hedelmän makuinen/hajuinen 2 (kuv) imelä
frustrate ['frʌs,treɪt] v 1 tehdä tyhjäksi (aie) 2 harmittaa
frustrated adj (ihminen) harmistunut, turhautunut
frustrating adj harmittava, turhauttava
frustration [frʌs'treɪʃən] s 1 epäonnistuminen, (suunnitelman) kariutuminen 2 har-

mistuminen; (psyk) turhautuma, frustraatio
1 fry [fraɪ] s 1 (mon fry) kalanpoikaset 2 (mon fry) lapset; ihmiset *small fry* pikkulapset; (kuv) nappikauppiaat, mitättömät kilpailijat yms 3 (mon fries) *(French) fries* ranskalaiset (perunat)
2 fry v fried, fried 1 käristää/paistaa/paistua (rasvassa) 2 (sl) surmata/saada surmansa sähkötuolissa
frying pan s paistinpannu
1 fuck [fʌk] s 1 (sl) nussiminen, pano 2 (sl) (voimistavana ja rytmittävänä kirosanana): *who the fuck do you think you are?* kuka helvetti sinä oikein luulet olevasi?
2 fuck v 1 (sl) nussia, panna, naida 2 (sl) *fuck you!* haista paska! *huudahdus* (sl) paskat!, voi vittu!
fuck around v (sl) laiskotella, vetelehtiä
fudge [fʌdʒ] s 1 (US) (suklaa-, karamelli-) kastike 2 (UK) toffee
1 fuel [fjuəl] s 1 polttoaine 2 (kuv) kannustus, innostus
2 fuel v 1 käyttää (tietyllä) polttoaineella 2 tankata 3 (kuv) kannustaa, innostaa, siivittää (mielikuvitusta)
fugitive [fjudʒətɪv] s pakolainen adj karannut
fulcrum [fʌlkrəm] s 1 (fys) tukipiste 2 tuki 3 (kuv) pääkohta, ydin
fulfill [fəl'fɪl] v 1 täyttää (ehto, vaatimus) 2 tyydyttää, tuottaa tyydytystä, 3 (ennustus) toteutua
fulfilling adj tyydytystä tuottava
fulfillment s (suunnitelman) toteutuminen, (toiveiden) täyttyminen
1 full [fʌl] s *in full* kokonaan, täysin, täydellisesti
2 full adj 1 täysi *this flight is full* tämä lento on täynnä *he is full of himself* hän on täynnä itseään *I am full, thank you* kiitos, minä olen jo täynnä/kylläinen *to the full* täysin palkein, täysimittaisesti 2 täydellinen, täysi *at full speed* täyttä vauhtia 3 täyteläinen *she has a full figure/full lips* hänellä on täyteläiset muodot/huulet
3 full adv 1 suoraan *to hit someone full in the face* iskeä jotakuta suoraan kasvoihin/keskelle kasvoja 2 täysin, erittäin *you know*

full well that you should be studying tiedät aivan hyvin että sinun pitäisi olla lukemassa läksyjäsi **3** kokonaiset *the restaurant is a full five miles from here* ravintolaan on matkaa kokonaiset viisi mailia

full board *s* (UK) täysihoito

fullness *s* täyteys, täyteläisyys, kylläisyys

full-size *adj* **1** täyskokoinen **2** (vuode) 137x193 cm kokoinen

full stop *s* piste

full-time *adj* (työ, työntekijä) kokopäiväinen

fully *adv* **1** täysin **2** kokonaiset, ainakin *fully one third of the respondents said no* peräti kolmannes vastaajista sanoi ei

fumble [ˈfʌmbəl] *v* **1** hapuilla, haparoida **2** (jalkapallo) pudottaa

1 fume [fjum] *s* (yl mon) höyry, (pako)kaasut

2 fume *v* **1** höyrytä, savuta **2** (kuv) kiehua, olla raivoissaan

fun *s* **1** hauskuus, huvi *it's fun to be on the beach* uimarannalla on hauskaa **2** pilkka *they made fun of his baldness* he nauroivat hänen kaljuudelleen *adj* hauska *it's a fun place* se on hauska paikka

1 function [ˈfʌŋkʃən] *s* **1** toiminta **2** ominaisuus, tehtävä *in her function as Vice President* varapresidentin ominaisuudessaan **3** tilaisuus, juhla **4** (mat) funktio

2 function *v* toimia *the soda machine is not functioning* virvokeautomaatti ei toimi *he functions as the master of ceremonies* hän toimii seremoniamestarina

functional *adj* **1** toimiva **2** tarkoituksenmukainen **3** (lääk) toiminnallinen

functionary [ˈfʌŋkʃəˌneri] *s* toimihenkilö, virkailija

1 fund [fʌnd] *s* **1** (tal) rahasto **2** (mon) varat, rahat **3** (kuv) (ehtymätön) lähde

2 fund *v* rahoittaa *the project is funded by the government* hankkeen rahoittaa valtio

fundamental [ˌfʌndəˈmentəl] *s* (mon) perusteet, alkeet *adj* perustavan laatuinen, periaatteellinen, keskeinen

1 fundamentalist *s* fundamentalisti *Islamic fundamentalists* islamilaiset fundamentalistit

2 fundamentalist *adj* fundamentalistinen, fundamentalistien

funeral [ˈfjunrəl] *s* hautajaiset *it's your funeral* omapahan on asiasi, sinähän siitä kärsimään joudut

funeral home *s* hautaustoimisto (jossa on usein myös hautauskappeli)

funerary [ˈfjunəˌreri] *adj* hautajais-, hautaus-

funereal [fjuˈnɪriəl] *adj* **1** hautajais- **2** surullinen, synkkä

funfair *s* tivoli

fungus [ˈfʌŋgəs] *s* (mon fungi [ˈfʌnˌdʒaɪ, ˈfʌŋˌgaɪ]) sieni

funk [fʌŋk] *s* **1** masennus, apeus *to be in a funk* olla masentunut/maassa **2** funk-(musiikki)

funky [ˈfʌŋki] *adj* **1** haiseva, löyhkäävä **2** (jatsi) bluestyyppinen, (rokki) funk-

1 funnel [ˈfʌnəl] *s* **1** suppilo **2** savupiippu

2 funnel *v* johtaa, ohjata (myös kuv:) kanavoida

funnies [ˈfʌniz] *s* (mon) sarjakuvat; (sanomalehden) sarjakuvaliite

funnily *adj* *funnily enough* ihme kyllä

funny [ˈfʌni] *adj* **1** hauska, hassu, huvittava **2** outo, kumma *I had a funny feeling when I first saw him*

fur [fər] *s* (eläimen) turkki (myös vaatteesta)

furious [ˈfjɔriəs] *adj* raivostunut (ihminen); raivoisa (myrsky)

furlong [ˈfərˌlaŋ] *s* kahdeksasosamaili (201 m)

furnace [ˈfərnəs] *s* lämmityskattila; masuuni, sulatusuuni (myös kuv: kuuma kuin sulatusuuni)

furnish [ˈfərnɪʃ] *v* **1** kalustaa **2** varustaa jollakin, hankkia, toimittaa jotakin jollekulle (someone with something)

furnishings [ˈfərnəˌʃɪŋz] *s* (mon) kalusteet

furniture [ˈfərnətʃər] *s* huonekalut, kalusteet

furrier [ˈfəriər] *s* turkkuri

1 furrow [ˈfaroʊ] *s* vako, uurre, ryppy

2 furrow *v* kyntää (pelto), uurtaa, rypistää (otsaa)

furry *adj* karvainen; pehmoinen

further [ˈfərðər] *v* edistää, edesauttaa *I hope this will further your goals* toivottavasti tämä auttaa sinua pääsemään lähemmäksi tavoitteitasi *adj, adv* komparatiivi sanasta *far* **1** (etäisyydestä, myös kuv) kaukaisempi, kauempana, kauemmaksi *let's not* *walk any further* ei kävellä yhtään kauem-maksi *he did not want to discuss it any further* hän ei halunnut puhua siitä pitem-pään/sen tarkemmin 2 lisä-, uusi *we will make further inquiries if necessary* jat-kamme tiedusteluja tarpeen vaatiessa

furthermore [ˈfəːðəˌmɔː] *adv* lisäksi, sitä paitsi

furthermost [ˈfəːðəˌmoust] *adj* etäisin, kau-kaisin, äärimmäinen

furthest [ˈfəːðəst] *adj*, *adv* superlatiivi sa-nasta *far* ks farther, farthest

furtive [fəːtɪv] *adj* vaivihkainen, salavihkai-nen; epäilyttävä

furtiveness *s* salamyhkäisyys, salailu

fury [fjuəri] *s* raivo

1 fuse [fjuːz] *s* **1** sulake *he blew a fuse* (kuv) häneltä paloivat proput/päreet **2** sytytys-lanka

2 fuse *v* sulattaa, sulautua (yhteen) (myös kuv), yhdistyä, yhdistää

fuselage [fjuːsəlaːʒ] *s* (lentokoneen) runko

fusion [fjuːʒən] *s* (yhteen) sulautuminen, su-lattaminen, yhdistyminen, yhdistäminen, (fys, tal) fuusio

1 fuss [fʌs] *s* häly, kohu, (kuv) numero *to create a fuss* tehdä suuri numero jostakin, nostaa häly

2 fuss *v* hermostua (suotta), tehdä suuri nu-mero jostakin

fussy *adj* **1** pikkutarkka, turhantarkka; nirso **2** koristeellinen, monimutkainen

futile [fjuːtal] *adj* turha

futility [fjuːˈtɪləti] *s* turhuus, tarpeettomuus

future [fjuːtʃər] *s* **1** tulevaisuus **2** (kieliopissa) futuuri **3** (tal) futuuri

future perfect *s* (kieliopissa) futuurin perfekti (esim *will have done*)

futuristic [ˌfjuːtʃəˈrɪstɪk] *adj* tulevaisuutta kos-keva, tulevaisuuden-; futuristinen, aikaan-sa edellä oleva

futurology [ˌfjuːtʃəˈrɔlədʒi] *s* futurologia, tule-vaisuudentutkimus

G,g

G, g [dʒiː] G, g

1 gabble [ˈgæbəl] *s* **1** (puheen)pölinä, pulina, pölötys **2** (kanan, hanhen) kaakatus, kot-kotus

2 gabble *v* **1** pölistä, pölpöttää **2** (kana, hanhi) kaakattaa, kotkottaa

gable [ˈgeibəl] *s* (satulakattoisen rakennuk-sen) päätykolmio

gabled *adj* satulakattoinen

gadget [ˈgædʒət] *s* vempain

gadgetry *s* laitteet, vempaimet

1 gag [gæg] *s* **1** suukapula **2** vitsi, huuli

2 gag *v* **1** tukkia jonkun suu, panna jollekulle suukapula **2** vitsailla, kertoa vitsejä, heit-tää huulta

gaggle [ˈgægəl] *s* parvi, joukko

gag order [ˈgægˌɔːdər] *s* tuomarin antama kielto puhua oikeudenkäynnistä tiedotus-välineille

gaiety [ˈgeiəti] *s* iloisuus, hilpeys

gaily [ˈgeili] *adv* iloisesti, hilpeästi

1 gain [gein] *s* **1** hyöty, etu **2** kasvu, lisäys

2 gain *v* **1** saada, saavuttaa, hankkia *the thief gained entry to the building through a window* varas pääsi rakennukseen ikku-nasta *women's lib is gaining ground in this country* naisliike valtaa alaa tässä maassa *she is just trying to gain time* (kuv) hän pelaa aikaa, hän yrittää voittaa aikaa **2** kas-vaa *to gain weight* lihoa *to gain speed* nopeutua, kiihtyä **3** saapua, päästä, tulla jonnekin **4** (kello) edistää

gain time *fr* voittaa/säästää aikaa

gain (up)on *v* **1** saavuttaa, kuroa välimatkaa umpeen **2** kasvattaa välimatkaa (perässä tuleviin)

gala [ˈgeilə] *s* suuri juhla

galactic [gəˈlæktik] *adj* galaktinen

galaxy [ˈgæləksi] *s* galaksi

gale [geil] *s* myrsky, myrskytuuli

1 gall [gal] *s* **1** sappi (myös kuv), sappineste **2** (kuv) hävyttömyys *he had the gall to kick me out* hänellä oli otsaa/hän julkesi potkia minut ulos

2 gall *v* (kuv) sapettaa

gallant [gælənt] *adj* urhea, ritarillinen, huomaavainen

gallantry *s* urheus, ritarillisuus, huomaavaisuus

gall bladder ['gal,blædər] *s* sappirakko

galleon [gæljən] *s* (laiva) kaljuuna

gallery [gæləri] *s* **1** (katsomossa) galleria, ylin parvi **2** käytävä **3** (taide)galleria

galling *adj* ärsyttävä, harmittava, sietämätön

gallon [gælən] *s* gallona (US 3,8 l; UK 4,5 l)

1 gallop [gæləp] *s* (hevosen) laukka

2 gallop *v* laukata

gallows [gælouz] *s* (mon gallowses, gallows) hirsipuu

gallstone ['gal,stoun] *s* sappikivi

galore [gɔ'lɔːr] *adv* yllin kyllin *we have problems galore* meillä on yllin kyllin ongelmia

1 gamble [gæmbəl] *s* riski

2 gamble *v* **1** riskeerata, panna alttiiksi; ottaa riski, laskea jonkin varaan **2** pelata uhkapeliä, panna peliin

gamble away *v* panna menemään uhkapelissä

gambler *s* (uhka)peluri

gambling *s* uhkapeli

gambling house *s* pelikasino

1 game [geɪm] *s* **1** peli; ottelu *a game of chance* onnenpeli *are you interested in a game of chess?* haluaisitko pelata šakkia? **2** leikki *to him, life is just a game* hänelle elämä on pelkkää leikkiä *you're not playing his game* (kuv) sinä et pelaa samojen sääntöjen mukaan kuin hän *that is his little game* se hänellä on mielessään **3** riista

2 game *v* pelata uhkapeliä

3 game *adj* **1** riista- **2** (ark) valmis, halukas *I'm game!* minä olen valmis (lähtemään jonnekin/tekemään jotakin ehdotettua)

gamekeeper ['geɪm,kiːpər] *s* riistanvartija

game show *s* visailu, tietokilpailuohjelma

gander [gændər] *s* **1** uroshanhi **2** vilkaisu *take a gander at this* katsopa tätä

gang [gæŋ] *s* joukko, ryhmä; jengi

gangling [gæŋglɪŋ] *adj* hontelo, pitkä ja laiha

gangrene [gæŋ'griːn] *s* (lääk) kuolio

gangster [gæŋstər] *s* gangsteri

gang up on *v* lyöttäytyä yhteen jotakuta vastaan, käydä yhdessä jonkun kimppuun

gangway [gæŋweɪ] *s* **1** (laivan) laskuportaat **2** (istuinrivien välinen) käytävä

gannet [gænət] *s* (lintu) suula

gap [gæp] *s* aukko (myös kuv), lohkeama, kolo

1 gape [geɪp] *s* **1** aukko **2** töllötys, tuijotus

2 gape *v* **1** (esim suu) ammottaa **2** töllöttää, tuijottaa, katsoa suu auki

gaping *adj* **1** ammottava **2** töllöttävä, tuijottava

garage [gɑ'rɑːʒ] *s* **1** autotalli **2** (UK) huoltoasema

garage sale [gɑ'rɑːʒ,seɪəl] *s* pihakirppis

garbage [gɑːbədʒ] *s* roskat, jäte, (kuv) roska

garbagy *adj* (ark) törkyinen, törky

garble [gɑːbəl] *v* sekoittaa, sotkea, sotkeutua sanoissaan

garbled *adj* sekava, epäselvä

Garda [gɑːdə] *s* **1** Irlannin poliisi **2** (mon Gardai) irlantilainen poliisimies/-nainen

garden [gɑːdən] *s* **1** kotipuutarha **2** puutarha, puisto *Kew Gardens* Kew'n puutarha (Lontoossa) *botanical gardens* kasvitieteellinen puutarha *formal garden* muotopuutarha, geometrinen/ranskalainen puutarha *English garden* (englantilainen) luonnon/maisemapuutarha **3** (UK) piha

garden-variety *adj* aivan tavallinen

gargle [gɑːgəl] *v* kurlata (kurkkuaan)

gargoyle ['gɑːgɔɪəl] *s* (rak) (pelottavaksi ihmis- tai eläinhahmoksi muotoiltu) vesinokka

garish [geərɪʃ] *adj* räikeä

garishness *s* räikeys

1 garland [gɑːlənd] *s* seppele

2 garland *v* seppelöidä

garlic [gɑːlɪk] *s* valkosipuli

garment [gɑːmənt] *s* vaate

1 garnish [gɑːnɪʃ] *s* (esim ruuan) koriste (myös kuv), somiste

2 garnish *v* koristaa, koristella (myös kuv), somistaa

garret [gerət] s ullakko(huone)

1 garrison [gerəsən] s varuskunta

2 garrison v sijoittaa varuskunta jonnekin

garter [gartər] s sukkanauha

1 gas [gæs] s **1** kaasu **2** ilmavaivat *he had terrible gas* hänellä oli valtavia ilmavaivoja **3** bensiini **4** kaasu(poljin) **5** (sl) jyrkkä juttu

2 gas v surmata kaasumyrkytyksellä; myrkyttää (surmaamatta) kaasulla

gas chamber [gæs,t∫embər] s kaasukammio

1 gash [gæ∫] s syvä haava, viilto

2 gash v viiltää

gasket [gæskət] s tiiviste

gas mask s kaasunaamari

gasoline [gæsə,lin] s bensiini

1 gasp [gæsp] s syvä hengenveto; säpsähdys

2 gasp v huohottaa, haukkoa henkeään; säpsähtää

gas station s huoltoasema

gassy adj **1** kaasumainen **2** (sl) puhelias

gas tank s (auton) bensiinitankki

gastric [gæstrɪk] adj vatsa-, maha- *gastric ulcer* mahahaava

gate [geɪt] s **1** portti (myös kuv) **2** (myös tietok.) **2** pääsylipputulot; yleisömäärä

gâteau [gæ'tou] (mon *gâteaux*) s täytekakku

gatekeeper [geɪt,kipər] s portinvartija

gateway [geɪtweɪ] s porttiaukko, portti (myös kuv)

gather [gæðər] v **1** koota, kokoontua, kerätä, kerääntyä **2** kasvaa: *to gather speed* nopeutua, (vauhti) kiihtyä **3** päätellä, ymmärtää *I gather that they are ready* ymmärtääkseni he ovat valmiit

gathering s (ihmis)joukko; kokous, tilaisuus

gauche [gou∫] adj (käytökseltään) kömpelö, avuton, taitamaton

gaudily adv pröystäilevästi, komeilevasti; mauttomasti, imelästi

gaudy [gadi] adj pröystäilevä, komeileva; mauton, imelä

1 gauge [geɪdʒ] s **1** mitta **2** mittari, mittalaite **3** raideleveys **4** paksuus, leveys **5** (kuv) mittapuu

2 gauge v mitata (myös kuv): punnita *the boss tried to gauge the new secretary's abilities* pomo yritti punnita uuden sihteerin kyvyt

gaunt [gant] adj **1** hintelä, riutunut, luiseva **2** karu, autio

gauntlet [gantlət] s **1** rautakäsine; käsine **2** kujanjuoksu (myös kuv) *to run the gauntlet* kärsiä kujanjuoksu (kujanjuoksu)

gauntness s **1** hintelyys **2** karuus, autius

gauze [gaz] s harso; sideharso

gay [geɪ] s homoseksualisti adj **1** iloinen, hilpeä **2** homoseksuaalinen

gayly [geɪli] adv iloisesti, hilpeästi

gazelle [gə'zel] s gaselli

gear [gɪər] s **1** vaihde *reverse gear* peruutusvaihde *the auto is in gear/out of gear* auton vaihde on päällä/auton vaihde on vapaalla *to switch gears* (kuv) panna toinen vaihde päälle, muuttua **2** varusteet *tennis gear* **3** (muoti)vaatteet

gearbox [gɪər,baks] s vaihdelaatikko

gear down v **1** vaihtaa pienemmälle vaihteelle **2** rajoittaa, supistaa, pienentää

gearshift [gɪər,∫ɪft] s **1** vaihdevipu **2** vaihteisto

gear to v mukauttaa johonkin, suunnata, tähdätä

gear up v **1** vaihtaa isommalle vaihteelle **2** valmistautua, varustautua johonkin

gearwheel [gɪər,wiəl] s hammaspyörä

geek [gik] s (ark) nörtti *a computer geek* tietokonenörtti

gelatin [dʒelətən] s liivate, gelatiini

gelding [geldɪŋ] s (hevonen) ruuna

gem [dʒem] s **1** jalokivi **2** (kuv) aarre *you're a gem* olet aarre

gemsbok [gemsbak] s beisa

gemstone [dʒem,stoun] s jalokivi

gender [dʒendər] s **1** sukupuoli **2** (kieliopissa) suku

gene [dʒin] s geeni

genealogical [,dʒiniə'ladʒɪkəl] adj sukuperää koskeva, genealoginen

genealogist [,dʒini'alədʒɪst] s sukututkija, genealogi

genealogy [,dʒini'alədʒi] s **1** sukututkimus, genealogia **2** sukupuu

gene map s geenikartta

general [ˈdʒenrəl] s kenraali adj **1** yleinen, yleis- in general yleensä, tavallisesti I have a general idea of what is involved minulla on yleiskäsitys siitä mistä tässä on kyse **2** (tittelissä) pää-, yli- the secretary general of the United Nations Yhdistyneiden Kansakuntien pääsihteeri Attorney General (Yhdysvaltain) oikeusministeri

general anesthetic s yleispuudutus, nukutus

generalize [ˈdʒenrəˌlaɪz] v yleistää (myös:) tehdä yleiseksi/yleisemmäksi

general practitioner s yleislääkäri

general public s suuri yleisö

general store s (yl maaseudulla) sekatavarakauppa

generate [ˈdʒenəˌreɪt] v tuottaa; (kuv) synnyttää, herättää to generate electricity tuottaa sähköä the new car has generated tremendous interest uusi auto on herättänyt valtaisaa kiinnostusta

generation [ˌdʒenəˈreɪʃən] s **1** tuottaminen **2** sukupolvi

generation gap s sukupolvien välinen kuilu

generator [ˈdʒenəˌreɪtər] s generaattori

generic [dʒəˈnerɪk] adj **1** lajia koskeva **2** yleinen, yleis-

generosity [ˌdʒenəˈrɑsiti] s anteliaisuus, suurpiirteisyys

generous [ˈdʒenərəs] adj **1** antelias, suurpiirteinen **2** runsas, iso; uhkea

genesis [ˈdʒenəsɪs] s **1** (mon geneses) synty, alku **2** Genesis Ensimmäinen Mooseksen kirja, Genesis

gene technology s geenitekniikka

genetic [dʒəˈnetɪk] adj geneettinen

geneticist [dʒəˈnetəsɪst] s perinnöllisyydentutkija, geneetikko

genetics [dʒəˈnetɪks] s (verbi yksikössä) perinnöllisyystiede, genetiikka

genetive [ˈdʒenətɪv] s, adj (kieliopissa) genetiivi(-)

genial [ˈdʒiːnjəl] adj ystävällinen, miellyttävä, lämmin (myös kuv), leuto (ilmasto)

geniality [ˌdʒiːniˈæləti] s ystävällisyys, sävyisyys; (ilmaston) leutous

genital [ˈdʒenɪtəl] adj sukupuolielimiin liittyvä, genitaalinen

genitals s (mon) sukupuolielimet

genius [ˈdʒiːnjəs] s **1** (mon genii) (suojelus)henki **2** nerous **3** (mon geniuses) nero

genocide [ˈdʒenəˌsaɪd] s kansanmurha

gent [dʒent] s (ark) (herras)mies

gentile [ˈdʒentaɪl] s, adj ei-juutalainen; kristitty

gentle [ˈdʒentəl] adj hellä, kevyt, varovainen, hiljainen, lievä, hyväntahtoinen

gentleman [ˈdʒentəlmən] s (mon gentlemen) herrasmies; (hyvä) herra; mies

gentlewoman [ˈdʒentəlˌwʊmən] s (mon gentlewomen) herrasnainen, hovinainen, hieno nainen

gentry [ˈdʒentri] s ala-aateli, gentry

genuine [ˈdʒenjuən] adj **1** aito **2** (kuv) varsinainen, todellinen he is a genuine idiot!

genus [ˈdʒiːnəs] s (mon genera) (biol) laji

geographer [dʒiˈagrəfər] s maantieteen tutkija

geographical [ˌdʒiːəˈgræfɪkəl] adj maantieteellinen

geography [dʒiˈagrəfi] s **1** maantiede **2** (jonkin alueen) pinnanmuodot

geological [ˌdʒiːəˈlɑdʒɪkəl] adj geologinen

geologist [dʒiˈalədʒɪst] s geologi

geology [dʒiˈalədʒi] s geologia

geometric [ˌdʒiːəˈmetrɪk] adj geometrinen

geometry [dʒiˈamətri] s geometria (myös:) muoto

gerbil [ˈdʒɜːrbəl] s gerbiili, mongolianhyppymyyrä

geriatric [ˌdʒeəriˈætrɪk] adj geriatrinen

germ [dʒɜːrm] s **1** itu, alkio **2** taudinaiheuttaja (bakteeri, virus ym) **3** (kuv) alku

germane to [dʒɜːrˈmeɪn] adj asiaankuuluva

germinate [ˈdʒɜːrməˌneɪt] v itää (myös kuv:) orastaa

germination [ˌdʒɜːrməˈneɪʃən] s itäminen; (kuv) orastus, alku

gerund [ˈdʒerənd] s (kieliopissa) gerundi (substantiivina käytetty -ing -muoto, esim running (is good exercise)

gesticulate [dʒesˈtɪkjəˌleɪt] v elehtiä, viittoilla (käsillään)

gesticulation [dʒesˌtɪkjəˈleɪʃən] s elehdintä, viittoilu

gesture [ˈdʒestʃər] s ele (myös kuv) that was a nice gesture se oli kaunis ele, kauniisti tehty

get [get] *v* got, got/gotten **1** saada; olla jolla-
kulla (have got) *he got two presents* hän
sai kaksi lahjaa *I've got two dogs* minulla
on kaksi koiraa **2** hakea, noutaa *go get the
mail from the box* mene hakemaan posti
laatikosta *he got measles* hän sairastui tuh-
karokkoon *the teacher did not get him to
grasp the concept* opettaja ei saanut häntä
ymmärtämään käsitettä **3** teettättää: *he got
a haircut, he got his hair cut* hän kävi
parturissa, leikkautti tukkansa **4** kuulla,
ymmärtää, tajuta *I told the joke twice, and
he still did not get it* **5** saapua, tulla jonne-
kin *she got home late last night* hän tuli
eilen myöhään kotiin **6** tulla jokskin: *dad
got mad when I took five dollars from his
pocket* isä suuttui kun otin hänen taskus-
taan viisi dollaria *it's getting harder and
harder to find a job* työpaikan löytäminen
käy koko ajan vaikeammaksi **7** valmistau-
tua, alkaa: *you'd better get ready/started/
going* sinun on parasta laittautua val-
miiksi/aloittaa/lähteä **8** tavoittaa, saada
kiinni *she did not get the doctor on the
phone* hän ei saanut lääkäriä puhelimeen
9 osua johonkin; tappaa *the mob finally
got him* mafia surmasi hänet viimein
10 (ark) kismittää, kaivella *the bad re-
views really got me* huonot arvostelut oli-
vat minulle kova kolaus

get about *v* **1** (toipilaasta) olla jalkeilla
2 (huhu) levitä

get across *v* selittää, esittää, saada ymmärtä-
mään

get ahead *v* menestyä, päästä eteenpäin

get ahead of *v* ohittaa (myös kuv:) päästä
jonkun edelle

get along *v* **1** lähteä **2** tulla toimeen

get around *v* **1** matkustella, liikkua **2** seurus-
tella, käydä miehissä/naisissa

get at *v* **1** vihjailla **2** päästä käsiksi johonkin
(myös kuv)

get away *v* karata, päästä karkuun

get away with *v* selvitä rangaistuksetta josta-
kin

get back *v* kostaa

get back to *v* ottaa uudestaan yhteyttä johon-
kuhun, soittaa takaisin/uudestaan

get behind *v* jäädä jälkeen, (maksu) myöhäs-
tyä

get by *v* **1** tulla toimeen, pärjätä **2** ei huomata,
mennä ohi joltakulta

get by on *v* tulla toimeen jollakin, pärjätä
jollakin

get down *v* **1** vapautua, irrotella, pitää haus-
kaa **2** masentaa **3** niellä, saada (kurkusta)
alas

get down to *v* keskittyä johonkin

get even *fr* kostaa *don't get mad, get even* älä
suutu vaan kosta

get in *v* **1** saapua jonnekin **2** päästä sisään
(myös kuv:) päästä jäseneksi **3** (kuv: syyl-
listyä) sekaantua/sotkeutua johonkin

get in on *v* päästä jyvälle jostakin; päästä
apajille; osallistua

get it *v* **1** saada selkäänsä, saada kuulla kun-
niansa **2** tajuta

get off *v* **1** päästä/pästää pälkähästä, päästä/
auttaa vapaaksi **2** nousta (lentokoneesta,
junasta, satulasta)

get on *v* **1** edistyä **2** selvitä, pärjätä **3** tulla
toimeen jonkun kanssa (with) **4** vanhen-
tua, ikääntyä

get out *v* tulla ilmi, paljastua

get out of *v* lopettaa, luopua *he is thinking of
getting out of the retailing* hän aikoo luo-
pua vähittäiskaupasta

get over *v* selvitä, parantua jostakin

get over with *v* saada valmiiksi, päästä eroon
jostakin

get sick *fr* **1** sairastua **2** oksentaa

get the creeps *fr* pelästyä, puistattaa

get the hang of *fr* päästä jyvälle jostakin,
oppia

get the picture *fr* ymmärtää, tajuta

get through *v* **1** selvitä jostakin **2** saada joku
ymmärtämään jotakin

get through to *v* saada joku puhelimeen

get together *fr* **1** kerätä, koota; kerääntyä,
kokoontua **2** päästä yksimielisyyteen/sopi-
mukseen

get tough with *fr* koventaa otteitaan jonkun/
jonkin suhteen

get up *v* **1** nousta (vuoteesta/ylös/seisomaan/
ajoneuvoon/satulaan) **2** järjestää, valmis-
tella *he got up a nice birthday party for his*

wife hän järjesti vaimolleen kivat synty-
mäpäiväjuhlat

get up as v pukeutua joksikin

get up to v **1** nousta/kiivetä jonnekin **2** hautoa
mielessään, juonitella

get used to v tottua johonkin

geyser [gaızər] s kuuma lähde, geysir

ghastly [gɑːsli] adj **1** järkyttävä, hirvittävä
(rikos) **2** kalmankalpea **3** (ark) hirvittävä,
kamala, valtava

ghetto [getou] s getto; slummi

ghost [goust] s **1** henki *the Holy Ghost* Pyhä
Henki *to give up the ghost* heittää hen-
kensä; pysähtyä, sammua **2** aave, haamu
3 (kuv) kalpea aavistus jostakin

ghostly adj aavemainen

ghostwrite v kirjoittaa jotakin haamukirjoit-
tajana/jonkun toisen nimellä julkaistavaksi

ghostwriter [ˈgoust͵raıtər] s haamukirjoittaja

giant [dʒaıənt] s jättiläinen adj jättiläismäi-
nen, valtava, suunnaton

giantess s (naispuolinen) jättiläinen

giant panda s isopanda

gibberish [dʒıbərı∫] s siansaksa

giddy [gıdı] adj **1** huimaava *I feel a little
giddy* minua huimaa/pyörryttää hieman
2 päätähuimaava **3** tyhjänpäiväinen, pin-
nallinen, haihatteleva, oikullinen

gift [gıft] s **1** lahja *Christmas gifts* joululahjat
2 lahja, kyky *he is a man of many gifts* hän
on monipuolisesti lahjakas

gift certificate s lahjakortti

gifted adj lahjakas

gift horse *don't look a gift horse in the mouth*
(sananlasku) ei lahjahevosen suuhun kat-
sota

gift of gab *to have the gift of gab* (ark) jolla-
kulla on sana hallussaan

gift-wrap v kääriä lahjapaperiin

giftwrapping s lahjapaperi

gigantic [dʒaıˈgæntık] adj jättiläismäinen,
valtava, suunnaton

1 giggle [gıgəl] s kikatus, hihitys

2 giggle v kikattaa, hihittää

gild [gıld] v gilded, gilded: kullata

gilding s **1** kultaus **2** lehtikulta

gill [gıl] s (yl mon) kidukset *pale around the
gills* sairaan/huonon näköinen

gilt [gılt] s **1** kultaaminen **2** lehtikulta **3** *Gilt*
(tal) Ison-Britannian valtion takaama pun-
tamääräinen obligaatio

gilt-edged adj **1** kultareunainen **2** (kuv) ensi-
luokkainen, paras mahdollinen

gimmick s **1** temppu **2** vempain, vekotin

gin [dʒın] s gini

ginger [dʒındʒər] s inkivääri

ginger ale s inkiväärilimonadi

gingerly adj varovainen adv varovaisesti

Giraffe (tähdistö) Kirahvi

girder [gərdər] s kannatin(palkki)

1 girdle [gərdəl] s **1** korsetti **2** vyö **3** (kuv)
kahle

2 girdle v vyöttää

girl [gərəl] s tyttö; tytär

girl Friday *she is my girl Friday* hän on oikea
käteni, apulaiseni

girlfriend [ˈgərəl,frend] s tyttöystävä, naisys-
tävä

girlie [gərlı] adj alaston-, porno- *girlie mag-
azines* pornolehdet

girlish adj tyttömäinen

girl scout s partiotyttö

girth [gərθ] s ympärysmitta

gist [dʒıst] s asian ydin *forget the details, just
give me the gist of it* vähät yksityiskoh-
dista, riittää kun kerrot minulle tärkeim-
män

give [gıv] v gave, given **1** antaa *the boy gave
the girl an orange* poika antoi tytölle ap-
pelsiinin *the boss gave him three days to
do the job* pomo antoi hänelle kolme päi-
vää työn tekemiseen *let me give you an
example* minäpä annan esimerkin **2** funk-
tioverbinä: *to give a cry* huutaa *I gave him
a good blow* löin häntä oikein kunnolla
3 järjestää, pitää: *he gave a concert/party*
hän piti konsertin/juhlat **4** joustaa, antaa
periksi (myös kuv) **5** synnyttää *she gave
him a baby girl* hän synnytti miehelle tyt-
tövauvan **6** esitellä (yleisölle) **7** kertoa ter-
veisiä: *give my love to your wife* (kerro
minulta) terveisiä vaimollesi

give-and-take [ˌgıvən'teık] s **1** molemmin-
puoliset myönnytykset, (kuv) kaupanteko,
kompromissi **2** ajatustenvaihto

give and take *fr* **1** tehdä molemminpuolisia myönnytyksiä, tehdä kompromissi **2** vaihtaa ajatuksia

give an ear to *fr* kuunnella

giveaway ['gɪvə,weɪ] *s* **1** *the name 'Pratt' was a dead giveaway* nimi Pratt paljasti kaiken **2** lapsellisen helppo kysymys tms **3** ilmaistuote, lahja

give away *v* **1** paljastaa (salaisuus/joku), kavaltaa joku **2** (häissä) luovuttaa morsian sulhaselle **3** jakaa ilmaiseksi, antaa lahjaksi

give birth to *fr* synnyttää

give ground *v* perääntyä, antaa periksi

give in *v* **1** luopua, antaa periksi **2** antaa, luovuttaa

give it *fr* myöntää *I have to give it to you, you're real smart* täytyy myöntää että sinä olet melkoisen nokkela

given *adj* **1** tietty *at a given price* tiettyyn hintaan **2** olettaen *given that you were not there at the time of the murder...* olettaen että sinä et ollut paikalla murhan sattuessa...

given name *s* etunimi

given to *adj* altis, taipuvainen *she is given to ostentatiousness* hänellä on taipumusta rehentelyyn

give of *v* antaa aikaansa, olla käytettävissä, auttaa (myös taloudellisesti)

give off *v* tuoksua, haista *the Mexican cheese gives off a terrible smell* meksikolaisesta juustosta lähtee kamala haju

give or take *fr* suunnilleen *that's the figure, give or take a few hundred* se on oikea luku muutaman sadan tarkkuudella

give out *v* **1** säteillä, hehkua **2** jakaa **3** loppua, lopettaa **4** mennä rikki, pysähtyä, sammua

give over *v* **1** siirtää, luovuttaa jollekin **2** luopua jostakin **3** käyttää aikaa johonkin *he gave himself over to indulgence* hän antautui/omistautui nautiskeluille

give rein to *fr* antaa jollekulle vapaat kädet

give rise to *fr* johtaa johonkin, antaa aihetta johonkin, aiheuttaa jotakin, panna alulle jotakin

give someone enough rope *fr* antaa jonkun toimia vapaasti, antaa jollekulle vapaat kädet

give up *v* **1** luopua, antaa periksi **2** lakata, luopua jostakin **3** omistautua, antautua jollekin

give way *fr* **1** väistää, väistyä **2** (armeija) perääntyä **3** (myös kuv) sortua, luhistua, antaa periksi

give way to *fr* **1** tehdä tietä/tilaa jollekin, väistyä jonkun/jonkin tieltä **2** antaa periksi jollekin/jollekulle, antautua jollekin (esim tunteiden) valtaan

glacial [gleɪʃəl] *adj* **1** jääkauden aikainen/muovaama **2** (kuv) toivottoman hidas **3** (kuv) jäätävä, vihamielinen *she looked at me with glacial indifference* hän katsoi minua jäätävän välinpitämättömästi

glacier [glæsɪər] *s* jäätikkö

glad [glæd] *adj* iloinen *we were glad to be back* olimme iloisia päästessämme takaisin *that's glad news* se on iloinen uutinen

gladden *v* ilahduttaa, tehdä iloiseksi

glade [gleɪd] *s* aukeama (metsässä)

glad hand *to give someone the glad hand* tervehtiä pursuavan (ja tennäisen) ystävällisesti, makeilla, hieroa (kuv) jotakuta

gladiator ['glædɪˌeɪtər] *s* gladiaattori

glamor ks **glamour**

glamorize ['glæməˌraɪz] *v* ihannoida

glamorous *adj* loistokas, hohdokas

glamour [glæmər] *s* loisto, komeus, hohto

glamour boy *s* kaunokainen, filmitähti tms

glamour girl *s* kaunotar, filmitähti tms

1 glance [glæns] *s* vilkaisu *at a glance* yhdellä vilkaisulla *at first glance* ensi näkemältä

2 glance *v* vilkaista

gland [glænd] *s* rauhanen

glandular [glændʒələr] *adj* rauhas-

1 glare [gleər] *s* **1** häikäisevä/räikeä/sokaiseva paiste/valo/loiste *the glare of the car's headlights blinded him* auton valot sokaisivat hänet **2** (vihainen) tuijotus, katse

2 glare *v* **1** loistaa/paistaa räikeästi **2** katsoa vihaisesti

glaring *adj* **1** häikäisevä, sokaiseva, räikeä (myös kuv) *a glaring error* räikeä virhe **2** vihaisesti tuijottava/katsova

glass [glæs] s **1** (aine) lasi **2** (juoma)lasi; (ikkuna)lasi; (suurennus)lasi **3** (mon) (silmä)lasit

glassblowing [ˈglæsbloiŋ] s lasinpuhallus

glasshouse [ˈglæsˌhaus] s (UK) kasvihuone

glassware [ˈglæsˌweər] s lasitavara

glassy adj **1** lasinen, lasimainen **2** lasittunut (katse)

glaucoma [glɔˈkoumə] s viherkaihi

1 glaze [gleiz] s **1** (savitavaran pinnalla) lasitus, lasite **2** (ruuanlaitossa) kuorrutus

2 glaze v **1** lasittaa (savitavaraa) **2** (ruuanlaitossa) kuorruttaa **3** (silmät, katse) lasittua

1 gleam [glim] s kiilto, kimallus, pilke (myös kuv) with a gleam in his eye pilke silmäkulmassa

2 gleam v kiiltää, kimaltaa, säkenöidä

gleaming adj kimalteleva, pilkehtivä, säkenöivä

glean [glin] v saada selville, huomata, nähdä I could glean from his eyes that he was worried näin hänen silmistään että hän oli huolissaan

glee [gli] s ilo malicious glee vahingonilo

gleeful adj iloinen; vahingoniloinen

glen [glen] s (pieni) laakso

glib [glɪb] adj lipevä, liukas, ovela she did not like him, his manner was too glib hän ei pitänyt miehestä koska tämä käyttäytyi liian lipeväisti

glibness s lipevyys, liukkaus, oveluus

1 glide [glaid] s **1** liukuminen **2** liukulento **3** liitolento, purjelento

2 glide v **1** liukua **2** leijua **3** liitää, lentää purjekoneella

glider [ˈglaidər] **1** purjekone **2** purjelentäjä **3** riippuliidin (myös hang glider) **4** riippuliitäjä **5** pussiliito-orava

gliding s purjelento

1 glimmer [ˈglɪmər] s kajastus, loiste, pilke (myös kuv) a glimmer of hope toivon pilke

2 glimmer v kajastaa, loistaa, pilkahtaa

1 glimpse [glɪmps] s vilkaisu

2 glimpse v nähdä väläykseltä

1 glint [glɪnt] s kimallus, pilke

2 glint v kimaltaa, säkenöidä, tuikkia

glisten [ˈglɪsən] v kimaltaa, kimallella, säkenöidä

1 glitter [ˈglɪtər] s kimallus, säkenöinti

2 glitter v kimaltaa, säkenöidä, tuikkia all that glitters is not gold ei kaikki ole kultaa mikä kiiltää

glittering adj **1** kimalteleva, säkenöivä, tuikkiva **2** loistokas, korea; houkutteleva

glittery adj kimalteleva, säkenöivä

gloat [glout] v hekumoida jollakin, nauttia suuresti jostakin he gloated over my failure hän oli vahingoniloinen minun epäonnistumisestani

gloating s omahyväisyys, itsetyytyväisyys; vahingonilo adj omahyväinen; vahingoniloinen

global [ˈgloubəl] adj maailmanlaajuinen

global warming s (maapallon) ilmaston lämpeneminen

globe [gloub] s **1** maapallo **2** (muoto) pallo **3** karttapallo

gloom [glum] s hämäryys, pimeys, synkkyys (myös kuv)

gloominess s hämäryys, pimeys, synkkyys (myös kuv)

gloomy adj hämärä, pimeä, synkkä (myös kuv)

glorification [ˌglɔrəfiˈkeiʃən] s ihannointi, ylistys

glorified [ˈglɔrəˌfaid] adj the resort is nothing but a glorified hotel lomanviettopaikka on pelkkä hieno hotelli

glorify [ˈglɔrəˌfai] v ihannoida, ylistää

glorious [ˈglɔriəs] adj **1** maineikas, ansioitunut **2** erinomainen, loistava, ensiluokkainen

glory [ˈglɔri] s **1** maine, kunnia **2** ylistys **3** loisto, komeus **4** autuus to go to your glory kuolla

glory in v iloita, nauttia, olla ylpeä jostakin

gloss [glas] s **1** kiilto; (kuv) pintakiilto **2** selitys, huomautus

glossary [ˈglɑsəri] s sanaluettelo, sanasto

gloss over v vähätellä, yrittää salata jotakin

glossy adj kiiltävä (pintainen)

glove [glʌv] s käsine, sormikas, hansikas

gloved adj: he did it with gloved hands hän teki sen käsineet kädessä

1 glow [glou] s hehku, kajaste, loiste, valo

2 glow *v* hehkua, kajastaa, loistaa; (kuv) pursua

glowing *adj* **1** hehkuva **2** (kuv) ylistävä, ylenpalttinen

glucose ['glu,kous] *s* glukoosi

1 glue [glu] *s* liima

2 glue *v* liimata; (passiivissa kuv) liimautua *her eyes were glued to the other table where the movie star was sitting* hän tuijotti herkeämättä toiseen pöytään jossa filmitähti istui

glum [glʌm] *adj* apea, alakuloinen, masentunut, synkkä

1 glut [glʌt] *s* (tavaran) ylitarjonta, tulva

2 glut *v* olla ylitarjontaa jostakin, tulvia markkinoilla

glutton [glʌtən] *s* **1** ahma **2** ahmatti

gluttonous *adj* kyltymätön

gluttony *s* (ruualla ja juomalla) mässäily, porsastelu

glyceride [glisəraid] *s* (rasvayhdiste) glyseridi

glycerol [glisərɔl] *s* (rasvan osa) glyseroli

1 gnarl [narəl] *s* (puussa) pahka

2 gnarl *v* vääristää, vääntää kieroon

gnarled [narəld] *adj* pahkainen (puu)

gnash [næʃ] *v* kiristellä (hampaitaan)

gnat [næt] *s* (yl) hyttynen

gnaw [nɔ] *v* kalvaa (myös kuv), nakertaa, pureskella *the dog is happily gnawing at a bone* koira kalvaa tyytyväisenä luuta

gnawing *adj* (kuv) kalvava, kiduttava

gnome [noum] *s* **1** maahinen, peikko **2** finanssinero, (suur)pankkiiri, pankkimies

GNP *gross national product* bruttokansantulo, BKTL

go [gou] *v* went, gone **1** mennä, lähteä *we went home* menimme/lähdimme kotiin *we went there by bus* menimme sinne linja-autolla *you went too far* sinä menit liian pitkälle *I have to go* minun täytyy lähteä *the children should go to bed* lasten pitäisi mennä nukkumaan *how did your test go?* miten koe meni? **2** käydä *do you still go to school?* vieläkö sinä käyt koulua? **3** tulla joksikin *he's gone crazy* hän on tullut hulluksi **4** kuulua jonnekin/johonkin *that goes with the territory* se kuuluu työn asemaan

the red ones go into that box punaiset kuuluvat tuohon laatikkoon **5** *anything goes* kaikki on sallittua **6** *go to show* osoittaa *that only goes to show that he is a genius* se on vain merkki siitä että hän on nero **7** (ark) sanoa *and he goes, 'What do you think?'* ja sitten hän sanoi 'Mitä arvelet?' **8** (ark) käydä vessassa *Mommy, I gotta go!* äiti, minulla on vessahätä **9** *is this for here or to go?* (pikaravintolassa:) syöttekö täällä vai otatteko ruoan mukaanne? *apuv* (futuurina:) aikoa *I am going to do it* aion tehdä sen *it is going to rain* pian sataa *adj* valmis *all systems go* kaikki on valmista

go about *v* tehdä (työtään), hoitaa (tehtäviään)

goad into [goud] *v* kannustaa, yllyttää jotakuta tekemään jotakin

go after *v* tavoitella jotakin, pyrkiä johonkin

go against *v* (kuv) sotia jotakin vastaan, olla jonkin vastainen

go ahead *v* ole hyvä vain *go ahead if you want to leave* sen kuin lähdet vain

go-ahead [goa,hed] *s* (kuv) vihreä valo, lupa aloittaa *they finally got the go-ahead to launch the rocket* he saivat viimein luvan laukaista raketin

goal [goul] *s* **1** tavoite, päämäärä **2** (kilpailun) maali (eri merk) **3** (amerikkalaisessa jalkapallossa) potkumaali

goalkeeper ['goal,kipər] *s* maalivahti

go along *v* **1** lähteä/tulla mukaan **2** suostua johonkin

go around *v* **1** riittää (kaikille) **2** kiertää, olla liikkeellä

go around with *v* liikuskella jonkun seurassa

go at *v* käydä käsiksi johonkin (myös kuv): paneutua

goat [gout] *v* **1** vuohi **2** (kuv) pukki

go bad *fr* pilaantua

go bananas *fr* saada hepulit; tulla hulluksi

gobble [gabəl] *v* ahmia, pistää poskeensa

gobble up *v* ahnehtia, niellä, pistää poskeensa

go-between *s* välittäjä, sovittelija, lähetti

goblin [gablən] *s* peikko

go by *v* **1** päästää (tilaisuus) käsistään **2** noudattaa (neuvoa)

God [gad] *s* **1** Jumala **2** *god* jumala (myös kuv) *man is trying to play god by tampering with genes* ihminen leikkii jumalaa sorkkimalla geenejä

godchild ['gad,tʃaɪld] *s* kummilapsi

goddamn [,gad'dæm] *s, adj, interj* (ark) hitto, helvetti *he is a goddamn fool* hän on täysi idiootti

goddamned *adj* (ark) pahuksenmoinen, hitonmoinen, kirottu

goddamnit [,gad'dæmɪt] *interj* (ark) hitto soikoon!

goddaughter ['gad,dɔtər] *s* kummityttö

godfather ['gad,fɑðər] *s* kummisetä

godforsaken [,gadfər'seɪkən] *adj* Jumalan hylkäämä, (kuv) syrjäinen *he lives in some godforsaken place* hän asuu jossakin Jumalan selän takana

godless *adj* jumalaton, ateistinen

godlike *adj* jumalallinen

godlinoos *s* hurskaus, jumalanpelko *cleanliness is next to godliness* puhtaus on puoli ruokaa

godly *adj* **1** hurskas **2** jumalallinen, Jumalan

godmother ['gad,mʌðər] *s* kummitäti

go down *v* **1** laskea, laskeutua, vähetä **2** (sl) tapahtua **3** (tietok) kaatua

godsend ['gad,send] *s* suuri apu, siunaus, loujan lykky

godson ['gadsʌn] *s* kummipoika

go for *v* **1** yrittää saada, tavoitella **2** valita

goggle [gagəl] *v* tuijottaa, mulkoilla; (silmät) pullistua kuopistaan

goggles [gagəlz] *s* (mon) (suoja)lasit; uimalasit

1 going [gouɪŋ] *s* **1** lähtö, meno **2** vauhti, nopeus, tahti

2 going *adj* **1** käypä *the going price for strawberries* mansikoiden käypä hinta **2** menestyvä, menestyksekäs

go into *v* **1** paneutua johonkin, keskustella jostakin **2** ruveta opiskelemaan

go-kart ['go,kart] *s* mikroauto

gold [gold] *s* **1** kulta **2** kullan väri *adj* **1** kultainen *gold watch* kultakello **2** kullanvärinen

1 goldbrick ['gold,brɪk] *s* (sl) pinnari

2 goldbrick *v* pinnata

goldcrest *s* (lintu) hippiäinen

golden *adj* **1** kultainen (myös kuv) **2** kullanvärinen

golden age *s* kulta-aika *the golden age of big band music* big band -musiikin kulta-aika

golden eagle *s* maakotka

goldeneye *s* (lintu) telkkä

goldfinch *s* (lintu) tikli

goldfish ['gold,fɪʃ] *s* kultakala

gold leaf *s* lehtikulta

gold mine *s* kultakaivos (myös kuv) *a gold mine of information* tiedon kultakaivos

goldsmith ['goldsmɪθ] *s* kultaseppä

1 golf [galf] *s* golf

2 golf *v* pelata golfia

golf bag *s* (golf)mailareppu

golf ball *s* golfpallo

golf cart *s* **1** (sähkökäyttöinen) golfvaunu **2** (käsin vedettävät) golfkärryt

golf club *s* **1** golfmaila **2** golfseura

golf course *s* golfkenttä

golfer *s* golfin pelaaja

gondola [gandələ gan'doulə] *s* **1** gondoli **2** (ilmalaivan) matkustamo, (kuumailmapallon) kori

gondolier [,gandə'lɪər] *s* gondolieeri

gong [gaŋ] *s* (mus) gongi

1 good [gud] *s* **1** hyvä *a brisk walk will do you good* reipas kävely tekee sinulle hyvää **2** hyöty *what good is a remote without batteries?* mitä kaukosäätimellä tekee jos siinä ei ole paristoja? **3** *for good* pysyvästi, lopullisesti

2 good *adj* better, best **1** hyvä *the plumber did a good job* putkiasentaja teki työnsä hyvin **2** hauska *we had a good time* meillä oli hauskaa **3** hyväntahtoinen, hyväsydäminen *the good Samaritan* laupias samarialainen **4** *no good* mitätön *he is no good as a painter* hänestä ei ole taidemaalariksi **5** *as good as* kuin *it's as good as new* se on uuden veroinen

good-bye ['gud'baɪ, gə'baɪ] *s* jäähyväiset *interj* hyvästi, näkemiin

good day *interj* (käytetään tavattaessa ja erottaessa) hyvää päivää; hyvää päivänjatkoa

good deal *s* **1** *a good deal of work* paljon työtä **2** hyvä kauppa, sopimus *I made a* *good deal with the salesman* tein myyjän kanssa hyvät kaupat

good evening *interj* hyvää iltaa

good for *adj* **1** *he is good for the loan* hän maksaa kyllä lainan takaisin **2** vastata jotakin **3** kestää *those shoes are good for another year* ne kengät saavat kelvata vielä vuoden **4** olla voimassa *the pass is good for daytime shows only* vapaalipulla pääsee vain päivänäytäntöihin

Good Friday *s* pitkäperjantai

goodies [gúdiz] *s* (mon) namut, herkut, herkkupalat (myös kuv) *you can find all sorts of goodies in an electronics store* elektroniikkakaupasta löytyy kaikenlaista jännää

good-looking *adj* hyvännäköinen

good morning *interj* hyvää huomenta

goodness *s* **1** hyvyys **2** laatu *interj* hyvä tavaton!

good night *interj* hyvää yötä

goods [gúdz] *s* (mon) kauppatavara; tavarat, omaisuus *to deliver the goods* (kuv) pitää sanansa, olla luotettava

good-sized *adj* hyvänkokoinen, iso

goodwill [ˌgúdˈwíl] *s* **1** hyväntahtoisuus **2** goodwill (yrityksen ym nauttima arvonanto)

go off *v* **1** räjähtää, laueta **2** sujua, mennä **3** lähteä (yhtäkkiä), häipyä **4** kuolla

go on *v* **1** tapahtua **2** jatkaa **3** pölistä, jaaritella, puhua minkä jaksaa **4** käyttäytyä tietyllä tapaa

goose [gus] *s* (mon geese) hanhi *my goose is cooked* minä olen nesteessä/kiipelissä

gooseberry [ˈgúsˌberi] *s* karviainen, karviaismarja

goose bumps *s* (kuv mon) kananliha, puistatus

goose flesh *s* (kuv) kananliha, puistatus

go out *v* **1** sammua **2** käydä ulkona, tavata ihmisiä

go over *v* **1** käydä läpi, tarkastaa **2** saada tietynlainen vastaanotto *my suggestions did not go over very well with the audience* ehdotukseni eivät olleet yleisön mieleen

1 gore [gɔr] *s* **1** (ylät) hurme, veri **2** väkivalta

2 gore *v* **1** pistää, puhkaista

gorge [gɔrdʒ] *s* **1** rotko, kuru; pieni kanjoni **2** kurkku

gorgeous [ˈgɔrdʒəs] *adj* komea, upea, mahtava, loistava

gorilla [gəˈrílə] *s* gorilla

gory [ˈgɔri] *adj* **1** verinen **2** ikävä, kurja

gosh [gaʃ] *interj* no voi että!, voi ei!, voi hurja!

gospel [ˈgaspəl] *s* evankeliumi (myös kuv) *the Gospel according to Matthew* Matteuksen evankeliumi

gospel truth *s* totinen totuus *that's the gospel truth* se on totista totta

gossip [ˈgasɪp] *s* **1** juoru, juoruaminen **2** juoruaja

go steady *fr* (ark) seurustella vakinaisesti

Goth [gaθ] *s* **1** (hist) gootti **2** (rockmusiikin laji) gootti **3** (alakulttuuri tai sen jäsen) gootti

Gothic *adj* goottilainen, gotiikan *a Gothic cathedral* goottilainen tuomiokirkko

go through *v* **1** kokea, joutua käymään läpi **2** tutkia, käydä läpi **3** mennä läpi, tulla hyväksytyksi **4** tuhlata, törsätä, käyttää loppuun

go through with *v* kestää/saattaa loppuun/päätökseen

go together *v* **1** kuulua yhteen; sopia yhteen **2** seurustella, olla yhdessä

1 gouge [gaudʒ] *s* kourutaltta

1 gouge *v* **1** kaivaa, kaivertaa, kovertaa **2** kaivaa esiin/irti **3** huijata, huipputaa

goulash [ˈgulaʃ] *s* gulassi

go under *v* **1** (laivasta) upota **2** epäonnistua, kariutua **3** esiintyä jollakin nimellä, olla tunnettu jonakin **4** (liikeyritys) tehdä vararikko, mennä konkurssiin

go up *v* **1** kasvaa, lisääntyä **2** unohtaa vuorosanansa

gourmand [ˈgɔrˌmand] *s* syöppö, ahmatti

gourmandize [ˈgɔrmənˌdaɪz] *v* herkutella, syöpötellä

gourmet [ˈgɔrmeɪ] *s* herkuttelija, herkkusuu

govern [ˈgʌvərn] *v* **1** hallita (myös kuv) *to govern a country* hallita maata *price governed his choice of a new car* hinta ratkaisi millaisen uuden auton hän osti **2** hillitä *she* *was unable to govern her temper* hän ei kyennyt hillitsemään itseään

governess [ˈgʌvənəs] *s* kotiopettajatar

government [ˈgʌvənmənt] *s* **1** hallitus, hallitseminen **2** hallitusmuoto **3** hallitus, valtioneuvosto **4** valtio *he is a government employee* hän on valtion palveluksessa

governmental [ˌgʌvənˈmentəl] *adj* valtion; hallituksen

governor [ˈgʌvənər] *s* **1** kuvernööri **2** johtaja **3** (UK, ark puhuttelu) pomo *yes, governor* selvä, pomo

governorship [ˈgʌvənərˌʃɪp] *s* kuvernöörin virka

go with *v* **1** sopia johonkin/yhteen jonkin kanssa **2** seurustella jonkun kanssa

go without *v* jäädä/olla ilman jotakin, luopua jostakin

go without saying *fr* olla sanomattakin/itsestään selvää

gown [gaʊn] *s* **1** aamutakki **2** (naisten ilta-) puku **3** tuomarinviitta, papinkaapu yms

1 grab [græb] *s* ote *the thief made a grab at the woman's bag* varas yritti tarttua naisen käsilaukkuun *the company is up for grabs* firma on kaupan

2 grab *v* **1** tarttua, ottaa kiinni jostakin **2** hakea/ottaa kiireesti/ohimennen **3** anastaa, vallata, ottaa luvattomasti

grab bag *s* **1** (juhlissa) lahjasäkki **2** (kuv) sillisalaatti

grace [greɪs] *s* **1** armo **2** suosio *to fall from grace* joutua epäsuosioon *to be in someone's good/bad graces* olla jonkun suosiossa/epäsuosiossa **3** lykkäys, lisäaika **4** suloisuus, sulo; hyvät tavat *to do something with good/bad grace* tehdä jotain hyvällä mielin, halukkaasti/vastahakoisesti *she had the grace to help us* hän auttoi meitä armeliaasti/ystävällisesti **5** ruokarukous

graceful *adj* suloinen, viehättävä, miellyttävä, kaunis

gracefully *adv* suloisesti, viehättävästi, miellyttävästi, kauniisti

graceless *adj* töykeä, hiomaton (käytös), töksähtelevä

grace period *s* lykkäys, lisäaika, armonaika

gracious [ˈgreɪʃəs] *adj* **1** armelias **2** suopea, hyväntahtoinen **3** hienostunut, tyylikäs, ylellinen, komea

graciousness *s* **1** armeliaisuus **2** suopeus, hyväntahtoisuus, myötämielisyys **3** ylellisyys, hienostuneisuus

1 grade [greɪd] *s* **1** taso *to make the grade* selvitä jostakin, onnistua **2** (koulu)luokka; luokka(taso) **3** (koulussa) arvosana, numero **4** laatuluokka *grade A* eggs A-luokan kananmunat *to be up to grade* täyttää laatuvaatimukset, kelvata **5** kaltevuus *there is a slight grade in the road here* tie kallistuu tässä hieman

2 grade *v* **1** luokitella, lajitella **2** kallistua, viettää, nousta **3** arvostella/korjata koetuloksia **4** tasoittaa (tietä)

grade crossing *s* tasoristeys

grade point *s* (numerona ilmaistu) arvosana

grade point average *s* keskiarvo

grade school *s* alakoulu (peruskoulun ala-aste)

gradient [ˈgreɪdɪənt] *s* **1** kallistuma, kaltevuus, (tien) nousu/lasku

gradual [ˈgrædʒʊəl] *adj* **1** asteittainen, vähitellen tapahtuva **2** loiva (rinne)

graduate [ˈgrædʒʊət] *s* (yliopistosta ym) valmistunut (henkilö) *high-school graduate* ylioppilas *adj* jatko-opintoihin liittyvä *graduate student* jatko-opiskelija

graduate [ˈgrædʒʊˌeɪt] *v* **1** valmistua (oppilaitoksesta) *to graduate from high school* tulla ylioppilaaksi *our college graduated one hundred students this year* collegestamme valmistui tänä vuonna sata opiskelijaa **2** porrastaa, jakaa asteisiin **3** muuttua vähitellen joksikin

graduated *adj* **1** asteittainen, porrastettu *graduated income tax* porrastettu tulovero **2** asteikolla varustettu, asteisiin jaettu

graduate school *s* yliopisto/laitos jossa on mahdollisuus jatko-opintoihin

graduation [ˌgrædʒʊˈeɪʃən] *s* **1** (oppilaitoksesta) valmistuminen **2** (oppilaitoksen) valmistumisjuhla *high school graduation* ylioppilasjuhla **3** porrastus

graffiti [grəˈfiːti] *s* (mon sanasta graffito) graffiti, seinäkirjoitukset

1 graft [græft] s (lääk) siirrännäinen; (kasv) oksas, jalostusoksa

2 graft v **1** siirtää (elin); oksastaa **2** liittää, siirtää, yhdistää (on something) johonkin

grain [grein] s **1** jyvä (myös kuv) *there is not a gain of truth in his story* hänen tarinassaan ei ole totuuden häivääkään **2** vilja **3** (puun) syy, (kankaan sidoksen) suunta *to go with/against the grain* (kuv) tehdä jotakin myötäkarvaan/vastakarvaan **4** (valok) rae

grainfield ['greinfi:əld] s viljapelto

grainy [greini] adj syinen **2** (valok) rakeinen

gram [græm] s gramma

grammar [græmər] s kielioppi (myös kirja)

grammar school s (US) peruskoulu; (UK) lukio

grammatical [grə'mætikəl] adj kieliopillinen, kielioppi-

granary [greinəri] s viljavarasto

grand [grænd] s **1** flyygeli **2** (ark) tonni, tuhat taalaa adj **1** mahtava, komea, loistelias, majesteettillinen, vaikuttava **2** pää-, suuri **3** erinomainen, loistava

grandchild ['grænt.tʃaɪəld] s (mon grandchildren) lapsenlapsi

granddaddy ['græn.dædi] s (mon granddaddies) (ark) **1** isoisä, ukki, vaari **2** *the grandddaddy of all sports cars* kaikkien urheiluautojen kantamuoto, äiti (ark)

granddaughter ['græn.dɔ:tər] s pojantytär, tyttärentytär, lapsenlapsi

grandeur [grændʒər] s loisto, komeus

grandfather ['græn.fɑːðər] s isoisä

grandfather clock s kaappikello

grand finale s finaali, loppunäytös

grandiose ['grændi'ous] adj **1** komea, vaikuttava **2** suurisuuntainen, mahtipontinen

grand jury ['græn'dʒəri] s suuri valamiehistö (joka päättää, antavatko todisteet aihetta oikeudenkäyntiin)

grandma [grænma] s (ark) isoäiti

grandmother ['græn.mʌðər] s isoäiti

grand old man s grand old man, jonkin alan vanha ja tunnettu edustaja

grandpa [grænpa] s (ark) isoisä

grandparents ['græn.perəns] s (mon) isovanhemmat

grand piano s flyygeli

grandson ['græn.sʌn] s pojanpoika, tyttärenpoika, lapsenlapsi

grandstand ['græn.stænd] s pääkatsomo

grand total s kokonaissumma, loppusumma

granite [grænət] s graniitti

1 grant [grænt] s stipendi, avustus

2 grant v **1** myöntää, antaa *he was granted permission to start a new project* hän sai luvan uuteen hankkeeseen **2** myöntää, tunnustaa *your new computer is fast, I'll grant you that* täytyy myöntää että uusi tietokoneesi on nopea

granular [grænjələr] adj rae-, rakeinen

granulated sugar s hieno sokeri, kidesokeri

granule [grænjuəl] s jyvänen

grape [greip] s viinirypäle

grapefruit ['greip.fru:t] s greippi

grapevine ['greip.vain] s **1** viiniköynnös **2** huputhe *I heard it on/through the grapevine* kuulin sen huhupuheena

graph [græf] s kaavio, diagrammi, käyrä

graphic [græf] adj **1** graafinen **2** kouraantuntuva, havainnollinen

graphic artist s graafikko

graphic arts s (mon) grafiikka, graafinen taide

graphics s (verbi yl mon) grafiikka *computer graphics* tietokonegrafiikka

graphite [græfait] s grafiitti

graphologist s kantamuoto, käsialan tutkija

graphology [græ'fɑlədʒi] s grafologia, käsialan tutkimus

grapple with [græpəl] v taistella, kamppailla jonkin asian kimpussa

1 grasp [græsp] s ote (myös kuv:) käsitys *the boy has a good grasp of basic algebra* poika on hyvin perillä algebran perusteista

2 grasp v tarttua, saada kiinni jostakin, saada ote jostakin (myös kuv:) käsittää *he failed to grasp the fundamental idea* hän ei ymmärtänyt perusajatusta

grass [græs] s **1** heinä (kasvi), ruoho *to let grass grow under your feet* jahkailla, vitkastella **2** nurmikko **3** laidun *to go to grass* jäädä eläkkeelle **4** (sl) ruoho, marihuana

grasscutter ['græs.kʌtər] s ruohonleikkuri, ruohonleikkuukone

grasshopper ['græs.hɑpər] s heinäsirkka

grass roots [ˌgrɑːsˈruːts] s (verbi yksikössä tai mon) **1** tavalliset ihmiset **2** maaseutu **3** maalaiset **4** (kuv) juuret, alkuperä

grass-roots adj ruohonjuuritason, kansan syvistä riveistä lähtevä

1 grate [greit] s **1** arina **2** ritilä **3** takka

2 grate v **1** raastaa (myös kuv: hermoja), jurppia, risoa **2** raapia **3** narista

grateful [ˈgreitfəl] adj kiitollinen

grater s raastin

gratification [ˌgrætəfɪˈkeɪʃən] s **1** (tarpeiden) tyydytys **2** tyytyväisyys, tyydytys, mielihyvä

gratify [ˈgrætɪˌfaɪ] v **1** tyydyttää (tarpeet) **2** ilahduttaa, tuottaa mielihyvää/tyydytystä

gratifying adj ilahduttava

grating adj raapiva, nariseva, (hermoja) raastava

gratis [grætɪs] adv ilmainen, ilmaiseksi

gratitude [ˈgrætɪˌtud] s kiitollisuus

gratuitous [grəˈtuətəs] adj tarpeeton, turha, aiheeton

gratuity [grəˈtuəti] s **1** (ylät) juomaraha **2** bonus

grave [greiv] s hauta adj vakava (ihminen, ajatus, sairaus)

gravedigger [ˈgreivˌdɪgər] s haudankaivaja

gravel [ˈgrævəl] s sora

gravestone [ˈgreivˌstoun] s hautakivi

graveyard [ˈgreivˌjɑːd] s hautausmaa

gravitate to [ˈgrævəˌteit] v hakeutua jonnekin/jonkun seuraan, tuntea vetoa jonnekin

gravitation [ˌgrævəˈteiʃən] s **1** painovoima, gravitaatio **2** (kuv) virtaus, hakeutuminen, siirtyminen jonnekin

gravitational adj gravitaatio-

gravity [ˈgrævəti] s **1** painovoima, paino the law of gravity painovoimalaki **2** vakavuus do you comprehend the gravity of the situation? ymmärrätkö tilanteen vakavuuden?

gravy [greivi] s kastike

gravy boat s kastikeastia

gravy train s to get on the gravy train päästä paikkaamaan omia taskujaan, päästä rikastumaan

gray [grei] s, adj (US) harmaa, (myös kuv:) iloton, ikävä in the gray area between fact

and fiction totuuden ja sepitteen välisellä harmaalla alueella

gray matter s **1** (aivojen) harmaa aine **2** (kuv) harmaat aivosolut, äly

gray power s (US) järjestäytyneiden eläkeläisten vaikutusvalta

1 graze [greiz] s naarmu, raapaisu

2 graze v **1** naarmuttaa, naarmuuntua, raapaista **2** laiduntaa; olla laitumella

1 grease [gris] s rasva

2 grease v rasvata, voidella (myös kuv:) lahjoa he had to grease the maître d's palm to get a table hänen oli pakko lahjomaan hovimestarin saadakseen pöydän

greasy adj rasvainen

great [greit] s **1** iso, suuri (myös kuv) she is in great pain hänellä on kovia kipuja a great many people came paikalle saapui paljon ihmisiä the great painters of the 17th century 1600-luvun suuret taidemaalarit **2** suurenmoinen, erinomainen, hieno you did a great job teit työn hienosti **3** great at/on hyvä jossakin; innoissaan jostakin, halukas tekemään jotakin **4** (yhdyssanoissa) iso- great-grandmother isoäidin äiti

greatly adv suuresti

greatness s suuruus (myös kuv)

great tit s talitiainen

grebe [grib] s (lintu) uikku great crested grebe silkkiuikku

greed [grid] s ahneus

greedy adj ahne, kyltymätön, nälkäinen, janoinen (myös kuv)

green [grin] s **1** vihreä väri **2** (golfissa) viheriö, griini, lyhyeksi leikattu ruohoalue reiän ympärillä adj vihreä (myös kuv:) kokematon he was green with envy hän oli vihreänä kateudesta

green card s **1** vihreä kortti, oleskeluviisumi **2** vihreä kortti, kansainvälinen ajoneuvovakuutustodistus

greenfinch s viherpeippo

green fingers s (UK kuv) vihreä peukalo, (henkilö) viherpeukalo

greenfly s (mon greenflies) ruusukirva

greengrocery [ˈgrinˌgrouʃri] s (UK) hedelmä- ja vihanneskauppa

greenhouse ['grin,haus] s kasvihuone

greenhouse effect s kasvihuoneilmiö

green light s vihreä valo (myös kuv) *he was given the green light on the proposal* hänen ehdotukselleen näytettiin vihreää valoa

greet [grit] v tervehtiä, ottaa vastaan

greeting s tervehdys; vastaanotto; (mon) terveiset

gregarious [grə'geriəs] adj (eläin) lauma-; seurallinen (ihminen)

gremlin [gremlən] s peikko, mörkö

grenade [grə'neid] s kranaatti

grew [gru] ks grow

grey adj (UK) ks gray

grey seal s halli, harmaahylje

grey whale s harmaavalas

grey wolf s (mon grey wolves) susi

grid [grid] s 1 (grill- tai muu) ritilä 2 (kartan) ruudukko 3 (sähk) hila 4 (amerikkalaisessa jalkapallossa) kenttä

griddlecake ['gridəl,keik] s ohukainen, räiskäle, ohut pannukakku

gridiron [gridaiərn] s 1 (amerikkalaisessa jalkapallossa) kenttä 2 (grilli- tai muu) ritilä

grief [grif] s suru *to come to grief* kärsiä vahinko; sattua itsensä; epäonnistua

grief-stricken ['grif,strikən] adj surun murtama

grieve [griv] v 1 surra 2 tuottaa surua jollekin

grievous [grivəs] adj vakava, paha, kova, iso

1 grill [gril] s grilli

2 grill v 1 grillata 2 (kuv) ristikuulustella, hiostaa

grille [gril] s 1 ikkunaristikko 2 (auton) jäähdyttäjän säleikkö

grillroom ['gril,rum] s grilli(ravintola)

grim [grim] adj 1 tuima, ankara, synkkä 2 sisukas

1 grimace [griməs] s irvistys

2 grimace v irvistää

grime [graim] s lika; noki

grimly adv 1 tuimasti, ankaralla äänellä, synkästi 2 hammasta purren, hampaat irvessä, sisukkaasti

grimy adj likainen; nokinen

1 grin [grin] s virnistys

2 grin v virnistää

1 grind [graind] s raadanta *it's Monday and I'll have to go back to the daily grind* on maanantai ja minun pitää taas ruveta raatamaan

2 grind v ground, ground 1 musertaa, hienontaa, jauhaa 2 hioa (linssiä) 3 osua kirskuen johonkin; kirskua 4 kiristää (hampaitaan) 5 (sl) pänniä, jurppia, sapettaa

grinder s lihamylly; kahvimylly; veitsenteroitin

grindstone ['graind,stoun] s hioinkivi *to keep your nose to the grindstone* ahertaa, uurastaa

grind to a halt fr pysähtyä (jarrut kirskuen)

gringo [gringou] s (meksikonespanjasta) jenkki

1 grip [grip] s 1 kädensija, kahva 2 ote (myös kuv) *you have a good grip* sinulla on hyvä ote (mailasta tms) *she is losing her grip* (kuv) hänen otteensa alkavat ruostua, hän ei enää ole entisensä *come to grips with* (kuv) saada ote jostakin, päästä sinuiksi jonkin kanssa

2 grip v tarttua, ottaa kiinni jostakin

1 gripe [graip] s valitus

2 gripe v 1 (ark) nalkuttaa, narista 2 kouristaa (vatsasta) 3 tarttua, kahmaista, kouraista 4 (ark) ärsyttää, käydä hermoille

gripping adj mukaansatempaava

grisly [grizli] adj kammottava, raaka

grist [grist] s jauhettava, raaka

grit [grit] s 1 pöly, hieno hiekka 2 sisu

2 grit v narista; hiertää yhteen

grits s (verbi yksikössä tai mon) maissisuurimot

gritty adj 1 pölyinen, hiekkainen 2 sisukas

grizzly bear [grizli] s karhu, maakarhu

1 groan [groun] s voihkaisu, ähkäisy

2 groan v voihkaista, ähkäistä

grocer [grousər] s elintarvikekauppias

groceries [grouʃriz, grousriz] s (mon) elintarvikkeet

grocery [grouʃri grousri] s elintarvikekauppa, valintamyymälä

grocery store s elintarvikekauppa, valintamyymälä

groggy [gragi] adj pöpperöinen, uninen; raihnainen, veltto

groin [groin] s nivuset

grommet [gramət] *s* **1** metallisilmuri, metallinen vahvistusrengas **2** läpivientisuojus **3** tiivisterengas

1 groom [grum] *s* **1** sulhanen **2** tallipoika

2 groom *v* **1** sukia, harjata (hevosta) **2** siistiytyä, laittautua hienoksi **3** valmistaa jotakuta johonkin *he is being groomed for the job* häntä valmennetaan tehtävään

1 groove [gruv] *s* ura (myös kuv): *to get into the groove* päästä mukaan fiilikseen, musiikin tahtiin, hommaan syntiin

2 groove *v* **1** kaivertaa ura johonkin **2** (sl) tykätä, nauttia

grope [group] *v* hapuilla, tunnustella, hipelöidä (naista)

1 gross [grous] *s* krossi, 12 tusinaa, 144

2 gross *v* ansaita, tuottaa (bruttona) *last year, the company grossed 500 million* viime vuonna yrityksen bruttotulot olivat 500 miljoonaa

3 gross *adj* **1** brutto- **2** paksu, lihava **3** karkea (kieli, tavat) **4** kyltymätön (syöppö) **5** raaka, hirvittävä, törkeä, räikeä **6** (sl) kuvottava, ällöttävä

grossly *adv* **1** (käyttäytyä) karkeasti, kuin sika **2** hirvittävän, hirvittävästi, törkeän, törkeästi *you have grossly underestimated the cost* olet pahasti aliarvioinut kustannukset

grotesque [grou'tesk] *adj* groteski, irvokas, kummallinen

grotto [gratou] *s* (mon grottos, grottoes) luola

1 ground [graund] *s* **1** maa; maanpinta **2** kenttä, aukio **3** (mon) metsästys- ym) alue; maa, tontti **4** peruste, syy *on what grounds did he say no?* millä perusteella hän sanoi ei? **5** (sähk) maa

2 ground *v* **1** ajaa (laiva) karille **2** poistaa (lentokone) liikenteestä *the FAA (Federal Aviation Agency) has grounded all old 727's* FAA on määrännyt kaikki vanhat 727:t (väliaikaiseen) lentokieltoon **3** määrätä lapsi kotiarestiin **4** (sähk) maadoittaa, maattaa **5** ks grind

ground birch *s* vaivaiskoivu

grounded *adj* kotiarestissa *you're grounded for two weeks* olet kaksi viikkoa kotiarestissa

ground floor *s* pohjakerros, ensimmäinen kerros *to get in on the ground floor* päästä mukaan homman alussa, olla alusta alkaen mukana

groundless *adj* perusteeton, aiheeton

ground rule *s* perussääntö

ground water *s* pohjavesi

groundwork ['graund,wərk] *s* valmistelut *to lay the groundwork for something* luoda perusta jollekin

1 group *s* ryhmä

2 group *v* ryhmittää, ryhmitellä

1 grouse [graus] *s* **1** metsäkana **2** valitus

2 grouse *v* valittaa

grove [grouv] *s* lehto, metsikkö

grovel [gravl] *v* **1** nöyristellä, kumarrella **2** (koira) maata lattialla/maassa

groveling *adj* nöyristelevä

grow [grou] *v* grew, grown **1** kasvaa, kasvattaa *he wants to grow a beard* hän aikoo kasvattaa parran *the sales have not grown as expected* myynti ei ole kasvanut odotetusti **2** tulla joksikin *she has grown fat/old* hän on lihonut/vanhentunut

growing pains *s* (mon) kasvukivut, alkuvaikeudet

grow into *v* **1** (vaate) olla (pian) sopiva jollekulle **2** tottua johonkin, oppia suoriutumaan jostakin

1 growl [graul] *s* (eläimen) murina, (ihmisen) murahdus, (ukkosen) jylinä

2 growl *v* murista, murahtaa, jylistä

grown [groun] *v* ks grow *adj* täysikasvuinen, aikuinen *you're a grown man now* olet jo iso mies

grown-up *s* aikuinen

grow on *v* tottua johonkin *atonal music grows on you* atonaalinen musiikki vaatii tottutelua

grow out of *v* **1** (vaate) jäädä pieneksi **2** saada alkunsa, lähteä liikkeelle, syntyä jostakin

growth [grouθ] *s* **1** kasvu **2** kasvusto (parran)sänki **3** (lääk) kasvain

grow up *v* **1** kasvaa isoksi *Oh, grow up!* Älä viitsi (olla niin lapsellinen!) **2** syntyä, saada alkunsa

1 grub [grab] *s* **1** toukka **2** (ark) sapuska

2 grub *v* kaivaa maasta; penkoa, etsiä

grubby 818

grubby *adj* sottainen, likainen

1 grudge [grʌdʒ] *s* kauna *to bear/hold a grudge* kantaa kaunaa

2 grudge *v* kadehtia, paheksua, antaa vastahakoisesti *she grudged her good looks* hän kadehti hänen kauneuttaan

grudging *adj* vastahakoinen

grueling [gruliŋ] *adj* raskas, väsyttävä, uuvuttava

gruesome [grusəm] *adj* kammottava, hirvittävä, raaka

gruff [grʌf] *adj* **1** käheä (ääni) **2** töykeä, tympeä, karkea (käytös)

gruffly *adv* töykeästi, tympeästi

1 grumble [grʌmbəl] *s* valitus

2 grumble *v* **1** valittaa **2** jylistä

1 grump [grʌmp] *s* narisija, alituinen valittaja

2 grump *v* narista, valittaa

grumpiness *s* happamuus, pahantuulisuus

grumpy *adj* hapan, pahantuulinen

1 grunt [grʌnt] *s* **1** (sian) röhkäisy, (ihmisen) ähkäisy **2** (sl) jalkaväen sotilas

2 grunt *v* röhkäistä, ähkäistä

guacamole [ˌgwakəˈmouli] *s* guacamole, meksikolaisperäinen avokadokastike jossa on mm. tomaattia ja sipulia

1 guarantee [ˌgerənˈti] *s* takuu, varmuus, tae

2 guarantee *v* taata, mennä takuuseen

guaranteed *adj* taattu, varma

guarantor [gerəntər] *s* takaaja, takuun myöntäjä

1 guaranty *s* takuu, takaus

2 guaranty *v* taata

1 guard [gard] *s* **1** vartija **2** vartio, vartiosto **3** vartio, vartiointi *to catch someone off guard* yllättää joku, joku ei osaa varoa jotakin *to be on guard* olla varuillaan, valppaana **4** suoja; suojain, suojalaite

2 guard *v* vartioida; suojella

guardian [gardiən] *s* **1** suojelija, valvoja, vartija **2** (lak) holhooja

guerrilla [gəˈrilə] *s* sissi

guerrilla warfare *s* sissisota

1 guess [ges] *s* arvaus

2 guess *v* arvata

guesswork [ˈgesˌwərk] *s* arvailu

guest [gest] *s* vieras; hotellivieras

guesthouse [ˈgestˌhaus] *s* **1** vierasrakennus **2** (UK) täysihoitola

guidance [gaidəns] *s* opastus, ohjaus *under the guidance of* jonkun opastuksella

1 guide [gaid] *s* **1** opas; opaskirja **2** ohjain(kisko yms)

2 guide *v* opastaa

guidebook [ˈgaidˌbuk] *s* opas(kirja)

guided missile *s* ohjus

guide dog [ˈgaidˌdag] *s* opaskoira

guideline [ˈgaidˌlam] *s* (kuv) suuntaviiva, pääperiaate

guidepost [ˈgaidˌpoust] *s* suuntaviitta, tienviitta (myös kuv)

guild [gild] *s* kilta

guile [gaiəl] *s* oveluus, kavaluus, luihuus, petos

guileful *adj* ovela, kavala, luihu

guileless *adj* viaton, vilpitön, rehellinen

1 guillotine [ˈgiləˌtin] *s* **1** giljotiini **2** (paperiym) leikkuri

2 guillotine *v* **1** surmata giljotiinilla **2** leikata leikkurilla (esim paperi-)

guilt [gilt] *s* syyllisyys *the prosecution proved his guilt beyond a reasonable doubt* syyttäjä todisti hänen syyllisyytensä riittävän varmasti *ever since her divorce, she has been plagued by guilt* syyllisyyden tunteet ovat piinanneet häntä siitä lähtien kun hän otti avioeron

guiltless *adj* syytön, viaton

guilty [gilti] *adj* **1** syyllinen *the jury found the accused not guilty* valamiehistö totesi syytetyn syyttömäksi **2** rikollinen (aie) **3** huono (omatunto)

guineafowl [ˈginiˌfaul] *s* helmikana

guinea pig [ˈginiˌpig] *s* **1** marsu **2** (kuv) koekaniini

guitar [gɪˈtaər] *s* kitara

guitarist *s* kitaristi

gulf [gʌlf] *s* **1** lahti **2** kanjoni, rotko, kuilu

Gulf Stream [ˈgʌlfˌstrim] *s* Golfvirta

gull [gʌl] *s* lokki

gullet [gʌlət] *s* kurkku, ruokatorvi

gullible [ˈgʌləbəl] *adj* hyväuskoinen, helposti narrattava

1 gulp [gʌlp] *s* nielaisu, kulaus

2 gulp v niellä, juoda
1 gum [gʌm] s **1** ien to beat your gums soittaa poskea **2** kumi **3** purukumi
2 gum v liimata
1 gun [gʌn] s **1** tykki **2** (tuli)ase to jump the gun ottaa varaslähtö (myös kuv) **3** (sl) (ammatti)tappaja, (villissä lännessä) revolverisankari **4** paint gun maaliruisku
2 gun v **1** ampua, tappaa **2** huudattaa (moottoria)
gun down v ampua, tappaa
gunfight ['gʌnfaɪt] s kaksintaistelu (tuliascin); tulitaistelu
gunfighter s revolverisankari
gunfire ['gʌnfaɪər] s tulitus
gun for v **1** tavoitella, yrittää saada **2** etsiä (tappaakseen)
gunpowder ['gʌnpaʊdər] s ruuti
gunshot ['gʌnʃɑt] s laukaus
gun-shy ['gʌnʃaɪ] adj paukkuarka (koira)
gunsmith ['gʌnsmɪθ] s aseseppä
1 gurgle [gərgəl] s (veden) solina
2 gurgle v solista
gurney [gərni] s (pyörälliset) paarit
1 gush [gʌʃ] s **1** roiske, roiskahdus, purkaus **2** (ark) vuodatus
2 gush v **1** roiskua, roiskuttaa, purskahtaa, syöstä esiin, vuodattaa (kyyneliä) blood gushed from the wound haavasta roiskui valtoimenaan verta **2** (kuv) vuodattaa (mielipiteitään, tunteitaan), ihastella ääneen
gust [gʌst] s **1** tuulenpuuska **2** (kuv) puuska, purkaus
gusty adj puuskainen, myrsky-
1 gut [gʌt] s **1** suoli, maha **2** (mon) sisälmykset (myös kuv) **3** voimistavana sanana arkisissa ilmauksissa: I feel it in my gut that

he is lying tunnen mahanpohjassani että hän valehtelee I hate his guts minä en voi sietää häntä **4** (mon) sisu you don't have the guts to tell him what you think of him sinä et uskalla sanoa hänelle mitä ajattelet hänestä
2 gut v perata (kala), ottaa (eläimestä) sisälmykset ulos
gutless adj pelkurimainen
gutter [gʌtər] s **1** katuoja (myös kuv:) rappio **2** räystäskouru
guy [gaɪ] s **1** köysi, naru; telttanaru **2** (ark) kaveri, heppu, tyyppi you guys te (miehistä ja/tai naisista)
guzzle [gʌzəl] v juoda valtavasti
gym [dʒɪm] s **1** kuntosali, urheilusali, voimistelusali **2** (koulussa) liikunta
gymnasium [ˌdʒɪmˈneɪziəm] s (mon gymnasiums, gymnasia) **1** kuntosali, urheilusali, voimistelusali **2** (klassinen) lukio
gymnast ['dʒɪmnəst] s voimistelija
gymnastic [dʒɪmˈnæstɪk] adj voimistelu-
gymnastics s (verbi yksikössä tai mon) voimistelu (myös kuv)
gynecological [ˌgaɪnəkəˈlɑdʒɪkəl] adj gynekologinen
gynecologist [ˌgaɪnəˈkɑlədʒɪst] s gynekologi, naistentautien erikoislääkäri
gynecology [ˌgaɪnəˈkɑlədʒi] s gynekologia, naistentautioppi
Gypsy [ˈdʒɪpsi] s **1** romani, mustalainen **2** romani, mustalaisten kieli adj romani-, mustalais-
gyrate [dʒaɪreɪt] v pyöriä, kiertää, kiertää ympyrää
gyration [dʒaɪˈreɪʃən] s pyörintä, pyöriminen, kiertoliike

H,h

H, h [eɪtʃ] H, h

habit [hæbət] s 1 tapa, tottumus *he has a drug habit* hän on riippuvainen huumeista 2 puku, (munkin) kaapu

habitable *adj* asuinkelpoinen

habitat [hæbɪˌtæt] s 1 (kasvin) kasvupaikka, (eläimen) elinalue, (kasvin, eläimen) esiintymisalue 2 asuinpaikka, kotipaikka

habitation [ˌhæbəˈteɪʃən] s 1 asutus 2 asumus

habitual [həˈbɪtʃuəl] *adj* 1 totunnainen, tavanmukainen, tavanomainen 2 parantumaton *she is a habitual liar* hän on parantumaton valehtelija

habitually *adv* jatkuvasti, aina

habituate [həˈbɪtʃuˌeɪt] v totuttaa *to habituate yourself to something* totuttautua johonkin

1 hack [hæk] s 1 isku, viilto 2 roskakirjailija; toritaiteilija; törkytoimittaja 3 (toimittaja, kirjailija) raataja, rivimies 4 (kuv) tuuliviiri

2 hack v 1 hakata, silpoa, paloitella 2 (sl) selvitä jostakin

hacker [hækər] s hakkeri

hackneyed [hæk.nid] *adj* kulunut

hacksaw [hæksɑ] s metallisaha

had [hæd] ks have

had better/best *fr* olisi parasta, kannattaisi *you'd better check the oil in your car* sinun on syytä tarkistaa autosi öljyt

haddock [hædək] s (el) kolja

hag [hæg] s noita (myös kuv)

haggard [hægərd] *adj* riutunut, nääntynyt, raihnainen

haggle [hægəl] v tinkiä; kinata, kiistellä

1 hail [heɪl] s 1 rakeet 2 (kuv) sade *a hail of insults* herjausten ryöppy

2 hail v 1 sataa rakeita 2 (kuv) sataa 3 juhlia 4 huutaa 5 viittaa; viitata pysähtymään

hail down v 1 sataa (myös kuv) 2 viitata pysähtymään

hail from v olla kotoisin jostakin *Larry hails from Texas* Larry on kotoisin Texasista

hailing distance s 1 kuulomatka, huutoetäisyys, huutomatka 2 *a better life is within hailing distance* (kuv) parempi elämä on lähellä, käden ulottuvilla

hailstorm [heɪlˌstɔrm] s raemyrsky

hair [her] s 1 karva; hius; harjas *the bullet missed him by a hair's breadth* luoti oli aivan vähällä osua häneen, osuma oli hiuskarvan varassa *let's not split hairs* ei ruveta halkomaan hiuksia 2 hiukset, tukka *to let your hair down* (kuv) rentoutua, vapautua; puhua suoraan, olla avoin 3 (eläimen) turkki, (sian) harjakset

hairbrush [herˌbrʌʃ] s hiusharja

haircut [herˌkʌt] s hiustenleikku

hairdo [herdu] s kampaus

hairdresser [herˌdresər] s parturi, kampaaja

hair dryer s hiustenkuivain

hairless [herləs] *adj* kalju

hairline [herˌlaɪn] s hiusraja *he has a receding hairline* hän on alkanut kaljuuntua otsalta

hair of the dog that bit you *fr* krapularyyppy

hairpiece [herˌpis] s hiuslisäke, tupee

hairpin [herˌpɪn] s hiusneula

hair-raising *adj* pelottava, joka nostattaa hiukset pystyyn

hairsplitting [herˌsplɪtɪŋ] s hiusten halkominen *adj* saivarteleva

hair stylist s hiusmuotoilija, kampaaja

hairy *adj* 1 karvainen 2 (kuv, ark) pelottava, joka nostattaa hiukset pystyyn 3 (kuv, ark) vaikea, visainen

half [hæf] s (mon halves) 1 puolet, puolikas *he gave me half of his money* hän antoi minulle puolet rahoistaan *during the first half of the 15th century* 1400-luvun alkupuoliskolla 2 (urh) puoliaika *adj* puolikas *add half a cup of tap water* lisää puoli kuppia vesijohtovettä *adv* puoliksi *the glass is half full* lasi on puoliksi täynnä

half-and-half *adj, adv* puoliksi, tasan, puolet kumpaakin

half-baked [,hæf'beɪkt] *adj* (kuv) keskeneräinen, hätiköity, huonosti valmisteltu

half-blooded [,hæf'blʌdəd] *adj* puoliverinen

half board *s* (UK) puolihoito

half brother *s* velipuoli

half-cocked [,hæf'cakt] *adj* (aseesta) puolivireessä *to go off half-cocked* (kuv) hätiköidä, tehdä jotakin liian aikaisin

half-life [ˈhæf,laɪf] *s* (fys) puoliintumisaika

half-mast [,hæf'mæst] *s* puolitanko

2 half-mast *v* nostaa (lippu) puolitankoon

half-moon [ˈhæf,muːn] *s* puolikuu

half sister *s* sisarpuoli

half size *s* puolikoko (esim 12 1/2, 13 1/2)

halftime [ˈhæf,taɪm] *s* (urh) puoliaika

half-truth [ˈhæf'truθ] *s* puolittainen totuus

halfway [,hæf'weɪ] *adj, adv* puolimatkan, puolimatkassa *to meet halfway* suostua kompromissiin

half-witted [,hæf'wɪtəd] *adj* vajaamielinen; älytön, typerä

halibut [ˈhælɪbət] *s* (kala) ruijanpallas

halitosis [,hælə'tousɪs] *s* pahanhajuinen hengitys

hall [hal] *s* **1** käytävä **2** eteinen, aula **3** sali, halli **4** (kampukselta) rakennus

hallmark [ˈhal,mark] *s* **1** (jalometallin) tarkastusleima **2** tunnusmerkki

hallucinate [hə'luːsə,neɪt] *v* hallusinoida

hallucination [hə,luːsə'neɪʃən] *s* hallusinaatio

hallucinogenic [hə,luːsənə'dʒenɪk] *s* hallusinogeeni

halo [ˈheɪloʊ] *s* **1** sädekehä (myös kuv) **2** (auringon ym) halo, kehä, haloilmiö

1 halt [halt] *s* **1** pysähdys, pysäytys, keskeytys *to call a halt to something* pysäyttää, keskeyttää; tehdä loppu jostakin **2** pysäkki

2 halt *v* **1** pysäyttää, pysähtyä **2** empiä, epäröidä *interj* seis!

halting *adj* empivä, epävarma

halve [hæv] *v* puolittaa, puolittua, vähentää puoleen

halves ks **half**

1 ham [hæm] *s* **1** kinkku **2** polvitaive **3** (mon) reiden takaosa; reisi ja pakara **4** radioamatööri **5** liioitteleva näyttelijä

2 ham *v* näytellä liioitellen

hamburger [ˈhæm,bərgər] *s* **1** jauheliha *I'll make hamburger out of you if you don't shut up* minä teen sinusta hakkelusta ellet ole hiljaa **2** hampurilaispihvi **3** hampurilainen

hamlet [ˈhæmlət] *s* pieni kylä

1 hammer [ˈhæmər] *s* **1** vasara *to be under the hammer* olla huutokaupattavana, vasaran alla **2** moukari (myös urh)

2 hammer *v* **1** vasaroida, takoa, moukaroida, lyödä **2** takoa päähän, päntätä; hioa, parannella

hammer and tongs *fr* (kuv) kynsin hampain

hammerhead shark *s* vasarahai

hammer throw *s* (urh) moukarinheitto

1 hamper [ˈhæmpər] *s* (pyykki- tai muu) kori

2 hamper *v* rajoittaa, kahlehtia, haitata

Hampshire [ˈhæmpʃər] Englannin kreivikuntia

hamster [ˈhæmstər] *s* hamsteri

1 hand [hænd] *s* **1** käsi (myös kuv) *at first hand* ensi kädeltä, aluksi *by hand* käsin *change hands* vaihtaa omistajaa *the matter is in your hands now* asia on nyt sinun käsissäsi/vastuullasi *I have my hands full with the party* minulla on kädet täynnä työtä juhlien vuoksi *he had the list close at hand* hänellä oli luettelo käden ulottuvilla *to lay your hands on someone/something* saada käsiinsä jotakin, päästä käsiksi johonkuhun/johonkin *he did not lift a hand to help his brother* hän ei liikauttanut eväänsäkään auttaakseen veljeään **2** (kellon) viisari **3** puoli *on the left hand* vasemmalla *on one hand – on the other hand* toisaalta – toisaalta **4** suosionosoitukset, kättentaputukset, aplodit *ladies and gentlemen, give a big hand to Mr. B.B. King* arvoisa yleisö, toivottakaa tervetulleeksi Mr. B.B. King **5** apu *can you give me a hand with these boxes?* auttaisitko minua kantamaan nämä laatikot? **6** käsiala **7** apulainen, työntekijä, työläinen

2 hand *v* **1** ojentaa, antaa **2** auttaa

handbag [ˈhæn,bæg] *s* käsilaukku

handbasket [ˈhæn,bæskət] *to go to hell in a handbasket* (kuv) mennä kovaa vauhtia alamäkeen, joutua hunningolle

handbook ['hænˌbʊk] s käsikirja

hand brake ['hænˌbreɪk] s käsijarru

1 handcuff ['hænˌkʌf 'hænˌkʌf] s käsirauta

2 handcuff v panna käsirautoihin

handful ['hænfʊl] s 1 kourallinen (myös kuv)
2 (ark kuv) my mother-in-law is a handful anopissani on kestämistä

hand grenade ['hænɡrəˌneɪd 'hænɡrəˌneɪd] s käsikranaatti

handgun ['hændˌɡʌn] s käsiase

hand-held ['hændˌheld] adj kädessä pidettävä, käsi- hand-held calculator taskulaskin

handholding s 1 kädestä pitely 2 (kuv) apu, vakuuttelu, lohduttelu

1 handicap ['hændɪˌkæp] s 1 vamma 2 haitta, huono puoli 3 (urh) tasoitus 4 (urh) tasoituskilpailu

2 handicap v 1 haitata; saattaa huonoon/huonompaan asemaan 2 (urh) tasoittaa (kilpailijat)

handicapped s: the handicapped vammaiset adj 1 vammainen 2 (kilpailijasta) joka on huonossa/huonommassa asemassa

handicraft ['hændɪˌkræft] s 1 käsityötaito 2 käsityö, puutyö, askartelu 3 käsityötuotteet

handily adv 1 taitavasti, näppärästi, kätevästi 2 helposti

hand in fr jättää (hakemus ym) sisään

hand in hand fr käsi kädessä (myös kuv)

handiwork ['hændɪˌwɜːk] s 1 käsityö 2 käsityötuotteet 3 (kuv) käsiala

handkerchief ['hæŋkərˌtʃɪf] s nenäliina

1 handle ['hændəl] s 1 kädensija fly off the handle (kuv) räjähtää, menettää malttinsa get a handle on something (kuv) päästä jyvälle jostakin 2 (kuv) lähtökohta, välikappale 3 (sl) nimi 4 (ark) keino (saavuttaa jotakin)

2 handle v 1 käsitellä, sormeilla, tunnustella handle with care käsittele varovasti 2 hoitaa let her handle that antaa hänen hoitaa se 3 (kuv) käsitellä you handled him well sinä osasit käsitellä häntä hyvin

handlebar ['hændəlˌbar] s ohjaustanko

handling s 1 käsittely 2 (auton) ajo-ominaisuudet

handmade ['hænˌmeɪd] adj käsin tehty

handmaid ['hænˌmeɪd] s 1 palvelijatar 2 sivuseikka (verrattuna johonkin, to)

hand-me-down ['hænmɪˌdaʊn] s (isoveljen tai -siskon) vanha vaate; vanha/käytetty huonekalu yms

hand on v testamentata; periä

handout ['hænˌdaʊt] s 1 avustus 2 lehdistötiedote 3 esite, lehtinen, moniste

hand out v jakaa

hand over v luovuttaa, antaa

hand over fist fr nopeasti, (ansaita, kääriä rahaa) minkä ehtii

handrail ['hænˌdreɪəl] s kaide

handsaw ['hænˌsa] s käsisaha

hands down fr helposti, vaikka kädet taskussa; selvästi

handset ['hænˌset] s (puhelimen) luuri

hands-free adj kädet vapauttava

handshake ['hænˌʃeɪk] s kättely (myös tietok)

hands-off ['hænˈzaf] adj 1 puuttumaton hands-off policy puuttumattomuuspolitiikka 2 luotaantyötävä

handsome ['hænsəm] adj 1 komea, tyylikäs 2 runsas 3 kohtelias, reilu, (myönteisesti:) imartelevä

handsomely adv komeasti, tyylikkäästi; onnistuneesti; reilusti they paid him handsomely hänelle maksettiin hyvin

hands-on ['hænˌzan] adj 1 käytännön, omakohtainen 2 käsikäyttöinen, käsivälitteinen (puhelinkeskus), ei-automaattinen

hand-wash ['hænˌdwaʒ] v pestä käsin

handwriting ['hændˌraɪtɪŋ] s käsiala

handy ['hændɪ] adj 1 kätevä, monipuolinen (ihminen, laite), taitava (ihminen) come in handy jostakin on paljon apua, jokin on hyväään tarpeeseen 2 käsillä, käden ulottuvilla

1 hang [hæŋ] s juju to get the hang of something päästä jyvälle jostakin, tajuta

2 hang v hung, hung 1 roikkua, panna roikkumaan, riippua, ripustaa 2 (sl) pyyhkiä, mennä: how's it hanging, guys? miten menee?

3 hang v hanged, hanged: hirttää; kuolla hirsipuussa

hangar ['hæŋər] s lentokonehalli

hang around v (ark) maleksia, vetelehtiä (jossakin/jonkun seurassa)

hang back v empiä, epäröidä, jäädä paikalleen

hanger [hæŋər] s 1 vaateripustin 2 (takin, pyyheliinan) ripustin

hanger-on [hæŋər'an] s kärkkyjä, norkoilija

hang glider s riippuliidin

hang in the balance fr olla vaakalaudalla

hangman [hæŋmən] s (mon hangmen) pyöveli, hirttäjä

hang on v 1 pitää kiinni 2 purra hammasta, kestää 3 odottaa, ei lähteä, ei katkaista puhelua *hang on, I'll be right back* odotahan, minä tulen heti takaisin

hang out v 1 (ark) maleksia, vetelehtiä jossakin 2 odottaa (hetki)

hang out with v (ark) pitää seuraa jonkun kanssa; seurustella

hangover [hæŋˌouvər] s krapula

hang over v jättää pöydälle/ratkaisematta

hang up v 1 katkaista puhelu 2 viivyttää, hidastaa, pysäyttää

hanker after/for [hæŋkər] v kaivata kovasti jotakin

hankering s kaipaus, kaipuu

hanky [hæŋki] s (ark) nenäliina

haphazard [hæf'hæzərd, hæp'hæzərd] adj huolimaton, hujan hajan, miten sattuu

happen [hæpən] v sattua, tapahtua *accidents don't just happen* onnettomuuksia ei satu noin vain, onnettomuuksiin on aina jokin syy *I happened to meet him at the club* törmäsin häneen kerholla, satuin tapaamaan hänet kerholla

happening s 1 tapahtuma, tapaus, juttu 2 tilaisuus

happen on v tavata/löytää sattumalta, jonkun eteen osuu jotakin

happenstance ['hæpənˌstæns] s sattuma

happily adv 1 onnellisesti, iloisesti, hilpeästi, hyväntuulisesti 2 onneksi 3 osuvasti, sattuvasti (sanottu)

happiness s 1 onni, tyytyväisyys, ilo, hilpeys, hyväntuulisuus 2 (sanojen) osuvuus, sattuvuus

happy [hæpi] adj 1 onnellinen, iloinen, hilpeä, hyväntuulinen 2 osuva, sattuva (ilmaus, sana)

happy holidays fr hyvää joulua

1 harangue [hə'ræŋ] s (nuhde)saarna (kuv)

2 harangue v pitää saarna (kuv) jollekulle

harass [hə'ræs herəs] v kiusata, tehdä kiusaa, vaivata, piinata, ahdistella

harassment s (tahallinen) kiusanteko, ahdistelu

harbinger [harbindʒər] s airut (myös kuv) *the release of the first hostages was a harbinger of hope* ensimmäisten panttivankien vapautus sai toivon heräämään

1 harbor [harbər] s 1 satama 2 (kuv) levähdyspaikka, turvapaikka

2 harbor v 1 antaa turvapaikka jollekulle *he was shot because he had harbored a fugitive* hänet ammuttiin koska hän oli piilotellut karkulaista 2 hautoa/elätellä mielessään

hard [hard] adj 1 kova (myös kuv) *a hard nut to crack* kova pähkinä purtavaksi *hard facts* kylmä totuus *the police gave him a hard time* poliisit pistivät hänet koville *these are hard times* elämme kovia/vaikeita aikoja 2 vaikea, raskas *it's a hard job* se on vaikea/raskas työ *she is hard to please* hänelle on vaikea olla mieliksi *the girl is playing hard to get* tyttö härnää poikia adv kovasti, kovaa *work hard, play hard* raskas työ, raskaat huvit *it is raining hard* sataa kovasti

hardboard [hardˌbord] s (kova puulevy) kovalevy

hard-boiled [hardˈboiˈld] adj kovaksikeitetty (myös kuv rikoskirjallisuudesta), kovaotteinen, siekailematon

hard copy [hardˈkɑpi] s (tietok) paperituloste, teksti/printti

hardcover [hardˌkʌvər] s kovakantinen kirja adj kovakantinen

hard disk [hardˌdisk] s (tietokoneen) kovalevy, umpilevy

harden [hardən] v kovettaa, kovettua (myös kuv:) paaduttaa, paatua

hardened adj kovettunut; kova, paatunut, säälimätön

hard-handed [hardˈhændəd] adj kovaotteinen

hard hat [hardˈhæt] s 1 suojakypärä, suojapäähine 2 rakennustyöntekijä

hardheaded [‚hɑːdˈhedəd] *adj* **1** härkäpäinen, jääräpäinen **2** ovela, tarkkasilmäinen

hardily *adv* karaistuneesti, sinnikkäästi, sitkeästi

hardiness *s* **1** karaistuneisuus, sinnikkyys, sitkeys **2** rohkeus, pelottomuus

hard labor [‚hɑːdˈleɪbər] *s* pakkotyö

hardly *adv* tuskin, ei juuri *hardly ever* tuskin koskaan *you can hardly blame him* häntä ei juuri voi syyttää *but I hardly touched it!* mutta enhän minä juuri koskenutkaan siihen

hardship [ˈhɑːdʃɪp] *s* **1** hätä, puute **2** vastoinkäyminen

hard time [‚hɑːdˈtaɪm] *s* **1** vaikeat ajat *to give someone a hard time* pistää joku koville **2** *to do hard time* olla pakkotyössä (hard labor), istua kakku (ark), lusia (ark)

hardware [ˈhɑːdˌweər] *s* **1** rautatavara **2** laitteet, koneet **3** (tietokone)laitteet **4** aseet, aseistus

hardware store *s* rautakauppa

hardworking [‚hɑːdˈwɜːkɪŋ] *adj* ahkera, työteliäs

hardy [ˈhɑːdi] *adj* **1** karaistunut, luja, vahva, sitkeä **2** raskas, vaativa **3** rohkea, urhea

hare [heər] *s* jänis

hark [hɑːk] *v* kuunnella

hark back to *v* palata johonkin asiaan; olla peräisin joltakin ajalta

1 harm [hɑːm] *s* **1** loukkaantuminen, vahinko *to do harm to someone/something* saada jotakuta/aiheuttaa vahinkoa jollekin *I came to no harm in the fall* minulle ei käynyt kaatuessani mitenkään

2 harm *v* satuttaa, vahingoittaa, loukata (myös kuv)

harmful *adj* vahingollinen, haitallinen

harmless *adj* **1** vaaraton **2** viaton

harmonic [hɑːˈmænɪk]

harmonica [hɑːˈmænɪkə] *s* huuliharppu

harmonics *s* **1** (verbi yksikössä) (mus) sointuoppi, harmoniikka **2** (verbi mon) (mus) yläsävelet

harmonious [hɑːˈməʊniəs] *adj* eheä, sopusointuinen, sopusuhteinen

harmonium [hɑːˈməʊniəm] *s* harmoni

harmonize [ˈhɑːməˌnaɪz] *v* **1** (mus) soinnuttaa **2** sovittaa/sopia yhteen, saattaa sopusointuun

harmony [ˈhɑːməni] *s* **1** (mus) harmonia **2** sopusointu, yhteisymmärrys

1 harness [hɑːnəs] *s* valjaat (myös kuv)

2 harness *v* valjastaa (myös kuv)

harp [hɑːp] *s* harppu

harpist *s* harpunsoittaja

harp on *v* jankuttaa, (jaksaa) jauhaa

1 harpoon [hɑːˈpuːn] *s* harppuuna

2 harpoon *v* osua/surmata/kalastaa harppuunalla

1 harrow [ˈhærəʊ] *s* äes

2 harrow *v* **1** äestää **2** (kuv) käydä hermoille, risoa

harrowing *adj* tuskallinen, hermoille käyvä

harrumph [həˈrʌmf] *v* selvittää kurkkuaan

harsh [hɑːʃ] *adj* **1** karkea, rosoinen **2** karski **3** karvas (maku) **4** ankara, kova (äänensävy, olot)

1 harvest [hɑːvəst] *s* sato; sadonkorjuu, elonkorjuu

2 harvest *v* korjata sato

harvester *s* niittäjä, elonkorjaaja *combine harvester* leikkuupuimuri

harvestman *s* (mon harvestmen) lukki

harvest mouse *s* (mon harvest mice) vaivaishiiri

has [hæz] ks have

1 hash [hæʃ] *s* **1** liha- ja vihanneshakkelus **2** hakkelus, sotku **3** (sl) hasis

2 hash *v* paloitella, silputa, hienontaa

hash browns [ˈhæʃˌbraʊnz] *s* (mon) ruskistettu, muhennettu (ja muotoiltu) tai paloiteltu peruna

hashish [həˈʃiːʃ] *s* hasis

hash mark [ˈhæʃˌmɑːk] *s* #-merkki

hash over *v* ottaa uudelleen puheeksi, muistella

hasn't [ˈhæzənt] has not

hasp [hæsp] *s* säppi

haste [heɪst] *s* kiire *make haste* kiirehtiä

hasten [ˈheɪsən] *v* kiirehtiä *and I hasten to add that no workers will be laid off* ja haluan lisätä heti perään että yhtään työntekijää ei eroteta

hastily *adv* kiireisesti, hätäisesti

hasty [heɪstɪ] *adj* kiireinen, hätäinen

hat [hæt] *s* hattu

1 hatch [hætʃ] *s* luukku *down the hatch!* terveydeksi *batten down the hatches* pitää varansa, varautua vaikeuksiin

2 hatch *v* **1** kuoriutua (munasta) **2** (kuv) hautoa, valmistella

hatchback [ˈhætʃˌbæk] *s* viistoperä(inen henkilöauto)

hatchet [hætʃət] *s* kirves *to bury the hatchet* haudata sotakirves

hatchway [ˈhætʃˌweɪ] *s* (laivassa) luukku

1 hate [heɪt] *s* viha

2 hate *v* **1** vihata; inhota **2** harmittaa, olla pahoillaan jostakin *I hate to admit it but I like it* säytyy myöntää että pidän siitä

hate crime *s* rikos, joka on tehty rotuvihan, uskonvihan tai muun vastaavan vallassa

hateful *adj* vastenmielinen, inhottava **2** vihaa uhkuva

hotomonger [ˈheɪtˌmʌŋgər ˈheɪtˌmɒŋgər] *s* vihanlietsoja

hatred [heɪtrəd] *s* viha; inho

haughtiness *s* koppavuus, pöyhkeys, ylimielisyys

haughty [hati] *adj* koppava, pöyhkeä, ylimielinen

1 haul [haɔl] *s* **1** veto **2** rahti **3** matka *in the long haul* pitemmän päälle *it's a long haul* se on pitkä matka *for the short haul* lyhyen aikaa; lyhyen matkaa

2 haul *v* **1** vetää, hinata, kuljettaa **2** mennä jonnekin

haul down *v* laskea (lippu)

hauler *s* **1** kuljetusliike **2** kuljettaja **3** kuorma-auto, rekka-auto

haul off *v* poistua, lähteä

haunch [hantʃ] *s* (ihmisen) lonkka, lanne, lantio, (eläimen) takamus

1 haunt [hant] *s* lymypaikka, kantapaikka

2 haunt *v* **1** kummitella *this house is haunted* talossa kummittelee **2** (kuv) vainota, kummitella jonkun mielessä **3** käydä usein jossakin, olla jonkun lymypaikka *a tea room haunted by the literary circles* kirjallisuuspiirien suosima teehuone

have [hæv] *v* I/you have, he/she has, we/you/they have; imperfekti: had; perfekti: I/you

have had jne; pluskvamperfekti: I/you had had jne; kielteiset muodot voidaan lyhentää: have not = haven't, has not = hasn't, had not = hadn't **1** olla jollakulla (eri merkityksiä); käytetään myös muotoa: have got): *the president has two airplanes* presidentillä on kaksi lentokonetta *I have no idea* minulla ei ole aavistustakaan **2** funktioverbinä: *to have a fight* tapella, riidellä *to have lunch with someone* lounastaa jonkun kanssa **3** juoda, syödä *do have a cookie* ota ihmeessä pikkuleipä **4** sallia, suvaita, sietää *she wouldn't have any of it* hän ei sietänyt sitä alkuunkaan *I've had it!* olen saanut tarpeekseni **5** *I have been had* minua on puijattu/petetty **6** pyytää, käskeä, kutsua *we had them over for dinner the other night* kutsuimme heidät syömään tässä eräänä iltana **7** teettää jotakin *the boss had him rewrite it* pomo pani hänet kirjoittamaan sen uudestaan *you should have you head examined* sinulla on ruuvi löysällä

have a shot at *fr* yrittää, kokeilla (onneaan)

have a thick skin *fr* (kuv) olla paksunahkainen

have a word with *can I have a word with you?* voinko puhua kanssasi hetken?, minulla olisi sinulle asiaa

have got *v* olla jollakulla, ks have

have-nots [ˈhævˌnats] *s* (mon) köyhät *the haves and have-nots* rikkaat ja köyhät

haven't [hævənt] have not

have on *v* **1** olla jotakin päällään **2** *what do you have on for Thursday evening?* mitä olet sopinut torstai-illaksi? mitä aiot tehdä torstai-iltana?

haves [hævz] *s* (mon) rikkaat *the haves and have-nots* rikkaat ja köyhät

havoc [hævək] *s* suuri vahinko *to wreak havoc with* aiheuttaa suurta vahinkoa/hallaa jollekin

hawk [hɔk] *s* haukka (myös kuv:) militaristi

hay [heɪ] *s* heinä

hay fever [ˌheɪˈfiːvər] *s* heinänuha

haystack [ˈheɪˌstæk] *s* heinäsuova

haywire [ˈheɪˌwaɪər] s sekasorto, myllerrys *to go haywire* joutua sekasorron valtaan, mennä sekaisin

1 hazard [ˈhæzəd] s vaara, riski *at hazard* vaarassa, vaakalaudalla *by hazard* sattumalta

2 hazard v **1** vaarantaa, riskeerata, panna alttiiksi **2** uskaltautua tekemään jotakin *to hazard a guess* (rohjeta) arvata

hazardous [ˈhæzədəs] adj vaarallinen, uskalias

hazardous waste s ongelmajäte

1 haze [heɪz] s utu, usva; hämärä (myös kuv) *he is still in a haze* hän on edelleen päästään pyörällä

2 haze v (sot) simputtaa

hazel [ˈheɪzl] s pähkinäpuu, pähkinäpensas s, adj pähkinänruskea

hazel grouse s (lintu) pyy

hazelnut [ˈheɪzlˌnʌt] s hasselpähkinä

hazily adv (näkyä, muistaa) hämäräisti

haziness s **1** utuisuus, usvaisuus **2** epämääräisyys, epäselvyys, hämäryys

hazy [ˈheɪzɪ] adj utuinen, usvainen, hämärä (myös kuv)

he [hi] s koiras, uros; mies, poika pron (maskuliininen; ihmisestä) hän; (eläimestä) se

1 head [hed] s **1** pää (myös kuv) *success has gone into his head* menestys on noussut hänellä päähän *he has a good head for languages* hänellä on hyvä kielipää *at the head of the table* pöydän päässä *head of cabbage* kaalinpää *three heads of cattle* kolme nautaa *head of family* perheen pää *read/write head* (esim levykeaseman) luku/kirjoituspää **2** kärki, huipentuma *the situation is finally coming to a head* tilanne alkaa viimeinkin kärjistyä **3** johtaja *he is the head of the English department* hän on englannin laitoksen esimies

2 head v **1** johtaa, olla jonkin kärjessä *who heads the committee?* kuka johtaa toimikuntaa? **2** mennä, suunnata *he headed toward the exit* hän käveli ovelle

3 head adj pää- (myös kuv:) johtava, tärkein *he is the head coach* hän on päävalmentaja

headache [ˈhedˌeɪk] s päänsärky (myös kuv:) murhe

head and shoulders adv paljon, selvästi *she is head and shoulders above the others* hän on aivan eri luokkaa kuin toiset

headboard [ˈhedˌbɔːd] s (vuoteen) päätylevy

head collar s (koiran) kuonopanta

head count [ˈhedˌkaʊnt] s (ihmismäärän) laskeminen, luku

headdress [ˈhedˌdres] s **1** päähine **2** kampaus

header s **1** (ark) kaatuminen, sukellus, lento **2** (tietok) (juokseva) yläotsikko

headfirst [ˌhedˈfɜːst] adv päistikkaan, pää edellä

headgear [ˈhedˌgɪər] s päähine(et)

1 headhunt [ˈhedˌhʌnt] s pääkallonmetsästys(retki); (kuv) värväys

2 headhunt v (kuv) etsiä/värvätä uusia kykyjä

headhunter s pääkallonmetsästäjä *corporate headhunters* liikeyritysten värväjät, kykyjenetsijät

heading s **1** pää, kärki **2** otsikko **3** suunta

headlight [ˈhedˌlaɪt] s (auton) valonheitin, ajovalo

1 headline [ˈhedˌlaɪn] s (sanomalehti/uutis)otsikko; pääotsikko

2 headline v **1** valita/kirjoittaa (pää)otsikoksi **2** mainostaa **3** olla pääesiintyjä/vetonaula

headlong [ˈhedˌlɒŋ] adj suin päin, päistikkaa

head louse [ˈhedˌlaʊs] s (mon head lice) päätäi

headmaster [ˈhedˌmɑːstər] s (UK) (mies)rehtori

headmistress [ˈhedˌmɪstrəs] s (UK) (nais)rehtori

head of state s (mon heads of state) valtionpäämies

head-on adj, adv suoraan *head-on collision* nokkakolari

head over heels adv suin päin, päistikkaa, pää kolmantena jalkana *head over heels in love* silmittömästi rakastunut

headphones [ˈhedˌfəʊnz] s (mon) (korva-)kuulokkeet

headpiece [ˈhedˌpiːs] s päähine

headquarters [ˈhedˌkwɔːtəz] s (mon) päämaja

head rest [ˈhedˌrest] s (istuimen) niskatuki

headset [ˈhedˌset] s (korva)kuulokkeet

headshrinker ['hedˌʃrɪŋkər] s (sl) kallonkutistaja, psykiatri

heads or tails fr kruuna vai klaava

headstand ['hedˌstænd] s päälläseisonta

head start [ˌhedˈstɑrt] s etumatka: *let's give Jerry a head start* annetaan Jerrylle etumatkaa

headstone ['hedˌstoʊn] s hautakivi

headstrong ['hedˌstrɒŋ] adj härkäpäinen, omapäinen

head to head adv rinta rinnan

headwaiter ['hedˌweɪtər] s hovimestari

headway ['hedˌweɪ] s eteneminen, edistyminen *to make headway* edistyä, edetä

headword ['hedˌwɜrd] s hakusana

heady [hedi] adj **1** (nopeasti) päihdyttävä, huumaava **2** (kuv) innostava, huumaava **3** äkkipikainen, ajattelematon

heal [hiəl] v parantaa, parantua

healer [hilər] s **1** parantaja **2** lääke, rohto

healing s parantuminen adj parantava

health [helθ] s terveys

healthcare ['helθˌkeər] s terveydenhoito

health club ['helθˌklʌb] s kuntokerho, kuntosali

health food ['helθˌfʊd] s terveysruoka

healthful adj **1** terveellinen **2** terve

health insurance ['helθɪnˌʃərəns] s sairausvakuutus

health professional ['helθprəˌfeʃənəl] s terveydenhoitoalan työntekijä

healthy adj **1** terve **2** terveellinen **3** (ark) mojova, rutka, runsas

heap [hip] s **1** kuulo **2** kasa, pino

heap v **1** kasata, kasautua, pinota

hear [hiər] v heard, heard **1** kuulla *I can't hear you* en kuule (mitä sanot) **2** kuunnella **3** kuulustella

Hear! Hear! interj hyvä!, totta puhut!

hearing s **1** kuulo **2** kuulustelu

hearing aid ['hirɪŋˌeɪd] s kuulolaite

hearing-impaired [ˌhirɪŋɪmˈpeərd] s (the) hearing-impaired kuulovammaiset adj kuulovammainen

hear of v (yl kielteisenä) ei tulla kuuloonkaan *dad would not hear of me buying a car* isän mielestä ei tullut kuuloonkaan että minä ostaisin auton

hearsay ['hɪərˌseɪ] s kuulopuhe, huhu(puhe)

hearse [hɜrs] s ruumisauto, ruumisvaunut

heart [hɑrt] s **1** sydän (myös kuv) *his heart stopped beating* hänen sydämensä pysähtyi *in my heart I knew her to be right* sydämessäni/sisimmässäni tiesin hänen olevan oikeassa *she did not have the heart to say no* hän ei hennonut kieltäytyä *the heart of the matter is that...* asian ydin on että... *in the heart of Houston* Houstonin sydämessä/keskustassa *to know/learn something by heart* osata/oppia jotakin ulkoa **2** (pelikortissa) hertta

heartache ['hɑrtˌeɪk] s sydänsuru

heart attack ['hɑrtəˌtæk] s sydänkohtaus

heartbeat ['hɑrtˌbit] s sydämen syke *I'd do it again in a heartbeat* en epäröisi hetkeäkään tehdä sitä uudestaan

heartbreak ['hɑrtˌbreɪk] s suru; sydänsuru

heartbreaker s surun aihe; sydäntensärkijä

heartbreaking adj surullinen; sydäntä särkevä

heartbroken ['hɑrtˌbroʊkən] adj surun murtama; jonka sydän on särkynyt

heartburn ['hɑrtˌbɜrn] s **1** närästys **1** (kuv) kateus

heart disease ['hɑrtdəˌziz] s sydänsairaus

hearten [hɑrtən] v rohkaista, kannustaa

heart failure s sydämen vajaatoiminta

heartfelt ['hɑrtˌfelt] adj vilpitön

hearth [hɑrθ] s **1** arina **2** (kuv) oma koti, kotiliesi

heart-healthy adj hyväksi sydämelle tai verenkiertojärjestelmälle, sydänystävällinen

heartily adj **1** sydämellisesti; vilpittömästi, sydämensä pohjasta **2** hyvällä ruokahalulla

heartland ['hɑrtˌlænd] s ydinalue, tärkein alue, sydänmaa

heat [hit] s **1** lämpö **2** kuumuus **3** helle **4** kuume **5** (kuv) tuoksina, kiihko, tunnekuohu *in the heat of battle* taistelun tuoksinassa **6** (sl) painostus *the cops put on the heat* poliisi painoi päälle **7** (sl) poliisi

heat v **1** lämmittää, lämmetä, kuumentaa, kuumentua (myös kuv)

heated adj (kuv) kiihkeä, tulinen

heater s lämmitin, lämmityslaite

heathen [hiðən] *s* pakana

heathenism *s* pakanuus

heather [heðər] *s* kanerva

heatstroke ['hit,strouk] *s* lämpöhalvaus

heat up *v* lämmittää, lämmetä; kiristyä

heat wave *s* helleaalto; lämpöaalto

heave [hiv] *v* heaved/hove, heaved/hove **1** nousta, nostaa; velloa **2** heittää **3** huohottaa **4** oksentaa

heaven [hevən] *s* (kristillisessä merkityksessä) taivas *to go to heaven* päästä/mennä taivaaseen

heavenly *adj* taivaallinen (myös kuv); taivaan

heavenly body *s* taivaankappale

heavens *s* (mon, sama kuin *sky*) taivas *interj* taivas!

heavily *adv* raskaasti (myös kuv)

heaviness *s* raskaus, painavuus

heavy [hevi] *adj* **1** raskas (myös kuv), painava *the box is heavy* laatikko on raskas *the author writes in a heavy style* kirjailijalla on raskas tyyli **2** kova (sade, isku, arvostelu), syvällinen (ajattelija) *heavy smoker* ketjupolttaja

heavy-duty [,hevi'duti] *adj* **1** kestävä, tehokas, teho-, erikois- **2** (kuv) kovan luokan, tosi

heavy-handed [,hevi'hændəd] *adj* **1** kovaotteinen **2** kömpelö

heavy metal [,hevi'metəl] *s* **1** raskasmetalli **2** heavy metal (-musiikki)

heavyset [,hevi'set] *adj* tanakka, iso(luinen)

heavyweight ['hevi,weit] *s* **1** raskaansarjan nyrkkeilijä **2** (kuv) raskaansarjan henkilö, yritys tms, suuryritys ym

heck [hek] *interj* pahus!, hitto! *Bud is one heck of a man* Bud on piru mieheksi/loistokaveri

heckle [hekəl] *v* häiritä/keskeyttää välihuudoilla

heckler *s* häiritsijä, häirikkö

heckling *s* välihuudot

hectare [hektɑr] *s* hehtaari

hectic [hektik] *adj* kiireinen, kuumeinen

he'd [hid] he had, he would

1 hedge [hedʒ] *s* **1** pensasaita **2** (kuv) suoja(muuri)

2 hedge *v* **1** aidata **2** (kuv) vältellä, väistellä

hedgehog ['hedʒ,hɑg] *s* siili

hedonism ['hidə,nizəm] *s* hedonismi

hedonist ['hidə,nist] *s* hedonisti

1 heed [hid] *s* huomio *to take heed of something* ottaa jotakin huomioon

2 heed *v* ottaa huomioon/onkeensa

heedless *adj* välinpitämätön, ajattelematon

1 heel [hiəl] *s* **1** kantapää *the boss let him cool his heels for a while* pomo antoi tahallaan hänen odottaa hetken aikaa **2** (kengän) korko *to be down at the heels* olla kulunut/nuhruinen/ränsistynyt **3** (laivan) kallistuma

2 heel *v* kallistua, kallistaa (laivaa)

heel bone *s* kantaluu

1 heft [heft] *s* paino, (myös kuv:) merkitys

2 heft *v* **1** nostaa **2** punnita käsessään/käsissään, yrittää arvioida jonkin paino

hefty *adj* vahva, raskas, painava, kova (työ), paksu, sievoinen (summa)

heifer [hefər] *s* hieho

height [hait] *s* **1** korkeus **2** (ihmisen) pituus *he is six feet in height* hän on 183 cm pitkä **3** (mon) korkea paikka, kukkula, korkeus, korkeudet **4** (kuv) huippu, huipentuma *his behavior was the height of rudeness* hänen käytöksensä oli todella töykeää

heighten *v* **1** korottaa, nostaa korkeammalle **2** korostaa, korostua, lisätä, lisääntyä, kasvattaa, kasvaa, voimistaa, voimistua

heir [eər] *s* perijä, perillinen

heiress [erəs] *s* perijätär, perillinen

heirloom ['er,lum] *s* perhekalleus

helicopter ['helə,kɑptər] *s* helikopteri

helium [hiliəm] *s* helium

hell [hel] *s* helvetti (myös kuv ja lievänä kirosanana) *all hell broke loose* seurasi täydellinen sekasorto *the Corvette is one hell of a car* Corvette on hitonmoinen auto *there will be hell to pay when the boss finds out what happened* meille tulee tupen rapinat kun pomolle selviää mitä on sattunut *the dog from hell* koira josta on tolkuttomasti harmia tms *interj* hitto!

he'll [hiəl] he will, he shall

hellish *adj* helvetillinen, hirvittävä

hello [helou] *interj* haloo!; hei!

helm [helɑm] *s* peräsin, ruori *he is at the helm of his father's company now* hän on nyt isänsä yrityksen peräsimessä/johdossa

helmet [helmət] *s* kypärä

helmsman *s* (mon helmsmen) perämies

1 help [help] *s* **1** apu **2** apulainen

2 help *v* auttaa *he couldn't help himself, he just did it* hän ei pystynyt hillitsemään itseään *I can't help but wonder if he is sane* en voi olla kysymättä onko hän täysijärkinen *interj* apua!

helpdesk *s* opastuspuhelin

helper *s* auttaja, avustaja

helpful *adj* avulias; hyödyllinen *it was very helpful of you to come* (minulle) oli paljon apua siitä kun tulit

helpfulness *s* avuliaisuus

helping *s* **1** auttaminen, apu **2** (ruoka-)annos *he took a second helping* hän santsasi

helpless *adj* avuton

helplessness *s* avuttomuus

help out *v* auttaa

help yourself to *v* ottaa (ruokaa pöydästä); ottaa luvatta

1 hem [hem] *s* (vaatteen) päärme

2 hem *v* päärmätä, varustaa päärmeellä

he-man [hiːmæn] *s* macho-mies, karju

hem in *v* saartaa, piirittää

hemisphere ['hemɪsˌfɪər] *s* pallonpuolisko, puolipallo

hemline ['hemˌlaɪn] *s* **1** päärme **2** hameen-helma(n korkeus)

hemorrage [hemərədʒ] *s* verenvuoto

hemorrhoids ['hemərˌɔɪdz] *s* (mon) peräpukamat

hemp [hemp] *s* hamppu

hen [hen] *s* kana (myös kanalinnun naaraasta ja kuv naisesta)

hence [hens] *adv* **1** siksi, sen vuoksi **2** päästä, kuluttua *six weeks hence* kuuden viikon kuluttua **3** siitä (johdettuna), siis

henceforth [hensfɔːθ] *adv* vastedes, tästä lähin

henchman [hentʃmən] *s* kätyri

henhouse ['henˌhaʊs] *s* kanala

hepatica [həˈpætɪkə] *s* sinivuokko

her [hər] *pron* (feminiininen, pronominista *she*) hän, hänet, häntä, hänelle, hänen, -nsa/-nsä

1 herald [herəld] *s* airut (myös kuv), sanansaattaja

2 herald *v* ennakoida, ilmoittaa jostakin tulevasta, mainostaa

heraldry *s* heraldiikka, vaakunaoppi

herb [ərb, həb] *s* yrtti

herbal [ərbəl, həbəl] *adj* yrtti-

herbalism *s* kasvilääkintä, herbalismi

herbalist [ərbəlɪst, həbəlɪst] *s* kasviparantaja, herbalisti

1 herd [hərd] *s* (karja-, eläin-, ihmis)lauma, (väki)joukko

2 herd *v* paimentaa (karjaa), (karjasta) kokoontua yhteen; ohjata jonnekin *she herded the guests into the parlor* hän ohjasi vieraat olohuoneeseen

herd's-grass *s* timotei

Herdsman (tähdistö) Karhunvartija

here [hɪər] *adv* tässä, täällä, tänne *I am here* olen täällä *please come here* tule tänne *from here to there* täältä sinne *here you are* Ole hyvä! *here we are at last* tässä sitä viimein ollaan

hereabouts ['hɪrəˌbaʊts] *adv* näillä tienoin, näillä main, näillä paikkeilla

hereafter [ˌhɪrˈæftər] *s* tuonpuoleinen *in the hereafter* tuonpuoleisessa, kuolemantakaisessa elämässä *adv* tämän jälkeen, vastedes

here and now *s, adv* tässä ja nyt

here and there *adv* siellä täällä, sinne tänne

hereby ['hɪərˌbaɪ] *adv* täten

hereditarily *adv* perinnöllisesti

hereditary ['həˈredɪˌteəri] *adj* perinnöllinen, periytyvä, synnynnäinen

heredity [həˈredɪti] *s* **1** perinnöllisyys **2** perimä

here's [hɪərz] here is

heresy [herəsi] *s* harhaoppi, kerettiläisyys

heretic [herətɪk] *s* kerettiläinen, luopio *adj* harhaoppinen

heretical [həˈretɪkəl] *adj* harhaoppinen, kerettiläinen

herewith [ˌhɪərˈwɪθ] *adv* täten

heritage [herɪtədʒ] *s* perinne, perintö

hermetic [hər'metɪk] *adj* ilmanpitävä, hermeettinen

hermetically *adv* ilmanpitävästi, hermeettisesti *hermetically sealed* ilmanpitävästi suljettu

hermit [hərmət] *s* erakko

hermitage [hərmətədʒ] *s* **1** erakkola, erakkomaja **2** *Hermitage* (Pietarin) Eremitaasi

hernia [hərniə] *s* tyrä

herniated disk [hərni,eitəd] *s* (diskusprolapsi) (selkänikamien) välilevyn siirtymä

hero [hɪrou] *s* **1** sankari **2** iso, pitkulainen kerrosvoileipä

heroic [hə'rouk] *adj* sankarillinen, rohkea, uskalias, herooinen

heroics *s* (mon) **1** sankariteot, uroteot **2** mahtailu, rehentely, isottelu

heroin [herɔən] *s* heroiini

heroin addict *s* heroinisti

heroin addiction *s* heroinismi

heroine [herɔən] *s* sankaritar

heroism [hɪərou,ɪzəm] *s* **1** sankariteko, rohkea teko **2** sankarillisuus, rohkeus

heron [herən] *s* haikara

herpes [hərpiz] *s* herpes

herring [herɪŋ] *s* silli

herringbone [herɪŋ,boun] *s* kalanruotokuvio *adj* kalanruotokuvioinen

hers [hərz] *pron* (feminiininen, pronominina *she*) hänen

herself [hər'self] *pron* (feminiininen) hän (itse), (häntä) itseään

he's [hiz] he is, he has

he/she (yhdistetty pronominimuoto jota käytetään (ainoastaan kirjoitetussa tekstissä) kun tarkoitetaan jompaakumpaa sukupuolta) hän

hesitancy *s* epäröinti, epävarmuus; viivyttely

hesitant [hezətənt] *adj* empivä, epäröivä, epävarma

hesitate [hezə,teɪt] *v* empiä, epäröidä *if you have any questions, don't hesitate to call me* soita ihmeessä minulle jos sinulla on kysyttävää

hesitation [,hezə'teɪʃən] *s* epäröinti, epävarmuus

hetero [hetərou] *s, adj* (ark) hetero

heterogeneity [,hetərədʒə'neɪəti] *s* heterogeenisyys

heterogeneous [,hetərə'dʒiniəs, ,hetə'ra-ʒənəs] *adj* heterogeeninen

heterosexual [,hetərə'sekʃʊəl] *s* heteroseksuaalisti *adj* heteroseksuaalinen

heterosexuality [,hetərə,sekʃʊ'æləti] *s* heteroseksuaalisuus

hexagon [heksə,gan] *s* kuusikulmio

hey-day [heideɪ] *s* kukoistuskausi

hiatus [haɪ'eɪtəs] *s* tauko *the show is on hiatus* sarja on tauolla

hibernate [haɪbər,neɪt] *v* talvehtia, olla talviunessa

hibernation *s* **1** talvihorros **2** talviuni

1 hiccup [hʌkʌp] *s* **1** (myös mon) hikka, nikka **2** (kuv) ohimenevä häiriö

2 hiccup *v* hikotella, nikotella (myös kuv:) pätkiä

hick [hɪk] *s* jurtti, maalainen

hid [hɪd] ks hide

hidden ks hide

hidden agenda [ə'dʒendə] *s* taka-ajatus *he has a hidden agenda* hän ajaa (salaa) takaa jotakin

1 hide [haɪd] *s* (eläimen) nahka, turkki, (kuv ihmisen) nahka *if you don't shut up, I'll have your hide* minä nyljen sinut elävältä *ellet ole hiljaa* they found neither hide nor hair of the fugitive he eivät löytäneet karanneesta merkkiäkään

2 hide *v* hid, hidden **1** piiloutua, mennä piiloon, piilottaa **2** peittyä, peittää

hide-and-seek [,haɪdən'sik] *s* piiloleikki *to play hide-and-seek* olla piilosilla, leikkiä piilosta

hideaway [haɪdə,weɪ] *s* (kesämökki yms) piilopaikka, pakopaikka

hideous [hɪdiəs] *adj* hirvittävä, kammottava, järkyttävä

hide out *v* piiloutua, mennä piiloon, piileskellä

hideout [haɪdaʊt] *s* piilopaikka, pakopaikka

hierarchic [,haɪər'arkık] *adj* hierarkkinen

hierarchical [,haɪər'arkıkəl] *adj* hierarkkinen

hierarchy [haɪər,arki] *s* hierarkia

hieroglyph [haɪərə,glıf] *s* hieroglyfi (myös kuv:) harakanvarvas

hieroglyphic [ˌhaɪərəˈglɪfɪk] adj **1** hieroglyfi- **2** vaikeaselkoinen

hifi [haɪfaɪ] s **1** hifi **2** hifilaite adj hifi-

1 high [haɪ] s **1** (sää) korkeapaine **2** ennätys(taso)

2 high adj **1** korkea (myös ark: ja kuv) high ideals korkeat ihanteet high price korkea hinta **2** (ark) humalassa, pilvessä adv korkealla, korkealle he aims high (kuv) hän tähtää korkealle

high and mighty s maan mahtavat adj koppava, pöyhkeä

high beams [ˈhaɪˌbimz] s (mon) (auton) pitkät valot

highbrow [ˈhaɪˌbraʊ] s älykkö adj älymystön, älykkö- highbrow lIterature laatukirjallisuus

high-end [ˈhaɪˈend] adj yläpäästä, kallein ja paras high-end audio raskas hifi

higher education [ˌhaɪərədʒəˈkeɪʃən] s akateeminen koulutus, korkeakouluopetus

high fidelity [ˌhaɪfəˈdelətɪ] s valiolaatuinen äänentoisto, hifi

high-five [ˌhaɪˈfaɪv] v to lay down high-fives tervehtiä lyömällä oikeat kämmenet pään yläpuolella vastakkain

highflying [ˌhaɪˈflaɪɪŋ] adj **1** korkealla lentävä **2** (kuv) korkealentoinen, lennokas

high-grade [ˌhaɪˈgreɪd] adj ensiluokkainen, erinomainen

high ground s (kuv) etulyöntiasema, asema jossa henkilö on toiscen nähden niskan päällä

high-handed [ˌhaɪˈhændəd] adj ylimielinen

high hat [ˈhaɪˌhæt] s silinterihattu

high horse s (kuva) ylimielisyys get off your high horse lakkaa olemasta ylimielinen

high jump s (urh) korkeushyppy

highland [haɪlənd] s (myös mon) ylänkö

high-level [ˌhaɪˈlevəl] adj korkean tason, korkeatasoinen

1 highlight [ˈhaɪˌlaɪt] s kohokohta; painopiste

2 highlight v **1** korostaa, painottaa, tuoda erityisesti esille **2** merkitä korostekynällä tms

highlighter [ˈhaɪˌlaɪtər] s korostekynä

highly adj **1** erittäin the movie is highly enjoyable elokuva on hyvin hauska **2** korkeasti (palkattu) **3** ylistäen remember to

always speak highly of your superiors muista aina ylistää esimiehiäsi

high-minded [ˌhaɪˈmaɪndəd] adj ylevä

highness [haɪnəs] s **1** korkeus **2** (tittelinä) Your Highness Teidän Korkeutenne

high noon [ˌhaɪˈnun] s **1** keskipäivä **2** huipentuma **3** (ark) yhteenotto, kriisi

high on adj **1** innostunut jostakin **2** huumeessa, pilvessä

high-pressure [ˌhaɪˈpreʃər] adj korkeapaine-

high relief [ˌhaɪrəˈlif] s korkea reliefi

high-resolution [ˌhaɪˌrezəˈluʃən] adj (tietok, tv, valok) tarkkuus-, suuren erottelukyvyn high-resolution graphics tarkkuusgrafiikka

high-rise [ˈhaɪˌraɪz] s korkea rakennus adj korkea, monikerroksinen

high school [ˈhaɪˌskuːl] s lukio

high schooler s lukiolainen

high-speed [ˌhaɪˈspid] adj nopea

high-spirited [ˌhaɪˈspɪrɪtəd] adj innokas, eloisa, vilkas

high street s (UK) **1** pääkatu **2** vähittäismyynti

high-strung [ˌhaɪˈstrʌŋ] adj kireä, pingottunut

hightail [haɪˌteɪl] v (ark) häipyä, lähteä nostelemaan

high-tech [ˌhaɪˈtek] adj huipputekniikan, huipputekninen

high technology [ˌhaɪtekˈnalədʒi] s huipputekniikka

high-tension [ˌhaɪˈtenʃən] adj suurjännite-

high tide [ˌhaɪˈtaɪd] s nousuvesi, vuoksi

high-voltage [ˌhaɪˈvoltədʒ] adj **1** suurjännite- **2** (ark kuv) väsymätön; suuren luokan

highway [ˈhaɪˌweɪ] s päätie, maantie

highway robbery (ark) (rahan) kiskonta, kyniminen

1 hijack [ˈhaɪˌdʒæk] s (lentokone- tai muu) kaappaus

2 hijack v kaapata (esim lentokone)

hijacker s (lentokone- tai muu) kaappaaja

1 hike [haɪk] s **1** vaellus, kävely/patikkaretki (luonnossa) take a hike, mister ala nostella!, häivy! **2** nousu, kasvu there was a hike in the consumer price index kuluttajahintaindeksi nousi

2 hike v **1** vaeltaa, tehdä kävelyretki **2** kiskaista ylös (up) **3** korottaa, nostaa (hintaa)

hilarious [həˈleriəs] adj hauska, hassu, huvittava; iloinen, hilpeä

hilarity [həˈlerəti] s hauskuus; hilpeys, ilonpito

hill [hil] s mäki, kukkula, vuori to be over the hill olla nähnyt parhaat päivänsä

hillbilly [ˈhilˌbili] s jurtti, maalainen adj maalais-

hillside [ˈhilˌsaid] s (mäen) rinne

hilltop [ˈhilˌtap] s (kukkulan) laki

hilly [ˈhili] adj mäkinen, kumpuileva

hilt [hilt] s (tikarin, miekan ym) kädensija, kahva to do something to the hilt (kuv) ottaa jostakin kaikki irti, tehdä jotakin viimeiseen saakka

him [him] pron (maskuliininen, pronominista he) hän, hänet, häntä, hänelle

himself [himˈself] pron (maskuliininen, pronominista he) hän (itse), (häntä) itseään

hind [haind] adj taka-, perä-

hinder [ˈhaindər] v **1** hidastaa, viivyttää **2** estää

hindmost [ˈhainˌmoust] adj takimmaisin, viimeinen

hindquarters [ˈhainˌkwortərz] s (mon) (eläimen) perä

hindrance [ˈhindrəns] s este, haitta

hindsight [ˈhainˌsait] s jälkiviisaus

hinge [hindʒ] s sarana, nivel

hinge on v (kuv) riippua jostakin, olla jonkin varassa

1 hint [hint] s vihjaus, vihje

2 hint v vihjata

hint at v vihjata jostakin/johonkin suuntaan, antaa ymmärtää

hip [hip] s lonkka, lanne

1 hip hop [ˈhipˌhap] s eräänlaisesta rapmusiikista, hip-hop

2 hip hop v tanssia tällaisen musiikin tahdissa

3 hip hop adj hip-hopparikulttuuriin liittyvä tai kuuluva

hip hopper [ˈhipˌhapər] s hip-hoppari, rapmusiikkia, breikkausta ja graffitien piirtämistä harrastavan nuorison alakulttuuriin jäsen

hiphuggers s (mon, ark) lantiohousut

hippo [ˈhipou] s (mon hippos) (ark) virtahepo (hippopotamus)

hip pocket [ˈhipˈpakət] s takatasku

hippopotamus [ˌhipəˈpatəməs] s (mon hippopotamuses, hippopotami) s virtahepo

1 hire [haiər] s palkkaus, vuokraus, palkka, vuokra for hire vuokrattavana

2 hire v palkata, pestata palvelukseen, vuokrata (käyttöönsä)

hired gun [ˌhaiərdˈgʌn] s **1** palkkamurhaaja **2** henkivartija **3** (ulkopuolinen) ongelmanratkoja, saneeraaja

hire on v pestautua johonkin työhön

hire out v antaa vuokralle/palvelukseen

hire purchase [ˈhaiərˌpɔrtʃəs] s (UK) osamaksu

hirsute [hərsut hər'sut] adj karvainen, parrakas

his [hiz] pron (maskuliininen, pronominista he) hänen

1 hiss [his] s **1** sihinä **2** vihellys (esiintyjälle)

2 hiss v **1** sihistä **2** viheltää (esiintyjälle)

historian [hisˈtoriən] s historian tutkija/tuntija, historioitsija

historic adj **1** historiallinen, kuuluisa, merkittävä, maineikas **2** ks historical

historical adj **1** historiallinen, historiaa koskeva, autenttinen **2** ks historic

historicism [hisˈtorəˌsizəm] s historismi

history [ˈhistəri] s **1** historia; historian tutkimus **2** (sairaus)historia **3** tausta, menneisyys

1 hit [hit] s **1** törmäys, osuma **2** isku, lyönti **3** täysosuma, menestys; hitti **4** (sl) murha **5** (tietok) käynti

2 hit v hit, hit **1** törmätä, osua johonkin **2** lyödä, iskeä **3** (sl) tappaa, murhata **4** pyytää he hit me for a smoke hän lainasi minulta tupakan **5** saavuttaa (tietty taso, nopeus tms) we had just hit 75 when the cops stopped us aloimme juuri ajaa 75:tä kun poliisit pysäyttivät meidät

hit-and-miss adj summittainen, sattuman kaupalla tehty/tapahtuva

hit-and-run adj (liikenneonnettomuus) jossa kuljettaja pakenee paikalta

1 hitch [hɪtʃ] *s* **1** nykäys, kiskaisu **2** solmu *clove hitch* siansorkka(solmu) **3** (kuv) mutka (matkassa), ongelma **4** kyyti
2 hitch *v* **1** nykäistä, kiskaista (up) **2** sitoa, solmia, kiinnittää **3** tarttua **4** (ark) ks hitchhike
1 hitchhike [ˈhɪtʃˌhaɪk] *s* peukalokyyti
2 hitchhike *v* matkustaa peukalokyydillä
hitchhiker *s* peukalokyytiläinen
hither and thither [ˌhɪðərənˈðɪðər] *adv* siellä täällä, sinne tänne
hitherto [ˈhɪðərˌtu] *adv* tähän saakka
hit it off *fr* tulla toimeen, synkata
hit off *v* matkia, jäljitellä, parodioida
hit out *v* (kuv) hyökätä jonkin kimppuun/ jotakin vastaan
hit parade [ˈhɪtpəˌreɪd] *s* (hitti)lista
HIV [ˌeɪtʃaɪˈvi] *s* HI-virus, joka joissakin tapauksissa johtaa immuunikatoon eli aidsiin (sanoista *human immunodeficiency virus*) *he tested HIV positive* hänellä todettiin HIV-tartunta
hive [haɪv] *s* mehiläispesä (myös kuv:) muurahaispesä *the place is a beehive of activity* paikassa kuhisee kuin mehiläispesässä/ muurahaispesässä
hoagy [ˈhoʊgi] *s* pitkä kerrosvoileipä
1 hoard [hɔrd] *s* varasto, kätkö
2 hoard *v* hamstrata
hoarse [hɔrs] *adj* käheä
hoarsely *adv* käheästi, käheällä äänellä
hoarsen [ˈhɔrsən] *v* tehdä käheäksi
hoarseness *s* käheys
1 hoax [hoʊks] *s* huijaus, humpuukijuttu
2 hoax *v* huijata, vetää nenästä
hobble [ˈhɑbəl] *v* ontua (myös kuv)
hobby [ˈhɑbi] *s* harrastus
hockey [ˈhɑki] *s* **1** maahockey (field hockey) **2** jääkiekko (ice hockey)
1 hoe [hoʊ] *s* kuokka; hara
2 hoe *v* kuokkia
1 hog [hɑg] *s* sika (myös kuv) *to go the whole hog* ei suotta nuukailla *to live high on the hog* elää leveästi/mukavasti
2 hog *v* ahnehtia itselleen, kahmia itselleen
hoggish *adj* sikamainen (myös kuv)
hogshead [ˈhɑgzəd] *s* tynnyri

hogwash [ˈhɑgˌwɑʃ] *s* **1** sianruoka **2** roska, roina **3** roskapuhe, pöty, hölynpöly
hoist [hɔɪst] *v* **1** nostaa (lippu salkoon, purje) **2** ryypätä, kumota kurkkuunsa
1 hold [hoʊld] *s* **1** ote *to get hold of someone/ something* saada joku kiinni/puhelimeen, saada kiinni jostakin **2** kädensija **3** tuki **4** varaus *to be on hold* (väliaikaisesti) pöydällä/jäissä *to put someone on hold* antaa jonkun odottaa puhelimessa (linjan vapautumista) **5** (lasti)ruuma
2 hold *v* held, held **1** pitää kädessään, pidellä, tarttua **2** pitää, pidätellä, pysyä *I should stop, I am holding you* minun pitää lopettaa jotta pääset lähtemään *to hold still* olla liikkumatta *he did not hold to his promise* hän ei pitänyt lupaustaan *the mayor was held responsible for what had happened* kaupunginjohtaja pantiin vastuuseen sattuneesta **3** kestää *do you think the rope will hold?* luuletko että köysi kestää? **4** pitää paikkansa, olla voimassa **5** jättää pois *roinasta hold the mustard, please* ilman sinappia, kiitos
hold against *v* syyttää jotakuta jostakin
hold back *v* **1** pidätellä **2** pitää itsellään/ omana tietonaan **3** estää tekemästä jotakin
hold down *v* **1** vähentää, hiljentää **2** jatkaa jotakin/jossakin työssä
holder *s* **1** pidike **2** haltija
hold forth *v* paasata
hold in *v* hillitä joku/itsensä
hold off *v* **1** pitää loitolla, torjua, välttyä joltakin, ei sairastua **2** lykätä, siirtää myöhemmäksi
hold on *v* **1** pitää (lujasti) kiinni **2** jatkaa, jatkua **3** pysähtyä, odottaa
hold out *v* **1** ojentaa, antaa **2** riittää **3** pitää pintansa, jatkaa vastarintaa **4** salata, ei paljastaa
hold out for *fr* odottaa jotakin
hold over *v* **1** jatkaa, jatkaa (esim elokuvan esittämistä) **2** lykätä, siirtää myöhemmäksi
holdover [ˈhoʊldoʊvər] *s* jäänne (menneeltä ajalta)
hold up *v* **1** pitää jonakin (esimerkillisenä, pilkkanaan) **2** ryöstää **3** viivästyä, viivyt-

tää, pysäyttää, pysähtyä **4** selvitä jostakin, kestää jotakin

holdup [hɒldəp] *s* **1** ryöstö **2** viivytys, viivästys, viipymä **3** kiskonta

hold water *fr* olla vedenpitävä (myös kuv:) aukoton, varma *your argument doesn't hold water* perustelusi ontuu

hold your breath *fr* **1** pidätellä henkeään **2** odottaa kärsimättömänä

hold your ground *fr* pitää pintansa

hold your horses *fr* hillitä itsensä/halunsa

hold your own *v* **1** (osata) pitää pintansa **2** olla entisellään

hold your peace *fr* hillitä itsensä

hold your tongue *fr* pitää suunsa, olla hiljaa

1 hole [hɒʊl] *s* **1** reikä **2** (eläimen) pesä, kolo **3** (kuv) aukko

2 hole *v* puhkaista reikä johonkin, puhjeta

hole in one *s* **1** (golfissa) hole in one (pallon saaminen reikään ensimmäisellä lyönnillä) **2** täysosuma, onnistuminen ensi yrityksellä

hole out *v* (golfissa) putata pallo reikään viheriöltä

hole up *v* ryömiä koloonsa, piiloutua jonnekin

holiday [ˈhɒlɪˌdeɪ] *s* **1** (virallinen) juhlapäivä **2** vapaapäivä **3** (UK) loma **4** vapautus, lykkäys

holidays (mon) *Happy holidays!* Hyvää joulua!

holiday season *s* joulunaikaa

1 holler [hɒlər] *s* huuto *give me a holler when you need help* huuda kun tarvitset apua

2 holler *v* huutaa

hollow [haloʊ] *adj* **1** ontto (myös kuv:) turha, joutava **2** kovera **3** (ääni) ontto, kumea, vaimea **4** nälkäinen

hollow out *v* kovertaa ontoksi

holly [hali] *s* (kasv) orjanlaakeri

holocaust [ˈhɒləˌkast] *s* **1** (tulipalo)katastrofi **2** polttouhri **3** *Holocaust* juutalaisten joukkomurha toisessa maailmansodassa **4** joukkomurha

hologram [ˈhɒləˌɡræm] *s* hologrammi

holograph [ˈhɒləˌɡræf] *s* holografi

holographic [ˌhɒləˈɡræfɪk] *adj* holografinen

holography [həˈlaɡrəfɪ] *s* holografia

holster [hɒlstər] *s* pistoolikotelo

holy [hɒʊlɪ] *s* pyhä paikka *adj* pyhä

Holy Bible [ˌhɒʊlɪˈbaɪbəl] *s* Pyhä Raamattu

Holy Ghost [ˌhɒʊlɪˈɡoʊst] *s* Pyhä Henki

Holy Sacrament *s* pyhä ehtoollinen

Holy Spirit [ˌhɒʊlɪˈspɪrɪt] *s* Pyhä Henki

Holy Writ [ˌhɒʊlɪˈrɪt] *s* Raamattu

homage [hamədʒ] *s* kunnianosoitus

home [hɒʊm] *s* **1** koti *to be at home* olla kotona; olla tavattavissa; olla kuin kotonaan; hallita hyvin jokin asia **2** eläimen pesä **3** kotipaikka, kotiseutu, kotimaa **4** kotikenttä *to play at home* pelata kotikentällä *adj* koti- *home cooking* kotiruoka *adv* kotona, kotiin *he went home* hän meni kotiin *he wasn't at home* hän ei ollut kotona

homebody [ˈhɒʊmˌbadɪ] *s* (kuv) kotikissa

homebound [ˈhɒʊmˌbaʊnd] *adj* **1** joka on matkalla kotiin **2** joka ei voi lähteä (sairauden vuoksi) kotoaan, vuoteen oma

homeboy [ˈhɒʊmˌbɔɪ] *s* (oman) nuorisojengin jäsen; kaveri

homecoming [ˈhɒʊmˌkʌmɪŋ] *s* **1** kotiintulo, kotiinpaluu **2** (oppilaitoksen vanhojen opiskelijoiden) vuosijuhla

home free [ˌhɒʊmˈfri] *adj* olla loppusuoralla; olla lähes varmaa

homeless *s: the homeless* koditttomat *adj* koditon

homelessness *s* kodittomuus

homely [hɒʊmlɪ] *adj* **1** ruma **2** koruton, tavallinen, koti-

homemade [ˌhɒʊmˈmeɪd] *adj* kotitekoinen

homemaker [ˈhɒʊmˌmeɪkər] *s* perheenäiti, kotiäiti, koti-isä

homemaking [ˈhɒʊmˌmeɪkɪŋ] *s* kodinhoito

home office [ˌhɒʊmˈafɪs] *s* **1** pääkonttori **2** (etätyöntekijän) kotikonttori **3** *Home Office* (UK) sisäasiainministeriö

homeopathist [ˌhɒʊmɪˈapəθɪst] *s* homeopaatti

homeopathy [ˌhɒʊmɪˈapəθɪ] *s* homeopatia

homeowner [ˈhɒʊmˌoʊnər] *s* asunnonomistaja, omakotitalon omistaja

home plate [ˌhɒʊmˈpleɪt] *s* (baseball) kotilauta, kotipesä

home rule [ˌhɒʊmˈruəl] *s* paikallistason itsehallinto

homestead ['houm,sted] *s* (erityisesti valtion kansalaisille ja siirtolaisille vuoden 1862 Homestead Actilla Yhdysvaltain länsiosasta ilmaiseksi antama 160 eekkerin) maatila

homesteader *s* maatilan omistaja (ks homestead)

homestretch ['houm'stretʃ] *s* **1** maalisuora **2** (kuv) loppusuora

home study ['houm,stʌdi] *s* kirjekurssi

home theater ['houm'θiətər] *s* kotiteatteri (suurkuvatelevision ja stereolaitteiston kokonaisuus)

homeward [houmwərd] *adv* kotiin päin, kotia kohti

homework [houmwərk] *s* **1** läksyt, kotitehtävät **2** (palkallinen) kotityö **3** valmistautuminen, perehtyminen *the manager hadn't done his homework* johtaja ei ollut perehtynyt aiheeseen riittävästi

homeworker ['houm,wərkər] *s* kotona työtä tekevä henkilö, etätyöntekijä

homey [houmi] *s* kaveri, jengin jäsen (sanasta *homeboy*) *adj* kodikas

homicidal [həmə'saidəl] *adj* **1** tappo-, murha- **2** murhanhimoinen

homicide ['hamə,said] *s* **1** tappo, murha **2** tappaja, murhaaja

homing instinct ['houmiŋ,instiŋkt] *adj* suuntavaisto

homogeneous [,houmə'dʒiniəs] *adj* homogeeninen

homogenize [hə'madʒə,naiz] *v* homogenisoitaa, tehdä homogeeniseksi

homophobia [,houmə'foubiə] *s* homoseksualistien ja homoseksuaalisuuden pelko

homophobic [,houmə'foubik] *adj* joka pelkää homoseksualisteja ja homoseksuaalisuutta

homosexual [,houmə'sekʃuəl] *s* homoseksualisti *adj* homoseksuaalinen

homosexuality [,houmə,sekʃu'æləti] *s* homoseksuaalisuus

honest [anəst] *adj* rehellinen, kunniallinen, rehellisesti ansaittu

honesty [anəsti] *s* rehellisyys, kunniallisuus

honey [hʌni] *s* **1** hunaja **2** kultu, hani

honeybee ['hʌni,bi] *s* mehiläinen

honeycomb ['hʌni,koum] *s* hunajakenno

honeycomb *v* olla läpeensä täynnä jotakin

honeymoon ['hʌni,mun] *s* **1** kuherruskuukausi **2** (lehdistön ja kongressin Yhdysvaltain presidentille tämän virkakauden alussa myöntämä) totuttautumiskausi, armonaika

honeymoon *v* viettää kuherruskuukausi jossakin

honk [haŋk] *s* (auton äänitorven) törähdys

honk *v* soittaa (auton ääni)torvea

honor [anər] *s* **1** kunnia *in honor of* jonkun /jonkin kunniaksi **2** (mon) kunnianosoitus, kunniamerkki **3** (tuomarin, kaupunginjohtajan kunnia)titteli **4** (mon: yliopistossa erikoisalan opintomenestyksestä myönnettävä) kunniamaininta **5** *to do the honors* toimia isäntänä/emäntänä juhlapöydässä

honor *v* **1** kunnioittaa, kohdella kunnioittavasti; kunnioittaa jollakin (esim läsnäolollaan) **2** hyväksyä, ottaa vastaan *we honor American Express* meillä voitte maksaa American Express -luottokortilla

honorable [anərəbəl] *adj* **1** kunniallinen **2** kunniaarvoisa **3** (US) tittelinä: *the Honorable Judge M. Smith presiding* istuntoa johtaa tuomari M. Smith **4** (UK) tittelinä: *the Honorable member should reconsider* arvoisan kansanedustajan on syytä miettiä asiaa uudelleen

honorably *adv* kunniallisesti, kunnioittaen

honorary ['anə,reri] *adj* kunnia- *honorary member/post/doctor* kunniajäsen/kunniavirka/kunniatohtori

honors student *s* priimusoppilas

hood [hud] *s* **1** huppu; naamio **2** (US) (auton) konepelti **3** (sl) roisto, konna

hood *v* peittää (päänsä) hupulla; naamioida

hooded *adj* **1** jonka pää on hupun peitossa *hooded eyes* paksujen kulmakarvojen peittämät silmät **2** hupullinen

hoof [huf] *s* (mon hooves) kavio

hoofbeat ['huf,bit] *s* kavionkapse

hook [huk] *s* **1** koukku (myös nyrkkeilyssä): koukkulyönti **2** (golfissa) hukki, pallon kaartuminen ilmassa oikealta vasemmalle (oikeakätiselllä pelaajalla)

hook *v* **1** kiinnittää/sulkea koukulla **2** saada koukkuun; (kuv) saada lankaan **3** koukistaa (tarttuakseen) *he hooked his arms around the branch and tried not to fall* hän kietoi kätensä oksan ympärille jottei putoaisi

hooked on *she is hooked on Beethoven* hän on hulluna Beethoveniin

hook up *v* **1** kiinnittää/sulkea koukuilla **2** yhdistää *do you know how to hook up your stereo?* osaatko yhdistää stereolaitteesi toisiinsa?

hooligan [huːlɡən] *s* huligaani, rellestäjä, metelöitsijä

1 hoop [huːp] *s* (esim tynnyrin tai voimistelu)vanne

2 hoop *v* vannehtia, varustaa vanteilla

1 hoot [huːt] *s* **1** (pöllön) huhuilu, huuto **2** buuaus, vihellääminen (esiintyjälle ym) **3** (kuv) *I don't give a hoot about what you think* minä viis veisaan siitä mitä sinä ajattelet

2 hoot *v* **1** buuata, vihellää (esiintyjälle ym) **2** (pöllö) huhuilla, huutaa

hooves [huːvz] ks hoof

1 hop [hɒp] *s* **1** (kasv) humala **2** hyppy **3** lyhyt (lento)matka **4** (ark) tanssit, tanssikemut

2 hop *v* **1** hypätä, hyppiä **2** piipahtaa, käväistä **3** matkustaa paikasta toiseen *they went bar-hopping* he lähtivät kiertämään kapakoita

1 hope [həup] *s* toivo *he has no/little hope of finding his lost wallet* hänellä ei ole toivoakaan/on hyvin vähän toivoa löytää hukkaamansa lompakko *she is looking for a book and the library is her last hope* hän etsii erästä kirjaa ja kirjasto on hänen viimeinen toivonsa

2 hope *v* toivoa

hopeful *adj* **1** toiveikas **2** lupaava

hopeless *adj* toivoton, lohduton, epätoivoinen

hopelessness *s* toivottomuus, epätoivoisuus

horde [hɔːd] *s* lauma, parvi, joukko

horizon [həˈraɪzən] *s* taivaanranta, horisontti

horizontal [ˌhɒrəˈzɒntəl] *adj* vaakasuora

hormonal [hɔːˈməunəl] *adj* hormoni-

hormone [hɔːrməun] *s* hormoni

horn [hɔːn] *s* **1** sarvi **2** (mus) torvi; (auton ääni)torvi *to blow your own horn* kehua itseään, olla täynnä itseään

hornet [hɔːrnət] *s* herhiläinen

horny [hɔːrni] *adj* **1** sarvimainen **2** känsäinen (iho) **3** (ark) kiimainen

horoscope [ˈhɔrəˌskəup] *s* horoskooppi

horrendous [həˈrendəs] *adj* hirvittävä, kauhistuttava

horrible [hɔrəbəl] *adj* hirvittävä, kauhistuttava, pelottava, kamala

horrid [hɔrəd] *adj* hirvittävä, pelottava

horrify [ˈhɔrəˌfaɪ] *v* hirvittää, kauhistuttaa, pelottaa

horrifying *adj* hirvittävä, kauhistuttava

horror [hɔrər] *s* kauhu, järkytys; inho *they all trembled in horror* he vapisivat kauhusta *what a horror!* onpa kamala asia!

horror story [ˈhɔrərˌstɔri] *s* kauhukertomus, kauhuelokuva

horror-stricken [ˈhɔrərˌstrɪkən] *adj* kauhistunut, joka on kauhun vallassa

horror-struck [ˈhɔrərˌstrʌk] *adj* kauhistunut, joka on kauhun vallassa

hors d'oeuvre [ɔːrˈdɜːrv] *s* (mon hors d'oeuvre, hors d'oeuvres) alkuruoka

horse [hɔːrs] *s* hevonen (myös voimistelussa) *to come/get something straight from the horse's mouth* olla peräisin/kuulla jotakin suoraan alkuperäislähteestä, luotettavasta lähteestä *Larry, you're beating a dead horse* Larry, se asia on jo puhuttu selväksi/ratkaistu

horseback [ˈhɔrsˌbæk] *s* hevosen selkä *on horseback* ratsain, hevosella *adj* summittainen, puolihuolimaton *adv* ratsain, hevosella

horse-fly *s* (mon horse-flies) paarma

horse latitudes [ˈlætəˌtjudz] (mon) hepoasteet (tuulettomat valtamerialueet, noin 30° pohjoista ja eteläistä leveyttä)

horseplay [ˈhɔrsˌpleɪ] *s* hevosenleikki, rellestys, mekastus

horsepower [ˈhɔrsˌpauər] *s* hevosvoima

horseshoe [ˈhɔrˌʃu] *s* hevosenkenkä

horticulture [ˈhɔrtəˌkʌlʧər] *s* puutarhanhoito

horticulturist [ˌhɔrtəˈkʌlʧərɪst] *s* puutarhuri

1 hose [houz] *s* **1** letku **2** sukka, sukat, sukka-housut

2 hose *v* kastella (letkulla), pestä (vedellä)

hosiery [houʒəri] *s* sukat

hospice [haspəs] *s* **1** hospitsi **2** (terminaali-sairaiden) hoitokoti

hospitable [həsˈpɪtəbəl] *adj* vieraanvarainen; lämmin, ystävällinen

hospitable to *adj* vastaanottavainen, valmis kuuntelemaan/hyväksymään jotakin, avoin jollekin

hospital [haspətəl] *s* sairaala

hospitality [ˌhaspəˈtælɪti] *s* vieraanvaraisuus

hospitalization [ˌhaspətələˈzeɪʃən] *s* sairaalaan siirto

hospitalize [ˈhaspətəˌlaɪz] *v* viedä/siirtää sairaalaan

1 host [houst] *s* **1** isäntä, emäntä **2** isäntäkasvi, isäntäeläin **3** (tv, radio ym) juontaja, seremoniamestari

2 host *v* **1** isännöidä, emännöidä *Salt Lake City hosted the 2002 Winter Olympics* Salt Lake City toimi vuoden 2002 talviolympialaisten isäntänä **2** juontaa (tv- tai radio-ohjelma ym), toimia seremoniamestarina

hostage [hastədʒ] *s* panttivanki

hostel [hastəl] *s* asuntola *youth hostel* retkeilymaja, hostelli

1 hostess [houstəs] *s* **1** emäntä **2** (tv, radio ym) (nais)juontaja, seremoniamestari **3** lentoemäntä, messuemäntä, ravintolanemäntä yms

2 hostess *v* emännöidä, toimia emäntänä

hostile [hastəl] *adj* vihamielinen *the company was hostile to our proposal* yritys suhtautui ehdotukseemme vastahakoisesti

1 hot [hat] *s: Tom has the hots for Jane* Tom on pihkassa Janeen

2 hot *adj* **1** kuuma; lämmin *two hot meals a day* kaksi lämmintä ateriaa päivässä **2** (maku) tulinen, voimakkaasti maustettu *Mexican food is often hot* meksikolainen ruoka on usein tulista **3** (luonne) tulinen, kiivas **4** (ark) innokas **5** (sl) helppoheikin **6** (ark luv) kuuma, varastettu **7** *to be hot on the trail of someone* olla aivan jonkun kannoilla, olla jonkun kintereillä *in hot pursuit* jonkun kintereillä

hot cake [ˈhatˌkeɪk] *s* ohukainen *the book is selling like hot cakes* kirja menee (kaupaksi) kuin kuumille kiville

hot dog [ˈhatˌdag] *s* **1** nakkimakkara **2** hot dog

hotel [houˈtel] *s* hotelli

hotelier [houˌtelˈjeɪ ˈhoutələr] *s* hotellinomistaja, hotellinjohtaja

hot line [ˈhatˌlaɪn] *s* kuuma linja

hotly *adv* kiivaasti

hot pants [ˈhatˌpæns] *s* **1** (mon) mikrohousut **2** (sl) (seksuaalinen) himo

hot pepper [ˌhatˈpepər] *s* maustepaprika

hot potato [ˌhatˈpoˈteɪtou] *s* kuuma peruna

hot rod [ˈhatˌrad] *s* hot rod (-auto)

hot seat [ˈhatˌsit] *to be in the hot seat* olla kuumilla kivillä, olla pahassa jamassa

hot spring [ˈhatˌsprɪŋ] *s* kuuma lähde

hot-tempered [ˌhatˈtempərd] *adj* tulinen (kuv), äkkipikainen

hot tub [ˈhatˌtʌb] *s* poreallas

hot under the collar *fr* kimpaantunut, tulistunut

hot war [ˈhatˌwɔr] *s* avoin sota, kuuma sota

hot-water bag [ˌhatˈwatərˌbæg] *s* lämpöpullo

1 hound [haund] *s* **1** ajokoira; vainukoira **2** (ark) koira

2 hound *v* **1** ajaa takaa; vainuta **2** kiusata, piinata, häiritä

hour [auər] *s* **1** tunti **2** aika, hetki *what is the hour?* paljonko kello on? **3** (mon) työaika, vastaanottoaika, aukioloaika *what are your hours?* mihin asti myymälänne on auki?

hourglass [ˈauərˌglæs] *s* tiimalasi

hour hand [ˈauərˌhænd] *s* tuntiviisari

hourlong [ˈauərˌlan] *adj* tunnin mittainen

hourly *adj*, *adv* tunnin välein, tasatunnein (tapahtuva), tunti-

house [haus] *s* **1** talo, asunto, koti **2** huone *the House of Representatives* edustajainhuone **3** (vanh) suku, huone **4** (kuv) talo *the drinks are on the house* talo tarjoaa ryypyt **5** yleisö, katsojat *to play to a full house* esiintyä täydelle salille *to bring down the house* saada yleisö haltioihinsa, saada yleisö ratkeamaan naurusta **6** (mus) house

house [hauz] *v* **1** majoittaa **2** olla jossakin

house arrest ['haʊsə,rest] s kotiaresti

housebroken ['haʊs,brəʊkən] adj (eläin) sisäsiisti

house call ['haʊs,kɔl] s (lääkärin tms) kotikäynti

houseclean ['haʊs,klin] v siivota (asunto, koti)

housecoat ['haʊs,kəʊt] s kotitakki

house detective ['haʊsdɪ,tektɪv] s myymäläetsivä, hotellietsivä yms

house dust mite s pölypunkki

housefly ['haʊs,flaɪ] s (mon houseflies) huonekärpänen

houseful s kodin täysi

houseguest ['haʊs,gest] s yövieras

household ['haʊs,həʊld] s (koti)talous, perhe, ruokakunta adj 1 koti- 2 tavallinen, yleinen

householder s 1 talonomistaja 2 perheenpää

household word s tunnettu sana/nimi/sanonta, sananparsi

housekeeper ['haʊs,kipər] s taloudenhoitaja

housemaid ['haʊs,meɪd] s kotiapulainen

house martin s räystäspääsky

housemate ['haʊs,meɪt] s 1 asuintoveri, kämppäkaveri (ark) 2 avopuoliso

house mouse s (mon house mice) kotihiiri

house of cards s (kuv) korttitalo

house organ ['haʊs,ɔrgən] s henkilökuntalehti

houseplant ['haʊs,plænt] s huonekasvi

house-sit ['haʊs,sɪt] v olla talonvahtina

house-sitter s talonvahti

house sparrow s varpunen

house spider s huonehämähäkki

housewarming ['haʊs,wɔrmɪŋ] s tupaantuliaiset

housewife ['haʊs,waɪf] s (mon housewives) kotirouva

housework [haʊswərk] s kodin työt, taloudenhoito

houseworker s kotiapulainen

housing [haʊzɪŋ] s 1 asunto 2 majoitus, asumaan sijoittaminen 3 suojus, kupu, vaippa

hove [həʊv] ks heave

hovel [hʌvəl] s 1 mökki, maja 2 murju

hover [hʌvər] v 1 leijua (ilmassa), pysyä paikallaan (ilmassa) 2 norkoilla jossakin 3 empiä, olla jonkin partaalla *to hover be-*

tween life and death horjua/häilyä elämän ja kuoleman välillä

hovercraft [hʌvər,kræft] s (mon hovercraft) (UK) ilmatyynyalus

how [haʊ] adv miten, kuinka *how did he do it?* miten hän sen teki? *how much did he want for it?* paljonko hän siitä pyysi? *how many times have I told you not to do it?* kuinka monesti minä olen jo kieltänyt sinua!

how about adv entä: *how about a movie?* (entä) haluaisitko mennä elokuviin?

how come? fr (ark) miksi?

how do you do fr hyvää päivää

however [,haʊˈevər] adv kuitenkin, silti, sen sijaan

1 howl [haʊəl] s (suden ym) ulvahdus, (tuulen) ulvonta, huuto

2 howl v (susi, tuuli ym) ulvoa, huutaa

howling s ulvahdus, ulvonta, huuto adj 1 ulvova (tuuli), huutava 2 (ark) valtaisa

hub [hʌb] s 1 (pyörän) napa 2 (liikenteen) solmukohta

hubbub [hʌbʌb] s 1 puheensorina, kohina 2 myllerrys, sekasorto

hubcap [hʌb,kæp] s (auton) pölykapseli

hubris [hjubrɪs hubrɪs] s ylimielisyys, röyhkeys, julkeus

huckleberry [hʌkəl,beri] s mustikka

huckster [hʌkstər] s kaupustelija, helppoheikki (myös kuv)

1 huddle [hʌdəl] s 1 kasa, rykelmä, joukko 2 neuvottelu, keskustelu, kokous

2 huddle v 1 kasata/kasaantua yhteen 2 neuvotella, keskustella, pohtia

hue [hju] s 1 väri, värisävy, vivahde 2 ihonväri

1 huff [hʌf] s murjotus, loukkaantuminen, pahantuulisuus

2 huff v loukata jotakuta

1 hug [hʌg] s halaus *give me a hug!* rutista/halaa minua!

2 hug v halata

huge [hjudʒ] adj valtava, suunnaton, suunnattoman suuri

hulk [hʌlk] s köntys, kömpelys

hulking adj kömpelö, raskas, valtaisa, valtavan iso

hull [hʌl] s (laivan) runko

1 hum [hʌm] s **1** surina **2** hyräily **3** kiire, tuoksina, vauhti

2 hum v **1** surista **2** hyräillä **3** *the office is humming with activity* toimistossa on erittäin kiireistä

human [hjuːmən] s ihminen adj inhimillinen, ihmis- *the human race* ihmisrotu *what he did was not human* hänen tekonsa oli epäinhimillinen

human being s ihminen

humane [hjuːmeɪn] adj inhimillinen, humaani

humanism [ˈhjuːməˌnɪzəm] s humanismi

humanist s humanisti

humanistic adj humanistinen

humanitarian [hjuːˌmænɪˈteəriən] s hyväntekijä, ihmisystävä adj humanitaarinen, hyväntekeväisyys-

humanity [hjuːˈmænəti] s **1** ihmiskunta **2** inhimillisyys

humanize v [ˈhjuːməˌnaɪz] v inhimillistää, inhimillistyä

humankind [ˌhjuːmənˈkaɪnd] s ihmiskunta

humanly adv inhimillisesti *he did everything that was humanly possible to help me* hän teki kaikkensa auttaakseen minua

human nature [ˌhjuːmənˈneɪtʃər] s ihmisluonto, ihmisluonne

humanoid [ˈhjuːmənˌnɔɪd] s humanoidi, ihmisen kaltainen olio

human resources s (yrityksen) henkilöstö; työvoima; ihmiset

human resources department s (yrityksen) henkilöstöosasto

human rights [ˌhjuːmənˈraɪts] s (mon) ihmisoikeudet

humble [hʌmbl] v nöyryyttää adj **1** nöyrä, vaatimaton **2** vähäinen, alhainen *a man of humble origin* alhaissyntyinen mies

humbleness s nöyryys, vaatimattomuus

humble pie [ˌhʌmblˈpaɪ] s: *to eat humble pie* joutua nöyrtymään, niellä ylpeytensä/katkera kalkki

humbly adv nöyrästi, vaatimattomasti

humbug [hʌmbʌg] s humpuuki

humdrum [hʌmdrʌm] adj tylsä, pitkäveteinen, harmaa, arkinen

humerus [hjuːmərəs, juːmərəs] s (mon humeri) olkaluu

humid [hjuːmɪd] adj kostea

humidifier [hjuːˈmɪdəˌfaɪər] s ilmankostutin

humidify v kostuttaa

humidity [hjuːˈmɪdəti] s (ilman)kosteus

humiliate [hjuːˈmɪliˌeɪt] v nöyryyttää, häpäistä

humiliating adj nöyryyttävä, häpäisevä

humiliation [hjuːˌmɪliˈeɪʃən] s nöyryytys, häpäisy

humility [hjuːˈmɪləti] s nöyryys, vaatimattomuus

hummingbird [ˈhʌmɪŋˌbɜːd] s kolibri

humor [hjuːmər] s **1** huumori **2** huumorintaju **3** huvittavuus, hauskuus **4** (mon) oikut, myötä- ja vastoinkäymiset *the humors of fortune* kohtalon oikut **5** mieliala *to be in a good/bad humor* olla hyvällä/pahalla päällä *she is out of humor today* hän on tänään pahalla päällä

humorist [hjuːmərɪst] s humoristi

humorless adj huumorintajuton; ikävä, pitkäveteinen, tylsä

humorous [hjuːmərəs] adj humoristinen, hauska, huvittava; huumorintajuinen

1 hump [hʌmp] s **1** kyttyrä, kyhmy **2** kukkula, mäki

2 hump v köyristää (selkänsä)

humpback [ˈhʌmpˌbæk] s kyttyräselkä

humpback whale s ryhävalas

1 hunch [hʌntʃ] s **1** vainu, aavistus **2** kyttyrä, kyhmy

2 hunch v **1** köyristää **2** seisoa/istua kyyryssä

hunchback [ˈhʌntʃˌbæk] s kyttyräselkä

hundred [hʌndrəd] s, adj sata *the figure was in the low hundreds* määrä oli muutama sata

hundredfold [ˈhʌndrədˌfoʊld] adj satakertainen

hundredth [hʌndrətθ] s, adj sadasosa

hundredweight [ˈhʌndrədˌweɪt] s sentneri (US: 45,4 kg; UK: 50,8 kg)

hung [hʌŋ] ks hang *he is well-hung* (sl miehestä) hänellä on isot munat

1 hunger [hʌŋgər] s nälkä (myös kuv)

2 hunger v olla nälkä (myös kuv) *people are hungering for a sequel to the movie* yleisö kaipaa kovasti elokuvalle jatko-osaa

hunger strike [ˈhʌŋgərˌstraɪk] s nälkälakko

hunger-strike v mennä nälkälakkoon, olla nälkälakossa

hung jury fr valamiehistö, joka ei päässyt yksimielisyyteen

hung over [ˌhʌŋˈouvər] adj krapulassa

hungry [ˈhʌŋgri] adj 1 nälkäinen 2 (ark) hanakka, ahne, aggressiivinen

hunk [hʌŋk] s 1 pala, möhkäle 2 (sl) adonis 3 (sl) läski 4 (sl) hongankolistaja

hunker (down) [ˈhʌŋkər] v 1 kyykistyä, kyykistellä 2 (ark) kumartua, köyristyä 3 (ark) piileksiä jossakin

1 hunt [hʌnt] s 1 metsästys 2 etsintä, takaajo 3 metsästysseurue, metsästäjät

2 hunt v 1 metsästää 2 etsiä, ajaa takaa

hunt down v ajaa takaa, etsiä

hunter s 1 metsästäjä 2 etsijä *fortune hunter* onnenonkija 3 metsästyskoira

hunt for v etsiä

hunting s, adj metsästys(-)

hunting dog s metsästyskoira

hunt up v etsiä, kaivaa esiin

1 hurdle [ˈhərdəl] s 1 (urh) este, aita 2 (mon, urh) estejuoksu, aitajuoksu 3 (kuv) este, ongelma

2 hurdle v 1 hypätä (esteen) yli 2 selvitä esteestä/ongelmasta

1 hurl [ˈhərəl] s (voimakas) heitto

2 hurl v 1 singota, heittää 2 (sl) yrjötä

1 hurrah [həˈra] s hurraa-huuto *last/final hurrah* viimeinen loiston hetki, joutsenlaulu

2 hurrah v hurrata *interj* hurraa!

hurricane [ˈhərəˌkem] s hurrikaani, pyörremyrsky

hurried [hərid] adj kiireinen, hätäinen

1 hurry [həri] s kiire

2 hurry v kiirehtiä, pitää kiirettä; viedä/tuoda kiireesti; käskeä kiirehtimään

hurry up v kiirehtiä, käskeä kiirehtimään

1 hurt [hərt] s 1 vamma 2 loukkaus

2 hurt v hurt, hurt 1 satuttaa, loukata (myös henkisesti) 2 sattua, tehdä kipeää 3 vahingoittaa, aiheuttaa vahinkoa, olla pahaksi/haitaksi *a cup of coffee wouldn't hurt me* kahvi ei olisi pahitteeksi

3 hurt adj loukkaantunut (myös henkisesti)

hurtful adj vahingollinen, haitallinen, loukkaava

hurtfully adj (sanoa jotakin) loukkaantuneesti

hurtle [ˈhərtəl] v 1 kiirehtiä, viilettää 2 romahtaa, pudota

husband [ˈhazbənd] s (avio)mies, puoliso

husbandry [ˈhazbəndri] s 1 maatalous, maanviljely, karjanhoito 2 säästeliäisyys, nuukuus 3 taloudenhoito

1 hush [haʃ] s 1 hiljaisuus

2 hush v vaieta, vaientaa, saada vaikenemaan *interj* hys!, ole hiljaa!

1 husk [hask] s akana, kuori

2 husk v kuoria

huskily adj käheästi, karkealla äänellä

husky s husky, siperianpystykorva adj 1 karhea, käheä (ääni) 2 iso, vanttera (ihminen)

1 hustle [ˈhasəl] s 1 tungos, ruuhka 2 kiire, säpinä 3 (sl) huijaus, petos

2 hustle v 1 tunkeutua, ahtautua 2 hutiloida, tehdä kiireesti; kiirehtiä 3 työntää, passittaa 4 (yrittää) pakottaa/saada joku tekemään jotakin, jallittaa (ark) asiakkaita, etsiä asiakkaita, olla kova liikemies 5 (sl) etsiä asiakkaita, olla katutyttö/katupoika

hustler [ˈhaslər] s 1 jallittelija, juonittelija, pyrkyri 2 huijari 3 (sl) katutyttö, katupoika

hut [hat] s mökki, maja

hutch [hatʃ] s 1 koppi, häkki, aitaus 2 kaappi, lipasto 3 mökki, maja

hyacinth [ˈhaɪəˌsɪnθ] s hyasintti

hybrid s 1 (eläin, kasvi) kahden tai useamman lajin risteymä, hybridi 2 hybridi (auto jossa on poltto- ja sähkömoottori)

hydrant [ˈhaɪdrənt] s vesiposti

hydraulic [harˈdralɪk] adj hydraulinen

hydraulics s (verbi yksikössä) hydrauliikka

hydroelectric [ˌhaɪdrouəˈlektrɪk] adj vesivoimalla sähkövoimaa tuottava, hydroelektrinen

hydrofoil [ˈhaɪdrəˌfɔɪsl] s 1 kantosiipi 2 kantosiipialus

hydrogen [ˈhaɪdrədʒən] s vety

hydrogen bomb s vetypommi

hyena [harˈinə] s hyeena

hygiene [haɪdʒin] s hygienia

hygienic [harˈdʒenɪk] adj hygieninen

hygienically adj hygieenisesti

hygrograph [ˈhaɪgrəˌgræf] s piirtävä kosketusmittari

hymen [ˈhaɪmən] s (anat) immenkalvo

hymn [hɪm] s hymni, virsi

hyper [ˈhaɪpər] s **1** ylikierroksilla käyvä ihminen **2** helppoheikki, mainostaja, tiedottaja adj **1** joka käy ylikierroksilla **2** to be hyper about something olla läpeensä täynnä jotakin, ei osata muusta puhuakaan kuin

hyperbole [harˈpɜːbəˌli] s **1** liioittelu, paisuttelu **2** (mat) hyperbeli

hyperbolic [ˌhaɪpərˈbalɪk] adj **1** liioiteltu, liioitteleva, paisuteltu, paisutteleva **2** (mat) hyperbolinen

1 hyphen [ˈhaɪfən] s tavuviiva

2 hyphen v yhdistää tavuviivalla

hyphenate [ˈhaɪfəˌneɪt] v yhdistää tavuviivalla

hypnosis [hɪpˈnoʊsɪs] s (mon hypnoses) hypnoosi

hypnotherapy [ˌhɪpnoʊˈθerəpi] s hypnoterapia

hypnotic [hɪpˈnatɪk] s unilääke adj **1** hypnoottinen **2** nukuttava

hypnotism [ˈhɪpnəˌtɪzəm] s **1** hypnotismi **2** hypnoosi

hypnotist [ˈhɪpnətɪst] s hypnotisoija

hypnotize [ˈhɪpnəˌtaɪz] s hypnotisoida

hypo [ˈhaɪpoʊ] s (mon hypos) (ark) (lääke)ruisku

hypochondria [ˌhaɪpəˈkandriə] s luulosairaus

hypochondriac [ˌhaɪpəˈkandriæk] s, adj luulosairas

hypocrisy [həˈpakrəˌsi] s tekopyhyys

hypocrite [ˈhɪpəkrət] s tekopyhä ihminen

hypocritical [ˌhɪpəˈkrɪtɪkəl] adj tekopyhä

hypodermic [ˌhaɪpəˈdɜːrmɪk] s **1** ihonalainen lääke/ruiske **2** (lääke)ruisku adj ihonalainen

hypodermic syringe [ˌhaɪpəˈdɜːrmɪksəˈrɪndʒ] s lääkeruisku

hypodermis [ˌhaɪpəˈdɜːrmɪs] s (anat) ihonalaiskudos

hypotenuse [harˈpatəˌnus] s hypotenuusa

hypothalamus [ˌhaɪpəˈθæləməs] s (mon hypothalami) hypotalamus

hypothesis [harˈpaθəsɪs] s (mon hypotheses) oletus, hypoteesi

hypothetical [ˌhaɪpəˈθetɪkəl] adj oletettu, hypoteettinen

hysterectomy [ˌhɪstəˈrektəmi] s kohdun polsto

hysteria [hɪsˈterɪə] s hysteria

hysterical [hɪsˈterɪkəl] adj hysteerinen; hillitön

hysterics [hɪsˈterɪks] s (mon) hysteriakohtaus, hysteria

I, i

I, i [aɪ] I, i

I [aɪ] pron minä

IA Iowa

iambic pentameter [aɪˈæmbɪk pənˈtæmɪtər] s (viisijalkainen runomitta) jambinen pentametri

iatrophobia [aɪˌætrəˈfoʊbiə] s lääkärinpelko, iatrofobia

ibid [ɪbəd] (lyh) (viittauksena lähdeteoksen samassa kohdassa)

ibidem [ɪbədəm] (latinaa) ks ibid

ibuprofen [ˌaɪbuˈproʊfən] s ibuprofeeni

1 ice [aɪs] s **1** jää to put something on ice lykätä jotakin tuonnemmaksi, panna (tois-

taiseksi) pöydälle you are on thin ice sinä liikut liian syvillä vesillä, hankkeesi on heikolla pohjalla **2** (UK) jäätelö **3** (leivonnaisen) kuorrutus

2 ice v **1** jäätyä **2** jäähdyttää; pakastaa **3** kuorruttaa (leivonnainen)

ice age [ˈaɪsˌeɪdʒ] s jääkausi

ice axe s jäähakku

iceberg [ˈaɪsˌbɜːrg] s jäävuori

iceberg lettuce s jäävuorisalaatti, jääsalaatti, amerikansalaatti

icebound adj (satama) jäätynyt

icebox [ˈaɪsˌbaks] s **1** kylmälaukku **2** (vanh) jääkaappi

icebreaker ['aɪs,breɪkər] s **1** jäänmurtaja **2** jännityksen laukaiseva huomautus, vitsi tms

icecap s (pysyvä) jääpeite

ice coffee s jääkahvi

ice cream ['aɪs,krim] s jäätelö

ice-cream cone ['aɪs,krim,koun] s jäätelötötterö

ice cream maker s jäätelökone

ice cream parlor s jäätelöbaari

ice cube s jääpala

iced [aɪst] adj **1** jäätynyt, jäinen **2** jää- iced tea jäätee **3** kuorrutettu (leivonnainen)

ice dancing ['aɪs,dænsɪŋ] s jäätanssi

ice fishing s pilkkionginta

ice floe ['aɪs,flou] s jäälohkare, jäälautta

ice hockey ['aɪs,haki] s jääkiekko

icehouse (ashaus] s jäävarasto

ice pack s **1** ahtojää **2** (lääk) jäähaude

ice rink ['aɪs,rɪŋk] s luistinrata

ice skate ['aɪs,skeɪt] s luistin

ice-skate v luistella

ice skater s luistelija

ice tea s jäätee

ice up v (järvi, tie) jäätyä

icicle [aɪsɪkəl] s jääpuikko

icily [aɪsəli] adj (kuv) kylmästi, viileästi, jäätävästi

icing [aɪsɪŋ] s (sokeri) kuorrutus, kuorrute

icing on the cake 1 piste i:n päällä, kaiken kruunaus **2** pelkkä koriste, silmänlume

icing sugar s (UK) tomusokeri, pölysokeri

icky [ɪki] adj (ark) iljettävä, allöttävä

icon ['aɪ,kan] s **1** ikoni, pyhäinkuva **2** ikoni, symboli, kuvamerkki, idoli **3** (kuv) perikuva, keulakuva

iconoclast ['aɪ,kanə,klæst] s ikoninsärkijä, kapinallinen

iconoclastic ['aɪ,kanə'klæstɪk] adj radikaali, sovinnaisuutta vastustava

icy [aɪsi] adj **1** jäätynyt, jäinen icy conditions liukkaat tiet **2** kylmä, jäätävä (myös kuv)

1 ID s identification henkilökortti, henkilötodistus I need some ID näyttäkää henkilötodistus

2 ID v identify tunnistaa he was ID'd by an eyewitness silmännäkijä tunnisti hänet

I'd [aɪd] I had, I would

id [ɪd] s (psykoanalyysissä) se, id

id. idem sama

ID card s henkilökortti

idea [aɪ'diə] s **1** ajatus, päähänpisto, idea he had a brilliant idea hän sai neronleimauksen, hänellä sytytti **2** tarkoitus, ajatus, aie he came here with the idea of buying a house hän tuli tänne ostamaan taloa **3** tieto, käsitys, aavistus I have no idea minulla ei ole harmainta aavistusta **4** mielipide, käsitys is that your idea of a good novel? tuotako sinä pidät hyvänä romaanina? **5** aate

ideal [aɪ'diəl] s ihanne he is a man of modest ideals hänellä on vaatimattomat ihanteet adj ihanteellinen

idealism [aɪ'diəlɪzəm] s idealismi; haaveilu

idealist [aɪ'diələst] s idealisti; haaveilija

idealistic adj ihanteellinen, haaveellinen

idealization [aɪ,diələ'zeɪʃən] s ihannointi

idealize [aɪ'diə,laɪz] v ihannoida, ihanteellistaa, ideaalistaa, idealisoida

ideally adv ihanteellisesti, ihannetapauksessa

identical [aɪ'dentɪkəl] adj identtinen, (aivan) sama, yhtäpitävä identical twins identtiset kaksoset

identically adj identtisesti, (aivan) samoin, yhtäpitävästi

identification [aɪ,dentəfə'keɪʃən] s **1** tunnistaminen, henkilöllisyyden varmistus **2** henkilöllisyystodistus **3** samastus, samastaminen **4** suhteet he has no identification with terrorists hän ei ole missään tekemisissä terroristien kanssa

identification card s henkilöllisyystodistus

identification tag s (sotilaan) tuntolevy

identify [aɪ'dentəfaɪ] v tunnistaa (samaksi); paljastaa (joku joksikin)

identify with v samastua johonkuhun/johonkin, yhdistää johonkuhun/johonkin, liittää mielessään johonkin, olla tekemisissä jonkun/jonkin kanssa

identity [aɪ'dentəti] s **1** henkilöys, henkilöllisyys, identiteetti **2** yhtäläisyys, identtisyys, samuus, yhtäpitävyys

identity card s henkilökortti

identity crisis s (mon identity crises) identiteettikriisi

identity theft *s* toisen henkilötietojen laiton käyttö, henkilötietojen varastaminen, identiteettivarkaus

ideological [ˌɪdɪəˈlɑdʒəkəl ˌaɪdɪəˈlɑdʒəkəl] *adj* ideologinen, aatteellinen

ideologist [ɪdɪˈalədʒɪst aɪdɪˈalədʒɪst] *s* ideologi

ideologue [ˈɪdɪəˌlɑg] *s* ideologi

ideology [ɪdɪˈalədʒɪ, aɪdɪˈalədʒɪ] *s* ideologia, aate(järjestelmä, -rakennelma)

idiocy [ˈɪdɪəsɪ] *s* älyttömyys, tyhmyys, typeryys

idiom [ˈɪdɪəm] *s* 1 (kielessä) idiomi, fraasi, (vakiintunut) sanonta 2 kieli, murre

idiomatic [ˌɪdɪəˈmætɪk] *adj* idiomaattinen *an idiomatic expression* idiomaattinen ilmaus, idiomi

idiosyncracy [ˌɪdɪəˈsɪŋkrəsɪ] *s* erityispiirre, oikku; omaperäisyys, omalaatuisuus

idiosyncratic [ˌɪdɪəsɪŋˈkrætɪk] *adj* omaperäinen, omalaatuinen

idiot [ˈɪdɪət] *s* idiootti, älykääpiö

idiotic [ɪdɪˈatɪk] *adj* idioottimainen, älytön, järjetön

idiot-proof *adj* idioottivarma

idiot savant [ˈɪdɪət səˈvant] *s* (mon idiot savants) oppinut idiootti

1 idle [aɪdəl] *v* 1 vetelehtiä, laiskotella 2 maleksia, löntystellä 3 (moottori) käydä joutokäynti

2 idle *adj* 1 toimeton, joutilas *the idle rich* rikkaat joiden ei tarvitse tehdä työtä elääkseen 2 työtön 3 laiska, veltto 4 turha, tyhjä (lupaus), perusteeton *it wasn't an idle threat* hän uhkaili tosissaan

idol [aɪdəl] *s* epäjumala; ihanne, idoli

idolater [aɪˈdɑlətər] *s* epäjumalan palvoja; ihailija; innokas harrastaja

idolatress [aɪˈdɑlətrəs] *s* (naispuolinen) epäjumalan palvoja; ihailija; innokas harrastaja

idolatry [aɪˈdɑlətrɪ] *s* epäjumalan palvonta; ihannointi

idolize [ˈaɪdəˌlaɪz] *v* palvoa (esim epäjumalana)

idolized [ˈaɪdəˌlaɪzd] *adj* ihannoitu, todellista paremmaksi esitetty

idyll [aɪdəl] *s* idylli

idyllic [aɪˈdɪlɪk] *adj* idyllinen

i.e. *id est* se on

if [ɪf] *s* jos *this thing is a big if* tämä juttu on hyvin epävarma *konj* 1 jos *you can go if you wish* saat lähteä jos haluat 2 kunpa *if only you could come* kunpa vain pääsisit tulemaan 3 josko, -ko/-kö *ask her if she wants to go* kysy haluaako hän lähteä 4 joskin, vaikkakin *he is okay if a little quiet* hän on ihan mukava ihminen joskin vähän hiljainen 5 *as if* ikään kuin

iffy [ˈɪfɪ] *adj* (ark) epävarma, siinä ja siinä, kiikun kaakun

if push comes to shove *fr* kovan paikan tullen

if worst comes to worst *fr* jos oikein huonosti käy, pahimmassa tapauksessa

igloo [ˈɪglu] *s* (mon igloos) iglu

igneous rock [ˈɪgnɪəs rak] *s* magmakivi(laji)

ignite [ɪgˈnaɪt] *v* syttyä, sytyttää

ignition [ɪgˈnɪʃən] *s* 1 syttyminen, sytyttäminen 2 (polttomoottorin) sytytys(järjestelmä) *Mary put the key in the ignition* Mary pani avaimen virtalukkoon

ignition key *s* (auton tms) virta-avain

ignoble [ɪgˈnoʊbəl] *adj* alhainen, häpeällinen

ignominious [ˌɪg.nəmənəs] *adj* häpeällinen

ignominy [ɪg.nəmənɪ] *s* häpeä, halveksunta

ignoramus [ˌɪgnəˈreɪməs] *s* (mon ignoramuses) joku joka ei tiedä mistään mitään

ignorance [ɪgnərəns] *s* tietämättömyys, tiedon puute

ignorant *adj* tietämätön (yleisesti tai tietystä asiasta) *he was ignorant of their plan* hän ei ollut perillä/tiennyt heidän suunnitelmastaan

ignorantly *adv* tietämättömästi; kömpelösti, osaamattomasti

ignore [ɪgˈnɔr] *v* ei välittää/piitata jostakin; laiminlyödä

iguana [ɪgˈwanə] *s* leguaani; iguaani

ilium [ɪliəm] *s* suoliluu

ilk [ɪlk] *s*: *persons of that ilk* sellaiset ihmiset

I'll [aɪl] *I* shall

1 ill [ɪl] *s* 1 paha, vahinko *Lee often speaks ill of his boss* Lee haukkuu usein pomoaan tämän selän takana 2 sairaus, vaiva *the* *many ills of modern society* nyky-yhteis-kunnan monet ongelmat

2 ill *adj* worse, worst **1** sairas **2** huono, paha *ill will* pahantahtoisuus *you have ill man-ners* sinulla on huonot/pahat tavat *adv* huonosti, pahasti *I can ill afford to say no* minulla ei juuri ole varaa kieltäytyä

ill-advised [,ıləd'vaızd] *adj* harkitsematon, epäviisas

ill at ease *fr* olla epämukava olo, tuntea olonsa epämukavaksi

ill-bred [,ıl'bred] *adj* huonosti kasvatettu, pahatapainen

ill-conceived [,ılkən'sivd] *adj* huonosti suun-niteltu, harkitsematon

ill-considered [,ılkən'sıdərd] *adj* harkitsema-ton, ajattelematon

ill-defined [,ıldı'faınd] *adj* epämääräinen

ill-disposed [,ıldıs'pouzd] *to be ill-disposed toward something* suhtautua epäsuopeasti, nurjasti, tylysti johonkin

illegal [ı'ligəl] *adj* laiton, kielletty

illegal alien *s* luvaton siirtolainen

illegality [,ılı'gæləti] *s* laittomuus

illegalize [ı'ligə,laız] *v* kieltää (lailla)

illegible [ı'ledʒəbəl] *adj* josta ei saa (mitään) selvää, jota ei pysty lukemaan

illegitimacy [,ılə'dʒıtəməsi] *s* **1** laittomuus **2** aviottomuus

illegitimate [,ılə'dʒıtəmət] *adj* **1** avioton, avioliiton ulkopuolinen *an illegitimate child* avioton lapsi **2** laiton, luvaton, kiel-letty

ill-equipped [,ılı'kwıpt] *adj* **1** huonosti varus-tettu **2** huonosti valmentautunut; johonkin sopimaton *I felt ill-equipped to handle the crisis* minusta tuntui ettei minulla ollut edellytyksiä selvittää kriisiä

ill-fated [ıl'feıtəd] *adj* tuhoon tuomittu, joka on tuomittu epäonnistumaan

ill-favored [ıl'feıvərd] *adj* ruma; vastenmieli-nen

ill-fitted [ıl'fıtəd] *adj* johonkin sopimaton

ill-fitting [ıl'fıtıŋ] *adj* (vaate) huonosti istuva, väärän kokoinen

ill-founded [ıl'faundəd] *adj* aiheeton, perus-teeton

ill-gotten [ıl'gatən] *adj* epärehellisesti saatu

ill-gotten gains *s* (mon) luvattomasti han-kittu omaisuus

illiberal [ı'lıbərəl] *adj* suvaitsematon, ahdas-mielinen

illicit [ı'lısıt] *adj* laiton, kielletty

ill-informed [,ılın'fɔrmd] *adj* jota ei ole valis-tettu riittävästi

illiteracy [ı'lıtərəsi] *s* lukutaidottomuus

illiterate [ı'lıtərət] *s*, *adj* lukutaidoton

ill-judged [ıl'dʒʌdʒd] *adj* harkitsematon, ajat-telematon

ill-mannered [ıl'mænərd] *adj* pahatapainen, epäkohtelias, töykeä

ill-natured [ıl'neıtʃərd] *adj* pahansisuinen, hankala

illness [ılnəs] *s* sairaus

illogical [ı'ladʒıkəl] *adj* epälooginen

ill-prepared [,ılprı'peərd] *adj* huonosti val-mistautunut, valmistautumaton, jolla on huonot edellytykset johonkin

ill-suited [ıl'sutəd] *adj* sopimaton

ill-tempered [,ıl'tempərd] *adj* pahansisuinen, tuittuileva

ill-treat [,ıl'trit] *v* kohdella huonosti/kaltoin/väärin, pahoinpidellä, (eläintä) rääkätä

illuminate [ı'lumə,neıt] *v* valaista (myös kuv:) kirkastaa, selvittää

illuminating [ı'lumə,neıtıŋ] *adj* valaiseva (myös kuv:) sel-ventävä

illumination [ı,lumə'neıʃən] *s* valaistus (myös kuv:) selvennys

illuminative *adj* valaiseva (myös kuv:) sel-ventävä

illusion [ı'luʒən] *s* illuusio

illusionist [ı'luʒənıst] *s* taikuri

illusive [ı'lusıv] *ks* illusory

illusory [ı'luʒəri] *adj* illusorinen: harhaanjoh-tava, näennäinen; todentuntuinen

illustrate [ıləs,treıt] *v* **1** kuvittaa **2** havainnol-listaa, selittää esimerkein

illustration [,ıləs'treıʃən] *s* **1** kuva; kuvitus **2** esimerkki

illustrational *adv* **1** kuvitukseen liittyvä, ku-vitus- **2** havainnollistava, havainto-

illustrative [ıləst,reıtıv] *adj* (esimerkki) va-laiseva, havainnollinen

illustrator [ıləst,reıtər] *s* **1** kuvittaja **2** havainnollistaja, selittäjä

illustrious [rɪlʌstrɪəs] *adj* maineikas, kuuluisa; loistokas

IM *intermodulation distortion* intermodulaatiosärö

image [ɪmɑʒ] *s* **1** kuva **2** mielikuva **3** image, vallitseva käsitys **4** kielikuva

imager [ɪmædʒər] *s* (tekn) kuvannin, kuvantamislaite

imagery [ɪmədʒri] *s* **1** mielikuvat **2** kielikuvat **3** kuvakieli

image tube *s* kuvaputki

imaginable [əˈmædʒənəbəl] *adj* joka on kuviteltavissa, mahdollinen

imaginary [əˈmædʒə,neri] *adj* kuvitteellinen

imagination [ə,mædʒəˈneɪʃən] *s* mielikuvitus

imaginative [əˈmædʒənətɪv] *adj* mielikuvituksellinen, kuvitteellinen; kekseliäs

imagine [əˈmædʒən] *v* **1** kuvitella **2** luulla, olettaa

imaging *s* (tekn) kuvantaminen

imaginings [əˈmædʒənɪŋz] *s* (mon) kuvitelmat, mielikuvitus(maailma)

imbalance [ɪmˈbæləns] *s* tasapainottomuus

imbecile [ɪmbəsəl] *s* **1** (psyk) imbesilli **2** (ark) älykääpiö, idiootti

imbibe [ɪmˈbaɪb] *v* **1** juoda **2** (kuv) imeä itseensä

imbroglio [ɪmˈbrouliou] *s* hornankattila, noidankattila, myllerrys

imbue [ɪmˈbjuː] *to be imbued with something* olla täynnä jotakin, uhkua jotakin

imitate [ɪməˌteɪt] *v* matkia, jäljitellä, imitoida, ottaa mallia jostakusta/jostakin

imitation [ˌɪməˈteɪʃən] *s* jäljittely; jäljennös, jäljitelmä; väärennös

imitative [ɪməˌteɪtɪv] *adj* jäljittelevä, mukaileva, jotakin matkiva

imitator [ɪməˌteɪtər] *s* imitaattori, matkija, jäljittelijä

immaculate [ɪˈmækjələt] *adj* puhdas, viaton, virheetön

immaterial [ˌɪməˈtɪəriəl] *adj* **1** merkityksetön **2** aineeton, immateriaalinen

immature [ˌɪməˈtʃər, ˌɪməˈtʊər] *adj* epäkypsä

immaturely *adv* epäkypsästi

immaturity [ˌɪməˈtʃərəti, ˌɪməˈtərəti] *s* epäkypsyys

immeasurable [ɪmˈmeʒərəbəl] *adj* mittaamaton, suunnaton, pohjaton

immeasurably *adv* mittaamattoman, suunnattomasti, suunnattoman

immediacy [ɪˈmiːdiəsi] *s* **1** välittömyys, suoruus **2** kiireisyys

immediate [ɪˈmiːdiət] *adj* välitön, suora *the immediate family has been notified of the death* lähiomaisille on ilmoitettu kuolemantapauksesta *we took immediate action* ryhdyimme heti toimiin

immemorial [ˌɪməˈmɔːriəl] *from time immemorial* ikimuistoisista ajoista saakka

immense [ɪˈmens] *adj* suunnaton, valtava, mieletön

immensely *adv* suunnattomasti, suunnattoman, valtavasti, valtavan

immensity [ɪˈmensəti] *s* valtava koko, suuruus

immerse [ɪˈmɜːrs] *v* **1** upottaa, kastaa **2** paneutua, uppoutua johonkin *he is immersed in a thriller* hän on syventynyt trilleriin

immersion [ɪˈmɜːrʒən] *s* **1** upotus, kastaminen **2** paneutuminen, uppoutuminen, syventyminen **3** (usk) upotuskaste

immigrant [ɪməɡrənt] *s* siirtolainen, maahanmuuttaja *adj* siirtolais-, maahanmuutto-*immigrant workers* siirtotyöläiset

immigrate [ɪməˌɡreɪt] *v* lähteä siirtolaiseksi, muuttaa toiseen maahan *millions of Europeans immigrated to America* miljoonia eurooppalaisia tuli siirtolaisina Amerikkaan

immigration [ˌɪməˈɡreɪʃən] *s* maahanmuutto, siirtolaisuus

imminence [ɪmənəns] *s he was bothered by the imminence of the elections* häntä vaivasi se että vaalit olivat lähellä

imminent [ɪmənənt] *adj* pian odotettavissa oleva *a crisis is imminent* pian alkanee kriisi

immobile [ɪˈmoubəl] *adj* liikkumaton, lamaantunut, paikallaan oleva, joka ei pääse liikkumaan *with his car stolen, he was completely immobile* hän ei päässyt lainkaan liikkumaan koska hänen autonsa oli varastettu

immobility [ˌɪmoʊˈbɪləti] *s* liikkumattomuus, paikallaan olo

immobilize [ɪ'moʊbə‚laɪz] v lamaannuttaa; estää liikkumasta/lähtemästä

immobilizer [ɪm'moʊbəlæzər] s (autossa) ajonestolaite

immoderate [ɪ'mɑdərət] adj kohtuuton, hillitön, suunnaton

immoderation [ɪ‚mɑdə'reɪʃən] s kohtuuttomuus, hillittömyys

immodest [ɪ'mɑdəst] adj häpeämätön, töykeä, hävytön; kohtuuton

immolate [ɪ'moʊleɪt] v (esim eläin) uhrata (polttamalla)

immolation [‚ɪmə'leɪʃən] s (eläin-, poltto)uhri

immoral [ɪ'mɔrəl] adj moraaliton, epämoraalinen, siveetön

immorality [‚ɪmə'ræləti] s moraalittomuus, epämoraalisuus, siveettömyys

immortal [ɪm'mɔrtəl] adj kuolematon, iankaikkinen

immortality [‚ɪmmɔr'tæləti] s kuolemattomuus, iankaikkisuus

immortalize [ɪm'mɔrtə‚laɪz] v ikuistaa, tehdä kuolemattomaksi

immune [ɪm'mjun] adj **1** (lääk ja kuv) immuuni, vastustuskykyinen **2** suojassa, turvassa joltakin

immune response s (lääk) immuunivaste

immune system s (lääk) immuunijärjestelmä

immunity [ɪm'mjunəti] s **1** (lääk ja kuv) immuniteetti, vastustuskyky **2** (diplomaattinen) koskemattomuus **3** suoja/turva joltakin, suojassa/turvassa olo

immunize ['ɪmjə‚naɪz] v immunisoida, tehdä vastustuskykyiseksi, suojata joltakin, jotakin vastaan

immunology [‚ɪmjən'alɑdʒi] s immunologia, immuniteetin tutkimus

immutability [ɪm‚mjutə'bɪləti] s muuttumattomuus, pysyvyys

immutable [ɪm'mjutəbəl] adj muuttumaton, pysyvä

imp [ɪmp] s vuorenpeikko

impact [ɪmpækt] s **1** isku, (yhteen)törmäys, osuminen **2** vaikutus

impact [ɪm'pækt] v **1** ahtaa, sulloa, pakata tiukasti/tiiviisti **2** osua, törmätä johonkin **3** vaikuttaa johonkin

impacted adj ahdas, täpötäysi, sullottu, täyteen ahdettu

impair [ɪm'peər] v haitata, vahingoittaa, huonontaa

impaired [ɪm'peərd] adj avuton (jossakin asiassa) computer impaired huono käyttämään tietokonetta

impairment s vamma, haitta, vahinko

impale [ɪm'peɪl] v keihästää, seivästää, varrastaa

impart [ɪm'part] v antaa, (tietoa) kertoa, välittää

impartial [ɪm'parʃəl] adj puolueeton, oikeudenmukainen

impartiality [ɪm‚parʃi'æləti] s puolueettomuus, oikeudenmukaisuus

impassable [ɪm'pæsəbəl] adj kulkukelvoton, josta ei voi kulkea/päästä läpi

impasse [ɪm'pæs] s umpikuja (myös kuv)

impassioned [ɪm'pæʃənd] adj tunteikas, kiihkeä, intohimoinen an impassioned plea for mercy voimakas vetoomus armon puolesta

impassive [ɪm'pæsɪv] adj **1** välinpitämätön, kylmä **2** rauhallinen, tyyni

impatience [ɪm'peɪʃəns] s kärsimättömyys

impatient [ɪm'peɪʃənt] adj kärsimätön

impeach [ɪm'pitʃ] v **1** syyttää, asettaa syytteeseen (virkavirheestä) **2** epäillä, esittää epäilyjä jostakin

impeachable adj joka voidaan asettaa syytteeseen virkavirheestä

impeachment s **1** syyte (virkavirheestä) **2** epäily

impeccable [ɪm'pekəbəl] adj moitteeton, nuhteeton

impecunious [‚ɪmpə'kjuniəs] adj rahaton, varaton

impedance [ɪm'pidəns] s (sähkötekn) impedanssi

impede [ɪm'pid] v estää, haitata

impediment [ɪm'pedəmənt] s **1** este, haitta **2** häiriö, vamma

impel [ɪm'peəl] v pakottaa, kannustaa johonkin

impending [ɪm'pendɪŋ] adj lähellä oleva, pian tapahtuva an impending disaster uhkaava katastrofi

impenetrability [ɪm‚penɪtrə'bɪlɪti] *s* 1 läpitunkemattomuus 2 käsittämättömyys

impenetrable [ɪm'penɪtrəbəl] *adj* 1 läpitunkematon; (linnoitus) valloittamaton, jota ei voi valloittaa 2 käsittämätön, arvoituksellinen

impenitent [ɪm'penətənt] *adj* katumaton *to be impenitent* ei katua

imperative [ɪm'perətɪv] *s* (kieliopissa) imperatiivi *adj* 1 määräilevä, komenteleva, käskevä 2 pakottava (tarve) *it is imperative that you go* sinun on ehdottomasti mentävä 3 (kieliopissa) imperatiivi-

imperceptible [‚ɪmpər'septəbəl] *adj* huomaamaton

imperfect [ɪm'pərfəkt] *s* (kieliopissa) imperfekti *adj* 1 viallinen, puutteellinen, epätäydellinen 2 vajaa (määrä) 3 (kieliopissa) imperfekti-

imperfection [‚ɪmpər'fekʃən] *s* vika, puute

imperial [ɪm'pɪərɪəl] *adj* 1 imperiumin, keisarillinen, keisarin 2 ylimielinen, komenteleva, määräilevä

imperialism [ɪm'pɪərɪə‚lɪzəm] *s* imperialismi

imperialist *s* imperialisti *adj* imperialistinen

imperialistic *adj* imperialistinen

imperially *adv* komentelevasti, määräilevästi, ylimielisesti

imperil [ɪm'perəl] *v* vaarantaa

imperious [ɪm'pɪərɪəs] *adj* ylimielinen

imperiousness *s* ylimielisyys

impermanence [ɪm'pərmənəns] *s* väliaikaisuus, tilapäisyys, hetkellisyys

impermanent *adj* väliaikainen, ohimenevä, tilapäinen

impermeability [ɪm‚pərmiə'bɪlɪti] *s* tiiviys, läpäisemättömyys

impermeable [ɪm'pərmiəbəl] *adj* läpäisemätön *impermeable to water* vesitiiviis

impermissible [‚ɪmpər'mɪsəbəl] *adj* kielletty, luvaton

impersonal [ɪm'pərsənəl] *adj* ei henkilökohtainen, ei yksilöllinen, mitäänsanomaton, tavallinen, persoonaton (myös kieliopissa)

impersonate [ɪm'pərsə‚neɪt] *v* 1 esiintyä jonakin, teeskennellä olevansa 2 matkia, imitoida jotakuta

impersonation [ɪm‚pərsə'neɪʃən] *s* 1 (jonakin toisena) esiintyminen 2 matkiminen, imitointi, imitaatio

impersonator *s* 1 huijari (joka teeskentelee olevansa joku muu) 2 imitaattori

impertinence *s* 1 hävyttömyys, röyhkeys, tungettelu 2 asiaankuulumattomuus, mitättömyys

impertinent [ɪm'pərtənənt] *adj* 1 hävytön, röyhkeä, tungetteleva 2 asiaan kuulumaton, mitätön *don't bother me with all these impertinent facts* älä vaivaa minua sivuseikoilla

impervious [ɪm'pərviəs] *adj* 1 läpäisemätön *the fabric is impervious to water* kangas pitää vettä 2 jostakin piittaamaton, joka ei välitä jostakin *she seems impervious to persuasion* näyttää siltä ettei häntä saa muuttamaan mieltään

impetigo [‚ɪmpɪ'taɪgoʊ] *s* (lääk) märkärupi

impetuosity [ɪm‚petʃu'ɑsɪti] *s* hätiköinti, harkitsemattomuus, äkkipikaisuus

impetuous [ɪm'petʃuəs] *adj* 1 hätiköity, harkitsematon, äkkipikainen 2 raju, myrskyinen

impetus [ɪm'petəs] *s* yllyke, kannustin; ponsi, voima

impingement *s* 1 vaikutus 2 rajoittaminen, loukkaaminen 3 osuminen

impinge on [ɪm'pɪndʒ] *v* 1 vaikuttaa johonkin, koskea jotakin 2 rajoittaa/loukata (oikeuksia) 3 osua johonkin

impish [ɪmpɪʃ] *adj* juonikas, ovela, veitikkamainen

implacable [ɪm'plækəbəl] *adj* leppymätön *an implacable thirst for knowledge* kyltymätön tiedonjano

implant [ˈɪmˌplænt] *s* (lääk) istute, implantaatti

implant [ɪm'plænt] *v* 1 juurtua 2 (lääk) istuttaa, implantoida

implantation [‚ɪmplæn'teɪʃən] *s* 1 juurtuminen, kiinnittyminen 2 (lääk) istutus, implantointi

implausible [ɪm'plɔzəbəl] *adj* epäuskottava, epätodennäköinen

1 implement [ɪmpləmənt] *s* 1 väline, työkalu 2 (kuv) välikappale

implement 848

2 implement *v* toteuttaa, panna täytäntöön, saattaa voimaan

implementation [,ɪmpləmən'teɪʃən] *s* toteutus, täytäntöönpano

implicate ['ɪmplɪ,keɪt] *v* sotkea joku johonkin *he was implicated in the scandal* hän oli sekaantunut skandaaliin

implication [,ɪmplɪ'keɪʃən] *s* **1** merkitys, vaikutus **2** vihjaus, sisältö, implikaatio **3** sekaantuminen, osallisuus johonkin *by implication* epäsuorasti, välillisesti

implicit [ɪm'plɪsɪt] *adj* epäsuora, johonkin sisältyvä, implisiittinen *there was an implicit threat in his voice* hänen äänessään oli mukana uhkaa

implied [ɪm'plaɪd] *adj* epäsuora, vihjattu, implisiittinen

implode [ɪm'pləʊd] *v* räjähtää (sisään päin), (kuv) luhistua, romahtaa

implore [ɪm'plɔː] *v* anoa hartaasti, rukoilla

imploring *adj* hartaasti anova

implosion [ɪm'pləʊʒən] *s* romahdus, luhistuminen (myös kuv)

imply [ɪm'plaɪ] *v* **1** vihjata, ilmaista peitetysti/epäsuorasti, antaa ymmärtää, implikoida **2** viitata johonkin **3** merkitä

impolite [,ɪmpə'laɪt] *adj* epäkohtelias

impoliteness *s* epäkohteliaisuus

impolitic [ɪm'pɒlətɪk] *adj* epäviisas, harkitsematon

imponderable [ɪm'pɒndərəbəl] *adj* mahdoton, vaikea arvioida; (seuraus) arvaamaton

imponderables *s* (mon) vaikeasti arvioitavat tekijät, imponderabiilit

import [ɪmpɔːt] *s* **1** (maahan)tuonti **2** merkitys, sisältö *what was the import of his outburst?* mitä hän tarkoitti kiukun purkauksellaan?

import [ɪm'pɔːt] *v* **1** tuoda maahan **2** merkitä, tarkoittaa

importance [ɪm'pɔːtəns] *s* tärkeys, merkitys *a woman of importance* vaikutusvaltainen nainen *to attach great importance to something* pitää jotakin erittäin tärkeänä

important *adj* tärkeä

importantly *adv* **1** ratkaisevasti **2** tärkeilevästi

importation [,ɪmpɔː'teɪʃən] *s* (maahan)tuonti

import ban *s* tuontikielto

import duty *s* (tuonti)tulli

imported goods *s* (mon) tuontitavara

importer *s* maahantuoja

importunate [ɪm'pɔːtʊnət] *adj* itsepintainen, peräänantamaton

importune [,ɪmpɔː'tjuːn] *v* pyytää lakkaamatta, vaivata

impose [ɪm'pəʊz] *v* **1** määrätä, langettaa **2** tungetella, häiritä, olla vaivaksi

imposing *adj* vaikuttava *he is an imposing figure* hän on vaikuttava ilmestys

imposition [,ɪmpə'zɪʃən] *s* **1** määräys, määrääminen **2** tungettelu, häiriö, vaiva *I know this is an imposition but could you lend me twenty dollars?* anteeksi että joudun olemaan vaivaksi mutta voisitko lainata 20 dollaria?

impossible [ɪm'pɒsəbəl] *s* mahdottomuus, liika *she did the impossible* hän teki sen mitä luultiin mahdottomaksi *adj* mahdoton

impossibly *adv* mahdottoman

impostor [ɪm'pɒstər] *s* huijari, petturi

impotence [ˈɪmpətəns] *s* **1** heikkous, voimattomuus **2** (lääk) impotenssi

impotent [ˈɪmpətənt] *adj* **1** heikko, voimaton *the government is totally impotent to handle the crisis* hallitus on täysin voimaton ratkaisemaan kriisin **2** (lääk) impotentti

impotently *adv* avuttomasti, heikosti *he watched impotently as the thieves took his car* hän seurasi avuttomana sivusta kun varkaat veivät hänen autonsa

impound [ɪm'paʊnd] *v* takavarikoida

impoverish [ɪm'pɒvərɪʃ] *v* köyhdyttää

impoverished *adj* köyhä, köyhtynyt

impracticable [ɪm'præktɪkəbəl] *adj* epäkäytännöllinen, vaikea/mahdoton toteuttaa *the plan is impracticable* suunnitelma on vaikea toteuttaa

impractical [ɪm'præktɪkəl] *adj* epäkäytännöllinen, vaikea/mahdoton toteuttaa

impracticality [ɪm,præktɪ'kælɪtɪ] *s* epäkäytännöllisyys

imprecate ['ɪmprəket] *to imprecate curses on someone* kirota, noitua, manailla jotakuta

imprecation [,ɪmprə'keɪʃən] *s* **1** kiroilu; noituminen, manailu **2** kirosana

imprecise [,ɪmprə'saɪs] *adj* epätarkka

impregnable [ɪm'pregnəbəl] *adj* järkkymätön; kumoamaton, vastaansanomaton (väite); (linnoitus) valloittamaton, jota ei voi valloittaa

impregnate [ɪm'preg.neɪt] *v* **1** hedelmöittää, tehdä raskaaksi **2** kyllästää, impregnoida **3** täyttää jollakin

impregnation [.ɪmpreg'neɪʃən] *s* **1** hedelmöitys **2** kyllästäminen, impregnointi **3** täyttäminen

impresario [.ɪmprə'seərɪoʊ] *s* (taiteilijan agentti) impressaari

impress [ɪm'pres] *v* **1** painaa **2** tehdä vaikutus johonkuhun, vaikuttaa joltakin **3** painaa mieleen, tähdentää jotakin jollekulle

impression [ɪm'preʃən] *s* **1** painauma, jälki **2** (kirjan) painos **3** vaikutelma *she made an impression on the teacher* hän teki opettajaan vaikutuksen

impressionable [ɪm'preʃənəbəl] *adj* vaikutuksille altis, herkkä

impressionism [ɪm'preʃə.nɪzəm] *s* impressionismi

1 impressionist [ɪm'preʃənɪst] *s* **1** impressionisti **2** imitaattori

2 impressionist *adj* impressionistinen, impressionismille ominainen

impressionistic [ɪn.preʃə'nɪstɪk] *adj* **1** impressionistinen **2** omakohtainen

impressive *adj* vaikuttava

imprimatur [.ɪmprɪ'mætʊər] *v* **1** julkaisulupa **2** lupa, hyväksyntä

1 imprint [ɪm'prɪnt] *s* **1** painauma, jälki **2** (kirjassa kustantajan ja painopaikkatiedot) impressum

2 imprint [ɪm'prɪnt] *v* painaa, painautua, painua (myös kuv), jättää jälkensä johonkin *the memory of those days was imprinted on his mind* päivät olivat jääneet pysyvästi hänen mieleensä

imprison [ɪm'prɪzən] *v* sulkea vankilaan

imprisonment *s* vankilaan sulkeminen, vankeus *life imprisonment* elinkautinen vankeus

improbability [.ɪm.prɒbə'bɪlɪti] *s* epätodennäköisyys

improbable [ɪm'prɒbəbəl] *adj* epätodennäköinen, uskomaton

impromptu [ɪm'prɒmp.tu] *adj, adv* valmistelematon, valmistelematta, ex tempore, kiireesti kokoon kyhätty

improper [ɪm'prɒpər] *adj* sopimaton; säädytön; väärä; epärehellinen

impropriety [.ɪmprə'praɪəti] *s* sopimattomuus, sopimaton käytös

improve [ɪm'pruv] *v* parantaa, parantua, kohentaa, kohentua

improvement *s* parannus, kohennus

improvidence *s* vastuuntunnottomuus, kevytmielisyys, ajattelemattomuus

improvident [ɪm'prɒvɪdənt] *adj* vastuuntunnoton, kevytmielinen, ajattelematon

improvisation [.ɪm.prʊvə'zeɪʃən] *s* improvisointi

improvise [ɪmprə.vaɪz] *v* improvisoida

improvised *adj* improvisoitu, valmistelematon, tuulesta temmattu

imprudence *s* varomattomuus, harkitsemattomuus, ajattelemattomuus

imprudent [ɪm'prudənt] *adj* varomaton, epäviisas

impudence [ɪmpjədəns] *s* röyhkeys, häikäilemättömyys, hävyttömyys, julkeus

impudent [ɪmpjədənt] *adj* röyhkeä, häikäilemätön, hävytön, julkea

impugn [ɪm'pjun] *v* kiistää (osittavuus), väittää vastaan

impulse [ˈɪm.pʌls] *s* **1** (tekn, tiede) impulssi, pulssi, sykäys; hermoimpulssi **2** yllyke, heräte, alkusysäys

impulsive [ɪm'pʌlsɪv] *adj* äkillinen, hetken mielijohteesta tapahtuva/toimiva, impulsiivinen, spontaani

impulsiveness *s* äkillisyys, impulsiivisuus

impunity [ɪm'pjunəti] *with impunity* rangaistuksetta

impure [ɪm'pjʊər] *adj* epäpuhdas, likainen, saastainen (ajatus)

impurity [ɪm'pjʊərəti] *s* epäpuhtaus, likaisuus, saastaisuus

1 in [m] *prep* **1** (paikasta) -ssa/-ssä *he is in Boston* hän on Bostonissa *he arrived in Boston today* hän saapui Bostoniin tänään **2** (ajasta) *in 2010* vuonna 2010 *in February* helmikuussa *in the evening* illalla *in two days* kahden päivän kuluttua *in thirty*

minutes puolen tunnin päästä; *puolessa tunnissa* **3** (ammatista) *he is in computers* hän on tietokonealalla **4** (tavasta, keinosta) *he did the job in a hurry* hän teki työn kiireesti *in a way it is sad* tavallaan se on ikävää *the minister held his speech in Finnish* ministeri piti puheensa suomeksi **5** (pukeutumisesta) *she was in her Sunday best* hän oli pyhätamineissaan **6** määrästä: *nine movie stars in ten* yhdeksän filmitähteä kymmenestä *one student in three* joka kolmas oppilas/opiskelija

2 in *adv* **1** (paikasta) *do come in* tule ihmeessä sisään *he was not in* hän ei ollut kotona/työpaikalla **2** pelivuorossa **3** (hedelmistä ym.) olla jonkin aika *the strawberries are not yet in* vielä ei ole mansikka-aika

inability [ˌɪnəˈbɪləti] *s* kyvyttömyys, osaamattomuus

in absentia [ˌɪnæbˈsenʃə] *adv* poissa olevana

inaccessibility [ˌɪnækˌsesəˈbɪləti] *s* luoksepääsemättömyys, vaikeakulkuisuus (ks *inaccessible*)

inaccessible [ˌɪnəkˈsesəbəl] *adj* luoksepääsemätön, syrjäinen (paikka); suljettu, lukittu; (henkilö) jota ei saa/voi saada kiinni/puhelimeen *the information on the date was inaccessible* päivämäärää ei saatu selville

inaccuracy [ɪnˈækjərəsi] *s* epätarkkuus, virheellisyys

inaccurate [ɪnˈækjərət] *adj* epätarkka, virheellinen

inaction [ɪnˈækʃən] *s* toimettomuus

inactive [ɪnˈæktɪv] *adj* toimeton, joutilas, passiivinen

inactivity [ˌɪnækˈtɪvəti] *s* toimettomuus, passiivisuus, inaktiviteetti

inadequacy [ɪnˈædəkwəsi] *s* riittämättömyys, puutteellisuus

inadequate [ɪnˈædəkwət] *adj* riittämätön, puutteellinen, epätäydellinen, sopimaton

inadmissibility [ˌɪnədˌmɪsəˈbɪləti] *s* kelvottomuus

inadmissible [ˌɪnədˈmɪsəbəl] *adj* kelvoton, jota ei hyväksytä *that's inadmissible evidence* se ei kelpaa todisteeksi

inadvertence *s* huomaamattomuus; vahinko

inadvertent [ˌɪnədˈvɜːtənt] *adj* tahaton, vahingossa tapahtuva

inadvisability [ɪnədˌvaɪzəˈbɪləti] *s* harkitsemattomuus

inadvisable [ˌɪnədˈvaɪzəbəl] *adj* harkitsematon, epäviisas

inalienable [ɪnˈeɪliənəbəl] *adj* (kirjak) luovuttamaton (oikeus)

inamorata [ɪnˌæməˈrɑːtə] *s* (nainen) lemmitty

inamorato [ɪnˌæməˈrɑːtoʊ] *s* (mies) lemmitty

inane [ɪˈneɪn] *adj* älytön, typerä, tyhmä

inanimate [ɪnˈænɪmət] *adj* eloton, kuollut

inanity [ɪnˈænəti] *s* älyttömyys, typeryys, tyhmyys

inapplicable [ɪnˈæplɪkəbəl] *adj* joka ei koske jotakin, asiaankuulumaton

inappropriate [ˌɪnəˈproʊpriət] *adj* sopimaton, asiaton

inappropriateness *s* sopimattomuus, asiattomuus

inapt [ɪnˈæpt] *adj* osaamaton, taitamaton, kömpelö, sopimaton (huomautus)

inaptitude [ɪnˈæptɪˌtuːd] *s* osaamattomuus, taitamattomuus, soveltumattomuus, sopimattomuus

inarticulate [ˌɪnɑːˈtɪkjələt] *adj* huonosti/epäselvästi ilmaistu, kankea, kömpelö

inartistic [ˌɪnɑːˈtɪstɪk] *adj* epätaiteellinen, ei taiteellinen

inasmuch as [ˌɪnəzˈmʌtʃəz] *adv* koska; sikäli kuin

in a spot *to be in a (bad) spot* olla pinteessä, olla tukalassa tilanteessa

inattention [ˌɪnəˈtenʃən] *s* tarkkaavaisuuden puute; huolimattomuus

inattentive [ˌɪnəˈtentɪv] *adj* tarkkaamaton; huolimaton

inaudibility [ɪnˌɑːdəˈbɪləti] *s* kuulumattomuus

inaudible *adj* (korvin) kuulumaton

inaugural [ɪˈnɑːgərəl] *s* **1** (presidentin) virkaanastujaispuhe **2** virkaanastujaiset

inaugural *adj* virkaanastujais-

inaugurate [ɪnˈæɡjəreɪt] *v* **1** vihkiä käyttöön, avata virallisesti **2** vihkiä virkaan **3** aloittaa, panna alulle

inauguration [ɪˌnɑːɡəˈreɪʃən] *s* virkaanastujaiset

inauspicious [ˌɪnɔː'spɪʃəs] *adj* onneton, epäsuotuisa

inauspiciously *adv* onnettomasti *to begin inauspiciously* alkaa huonosti

inauthentic [ˌɪnɔː'θentɪk] *adj* epäaito

in a way *fr* tavallaan, jossain/eräässä mielessä

in a word *fr* sanalla/suoraan sanoen

in between *adv* välissä, väliin

in-between *adj* väli- *an in-between stage* välivaihe

inboard ['ɪnˌbɔːd] *adj* sisälaita-

inborn ['ɪnˌbɔːn] *adj* synnynnäinen, myötäsyntyinen

inbound ['ɪnbaʊnd] *adj* saapuva, asemalle/satamaan matkaava

inbound line [ˌɪnbaʊnd'laɪn] *s* (amerikkalaisessa jalkapallossa) sisäsivuraja

inbox ['ɪnbɒks] *s* (tietok) sähköpostilaatikko, (postin) tulolokero

inbred ['ɪnˌbred] *adj* **1** synnynnäinen *the family is very inbred* suvussa on paljon sisäisiä avloillttuja

inbreeding ['ɪnˌbriːdɪŋ] *s* umpisiitos, lähisukulaisten väliset avioliitot

inbuilt [ɪn'bɪlt] *adj* luontainen, synnynnäinen, myötäsyntyinen

Inca [ˈɪŋkə] *s* inka

incalculable [ɪnˈkælkjələbəl] *adj* mittaamaton, suunnaton *the accident caused incalculable damage to the nuclear power plant* onnettomuus aiheutti ydinvoimalalle suunnatonta vahinkoa

incandescence [ˌɪnkæn'desəns] *s* **1** valohehku **2** (kuv) hohdokkuus

incandescent *adj* **1** (kirkkaana) hehkuva **2** (kuv) säteilevä **3** (kuv) loistava, hohdokas

incandescent light bulb *s* hehkulamppu

incant [ɪn'kænt] *v* lausua *to incant spells* loitsia

incantation [ˌɪnkæn'teɪʃən] *s* **1** (laulaen esitetty) loitsu, inkantaatio **2** loitsun esittäminen

incapable [ɪn'keɪpəbəl] *adj* kykenemätön, kyvytön *the new credit card is supposed to be incapable of forgery* uutta luottokorttia ei kuulemma voi väärentää

incapacitate [ˌɪnkə'pæsɪteɪt] *v* lamaannuttaa, tehdä toimintakyvyttömäksi

incapacity [ˌɪnkə'pæsəti] *s* lamaannus, kyvyttömyys

incarcerate [ɪn'kɑːsəreɪt] *v* sulkea vankilaan

incarceration [ɪnˌkɑːsə'reɪʃən] *s* vankilaan sulkeminen, vankeus

incarnate [ɪn'kɑːneɪt] *v* ruumiillistaa, tehdä ruumiilliseksi *she incarnates charity* hän on todellinen lähimmäisenrakkauden henkilöitymä/ruumiillistuma

incarnate [ɪn'kɑːnət] *adj* (usk) lihaksi/ihmiseksi tullut; (kuv) itse *he is the devil incarnate* hän on itse piru

incarnation [ˌɪnkɑː'neɪʃən] *s* (usk) inkarnaatio, lihaksi tuleminen; (kuv) ruumiillistuma, henkilöitymä

incendiary [ɪn'sendɪˌeri] *s* **1** palopommi **2** tuhopolttaja **3** (kuv) yllyttäjä, levottomuuksien lietsoja *adj* **1** palo- **2** yllyttävä, yllytys-, levottomuutta lietsova

incense [ɪnsens] *s* suitsuke

incense [ɪn'sens] *v* raivostuttaa, saada suuttumaan

incensed *adv* raivostunut, tulistunut

incentive [ɪn'sentɪv] *s* yllyke, kannustin

incentivize [ɪn'sentəvaɪz] *v* kannustaa, houkutella yllykkeillä johonkin

inception [ɪn'sepʃən] *s* alku

incessant [ɪn'sesənt] *adj* loputon, jatkuva, alinomainen

incest [ɪnsest] *s* insesti, sukurutsa(us)

incestuous [ɪn'sestʃʊəs] *adj* insesti-, sukurutsainen

1 inch [ɪntʃ] *s* tuuma (2,54 cm) (myös kuv) *we were inches away from falling into the canyon* oli hiuskarvan varassa ettemme pudonneet kanjoniin

2 inch *v* hivuttautua (eteenpäin/ylöspäin)

inchoate [ɪn'kəʊeɪt] *adj* kypsymätön, joka on vasta aluillaan

incidence [ɪnsədəns] *s* yleisyys, esiintyvyys *what is the incidence of heart disease in Finland?* mikä on sydäntaudin esiintyvyys Suomessa?

incident [ɪnsədənt] *s* tapahtuma; selkkaus, välikohtaus

incidental [ˌɪnsə'dentəl] *adj* **1** satunnainen, sattumalta tapahtuva, satunnais- **2** ohimennen sanottu, sivu-

incidentals *s* (mon) satunnaiskulut, satunnaismenot

incidental to *adj* johonkin liittyvä/kuuluva

incinerate [ɪnˈsɪnəˌreɪt] *v* polttaa; polttohaudata

incineration [ɪnˌsɪnəˈreɪʃən] *s* polttaminen; polttohautaus

incinerator *s* jätteidenpolttouuni; krematorion uuni

incipience *s* alku

incipient [ɪnˈsɪpɪənt] *adj* alkava, alkuvaiheessa/aluillaan oleva

incise [ɪnˈsaɪz] *v* leikata, viiltää

incision [ɪnˈsɪʒən] *s* viilto, (lääk) aukaisu, puhkaisu, insisio

incisive [ɪnˈsaɪsɪv] *adj* pureva, terävä, kärkevä

incisiveness *s* (kuv) purevuus, terävyys, kärkevyys

incisor [ɪnˈsaɪzər] *s* etuhammas

incite [ɪnˈsaɪt] *v* yllyttää, lietsoa (vihaa)

incitement *s* **1** yllytys, (vihan) lietsonta **2** yllyke, kannustin

incivility [ˌɪnsəˈvɪləti] *s* tahdittomuus, epähieno käytös

inclement [ɪnˈklemənt] *adj* **1** (sää) huono, kolea, sateinen, tuulinen **2** (kuv) armoton, säälimätön

inclination [ˌɪnkləˈneɪʃən] *s* **1** kaltevuus, (rinteen) nousu/lasku **2** taipumus

1 incline [ˈɪnklaɪn] *s* rinne

2 incline [ɪnˈklaɪn] *v* **1** kallistaa (päätä), kallistua **2** olla taipumusta johonkin, olla taipuvainen tekemään jotakin *he inclines to extreme pronouncements* hänellä on tapana esittää jyrkkiä väitteitä

inclined *adj* **1** kalteva, vino **2** taipuvainen tekemään jotakin *he is inclined to extreme pronouncements* hänellä on taipumusta esittää jyrkkiä väitteitä

include [ɪnˈkluːd] *v* sisällyttää, ottaa/lukea mukaan *to be included* sisältyä, kuulua johonkin

including *adj* mukaan lukien, jonkin sisältäen/käsittäen *the total comes to $ 87 including tax* lasku on veroineen 87 dollaria

inclusion [ɪnˈkluːʒən] *s* sisällyttäminen, mukaan ottaminen/lukeminen

inclusive *adj* jonkin sisältävä, mukaan ottaen/lukien *inclusive price* kokonaishinta *inclusive of tax* veroineen *from page 7 to 17 inclusive* sivulta 7 sivun 17 loppuun

incognito [ɪnˈkɒɡnɪtəʊ] *adv* (esim matkustaa) tuntemattomana, henkilöllisyytensä salaten

incoherence *s* sekavuus, hajanaisuus, epäselvyys, epäyhtenäisyys

incoherent [ˌɪnkəʊˈhɪərənt] *adj* sekava, hajanainen, epäselvä, epäyhtenäinen

incombustible [ˌɪnkəmˈbʌstəbəl] *adj* palamaton

income [ˈɪnkʌm] *s* tulot *the family lives beyond their income* perhe elää yli varojensa

income tax *s* tulovero

incoming *adj* **1** saapuva, tuleva *incoming mail* saapuva posti **2** uusi *incoming students* uudet oppilaat/opiskelijat

incommunicado [ˌɪnkəˌmjuːnəˈkɑːdəʊ] *adj* eristyksissä, ei tavoitettavissa, (vanki) joka on eristyksellisissä

incomparable [ɪnˈkɒmpərəbəl] *adj* verraton, aivan omaa luokkaansa

incompatibility [ˌɪnkəmˌpætəˈbɪləti] *s* erilaisuus; (tietok) yhteensopimattomuus

incompatible [ˌɪnkəmˈpætəbəl] *adj* joka/jotka eivät sovi yhteen, (tietok) yhteensopimaton

incompetence [ɪnˈkɒmpətəns] *s* epäpätevyys, soveltumattomuus

incompetent *adj* epäpätevä, kelvoton, osaamaton, sopimaton johonkin

incomplete [ˌɪnkəmˈpliːt] *adj* epätäydellinen, puutteellinen, vajaa, vaipanainen

incompletely *adv* epätäydellisesti, puutteellisesti, vajavaisesti

incompleteness *s* epätäydellisyys, puutteellisuus, vajavaisuus

incomprehensible [ɪnˌkɒmprɪˈhensəbəl] *adj* käsittämätön, josta ei saa selvää, epäselvä (puhe)

incomprehensibly *adj* käsittämättömästi, (puhua) epäselvästi

incomprehension [ɪnˌkɒmprɪˈhenʃən] *s* ymmärryksen puute

inconceivable [ˌɪnkənˈsiːvəbəl] *adj* käsittämätön, uskomaton, mahdoton kuvitella

inconclusive [ˌɪŋkənˈkluːsɪv] *adj* tulokseton, epämääräinen, joka ei johda selvään lopputulokseen, ei vakuuttava/yksiselitteinen

incongruity [ˌɪŋkənˈgruːɪtɪ] *s* (yhteen)sopimattomuus, asiattomuus, ristiriitaisuus

incongruous [ɪŋˈkaŋgruəs] *adj* yhteen sopimaton, asiaton, ristiriitainen

incongruously *adv* ristiriitaisesti

inconsequential [ˌɪnkansəˈkwenʃəl] *adj* mitätön, merkityksetön, yhdentekevä

inconsiderable [ˌɪnkənˈsɪdərəbl] *not inconsiderable* varsin huomattava, varsin suuri, varsin paljon

inconsiderate [ˌɪnkənˈsɪdərət] *adj* 1 tahditon, piittaamaton, töykeä 2 harkitsematon, hätiköity

inconsistent [ɪnkənˈsɪstənt] *adj* epäyhtenäinen, epätasainen

inconsistently *adv* epätasaisesti, epäyhtenäisesti 2 ristiriitaisesti, jonkin (with) vastaisesti

inconsistent with *adj* joka on ristiriidassa jonkin kanssa, joka sotii jotakin vastaan *your claim is inconsistent with the evidence* väitteesi ei pidä yhtä todisteiden kanssa

inconsolable [ɪnkənˈsəʊləbl, ɪŋˈkansələbl] *adj* lohduton

inconspicuous [ˌɪnkənˈspɪkjuəs] *adj* huomaamaton

inconstancy [ɪnˈkanstənsɪ] *s* epäluotettavuus, epävarmuus, (rakastetun) uskottomuus

inconstant [ɪnˈkanstənt] *adj* epäluotettava, epävarma, arvaamaton, uskoton (rakastettu)

incontestable [ˌɪnkənˈtestəbl] *adj* kiistaton *incontestable evidence* kiistaton todistusaineisto

incontinence *s* 1 hillittömyys, estottomuus 2 (lääk) pidätyskyvyttömyys

incontinent [ɪnˈkantənənt] *adj* 1 hillitön, estoton 2 (lääk) pidätyskyvytön

incontrovertible [ˌɪnkantrəˈvɜːtəbl] *adj* kiistaton

1 inconvenience [ˌɪnkənˈvɪnjəns] *s* epämukavuus, hankaluus, vaiva

2 inconvenience *v* vaivata, aiheuttaa vaivaa

inconvenient *adj* epämukava, hankala

incorporate [ɪnˈkɔːpəˌreɪt] *v* 1 yhdistää, sisällyttää 2 rekisteröidä (osakeyhtiö)

incorporated *adj* 1 rekisteröity (osakeyhtiö) (lyh *Inc.*) 2 yhdistetty

incorporation [ɪnˌkɔːpəˈreɪʃən] *s* 1 (osakeyhtiön) rekisteröinti 2 yhdistäminen, kokoaminen

incorrect [ˌɪnkəˈrekt] *adj* väärä, virheellinen, ei oikea

incorrectly *adv* väärin, virheellisesti *he incorrectly identified the perpetrator as Mr. Gould* hän luuli/väitti Mr. Gouldia syylliseksi

incorrectness *s* virheellisyys

incorrigible [ɪŋˈkɔrədʒəbl] *adj* (ihmisestä) parantumaton

incorruptibility [ɪnkəˌrʌptɪˈbɪlətɪ] *s* 1 lahjomattomuus 2 kestävyys, lujuus, vannuus

incorruptible [ˌɪnkəˈrʌptəbl] *adj* 1 lahjomaton 2 kestävä, luja, varma

incorruptibly *adv* lahjomattomasti

increase [ˈɪŋkrɪs] *s* lisäys, kasvu, nousu

increase [ɪnˈkriːs] *v* lisätä, lisääntyä, kasvattaa, kasvaa, nousta, nostaa

increasing *adj* lisääntyvä, kasvava

increasingly *adv* lisääntyvässä/kasvavassa määrin *increasingly, people are buying cars with automatic transmission* yhä useammat ostavat auton jossa on automaattivaihteisto

incredible [ɪŋˈkredəbl] *adj* uskomaton, satonnkuvaamaton

incredibly *adv* uskomattoman *incredibly, he survived the explosion* kuin ihmeen kautta hän selvisi räjähdyksestä hengissä

incredulity [ˌɪnkrɪˈdʒuːlətɪ] *s* epäluulo, epäusko

incredulous [ɪnˈkredʒələs] *adj* epäuluuloinen, epäuskoinen

increment [ˈɪŋkrəmənt] *s* kasvu, lisäys, nousu *salary increment* palkankorotus

incremental [ˌɪŋkrəˈmentəl] *adj* vähittäinen, asteittainen

incriminate [ɪŋˈkrɪməˌneɪt] *v* osoittaa/todistaa syylliseksi

incriminating *adj* raskauttava

incriminatory [ɪnˈkrɪmənətɔrɪ] *adj* raskauttava

in-crowd [ˈɪnˌkraʊd] s sisäpiiri

incubate [ˈɪŋkjəˌbeɪt] v hautoa, hautua (myös kuv)

incubation [ˌɪŋkjəˈbeɪʃən] s haudonta

incubation period s 1 (taudin) itämisaika 2 (linnun) haudonta-aika

incubator s 1 hautomakone 2 keskoskaappi, inkubaattori

incubus [ˈɪŋkjʊbəs] s (mon incubi) 1 eräs unihirviö 2 painajaisuni, painajainen (myös kuv)

inculcate [ˈɪnkəlkeɪt] v iskostaa (mieliin)

inculcation [ˌɪnkəlˈkeɪʃən] s (mieleen) iskostus

incumbency [ɪnˈkʌmbənsi] s virka-aika *during his incumbency* hänen virassa ollessaan, hänen virkakaudellaan

incumbent [ɪnˈkʌmbənt] s viranhaltija; istuva presidentti *adj* istuva, virassa oleva

incumbent (up)on *it is incumbent upon someone to do something* jonkun velvollisuus on tehdä jotakin

incunabula [ˌɪnkjuˈnæbjʊlə] s (mon) (ennen vuotta 1501 painetut kirjat) inkunaabelit, kehtopainatteet

incur [ɪnˈkɜːr] v 1 (velasta) ottaa 2 seurata jostakin *he incurred the wrath of his superior* hän sai esimiehensä vihat niskaansa *that incurs a penalty* siitä saa rangaistuksen

incurable [ɪnˈkjɔːrəbəl] *adj* parantumaton (myös kuv): *he is an incurable cheat* hän on parantumaton huijari

incurious [ɪnˈkjʊərɪəs] *he was incurious about it* asia ei kiinnostanut häntä, hän ei ollut utelias

incursion [ɪnˈkɜːrʒən] s tunkeutuminen, tungettelu, häiriö

indebted [ɪnˈdetəd] *adj* joka on velassa/velkaa; (kuv) joka on kiitollisuudenvelassa jollekulle

indebtedness s velallisuus; (kuv) kiitollisuudenvelka

indecency s säädyttömyys, siveettömyys

indecent [ɪnˈdiːsənt] *adj* säädytön, siveetön

indecipherable [ˌɪndɪˈsaɪfərəbəl] *adj* (käsiala) josta ei saa selvää

indecision [ˌɪndəˈsɪʒən] s epäröinti, jahkailu, empiminen

indecisive [ˌɪndəˈsaɪsɪv] *adj* 1 epäröivä, empivä 2 tulokseton, hedelmätön

indecisiveness s empiminen, jahkailu, päättämättömyys

indecorous [ɪnˈdekərəs] *adj* sopimaton, säädytön, häpeämätön

indeed [ɪnˈdiːd] *adv* todella, todellakin, tosin, itse asiassa *indeed, Manhattan is one of the top tourist attractions in the East* Manhattan on todellakin itärannikon johtavia matkailukeskuksia *if indeed it rains, we'll cancel the picnic* peruutamme retken jos tosiaan alkaa sataa

indefensible [ˌɪndəˈfensəbəl] *adj* 1 anteeksiantamaton 2 kestämätön (käsitys, väite)

indefinable [ˌɪndəˈfaɪnəbəl] *adj* epämääräinen, jota on vaikea selittää

indefinite [ɪnˈdefənət] *adj* epämääräinen, (kieliopissa myös) indefiniittinen, tarkemmin määrittelemätön, epätarkka, epämääräinen

indefinite article s epämääräinen artikkeli (a, an)

indefinite pronoun s indefiniittipronomini (any, some)

indelible [ɪnˈdeləbəl] *adj* lähtemätön (myös kuv), unohtumaton (muisto)

indelicate [ɪnˈdelɪkət] *adj* epähieno, tahditon

indemnify [ɪnˈdemnəˌfaɪ] v 1 vakuuttaa, suojata 2 korvata, maksaa vahingonkorvausta

indemnity [ɪnˈdemnəti] s 1 vakuutus, vakuutusturva, suoja 2 korvata, maksaa vahingonkorvausta

1 indent [ˈɪndent, ˈɪndent] s 1 (kirjoitusrivin) sisennys 2 painauma, lommo, lovi

2 indent [ɪnˈdent] v 1 sisentää (kirjoitusrivi) 2 (UK liiketoiminnassa) tilata

indentation [ˌɪndenˈteɪʃən] s 1 (kirjoitusrivin) sisennys 2 painauma, syvennys, lommo, lovi

indenture [ɪnˈdentʃər] s 1 siirtomaa-aikaan ilmaisen lainatakan korvaukseksi solmittu määräaikainen maaorjuus 2 oppisopimus

indentured servant s siirtomaa-ajan maaorja (ks indenture 1)

independence s itsenäisyys, riippumatto-muus

independent [ˌɪndəˈpendənt] adj itsenäinen, riippumaton

independently adv itsenäisesti *the two scientists discovered the element independently* tiedemiehet löysivät alkuaineen toisistaan tietämättä

in-depth [ɪnˈdepθ] adj perusteellinen

indescribable [ˌɪndəsˈkraɪbəbəl] adj sanoinkuvaamaton

indestructibility [ˌɪndəsˌtrʌktəˈbɪləti] s kestävyys, lujuus; häviämättömyys

indestructible [ˌɪndəsˈtrʌktəbəl] adj särkymätön

indeterminable [ˌɪndəˈtɜːmɪnəbəl] adj mahdoton selvittää, (riita) ratkaisematon

indeterminate [ˌɪndəˈtɜːmənət] adj epämääräinen, tarkemmin määrittelemätön

indeterminately adv epämääräisen pitkään ym

indetermination [ˌɪndətɜːmɪˈneɪʃən] s epäröinti, empiminen

index [ˈɪndeks] s (mon indexes, indices) **1** hakemisto; lähdeluettelo; kortisto **2** (katolisen kirkon) kiellettyjen kirjojen luettelo **3** etusormi **4** osoitin **5** ylä/alaindeksi **6** indeksi, tunnusluku *the cost of living index* elinkustannusindeksi

index card s merkintäkortti, arkistokortti

index finger s etusormi

indicate [ˈɪndəˌkeɪt] v osoittaa (sormella), viitata, näyttää, olla merkki jostakin, kertoa *this gauge indicates air speed* tämä mittari näyttää lentonopeuden *her reticence indicates that she does not like the idea* hänen vähäpuheisuutensa on merkki siitä että ajatus ei ole hänelle mieleen

indication [ˌɪndəˈkeɪʃən] s **1** osoitus, merkki jostakin **2** (lääk) hoidonaihe, (lääkkeen) käyttöaihe, indikaatio

indicative [ɪnˈdɪkətɪv] s (kieliopissa) indikatiivi

indicative of adj joka kertoo jostakin, joka on merkki jostakin

indicator s **1** mittari (myös kuv) osoitus, merkki jostakin **2** (mittarin) osoitin, neula

indices [ˈɪndəˌsiz] ks index

indict [ɪnˈdaɪt] v syyttää, nostaa syyte jotakuta vastaan

indictable [ɪnˈdaɪtəbəl] adj (rike) josta voidaan nostaa syyte, (henkilö) jota vastaan voidaan nostaa syyte

indictment [ɪnˈdaɪtmənt] s syyte, syytös

indie [ˈɪndi] s (sanasta *independent*) **1** (pieni) riippumaton yritys (elokuvastudio, levyfirma) **2** indie-musiikki (eräänlainen rockmusiikin alalaji)

indifference [ɪnˈdɪfərəns] s välinpitämättömyys

indifferent adj **1** välinpitämätön **2** keskinkertainen, ei erityisen hyvä

indigence [ˈɪndədʒəns] s varattomuus, köyhyys

indigenous [ɪnˈdɪdʒənəs] adj **1** (kasvi, eläin) kotoperäinen; (kansa) alkuperäis- **2** synnynnäinen, myötäsyntyinen

indigent [ˈɪndədʒənt] adj varaton, köyhä

indigestible [ˌɪndɪˈdʒestəbəl] adj **1** (ruoka) vaikeasti sulava **2** (kuv) vaikeatajuinen

indigestion [ˌɪndɪˈdʒestʃən] s ruuansulatusvaivat *that kind of talk gives me indigestion* tuollaiset puheet ärsyttävät/kuvottavat minua

indignant [ɪnˈdɪgnənt] adj suuttunut, tulistunut

indignation [ˌɪndɪgˈneɪʃən] s suuttumus, tulisuus

indignity [ɪnˈdɪgnəti] s nöyryytys, häpeä

indigo [ˈɪndəˌgəʊ] s indigo adj indigonsininen

indirect [ˌɪndəˈrekt] adj epäsuora, välillinen

indiscernible [ˌɪndəˈsɜːnəbəl] adj huomaamaton

indiscipline [ɪnˈdɪsəplən] s kurittomuus

indiscreet [ˌɪndɪsˈkriːt] adj tahditon, epähieno

indiscretion [ˌɪndɪsˈkreʃən] s tahdittomuus, epähieno teko

indiscriminate [ˌɪndəsˈkrɪmənət] adj harkitsematon, umpimähkäinen, sokea (kuv), arvostelukyvytön

indiscriminating [ˌɪndəsˈkrɪməˌneɪtɪŋ] adj harkitsematon, umpimähkäinen, sokea (kuv), arvostelukyvytön

indispensable [ˌɪndəsˈpensəbəl] adj korvaamaton, välttämätön

indisposed [ˌɪndəsˈpəuzd] adj 1 huonovointi-
nen 2 haluton (tekemään jotakin)

indisposition [ˌɪnˌdɪspəˈzɪʃən] s 1 huonovoin-
tisuus 2 haluttomuus

indisputable [ˌɪndəsˈpjuːtəbəl] adj kiistaton,
eittämätön, ehdoton

indistinct [ˌɪndəsˈtɪŋkt] adj epäselvä, epämää-
räinen

indistinctly adv epäselvästi, (erottua, näkyä,
kuulua) huonosti

indistinguishable [ˌɪndəsˈtɪŋgwɪʃəbəl] adj
1 jota ei voi erottaa jostakusta/jostakin
these two paintings are indistinguishable
näitä maalauksia ei pysty erottamaan toi-
sistaan 2 joka ei näy, huomaamaton

individual [ˌɪndəˈvɪdʒuəl] s yksilö, yksittäi-
nen ihminen adj yksittäinen, erillinen, yk-
sittäis-, erillis-

individualism [ˌɪndəˈvɪdʒuəˌlɪzəm] s individu-
ualismi

individualist s individualisti

individualistic [ˌɪndəˌvɪdʒuəˈlɪstɪk] adj yksi-
löllinen, individualistinen

individuality [ˌɪndəˌvɪdʒuˈælɪtɪ] s yksilölli-
syys

individualize [ˌɪndəˈvɪdʒuəˌlaɪz] v yksilöllis-
tää, individualistaa

individually adv yksitellen, (kukin) erikseen

individuate [ɪndəˈvɪdʒueɪt] v yksilöllistää, in-
dividuaalistaa, individualisoida

individuation [ɪndəˌvɪdʒuˈeɪʃən] s yksilöllis-
täminen

indivisible [ˌɪndəˈvɪzəbəl] adj 1 jakamaton,
jota ei voi jakaa osiin 2 (luku) jaoton

indoctrinate [ɪnˈdɒktrəˌneɪt] v indoktrinoida,
iskostaa mieleen (tietty maailmankatso-
mus ym)

indoctrination [ɪnˌdɒktrəˈneɪʃən] s indoktri-
naatio, maailmankatsomuksen ym iskos-
tus jonkun mieleen

indolence [ˈɪndələns] s laiskuus

indolent [ˈɪndələnt] adj laiska

indomitable [ɪnˈdɒmətəbəl] adj talttumaton

indoor [ˈɪnˌdɔː] adj sisä-

indoors [ɪnˈdɔːz] adv sisällä, sisälle

induce [ɪnˈdjuːs] v 1 suostutella/saada joku te-
kemään jotakin 2 saada aikaan, aiheuttaa
3 indusoida, päätellä

inducement s 1 suostuttelu 2 kannustin, yl-
lyke 3 aiheuttaminen, aikaansaaminen

induct [ɪnˈdʌkt] v 1 vihkiä virkaan 2 vihkiä/
perehdyttää joku johonkin; ottaa joku mu-
kaan johonkin 3 kutsua/ottaa sotilaspalve-
lukseen

induction [ɪnˈdʌkʃən] s 1 aiheuttaminen, ai-
kaansaaminen 2 virkaan vihkiminen
3 (sot) kutsunta 4 (filosofia, matematiikka,
sähköoppi, magnetismi) induktio

inductive adj 1 induktiivinen (eri merk)
2 *inductive to* jotakin aiheuttava, johonkin
johtava

indulge [ɪnˈdʌldʒ] v 1 hemmotella jotakuta/
itseään, nautiskella jostakin 2 antaa pe-
riksi, suostua 3 myöntää lykkäystä/lisäai-
kaa

indulge in v nautiskella jostakin, hemmotella
itseään jollakin, herkutella jollakin

indulgence [ɪnˈdʌldʒəns] s 1 myönnytys,
suostuminen, lupa 2 lisäaika, lykkäys
3 periksi antaminen, hemmottelu, nautis-
kelu, herkuttelu, suvaitsevaisuus (myös
liiallinen) 4 nautinto, herkku, ilo 5 (katoli-
sessa kirkossa) ane, indulgenssi

indulgent adj peräänantava, hemmotteleva,
suvaitsevainen *an indulgent smile* suopea
hymy

indulgently adv peräänantavasti, hemmotte-
levasti, (hymyillä) suopeasti

industrial [ɪnˈdʌstrɪəl] adj teollisuus-, teolli-
nen

industrialism s teollistuminen, industrialismi

industrialist s teollisuusmies

industrialization [ɪnˌdʌstrɪələˈzeɪʃən] s teol-
listaminen

industrialize [ɪnˈdʌstrɪəˌlaɪz] v teollistaa

industrious [ɪnˈdʌstrɪəs] adj ahkera, uuttera

industry [ˈɪndəstrɪ] s 1 teollisuus 2 ala 3 ahke-
ruus

inebriate [ɪnˈiːbrɪət] s juoppo adj päihtynyt

inebriate [ɪnˈiːbrɪˌeɪt] v päihdyttää (myös
kuv): huumata

inebriated adj päihtynyt (myös kuv)

inedible [ɪnˈedəbəl] adj syötäväksi kelpaa-
maton, ei syötävä

ineducable [ɪnˈedʒəkeɪtəbəl] adj jota on
vaikea opettaa; oppimishäiriöinen

ineffable [ɪn'efəbəl] *adj* sanoin kuvaamaton

ineffective [ˌɪnə'fektɪv] *adj* **1** tehoton **2** pystymätön, osaamaton, voimaton

ineffectiveness *s* tehottomuus

ineffectual [ˌɪnə'fekt∫ʊəl] *adj* **1** tehoton **2** hedelmätön, turha **3** pystymätön, osaamaton, voimaton

ineffectuality [ɪnəˌfekt∫ʊ'ælətɪ] *s* **1** tehottomuus **2** hedelmättömyys, turhuus

ineffectually *adv* turhaan, hedelmättömästi

inefficacious [ɪnˌefɪ'keɪ∫əs] *adj* tehoton

inefficacy [ɪn'efɪkəsɪ] *s* tehottomuus

inefficient [ˌɪnə'fɪ∫ənt] *adj* **1** tehoton; tuhlaileva **2** pystymätön, osaamaton

inelegant [ɪn'eləgənt] *adj* **1** epähieno, tahditon **2** epäaistikas, epäeleganttinen

ineligibility [ɪnˌelədʒə'bɪlətɪ] *s* soveltumattomuus, kelpaamattomuus

ineligible [ɪn'elədʒəbəl] *adj* **1** ei valintakelpoinen, ei oikeutettu johonkin, soveltumaton, kelpaamaton

ineluctable [ˌɪnɪ'lʌktəbəl] *adj* väistämätön

inept [ɪn'ept] *adj* osaamaton, taitamaton, kömpelö, hiomaton, sopimaton

ineptitude [ɪn'eptɪtju:d] *s* taitamattomuus, kömpelyys, hiomattomuus, sopimattomuus **2** kömmähdys

inequality [ˌɪnə'kwɒlətɪ] *s* eriarvoisuus, ero, erilaisuus

inequitable [ɪn'ekwɪtəbəl] *adj* epäoikeudenmukainen

inequity [ɪn'ekwɪtɪ] *s* epäoikeudenmukaisuus

inert [ɪn'ɜ:t] *adj* **1** liikkumaton **2** veltto, vetelä, laiska **3** (kem) reaktiokyvytön, inertti

inertia [ɪn'ɜ:∫ə] *s* **1** velttous, laiskuus **2** (fys) inertia

inescapable [ˌɪnə'skeɪpəbəl] *adj* väistämätön, vääjäämätön *we came to the inescapable conclusion that...* tulimme pakostakin siihen lopputulokseen että...

inessential [ˌɪnə'sen∫əl] *adj* epäolennainen, ei välttämätön

inestimable [ɪn'estɪməbəl] *adj* mittaamaton, korvaamaton

inevitability [ɪnˌevɪtə'bɪlətɪ] *s* väistämättömyys, vääjäämättömyys

inevitable [ɪn'evɪtəbəl] *adj* väistämätön, vääjäämätön

inexact [ˌɪnəg'zækt] *adj* epätarkka

inexcusable [ˌɪnək'skju:zəbəl] *adj* anteeksiantamaton

inexhaustible [ˌɪnɪg'zɔ:stəbəl] *adj* **1** loputon **2** väsymätön

inexorable [ɪn'eksərəbəl] *adj* armoton, taipumaton, säälimätön; väistämätön, vääjäämätön

inexpensive [ˌɪnək'spensɪv] *adj* halpa

inexperience [ˌɪnək'spɪrɪəns] *s* kokemattomuus

inexperienced *adj* kokematon, osaamaton

inexpert [ɪn'ekspɜ:t] *adj* amatöörimäinen, osaamaton, taitamaton

inexplicable [ˌɪnək'splɪkəbəl] *adj* selittämätön, käsittämätön

inexpressible [ˌɪnɪk'spresəbəl] *adj* sanoin kuvaamaton

in extremis [ˌɪnək'stri:mɪs] *adv* **1** äärimmäisessä hädässä **2** kuolinhetkellä, kuolemaisillaan, in extremis

inextricable [ɪn'ekstrɪkəbəl] *adj* **1** erottamaton **2** sotkuinen, sekava

infallibility [ɪnˌfælə'bɪlətɪ] *s* erehtymättömyys

infallible [ɪn'fæləbəl] *adj* erehtymätön

infamous [ɪnfəməs] *adv* **1** pahamaineinen **2** halpamainen, raukkamainen, katala

infamy [ɪnfəmɪ] *s* **1** paha maine, huono maine, häpeä **2** paha teko

infancy [ɪnfənsɪ] *s* **1** varhaislapsuus **2** (kuv) alkuvaihe *to be in its infancy* olla lasten kengissä

1 infant [ɪnfənt] *s* (kirjak) vauva, pikkulapsi

2 infant *adj* **1** vauvan-, pikkulapsi- *infant food* vauvanruoka **2** alkuasteillaan oleva, nuori *infant company* nuori yritys

infanticide [ɪn'fæntɪsaɪd] *s* lapsenmurha

infantile [ɪnfəntaɪl] *adj* **1** lapsellinen **2** (lääk) lapsi-

infantry [ɪnfəntrɪ] *s* (sot) jalkaväki

infantryman [ɪnfəntrɪmən] *s* jalkaväen sotilas

infatuate [ɪn'fæt∫ʊeɪt] *to be infatuated with* olla hullaantunut johonkuhun/johonkin

infatuation [ɪnˌfæt∫ʊ'eɪʃən] *s* **1** hullaantuminen, ihastuminen **2** ihastus

infect [ɪn'fekt] *v* **1** tartuttaa (myös kuv) **2** saastuttaa, pilata

infection

infection [ɪn'fekʃən] s **1** tartunta **2** saastuminen, pilaantuminen

infectious [ɪn'fekʃəs] adj tarttuva (myös kuv) *his laughter was infectious* hänen naurunsa tarttui muihinkin

infer [ɪn'fɜː] v päätellä *he inferred from her curtness that she did not like him* hän päätteli naisen vähäpuheisuudesta ettei tämä pitänyt hänestä

inference [ɪnfərəns] s päätelmä, johtopäätös

inferential [ˌɪnfə'renʃəl] adj päätelty, johtopäätös-

inferior [ɪn'fɪrɪə] s jotakuta alempiarvoinen henkilö *he treats his colleagues as his inferiors* hän pitää työtovereitaan itseään huonompina adj **1** huonompi kuin **2** arvoltaan alempi kuin

inferiority [ɪnˌfɪrɪ'ɔrəti] s **1** huonommuus **2** alempi arvo

infernal [ɪn'fɜːnəl] adj helvetin, helvetillinen (myös kuv:) hirvittävä, kamala

inferno [ɪn'fɜːnou] s (mon infernos) **1** helvetti (myös kuv) **2** tulipalo, roihu, liekkimeri

infertile [ɪn'fɜːtəl] adj hedelmätön

infertility [ˌɪnfɜː'tɪləti] s hedelmättömyys

infest [ɪn'fest] v *the house is infested with rats* talossa suorastaan vilisee rottia

infestation [ˌɪnfes'teɪʃən] s (syöpäläisistä) *there is an infestation of cockroaches* siellä on torakoita

infidel ['ɪnfə,del] s, adj (usk) uskoton, joka ei usko Jumalaan; toisuskoinen

infidelity [ˌɪnfə'deləti] s **1** uskottomuus, aviorikos **2** (usk) uskottomuus

infighting ['ɪn,faɪtɪŋ] s **1** (nyrkkeilyssä) lähitetulu **2** (kuv) (yrityksen) sisäinen taistelu/kamppailu

infiltrate ['ɪnfəl,treɪt] v **1** soluttaa, soluttautua, ujuttaa **2** suodattaa, suodattua

infiltration [ˌɪnfəl'treɪʃən] s **1** solutus, ujuttaminen **2** suodatus, suodattuminen

infiltrator ['ɪnfəl,treɪtə] s soluttautuja

infinite [ɪnfənət] adj ääretön

infinitely adj äärettömästi, äärettömän

infinitesimal [ˌɪnfɪnə'tesəməl] adj äärettömän pieni

infinitive [ɪn'fɪnətɪv] s, adj (kielioppi) infinitiivi

infinity [ɪn'fɪnəti] s äärettömyys, (mat, valok) ääretön

infirm [ɪn'fɜːm] adj (vanhuuden)heikko

infirmary [ɪn'fɜːməri] s sairashuone, sairaala

infirmity [ɪn'fɜːməti] s (vanhuuden)heikkous

inflame [ɪn'fleɪm] v **1** (lääk) tulehduttaa *to be inflamed* olla tulehtunut **2** tulistuttaa, raivostuttaa, suututtaa jotakuta

inflammable [ɪn'flæməbəl] adj tulenarka (myös kuv), helposti syttyvä

inflammation [ˌɪnflə'meɪʃən] s **1** (lääk) tulehdus) **2** (kiukun, vihan) purkaus

inflammatory [ɪn'flæmə,tɔri] adj yllyttävä, yllytys-, kiihotus-

inflatable [ɪn'fleɪtəbəl] s kumivene adj ilmatäytteinen

inflate [ɪn'fleɪt] v **1** pumpata täyteen, puhaltaa täyteen, täyttyä **2** (tal) nostaa hintoja, aiheuttaa inflaatiota **3** (kuv) paisuttaa *recent success inflated his ego* viimeaikainen menestys paisutti hänen itsetuntoaan

inflated adj **1** paisuteltu (myös kuv) liioiteltu **2** täyteen pumpattu

inflation [ɪn'fleɪʃən] s **1** täyteen pumppaaminen/puhaltaminen, täyttyminen **2** (tal) inflaatio

inflationary [ɪn'fleɪʃə,neri] adj (tal) inflaatiota aiheuttava, inflaatio-

inflection [ɪn'flekʃən] s **1** (kieliopissa) taivutus **2** äänensävy, ääni

inflexibility [ɪnˌfleksə'bɪləti] s jäykkyys, taipumattomuus (myös kuv), joustamattomuus (myös kuv)

inflexible [ɪn'fleksəbəl] adj jäykkä, taipumaton (myös kuv), joustamaton (myös kuv)

inflexion [ɪn'flekʃən] ks inflection

inflict [ɪn'flɪkt] v aiheuttaa (vahinkoa, kärsimystä), langettaa (rangaistus), sälyttää *Jim inflicted a blow on Tom* Jim löi Tomia

infliction [ɪn'flɪkʃən] s **1** aiheuttaminen, langettaminen, sälyttäminen **2** piina, vaiva, kiusa, harmi

in-flight [ɪn'flaɪt] adj lennon aikainen *in-flight movie* lentokoneessa esitettävä elokuva

inflow ['ɪn,fləʊ] s **1** tulovirtaus **2** (kuv) tulva *an inflow of immigrants* siirtolaistulva

1 influence [ɪnfluəns] s vaikutus, vaikutusvalta *you are a bad influence on your brother* sinä olet veljellesi huono esimerkki *under the influence* (lak) alkoholin vaikutuksen alainen/alaisena

2 influence v vaikuttaa johonkin *the new law does not influence our decision* uusi laki ei vaikuta päätökseemme

influential [ɪnflʊ'enʃəl] adj vaikutusvaltainen (ihminen); (voimakkaasti) vaikuttava (seikka)

influenza [ɪnflʊ'enzə] s influenssa

influx ['ɪn,flʌks] s **1** tulovirtaus **2** (kuv) tulva

infomercial ['ɪnfəʊ,mɜːʃəl] s valistava televisiomainos (jossa ei suoranaisesti kaupitella tiettyä tuotetta vaan kohennetaan yrityskuvaa tms) (sanoista *information* ja *commercial*)

inform [ɪn'fɔːm] v **1** ilmoittaa, kertoa, tiedottaa *please inform me about any changes* ilmoita minulle mahdollisista muutoksista **2** *to inform yourself of* ottaa selvää jostakin **3** olla täynnä jotakin, kyllästää (kuv) *a melancholy mood informs his novels* hänen romaaneissaan vallitsee melankolinen tunnelma

informal [ɪn'fɔːməl] adj epävirallinen; arkinen, arkipäiväinen, arki-, rento, vapautunut

informality [ɪnfɔːˈmælɪtɪ] s epävirallisuus; arkisuus, rentous

informatics s informatiikka, tietotekniikka

information [ɪnfəˈmeɪʃən] s tieto, informaatio *that's a valuable piece of information* se on arvokas tieto

informative [ɪn'fɔːmətɪv] adj valaiseva, opettavainen, informatiivinen

informed [ɪn'fɔːmd] adj joka on asioista hyvin perillä

informer [ɪn'fɔːmə] s ilmiantaja, kavaltaja

infrared [ɪnfrə'red] s infrapunainen adj infrapuna-

infrasound [ɪnfrə'saʊnd] s, adj infrääni(-)

infrastructure ['ɪnfrə,strʌkʃə] s infrastruktuuri

infrequent [ɪn'friːkwənt] adj harvinainen

infrequently adv (vain) harvoin

infringement s rikkomus, (oikeuksien) loukkaus

infringe (on) [ɪn'frɪndʒ] v rikkoa (lakia), loukata (oikeuksia)

infuriate [ɪn'fjʊərɪeɪt] v raivostuttaa, saada raivostumaan

infuriating adj raivostuttava, suututtava

infuse [ɪn'fjuːz] v **1** imeytyä, hautua, hauduttaa **2** antaa *the news infused them with enthusiasm* uutinen sai heidät (jälleen) innostumaan

infusion [ɪn'fjuːʒən] s **1** tee **2** (lääk) infuusio

ingenious [ɪn'dʒiːnjəs] adj nerokas, kekseliäs

ingenuity [ɪndʒə'njuːɪtɪ] s nerokkuus, kekseliäisyys

ingenuous [ɪn'dʒenjʊəs] adj **1** vilpitön, aito, rehellinen **2** naiivi, viaton

ingenuously adv **1** vilpittömästi, aidosti, rehellisesti **2** naiivisti, viattomasti

ingenuousness s **1** avoimuus, vilpittömyys **2** naiivius, viattomuus

in good time fr **1** hyvissä ajoin, ennen määräaikaa **2** ajoissa, oikeaan aikaan

ingot [ɪŋgət] s (metalli)harkko

ingrained [ɪn'greɪnd] adj syvään juurtunut/iskostunut

ingrate [ɪŋgreɪt] s kiittämätön ihminen

ingratitude [ɪŋ'grætɪtud] s kiittämättömyys

ingredient [ɪŋ'griːdɪənt] s valmistusaine, (kuv) osatekijä

inhabit [ɪn'hæbɪt] v asua jossakin, elää jossakin

inhabitant s asukas

inhalator ['ɪnə,leɪtə] s lääkesumutin, inhalaattori

inhale [ɪn'heɪl] v vetää henkeä, hengittää sisään, (tupakoidessa) vetää henkoset

inherent [ɪn'herənt] adj ominainen, luontainen

inherit [ɪn'herɪt] v periä (myös kuv)

inheritance [ɪn'herətəns] s perintö (myös kuv)

inherited adj perinnöllinen (ominaisuus, sairaus)

inhibit [ɪn'hɪbɪt] v estää, ehkäistä, jarruttaa

inhibition [ɪnə'bɪʃən] s esto, este

inhospitable [ɪnˈhɒspɪtəbəl] *adj* ei vieraanvarainen, epävieraanvarainen; epäsuotuisa

inhospitality [ɪnˌhɒspəˈtælɪtɪ] *s* vieraanvaraisuuden puute, epäystävällisyys; epäsuotuisuus

in-house [ɪnˈhaʊs] *adj* yrityksen sisäinen *in-house magazine* henkilökuntalehti

inhuman [ɪnˈhjuːmən] *adj* ei inhimillinen; epäinhimillinen

inhumane [ˌɪnhjuːˈmeɪn] *adj* epäinhimillinen, ihmisarvolle sopimaton

inhumanity [ˌɪnhjuːˈmænəti] *s* epäinhimillisyys

inimical [ɪˈnɪmɪkəl] *adj* vihamielinen jollekin (*to*)

1 initial [ɪˈnɪʃəl] *s* alkukirjain, (mon) nimikirjaimet

2 initial *v* merkitä nimikirjaimensa johonkin (allekirjoitukseksi)

3 initial *adj* alku-, ensimmäinen

initiate [ɪˈnɪʃɪˌeɪt] *v* **1** panna alulle **2** johdattaa/opastaa joku jollekin alalle, vihkiä joku johonkin **3** ottaa jäseneksi

initiative [ɪˈnɪʃɪətɪv] *s* aloite; aloitekyky; (pol) kansanaloite *the new salesman lacks initiative* uudella myyntimiehellä ei ole aloitekykyä *to act on your own initiative* toimia omasta aloitteesta/oma-aloitteisesti *to take the initiative* tehdä aloite, aloittaa

inject [ɪnˈdʒekt] *v* **1** suihkuttaa, ruiskuttaa; (lääk) antaa ruiskeena **2** (kuv) esittää (huomautus), keskeyttää, sanoa kesken kaiken **3** (kuv) tuoda *she injected new enthusiasm into the class* hän sai luokan jälleen piristymään

injection [ɪnˈdʒekʃən] *s* suihkutus, ruiskutus; (lääk) ruiske *fuel injection* polttoaineensuihkutus

injunction [ɪnˈdʒʌŋkʃən] *s* (lak) määräys/kielto

injure [ˈɪndʒər] *v* loukata (myös kuv) *ten people were injured in the accident* onnettomuudessa loukkaantui kymmenen ihmistä

injurious [ɪnˈdʒʊərɪəs] *adj* vahingollinen, haitallinen *smoking is injurious to your health* tupakointi on epäterveellistä

injury [ˈɪndʒərɪ] *s* vamma, loukkaantuminen, (kuv) loukkaus

injustice [ɪnˈdʒʌstəs] *s* vääryys, epäoikeudenmukaisuus

1 ink [ɪŋk] *s* muste

2 ink *v* tahrata musteella, töhriä musteeseen

inkling [ˈɪŋklɪŋ] *s* (harmaa) aavistus, (pieni) vihje *he didn't give me an inkling of what he had in mind* hän ei edes vihjannut siitä mitä hänellä oli mielessä

inkwell [ˈɪŋkˌwel] *s* mustepullo

inland [ˈɪnlənd] *s* sisämaa *adj, adv* sisämaan, sisämaassa, sisämaahan

in-law [ˈɪnˌlɑ] *s* appi, anoppi, (mon) appivanhemmat, vaimon/miehen sukulaiset

inlet [ˈɪnlət] *s* lahti

inmate [ˈɪnmeɪt] *s* **1** vanki **2** (sairaalan tms) potilas, hoidokki **3** (talon) asukas

inn [ɪn] *s* majatalo

innards [ˈɪnədz] *s* (mon) sisukset, sisälmykset (kuv)

innate [ɪˈneɪt] *adj* synnynnäinen, myötäsyntyinen

inner [ˈɪnər] *adj* sisäinen, sisä-

innermost [ˈɪnəˌmoʊst] *adj* sisin *her innermost thoughts* hänen sisimmät ajatuksensa

innkeeper *s* majatalon isäntä

innocence [ˈɪnəsəns] *s* viattomuus, syyttömyys

innocent [ˈɪnəsənt] *adj* viaton, syytön

innocuous [ɪˈnɑːkjʊəs] *adj* vaaraton, harmiton

innovate [ˈɪnəˌveɪt] *v* ottaa käyttöön (jotakin uutta), uudistaa, keksiä

innovation [ˌɪnəˈveɪʃən] *s* uudistus, innovaatio, keksintö

innovative [ˈɪnəˌveɪtɪv] *adj* uudistusmielinen, kekseliäs

innovator [ˈɪnəˌveɪtər] *s* uudistaja

innuendo [ˌɪnjʊˈwendoʊ] *s* vihjailu

innumerable [ɪˈnumərəbl] *adj* lukematon

inoculate [ɪˈnɑːkjəˌleɪt] *v* rokottaa

inoculation [ɪˌnɑːkjəˈleɪʃən] *s* rokotus

inoffensive [ˌɪnəˈfensɪv] *adj* harmiton, viaton (huomautus)

inoperative [ɪnˈɑːpərətɪv] *adj* **1** joka ei ole toiminnassa/käytössä **2** tehoton, josta ei ole apua **3** (laki, määräys) joka ei ole voimassa

inopportune [ɪnˌɑːpərˈtun] *adj* sopimaton (aika, huomautus)

inopportunely *adv* sopimattomaan/huonoon aikaan

in order *fr* **1** aiheellinen, paikallaan **2** kunnossa, järjestyksessä, valmiina

in order that *fr* jotta *you must go in order that you won't be late* sinun on syytä lähteä jotta et myöhästy

in order to *fr* jotta *he left early in order to beat the rush-hour traffic* hän lähti aikaisin ehtiäkseen ennen ruuhkaa

inordinate [ɪnˈɔːdənət] *adj* kohtuuton; suunnaton

inordinately *adv* kohtuuttomasti, kohtuuttoman; suunnattoman

inorganic [ˌɪnɔːˈɡænɪk] *adj* epäorgaaninen

in other words *fr* toisin sanoen

in place *fr* **1** paikallaan *to run in place* juosta paikallaan **2** valmiina, paikallaan

1 input [ˈɪnˌpʊt] *s* **1** syöte, syötös; (energian, ajan) käyttö **2** kanta, mielipide, ehdotus, idea

2 input *v* **1** (tietok) syöttää **2** ehdottaa/esittää jotakin, osallistua keskusteluun

inquest [ˈɪŋkwest] *s* kuolemansyyn selvitys

inquire [ɪnˈkwaɪər] *v* tiedustella, kysyä

inquire after *v* tiedustella jonkun vointia, kysyä mitä jollekulle kuuluu

inquire into *v* tutkia jotakin

inquiry [ɪŋˈkwəri] *s* **1** tiedustelu, kysely; kysymys **2** tutkimus, selvitys; kuulustelu

inquisition [ˌɪŋkwəˈzɪʃən] *s* **1** (hist) inkvisitio **2** tutkimus, selvitys; kuulustelu

inquisitive [ɪŋˈkwɪzətɪv] *adj* **1** utelias, tiedonjanoinen **2** liian utelias, joka urkkii (toisten asioita)

in reference to *fr* jotakin koskien

in regard to *fr* jotakuta/jotakin koskien

inroad [ˈɪnˌrəʊd] *s* **1** hyökkäys **2** *to make inroads on* kajota johonkin, puuttua johonkin, loukata (oikeuksia)

insane [ɪnˈseɪn] *adj* mielenvikainen, tärähtänyt, hullu

insanity [ɪnˈsænəti] *s* mielenhäiriö, hulluus

inscribe [ɪnˈskraɪb] *v* **1** omistaa (kirja, valokuva jollekulle) **2** kaivertaa

inscription [ɪnˈskrɪpʃən] *s* **1** omistus(kirjoitus) **2** kaiverrus

insect [ˈɪnsekt] *s* hyönteinen

insecticide [ɪnˈsektəˌsaɪd] *s* hyönteismyrkky

insecure [ˌɪnsəˈkjɜːr, ˌɪnsəˈkjʊər] *adj* epävarma, turvaton (olo), ei luja (kiinnitys)

insecurely *adv* ei lujasti (kiinnitetty)

insecurity [ˌɪnsəˈkjɜːrəti] *s* epävarmuus, turvattomuus

insensibility [ɪnˌsensəˈbɪləti] *s* **1** herkkyyden puute, tunnottomuus **2** (kuv) arvostuskyvyn puute, kyvyttömyys nauttia jostakin/ymmärtää jotakin

insensible [ɪnˈsensəbəl] *adj* **1** ei herkkä jollekin, tunnoton; tajuton **2** joka ei tiedosta/huomaa jotakin, joka ei osaa arvostaa jotakin

insensitive [ɪnˈsensətɪv] *adj* **1** ei herkkä jollekin, tunnoton **2** (kuv) tunteeton, välinpitämätön **3** joka ei tiedosta/huomaa jotakin, joka ei osaa arvostaa jotakin

insensitivity [ɪnˌsensəˈtɪvəti] *s* **1** herkkyyden puute, tunnottomuus **2** (kuv) tunteettomuus, välinpitämättömyys **3** arvostuskyvyn puute, kyvyttömyys nauttia jostakin/ymmärtää jotakin

inseparable [ɪnˈsepərəbəl] *adj* erottamaton

insert [ˈɪnsɜːrt] *s* liite, lisäys

insert [ɪnˈsɜːrt] *v* työntää/pistää/panna/lisätä väliin/jonnekin *you can insert a new line between these two lines* voit lisätä näiden rivien väliin uuden rivin *insert the cartridge in slot A* aseta kasetti aukkoon A

insertion [ɪnˈsɜːrʃən] *s* **1** lisääminen, asettaminen **2** liite, lisäys

inset [ˈɪnset] *s* **1** liite **2** (kuvan ym sisällä oleva) pienempi kuva

inset [ɪnˈset] *v* inset, inset: lisätä väliin, liittää johonkin

inshore [ˈɪnˌʃɔːr] *adj, adv* rannikko-, rannikon läheisyydessä

inside [ɪnˈsaɪd] *s* sisäpuoli

inside [ɪnˈsaɪd] *adj* sisä- *that's inside information* se on sisäpiirin tietoa *adv* sisäpuolella, sisäpuolelle, sisällä, sisälle *look pal, if you're not inside, you're outside* kuule han kaveri, sinä olet joko meidän puolellamme tai meitä vastaan *prep* sisällä (myös ajasta) *inside the box* laatikossa

inside of *prep* (ark) sisällä, kuluessa *the plumber should be here inside of an hour* putkiasentajan pitäisi saapua tunnin sisällä

inside out *adv* **1** väärinpäin, nurinpäin **2** *to know something inside out* tuntea jokin läpikotaisin/kuin omat taskunsa, osata jotakin perusteellisesti

insidious [ɪnˈsɪdɪəs] *adj* salakavala, katala

insight [ˈɪnˌsaɪt] *s* oivallus, oivalluskyky, ymmärrys, käsitys

in sight *to be in sight* olla näkyvissä

insignificance [ˌɪnsɪɡˈnɪfɪkəns] *s* mitättömyys, merkityksettömyys

insignificant [ˌɪnsɪɡˈnɪfɪkənt] *adj* mitätön, merkityksetön, tyhjänpäiväinen

insincere [ˌɪnsɪnˈsɪər] *adj* vilpillinen, ei vilpitön, teennäinen, kaksinaamainen

insincerity [ˌɪnsɪnˈserəti] *s* vilpillisyys, teennäisyys, kaksinaamaisuus

insinuate [ɪnˈsɪnjʊˌeɪt] *v* vihjata, vihjailla *she insinuated that the man was lying* nainen antoi ymmärtää että mies valehteli

insinuating *adj* vihjaileva

insinuation [ɪnˌsɪnjʊˈeɪʃən] *s* vihjailu, vihjaus

insipid [ɪnˈsɪpɪd] *adj* typerä, tyhjänpäiväinen, mitäänsanomaton, sisällyksetön

insipidity [ˌɪnsəˈpɪdəti] *s* typeryys, tyhjänpäiväisyys

insist [ɪnˈsɪst] *v* vaatia *if you insist* jos kerran vaatimalla vaadit

insistence [ɪnˈsɪstəns] *s* peräänantamattomuus; väite; vaatimus

insistent *adj* peräänantamaton, sinnikäs

insist on *v* pitää kiinni jostakin, ei tinkiä jostakin, vaatia ehdottomasti jotakin

insofar as [ˌɪnsəˈfɑr ˌmsoʊˈfɑr] *adv* sikäli kuin

insole [ˈɪnˌsoʊl] *s* **1** (jalkineen) sisäpohja **2** (jalkineen) irtopohjallinen

insolence [ˈɪnsələns] *s* hävyttömyys, röyhkeys, nenäkkyys *Phoebe had the insolence to call him a jerk* Phoebella oli otsaa haukkua häntä idiootiksi

insolent [ˈɪnsələnt] *adj* hävytön, röyhkeä, nenäkäs

insolubility [ɪnˌsɒljəˈbɪləti] *s* **1** (aineen) liukenemattomuus (ongelman) ratkaisemattomuus

insoluble [ɪnˈsɒljəbəl] *adj* **1** liukenematon (aine) **2** ratkaisematon (ongelma)

insolvency [ɪnˈsɒlvənsi] *s* maksukyvyttömyys, rahattomuus

insolvent [ɪnˈsɒlvənt] *adj* maksukyvytön, rahaton

insomnia [ɪnˈsɒmnɪə] *s* unettomuus

insomniac [ɪnˈsɒmnɪˌæk] *s* joku joka kärsii unettomuudesta

in spades *fr* (ark) **1** erittäin, täysi **2** suoraan, siekailematta

inspect [ɪnˈspekt] *v* tarkastaa

inspection [ɪnˈspekʃən] *s* tarkastus

inspector *s* tarkastaja; (poliisi) komisario

inspiration [ˌɪnspəˈreɪʃən] *s* **1** innoitus, ponsi; luomisvire, inspiraatio **2** oivallus

inspire [ɪnˈspaɪər] *v* innoittaa, innostaa, kannustaa, täyttää (kuv) joku jollakin

inspired *adj* nerokas, kekseliäs; innoittunut

instability [ˌɪnstəˈbɪləti] *s* horjuvuus, epävakaisuus, ailahtelu

install [ɪnˈstɔl] *v* **1** asentaa (paikoilleen) *to install a program on a hard disk* asentaa ohjelma kiintolevylle **2** asettaa virkaan **3** *to install yourself* asettua taloksi (esim uuteen työpaikkaan)

installation [ˌɪnstəˈleɪʃən] *s* **1** laitteet, koneet **2** asennus **3** virkaan asetus

installment *s* **1** osamaksuerä **2** (jatkokertomuksen yms) osa, jakso

instance [ˈɪnstəns] *s* **1** esimerkki *for instance* esimerkiksi **2** *at the instance of* jonkun kehotuksesta

instant [ˈɪnstənt] *s* hetki *adj* välitön, heti tapahtuva/seuraava ym; pakottava (tarve); pika- *instant camera/coffee* pikakamera/pikakahvi

instantaneous [ˌɪnstənˈteɪnɪəs] *adj* välitön, heti tapahtuva/seuraava ym

instantly *adv* heti, välittömästi

instead [ɪnˈsted] *adv* sen/jonkun sijaan, asemesta *the director could not come so he sent his assistant instead* johtaja ei päässyt tulemaan joten hän lähetti apulaisensa

instead of *prep* sen sijaan/asemesta että, jonkun sijaan/asemesta *instead of tacos, we'll have hamburgers for dinner* syömme päivälliseksi tacojen asemesta hampurilaisia

instep [ˈɪnˌstep] *s* (anat) jalkapöytä

in step *to be in step* **1** marssia tahdissa **2** (kuv) olla (esim ajan) tasalla

instigate ['ɪnstə,geɪt] v lietsoa (kapinaa), yllyttää (riitaan), panna alulle (uudistuksia)

instigation [,ɪnstə'geɪʃən] s lietsonta, yllytys, alullepano, käynnistys

instigator s yllyttäjä, (vihan) lietsoja, alullepanija, käynnistäjä

instill [ɪn'stɪl] v opettaa jollekulle jotakin, iskostaa jotakin jonkun mieleen

instinct [ɪnstɪŋkt] s 1 vaisto 2 lahja, taipumus

instinctive [ɪn'stɪŋktɪv] adj 1 vaistomainen, vaistonvarainen 2 luontainen, myötäsyntyinen, synnynnäinen

instinctively adv vaistomaisesti

1 institute ['ɪnstə,tjuːt] s 1 laitos, instituutti 2 laitosrakennus

2 institute v 1 perustaa 2 aloittaa, käynnistää, panna toimeen/alulle, saattaa voimaan, ottaa käyttöön

institution [,ɪnstə'tjuːʃən] s 1 laitos, instituutti 2 laitosrakennus 3 instituutio, tapa, vakiintunut käytäntö *an institution in the firm* Mr. Grovesta on tullut yrityksessä oma instituutionsa 4 (lain) voimaan saattaminen 5 (papin) vihkiminen virkaan

institutional adj laitos-

institutionalize [,ɪnstə'tjuːʃənəlaɪz] v 1 määrätä laitoshoitoon 2 vakiinnuttaa

instruct [ɪn'strʌkt] v 1 opettaa 2 neuvoa, käskeä, määrätä

instruction [ɪn'strʌkʃən] s 1 opetus, koulutus 2 neuvo, käsky, määräys, ohje, (mon) käyttöohjeet, valmistusohjeet 3 (tietok) käsky

instructor [ɪn'strʌktər] s 1 opettaja, kouluttaja 2 (yliop) lehtori

instrument [ɪnstrəmənt] s 1 väline 2 mittari, mittalaite 3 välikappale (myös ihmisestä) 4 soitin, instrumentti

instrumental [,ɪnstrə'mentəl] adj 1 hyödyllinen, josta on apua *knowledge of Russian was instrumental to his success* venäjän taito edesauttoi hänen menestystään 2 (mus) instrumentaalinen

insubordinate [,ɪnsə'bɔːrdənət] adj tottelematon, omapäinen, itsepäinen

insubordination [,ɪnsəbɔːrdə'neɪʃən] s tottelemattomuus, omapäisyys, itsepäisyys

insufferable [ɪn'sʌfərəbəl] adj sietämätön

insufficiency [,ɪnsə'fɪʃənsi] s riittämättömyys, vajavuus, puute

insufficient [,ɪnsə'fɪʃənt] adj riittämätön, vajavainen, puutteellinen

insular [ɪnsələr ɪnsjələr] adj 1 saari-, eristynyt 2 ahdasmielinen, rajoittunut, suvaitsematon

insularity [,ɪnsə'lerəti] s 1 eristyneisyys, saariasema 2 ahdasmielisyys, rajoittuneisuus, suvaitsemattomuus

insulate [,ɪnsə,leɪt] v eristää

insulation [,ɪnsə'leɪʃən] s 1 eriste 2 (kuv) eristäminen, suojaaminen

insult [ɪnsʌlt] s loukkaus *to add insult to injury* pahentaa asiaa entisestään

insult [ɪn'sʌlt] v loukata *don't insult his intelligence* älä aliarvioi hänen älykkyyttään

insulting adj loukkaava

insuperable [ɪn'suːpərəbəl] adj voittamaton (vaikeus), ylitsepääsemätön (este)

insupportable [,ɪnsə'pɔːrtəbəl] adj sietämätön

insurance [ɪn'ʃʊərəns] s vakuutus

insurance company s vakuutusyhtiö

insurance policy s vakuutus(sopimus) *after the fire, he took out a home insurance policy* hän otti tulipalon jälkeen kotivakuutuksen

insurant [ɪn'ʃʊərənt] s vakuutuksen ottaja, vakuutettu

insure [ɪn'ʃʊər] v vakuuttaa (ottaa/antaa vakuutus; vannoa), taata

insurgency [ɪn'sɜːrdʒənsi] s kapina, kansannousu

insurgent [ɪn'sɜːrdʒənt] s, adj kapinallinen

insurmountable [,ɪnsər'maʊntəbəl] adj ylitsepääsemätön, voittamaton

insurrection [,ɪnsə'rekʃən] s kapina, kansannousu

intact [ɪn'tækt] adj ehjä, vahingoittumaton, entisensä

intake ['ɪn,teɪk] s 1 (putki) nielu, imu 2 kulutus 3 (opiskelija)kiintiö, sisäänotto

intangible [ɪn'tændʒəbəl] adj 1 aineeton, epäaineellinen, immateriaalinen 2 epämääräinen, vaikeasti määriteltävä

integer [ɪntədʒər] s kokonaisluku

integral [ıntəgrəl] s (mat) integraali adj
1 (mat) integraali- **2** olennainen (osa), keskeinen **3** eheä, yhtenäinen

integrate ['ıntə,greıt] v **1** yhdistää **2** avata
(esim koulu) rotu- tai muille vähemmistöille, lopettaa rotuerottelu jossakin, (erityisesti) avata myös mustille

integrated adj **1** yhdistetty, yhtenäinen, eri
osista koostuva **2** jossa rotu- tai muiden
vähemmistöjen erottelu on lakkautettu,
(erityisesti) myös mustille avattu

integration [,ıntə'greıʃən] s **1** yhdistäminen
2 (koulun ym) avaaminen rotu- tai muille
vähemmistöille, rotuerottelun lopettaminen

integrity [ın'tegrəti] s **1** oikeudenmukaisuus,
hyveellisyys, rehellisyys **2** eheys, yhtenäisyys

intellect [ıntəlekt] s äly, älykkyys, järki

intellectual [,ıntə'lekʃuəl] s intellektuelli,
älykkö adj älyllinen; älykäs *I am not his
intellectual equal* en ole älyllisesti samaa
luokkaa kuin hän

intelligence [ın'telədʒəns] s **1** äly, älykkyys,
järki *artifical intelligence* tekoäly **2** tiedot
3 tiedustelu, vakoilu **4** tiedustelupalvelu

intelligent adj älykäs (myös tietok)

intelligible [ın'telədʒəbəl] adj ymmärrettävä,
josta saa selvää

intend [ın'tend] v aikoa, haluta

intense [ın'tens] adj **1** voimakas, ponteva,
suuri, intensiivinen **2** vakava, totinen
3 tunteikas **4** syvä, voimakas (väri)

intensify [ın'tensə,faı] v voimistaa, voimistua, kasvaa, yltyä

intensity [ın'tensəti] s voimakkuus, voima,
teho

intensive [ın'tensıv] adj **1** ankara, hellittämätön, intensiivinen **2** (lääk) teho- **3** (maatalous) voimaperäinen **4** (yhdyssanan jälkiosana:) *car manufacture is a capital intensive business* autoteollisuus on pääomavaltainen ala

intensive care s (lääk) tehohoito

intent [ın'tent] s aikomus, aie, suunnitelma
adj läpitunkeva (katse)

intention [ın'tenʃən] s aikomus, aie, suunnitelma *intentions* (mon) aikeet; avioliittoaikeet

intentional adj tahallinen

intent on adj keskittynyt johonkin

inter [ın'tər] v haudata

interact [,ıntər'ækt] v vaikuttaa toisiinsa, olla
vuorovaikutuksessa/vuorovaikutussuhteessa

interaction [,ıntər'ækʃən] s vuorovaikutus

intercept [,ıntər'sept] v pysäyttää, torjua; siepata *the enemy agent's message was intercepted by the CIA* vihollisvakoojan viesti
joutui CIA:n käsiin

interception [,ıntər'sepʃən] s pysäytys, sieppaus

interchange [ın'tər,tʃeındʒ] s **1** keskustelu,
vuoropuhelu **2** (varsinkin moottoriteiden)
risteys

interchange [,ıntər'tʃeındʒ] v vaihtaa (jotakin
johonkin; kahden esineen paikkaa; ajatuksia), vaihtua

interchangeable [,ıntər'tʃeındʒəbəl] adj (keskenään) vaihdettava *a camera with interchangeable lenses* kamera jossa on vaihtoobjektiiveja

intercollegiate [,ıntərkə'lidʒət] adj collegeiden välinen

intercontinental [,ıntərkantə'nentəl] adj
mannertenvälinen

intercourse [ın'tər,kɔrs] s **1** vuorovaikutus
2 ajatustenvaihto **3** sukupuoliyhteys, yhdyntä

interest [ıntrəst] s **1** kiinnostus, mielenkiinto
2 harrastus, kiinnostuksen kohde **3** merkitys *it is a matter of global interest* asia on
yleismaailmallinen **4** korko *he took a
mortgage with 9 percent interest* hän otti
asuntolainan 9 prosentin korolla **5** osuus,
osa **6** *etu he got involved in the interest of
the firm* hän puuttui asiaan firman edun
nimissä

interested [ıntrəstəd 'ıntə,restəd] adj **1** kiinnostunut jostakin **2** puolueellinen, omaa
etuaan ajava/ajatteleva **3** jolla on osuutta
johonkin *the interested parties* asianosaiset

interesting adj mielenkiintoinen, kiintoisa,
kiinnostava

1 interface [ıntər,feıs] s **1** rajapinta, yhtymäkohta (myös kuv) **2** välittäjä **3** vuorovaiku-

tus, viestintä **4** (tietok ym) liitin; liittymä
serial/parallel interface sarja/rinnakkais-
liitäntä *man/machine interface* käyttäjän ja
koneen välinen liittymä, käyttöliittymä
graphical user interface (GUI) graafinen
käyttöliittymä

2 interface v liittää, liittyä johonkin, yhdis-
tää, yhdistyä johonkin (with)

interfere [ˌɪntəˈfɪər] v **1** häiritä jotakin (with)
2 puuttua johonkin (in, with)

interference [ˌɪntəˈfɪrəns] s **1** häirintä, häiriö
2 johonkin puuttuminen

interim [ˈɪntərəm] *in the interim* sillä välin,
sillä aikaa

interior [ɪnˈtɪrɪər] s **1** sisusta, sisus **2** (auton,
asunnon) sisätilat **3** sisämaa, sisäosat **4** si-
säasiat *Department of the Interior* (US)
sisäasiainministeriö *adj* sisä-, sisämaan,
sisäinen

interject [ˌɪntəˈdʒekt] v sanoa väliin/kesken
kaiken, keskeyttää sanomalla

interjection [ˌɪntəˈdʒekʃən] s **1** keskeytys,
välihuomautus **2** (kielioppissa) huudahdus-
sana, interjektio

interlock [ˌɪntəˈlɒk] v lukita/lukkiutua yh-
teen, kiinnittää/kiinnittyä lujasti toisiinsa

interlude [ˈɪntəˌluːd] s **1** (teatt) (keskiaikai-
nen) farssi **2** (teatt) väilänäytös **3** väliaika,
tauko **4** jakso, kausi **5** (mus) välisoitto

intermediary [ˌɪntəˈmiːdɪəri] s välittäjä, sovit-
telija *adj* **1** väli-, keski- **2** välittävä, väli-
tys-, sovittelu-

intermediate [ˌɪntəˈmiːdiət] *adj* väli-, keski-
intermediate range missile keskimatkan
ohjus *intermediate students* keskiasteen
opiskelijat

interment [ɪnˈtɜːmənt] s hautaus

intermission [ˌɪntəˈmɪʃən] s väliaika

intermittent [ˌɪntəˈmɪtənt] *adj* ajoittainen,
katkonainen, pätkivä

in terms of *fr* koskien *in terms of money, she
got little* hän ei saanut juuri lainkaan rahaa

1 intern [ˈɪntɜːn] s **1** (aloitteleva) apulaislää-
käri **2** opetusharjoittelija, auskultantti

2 intern v sulkea leiriin/vankilaan, internoida

internal [ɪnˈtɜːnəl] *adj* sisäinen

internalize [ɪnˈtɜːnəˌlaɪz] v sisäistää

internally *adv* sisäisesti

international [ˌɪntəˈnæʃənəl] *adj* kansainvä-
linen

internationalize [ˌɪntəˈnæʃənəlaɪz] v kan-
sainvälistyä, laajeta/laajentaa kansainväli-
seksi

internegative [ˌɪntəˈnegətɪv] s (valok) väli-
negatiivi

internist [ɪnˈtɜːnɪst] s sisätautilääkäri, sisätau-
tien erikoislääkäri

internment [ɪnˈtɜːnmənt] s leiriin/vankilaan
sulkeminen, internointi

interpersonal [ˌɪntəˈpɜːsənəl] *adj* ihmis-
suhde-

interpose [ˌɪntəˈpəʊz] v **1** panna/mennä vä-
liin **2** keskeyttää, sanoa väliin jotakin

interpret [ɪnˈtɜːprət] v **1** tulkata, olla tulkkina
2 tulkita

interpretation [ɪnˌtɜːprəˈteɪʃən] s tulkinta
Freud's interpretation of dreams Freudin
harjoittama unien tulkinta *what is your in-
terpretation of his behavior?* miten sinä
tulkitset hänen käytöksensä? *a liberal in-
terpretation of a composition* sävellyksen
vapaa tulkinta

interpreter [ɪnˈtɜːprətər] s tulkki (myös tie-
tok ja:) tulkitsija, selittäjä

interpretive [ɪnˈtɜːprətɪv] *adj* **1** tulkitseva, se-
littävä **2** tulkinnallinen **3** esittävä (taide)

interracial [ˌɪntəˈreɪʃəl] *adj* rotujen välinen

interregnum [ˌɪntəˈregnəm] s **1** interregnum
2 (kuv) tauko, hengähdystauko

interrelated [ˌɪntəriˈleɪtəd] *adj* toisiinsa liit-
tyvä

interrogate [ɪnˈterəgeɪt] v kuulustella

interrogation [ɪnˌterəˈgeɪʃən] s kuulustelu

interrogative [ˌɪntəˈrɒgətɪv] *adj* **1** kysyvä
2 (kielioppissa) interrogatiivi-, kysymys-

interrogator [ɪnˈterəˌgeɪtər] s kuulustelija

interrogatory [ˌɪntəˈrɒgətəri] s, *adj* kysy-
mys(-)

1 interrupt [ˌɪntəˈrʌpt] s keskeytys

2 interrupt v **1** keskeyttää, katkaista, häiritä *we
interrupt this program to bring you a news
update* keskeytämme ohjelman lyhyellä
uutisella

interruption [ˌɪntəˈrʌpʃən] s keskeytys, katko,
häiriö

intersect [ˌɪntərˈsekt] *v* leikata, mennä ristiin, risteytyä *the roads intersect two miles from here* tiet risteävät kahden mailin päässä

intersection [ˈɪntərˌsekʃən] *s* **1** risteys **2** leikkauspiste

intersperse [ˌɪntərˈspərs] *v* ripotella, levittää sinne tänne *the book is interspersed with case histories* kirjassa on siellä täällä tapauskertomuksia

interstate [ˈɪntərˌsteɪt] *s* (US) valtatie *adj* osavaltioiden välinen

interstellar [ˌɪntərˈstelər] *adj* tähtien välinen

interstice [ɪntərstəs] *s* aukko, kolo

intertwine [ˌɪntərˈtwaɪn] *v* kietoutua yhteen *these problems are inextricably intertwined* näitä ongelmia ei voi käsitellä erillään toisistaan

interval [ɪntərvəl] *s* **1** väli, välimatka, etäisyys; aikaväli *at intervals* aika ajoin, silloin tällöin; tietyin välimatkoin **2** tauko, väliaika **3** (mus) intervalli

intervene [ˌɪntərˈviːn] *v* **1** sekaantua, puuttua johonkin **2** tapahtua/olla välillä, osua johonkin väliin *they had big plans but then the war intervened* heillä oli suuria suunnitelmia mutta sitten sota tuli väliin *in the intervening years* väliyuosina

intervention [ˌɪntərˈvenʃən] *s* sekaantuminen, puuttuminen johonkin (esim toisen maan asioihin)

1 interview [ˈɪntərˌvjuː] *s* haastattelu *job interview* työpaikkahaastattelu

2 interview *v* haastatella; käydä haastattelussa

interviewee [ˌɪntərvjuˈiː] *s* haastateltava

interviewer [ˈɪntərˌvjuər] *s* haastattelija

intestinal [ɪnˈtestənəl] *adj* suolen, suolistestine** [ɪnˈtestaɪn] *s* (yl mon) suoli *small/large intestine* ohutsuoli/paksusuoli

intimacy [ɪntəməsi] *s* **1** läheisyys, tuttavuus **2** (asian)tuntemus *she has an impressive intimacy with international law* hänellä on vaikuttavat tiedot kansainvälisestä oikeudesta **3** kodikkuus; turva, lämpö *in the intimacy of her apartment* omassa turvallisessa asunnossaan **4** intiimi tila **5** sukupuoliyhteys

intimate [ɪntəmət] *adj* **1** läheinen, lämmin, tuttavallinen **2** yksityinen, intiimi **3** kodikas, intiimi **4** joka on hyvin perillä jostakin, jolla on asiantuntemusta jostakin *he has intimate knowledge of the security arrangements* hän tuntee hyvin turvajärjestelyt

intimate [ɪntəˌmeɪt] *v* vihjata, vihjaista, antaa ymmärtää että

intimation [ˌɪntəˈmeɪʃən] *s* vihjaus, vihjailu, vihje

in time *fr* **1** ajoissa **2** aikanaan, tulevaisuudessa **3** (oikeassa) tahdissa

intimidate [ɪnˈtɪməˌdeɪt] *v* pelotella, uhkailla *the police intimidated the dissidents into staying at home* poliisi sai pelottelemalla toisinajattelijat pysymään kotonaan

intimidation [ɪnˌtɪməˈdeɪʃən] *s* pelottelu, uhkailu

into [ɪntu] *prep* johonkin *Harry jumped into the pool* Harry hyppäsi uima-altaaseen *the war continued into the next century* sota jatkui seuraavalle vuosisadalle *the plane crashed into the mountain* lentokone törmäsi vuoreen *the boss said to put it into writing* pomo käski kirjoittaa/pistää sen paperille *Janet is into body building* Janet on innostunut kehonrakennuksesta

intolerable [ɪnˈtɑlərəbəl] *adj* sietämätön

intolerance [ɪnˈtɑlərəns] *s* **1** suvaitsemattomuus, ahdasmielisyys **2** (lääk) allergia, intoleranssi

intonation [ˌɪntəˈneɪʃən] *s* (puhutun kielen) intonaatio, sävelkulku

in tow *fr* **1** hinauksessa, hinattavana **2** *Mr. Frazer had his wife in tow* Mr. Frazerilla oli vaimo mukanaan *the guru had a group of disciples in tow* gurulla oli mukanaan/vanavedessään joukko oppilaita/opetuslapsia

intoxicant [ɪnˈtaksəkənt] *s* päihde

intoxicate [ɪnˈtaksəˌkeɪt] *v* päihdyttää (myös kuv:) huumata

intoxicated *adj* päihtynyt *she was intoxicated with happiness* hän oli pakahtua onnesta

intoxication [ɪnˌtaksəˈkeɪʃən] *s* päihtymys, (kuv) huuma

intranet *s* omaverkko

intransigence *s* tinkimättömyys, jääräpäisyys

intransigent [ɪnˈtrænsədʒənt] *adj* tinkimätön, peräänantamaton, jääräpäinen

intransitive [ɪnˈtrænsətɪv] *adj* (kieliopissa) intransitiivinen, joka ei voi saada objektia

intrepid [ɪnˈtrepəd] *adj* peloton, rohkea

intrepidity [ˌɪntrəˈpɪdəti] *s* pelottomuus, rohkeus

intricacy [ˈɪntrəkəsi] *s* 1 mutkikkuus, monimutkaisuus 2 yksityiskohta, hienous

intricate [ˈɪntrəkət] *adj* mutkikas, monimutkainen

1 intrigue [ˈɪntrig] *s* juoni, juonittelu, vehkeily

2 intrigue *v* 1 juonitella, vehkeillä 2 kiehtoa, kutkuttaa jotakuta

intriguer *s* juonittelija, vehkeilijä

intriguing *adj* kiehtova, kutkuttava, kiintoisa

intrinsic [ɪnˈtrɪnsɪk] *adj* sisäinen, luontainen, todellinen *the vase has no intrinsic value* maljakolla ei ole sinänsä mitään arvoa, maljakolla on vain käyttöarvoa

intrinsically *adv* sinänsä

introduce [ˌɪntrəˈdjuːs] *v* 1 esitellä *let me introduce you to the guests* minäpä esittelen sinut vieraille *she introduced him to Oriental cuisine* hän tutustutti hänet itämaisiin ruokiin *the company has just introduced its fall lineup* yritys esitteli vastikään syysmallistonsa 2 ottaa käyttöön, esittää *Dr. Miller introduced a new treatment for cancer* tri Miller otti käyttöön uuden syövänhoitomenetelmän 3 tuoda *his presence introduced an element of excitement to the meeting* hänen läsnäolonsa toi kokoukseen tiettyä innostusta

introduction [ˌɪntrəˈdʌkʃən] *s* 1 esittely 2 käyttöönotto 3 (kirjan, sävellyksen) johdanto 4 (alkeisteos:) johdatus *an introduction into sociolinguistics* johdatus sosiolingvistiikkaan

introductory [ˌɪntrəˈdʌktəri] *adj* johdanto-, alustus-, alustava-, alku- *an introductory chapter* johdantoluku

introvert [ˈɪntrəˌvɜːt] *s* (psyk) introvertti, (ark) eristäytyjä, syrjään vetäytyjä, sisäänpäin kääntynyt ihminen

introvert [ˈɪntrəˈvɜːt] *v* eristäytyä, vetäytyä syrjään/omiin oloihinsa

intrude [ɪnˈtruːd] *v* tunkeutua, puuttua, sekaantua, häiritä

intruder [ɪnˈtruːdər] *s* tunkeilija, tunkeutuja

intrusion [ɪnˈtruːʒən] *s* tunkeutuminen, puuttuminen, sekaantuminen, häiriö

intrusive [ɪnˈtruːsɪv] *adj* tungetteleva, häiritsevä

in truth *fr* todellisuudessa, oikeastaan, totta puhuen

intuit [ɪnˈtuːt] *v* oivaltaa, ymmärtää intuitiivisesti

intuition [ˌɪntuˈɪʃən] *s* intuitio, oivallus

intuitive [ɪnˈtuːɪtɪv] *adj* intuitiivinen, oivallettu

in tune *the piano is in tune* piano on (oi keassa) vireessä

in turn *fr* vuorollaan, vuorostaan, ajallaan

in two *she cut the loaf in two* hän leikkasi leivän kahtia

Inuit [ˈɪnuːɪt] *s* inuitti

inundate [ˈɪnənˌdeɪt] *v* hukuttaa (myös kuv), tulvia (myös kuv) *the movie star was inundated with fan mail* filmitähti oli hukkua ihailijapostiin

inundation [ˌɪnənˈdeɪʃən] *s* tulva (myös kuv)

inure [ɪnˈjʊər ˈnɔːər] *v* totuttaa, karaista *to become inured to something* tottua johonkin, karaistua

invade [ɪnˈveɪd] *v* 1 hyökätä, valloittaa 2 (kuv) häiritä (jonkun rauhaa), loukata (oikeuksia)

invader *s* hyökkääjä, valloittaja

invalid [ɪnˈvæləd] *s* 1 potilas, sairas 2 vammainen, invalidi *adj* 1 sairas(-), potilas- 2 vammainen, vammaisten, invalidi(-)

invalid [ɪnˈvæləd] *adj* mitätön, pätemätön, joka ei pidä paikkaansa

invalidate [ɪnˈvæləˌdeɪt] *v* 1 kumota (väite) 2 mitätöidä (sopimus)

invalidation [ɪnˌvæləˈdeɪʃən] *s* 1 (väitteen) kumoaminen 2 (sopimuksen) mitätöinti

invaluable [ɪnˈvæljəbəl] *adj* korvaamaton

invariable [ɪnˈveːriəbəl] *adj* muuttumaton, vakio-

invariably *adv* aina, poikkeuksetta

invasion [ɪnˈveɪʒən] s 1 hyökkäys, valloitus 2 (kuv) (rauhan) häirintä, (oikeuksien) loukkaus *that constitutes an invasion of privacy* se on kotirauhan häirintää

invective [ɪnˈvektɪv] s sadattelu, haukkuminen

inveigle [ɪnˈveɪɡəl] v houkutella, viekoitella joku tekemään jotakin (someone into doing something)

invent [ɪnˈvent] v 1 keksiä *Bell invented the telephone* Bell keksi puhelimen 2 sepittää, keksiä omasta päästään *he invented a half-baked excuse* hän keksi jonkinlaisen verukkeen

invention [ɪnˈvenʃən] s 1 keksiminen 2 keksintö 3 kekseliäisyys 4 sepite, hätävalhe

inventive [ɪnˈventɪv] adj kekseliäs

inventor [ɪnˈventər] s keksijä

1 inventory [ˈɪnvenˌtɔːri] s inventaario, tavaraluettelo

2 inventory v inventoida, tehdä inventaario

inversion [ɪnˈvɜːʒən] s 1 kääntäminen 2 (kieliopissa) inversio, käänteinen sanajärjestys

invert [ɪnˈvɜːt] v kääntää ylösalaisin, vaihtaa joidenkin paikkaa, kääntää

invertebrate [ɪnˈvɜːtəbrət] s, adj selkärangaton

inverted comma s (UK) lainausmerkki (')

invest [ɪnˈvest] v 1 (tal) sijoittaa 2 omistaa, panna (aikaa, rahaa) *the teacher invested a lot of effort in helping his students* opettaja näki paljon vaivaa auttaakseen oppilaitaan 3 antaa, myöntää *the position of editor-in-chief is invested with great responsibilities* päätoimittajan työhön liittyy paljon vastuuta

investigate [ɪnˈvestəɡeɪt] v tutkia, selvittää *the police are still investigating* poliisi jatkaa edelleen tutkimuksia

investigation [ɪnˌvestəˈɡeɪʃən] s tutkimus, selvitys

investigative [ɪnˈvestɪɡətɪv] adj tutkiva, tutkimus

investigator [ɪnˈvestəˌɡeɪtər] s tutkija *private investigator* yksityisetsivä

investiture [ɪnˈvestətʃər] s virkaanasettajaiset, investituura

investment [ɪnˈvestmənt] s sijoitus

investor [ɪnˈvestər] s sijoittaja

in view fr 1 näkyvillä, näkyvissä *there were several clouds in view* näkyvillä oli useita pilviä 2 esillä, mietittävänä, harkittavana, pohdittavana

in view of fr jotakin silmällä pitäen, jonkin huomioon ottaen, jonkin valossa

invigilate [ɪnˈvɪdʒəˌleɪt] v valvoa, pitää silmällä, (UK) valvoa tenttiä

invigilator [ɪnˈvɪdʒəˌleɪtər] s (UK) tentin valvoja

invigorate [ɪnˈvɪɡəˌreɪt] v virkistää, piristää, vahvistaa

invincible [ɪnˈvɪnsəbəl] adj voittamaton (vaikeus myös:) ylitsepääsemätön

inviolable [ɪnˈvaɪələbəl] adj loukkaamaton, (kuv) pyhä

inviolate [ɪnˈvaɪələt] adj loukkaamaton, koskematon

invisibility [ɪnˌvɪzəˈbɪləti] s näkymättömyys

invisible [ɪnˈvɪzəbəl] adj näkymätön

invitation [ˌɪnvəˈteɪʃən] s kutsu; ehdotus

invite [ɪnˈvaɪt] v kutsua (kylään, tekemään jotakin), tarjota, pyytää *to invite criticism* suorastaan yllyttää toisia arvosteluun

invite [ˈɪnvaɪt] s (ark) (kylään)kutsu

inviting adj houkutteleva

invocation [ˌɪnvəˈkeɪʃən] s loitsu, manaus

1 invoice [ˈɪnvɔɪs] s lasku

2 invoice v laskuttaa *the company invoiced the client for the order* yritys laskutti asiakasta tilauksesta

invoke [ɪnˈvəʊk] v vedota johonkuhun tai johonkin *he invoked the law* hän vetosi lakiin

involuntary [ɪnˈvɒlənˌteri] adj tahaton, vaistomainen (ele), vastentahtoinen (teko) *I became an involuntary listener* kuulin vahingossa mitä he puhuivat

involve [ɪnˈvɒlv] v 1 sotkea, sekoittaa, ottaa joku mukaan johonkin *he became involved in a bribery case* hän sekaantui lahjusskandaaliin *don't get involved* älä puutu juttuun! *he is involved with another woman* hänellä on suhde erään toisen naisen kanssa 2 kuulua johonkin *setting up a company involves a lot of expenses* yrityksen perustamiseen liittyy paljon menoja

involved *adj* **1** mutkikas, monimutkainen **2** sekaantunut johonkin *he is involved in a tax scam* hän on mukana verohuijauksessa **3** *to get involved* puuttua, sekaantua johonkin

involvement *s* osallisuus, osallistuminen, paneutuminen johonkin, yhteydet johonkuhun

invulnerability [ɪn‚vʌlnərəˈbɪləti] *s* haavoittumattomuus, vankkumattomuus

invulnerable [ɪnˈvʌlnərəbəl] *adj* haavoittumaton, turvallinen, vankkumaton (asema), valloittamaton (linnoitus)

inward [ˈɪnwəd] *adj* sisäinen, sisään päin suuntautuva *adv* sisään päin

inwardly *adv* sisäisesti, sisimmässään

inwards [ˈɪnwədz] *adv* sisaan pain

iodine [ˈaɪəˌdaɪn] *s* jodi

ion [aɪən] *s* ioni

ionize [ˈaɪəˌnaɪz] *v* ionisoida

ionosphere [aɪˈɒnəsˌfɪər] *s* ionosfääri

iota [aɪˈoʊtə] *not one iota* ci tippaakaan, ci tipan tippaa

IQ [ˌaɪˈkju] *intelligence quotient* älykkyysosamäärä, ÄO

irate [aɪˈreɪt] *adj* raivostunut, tulistunut

iridescent [ˌɪrɪˈdesənt] *adj* kirjava, monenkirjava

iris [aɪrɪs] *s* (silmän) värikalvo, iiris

irk [ɜːk] *v* ärsyttää, harmittaa, vaivata

irksome [ˈɜːksəm] *adj* ärsyttävää, harmittava, harmillinen

1 iron [aɪən] *s* **1** rauta *you'd better strike while the iron is hot* sinun kannattaa takoa kun rauta on kuumaa *to pump iron* nostella puntteja, bodata (ark) **2** silitysrauta **3** (golf) rautamaila

2 iron *v* silittää (vaatteita)

ironclad [ˈaɪənˌklæd] *adj* (kuv) raudanluja, vedenpitävä, aukoton *he has an ironclad alibi for the evening of the murder* hänellä on murhailaksi varma alibi

iron curtain *s* rautaesirippu

ironic [aɪˈrænɪk] *adj* ironinen, ivallinen

ironical *adj* ironinen, ivallinen

ironing board [ˈaɪənɪŋˌbɔːd] *s* silityslauta

ironmonger [ˈaɪənˌmʌŋgər] *s* (UK) rautakauppias

iron out *v* **1** silittää (vaatteita, ryppyjä) **2** selvittää, ratkaista (ongelmat)

ironworker *s* metallityöläinen

ironworks [ˈaɪənˌwɜːks] *s* (verbi yksikössä tai mon) rautaruukki

irony [aɪərnɪ] *s* ironia, (epäsuora) iva

irrational [ɪˈræʃənəl] *adj* järjenvastainen, järjetön, aiheeton, perusteeton (pelko)

irrationality [ɪˌræʃəˈnæləti] *s* järjettömyys, aiheettomuus

irrationally *adv* järjettömästi, aiheettomasti, aiheetta

irreconcilable [ɪˌrekənˈsaɪləbəl] *adj* leppymätön (viha, vihamies), sovittamaton (ristiriita)

irregular [ɪˈregjələr] *adj* epäsäännöllinen, epätasainen, epäyhtenäinen, epätavallinen, poikkeuksellinen, erikoinen, sääntöjen vastainen

irregularity [ɪˌregjəˈlerəti] *s* epäsäännöllisyys, epätasaisuus, epäyhtenäisyys, epätavallisuus, poikkeuksellisuus, erikoisuus, sääntöjen vastaisuus

irregularly *adv* epäsäännöllisesti, epätasaisesti, epäyhtenäisesti, epätavallisesti, erikoisesti, poikkeuksellisesti, sääntöjen vastaisesti

irrelevance [ɪˈreləvəns] *s* epäolennaisuus, mitättömyys, merkityksettömyys

irrelevant [ɪˈreləvənt] *adj* epäolennainen, asiaan kuulumaton

irreparable [ɪˈrepərəbəl] *adj* korvaamaton (vahinko)

irreplaceable [ˌɪrɪˈpleɪsəbəl] *adj* korvaamaton arvokas, korvaamaton

irresistible [ˌɪrɪˈzɪstəbəl] *adj* **1** vastustamaton (houkutus, kiusaus) **2** ihastuttava; herkullinen; houkutteleva

irrespective of [ˌɪrəˈspektɪv] *adj* jostakin huolimatta, johonkin katsomatta

irresponsibility [ˌɪrəˌspɒnsəˈbɪləti] *s* vastuuntunnottomuus, anteeksiantamattomuus

irresponsible [ˌɪrəˈspɒnsəbəl] *adj* vastuuntunnoton (ihminen), anteeksiantamaton (teko)

irreverence [ɪˈrevərəns] *s* hävyttömyys, kunnioituksen puute

irreverent [ɪˈrevərənt] *adj* hävytön, epäkunnnioittava, epähieno

irrevocable 870

irrevocable [ɪˈrevəkəbəl] *adj* peruuttamaton, lopullinen

irrigate [ˈɪrəˌɡeɪt] *v* kastella (maata)

irrigation [ˌɪrəˈɡeɪʃən] *s* (maan) kastelu

irritability [ˌɪrətəˈbɪlətɪ] *s* ärtymys, äkäisyys, kärttyisyys

irritable [ˈɪrətəbəl] *adj* ärtyisiä, äkäinen, kärttyisiä, (lääk) herkästi ärtyvä

irritant [ˈɪrətənt] *s* 1 harmi, kiusa 2 (lääk) kiihote, kiihotusaine

irritate [ˈɪrəˌteɪt] *v* ärsyttää (myös lääk), harmittaa, kiusata

irritating *adj* ärsyttävä, harmittava, kiusallinen

irritatingly *adv* ärsyttävästi, kiusallisesti

is [ɪz] ks be

Islam [ɪzlæm] *s* 1 islam, muhamettilaisuus 2 muhamettilaiset

Islamic [ɪzˈlæmɪk] *adj* islamilainen, muhamettilainen

island [aɪlənd] *s* saari (myös kuv)

islander *s* saarelainen, saaren asukas

isle [aɪəl] *s* (pieni) saari

islet [aɪlət] *s* (pieni) saari

isn't [ɪznt] *is not*

isobar [ˈaɪsəˌbɑː] *s* (ilmatieteessä) isobaari

isolate [ˈaɪsəˌleɪt] *v* eristää *he has isolated himself from the world* hän on eristäytynyt ulkomaailmasta

isolated *adj* 1 syrjäinen, eristyksissä elävä/oleva 2 (tapaus, esimerkki) yksittäinen, yksittäis-

isolation [ˌaɪsəˈleɪʃən] *s* eristäminen, eristäytyminen, eristyneisyys, eristys

isolationism [ˌaɪsəˈleɪʃənɪzəm] *s* eristäytymispolitiikka, isolationismi

isolationist *s* eristäytymispolitiikan kannattaja

isosceles [aɪˈsɒsəˌliːz] *adj* (kolmio) tasakylkinen

1 issue [ˈɪʃuː] *s* 1 asia, kysymys, kiista, ongelma *that is not at/the issue here* siitä ei ole kysymys *they are at issue over the language of the contract* he kiistelevät sopimuksen sanamuodosta, he ovat eri mieltä sopimuksen sanamuodosta *to take issue* olla eri mieltä 2 liikkeellelasku, anti, emissio 3 antaminen, myöntäminen, jakaminen *date of issue* (esim passin, viisu-

min) myöntämispäivä 4 (lak) jälkeläiset *to die without issue* kuolla lapsettomana

2 issue *v* 1 myöntää, antaa (passi, viisumi) *the judge issued a search warrant* tuomari myönsi etsintäluvan 2 laskea liikkeelle (rahaa, osakkeita), julkaista (kirja, lehti) 3 (savu) tupruta, (neste) vuotaa, tihkua

isthmus [ɪsməs] *s* kannas

it [ɪt] *pron* 1 se, sen, sitä *where's the book? Jim took it* missä kirja on? Jim otti sen *he put it there* hän pani sen tuonne *he did not read it* hän ei lukenut sitä 2 muodollisena subjektina *it is raining* (ulkona) sataa *it is nice to see you* on hauska tavata sinut 3 korostettaessa *it was him who did it* hän sen teki 4 ihmisestä *who is it?* kuka siellä?, kuka soittaa?

italicize [ɪˈtæləˌsaɪz] *v* kursivoida

italics *s* (mon) kursiivi *this is in italics* tämä on ladottu kursiivilla

1 itch [ɪtʃ] *s* 1 kutina 2 kaipaus, kaipuu, halu *she has an itch for excitement* hän kaipaa elämäänsä vaihtelua

2 itch *v* 1 kutista 2 haluta/kaivata kovasti, ei malttaa odottaa jotakin

itchy *adj* kutiseva *I'm itchy all over* minua kutittaa joka paikasta

it'd [ɪtəd] *it would, it had*

item [aɪtəm] *s* 1 kohta, merkintä, kappale 2 uutinen: *news item*

itemization [ˌaɪtəməˈzeɪʃən] *s* erittely, yksityiskohtainen luettelo/selvitys

itemize [ˈaɪtəˌmaɪz] *v* eritellä, luetella/merkitä yksitellen/kukin erikseen

iterate [ˈɪtəˌreɪt] *v* toistaa, kerrata

iteration [ˌɪtəˈreɪʃən] *s* toisto, kertaus

itinerant [aɪˈtɪnərənt] *adj* kiertävä

itinerary [aɪˈtɪnəˌreri] *s* matkasuunnitelma; (matka)reitti

it'll [ɪtəl] *it will*

it's [ɪts] *it is, it has*

its [ɪts] *pron* (it-pronominin omistusmuoto) sen, -nsa/-nsä

itself [ɪtˈself] *pron* 1 (it-pronominin refleksiivimuoto) itse, itseään *the door opened itself/by itself* ovi avautui itsestään 2 korostuksena: *inflation/that in itself is not serious* inflaatio/se ei sinänsä ole vakava asia

I've [aɪv] *I have*

ivory [aɪvrɪ] *s* norsunluu *adj* **1** norsunluinen **2** norsunluun värinen

ivy [aɪvɪ] *s* (kasvi) muratti

Ivy League *s* Yhdysvaltain koillisosan eliitti-yliopistot (Harvard, Princeton, Yale ym)

J, j

J, j [dʒeɪ] J, j

1 jab [dʒæb] *s* pisto, sohaisu, tökkäys (kepillä, neulalla)

2 jab *v* pistää, sohaista, tökätä (kepillä, neulalla)

1 jabber *s* pölinä, solkkaus

2 jabber *v* pölistä, puhua kuin papupata; solkata

1 jack [dʒæk] *s* **1** nosturi (myös auton, ark); tunkki **2** (korttipelissä) sotilas **3** (sähkö-laitteissa) jakki (johon esim korvakuulokkeet liitetään) **4** *Jack* (ark) kaveri, heppu

2 jack *v* nostaa nosturilla

jackal [dʒækəl] *s* sakaali

jackass [dʒækæs] *s* **1** aasiori **2** (kuv) aasi, idiootti, pölkkypää

jackdaw [dʒækdɔ] *s* naakka

jacket [dʒækət] *s* **1** (pikku)takki *life jacket* pelastusliivit **2** (kirjan) suojapaperi, (äänilevyn) kansi, (kirje)kuori **3** (keitetyn perunan) kuori

jack-in-the-box [dʒækənðəˌbaks] *s* (rasiasta kantta avattaessa ponnahtava) vieteriukko

1 jackknife [dʒækˌnaɪf] *s* (iso) taskuveitsi, linkkuveitsi

2 jackknife *v* taittaa/taittua kaksinkerroin

jack-o'-lantern [dʒækəˌlæntərn] *s* kurpitsaly-hty (pyhäinmiestenpäivänä (Halloween) käytettävä ontoksi koverrettu kurpitsa jonka kylkeen on veistetty irvokas naama ja jonka sisällä on kynttilä)

jackpot [dʒækˌpat] *s* päävoitto, koko potti *to hit the jackpot* voittaa päävoitto; onnistua jossakin, menestyä loistavasti

jack up *v* **1** nostaa nosturilla **2** korottaa, lisätä (hintaa) **3** rohkaista, kannustaa jotakuta

jade [dʒeɪd] *s* **1** jade, eräs korumineraali **2** (hevonen) kaakki, luuska

jaded [dʒeɪdəd] *adj* **1** kyltynyt, sammunut **2** loppuunkulunut, loppuunväsynyt

jagged [dʒægəd] *adj* rosoinen, lovettu, pyälletty

jaguar [dʒægwar] *s* jaguaari

1 jail [dʒeɪl] *s* putka; vankila

2 jail *v* panna putkaan; vangita

jailbird [dʒeɪlˌbərd] *s* vankila

jailbreak [dʒeɪlˌbreɪk] *s* pako (vankilasta)

jailer *s* vanginvartija; vankilanjohtaja

jailhouse [dʒeɪlˌhaus] *s* vankila

1 jam [dʒæm] *s* **1** marmeladi, hillo **2** ruuhka, tungos *traffic jam* liikenneruuhka **3** (ark) tukala tilanne *she's in a jam* hän on pinteessä/pulassa

2 jam [dʒæm] *v* *jammed, jammed* **1** sulloa, ahtaa, tunkea jotakin jonnekin **2** tukkia (liikenne ym) *the streets were jammed with traffic* kadut olivat aivan tukossa **3** juuttua kiinni *his gun jammed* hänen aseensa ei lauennut **4** *I jammed my hand in the door* käteni jäi oven väliin

1 jangle [dʒæŋgəl] *s* (metallin) kilinä, kolina

2 jangle *v* **1** (metallin) kilistä, kilistää, kolista, kolistella **2** raastaa (hermoja), käydä hermoille

janitor [dʒænətər] *s* talonmies

January [dʒænjəˌwerɪ] *s* tammikuu

1 jar [dʒar] *s* **1** ruukku, purkki, astia **2** tärähdys, tärinä **3** järkytys **4** kina, riita **5** kolina, rätinä, raastava ääni

2 jar *v* **1** kolista **2** järkyttää **3** kolista, rätistä

jargon [dʒargən] *s* ammattisanasto, ammattikieli

jarring *adj* (hermoja, korvia) raastava, räikeä (väri)

jaundice [dʒandɪs] *s* keltatauti

jaundiced adj 1 keltatautinen 2 (kuv) kateellinen, katkeroitunut, kyyninen

1 **jaunt** [dʒɔnt] s (lyhyt huvi)matka, pyrähdys

2 **jaunt** v lähteä käymään jossakin, käväistä, pyrähtää

jauntily adv hilpeästi, iloisesti, reippaasti

jaunty adj 1 (ihminen) hilpeä, iloinen, reipas 2 (vaatteet, hattu) tyylikäs, muodikas; rempseä

javelin [dʒævlən] s 1 keihäs 2 keihäänheitto

javelin throw s (urh) keihäänheitto

jaw [dʒɔ] s 1 leuka, leukaluu 2 (mon) kita (myös kuv), suu (myös kuv) he was saved from the jaws of death hän pelastui kuoleman kidasta/kynsistä

jawbone [dʒɔ,boun] s leukaluu

jawbreaker [dʒɔ,breikər] s sanahirviö

jay [dʒei] s närhi

jaywalker [dʒei,wɔkər] s jalankulkija joka esim kävelee punaista valoa päin

jazz [dʒæz] s jazz, jatsi

jazz band s jazzorkesteri, jatsiorkesteri

jazz up v piristää jotakin, tuoda eloa johonkin, panna vauhtia johonkin

jazzy adj 1 jatsahtava, jazzia/jatsia muistuttava 2 (ark) eloisa, vilkas, pirteä 3 (ark) korea, värikäs, räikeä

jealous [dʒeləs] adj 1 mustasukkainen 2 kateellinen I'm jealous of your success kadehdin menestystäsi

jealousy [dʒeləsi] s 1 mustasukkaisuus 2 kateus

jeans [dʒinz] s (mon) farkut

1 **jeer** [dʒiər] s pilkka, iva, pilkkahuuto

2 **jeer** v pitää pilkkanaan, tehdä pilaa jostakusta/jostakin

jelly [dʒeli] s 1 marmeladi, hillo 2 (UK) hyytelö

jellyfish s meduusa

jeopardize [dʒepər,daiz] v vaarantaa, panna vaaralle alttiiksi, riskeerata

jeopardy [dʒepərdi] s vaara

1 **jerk** [dʒɔrk] s 1 riuhtaisu, nykäisy, kiskaisu 2 (sl) idiootti, tonttu; paskiainen

2 **jerk** v riuhtaista, nykäistä, kiskaista

jerky [dʒɔrki] s kuivattu liha beef jerky kuivaliha(patukka) adj 1 nykivä, pätkivä, kat-

konainen 2 (sl) idioottimainen, älytön, typerä

jersey [dʒɔrzi] s neulepaita, villapaita

1 **jest** [dʒest] s leikinlasku, leikki I just said it in jest minä sanoin sen leikilläni, en minä sillä mitään tarkoittanut

2 **jest** v laskea leikkiä, vitsailla

jester s (hist) narri (myös kuv:) leikinlaskija, vitsailija

1 **jet** [dʒet] s 1 suihke, suihku 2 suutin 3 suihkumoottori 4 suihkukone

2 **jet** v 1 suihkuttaa, ruiskuttaa 2 lentää/lennättää (suihkukoneella)

jet engine s suihkumoottori

jet lag s aikaeroväsymys

jet plane s suihku(lento)kone

jet set s jet set, suihkuseurapiirit

jettison [dʒetəsən] v 1 heittää yli laidan, heittää lentokoneesta 2 (kuv) hylätä, luopua jostakin, heittää menemään

jetty [dʒeti] s sallonmurtaja; laituri

jewel [dʒuəl] s 1 jalokivi 2 (kuv) aarre

jeweler [dʒuələr] s jalokivikauppias, kultaseppä

jewelry [dʒuəlri] s korut

Jewish [dʒuiʃ] adj juutalainen

jiffy [dʒifi] in a jiffy hetkessä, tuossa tuokiossa

jig [dʒig] v 1 tanssia 2 heiluttaa ylösalas/edestakaisin

jigsaw [dʒig,sɔ] s lehtisaha

jigsaw puzzle s palapeli

jilt [dʒilt] v antaa rukkaset (rakastetulle), hylätä

1 **jingle** [dʒiŋgəl] s 1 (metallinen) kilinä, helinä 2 mainosmelodia

2 **jingle** v (metallisesta) kilistä, kilistää, helistä, helistää

jingo [dʒiŋgou] s kansalliskiihkoilija, kiihkoisänmaallinen

jingoism [dʒiŋgou,izəm] s kansalliskiihkoilu

1 **jinx** [dʒiŋks] s huono onni

2 **jinx** v pilata, tehdä tyhjäksi

job [dʒab] s 1 työ, tehtävä, homma; velvollisuus it's your job to clean the rooms sinun kuuluu siivota huoneet I'm proud of you, you did a good job olen ylpeä sinusta, hoidit asian hienosti, teit työsi hyvin 2 työpaikka, työ *he lost his job last week* hänet erotettiin viime viikolla

job-hunt *v* etsiä työtä/työpaikkaa

jobless [dʒɒbləs] *adj* työtön *the jobless* työttömät

joblessness *s* työttömyys

job market *s* työvoimamarkkinat

1 jockey [dʒɒki] *s* **1** jockey, ammattikilparatsastaja *disc jockey* deejii, tiskijukka **2** (ark) kuljettaja, kuski

2 jockey *v* **1** ratsastaa (kilpahevosella) **2** (ark) ohjata, kuskata **3** hivuttaa, hivuttautua, saada jokin mahtumaan jonnekin *he jockeyed himself into high office* hän keplotteli itsensä korkeaan virkaan *to jockey someone into doing something* houkutella/huijata joku johonkin/tekemään jotakin

1 jog [dʒɒg] *s* **1** työntö, tönäisy; kiskaisu, nykäisy **2** hölkkä

2 jog *v* **1** työntää, tönälsä, kiskaista, nykäistä **2** hölkätä, juosta, käydä lenkillä

jogging *s* hölkkä, lenkkeily

joggle [dʒɒgəl] *v* liikuttaa/vääntää (pienin liikkein) edestakaisin, heiluttaa (hieman)

join [dʒɔɪn] *v* liittää, liittyä, yhdistää, yhdistyä *he joined the army* hän meni armeijaan/armeijan palvelukseen *go ahead, I'll join you later* mene sinä edeltä, minä tulen myöhemmin perässä *we all join in wishing you a pleasant trip* me kaikki toivotamme sinulle hyvää matkaa

joiner *s* puuseppä, kirvesmies

joinery [dʒɔɪnəri] *s* puusepäntyöt, puutyöt

joint [dʒɔɪnt] *s* **1** nivel *to be out of joint* olla (pois) sijoiltaan; sopimaton **2** liitos, (putki)yhde **3** (sl) marihuanasavuke **4** (sl) kapakka, murju *it's a classy joint* se on tosi upea paikka *adj* yhteinen, yhteis-, yhteisvoimin tapahtuva *joint venture* yhteisyritys, yhteishanke

joist [dʒɔɪst] *s* kannatinparru, kannatinpalkki, kannatin

1 joke [dʒəʊk] *s* **1** vitsi, pila **2** jokin joka on mitätön *his new invention is a joke* hänen uusi keksintönsä on yhtä tyhjän kanssa

2 joke *v* vitsailla, pilailla

joker *s* **1** vitsailija, vitsien kertoja **2** (pelikortti) jokeri

jokingly *adj* pilan päiten, vitsaillen

jolly [dʒɑli] *adj* iloinen, onnellinen, hyväntuulinen *adv* (UK) oikein, aika, melkoisen *that's jolly good* hienoa

1 jolt [dʒɒlt] *s* **1** nykäisy, töytäisy, tönäisy **2** (kuv) järkytys

2 jolt *v* **1** heitellä, ravistella, nykäistä, riuhtaista **2** (kuv) järkyttää

1 jostle [dʒɒsəl] *s* tungos, ruuhka, ryysis (ark)

2 jostle *v* tungeksia, tunkeutua, töniä, työntää

jot down [dʒɒt] *v* kirjoittaa muistiin

journal [dʒɜːnəl] *s* **1** päiväkirja **2** sanomalehti **3** (ammatti)lehti

journalism [dʒɜːnəlɪzəm] *s* journalismi, lehtityö

journalist [dʒɜːnəlɪst] *s* toimittaja, lehtimies, lehtinainen, journalisti

journalistic [dʒɜːnəlistik] *adj* journalistinen, lehtityön, lehtityö-

1 journey [dʒɜːni] *s* matka

2 journey *v* matkustaa, matkata

jovial [dʒəʊviəl] *adj* hyväntuulinen, leppoisa, joviaali

joviality [ˌdʒəʊviˈæləti] *s* hyväntuulisuus, leppoisuus, joviaalisuus

jowl [dʒaʊəl] *s* **1** alaleuka **2** poski **3** kaksoisleuka

joy [dʒɔɪ] *s* ilo

joyful *adj* iloinen

joyless *adj* iloton, surullinen, apea, synkkä

joyous [dʒɔɪəs] *adj* iloinen

joyride [dʒɔɪraɪd] *s* **1** huviajelu (vars varastetulla autolla) **2** hetken hurma

joystick [dʒɔɪstɪk] *s* **1** (ark) lentokoneen ohjaussauva **2** (tietok) peliohjain, joystick

jubilant [dʒubələnt] *adj* ikionnellinen, riemukas

jubilation [ˌdʒubəˈleɪʃən] *s* juhla, juhlinta

jubilee [ˌdʒubəˈliː] *s* **1** (vuosi)juhla, vuosipäivä *silver jubilee* hopeahääpäivä, 25-vuotisjuhla *golden jubilee* kultahääpäivä, 50-vuotisjuhla *diamond jubilee* timanttihääpäivä, 60/70-vuotisjuhla **2** 50-vuotisjuhla, 50-vuotispäivä

1 judge [dʒʌdʒ] *s* **1** tuomari (oikeudessa, kilpailussa) **2** tuntija *he is not a good judge of character* hän on huono ihmistuntija

2 judge v **1** tuomita *the defendant was judged guilty* syytetty todettiin syylliseksi, syytetty tuomittiin **2** päätellä, olettaa, arvioida, otaksua *judging from his clothes, he must be rich* hän on vaatteista päätellen rikas

judgment [dʒʌdʒmənt] s **1** tuomio, tuomitseminen **2** arvostelukyky *your decision shows poor judgment* päätöksesi on merkki arvostelukyvyn puutteesta *an error of judgment* arviointivirhe, virhearviointi **3** mielipide, näkemys, katsomus

judgmental [dʒʌdʒˈmentəl] adj tuomitseva, syyttävä

judicial [dʒuˈdiʃəl] adj oikeudellinen, oikeus-

judiciary [dʒuˈdiʃieri] s **1** (valtionhallinnossa) tuomiovalta **2** oikeuslaitos **3** tuomarit, tuomaristo

judicious [dʒuˈdiʃəs] adj harkittu, viisas, varovainen, avarakatseinen

judo [dʒuːdou] s judo

jug [dʒʌg] s **1** kannu, astia, ruukku **2** (mon, sl) rinnat, melonit

juggernaut [ˈdʒʌgənɔːt] s tuho, hävitys *the juggernaut of war* sodan Moolokin kita

juggle [dʒʌgəl] v **1** temppuilla (palloilla) **2** huijata, juonitella, parannella (luvattomasti esim tileja)

juggler [dʒʌglər] s jonglööri, temppuilija

juice [dʒuːs] s **1** mehu (myös kuv) **2** (sl) sähkö; bensa

juiciness s mehukkuus, mehevyys (myös kuv)

juicy [dʒuːsi] adj mehukas, mehevä (myös kuv)

jukebox [ˈdʒuːkbaks] s levyautomaatti

July [dʒəˈlaɪ] s heinäkuu

jumbo [dʒʌmbou] s **1** mammutti (kuv) **2** (laajarunkolentokone, erityisesti Boeing 747) *jumbo jet* adj mammuttimainen, valtava, suurikokoinen

1 jump [dʒʌmp] s **1** hyppy **2** (hintojen, lämpötilan) äkillinen) nousu **3** säpsähdys, säikähdys *you gave me a jump when you entered the room without knocking* säikähdin kun tulit sisään koputtamatta

2 jump v **1** hypätä, ponnahtaa **2** (hintojen, lämpötilan) nousta äkkiä **3** säpsähtää, säikähtää

jump at v tarttua innokkaasti tilaisuuteen

jumper s **1** hyppääjä **2** (naisten hihaton) puku, liivihame **3** (UK) neulepusero **4** (sähkökolaittelussa) hyppylanka, hyppyliitin

jump on v moittia, haukkua

1 jump-start s auton käynnistys kaapelilla

2 jump-start v käynnistää auto kaapelilla

jump the gun fr ottaa varaslähtö

jumpy adj **1** säikky, hermostunut, levoton **2** nykivä, pätkivä, katkonainen

junction [dʒʌŋkʃən] s **1** (rautatie-, maantie)risteys **2** liitin, liitos

juncture [dʒʌŋktʃər] s **1** vaihe *at this juncture* nyt, tässä vaiheessa, tässä tilanteessa **2** ratkaisuvaihe

June [dʒuːn] s kesäkuu

jungle [dʒʌŋgəl] s viidakko *it's a jungle out there* (kuv) ulkomaailma on täysi hullunmylly

1 junior [dʒuːnjər] s **1** nuorempi henkilö **2** alempiarvoinen työntekijä ym. **3** viimeistä edellisen luokan/vuoden opiskelija

2 junior adj **1** nuorempi *William Bates, Jr.* William Bates nuorempi, William Bates Jr. **2** (kuv) nuorempi, alempiarvoinen *he is a junior assistant* hän on nuorempi avustaja **3** viimeistä edellisen opintovuoden

junior high school s (vastaa Suomessa) peruskoulun yläaste(tta)

juniper [dʒuːnipər] s kataja

junk [dʒʌŋk] s **1** roina, romu, roska **2** dżonkki

junk food s kioskiruoka, roskaruoka

junkie [dʒʌŋki] s (ark) narkomaani *she is a coffee junkie* hän on kahvinarkomaani, hän on tullut riippuvaiseksi kahvista

junta [huntə] s juntta

jurisdiction [dʒuərəzˈdɪkʃən] s **1** tuomiovalta **2** määräysvalta, valta *I am sorry but that is not your jurisdiction* olen pahoillani mutta se ei ole sinun vallassasi

jurisprudence [dʒuərəsˈpruːdəns] s **1** oikeustiede **2** laki, lait

jurist [dʒuərist] s lakimies, lainoppinut, juristi

juror [dʒuərər] s valamies

jury [dʒuəri] s **1** (lak) valamiehistö **2** arvostelulautakunta, (kilpailun) tuomaristo, jury

jury consultant s puolustusasianajajaa valamiehistön valinnassa avustava asiantuntija

just [dʒʌst] *adj* oikeudenmukainen, (rangaistus myös:) ansaittu *adv* **1** juuri (äsken, nyt) *I was just going to call you* aioin juuri soittaa sinulle **2** juuri, nimenomaan *that is just what he meant* juuri sitä hän tarkoitti **3** juuri (ja juuri), nipin napin, niukasti *you just missed the bus* bussi ehti juuri lähteä **4** pelkästään, pelkkä, vain, ainoastaan *he is just an ordinary guy* hän on ihan tavallinen ihminen **5** kerrassaan *that record is just fantastic* tuo levy on kerta kaikkiaan loistava

justice [ˈdʒʌstəs] *s* **1** oikeudenmukaisuus **2** oikeus, laki **3** oikeus, peruste *you complained with justice* valituksesi oli oikeutettu **4** tuomari

justifiable [ˈdʒʌstəˌfaɪəbəl] *adj* oikeutettu

justification [ˌdʒʌstəfɪˈkeɪʃən] *s* **1** peruste, perustelu, oikeutus, puolustus **2** (tekstin asettelussa vasen/oikea) suora

justify [ˈdʒʌstəˌfaɪ] *v* **1** puolustautua, perustella tekonsa **2** tehdä oikeutetuksi *your behavior was not justified* käytöksesi ei ollut oikeutettua **3** suoristaa (teksti)

jute [dʒuːt] *s* juutti

jut out [dʒʌt] *v* työntyä jonnekin, pistää esiin

juvenile [ˈdʒuːvəˌnaɪl] *s* nuori, nuorukainen *adj* nuorten, nuoriso-, nuoruusiän *juvenile books* nuortenkirjat

juxtapose [ˌdʒʌkstəˈpoʊz] *v* rinnastaa, asettaa rinnakkain

juxtaposition [ˌdʒʌkstəpəˈzɪʃən] *s* rinnastus

K, k

K, k [keɪ] K, k

K (tekstiviestissä, sähköpostissa) okay

kaleidoscope [kəˈlaɪdəˌskoʊp] *s* kaleidoskooppi

kangaroo [ˌkæŋɡəˈruː] *s* kenguru

karaoke [ˌkærəˈoʊkeɪ, ˌkɛrɪˈoʊki] *s* karaoke

karat [ˈkerət] *s* karaatti

karate [kəˈrɑːti] *s* karate

karma [ˈkɑːrmə] *s* karma, kohtalo

1 kayak [ˈkaɪæk] *s* kajakki *white water kayak* koskikajakki, puljauskajakki

2 kayak *v* meloa/kulkea kajakilla

keel [kiːl] *s* emäpuu, köli *to be on an even keel* (kuv) olla tasapainossa

keel over *v* **1** (laiva) kaatua **2** (ihminen) kellahtaa kumoon, pyörtyä

keen [kiːn] *adj* **1** innokas, halukas **2** tarkka, terävä (äly, aisti), voimakas (kipu, halu), suuri (nautinto)

keenly *adv* **1** innokkaasti, halukkaasti **2** voimakkaasti, syvästi

keenness *s* into, innokkuus, halu, halukkuus

1 keep [kiːp] *s* **1** elanto, elatus **2** *to play for keeps* pelata/olla tosissaan

2 keep *v* kept, kept **1** pitää *where do you keep the keys?* missä pidät/säilytät avaimia? *we*

don't keep that model in stock me emme pidä sitä mallia varastossa, meillä ei ole sitä mallia varastossa *keep the change* pitäkää vaihtorahat *keep the engine running* anna moottorin käydä, pidä moottori käynnissä *she keeps her apartment clean* hän pitää asuntonsa siistinä *to keep a promise* pitää lupauksensa **2** pidätellä, viivytellä *I'm sorry, I'm keeping you* anteeksi, nyt minä pidättelen sinua suotta *what's keeping you from joining the army?* mikä sinua muka estää menemästä armeijaan? **3** pysyä/pysytellä jossakin/jonkinlaisena, suorata (tietä) *slower traffic keep right* (liikennemerkkinä) hitaiden ajoneuvojen tulee käyttää oikeaa kaistaa *to keep calm* pysyä rauhallisena, säilyttää malttinsa *try to keep away from sugary foods* yritä olla syömättä sokerisia ruokia **4** jatkaa *to keep doing something, to keep on doing something* jatkaa jonkin tekemistä **5** (ruoka) säilyä **6** voida, jaksaa *7 that will keep* se saa odottaa, se voi jäädä myöhemmäksi

keep an eye on *fr* pitää silmällä jotakuta/jotakin, seurata

keep at *v* jatkaa sinnikkäästi, ei antaa periksi

keep back v 1 pitää/pysyä loitolla jostakin
2 salata, ei paljastaa, pitää omana tietonaan

keep down v 1 puhua hiljaa 2 pitää (hinnat)
alhaisina

keeper s 1 vartija *I am not my brother's
keeper* en ole veljeni vartija 2 valvoja,
huoltaja

keeping s 1 hoiva, huosta 2 (määräyksen)
noudattaminen 3 *in keeping with some-
thing* jonkin mukaisesti/mukainen

keep on v jatkaa *just keep on reading* jatka
lukemista, lue eteenpäin

keepsake ['kip,seik] s muistoesine; matka-
muisto

keep to yourself v 1 pysytellä omissa oloissa-
saan 2 pitää omana tietonaan, salata

keep track of fr seurata jotakin, pitää silmällä
jotakin, pysytellä ajan tasalla

keep under wraps fr (ark) pitää salassa/salata

keep up v 1 pysyä vauhdissa/menossa ym
mukana 2 pitää hyvässä kunnossa, pitää
hyvää huolta jostakin

keep up with v pysytellä ajan/tapahtumien
tasalla

keep your word fr pitää lupauksensa/sanansa

keg [keig] s pieni tynnyri

Kelvin [kelvən] adj Kelvinin lämpötila-as-
teikkoon kuuluva, sen mukainen *300 de-
grees Kelvin* 300 K, 300 kelviniä

1 kennel [kenəl] s 1 koirankoppi 2 (yl mon)
koiratarha

2 kennel v panna/viedä koiratarhaan *we ken-
neled our dog when we went on vacation*
veimme koiramme loman ajaksi tarhaan

kept [kept] ks keep

kernel [kərnəl] s (esim pähkinän) ydin (myös
kuv)

ketchup [ketʃəp] s ketsuppi

kettle [ketəl] s kattila, pata

kettledrum ['ketəl,drʌm] s patarumpu

kettle of fish *you've gotten yourself into a
fine kettle of fish* johan sinä olet kauniin
sopan keittänyt!

key [ki] s 1 avain (myös kuv.) 1 ratkaisu, vas-
taus *hard work is the key to his success*
ahkeruus on hänen menestyksensä salai-
suus 2 (mus) sävellaji *songs in the key of
life* lauluja elämän sävellajissa 3 (kirjoi-

tuskoneen) näppäin, (pianon) kosketin
4 matala saari, riutta, luoto *Florida Keys*
adj avain-, keskeinen-

keyboard ['ki,bord] s 1 (soittimen) kosketti-
misto, sormio 2 kosketinsoitin 3 (kirjoitus/
tietokoneen) näppäimistö

key card s avainkortti (jolla avataan lukko)

keyhole ['ki,houl] s avaimenreikä

keynote ['ki,nout] s perussävel (myös kuv:)
perustunnelma, perussävy, johtoajatus

keystone ['ki,stoun] s peruskivi (myös kuv:)

keyword ['ki,wərd] s avainsana

khaki [kæki] s 1 khaki(kangas) 2 khakivaate
(esim sotilasunivormu) 3 kellertävänrus-
kea väri adj 1 khaki(kangas)- 2 kellertä-
vänruskea

1 kick [kik] s 1 potku (myös kuv:) voima, yty

2 kick v 1 potkaista, potkia 2 (sl) lopettaa
huumeen käyttö, päästä eroon huumeesta
Tom kicked the habit Tom pääsi eroon
huumeesta

kick about v kuljeksia siellä täällä

kick around v 1 kohdella jotakuta tylysti/kal-
toin 2 pohtia, miettiä 3 lorvailla, maleksia,
hortoilla

kick in v 1 pulittaa/maksaa osansa 2 ruveta
toimimaan

kickoff s 1 (urh) alkupotku 2 (kuv) alku,
käynnistys

kick on v käynnistää

kick out v 1 potkia joku pellolle, antaa jolle-
kulle kenkää 2 sammua, lakata toimimasta

kick up v aloittaa, panna alulle, saada aikaan

1 kid [kid] s 1 kili 2 vuohennahka 3 (ark)
lapsi, pentu *when we were kids* meidän
lapsuudessamme, kun me olimme pieniä
4 (ark) kaveri, heppu *he's a nice kid* hän on
ihan mukava kaveri

2 kid v narrata *who do you think you are
kidding?* ketä sinä oikein luulet narraa-
vasi?, mitä ihmettä sinä oikein puhut?

kid gloves *to handle someone with kid gloves*
varoa loukkaamasta jotakuta, olla hellä jo-
takuta kohtaan

kidnap [kidnæp] v siepata, ryöstää (ihminen),
kidnapata

kidnapping s sieppaus, ihmisryöstö, kidnap-
paus

kidney [kɪdni] s munuainen, munuaiset

kidney stone s munuaiskivi

kid stuff *that's kid stuff* **1** se on tarkoitettu lapsille **2** se on lasten leikkiä, se on helppo nakki

1 kill [kɪl] s tappo *he wanted to be in on the kill* (kuv) hän halusi olla paikalla ratkaisevalla hetkellä/H-hetkellä

2 kill v **1** tappaa (myös kuv:) tehdä loppu jostakin *she was killed in a car accident* hän sai surmansa autokolarissa *to kill two birds with one stone* tappaa kaksi kärpästä yhdellä iskulla *the new taxes killed all stock speculation* uudet verot saivat osakekeinottelun loppumaan *the suspense is killing me* minä olen pakahtua jännityksestä **2** kaataa *the director killed the proposal* johtaja kaatoi esityksen *the editor killed the story* päätoimittaja päätti olla julkaisematta juttua **3** sammuttaa *he killed the headlights* hän sammutti auton valot

killer s **1** tappaja, murhaaja **2** (sl) *Springsteen's new record is a killer* Springsteenin uusi levy on rautaa

killer whale s miekkavalas, tappajavalas

killing s **1** tappaminen **2** (metsästys)saalis **3** *he made a killing in the stock market* hän pisti (hetkessä) rahoiksi osakekaupoilla

kill-joy [ˈkɪl,dʒɔɪ] s ilonpilaaja

kill off v tappaa kaikki, tappaa sukupuuttoon

kiln [kɪl] s polttouuni

kilo [kiːlou] s kilo

kilobyte [ˈkiːlə,baɪt] s kilotavu

kilogram [ˈkiːlə,græm] s kilogramma

kilometer [kəˈlɑːmətər] s kilometri

kilowatt [ˈkiːlə,wɑt] s kilowatti

kilt [kɪlt] s kiltti, skottilaishame

kimono [kəˈmoʊnoʊ] s (mon kimonos) kimono

kin [kɪn] s perhe, suku, sukulaiset, omaiset *next of kin* lähin omainen, lähiomainen, lähiomaiset

1 kind [kaɪnd] s **1** laji, laatu, luokka, tyyppi *there are two kinds of people* ihmisiä on kahdenlaisia *this fabric is the same kind as the other* tämä kangas on samanlaista kuin tuo toinen *these two pens are of a kind* nämä kynät ovat samanlaiset **2** *a kind of* eräänlainen: *they came in a kind of station wagon* he tulivat jonkinlaisella farmariautolla *it's kind of hard to describe what it was like* on vaikea sanoa tarkkaan millainen se oli *it was kind of strange to go back to my childhood home* oli tavallaan outoa palata lapsuudenkotiini **3** *to pay in kind* maksaa luonnontuotteina; (kuv) maksaa/antaa takaisin samalla mitalla

2 kind *adj* hyväntahtoinen, hyvä, ystävällinen, lempeä, mukava *it was very kind of you to come* oli oikein mukavaa kun tulit

kindergarten [ˈkɪndər,gɑrtən] s lastentarha

kindergartner s **1** lastentarhassa käyvä lapsi **2** lastentarhanopettaja

kindle [kɪndəl] v sytyttää, syttyä (myös kuv), palaa

kindly [kaɪndli] *adj* hyväntahtoinen, ystävällinen, ystävällinen, lempeä, mukava *adv* hyväntahtoisesti, ystävällisesti, lempeästi *kindly refrain from smoking while you're in my office* ole hyvä äläkä tupakoi minun työhuoneessani *he did not take kindly to my suggestion* hän suhtautui ehdotukseeni nuivasti

kindness s **1** ystävällisyys, hyväntahtoisuus, hyvyys, lempeys *she said it out of kindness* hän sanoi sen hyvän hyvyyttään **2** armelias teko

kindred [kɪndrəd] s sukulaiset, suku, omaiset *adj* sukulais- *we are kindred souls* olemme sukulaissieluja

kinesis [kəˈniːsɪs] s (fysiologiassa) kineesi

kinesthesia [ˌkɪnəsˈθiːʒə] s kinestesia, lihasaisti, liikunta-aisti

kinetic [kəˈnetɪk] *adj* kineettinen, liike-

king [kɪŋ] s kuningas (myös šakissa ja kuv)

kingdom [kɪŋdəm] s **1** kuningaskunta **2** *animal kingdom* eläinkunta *vegetable kingdom* kasvikunta

kingfisher s (lintu) kuningaskalastaja

king-size *adj* **1** isokokoinen, iso, suur-, jättiläis- **2** (vuodekoko) 193–198 cm x 203–213 cm **3** (savuke) erikoispitkä, king size

kinky [kɪŋki] *adj* **1** (tukka) kähärä, kähkärä **2** (ihmisestä: sukupuolisesti) poikkeava, outo

kinship [kinʃip] *s* **1** sukulaisuus **2** yhtäläisyys, samankaltaisuus, läheisyys

kiosk [kiask] *s* **1** kioski, myyntikoju **2** mainospylväs **3** (UK) puhelinkioski

1 kiss [kis] *s* suudelma (myös kuv), suukko

2 kiss *v* suudella

kit [kit] *s* **1** varusteet, välineet, tarpeet **2** sarja, välineistö, välineet **3** rakennussarja

kitchen [kitʃən] *s* keittiö (myös ruualaitto, ruoka): *Finnish kitchen* suomalainen keittiö

kitchenette [ˌkitʃən'et] *s* keittokomero

kite [kait] *s* leija

kith and kin [ˌkiθən'kin] *fr* sukulaiset, verisukulaiset, tuttavat

kitten [kitən] *s* kissanpentu, kissanpoikanen

kiwi [kiwi] *s* **1** (lintu) kiivi **2** (hedelmä) kiwi, kiivi

kleptomania [ˌkleptou'meiniə] *s* kleptomania, varastamishimo

kleptomaniac [ˌkleptou'meiniæk] *s* kleptomaani

knack [næk] *s* **1** taito, lahjat *he has a knack for languages* hänellä on kielipäätä **2** niksi, juju

knapsack [ˈnæpˌsæk] *s* (selkä)reppu

knead [niːd] *v* **1** vaivata (taikinaa) **2** hieroa (lihaksia)

knee [niː] *s* polvi *at the end of the war, Germany was on its knees* sodan lopussa Saksa oli polvillaan *on bended knees* polvillaan *to cut someone off at the knees* nöyryyttää joku

kneecap [ˈniːˌkæp] *s* polvilumpio

knee-deep *adj* polven syvyinen, (olla) polvia myöten (jossakin) *Harry is knee-deep in trouble* Harry on pahassa pulassa

knee-high *adj* polvenkorkuinen

1 kneel [niːl] *s* polvistuminen

2 kneel *v* knelt/kneeled, knelt/kneeled: polvistua

1 knell [nel] *s* kellojen soitto (erityisesti) kuolinkellojen soitto

2 knell *v* soittaa (kuolin)kelloja

knelt [nelt] ks kneel

knew [njuː] ks know

knickerbockers [ˈnikərˌbakərz] *s* (mon) polvihousut

knickers [nikərz] *s* (mon) **1** polvihousut **2** (UK) naisten alushousut

knickknack [ˈnikˌnæk] *s* pikkurihkama

1 knife [naif] *s* (mon knives) veitsi *to be under the knife* olla leikkauksessa

2 knife *v* puukottaa, pistää/leikata veitsellä

knife edge *s* (veitsen, vaa'an) terä *to be on a knife's edge* (kuv) olla veitsenterällä

knight [nait] *s* **1** ritari (myös kuv) **2** (UK) aatelismies (Sir)

knighthood [ˈnaitˌhud] *s* aatelisarvo, aateluus *to confer knighthood upon someone* aateloida joku

knightly *adj* ritarillinen, jalo, aatelismiehen

knit [nit] *v* knit/knitted, knit/knitted **1** neuloa, kutoa **2** rypistää *he knitted his brow* hän rypisti otsaansa **3** lähentää toisiinsa (together), yhdistää

knitwear [ˈnitˌweər] *s* neulevaatteet, neuleet

knob [nab] *s* nuppi, (oven) kahva

1 knock [nak] *s* **1** koputus **2** isku, lyönti **3** moite, haukkumiset, morkkaus

2 knock *v* **1** koputtaa *to knock on wood* (kuv) koputtaa puuta **2** iskeä, lyödä *he knocked the man flat on the floor* hän iski miehen nurin **3** (ark) haukkua, moittia, morkata, lyödä lyttyyn

knock down *v* **1** purkaa, hajottaa **2** alentaa, laskea (hintaa)

knock off *v* lopettaa (työ ym)

knock out *v* **1** (nyrkkeilyssä) tyrmätä, (laajemmin:) iskeä/viedä joltakulta taju kankaalle **2** väsyttää, uuvuttaa **3** suoltaa (tekstiä), väsätä (nopeasti) **4** särkeä, rikkoa, katkaista (siltkö)

knockout *s* **1** tyrmäys **2** (ark) joku tai jokin joka on aivan omaa luokkaansa *she is a real knockout* hän on tosi hyvän näköinen

knock over *v* **1** kaataa (kumoon) **2** järkyttyä, tyrmistyä

knock up *v* **1** väsyttää, uuvuttaa **2** kolhia, rikkoa **3** (sl) tehdä raskaaksi

knot [nat] *s* **1** solmu *to tie the knot* (kuv) mennä naimisiin **2** solmu, (1,852 km/h) meripeninkulma/h

knotty [nati] *adj* solmuinen; oksainen (puu); mutkikas, visainen (ongelma)

1 know [nou] *s* to be in the know olla perillä asioista, olla ajan tasalla

2 know *v* knew, known **1** tietää *he does not know the first thing about computers* hän ei tiedä tietokoneista yhtään mitään **2** osata *do you know Russian?* osaatko/puhutko venäjää? **3** tuntea *she knows New England very well* hän tuntee Uuden-Englannin erittäin hyvin *do you know him?* tunnetko hänet? **4** (osata) erottaa *he doesn't know right from left* hän ei osaa erottaa vasenta ja oikeaa

knowable *adj* joka voidaan tietää

know by sight *fr* tuntea joku ulkonäöltä

knowhow [nouhau] *s* taitotieto, osaaminen

knowing *adj* (katse, ilme) oivaltava, ymmärtävä, tietäväinen

knowingly *adj* **1** tahallaan, tietoisesti, tieten tahtoen **2** (hymyillä) ymmärtävästi, tietäväisesti

know-it-all ['nouɪt.ɑll] *s* näsäviisas, näsäviisas, (ironisesti) kaikkitietävä

knowledge [nɑlədʒ] *s* **1** tieto, tietämys *factual knowledge* faktatiedot *to the best of my knowledge* minun tietääkseni **2** taito, osaaminen *a knowledge of French is necessary for the job* työssä vaaditaan ranskan taitoa

knowledgeable [nɑlədʒəbəl] *adj* sivistynyt, hyvin perillä jostakin, tietäväinen *he is not*

knowledgeable *about the change* hän ei tiedä muutoksesta

known [noun] *v* ks know *adj* tunnettu, yleisesti tunnettu/tunnustettu

knuckle [nʌkəl] *s* rystynen

knuckle down *v* ahertaa, panna hihat heilumaan

knuckle under *v* antaa periksi, luopua leikistä

1 knurl [nərəl] *s* pyällys, roso

2 knurl *v* pyältää, rosoistaa, tehdä rosoiseksi

knurled *adj* pyälletty, rosoinen

koala [kəwalə] *s* koala, pussikarhu

kolkhoz [kɔlkhouz] *s* kolhoosi

kookaburra ['kukəbərə] *s* naurulintu

Koran [kɑræn] *s* Koraani

kosher [kouʃər] *adj* **1** (juutalaisuudessa) košer, puhdas **2** (ark) aito, asianmukainen, kunnollinen, kunnon *it's not kosher* siinä on jotakin mätää/hämärää

1 kowtow [kautau] *s* hännystely, mielistely, nöyristely

2 kowtow *v* **1** hannystellä, nöyristellä, mielistellä **2** kumartua ja koskettaa otsalla maata kunnioituksen, nöyrtymisen ym osoitukseksi

krill [krɪl] *s* (mon) krilliäyriäiset

kudos [kudouz] *s* ylistys, kehut, kunnia

kyphosis [kɪfousɪs] *s* kyttyräselkä, kyfoosi

L, l

L, l [eəl] L, l

lab [læb] *s* (lyh sanasta laboratory) laboratorio, labra

1 label [leɪbəl] *s* **1** etiketti, (nimi- tai muu) lappu **2** lyhenne, nimike, leima (kuv)

2 label *v* **1** varustaa etiketillä/nimilapulla tms **2** nimittää jotakuta joksikin, leimata joku joksikin *he was labeled a racist* hänet leimattiin rasistiksi

1 labor [leɪbər] *s* **1** työ; tehtävä **2** työvoima, työväestö, työväenluokka **3** uurastus, raadanta **4** (synnytys)poltot

2 labor *v* **1** tehdä työtä, työskennellä **2** uurastaa, raataa, ahertaa **3** jauhaa (samaa asiaa)

laboratory ['læbrəˌtɔri] *s* laboratorio

labor camp *s* työleiri

laborer *s* työmies, työläinen, työntekijä

labor for *v* nähdä vaivaa/tehdä työtä jonkin eteen

laborious [ləˈbɔriəs] *adj* työläs, vaivalloinen, raskas (myös tekstistä)

labor movement *s* työväenliike

labor pains *s* (mon) synnytystuskat (myös kuv)

laborsaving ['leɪbər,seɪvɪŋ] adj työtä helpottava/säästävä

labor under v kärsiä/joutua kärsimään jostakin *he labors under a misconception* hän saa kärsiä siitä että hän on käsittänyt asian väärin

labor union s ammattiyhdistys

labyrinth ['læbərənθ] s labyrintti (myös kuv:) sokkelo, vyyhti

labyrinthine ['læbə'rɪnθɪn] adj sokkeloinen

1 lace [leɪs] s **1** pitsi **2** (kengän)nauha

2 lace v **1** sitoa (kengännauhat) **2** sekoittaa juomaan jotakin *he laced his tea with whisky* hän terästi teetään viskillä

lace into v haukkua, sättiä, morkata

lacerate ['læsə,reɪt] v silpoa, repiä (myös kuv:) *the shards lacerated her arm* lasinsirut tekivät hänen käsiinsä syviä haavoja

laceration [,læsə'reɪʃən] s haava (myös kuv:)

lace up v sitoa (kengännauhat)

lachrymal ['lækrəməl] adj kyynel-

1 lack [læk] s puute *lack of time* ajan puute, aikapula *for lack of a better word, I'll call it obsolete* sanon sitä paremman sanan puutteessa vanhentuneeksi

2 lack v ei olla *he lacks initiative* hänellä ei ole aloitekykyä *I find her proposal lacking* minusta hänen ehdotuksessaan on parantamisen/toivomisen varaa

lackadaisical [,lækə'deɪzɪkəl] adj haluton, innoton; laiska

lackey ['læki] s miespalvelija, lakeija (myös kuv:) nöyristelijä

1 lacquer ['lækər] s lakka

2 lacquer v lakata

lacrimal duct s kyynelkanava

lacrimal gland s kyynelrauhanen

lacrosse ['lə'krɑs] s haavipallo, lacrosse

lactate ['læk'teɪt] v erittää maitoa

lactation [læk'teɪʃən] s **1** maidoneritys **2** imetys, imettämisaika

lactose ['læktoʊs] s maitosokeri, laktoosi

lacy ['leɪsi] adj pitsimäinen, pitsi-

lad [læd] s **1** poika, nuorukainen **2** (ark) kaveri, heppu

ladder ['lædər] s **1** tikkaat, tikapuut **2** (kuv) portaat *social ladder* yhteiskunnallinen hierarkia

laden with [leɪdən] adj kuormattu jollakin, (kuv) jonkin raskauttama, täynnä jotakin

ladies' room [leɪdɪz] s naistenhuone, naisten wc

1 ladle [leɪdəl] s kauha

2 ladle v kauhoa, kauhata, ammentaa

lady [leɪdi] s (mon ladies) **1** nainen **2** hieno nainen **3** (UK) aatelisnainen, lady

ladybird s leppäkerttu *two-spot ladybird* kaksipistepirkko *seven-spot ladybird* seitsenpistepirkko

ladybug [leɪdi,bʌg] s leppäkerttu

lady-in-waiting [,leɪdiɪn'weɪtɪŋ] s (mon ladies-in-waiting) **1** hovinainen **2** (ark) odottava/raskaana oleva nainen

lady-killer ['leɪdi,kɪlər] s naistenmies, hurmuri

ladylike ['leɪdi,laɪk] adj hienostunut, hieno, arvokas

1 lag [læg] s viipymä, viivästys, aikaero

2 lag v **1** jäädä jälkeen **2** eristää, vuorata

lag behind v jäädä jälkeen, olla jäljessä

lager [lagər] s vaalea olut

lagoon [lə'gun] s laguuni

laid [leɪd] ks lay

laid-back [,leɪd'bæk] adj (sl) rento, rauhallinen, letkeä

lain [leɪn] ks lie

lair [leər] s **1** (eläimen) pesä **2** piilopaikka, lymypaikka

laity ['leɪəti] s **1** seurakunta, maallikot **2** (ei asiantuntijat) maallikot

lake [leɪk] s järvi

lamb [læm] s **1** karitsa **2** lampaanliha, lammas **3** (kuv) enkeli **4** (kuv) (lauhkea kuin) lammas

lame [leɪm] adj **1** vammainen, halvaantunut, ontuva **2** valju, laimea, vaisu

lame duck s **1** viranhaltija (esim presidentti) joka odottaa virkakautensa päättymistä sen jälkeen kun hänen seuraajansa on valittu **2** toivoton tapaus, joku josta ei ole mihinkään

lamely adj (vastata, hymyillä) valjusti, vaisusti

lameness s **1** vamma, vammaisuus, halvaus, halvaantuneisuus **2** valjuus, laimeus, innottomuus

1 lament [lə'ment] *s* valitus, surkuttelu

2 lament *v* valittaa, surra, surkutella

lamentable [lə'mentəbəl] *adj* valitettava, ikävä

lamentation [ˌlæmən'teɪʃən] *s* **1** valitus, surkuttelu **2** itkuvirsi, valitusvirsi

laminate [ˈlæmɪneɪt] *v* laminoida

laminated [læmənetɪtəd] *adj* laminoitu, kerros-

lamp [læmp] *s* lamppu, valonheitin, valo

1 lampoon [læm'pun] *s* satiiri, pilkkakirjoitus, pilkka, iva

2 lampoon *v* pilkata, pitää pilkkanaan, tehdä pilaa jostakin

lamppost [ˈlæmp,poust] *s* (katu)valopylväs

lampshade [ˈlæmp,ʃeɪd] *s* lampunvarjostin

1 lance [læns] *s* peitsi

2 lance *v* avata/viiltää auki/leikata lansetilla

lancet [ˈlænsət] *s* lansetti, (kirurgin) suikulaveitsi

1 land [lænd] *s* **1** maa *to sight land* saada maata näkyviin *to buy land* ostaa maata/ tonttu **2** maaseutu *we are thinking of moving back to the land* olemme ajatelleet muuttaa takaisin maalle

2 land *v* **1** nousta/laskea maihin (laivasta) **2** (lentokone) laskeutua *the cat landed on all fours* kissa putosi jaloilleen **3** (ark) saada *he landed a good job in Chicago* hän sai Chicagosta hyvän työpaikan **4** *that move will land him in prison* hän päätyy vielä vankilaan tuon teon vuoksi

landed *adj* maata omistava, maa- *landed property* maaomaisuus

landfill [ˈlænd,fɪəl] *s* kaatopaikka

landing *s* **1** maihinnousu (laivasta) **2** (lentokoneen) laskeutuminen **3** (laiva)laituri **4** porrastasanne

landlady [ˈlænd,leɪdi] *s* vuokraemäntä, vuokranantaja

landlocked country [ˈlænd,lakt] *s* sisämaavaltio

landlord [ˈlænd,lɔrd] *s* vuokraisäntä, vuokranantaja

landmark [ˈlænd,mark] *s* **1** maamerkki **2** muistomerkki, nähtävyys **3** (kuv) virstanpylväs

landowner [ˈlænd,ounər] *s* maanomistaja

1 landscape [ˈlænd,skeɪp] *s* **1** seutu, maisema **2** maisemamaalaus, maisemataulu, maisemataide

2 landscape *v* maisemoida

landscaping *s* maisemointi

landscapist *s* maisemamaalari

landslide [ˈlænd,slaɪd] *s* **1** maanvieremä **2** (kuv) äänivyöry; murskaava vaalivoitto

lane [leɪn] *s* **1** kuja, (kapea/kylä)tie *bike lane* pyörätie **2** (maantien) kaista *two-lane highway* kaksikaistainen maantie

language [ˈlæŋgwədʒ] *s* **1** (puhuttu, kirjoitettu ym) kieli *artificial language* keinotekoinen kieli *computer language* tietokonekieli *the language of bees* mehiläisten kieli *watch your language!* katso mitä puhut! **2** sanamuoto *the language of the bill did not please the president* presidentti ei pitänyt lakiehdotuksen sanamuodosta

languid [ˈlæŋgwɪd] *adj* veltto, vetämätön, voimaton

languish [ˈlæŋgwɪʃ] *v* riutua, kuihtua (myös kuv)

lank [læŋk] *adj* (tukka) suora, (ihminen) hintelä, (ruoho) liian pitkä

lanky *adj* luiseva; hintelä

lantern [ˈlæntərn] *s* lyhty

1 lap [læp] *s* **1** syli *come sit in my lap* käy istumaan syliini *to live in the lap of luxury* elää ylellisesti/yltäkylläisyydessä **2** kierros

2 lap *v* **1** kääriä, käärityä, kiertää, kiertyä (jonkin ympärille) **2** ohittaa kierroksella (toinen kilpailija) **3** litkiä (nestettä) **4** (aallot) lyödä jotakin vasten

lap dog *s* sylikoira

lapel [lə'pel] *s* (takin) lieve

1 lapse [læps] *s* **1** erehdys, virhe, kömmähdys, hairahdus, harha-askel (kuv) **2** viivästys, viipymä, tauko, katkos *memory lapse* muistikatkos

2 lapse *v* **1** sortua johonkin, hairahtaa johonkin (into) **2** raueta, umpeutua, lakata, loppua **3** vaipua johonkin tilaan *he lapsed into silence* hän vaikeni

lapsus [ˈlæpsəs] *s* virhe, kömmähdys, lapsus

lap up *v* **1** litkiä **2** (kuv) nauttia jostakin, ahmia jotakin, paistatella jossakin

larceny [ˈlarsəni] *s* varkaus

lard [lɑːd] *s* (sian)ihra, silava

larder *s* ruokakomero, ruokavarasto

1 large [lɑːdʒ] *s* to be at large olla vapaalla jalalla *the population at large* väestö kokonaisuudessaan, suuri yleisö *he was appointed ambassador-at-large* hänet nimitettiin erikoislähettilääksi

2 large *adj* iso, suuri (myös kuv) *in large measure* suuressa määrin, suurelta osin *on a large scale* suuressa mitassa/määrin, suurimittaisesti

3 large *adv: his disappointment was writ large on his face* pettymys suorastaan paistoi hänen kasvoiltaan

largely *adj* pääasiassa, suurimmaksi osaksi, suurimmalta osin

largeness *s* 1 suuruus, mittavuus 2 anteliaisuus, avokätisyys

large order *fr: that's a large order* se on paljon pyydetty

largess [lɑːˈdʒes] *s* 1 anteliaisuus 2 paljot lahjat

lariat [ˈlæriət] *s* lasso

lark [lɑːk] *s* 1 leivonen 2 hauskuus, ilonpito 3 lastenleikki, helppo juttu

larva [ˈlɑːvə] *s* (mon larvae) toukka

laryngitis [ˌlærənˈdʒaitis] *s* kurkunpään tulehdus

larynx [ˈlærəŋks] *s* kurkunpää

lascivious [ləˈsiviəs] *adj* irstas, rivo, rietas

laser [ˈleizər] *s* laser

1 lash [læʃ] *s* 1 ruoska 2 sivallus 3 (kuv) terävyys, piikikkyys, purevuus

2 lash *v* 1 ruoskia, sivaltaa, piiskata (myös kuv) 2 (kuv) lyödä lyttyyn, pistää matalaksi

lash on *v* kannustaa, yllyttää

lash out *v* 1 riuhtoa, rimpuilla, käydä jonkun kimppuun 2 (kuv) hyökätä jotakin vastaan, tuomita ankarin sanoin

lass [læs] *s* 1 tyttö 2 tyttöystävä

1 lasso [læˈsuː] *s* (mon lassos, lassoes) lasso

2 lasso *v* lassoed, lassoing: ottaa kiinni lassolla

1 last [læst] *s* viimeinen *the last of the great artisans* viimeinen vanhan ajan käsityöläinen *I hope we've seen the last of it* toivottavasti se loppui sinähen *at last* viimein *at*

long last vihdoin viimein *she gets paid the last of the month* hänen palkkansa maksetaan kuukauden viimeisenä päivänä

2 last *v* kestää *how long will he strike last?* kauanko lakko kestää? *these batteries last longer* nämä paristot kestävät pitempään

3 last *adj* 1 viimeinen *this is your last chance* tämä on viimeinen tilaisuutesi 2 viime *we did not have time for a vacation last year* viime vuonna meillä ei ollut aikaa lähteä lomalle/pitää lomaa

4 last *adv* viimeisenä, viimeiseksi, lopuksi

lasting *adj* kestävä, pitkäaikainen, pysyvä

last-minute *adj* viime hetken

last straw *s* (kuv) viimeinen pisara

1 latch [lætʃ] *s* salpa, säppi, telki

2 latch *v* teljetä, lukita

latchkey child *s* [ˈlætʃˌkiːtʃaild] *s* avainlapsi

latch onto *v* 1 saada käsiinsä 2 ymmärtää, käsittää

late [leit] *adj, adv* 1 myöhäinen, myöhään *it is late, let's go home* on jo myöhä, lähdetään kotiin *at this late hour* näin myöhään *many lawyers work late* monet asianajajat tekevät työtä myöhään iltaan 2 myöhässä, myöhästynyt *the teacher is never late* opettaja ei myöhästy koskaan, opettaja ei ole koskaan myöhässä 3 entinen *the late principal* entinen rehtori 4 edesmennyt *the late Winston Churchill* 5 *of late* viime aikoina

latecomer [ˈleitˌkʌmər] *s* 1 myöhästyjä 2 (kuv) uusi tulokas

lately *adv* viime aikoina

late-night *adj* myöhäisillan

latent [ˈleitənt] *adj* piilevä

lateral [ˈlætərəl] *adj* sivusuuntainen, sivu-, lateraalinen

lath [lɑːθ] *s* rima, lista

1 lathe [leið] *s* sorvi

2 lathe *v* sorvata

lather [ˈlæðər] *s* 1 saippuavaahto, partavaahto 2 (hevosesta) vaahto *to be in lather over something* olla suunnattomasti mielissään jostakin, olla suunniltaan raivosta jonkin takia, olla suu vaahdossa jostakin

latitude ['lætə͵tud] s **1** (maantieteessä) leveys **2** (kuv) vapaus, pelivara

latrine [lə'trin] s käymälä

latter ['lætər] adj **1** viimeksi mainittu former – latter edellinen – jälkimmäinen during the latter part of the decade vuosikymmenen loppupuolella

latterly adv **1** viime aikoina **2** myöhemmin, viime aikoinaan

lattice ['lætəs] s **1** ristikko, säleikkö **2** (fysiikassa) hila

1 laugh [læf] s **1** nauru to have the last laugh (kuv) nauraa viimeisenä **2** naurun aihe, jokin joka on naurettava the new law is a laugh uusi laki on täysin tehoton/mitätön **2 laugh** v nauraa

laughable ['læfəbəl] adj naurettava

laugh at v nauraa jollekulle/jollekin, pitää jotakuta/jotakin pilkkanaan $ 3,000 is nothing to be laughed at 3000 dollaria ei ole mikään pikkusumma

laughingstock ['læfiŋ͵stak] to make yourself the laughingstock of someone tehdä itsensä naurunalaiseksi jonkun silmissä

laugh off v kuitata pelkällä olankohautuksella, ei ottaa vakavasti

laughter ['læftər] s nauru

1 launch [lantʃ] s **1** (laivan) vesillelasku **2** (raketin) laukaisu **3** aloitus, käynnistys, (yrityksen) perustaminen, (tuotteen) lanseeraus

2 launch v **1** laskea (laiva, pelastusvene) vesille **2** laukaista (raketti) **3** aloittaa, käynnistää, perustaa (yritys), lanseerata (tuote), tuoda (tuote) markkinoille

launch into v (kuv) puhjeta, herjetä (puhumaan)

launder ['landər] v pestä (pyykkiä) (myös kuv:) pestä rahaa

launderette [͵landə'ret] s itsepalvelupesula

laundry ['landri] s **1** (lika- tai puhdas) pyykki **2** pesula **3** pesuhuone, pyykkihuone

laureate ['lɔriət] s palkinnonsaaja Nobel laureate nobelisti poet laureate poëta laureatus, hovirunoilija

laurel ['lɔrəl] s **1** laakeripuu **2** (mon) maine, kunnia to rest on your laurels levätä laakereillaan **3** laakeriseppele

lava ['lavə] s laava

lavatory ['lævə͵tɔri] s wc

lavish ['lævɪʃ] adj avokätinen, antelias, tuhlaileva, ylellinen

lavish of adj joka ei säästele jotakin when meeting the children, she was lavish of time hän käytti runsaasti aikaa lasten kanssa olemiseen

lavish on v: to lavish gifts/praise on someone hukuttaa joku lahjoihin, ylistää jotakuta maasta taivaaseen

law [la] s **1** laki (yksittäinen ja laki kokonaisuudessa) to become law tulla voimaan Harrison wants to study law Harrison haluaa lukea/opiskella lakia the angry man wanted to take the law into his own hands mies halusi suutukissaan harjoittaa oman käden oikeutta **2** poliisi and then the law arrived ja sitten poliisi saapui paikalle

law-abiding adj lainkuuliainen

law and order s lainvalvonta, yleinen järjestys

lawbreaker ['la͵breikər] s lainrikkoja, rikollinen

lawful adj laillinen she is his lawful wife nainen on hänen laillinen aviopuolisonsa

lawless adj **1** laiton **2** (kuv) hillitön

lawmaker ['la͵meikər] s lainsäätäjä

lawn [lan] s nurmikko, ruohikko

lawnmower ['lan͵mouər] s ruohonleikkuri, ruohonleikkuukone

lawsuit ['la͵sut] s kanne, oikeusjuttu

lawyer [lɔijər] s asianajaja

lax [læks] adj löysä (myös kuv), leväperäinen, lepsu, rento, välinpitämätön

laxative ['læksətiv] s ulostuslääke

laxity ['læksəti] s rentous, löysyys, leväperäisyys, välinpitämättömyys

1 lay [lei] v laid, laid (verbiä lay käytetään toisinaan yleiskielen sääntöjen vastaisesti verbin lie asemesta) **1** panna, asettaa lay this book on the table pane tämä kirja pöydälle I didn't lay hands on the cookies minä en koskenutkaan pikkuleipiin he tried to lay the blame on his staff hän yritti sälyttää syyn alaistensa niskoille **2** valaa, laskea, luoda to lay the foundation for a house/expansion laskea talon perusta, luoda pohja (liiketoiminnan) laajentamiselle **3** munia *to lay eggs* **4** haudata **5** *to lay the table* kattaa pöytä **6** *to lay a bet* lyödä vetoa **7** *to get laid* (sl rakastelusta) saada

2 lay *adj* maallikko-

lay aside *v* **1** luopua jostakin, hylätä jokin **2** panna talteen, säästää myöhemmäksi

lay away *v* **1** haudata **2** panna talteen, säästää myöhemmäksi **3** varata (tavara) asiakkaalle

lay back *v* (sl) rentoutua, ottaa rennosti

lay bare *v* paljastaa *the whole scam was laid bare by the newspaper* sanomalehti paljasti koko rötöksen

lay by *v* panna talteen, säästää myöhemmäksi

layby *s* (UK) levähdyspaikka (maantien vieressä)

lay down *v* luopua, antaa periksi

layer [leɪər] *s* kerros, kerrostuma

lay for *v* vaania, väijyä jotakuta

lay in *v* varastoida, panna talteen

lay into *v* käydä käsiksi johonkuhun/johonkin, hyökätä jotakuta/jotakin vastaan

layman [leɪmən] *s* **1** maallikko, seurakuntalainen **2** (ei asiantuntija) maallikko

lay off *v* **1** erottaa, lomauttaa **2** lopettaa, lakata **3** jättää rauhaan, antaa olla

layoff [leɪəf] *s* lomautus (työstä); irtisanominen

lay off on *v* sälyttää (syy) jonkun niskaan

lay on *v* **1** levittää jotakin johonkin, peittää/päällystää jollakin **2** käydä kimppuun, käydä käsiksi johonkuhun

lay open *v* avata, paljastaa *the reporter laid the scandal wide open* toimittaja paljasti koko skandaalin

lay out *v* **1** levittää **2** suunnitella **3** kuluttaa/käyttää (rahaa), pulittaa **4** haukkua, morkata

lay over *v* **1** lykätä myöhemmäksi **2** yöpyä/pysähtyä matkalla

layperson [leɪˌpərsən] *s* **1** maallikko, seurakuntalainen **2** (ei asiantuntija) maallikko

lay up *v* **1** telakoida, siirtää laiva telakalle **2** panna talteen, säästää myöhemmäksi

laze [leɪz] *v* laiskotella, vetelehtiä

lazily *adv* laiskasti, veltosti, hitaasti, raukeasti

laziness *s* laiskuus, velttous, hitaus, raukeus, saamattomuus

lazy [leɪzi] *adj* laiska, veltto, hidas, raukea

lead [led] *s* **1** lyijy **2** (luotain) luoti

1 lead [liːd] *s* **1** johtoasema **2** etumatka *we have a three-day lead on the pursuers* olemme takaa-ajajista kolme päivämatkaa edellä **3** talutushihna **4** vihje, vihjaus **5** esimerkki *she followed the lead of the other girls* hän noudatti toisten tyttöjen esimerkkiä **6** (lehtikirjoituksen) ingressi, johdanto **7** (näytelmän) päätähti, vetonaula

2 lead *v* led, led **1** johtaa, johdattaa, viedä *this road leads to Toledo* tämä tie vie Toledoon *he lead the group into the lecture hall* hän vei/johdatti/opasti ryhmän luentosaliin *I'll lead, you guys follow* minä menen edeltä, tulkaa te perässä *all this nonsense will lead us nowhere* tällä hölynpölyllä emme pääse puusta pitkään **2** elää *she leads a life of plenty* hän elää yltäkylläistä elämää/yltäkylläisesti/ylätkylläisyydessä

leaded [ledəd] *adj* lyijypitoinen (polttoaine)

leader *s* johtaja, esimies, opas, alansa ykkönen

leadership [liːdərʃɪp] *s* **1** johto, johtaminen, johtajuus **2** johtajan kyvyt

lead-free [led'friː] *adj* lyijytön *lead-free fuel* lyijytön polttoaine (myös *unleaded, nonleaded*)

leading [liːdɪŋ] *adj* **1** johtava, ensimmäinen, kärki- **2** tärkein, pää-, johtava

lead off *v* aloittaa, näyttää esimerkkiä

lead on *v* puijata, huijata, johdattaa harhaan

lead pencil [ˌled'pensəl] *s* lyijykynä

lead poisoning [led,pɔɪzənɪŋ] *s* lyijymyrkytys (myös kuv:) *the crook died of lead poisoning* konna ammuttiin/kuoli lyijymyrkytykseen

lead the way *v* **1** mennä edeltä, näyttää tietä **2** (kuv) olla tiennäyttäjänä, näyttää tietä/esimerkkiä

lead up to *v* (kuv) ajaa takaa jotakin, olla mielessään jotakin

leaf [liːf] *s* (mon leaves) **1** (puun) lehti **2** sivu, liuska, lehti *after the accident, Gary decided to turn over a new leaf* onnettomuuden jälkeen Gary päätti aloittaa uuden elä-

least

män to take a leaf out of someone's book matkia/jäljitellä jotakuta, ottaa esimerkkiä jostakusta

leaflet s esite, mainos, lehtinen

leaf through v selailla (kirjaa, lehteä)

leaf vegetables s (mon) lehtivihannekset

league [liːg] s 1 liitto he is in league with the mob hän veljeilee mafian kanssa 2 (urh) sarja, liiga I am not in the same league with you (kuv) minä painin aivan eri sarjassa kuin sinä, meistä ei voi puhua samana päivänäkään

1 leak [lik] s 1 vuoto (myös kuv), reikä there is a leak in the roof katto vuotaa there has been a news leak uutinen on vuotanut yleiseen tietoisuuteen tms 2 to take a leak (sl) käydä kusella

2 leak v vuotaa, vuodattaa (myös kuv) the engine leaks oil moottorista vuotaa öljyä

leakage [ˈliːkədʒ] s vuoto (myös kuv)

leak out v vuotaa, vuodattaa the disgruntled worker leaked the story out to the press katkeroitunut työntekijä vuodatti/paljasti jutun lehdistölle

leaky adj vuotava, epätiivis

1 lean [lin] v leaned/lent, leaned/lent 1 nojata, panna nojaamaan don't lean out the window älä kurkottele ikkunasta he leaned his bike against the wall hän pani pyöränsä seinää vasten 2 kallistua, nojata politically, the country leans towards the right maa kallistuu poliittisesti oikealle

2 lean adj hoikka, laiha (myös kuv), (kasvot) kapeat, kaidat we have some lean years ahead of us meillä on edessä laihoja vuosia

lean back v nojautua taaksepäin

leaning s taipumus

lean on v 1 luottaa johonkuhun/johonkin 2 painostaa 3 haukkua, moittia

lean-to [ˈlinˌtuː] s rakennuksen kylkeen rakennettu vaja, kylkiäinen

1 leap [lip] s hyppy this is a giant leap for mankind tämä on ihmiskunnalle suuri harppaus

2 leap v leaped/leapt, leaped/leapt 1 hypätä 2 (kuv) hypätä, hypähtää my heart leaped at the sound of the gun sydämeni hypähti

kun kuulin aseen laukeavan don't leap to conclusions älä tee hätiköityjä johtopäätöksiä to leap at a chance tarttua (oikopäätä) tilaisuuteen

leap day s karkauspäivä

1 leapfrog [ˈlipˌfrag] s pukkihyppy

2 leapfrog v 1 hypätä pukkihyppyjä 2 (kuv) nousta/nostaa kovaa vauhtia leapfrogging inflation/prices hillittömästi kasvava inflaatio/nousevat hinnat

leapt ks leap

leap year s karkausvuosi

learn [lɔrn] v learned/learnt, learned/learnt 1 oppia, opetella Pam is learning Japanese/to drive Pam opettelee japania/ajamaan 2 saada tietää, kuulla I have just learned that the president has been shot sain juuri kuulla että presidenttiä on ammuttu

learn by heart v opetella jotakin ulkoa

learned [lɔrnəd, lɔrnid] adj 1 oppinut he is a learned man hän on oppinut mies 2 tieteellinen learned journal tieteellinen julkaisu/lehti

learned [lɔrnd] adj oppinu

learner s opiskelija, oppilas, harjoittelija, opettelija

learning s 1 oppiminen 2 oppineisuus

learning disability [ˌdisəˈbiləti] s oppimisvaikeus, oppimishäiriö

learnt ks learn

1 lease [lis] s 1 vuokrasopimus 2 vuokramaa, vuokratalo tms 3 vuokra 4 he got a new lease on life häneen tuli uutta eloa/puhtia, hän sai aloittaa uuden elämän

2 lease v vuokrata (joltakulta/jollekulle), liisata

leaseholder [ˈlisˌhoʊldər] s vuokranottaja, vuokraaja, liisaaja

1 leash [liʃ] s 1 (koiran) talutushihna dogs must be kept on leash koiria on talutettava 2 (kuv) talutusnuora, kahleet

2 leash v (kuv) valjastaa (johonkin käyttöön)

least [list] sanan little superlatiivi s: that's the least you can do for me se on vähintä mitä voit tehdä hyväkseni at (the) least ainakin, vähintään not in the least ei suinkaan, ei lainkaan, ei ollenkaan adj, adv vähiten *this one's the least expensive* tämä on halvin *with the least effort* mahdollisimman vähällä vaivalla

leather [leðər] *s* nahka

leathery *adj* nahkaa muistuttava *leathery smell* nahan haju

1 leave [liːv] *s* **1** lupa *you have my leave to go home* minä annan sinulle luvan mennä kotiin **2** loma, virkavapaus **3** jäähyväiset, hyvästit *to take your leave* hyvästellä, sanoa näkemiin *he took leave of his senses* hän menetti järkensä

2 leave *v* left, left **1** lähteä *when does our plane leave?* milloin koneemme lähtee? **2** jättää *he left the book on the desk* hän jätti kirjan pöydälle *leave her alone* anna hänen olla, jätä hänet rauhaan **3** *to have something left* olla jotakin jäljellä *Bob has only three dollars left* Bobilla on vain kolme dollaria jäljellä **4** jättää jotakin jonkun vastuulle *I don't want to leave anything to chance* en halua jättää mitään sattuman varaan

leaves ks leaf

1 lecture [lektʃər] *s* **1** esitelmä, luento **2** (kuv) saarna, läksytys

2 lecture *v* **1** esitelmöidä, luennoida **2** (kuv) saarnata, läksyttää

lecturer *s* **1** esitelmöijä, luennoitsija **2** (korkeakoulun) lehtori

lectureship *s* lehtoraatti, lehtorin virka

led [led] ks lead

ledge [ledʒ] *s* **1** reuna, reunus *window ledge* ikkunalauta (ikkunan sisä- tai ulkopuolella) **2** (kallion)kieleke

ledger [ledʒər] *s* (kirjanpidossa) pääkirja

lee [liː] *s* **1** (mer) suojan puoli, alahanka; tuulensuoja **2** suoja, suojapaikka, turva *adj* suojanpuoleinen

leech [liːtʃ] *s* **1** (veri)juotikas, (ark) iilimato **2** (kuv) verenimijä

leek [liːk] *s* purjo

1 leer [liər] *s* **1** vihjaileva/pilkkaava/himokas katse

2 leer *v* katsoa jotakuta vihjailevasti

leery [liəri] *to be leery of something* ei luottaa, suhtautua epäluuloisesti

1 left [left] *s* **1** vasen (puoli) **2** (pol) vasemmisto

2 left *v* ks leave

3 left *adj* **1** vasen, vasemmanpuoleinen **2** (pol) vasemmistolainen

4 left *adv* vasemmalla, vasemmalle, vasempaan päin

left brain *s* vasen aivopuolisko

left-hand *adj* vasemmanpuoleinen, vasemmalle *the car made a left-hand turn* auto kääntyi vasemmalle

left-hand drive: *a car with left-hand drive* auto jonka ohjauspyörä on vasemmalla (oikeanpuoleista liikennettä varten)

left-handed [ˌleftˈhændəd] *adj* **1** vasenkätinen *left-handed refrigerator* vasenkätinen jääkaappi (joka aukeaa vasemmalle) **2** epäaito, ei vilpitön *he gave me a left-handed compliment* en tiedä antoiko hän minulle risuja vai ruusuja **3** kömpelö, hankala, vaikea, nurinkurinen

leftovers [ˈleftˌouvərz] *s* (mon) (ruuan ym) tähteet

left wing *s* vasemmisto, vasemmistosiipi

left-winger *s* vasemmistolainen

lefty *s* (ark) **1** vasenkätinen, vasuri (ark) **2** vasemmistolainen

leg [leg] *s* **1** alaraaja, jalka (myös huonekalun) *to stretch your legs* jaloitella *to pull someone's leg* tehdä pilaa jostakusta; narrata, huijata jotakuta **2** (housun)lahje

legacy [legəsi] *s* perintö (myös kuv)

legal [liːgəl] *adj* **1** laillinen, lain mukainen **2** laki-, oikeus-, asianajajan *legal aid* oikeusapu *he decided to take legal action against his employer* hän päätti nostaa kanteen työnantajaansa vastaan *she has a legal mind* hän ajattelee kuin asianajaja

legality [liˈgæləti] *s* laillisuus

legalization [ˌliːgəlɪˈzeɪʃən] *s* laillistaminen

legalize [ˈliːgəˌlaɪz] *v* laillistaa

legally *adv* laillisesti, lain mukaan/mukaisesti

legate [legət] *s* lähetti, legaatti

legation [liˈgeɪʃən] *s* lähetystö

legend [ledʒənd] *s* **1** legenda, tarusto, taru (myös kuv:) sepite **2** (vaakunan ym) teksti, kirjoitus **3** kartan merkkien selitykset

legendary ['ledʒən,deri] *adj* **1** tarunomainen, legendaarinen **2** kuuluisa

legerdemain [,ledʒərdə'meɪn] *s* **1** silmän-kääntötemppu, temppu **2** huijaus, petos

leggings (mon) leggingsit (jalanmyötäiset trikoohousut)

legibility ['ledʒə'bɪləti] *s* luettavuus

legible ['ledʒəbəl] *adj* josta saa selvän, jota pystyy lukemaan *your handwriting is barely legible* käsialastasi on lähes mahdotonta saada selvää

legibly *adv* (kirjoitettu, ladottu) niin että jostakin saa selvää

legion ['liːdʒən] *s* **1** legioona **2** leegio, suuri joukko *adj* monilukuinen *because we are legion* sillä meitä on paljon

legionary ['liːdʒə,neri] *s* legioonalainen

legislate ['ledʒəs,leɪt] *v* **1** säätää laki/lakeja **2** määrätä, määräillä, ohjata, ohjailla *are you trying to legislate my feelings?* yritätkö sinä sanoa miltä minusta pitäisi tuntua?

legislation [,ledʒəs'leɪʃən] *s* **1** lainsäädäntö **2** laki, lait

legislative ['ledʒəs,leɪtɪv] *adj* lainsäädännöllinen, lakiasäätävä

legislator ['ledʒəs,leɪtər] *s* lainsäätäjä

legislature ['ledʒəs,leɪtʃər] *s* lakiasäätävä elin

legitimacy [lə'dʒɪtəməsi] *s* laillisuus *are you sure of the legitimacy of his request?* oletko varma että hänen pyyntönsä on oikeutettu?

legitimate [lə'dʒɪtəmət] *adj* **1** laillinen, lain mukainen; oikeutettu **2** (lapsi) aviollinen, aviliitossa syntynyt

legitimate [lə'dʒɪtə,meɪt] *v* **1** laillistaa, osoittaa/myöntää lailliseksi **2** osoittaa oikeutetuksi, perustella, oikeuttaa

legitimately *adv* laillisesti, lain mukaisesti; oikeutetusti

leisure ['liʒər] *s* **1** vapaus (työnteosta ym) *Victorian gentlemen led a life of leisure* viktoriaanisen ajan herrasmiehet eivät käyneet työssä *you can do the job at your leisure* voit tehdä työn silloin kun sinulle sopii/kaikessa rauhassa **2** vapaa-aika

leisured *adj* **1** *the leisured class* yläluokka **2** kiireetön, rauhallinen, rento

leisurely *adj* kiireetön, rauhallinen, rento

lemming ['lemɪŋ] *s* sopuli

lemon ['lemən] *s* **1** sitruuna **2** (ark) joku tai jokin josta ei ole mihinkään *that car is a lemon* tuo on varsinainen maanantaiauto

lemonade [,lemə'neɪd] *s* sitruuna- tai muu hedelmämehu

lend [lend] *v* lent, lent **1** lainata jotakin jollekulle *the bank lent him $ 400,000* pankki lainasi hänelle 400 000 dollaria **2** antaa *the new furniture lends an air of refinement to the room* uudet huonekalut saavat huoneen vaikuttamaan hienostuneelta, antavat huoneelle hienostuneen ilmeen *lend itself to* sopia/soveltua johonkin tarkoitukseen *this theory does not lend itself to the description of neutrinos* tämä teoria ei sovellu neutriinojen kuvaukseen

lend-lease ['lend'liːs] *s* lainaus- ja vuokrajärjestelmä jolla Yhdysvallat toimitti liittolaisilleen sotakalustoa toisessa maailmansodassa

length [leŋθ] *s* **1** pituus (ajasta myös:) kesto *she went to great lengths to prove she was innocent* hän teki kaikkensa todistaakseen syyttömyytensä **2** pätkä *a length of rope/pipe* köyden/putken pätkä, köysi, putki

lengthen *v* pidentää, pidentyä

lengthways [leŋθweɪz] *adv* pitkittäin

lengthwise [leŋθwaɪz] *adv* pitkittäin

lengthy *adj* **1** pitkä **2** pitkäveteinen

lenience ['liːniəns] *s* lempeys

leniency ['liːniənsi] *s* lempeys

lenient ['liːniənt] *adj* lempeä

lens [lenz] *s* **1** linssi **2** objektiivi

Lent [lent] *s* paastonaika

lentil ['lentəl] *s* linssi, kylvövirvilän siemen

leopard ['lepərd] *s* leopardi

leopardess ['lepərdəs] *s* naarasleopardi

leper ['lepər] *s* **1** spitaalinen **2** hylkiö

leprosy ['leprəsi] *s* spitaali, lepra

lesbian ['lezbiən] *s, adj* lesbo, homoseksuaalinen nainen, lesbo(-)

lese majesty [,liːz'mædʒəsti] *s* **1** maanpetos **2** majesteettirikos (myös kuv)

lesion ['liːʒən] *s* vamma, haava, (lääk) leesio

less [les] *s, adj, adv* (sanan *little* kompara-
tiivi) vähemmän *less of one and more of
the other* vähemmän toista ja enemmän
toista *less and less* yhä vähemmän, yhä
harvemmin *this car is less fast than the
other* tämä auto ei ole yhtä nopea kuin tuo
toinen *he didn't like her, much less love
her* hän ei pitänyt hänestä eikä varsinkaan
rakastanut häntä *prep* miinus *twenty less
eleven equals nine* kaksikymmentä miinus
yksitoista on yhdeksän

lessee [le'si] *s* vuokralainen

lessen [lesən] *v* vähentää, vähentyä

lessening *s* lasku, vähentyminen

lesser *adj* (komparatiivi sanasta *little*) pie-
nempi, vähempi *the lesser evil* pienempi
paha

lesson [lesən] *s* 1 (oppi)tunti 2 (kuv) läksy,
opetus *I hope you have now learned your
lesson* toivottavasti olet nyt ottanut opik-
sesi

lessor [lesər] *s* vuokranantaja

less than *adv* vähemmän kuin, alle *there
were less than a hundred people there* pai-
kalla oli alle sata ihmistä

lest [lest] *konj* jotta ei *take notes lest you
forget what you have to* tee muistiinpa-
noja jotta et unohda mitä sinun pitäisi tehdä
I stayed at home lest I miss her phone call
jäin kotiin voidakseni vastata hänen soit-
toonsa

let [let] *v* let, let 1 antaa, sallia *let me carry
your bag* annahan kun kannan laukkusi *let
me know as soon as you've made up your
mind* kerro minulle heti kun olet päättänyt
asiasta *let her go* anna hänen mennä,
päästä hänet menemään *let go of her*
päästä irti hänestä, päästä hänet irti 2 keho-
tuksena, ehdotuksena ym: *let us/let's not
worry ei* murehdita, älkäämme murehtiko
let's see katsotaanpa, mietitäänpä asiaa *let
there be light* tulkoon valkeus! 3 vuokrata,
antaa vuokralle

let alone *pr* jostakin puhumattakaan

let be *v* antaa olla, jättää rauhaan, ei puuttua

let down *v* 1 pettää, jättää pulaan; tuottaa pet-
tymys jollekulle 2 hellittää, löysätä tahtia

letdown *s* 1 lasku, väheneminen 2 pettymys

let go *v* 1 hellittää ote, päästää irti 2 vapaut-
taa, päästää vapaaksi/menemään 3 unoh-
taa, jättää mielestään 4 irrotella, pitää
hauskaa, ottaa ilo irti elämästä

let go with *v* päästää suustaan/ilmoille

lethal [liθəl] *adj* tappava, kuolettava

lethargic [ləˈθɑːdʒɪk] *adj* 1 vetämätön, veltto,
hidas 2 (lääk) horroksinen, letarginen

lethargy [leθərdʒi] *s* 1 vetämättömyys, velt-
tous, hitaus 2 (lääk) letargia

let in *v* päästää sisään

let in on *v* päästää joku vihille jostakin, pal-
jastaa jollekulle jotakin

let out *v* 1 päästää suustaan/ilmoille *he let out
a belch* hän röyhtäisi 2 paljastaa 3 suuren-
taa (vaatetta)

letter [letər] *s* 1 kirjain *he follows the rules to
the letter* hän noudattaa sääntöjä kirjaimel-
lisesti 2 kirje 3 (mon) kirjallisuus *he is a
man of letters* hän on kirjailija; hän on
kirjallisuuden ystävä

letter box *s* (UK) 1 postilaatikko 2 kirjelaa-
tikko

letter drop *s* (oven) postiluukku

letterhead [letərhed] *s* 1 firman tms nimi/
logo kirjepaperissa 2 firman tms nimellä/
logolla varustettu kirjepaperi *he wrote to
them on his company's letterhead* hän kir-
joitti heille firman paperilla

lettering *s* kirjaimet, kaunokirjoitus

lettuce [letəs] *s* (ruoka)salaatti

let up *v* 1 hellittää, laskea, vähentyä 2 lopet-
taa, keskeyttää

let up on *v* hellittää, päästää helpommalla

leukemia [luˈkiːmiə] *s* leukemia, verisyöpä

leukemic [luˈkiːmik] *adj* leukeeminen, ve-
risyöpää sairastava, verisyöpään liittyvä

1 level [levəl] *s* 1 taso *this summer, the water
level is low* vesi on tänä vuonna alhaalla
she studies physics on an advanced level
hän on jo pitkällä fysiikan opinnoissaan
2 vesivaaka

2 level *v* 1 tasoittaa, siloittaa *he is trying to
level the way for new legislation* hän yrit-
tää valmistaa tietä uusille laeille, hän yrit-

tää pohjustaa uusia lakeja **2** kaataa *the bombs leveled the city* pommit hävittivät kaupungin maan tasalle **3** tähdätä (aseella)
level crossing *s* (UK) tasoristeys
leveler *s* tasoittaja, tasaaja *death, the great leveler* kuolema joka tasoittaa ihmisten väliset erot
levelheaded [ˌlevəlˈhedəd] *adj* maltillinen, järkevä, harkittu
level off *v* kertoa (koko) totuus, pujastaa
level with *v* kertoa (koko) totuus, pujastaa *level with me, I want to know the truth* haluan tietää koko totuuden, joten anna tulla
1 lever [levər] *s* **1** vipu **2** (kuv) keino
2 lever *v* vivuta, kangeta, kammeta
leverage [levrədʒ] *s* **1** vipuvoima **2** vaikutusvalta, valta, suhteet *I have no leverage with the board* minulla ei ole mahdollisuuksia vaikuttaa johtokuntaan/johtokunnan päätöksiin
levitate [ˈlevəˌteɪt] *v* leijua ilmassa, nostaa ilmaan, levitoida
levitation [ˌlevəˈteɪʃən] *s* levitaatio, ilmassa leijuminen
levity [levəti] *s* kevytmielisyys, epäasiallisuus
1 levy [levi] *s* **1** vero **2** veronkanto **3** (armeijaan) kutsunta
2 levy *v* **1** kantaa, kerätä (veroa) **2** kutsua (armeijaan) **3** takavarikoida
lewd [lud] *adj* irstas, rivo, himokas, vihjaileva (katse) *stop being lewd* ole siivosti!
lewdness *s* irtaus, rivous
lexical [leksəkəl] *adj* sanaston, sanasto-
lexicography [ˌleksəˈkɑgrəfi] *s* sanakirjojen teko/toimitus, leksikografia
lexicon [ˈleksɪˌkæn] *s* **1** sanasto, sanakirja **2** sanasto, sanavarasto
lexis [leksɪs] *s* (kielitieteessä) (kielen) sanasto, sanavarasto
liability [ˌlaɪəˈbɪlti] *s* **1** velka **2** (kuv) taakka, haitta, huono puoli **3** (laillinen) vastuu
liable [laɪəbəl] *adj* joka on (laillisesti) vastuussa
liable to *adj* jollekin altis; jolla on taipumusta johonkin *you are liable to get shot if*

you go there sinut saatetaan hyvinkin ampua jos menet sinne
liaison [liˈeɪzən] *s* **1** yhteys, yhteydenpito, yhteistyö **2** yhdyshenkilö
liar [laɪər] *s* valehtelija
lib [lɪb] *s* vapautus *women's/gay lib* naisten/homoseksualistien vapautus/tasa-arvo
1 libel [laɪbəl] *s* herjaus (painetussa sanassa), herjauskirjoitus
2 libel *v* herjata (painetussa sanassa)
libeler [laɪbələr] *s* (kirjoittamalla) herjaaja
libelous [laɪbələs] *adj* (kirjoitus) herjaava
liberal [lɪbrəl] *s, adj* **1** vapaamielinen, suvaitsevainen **2** *Liberal* liberaali, (Iso-Britannian) liberaalisen puolueen jäsen/kannattaja **3** *a liberal translation* vapaa käännös **4** avokätinen, antelias
liberalism *s* vapaamielisyys, suvaitsevaisuus, liberalismi
liberalization [ˌlɪbrəlˈzeɪʃən] *s* vapautus, vapauttaminen, liberalisointi
liberalize [ˈlɪbrəˌlaɪz] *v* **1** tehdä vapaamielisemmäksi, liberalisoida **2** vapauttaa säännöstelystä/valvonnasta, lieventää säännöstelyä/valvontaa, liberalisoida
liberally *adj* **1** vapaamielisesti, suvaitsevaisesti **2** vapaasti **3** avokätisesti, anteliaasti, runsaasti *spread this ointment liberally on your skin* levitä voidetta runsaasti iholle si
liberate [ˈlɪbəˌreɪt] *v* **1** vapauttaa **2** päästää ilmoille (esim kaasua), vapautua
liberation [ˌlɪbəˈreɪʃən] *s* vapautus, vapauttaminen, vapautuminen *women's/gay liberation* naisten/homoseksualistien tasa-arvo
libertine [ˈlɪbərˌtin] *s* elostelija, irstailija
liberty [lɪbərti] *s* vapaus *I am not at liberty to say how much the new wing cost* en voi kertoa paljonko uusi siipirakennus tuli maksamaan *to take the liberty of doing something* tehdä jotain omavaltaisesti *to take liberties with someone/something* sallia itselleen vapauksia jonkun suhteen/jossakin asiassa, käsitellä/kohdella jotakin/jotakuta hyvin vapaasti
librarian [laɪˈbreriən] *s* kirjastonhoitaja
library [laɪbreri] *s* kirjasto *Phoebe has an extensive video library* Phoebella on laaja videokirjasto/videokasettikokoelma

library card s kirjastokortti

lice [laɪs] ks louse

licence ks license

licence plate s rekisterikilpi

licencing s lisensointi, lisenssin myöntäminen

1 license [laɪsəns] s **1** lupa, oikeus *driver's license* ajokortti *driving licence* (UK) ajokortti **2** lisenssi **3** vapaus *poetic licence* runoilijan vapaus

2 license v **1** myöntää/antaa lupa/oikeus **2** lisensoida, myöntää lisenssi

licensed adj **1** jolla on toimilupa *licensed to carry a firearm* jolla on aseenkantolupa **2** (UK) (ravintola tms jolla on oluen ja viinin) anniskeluoikeudet *fully licensed* täydet anniskeluoikeudet

licensee [ˌlaɪsən'siː] s luvanhaltija, edustaja

lichen [laɪkən] s jäkälä

1 lick [lɪk] s nuolaisu

2 lick v **1** nuolla, nuolaista **2** (ark) hakata, antaa selkään

licking *to give someone a licking* antaa jollekulle selkään

licorice [lɪkrɪʃ] s lakritsi

lid [lɪd] s **1** kansi *to blow the lid off something* paljastaa rötös *to blow your lid* menettää malttinsa, pillastua **2** silmäluomi *eyelid*

1 lie [laɪ] v **1** valhe **2** sijainti, asema, paikka **3** (eläimen) pesä

2 lie v lied, lied: valehdella *to lie through your teeth* lasketella palturia, valehdella minkä ehtii/niin että korvat heiluvat

3 lie v lay, lain: verbi *lie* korvautuu arkikielessä toisinaan sanalla *lay* **1** maata, olla *to lie in bed* maata vuoteessa *the keys lie on the desk* avaimet ovat pöydällä **2** sijaita, olla *the house lies in a valley* talo on laaksossa *big problems lay before us* edessämme oli isoja ongelmia

lie by v keskeyttää (hetkeksi), pitää tauko

lie down v käydä pitkäkseen

lie low fr pysytellä piilossa, pitää matalaa profiilia

lie on v riippua jostakin, olla jonkin varassa

lie over v lykätä myöhemmäksi, saada odottaa

lieu [luː] *in lieu of* jonkin asemesta, jonkin sijasta

lie upon v riippua jostakin, olla jonkin varassa

lieutenant [luˈtenənt] s luutnantti

lie with v kuulua jonkun tehtäviin, olla jonkun vastuulla

life [laɪf] s **1** elämä *life and death* elämä ja kuolema *the murderer was sentenced to life* murhaaja tuomittiin elinkautiseen vankeusrangaistukseen *the kids were full of life* lapset suorastaan pursuivat elinvoimaa **2** henki *he took his own life* hän teki itsemurhan

life-and-death [ˌlaɪfən'deθ] adj elintärkeä, ratkaiseva, vakava *this is a life-and-death battle/decision* tämä on taistelua elämästä ja kuolemasta/tämä on elintärkeä kysymys

lifeblood [laɪf,blʌd] s **1** veri **2** (kuv) elinhermo, elinehto

life boat s pelastusvene

life expectancy [ˌlaɪfəks'pektənsɪ] s odotettavissa oleva elinikä

lifeguard [laɪf,gɑːd] s hengenpelastaja

life insurance [laɪfɪn,ʃərəns] s henkivakuutus

life jacket [laɪf,dʒækət] s pelastusliivit

lifeless adj **1** eloton, kuollut **2** (kuv) kuollut, pitkäveteinen, tylsä

lifeline [laɪf,laɪn] s **1** pelastusköysi **2** (kuv) elinhermo, elinehto, pelastus

lifelong [laɪf,lɒŋ] adj elinikäinen

life-or-death [ˌlaɪfɔː'deθ] adj elintärkeä, ratkaiseva, vakava *this is a life-or-death battle/decision* tämä on taistelua elämästä ja kuolemasta/tämä on elintärkeä kysymys

lifer [laɪfər] s (sl) **1** elinkautinen (vanki) **2** vakinainen työntekijä tms

life raft s pelastuslautta

lifesaver [laɪf,seɪvər] s **1** pelastaja, hengenpelastaja **2** (kuv) pelastus

life sentence s elinkautinen tuomio/vankeusrangaistus

life-size [laɪf,saɪz] adj luonnollisen kokoinen

life span [laɪf,spæn] s **1** elämänkaari; odotettavissa oleva elinikä

lifestyle [laɪf,staɪəl] s elämäntapa

life-threatening [ˌlaɪfˈθretəniŋ] adj hengenvaarallinen

lifetime [ˈlaɪftaɪm] s elinikä, elinaika adj elinikäinen, elinaikainen, elinkautinen

lifework [ˈlaɪfˈwɜːk] s elämäntyö

1 lift [lɪft] s 1 nosto (myös:) painonnosto 2 piristys the news gave her a lift uutinen piristi hänen mieltään 3 kyyti can you give me a lift? otatko minut kyytiin? 4 (UK) hissi ski lift hiihtohissi

2 lift v 1 nostaa lift your right hand, please nosta oikeaa kättäsi 2 (kuv) kohottaa, piristää the news lifted her spirits uutinen kohotti hänen mieltään, uutinen piristi häntä 3 (ark) varastaa, kähveltää, kääntää 4 lopettaa, lakkauttaa the ban on Japanese imports has been lifted japanilaisten tavaratuontikielto on kumottu

lift bridge s nostosilta

liftoff s 1 (lentokoneen, raketin) ilmaan nousu 2 (kuv) aloitus, käynnistys

lift up v nostaa, kohottaa

ligament [ˈlɪgəmənt] s nivelside

1 light [laɪt] s 1 valo the speed of light valon nopeus to get up at first light nousta aamunkoitteessa to bring something to light paljastaa, saattaa jotakin päivänvaloon 2 lamppu traffic lights liikennevalot 3 tuli could you give me a light? onko sinulla tulta?

2 light v lit/lighted, lit/lighted 1 valaista 2 sytyttää, syttyä 3 (lintu) laskeutua (oksalle); (ihminen) laskeutua (satulasta, ajoneuvosta)

3 light adj 1 kevyt (myös kuv) light entertainment kevyt viihde 2 vähäinen, (rangaistus) lievä, (tehtävä) helppo to make light of something vähätellä jotakin

light bulb [ˌlaɪtˌbʌlb] s hehkulamppu

light-duty [ˌlaɪtˈduti] adj (ajoneuvo ym) kevyt, kevyeen käyttöön tarkoitettu

lighten v 1 valaista, kirkastaa, kirkastua 2 (kuv) ilostua, piristyä, (kasvot) kirkastua, keventää, keventyä, helpottaa, helpottua

light-fingered [ˌlaɪtˈfɪŋgəd] adj (kuv) pitkäkyntinen

light-footed [ˌlaɪtˈfʊtəd] adj nopsajalkainen

lightheaded [ˌlaɪtˈhedəd] adj 1 jota huimaa/pyörryttää 2 pinnallinen; ajattelematon

lighthearted [ˌlaɪtˈhɑːtəd] adj huoleton, iloinen, hilpeä

lighthouse [ˈlaɪtˌhaʊs] s majakka

lighting s 1 sytytys, sytyttäminen 2 valaistus

lightly adv 1 kevyesti (myös kuv:) helposti, vähällä 2 vähätellen, vähättelevästi, kevytmielisesti

lightness s 1 keveys (myös kuv) the unbearable lightness of being olemisen sietämätön keveys 2 helppous 3 vaavuuden puute, välinpitämättömyys

lightning [ˈlaɪtnɪŋ] s salama flash of lightning salamaniskut

lightning rod s 1 ukkosenjohdatin 2 (kuv) syntipukki

lightning up v sytyttää, syttyä, kirkastaa, kirkastua the explosion lit up the sky räjähdys valaisi taivaan

lightweight [ˈlaɪtˌweɪt] s 1 kevyen sarjan nyrkkeilijä 2 mitätön ihminen don't worry about Max, he is a lightweight Maxia ei kannata pelätä adj kevyt (myös kuv)

light-year [ˈlaɪtˌjɪɔːr] s 1 valovuosi 2 (kuv, mon) we are light-years ahead of the competition olemme valovuosia kilpailijoista edellä, meillä on selvä etumatka kilpailijoihin

likable [ˈlaɪkəbəl] adj mukava, miellyttävä

1 like [laɪk] v 1 pitää jostakusta/jostakin do you like apples? pidätkö omenista? how do you like your new VCR? mitä pidät uudesta kuvanauhuristasi? well, how do you like that! tätäkin sitä kuulee! 2 haluta do as you like tee kuten haluat I would like to go now haluaisin lähteä

2 like adj, adv, prep kuin, kaltainen, samanlainen it looks like rain näyttää siltä että alkaa sataa and the like ja muuta vastaavaa she spends money like crazy hän törsää minkä ehtii

3 like konj kuten like he said, we have to go kuten hän sanoi meidän on lähdettävä

likeable adj mukava, miellyttävä

likelihood [ˈlaɪkliˌhʊd] s todennäköisyys what is the likelihood of us getting caught? mi-

likely   892

ten todennäköistä on että me joudumme kiinni?

likely *adj* **1** todennäköinen **2** uskottava **3** sopiva *that's a likely place for camping* tuohon on hyvä leiriytyä

likeness [laiknəs] *s* **1** samankaltaisuus **2** kuva *God created man in His likeness* Jumala loi ihmisen omaksi kuvakseen

liken to *v* verrata jotakuta/jotakin johonkuhun/johonkin

likewise ['laɪk.waɪz] *adv* samoin, samalla tavoin

liking *s* mieltymys *to have/take a liking to someone/something* pitää/alkaa pitää/oppia pitämään jostakin

lilac [laɪlək] *s* syreeni *adj* liila, vaalean sinipunainen

lilt [lɪlt] *s* iloinen/reipas rytmi *to speak with a lilt* puhua hieman laulaen

lilt *v* laulaa/soittaa/puhua reippaasti/reippaan rytmikkäästi

lily [lɪli] *s* lilja

lily of the valley *s* kielo

lily-white ['lɪli.waɪt] *adj* **1** vitivalkoinen **2** (kuv) viaton, puhdas kuin pulmunen

limb [lɪm] *s* **1** raaja *upper/lower limbs* yläraajat, alaraajat **2** (puun) oksa *to be out on a limb* olla heikoilla, olla (taloudellisesti tai muuten) heikolla pohjalla

limber [lɪmbər] *adj* notkea

limber up *v* verrytellä, notkistaa, notkistella

limbo [lɪmbou] *s* **1** limbus, esihelvetti **2** unhola **3** välivaihe, siirtymäkausi

lime [laɪm] *s* **1** kalkki **2** lehmus **3** limetti

lime *v* kalkita, lannoittaa kalkilla

limelight ['laɪm.laɪt] *s* parrasvalot (myös kuv), ramppivalot (myös kuv), (kuv) julkisuuden valokeila

limerick [lɪmrɪk] *s* limerikki, viisisäkeinen kompuruno

limestone ['laɪm.stoun] *s* kalkkikivi

limit [lɪmət] *s* raja, yläraja, rajoitus *speed limit* nopeusrajoitus *life in Alaska tests the limits of human endurance* elämä Alaskassa panee ihmisen sietokyvyn koetteille *this is the limit!* tämä on kyllä kaiken huippu!, tämä on jo paksua!

limit *v* rajata, rajoittaa, rajoittua *the doctor told him to limit his salt intake* lääkäri käski häntä vähentämään suolan käyttöä

limitation [ˌlɪmə'teɪʃən] *s* rajoitus, raja

limited *adj* **1** rajallinen; ahdas, pieni, vaatimaton *my time is limited, so let's begin immediately* aloitetaan heti sillä minulla on vain vähän aikaa **2** (juna tms) pika- **3** (UK) osakeyhtiö-

limitless *adj* rajaton, ääretön

limousine ['lɪmə.zin] *s* limusiini (yleensä kuljettajan ohjaama iso henkilöauto)

limp [lɪmp] *s* ontuminen *the car accident left me with a limp* olen ontunut autokolarista lähtien

limp *v* ontua, nilkuttaa

limp *adj* veltto (myös kuv:) vetämätön, voimaton, (kirjan kannet:) pehmeät, taipuisat

linchpin ['lɪntʃ.pɪn] *s* **1** (akselin) sokka **2** (kuv) perusta, A ja O

linden [lɪndən] *s* lehmus

line [laɪn] *s* **1** köysi **2** viiva, linja, jana, rajaviiva, ääriviiva, (mon) suuntaviivat *he wanted to do it along the same lines he did the first one* hän halusi noudattaa samoja suuntaviivoja kuin ensimmäisessä työssä **3** (US) jono *to wait in line* jonottaa **4** liikenneyhteys, linja; puhelinyhteys *hold the line!* älä katkaise puhelua!, odota! **5** suvun haara, linja **6** (kirjan ym) rivi *to drop someone a line* kirjoittaa jollekulle kirje, antaa kuulua itsestään **7** menettely, suunta *it's hard to follow her line of reasoning* hänen ajatuksenjuoksuaan on vaikea ymmärtää **8** (sot) taistelulinja **9** liikeala *what is your line of business?* millä (liike)alalla sinä toimit? *our line of products* meidän tuotelinjamme/tuotteemme

line *v* **1** viivoittaa **2** vuorata; peittää

lineage [lɪniədʒ] *s* syntyperä; suku

linear [lɪnɪər] *adj* **1** suoraviivainen, lineaarinen **2** (mitta) pituus-

linebacker [laɪn.bækər] *s* (amerikkalaisessa jalkapallossa) tukimies, ks *inside linebacker, middle linebacker, outside linebacker*

line judge ['laɪnˌdʒʌdʒ] s (amerikkalaisessa jalkapallossa) kenttätuomari

lineman [laɪnmən] s (mon linemen) (amerikkalaisessa jalkapallossa) linjamies

linen [lɪnən] s **1** pellava *to wash your dirty linen in public* riidellä yksityisasioista muiden kuullen **2** liinavaatteet

line of credit [ˌlaɪnəvˈkredɪt] s luottoraja

line out v **1** hahmotella, luonnostella **2** esittää, toteuttaa

liner [laɪnə] s **1** matkustajalentokone; matkustajalaiva **2** äänilevyn kansi, kannet **3** vuori, vuoraus **4** (silmien)rajausväri *lipliner* huulten rajauskynä

line up v **1** järjestää/järjestyä/käydä riviin **2** hankkia (kannattajia, esiintyjiä)

lineup [laɪnʌp] s **1** rivi *police lineup* rivi henkilöitä joiden joukosta silminnäkijää pyydetään tunnistamaan syyllinen **2** (urh) pelaajaluettelo **3** tarjonta, valikoima *the spring lineup of television programming* kevään televisiosarjat

linger [lɪŋɡə] v **1** viipyä jossakin, viivytellä **2** pysyä hengissä, olla vielä elossa

linger away/out v vetelehtiä, laiskotella, viettää laiskotellen

lingerie [ˌlænʒəˈreɪ] s naisten alusasut

lingering adj 1 (sairaus) pitkällinen **2** hidas, pitkäveteinen **3** (epäilys) viimeinen, hienoinen

linger on v **1** puhua pitkään jostakin **2** lepuuttaa silmiään jossakin

lingo [lɪŋɡəʊ] s **1** (jonkin ammatti- tai muun ryhmän) erikoiskieli **2** (vieras) kieli

lingonberry [lɪŋənberɪ] s (mon lingonberries) puolukka

lingua franca [ˌlɪŋwəˈfræŋkə] s yhteiskieli, lingua franca

linguist [lɪŋwəst] s kielitieteilijä, kielentutkija, lingvisti

linguistic adj **1** kielellinen, kieli- **2** kielitieteellinen, lingvistinen

linguistics [lɪŋˈɡwɪstɪks] s (verbi yksikössä) kielitiede, lingvistiikka

liniment [lɪnəmənt] s (lääke)voide

lining [laɪnɪŋ] s vuori, vuoraus

1 link [lɪŋk] s **1** (ketjun) lenkki *missing link* puuttuva rengas **2** kalvosinnappi **3** liikenneyhteys **4** tiedonsiirtoyhteys, linkki **5** yhteys *what is the link between these two diseases?* miten nämä kaksi sairautta liittyvät toisiinsa?

2 link v yhdistää, yhdistyä, liittää/liittyä johonkin/yhteen

links s (mon) golfkenttä

link up v yhdistää, yhdistyä, liittää/liittyä johonkin/yhteen

linoleum [ləˈnəʊliəm] s korkkimatto

linseed [lɪnˌsiːd] s pellavansiemen

linseed oil s pellavaöljy

lint [lɪnt] s nöyhtä, nukka

lion [laɪən] s **1** leijona (myös kuv) **2** (kuv) leijona, kuuluisuus, keikari *literary lion* kirjailijamaailman leijona

lioness [laɪənəs] s naarasleijona

lionheart [laɪənˌhaɪt] s rohkea/urhea ihminen

lionize [laɪəˌnaɪz] v palvoa, ihailla

lion's share [ˌlaɪnzˈʃeə] s leijonanosa, suurin osa, parhaat palat

lip [lɪp] s **1** huuli *to keep a stiff upper lip* purra hammasta; ei paljastaa tunteitaan *to smack your lips over something* odottaa vesi kielellä jotakin **2** (astian) nokka **3** reuna, reunus

liposuction [lɪpəˌsʌkʃən, ˈlaɪpəʊˌsʌkʃən] s rasvaimu

lipreading [lɪpˌriːdɪŋ] s huuliltalukeminen

lip service *to pay lip service to someone/ something* muka totella/noudattaa ym jotakuta/jotakin, olla tottelevinaan/noudattavinaan ym jotakin

lipstick [lɪpˌstɪk] s huulipuna

liquefy [lɪkwəˌfaɪ] v nesteyttää, nesteyttää

liqueur [lɪˈkʌə lɪˈkjʊə] s likööri

liquid [lɪkwəd] s **1** neste- **2** (fonetiikassa) likvida (äänteet [r] ja [l]) *adj* **1** nestemäinen, neste- **2** (tal) likvidi, käteinen, helposti rahaksi muutettava

liquidate [lɪkwəˌdeɪt] v **1** (tal) likvidoida, maksaa (velka), muuttaa rahaksi **2** tappaa, teloittaa, likvidoida

liquidation [ˌlɪkwəˈdeɪʃən] s **1** likvidaatio, likvidointi **2** tappaminen, teloitus, likvidointi

liquor [lɪkə] s viina, (väkevä) alkoholi

liquorice [lɪkrɪʃ] s lakritsi

lisp

lisp [lɪsp] *s* s-vika *v*: *she lisps* hänellä on s-vika

1 list [lɪst] *s* **1** luettelo, lista **2** (laivan) kallistuma

2 list *v* **1** luettella, merkitä luetteloon/listaan **2** (laivasta) kallistua, olla kallistunut

listen [lɪsən] *v* kuunnella

listener [lɪsnər] *s* kuuntelija

listen in *v* **1** kuunnella (radiolähetystä) **2** salakuunnella, kuunnella salaa

listless [lɪstləs] *adj* haluton, innoton, veltto, välinpitämätön, voimaton

listlessness *s* haluttomuus, velttous, välinpitämättömyys

lit [lɪt] ks **light**

litany [lɪtəni] *s* **1** (rukous) litania **2** (kuv) litania

liter [lɪtər] *s* litra

literacy [lɪtərəsi] *s* **1** lukutaito, luku- ja kirjoitustaito **2** oppineisuus **3** *computer literacy* taito käyttää tietokonetta

literal [lɪtərəl] *adj* **1** kirjoitus- **2** kirjaimellinen, sanatarkka **3** tarkka, luotettava, paikkansa pitävä **4** varsinainen, todellinen, oikea **5** (ihminen) tosikkomainen

literally *adv* **1** kirjaimellisesti, sanatarkasti **2** (kuv) kirjaimellisesti, todella, nimenomaan

literal-minded [‚lɪtərəlˈmaɪndəd] *adj* tosikkomainen *she is awfully literal-minded* hän on hirvittävä tosikko

literary [lɪtəˌreri] *adj* kirjallisuus-, kirjallinen *literary circles* kirjallisuuspiirit *he is a literary man* hän on kirjallisuuden tutkija/harrastaja

literate [lɪtərət] *adj* **1** lukutaitoinen, luku- ja kirjoitustaitoinen **2** oppinut, sivistynyt, koulua käynyt

literati [‚lɪtəˈrati] *s* (mon) kirjallisuuden harrastajat; oppineet, älymystö

literature [lɪtərətʃər] *s* **1** kirjallisuus **2** esitteet, aineisto, mainosmateriaali *we will be happy to send you some literature on our software* lähetämme mielellämme lisätietoja ohjelmistamme

lithe [laɪð] *adj* notkea, taipuisa, norja

lithium [lɪθiəm] *s* litium

lithography [lɪˈθɑgrəfi] *s* kivipaino

litigate [lɪtəˌgeɪt] *v* käräjöidä

litigation [‚lɪtəˈgeɪʃən] *s* käräjöinti

litigious [lɪˈtɪdʒəs] *adj* käräjöimishaluinen

litmus [lɪtməs] *s* lakmus

1 litter [lɪtər] *s* **1** roska, roskat, jäte **2** (eläimen) pesue, poikue **3** paarit

2 litter *v* **1** roskata, heittää roskia maahan tms **2** levittää/heittää/heitellä jotakin sinne tänne **3** (eläin) synnyttää

litterbag [lɪtərˌbæg] *s* roskapussi, jätepussi

littering *s* roskaaminen

little [lɪtl] *s, adj* (smaller, smallest) *adv* (less, least) pieni, lyhyt, vähäinen; vähän, vain vähän, pikkuisen; pieni määrä *when he was little* kun hän on oli pieni, hänen lapsuudessaan *my little sister* pikkusiskoni *just a little bit* aivan vähän, pikkuisen *a little while* pieni/lyhyt hetki, hetkinen *he gave me a little money* hän antoi minulle vähän rahaa *he gave me little money* hän antoi minulle vain/hyvin vähän rahaa *in little* pienoiskokoinen, pienoiskoossa, pienois- *a little knowledge is a dangerous thing* luulo ei ole tiedon väärti *to make little of something* vähätellä jotakin

littleness *s* pienuus, vähäisyys

liturgy [lɪtərdʒi] *s* liturgia

livable [lɪvəbəl] *adj* **1** asuinkelpoinen **2** siedettävä, elämisen arvoinen

livable-in *adj* asuinkelpoinen

livable-with *adj* siedettävä

live [lɪv] *v* **1** elää *to live and die* elää ja kuolla *to live beyond your means* elää yli varojensa *and they lived happily ever after* ja he elivät onnellisina elämänsä loppuun asti *he lives a life of denial* hän elää kieltäymyksessä *she lived to be 100* hän eli satavuotiaaksi **2** asua jossakin *they live in the suburbs* he asuvat esikaupungissa

live [laɪv] *adj* **1** elävä (myös kuv) *live music* elävä musiikki **2** eloisa, vilkas **3** (radio- tai televisiolähetys) suora, (ääni, tallenne) konsertti-, live- *adv* lähettää radio- tai televisiolähetys) suorana, (äänittää, tallentaa ääninauhalle tms) konsertissa

live feed *s* suora (tv/radio)lähetys

live-in [ˈlɪv‚ɪn] *s* **1** isäntäväen luona asuva palvelija tms **2** avopuoliso, avopari *adj*

1 (palvelija) joka asuu isäntäväen luona **2** (avoliiton osapuolesta) avo-

live in v (palvelija tms) asua isäntäväen talossa

livelihood [ˈlaɪvlɪˌhʊd] s toimeentulo, elatus, elanto

liveliness [ˈlaɪvlɪnəs] s eloisuus, vilkkaus

livelong [ˈlɪvˈlɒn] adj koko do I have to sit here for the livelong day? pitääkö minun istua tässä koko pitkän päivän?

lively [ˈlaɪvlɪ] adj eloisa, vilkas, (äly) terävä, nokkela, (vauhti) reipas

liven up [ˈlaɪvən] v piristää, piristyä, tuoda (uutta) eloa johonkin

live off v elää jollakin/jonkun kustannuksella/siivellä

live on v **1** elää jollakin he lives on vegetables hän syö pelkästään vihanneksia **2** tulla toimeen I can't live on $160 a week en tule toimeen 160 dollarilla viikossa

live out v (palvelija tms) ei asua isäntäväen talossa

liver [ˈlɪvər] s maksa

liverleaf s (mon liverleaves) sinivuokko

lives [ˈlaɪvz] ks life

livestock [ˈlaɪvˌstak] s karja

live up to v täyttää vaatimukset, vastata odotuksia

live with v **1** asua yhdessä jonkun kanssa, olla avoliitossa **2** sietää jotakin, selvitä jostakin, tulla toimeen jostakin huolimatta

livid [ˈlɪvɪd] adj **1** sinertävä; joka on mustelmilla **2** suunniltaan raivosta

living s **1** the living elävät ihmiset **2** elatus, elanto, toimeentulo adj elävä there was not a living soul there siellä ei ollut ristin sielua

living room s olohuone

lizard [ˈlɪzərd] s sisilisko; lisko

llama [ˈlɑːmə] s laama

1 load [ləʊd] s **1** kuorma, lasti **2** kuormitus **3** (kuv) taakka, rasitus she is struggling under the heavy load of responsibility vastuun raskas taakka painaa häntä **4** (ark) iso kasa he has loads of CDs hänellä on kasapäin CD-levyjä **5** (aseen) panos

2 load v **1** kuormata, lastata **2** kuormittaa **3** ladata (ase, kamera)

load down v **1** kuormata (täyteen) **2** (kuv) rasittaa, sälyttää jotakin jonkun niskaan/harteille

load down with v **1** (kuv) hukuttaa joku johonkin **2** (kuv) luhistua taakkansa tms alle

load into v nousta ajoneuvoon

load the dice fr saattaa joku epäedulliseen asemaan, olla jollekulle vahingoksi, joutua kärsimään jostakin

1 loaf [ləʊf] s (mon loaves) leipä a loaf of bread leipä

2 loaf v maleksia, vetelehtiä no loafing! asiaton oleskelu kielletty

loaf away v panna hukkaan

loafer s maleksija, vetelehtijä; asiaton oleskelija

1 loan [ləʊn] s laina the bank gave her a loan hän sai pankista lainan can I take your calculator on loan? saanko lainata laskintasi?

2 loan v lainata jollekulle, antaa lainaksi; myöntää laina

loanword [ˈləʊnˌwɜːd] s lainasana in English, sauna is a loanword englannin kielessä sauna on lainasana

loath [ləʊθ] to be loath to do something olla haluton tekemään jotakin, ei suostua johonkin

loathe [ləʊð] v inhota, halveksia

loathful [ˈləʊðfəl] adj inhottava, vastenmielinen

loathsome [ˈləʊðsəm] adj inhottava, vastenmielinen, kuvottava

loaves [ləʊvz] ks loaf

1 lobby [ˈlabɪ] s **1** aula, eteinen **2** (poliittinen) eturyhmä

2 lobby v ajaa (edustajainhuoneessa tms) jotakin asiaa, puolustaa jonkin eturyhmän etuja the NRA is lobbying against gun control National Rifle Association yrittää estää edustajainhuonetta tiukentamasta yksityisaseiden valvontaa

lobbyist s (poliittisen) eturyhmän edustaja, lobbyisti

lobe [ləʊb] s **1** korvan nipukka **2** keuhkojen lohko

lobster [ˈlabstər] s hummeri

local [lou̯kəl] *s* **1** paikallisjuna, paikallis-linja-auto, paikallislehti, paikallisosasto **2** (us mon) paikallisväestö, paikkakunta-laiset *adj* paikallinen, paikallis-, paikka-kunta- *local transportation* paikallislii-kenne *local anesthesia* paikallispuudutus

locale [lou̯ˈkæl] *s* **1** paikka, asuinsija **2** (elo-kuvan, kirjan) tapahtumapaikka

local government *s* **1** paikallishallinto **2** kau-punginhallitus, kunnanhallitus tms

locality [lou̯ˈkæləti] *s* **1** paikka, alue **2** paikal-lisuus

localization [ˌlou̯kələˈzei̯ʃən] *s* paikannus, paikantaminen, paikallistaminen

localize [ˈlou̯kəˌlai̯z] *v* paikantaa, paikallistaa

locate [lou̯kei̯t] *v* **1** sijoittaa *their home is located near the ocean* heidän talonsa on lähellä merta **2** löytää, paikantaa

location [lou̯ˈkei̯ʃən] *s* **1** paikka, sijanti, asema **2** sijoittaminen, rakentaminen **3** löytäminen, paikantaminen, paikannus **4** (elokuvan) kuvauspaikka (studion ulko-puolella) *the movie was filmed entirely on location* filmi kuvattiin kokonaan studion ulkopuolella

loch [lak] *s* (Skotlannissa) järvi

lock [lak] *s* **1** (oven, aseen) lukko *to be under lock and key* olla hyvässä turvassa/tallessa, olla lukkojen takana **2** (hius)ki-hara **3** (mon) kutrit, kiharat, hiukset, tukka **4** (kanavan) sulku

lock *v* **1** lukita, panna lukkoon, lukkiutua, mennä lukkoon

locker *s* lukollinen kaappi, laatikko; (esim rautatieasemalla maksullinen) säilytyslo-kero

locker room [ˈlakərˌrum] *s* (urheilijoiden) pu-kuhuone

locker-room *adj* (kuv) miehinen, miesten keskeinen, härski

locket [lakət] *s* medaljonki, riipus

lock in *v* lyödä lukkoon

lock on *v* saada tähtäimeen, seurata (tutkalla yms)

lock out *v* ei päästää sisään/jonnekin, sulkea jokin paikka joltakulta

locksmith [ˈlakˌsmɪθ] *s* lukkoseppä

lock up *v* **1** lukita ovet **2** teljetä vankilaan

locomotion [ˌlou̯kəˈmou̯ʃən] *s* liike (paikasta toiseen)

locomotive [ˌlou̯kəˈmou̯tɪv] *s* (junan) veturi *adj* **1** liike- **2** veturi-

locus [lou̯kəs] *s* (mon loci, loca) (yleiskie-lessä) paikka, keskus

locust [lou̯kəst] *s* heinäsirkka

lodge [ladʒ] *s* **1** mökki, maja, kesämökki **2** piharakennus **3** hotelli *motor lodge* mo-telli **4** (järjestön) paikallisosasto

lodge *v* **1** yöpyä, asua (tilapäisesti) jossa-kin, majoittua, majoittaa **2** asua vuokralla jossakin, ottaa vuokralaiseksi **3** juuttua, jäädä (kiinni) jonnekin

lodger [ladʒər] *s* vuokralainen

lodging *s* **1** majoitus **2** (mon) vuokrahuo-ne(et)

lodging house *s* täysihoitola

loft [laft] *s* **1** ullakko, ullakkohuoneisto **2** (heinä)yliset **3** golfmailan lavan nosto-kulma **4** golfpallon lentokorkeus

lofty [lafti] *adj* **1** korkea **2** korkea-arvoinen **3** ylevä, korkealentoinen **4** ylimielinen, koppava

log [lag] *s* **1** tukki, (kaadettu) puunrunko; halko **2** (laivan) loki **3** (laivan) lokikirja; (lentokoneen) lentopäiväkirja

log *v* **1** kaataa (metsää), halkoa, pilkkoa (puita) **2** merkitä lokikirjaan; merkitä muistiin, kirjata **3** kulkea, matkustaa, len-tää tietty matka/aika

logarithm [ˈlag.rɪðəm] *s* logaritmi

logbook [ˈlag.bʊk] *s* (laivan) lokikirja; (lento-koneen) lentopäiväkirja

logic [ladʒɪk] *s* **1** logiikka **2** loogisuus, järki, ajattelu *he was unable to follow her logic* hän ei ymmärtänyt hänen ajatuksenjuok-suaan *there is no logic in what you're say-ing* puhut täysin epäjohdonmukaisesti

logical *adj* **1** looginen **2** järkevä, johdonmu-kainen, selkeä

logically *adj* **1** loogisesti **2** järkevästi, joh-donmukaisesti, asiallisesti

logician [laˈdʒiʃən] *s* loogikko

log in *v* **1** merkitä ylös, kirjata **2** (tietok) kirjautua sisään, avata yhteys esim suurtie-tokoneeseen

logistical *adj* kuljetus-, järjestely-, logistinen

logistics [lə'dʒɪstɪks] s (verbi yksikössä tai mon) **1** (sotaväen ja -kaluston) kuljetus, logistiikka **2** järjestely, logistiikka

logjam ['lag.dʒæm] s **1** tukkisuma **2** (kuv) ruuhka, tulva

log off v (tietok) katkaista yhteys esim suurtietokoneeseen, lopettaa esim suurtietokoneen käyttö

logoff s (tietok) uloskirjaus

logout s (tietok) uloskirjaus

log out/off v kirjautua ulos

loincloth ['lɔɪn.klaθ] s lannevaate

loins [lɔɪnz] s (mon) **1** lanteet **2** (kuv) kupeet *to gird up your loins* (kuv) vyöttää kupeensa, valmistautua johonkin

loiter [lɔɪtər] v maleksia, lorvailla *no loitering!* asiaton oleskelu kielletty

loiter away v panna hukkaan

loiterer s maleksija, lorvailija; asiaton oleskelija

loll [laəl] v **1** lojua, löhötä **2** roikkua, roikuttaa *his head was lolling against his chest* hänen päänsä roikkui velttona rintaa vasten

lollipop ['lali.pap] s tikkukaramelli

lone [loun] adj **1** yksinäinen *lone rider* yksinäinen ratsastaja **2** ainoa

loneliness s yksinäisyys (ks *lonely*)

lonely [lounli] adj **1** (olo) yksinäinen, joka on ypöyksin **2** (paikka) yksinäinen, autio, syrjäinen

lonesome [lounsəm] adj **1** (olo) yksinäinen, joka on ypöyksin **2** (paikka) yksinäinen, autio, syrjäinen

long [laŋ] s, adj, adv **1** pitkä (etäisyys, aika), pitkään, kauan *it's a long story* se on pitkä juttu *I can't wait that long* en voi odottaa niin pitkään *she took a long look at his car* hän katsoi hänen autoaan pitkään/oikein kunnolla *as long as kunhan;* koska; niin kauan kuin *it happened as long ago as 1899* se tapahtui jo vuonna 1899 *before long* pian, ennen pitkää *so long as he lived in Canada* sinä aikana jonka hän asui Kanadassa, niin kauan kuin hän asui Kanadassa **2** adj (tal) termiä *long* käytetään sijoittajasta tai vastaavasta joka omistaa arvopapereita

longbow ['laŋ.bou] s käsijousi

long-distance [.laŋ'dɪstəns] adj **1** (puhelu) kauko- **2** (juoksija) pitkän matkan

long division [.laŋdə'vɪʒən] s jakolasku paperilla

longevity [lan.dʒevəti] s pitkäikäisyys

long face ['laŋ'feɪs] s hapan ilme *when he heard the news, Fred pulled a long face* uutisen kuultuaan Fredin naama venähti pitkäksi

long haul [.laŋ'haəl] s pitkä matka *in the long haul* pitkällä aikavälillä, pitemmän päälle

longing s kaipaus, kaipuu *adj* kaihoisa, kaipaava

longitude ['landʒə.tud] s pituus, pituusaste

longitudinal [.landʒə'tudənəl] adj pituus-, pituussuuntainen, pitkittäinen

long jump ['laŋ.dʒʌmp] s (uih) pituushyppy

long-lasting [.laŋ'læstɪŋ] adj pitkäaikainen, pitkäkestoinen, pitkän vaikuttava, pitkävaikutteinen

long-lived [.laŋ'lɪvd] adj pitkäikäinen

long-range [.laŋ'reɪndʒ] adj **1** pitkän aikavälin, pitkäaikainen **2** (ohjus) pitkänmatkan

long run ['laŋ.rʌn] *in the long run* pitkällä aikavälillä, pitemmän päälle

longshore [laŋ'ʃɔr] adj ranta-, satamalong

long shot ['laŋ'ʃat] s iso riski *not by a long shot* ei lähimainkaan, ei sinne päinkään

long-sighted [laŋ'saɪtəd] adj **1** pitkänäköinen **2** (kuv) kaukonäköinen

longsome [laŋsəm] adj pitkäveteinen, pitkäpiimäinen

longstanding [.laŋ'stændɪŋ] adj pitkäaikainen, pitkällinen, pitkä

long-suffering [.laŋ'sʌfərɪŋ] adj pitkämielinen, kärsivällinen

long term ['laŋ.tərm] *in the long term* pitkällä aikavälillä, pitemmän päälle

long-term [.laŋ'tərm] adj pitkän aikavälin, pitkäaikainen, pitkäaikais-

long-term memory s pitkäkestoinen muisti, säilömuisti, kestomuisti

longtime [.laŋ.taɪm] adj pitkäaikainen *Bob and I are longtime friends* Bob ja minä olemme vanhoja tuttuja

long-winded [.laŋ'wɪndəd] adj pitkäveteinen, pitkäpiimäinen, joka puhuu (liian) pitkään, (puhe) (liian) pitkä

longwise ['lɑŋ,waɪz] *adj, adv* pitkittäin(en)
1 look [lʊk] *s* **1** katse, vilkaisu *will you take a quick look at these figures?* vilkaisepa näitä numeroita **2** ilme, ulkonäkö **3** (mon) ulkonäkö *at least you have the looks* ainakin sinä olet hyvän näköinen
2 look *v* **1** katsoa, vilkaista *to look in the mirror* katsoa peiliin *look at yourself!* katso nyt itseäsi! **2** näyttää joltakin *it looks like rain* näyttää siltä että kohta alkaa sataa **3** etsiä, käydä läpi
look after *v* huolehtia, pitää huoli jostakin
look-alike ['lʊkə,laɪk] *s* **1** kaksoisolento *there's a Dolly Parton look-alike contest at the community center* monitoimitalolla on kilpailu jossa etsitään Dolly Partonin näköisiä naisia **2** jäljitelmä *he purchased a cheap IBM look-alike* hän osti halvan IBM-kloonin (mikrotietokoneen)
look back *v* muistella mennettä
look down on *v* väheksyä/halveksua jotakuta, kohdella jotakuta ylimielisesti
looker *s* (ark) hyvännäköinen nainen/mies
look for *v* **1** etsiä jotakuta/jotakin **2** odottaa
look forward to *v* odottaa *looking forward to your prompt reply* (kirjeen lopussa) jään odottamaan pikaista vastaustanne
look into *v* ottaa selvää jostakin, tutkia
look on *v* pitää jotakuta/jotakin jonakin
look out *v* varoa
lookout ['lʊk,aʊt] *to be on the lookout for* etsiä jotakin, yrittää löytää jotakin
look out for *v* varoa jotakuta/jotakin; huolehtia jotakin *to look out for your health* pitää huolta terveydestään, vaalia terveyttään
look up *v* **1** nostaa katseensa, katsoa ylöspäin **2** näyttää paremmalta/hyvältä/lupaavalta **3** etsiä/katsoa (tietosanakirjasta, sanakirjasta) **4** käydä katsomassa jotakuta, piipahtaa jonkun luona
lookup *s* (tietok) haku
look upon *v* pitää jotakin jonakin/jonakin
look up to *v* ihailla, kunnioittaa, pitää suuressa arvossa
1 loom [lʊm] *s* kangaspuut
2 loom *v* **1** näkyä (hämärästi) (myös kuv) *those fears loom large in his mind* ne pelot

kummittelevat hänen mielessään **2** seisoa (uhkaavan näköisenä)
loon [lʊn] *s* **1** kuikka **2** hullu, tärähtänyt ihminen
1 loop [lʊp] *s* **1** silmukka, lenkki *to throw someone for a loop* saada joku ällistymään/haukkomaan henkeään **2** (ehkäisy-väline) kierukka
2 loop *v* tehdä silmukka, kiertää/kiertyä silmukalle; kiemurrella, luikerrella
loophole ['lʊp,həʊl] *s* **1** ampuma-aukko; tirkistysreikä; tuuletusaukko **2** (kuv) porsaanreikä
1 loose [lʊs] *s* vapaus: *to be on the loose* olla vapaalla jalalla; irrotella, ottaa ilo irti elämästä
2 loose *v* **1** vapauttaa **2** irrottaa **3** löysätä, höllätä
3 loose *adj, adv* **1** irtonainen, irronnut, löystynyt, löysä, löyhä, höllä *to come loose* irrota **2** notkea, irtonainen **3** vapaa *to break loose* karata; riuhtaista itsensä irti; irrota *to turn loose* vapauttaa, päästää vapaaksi *to let loose* vapauttaa, vapautua; antaa periksi, ei kestää **4** löysä, (moraali, kuri, järjestys), höllä, kevytmielinen, kevytkenkäinen **5** kulku- *a loose dog* kulkukoira **6** käyttämätön, ylimääräinen *loose change* pikkuraha
loose end *s* (kuv) keskeneräinen asia *to be at loose ends* (kuv) olla tuuliajolla, ei saada otetta elämästä/mistään
loose-fitting *adj* (vaate) löysä, (liian) iso
loose-jointed *adj* notkea, norja, vetreä
loosely *adv* rennosti, vapaasti, kevyesti, ajattelemattomasti, harkitsemattomasti, kevytmielisesti, kevytkenkäisesti (ks. loose)
loosen [lʊsən] *v* irrottaa, hellittää, löysätä, höllätä
1 loot [lʊt] *s* (sota-, ryöstö)saalis
2 loot *v* ryövätä, ryöstää, kähveltää
lop [lɑp] *v* **1** karsia (oksia) **2** katkaista (raaja ym) **3** jättää jostain pois jotakin, lyhentää **4** roikkua, roikuttaa, riippua, riiputtaa
lopsided ['lɑp,saɪdəd] *adj* **1** vino **2** (kuv) epäsuhtainen, nurinkurinen
lord [lɔrd] *s* **1** *Lord* Herra **2** hallitsija, valtias, isäntä, herra **3** (UK) lordi (myös erinäisissä puhutteluissa)

lorry [ˈlɒri] s (UK) kuorma-auto

lose [luz] v lost, lost **1** menettää, kadottaa, hukata *he lost his job/life/balance/mind* hän menetti työpaikkansa/henkensä/tasapainonsa/järkensä *Mary lost her purse* Mary hukkasi käsilaukkunsa **2** hävitä (ottelu, oikeudenkäynti, taistelu) *the team lost both games* joukkue hävisi kummankin ottelun **3** karistaa kannoiltaan, jättää jälkeensä **4** *to lose yourself somewhere* eksyä jonnekin

lose out v hävitä, joutua tappiolle

loser [luzər] s (ark) luuseri, toivoton tapaus

loss [lɑs] s **1** menetys *she grieved over the loss of her husband* hän suri miehensä kuolemaa **2** tappio *the company is operating at a loss* yritys toimii tappiolla, yritys tuottaa tappiota **3** *I am at a loss for words* en tiedä mitä sanoa, en osaa pukea ajatuksiani sanoiksi

lost [lɒst] v ks *lose adj* **1** hukkunut, hukassa, menetetty; edesmennyt, kuollut *the purse is lost* käsilaukku on hukassa/hukkunut *I am lost* olen hukassa/pulassa **2** *get lost!* häivy!, ala nostella!

lost cause s tuhoon tuomittu hanke/ajatus/aate

lot [lɑt] s **1** arpa *they chose their leader by a lot* he valitsivat johtajan arpomalla **2** kohtalo, osa ja arpa *to cast in your lot with someone* lyöttäytyä yhteen jonkun kanssa, ryhtyä jonkun kumppaniksi **3** tontti, maa; elokuvastudion alue *back lot* elokuvastudion ulkokuvausalue *parking lot* pysäköintialue **4** joukko, ryhmä; erä *a lot of something* paljon jotakin *lots of money* paljon rahaa *the whole lot* koko joukko, kaikki **5** tyyppi *they are a bad lot* he ovat vaarallista sakkia

2 lot v jakaa jollekulle/osiin

lotion [ˈloʊʃən] s (käsi-, kasvo)voide

lottery [ˈlɒtəri] s arpajaiset; arvonta

lotto [ˈlɑtoʊ] s lotto *to play lotto* lotota

lotus [ˈloʊtəs] s (kasvi) lootus

loud [laʊd] adj **1** (ääni, huuto) kova, voimakas, kovaääninen **2** (väri) räikeä **3** (käytös, ihminen) remuava, suurisuinen adv (sanoa jotakin) ääneen

loudness s äänenvoimakkuus *loudness switch* (stereolaitteessa) fysiologinen korjain, loudness-kytkin

loudspeaker [ˈlaʊdˌspikər] s kaiutin

1 lounge [laʊndʒ] s **1** nojatuoli, sohva **2** (hotellin) aula, oleskeluhuone, (lentokentän ym) odotussali **3** (mus) lounge

2 lounge v loikoilla, laiskotella, vetelehtiä

lounge chair [ˈlaʊndʒˌtʃeər] s nojatuoli, sohva

lounge lizard [ˈlaʊndʒˌlɪzərd] s (halv) salonkileijona

lounger s **1** loikoilija, laiskottelija **2** nojatuoli, sohva **3** (ark) kylpytakki, sisätakki

loupe [lup] s luuppi, luppi, eräänlainen suurennuslasi

louse [laʊs] s (mon lice) täi

lousy [laʊzi] adj (ark) surkea, kurja, viheliäinen *we had a lousy time at their place* meillä oli kurjaa heidän luonaan

lousy with *to be lousy with something* (sl) jollakulla on jotakin kuin roskaa/yllin kyllin

louver [luvər] s **1** sälekaihdin **2** (esim auton jäähdyttimen) säleikkö

lovable [lʌvəbl] adj rakastettava, ihana, ihastuttava

1 love [lʌv] s **1** rakkaus (eri merkityksissä, myös:) lähimmäisenrakkaus *to make love rakastella for the love of decency, please shut up* ole nyt ihmeessä hiljaa *there was no love lost between the brothers* veljekset eivät voineet sietää toisiaan **2** kulta, rakas *Mary was his first love* Mary oli hänen ensimmäinen ihastuksensa **3** (tennis) nolla (pistettä)

2 love v rakastaa (eri merkityksissä) *she loves Gothic novels* hän rakastaa goottilaisia romaaneita, hän pitää kovasti goottilaisista romaaneista

love affair s **1** (rakkaus)suhde **2** (kuv) ihastus, innostus, harrastus

loveless adj rakkaudeton

love life s rakkauselämä *how's your love life?* mitä rakkauselämälle kuuluu?

lovelorn [ˈlʌvˌlɔrn] adj lemmenkipeä

lovely adj ihana, ihastuttava; kaunis; hauska

lovemaking [ˈlʌvˌmeɪkɪŋ] s rakastelu

love potion 900

love potion [ˈlʌvˌpouʃən] s lemmenjuoma, afrodisiakumi

lover [ˈlʌvər] s 1 rakastaja *they say that the boss and his secretary are lovers* väitetään että pomolla ja hänen sihteerillään on suhde 2 harrastaja, ystävä *she's a music-lover* hän on musiikin ystävä

lovesick [ˈlʌvˌsik] adj lemmenkipeä

loving adj rakastava, rakastunut, hellä, lempeä

1 low [lou] s 1 matalapaine 2 pohjalukema *inflation has reached a new low* inflaatio on laskenut ennätyksellisen alas

2 low adj 1 matala 2 hiljainen (ääni) 3 (kuv) matala, alhainen, halpamainen, vähäinen, pieni *the interest rate is low* korko on pieni *that was a low blow* se oli alhainen/katala temppu *these pastries are low in calories* näissä leivonnaisissa on vähän kaloreita 4 heikko, voimaton *I feel low today* minulla on tänään heikko olo

3 low adv 1 alhaalla, alas *to lie low* piiloutua, pysytellä piilossa; pitää matalaa profiilia *to bow low* kumartaa syvään 2 vähissä, lopussa *the gas is running low* bensa alkaa loppua 3 halvalla *buy low and sell high, that's my advice* neuvon ostamaan halpaan ja myymään kalliiseen hintaan

4 low v (lehmä) ammua

lowbrow [ˈlouˌbrau] s sivistymätön ihminen *adj* 1 sivistymätön 2 roska(kulttuuri)-

low-budget [ˈlouˈbʌdʒət] adj halvasti tehty, pienellä rahalla tehty

low country s alanko, alava maa

lowdown [ˈlouˌdaun] s kylmä totuus, pelkät tosiasiat adj alhainen, halpamainen

lower [ˈlouər] v laskea, alentaa, alentua, vähentää, vähentyä, hiljentää, hiljentyä *she refused to lower herself to answering the accusation* hän ei pitänyt syytöstä edes vastauksen arvoisena adj, adv (komparatiivi sanasta low, ks tätä) alempi, alempana, matalampi, ala-

lowercase [ˌlouərˈkeis] adj pienaakkosilla ladottu

lowermost [ˈlouərˌmoust] adj alin

low-key [ˌlouˈki] adj hillitty v hillitä, jarruttaa

lowly [ˈlouli] adj 1 vaatimaton 2 alhainen, vähäpätöinen 3 nöyrä

low-lying [ˌlouˈlaiiŋ] adj alava

low profile [ˌlouˈproufaiəl] *to keep a low profile* pitää matalaa profiilia, pysytellä takaalalla/piilossa

low tide [ˈlouˌtaid] s 1 luode, laskuvesi 2 matalavesi 3 (kuv) pohjalukema(t), aallonpohja

low water s matalavesi

loyal [lɔiəl] adj uskollinen, luotettava, rehti

loyalist s lojalisti (erityisesti Pohjois-Amerikan vapaussodan aikana)

loyally adv uskollisesti, luotettavasti, rehdisti

loyalty [lɔiəlti] s 1 uskollisuus, luotettavuus, rehtiys 2 kannatus

lozenge [lazəndʒ] s (kurkku)pastilli

lubricant [lubrəkənt] s voiteluaine, rasva, öljy

lubricate [lubrəˌkeit] v 1 voidella, rasvata, öljytä 2 (kuv) voidella, saada asiat luistamaan, lahjoa

lubrication [ˌlubrəˈkeiʃən] s voitelu (myös kuv)

lucid [lusəd] adj 1 selvä, havainnollinen 2 selväjärkinen; joka on tajuissaan 3 kirkas 4 läpinäkyvä

lucidity [luˈsidəti] s selvyys, havainnollisuus

luck [lʌk] s onni *Susan had no luck in finding an apartment* Susan ei onnistunut löytämään vuokra-asuntoa *good luck!* onnea yrityksellesi

luckily adv onneksi

luck into v saada sattumalta, onnistua saamaan

luckless adj huono-onninen, onneton, epäonnistunut

luck of the draw s pelionni

luck out v jollakulla käy hyvä tuuri, onni potkaisee jotakuta

lucky adj onnekas, onnellinen, onnen- *you were lucky* sinua onnisti, sinulla kävi hyvä tuuri *only a lucky few are admitted to that school* siihen kouluun pääsevät vain harvat ja valitut

lucky charm s amuletti, talismaani

lucrative [lukrətiv] adj (taloudellisesti) kannattava, tuottoisa

lucre [luːkər] *filthy lucre* (ark) mammona

ludicrous [luːdəkrəs] *adj* naurettava, älytön, järjetön

ludicrously *adv* naurettavan, naurettavasti, älyttömän

lug [lʌg] *v* raahata mukanaan, kiskoa perässään

luggage [lʌgədʒ] *s* matkatavarat, matkalaukut

lugubrious [lə'guːbriəs] *adj* (naurettavan) melankolinen, synkkä, surkuhupaisa

lukewarm [luːk'waːrm] *adj* 1 (vesi) haalea 2 (kuv) innoton, vaisu *his suggestion got a lukewarm response* hänen ehdotuksensa otettiin vastaan välinpitämättömästi

1 lull [lʌl] *s* 1 tauko, tyven 2 (taloudellinen) lama

2 lull *v* 1 rauhoittaa, rauhoittua 2 tuudittaa uneen/luulemaan jotakin

lullaby [lʌlə,bai] *s* kehtolaulu, tuutulaulu

lumbago [lʌm'beigou] *s* noidannuoli

lumbar [lʌmbər] *adj* lanne-, lantio-

1 lumber [lʌmbər] *s* sahatavara, puutavara

2 lumber *v* 1 kaataa metsää 2 lyllertää, kulkea vaivalloisesti/raskaasti

lumberjack [lʌmbər,dʒæk] *s* metsuri

luminosity [,luːmə'nasəti] *s* 1 kirkkaus 2 älykkyys, nerokkuus

luminous [luːmɪnəs] *adj* 1 hohtava, loistava, kirkas 2 valaistu; kirkkaasti valaistu 3 älykäs, nerokas

1 lump [lʌmp] *s* 1 möykky, paakku, kimpale 2 kuhmu, paukama 3 kasa, pino 4 sokeripala 5 (ark) kömpelys, köntys

2 lump *v* 1 paakkuuntua 2 niputtaa, panna/kerätä yhteen (kasaan)

3 lump *adj* 1 pala- *lump sugar* palasokeri 2 kerta- *lump sum* könttäsumma (ark)

lump of sugar *s* sokeripala

lumpy *adj* 1 paakkuinen 2 kömpelö

lunacy [luːnəsi] *s* hulluus

lunar [luːnər] *adj* Kuun, kuu- *lunar orbit* Kuuta kiertävä rata

lunar eclipse *s* kuunpimennys

lunatic [luːnətik] *s, adj* hullu

lunch [lʌntʃ] *s* 1 lounas *he is out to lunch* (sl kuv) hän on aivan muissa maailmoissa 2 välipala

lunch break [lʌntʃ,breik] *s* ruokatunti

luncheon [lʌntʃən] *s* (juhla)päivällinen

luncheonette [,lʌntʃə'net] *s* ruokabaari

lung [lʌŋ] *s* keuhko *to shout at the top of your lungs* huutaa kuin syötävä, huutaa suoraa huutoa

1 lunge [lʌndʒ] *s* sohaisu

2 lunge *v* 1 sohaista jollakin 2 hoippua, syöksyä, heittäytyä eteenpäin

lupine [luːpən] *s* (kasvi) lupiini

1 lurch [lɜːrtʃ] *s* 1 kallistus 2 nytkähdys, rojahdus 3 *to leave someone in the lurch* jättää joku pulaan

2 lurch *v* 1 kallistua 2 hoippua, nytkähtää, rojahtaa

1 lure [luər] *s* syötti, houkutin, houkutus

2 lure *v* houkutella

lurid [luərəd] *adj* 1 (väri) räikeä, räikeän värinen 2 (kuv) räikeä, sensaatiohakuinen, mauton, härski, kauhu-

luridly *adv* 1 räikeästi, räikeissä väreissä 2 (kuv) räikeästi, sensaatiohakuisesti, mauttomasti, härskisti

lurk [lɜːrk] *v* (myös kuv) vaania, piileksiä, piillä

luscious [lʌʃəs] *adj* 1 (myös kuv) herkullinen, mehevä, mehukas 2 seksikäs

lusciously *adv* (myös kuv) herkullisesti, mehevästi, mehukkaasti

lusciousness *s* 1 (myös kuv) herkullisuus, mehevyys, mehukkuus 2 seksikkyys

lush [lʌʃ] *s* (sl) juoppo *adj* rehevä, reheväkasvuinen, mehevä

1 lust [lʌst] *s* himo *he has an immense lust for power* hänellä on suunnaton vallanhimo

2 lust *v* himoita

lust after/for *v* himoita jotakin

luster [lʌstər] *s* 1 kimallus, hohde, kiilto, loisto 2 (kuv) maine, loisto

lustful *adj* himokas

lustily *adv* 1 reippaasti, pirteästi, voimakkaasti 2 (syödä) hyvällä ruokahalulla 3 (huutaa) täyttä kurkkua

lustrous [lʌstrəs] *adj* 1 kimalteleva, hohtava, kiiltävä, loistava 2 (kuv) maineikas, loistava, loistokas

lusty adj **1** reipas, pirteä, elinvoimainen, vahva **2** (ateria) runsas, (ruokahalu) hyvä **3** innokas **4** himokas

lute [luːt] s luuttu

luxuriance [lʌgˈʒəriəns] s rehevyys, runsaus

luxuriant [lʌgˈʒəriənt] adj **1** rehevä; hedelmällinen **2** runsas, ylenpalttinen **3** (kuv) rehevä, rönsyilevä

luxuriate in [lʌgˈʒərieɪt] v **1** (kasvi) kukoistaa jossakin **2** (ihminen) nauttia (täysin siemauksin) jostakin

luxurious [lʌgˈʒəriəs] adj **1** ylellinen, hieno, luksus- *she has luxurious tastes* hänellä on kallis maku **2** runsas, ylenpalttinen, (kuv) rehevä, (kuv) rönsyilevä

luxury [ˈlʌkʃəri] s **1** ylellisyys, loisto **2** (yksittäinen) luksus *you have the luxury of much*

free time olet siinä onnellisessa asemassa että sinulla on paljon vapaa-aikaa

lye [laɪ] s lipeä

lying [laɪɪŋ] s valehtelu

lymph [lɪmf] s (lääk) imuneste, lymfa

lymph node s (lääk) imusolmuke

lynch [lɪntʃ] v lynkata

lynching s lynkkaus

lynx [lɪŋks] s ilves

lyre [laɪər] s lyyra

lyric [ˈlɪrɪk] s **1** lyyrinen runo, lauluruno, tunnelmaruno **2** (mon) laulun sanat adj lyyrinen

lyrical [ˈlɪrɪkəl] adj lyyrinen

lyricism [ˈlɪrɪsɪzəm] s lyyrisyys, lyriikka

lyricist s lyyrikko

lyrism [ˈlɪərɪzəm] s lyyrisyys, lyriikka

M, m

M, m [em] M, m

M.A. *Master of Arts* filosofian maisteri, FM (lähinnä)

ma'am [mæm] s (puhuttelusanana) rouva

mac [mæk] s **1** (puhuttelusanana) kaveri, heppu **2** (ark) sadetakki **3** eräs omenalajike (McIntosh) **4** *Mac* eräs tietokonemerkki (Apple Macintosh®)

macabre [məˈkɑːbər] adj kaamea, kammottava, kuoleman viittaava, makaaberi

macadam [məˈkædəm] s (tienpäällyste) makadaami

macaroni [ˌmækəˈrouni] s makaroni

mace [meɪs] s **1** nuija **2** virkasauva **3** (mauste) muskotti **4** *Mace* ™ (mellakoiden torjunnassa ja itsepuolustuksessa käytettävä) kyynelkaasu

machete [məˈʃeti] s viidakkoveitsi, machete

1 machine [məˈʃiːn] s **1** kone, laite *vending machine* kolikkoautomaatti **2** (kuv) koneisto *the Republican machine* republikaanien puoluekoneisto

2 machine v valmistaa/työstää koneella

machine gun s konekivääri

machinelike [məˈʃiːnlaɪk] adj konemainen, mekaaninen

machine pistol s konepistooli

machinery [məˈʃiːnəri] s koneet, koneisto (myös kuv), mekanismi

machine-wash [məˈʃiːnwɒʃ] v pestä koneessa

machinist [məˈʃiːnɪst] s **1** koneenkäyttäjä **2** asentaja, koneenrakentaja

macintosh s sadetakki

mackerel [ˈmækrəl] s makrilli

mackintosh [ˈmækɪnˌtɒʃ] s sadetakki

macro [ˈmækrou] s **1** makro-objektiivi **2** (tietok) makro, tietokoneohjelman toistuvasti käytetyn käskysarjan esitys lyhennetyssä muodossa

macrocosm [ˈmækrəˌkɒzəm] s makrokosmos, maailmankaikkeus

mad [mæd] adj **1** hullu, mielenvikainen *to go mad* tulla hulluksi **2** hullu, älytön, mieletön *she's mad about designer clothes* hän on hulluna hienoihin muotivaatteisiin **3** (ark) raivostunut, tulistunut, vihainen *he works like mad to make more money* hän tekee töitä hullun lailla ansaitakseen enemmän

madam [mædəm] *s* **1** (kohtelias puhuttelu-
sana) rouva **2** (talon) emäntä **3** porttolan
emäntä

madame [mædəm, mə'dæm, mə'dam] *s*
(kohtelias puhuttelusana) madame, rouva

mad cow disease *s* hullun lehmän tauti

madden *v* raivostuttaa

maddening *adj* raivostuttava

maddeningly *adv* raivostuttavasti, raivostut-
tavan

made [meɪd] ks make

madhouse [mæd,haʊs] *s* **1** mielisairaala
2 (kuv) hullujenhuone

madly *adv* (kuv) hullun lailla, kuin hullu *to
work madly* huhkia kuin viimeistä päivää
Dan is madly in love with Betsy Dan on
rakastunut Betsyyn korviaan myöten

madness *s* hulluus (ks mad)

Madonna [mə'danə] *s* **1** Neitsyt Maria
2 Neitsyt Marian kuva

madrigal [mædrɪɡəl] *s* madrigaali

maelstrom [meɪlstrəm] *s* pyörre (myös kuv)

magazine [mægə'ziːn] *s* **1** aikakauslehti
2 (aseen) lipas

magenta [mə'dʒentə] *s, adj* magenta, violet-
tinpunainen (väri)

maggot [mægət] *s* toukka

maggoty *adj* jossa on matoja

magic [mædʒɪk] *s* taikuus, taika, magia *adj*
taianomainen, taika-, maaginen, ihmeelli-
nen

magical *adj* taianomainen, maaginen, ih-
meellinen

magician [mə'dʒɪʃən] *s* taikuri

magic wand *s* taikasauva

magistrate [mædʒəs,treɪt] *s* rauhantuomari;
poliisituomioistuimen tuomari

magistrate's court *s* alioikeus; poliisituomio-
istuin

magnanimity [mægnə'nɪmətɪ] *s* kärsivälli-
syys, pitkämielisyys

magnanimous [mæg'nænɪməs] *adj* anteeksi-
antavainen, kärsivällinen, jalo

magnate [mægneɪt mægnət] *s* pohatta

magnesium [mæg'niːziəm] *s* magnesium

magnet [mægnət] *s* magneetti

magnetic [mæg'netɪk] *adj* magneettinen
(myös kuv:) puoleensavetävä

magnetic field *s* magneettikenttä

magnetic pole *s* magneettinapa

magnetic tape *s* magneettinauha (ääninauha,
kuvanauha)

magnetism [mægnə,tɪzəm] *s* **1** magnetismi
animal magnetism animaalinen magne-
tismi, hypnoosi **2** (kuv) vetovoima

magnetize [mægnə,taɪz] *v* **1** magnetoida,
magnetisoida **2** (kuv) lumota, saada lumoi-
hinsa

magneto [mæg'niːtoʊ] *s* magneetto

magnification [mægnɪfə'keɪʃən] *s* suurennos

magnificence [mæg'nɪfɪsəns] *s* **1** loistavuus,
erinomaisuus **2** loisto, komeus

magnificent [mæg'nɪfəsənt] *adj* **1** loistava,
erinomainen, suurenmoinen **2** komea, lois-
tokas

magnifier *s* suurennuslasi

magnify [mægnɪ,faɪ] *v* **1** suurentaa **2** paisut-
taa, liioitella

magnifying glass *s* suurennuslasi

magnitude [mægnɪ,tud] *s* **1** suuruus, voimak-
kuus *what was the magnitude of the earth-
quake?* kuinka voimakas maanjäristys oli?
order of magnitude suuruusluokka **2** mer-
kitys, tärkeys

magnum opus [mægnəm'oʊpəs] *s* pääteos

magpie [mæg,paɪ] *s* harakka

mahogany [mə'hɒɡənɪ] *s* mahonki *adj* ma-
honkinen, mahonki-; mahongin värinen

maid [meɪd] *s* **1** palvelijatar, palvelustyttö,
sisäkkö, (hotellin) siivooja **2** tyttö **3** (vanh)
impi, neitsyt

maiden [meɪdən] *s* tyttö; neitsyt

maiden name *s* entinen nimi, tyttönimi
(vanh)

1 mail [meɪl] *s* **1** rengaspanssari **2** posti(lä-
hetys) **3** (myös mon) posti(laitos)

2 mail *v* postittaa, lähettää postissa, viedä
postiin/postilaatikkoon *would you please
mail this letter for me?* veisitkö tämän kir-
jeen puolestani postiin/postilaatikkoon?

mailbox [meɪl,baks] *s* postilaatikko (ylei-
nen, yksityinen, elektroninen)

mail carrier *s* postinkantaja

mailer *s* **1** postittaja **2** kirjekuori, vastaus-
kuori, palautuskuori tms *processing*

mailer filmin kehityspussi **3** ristiside, mainos

mailing list s jakelulista

mailman ['meɪəl,mæn] s (mon mailmen) postinkantaja

mail order s postimyynti

mail-order v tilata postitse *adj* postimyynti-

maim [meɪm] v silpoa (myös kuv)

main [meɪn] s **1** (myös mon) päävesijohto, pääviemäri, pääsähköjohto tms *connect the stereo to the mains* kytke stereot pistorasiaan **2** *in the main* enimmäkseen, suurimmaksi osaksi *adj* pää-, tärkein *my main interest in this is financial* olen kiinnostunut tästä lähinnä taloudellisesti

main clause s (kieliopissa) päälause

mainland [meɪnlənd] s manner

main line station s (UK) rautatieasema (erotuksena metroasemasta)

mainly *adv* lähinnä, enimmäkseen, pääasiassa

mainstream ['meɪn,striːm] s (kuv) valtavirtaus, valtasuuntaus *adj* valtavirtaukseen kuuluva, enemmistö- *he is a mainstream writer* hän kirjoittaa suurelle yleisölle *mainstream jazz* valtavirtausta edustava jatsi

main street s **1** pääkatu **2** *Main Street* pikkukaupungin arvot/elämä

maintain [meɪn'teɪn] v **1** pitää yllä (järjestystä), valvoa (lain noudattamista) **2** elättää **3** väittää; puolustaa **4** huoltaa, pitää kunnossa (konetta ym)

maintenance [meɪntənəns] s **1** (järjestyksen, kurin) ylläpito, (lain) valvonta **2** elatus, elättäminen **3** huolto, kunnossapito

maize [meɪz] s (UK) maissi

majestic [mə'dʒestɪk] *adj* majesteetillinen, mahtava, vaikuttava

majestically *adv* majesteetillisesti, mahtavasti, vaikuttavasti

majesty [mædʒəstɪ] s **1** majesteetillisuus, arvokkuus **2** (puhuttelusanana) majesteetti *Your Majesty* Teidän Majesteettinne

major [meɪdʒər] s **1** (sot) majuri **2** (yliopistossa) pääaine **3** täysi-ikäinen (ihminen) **4** (mus) duuri *adj* **1** tärkeä, tärkein, pää-, enemmistö, suurin *that was a major an-*

nouncement se oli tärkeä ilmoitus *the major reason is money* pääsyy/tärkein syy on raha **2** (mus) duuri-

major in v lukea/opiskella pääaineenaan *Sally is majoring in archeology* Sallyn pääaine on arkeologia

majority [mə'dʒɔːrəti] s **1** enemmistö **2** täysi-ikäisyys

1 make [meɪk] s **1** (tuote)merkki **2** *to be on the make* olla pyrkyri/uraputkessa; olla kasvussa/nousussa

2 make v made, made **1** tehdä (suomalaisen vastineen määrää usein objekti:) *to make bread* leipoa *to make a dress* ommella lakinki *to make a speech* pitää puhe *to make laws* säätää lakeja *to make sure* varmistaa, pitää huoli jostakin *what difference does it make?* mitä väliä sillä on? *do whatever makes you happy* tee kuten haluat *two and three makes five* kaksi plus kolme on viisi *what makes you say that?* miksi sinä niin sanoit? **2** päästä jonnekin, ehtiä jonnekin, selviytyä jostakin *he almost did not make it to the meeting* hän oli vähällä myöhästyä kokouksesta *the accident made it to the evening news* onnettomuudesta kerrottiin iltauutisissa

make-believe s kuviteltu *adj* kuviteltellinen, mielikuvitus-

make-do s korvike *adj* korvike-, tilapäinen

make do v tulla toimeen jollakin/ilman jotakin, pärjätä jollakin/ilman jotakin

make for v **1** mennä/lähteä jonnekin, lähestyä jotakin **2** edistää, parantaa, edesauttaa

make good *fr* **1** korvata **2** pitää sanansa, täyttää lupauksensa **3** menestyä

make it *fr* **1** ehtiä jonnekin **2** menestyä

make of v ajatella, olla mieltä *what do you make of this mess?* mitä tuumit tästä sotkusta?

make off v karata

make off with v varastaa

make out v **1** saada selvää jostakin **2** menestyä, pärjätä

Maker [meɪkər] s *to meet your Maker* kuolla

make ready *fr* laittaa valmiiksi, valmistaa

make sail *fr* lähteä purjehtimaan/matkaan

makeshift ['meɪkʃɪft] s korvike adj korvike-, tilapäinen

make time *fr* (yrittää) kuroa aikaero umpeen, kiirehtiä

make up *v* **1** to be made up of something koostua jostakin **2** koota, koostaa, kyhätä kokoon **3** keksiä omasta päästään try to make up a believable excuse yritä keksiä uskottava veruke/selitys **4** korvata **5** sijata (vuode), siivota (huone) **6** sopia välinsä/riita **7** meikata, ehostaa

makeup [meɪkʌp] s **1** meikki, meikkaus, ehostus **2** (joukkueen ym) kokoonpano, koostumus, rakenne **3** psyyke, mielenlaatu

make up for *v* korvata

make use of to make use of something käyttää jotakin (hyväkseen)

make water *fr* **1** (alus) vuotaa **2** virtsata

make way *fr* tehdä tilaa jollekulle (myös kuv), väistyä jonkun tieltä (myös kuv)

make your way *fr* **1** edetä, kulkea, mennä jonnekin **2** päästä pitkälle, menestyä

making s **1** tekeminen (ks make), teko this is its history in the making tämä on elävää historiaa **2** (mon) (tykö)tarpeet; edellytykset

maladjusted [ˌmælə'dʒʌstəd] adj sopeutumaton, huonosti (ympäristöönsä) sopeutunut

maladjustment s sopeutumattomuus

maladroit ['mælə,drɔɪt] adj kömpelö, taitamaton

malady [mælədi] s tauti, sairaus (myös kuv) the many maladies of modern society nyky-yhteiskunnan monet ongelmat

malapropism [mæləprapɪzəm] s kielellinen kömmähdys, sopimaton sanonta

malar bone [meɪlər] s poskiluu

malaria [mə'leriə] s malaria

malarkey [mə'larki] s (ark) hölynpöly, jonninjoutava höpinä

male [meɪəl] s koiras, uros adj koiras-, uros-, miespuolinen, mies-, miehen male nurse (mies)sairaanhoitaja

male bonding s miesten kaveruus

male chauvinism [ˈʃoʊvənɪzəm] s (miesten) sovinismi (naisia kohtaan)

malefactor ['mælə,fæktər] s **1** rikollinen **2** pahantekijä

malevolence [mə'levələns] s pahansuopuus, paha tahto, ilkeys

malformation [ˌmælfɔr'meɪʃən] s epämuodostuma

1 malfunction [mæl'fʌŋkʃən] s toimintahäiriö, vika

2 malfunction *v* ei toimia (kunnolla), reistailla, jossakin on/esiintyy toimintahäiriöitä

malice [mæləs] s ilkeys, paha tahto, pahansuopuus

malicious [mə'lɪʃəs] adj **1** ilkeä, pahansuopa **2** (lak) tahallinen

malign [mə'laɪn] *v* panetella, parjata

malignancy s **1** paluus, ilkeys **2** pahanlaatuinen kasvain

malignant [mə'lɪgnənt] adj **1** panetteleva, parjaava, pahansuopa **2** (kasvain) pahanlaatuinen

mall s (katettu) ostoskeskus (jossa on myös ravintoloita, elokuvateattereita ym)

mallard [ˈmælərd] s sinisorsa, heinäsorsa

malleable [mæliəbəl] adj **1** pehmeä **2** (kuv) vaikutuksille altis the director's mind is still malleable johtajan ajatukset eivät vielä ole luutuneet, johtaja ei ole vielä kangistunut kaavoihinsa

mallet [mælət] s (puu)nuija

malnutrition [ˌmælnu'trɪʃən] s aliravitsemus

malpractice [mæl'præktɪs] s (lääkärin tekemä) hoitovirhe this doctor had a malpractice suit slapped on him tämä lääkäri on haastettu oikeuteen hoitovirheestä

1 malt [mɔlt] s **1** mallas **2** mallasjuoma **3** mallaspirtelö

2 malt *v* mallastaa

maltreat [mæl'trit] *v* pahoinpidellä, kohdella kaltoin/väärin/huonosti

maltreatment s pahoinpitely, huono kohtelu

mama [mamə] s (ark) äiti

mammal [mæməl] s nisäkäs

mammalian [mə'meɪliən] adj nisäkäs-, nisäkkäiden

mammoth [mæməθ] s mammutti adj mammuttimainen, mammutti-, jättimäinen, valtava, suunnaton

1 man [mæən] s (mon men) **1** mies (myös kuv) **2** (vanh) ihminen when man first set *foot on the Moon* kun ihminen astui ensi kerran Kuun kamaralle *to a man* jokainen, joka ainoa, viimeistä miestä myöten *to be your own man* olla oma herransa, olla itsenäinen **3** *the Man* (sl) pomo *she's still locked into respect for the Man* hän kunnioittaa vielä sokeasti miestään

2 man *v* miehittää *when will the permanently manned spaced station be built?* milloin pysyvästi miehitetty avaruusasema rakennetaan?

man about town *s* seurapiirileijona, playboy

1 manacle ['mænəkəl] *s* **1** käsirauta **2** (mon, kuv) kahleet

2 manacle *v* **1** panna käsirautoihin **2** (kuv) kahlehtia, rajoittaa

manage [mænɪdʒ] *v* **1** johtaa, hallita (yritystä), hoitaa (asioita, asiat) **2** hallita (jotakuta), pitää kurissa **3** selvitä jostakin, pärjätä *I don't need any help, I can manage* en tarvitse apua, selviän hyvin yksinkin **4** onnistua tekemään jotakin *she managed to get in without a ticket* hänen onnistui päästä sisään ilman lippua

manageable [mænɪdʒəbəl] *adj* **1** joka on hallittavissa, jonka pystyy hallitsemaan **2** kohtuullinen

management [mænɪdʒmənt] *s* **1** (yrityksen) johtaminen, hallinta **2** johtajat, johto *middle management* keskijohto *the fast food joint over there is under new management* tuon pikaruokapaikan omistaja on vaihtunut

manager [mænɪdʒər] *s* **1** johtaja, esimies, päällikkö **2** manageri

manageress [mænɪdʒrəs] *s* (naispuolinen) johtaja

managerial [ˌmænəˈdʒɪəriəl] *adj* johtajan *managerial duties* johtotehtävät, johtajan tehtävät *managerial class* johtajaluokka

manatee [mænəti] *s* manaatti *Amazonian manatee* kynnetönmanaatti

man-child ['mæn,tʃaɪəld] *s* (mon men-children) poikalapsi

mandarin [mændərɪn mændrən] *s* **1** (hist) mandariini, kiinalainen virkamies **2** (kasvi, hedelmä) mandariini

1 mandate ['mæn,deɪt] *s* **1** (äänestäjien antamat) valtuudet **2** käsky, määräys **3** mandaatti, huoltohallintoalue

2 mandate *v* **1** valtuuttaa, antaa valtuudet johonkin **2** vaatia; määrätä

mandatory [mændə,tɔri] *adj* pakollinen; välttämätön

mandible [mændəbəl] *s* **1** alaleuka, alaleuanluu **2** (hyönteisen) yläleuka

mandolin [ˌmændə'lɪn mændələn] *s* mandoliini

mane [meɪn] *s* (hevosen, leijonan) harja

man-eater [mæn,itər] *s* **1** ihmissyöjäeläin **2** ihmissyöjä, kannibaali **3** (sl naisesta) miestennielijä

1 maneuver [məˈnuvər] *s* **1** (sot) joukkojen siirto **2** (mon) sotaharjoitus **3** (kuv) liike, taktikointi, juonittelu

2 maneuver *v* **1** (sot) siirtää joukkoja **2** hivuttaa, hivuttautua *he carefully maneuvered his Cadillac into the small garage* hän ajoi Cadillacinsa varovasti ahtaaseen autotalliin **3** (kuv) ohjailla, junailla, järjestellä, manipuloida

man Friday *s* apulainen, oikea käsi

manful [mænfəl] *adj* miehekäs, rohkea, urhea

manger [meɪndʒər] *s* seimi

1 mangle [mæŋgəl] *s* mankeli

2 mangle *v* **1** mankeloida **2** repiä, silpoa (myös kuv:) pilata

mango [mæŋgou] *s* (mon mangos, mangoes) (kasvi, hedelmä; eläin) mango

mangrove [mæŋgrouv] *s* mangrove(kasvillisuus)

manhandle ['mæn,hændəl] *v* **1** kohdella kovakouraisesti; paiskata **2** nostaa (käsivoimin)

manhole [mæn,houl] *s* miesluukku, tarkastusluukku

manhood [mæn,hud] *s* miehuus

man-hour [mæn,auər] *s* (mies)työtunti

manhunt [mæn,hʌnt] *s* **1** takaa-ajo, etsintä **2** (kuv) metsästys, etsintä

mania [meɪnɪə] *s* **1** (psyk) mania, maaninen tila **2** (kuv) kiihko, kiihkoilu, vimma

maniac [meɪnɪæk] *s* **1** (psyk) maanikko **2** (kuv) kiihkoilija, hullu

maniacal [mə'naɪəkəl] *adj* **1** (psyk) maaninen **2** (kuv) hullu, kiihkomielinen

manic-depressive [,mænɪkdə'presɪv] *s, adj* maanis-depressiivinen (ihminen)

manicure ['mænə,kjɔr, 'mænə,kjuər] *s* kynsienhoito

manicurist *s* kynsienhoitaja

1 manifest ['mænə,fest] *s* lastiluettelo; matkustajaluettelo

2 manifest *v* **1** ilmaista, tuoda ilmi *some opposition has manifested itself lately* viime aikoina on ilmennyt vastustusta **2** todistaa

3 manifest *adj* ilmeinen, ilmiselvä, selvä

manifesto [,mænə'festou] *s* (mon manifestoes) manifesti, julistus *have you read the Communist Manifesto by Marx and Engels?* oletko lukenut Marxin ja Engelsin Kommunistisen manifestin?

manifold ['mænə,foəld] *s* intake manifold imuputki *exhaust manifold* poistoputki, pakoputki *adj* moninainen, monipuolinen, monimutkainen

manikin [mænəkən] *s* **1** kääpiö **2** ks mannequin **3** (anatomiassa) mallinukke

manila [mə'nɪlə] *s* **1** manila(hamppu) **2** manilaköysi **3** manilapaperi *manila envelope* ruskea kirjekuori

man in the moon *s* kuu-ukko

man in the street *s* kadunmies, tavallinen ihminen, keskivertokansalainen

manipulate [mə'nɪpju,leɪt] *v* **1** manipuloida, ohjailla, muokata, käyttää (taitavasti/häikäilemättömästi) hyväkseen **2** ohjata, käsitellä *he had trouble manipulating the controls of the machine* hän ei tahtonut osata käsitellä koneen ohjaimia **3** väärentää, muuttaa omine lupineen, parannella

manipulation [mə,nɪpju'leɪʃən] *s* **1** manipulointi, ohjailu, muokkaus, (taitava/häikäilemätön) hyväksikäyttö **2** käsittely, käyttö

manipulative [mə'nɪpjəleɪtɪv] *adj* joka käyttää toisia häikäilemättömästi/taitavasti hyväkseen

manipulator [mə'nɪpju,leɪtər] *s* **1** manipuloija, taitava/häikäilemätön ihmisten käsittelijä **2** kaukokäsittelylaite

mankind [,mæn'kaɪnd] *s* ihmiskunta

manlike *adj* **1** inhimillinen, ihmisen kaltainen **2** miehekäs, miehinen

manliness [mænlinəs] *s* miehekkyys

manly *adj* miehekäs, miehinen

man-made [,mæn'meɪd] *adj* keinotekoinen, keino-, teko-

mannequin [mænəkən] *s* **1** (näyteikkunassa) mallinukke **2** (räätälin) sovitusnukke **3** mannekiini

manner [mænər] *s* **1** tapa, keino, tyyli **2** käytös, esiintyminen; (mon) tavat *where are your manners?* oletko unohtanut hyvät tavat? **3** laji *he met all manner of people while in Mexico* hän tapasi Meksikossa kaikenkarvaista väkeä

mannerism [mænə,rɪzəm] *s* **1** oikku, erikoisuus, erikoinen tapa **2** teeskentely, teennäisyys *Mannerism* (taidesuuntaus) manierismi

mannerless *adj* huonotapainen, pahatapainen

monnish [mænɪʃ] *adj* (nainen) miesmäinen

man of few words *Ed is a man of few words* Ed on harvasanainen, Ed ei ole puhelias

man of his word *he's a man of his word* häneen voi luottaa, hänen sanansa pitää

man of many words *Pete is a man of many words* Pete on puhelias

manor [mænər] *s* (herras)kartano

manor house *s* kartano(rakennus)

man power ['mæn,pauər] *s* **1** ihmisvoima, ihmistyövoima

manservant ['mæn,sərvənt] *s* (mon menservants) (mies)palvelija

mansion [mænʃən] *s* **1** (suuri/komea) talo **2** kartano(rakennus)

manta ray ['mæntə,reɪ] *s* (kala) paholaisrausku

mantel ['mæntəl] *s* takan reunus

mantelpiece ['mæntəl,pis] *s* takan reunus

mantelshelf ['mæntəl,ʃelf] *s* takan reunus

mantis [mæntɪs] *s* (mon mantises) rukoilijasirkka

1 mantle [mæntəl] *s* **1** vaippa, peite **2** (Maan) vaippa **3** takan reunus (ks mantel)

2 mantle *v* peittää

man-to-man [,mæntə'mæn] *adj* (keskustelu) suora, avoin

mantra [mantrə] *s* mantra

manual [mænjʊəl] *s* käsikirja, käyttöohje *adj*
1 käsikäyttöinen, käsi-, ei sähköinen, ei
automaattinen *this car has a manual trans-
mission* tässä autossa on käsivälitteinen
vaihteisto **2** ruumiillinen *manual labor*
ruumiillinen työ

manually *adv* käsin, käsivoimin

1 manufacture [ˌmænjəˈfækʃər] *s* valmistus

2 manufacture *v* valmistaa, tuottaa

manufacturer *s* valmistaja

manumission [ˌmænjəˈmɪʃən] *s* (orjan) va-
pautus, vapauttaminen

manumit [ˌmænjəˈmɪt] *v* vapauttaa

1 manure [məˈnʊər] *s* lanta

2 manure *v* lannoittaa

manuscript [ˈmænjəˌskrɪpt] *s* käsikirjoitus

many [meni] *s* koko joukko, paljon *a great
many people* paljon ihmisiä *adj* paljon
many miles monta mailia *how many?* mon-
tako? *many a man has thought so* moni on
luullut niin

many a time *fr* monesti, monta kertaa

manyfold [ˈmeniˌfoʊld] *adv* moninkertaisesti

many-sided [ˈmeniˈsaɪdəd] *adj* **1** monisivui-
nen, monitahoinen **2** monimutkainen, mo-
nitahoinen **3** monipuolinen

1 map [mæp] *s* kartta *genetic map* geeni-
kartta *to put something on the map* tehdä
kuuluisaksi, nostaa maailmankartalle

2 map *v* kartoittaa

maple [meɪpl] *s* vaahtera

maple leaf *s* vaahteranlehti

maple syrup *s* vaahterasiirappi

map out *v* suunnitella

mar [mar] *v* pilata; rumentaa

marathon [ˈmerəθæn] *s* maraton

marathoner *s* maratonjuoksija

maraud [məˈrad] *v* ryövätä, ryöstää, rosvota

marauder *s* ryöväri, ryöstäjä, rosvo

marauding *adj* (paikasta toiseen liikkuva ja)
ryöväilevä, rosvoileva

marble [marbəl] *s* **1** marmori **2** marmori-
kuula *adj* **1** marmorinen **2** kirjava

March [martʃ] *s* maaliskuu

1 march *s* **1** marssi **2** (kuv) kulku, etenemi-
nen

2 march *v* marssia, marssittaa

marching orders *s* **1** (sot) marssikäsky
2 (kuv) aloituskäsky, aloitusmääräys
3 (kuv) eropaperit, lähtöpassit

marchioness [ˌmarʃəˈnəs] *s* markiisitar

mare [meər] *s* tamma

margarine [mardʒərən] *s* margariini

margarita [ˌmargəˈritə] *s* tequilacocktail

margin [mardʒən] *s* **1** (tekstin vierellä) mar-
ginaali, tyhjä reuna **2** reunueste *how do
you set the margins on this typewriter?*
miten tämän kirjoituskoneen reunuesteet
asetetaan? **3** pelivara, vara *there is no mar-
gin for error here* tässä ei ole varaa virhei-
siin **4** (tal) voitto *profit margin* voitto, kate

marginal *adj* **1** reuna- *marginal note* reuna-
huomautus **2** niukka, vähäinen *the change
was marginal* muutos oli lähes olematon

marginally *adv* niukasti, vähän, hieman

mariachi [ˌmeriˈatʃi] *s* mariachimusiikki, pe-
rinteinen meksikolaismusiikki *adj* ma-
riachi- *they had a mariachi band at the
party* juhlissa soitti mariachiorkesteri

marihuana [ˌmerəˈwanə] *s* marihuana

marijuana [ˌmerəˈwanə] *s* marihuana

marina [məˈrinə] *s* (huvivene)satama

1 marinade [ˈmerəˌneɪd] *s* (ruuanlaitossa)
marinadi

2 marinade *v* marinoida

marinate [ˈmerəˌneɪt] *v* marinoida

marine [məˈrin] *s* merijalkaväen sotilas *tell it
to the marines!* puhu pukille!, älä valeh-
tele! *adj* **1** meren, meri- **2** merenkulku-

marionette [ˌmeriəˈnet] *s* sätkynukke, mario-
netti

marital [ˈmerətəl] *adj* avioliiton, avio- *mari-
tal strife* aviopuolisoiden väliset erimieli-
syydet

maritime [ˈmerəˌtaɪm] *adj* **1** merenkulku-
2 meri- **3** rannikko-

1 mark [mark] *s* **1** jälki, tahra, läiskä, naarmu
2 merkki, rasti *question mark* kysymys-
merkki **3** (kuv) merkki, osoitus jostakin
4 arvosana **5** taso *when interest rates hit
the 15 percent mark* kun korkotaso nousi
15 prosenttiin **6** maali *to be wide of the
mark* mennä pahasti pieleen/vikaan

2 mark *v* **1** jokin on leimallista/ominaista jol-
lekin *his life was marked by success* hän

sai kokea paljon menestystä **2** merkitä *X marks the spot* juuri tässä, tässä näin **3** arvostella (koe/tenttipapereita) **4** huomata

mark down *v* alentaa tuotteiden hintoja

markdown *s* (hinnan) alennus

marker *s* **1** merkki **2** (kilpailussa) kirjuri **3** huopakynä, tussi

1 market [markət] *s* **1** tori, markkinat **2** (tal) markkinat; markkina-alue *stock market* pörssi; osakemarkkinat

2 market *v* markkinoida, tuoda markkinoille *the new digital watches market well* uudet digitaalirannekellot menevät hyvin kaupaksi

marketable *adj* markkinointikelpoinen; jota pystytään myymään; joka menee kaupaksi *I don't think your idea is marketable* en usko että ajatuksesi saa kannatusta

marketing *s* markkinointi

marketplace [markətˌpleɪs] *s* **1** tori(ankio) **2** (tal) markkinat

market share *s* markkinaosuus

marksman [marksmən] *s* (mon marksmen) tarkka-ampuja

mark up *v* **1** nostaa hintaa **2** lisätä tukkuhintaan jälleenmyyjän kulut ja voitto **3** töhriä, tehdä merkintöjä johonkin **4** tehdä (hyödyllisiä) merkintöjä johonkin

markup *s* **1** (tukkuhintaan lisättävät) jälleenmyyjän kulut ja voitto **2** hinnannousu

marmalade ['marməˌleɪd] *s* marmeladi, marmelaati

marmot [marmət] *s* **1** murmeli **2** preeriakoira

maroon [mə'run] *v* **1** jättää autiolle saarelle **2** eristää (ulkomaailmasta) **3** jättää pulaan *adj* punaruskea, kastanjanruskea

marquee [mar'ki] *s* katos (elokuva)teatterin edessä, ulko-oven päällä

marquis [mar'ki] *s* markiisi

marquise [mar'kiz] *s* markiisitar

marriage [mærɪdʒ] *s* **1** avioliitto **2** vihkitilaisuus **3** yhdistelmä, liitto

marriageable [mærɪdʒəbəl] *adj* naimakelpoinen; naimaikäinen

married [mærɪd] **1** joka on naimisissa, avioliiton **2** avio- *married couple* aviopari

marrow [meroʊ] *s* **1** luuydin **2** (kuv) ydin

marry [mæri] *v* **1** naida, naittaa, mennä naimisiin *to get married* mennä naimisiin **2** vihkiä

marsh [marʃ] *s* suo, marskimaa

1 marshal [marʃəl] *s* **1** marsalkka **2** seriffi

2 marshal *v* järjestää, panna järjestykseen; esittää selvästi/selvässä järjestyksessä

marsh gas *s* suokaasu

marshland [marʃlənd, marʃˌlænd] *s* marskimaa

marshmallow ['marʃˌmeloʊ] *s* eräänlainen pehmeä makeinen

marten *s* näätä

martial [marʃəl] *adj* sotaisa, sotilaallinen *court martial* sotaoikeus

martial arts *s* (mon) (itämaiset) itsepuolustustaidot

martial law *s* **1** sotalaki **2** sotatila

martin [martən] *s* pääskynen

martini [mar'tini] *s* martini

1 martyr [martər] *s* marttyyri

2 martyr *v* surmata marttyyrinä

martyrdom [martərdəm] *s* **1** marttyyrius **2** marttyyrikuolema

marvel [marvəl] *s* ihme

marvel at *v* ihmetellä jotakin

marvelous [marvələs] *adj* ihmeellinen, uskomaton

marzipan ['marzəˌpæn] *s* marsipaani

mascara [mæsˈkerə] *s* ripsiväri, maskara

mascot [mæskət] *s* maskotti

masculine [mæskjələn] *s* (kieliopissa) maskuliini *adj* maskuliininen, miesten, miehekäs, mies-, miesmäinen

mash [mæʃ] *v* survoa, musertaa, soseuttaa

1 mask [mæsk] *s* naamio; naamari

2 mask *v* **1** naamioida, naamioitua **2** peittää (myös kuv:) salata *she wanted to mask her intentions* hän halusi salata aikeensa

masochism [mæsəˌkɪzəm] *s* masokismi

masochist [mæsəkəst] *s* masokisti

masochistic [ˌmæsəˈkɪstɪk] *adj* masokistinen

mason [meɪsən] *s* **1** muurari **2** *Mason* vapaamuurari

masonry [meɪsənri] *s* **1** muuri **2** muurarin työ **3** *Masonry* vaapaamuurarius, vapaamuurariliike

masquerade [ˌmæskəˈreɪd] s 1 naamiaiset 2 (kuv) teeskentely, pelkkä teatteri

masquerade as v naamioitua joksikin; esiintyä jonakin, tekeytyä joksikin, olla olevinaan jotakin

1 **mass** [mæs] s 1 (katolinen) messu 2 (fys) massa 3 suuri joukko, iso määrä *you made a mass of mistakes* sinä teit kasapäin virheitä *the masses* ihmismassat, kansan syvät rivit *in the mass* kokonaisuutena, yleensä, suurin osa

2 **mass** v kerätä, kerääntyä, kasata, kasaantua

1 **massacre** [ˈmæsəkər] s 1 verilöyly, joukkoteurastus 2 (kuv, urh) löylytys

2 **massacre** v 1 murhata joukoittain, järjestää verilöyly 2 (kuv, urh) löylyttää

1 **massage** [məˈsɑːʒ] s hieronta

2 **massage** v hieroa

masseur [məˈsɜːr, məˈsʊər] s hieroja

masseuse [məˈsuːz, məˈsɜːs] s (naispuolinen) hieroja

mass hysteria [ˈmæshɪsˈterɪə] s joukkohysteria

massive [ˈmæsɪv] adj järeä, raskas, suuri, suurimittainen, laaja, massiivinen

massiveness s järeys, raskaus, suuruus, laajuus, massiivisuus

mass medium [ˈmæsˈmiːdɪəm] s (mon mass media) joukkoviestin

mass production s sarjatuontanto

mast [mæst] s (laivan, radioaseman ym) masto

mastectomy [mæsˈtektəmɪ] s (lääk) rinnan poisto, mastektomia

1 **master** [ˈmæstər] s 1 isäntä 2 *Master* (Jeesus) Mestari 3 mestari (eri merk) 4 alkuperäiskappale 5 (esim filosofian) maisteri

2 **master** v hallita, osata

master bedroom s iso makuuhuone, päämakuuhuone

masterful adj 1 määräilevä, komenteleva 2 mestarillinen, taitava, verraton

master key s yleisavain

masterly adj mestarillinen, taitava, verraton *adv* mestarillisesti, taitavasti, verrattomasti

1 **mastermind** [ˈmæstərmaɪnd] s järjestäjä, junailija, aivot

2 **mastermind** v järjestää, junailla jokin (vaikea) asia

master of ceremonies s seremoniamestari; (televisiossa ym) juontaja

masterpiece [ˈmæstərpiːs] s mestariteos

master plan s yleissuunnitelma, puitesuunnitelma

master's degree s maisterin tutkinto (lähinnä)

masterstroke [ˈmæstərstrəʊk] s mestarityö, mestarillinen suoritus/teko/saavutus

masterwork [ˈmæstərwɜːk] s mestariteos

mastery [ˈmæstərɪ] s 1 osaaminen, taito, hallinta *her mastery of Spanish is remarkable* hän hallitsee espanjan kielen hienosti 2 ylivoimaisuus; voitto

masturbate [ˈmæstərbeɪt] v tehdä itsetyydytystä, masturboida

masturbation [ˌmæstərˈbeɪʃən] s itsetyydytys, masturbaatio, onania

1 **mat** [mæt] s 1 (pieni) matto 2 (pöydällä) katealunen, alusliina 3 (urh) matto *to go on the mat* ruveta riitelemään jostakin, pistää jollekulle kampoihin

2 **mat** v sotkea, sotkeutua, takkuuntua

3 **mat** adj himmeä, kiilloton, mattapintainen

matador [ˈmætədɔːr] s (härkätaistelija) matadori

1 **match** [mætʃ] s 1 tulitikku 2 samanlainen, sopiva *she was looking for a match for her blue skirt* hän etsi siniseen hameeseensa sopivaa puseroa tms 3 vertainen *he met his match* hän kohtasi vertaisensa (vastustajan) 4 (urh) ottelu *tennis match* tennisottelu *Mary and John had a shouting match* Mary ja John haukkuivat toisiaan kilpaa 5 avioliitto; aviopari *Carolyn's a good match for him* Carolyn sopii hyvin hänen vaimokseen

2 **match** v 1 sopia/sovittaa yhteen, sopia/sovittaa johonkin, sopia yhteen jonkin kanssa *these colors/figures do not match* nämä värit eivät sovi yhteen, nämä numerot eivät yhdy 2 olla jonkin veroinen *this novel does not match Bellow's earlier ones* tämä romaani ei ole Bellowin aiempien romaanien luokkaa

matchbox [ˈmætʃbɒks] s tulitikkulaatikko

matchless *adj* verraton

matchmaker ['mætʃ,meɪkər] *s* (hist) naittaja

1 mate [meɪt] *s* **1** puoliso, (avio)mies, (avio)vaimo **2** (eläimistä) pari, koiras, uros, naaras **3** pari, toinen (kahdesta parillisesta esineestä) *where's the mate of this glove?* missä tämän käsineen pari on? **4** (ark puhuteltuna) kaveri **5** (šakissa) matti

2 mate *v* **1** parittaa, paritella, astuttaa **2** muodostaa pari; mennä naimisiin **3** yhdistää

material [mə'tɪriəl] *s* **1** aine, aines, aineisto, raaka-aine, materiaali **2** kangas *adj* **1** aineellinen; ruumiillinen *material damage* ainevahinko, ainevahingot **2** tärkeä, keskeinen *Mrs Vaughn is a material witness* Mrs. Vaughn on olennaisen tärkeä todistaja

materialism [mə'tɪriə,lɪzəm] *s* materialismi

materialist [mə'tɪriəlɪst] *s* materialisti

materialistic [mə,tɪriə'lɪstɪk] *adj* materialistinen

materialize [mə'tɪriə,laɪz] *v* **1** toteutua, toteuttaa *he promised money but it never materialized* hän lupasi antaa rahaa mutta se jäi tulematta *he materialized his goal* hän toteutti tavoitteensa **2** (aave ym) ilmestyä

materially *adv* ratkaisevasti, olennaisesti *these programs are materially different* nämä ohjelmat ovat tyystin erilaiset

maternal [mə'tərnəl] *adj* äidillinen, äidin, äidin suvun *maternal instincts* äidin vaistot *my maternal grandfather* äitini isä

maternity [mə'tərnəti] *s, adj* äitiys(-) *maternity dress* äitiysmekko

maternity leave *s* äitiysloma

maternity ward *s* (sairaalan) synnytysosasto

math [mæθ] *mathematics* matematiikka, matikka (ark)

mathematical [,mæθ'mætɪkəl] *adj* **1** matemaattinen **2** tarkka, täsmällinen, ehdoton

mathematically *adv* matemaattisesti

mathematician [,mæθəmə'tɪʃən] *s* matemaatikko

mathematics [,mæθ'mætɪks] *s* (verbi yksikössä tai mon) matematiikka *I don't understand the mathematics of it* en ymmärrä

sitä matemaattisesti, en ymmärrä miten se lasketaan

maths *s* (verbi yksikössä tai mon) (UK) matematiikka, matikka

matinee [,mætə'neɪ] *s* matinea, (ilta)päivänäytäntö

mating *s* **1** (eläinten) parittelu **2** (koiran) astutus

matlock ['mæt,lɑk] *s* eräänlainen kuokka

matriarch ['meɪtriɑrk] *s* matriarkka

matriculate [mə'trɪkjə,leɪt] *v* ottaa/mennä yliopistoon (opiskelijaksi)

matriculation examination [mə,trɪkjə'leɪʃən] *s* (Suomen) ylioppilastutkinto

matrimonial [,mætrə'mouniəl] *adj* avioliitto-, avio-, vihki-

matrimony ['mætrə,mouni] *s* avioliitto

matrix ['meɪtrɪks] *s* mon matrixes, matrices **1** (kuv) kehto, alku **2** muotti, matriisi **3** (tiede, tekniikka) matriisi

matron [meɪtrən] *s* **1** rouvashenkilö, (melkoinen) emäntä, vanharouva **2** (vankilan, sairaalan ym) emäntä **3** (naisvankilan) vartija

matronly *adj* rouvamainen (ks matron 1)

1 matte [mæt] *s* himmeä pinta

2 matte *v* tehdä (pinta) himmeäksi

3 matte *adj* himmeä, kiilloton, mattapintainen

1 matter [mætər] *s* **1** aine *gray matter* (aivojen) harmaa aine **2** asia, kysymys *this is an important matter* tämä on tärkeää, tämä on tärkeä asia *it's a matter of life and death* (kuv) se on clintärkeä kysymys *as a matter of fact* itse asiassa *for that matter* sitä paitsi *you'll never get there in time, no matter how fast you drive* et ikinä ehdi ajoissa perille vaikka ajaisit kuinka lujaa **3** *printed matter* painotuote **4** hätä, ongelma *what is the matter with you?* mikä sinua vaivaa?, mikä sinulla on hätänä? **5** (kirjan, keskustelun ym) sisältö

2 matter *v* olla väliä *it doesn't matter* ei se mitään

matter of course *it was a matter of course* se oli itsestään selvää, sen olisi voinut arvata

matter-of-course *adj* itsestään selvä

matter of fact *s* tosiasia *as a matter of fact* itse asiassa

matter-of-fact [ˌmætərə'fækt] *adj* asiallinen; kuiva

mattress [mætrəs] *s* patja

mature [mə'tʊər mə'tʃər] *v* 1 varttua, kasvaa, kypsyä, kypsyttää 2 (tal) erääntyä *adj* 1 kypsä 2 (tal) erääntynyt

maturely *adv* kypsästi

maturity [mə'tʊrıtı mə'tʃərətı] *s* 1 kypsyys 2 valmius *to bring something to maturity* saattaa jotakin valmiiksi 3 (tal) erääntyminen; erääntymishetki, erääntymispäivämäärä

maudlin [mɑdlən] *adj* tunteileva, (liika)tunteellinen, sentimentaalinen

maul [mɔəl] *v* riepotella, pidellä pahoin

mausoleum [ˌmɑzə'liəm] *s* (mon mausoleums, mausolea) hautarakennus, mausoleumi

mauve [mouv] *adj* vaalean sinipunainen

maverick [mævrık] *s* 1 merkitsemätön nauta, erityisesti karannut vasikka 2 (kuv) itsenäinen sielu, yksinäinen susi *he's a maverick* hän kulkee omia polkujaan

maw [mɑ] *s* 1 kita (myös kuv) 2 (eläimen) maha

maxilla [mæk'sılə] *s* yläleuanluu

maxim [mæksəm] *s* elämänohje, mietelause

maximal [mæksəməl] *adj* suurin, enimmäis-, huippu-, maksimi-, maksimaalinen

maximize [mæksə,maız] *v* maksimoida, enimmäistää, (tietok) suurentaa ikkunaa

maximum [mæksəməm] *s* (mon maximums, maxima) enimmäismäärä, huippuarvo, maksimi *adj* enimmäis-, huippu-, maksimi- *the maximum number of passengers on this plane is 20* tähän koneeseen mahtuu enintään 20 matkustajaa

may [meı] *apuv* might, might 1 mahdollisuudesta: *she may/might be at home* hän saattaa olla kotona, hän voi olla kotona *you may be right* saatat olla oikeassa, voit olla oikeassa 2 luvasta: *may I go now?* saanko lähteä?, voinko lähteä? 3 toivomuksesta: *may you two be happy* olkaa te onnellisia

May *s* toukokuu

maybe [meıbi] *adv* ehkä

May Day [meıdeı] *s* vappu

Mayday *s* (kansainvälinen radiopuhelinhätähuuto) mayday

mayfly [meıflaı] *s* (mon mayflies) päivänkorento

mayn't *lyh may not*

mayo *s* (ark) majoneesi

mayonnaise ['meıə,neız 'mæ,neız] *s* majoneesi

mayor [meıər] *s* kaupunginjohtaja, pormestari

mayoral [meıərəl] *adj* kaupunginjohtajan, pormestarin

mayoress [meıərəs] *s* 1 (naispuolinen) kaupunginjohtaja, pormestari 2 kaupunginjohtajan puoliso, pormestarinna (vanh)

maze [meız] *s* 1 labyrintti, sokkelo 2 (kuv) sokkelot

me [mi] *pronominin* 1 objektimuoto minut, minua, minulle; (korostetusti:) minä *she gave me an apple* hän antoi minulle omenan *Who is it? – It's me* Kuka siellä on? – Minä

meadow [medoʊ] *s* niitty

meager [migər] *adj* vähäinen, vaivainen, niukka, mitätön, pieni

meagerly *adv* vähän, niukasti

meagerness *s* vähäisyys, niukkuus, mitättömyys, pienuus

meal [miəl] *s* 1 ateria *do you eat three meals a day?* syötkö sinä kolmesti päivässä? 2 jauho(t)

meal ticket *s* 1 lounasseteli 2 (ark) elättäjä 3 (ark) (taito ym joka on jonkun) toimeentulon perusta *good looks are a model's meal ticket* mannekiinin toimeentulo perustuu hyvän ulkonäköön

mealy [mili] *adj* jauhoinen, jauhomainen

1 mean [min] *s* 1 (mon) keino *we have to find a means of getting him out of prison* meidän on keksittävä miten saamme hänet vapaaksi vankilasta *by all means* totta kai, (totta) ihmeessä *by any means* (ei) lainkaan, (ei) millään muotoa *by no means* ei suinkaan, ei lainkaan 2 (mon) varat *to live beyond your means* elää yli varojensa 3 keskiarvo

2 mean *v* meant, meant 1 tarkoittaa, merkitä *what do you mean by that?* mitä sinä sillä tarkoitat? *he means business* hän on tosissaan, hän tarkoittaa täyttä totta *what does pinnacle mean?* mitä sana *pinnacle* tarkoittaa/merkitsee? *this means that you will have to do the job alone* tämä merkitsee sitä että sinun on tehtävä työ yksin **2** aikoa *she meant to say it out loud* hän aikoi sanoa sen ääneen

3 mean *adj* **1** halpamainen, ilkeä, piikikäs, alhainen, katala **2** pihi, kitsas, itara **3** huono, kehno, kurja, viheliäinen *it was no mean feat to build that bridge* sillan rakentaminen ei ollut mikään pikkujuttu **4** keskimääräinen, keski-

meander [mi'ændər] *v* **1** (esim joki) kiemurrella, mutkitella **2** poiketa asiasta, (keskustelu) harhailla

meanders *s* (mon) kiemurtelu, mutkittelu, kiemurat, mutkat

meaning [minin] *s* merkitys *life has no longer any meaning* elämä tuntuu nykyisin merkityksettömältä *what is the meaning of this word?* mitä tämä sana tarkoittaa? *adj* (katse) merkitsevä

meaningful *adj* merkityksellinen, merkitsevä, mielekäs

meaningless *adj* merkityksetön, mitätön, mieletön

meanly *adv* halpamaisesti, ilkeästi, piikikkäästi, katalasti

meanness *s* halpamaisuus, ilkeys, piikikkyys, kataluus

meant [ment] ks *mean*

meantime ['min,taim] *in the meantime* sillä välin, välillä

meanwhile ['min,wail] *adv* **1** sillä välin, välillä **2** sillä aikaa

measles [mizəlz] *s* (mon) tuhkarokko *German measles* vihurirokko

measly [mizli] *adj* (ark) mitätön, viheliäinen, kurja

measurable [meʒərəbəl] *adj* joka voidaan mitata

measurably *adv* selvästi *product A is measurably better than product B* tuote A on selvästi parempi kuin tuote B

1 measure [meʒər] *s* **1** mitta(yksikkö) **2** mitta(-astia, -nauha ym) **3** mitta, määrä *for*

good measure (kaiken) lisäksi, varmuuden vuoksi, kaupantekiäisiksi *in some measure* jossain määrin *to be beyond measure* olla mittaamaton/suunnaton **4** (kuv) mitta, mittapuu *money is a measure of success* raha on yksi menestyksen mitta **5** toimenpide *to take measures against crime* ryhtyä toimiin rikollisuutta vastaan **6** (mus) tahti

2 measure *v* mitata; olla tietyn mittainen *the box measures 33 inches in length* laatikko on 84 sentin mittainen

measured *adj* **1** mitattu **2** säännöllinen **3** maltillinen, harkittu

measureless *adj* mittaamaton, suunnaton

measurement *s* **1** mittaus **2** mitta, pituus, paino tms

measure up *v* täyttää vaatimukset, olla jonkin veroinen

meat [mit] *s* **1** (syötävä) liha **2** (hedelmän) malto **3** (kuv) (asian) ydin *it's all meat* se on täyttä asiaa

meatloaf ['mit,louf] *s* lihamureke

meaty *adj* **1** lihainen **2** (kuv) mehevä, herkullinen

mechanic [mə'kænik] *s* mekaanikko, korjaaja, asentaja

mechanical [mə'kænikəl] *adj* mekaaninen (myös kuv), konemainen, koneellinen

mechanically *adv* mekaanisesti (myös kuv), konemaisesti, koneellisesti, koneella

mechanics *s* **1** (verbi yksikössä) mekaniikka **2** (verbi mon) koneisto (myös kuv), mekanismi (myös kuv) *can you explain the mechanics of the deal?* osaatko selittää miten kauppa käytännössä hoidetaan?

mechanism ['mekə,nizəm] *s* koneisto (myös kuv), mekanismi (myös kuv)

mechanization [mekənə'zeiʃən] *s* koneistus, koneellistaminen

mechanize ['mekə,naiz] *v* koneistaa, koneellistaa

medal [medəl] *s* mitali

medalist [medəlist] *s* mitalisijalle päässyt urheilija, (miehestä) mitalimies

medallion [mə'dæljən] *s* medaljonki

meddle [medəl] *v* puuttua johonkin, sekaantua johonkin

meddler [medlər] *s* tungettelija, tunkeilija, toisten asioihin puuttuja

meddlesome [medəlsəm] *adj* tungetteleva, tunkeileva

media [midiə] *s* (mon) viestimet *adj* viestintä-, viestin-

media event *s* uutistapahtuma

media phone *s* mediapuhelin

mediate [midi,eit] *v* toimia välittäjänä, välittää, sovittaa, sovitella, neuvotella

mediation [,midi'eɪʃən] *s* sovittelu

mediator [midi,eitə] *s* välittäjä, sovittelija

medic [medik] *s* 1 (sot) lääkintämies 2 lääkäri 3 lääketieteen opiskelija

medical [medikəl] *s* lääkärintarkastus *adj* lääketieteellinen, lääkärin, lääkäri- *he quit his job for medical reasons* hän erosi terveyssyistä *he is a medical doctor* hän on lääketieteen tohtori

medically *adv* lääketieteellisesti

medicament [medikəmənt] *s* lääke

medicate [medi,keit] *v* lääkitä, antaa lääkettä, hoitaa lääkkeillä

medicated *adj* lääke-

medication [,medi'keiʃən] *s* lääkitys; lääkkeet

medicinal [mə'disənəl] *adj* parantava, parannus- 2 (maku) lääkkeen, karvas

medicinally *adv* (käyttää jotakin) lääkkeenä, lääkkeeksi

medicine [medəsən] *s* 1 lääketiede 2 lääkärinhoito 3 lääke *to give someone a dose of his/her own medicine* (kuv) maksaa jollekulle takaisin samalla mitalla

medicine man *s* poppamies

medieval [mə'divəl] *adj* keskiaikainen (myös kuv:) vanhanaikainen, takapajuinen

mediocre [midi'oʊkər] *adj* keskinkertainen

mediocrity [,midi'ɑkrəti] *s* keskinkertaisuus

meditate [medə,teit] *v* 1 mietiskellä 2 miettiä, pohtia 3 hautoa (mielessään), suunnitella

meditation [,medə'teɪʃən] *s* mietiskely

Mediterranean [,meditə'reiniən] 1 Välimeri 2 Välimeren maat/alue *adj* Välimeren

medium [midiəm] *s* (mon mediums, media) 1 väline, keino 2 viestin *the media* viestimet 3 (fys) väliaine 4 puolivälin, keskiväli, keskitie *to strike a happy medium between*

two things löytää kultainen keskitie 5 (spiritistisessä istunnossa ym) meedio *adj* keski- *a man of medium weight* keskipainoinen mies

medley [medli] *s* 1 sekoitus 2 (mus) (sä-velmä)ketju

meek [mik] *adj* 1 nöyrä 2 nöyristelevä

meekly *adv* 1 nöyrästi 2 nöyristellen, nöyristelevästi

1 meet [mit] *s* 1 metsästys(tilaisuus) 2 urheilukilpailu

2 meet *v* met, met 1 tavata, kohdata *I met him in the hallway* tapasin hänet käytävässä *meet you in the lobby at seven* tapaan aulassa seitsemältä *I don't believe we have met* emme tunne toisiamme, emme ole tavanneet toisiamme aiemmin 2 tulla/mennä vastaan *to meet the bus* mennä (jotakuta) linja-autopysäkille vastaan 3 kokoontua *the board will meet in a week* johtokunta kokoontuu viikon kuluttua

meet halfway *fr* tulla jotakuta puolitiehen vastaan

meeting *s* 1 tapaaminen 2 kokous, istunto *he is in a meeting* hän on kokouksessa/palaverissa 3 (teiden) risteys; (jokien) yhtymäkohta

meet with *v* 1 neuvotella jonkun kanssa, tavata, olla tapaaminen/neuvottelu jonkun kanssa 2 kohdata *they met with unexpected difficulties* he kohtasivat odottamattomia vaikeuksia

megabucks [megə,bʌks] *s* (mon, ark) suunnaton summa

megalomania [,megələ'meiniə] *s* suuruudenhulluus

megalomaniac [,megələ'meiniæk] *s* suuruudenhullu

megaphone [megə,foʊn] *s* puhetorvi, megafoni

melancholic [,melən'kalik] *adj* synkkämielinen, synkkä, apea, alakuloinen

melancholy [melən,kali] *s* synkkämielisyys, synkkyys, apeus, melankolia *adj* synkkämielinen, synkkä, apea, melankolinen

mellow [meloʊ] *v* 1 kypsyä, kypsyttää 2 (väri ym) pehmentyä, pehmentää *adj* 1 kypsä 2 (väri ym) pehmeä 3 rento, letkeä

mellowness s 1 kypsyys 2 pehmeys

mellow out v (sl) rentoutua, rentouttaa

melodic [məˈlɑdɪk] adj melodinen

melodious [məˈloʊdiəs] adj melodinen; sointuva

melodrama [ˈmelədræmə] s melodraama (myös kuv)

melodramatic [ˌmelədrəˈmætɪk] adj melodramaattinen (myös kuv:) teatraalinen, liioiteltu

melody [ˈmelədi] s sävelmä, melodia

melon [ˈmelən] s meloni *watermelon* vesimeloni, arbuusi

melt [melt] v melted, melted/molten: sulaa, sulattaa *snow melts indoors* lumi sulaa sisällä

melt away v (kuv) haihtua (kuin tuhka tuuleen), loppua

meltdown [ˈmeltdaʊn] s (ydinreaktorin) sulaminen

melting point s sulamispiste

melting pot s sulatusuuni (myös kuv)

melt into v muuttua/vaihtua joksikin

member [ˈmembər] s 1 jäsen (myös kuv) 2 kongressin, edustajainhuoneen, parlamentin tms jäsen 3 penis

membership [ˈmembərʃɪp] s 1 jäsenyys 2 jäsenistö, jäsenkunta

membrane [ˈmembreɪn] s kalvo, kelmu

membranous [ˈmembreɪnəs] adj kalvomainen, kalvo-

memento [məˈmentoʊ] s (mon mementos, mementoes) muistoesine

memo [ˈmemoʊ] *memorandum* muistio

memoirs [ˈmemwɑrz] s (mon) omaelämäkerta, muistelmat

memorable [ˈmemərəbəl] adj unohtumaton, ikimuistoinen

memorandum [ˌmeməˈrændəm] s (mon memoranda) muistio

memorial [məˈmɔriəl] s muistomerkki adj muisto-

memorize [ˈmeməraɪz] v opetella/oppia ulkoa

memory [ˈmeməri] s 1 muisti *if memory serves* jos oikein muistan, muistaakseni *to commit something to memory* painaa jotakin mieleensä, opetalla jotakin ulkoa *com-*

puter memory tietokoneen muisti 2 muisto *these days, the Great Depression is only a memory* nykyisin 30-luvun lamakausi on pelkkä muisto

men [men] ks man

1 menace [ˈmenəs] s uhka, vaara

2 menace v uhata

menacing adj uhkaava

ménage à trois [məˌnaʒˌaˈtwɑ] s kolmiodraama, kolmiosuhde

menagerie [məˈnædʒəri] s pieni kiertävä eläinnäyttely, menageria

1 mend [mend] s 1 paikattu kohta, paikka 2 *to be on the mend* olla paranemaan päin, olla paranemassa

2 mend v 1 korjata, paikata, parsia 2 parantua

mendable [ˈmendəbəl] adj joka voidaan paikata, korjata

mendacious [menˈdeɪʃəs] adj 1 joka valehtelee helposti, valheellinen 2 (väite ym) valheellinen, epätosi

mendaciously adv valheellisesti

mendacity [menˈdæsəti] s 1 valehtelu 2 (väitteen ym) valheellisuus, perättömyys

menial [ˈminiəl] adj 1 vähäpätöinen, toisarvoinen *menial work* vähäarvoinen työ, hanttihomma 2 nöyristelevä

menopause [ˈmenəpɔz] s vaihdevuodet

menstrual [ˈmenstrəl] adj kuukautis-

menstruate [ˈmenstreɪt] v jollakulla on kuukautiset, (lääk) menstruoida

menstruation [ˌmenstrɪˈʃən] s kuukautiset

mental [ˈmentl] s (ark) mielenvikainen adj 1 henkinen, psyykkinen 2 (sairaus) mieli-, psyykkinen

mentality [menˈtæləti] s 1 älykkyys 2 mielenlaatu

mentally adj 1 henkisesti, psyykkisesti 2 päässä(än)

menthol [ˈmenθɑl] s mentoli

1 mention [ˈmenʃən] s maininta *honorable mention* kunniamaininta *to make mention of someone/something* mainita joku/jokin

2 mention v mainita *not to mention* jostakin puhumattakaan *don't mention it!* ei kestä (kiittää)!

menu [ˈmenju] s 1 ruokalista 2 (tietok) valikko, menu

meow [miau] v (kissa) maukua, naukua *interj* miau!

mercantile ['mɜːkən.taɪəl] *adj* **1** kauppa- **2** (tal) merkantilistinen

mercenary ['mɜːsə.neri] s palkkasoturi *adj* rahanahne

merchandise ['mɜːtʃən.daɪs] s kauppatavara

merchant [mɜːtʃ(ə)nt] s kauppias *adj* kauppa-

merciful [mɜːsɪfəl] *adj* armelias

mercifully [mɜːsɪfli] *adv* **1** armeliaasti **2** onneksi

merciless [mɜːsələs] *adj* armoton

mercurial [mɜːkjɜːriəl] *adj* (kuv) ailahteleva, epävakainen, oikukas

mercury [mɜːkjəri] s elohopea

mercy [mɜːsi] s armo, sääli *Lord, have mercy on my soul* Herra, armahda sieluani *to be at the mercy of someone/something* olla jonkun armoilla

mere [mɪər] *adj* pelkkä, vain *Mr. Donnelly is a mere figurehead* Mr. Donnelly on pelkkä keulakuva *in mere seconds* muutamassa sekunnissa

merely [mɪərli] *adv* ainoastaan, vain

meretricious [ˌmerəˈtrɪʃəs] *adj* **1** korea, komeileva **2** petollinen, valheellinen

merge [mɜːdʒ] v sulautua, yhdistyä, yhdistää, liittää/liittyä yhteen *the car merged into the traffic* auto sulautui muun liikenteen mukaan

merger s (tal) yritysfuusio

meridian [məˈrɪdiən] s **1** pituuspiiri, meridiaani **2** (kuv) huippu, huipentuma

meringue [məˈræŋ] s marenki

merino [məˈriːnəʊ] s (mon merinos) merinolammas

1 merit [merət] s ansio, saavutus, etu, hyvä puoli

2 merit v ansaita *I think this matter merits closer scrutiny* minusta tähän asiaan kannattaa perehtyä tarkemmin

mermaid ['mɜːmeɪd] s merenneito

merry [meri] *adj* iloinen, hilpeä, hauska *Merry Christmas* hyvää joulua!

merry-go-round ['merigəʊˌraʊnd] s karuselli

merrymaking ['meriˌmeɪkɪŋ] s hauskanpito, ilonpito

mesa [meɪsə] s pöytävuori

1 mesh [meʃ] s **1** (myös mon) verkko **2** verkon silmä

2 mesh v **1** kietoa/kietoutua/jäädä verkkoon, kalastaa verkolla **2** sopia/sovittaa yhteen (myös kuv) *the gears do not mesh properly* hammaspyörät eivät sovi kunnolla yhteen

mess [mes] s **1** sotku, sekasotku *Bobby, your room is in a mess/your room is a mess* huoneesi on kamalassa siivossa **2** pula *to get into a mess* joutua pulaan/pinteeseen **3** ruokaa, ruokailuhuone, (laivan) messi

mess about v (ark) lorvailla, vetelehtiä, laiskotella

message [mesədʒ] s viesti, sanoma, ilmoitus *would you like to leave a message?* (puhelimessa) haluaisitteko jättää viestin/soittopyynnön? *do you get the message?* tajuatko?, meneekö kaaliin?

mess around with v (ark) **1** liikkua huonossa seurassa, pitää huonoa seuraa **2** lääppiä, lähennellä *don't mess around with other men's wives* jätä toisten miesten vaimot rauhaan

messenger [mesəndʒər] s lähetti

mess hall s ruokala, ruokailuhuone

Messiah [məˈsaɪə] s Messias

mess in v sekaantua johonkin, puuttua johonkin

mess up v **1** sotkea, liata **2** pilata, tehdä tyhjäksi **3** hakata, piestä, antaa selkään

mess with v sekaantua johonkin, puuttua johonkin

messy [mesi] *adj* sottainen, siivoton, likainen, sekainen (myös kuv)

met ks meet

metabolic [ˌmetəˈbælɪk] *adj* aineenvaihdunta-

metabolism [məˈtæbəlɪzəm] *adj* aineenvaihdunta

metal [metəl] s metalli

metalanguage ['metəˌlæŋwədʒ] s metakieli (kieli jolla puhutaan kielestä)

metal detector s metalli-ilmaisin, metallinpaljastin

metallic [məˈtælɪk] *adj* metallinen, metalli-

metallurgic [ˌmetəˈlɜːdʒɪk] *adj* metallurginen

metallurgical [ˌmetəˈlɜːdʒɪkəl] *adj* metallurginen

metallurgist ['metəˌlɜːdʒɪst] s metallurgi

metallurgy ['metəˌlɜːdʒi] s metallurgia

metamorphose [ˌmetə'mɔːfəʊz] v muuttaa muotoaan, muuttaa/muuttua joksiksin

metamorphosis [ˌmetə'mɔːfəsɪs] s (mon metamorphoses) 1 muodonmuutos, metamorfoosi 2 (kuv) muodonmuutos, (täydellinen) muutos

metaphor ['metəˌfɔː] s vertaus, kielikuva, metafora

metaphorical [ˌmetə'fɒrɪkəl] adj vertauskuvallinen, metaforinen

metatarsus [ˌmetə'tɑːsəs] s (lääk) jalkapöytä

meteor [mitiər] s meteori

meteoric [ˌmiːti'ɒrɪk] adj 1 meteori- 2 (kuv) nopea, tähdenlennon omainen

meteorite ['miːtiəˌraɪt] s meteoriitti

meteoroid ['miːtiəˌrɔɪd] s meteoroidi

meteorological [ˌmiːtiərə'lɒdʒɪkəl] adj ilmatieteellinen, ilmatieteen, meteorologinen

meteorologist [ˌmiːtiəˌralɒdʒɪst] s ilmatieteilijä, meteorologi

meteorology [ˌmiːtiə'ralɒdʒi] s ilmatiede, meteorologia

mete out [miːt] v määrätä, jaella, antaa to mete out punishment rangaista, jaella rangaistuksia

1 meter [mitər] s 1 metri 2 mittari parking meter pysäköintimittari 3 (mus) tahti 4 runomitta

2 meter v 1 mitata (mittarilla) 2 leimata/varustaa postimaksuleimalla

metered mail s postimaksuleimalla varustettu posti

methane [meθeɪn] s metaani

method [meθəd] s menetelmä, menettely, metodi there is method in his madness hänen puuhassaan on järkeä (vaikkei siltä näytä) method of payment maksutapa

methodical [mə'θɑdɪkəl] adj järjestelmällinen; perusteellinen, tarkka

methodology [ˌmeθə'dalədʒi] s menetelmä, menetelmät

meticulous [mə'tɪkjələs] adj tunnontarkka, pikkutarkka, tarkka, huolellinen

métier ['meɪtjeɪ] s ammatti, ala

metric [metrɪk] adj metri-

metrical [metrɪkəl] adj 1 runomitallinen 2 metri-

metrication [ˌmetrə'keɪʃən] s metrijärjestelmään siirtyminen

metric system s metrijärjestelmä

metrification [ˌmetrɪfə'keɪʃən] s metrijärjestelmään siirtyminen

metronome ['metrəˌnəʊm] s (mus) metronomi, tahtimittari

metropolis [mə'trapələs] s 1 suurkaupunki 2 (maan, alueen, alan) pääkaupunki

metropolitan [ˌmetrə'palɪtən] adj suurkaupungin, suurkaupunki- in the Dallas metropolitan area Suur-Dallasissa, Dallasin suurkaupunkialueella

mettle [metəl] s rohkeus, urheus, sinnikkyys he's a man of mettle hän on sisukas mies to put someone on his/her mettle rohkaista/kannustaa jotakuta (tekemään jotakin)

mettlesome [metəlsəm] adj rohkea, urhea, sinnikäs, sisukas

mioo [maɪo] ks mouse

micro [maɪkrəʊ] s 1 mikroaaltouuni 2 mikro, mikrotietokone

microbe [maɪkrəʊb] s pieneliö, mikrobi

microbiological [ˌmaɪkrəˌbaɪə'lɑdʒɪkəl] adj mikrobiologian, mikrobiologinen

microbiology [ˌmaɪkrəbaɪ'alədʒi] s mikrobiologia

microchip ['maɪkrəˌtʃɪp] s mikrosiru

microcomputer [ˌmaɪkrəkəm'pjuːtər] s mikrotietokone

microcosm [maɪkrəˌkazəm] s mikrokosmos

microfiche ['maɪkrəˌfiʃ] s mikrokortti

1 microfilm ['maɪkrəˌfɪəlm] s mikrofilmi

2 microfilm v mikrofilmata

micron [maɪkran] s mikrometri

microphone ['maɪkrəˌfəʊn] s mikrofoni

microprocessor [ˌmaɪkrə'prasesər] s mikrosuoritin, mikroprosessori

microscope ['maɪkrəˌskəʊp] s mikroskooppi

microscopic [ˌmaɪkrə'skapɪk] adj erittäin pieni

microscopy [maɪ'kraskəpi] s mikroskopia

1 microwave ['maɪkrəˌweɪv] s 1 mikroaalto 2 mikroaaltouuni

2 microwave v lämmittää mikroaaltouunissa

microwave oven s mikroaaltouuni

mid [mɪd] *adj* keski-, puolivälissä *in the mid seventies* 70-luvun puolivälissä; (lämpötila) 75 (fahrenheit)asteen paikkeilla

midafternoon [mɪd‚æftər'nun] *s* iltapäivän puoliväli *adj* iltapäivän puolivälissä oleva/ tapahtuva

midair [‚mɪd'eər] *s* ilma *the plane exploded in midair* kone räjähti ilmassa/lennossa

midday [‚mɪd'deɪ] *s* keskipäivä, puolipäivä, kello kaksitoista *adj* keskipäivän, kello kahdentoista

middle [mɪdəl] *s* keskusta, keskiväli, keskikohta, keskiosa, puoliväli *in the middle of the road/night* keskellä tietä/yötä *I couldn't get him on the phone, he was in the middle of something* en saanut häntä puhelimeen koska hänellä oli juuri jokin asia kesken *adj* keski-

middle age [‚mɪdəl'eɪdʒ] *s* keski-ikä

middle-born *s, adj* (kolmesta lapsesta) keskimmäinen

middle class [‚mɪdəl'klæs] *s* keskiluokka

middle ear *s* välikorva

middle ground *s* (kuv) keskitie, puolitie, kompromissi

middle name *s* toinen etunimi *honesty is my middle name* minä olen umpirehellinen

middle school *s* keskikoulu, (Suomessa lähinnä) peruskoulun yläaste

middleware *s* (tietok) väliohjelmisto

midge [mɪdʒ] *s* (eläin) polttiainen

midget [mɪdʒət] *s* kääpiö (myös kuv) *adj* kääpiö-

midnight [mɪdnaɪt] *s* keskiyö

midpoint [mɪd‚pɔɪnt] *s* keskiväli, puoliväli

midriff [mɪdrɪf] *s* **1** vyötärö, vatsa(nseutu) **2** pallea

midsummer [mɪd'sʌmər] *s* **1** keskikesä **2** juhannus; kesäpäiväntasaus

midterm [mɪd'tɜːm] *s* **1** lukukauden puoliväli **2** lukukauden puolivälissä pidetty tentti

midway [mɪdweɪ] *s* puolitie, puoliväli, puolimatka *adj, adv* puolitiessä, puolimatkassa

midweek [mɪd'wik] *s* viikon puoliväli *adj* viikon puolivälissä tapahtuva/oleva, keskellä viikkoa tapahtuva/oleva

midwife [mɪd‚waɪf] *s* (mon midwives) kätilö

midwinter [mɪd'wɪntər] *s* keskitalvi

midyear [mɪd'jɪər] *s* (luku)vuoden puoliväli

mien [min] *s* olemus, ilme

miffed [mɪft] *adj* ärtynyt, pahantuulinen, myrtynyt

1 might [maɪt] *s* mahti, valta, voima

2 might *v* ks may

mightily *adj* kovasti, paljon, selvästi

mightn't [maɪtənt] *might not*

mighty [maɪtɪ] *adj* mahtava, vaikuttava, valtava *adv* (ark) erittäin *he was mighty glad we came* hän oli tosi iloinen että tulimme

migraine [maɪgreɪn] *s* migreeni

migrant [maɪgrənt] *s* **1** muuttolintu **2** siirtolainen, irtolainen, siirtotyöläinen, vierastyöläinen *adj* **1** (eläin) muutto-, vaeltava **2** (ihminen) vaeltava, siirtolais-, irtolais-, vieras-

migrate [maɪ'greɪt] *v* **1** (eläin) muuttaa, vaeltaa **2** (ihminen) vaeltaa, elää irtolaisena; muuttaa maasta/jonnekin asumaan

migration [maɪ'greɪʃən] *s* **1** (eläinten) muutto, vaellus **2** (ihmisen) irtolaisuus; maastamuutto

migratory [maɪgrə‚tɔrɪ] *adj* **1** (eläin) muutto-, vaeltava, vaellus- **2** (ihminen) vaeltava, siirtolais-, irtolais-, vieras-

mike [maɪk] *s* (ark) mikrofoni, mikki

mild [maɪld] *adj* (sää) leuto, lauhkea, (maku) mieto, (tauti, rangaistus) lievä, (ääni) lempeä

1 mildew [mɪl‚du] *s* home

2 mildew *v* homehtua

mildewy *adj* homehtunut, homeinen

mildness *s* lauhkeus, mietous, lievyys (ks mild)

mile [maɪl] *s* maili (1609 m) *international nautical mile* meripeninkulma (1852 m)

mileage [maɪlədʒ] *s* **1** matka (maileina), mailimäärä *a rental car with unlimited mileage* vuokra-auto jonka hintaan sisältyy rajoittamaton ajokilometrimäärä **2** polttoaineenkulutus *the new Chevy gets good mileage* uusi Chevy kuluttaa vähän **3** mailikorvaus (kilometrikorvaus) **4** (kuv) hyöty *I hope to get a lot of mileage out of the contract* toivon saavani sopimuksesta paljon irti

milestone ['maɪəl,stəʊn] *s* **1** mailipylväs (kilometripylväs) **2** (kuv) virstanpylväs

milieu [mɪl'juː] *s* ympäristö, tapahtumapaikka, miljöö

militant [mɪlətənt] *s* **1** sotaisa/aggressiivinen/taistelunhaluinen henkilö **2** sotija, soturi, sotilas, sotaa käyvä henkilö *adj* **1** sotaisa, aggressiivinen, taistelunhaluinen **2** sotiva, sotaa käyvä

militarism *s* militarismi

militarist *s* militaristi *adj* militaristinen

military ['mɪlə,teri] *s: the military* sotilaat, armeija, sotavoimat *adj* sotilas-, sotilaallinen, armeijan

militia [məˈlɪʃə] *s* miliisi

1 milk [mɪlk] *s* maito *you're crying over spilled milk* turha sinun on enää murehtia, tehtyä ei saa tekemättömäksi, ei se itkemällä parane

2 milk *v* lypsää (myös kuv:) huijata

milkshake ['mɪlk,ʃeɪk] *s* (maito)pirtelö

milk tooth *s* maitohammas

milky *adj* maitoinen; (lehmä) runsaslypsyinen; valkoinen

Milky Way (galaksi) Linnunrata

1 mill [mɪl] *s* **1** tehdas *sawmill* saha(laitos) **2** mylly (rakennus ja kone) *coffee mill* kahvimylly *you look like you've been through the mill* sinä olet kovia kokeneen näköinen **3** (kuv) tehdas *that college is a degree mill* se college tehtailee tutkintoja minkä ehtii

2 mill *v* jauhaa

millennium [məˈleniəm] *s* (mon millenniums, millennia) **1** tuhatvuotiskausi **2** tuhatvuotinen valtakunta **3** onnela, kultala

miller [mɪlər] *s* mylläri

millet [mɪlət] *s* (kasvi) hirssi

milliard [mɪljard] *s, adj* (UK) miljardi

millimeter ['mɪlə,mitər] *s* millimetri

milliner [mɪlənər] *s* naisten hattujen valmistaja/myyjä

millinery *s* **1** naisten hatut **2** kauppa jossa myydään naisten hattuja

million [mɪljən] *s, adj* miljoona

millionaire [,mɪljə'neər] *s* miljonääri

millionairess [,mɪljə'nerəs] *s* (naispuolinen) miljonääri

millionth [mɪljənθ] *s, adj* **1** miljoonas **2** miljoonasosa

millipede ['mɪlə,pid] *s* kaksoisjalkainen

millstone ['mɪl,stəʊn] *s* myllynkivi

1 mime [maɪm] *s* **1** pantomiimi **2** miimikko

2 mime *v* matkia, jäljitellä, esittää pantomiimia

1 mimeograph ['mɪmiə,græf] *s* **1** monistuskone **2** moniste

2 mimeograph *v* monistaa

1 mimic [mɪmɪk] *s* matkija, jäljittelijä, miimikko

2 mimic *v* **1** matkia, jäljitellä, imitoida **2** muistuttaa kovasti jotakin, olla jäljitelmä jostakin

minaret [,mɪnə'ret] *s* minareetti

mince [mɪns] *v* **1** paloitella, pienentää, hienontaa, silputa **2** pehmentää, säästellä sanojaan *not to mince words* suoraan sanoen

mincemeat ['mɪns,mit] *s* **1** (omenoista, rusinoista, mahdollisesti lihasta ym valmistettu) piirakkatäyte **2** jauholiha *to make mincemeat of someone* (kuv) tehdä jostakusta hakkelusta

1 mind [maɪnd] *s* **1** psyyke, mieli, sielu, äly, järki, ajatukset *the conscious mind* tietoisuus *try to bear/keep that in mind* yritä pitää se mielessä *it's all in the mind* se on pelkkää kuvittelua *have you lost your mind?* hulluko sinä olet? *I had a half/good mind to buy that house* olin vähällä ostaa sen talon, mieleni teki ostaa se talo *to give someone a piece of your mind* sanoa jolle kulle suorat sanat, antaa jonkun kuulla kunniansa *try to make up your mind, we haven't got all day* yritä jo päättää, meillä ei ole loputtomasti aikaa **2** mieli, mielipide *why did she change her mind?* miksi hän muutti mielensä? *he's of a mind to call it quits* hän aikoo/haluaisi lopettaa

2 mind *v* **1** varoa, olla varovainen, pitää varansa *mind your step* varovasti!, katso mihin astut! **2** pitää huolta jostakin, huolehtia *grandma is minding the children* mummo pitää silmällä lapsia *mind your own business* pidä huoli omista asioistasi **3** välittää, panna pahakseen, olla jotakin siitä vastaan että *would you mind shutting up?* voisitko pitää suusi kiinni **4** *never mind* ei se mitään; älä siitä välitä *never mind Mr. Roscoe* älä Mr. Roscoesta välitä

mind-altering ['maɪnd,ɑltərɪŋ] *adj* (huume ym) aistiharhoja synnyttävä, hallusinogeeninen

mindful of *to be mindful of something* pitää huoli jostakin, ottaa jotakin huomioon

mindless *adj* **1** mieletön, älytön, järjetön **2** *mindless of something* joka ei välitä/piittaa jostakin, jostakin huolimatta/välittämättä

mind-reader ['maɪnd,ridər] *s* ajatustenlukija

mindset ['maɪnd,set] *s* **1** asenne, asennoituminen *theirs is a totally different mindset from our own* he näkevät asiat aivan eri lailla kuin me **2** aie, aikomus

mind's eye ['maɪn'zaɪ] *in your mind's eye* mielessään, sielunsa silmillä

1 mine [maɪn] *pron* (pronominin I possessiivimuoto) minun *that car is mine* tuo on minun autoni

2 mine *s* **1** kaivos **2** miina **3** (kuv) kultakaivos *that man is a mine of anecdotes about the American west* mies on ehtymätön län[-]nentarinoiden lähde

3 mine *v* **1** louhia/kaivaa (malmia) **2** miinoittaa

minefield ['maɪn,fiːld] *s* miinakenttä (myös kuv)

miner *s* kaivostyöläinen

mineral ['mɪnərəl] *s* kivennäinen, mineraali, kaivannainen *adj* kivennäis-, mineraali

mineralogical [,mɪnərəˈlɑdʒɪkəl] *adj* kivennäistieteellinen, mineraloginen

mineralogist [,mɪnəˈralədʒɪst] *s* kivennäistieteilijä, mineralogi

mineralogy [,mɪnəˈralədʒɪ] *s* kivennäistiede, mineralogia

mineral water *s* **1** kivennäisvesi **2** (UK myös) virvoitusjuoma

mingle [mɪŋgəl] *v* **1** sekoittaa, sekoittua **2** pitää seuraa jonkun johonkin (with) **2** pitää seuraa jonkun kanssa, seurustella, jutella *go ahead and mingle* menehän jututtamaan ihmisiä/vieraita

mini [mɪni] *s* minitietokone; minihame ym *adj* mini- mini-, pieni, lyhyt tms

miniature [mɪnətʃər, mɪniətʃər] *s* **1** pienoismalli, pienoiskoko ym *in miniature* pienoiskoossa **2** pienoismaalaus, miniatyyri *adj* pienois-, pienoiskokoinen

miniaturize ['mɪnətʃə,raɪz] *v* (elektroniikassa) miniatyrisoida, miniatyyristää, valmistaa pienessä koossa, pienentää

minimal [mɪnəməl] *adj* mahdollisimman pieni, erittäin pieni/vähäinen, minimaalinen

minimize ['mɪnə,maɪz] *v* supistaa mahdollisimman pieneksi, minimoida, (tietok) kutistaa ikkunaa

minimum [mɪnɪməm] *s* vähimmäismäärä, vähimmäisarvo, alin arvo, pohjalukema, minimi *adj* vähimmäis-, alin, minimi *minimum speed on the freeway* is 40 moottoritiellä on ajettava vähintään 40 mailia tunnissa

mining *s* kaivostoiminta, kaivostyö

minion [mɪnjən] *s* mielistelijä, hännystelijä, kätyri, pukarelija

miniskirt ['mɪni,skərt] *s* minihame

1 minister [mɪnəstər] *s* **1** ministeri **2** pappi, pastori

2 minister *v* toimia pappina

ministerial [,mɪnəs'tɪriəl] *adj* **1** papin **2** ministerin

minister to *v* huolehtia jostakin

ministry [mɪnəstri] *s* **1** papin tehtävät, papin virka *John wants to enter the ministry* John haluaa ruveta papiksi **2** papisto **3** ministeriö **4** ministerit **5** ministerikausi, ministerin virkakausi

minivan ['mɪnɪˌvæn] *s* tila-auto

mink [mɪŋk] *s* minkki

minor [maɪnər] *s* **1** alaikäinen **2** (yliopistossa) sivuaine **3** (mus) molli *adj* vähäinen, pieni, pienempi, mitätön *that's a minor problem* se ei ole iso ongelma *that's the minor of the two problems* se on ongelmista pienempi

minor in *v* lukea/opiskella sivuaineena jotakin

minority [məˈnɔrəti] *s* vähemmistö (äänestyksessä, yhteiskunnassa) *ethnic and religious minorities* rotu- ja uskonnolliset vähemmistöt

minstrel [mɪnstrəl] *s* **1** (keskiaikainen kiertävä laulaja) minstreli **2** laulaja, muusikko

1 mint [mɪnt] *s* **1** rahapaja, setelipaino *US Mint* Yhdysvaltain seteli- ja kolikkopaino(t) **2** (kasvi) minttu

2 mint *v* lyödä rahaa *now that he has a new company, he is minting money* hän kääri rahaa minkä ehtii nyt kun hänellä on uusi firma

mint condition *to be in mint condition* olla kuin uusi, (uusi:) olla tuliterä

minuet [ˌmɪnjuˈet] *s* (mus) menuetti

minus [maɪnəs] *s* **1** miinusmerkki **2** lasku, tappio *prep* **1** miinus **2** ilman *here comes Mr. Albertson minus the wife* tässä tulee herra Albertson ilman vaimoa *I'll have a cheeseburger minus the onions* haluan juustohampurilaisen ilman sipulia

minus sign *s* miinusmerkki

minute [maɪnut] *s* **1** minuutti (ajasta, kulmasta, kaaresta) *I'll be back in a minute* tulen heti takaisin *up to the minute* ajanmukainen, ajan tasalla, uudenaikainen, moderni **2** (mon) pöytäkirja

minute [maɪˈnut] *adj* **1** erittäin pieni, häviävän pieni **2** mitätön, merkityksetön **3** pikkutarkka, erittäin tarkka

minutely [maɪˈnutli] *adv* **1** erittäin vähän, hyvin vähän **2** pikkutarkasti, erittäin tarkasti

minutiae [məˈnuʃɪeɪ] *s* (mon) yksityiskohdat, pikkuseikat

miracle [ˈmɪrəkəl] *s* ihme *the new medicine works miracles* uusi lääke saa ihmeitä aikaan

miraculous [məˈrækjələs] *adj* ihmeellinen, uskomaton

miraculously *adv* ihmeellisesti, kuin ihmeen kautta

mirage [məˈrɑːʒ] *s* kangastus (myös kuv)

1 mire [maɪər] *s* **1** suo **2** muta, lieju

2 mire *v* **1** juuttua/saada juuttumaan suohon/mutaan **2** (kuv) hukkua *we were mired in difficulties* olimme pahassa pulassa

1 mirror [mɪrər] *s* peili, kuvastin (myös kuv)

2 mirror *v* **1** kuvastaa *to be mirrored in something* kuvastua/näkyä jostakin **2** vastata, olla sama kuin

mirror image *s* peilikuva

mirth [mɜːrθ] *s* ilo, riemu, hilpeys

mirthful *adj* iloinen, riemuisa, hilpeä

mirthless *adj* iloton

misadventure [ˌmɪsədˈventʃər] *s* vastoinkäyminen, vahinko, tapaturma

misanthrope [ˈmɪsənˌθroʊp] *s* ihmisvihaaja

misanthropic [ˌmɪsənˈθrɑpɪk] *adj* ihmisiä vihaava

misanthropy [məˈsænθrəpi] *s* ihmisviha

misapprehend [ˌmɪsˌæpriˈhend] *v* käsittää väärin

misapprehension [ˌmɪsˌæpriˈhenʃən] *s* väärinkäsitys

misappropriate [ˌmɪsəˈproʊpriˌeɪt] *v* anastaa, kavaltaa

misappropriation [ˌmɪsəˌproʊpriˈeɪʃən] *s* anastus, kavallus

misbehave [ˌmɪsbəˈheɪv] *v* käyttäytyä huonosti, ei olla siivosti

misbehavior [ˌmɪsbəˈheɪvjər] *s* huono käytös, huonot tavat, kurittomuus

misbelief [ˌmɪsbəˈlif] *s* **1** väärä luulo, väärä käsitys **2** (usk) harhaoppi

miscalculate [mɪsˈkælkjəˌleɪt] *v* laskea väärin, arvioida väärin

miscalculation [ˌmɪsˌkælkjəˈleɪʃən] *s* laskuvirhe, virhearvio, arviointivirhe

miscarriage [ˈmɪsˌkærədʒ] *s* **1** keskenmeno **2** *miscarriage of justice* (oik) tuomiovirhe

miscarry [mɪsˈkæri] *v* **1** saada keskenmeno **2** (kuv) epäonnistua

miscellaneous [ˌmɪsəˈleiniəs] *adj* sekalainen, kirjava, moninainen

miscellany [ˈmɪsəˌleni] *s* **1** sekalainen/kirjava kokoelma **2** antologia

mischief [mɪstʃəf] *s* **1** (leikkisä tai ilkeä) kujeilu, kiusa, kiusanteko **2** vahinko

mischievous [mɪstʃəvəs mɪsˈtʃiviəs] *adj* **1** kujeileva, veitikkamainen **2** ilkeä, pahansuopa, vahingollinen

mischievously *adv* **1** kujeillen, veitikkamaisesti **2** ilkeästi, piikikkäästi

misconceive [ˌmɪskənˈsiv] *v* ymmärtää/käsittää väärin

misconception [ˌmɪskənˈsepʃən] *s* väärinkäsitys, virhearvio/väärä käsitys

misconduct [mɪsˈkɑndʌkt] *s* **1** huono/sopimaton käytös, kurittomuus **2** väärä/virheellinen menettely, väärinkäytös

misconduct 922

misconduct [‚mɪskən'dʌkt] *v* hoitaa/menetellä väärin/virheellisesti, syyllistyä väärinkäytökseen *to misconduct yourself* käyttäytyä huonosti/sopimattomasti

misconstrue [‚mɪskən'stru:] *v* käsittää/ymmärtää/tulkita väärin

miscreant [mɪskrɪənt] *s, adj* rikollinen

misdeed [mɪsdiːd] *s* rikkomus, paha teko, virhe

misdemeanor [‚mɪsdə'miːnər] *s* (laki ja yl) rikkomus, paha teko

miser [maɪzər] *s* kitupiikki, kitsastelija, saituri

miserable [mɪzərəbəl] *adj* kurja, onneton, kärsivä; surkea, mitätön, surkuteltava

miserably *adv* kurjasti, onnettomasti, (elää) kurjissa oloissa, (kärsiä) kovasti, (epäonnistua) surkeasti

miserly *adj* pihi, nuuka

misery [mɪzəri] *s* **1** kurjuus, puute **2** piina, tuska, kärsimys

misfire [mɪs'faɪər] *v* **1** (ase) ei laueta, (raketti) ei syttyä **2** ratteta, epäonnistua

misfit [mɪsfɪt] *s* sopeutumaton ihminen, yksinäinen susi

misfortune [mɪs'fɔːtʃən] *s* huono onni, kova kohtalo; vastoinkäyminen, takaisku, onnettomuus, katastrofi

misgivings [mɪs'ɡɪvɪŋz] *s* (mon) epäily(t), epävarmuus, epäröinti *to have misgivings about something* ei olla varma jostakin

misguided [mɪs'ɡaɪdəd] *adj* virheellinen, tyhmä, (yritys) asiaton, väärä, perusteeton

mishap [mɪshæp] *s* vastoinkäyminen, takaisku, vahinko

mishmash [mɪʃmæʃ] *s* (ark) sekasotku, sillisalaatti (kuv)

misjudge [mɪs'dʒʌdʒ] *v* arvioida väärin, tulkita väärin, erehtyä

mislay [mɪs'leɪ] *v* mislaid, mislaid: hukata

mislead [mɪs'liːd] *v* misled, misled: johtaa harhaan, olla harhaanjohtava, hämätä

mismanage [mɪs'mænədʒ] *v* hoitaa/johtaa huonosti/epärehellisesti

mismanagement *s* huono/leväperäinen/epärehellinen taloudenhoito/asiain hoito

misnomer [mɪs‚noumər] *s* huono/väärä/harhaanjohtava nimi/sana

misogynist [mə'sadʒənɪst] *s* naistenvihaaja

misogyny [mə'sadʒəni] *s* naisviha

misplace [mɪs'pleɪs] *v* **1** panna väärään paikkaan; hukata **2** erehtyä, tehdä virhe *to be misplaced* olla sopimatonta *her affection was misplaced* hän mieltyi väärään henkilöön

misrepresent [mɪs‚repri'zent] *v* antaa väärä /virheellinen kuva jostakin, vääristää totuutta/sanoja

misrepresentation [‚mɪsreprizən'teɪʃən] *s* virheellinen kuva jostakin, totuuden/sanojen vääristys

1 miss [mɪs] *s* **1** *Miss* neiti **2** *Miss* missi *Miss Finland* Miss Suomi **3** (puhuttelusanana) neiti, tarjoilija **4** (mon) naistenvaatteiden keskikoko **5** laukaus/lyönti ym joka ei osu *that was a near miss* se oli vähällä osua, se meni läheltä **6** epäonnistuminen

2 miss *v* **1** ei osua (maaliin) **2** jättää väliin, ei tehdä jotakin, myöhästyä jostakin, ei ehtiä/nähdä jotakin, missata (ark) *did you see Rambo III ? 'No, I missed it* näitkö Rambo III:n? 'En, se jäi minulta näkemättä *to miss class* ei saapua tunnille, olla pois tunnilta *my heart missed a beat* sydämeni jätti lyönnin väliin, (kuv) minä säikähdin pahanpäiväisesti, sydämeni nousi kurkkuun *he missed the big chance* häneltä meni hyvä tilaisuus sivu suun **3** kaivata, olla ikävä jotakuta/jotakin

missile [mɪsəl] *s* ohjus *guided missile* ohjus

missing *adj* kadonnut *three people are still missing* kolme ihmistä on edelleen kadoksissa

mission [mɪʃən] *s* **1** tehtävä **2** kutsumus **3** (sot) komennus **4** lähetystyö, valtuuskunta **5** (lähettilään, lähetystön) matka **6** (usk) lähetystyö **7** (usk) lähetysasema **8** (kirkon ym) yömaja

missionary [mɪʃəneri] *s* **1** lähetyssaarnaaja **2** lähettiläs, valtuutettu

miss out on *v* päästää jotakin sivu suun

misspell [mɪs'spel] *v* kirjoittaa väärin

misspelling *s* (oikein)kirjoitusvirhe

misspent [mɪs'spent] *adj* tuhlattu *in my misspent youth* tuhlatussa nuoruudessani

misstep [mis'step] *s* virhe, kömmähdys, erehdys; harha-askel, hairahdus

1 mist [mist] *s* 1 utu; usva, sumu 2 (kuv) hämärä, verho, sumu

2 mist *v* sumentua, sumentaa, sumuttaa (kasveja)

1 mistake [mə'steɪk] *s* virhe *to make a big mistake* erehtyä pahasti, tehdä iso virhe

2 mistake *v* mistook, mistaken 1 käsittää/ymmärtää/tulkita väärin *you are mistaken* sinä olet väärässä 2 luulla jotakuta joksikin *he mistook you for his wife* mies sekoitti sinut vaimoonsa

mistaken *adj* väärä, virheellinen *it was a case of mistaken identity* kyse oli henkilöllisyyden sekaantumisesta *he was under the mistaken impression that...* hän oletti perusteettomasti että..., hän luuli että...

mistakenly *adv* väärin, vahingossa, erehdyksessä

mister [mistər] *s* 1 *Mister* (crisnimen edellä) herra *Mr. Howe* Mr. Howe, herra Howe, Howe 2 (ark) (puhuteltaessa ilman erisnimeä, joskus töykeä) *Hey, mister, you've got to wait in line* hei aija, jonossa ei saa etuilla 3 *Mister* (luonnehdittaessa puheena olevaa henkilöä): *Mr. Right* ihanneaviomies, se oikea aviomies *Harry wants to be Mr. Clean* Harry haluaa leikkiä pulmusta

mistletoe ['misəl,toʊ] *s* misteli

mistress [mistrəs] *s* 1 johtajatar, emäntä 2 (koiran) emäntä 3 rakastajatar, rakastettu 4 (kuv) valtiatar

mistrial ['mis,traɪəl] *s* oikeudenkäynnin raukeaminen (virheeseen tai koska valamiehistö ei ole yksimielinen)

1 mistrust [mis'trʌst] *s* epäluottamus, epäily, luottamuksen puute

2 mistrust *v* ei luottaa johonkuhun/johonkin

mistrustful *adj* epäluuloinen *he is mistrustful of you/your motives* hän ei luota sinuun, hän ei ole varma siitä mitä sinulla on mielessä

misty *adj* 1 utuinen; usvainen, sumuinen 2 (kuv) hämärä, sumea

misty-eyed ['misti,aid] *adj* 1 joka on kyyneleen partaalla, jonka silmät ovat kosteat 2 tunteleva, sentimentaalinen

misunderstand [mis,ʌndər'stænd] *v* misunderstood, misunderstood: käsittää/ymmärtää/tulkita väärin

misunderstanding *s* 1 väärinkäsitys 2 erimielisyys, kiista

1 misuse [mis'juz] *s* väärinkäyttö, virheellinen käyttö

2 misuse *v* käyttää väärin, väärinkäyttää

mite [mait] *s* 1 punkki 2 *rop* 3 hiukkanen, hitunen *adv* pikkuisen, hieman

miter [maitər] *s* (piispan päähine) hiippa, mitra

mitigate ['mitə,geit] *v* lievittää, helpottaa, lieventää

mitigation [,mitə'geiʃən] *s* lievitys, helpotus, lievennys

mitt [mit] *s* 1 (baseball)räpylä 2 lapanen

mitten [mitən] *s* lapanen

1 mix [miks] *s* sekoitus

2 mix *v* 1 sekoittaa (myös kuv), sekoittua *could you please mix the drinks?* voisitko sinä sekoittaa/laittaa ryypyt? *I always mix Jane and Joan* minä sekoitan aina Janen ja Joanin toisiinsa 2 sopia yhteen, tulla toimeen keskenään *politics and literature don't mix* politiikka ja kirjallisuus eivät sovi yhteen 3 (juhlassa yms) seurustella, jutella

mixed *adj* 1 sekalainen, kirjava 2 (miesten ja naisten) seka-, yhteis-

mixer *s* 1 (ihminen) sekoittaja 2 (laite) sekoitin 3 seuraihminen

mixture [mikstʃər] *s* sekoitus, yhdistelmä

mix up *v* 1 sekoittaa toisiinsa 2 sekoittaa, panna sekaisin

mnemonic [nə'manik] *s* muistikas

1 moan [moʊn] *s* voihkaisu, voihkina, ähkäisy

2 moan *v* voihkaista, voihkia, vaikeroida, ähkäistä, ähkiä

moat [moʊt] *s* vallihauta, vesihauta

mob [mab] *s* 1 (mellakoiva) väkijoukko 2 rikosliiga, (erit) huumeliiga 3 *the Mob* mafia

mobile [moʊbəl] *s* 1 (liikkuva veistos) mobile 2 (UK) kännykkä *adj* liikkuva, liikuteltava, siirrettävä

mobile phone *s* (UK) matkapuhelin

mobility [mou'bıləti] s liikkuvuus

mobilization [,moubəlı'zeıʃən] s 1 liikekannallepano 2 (kuv) käyttöönotto (ks mobilize 2)

mobilize ['moubə,laız] v 1 määrätä/panna liikekannalle 2 (kuv) ottaa käyttöön *the company mobilized all its power to increase market share* yritys pyrki kaikin voimin lisäämään markkinaosuuttaan

moccasin [makəsən] s (intiaanin jalkine) mokkasiini

mock [mak] v pilkata, pitää pilkkanaan, tehdä pilaa jostakusta/jostakin

mockery [makəri] s 1 pilkka, pilanteko 2 pilan kohde 3 (kuv) irvikuva, täydellinen vastakohta *the trial was a mockery of justice* oikeudenkäynti soti vastoin kaikkia oikeudenmukaisuuden periaatteita

mode [moud] s 1 tapa, keino, muoto *mode of transportation* liikenneväline *mode of conduct* käytös, käyttäytyminen 2 muoti

1 model [madəl] s 1 malli, esikuva 2 (autoym) malli *model year* (autojen) mallivuosi 3 malliesimerkki *she is the model of a mother* hän on esimerkillinen äiti 4 kuvakuvamalli, taiteilijan malli ym 5 pienoismalli

2 model v 1 toimia valokuvamallina tms *she models for an ad agency* hän on valokuvamallina erään mainostoimiston palveluksessa 2 muotoilla, muovata, tehdä malli

model on v käyttää mallina/esikuvana, ottaa esimerkkiä jostakusta/jostakin *to be modeled on something* noudattaa jonkin esimerkkiä, olla jonkin esimerkin/esikuvan mukainen, jäljitellä jotakin

moderate [madərət] s (poliittisesti ym) maltillinen *adj* maltillinen, hillitty, kohtuullinen

moderate ['madə,reıt] v 1 hillitä, lieventää, lieventyä, leudontaa, leudontua, lauhtua 2 (keskustelua tms) juontaa, johtaa

moderation [,madə'reıʃən] s maltillisuus, kohtuullisuus *to drink in moderation* juoda kohtuullisesti

moderator s (keskustelun tms) juontaja

modern [madərn] *adj* nykyaikainen, uudenaikainen, moderni

modernism [madərnızəm] s modernismi

modernist s modernisti

modernity [mə'dərnəti] s nykyaikaisuus, uudenaikaisuus, ajanmukaisuus

modernization [,madərnə'zeıʃən] s uudenaikaistaminen, modernisointi

modernize ['madər,naız] v nykyaikaistaa, uudenaikaistaa, ajanmukaistaa, modernisoida

modest [madəst] *adj* 1 vaatimaton 2 siveä 3 vähäinen, niukka, pieni, vaatimaton

modesty [madəsti] s 1 vaatimattomuus 2 siveys 3 pienuus, niukkuus

modicum [madıkəm] s hiven, pikkuisen

modification [,madəfı'keıʃən] s muutos

modifier ['madə,faıər] s (kieliopissa) määrite, määräys

modify [madəfaı] v 1 muuttaa (osittain), muuntaa 2 lieventää *the opposition has modified its position* oppositio on tinkinyt kannastaan 3 (kieliopissa) määrittää

modular [madʒələr] *adj* itsenäisistä osista muodostuva, moduulirakenteinen

module [madʒəl madʒəl] s 1 moduuli, (itsenäinen) osa *lunar module* kuumoduli

mogul [mougəl] s 1 Mogul moguli 2 pohatta, pomo *movie mogul* elokuvastudion johtaja 3 (laskettelurinteen) kumpare

mohair ['mou,heər] s angoravilla, mohair

moist [moıst] *adj* kostea

moisten ['moısən] v kostuttaa, kostua

moisture ['moısʃər] s kosteus

moisturizer ['moıstʃə,raızər] s kosteusvoide

molar [moulər] s poskihammas

1 mold [mould] s 1 muotti (myös kuv) 2 (kuv) luonteenlaatu 3 home 4 (ruoka-) multa

2 mold v 1 muovata (myös kuv), muotoilla 2 homehtua

molder [moldər] v rapistua, ränsistyä, mädäntyä, pilaantua

mole [moul] s 1 luomi, syntymämerkki 2 myyrä 3 aallonmurtaja 4 (kem) mooli

molecular [mə'lekjələr] *adj* molekyyli-

molecule ['malə,kjuəl] s molekyyli

molehill ['mol,hıl] *to make a mountain out of a molehill* tehdä kärpäsestä härkänen

molest [məˈlest] *v* **1** vaivata, häiritä, kiusata **2** lähennellä, pahoinpidellä sukupuolisesti

molestation [ˌmɒlesˈteɪʃən] *s* **1** vaivaaminen, häiritseminen, kiusanteko **2** sukupuolinen pahoinpitely

mollusk [ˈmɒlʌsk] *s* (eläin; UK *mollusc*) nilviäinen

1 molt [mɒlt] *s* (linnun) sulkasato, (matelijan) nahanluonti

2 molt *v* (linnusta) olla sulkasato, (matelijasta) luoda nahkansa

molten [ˈmɒltən] *adj* (ks myös *melt*) (metallista) sula

mom [mɑm] *s* (ark) äiti

moment [ˈmoʊmənt] *s* **1** hetki, silmänräpäys *just a moment, I'll be right with you* hetkinen vain, tulen aivan heti *not a moment too soon* ei yhtään/hetkeäkään liian aikaisin **2** (fys) momentti **3** merkitys, tärkeys

momentarily [ˌmoʊmənˈterəli] *adj* **1** hetkeksi, hetken aikaa **2** aivan pian, heti

momentary [ˈmoʊmənˌteri] *adj* **1** lyhyt, nopea, pikainen **2** alati uhkaava

momentous [moʊˈmentəs] *adj* merkittävä, tärkeä, ikimuistoinen *at this momentous occasion* tällä suurella hetkellä

momentousness *s* merkitys, tärkeys

momentum [moʊˈmentəm] *s* voima, vauhti, (kuv) puhti

momma [mɑmə] *s* (ark) äiti

monarch [ˈmɒnark] *s* monarkki, hallitsija

monarchic [məˈnarkɪk] *adj* monarkkinen

monarchical *adj* monarkkinen

monarchist *s* monarkisti

monarchy [ˈmɒnarki] *s* **1** monarkia, kuningaskunta tms **2** monarkia, yksinvalta

monastery [ˈmɒnəsˌteri] *s* (munkki)luostari

monastic [məˈnæstɪk] *adj* luostarin, luostari

Monday [ˈmʌndi, ˈmʌndeɪ] *s* maanantai

monetary [ˈmʌnəˌteri] *adj* raha-, rahallinen, valuutta-

money [ˈmʌni] *s* raha moneys, monies rahasumma(t) *to make good money* ansaita hyvin *your answer was right on the money* vastauksesi osui naulan kantaan *I think you're pouring money down the drain* minusta sinä panet rahasi hukkaan *to put your money where the mouth is* näyttää

sanansa toteen, siirtyä sanoista tekoihin *let's see the color of your money* näytähän että sinulla on todella on rahaa! *Gary has money to burn* Garylla on rahaa kuin roskaa

moneyed [manid] *adj* rahakas, rikas

money machine *s* pankkiautomaatti

mongrel [ˈmʌŋgrəl] *s* sekarotuinen koira, rakki, piski *adj* sekarotuinen

1 monitor [ˈmɒnɪtər] *s* **1** tukioppilas **2** tenttivalvoja, koevalvoja **3** (televisio-, tietokone)monitori

2 monitor *v* valvoa, tarkkailla, seurata

monk [mʌŋk] *s* munkki

1 monkey [ˈmʌŋki] *s* **1** apina **2** (kuv) apinoija **3** (kuv lapsesta) (pikku) vintiö **4** *to make a monkey out of someone* saattaa joku naurunalaiseksi, pitää jotakuta pilkkanaan

2 monkey *v* apinoida, matkia

mono [manoʊ] *adj* mono(foninen)

monochrome [ˈmɒnəˌkroʊm] *adj* **1** yksivärinen **2** mustavalkoinen

monocle [ˈmɒnəkəl] *s* monokkeli

monogamist [məˈnɒgəmɪst] *s* yksiavioinen ihminen/eläin

monogamous [məˈnɒgəməs] *adj* yksiavioinen

monogamy [məˈnɒgəmi] *s* yksiavioisuus

monogram [ˈmɒnəˌgræm] *s* monogrammi, nimikirjainsommitelma

monograph [ˈmɒnəˌgræf] *s* erikoistutkielma

monolingual [ˌmɒnəˈlɪŋgwəl] *s, adj* yksikielinen

monolith [ˈmɒnəˌlɪθ] *s* monoliitti

monolithic [ˌmɒnəˈlɪθɪk] *adj* **1** yhdestä kivilohkareesta tehty, monoliitti- **2** (kuv) järkkymätön, yhtenäinen

monologue [ˈmɒnəˌlɒg] *s* yksinpuhelu

monomania [ˌmɒnəˈmeɪniə] *s* monomania, liiallinen yhteen asiaan keskittyminen

monopolize [məˈnɒpəˌlaɪz] *v* monopolisoida, (kuv) vallata/viedä kaikki *he monopolized the conversation* hän oli koko ajan äänessä

monopoly [məˈnɒpəli] *s* monopoli, yksinoikeus

monosyllabic [ˌmɒnəsɪˈlæbɪk] *adj* **1** yksitavuinen **2** (sanavarasto) suppea **3** (vastaus) lyhyt, juro, yksikantainen

monotheism

monotheism ['mɒnəθiˌɪzəm] *s* monoteismi, yksijumalaisuus

monotheistic [ˌmɒnəθi'ɪstɪk] *adj* monoteistinen, yksijumalainen

monotone ['mɒnəˌtəʊn] *s* yksitoikkoinen/väritön ääni

monotonous [mə'nɒtənəs] *adj* yksitoikkoinen, pitkäveteinen, tylsä, (ääni) väritön

monotony [mə'nɒtəni] *s* yksitoikkoisuus, pitkäveteisyys, tylsyys, (äänen) värittömyys

monounsaturated [ˌmɒnəʊən'sætʃəreitəd] *adj* (rasva) kertatyydyttämätön

monsoon [mɒn'suːn] *s* monsuuni

monster [mɒnstər] *s* hirviö

monstrosity [mɒn'strɒsəti] *s* **1** hirviö **2** hirvittävyys

monstrous [mɒnstrəs] *adj* **1** hirvittävä, kamala, järkyttävä, luonnoton, suhdaton **2** suunnattoman suuri, valtava

month [mʌnθ] *s* kuukausi

monthly [mʌnθli] *s* **1** kerran kuukaudessa ilmestyvä lehti **2** (ark, myös mon) kuukautiset *adj* kuukausi- *monthly salary* kuukausipalkka *monthly magazine* kerran kuukaudessa ilmestyvä lehti *adv* kuukausittain, kerran kuukaudessa

monument [mɒnjəmənt] *s* muistomerkki, monumentti *are skyscrapers monuments to human folly?* ovatko pilvenpiirtäjät osoitus ihmisen turhamaisuudesta?

monumental [ˌmɒnjə'mentəl] *adj* **1** jykevä, vaikuttava, suunnaton, monumentaalinen **2** merkittävä, historiallinen

mood [muːd] *s* **1** mieliala, tunnelma *he's in a foul mood* hän on pahalla päällä/tuulella *I'm not in the mood to go dancing* minua ei huvita lähteä tanssimaan **2** paha tuuli, pahantuulisuus **3** (kieliopissa) tapaluokka, modus

mood-altering *adj* (lääke, huume) mielialaan vaikuttava, piristävä tai rauhoittava

moodiness *s* **1** synkkyys, apeus **2** pahantuulisuus, paha tuuli **3** oikullisuus

moody *adj* **1** synkkä, apea **2** pahantuulinen **3** oikukas

1 moon [muːn] *s* kuu *full moon* täysikuu *how many moons does Saturn have?* montako

kuuta Saturnuksella on? *once in a blue moon* joskus harvoin

2 moon *v* **1** vetelehtiä, lorvia **2** surkutella, ruikuttaa

1 moonlight ['muːnˌlaɪt] *s* kuutamo

2 moonlight *v* käydä (päätyön lisäksi) toisessa työssä, tehdä (ylimääräisiä) iltatöitä

moonlit [muːnlɪt] *adj* kuutamoinen *it was a moonlit night* oli kuutamoyö

1 moor [mʊər] *s* (kanervaa kasvava) nummi

2 moor *v* kiinnittää (vene, laiva laituriin)

moose [muːs] *s* (mon *moose*) hirvi

1 mop [mɒp] *s* **1** moppi **2** hiuskuontalo **3** hapan ilme

2 mop *v* **1** pyyhkiä/siivota mopilla **2** nyrpistää naamaansa, näyttää happamalta

moped [məʊped] *s* mopo, mopedi

moral [mɒrəl] *s* **1** opetus **2** (mon) moraali *adj* moraalinen, moraali-

morale [mə'ræːl] *s* moraali, henkinen ryhti *the morale of the troops is low* joukkojen taistelutahto on vähissä

moralism ['mɒrəˌlɪzəm] *s* moralismi

moralist *s* moralisti, siveyden vartija

morality [mə'ræləti] *s* **1** moraalisuus, siveellisyys **2** moraliteetti(näytelmä)

moralize ['mɒrəˌlaɪz] *v* moralisoida

morally *adj* moraalisesti

morass [mə'ræs] *s* suo (myös kuv)

moray eel [mə'reɪ] *s* (kala) mureena

morbid [mɔːbəd] *adj* (lääk jа kuv) sairas, sairaalloinen *he has a morbid sense of humor* hänellä on sairas huumorintaju

morbidity [mɔː'bɪdəti] *s* **1** sairaalloisuus, kuvottavuus **2** (lääk) tautisuus, morbiditeetti

morbidly *adv* (kuv) sairaasti, sairaalloisesti, sairaalloisen

mordant [mɔːdənt] *adj* pureva, piikikäs, pisteliäs

more [mɔː] *s, adj, adv, prep* (komparatiivi sanasta *much*) enemmän, vielä, lisää *this cheese is more expensive than that one* tämä juusto on kalliimpaa kuin tuo *much more* paljon enemmän *no more* ei enää *two more days* vielä kaksi päivää *give me more* anna enemmän/lisää *that's more than enough* siinä on enemmän kuin tarpeeksi, se riittää oikein hyvin *once more* vielä ker-

motion

ran *not any more* ei enää *and what is more,
she was arrested* ja kaiken lisäksi hänet
pidätettiin

more and more *fr* yhä enemmän

more or less *fr* enemmän tai vähemmän, kutakuinkin, melko

moreover [moˈrouvər] *adv* lisäksi, sitä paitsi

mores [ˈmɔreɪz] *s* (mon) tavat, tottumukset

morgue [mɔrg] *s* ruumishuone

morning [ˈmɔrnɪŋ] *s, adj* aamu(-) *Morning!*
Huomenta!

moron [ˈmɔrɑn] *s* (lääk vanh) debiili, (ark)
idiootti

moronic [məˈrɑnɪk] *adj* (lääk vanh) debiili,
(ark) idioottimainen

morose [məˈrous] *adj* synkkä, juro, apea

morpheme [ˈmɔrˌfim] *s* (kielitieteessä) morfeemi (kielen pienin merkityksellinen yksikkö)

morphine [ˈmɔrfin] *s* morfiini

morphing [ˈmɔrfɪŋ] tietokoneella suoritettava
kuvan metamorfoosi

morphology [mɔrˈfɑlədʒi] *s* morfologia,
muoto-oppi

Morse *s* morseaakkoset *adj* morsetus-

morsel [ˈmɔrsəl] *s* (ruuan) muru

mortal [ˈmɔrtəl] *s* kuolevainen *us mere mortals* me tavalliset kuolevaiset *adj* 1 kuolevainen; maallinen 2 tappava, hengenvaarallinen 3 hirvittävä, valtava *he was in a
mortal hurry* hänellä oli hirvittävä kiire

mortality [mɔrˈtæləti] *s* 1 kuolevaisuus
2 kuolleisuus *mortality rate* kuolleisuus

mortally *adv* 1 (haavoittua) kuolettavasti,
hengenvaarallisesti 2 (kuv) (loukkaantua)
verisesti 3 (pelätä, pelästyä) hirvittävästi,
valtavasti

1 mortar [ˈmɔrtər] *s* 1 laasti 2 huhmare 3 (ase)
(hist) mörssäri, (nyk) kranaatinheitin

2 mortar *v* rapata, laastita

mortarboard [ˈmɔrtərˌbɔrd] *s* 1 muurauslasta
2 akateemisissa juhlatilaisuuksissa käytettävä päähine jonka yläosan muodostaa
tupsullinen neliskulmainen levy

1 mortgage [ˈmɔrgədʒ] *s* 1 hypoteekki 2 hypoteekkilaina, asuntolaina

2 mortgage *v* 1 kiinnittää 2 (kuv) panna pantiksi

mortification [ˌmɔrtəfɪˈkeɪʃən] *s* 1 häpeä
2 (ruumiin) kidutus, (lihallisten halujen)
sammutus

mortify [ˈmɔrtəˌfaɪ] *v* 1 saattaa häpeään *I was
mortified to hear that* olin kuolla häpeään
kun kuulin siitä 2 (usk) kurittaa, kiduttaa
(ruumistaan), tappaa (lihalliset halunsa)

mortuary [ˈmɔrtʃuˌeri] *s* ruumishuone

mosaic [mouˈzeɪk] *s, adj* mosaiikki(-)

mosque [mɑsk] *s* moskeija

mosquito [məˈskitou] *s* hyttynen, moskiitto

moss [mɑs] *s* sammal

mossy *adj* sammaleinen, sammalpeitteinen

most [moust] *s, adj, adv, pron* (superlatiivi
sanasta *many*) eniten, enin, suurin osa *you
have the most apples* sinulla on eniten
omenia *most people don't care* useimmat
ihmiset eivät välitä, useimmille se on aivan sama *most of the apples* suurin osa
omenista *try to make the most of the opportunity* yritä ottaa tilaisuudesta kaikki
irti *most likely* todennäköisimmin, erittäin
todennäköisesti

mostly *adv* enimmäkseen, suurimmaksi
osaksi, lähinnä, pääasiassa, etupäässä

most of all *adv* ennen kaikkea

motel [mouˈtel] *s* motelli

moth [mɑθ] *s* 1 yöperhonen 2 koi, (erityisesti) turkiskoi

moth-eaten *adj* 1 koinsyömä 2 vanhanaikainen, aikansa elänyt

1 mother [ˈmʌðər] *s* 1 äiti 2 (eläinten) emo

2 mother *v* 1 synnyttää 2 hoivata

motherhood [ˈmʌðərˌhʊd] *s* äitiys

mother-in-law [ˈmʌðərɪnˌlɑ] *s* (mon mothers-in-law) anoppi

motherland [ˈmʌðərˌlænd] *s* isänmaa, kotimaa

mother language *s* äidinkieli

motherly *adj* äidillinen

mother tongue *s* äidinkieli

mothy *adj* koinsyömä

motif [mouˈtif] *s* (romaanin, taideteoksen)
aihe

1 motion [ˈmouʃən] *s* 1 liike *to set something
in motion* käynnistää/aloittaa jokin *to go
through the motions* tehdä jotakin innotto-

masti, käydä läpi pakolliset kuviot **2** ehdotus, esitys **3** ele, (kädellä) viittaus

2 motion v viitata *he motioned the guest to sit* hän viittasi kädellään vierasta istumaan

motionless *adj* liikkumaton

motion picture s elokuva

motion sickness s matkapahoinvointi

motivate ['moutəˌveit] v motivoida

motivation [ˌmoutə'veiʃən] s motivaatio

1 motive [moutiv] s **1** motiivi, vaikutin **2** (romaanin, taideteoksen) aihe

2 motive v motivoida

3 motive *adj* (voima) liike-

motley [matli] s narrin puku *adj* kirjava, monenkirjava, sekalainen

1 motor [moutər] s **1** moottori **2** (kuv) alkuunpanija, käynnistäjä *he's the motor of the whole deal* hän on koko sopimuksen alkuunpanija

2 motor v ajaa/matkustaa autolla, (UK) kuljettaa/viedä autolla

3 motor *adj* **1** moottorikäyttöinen, moottori- **2** motorinen, liike-

1 motorbike ['moutərˌbaik] s moottoripyörä

2 motorbike v moottoripyöräillä, ajaa moottoripyörällä

1 motorboat ['moutərˌbout] s moottorivene

2 motorboat v ajaa/matkustaa moottoriveneellä

motorcade ['moutərˌkeid] s autokulkue *President Kennedy was shot in a motorcade* presidentti Kennedy ammuttiin autokulkueessa

1 motorcycle ['moutərˌsaikəl] s moottoripyörä

2 motorcycle v moottoripyörällä, ajaa moottoripyörällä

motorcyclist s moottoripyöräilijä

motordrome ['moutərˌdroum] s (auto)kilparata

motored *adj* -moottorinen

motor home ['moutərˌhoum] s matkailuauto

motoring s (vapaa-ajan) autoilu

motorist s (yksityis)autoilija

motorize ['moutəˌraiz] v **1** varustaa moottorilla **2** autoistaa

motorsports ['moutərˌspɔrts] s (mon) moottoriurheilu

motor vehicle [ˌmoutər'viikəl] s moottoriajoneuvo

motorway ['moutərˌwei] s (UK) moottoritie

motto [matou] s motto, tunnuslause

mound [maund] s **1** kukkula, maan kohouma **2** kasa, pino

1 mount [maunt] s **1** vuori **2** ratsu **3** kanta, kiinnitin **4** valokuvakehys; diakehys

2 mount v **1** nousta; nousta (ratsun) selkään **2** asentaa, kiinnittää paikalleen **3** käynnistää, aloittaa *the enemy mounted an attack* vihollinen hyökkäsi **4** kehystää (dia ym)

mountain [mauntən] s vuori (myös kuv) *to make a mountain out of a molehill* tehdä kärpäsestä härkänen

1 mountaineer [ˌmauntə'niər] s **1** vuoristolainen, vuoriston asukas **2** vuorikiipeilijä

2 mountaineer v kiipeillä vuorilla, harrastaa vuorikiipeilyä

mountainous [mauntənəs] *adj* vuoristoinen, vuorinen

mountain range s vuoristo, vuoriketju

mountain sickness s vuoristotauti

mountainside ['mauntənˌsaid] s vuorenrinne, vuorenkylki

mountainy [mauntəni] *adj* **1** vuoristoinen, vuorinen **2** vuoristo-, vuoristoelämän

mounted *adj* ratsastava, ratsu- *mounted police* ratsupoliisi

mourn [mɔrn] v surra (kuolemaa ym)

mourner s surija

mournful *adj* **1** sureva, surullinen **2** synkkä, apea

mourning s **1** suru, sureminen **2** suruaika **3** surupuku, suruvaatteet, mustat vaatteet *to be in mourning* olla suruvaatteissa; surra jotakuta (for someone)

mouse [maus] s **1** (mon mice) hiiri **2** (tietok; mon myös mouses) hiiri

mouse mat s (tietok) hiirimatto

mousetrap ['mausˌtræp] s **1** hiirenloukku **2** (kuv) ansa, loukku **3** *to build a better mousetrap* (kuv) keksiä parempi ratkaisu, suunnitella parempi laite

mousse [mus] s **1** (jälkiruoka) vaahto, mousse *chocolate mousse* suklaavaahto **2** (hiustenhoidossa) vaahto

moustache [mastæʃ] s viikset

mousy [mausi] *adj* **1** ujo, arka **2** hiirenharmaa **3** mitäänsanomaton, tylsä

mouth [mauθ] *s* suu (myös kuv) *the man has five mouths to feed* miehellä on viisi suuta ruokittavana *to run off at the mouth* puhua kuin papupata

mouth [mauð] *v* lausua, sanoa

mouthful *s* **1** suupala; suun täysi *you said a mouthful* sinä osuit naulan kantaan **2** sanahirviö, sana ym joka on vaikea ääntää

mouthpiece [mauθpis] *s* **1** (soittimen ym) suukappale **2** (kuv) äänitorvi, puolestapuhuja

movable [muvəbəl] *adj* liikkuva, liikuteltava

movables (ʊɔɪ) irtaimisto

1 move [muv] *s* **1** (kuv) siirto, askel, veto, teko, toimi *selling the house was a smart move* talon myynti oli viisas temppu **2** liike *to be on the move* olla liikkeessä **3** muutto

2 move *v* **1** siirtää, siirtyä, liikuttaa, liikkua *let's move this sofa to another room* siirretäänpä tämä sohva toiseen huoneeseen *he didn't move a muscle to help us* hän ei liikauttanut eväänsäkään auttaakseen meitä **2** muuttaa (asuinpaikkaa ym) *the Wallers moved to Tucson* Wallerit muuttivat Tucsoniin **3** (kuv) liikuttaa *I was moved by his speech* hänen puheensa sai minut liikuttumaan

move in *v* muuttaa jonnekin (asuntoon, toimistoon), asettua/käydä taloksi

move in on *v* siirtyä jollekin (uudelle) alueelle; tunkeutua jonkun toisen apajille

moveless *adj* liikkumaton

movement *s* **1** liike (eri merkityksissä) *did you notice the movement of the branches?* huomasitko oksien liikahtavan? *a new political movement* uusi poliittinen liike **2** (kellon) koneisto **3** (mus) (sävellyksen) osa

move on *v* lähestyä **2** jatkaa matkaa, ei pysähtyä

move out *v* muuttaa pois jostakin

move over *v* siirtyä, tehdä tilaa

mover *s* **1** muuttomies, (mon) muuttoliike **2** (kuv) isokenkäinen, (poliittinen) vaikuttaja, (politiikassa ja liikealalla) iso tekijä

movers and shakers *s* (ark mon) isokenkäiset

move up *v* yletä, edetä (esim uralla)

movie [muvi] *s* elokuva *want to go to the movies?* haluatko mennä elokuviin?

moviegoing [muvi,gouiŋ] *s* elokuvissa käynti *adj* elokuva- *the moviegoing public* elokuvayleisö, elokuvissa kävijät

movie house *s* elokuvateatteri

movieland [muvi,lænd] *s* **1** elokuva-ala, elokuvateollisuus **2** (Kalifornian) Hollywood

moviemaker [muvi,meikər] *s* elokuvien tekijä

moving *adj* **1** liikkuva, liikuteltava **2** (kuv) liikuttava **3** liikkeellepaneva *the moving force behind this operation* tämän hankkeen käynnistäjä/alullepanija

mow [mou] *v* mowed, mowed/mown: leikata (nurmikko)

mow down *v* **1** teurastaa (ihmisiä) **2** piestä (vastustaja)

mower [mouər] *s* ruohonleikkuri, ruohonleikkuukone

Mr. *mister* herra

Mrs. *mistress* rouva

Ms. *miss; mistress* käytetään sekä neidistä että rouvasta

much [mʌtʃ] *s, adj, adv* (more, most) paljon *too much* liikaa, liian paljon *how much* kuinka paljon *not much* vähän *it's much too complicated* se on aivan liian mutkikas *so much for that* se siitä *don't make too much of that* älä siitä välitä, älä pane sitä pahaksesi *thank you very much* kiitos paljon!

much as *konj* vaikka *much as I would like to come, I just can't* haluaisin kyllä kovasti tulla mutta en millään pääse

1 muck [mʌk] *s* **1** lanta **2** kura, lika

2 muck *v* **1** lannoittaa **2** sotkea, kurata

muckrake [mʌk,reik] *v* etsiä/pyrkiä paljastamaan rötöksiä

muckraker *s* rötöksiä paljasteleva lehtimies tms

mucky *adj* kurainen, likainen

mucous [mjukəs] *adj* limainen, lima-

mucous membrane *s* limakalvo

mucus [mjukəs] *s* lima

mud [mʌd] *s* loka (myös kuv), kura, rapa, muta

muddle [mʌdəl] *v* (kuv) sotkea, hämmentää

muddle through *v* (yrittää) selvitä jotenkuten

muddy *adj* **1** kurainen, rapainen **2** samea, sumea **3** sekava, epäselvä; sekopäinen

mud flats *s* (mon) **1** mutaranta **2** (kuivuneen järven) mutapohja

mud guard *s* **1** roiskeläppä **2** lokasuoja

muff [mʌf] *s* **1** käsipuuhka *earmuff* korvalappu **2** (sl) naisen häpykarvat, mirri

muffin [mʌffin] *s* muffini

muffle [mʌfəl] *v* vaimentaa (ääntä)

muffler [mʌflər] *s* **1** kaulaliina **2** (auton) äänenvaimennin

muffle up *v* kääriä lämpimiin vaatteisiin tms

mug [mʌg] *s* **1** muki, kuppi **2** (sl) pärstä, naama, naamataulu

mug shot *s* poliisikuva(sarja edestä, sivulta ja takaa)

mugwort [mʌgwort] *s* pujo

mulberry [mʌlberi] *s* **1** silkkiäispuu, mulperipuu **2** silkkiäispuun/mulperipuun marja

mule [mjuːl] *s* **1** muuli **2** (ark) härkäpäinen ihminen, jukuripää

mulish [mjuːlɪʃ] *adj* härkäpäinen, jukuripäinen, omapäinen

mull [mʌl] *v* tehdä/laittaa glögiä

mullet [mʌlət] *s* **1** (kala) mullo **2** takatukka

mull over *v* (kuv) jauhaa, märehtiä, miettiä jotakin

multicolor [mʌltɪkʌlər] *adj* monivärinen

multifarious [mʌltɪferiəs] *adj* moninainen, moni-ilmeinen, monipuolinen

multilateral [mʌltɪlætərəl] *adj* monenkeskinen

multilingual [mʌltɪlɪŋgwəl] *adj* monikielinen

multimedia [mʌltɪmidiə, mʌltaɪmidiə] *s, adj* multimedia, monimedia

multinational [mʌltɪnæʃənəl] *s* monikansallinen yritys *adj* monikansallinen

multinorm [mʌltɪnɔːm] *adj* moninormi-
multinorm television set moninormitelevisio(vastaanotin)

multiple [mʌltɪpəl] *s* kerrannainen *adj* moninkertainen

multiple sclerosis [skləˈrousis] *s* MS-tauti, multippeli skleroosi

multiplex [mʌltɪpleks] *s* elokuvateatterikeskus

multiplication [mʌltɪplɪˈkeɪʃən] *s* **1** (mat) kertolasku **2** moninkertaistaminen, moninkertaistuminen, lisääminen, lisääntyminen (myös ihmisten, eläinten)

multiply [mʌltɪplaɪ] *v* **1** (mat) kertoa **2** moninkertaistaa, moninkertaistua, lisätä, lisääntyä (myös ihmisistä, eläimistä)

multitude [mʌltɪtud] *s* suuri joukko *the multitudes* kansa, suuri yleisö

multivolume [mʌltɪˈvaljum] *adj* moniosainen

mum [mʌm] *adj* hiljainen, joka ei sano mitään

mumble [mʌmbəl] *v* mumista, mutista

mummify [mʌməfaɪ] *v* **1** muumioida, palsamoida **2** muumioitua, muuttua muumioksi; kuihtua

mummy [mʌmi] *s* muumio

mumps [mʌmps] *s* (verbi yksikössä) sikotauti

munch [mʌntʃ] *v* rouskuttaa *he was munching on a Mars bar* hän mutusteli Marspatukkaa

mundane [mʌndeɪn] *adj* **1** maallinen **2** arkinen, tavallinen, tylsä, mielikuvitukseton

mundaneness *s* **1** maallisuus **2** arkisuus, arkipäiväisyys, mielikuvituksettomuus, tylsyys

mundanity [mʌnˈdænəti] *s* **1** maallisuus **2** arkisuus, arkipäiväisyys, mielikuvituksettomuus, tylsyys **3** arkiasia; latteus

municipal [mjuˈnɪsəpəl] *adj* kunnan, kaupungin, kunnanvaltuuston

municipality [mjuˌnɪsəˈpæləti] *s* **1** (kaupunki)kunta **2** kunnanvaltuusto

munitions [mjuˈnɪʃənz] *s* (mon) aseet ja ampumatarvikkeet

mural [mjərəl] *s* seinämaalaus *adj* seinä-

1 murder [mərdər] *s* murha *to get away with murder* selvitä rangaistuksetta vaikka mistä, päästä aina pälkähästä *to scream bloody murder* huutaa kuin palosireeni; nostaa hirveä äläkkä/häly *the exam was murder* tentti oli tappava/hirvittävä

2 murder *v* murhata

murderer *s* murhaaja

murderess s (naispuolinen) murhaaja

murderous [mɜːdərəs] adj 1 murha- 2 murhanhimoinen, verenhimoinen 3 hirvittävä, tappava

murk [mɜːk] s pimeys, synkkyys

murkily adv 1 synkästi 2 hämärästi

murky adj 1 pimeä, synkkä (myös kuv) 2 epäselvä, epämääräinen, hämärä

1 murmur [mɜːmər] s 1 (puheen) mumina, supina 2 (veden, tuulen) suhina, kohina

2 murmur v 1 (ihmiset) mumista, supista, kuiskutella 2 (vesi, tuuli, puut) suhista, kohista, kahista

1 muscle [mʌsəl] s 1 lihas he didn't move a muscle to help us hän ei liikauttanut eväänsäkään auttaakseen meitä 2 (kuv) voima, potku there is no muscle in his speech hänen puheestaan puuttui tuli

2 muscle v ahtautua/tunkeutua jonnekin

muscle sense s lihasaisti

muscular [mʌskjələr] adj 1 lihas- muscular strength lihasvoima 2 lihaksikas

museum [mjuːˈziəm] s museo

1 mushroom [mʌʃruːm] s sieni

2 mushroom v 1 sienestää, kerätä sieniä 2 levitä/kasvaa nopeasti video shops are mushrooming all over the country eri puolille maata nousee videovuokraamoita kuin sieniä sateella

music [mjuːzɪk] s 1 musiikki (myös kuv) 2 nuotit to face the music vastata seurauksista/teoistaan

musical [mjuːzɪkəl] adj 1 musikaali adj 1 musiikki- musical instruments soittimet 2 (ihminen) musikaalinen 3 melodinen

musically [mjuːzɪkli] adv 1 musiikillisesti 2 melodisesti

musician [mjuːˈzɪʃən] s muusikko

musicological [ˌmjuːzɪkəˈlɑdʒɪkəl] adj musiikkitieteen, musiikkitieteellinen

musicologist [ˌmjuːzɪˈkɑlədʒɪst] s musiikkitieteilijä

musicology [ˌmjuːzɪˈkɑlədʒi] s musiikkitiede

musket [mʌskət] s musketti

musketeer [ˌmʌskəˈtiər] s muskettimies, muskettisoturi, musketööri

musk ox s myskihärkä

muskrat s piisami

Muslim [mʌzləm] s, adj islamilainen, muslimi

muslin [mʌslən] s (kangas) musliini

mussel [mʌsəl] s simpukka

1 must [mʌst] v pakko, välttämättömyys in this job, typing skills are a must tässä työssä on osattava kirjoittaa koneella

2 must apuv täytyä, (kielteisessä lauseessa) ei saada he must eat hänen täytyy syödä he must not eat hän ei saa syödä you must visit us some day sinun täytyy joskus tulla kylään he must have seen you hänen on täytynyt nähdä sinut, hän varmaankin näki sinut

mustache [mʌstæʃ] s viikset

mustached adj viiksekäs; jolla on viikset

mustang [mʌstæŋ] s mustangi, preeriahevonen

mustard [mʌstərd] s sinappi

1 muster [mʌstər] s (sotilaiden, miehistön) nimenhuuto, tarkastus to pass muster täyttää vaatimukset, kelvata

2 muster v tarkastaa (joukot, miehistö), koota nimenhuutoon

muster in v ottaa armeijaan

muster out v vapauttaa armeijasta

muster up v koota, kerätä he mustered up courage to ask for a raise hän rohkaisi mielensä pyytääkseen palkankorotusta

mustiness s tunkkaisuus

mustn't must not

musty adj 1 homeinen, homehtunut; ummehtunut, tunkkainen 2 (kuv) homeinen, homehtunut, vanhentunut, aikansa elänyt

mutability [ˌmjuːtəˈbɪlɪti] s 1 vaihtelevuus, vaihtelu 2 ailahtelu

mutable [mjuːtəbl] adj 1 muuttuva, vaihteleva 2 oikukas

mutagen [mjuːtədʒən] s mutageeni, mutaation aiheuttaja

mutant [mjuːtənt] s mutantti adj mutaatio-

mutate [mjuːˈteɪt] v muuttaa, muuttua, aiheuttaa mutaatio

mutation [mjuːˈteɪʃən] s 1 mutaatio 2 muutos

mute [mjuːt] s, adj mykkä v vaimentaa/hiljentää (ääntä), hillitä (väriä)

muted adj hiljainen, vaimea, hillitty

mute swan s kyhmyjoutsen

mutilate [ˈmjuːtəˌleɪt] v silpoa, typistää

mutilation [ˌmjuːtəˈleɪʃən] s silpominen, typistäminen

mutineer [ˌmjuːtəˈnɪər] s kapinallinen, kapinoitsija

mutinous [ˈmjuːtənəs] adj kapinallinen

1 mutiny [ˈmjuːtəni] s kapina

2 mutiny v kapinoida, nousta kapinaan

mutt [mʌt] s (sl) rakki, piski

1 mutter [ˈmʌtər] s 1 mumina, mutina 2 mutina, valitus, napina, nurina

2 mutter v 1 mumista, mutista 2 mutista vastaan, valittaa, napista, nurista

mutton [ˈmʌtən] s lampaanliha, lammas

mutual [ˈmjuːtʃʊəl] adj 1 molemminpuolinen, keskinäinen 2 yhteinen *we have many mutual interests* meillä on paljon yhteisiä etuja

mutually adv ks mutual *the two things are mutually exclusive* nämä asiat sulkevat toisensa pois, nämä asiat eivät sovi yhteen

1 muzzle [ˈmʌzəl] s 1 (eläimen) kuono 2 (koiran) kuonokoppa 3 suutin, suukappale, nokka, (aseen) suu

2 muzzle v 1 panna (koiralle) kuonokoppa 2 (kuv) vaientaa

my [maɪ] pronominin I possessiivimuoto minun, -ni *my wife* vaimoni

myopia [maɪˈoʊpiə] s 1 likinäköisyys 2 (kuv) lyhytnäköisyys 3 (kuv) suvaitsemattomuus

myopic [maɪˈɑpɪk] adj 1 likinäköinen 2 (kuv) lyhytnäköinen 3 (kuv) suvaitsematon

myriad [ˈmɪriəd] s suunnaton määrä adj lukematon

myrrh [mɜr] s mirha, mirhami

myself [maɪˈself] pronominin I *refleksiivinen ja korostettu muoto* minä, minä itse *I wanted to hang myself* mieleni teki hirttäytyä/hirttää itseni *I did it myself* tein sen itse/yksin *I am not myself today* en ole tänään oma itseni *we went both there, my wife and myself* me menimme sinne kumpikin, vaimoni ja minä

mysterious [mɪsˈtɪriəs] adj arvoituksellinen, salaperäinen, salamyhkäinen

mysteriously adv arvoituksellisesti, salaperäisesti, salamyhkäisesti *mysteriously, she was not happy about it* jostakin ihmeen syystä se ei ollut hänelle mieleen

mystery [ˈmɪstəri] s 1 arvoitus, salaisuus 2 rikosromaani, rikoselokuva

mystic [ˈmɪstɪk] s mystikko adj mystinen

mysticism [ˈmɪstəˌsɪzəm] s mystisismi

mystify [ˈmɪstəˌfaɪ] v hämmentää, tyrmistyttää, saattaa ymmälleen *I was mystified by her disappearance* hänen katoamisensa sai minut ymmälleni

mystique [mɪsˈtiːk] s (jotakuta tai jotakin ympäröivä) salaperäisyyden verho

myth [mɪθ] s 1 myytti, jumalaistaru 2 myytti, taru, (pelkkä) satu

mythical [ˈmɪθɪkəl] adj 1 tarunomainen, myyttinen 2 kuvitteellinen, keksitty, mielikuvitus-, sepitteinen

mythological [ˌmɪθəˈlɑdʒɪkəl] adj 1 mytologinen, mytologian 2 kuvitteellinen, keksitty, mielikuvitus-, sepitteinen

mythologist [mɪˈθɑlədʒɪst] s mytologi

mythology [mɪˈθɑlədʒi] s 1 mytologia, myytit, jumalaistarusto 2 mytologia, myyttien tutkimus

N,n

N, n [en] N, n

N/A *no account, not available* ei tiedossa *not applicable* (esim lomakkeessa) ei koske kyseistä asiaa

nab [næb] v (ark) napata, ottaa kiinni

nadir [ˈneɪdər] s 1 (tähtitieteessä) nadiiri 2 aallonpohja (kuv)

1 nag [næg] s 1 kaakki, koni 2 nalkuttaja

2 nag v piinata, vaivata, kiusata, kalvaa, nalkuttaa

nag at v nalkuttaa jollekulle

nagger *s* nalkuttaja

1 nail [neɪəl] *s* **1** kynsi **2** naula *you hit the nail on the head* osuit naulan kantaan

2 nail *v* **1** naulata **2** (kuv) naulita **3** (ark, kuv) napata, ottaa/saada kiinni

nail-biting ['neɪəl.baɪtɪŋ] *s* **1** kynsien pureskelu **2** (ark, kuv) hermostuneisuus, jännitys, pelko *adj* (ark, kuv) hermostuttava, pelottava

nail down *v* (kuv) lyödä lukkoon

nailhead ['neɪəl.hed] *s* naulan kanta

nail polish *s* kynsilakka

nail scissors *s* (mon) kynsisakset

naive [naɪ'iːv] *adj* **1** naiivi, lapsellinen, hyväuskoinen, herkkäuskoinen **2** (taiteessa) naivistinen

naiveté [naɪˌiːvə'teɪ] *s* naiivius, lapsellisuus, hyväuskoisuus, herkkäuskoisuus

naked [neɪkəd] *adj* **1** alaston, paljas **2** (kuv) alaston, paljas, peittelemätön, kaunistelematon

naked eye *with the naked eye* paljaalla silmällä

nakedness *s* alastomuus (myös kuv)

naked *adj* -ton/-tön *trees naked of leaves* lehdettömät puut, alastomat puut

1 name [neɪm] *s* nimi (myös kuv:) maine, iso nimi *she made herself a name in retailing* hän ansioitui vähittäiskaupan alalla *he doesn't have a penny to his name* hän on penniön, hän on rutiköyhä *to call names* nimitellä, haukkua, sätuä

2 name *v* **1** nimetä, antaa nimi **2** nimittää, kutsua joksikin **3** mainita, ilmoittaa, sanoa *without naming any names* nimiä mainitsematta *you name it!* sano sinä! **4** nimittää tehtävään/virkaan

name-calling ['neɪm.kalɪŋ] *s* nimittely, haukkuminen, sättiminen

name-dropping *s* suhteilla rehentely

nameless *adj* **1** nimetön, jolla ei ole nimeä **2** outo, tuntematon, nimetön **3** sanoinkuvaamaton

namelessly *adv* nimettömästi

namely [neɪmlɪ] *adv* nimittäin, siis

name of the game *fr* (ark) pelin henki

namesake ['neɪm.seɪk] *s* kaima

nanny [næni] *s* (UK) lastenhoitaja

nanometer [næ'namətər] *s* nanometri, metrin miljardisosa

nanosecond ['nænə.sekənd] *s* nanosekunti, sekunnin miljardisosa

1 nap [næp] *s* nokoset, nokkaunet, torkut

2 nap *v* ottaa nokoset/nokkaunet, torkahtaa (lyhyesti)

napalm ['neɪ.paːlm] *s* napalm

nape of the neck [neɪp] *s* niska

napkin [næpkɪn] *s* lautasliina

nappy [næpi] *s* (UK) vauvanvaippa

narcissism ['narsə.sɪzəm] *s* narsismi

narcissist ['narsə.sɪst] *s* narsisti

narcissus [nar'sɪsəs] *s* (mon narcissuses, narcissi) narsissi

narcolepsy ['narkə.lepsi] *s* (lääk) pakkonukahtelu, narkolepsia

narcosis [nar'kousɪs] *s* narkoosi

narcotic [nar'katɪk] *s, adj* huume(-) (myös kuv)

narrate [næreɪt] *v* **1** kertoa, kuvata **2** lukea (selostus eaim dokumenttiohjelmaan)

narration [næreɪʃən] *s* **1** kertomus, kuvaus **2** kerronta

narrative [nærətɪv] *s* **1** kertomus, kuvaus **2** kerronta *adj* kertova, kertoma- *narrative skill* kertojan taito/taidot *narrative poem* kertomaruno *he's a writer of narrative* hän on kertomakirjailija

narrator [næreɪtər] *s* **1** kertoja, kuvaaja, kuvailija **2** (esim dokumenttiohjelman selostuksen) lukija

1 narrow [nærou] *s* **1** kapeikko, ahdas kohta **2** (mon) salmi

2 narrow *adj* **1** kapea; ahdas **2** (kuv) ahdasmielinen, rajoittunut, kapea-alainen **3** (kuv) täpärä

3 narrow *v* kaventaa, kaventua

narrow down *v* rajoittaa, supistaa *the police have narrowed down the number of suspects to three* poliisi on supistanut epäiltyjen määrän kolmeen

narrow-minded ['nerou'maɪndəd] *adj* ahdasmielinen, ennakkoluuloinen, suvaitsematon

narrow-mindedness *s* ahdasmielisyys, ennakkoluuloisuus, suvaitsemattomuus

nasal 934

nasal [neɪzəl] *s* nasaaliäänne, nenä-äänne *adj* nenä-, nasaalinen *[m] and [n] are nasal sounds* [m] ja [n] ovat nasaaliäänteitä

nascent [næsənt, neɪsənt] *adj* aluillaan oleva, nuori

nastily *adv* 1 (ihmisestä) ilkeästi, keljusti, piikikkäästi 2 kurjasti, ikävästi, inhottavasti, (satuttaa itsensä) pahasti

nastiness *s* 1 ilkeys, halpamaisuus 2 vastenmielisyys, kurjuus

nasty [næsti] *adj* 1 (ihminen) ilkeä, kelju, piikikäs, paha 2 vastenmielinen, kurja, ikävä, inhottava, paha *nasty wound* paha haava

natal [neɪtəl] *adj* syntymä-, synnyin-, synnytys-

natality [neɪtæləti] *s* kansa(kunta)

nation [neɪʃən] *s* syntyvyys

national [næʃənəl] *s* kansalainen *are you a US national?* oletteko te Yhdysvaltain kansalainen? *adj* kansallinen, maan, koko maata koskeva, kansallis- *on a national level* koko maan tasolla, maanlaajuisesti

national holiday *s* kansallinen juhlapäivä

national income *s* kansantulo

nationalism [næʃənə̩lɪzəm] *s* kansallismielisyys, kansalliskiihko, nationalismi

nationalist *s* kansallismielinen, kansalliskiihkoilija, nationalisti *adj* kansallismielinen, kansalliskiihkoinen, nationalistinen

nationality [ˌnæʃəˈnæləti] *s* (ihmisen, aluksen) kansalaisuus

nationalize [ˈnæʃənə̩laɪz] *v* 1 kansallistaa 2 myöntää kansalaisuus jollekulle; ottaa asuinmaan kansalaisuus 3 levittää koko maan tietoisuuteen

nationally *adv* kansallisesti, valtakunnallisesti, maanlaajuisesti, koko maassa

national park *s* kansallispuisto

nationhood [ˈneɪʃənˌhʊd] *s* kansallinen itsenäisyys

nation-state [ˈneɪʃənˌsteɪt] *s* kansallisvaltio

nationwide [ˌneɪʃənˈwaɪd] *adj* maanlaajuinen

native [neɪtɪv] *s* 1 alkuperäisasukas, paikallinen asukas 2 syntyperäinen asukas *she's a native of Miami* hän on kotoisin Miamista *adj* (kieli) äidin-, (maa) koti-, synnyin-, (asukas) alkuperäis-, (taito) synnynnäi-

nen-, (tapa) paikallinen, (tuote) kotimainen

native tongue *s* äidinkieli

nativity [nəˈtɪvəti] *s* 1 syntymä 2 *Nativity* Kristuksen syntymä 3 *Nativity* Kristuksen syntymän juhla, joulu 4 *Nativity* Kristuksen syntymää esittävä maalaus

natural [næt̬ərəl] *s* 1 *he is a natural for this job* hän on omiaan tähän työhön, hänet on kuin luotu tähän työhön 2 (mus) valkoinen kosketin 3 (mus) palautusmerkki *adj* 1 luonnollinen, luonnon 2 luontainen, synnynnäinen 3 luonnollinen, aito *she is very natural* hän on aivan oma itsensä

natural history *s* luonnonhistoria

naturalism [næt̬ərəlɪzəm] *s* (kirjallisuudessa, taiteessa) naturalismi

naturalist *s* 1 luonnontieteilijä, (erityisesti) eläintieteilijä, kasvitieteilijä 2 (kirjailija, taiteilija) naturalisti

naturalization [ˌnæt̬ʃrələˈzeɪʃən] *s* 1 kansalaisoikeuksien myöntäminen/saaminen 2 kotiuttaminen, omaksuminen, lainaaminen (ks *naturalize*)

naturalize [ˈnæt̬ʃrəˌlaɪz] *v* 1 myöntää/saada kansalaisoikeudet 2 kotiuttaa, omaksua toisesta kielestä/kulttuurista ja mukauttaa omaan kieleen/kulttuuriin, lainata

naturally [næt̬ʃrəli] *adv* 1 luonnollisesti (ks *natural*) 2 luonnostaan, luontaisesti, synnynnäisesti 3 luonnollisesti, tietenkin

nature [neɪtʃər] *s* 1 luonto *the wonders of nature* luonnonihmeet *the park is still in a state of nature* puisto on edelleen luonnontilassa 2 (ihmisen) luonto; luonne, luonteenlaatu *are Finns stubborn by nature?* ovatko suomalaiset syntyjään/luonteeltaan jääräpäisiä? 3 luonne *this matter is totally different in nature* asia on luonteeltaan aivan toinen

naturist [neɪtʃərɪst] *s* 1 luonnonystävä 2 nudisti

naughtiness *s* tottelemattomuus, kurittomuus

naughty [nati] *adj* tuhma, tottelematon

nausea [nazɪə] *s* kuvotus, pahoinvointi

nauseate [ˈnaziˌeɪt] *v* kuvottaa (myös kuv), saada voimaan pahoin (myös kuv)

nauseating [adj] (myös kuv) kuvottava, ällöttävä, oksettava

nauseous [nazios naʃəs] [adj] **1** pahoinvoiva **2** (myös kuv) kuvottava, ällöttävä, oksettava

nautical [nɑtɪkəl] [adj] merenkulku-, meri-

nautical mile s meripeninkulma *international nautical mile* kansainvälinen meripeninkulma (1852 m)

naval [neɪvəl] [adj] **1** sotalaivasto-, laivasto- *naval power* merivalta **2** laivasto, laiva-

naval mine s merimiina

nave [neɪv] s (kirkon) keskilaiva

navel [neɪvəl] s napa

navel-gazing [neɪvəl,geɪzɪŋ] s (kuv) omaan napaansa tuijottaminen

navigability [nævɪgəbɪləti] s (reitin, laivan) purjehduskelpoisuus, (laivan myös) merikelpoisuus

navigable [nævɪgəbl] [adj] (reitti, laiva) purjehduskelpoinen, (laivan myös) purjehduskuntoinen, merikelpoinen

navigate [nævɪgeɪt] v **1** suunnistaa, ohjata (laivaa, lentokonetta) **2** purjehtia, kulkea (laivalla, lentokoneella) **3** päästä kulkemaan jostakin *he tried to navigate through the crowd* hän yritti puikkelehtia väkijoukon lomitse

navigation [nævɪgeɪʃən] s **1** (matka) purjehdus; lento **2** purjehdustaito, suunnistustaito

navigator [nævɪgeɪtər] s **1** purjehtija **2** (laivan) suunnistaja, lentosuunnistaja

navy [neɪvɪ] s **1** sotalaivasto; merivoimat **2** laivastonsininen, tummansininen

nay [neɪ] s ei, ei-ääni, kielteinen vastaus [adv] (ja) jopa

naysayer [neɪseɪər] s pessimisti; vastarannan kiiski

Neander(t)hal [niɒndər,tɑl] s **1** neandertalinihminen **2** (ark halv) luolaihminen, alkeellinen ihminen, moukka

1 near [nɪər] v lähestyä (myös kuv) *the project is nearing its end* hanke lähestyy loppuaan, hanke on loppumaisillaan

2 near [adj, adv, prep] **1** (ajasta ja tilasta) lähellä, lähelle *near the lake* järven lähellä *in the near future* lähitulevaisuudessa *come near* tule lähemmäksi! *Christmas is draw-*

ing near joulu lähestyy, joulu on jo ovella **2** läheinen *she's a near friend* **3** täpärä *that was a near miss* se oli vähällä osua

nearby [nɪərbaɪ] [adj] lähellä oleva, läheinen, lähi-

nearly [adv] lähes, melkein *not nearly* ei sinne päinkään, ei lähimainkaan

nearness s läheisyys

neat [nit] [adj] **1** siisti **2** sievä, nätti (ark) **3** (sl) upea, hieno, mahtava

neatly [adv] **1** siististi **2** sievästi, nätisti (ark) **3** osuvasti, onnistuneesti

neatness s **1** siisteys **2** sievä ulkonäkö **3** osuvuus

nebulous [nebjələs] [adj] (kuv) hämärä, sumea

necessarily [nesəˈserəli] [adv] välttämättä *that's not necessarily true* se ei välttämättä pidä paikkaansa

necessary [nesə,seri] s: *the necessary* kaikki tarpeellinen [adj] **1** välttämätön, tarpeellinen **2** väistämätön

nooooocitate [nəˈsesə,teɪt] v tehdä tarpeelliseksi, edellyttää

necessity [nəˈsesəti] s **1** välttämättömyys, tarpeellisuus *by/of necessity* (olosuhteiden) pakosta **2** pakottava tarve, pakko **3** köyhyys, puute

1 neck [nek] s **1** kaula (myös kuv) *to be up to your neck in something* olla uppoutunut johonkin korviaan myöten *to stick your neck out for someone* uskaltautua auttamaan jotakuta *the boss is again breathing down her neck* pomo hoputtaa häntä taas, pomo on taas hänen kimpussaan *after he blundered, Vernon got it in the neck* munauksen tehtyään Vernon sai kuulla kunniansa **2** kaulus

2 neck v kaulailla, halata jotakuta/toisiaan

necklace [nekləs] s kaulaketju, kaulakoru

necktie [nek,taɪ] s solmio

nectar [nektər] s **1** nektari, jumalten juoma **2** mesi

nee [neɪ] [adj] entiseltä nimeltään, omaa sukua *Mrs. Fox, nee* (myös *née*) *Wolf*

1 need [nid] s **1** tarve *if need be* tarpeen tullen, tarvittaessa **2** hätä *a friend in need is a friend indeed* hädässä ystävä tutaan **3** puute, köyhyys

2 need v 1 tarvita *you need a better knife* sinä tarvitset paremman veitsen, sinun pitää saada parempi veitsi **2** pitää, tarvita *need I go on?* tarvitseeko minun vielä/enää jatkaa? *you need not go on* sinun ei tarvitse jatkaa **3** kaivata, tarvita, ansaita *this room needs cleaning* tämä huone pitäisi siivota

neediness s puute, köyhyys, varattomuus

1 needle [nídəl] s neula *it's like looking for a needle in a haystack* on kuin etsisi neulaa heinäsuovasta

2 needle v 1 neuloa **2** (ark) piikitellä, kiusata **3** (ark) suostutella (joku tekemään jotakin)

needless adj tarpeeton *needless to say, you acted like a jerk* sanomattakin on selvää että sinä käyttäydyit todella törpösti

needlework [níːdəlˌwəːk] s käsityö

needy s: *the needy* köyhät, varattomat adj köyhä, varaton

negate [nəˈgeit] v 1 kieltää (väite) **2** tehdä tyhjäksi, kumota

negation [nəˈgeiʃən] s 1 (väitteen ym) kielto, kieltäminen **2** vastakohta

negative [negətiv] s 1 kielteinen vastaus *he answered in the negative* hän vastasi kieltävästi **2** (kieliopissa) kielteinen muoto **3** (valok) negatiivi **4** haitta, huono puoli, miinus adj kielteinen, negatiivinen

negativity [ˌnegəˈtivəti] s kielteisyys, kielteinen asenne

1 neglect [nɪˈglekt] s 1 laiminlyönti

2 neglect v 1 lyödä laimin, laiminlyödä **2** ei välittää/piitata jostakusta/jostakin **3** unohtaa *she neglected to tell me when the meeting will be held* hän unohti kertoa milloin kokous pidetään

neglectful adj välinpitämätön, huolimaton *she has been neglectful of her duties* hän on lyönyt tehtävänsä laimin

negligee [ˈnegləˌʒei] s (yl läpikuultava) aamutakki

negligence [ˈneglədʒəns] s 1 huolimattomuus, välinpitämättömyys **2** laiminlyönti

negligent [ˈneglədʒənt] adj välinpitämätön, huolimaton

negligible [ˈneglədʒəbəl] adj mitätön, merkityksetön, vähäpätöinen

negotiable [nəˈgouʃəbəl] adj 1 avoin, josta voidaan neuvotella **2** (tal) joka voidaan myydä/siirtää

negotiate [nəˈgouʃieit] v 1 neuvotella; saada aikaan neuvottelemalla, järjestää **2** selvitä/ajaa jostakin, kiertää, ylittää (este) *the terrain was hard to negotiate even with four-wheel drive* maastossa oli vaikea ajaa nelipyörävedosta huolimatta

negotiation [nəˌgouʃiˈeiʃən] s 1 neuvottelu *the negotiations are still under way* neuvottelut ovat edelleen käynnissä **2** (esteen) ylitys, kiertäminen, jostakin selviäminen/ajaminen

negotiator [nəˈgouʃieitər] s neuvottelija

neighbor [neibər] s 1 naapuri **2** lähimmäinen *thy neighbor's wife* lähimmäisesi vaimo

neighborhood [ˈneibərˌhud] s 1 lähistö, lähiseutu, naapuristo **2** naapurit, naapuristo **3** (kuv) seutu *the building cost in the neighborhood of 100 million* rakennus maksoi satakunta miljoonaa dollaria

neighboring adj lähi-, lähiseudun-, naapuri-

neighborly adj ystävällinen; tuttavallinen

neither [níːðər naiðər] adj, adv, pron, conj ei kumpikaan, eikä: *neither you nor I* et sinä enkä minä *he does not want it and neither do I* hän ei halua sitä enkä halua minäkään *neither answer is correct* kumpikaan vastaus ei ole oikea

nemesis [neməsis] s (mon nemeses) (kuv) kohtalo, tuho, voittamaton este *the driving test proved to be her nemesis* insinööriajo koitui hänen kohtalokseen

neoclassic [ˌniouˈklæsik] adj uusklassinen

neoclassicism [ˌniouˈklæsəsizəm] s 1 uusklassisismi

neocolonialism [ˌnioukəˈlouniəlizəm] s uuskolonialismi

1 neocon [ˈnioukan] s 1 (ark) uuskonservatiivi

2 neocon adj (ark) uuskonservatiivinen, uusvanhoillinen

1 neoconservative [ˌnioukənˈsəːvətiv] s uuskonservatiivi

2 neoconservative adj uuskonservatiivinen, uusvanhoillinen

neofascism [ˌniouˈfæʃizəm] s uusfasismi

neologism [nɪˈalədʒɪzəm] s uudissana, uudismuodoste

neologize [nɪˈalədʒaɪz] v muodostaa uusia sanoja

1 neon [nian] s **1** (kaasu) neon **2** neonvalo

2 neon adj **1** neon- *neon colours* neonvärit

neon light s neonvalo

neophyte [ˈniəˌfaɪt] s (kuv) aloittelija, amatööri

neorealism [ˌniouˈrɪəlɪzəm] s uusrealismi

neoromanticism [ˌniouˈrouˈmæntəsɪzəm] s uusromantiikka

nephew [nefju] s veljenpoika, sisarenpoika

nepotism [ˈnepəˌtɪzəm] s (sukulaisten suosinta virantäytössä) nepotismi

nerd [nɜːd] s (sl) nörtti *computer nerd* tietokonenörtti

1 nerve [nɜːv] s **1** hermo *sometimes you get on my nerves* joskus sinä käyt hermoilleni **2** (mon) hermostuneisuus, hepulit, hermopaine **3** (kuv) rohkeus *he finally got up enough nerve to ask her out* lopulta hän rohkeni pyytää naista ulos *I did not have the nerve to fire her* en tohtinut/raskinut antaa hänelle potkuja **4** röyhkeys *he had the nerve to call me a liar* hänellä oli otsaa haukkua minua valehtelijaksi! *I did not have the nerve to give him the finger* en kehdannut näyttää hänelle keskisormea *of all the nerve!* ettäs kehtaat!, kaikkea sitä kuulee!

2 nerve v rohkaista (itseään), kannustaa (itseään), antaa/kerätä rohkeutta

nerveless adj **1** tyyni, rauhallinen **2** hervoton **3** vetämätön, voimaton, innoton

nerve-racking adj hermoja raastava, hermoille käyvä

nervosity [nəˈvasɪti] s hermostuneisuus

nervous [nɜːvəs] adj **1** hermostunut **2** hermo-, hermojen, hermoston

nervousness s hermostuneisuus

nervous system s hermosto

nervy adj **1** röyhkeä, hävytön **2** urhea, rohkea **3** hermostunut

1 nest [nest] s **1** linnunpesä *to leave the nest* (kuv) lähteä pesästä **2** sisäkkäin sopiva laatikkosarja/pöytäsarja ym *nest of tables* sarjapöytä

2 nest v **1** (lintu) pesiä **2** panna sisäkkäin

nestle [nesəl] v käydä mukavaan asentoon jonnekin *their house is nestled among hills* heidän talonsa on kukkuloiden lomassa

nestling [neslin] s **1** linnunpoikanen (joka ei vielä osaa lentää) **2** (kuv) pikkulapsi, lapsi

1 net [net] s **1** verkko (myös kuv) **2** *the nets* (myös) Yhdysvaltain suurista valtakunnallisista televisioyhtiöistä (networks) **3** (tieto) verkko, erit Internet

2 net v **1** peittää/suojata verkolla **2** kalastaa verkolla, saada verkkoon (myös kuv) **3** (urh) lyödä pallo verkkoon **4** ansaita/tuottaa nettona, voittaa, netota (ark)

3 net adj netto- *net price* nettohinta *net result* lopputulos

netiquette [netikət] s käyttäytymissäännöt internetissä, netiketti

netizen [netəzən] s verkonkäyttäjä, Internetkäyttäjä

1 nettle [netəl] s nokkonen

2 nettle v (kuv) kiusallinen, harmittaa, ärsyttää, (pilkka) nottua

nettlesome adj **1** kiusallinen, harmillinen, ärsyttävä **2** ärtyisä, kiukkuinen

1 network [net̩wɜːk] s **1** verkosto **2** (Yhdysvaltain maanlaajuinen) radioverkko, televisioverkko (ABC, NBC, CBS, Fox, WB) **3** (tieto)verkko (LAN, WAN)

2 network v verkottaa

networking s (samankaltaisessa asemassa olevien ihmisten keskeinen) tukijärjestelmä

neural [nɔəl] adj hermo-, hermoston

neuralgia [nɔˈraldʒə] s (lääk) hermosärky, neuralgia

neurasthenia [ˌnɔərəsˈθinjə] s heikkohermoisuus, neurastenia

neurologist [nɔˈralədʒist] s neurologi, hermolääkäri

neurology [nɔˈralədʒi] s neurologia, hermotautioppi

neuron [nɔəran] s hermosolu, neuroni

neuropsychiatry [ˌnɔərousaɪˈkaɪətri] s neuropsykiatria, hermo- ja mielitautioppi

neurosis [nɔˈrousis] s (mon neuroses) neuroosi

neurosurgeon [ˈnɔərouˌsɜːdʒən] s hermokirurgi *Hank is no neurosurgeon* Hank ei ole mikään ruudinkeksijä/Einstein

neurosurgery [,nərou'sərdʒəri] s hermokirurgia

neurotic [nə'ratık] s neurootikko adj neuroottinen

1 neuter [nutər] s (kieliopissa) neutri

2 neuter v steriloida

3 neuter adj 1 (kieliopissa) neutri-, suvuton 2 (biol) suvuton

neutering s kastrointi

neutral [nutrəl] s 1 puolueeton henkilö/maa 2 (autossa ym) vapaa (vaihde) adj 1 puolueeton 2 mitäänsanomaton, väritön 3 (biol) suvuton

neutralism ['nutrə,lızəm] s puolueettomuus

neutralization [,nutrəlı'zeı∫ən] s 1 puolueettomaksi tekeminen 2 kumoaminen 3 (sot) vaientaminen, tuhoaminen 4 (kem) neutralointi, neutraloituminen

neutralize ['nutrə,laız] v 1 tehdä puolueettomaksi 2 kumota, tehdä tyhjäksi 3 (sot) vaientaa, hävittää, tuhota 4 (kem) neutraloida, neutraloitua

neutron [nutran] s neutroni

never [nevər] adv 1 ei koskaan he never goes to church hän ei käy koskaan/milloinkaan kirkossa never say never vannomatta paras 2 voimistavana sanana: never mind ei se mitään!, vähät siitä! Pamela never said a word about it to anyone Pamela ei kertonut/maininnut siitä kenellekään

nevermore [,nevər'mɔr] adv ei enää koskaan

nevertheless [,nevərðə'les] adv silti, siitä huolimatta, kuitenkin

new [nu] adj uusi she is new to the job hän ei vielä osaa työtä, työ on hänelle vielä uutta adv (yhdyssanoissa) vasta- new-mown grass vastaleikattu ruoho

new age ['nu,eidʒ] s kokonaisvaltaista, länsimaista arvomaailmaa vieroksuvaa elämänfilosofiaa tarkoittava sateenvarjokäsite, new age

newbie s tulokas (henkilöstä, joka on aloitteleva tietokoneen käyttäjä)

newborn ['nu,bɔrn] s vastasyntynyt adj 1 vastasyntynyt 2 uudesti syntynyt newborn faith uusi usko

newcomer ['nukʌmər] s uusi tulokas

new covenant s (kristinuskossa) uusi liitto

newfangled ['nu,fæŋgəld] adj uudenaikainen, uudenlainen newfangled optimism uusi optimismi

newish adj uudehko

newly adv 1 vastikään, äskettäin 2 uudestaan, uudelleen

newlywed ['nuli,wed] s vastanainut, vastavihitty

new moon s uusi kuu

newness s uutuus

news [nuz] s (verbi yl yksikössä) 1 uutinen, uutiset a piece of news uutinen we still have no news of Paul emme ole vieläkään kuulleet Paulista mitään I have some good news minulla on hyviä uutisia that's news to me siitä en ole kuullutkaan, se on minulle uutta 2 uutislähetys, uutiset

news agency s 1 uutistoimisto 2 sanomalehtikioski, sanomalehtimyymälä

newsagent s (UK) lehtikioski

newsbreak ['nuz,breık] s (radio, televisio) lyhyt uutislähetys

newsmagazine ['nuz,mægə,zin] s (yl viikoittain ilmestyvä) uutislehti

newspaper ['nuz,peıpər] s sanomalehti

newsperson ['nuz,pərsən] s journalisti, toimittaja

newsstand ['nuz,stænd] s lehtikioski

newsweekly ['nuz,wikli] s (viikoittain ilmestyvä) uutislehti

newsworthy ['nuz,wərði] adj uutisarvoinen

newt [nut] s vesilisko

new wave [,nu'weıv] s (elokuvataiteessa, rockmusiikissa) uusi aalto, punkista kehittynyt popmusiikin uusi aalto

next [nekst] s seuraava who's next? kuka on seuraava(na vuorossa)? adj seuraava, lähin, viereinen we went there the next day menimme sinne seuraavana päivänä adv seuraavaksi, seuraavan kerran what should we do next? mitä meidän pitäisi tehdä seuraavaksi?

next-door adj naapuri- we are next-door neighbors olemme naapureita adv ks next door

next door [neks'dɔr] adv naapurissa, naapuritalossa he went next door hän meni käymään naapurissa

next door to *fr* **1** jonkun naapurissa *we live next door to the Shatners* olemme Shatnereiden naapureita **2** partaalla, lähellä *Sally is next door to craziness* Sally on vähällä tulla hulluksi

next of kin *s* lähin omainen

next to *adv* **1** vieressä, rinnalla **2** lähes, miltei **3** johonkin verrattuna, jonkin rinnalla

nib [nib] *s* **1** kynän terä **2** terä, kärki

1 nibble [nibəl] *s* **1** muru, palanen **2** (kalan) näykkäisy, nykäisy (ongesta)

2 nibble *v* **1** nakertaa; mutustaa, pupeltaa **2** (kala) näykkiä, nykäistä (onkea)

nibble at *v* **1** näykkiä, syödä ilman ruokahalua **2** (kuv) nakertaa, syödä vähitellen

nibble away at *v* (kuv) nakertaa, syödä vähitellen

nice [nais] *adj* **1** mukava, miellyttävä, ystävällinen, kiva, hauska *try to be nice to her* yritä kohdella häntä ystävällisesti *it was nice to see you* oli mukava/kiva (aik) tavata *have a nice day* hyvää päivän jatkoa! **2** taitava, osaava **3** kunnollinen, kunnon *he has nice manners* hänellä on hyvät tavat *she's a nice girl* hän on kunnon tyttö **4** siisti, tarkka **5** nirso, pikkutarkka, vaativa **6** (ero) vähäinen, hieno

nicely *adv* **1** mukavasti, miellyttävästi *everything went nicely* kaikki sujui hyvin *the suitcase fits nicely under the seat* matkalaukku sopii kätevästi istuimen alle **2** tarkasti, huolellisesti

niceness *s* **1** miellyttävyys, ystävällisyys **2** kunnollisuus **3** taitavuus, osaavuus **4** nirsoilu, pikkutarkkuus

nicety [naisəti] *s* hienous, pikkuseikka, yksityiskohta *the niceties of life* elämän mukavuudet

niche [nitʃ] *s* **1** syvennys, nissi **2** (kuv) paikka *market niche* markkinarako

1 nick [nik] *s* **1** lovi, ura **2** lohkeama, särö, murtuma **3** viilto, haava **4** *in the nick of time* viime tingassa, viime hetkellä

2 nick *v* **1** loveta, kaivertaa ura johonkin **2** satuttaa; kolhia **3** viiltää pieni haava

nickel [nikəl] *s* **1** nikkeli **2** viiden centin kolikko

1 nickname [nik,neim] *s* lempinimi; haukkumanimi

2 nickname *v* antaa lempinimeksi/haukkumanimeksi, sanoa/kutsua/haukkua joksikin

nicotine [nikə,tin] *s* nikotiini

nicotinism [nikəti,nizəm] *s* nikotiinimyrkytys

niece [nis] *s* veljentytär, sisarentytär

night [nait] *s* yö (myös kuv); ilta (myös kuv) *last night* viime yönä; eilen illalla *late last night* myöhään eilen illalla *Monday night* maanantai-iltana

nightcap [nait,kæp] *s* yömyssy (myös ryyppystä)

nightclub [nait,klʌb] *s* yökerho

nightfall [nait,fɔːl] *s* iltahämärä

nightgown [nait,gaun] *s* (naisten, lasten) yöpaita

nightingale [naitən,geiəl] *s* satakieli

nightly *adj* jokaöinen, jokailtainen *adv* joka yö, joka ilta

nightmare [nait,meər] *s* painajaisuni, painajainen (myös kuv)

nightmarish *adj* painajaismainen

nightwalker [nait,wɔːkər] *s* (prostituoitu) yöperhonen

night watch *s* yövartio

nil [nil] *s* nolla *adj* olematon

nimble [nimbəl] *adj* **1** notkea, nokkela, ketterä, norja, vetreä **2** (henkisesti) nokkela, vetreä, älykäs, valpas

nimbus [nimbəs] *s* (mon nimbi, nimbuses) (kuv) sädekehä

nine [nain] *s, adj* yhdeksän

nineteen [nain'tin] *s, adj* yhdeksäntoista

nineteenth [nain'tinθ] *s, adj* yhdeksästoista

ninetieth [naintiəθ] *s, adj* yhdeksäskymmenes

nine-to-five [naintə'faiv] *adj* päivä-; toimisto-, konttori- *she has a nine-to-five job* hän käy päivätyössä, hän tekee toimistotyötä

ninety [nainti] *s, adj* yhdeksänkymmentä

ninth [nainθ] *s, adj* yhdeksäs

1 nip [nip] *s* **1** nipistys; puraisu, näykkäisy *there's a nip in the air today* ilma on tänään purevan kylmä **2** (kuv) piikikäs/pureva huomautus, piikki **3** palanen, murunen, suupala **4** naukku, pikkuryyppy

2 nip *v* nipistää; näykkäistä, puraista

nip off *v* katkaista, irrottaa

nipple [nɪpəl] *s* **1** nänni **2** (pullon tai irrallinen) tutti

nippy [nɪpi] *adj* **1** purevan viileä/kylmä **2** (maku) terävä, voimakas

nirvana [nər'væːnə nər'vɑːnə] *s* (kuv) nirvana, autuus

nitpick [nɪtpɪk] *v* saivarella, nirsoilla, olla turhan tarkka; olla pikkumainen

nitpicker *s* saivartelija, pedantti

nitrogen ['naɪtrədʒən] *s* typpi

nitwit [nɪtwɪt] *s* typerys, idiootti, pölkkypää

no [nou] *s* **1** kielteinen vastaus *and I won't take no for an answer* äläkä yritäkään panna vastaan; sinun on pakko suostua **2** ei-ääni *ja ei mikään, ei kukaan no man has ever done that before* kukaan ei ole vielä tehnyt sitä *there is no telling if she'll come* on mahdotonta tietää tuleeko hän *Gary is no brain surgeon* Gary ei ole mikään ruudinkeksijä/Einstein *it's no use trying to open it* sitä on turha yrittää avata, sitä ei kannata avata *no loitering* asiaton oleskelu kielletty *by no means* ei suinkaan *adv is I said no to their offer* en hyväksynyt heidän tarjoustaan *no more* ei enää *this one's no better than the other* tämä ei ole sen parempi kuin tuo toinen

Nobel Prize [nou'bel'praɪz] *s* Nobelin palkinto

nobility [nou'bɪləti] *s* **1** aateli, aatelisto **2** aateluus **3** jalous

noble [noubəl] *adj* **1** aatelinen **2** jalo, ylevä **3** vaikuttava, komea, ylevä

nobleman *s* aatelinen, aatelismies

nobly *adv* **1** ylhäisesti *nobly born* ylhäissyntyinen **2** ylevästi, jalosti **3** rohkeasti, urheasti **4** komeasti

nobody [noubədi noubɑdi] *s* mitätön/tuntematon henkilö *he is a nobody in artistic circles* hän ei ole minkäänlainen nimi taiteilijapiireissä *pron* ei kukaan *nobody cares about it* kukaan ei välitä siitä *nobody else cares about it* kukaan muu ei välitä

siitä *nobody else but you* vain sinä, ei kukaan muu kuin sinä

nocturnal [nak'tɜːrnəl] *adj* yöllinen, öinen, yö- *nocturnal animals* yöeläimet *nocturnal visit* yöllinen/öinen retki/käynti

1 nod [nad] *s* nyökkäys *he gave me a nod* hän nyökkäsi minulle *the board gave us a nod* (kuv) johtokunta näytti meille vihreää valoa

2 nod *v* nyökätä (päätään); (pää) nuokkua

nod off *v* nukahtaa, torkahtaa (istualleen)

no-iron [nou'aɪərn] *adj* (vaate) siliävä, jota ei tarvitse silittää

noise [nɔɪz] *s* **1** melu, meteli, hälinä **2** ääni **3** (äänentoistossa) kohina

noiseless *adj* äänetön, hiljainen

noisome [nɔɪsəm] *adj* **1** (haju) löyhkäävä, kuvottava **2** myrkyllinen, vahingollinen

noisy *adj* meluisa, äänekäs, kovaääninen

nomad [noumæd] *s* **1** paimentolainen **2** maankiertäjä, irtolainen

nomadic [nou'mædɪk] *adj* **1** paimentolais- **2** irtolais-

nominal [namənəl] *adj* nimellinen *a nominal sum of money* nimellinen rahasumma *nominal value* nimellisarvo *the nominal ruler of the country* maan nimellinen/näennäinen hallitsija

nominate ['namə,neɪt] *v* **1** nimittää (virkaan tms) **2** nimetä virkaan tms, ehdottaa nimitettäväksi

nomination [namə'neɪʃən] *s* nimitys, virkanimitys, nimittäminen

nominative [namɪnətɪv] *s* (kieliopissa) nominatiivi

nominee [namə'ni] *s* ehdokas

nonagenarian [nanədʒə'neriən] *s, adj* 90–99-vuotias

nonaggression [nanə'greʃən] *s* hyökkäämättömyys *nonaggression pact* hyökkäämättömyyssopimus

nonaligned [nanə'laɪnd] *s, adj* (ihminen, maa) sitoutumaton

nonce [nans] *for the nonce* tilapäisesti, toistaiseksi

nonchalance [nantʃə'lans] *s* välinpitämättömyys, viileys, tyyneys

nonchalant [,nant∫ə'lant] *adj* välinpitämätön, viileä, tyyni

noncommittal [,nankə'mitəl] *adj* epämääräinen, välttelevä, varovainen

noncompliance [,nankəm'plaiəns] *s* sopimuksen rikkominen, säännöistä poikkeaminen

noncompliant *adj* sopimusta rikkova, säännöistä poikkeava

nonconformist [,nankən'fɔːmist] *s* **1** (kirkkohistoriassa) nonkonformisti **2** (yl) toisinajattelija, nonkonformisti

nonconformity [,nankən'fɔːməti] *s* **1** tavoista, säännöistä tms poikkeaminen **2** poikkeama

nondegradable [,nandə'greidəbəl] *s* (luonnossa) hajoamaton jäte/aine *adj* hajoamaton

nondescript [,nandəs'kript] *adj* huomaamaton, vähäpätöinen, tavallinen, (väri, maku) epämääräinen

nondrinker [nan'drinkər] *s* raitis ihminen

none [nʌn] *pron* ei kukaan, ei yksikään, ei mikään *none of us wants to eat now* kukaan meistä ei halua syödä nyt *do you have any ideas? – none* onko sinulla ehdotuksia? – ei (yhtään) *it's none of you business* se ei kuulu sinulle *adv* ei yhtään *he arrived none too soon* hän ei saapunut yhtään liian aikaisin, hän saapui viime tingassa

nonentity [nan'entəti] *s* tuntematon suure: *that writer is a nonentity on the West Coast* kirjailija on länsirannikolla täysin/ lähes tuntematon

nonesuch ['nʌn,sʌt∫] *s* verraton (ihminen, esine); joka on vertaansa vailla

nonetheless [,nanðə'les] *adv* silti, sitä huolimatta, kuitenkin

nonfat ['nan,fæt] *adj* rasvaton

nonfiction [nan'fik∫ən] *s* tietokirjallisuus, ei-sepitteinen kirjallisuus

nonfictional [nanfik∫ənl] *adj* asiakirjallisuuden, asia-, ei-sepitteinen

nongrammatical [,nangrə'mætikəl] *adj* epäkieliopillinen

nonhero [nan'hirəʊ] *s* antisankari

nonhuman [nan'hjumən] *adj* **1** ei-inhimillinen tunteeton, kylmä, epäinhimillinen

nonjudgmental [,nandʒʌdʒ'mentəl] *adj* ei tuomitseva, suvaitsevainen

nonpartisan [nan'partisən] *adj* **1** puolueeton **2** puolueisiin kuulumaton, sitoutumaton

nonpayment [nan'peimənt] *s* laskun maksamatta jättäminen

nonperishable [nan'peri∫əbəl] *adj* (ruoka) pilaantumaton

nonplus [nan'plʌs] *v* ällistyttää, tyrmistyttää

nonprofit [nan'prafit] *adj* ei-kaupallinen, (joskus:) hyväntekeväisyys-

nonrecurring [,nanri'kərin] *adj* (menoera) kertaluontoinen, ei uusiutuva

nonresident [nan'rezidənt] *s* vieraspaikkakuntalainen, ulkopaikkakuntalainen, ei vakiainen asukas *adj* vieraspaikkakuntalainen, ulkopaikkakuntalainen

nonsense ['nan,sens] *s* **1** hölynpöly, roskapuhe **2** tyhjänpäiväisyydet, älyttömyydet **3** hyvättömyys **4** älyttömyys

nonsensical [nan'sensikəl] *adj* älytön, järjetön, tyhjänpäiväinen

non sequitur [nan'sekwitər] *s* epälooginen päätelmä; asiasta poikkeava huomautus

nonsexist [nan'seksist] *adj* sukupuolisesti tasa-arvoinen; joka ei syrji naisia; joka ei pidä yllä sukupuolten eriarvoisuutta

non-smoking [nan'sməʊkiŋ] *adj* savuton *a non-smoking restaurant* savuton ravintola

nonstandard [nan'stændəd] *adj* yleiskielestä/kirjakielestä poikkeava

nonstop [nan'stap] *s* väliaskuton lento *adj* **1** (lento) välilaskuton, (linja-autovuoro) pika- **2** yhtäjaksoinen, jatkuva *adv* **1** (lentää) välilaskutta, (ajaa) pysähtymättä **2** yhtäjaksoisesti, tauotta, jatkuvasti

nonunion [nan'junjən] *adj* (työntekijä) järjestäytymätön, (yritys) jonka työntekijät eivät ole järjestäytyneet

nonunion shop *s* yritys jonka työntekijät eivät ole järjestäytyneet (ammatillisesti)

nonworking [nan'wərkiŋ] *adj* **1** joka ei käy työssä (kodin ulkopuolella) *nonworking mothers* kotiäidit **2** vapaa-ajan

noodle [nudəl] *s* nauhamakaroni

nook [nʊk] *s* nurkka *we searched every nook and corner* me etsimme joka paikasta, pengoimme joka nurkan

nookie [nʊki] (ark) *get some nookie* saada, päästä (naisen kanssa) yhdyntään

noon [nun] *s* keskipäivä, kello kaksitoista

noonday ['nun,deɪ] *s* keskipäivä *adj* keskipäiväin

no one ['noʊ,wʌn] *pron* ei kukaan

noontide ['nun,taɪd] *s* **1** keskipäivä **2** (kuv) huipentuma, huippu, kohokohta

nor [nɔr] *konj* eikä *neither you nor I* et sinä enkä minä *she does not know it and neither do I* hän ei tiedä sitä enkä tiedä minäkään

Nordic [nɔrdɪk] *s* pohjoismaalainen *adj* pohjoismaalainen, pohjoismainen

norm [nɔrm] *s* normi, sääntö, ohje, malli

normal [nɔrməl] *s* normaali, normaaliarvo, keskiarvo *the temperature has been above/below normal* lämpötila on ollut tavallista/keskimääräistä/normaalia korkeampi/alempi *adj* normaali, tavallinen

normalcy [nɔrməlsi] *s* normaalius *to return back to normalcy* palautua entiselleen, normaalistua

normality [nɔrmæləti] *s* normaalius

normalize [nɔrməˌlaɪz] *v* normaalistaa, normalisoida, normaalistua, normalisoitua, palauttaa/palautua entiselleen/normaaliksi

Norman *s* **1** normanni **2** normandialainen *adj* **1** normannien, normanni- **2** normandialainen, Normandian

Norse [nɔrs] *s* **1** normanni, viikinki **2** muinaisnorja(n kieli) *adj* muinaisnorjalainen

Norseman [nɔrsmən] *s* (mon Norsemen) normanni, viikinki

north [nɔrθ] *s* **1** (ilmansuunta) pohjoinen **2** (alue) pohjoinen, pohjoisseutu **3** *North* Yhdysvaltain (sisällissodan) pohjoisvaltiot *adj* pohjoinen, pohjois- *adv* pohjoisessa, pohjoiseen

northeast [nɔrθist] *s* koillinen *adj* koillinen, koillis- *adv* koilliseen, koilliseen

northeasterly [nɔrθistərli] *adj*, *adv* koillisessa, koilliseen, koillisesta, koilliseen

northerly [nɔrðərli] *s* pohjoistuuli *adj* pohjoinen, pohjois-

northern [nɔrðərn] *adj* pohjoinen, pohjois-

northernmost [nɔrðərn,moʊst] *adj* pohjoisin

Northman [nɔrθmən] *s* (mon Northmen) normanni, viikinki

North Pole [nɔrθ'poʊl] *s* pohjoisnapa

northward [nɔrθwərd] *adj* pohjoinen, pohjoissuuntainen *adv* pohjoiseen

northwest [nɔrθwest] *s* luode *adj* luoteinen, luoteis- *adv* luoteessa, luoteeseen

northwesterly [nɔrθwestərli] *adj*, *adv* luoteessa, luoteesta, luoteeseen, luoteis-

1 nose [noʊz] *s* **1** nenä *don't stick your nose in other people's business* älä pistä nenääsi toisten asioihin *to follow your nose* kulkea suoraan eteenpäin; noudattaa vaistojaan *to keep your nose clean* olla ihmisiksi; pysytellä kaidalla tiellä **2** hajuaisti **3** (lentokoneen) nokka, (laivan) keula

2 nose *v* haistaa

nosebleed [noʊz,blid] *s* nenän verenvuoto

nose out *v* **1** päihittää, voittaa (täpärästi) **2** nuuskia/saada selville

no-show [noʊʃoʊ] *s* no-show, koneeseen saapumatta jäänyt lentomatkustaja

nostalgia [nəs'taldʒə] *s* nostalgia, kaipuu, kaiho, koti-ikävä

nostalgic [nəs'taldʒɪk] *adj* nostalginen, kaihoisa

nostril [nɑstrəl] *s* sierain

nosy [noʊzi] *adj* liian utelias, tungetteleva

not [nɑt] *adv* ei *the box is not empty* laatikko ei ole tyhjä *not any longer* ei enää *it's not at all expensive* se ei ole alkuunkaan kallis *he is clever, is he not?* eikö hän olekin nokkela?

notable [noʊtəbəl] *s* huomattava henkilö *adj* **1** huomionarvoinen, merkittävä **2** kuuluisa

notably *adv* erityisen; erityisesti, etenkin

notarize [noʊtə,raɪz] *v* vahvistaa notaarilla

notary [noʊtəri] *s* notaari

notation [noʊteɪʃən] *s* **1** merkintätapa, merkintäjärjestelmä, notaatio *musical notation* nuottikirjoitus **2** muistiinpano

1 notch [nɑtʃ] *s* lovi, pykälä *this one's a notch better than the others* tämä on muita pykälän/astetta parempi

2 notch *v* loveta, tehdä lovi/pykälä johonkin

1 note [noʊt] *s* **1** huomautus *footnote* alaviite, alahuomautus **2** muistiinpano **3** huomio *to take note of something* huomata jotakin, panna jotakin merkille; ottaa jotakin huomioon **4** (mus) nuotti **5** sävy, vivahde *pl* I *detect a note of sarcasm in your voice?* et kai sinä ole nyt hieman ivallinen? **6** (UK) seteli

2 note v huomata, panna merkille; ottaa huomioon

notebook ['nout,buk] s **1** muistivihko, vihko, lehtiö **2** (tietokone) muistikirjamikro

noted [noutəd] adj merkittävä, huomattava, tunnettu

notepad ['nout,pæd] s muistilehtiö, lehtiö

noteworthy ['nout,wɜːði] adj huomionarvoinen, huomattava, merkittävä

1 nothing [nʌθiŋ] s **1** nolla **2** vätys, mitätön /kelvoton ihminen/esine, joku tai jokin josta ei ole mihinkään

2 nothing s, adv, pron **1** ei mitään *he gave nothing to me* hän ei antanut minulle mitään *it means nothing* sillä ei ole mitään merkitystä, se ei merkitse mitään *nothing could be further from the truth* väite on täysin peräton *he does nothing but work* hän tekee lakkaamatta työtä *she made nothing of it* hän ei ollut siitä millänsäkään, hän ei pannut sitä pahakseen *she could make nothing of it* hän ei ymmärtänyt siitä mitään, hän ei tullut siitä hullua hurskaammaksi *it was an accident, nothing more, nothing less* se oli pelkkä vahinko, siinä kaikki **2** *to get something for nothing* saada jotakin ilmaiseksi **3** *in nothing flat* alta aikayksikön, heti paikalla

nothing but *that's nothing but a lie* se on silkkaa valhetta *there was nothing but junk there* siellä ei ollut kuin roinaa

nothing less than *it's nothing less than great* se on kerta kaikkiaan loistava *that was nothing less than a barb* se oli selvää piikittelyä

nothingness s **1** tyhjyys; äänettömyys; olemattomuus **2** mitättömyys, merkityksettömyys, tyhjyys

nothing short of *your letter was nothing short of depressing* kirjeesi oli kerrassaan masentavaa luettavaa

1 notice [noutəs] s **1** ilmoitus, tiedotus, varoitus, julistus **2** irtisanominen, irtisanoutuminen *he gave notice* hän sanoi itsensä irti **3** huomio *to take notice of something*

huomata jotakin, panna jotakin merkille **4** kritiikki, arvostelu

2 notice v huomata, panna merkille

noticeable adj huomattava, jonka voi huomata, näkyvä, tuntuva, selvä *the increase was hardly noticeable* kasvua/nousua tuskin huomasi

notification [,noutifiˈkeiʃən] s (virallinen) ilmoitus

notify ['nouti,fai] v ilmoittaa jollekulle jotakin

notion [nəʊʃən] s **1** käsitys, yleiskäsitys **2** käsitys, mielipide **3** halu, päähänpisto, päähänpinttymä

notoriety [,noutəˈraiəti] s pahamaineisuus, paha/huono maine

notorious [nəˈtɔːriəs] adj **1** pahamaineinen **2** kuuluisa jostakin (for)

notwithstanding [,nʌtwiθ'stændiŋ] prep, konj (jostakin) huolimatta adv kuitenkin

nougat [nuːgət] s nugaa

nought [nɔːt] s nolla

noun [naun] s (kielioppissa) substantiivi

nourish [nʌriʃ] v **1** ravita, ruokkia (myös kuv) **2** elätellä toivoa jostakin, haaveilla jostakin

nourishment s ravinto

nouveau riche [nuːˌvouˈriːʃ] s (ranskasta, mon nouveaux riches) äkkirikastunut (ihminen)

novel [nɔvəl] s romaani adj uusi, uudenlainen *that's a novel idea* se onkin tuore ajatus

novelist [nɔvəlist] s romaanikirjailija

novella [nəˈvelə] s novella, pitkä novelli, pienoisromaani

novelty [nɔvəlti] s **1** uutuudenviehätys **2** uutuus, uusi asia/tavara **3** (kauppatavarana) pikkurihkama; lahjatavara

November [no'vembər] s marraskuu

novice [nɔvəs] s **1** noviisi, munkkikokelas, nunnakokelas **2** aloittelija, uusi tulokas, vasta-alkaja

now [nau] adv nyt *it's now or never* nyt tai ei koskaan *I met Wendy just now* tapasin Wendyn (juuri) äsken *let's leave it for now* jätetään se toistaiseksi, annetaan sen toistaiseksi olla *up until now* tähän saakka, tähän asti, tähän mennessä konj *now that you know what it's like, do you want to* *continue?* haluatko vielä jatkaa kun tiedät millaista se on?

nowadays ['nauə,deɪz] *adv* nykyisin, nykyään

no way *fr* (ark) ei ikinä!, ei missään nimessä!

nowhere ['nou,weər] *adv* ei missään, ei mihinkään *she was nowhere to be seen* häntä ei näkynyt missään *you're going nowhere, buster* sinä et kuule luiki mihinkään *Larry is getting nowhere in his work* Larry ei pääse työssään eteenpäin/puusta pitkään

noxious [nak∫əs] *adj* vahingollinen

nozzle [nazəl] *s* suutin, nukka

nth [enθ] *to the nth degree* äärimmäisen, erittäin

nuance [nʊans] *s* vivahde, vivahdus, nyanssi

nuclear [nukliər] *adj* ydin-

nuclear energy *s* ydinenergia

nuclear family *s* ydinperhe

nuclear fission *s* fissio, atomiytimen halkeaminen

nuclear power *s* ydinvoima

nuclear power plant *s* ydinvoimala

nuclear radiation *s* ydinsäteily

nuclear reactor *s* ydinreaktori

nuclear war *s* ydinsota

nuclear warhead *s* ydinkärki

nuclear waste *s* ydinjäte

nucleus [nukliəs] *s* (mon nuclei) **1** (atomin) ydin (myös kuv) **2** (biol) tuma

nude [nud] *s* **1** (taideteos) alastonkuva **2** *in the nude* alasti, vaatteita **3** ruskeanharmaa väri *adj* **1** alaston, paljas **2** ruskeanharmaa

1 nudge [nadʒ] *s* **1** tönäisy, sysäys **2** piinaaja; nalkuttaja

2 nudge *v* **1** tönäistä, sysäistä, sysätä **2** piinata, vaivata **3** nalkuttaa

nudism [nudɪzəm] *s* nudismi

nudist [nudɪst] *s, adj* nudisti(-)

nudity [nudti] *s* alastomuus

nugget [nʌɡət] *s* **1** kimpale, möykky, paakku **2** kultakimpale **3** broileripala

nuisance [nusəns] *s* kiusankappale, kiusa, harmi, riesa

1 nuke [nuk] *s* (ark) **1** ydinpommi **2** ydinvoimala

2 nuke *v* (ark) **1** hävittää ydinaseilla, pommittaa ydinaseilla *nuke 'em back to the Stone Age* pommittaa heidän maansa ta-

kaisin kivikauteen **2** kuumentaa mikroaaltouunissa *could you nuke this for about 30 seconds, it's cold?* voisitko lämmittää tätä mikrossa kolmisenkymmentä sekuntia, koska se on kylmä?

nullify [nʌlə,faɪ] *v* mitätöidä (sopimus)

numb [nʌm] *adj* **1** puutunut, tunnoton **2** (kuv) tunteeton, välinpitämätön **3** (kuv) lamaantunut *to be numb with grief* olla kauhun lamaannuttama, olla lamaantunut kauhusta *v* **1** puuduttaa, tehdä tunnottomaksi **2** (kuv) lamaannuttaa

1 number [nʌmbər] *s* **1** numero (eri merk:) luku, puhelinnumero, lehden numero, talon numero **2** määrä, lukumäärä *a number of people have asked me to resign* muutama henkilö on pyytänyt minua eroamaan **2** esitys, numero **4** (kielioppilinen) luku

2 number *v* **1** numeroida **2** laskea *your days in this company are numbered* sinun päiväsi tässä firmassa ovat luetut **3** lukea/lukeutua johonkin kuuluvaksi *I don't number him among my friends* en lue häntä ystäviini, en pidä häntä ystävänäni **4** olla the *audience numbered several hundred* yleisöä oli useita satoja

number one *s* **1** minä (itse) **2** ykkönen, paras **3** (ark) pieni tarve, pissahätä

number sign *s* ristikkomerkki (#)

number two *s* (ark) iso hätä

numbness *s* **1** tunnottomuus **2** (kuv) tunteettomuus, välinpitämättömyys, kovasydämisyys

numeral [numərəl] *s* lukusana

numerate ['numə,reɪt] *adj* laskutaitoinen

numerical [nu'merɪkəl] *adj* numeerinen, numero-

numerous [numərəs] *adj* lukuisa, runsaslukuinen *there are numerous reasons why you should sell your car* on monta syytä miksi sinun kannattaa myydä autosi *a numerous audience* suuri kuulijakunta

nun [nʌn] *s* nunna

nuptial [nʌp∫əl] *adj* hää-

nuptials [nʌp∫əlz] *s* (mon) häät

1 nurse [nərs] *s* **1** sairaanhoitaja(tar) *male nurse* (mies)sairaanhoitaja **2** lastenhoitaja **3** imettäjä

2 nurse v **1** hoivata, hoitaa **2** yrittää parantua jostakin *he's nursing the flu* hän yrittää parantua flunssasta **3** imettää (lasta); (lapsi) imeä rintaa **4** hautoa mielessään *to nurse a grudge* kantaa kaunaa **5** säästellä ryyppyjään *he sat there nursing his drink*

nursemaid ['nɔrs,meɪd] s lastenhoitaja

nursery [nɔrʃri nɔrsri] s **1** lastenhuone (myös sairaalan synnytysosastolla) **2** lastentarha, päiväkoti **3** taimitarha **4** (kuv) kasvualusta

nursery bottle s tuttipullo

nursery rhyme s lastenloru

nursery school s lastentarha

nursing home s vanhainkoti; sairaskoti

1 nurture [nɔrtʃər] s kasvatus; koulutus; opetus *nature or nurture?* perimä vai ympäristö?

2 nurture v **1** huolehtia jostakusta, elättää jotakuta **2** tukea (nuorta taiteilijaa tms)

nut [nʌt] s **1** pähkinä *that problem is a tough nut to crack* ongelma on kova pähkinä purtavaksi **2** mutteri *nut and bolt* ruuvi ja mutteri **3** (sl) pää **4** (sl) innokas harrastaja *he's a hifi nut* hän on hifihullu **5** (sl; mon) kivekset, munat

nutcracker ['nʌt,kræker] s pähkinänsärkijä, pähkinäsakset

nutmeg ['nʌt,meg] s muskotti

nutraceutical [nutrə'sutəkəl] s terveysruoka

nutrient [nutriənt] s ravinne, ravintoaine *adj* ravitseva

nutrition [nu'trɪʃən] s **1** ravitsemus **2** ravitsemustiede **3** ravinto, ravinne

nutritionist s ravitsemusterapeutti

nutritious [nutriʃəs] *adj* ravitseva

nuts *adj* (sl) **1** hullu, tärähtänyt **2** *nuts about something/someone* olla hulluna johonkin/johonkuhun

nutshell ['nʌt,ʃel] s **1** pähkinänkuori **2** *in a nutshell* (kuv) pähkinänkuoressa, lyhyesti

nutty *adj* (sl) **1** hullu, tärähtänyt **2** *nutty about something* hulluna johonkin

1 nuzzle [nʌzəl] s halaus, helliminen

2 nuzzle v **1** kaivautua maahan tms **2** kaivaa kärsällään/kuonollaan maata **3** painautua/käpertyä hellästi/pehmeästi jotakuta/jotakin vasten

nylon [naɪlən] s nailon

nymph [nɪmf] s nymfi

nymphomania [,nɪmfoʊ'meɪnɪə] s nymfomania

nymphomaniac [,nɪmfoʊ'meɪnɪæk] s nymfomaani *adj* nymfomaaninen

O, o

O, o [oʊ] O, o

o [oʊ] s nolla

oak [oʊk] s tammi

1 oar [ɔr] s airo *to put in your oars* sekaantua/puuttua johonkin

2 oar v soutaa

oarlock ['ɔr,lɑk] s hankain

oarsman [ɔrzmən] s (mon oarsmen) (kilpa)soutaja

oasis [oʊ'eɪsəs] s (mon oases) keidas (myös kuv)

oat [oʊt] s **1** kaura **2** (mon) kauraryynit

oath [oʊθ] s **1** vala *to make/take an oath* vannoa vala **2** kirosana, kirous

oatmeal ['oʊt,miəl] s **1** kauraryynit, kaurahiutaleet **2** kaurapuuro

obedience [oʊ'bidiəns] s **1** tottelevaisuus, kuuliaisuus **2** (kuriin) alistuminen

obedient [oʊ'bidiənt] *adj* tottelevainen, kuuliainen, uskollinen, kiltti

obeisance [oʊ'beɪsəns] s **1** kumarrus; niiaus **2** kunnioitus; kunnianosoitus

obelisk ['oʊbəlɪsk] s obeliski

obese [oʊ'bis] *adj* (erittäin) lihava

obeseness s lihavuus

obesity [oʊ'bisəti] s lihavuus

obey [oʊ'beɪ] v totella

obituary [oʊ'bɪtʃʊˌeri] s muistokirjoitus, kuolinilmoitus

object 946

object [abd₃əkt] *s* **1** esine, kohde *that ob-scure object of desire* tuo intohimon hä-märä kohde **2** päämäärä, tavoite *the object of this exercise* tämän harjoituksen tavoite **3** este *money is no object* rahalla/hinnalla ei ole väliä **4** (kieliopissa) objekti

object [əb'd₃ekt] *v* vastustaa jotakin, olla jotakin vastaan, ei hyväksyä *he objected to her language* hän ei hyväksynyt naisen kielenkäyttöä

objection [əb'd₃ek∫ən] *s* **1** vastaväite, vasta-lause **2** inho, vastenmielisyys, vastahakoi-suus

objectionable *adv* loukkaava, häiritsevä, pa-hennusta herättävä, vastenmielinen *I find your behavior objectionable* en voi hyväk-syä käytöstäsi

objective [əb'd₃ektıv] *s* tavoite, päämäärä, kohde *adj* objektiivinen, asiallinen, puolu-eeton

objectively *adv* objektiivisesti, asiallisesti, puolueettomasti

objectivity [ˌabd₃ek'tıvəti] *s* puolueettomuus, asiallisuus, objektiivisuus

obligation [ˌablı'geı∫ən] *s* velvollisuus, sitou-mus, (lak) velvoite *you're under no obli-gation to buy that gadget* sinun ei suinkaan tarvitse ostaa sitä vempainta

obligatory [ə'blıgə,tɔri] *adj* pakollinen, si-tova

oblige [ə'blaıd₃] *v* **1** velvoittaa tekemään jo-takin **2** saattaa kiitollisuudenvelkaan *I'm much obliged for your help* olen hyvin kii-tollinen avustasi **3** tehdä jollekulle mie-liksi

obliging *adj* avulias, ystävällinen

oblique [ə'blik, oʊ'blik] *adj* **1** vino, viisto **2** epäsuora, vihjaileva, kiero, karsas, epä-suopea

obliquely *adv* **1** vinosti, viistosti **2** epäsuo-rasti, vihjaillen, kierosti, (katsoa) kieroon, karsaasti, epäsuopeasti

obliqueness *s* **1** kaltevuus **2** kierous

obliterate [ə'blıtə,reıt] *v* **1** pyyhkiä pois **2** hä-vittää, tuhota

obliteration [ə,blıtə'reı∫ən] *s* **1** pois pyyhki-minen **2** hävitys, hävittäminen, tuho, tuho-aminen

oblivion [ə'blıvıən] *s* unhola, unohdus *many rock groups have fallen into oblivion* moni rockyhtye on jäänyt unholaan/unohdettu kokonaan

oblivious [ə'blıvıəs] *to be oblivious of/to something* ei huomata jotakin, ei piitata jostakin, ei ottaa jotakin huomioon

obliviously *adv* välinpitämättömästi, jostakin piittaamatta

obliviousness *s* välinpitämättömyys, piittaa-mattomuus

oblong ['ab,lɔŋ] *s* suorakaide *adj* suorakai-teen muotoinen

obnoxious [əb'nak∫əs] *adj* loukkaava, häirit-sevä, vastenmielinen, tympeä

oboe [oʊboʊ] *s* oboe

oboist [oʊboʊıst] *s* oboisti

obscene [əb'sin] *adj* rivo, rietas, irstas, sivee-tön, ruokoton, paksu (ark kuv)

obscenity [əb'senəti] *s* rivous, riettaus, irs-taus, siveettömyys, ruokottomuus *that movie has a lot of obscenity* siinä eloku-vassa kiroillaan paljon

1 obscure [əb'skjʊər, əb'skjɔr] *adj* **1** hämärä, epäselvä, sumea **2** tuntematon, nimetön

2 obscure *v* **1** peittää (näkyvistä) *that build-ing obscures the ocean from our view* tuo rakennus peittää meren näkyvistä **2** sekoit-taa, sotkea, hämmentää, hämärtää

obscurely *adv* hämärästi, epäselvästi, sume-asti

obscurity [əb'skjʊrəti] *s* **1** pimeys, hämäryys, synkkyys **2** (ajatusten, esityksen) epäsel-vyys, sekavuus, hämäryys **3** *to live in ob-scurity* elää syrjässä/hiljaisuudessa *to res-cue someone from obscurity* pelastaa joku unohduksista/unholasta

observance [əb'zərvəns] *s* **1** lainkuuliaisuus, lain/määräysten **2** uskonnollisten tapojen noudattaminen, sunnuntain/sapatin pyhit-täminen

observant [əb'zərvənt] *adj* **1** valpas, tarkkaa-vainen **2** lainkuuliainen, jotakin noudat-tava

observantly *adv* valppaasti, valppaana, tark-kaavaisesti

observation [ˌabsər'veı∫ən] *s* tarkkailu, seu-ranta, valvonta *to keep someone under ob-*

servation tarkkailla jotakuta, pitää jotakuta silmällä **2** säätöjen noudattaminen, sunnuntain/sapatin pyhittäminen **3** huomautus, huomio

observatory [əb'zɜːvətɔːri] *s* observatorio

observe [əb'zɜːv] *v* **1** tarkkailla, seurata, valvoa, katsella **2** huomata, panna merkille **3** noudattaa (sääntöjä, lakia) **4** pyhittää (sunnuntai, sapatti) **5** juhlia (syntymäpäivää, juhlapäivää) **6** huomauttaa, sanoa

observer *s* tarkkailija, valvoja, seuraaja *I went to the conference as an observer, not a participant* menin kokoukseen tarkkailijana enkä varsinaisena osanottajana

obsess [əb'ses] *v* **1** riivata *to be obsessed by/with something* olla jonkin riivaama; (kuv) olla hulluna johonkin, olla täynnä jotakin **2** (ark) puhua/ajatella pakkomielteisesti jostakin/jotakin *will you stop obsessing over it!* lakkaa hössöttämästä

obsession [əb'seʃən] *s* pakkomielle, pakkoajatus, obsessio *politics has become an obsession with him* politiikasta on tullut hänelle pakkomielle

obsessive [əb'sesiv] *s* obsessiivinen ihminen *adj* pakonomainen, pakko-, obsessiivinen; kohtuuton, liiallinen

obsessively *adv* pakonomaisesti, kuin riivattu, kohtuuttomasti, liiallisesti

obsolescence [,ɒbsə'lesəns] *s* (vanhanaikaiseksi jääminen) vanheneminen

obsolescent [,ɒbsə'lesənt] *adj* joka on vanhenemassa; joka on jäämässä vanhanaikaiseksi

obsolete [,ɒbsə'liːt] *v* syrjäyttää, tehdä tarpeettomaksi; tehdä vanhanaikaiseksi *adj* vanhentunut, vanhanaikainen

obstacle [ɒbstəkəl] *s* este (myös kuv), vastoinkäyminen

obstetrical [ɒb'stetrikəl] *adj* **1** synnytys- **2** synnytysopin, synnytysopillinen

obstetrician [,ɒbstə'trɪʃən] *s* synnytyslääkäri

obstetrics [əb'stetrɪks] *s* (verbi yksikössä) synnytysoppi

obstinacy [ɒbstənəsi] *s* **1** jääräpäisyys, härkäpäisyys, omapäisyys **2** sinnikkyys, sitkeys

obstinate [ɒbstənət] *adj* **1** jääräpäinen, härkäpäinen, omapäinen **2** sinnikäs, sitkeä, hellittämätön

obstruct [əb'strʌkt] *v* **1** tukkia, sulkea **2** keskeyttää, pysähdyttää, estää **3** peittää näkyvistä **4** (pol) jarruttaa (parlamentin toimintaa tms)

obstruction [əb'strʌkʃən] *s* **1** tukkeuma, este, kulkueste; näköeste; kulkueste; keskeytys *this is obstruction of justice* tämä on oikeuden toiminnan häirintää **2** (pol) jarrutus

obtain [əb'teɪn] *v* hankkia, saada

obtainable *adj* joka on saatavissa

obtuse [əb'tuːs] *adj* tylsä (myös kuv:) tyhmä, (kulma ym) tylppä

obtuseness *s* tyhmyys; tylsyys, tylppyys

obvious [əbviəs] *adj* ilmeinen, ilmiselvä, silmin nähtävä, itsestään selvä, läpinäkyvä (kuv)

obviously *adv* selvästi, selvästikin, ilmiselvästi, silminnähtävästi, läpinäkyvästi (kuv) *obviously, you're wrong* on selvää että olet väärässä, olet selvästikin väärässä

obviousness *s* ilmeisyys, selvyys; läpinäkyvyys (kuv)

1 occasion [ə'keɪʒən] *s* **1** hetki, kerta *on several occasions* useita kertoja, usein **2** juhla, tilaisuus *on the occasion of your 70th birthday, we congratulate you warmly* onnittelemme sinua lämpimästi 70-vuotispäiväsi johdosta **3** tilaisuus *this is a suitable occasion to take a vacation* nyt on sopiva hetki pitää loma *to rise to the occasion* nousta tilanteen tasalle, selvitä jostakin **4** syy; tarve *you had no occasion to lie* sinulla ei ollut syytä/tarvetta valehdella

2 occasion *v* antaa aihetta johonkin, tehdä tarpeelliseksi/aiheelliseksi

occasional [ə'keɪʒənəl] *adj* **1** satunnainen, silloin tällöin tapahtuva/esiintyvä **2** tilapäinen, ylimääräinen **3** tiettyä tilaisuutta varten tehty, varta vasten tehty

occasionally [ə'keɪʒnəli] *adv* silloin tällöin, toisinaan *very occasionally* hyvin harvoin

Occident [ɒksɪdənt] *s* länsimaat

occupant 948

occupant [akjəpənt] *s* (talon) asukas, (auton) matkustaja, (viran) haltija

occupation [ˌakjəˈpeɪʃən] *s* **1** ammatti **2** virkakausi **3** puuha, tekeminen **4** (sot) miehitys

occupational *adj* **1** ammatti-; ammatinvalinta **2** miehitys-

occupier [ˈakjəˌpaɪər] *s* (talon) asukas, (viran) haltija

occupy [ˈakjəˌpaɪ] *v* **1** viettää/kuluttaa aikaa, järjestää tekemistä itselleen/jollekulle *I can't come to the phone now, I'm occupied* en voi tulla nyt puhelimeen, minulla on muuta tekemistä *Larry, please keep the kids occupied until we leave* Larry, yritä keksiä lapsille jotakin tekemistä siihen saakka kunnes lähdemme **2** olla jollakin paikalla, olla jossakin virassa, asua jossakin talossa/huoneessa, istua jollakin paikalla **3** (sot) miehittää

occur [əˈkər] *v* **1** tapahtua **2** (tauti, malmi ym) esiintyä, olla, jotakin tavataan jossakin **3** tulla mieleen, pälkähtää päähän *it occurred to him that he had not eaten all day* hän muisti yhtäkkiä ettei hän ollut syönyt koko päivänä

occurrence [əˈkərəns] *s* **1** tapahtuma **2** (taudin, malmin ym) esiintyminen

ocean [ˈoʊʃən] *s* **1** valtameri **2** (kuv) meri, valtava joukko/määrä

oceanfront [ˈoʊʃənˌfrʌnt] *s, adj* merenranta(-)

oceangoing [ˈoʊʃənˌɡoʊɪŋ] *adj* valtameri-, avomeri-, meri-

oceanic [ˌoʊʃiˈænɪk] *adj* **1** valtameren, meren, meri- **2** (kuv) valtaisa, suunnaton

oceanographer [ˌoʊʃəˈnɑɡrəfər] *s* merentutkija

oceanography [ˌoʊʃəˈnɑɡrəfi] *s* merentutkimus

o'clock [əˈklak] *adv* kello: *at eleven o'clock* kello yksitoista; (suunnasta) kello yhdessätoista

octagon [ˈaktəˌɡan] *s* kahdeksankulmio

octagonal [akˈtæɡənəl] *adj* kahdeksankulmainen

octane [akteɪn] *s* oktaani

octave [aktɪv] *s* oktaavi

October [akˈtoʊbər] *s* lokakuu

octogenarian [ˌaktədʒəˈneriən] *s, adj* 80–89-vuotias

octopus [aktəpəs] *s* (mon octopuses, octopi) kahdeksanlonkeroinen mustekala, tursas

ocular [akjələr] *s* okulaari *adj* silmä-, näkö-

odd [ad] *adj* **1** outo, erikoinen, eriskummallinen, kummallinen omituinen **2** (luku) pariton **3** ylimääräinen, pariton **4** satunnainen, tilapäinen *I've been doing some odd jobs lately* olen viime aikoina tehnyt vähän sitä sun tätä **5** (luvusanan jäljessä) noin *the tv set cost some five hundred-odd dollars* televisio maksoi viitisensataa dollaria

oddball [ˈad,bal] *s* (ark) outo lintu, outo ilmestys, harvinaisuus, tärähtänyt *adj* erikoinen, omalaatuinen, tärähtänyt

oddity [adəti] *s* **1** outous, omituisuus, erikoisuus **2** outo lintu, outo ilmestys, erikoisuus, harvinaisuus

oddly *adv* oudosti, oudon, erikoisesti, omituisesti, omituisen *it's an oddly interesting movie* se on oudolla tavalla mielenkiintoinen elokuva

oddment [admənt] *s* pariton kappale, ylimääräinen kappale

odds [adz] *s* (mon) **1** todennäköisyys, mahdollisuudet *the odds are against you winning* sinulla on huonot voiton mahdollisuudet **2** ero, ylivoima, etumatka *we fought against heavy odds* taistelimme voimakkaasta vastarinnasta huolimatta **3** riita, erimielisyys *Betty is at odds with Susan over the money* Betty on Susanin kanssa eri mieltä rahasta *a Chevrolet is by all odds a better car than a Ford, Neil said* Neil sanoi että Chevrolet on joka suhteessa parempi auto kuin Ford

ode [oʊd] *s* oodi

odor [oʊdər] *s* haju, tuoksu; hyvä tuoksu; paha haju

odorful *adj* haiseva, tuoksuva

odorless *adj* hajuton

odyssey [adəsi] *s* seikkailut, harharetket, odysseia

of [ʌv] *prep* **1** omistuksesta, kuulumisesta: *a picture of Joan* Joanin (Joania esittävä) kuva *a picture of Joan's* Joanin omistama tai ottama kuva *one of us* yksi meistä

2 suunnasta: *north of here* täältä pohjoiseen **3** laadusta, lajista: *a box of chocolates* suklaarasia *a house of three rooms* kolmen huoneen talo *the Republic of Finland* Suomen tasavalta **4** materiaalista: *a house of brick* tiilitalo **5** syystä: *he died of thirst* hän kuoli janoon *he was cured of cancer* hän parani syövästä **6** verbin yhteydessä: *he did not think of it* se ei tullut hänen mieleensä

of a size *these two are of a size* nämä ovat samankokoiset

1 off [af] *adj* **1** väärässä *you're badly off on those figures* numerotietosi ovat pahasti väärässä **2** runsaudesta, puutteesta: *to be well off* olla varakas/rahoissaan *he's badly off for time* hänellä on pulaa ajasta **3** peruutettu *the meeting is off* kokous on peruutettu **4** huono, kehno, surkea *this is one of my off days* tämä on yksi minun huonoja päiviäni **5** epätodennäköinen *I called her on the off chance that she might be at home* soitin hänelle siltä varalta että hän sattuisi olemaan kotona **6** hiljainen *these are off-season prices* nämä ovat hiljaisen kauden hintoja **7** etäinen, kaukaisempi (puoli); (ajoneuvon) oikea (puoli) *the off side of the building* rakennuksen toinen puoli **8** (osakehinnoista) laskenut, alempi **9** sammuttunut *turn the stereo off* sammuta stereot, katkaise stereoista virta

2 off *adv* **1** pois, irti *to come off* irrota *take your glasses off* riisu silmälasisi *the plane got off ground* lentokone nousi ilmaan **2** (ajasta ja tilasta) päässä *it was a long time off* se tapahtui kauan sitten *they live a few miles off* he asuvat muutaman mailin päässä **3** lähtemisestä: *off we go! nyt lähdetään!* **4** syrjässä, sivussa jostakin *take the dirt road off the highway* käänny päätieltä hiekkatielle **5** erosta: *sales are twenty percent off* myynti on laskenut 20 prosenttia

3 off *prep* **1** pois, irti *the dealer gave me three hundred dollars off the list price* myyjä antoi minulle listahinnasta kolmesataa dollaria alennusta *to come off balance* menettää tasapainonsa **2** erosta, etäisyydestä:

his house is a mile off the highway hänen talonsa on mailin päässä päätieltä *sales are way off target* myynti on pahasti jäljessä ennusteista **3** elatuksesta: *the farmer lives off the fat of the land* maanviljelijä elää kokonaan oman maansa tuotolla

offal [afəl] *s* **1** (teuraseläimen) sisälmykset **2** jäte

off and on [ˌafənˈan] *adv* silloin tällöin, satunnaisesti

offbeat [ˌafˈbit] *adj* epätavallinen, omaperäinen, erikoinen

offbrand [ˈafˌbrænd] *s* tuntematon tuotenimi *adj* (tuote) nimetön, tuntematon

offend [əˈfend] *v* loukata *offend the eye* loukata silmää *she was offended with him* han loukkaantui miehelle *offend the law* rikkoa lakia

offender *s* lainrikkoja, rikollinen

offending [əˈfendiŋ] *adj* loukkaava

offense [afens əˈfens] *s* **1** rikos, rikkomus, rike **2** loukkaus *an offense against common decency* loukkaus hyvää tapoja vastaan *to give offense* loukata jotakuta **3** (sot, urh) hyökkäys

offensive [əˈfensiv] *s* (sot, urh) hyökkäys *to take the offensive* hyökätä *adj* **1** loukkaava, vastenmielinen *an offensive smell* paha haju **2** hyökkäävä, hyökkäys-

offensiveness *s* loukkaavuus, vastenmielisyys

1 offer [afər] *s* **1** tarjous *make me an offer* tee tarjous *an offer of assistance* avuntarjous **2** (tal) myyntikurssi, myyntinoteeraus

2 offer *v* **1** tarjota, tarjoutua, (palkkio) luvata *she offered to help* hän tarjoutui auttamaan, hän lupasi auttaa **2** esittää, ehdottaa, antaa (neuvo) **3** uhrata (jumalalle tms)

offering *s* uhri, uhrilahja, kolehti

offhand [ˈafˈhænd] *adj* valmistelematon, puolihuolimaton, (vastaus myös) nopea *adv* valmistelematta, suoralta kädeltä, (vastata) nopeasti

office [afis] *s* **1** toimisto, konttori; työhuone, virkahuone **2** virka

office holder *s* virkamies, viranhaltija

office hours *s* **1** aukioloaika **2** (toimistotyöntekijän) työaika

officer *s* **1** (sot) upseeri **2** poliisi **3** virkamies, virkailija

official [ə'fɪʃəl] *s* virkamies, virkailija *adj* virallinen

officialese [ə,fɪʃə'liːz] *s* virastokieli, virkakieli, kapulakieli

officious [ə'fɪʃəs] *adj* virkaintoinen; tungetteleva

officiousness *s* virkainto; tungettelu, tungettelevaisuus

offing [afɪŋ] *to be in the offing* olla näköpiirissä

off-licence ['af,laɪsəns] *s* (UK) viinakauppa

off-peak [,af'piːk] *adj* sesonkiajan ulkopuolinen

off-road [,af'rəʊd] *adj* maasto-

off-season [,af'siːzən] *s* hiljainen kausi, sesongin ulkopuolinen kausi *adj* hiljaisen kauden, sesonkiajan ulkopuolinen

offset ['af,set] *s* **1** vastapaino, korvaus, tasoitus **2** alku, alkuvaihe **3** offsetpaino

offset [,af'set] *v* **1** kumota, korvata, tasoittaa, olla vastapainona jollekin **2** verrata

offshoot ['af,ʃuːt] *s* **1** verso **2** (kuv) *that idea was an offshoot of our last discussion* tuo ajatus versoi viime keskustelustamme

offshore [af'ʃɔːr] *adj* **1** rannikko-; meri- **2** ulkomainen, ulkomaan *adv* **1** rannikolla, rannikolle; meressä, mereen **2** ulkomailla, ulkomaille

offspring ['af,sprɪŋ] *s* **1** jälkeläinen, lapsi, (eläimen) poikanen **2** (kuv) tuote *the idea was an offspring of a fertile imagination* ajatus versoi vilkkaasta mielikuvituksesta, ajatus oli vilkkaan mielikuvituksen tuote

off the top of your head *fr* ulkomuistista, ulkoa, suoralta kädeltä, apteekin hyllyltä

off the track *I think you're off the track now* minusta sinä olet nyt eksynyt asiasta

off with *off with those stupid jokes* lopeta nuo tyhmät vitsit! *off with you* häivy siitä! *off with your clothes* riisuudu!

of no use *fr* **1** *the widget is of no use to us* vempaimesta ei ole meille mitään hyötyä **2** *it's no use telling him about it, he's not going to help us* siitä ei kannata kertoa hänelle, hän ei kuitenkaan auta meitä

often [afən] *adv* usein *she goes there often; she often goes there* hän käy siellä usein *she goes there every so often* hän käy siellä silloin tällöin

ogre [əʊgər] *s* **1** (saduissa ym) ihmissyöjä, hirviö, jättiläinen **2** (kuv) hirviö, peto, sortaja

1 oil [ɔɪl] *s* **1** öljy *to pour oil on water* tyynnyttää kiihtymystä, valaa öljyä aalloille **2** (maalaustaiteessa) öljyväri **3** (maalaustaiteessa) öljyvääritystyö **4** (ark) imartelu, makeilu

2 oil *v* **1** öljytä, rasvata **2** lahjoa

oil crisis *s* (mon oil crises) öljykriisi

oil field *s* öljykenttä

oil rig *s* öljynporaustorni, öljynporauslaitos

oil spill *s* öljyvuoto (veteen), öljyvahinko (veteen)

oil tanker *s* öljysäiliöalus, öljylaiva

oil well *s* öljylähde

oily *adj* öljyinen, rasvainen

ointment [ɔɪntmənt] *s* voide

1 OK [əʊkeɪ, oʊˈkeɪ] *s* lupa, hyväksyntä *the president gave his OK to the sending of troops* presidentti antoi luvan lähettää joukkoja

2 OK *v* antaa lupa, hyväksyä

3 OK *adj, adv* hyvä, hyvin, sopiva, sopivasti, riittävä, riittävästi *you're doing OK, don't worry* älä suotta murehdi, sinä pärjäät ihan hyvin *that's OK* ei se mitään; se on ihan hyvä *interj* selvä!, hyvä on!, okei!

okay [oʊˈkeɪ] *v* antaa lupa, hyväksyä *the boss okayed the plan* pomo hyväksyi suunnitelman

old [əʊld] *s* **1** *the old* vanhukset, vanhat (ihmiset) **2** tietyn ikäisestä ihmisestä, eläimestä *many six-year-olds can read* moni kuusivuotias osaa lukea **3** menneet ajat, entisajat *in days of old* ennen vanhaan *adj* (older, oldest tai elder, eldest) vanha *he's old; he's an old man* hän on vanha (mies) *he's 90 years old* hän on 90-vuotias *how old are you?* kuinka vanha olet? *in the good old days* vanhaan hyvään aikaan *old people* vanhukset, vanhat (ihmiset)

olden [oldən] *adj* (ylät) *in olden days* ennen muinoin, ennen vanhaan

older *adj* (komparatiivi sanasta old) vanhempi

oldest *adj* (superlatiivi sanasta old) vanhin

old-fashioned [ˈəʊldˈfæʃənd] *adj* vanhanaikainen, vanhentunut

old hat *adj* vanhanaikainen *that's old hat* se on vanha vitsi

old maid *s* **1** vanhapiika **2** sievistelijä; saivartelija

old man *s* (mon old men) (ark) isäukko, isä

oldtimer [ˈɔlˌtaɪmər] *s* (ark) vanhus, ikämies

olive [alɪv] *s* oliivi *adj* oliivinvihreä

olive branch *s* **1** öljypuun oksa **2** (kuv) rauhantarjous

Olympic [əˈlɪmpɪk] *adj* olympialais-, olympia-

Olympic Games [əˌlɪmpɪkˈgeɪmz] *s* (mon) olympialaiset

Olympics [əˈlɪmpɪks] *s* (mon) olympialaiset

omen [ˈəʊmən] *s* enne *bird of ill omen* pahan ilman lintu

ominous [amɪnəs] *adj* **1** uhkaava, uhkaavan näköinen, pahaenteinen, pahaenteisen näköinen **2** enteellinen

omission [əʊˈmɪʃən] *s* **1** laiminlyönti, tekemättä jättäminen, unohtaminen **2** poisto, pois jättäminen, mainitsematta jättäminen **3** poistettu kohta, poisto

omit [əʊˈmɪt] *v* **1** lyödä laimin, laiminlyödä, unohtaa **2** poistaa, jättää pois, ei mainita

omnipotence [amˈnɪpətəns] *s* kaikkivaltius, kaikkivoipuus

omnipotent [amˈnɪpətənt] *s, adj* kaikkivaltias, kaikkivoipa *the Omnipotent* Kaikkivaltias, Jumala

omnipresent [ˌamnɪˈprezənt] *adj* kaikkialla läsnä oleva; jota on kaikkialla

omniscience [amˈnɪʃəns] *s* kaikkitietävyys

omniscient [amˈnɪʃənt] *adj* kaikkitietävä *the Omniscient* Kaikkitietävä, Jumala

omnivore [ˌamnɪˈvɔr] *s* kaikkiruokainen eläin (myös kuv esim lukijasta jolle kelpaa kaikki luettava)

omnivorous [amˈnɪvərəs] *adj* kaikkiruokainen (myös kuv)

1 on [an] *adj* **1** käynnissä, päällä: *the lights are on* valot ovat päällä, valot palavat *there's a war on* sota on käynnissä, (kuv) *käynnissä on täysi sota* **2** (esiintymis)vuorossa *you're on next* sinä olet seuraava(na vuorossa)

2 on *adv* **1** paikallaan, paikalleen, kiinni, päällä, päälle **2** (ajasta, tilasta) alkaen, eteenpäin *from now on* tästä lähtien **3** jatkamisesta: *to keep on doing something* jatkaa jotakin *move on!* liikettä!, jatka matkaa!

3 on *prep* **1** paikasta: *the book is on the table* kirja on pöydällä *I put the book on the table* panin kirjan pöydälle *he has a hat on his head* hänellä on hattu päässään *the painting is hanging on the wall* taulu roikkuu seinällä *on the right/left* oikealla/vasemmalla *we have a cottage on the lake* meillä on mökki järven rannalla *it was on tv last night* siitä kerrottiin eilen illalla televisiossa **2** ajasta: *on Tuesday* tiistaina *on time* ajoissa, ajallaan *on his arrival* hänen saapuessaan **3** jäsenyydestä: *to serve on a committee* toimia valiokunnassa **4** aiheesta: *a book on gardening* puutarhakirja **5** tarjoamisesta: *the drinks are on the house* talo tarjoaa ryypyt **6** keinosta: *to live on your savings* elää säästöilläsi *the machine runs on diesel* kone käy dieselillä **7** kohteesta: *he is working on a dissertation* hän tekee väitöskirjaa **8** tilasta: *he set the car on fire* hän sytytti auton tuleen *the workers went on strike* työläiset ryhtyivät lakkoon

on air *fr* (ark) televisio- tai radiolähetyksessä

on and off [ˌanənˈaf] *adv* silloin tällöin, satunnaisesti

on a roll *to be on a roll* **1** olla pelionnea, menestyä (uhka)pelissä **2** menestyä hyvin, olla kova meno päällä

once [wans] *adv* **1** (yhden) kerran *you can do it once* saat tehdä sen yhden kerran *once a day* kerran päivässä *all at once* yhtäkkiä; yhtä aikaa *at once* heti; yhtä aikaa **2** kerran (menneisyydessä), ennen *he was once a famous professor* hän oli aikanaan kuuluisa professori

once and for all *fr* kerralla, lopullisesti

once in a while *fr* silloin tällöin, joskus harvoin

once or twice *fr* kerrain tai pari, pari kertaa

oncoming ['ɒn,kʌmɪŋ] *adj* (liikenne) vastaan tuleva, (ajankohta) lähestyvä, (aikakausi, sukupolvi) tuleva

1 one [wʌn] *s* ykkönen, yksi

2 one *adj* **1** yksi *one book* yksi kirja **2** eräs, joku *one day you'll be sorry for* joskus sinä vielä kadut sitä *one Mr. Smith* muuan Mr. Smith **3** ainoa *his one hope is to find a good lawyer* hänen ainoa toivonsa on löytää hyvä asianajaja **4** yhteinen, yhtenäinen *the grouped acted as one* ryhmä toimi yhtenäisesti/yhtenä rintamana

3 one *pron* **1** substantiivin korvikkeena: *which one do you want? – the blue one* kumman haluat? – sinisen *one of them* yksi heistä **2** passiivisesti; voidaan joskus kääntää sanalla minä *one is always pleased when one's* (harvinainen amerikanenglannissa, mutta ei brittienglannissa) */your relatives come to visit on* aina mukavaa kun sukulaiset tulevat käymään

one by one *fr* yksitellen, yksi kerrallaan, peräkkäin

oneself [wʌn'self] *pron* itseään, itse *one is never sure of oneself in these situations* tällaisessa tilanteessa ei voi koskaan olla varma itsestään *to be oneself* olla oma itsensä

ongoing ['ɒn,gɒuɪŋ] *adj* (edelleen) jatkuva, keskeytymätön

onion [ʌnjən] *s* sipuli *Fred knows his onions* Fred osaa asiansa, Fred tietää mitä hän tekee/mistä hän puhuu

on-line [ˌɒn'saɪn] *adj, adv* (tietok) yhteydessä keskusksikköön, keskusyksikön valvonnassa, on-line

onlooker ['ɒn,lʊkər] *s* sivustakatsoja

only [ɒunlɪ] *adj* ainoa *are you an only child?* oletko sinä ainoa lapsi? *adv* vain; vasta *she's only three* hän on vain/vasta kolmen vanha *if only* kunpa vain *not only is he rich but he is also talented* hän on sekä rikas että lahjakas, hän on paitsi rikas myös lahjakas *it'll only cost you ten dollars* se ei maksa kuin kymmenen dollaria *konj* mutta *she wanted to buy it, only she did not have*

the money hän halusi ostaa sen mutta hänellä ei ollut varaa siihen

only too *she was only too happy to go* hän lähti erittäin mielellään, hän malttoi tuskin odottaa että pääsi lähtemään

on order *fr* tilauksessa, tilattu (mutta ei saapunut)

on purpose *adv* tahallaan, tieten tahtoen

onset ['ɒn,set] *s* **1** alku, alkaminen, (sairauden) puhkeaminen **2** hyökkäys

onshore [ɒn'ʃɔr] *adj* **1** mereltä puhaltava **2** rannikko-, ranta- *adv* rannalla, rannalle, maissa, maihin

onslaught ['ɒn,slat] *s* (raju) hyökkäys (myös kuv)

on the road *fr* **1** *to be on the road* olla tien päällä, olla matkalla; olla kiertueella **2** *to get something on the road* käynnistää, aloittaa, panna alulle

on the rocks *fr* **1** (ryyppystä) jäiden kanssa **2** *to be on the rocks* olla vaikeuksissa, olla kariutumassa **3** *to be or on the rocks* olla puilla paljailla, olla rahaton

on the run *fr: to be on the run* olla (jatkuvasti) menossa/liikkeessä; olla pakosalla *I'll grab a bite on the run* panen matkalla jotakin suuhuni

on the shady side of *fr: Morgan is on the shady side of fifty* Morgan on viidenkymmenen huonommalla puolella (yli viidenkymmenen)

on the spot *fr: to be on the spot* olla pinteessä/ kiusallisessa tilanteessa *to do something on the spot* tehdä jotakin heti/viipymättä

on the track of *fr: to be on the track of someone/something* olla jonkun/jonkin jäljillä

on the turn *fr: the century on the turn* vuosisadan vaihde, vuosisadan vaihtuminen

on the wagon *fr: to be on the wagon* (sl) olla kuivana, ei juoda (alkoholia)

on the whole *fr* kokonaisuutuena, kaiken kaikkiaan, yleisesti ottaen

on the wing *fr: to be on the wing* olla lennossa/ilmassa; olla liikkeellä

on time *fr* **1** *to be on time* olla/tulla ajoissa **2** *to buy on time* ostaa osamaksulla

on to *fr: to be on to something* olla perillä jostakin

onto ['an‚tu antə] *prep* **1** paikasta: *he got onto the horse* hän nousi ratsun selkään **2** (kuv) *I am onto your schemes* minä olen jyvällä juonistasi, minä tiedän mitä sinä ajat takaa

ontological [‚antə'laʤikəl] *adj* ontologinen

ontology [an'taləʤi] *s* ontologia

on top *fr:* to stay on top pysyä kärjessä, säilyttää johtoasema, menestyä

on top of *fr* **1** jonkin päällä/päälle **2** jonkin lisäksi **3** (heti) jonkin perään **4** *to be on top of the situation* hallita tilanne, olla homma hanskassa (ark)

onus [anəs] *s* (mon onuses) velvollisuus, taakka

on view *fr:* to be on view olla nähtävänä/näytteillä/esillä

onward [anword] *adj* etenevä *the onward course of things* asioiden/tilanteen kehitys *adv* eteenpäin, (ajasta) lähtien

on your toes *fr:* to be on your toes olla varpaillaan/varpaisillaan/valvovanaan

1 ooze [uz] *s* **1** tihkuminen **2** tihkunut aine, mönjä

2 ooze *v* tihkua (myös kuv:) tihkua julkisuuteen, pursua

opacity [ou'pæsəti] *s* **1** läpinäkymättömyys; himmeys, sumeus, sameus **2** vaikeaselkoisuus, hämäryys, epäselvyys **3** tyhmyys, tylsyys

opal [oupəl] *s* opaali *adj* opaalinvärinen

opaque [ou'peik] *adj* **1** läpinäkymätön, ei läpinäkyvä; himmeä, sumea, samea **2** vaikeaselkoinen, vaikeatajuinen, hämärä **3** tyhmä, tylsä

1 open [oupən] *s: in the open* ulkona, ulkoilmassa *the whole thing is now in the open* koko juttu on nyt paljastunut

2 open *v* avata (myös kuv), avautua *to open a box* avata laatikko *to open a show* avata näyttely *she wanted to open her heart to him* hän halusi avata/paljastaa mielelle sydämensä *I can't get it to open* en saa tätä auki *the box office opens at seven* teatterin kassa avataan seitsemältä *the door opens to a patio* ovi avautuu patiolle, ovesta pää see patiolle

3 open *adj* **1** avoin (myös kuv), avoinna, auki *the door is open* ovi on auki *the record*

store is still open levykauppa on vielä avoinna/auki *the exhibition is open to the public* näyttely on avoinna yleisölle *the matter is still open* asia on vielä auki/ratkaisematta **2** valmis ottamaan vastaan jotakin *he says he is open to suggestions* hän sanoi olevansa valmis kuulemaan ehdotuksia **3** ulko- *in the open air* ulkona, ulkoilmassa

open air *s* ulkoilma

open-air *adj* ulkoilma-, ulko-

opener *s* avaaja, avain *can opener* tölkinavain

openers *for openers* alkajaisiksi

open house *s* **1** kutsut joihin voi saapua milloin haluaa **2** avoimien ovien päivä

opening *s* **1** avaaminen **2** aukko **3** alku, aloitus **4** avajaiset **5** vapaa työpaikka, työtilaisuus **6** tilaisuus, mahdollisuus *adj* alku-, aloitus-

opening night *s* ensi-ilta

open interest *s* (tal) avoin vastuu

openly [oupnli] *adv* avoimesti, peittelemättä *to admit something openly* myöntää avoimesti, ei yrittäkään salailla

open-minded *adj* ennakkoluuloton, vastaanottavainen

open up *v* avata, avautua

opera [aprə] *s* ooppera

operate ['apə‚reit] *v* **1** toimia *the recorder operates on batteries* nauhuri toimii paristoilla *the company operates in many countries* yritys toimii/käy kauppaa monissa maissa **2** käyttää *do you know how to operate this machine?* osaatko käyttää tätä laitetta? **3** (lääk) leikata

operatic [‚apə'rætik] *adj* ooppera-

operation [‚apə'reiʃən] *s* **1** toiminta *the machine is in/out of operation* kone on toiminnassa/epäkunnossa **2** käyttö **3** hanke, toimi, toimenpide **4** (lääk) leikkaus **5** (sot) sotatoimi

operational [‚apə'reiʃənəl] *adj* toimiva *the machine is not yet operational* kone ei ole vielä toiminnassa

operative [apərətiv] *s* **1** koneenkäyttäjä **2** etsivä **3** salainen agentti *adj* **1** tehokas, vaikuttava, toimiva **2** joka on voimassa *the* *law will soon become operative* laki astuu pian voimaan **3** (lääk) leikkaus-

operator ['apə,reɪtə] s **1** (puhelun)välittäjä **2** koneenkäyttäjä **3** (linja-auton) kuljettaja **4** (tietokoneen) operaattori

operetta [,apə'retə] s operetti

opinion [ə'pɪnjən] s **1** mielipide **2** käsitys *she has a high opinon of herself* hänellä on suuret käsitykset itsestään **3** (lääkärin) lausunto *I want to hear a second opinion* haluan lausunnon toiseltakin lääkäriltä

opinionated [ə'pɪnjə,neɪtəd] adj (liian) itsevarma, omahyväinen, itseriittoinen, omapäinen

opium [oʊpɪəm] s oopiumi

opponent [ə'poʊnənt] s vastustaja

opportune [,apər'tun] adj (hetki) otollinen, (huomautus) osuva, sattuva, (teko) oikea, sopiva

opportunism [,apər'tunɪzəm] s opportunismi

opportunist [,apər'tunɪst] s opportunisti

opportunistic [,apərtʊ'nɪstɪk] adj opportunistinen

opportunity [,apər'tunəti] s tilaisuus, mahdollisuus *company X is an equal opportunity employer* yritys X noudattaa rotuvähemmistöjen työhönotosta annettuja suosituksia

oppose [ə'poʊz] v **1** vastustaa, ei hyväksyä **2** asettaa vastakohdakseksi

opposed adj **1** vastaan *to be opposed to something* vastustaa jotakin **2** as *opposed to* johonkin verrattuna, toisin kuin jokin

opposite [ə'pəzət] s vastakohta *opposites attract* erilaiset ihmiset tuntevat vetoa toisiinsa *what is the opposite of hot?* mikä on sanan *hot* vastakohta? *no, I'm not tired, quite the opposite* en suinkaan ole väsynyt, päinvastoin *adj* vastakkainen *at the opposite end of the room* huoneen toisessa päässä *the opposite sex* vastakkainen sukupuoli *adv* vastapäätä, vastakkaisella puolella, viereisellä sivulla *prep* vastapäätä *Mrs. Smythe was seated opposite Mr. Hawk at the table* Smythe istui pöydässä Hawkia vastapäätä

opposition [,apə'zɪʃən] s **1** vastustus, vastarinta **2** (pol) oppositio

oppositionist s vastustaja; opposition jäsen

oppress [ə'pres] v **1** sortaa **2** ahdistaa, painaa mieltä

oppression [ə'preʃən] s **1** sorto;

oppressive [ə'presɪv] adj **1** painostava, ahdistava **2** sortava, tyranni-, diktatorinen

oppressiveness s **1** sorto **2** tukahduttavuus, raskaus, ahdistavuus

oppressor [ə'presər] s sortaja

opt for [apt] v valita jokin

optic [aptɪk] adj **1** silmä-, näkö-

optical [aptɪkəl] adj **1** optinen **2** silmä-, näkö-

optical disk s kuvalevy

optical illusion [aptɪkəlɪ'luʒən] s näköharha

optician [ap'tɪʃən] s optikko

optic nerve s näköhermo

optics s (verbi yksikössä) optiikka, valo-oppi

optimism [aptə,mɪzəm] s optimismi, toiveikkuus, elämänmyönteisyys, luottavaisuus

optimist [aptəmɪst] s optimisti

optimistic [,aptə'mɪstɪk] adj optimistinen, toiveikas, elämänmyönteinen, luottavainen

optimize ['aptə,maɪz] v optimoida

optimum [aptəməm] s (mon optimums, optima) optimi, ihannearvo, ihannemäärä adj optimaalinen, paras mahdollinen

option [apʃən] s **1** valinnan mahdollisuus, valinta **2** (tal) optio

optional [apʃənəl] adj vapaaehtoinen, ylimääräinen *a sunroof is optional equipment on this car* kattoluukku on tässä autossa lisävaruste/maksaa lisähintaa

opt out v luopua, hylätä, erota

opulence [oʊpjələns] s **1** rikkaus **2** ylellisyys, mahtavuus, koreus **3** runsaus

opulent [oʊpjələnt] adj **1** rikas **2** mahtava, ylellinen **3** runsas

opus [oʊpəs] s (mon opuses, opera) teos, sävellys, opus

or [ɔr] konj **1** tai, (kysymyslauseessa) vai, (kielteisessä lauseessa) eikä *do you want to stay or leave?* haluatko jäädä tänne vai lähteä? *she does not want to eat or drink* hän ei halua syödä eikä juoda **2** eli *the clavicle, or collarbone, is located here* clavicula eli solisluu sijaitsee tässä

oracle [ɔrəkəl] s **1** ennustus, ennuste **2** ennustaja, oraakkeli

oral [ɔrəl] s (ark) suullinen tentti/koe adj **1** suullinen **2** suun, suu- **3** (lääke) sisäisesti nautittava

orange [ɔrəndʒ] s appelsiini adj oranssi, oranssinvärinen

orangutan [əˈrænə͵tæn] s orangutangi, oranki

oration [oˈreɪʃən] s juhlapuhe, puhe

orator [ɔrətər] s oraattori, kaunopuhuja, juhlapuhuja, puhuja

orb [ɔrb] s **1** pallo **2** silmämuna, silmä **3** taivaankappale **4** (hallitsijan tunnus) valtakunnan omena

1 orbit [ɔrbət] s **1** kiertorata to go into orbit nousta/siirtyä kiertoradalle; (kuv) innostua valtavasti, ei tahtoa pysyä housuissaan **2** elämänpiiri, ympyrät (kuv)

2 orbit v (satelliitti ym) kiertää

orbital [ɔrbətəl] adj kiertoradan, kiertorata-

orbiter [ɔrbətər] s avaruussukkulan varsinainen sukkulaosa; avaruusluotain

orca [ɔrkə] s miekkavalas

orchard [ɔrtʃərd] s hedelmätarha

orchestra [ɔrkəstrə] s orkesteri

orchestral [ɔrkestrəl] adj orkesteri-, orkestraalinen

orchestrate [ˈɔrkəs͵treɪt] v **1** säveltää/sovittaa/soitintaa (musiikkia) orkesterille **2** järjestää, junailla (kuv), kyhätä kokoon

orchestration [͵ɔrkəsˈtreɪʃən] s **1** orkestrointi **2** järjestely, junailu (kuv)

orchid [ɔrkɪd] s orkidea

ordain [ɔrˈdeɪn] v **1** vihkiä papiksi **2** säätää, määrätä (laila)

ordeal [ɔrˈdiəl] s **1** koettelemus **2** (hist) jumalatuomio

1 order [ɔrdər] s **1** (peräkkäinen) järjestys in alphabetical order aakkosjärjestyksessä, aakkosjärjestyksessä in descending order of merit parhaimmasta huonoimpaan **2** (oikea) järjestys let me put this room in order first odota kun järjestän ensin tämän huoneen **3** kuri, järjestys **4** kunto the elevator is out of order hissi on epäkunnossa **5** käsky, määräys this is an order! tämä on käsky! doctor's orders lääkärin määräyksestä **6** tilaus can I take your order? (ravintolassa) oletteko valmis tilaamaan? **7** (tal) toimek-

sianto **8** (historiallisessa arkkitehtuurissa) pylväsjärjestelmä **9** yhteiskuntaluokka

2 order v **1** määrätä, käskeä **2** järjestää **3** tilata

orderly [ɔrdərlɪ] s **1** sotilaspalvelija **2** sairaala-apulainen adj **1** siisti he is very orderly hän on järjestyksen ihminen **2** kurinalainen, rauhallinen

ordinal [ɔrdənəl] s järjestysluku adj järjestys-

ordinance [ɔrdnəns] s (virallinen) määräys, käsky

ordinarily [͵ɔrdəˈnerəlɪ] adv **1** tavallisesti, yleensä **2** vaatimattomasti, tavallisesti

ordinary [ˈɔrdə͵nerɪ] s keskinkertaisuus to be above the ordinary olla tavanomaista parempi out of the ordinary poikkeuksellinen, harvinainen; poikkeuksellisen hyvä, harvinaisen hyvä adj **1** tavallinen **2** keskinkertainen **3** tavanomainen, totunnainen

ordnance [ɔrdnəns] s tykistö a piece of ordnance tykki

ore [ɔr] s malmi

oregano [əˈregə͵noʊ] s (mauste) oregano

organ [ɔrgən] s **1** elin **2** penis **3** äänenkannattaja **4** urut **5** (kuv) välikappale

organic [ɔrˈgænɪk] adj orgaaninen (eri merkityksissä), eloperäinen, elollinen; elimellinen; biodynaaminen; erottamaton

organically adv orgaanisesti (ks organic)

organism [ˈɔrgə͵nɪzəm] s **1** organismi, eliö, elimistö **2** organismi, kokonaisuus

organization [͵ɔrgənɪˈzeɪʃən] s **1** järjestely, suunnittelu, organisointi **2** järjestö; (liike)yritys, organisaatio **3** järjestys, jako, rakenne

organize [ɔrgə͵naɪz] v **1** järjestää **2** järjestäytyä, suunnitella, organisoida **2** järjestäytyä ammattiyhdistykseen; yrittää saada järjestäytymään

organized adj **1** järjestelmällinen **2** (ammattiyhdistykseen) järjestäytynyt

organized crime s järjestäytynyt rikollisuus

organizer s järjestäjä, järjestelijä, suunnittelija, organisoija, organisaattori

orgasm [ɔrgæzəm] s orgasmi

orgy [ɔrdʒɪ] s orgiat

orient [ɔrɪənt] v **1** suunnata, suuntautua **2** suunnistaa **3** perehdyttää joku johonkin; perehtyä johonkin

Oriental

Oriental [,ɔri'entəl] *s* itämaalainen *adj* itämaalainen, itämainen

orientate ['ɔriən,teit] *v* ks orient

orientation [,ɔriən'teiʃən] *s* 1 suuntaaminen, suuntaus 2 perehdytys; perehtyminen tutustuminen

orienteering [,ɔriən'tiəriŋ] *s* (urh) suunnistus

orifice [ɔrəfəs] *s* aukko

origin [ɔrədʒən] *s* alkuperä, syntyperä, alkulähde (myös kuv)

original [ə'rɪdʒənəl] *s* alkuperäiskappale *adj* 1 alkuperäinen, alkuperäis- 2 omaperäinen, itsenäinen, tuore

originality [ə,rɪdʒə'nælətɪ] *s* omaperäisyys, itsenäisyys, kekseliäisyys, tuoreus

originally *adv* 1 alun perin, alkujaan 2 omaperäisesti

original sin *s* perisynti

originate ['ə'rɪdʒə,neɪt] *v* 1 saada alkunsa, olla peräisin jostakin *the rumors originated in this office* huhut lähtivät liikkeelle tästä toimistosta *that VCR originates from South Korea* tuo kuvanauhuri on peräisin Pohjois-Koreasta 2 panna alulle, ottaa käyttöön

originator *s* alullepanija, ajatuksen isä, keksijä

1 ornament [ɔrnəmənt] *s* 1 koriste, koru, koriste-esine 2 koristekuvio, koristelu

2 ornament *v* koristella

ornamental [,ɔrnə'mentəl] *adj* koristeellinen, koriste-

ornate [ɔr'neɪt] *adj* (liian) koristeellinen, pramea, hienosteleva, mahtipontinen

ornately *adv* ks ornate

ornateness *s* (liika) koristeellisuus, prameus, mahtipontisuus

ornithological [,ɔrnɪθə'lɑdʒɪkəl] *adj* lintutieteellinen

ornithologist [,ɔrnɪ'θɑlədʒɪst] *s* lintujen tutkija, ornitologi

ornithology [,ɔrnɪ'θɑlədʒɪ] *s* lintutiede

orphan [ɔrfən] *s, adj* orpo(-) *v* jättää orvoksi

orphanage [ɔrfənədʒ] *s* orpokoti

orthodontics [,ɔrθə'dɑntɪks] *s* (verbi yksikössä) ortodontia, hampaiden oikominen

orthodox ['ɔrθə,dɑks] *adj* 1 oikeaoppinen, puhdasoppinen, ortodoksinen 2 *Orthodox* ortodoksinen, kreikkalaiskatolinen; ortodoksijuutalainen 3 perinteinen, sovinnainen, totunnainen

orthodoxy ['ɔrθə,dɑksi] *s* oikeaoppisuus, puhdasoppisuus, ortodoksia

orthographic [,ɔrθə'græfɪk] *adj* oikeinkirjoituksen, oikeinkirjoitus-

orthography [ɔr'θɑgrəfɪ] *s* oikeinkirjoitus

orthopedic [,ɔrθə'pidɪk] *adj* ortopedinen

orthopedics *s* (verbi yksikössä) (tuki- ja liikuntaelinten lääkärinhoito) ortopedia

orthopedist [,ɔrθə'pidɪst] *s* (tuki- ja liikuntaelinten erikoislääkäri) ortopedi

oscillate ['asə,leɪt] *v* 1 heilua 2 värähdellä 3 (kuv) ailahdella; empiä

oscillation [,asə'leɪʃən] *s* 1 heilunta 2 värähtely 3 (kuv) ailahtelu; empiminen, epäröinti

ostensible [as'tensɪbəl] *adj* näennäinen

ostensibly *adv* muka, näennäisesti

ostentation [,astən'teɪʃən] *s* mahtailu, rehentely, komeilu

ostentatious [,astən'teɪʃəs] *adj* mahtaileva, rehentelevä, komeileva, leuhka

osteoporosis [,astioupə'rousəs] *s* (lääk) luukato, osteoporoosi

ostracism ['astrə,sɪzəm] *s* 1 (sosiaalinen) hylkääminen 2 maasta karkotus

ostracize ['astrə,saɪz] *v* 1 katkaista välinsä johonkuhun, hylätä joku 2 karkottaa, ajaa maanpakoon

ostrich [astrɪtʃ] *s* strutsi

other [ʌðər] *adj* toinen, muu *he met many other runners* hän tapasi paljon muita juoksijoita *every other* joka toinen *the other day* äskettäin *on the other hand* toisaalta *adv* toinen, muu *somehow or other* jotenkin, tavalla tai toisella *pron* toinen, muu *others* toiset, muut *someone/something or other* joku/jokin

other than *adv* paitsi *he said nothing other than that he would come back later* hän sanoi vain että hän tulisi myöhemmin takaisin

otherwise ['ʌðər,waɪz] *adv* 1 toisenlainen, erilainen *do you believe otherwise?* onko sinulla erilainen käsitys asiasta? 2 muilta osin *otherwise, the result was satisfactory* muutoin tulos oli tyydyttävä *konj* muuten, muutoin *we have to act soon, otherwise it will be too late* meidän on toimittava nopeasti ennen kuin on myöhäistä

otherwordly [ˌʌðər'wərldli] *adj* (ihminen) joka on muissa maailmoissa, (asenne) todellisuudelle vieras; epäkäytännöllinen

otter [atər] *s* saukko

ought [at] *apuv* **1** (velvollisuus, suositus) pitää, pitäisi, kuulua, kuuluisi *everybody ought to help their neighbors* kaikkien pitäisi auttaa lähimmäisiään *you ought to read that novel* sinun pitäisi lukea se romaani **2** (todennäköisyydestä) pitäisi *he ought to be at home by now* hänen pitäisi jo olla kotona

oughtn't [atənt] *ought not*

ounce [auns] *s* unssi (28, 349 g) *an ounce of prevention is better than a pound of cure* parempi virstaa väärää kuin vaaksaa vaaraa

our [auər] *pron* meidän *our car* meidän automme

ours [auərz] *pron* meidän *that car is ours* tuo on meidän automme

ourself [auər'selvz ar'self] *pron* oma itse

ourselves [auər'selvz ar'selvz] *pron* (me) itse: *we did it ourselves* teimme sen itse *we did ourselves a big favor* teimme itsellemme suuren palveluksen, autoimme itseämme suuresti *we are ourselves in a lot of trouble* olemme itsekin pahassa pulassa *after a while, we were almost ourselves again* vähän ajan päästä olimme taas melkein oma itsemme

oust [aust] *v* syrjäyttää (virasta); ajaa pois jostakin; häätää; kitkeä pois jostakin

out [aut] *adv* ks myös *out of* **1** ulkona, ulkopuolella, ulos *she went out* hän meni ulos, hän lähti käymään jossakin (esim toimiston ulkopuolella) *she went out with Tom* hän meni ulos/treffeille Tomin kanssa **2** poissa, *he is out of town* hän on matkoilla, hän ei ole kaupungissa *the machine is out of order* kone ei ole kunnossa, kone on epäkunnossa **3** lopussa, loppuun, tyhjä, tyhjäksi *he dried his clothes out* hän kuivasi vaatteensa *we are out of milk* maito on päässyt loppumaan *he ran out of gas* hä-

neltä loppui (autosta) bensa *to blow out a candle* puhaltaa kynttilä sammuksiin **4** ilmestymisestä: *when will your new book be out?* milloin uusi kirjasi julkaistaan/ilmestyy? **5** tiedossa, paljastunut *the news was out before we could do anything about it* uutinen paljastui ennen kuin ehdimme tehdä mitään asian eteen *out with it!* kakista ulos vain! *she said it all out* hän kertoi/paljasti kaiken **6** tavoitteesta: *the mob is out to get you* mafia etsii sinua *she is out for fun* hän aikoo pitää hauskaa, hän on tullut pitämään hauskaa **7** ääneen, selvästi *to speak out* puhua selvästi *to say something out loud* sanoa jotakin ääneen/kuuluvasti **8** sammunut, sammuksissa, ei päällä *the lights/fire are out* valot on sammutettu, tulipalo on sammutettu/sammunut *prep* ulos, pois jostakin *the man jumped out the window* mies hyppäsi ikkunasta

outbound [ˈautbaund] *adj* (juna, laiva) lähtevä, asemalta/satamasta matkaava

outbox [ˈautbaks] *s* (postin, sähköpostin) lähtölokero

outbreak [ˈautbreik] *s* (sodan, taudin) puhkeaminen, (sodan) syttyminen, (vihan, kiukun) puuska, (raivo)kohtaus

outbuilding [ˈautbildiŋ] *s* ulkorakennus

outburst [ˈautbərst] *s* (ilon, vihan) puuska, (raivo)kohtaus

outcast [ˈautkæst] *s* hylkiö *adj* hylätty

outclass [ˌautˈklæs] *v* jättää joku/jokin varjoonsa *Cecil outclassed the competition* kilpailijat kalpenivat Cecilin rinnalla, Cecil jätti kilpailijat varjoonsa

outcome [ˈautˌkʌm] *s* lopputulos, seuraus

outcrop [ˈautˌkrap] *s* (kuv) puhkeaminen, puuska

outcry [ˈautˌkrai] *s* vastalauseiden aalto, yleinen närkästys/suuttumus *the president's announcement caused a public outcry* presidentin antama ilmoitus johti yleiseen vastalauseiden aaltoon

outdated [ˌautˈdeitəd] *adj* vanhentunut, vanhanaikainen

outdid [ˌautˈdid] *ks* outdo

outdistance [‚aʊt'dɪstəns] v jättää joku jälkeensä

outdo [‚aʊt'du] v outdid, outdone: (kuv) ylittää, olla parempi kuin I could outdo myself in the chess game ylitin itseni šakkiottelussa

outdoor ['aʊt‚dɔr] adj ulko-, ulkoilma-

outdoors [‚aʊt'dɔrz] s (verbi yksikössä) ulkoilma, luonto as big as all outdoors iso kuin mikä, valtava adv ulkona, ulkoilmassa, luonnossa

outdoorsy [aʊt'dɔrzi] adj (ark) ulkona, luonnossa viihtyvä

outer [aʊtər] adj ulompi, ulko-

outermost ['aʊtər‚moʊst] adj uloin, ulommainen

outer space [‚aʊtər'speɪs] s ulkoavaruus

outfield ['aʊt‚fild] s (baseball) ulkokenttä; ulkokenttäpelaajat

outfielder s (baseball) ulkokenttäpelaaja

outfit ['aʊt‚fɪt] s 1 (retkeily- ym) varusteet, varustus, välineet, tarpeet 2 (yhtenäinen) puku, asu 3 (työ)ryhmä, joukko 4 liikeyritys

2 outfit v varustaa (retkeilijä ym)

outflank [‚aʊt'flæŋk] v 1 saartaa (vihollinen) sivustasta 2 (kuv) ylittää he outflanked the opposition hän ohitti vastustajansa

out for fr: to be out for something etsiä/tavoitella/haluta (hanakasti) jotakin

outgoing [‚aʊt'goʊɪŋ] adj 1 (juna, lentokone, posti) lähtevä 2 joka on eroamassa/vetäytymässä syrjään (virasta ym) 3 seurallinen, ulospäin suuntautunut

outgrow [‚aʊt'groʊ] v outgrew, outgrown 1 Davie has outgrown those pants nuo housut ovat jääneet Davielle pieniksi 2 päästä eroon jostakin he finally outgrew his selfishness hän pääsi viimein eroon itsekkyydestään

outgrowth ['aʊt‚groʊθ] s seuraus; sivuvaikutus

outguess [‚aʊt'gɛs] v arvata/hoksata (etukäteen) jonkun aikeet, olla nokkelampi kuin

outhouse ['aʊt‚haʊs] s ulkohuone

outing [aʊtɪŋ] s (virkistys)retki

outlandish [aʊt'lændɪʃ] adj 1 outo, kumma, räikeä, huomiota herättävä 2 syrjäinen, kaukainen

1 outlaw ['aʊt‚lɑ] s lainsuojaton

2 outlaw v 1 kieltää 2 julistaa lainsuojattomaksi

1 outlay ['aʊt‚leɪ] s (rahasta) meno(t), kulu(t)

2 outlay v käyttää, kuluttaa (rahaa)

outlet [aʊtlət] s 1 aukko, kanava, poistoputki, laskuputki 2 (kuv) ilmaisun/toiminnan mahdollisuus/kanava, varoventtiili 3 tehtaanmyymälä

1 outline ['aʊt‚laɪn] s 1 ääriviivat 2 (kuv) ääriviivat, yleisesitys, pääpiirteet, perusteet, yhteenveto, suuntaviivat, (yleis)suunnitelma

2 outline v 1 hahmotella, piirtää ääriviivat 2 (kuv) hahmotella, luonnehtia, kuvailla pääpiirteissään, esitellä (alustavasti)

outlive ['aʊt'lɪv] v 1 elää kauemmin kuin women usually outlive their husbands naiset elävät yleensä pitempään kuin miehensä 2 selviä jostakin, kestää jotakin

outlook ['aʊt‚lʊk] s 1 näkymä, maisema 2 tulevaisuudennäkymät, tulevaisuudenkuva 3 (elämän)asenne; näkökulma

outlying ['aʊt‚laɪɪŋ] adj 1 syrjäinen, kaukainen 2 ulkopuolinen, rajan takainen

outmaneuver [‚aʊtmə'nuvər] v puijata jotakuta, yllättää, ohittaa

outnumber [‚aʊt'nʌmbər] v olla enemmän kuin

out of prep 1 jonkin ulkopuolella, poissa jostakin the director is out of the country right now johtaja on juuri nyt ulkomailla the man jumped out of the window mies hyppäsi ikkunasta 2 alkuperästä, materiaalista: this car is made out of fiberglass tämä auto on valmistettu lasikuiduista your stories are out of this world sinun juttusi ovat uskomattomia/poskettomia three people out of five prefer this soap kolme ihmistä viidestä pitää tätä saippuaa parhaana 3 ilman: we're out of milk maito on päässyt loppumaan you're out of luck sinua ei onnistanut, sinä et onnistunut 4 syystä: he did it out of malice hän teki sen ilkeyttään/kiusallaan

out-of-date [‚aʊtəv'deɪt] adj vanhentunut, vanhanaikainen

outweigh

out of line *fr: to be out of line* **1** ei olla ojennuksessa/suorassa **2** käytännön/tapojen vastainen, poikkeava **3** olla sopimaton *you're way out of line, mister* nyt menitte kyllä liian pitkälle

out of order *fr* **1** epäkunnossa **2** sopimaton

out of place *fr* **1** väärällä paikalla **2** (kuv) sopimaton, tahditon, epähieno

out of sight *fr* **1** näkymättömissä, poissa näkyvistä **2** (ark) suunnaton, kohtuuton **3** (ark) hieno, upea, fantastinen

out-of-the-way [ˌaʊtəvðə'weɪ] *adj* **1** syrjäinen **2** harvinainen **3** joka on poissa tieltä **4** kaukainen **5** sopimaton, aiheeton, tahditon **6** poikkeuksellinen, uskomaton

out of tune *fr: the piano is out of tune* piano on epävireessä

out of turn *fr* **1** epäjärjestyksessä **2** *to speak out of turn* ei odottaa puheenvuoroaan, avata suunsa väärällä hetkellä

outpace [ˌaʊt'peɪs] *v* jättää jälkeensä, ohittaa

outpatient ['aʊt.peɪʃən] *s* avopotilas

outpost ['aʊt.pəʊst] *s* etuvartioasema (myös kuv); etuvartio (myös kuv) *the place is an outpost of Western civilization* paikka on (varsinaisen) länsimaisen sivistyksen etuvartioasema

1 output ['aʊt.pʊt] *s* **1** tuotanto **2** (tietok) tuloste *input and output* (tiedon)siirto, syöttö ja tulostus, otto ja anto

2 output *v* **1** tuottaa, valmistaa **2** (tietok) tulostaa

1 outrage ['aʊt.reɪdʒ] *s* **1** raakuus, julmuus, törkeä teko; häpeällinen teko, rikkomus, loukkaus *what he did was an outrage against good manners* hänen tekonsa loukkasi hyviä tapoja **2** suuttumus, närkästys

2 outrage *v* suututtaa, närkästyttää, loukata, rikkoa jotakin vastaan

outrageous [aʊt'reɪdʒəs] *adj* **1** raaka, raakamainen, julma **2** törkeä, röyhkeä, hävytön, loukkaava

outrageously *adv* törkeästi, röyhkeästi, hävyttömästi

outright ['aʊt.raɪt] *adj* täysi, silkka, selvä, suoranainen *that's an ouright lie* tuo on silkka valhetta *adv* **1** suoraan, avoimesti

2 heti, välittömästi **3** (ostaa, maksaa) kerralla (maksaa heti koko hinta)

outsell [ˌaʊt'sel] *v* (outsold, outsold) mennä paremmin kaupaksi kuin; myydä enemmän kuin

outset ['aʊt.set] *s* alku *at the outset* (heti) alussa, (heti) aluksi *from the outset* alusta alkaen, alusta pitäen, jo alun perin

outshine [ˌaʊt'ʃaɪn] *v* outshone/outshined, outshone/outshined: jättää joku/jokin varjoonsa *this detergent outshines its competition* kilpailevat tuotteet kalpenevat tämän pesuaineen rinnalla

outside [ˌaʊt'saɪd] *s* **1** ulkopuoli *it's black on the inside and white on the outside* se on sisältä musta ja ulkoa valkoinen **2** *at the outside* korkeintaan, enintään *adj* **1** ulkoinen, ulkopuolinen, ulko- **2** ääri- *give me an outside figure* kerro mitä se korkeintaan maksaa, anna hinnalle yläraja **3** epätodennäköinen, enintään pieni *outside chance* häviävän pieni mahdollisuus *adv* ulkona, ulos, ulkopuolella, ulkopuolelle *prep* **1** ulkopuolella, ulkopuolelle **2** paitsi, lukuun ottamatta

outsider *s* sivullinen, ulkopuolinen

outsized ['aʊt.saɪzd] *adj* tavallista suurempi/raskaampi, valtava, suunnaton, (vaate) iso(kokoinen)

outskirts ['aʊt.skɜːts] *s* (mon) laitamat *on the outskirts of the town* kaupungin laitamilla

outsource ['aʊt.sɔːs] *v* (tal) ulkoistaa

outspoken [ˌaʊt'spəʊkən] *adj* suora, suorasukainen, avoin; varaukseton

outstanding [ˌaʊt'stændɪŋ] *adj* **1** erinomainen, loistava, poikkeuksellinen, harvinainen **2** hyvä **2** erääntynyt, maksamaton **3** (työ) keskeneräinen, tekemätön

outstrip [ˌaʊt'strɪp] *v* jättää varjoonsa/jälkeensä, peittota, ohittaa, ylittää

outward ['aʊtwəd] *adj* **1** ulkoinen, ulkonainen **2** ulospäin suuntautuva, (matka) meno- *adv* ulospäin, ulos

outwardly *adv* ulkonaisesti, ulospäin, ulkopuolelta

outwards *adv* ulospäin, ulos

outweigh ['aʊt'weɪ] *v* **1** painaa enemmän kuin **2** (kuv) merkitä enemmän kuin, korvata *the advantages of the new system far outweigh its disadvantages* uudessa järjestelmässä on paljon enemmän etuja kuin haittoja

outwit [ˌaʊtˈwɪt] *v* puijata, vetää nenästä, arvata/hoksata (etukäteen) jonkun aikeet, olla ovelampi kuin

oval [oʊvəl] *s* oikio, ovaali *adj* soikea

ovary [oʊvəri] *s* munasarja

ovation [oʊˈveɪʃən] *s* myrskyisät suosionosoitukset

oven [ʌvən] *s* uuni

over [oʊvər] *adv* **1** tänne, tuonne, tuolla puolen, tuolle puolelle, tällä puolen, tälle puolen, yli *we swam over to the other side* uimme joen yli *move over* teehän tilaa!, siirry! *come over some day* pistäydy joskus meillä **2** *all over* kaikkialla, joka paikassa *the dog was wet all over* koira oli yltä päältä märkä, koira oli läpimärkä **3** ympäri *he turned the record over* hän vaihtoi levyn puolta, hän käänsi levyn **4** loppu, ohi *it's all over now* se on nyt ohi, se on nyt mennyttä **5** uudestaan *over and over* yhä uudestaan **6** yli *children aged five and over* vähintään viisivuotiaat lapset, viisivuotiaat ja sitä vanhemmat lapset **7** luona *can I stay over?* voinko jäädä teille yöksi? *prep* **1** päällä, päälle, yllä, ylle, yli, ylitse, yläpuolella, yläpuolelle *the lamp is over the table* lamppu on pöydän päällä/ yläpuolella *over my dead body!* ikinä! **2** *all over* kaikkialla, kaikkialle *there were toys all over the living room* leluja lojui pitkin olohuonetta *all over the world* kaikkialla maailmassa, eri puolilla maailmaa **3** (ajasta) aikana, ajaksi *over the years* vuosien mittaan **4** kautta: *he heard it over the phone/radio* hän kuuli sen puhelimitse/ radiosta **5** aiheesta: *they bickered over the price* he kinasivat hinnasta **6** (kuv) yli *the limo is over twenty feet long* limousine on yli kuuden metrin mittainen *the weight is over the limit* paino ylittää sallitun rajan **7** ääressä *Kate fell asleep over her work* Kate nukahti työnsä ääreen *why don't we*

talk about it over dinner puhutaan siitä päivällisellä

overall [ˌoʊvərɔːl] *adj* kokonais-; yleinen *adv* kaiken kaikkiaan, kokonaisuutena ottaen

overalls [oʊvərˌɔːlz] *s* (mon) haalarit, suojapuku

over and above *fr* lisäksi, enemmän kuin *this is over and above what I need* tässä on enemmän kuin minä tarvitsen

overbalance [ˌoʊvərˈbæləns] *v* **1** kaataa; kaatua, menettää tasapainonsa **2** korvata, hyvittää, merkitä enemmän kuin

overbearing [ˌoʊvərˈbeərɪŋ] *adj* **1** määräilevä, komenteleva; kopea, julkea **2** ensiarvoinen, ensiarvoisen tärkeä

overboard [oʊvərˌbɔːrd] *adv* yli laidan *to go overboard* (kuv) mennä liiallisuuksiin, mennä liian pitkälle, liioitella

overcast [oʊvərˌkæst] *adj* pilvinen

overcharge [ˌoʊvərˈtʃɑːrdʒ] *v* **1** veloittaa (asiakkaalta) liikaa **2** kuormata liian raskaasti; kuormittaa liikaa

overcoat [oʊvərˌkoʊt] *s* päällystakki

overcome [ˌoʊvərˈkʌm] *v* overcame, overcame **1** kukistaa, voittaa, päihittää **2** (kuv) vallata, musertaa *she was overcome with grief* hän oli surun murtama **3** päästä eroon jostakin, voittaa (pelko), saada (kiukkunsa) kuriin

overdo [ˌoʊvərˈduː] *v* overdid, overdone: liioitella, paisutella, mennä liiallisuuksiin

1 overdose [oʊvərˌdoʊs] *s* yliannos; yliannostus

2 overdose *v* ottaa/antaa yliannos

overdraft [oʊvərˌdræft] *s* (sekkitilin) ylitys

overdraw [ˌoʊvərˈdrɔː] *v* (overdrew, overdrawn) ylittää (sekkitili, määrärahaa)

overdue [ˌoʊvərˈduː] *adj* myöhästynyt, myöhässä, (maksu myös) erääntynyt *new legislation has long been overdue* uutta lakia on saatu odottaa jo pitkään, uusi laki on parasti myöhässä

overexpose [ˌoʊvərɪksˈpoʊz] *v* **1** ottaa liikaa aurinkoa **2** (valo- ja videokuvauksessa) ylivalottaa **3** esittää/mainostaa tms liian usein (niin että yleisö kyllästyy)

overexposure [ˌoʊvərɪksˈpoʊʒər] *s* **1** liika auringonotto **2** (valo- ja videokuvauksessa) ylivalotus **3** (tuotteen, julkkiksen) kuluminen liian julkisuuden/mainonnan tms vuoksi

overflow ['əʊvərˌfləʊ] s **1** tulva **2** ylimäärä, liika

overflow [ˌəʊvərˈfləʊ] v overflowed, overflown **1** tulvia, peittää/peittyä veden alle **2** (astia) vuotaa yli **3** (kuv) tulvia, pursua, levitä

overgeneralize [ˌəʊvərˈdʒenərəˌlaɪz] v yleistää/yleiskertaistaa liiaksi, tehdä liikoja yleistyksiä

overgrow [ˌəʊvərˈɡrəʊ] v overgrew, overgrown **1** (kasvi) peittää alleen, rehottaa **2** kasvaa liian isoksi/nopeasti

1 overhang ['əʊvərˌhæŋ] s ulkonema

2 overhang v overhung, overhung **1** riippua /olla jonkin yläpuolella, ulottua jonkin ylle **2** synkistää tunnelmaa, painaa mieliä, uhata, heittää varjonsa jonkin ylle

1 overhaul ['əʊvərˌhɔːl] s huolto, korjaus, parannustyö, uusiminen, uudistus

2 overhaul v huoltaa, korjata, uudistaa, uusia

overhead ['əʊvərˌhed] s kiinteät kustannukset adv **1** yläpuolella, yllä, ylitse, taivaalla **2** (myös kuv) pää edellä, suin päin, päistikkaa

overhear [ˌəʊvərˈhɪər] v overheard, overheard: sattua kuulemaan, kuulla sattumalta (puhujan tietämättä)

overjoyed [ˌəʊvərˈdʒɔɪd] adj haltioissaan, ikionnellinen

overkill [ˌəʊvərˈkɪl] s (yli) liika, liioittelu, liiallisuus

overland [ˌəʊvərlənd] adv maitse

overlap ['əʊvərˌlæp] s päällekkäisyys (myös kuv), samanaikaisuus

overlap [ˌəʊvərˈlæp] v mennä päällekkäin/limittäin (myös kuv), mennä ristiin, leikata (myös kuv), osua samaan aikaan, olla osittain samat, nivoutua toisiinsa/yhteen

overload ['əʊvərˌləʊd] s ylipaino, liikapaino; ylikuormitus, liikakuormitus

overload [ˌəʊvərˈləʊd] v kuormata liiaksi; kuormittaa liikaa

overlook [ˌəʊvərˈlʊk] v **1** *the patio overlooks the valley* patiolta on/avautuu näköala

laaksoon **2** ei huomata **3** ei välittää, katsoa läpi sormien

overly ['əʊvərli] adv liian *don't be overly optimistic* älä toivo liikoja

overnight [ˌəʊvərˈnaɪt 'əʊvərˌnaɪt] adj yö-: *overnight letter* pikakirje (joka on perillä seuraavana (työ)päivänä) adv yön yli, koko yön *can I stay overnight?* voinko jäädä teille yöksi?

overpass ['əʊvərˌpæs] s (ylittävä liikenneväylä) ylikulkuväylä, risteyssilta

overpower [ˌəʊvərˈpaʊər] v **1** nujertaa *the police overpowered the villain* poliisit nujersivat rikollisen **2** (kuv) musertaa, nujertaa *the whisky quickly overpowered her* viski nujersi hänet nopeasti *he was overpowered by his problems* hän musertui ongelmiinsa

overpowering adj vakuuttava, musertava, pistävä, viiltävä, läpitunkeva, vastustamaton

overprice [ˌəʊvərˈpraɪs] v vaatia liian kova hinta jostakin *that microwave oven is way overpriced* tuo mikroaaltouuni on pahasti ylihinnoitettu

overrate [ˌəʊvərˈreɪt] v yliarvioida; yliarvostaa *that actress is much overrated* tuo näyttelijä (tär) on selvästi yliarvostettu

overreach [ˌəʊvərˈriːtʃ] v ulottua jonkin yli; kurkottaa liian kauas *to overreach yourself* (kuv) kurkottaa liian korkealle, kurkottaa kuuseen, yrittää liikoja

override [ˌəʊvərˈraɪd] v overrode, overridden **1** ei välittää/piitata jostakin, ei ottaa huomioon jotakin **2** kumota, hylätä, ohittaa *the chairman overrode my decision* johtokunnan puheenjohtaja kumosi päätökseni *you can override the automatic functions* automaattitoiminnot voi ohittaa/kytkeä pois päältä

overriding adj ensisijainen, tärkein

overrule [ˌəʊvərˈruːl] v kumota, hylätä

1 overrun [ˌəʊvərˈrʌn] s **1** (kustannusten, aikarajan) ylitys **2** lisäkustannus **3** ylijäämä, liika

2 overrun v overran, overrun **1** vallata (myös kuv), tulvia (myös kuv), peittää alleen *the company was overrun with orders* yritys oli hukkua tilausten tulvaan **2** ylittää (määräraha, aikaraja)

overseas [ˌouvərˈsiːz] *adj, adv* merentakainen, ulkomainen, ulkomaan-, ulkomailla

oversee [ˌouvərˈsiː] *v* oversaw, overseen: johtaa, valvoa

overseer [ˈouvərˌsɪər] *s* työnjohtaja, johtaja, valvoja, päällikkö

overshadow [ˌouvərˈʃædou] *v* **1** varjostaa, peittää varjoonsa **2** (kuv) jättää varjoonsa, jättää jälkeensä **3** synkistää, heittää varjonsa jonkin ylle

overshoot [ˌouvərˈʃuːt] *v* overshot, overshot **1** ampua/mennä yli (maalin) **2** mennä ohi/yli jostakin, ohittaa/ylittää jokin

oversight [ˈouvərˌsait] *s* erehdys by oversight epähuomiossa, vahingossa, erehdyksessä

overstep [ˌouvərˈstep] *v* ylittää (valtuudet)

overt [ouˈvərt] *adj* avoin, ilmeinen, ilmiselvä

overthrow 1 syrjäyttää, syöstä vallasta, kaataa **2** kaataa (kumoon)

overtime [ˈouvərˌtaim] *s, adj* ylityö(-) *adv: to work overtime* tehdä ylityötä/ylitöitä

overture [ˈouvərtʃər] *s* **1** (mus) alkusoitto **2** aloite, aloitus, tarjous, lähestymisyritys, lähentely-yritys *a peace overture* rauhanaloite

overturn [ˌouvərˈtərn] *v* **1** kaataa, kaatua, mennä kumoon **2** (hallitus tms) syöstä vallasta **3** (päätös) kumota

overview [ˈouvərˌvjuː] *s* (yleis)katsaus, yhteenveto, tiivistelmä; yleiskäsitys, yleiskuva

overweight [ˌouvərˈweit] *s* ylipaino *adj* ylipainoinen *15 pounds overweight* joka painaa 15 naulaa yli sallitun määrän

overwhelm [ˌouvərˈwelm] *v* **1** nujertaa, kukistaa **2** tyrmistyttää, mykistää *to be overwhelmed by grief* musertua suruunsa

overwhelm with *v* (kuv) hukuttaa joku johonkin

overwrought [ˌouvərˈrɔt] *adj* **1** ärtynyt, kireä, pingottunut, liiaksi kiihottunut, liian innostunut, tasapainoton **2** liioiteltu, paisuteltu, yliampuva

ovum [ˈouvəm] *s* (mon ova) munasolu

owe [ou] *v* **1** olla velkaa jollekulle/jollekin **2** olla kiitollisuudenvelassa jollekulle *I owe you one* olen sinulle vastapalveluksen velkaa **3** saada kiittää jotakuta/jotakin jostakin *I owe my success to good luck* menestykseni on hyvän onnen ansiota

owing [ˈouiŋ] *prep* vuoksi, takia, tähden, johdosta

owl [aul] *s* pöllö

own 1 [oun] *s* fraaseja: *to come into your own* päästä oikeuksiinsa *to do something on your own* tehdä jotakin yksin/omin auvin *you're on your own now* nyt olet oman apusi/itsesi varassa *to get your own back* kostaa *to hold your own* pitää puolensa

own 2 *v* **1** omistaa *we don't own the house we live in* me emme omista taloa jossa asumme *you don't own me, she said* sinä et omista minua, hän sanoi **2** myöntää, tunnustaa

own 3 *adj, pron* oma *this is my own home* tämä on minun (oma) kotini *do you have a room of your own?* onko sinulla oma huone?

owner *s* omistaja

ownership [ˈounərˌʃip] *s* omistus, omistusoikeus, omistussuhde

own up to *v* tunnustaa, myöntää (tekonsa)

ox [aks] *s* (mon oxen) härkä

oxtail [ˈaksˌteil] *s* häränhäntä

oxygen [ˈaksədʒən] *s* happi

oxymoron [ˌaksiˈmɔːran] *s* (kaksi vastakkaista käsitettä sisältävää sanonta) oksymoron

oyster [ˈoistər] *s* osteri

ozone [ˈouzoun] *s* otsoni

P, p

P, p [pi] P, p
Pa. *Pennsylvania*
1 pace [peɪs] *s* **1** askel **2** vauhti, tahti *at a rapid pace* nopeasti, nopeassa tahdissa *to set the pace* (kuv) määrätä tahti
2 pace *v* mittailla askelillaan, astella edestakaisin *he was impatiently pacing the floor* hän käveli kärsimättömänä edestakaisin
pacemaker ['peɪsˌmeɪkər] *s* sydämentahdistin
pacific [pə'sɪfɪk] *s Pacific* **1** Tyynimeri **2** Tyynenmeren alue, Tyynenmeren alueen maat *adj* **1** rauhaa rakastava **2** rauhan **3** rauhallinen **4** *Pacific* Tyynenmeren
pacification [ˌpæsɪfɪ'keɪʃən] *s* rauhoittaminen, tyynnyttäminen
pacifier *s* tutti
pacifism ['pæsəˌfɪzəm] *s* rauhanaate, pasifismi
pacifist [pæsəfəst] *s* pasifisti *adj* pasifistinen
pacifistic *adj* pasifistinen
pacify ['pæsəˌfaɪ] *v* **1** rauhoittaa, tyynnyttää **2** kukistaa, tukahduttaa (sotilaallisesti)
1 pack [pæk] *s* **1** nyytti **2** selkäreppu **3** pakkaus *six-pack* kuusi tölkkiä olutta/virvoitusjuomaa **4** joukko, lauma, ryhmä *a pack of thieves* varas/rosvojoukko **5** korttipakka **6** ahtojääröykkiö
2 pack *v* **1** pakata, paketoida **2** ahtautua/ahtaa jonnekin, sulloutua/sulloa jonnekin, pakkautua *the place was packed* paikka oli tupaten täynnä **3** kuormata (eläin) **4** *to pack a gun* kantaa asetta, olla aseistettu
1 package [pækədʒ] *s* paketti (myös kuoresta:) laatikko
2 package *v* **1** pakata, paketoida **2** (kuv) yhdistää, koota
package deal *s* pakettitarjous, nipputarjous
package tour *s* pakettimatka
packaging *s* **1** paketointi **2** pakkaus
pack away *v* **1** passittaa/lähettää jonnekin **2** lähteä kiireesti, häipyä, livistää

packed *adj* **1** täpötäysi, tupaten täysi **2** pakkautunut **3** *action-packed* joka on täynnä toimintaa, vauhdikas
packet [pækət] *s* **1** paketti **2** nippu
packhorse ['pækˌhɔːs] *s* kuormahevonen
pack ice *s* ahtojää
pack in *v* luopua jostakin, luovuttaa, jättää kesken
packing *s* pakkaaminen
pack it in *fr* luovuttaa, jättää kesken, antaa periksi
pack off *v* **1** passittaa/lähettää jonnekin **2** lähteä kiireesti, häipyä, livistää
pack up *v* **1** luopua jostakin, luovuttaa, jättää kesken
pact [pækt] *s* valtiosopimus, sopimus *Warsaw Pact* Varsovan liitto
1 pad [pæd] *s* **1** pehmuste, toppaus **2** (urheilijan) suojus **3** (vaatteen) kovike, toppaus **4** lehtiö **5** (eläimen) käpälä; (käpälän) antura **6** *brake pad* (auton) jarrupala **7** *launch pad* (raketin) laukaisualusta **8** (sl) kämppä; punkka
2 pad *v* **1** pehmustaa, topata **2** pitkittää, paisutella **3** lisätä (laskuun) ylimääräistä
padding *s* pehmuste, toppaus
1 paddle [pædəl] *s* mela
2 paddle *v* **1** meloa **2** räpiköidä (matalassa vedessä)
paddleboat *s* siipirataslaiva
paddle steamer *s* siiparatashöyrylaiva
paddle wheel *s* siipiratas
paddock [pædək] *s* hevoshaka, haka
paddy [pædi] *s* **1** riisipelto **2** leikkaamaton tai kuorimaton riisi
paddy field *s* riisipelto
1 padlock ['pædˌlɒk] *s* munalukko
2 padlock *v* lukita (munalukolla), panna lukkoon
pagan [peɪgən] *s, adj* ei-kristitty; ei-juutalainen; ei-islamilainen; pakana(llinen)

1 page [peɪdʒ] *s* **1** sivu **2** (kuv) vaihe, aika, kausi **3** lähetti, juoksupoika **4** (hist) hovipoika, paasi

2 page *v* kutsua (paikalle/kaukokahulaitteella)

pageant [ˈpædʒənt] *s* **1** historiallinen kulkue **2** *beauty pageant* kauneuskilpailu, missikilpailu

pager [ˈpeɪdʒər] *s* kaukohakulaite, piippari (ark)

paid [peɪd] ks pay

pail [peɪl] *s* sanko

1 pain [peɪn] *s* **1** kipu, särky **2** (henkinen) tuska, kärsimys **3** (mon) vaivannäkö, vaiva *we took great pains to make you feel at home* näimme paljon vaivaa jotta tuntisit olosi kotoisaksi **4** *on/under pain of death* kuolemanrangaistuksen uhalla **5** (ark) kiusankappale, harmi

2 pain *v* **1** särkeä, aiheuttaa kipua **2** (kuv) satuttaa, tuottaa tuskaa *it pains me to say this but you're fired* minun on ikävä kertoa tämä uutinen mutta olet saanut potkut

painful *adj* (myös kuv) kivulias, tuskallinen, kipeä

painkiller [ˈpeɪnˌkɪlər] *s* särkylääke

painless *adj* kivuton (myös kuv)

painstaking [ˈpeɪnzˌteɪkɪŋ] *adj* perusteellinen, huolellinen, tarkka

1 paint [peɪnt] *s* maali

2 paint *v* maalata *he painted the house/a picture of the house* hän maalasi talon/talon (kuvan) *he painted a pretty picture of the house* (kuv) hän antoi talosta kauniin kuvan, hän kuvaili taloa kauniisti

paintbrush [ˈpeɪntˌbrʌʃ] *s* (maali)sivellin

painter *s* **1** maalari **2** (taide)maalari

painting *s* **1** maalaus, taulu **2** maalaaminen, (taide)maalaus **3** maalaustaide

paint the town red *fr* ottaa ilo irti elämästä, juhlia rajusti

1 pair [peər] *s* pari *a pair of old buddies* vanhat kaverukset *a pair of shoes* kenkäpari *a pair of earrings* korvakorut *a pair of scissors* sakset *a pair of jeans* farkut

2 pair *v* **1** jakaa/jakautua pareihin, muodostaa pari **2** (eläimiä) parittaa

pair off *v* jakautua pareiksi, muodostaa pari

pair skating *s* pariluistelu

pajamas [pəˈdʒæməz] *s* (mon) yöpuku

pak choi [ˈpakˈtʃɔɪ] *s* pinaattikiinankaali, pakchoi

pal [pæl] *s* (ark) kaveri, kamu, ystävä

palace [ˈpæləs] *s* palatsi

palatable [ˈpælætəbəl] *adj* maukas (myös kuv); herkullinen, houkutteleva, otollinen

palate [ˈpælət] *s* **1** kitalaki, suulaki **2** makuaisti **3** (kuv) maku: *that kind of music does not appeal to my palate* tuollainen musiikki ei ole minun makuuni/mieleeni

palatial [pəˈleɪʃəl] *adj* palatsimainen, ylellinen, pramea

1 pale [peɪl] *s* paalu *to be beyond the pale* mennä liian pitkälle, olla liian erilainen/erikoinen, olla mahdoton

2 pale *v* kalveta (myös kuv) *his Corvette pales in comparison with your Ferrari* hänen Corvettensa kalpenee sinun Ferrarisi rinnalla

3 pale *adj* kalpea, kelmeä, kalvakka

paleness *s* kalpeus, kalvakkuus

palette [ˈpælət] *s* paletti

palimony [ˈpælɪˌmoʊni] *s* elatusapu (avopuolisolle)

1 palisade [ˌpæləˈseɪd] *s* **1** paaluaita, paalutus **2** (mon) pystysuora rantatörmä

2 palisade *v* paaluttaa

1 pall [pɔːl] *s* **1** (ruumisarkun päälle levitettävä) paariliina **2** ruumisarkku **3** (kuv) verho, vaippa

2 pall *v* kyllästyttää, pitkästyttää, muuttua pitkäveteiseksi *Barth is a fine writer but after a while his books begin to pall* Barth on hyvä kirjailija mutta hetken päästä hänen kirjansa alkavat kyllästyttää

pallbearer [ˈpɔːlˌberər] *s* (ruumisarkun) kantaja

palliate [ˈpælɪˌeɪt] *v* **1** lievittää, lieventää **2** kaunistella

palliative [ˈpælɪətɪv] *s* lievite, lievittävä lääke/aine/asia(nhaara) *adj* **1** lievittävä **2** kaunisteleva

pallid [ˈpæləd] *adj* kalpea, kalvakka

pallor [ˈpælər] *s* kalpeus, kalvakkuus

1 palm [pɑːlm] *s* **1** (kasvi) palmu **2** kämmen *he knows this business like the palm of his* *hand* hän tuntee tämän alan läpikotaisin/ kuin omat taskunsa *to grease someone's palm* lahjoa joku *to oil someone's palm* lahjoa joku

2 palm *v* **1** piilottaa/kätkeä hihaansa **2** kähveltää **3** pitää kädessään

palmist [palmist] *s* kädestäennustaja

palmistry [paməstri] *s* kädestäennustaminen

palm off *v* huijata myymällä kalliilla hinnalla jotakin arvotonta *he bought a lemon and now he is trying to palm it off on me* hän osti auton joka on täysi romu ja nyt hän yrittää panna vahingon kiertämään myymällä sen minulle

palpitate [ˈpælpəˌteɪt] *v* **1** (sydän) tykyttää **2** vapista, täristä, väristä

palpitation [ˌpælpəˈteɪʃən] *s* **1** (sydämen)tykytys **2** vapina, tärinä, värinä

pamper [pæmpər] *v* hemmotella, lelliä

pamphlet [pæmflət] *s* pamfletti

1 pan [pæn] *s* **1** pannu *frying pan* paistinpannu **2** (kullan huuhdonnassa) vaskooli **3** (elo- ja videokuvauksessa) panoraamakuva

2 pan *v* **1** (ark) lyödä lyttyyn (arvostelussa) **2** huuhtoa (kultaa ym) **3** (elo- ja videokuvauksessa) panoroida

panache [pəˈnæʃ] *s* **1** (päähineen) sulkatöyhtö **2** vauhdikkuus, lennokkuus, into

Panama [ˈpænəˌma]

pancake [ˈpænˌkeɪk, ˈpænˌkeɪk] *s* **1** räiskäle, ohukainen, ohut pannukakku **2** (lentokoneen) mahalasku

pancreas [pæŋkrɪəs] *s* haima

pancreatic [ˌpæŋkriˈætɪk] *adj* haiman, haima-

panda [pændə] *s* panda

pandemonium [ˌpændəˈmouniəm] *s* kaaos, sekasorto, mylläkkä, meteli

pander to [pændər] *v* ruokkia jotakin, vedota johonkin *lowbrow literature panders to vulgar tastes* roskakirjallisuus vetoaa alhaiseen makuun

pane [peɪn] *s* lasi(ruutu) *window pane* ikkunalasi

panegyric [ˌpænəˈdʒɪərɪk] *s* ylistyspuhe

panel [pænəl] *s* **1** paneeli, lautavuoraus **2** paneeli, taulu *instrument panel* kojelauta,

mittaristo, mittaritaulu **3** paneeli(keskustelun osanottajat)

paneling *s* paneelit, panelointi

pang [pæŋ] *s* pisto sydämessä, omantunnontuska

pangolin [pæŋˈgolɪn] *s* muurahaiskäpy, pangoliini

1 panhandle [ˈpænˌhændəl] *s* **1** pannun kädensija/kahva **2** (alue) nipukka *the Texas panhandle* Texasin Panhandle, 'käsivarsi'

2 panhandle *v* kerjätä (kadulla)

1 panic [pænɪk] *s* paniikki, pakokauhu

2 panic *v* joutua paniikkiin/pakokauhun valtaan; hätääntyä

panicky [pænɪki] *adj* kauhistunut, hätääntynyt

panic-stricken [ˈpænɪkˌstrɪkən] *adj* kauhistunut, hätääntynyt

panorama [ˌpænəˈræmə] *s* panoraama

panoramic [ˌpænəˈræmɪk] *adj* (näkymä) yleis-, laaja-, panoraama-

pan out *v* (ark) onnistua, kantaa hedelmää

pant [pænt] *v* läähättää, huohottaa

panther [pænθər] *s* pantteri

panties [pæntɪz] *s* (ark, mon) (naisten) pikkuhousut

pantihose [pæntiˌhouz] *s* sukkahousut

pantomime [ˈpæntəˌmaɪm] *s* pantomiimi, elenäytelmä

pantry [pæntri] *s* ruokakomero

pants [pænts] *s* (mon) **1** housut **2** (UK) miesten alushousut

pantyhose [ˈpæntiˌhouz] *s* sukkahousut

papa [papə] *s* isi

papacy [peɪpəsi] *s* paavius, paavin virka

papal [peɪpəl] *adj* paavin

1 paper [peɪpər] *s* **1** paperi *your plan looks good on paper* suunnitelmasi näyttää hyvältä paperilla/teoriassa **2** (sanoma)lehti **3** (mon) henkilöllisyyspaperit **4** (tal sl) arvopaperi

2 paper *v* **1** tapetoida **2** levittää/kylvää jonnekin (painettuja) mainoksia

paperback [ˈpeɪpərˌbæk] *s* taskukirja

paper clip *s* paperiliitin

paprika [pæpˈrɪkə] *s* paprika

papyrus [pəˈpaɪrəs] *s* (mon papyruses, papyri) **1** papyruskaisla **2** papyrus

par [paər] *s* **1** (tal) nimellisarvo **2** samanarvoisuus, yhdenvertaisuus, normaalitaso *to be above/below par* olla tavallista parempi /huonompi *to be on par with something* olla jonkin veroinen/tasoinen *to be up to par* kelvata, olla riittävä; voida hyvin **3** (golf) par, lyöntimäärä jolla hyvätasoisen pelaajan oletetaan selviytyvän tietystä reiästä tai kentästä ja joka ilmentää reiän tai kentän vaikeusastetta

parable [pærəbəl] *s* vertaus

1 parachute ['pærəʃut] *s* laskuvarjo

2 parachute *v* hypätä laskuvarjolla; laskea joukkoja laskuvarjolla jonnekin

parachutist ['pærəʃutist] *s* laskuvarjohyppääjä

1 parade [pæˌreɪd] *s* paraati

2 parade *v* **1** marssia (paraatina); marssittaa, kävelyttää edestakaisin **2** leuhkia, komeilla jollakin **3** olla olevinaan jotakin, naamioitua joksikin

paradigm ['pærəˌdaɪm] *s* **1** (kieliopissa) paradigma, (sanan) taivutuskaava **2** malli, malliesimerkki, ihanne, esikuva

paradise ['pærəˌdaɪs] *s* paratiisi (myös kuv)

paradisiacal [ˌpærədəˈsaɪəl] *adj* paratiisillinen, paratiisimainen

paradox ['pærəˌdaks] *s* paradoksi

paradoxical [ˌpærəˈdaksɪkəl] *adj* paradoksaalinen

paraffin [pærəfɪn] *s* parafiini

paraglide ['pærəˌglaɪd] *v* varjoliitää

paraglider *s* varjoliitäjä

paragliding *s* varjoliito

paragon ['pærəˌgan] *s* malliesimerkki, ihanne, esikuva

1 paragraph ['pærəˌgræf] *s* (tekstissä) kappale

2 paragraph *v* jakaa (teksti) kappaleisiin

paralegal ['pærəˈliːgəl] *s* asianajajan apulainen

parallactic [ˌpærəˈlæktɪk] *adj* parallaksinen

parallax ['pærəˌlæks] *s* parallaksi

1 parallel ['pærəˌlel] *s* **1** (geom) paralleeli **2** leveysaste **3** vastine, rinnakkaistapaus, rinnakkaisilmiö, rinnakkaismuoto *to be without parallel* olla vertaansa vailla, olla ainoa laatuaan, olla ainutlaatuinen

2 parallel *v* **1** seurata jotakin, kulkea jonkin suuntaisesti **2** muistuttaa jotakin, olla verrattavissa johonkin

parallelogram [ˌpærəˈleləˌgræm] *s* suunnikas

parallel parking *s* taskupysäköinti

paralympics [ˌpærəˈlɪmpɪks] *s* paralympialaiset

paralysis [pəˈræləsɪs] *s* (mon paralyses) **1** halvaus **2** (kuv) lamaannus

paralytic [ˌpærəˈlɪtɪk] *s* halvautunut (ihminen) *adj* halvautunut, halvaus-

paralyze ['pærəˌlaɪz] *v* **1** *to be paralyzed* halvautua **2** (kuv) lamaannuttaa *she was completely paralyzed when she failed to get a job* hän oli täysin lamassa kun ei löytänyt työtä *paralyzed with fear* kauhun lamaannuttama

paramedic [ˌpærəˈmedɪk] *s* ensiaputyöntekijä *have the paramedics arrived?* (myös:) joko ambulanssi on tullut?

parameter [pəˈræmətər] *s* **1** parametri **2** (yl mon) puitteet, rajat

paramilitary [ˌpærəˈmɪlətəri] *adj* puolisotilaallinen

paramount ['pærəˌmaʊnt] *adj* tärkein, pää-, erittäin tärkeä

paranoia [ˌpærəˈnɔɪə] *s* vainoharhaisuus, paranoia

paranoid ['pærəˌnɔɪd] *s* vainoharhainen (ihminen), paranooikko *adj* vainoharha-, paranoidi

parapet [pærəˌpət] *s* **1** (linnoituksen) rintavarustus **2** (parvekkeen ym) kaide

paraphernalia [ˌpærəfəˈneɪliə] *s* (mon) varusteet, tarvikkeet; tykötarpeet, pikkurihkama

1 paraphrase ['pærəˌfreɪz] *s* (tekstin selvennys) parafraasi

2 paraphrase *v* tehdä parafraasi jostakin, selventää *let me paraphrase that* odotahan kun sanon sen omin sanoin/selvemmin

parapsychological [ˌpærəˌsaɪkəˈlɑdʒɪkəl] *adj* parapsykologinen

parapsychologist [ˌpærəsaɪˈkɑlədʒɪst] *s* parapsykologi

parapsychology [ˌpærəsaɪˈkɑlədʒi] *s* parapsykologia

1 parasail [ˈpærəˌseɪl] *s* nousuvarjo

2 parasail *v* nousuvarjoilla

parasailing s nousuvarjoilu

parasite ['pærə,saıt] s loinen (myös kuv)

parasitic ['pærə'sıtık] adj lois-

parasol ['pærə,sɒl] s aurinkovarjo, päivän-varjo

paratrooper ['pærə,tru:pər] s laskuvarjojääkäri

paratroops ['pærə,tru:ps] s (mon) laskuvarjo-joukot

1 parcel [pɑ:rsəl] s **1** paketti to be part and parcel of something olla (olennainen) osa jotakin 2 tontti, palsta

2 parcel v paketoida, pakata

parcel out v jakaa

parch [pɑːrtʃ] v kuivata rutikuivaksi, korven-taa

parchment s **1** pergamentti **2** pergamenttipa-peri

1 pardon [pɑːrdən] s **1** armahdus **2** anteeksi-pyyntö pardon! anteeksi! I beg your pardon! (pyydän) anteeksi!

2 pardon v **1** armahtaa **2** antaa anteeksi pardon me for asking but aren't you Mrs. Streep? anteeksi että häiritsen mutta ettekö te olekin Mrs. Streep?

parent [perənt] s **1** isä, äiti, toinen vanhem-mista, (mon) vanhemmat **2** (kuv) edeltäjä, edelläkävijä

parentage [perəntədʒ] s **1** syntyperä **2** isyys, äitiys

parental [pə'rentəl] adj vanhempien parental responsibilities vanhempien velvollisuu-det/vastuu

parenthesis [pə'renθəsıs] s (mon parentheses) sulkeet, sulkumerkit () let me mention in parenthesis that... sivumennen sanoen

parenthesize [pə'renθə,saız] v merkitä sul-keisiin/sulkumerkkeihin

parenthood [perənt,hʊd] s isyys, äitiys

parenting s (lasten) kasvatus

parish [pærıʃ] s **1** seurakunta **2** (Louisianan osavaltiossa) piirikunta

parishioner [pə'rıʃənər] s seurakuntalainen

parish register s kirkonkirjat

1 park [pɑːrk] s **1** puisto amusement park hu-vipuisto national park kansallispuisto theme park teemapuisto **2** stadion **3** pysä-köintialue car park pysäköintialue **4** (auto-maattivaihteiston) pysäköintiasento

2 park v **1** pysäköidä (ajoneuvo) **2** (ark) aset-tua jonnekin, panna jotakin jonnekin Harry parked himself into the easy chair Harry oikaisi itsensä laiskanlinnaan **3** (ark) sijoittaa (varmana pidettyyn osak-keeseen tms)

parka [pɑːrkə] s maihinnousutakki, maihari

parlance [pɑːrləns] s (erikois)kieli, kielen-käyttö

parliament [pɑːrləmənt] s parlamentti

parliamentary [,pɑːrlə'mentərı] adj parlamen-taarinen, parlamentti-

parlor [pɑːrlər] s **1** (vanh) olohuone **2** beauty parlor kauneushoitola funeral parlor hau-taustoimisto Ice cream parlor jäätelöbaari

parlor car s (junassa) salonkivaunu

parmesan [pɑːrmə,zɑːn] s parmesaanjuusto

parochial [pə'roukiəl] adj **1** seurakunnan, seurakunta- **2** ahdasmielinen, rajoittunut

parochialism [pə'roukıə,lızəm] s ahdasmieli-syys, rajoittuneisuus, nurkkakuntalaisuus

parochial school s roomalaiskatolinen tai muu tunnustuksellinen koulu

parodic [pə'rɒdık] adj parodinen, ivaileva

1 parody [pærədı] s parodia

2 parody v parodioida

1 parole [pə'roul] s ehdonalainen vapaus; eh-donalaisuusaika to be on parole olla eh-donalaisessa vapaudessa

2 parole v päästää ehdonalaiseen vapauteen

parolee [pə,rou'liː] s ehdonalaiseen vapauteen päästetty henkilö

parquet [pɑːr'keı] s parketti v päällystää par-ketilla

1 parrot [perət] s papukaija

2 parrot v toistaa/matkia (toisen sanoja) kuin papukaija, apinoida

1 parry [perı] s väistöliike, väistö (myös kuv)

2 parry v väistää (myös kuv), torjua

parsley [pɑːrslı] s persilja

parson [pɑːrsən] s pappi, pastori

parsonage [pɑːrsənɪdʒ] s pappila

1 part [pɑːrt] s **1** osa spare part varaosa part of the reason is that he has no money osa-syynä on se ettei hänellä ole rahaa to be part and parcel of something olla (olennai-nen) osa jotakin in part osittain in good part suureksi osaksi; (kuv) loukkaantumatta *for the most part* enimmäkseen, suurimmalta osin **2** rooli, osa, osuus *he plays an important part in our plans* hänellä on tärkeä osa suunnitelmissamme *you took the part* sinä sovit hyvin osaasi **3** osuus, osa, puoli *I have no part in it* minulla ei ole siihen osaa eikä arpaa *for my part* omalta osaltani, omasta puolestani *we congratulate you on the part of the whole staff* onnittelemme sinua koko henkilökunnan puolesta/nimissä *Sam took Wendy's part in the debate* Sam piti väittelyssä Wendyn puolta

2 part *v* **1** jakaa, jakautua; katkaista, katketa; irrottaa, irrota **2** kammata (hiukset) jakaukselle *he parts his hair in the middle* hän jakaa hiuksensa keskeltä

partake in [par'teɪk] *v* partook, partaken: osallistua johonkin

partake of *v* partook, partaken **1** nauttia (ateria) **2** nauttia/iloita yhdessä jostakin **3** jossain ilmenee jokin ominaisuus/piirre

part company *fr* erota, lähteä kumpikin/kukin omille teilleen; olla eri mieltä *here's where we part company* (kuv) tässä tiemme eroavat; tästä olemme eri mieltä

partial [par'ʃəl] *adj* **1** osittainen, osa- **2** puolueellinen

partiality [parʃi'æləti] *s* **1** puolueellisuus **2** mieltymys johonkin (to, for)

partially *adv* **1** puolueellisesti **2** osittain, osaksi *you're partially responsible for this* sinä olet osittain vastuussa/osavastuussa tästä

partial to *to be partial to someone/something* pitää kovasti jostakusta/jostakin, joku/jokin on jollekulle kovasti mieleen

participant [par'tɪsəpənt] *s* osanottaja, osallistuja

participate [par'tɪsə.peɪt] *v* osallistua, ottaa osaa johonkin (in), olla osallinen

participation [par.tɪsə'peɪʃən] *s* osanotto, osallistuminen; osuus

participator *s* **1** osanottaja, osallistuja **2** osakas, osallinen

participle ['parta.sɪpəl] *s* (kielioppia) partisiippi *present participle* partisiipin pree-

sens (esim. hanging) *past participle* partisiipin perfekti (esim. hanged)

particle [partɪkəl] *s* **1** hiukkanen, jyvä, jyvänen **2** (fys) alkeishiukkanen **3** (kieliopissa) partikkeli, apusana

particle accelerator *s* hiukkaskiihdytin

particle physics *s* (verbi yksikössä) alkeishiukkasfysiikka, hiutufysiikka

particular [par'tɪkjələr] *s* (mon) yksityiskohdat *in particular* erityisesti, etenkin *that one in particular is nice* etenkin tuo on kiva *adj* **1** juuri tämä: *in this particular case* juuri tässä tapauksessa, nimen omaan tässä tapauksessa **2** erityinen: *we took particular care not to break the glass* olimme erityisen varovaisia jottei lasi särkynyt **3** nirso, pikkutarkka, pikkumainen *why do you have to be so particular about everything?* miksi sinun pitää nirsoilla kaikessa?

particularize [par'tɪkjələ.raɪz] *v* selittää tms yksityiskohtaisesti; mainita erityisesti, tähdentää

particularly *adv* erityisesti, erityisen, etenkin, ennen kaikkea *she was particularly pleased to see you* hän oli erityisen mielissään nähdessään sinut *not particularly* en/ei/ei erityisemmin

partisan [partɪzən] *s* **1** puoluepukari **2** partisaani, sissi *adj* **1** puolueellinen, puolue-*partisan politics* puoluepolitiikka **2** sissi-

1 partition [par'tɪʃən] *s* **1** jakaminen **2** väliseinä **3** tila, komero, koppi, karsina **4** soppi

2 partition *v* jakaa (osiin); erottaa väliseinällä

partition off *v* erottaa väliseinällä, jakaa (huone) osiin

partly [pártli] *adj* osittain osin, osaksi *it's partly true* se pitää osittain paikkaansa

partner [partnər] *s* toveri; liikekumppani, yhtiötoveri; rikostoveri; tanssipari; pelitoveri, ottelutoveri

partnership *s* **1** toveruus **2** yhtiötoveruus **3** yhtiö

partook [par'tʊk] ks partake

partridge [pártrɪdʒ] *s* peltopyy

part-time [,part'taɪm] *adj* osa-aikainen, osa-aika-

part with *v* luopua jostakin

1 party [parti] *s* **1** puolue **2** osapuoli, asianosainen (myös lak): riitapuoli **3** ryhmä, seurue **4** juhla(t), kemut

2 party *v* juhlia, bailata (ark)

party line *s* **1** puoluelinja **2** yhteinen puhelinliittymä

1 pass [pæs] *s* **1** sola **2** (kulku)väylä **3** (kulku)lupa, lupapaperit **4** vapaalippu *no passes for this engagement* ei vapaalippuja **5** (ark) lähentely-yritys *Tom made a pass at the girl* Tom yritti lähennellä tyttöä **6** vaihe, tilanne *we've come to a difficult pass* olemme vaikeassa tilanteessa

2 pass *v* **1** kulkea jostakin; kulkea ohi jostakin, ohittaa **2** menna ohi, lakata **3** (aika) kulua; kuluttaa (aikaa) **4** jättää väliin, hypätä yli **5** hyväksyä (lakiehdotus), mennä läpi; läpäistä (tentti), päästä läpi (tentissä) **6** kuolla **7** ylittää **8** ojentaa *would you please pass the sugar?* saisinko sokerin?, antaisitko sokerikon? **9** pujottaa

passable [pæssəbəl] *adj* **1** kulkukelpoinen **2** tyydyttävä, kohtalainen *to be passable* kelvata joten kuten

passably *adv* kohtalaisesti, joten kuten

passage [pæsədʒ] *s* **1** (laiva)matka **2** ylitys, kauttakulkumatka **3** (kautta)kulkulupa **4** (ajan) kulku, kuluminen *with the passage of time* ajan mittaan **5** siirtymävaihe, siirtyminen **6** käytävä **7** (teksti)katkelma, kohta

passageway [pæsədʒwei] *s* käytävä

pass along *v* maksattaa asiakkaalla, lisätä hintaan

pass away *v* nukkua pois, menehtyä, aika jättää jostakusta

passé [pæ'sei] *adj* (ranskaa) vanhentunut, vanhanaikainen

passenger [pæsəndʒər] *s* matkustaja

passerby [pæsər'bai] *s* (mon passersby) ohikulkija

pass for *v* käydä jostakin, kelvata

passing *to mention something in passing* mainita jotakin ohimennen

passing lane *s* (maantien) ohituskaista

1 passion [pæʃən] *s* **1** kiihko, intohimo, into, tulisuus **2** kiihkeä/intohimoinen rakkaus **3** (usk) Kristuksen kärsimyshistoria

passionate [pæʃənət] *adj* **1** kiihkeä, intohimoinen, tulinen, voimakas **2** kiihkeän/intohimoisen aistillinen/seksuaalinen

passionately *adv* ks passionate

passionless *adj* kylmä, tunteeton, viileä

passion play *s* kärsimysnäytelmä

passive [pæsiv] *s* (kieliopissa) passiivi *adj* passiivinen, toimeton, välinpitämätön, innoton, alistuvainen

passively *adv* passiivisesti (ks passive)

passiveness *s* passiivisuus

passivism [pæsi,vizəm] *s* passiivisuus

passivity [pæ'sivəti] *s* passiivisuus

passkey [pæs,ki] *s* **1** yleisavain **2** tiirikka

pass off *v* **1** mennä ohi, lakata, loppua **2** käydä jostakin, mennä täydestä **3** sujua, mennä

pass off as *v* tekeytyä joksikin, esiintyä jonakin

pass off on *v* narrata joku ostamaan jotakin arvotonta *my brother bought a lemon and now he is trying to pass it off on me* veljeni osti auton joka on täysi romu ja nyt hän yrittää panna vahingon kiertämään myymällä sen minulle

pass on *v* **1** menehtyä, aika jättää jostakusta, kuolla **2** antaa/ojentaa eteenpäin, panna kiertämään myymällä sen minulle

pass out *v* **1** pyörtyä, menettää tajuntansa **2** nukkua pois, menehtyä, kuolla

pass over *v* ohittaa, hypätä yli, jättää väliin

passport [pæs,port] *s* **1** passi **2** (kuv) avain *a passport to fame* menestyksen avain

pass up *v* päästää (tilaisuus) sivu suun, ei käyttää (tilaisuutta) hyväkseen

password [pæswərd] *s* tunnussana

past [pæst] *s* **1** menneisyys *in the past* menneisyydessä, aiemmin, ennen **2** (kieliopissa) imperfekti *adj* **1** mennyt, entinen **2** viime *in the past few days* viime päivinä **3** (kieliopissa) imperfekti- *past participle* partisiipin perfekti *past perfect* pluskvamperfekti *adv* ohi, ohitse *prep* **1** (tilasta) ohi; takana *he drove past the house* hän ajoi talon ohitse **2** (ajasta) yli *it's half past one* kello on puoli kaksi **3** (määrästä) yli **4** (kuv) *she is past caring* hän ei enää välitä/jaksa välittää

pasta [pæstə] *s* pasta

past continuous [kən'tɪnjʊəs] *s* (kieliopissa) kestomuodon imperfekti (esim he was reading)

1 paste [peɪst] *s* **1** liisteri **2** voitaikina **3** tahna

2 paste *v* liisteröidä, liimata

pastel [pæs'tel] *s* **1** pastelliväri **2** pastelliliitu **3** pastellimaalaus, väriliitumaalaus *adj* pastellinvärinen

pasteurize ['pæstʃə,raɪz] *v* pastöroida

pastime ['pɑːs,taɪm] *s* ajanviete; harrastus

pastor [pɑːstə] *s* pappi, pastori

pastoral [pæs'tərəl] *adj* **1** paimen- **2** papin **3** laidun- **4** idyllinen, maaseudun, maalais-

past participle *s* (kieliopissa) partisiipin perfekti (esim gone, fallen)

past perfect *s* (kieliopissa) pluskvamperfekti (esim he had done)

past progressive [prə'gresɪv] *s* (kieliopissa) kestomuodon imperfekti (esim he was reading)

pastry [peɪstrɪ] *s* torttu *pastries* leivonnaiset, konditoriatuotteet

1 pasture [pæstʃər] *s* laidunmaa, laidun *to put someone to pasture* siirtää joku eläkkeelle

2 pasture *v* laiduntaa (karjaa)

pasty [peɪstɪ] *s* (UK) (makea tai suolainen) piiras *adj* liisterimäinen; tahnamainen

1 pat [pæt] *s* **1** taputus **2** nokare

2 pat *v* taputtaa

3 pat *adj* **1** oivallinen, osuva **2** (kuv) liukas, lipevä **3** sujuva

4 pat *adv* **1** oivallisesti, osuvasti **2** täydellisesti *to have something down pat* osata jotakin täydellisesti

1 patch [pætʃ] *s* **1** (kankaan pala) tilkku; paikka **2** silmälappu **3** läiskä, tahra **4** tontti, palsta **5** (maapala) tilkku *cabbage patch* kaalimaa, kaalitarha

2 patch *v* **1** paikata **2** ommella tilkkutäkki **3** yhdistää (puhelimitse)

patch through *v* yhdistää (puhelimitse)

patch up *v* **1** paikata, korjata (väliaikaisesti) **2** sopia välinsä

pâté [pæ'teɪ] *s* (ranskasta) pasteija

1 patent [pætənt] *s* patentti

2 patent *v* patentoida

3 patent *adj* **1** patentoitu **2** patentti- **3** ilmeinen, ilmiselvä *that's a patent lie* se on silkkaa valhetta

patentee [,pætən'tiː] *s* patentin haltija

patently *adv* ilmiselvästi, selvästi

Patent Office *s* patenttivirasto, (Suomessa:) Patentti- ja rekisterihallitus

patentor [pætəntər] *s* patentin myöntäjä (virasto)

patent right *s* patenttioikeus

paternal [pə'tɜːnəl] *adj* **1** isän puoleinen *my paternal grandmother* isäni äiti **2** isällinen

paternity [pə'tɜːnətɪ] *s* isyys

paternity leave *s* isyysloma

path [pæθ] *s* **1** polku *bicycle path* pyörätie **2** reitti **3** (kuv) tie

pathetic [pə'θetɪk] *adj* säälittävä, surkea, surkuteltava, kurja, viheliäinen

pathfinder [pæθ,faɪndər] *s* **1** opas, tiennäyttäjä; tiedustelija **2** (kuv) edelläkävijä, uranuurtaja, tienraivaaja, esitaistelija

pathless *adj* tietön

pathogen [pæθədʒən] *s* patogeeni, taudinaiheuttaja

pathogenic [,pæθə'dʒenɪk] *adj* patogeeninen, tautia aiheuttava

pathological [,pæθə'lɑdʒɪkəl] *adj* **1** patologinen, tautiopillinen **2** patologinen, sairaalloinen *he is a pathological liar* hän valehtelee minkä ehtii

pathologist [pə'θalədʒɪst] *s* patologi

pathology [pə'θalədʒɪ] *s* patologia, tautioppi

pathos [peɪθɒs] *s* sääli, myötätunto; säälin/myötätunnon herättäminen

pathway [pæθ,weɪ] *s* polku

patience [peɪʃəns] *s* **1** kärsivällisyys **2** (UK) pasianssi

patient [peɪʃənt] *s* potilas *adj* kärsivällinen

patio [pætɪəʊ] *s* patio

1 pat on the back *s* ylistys, pienet kehut, kehumiset

2 pat on the back *v* ylistää, kehua

patriarch [peɪtrɪ,ɑːk] *s* partriarkka (usk ja yl)

patriarchal [peɪtrɪ'ɑːkəl] *adj* patriarkaalinen, isänvaltainen

patriarchy [peɪtrɪ,ɑːkɪ] *s* isänvalta

patrician [pə'trɪʃən] *s* ylimys, aristokraatti *adj* ylimyksellinen, aristokraattinen

patricide ['pætrɪˌsaɪd] s **1** isänmurha **2** isän-murhaaja

patriot ['peɪtrɪət] s isänmaallinen ihminen, isänmaanystävä

patriotic [ˌpeɪtrɪˈɑtɪk] adj isänmaallinen

patriotism ['peɪtrɪəˌtɪzəm] s isänmaallisuus, isänmaanrakkaus

1 patrol [pəˈtrəʊl] s (sotilas-, poliisi tai muu) partio

2 patrol v partioida

patrol car s poliisiauto

patrolman [pəˈtrəʊlmən] s (mon patrolmen) **1** poliisi **2** partiomies

patron ['peɪtrən] s **1** (kanta-)asiakas, (vakio)asiakas, (hotellin vakio)vieras **2** (taiteen, taiteilijan) suosija, mesenaatti

patronize ['peɪtrəˌnaɪz] v **1** asioida/käydä säännöllisesti jossakin **2** kohdella ylimielisesti/nöyryyttävästi

patronizing adj ylimielinen, alentava, nöyryyttävä

patron saint s suojeluspyhimys

patronymic [ˌpætrəˈnɪmɪk] s patronyymi

1 patter ['pætər] s **1** (sateen) ropina **2** (askelten) sipsutus **3** lipevä puhe, hölötys, pälpätys

2 patter v **1** (sade) ropista **2** (ihminen) sipsuttaa **3** hölöttää, pälpättää

1 pattern ['pætərn] s **1** (koriste)kuvio **2** malli, kaava **3** esikuva, malli **4** tapa **5** säännönmukaisuus, toistuvuus *I don't see any pattern in these cases* minusta näillä tapauksilla ei ole mitään yhteistä (piirrettä)

2 pattern v kuvioida, muotoilla

pattern on v ottaa esimerkkiä jostakin, tehdä jotakin jonkin esikuvan mukaan

paucity [ˈpɔːsəti] s niukkuus, vähyys

paunch [pɔːntʃ] s (iso) maha

paunchy adj isomahainen

pauper ['pɔːpər] s köyhä, kerjäläinen

1 pause [pɔːz] s tauko *to give pause* tehdä miettiväiäksi, saada pysähtymään

2 pause v pitää tauko, pysähtyä, keskeyttää

pave [peɪv] v kivetä (katu, tie), päällystää (katu, tie)

pavement ['peɪvmənt] s (UK, Itä-USA) jalkakäytävä

pavillion [pəˈvɪljən] s **1** paviljonki, huvimaja **2** (ulkoilma)konserttilava **3** näyttelyrakennus

1 paw [pɔː] s käpälä (myös kuv)

2 paw v **1** (eläimestä) raapia (käpälillään) **2** (ihmisestä, ark) käpälöidä, lääppiä, hypistellä, sorkkia

1 pawn [pɔːn] s **1** (šakissa) sotilas **2** pantti **3** panttivanki

2 pawn v **1** pantata **2** (kuv) panna pantiksi

pawnbroker ['pɔːnˌbrəʊkər] s panttilainaaja

pawnshop ['pɔːnˌʃɒp] s panttilainaamo

1 pay [peɪ] s palkka

2 pay v paid, paid **1** maksaa (myös) *one day, you'll have to pay for what you did* joskus saat vielä maksaa teostasi **2** kannattaa *crime doesn't pay* rikos ei kannata **3** *to pay a visit/call* käydä/vierailla jossakin/jonkun luona (on)

payable ['peɪəbəl] adj joka voidaan/täytyy maksaa

pay back v maksaa takaisin, (myös kuv:) kostaa

paycheck ['peɪˌtʃek] s **1** palkkasekki **2** palkka

payday ['peɪˌdeɪ] s palkkapäivä

pay dirt *to hit pay dirt* **1** pistää rahoiksi **2** onnistua, tehdä läpimurto

pay down v **1** maksaa käsirahana **2** kuolettaa

payee [peɪˈiː] s maksun saaja

payer ['peɪər] s maksaja

pay for v maksaa jostakin (myös kuv)

payload ['peɪˌləʊd] s **1** hyötykuorma **2** matkustajamäärä

payment ['peɪmənt] s maksu

pay off v **1** maksaa pois, maksaa loput **2** lahjoa

pay out v **1** maksaa **2** löysätä (köyttä)

pay phone s yleisöpuhelin

pay up v **1** maksaa pois, maksaa loput **2** maksaa (pakon alla)

pea [piː] s herne

peace [piːs] s **1** rauha (eri merkityksissä, myös:) yleinen rauha *to hold/keep your peace* hillitä itsensä, olla hiljaa *to keep the peace* pitää yllä järjestystä *to make your peace with someone* sopia välinsä jonkun kanssa, solmia rauha jonkun kanssa *to* *make peace* tehdä rauha, laskea aseet **2** *Peace* rauhansopimus, rauha

peaceful *adj* **1** rauhaa rakastava, rauhanhaluinen **2** rauhallinen

peacefulness *s* **1** rauhanhalu **2** rauhallisuus

peacekeeper ['piːsˌkiːpər] *s* rauhanturvaaja

peace offensive *s* rauhanaloite

peace offering *s* **1** rauhantarjous **2** (Raamatussa) yhteisuhri

peacetime ['piːsˌtaɪm] *s* rauhanaika *adj* rauhanajan

peach [piːtʃ] *s* persikka

peacock ['piːˌkæk] *s* riikinkukko

peafowl [pifaʊəl] *s* riikinkukko

peahen *s* riikinkukko(naaras)

1 peak [piːk] *s* **1** (vuoren) huippu, laki **2** kärki **3** (kuv) huippu, huipentuma, lakipiste **4** (lakin) lippa **5** *widow's peak* leskenlovi

2 peak *v* olla parhaimmillaan/suurimmillaan, saavuttaa huippunsa, huipentua J.D. *Salinger peaked at a relatively young age* J.D. Salinger saavutti luomistyönsä huipun verraten nuorena

3 peak *adj* huippu-

1 peal [piːl] *s* **1** kellojen kumahtelu/kajahdus/soitto **2** kellopeli **3** (naurun) rämäkkä, kajotus, (ukkosen, tykkien) jylinä

2 peal *v* (kellot) soida; (ukkonen, tykit) jylistä

peanut [pinət] *s* **1** maapähkinä **2** (mon, ark) pikkuraha, pikkusumma, mitätön summa

pear [peər] *s* päärynä

pearl [pərəl] *s* **1** helmi *to cast pearls before swine* heittää helmiä sioille/sikojen eteen, panna hukkaan **2** pisara *adj* helmenharmaa; helmenvalkoinen

pearly [pərli] *adj* helmenvalkoinen; helmenharmaa

peasant [pezənt] *s* **1** (köyhä) pienviljelijä *Southeast Asian peasants* Kaakkois-Aasian talonpojat **2** (halventavasti) moukka

peat [piːt] *s* turve

peat bog *s* turvesuo

peaty *adj* turpeinen

pebble [pebəl] *s* pieni (veden sileäksi kuluttama) kivi

pebbly *adj* jossa on pieniä (veden sileäksi kuluttamia) kiviä

peccary [pekəri] *s* (eläin) pekari

1 peck [pek] *s* nopea suukko

2 peck *v* (lintu) nokkaista, nokata, nokkia

peck at *v* **1** näykkiä (ruokaansa) **2** näykkiä jotakuta, nälviä jotakuta, nalkuttaa jollekulle

pecking order *s* nokkimisjärjestys (myös kuv)

peculiar [pəˈkjuːljər] *adj* **1** omituinen, outo, erikoinen, kummallinen, harvinainen **2** ominainen *giraffes are peculiar to Africa* kirahveja esiintyy/on vain Afrikassa

peculiarity [pəˌkjuːliˈærəti] *s* omituisuus, erikoisuus, erikoispiirre, oikku

peculiarly *adv* omituisesti, omituisen, harvinaisen

pedagog *s* kasvattaja, opettaja, pedagogi

pedagogic [ˌpedəˈgædʒik] *adj* kasvatuksellinen, kasvatustieteellinen, pedagoginen

pedagogical *adj* ks pedagogic

pedagogically *adv* kasvatuksellisesti, kasvatustieteellisesti, pedagogisesti

pedagogics [ˌpedəˈgædʒiks] *s* (verbi yksikössä) kasvatustiede, pedagogiikka

pedagogue ['pedəˌgæg] *s* kasvattaja, opettaja, pedagogi

pedagogy ['pedəˌgædʒi] *s* **1** kasvatus, opetus, kasvatustaito **2** kasvatustiede

1 pedal [pedəl] *s* **1** (polkupyörän) poljin **2** (pianon, rummun) pedaali, poljin, (urkujen) jalkio

2 pedal *v* polkea (pyörää, urkuja)

pedant [pedənt] *s* saivartelija, pedantti

pedantic [pəˈdæntik] *adj* turhantarkka, saivarteleva

pedantry [pedəntri] *s* saivartelu

peddle [pedəl] *v* kaupustella, kaupitella

peddler [pedlər] *s* kaupustelija

pedestal [pedəstəl] *s* jalusta *to put someone on a pedestal* (kuv) nostaa joku jalustalle, ylistää/palvoa jotakuta

pedestrian [pəˈdestriən] *s* jalankulkija *adj* **1** jalankulku- **2** (kuv) mielikuvitukseton, tylsä, innoton, osaamaton

pedestrianism [pəˈdestriəˌnɪzəm] *s* (kuv) mielikuvituksettomuus, tylsyys, innottomuus, osaamattomuus

pediatric [‚pidi'ætrɪk] *adj* lastentauti-, pediatrinen

pediatrician [‚pidiə'trɪʃn] *s* lastenlääkäri, pediatri

pediatrics [‚pidi'ætrɪks] *s* (verbi yksikössä) lastentautioppi, pediatria

pedigree ['pedə‚gri] *s* sukupuu, sukuluettelo; syntyperä; ylhäinen syntyperä

pedlar [pedlər] *s* kaupustelija

pedler [pedlər] *s* kaupustelija

1 peek [pik] *s* vilkaisu, kurkistus

2 peek *v* vilkaista, kurkistaa, tirkistää

1 peel [piəl] *s* (hedelmän, kasviksen) kuori

2 peel *v* kuoria *these oranges peel easily* niitä appelsiineja on helppo kuoria, näiden appelsiinien kuoret irtoavat helposti

peeled *to keep your eyes peeled* pitää oil mänsä auki, olla valppaana, seurata tarkasti

peel off *v* 1 kuoria 2 riisua 3 poiketa (maantieltä)

1 peep [pip] *s* 1 kurkistus, vilkaisu, tirkistys 2 piipitys 3 (kuv) valitus, narina, inahdus

2 peep *v* 1 kurkistaa, kurkistella, vilkaista, tirkistää, tirkistellä 2 piipittää 3 valittaa, narista, inistä

peephole ['pip‚həol] *s* ovisilmä; tirkistysreikä, tirkistysaukko

1 peer [piər] *s* 1 (UK) pääri 2 aatelinen 3 vertainen *you will be judged by a jury of your peers* joudutte vertaistenne tuomittavaksi

2 peer *v* tuijottaa silmiään siristäen, yrittää nähdä

peerage [piərədʒ] *s* 1 aatelisarvo, päärin arvo 2 aateli, aateliset 3 aateliskalenteri

peer group *s* vertaisryhmä

peerless *adj* verraton, joka on vertaansa vailla

1 peg [peg] *s* 1 tappi 2 (kuv) pykälä, porras *we took him down a peg* me otimme häneltä turhat luulot pois

2 peg *v* 1 kiinnittää tapeilla/piikeillä 2 jäädyttää (hinnat/palkat)

pelican ['pelɪkən] *s* pelikaani

pellet [pelət] *s* 1 pilleri 2 (paperi- tai muu) pallo 3 hauli 4 oksennuspallo

peloton *s* (pyöräkilpailussa) pääjoukko

1 pelt [pelt] *s* 1 (eläimen) turkki 2 *in your pelt* alasti, ilkosillaan 3 *at full pelt* täyttä häkää/vauhtia, nasta laudassa

2 pelt *v* pommittaa (kivillä, kysymyksillä ym), viskoa, piiskata, (sade) vihmoa, ryöpyttää

pelvic [pelvɪk] *adj* lantion, lantio

pelvis [pelvəs] *s* (mon pelvises, pelves) lantio

1 pen [pen] *s* 1 kynä 2 (mustekynän) terä 3 (eläinten) aitaus, karsina 4 leikkikehä

2 pen *v* 1 kynäillä, kirjoittaa, piirtää 2 sulkea (eläimet) aitaukseen

penal [pinəl] *adj* rangaistus-

penalize ['pinə‚laɪz] *v* rangaista, tuomita

penalty [penəlti] *s* 1 rangaistus; sakko 2 (urh) rangaistusheitto, rangaistuspotku

penance [penəns] *s* 1 (usk) katumus 2 (usk) katumusharjoitus 3 rangaistus

pence [pens] ks penny

1 pencil [pensəl] *s* 1 lyijykynä 2 kynä 3 (ehostuksessa) rajauskynä

2 pencil *v* kirjoittaa/piirtää kynällä

pendant [pendənt] *s* riipus

pendent *adj* 1 riippuva 2 riippuva 2 ratkaisematon, keskeneräinen

pending *adj* 1 keskeneräinen, ratkaisematon 2 pian tapahtuva; uhkaava *prep* 1 saakka, kunnes 2 aikana

pendulum [pendʒələm] *s* heiluri

penetrate ['penə‚treɪt] *v* 1 tunkeutua (syvälle) jonnekin, läpäistä jokin, mennä läpi jostakin; (sot) murtaa (vihollisen linjat) *the company is trying to penetrate the European market* yritys yrittää päästä Euroopan markkinoille 2 ymmärtää, ratkaista

penetrating *adj* 1 (katse, ääni) läpitunkeva, pureva 2 (huomio) tarkka, terävä

penetratingly *adv* 1 läpitunkevasti, purevasti 2 tarkasti, terävästi

penetration [‚penə'treɪʃən] *s* 1 jonkin läpi/ jonnekin tunkeutuminen; (sodassa) läpimurto 2 terävänäköisyys, tarkkanäköisyys, oivalluskyky 3 uuden markkina-alueen valtaus, markkinaosuus *our market penetration in Sweden is unsatisfacory* markkinaosuutemme Ruotsissa ei ole tyydyttävä

penguin [peŋgwɪn] *s* pingviini

penicillin [,penə'sılən] *s* penisilliini

peninsula [pə'nınsələ, pə'nınsjələ] *s* niemimaa

peninsular [pə'nınsələr, pə'nınsjələr] *adj* niemi-, niemimaa-

penis [pinəs] *s* (mon penises, penes) penis

penitence [penıtəns] *s* katumus

penitent [penıtənt] *adj* katuja, katuvainen *adj* katuva, katuvainen

penitentiary [,penı'tenʃəri] *s* rangaistuslaitos *adj* vankeus-, vankila-, rangaistus-

penknife ['pen,naıf] *s* (mon penknives) kynäveitsi

penlight ['pen,laıt] *s* pieni taskulamppu

pennant [penənt] *s* viiri

penniless [penələs] *adj* pennitön, varaton

penny [peni] *s* (mon pennies, kohdissa 2 ja 3 pence puhuttaessa hinnasta, esim *six-pence*, muutoin pennies) **1** cent, dollarin sadasosa **2** (UK) penny, punnan sadasosa **3** (UK) (ennen vuoden 1971 rahanuudistusta) penny, shillingin kahdestoistaosa **4** *fr: to cost a pretty penny* maksaa sievoinen summa, maksaa pitkä penni *to turn an honest penny* elättää itsensä rehellisesti, ansaita palkkansa rehellisesti *a penny saved is a penny earned* ei ne pienet tulot vaan ne suuret menot

penological [,pinə'ladʒıkəl] *adj* penologinen, rangaistusopillinen

pen pal ['pen,pæl] *s* kirjetoveri, kirjeenvaihtotoveri

pension [penʃən] *s* **1** eläke **2** (ei USA:ssa) täysihoitola; pieni hotelli

pensionable *adj* (työ) joka oikeuttaa eläkkeeseen *pensionable age* eläkeikä

pensioner [penʃənər] *s* eläkeläinen

pension off *v* siirtää/panna eläkkeelle

pension plan *s* eläketurva

pensive [pensıv] *adj* mietteliäs, vakava, hiljainen

pensively *adv* mietteliäästi, vakavasti, hiljaa, hiljaisesti

pentagon ['pentə,gan] *s* viisikulmio

pentagonal [pen'tægənəl] *adj* viisikulmainen

pentaprism ['pentə,prızəm] *s* pentaprisma

pentathlete [pen'tæθ,lit] *s* viisiottelija

pentathlon [pen'tæθ,lan] *s* viisiottelu

penthouse ['pent,haʊs] *s* (kerrostalon) ylimmän kerroksen asunto; ullakkohuoneisto

penultimate [pe'nʌltımət] *s, adj* toiseksi viimeinen, viimeistä edellinen

penumbra [pə'nʌmbrə] *s* (mon penumbras, penumbrae) puolivarjo

1 people [pipəl] *s* **1** ihmiset; väki, kansa *there were a lot of people there* siellä oli paljon väkeä/kansaa *people don't like the Vice President* varapresidentistä ei pidetä, varapresidentti ei ole pidetty **2** väestö, asukkaat *how many people live in this city?* kuinka monta asukasta tässä kaupungissa on? **3** kansa *People's Republic of China* Kiinan kansantasavalta *the common people* tavalliset ihmiset, kansa

2 people *v* kansoittaa, asuttaa

pep [pep] *s* into, pirteys, vauhti, potku

1 pepper [pepər] *s* **1** pippuri **2** paprika **3** cayennenpippuri

2 pepper *v* **1** pippuroida, maustaa pippurilla **2** pommittaa (kivillä, kysymyksillä ym)

pepper mill *s* pippurimylly

peppermint [pepər,mınt] *s* piparminttu

pepperoni [,pepə'rouni] *s* pepperoni(makkara)

pep talk *s* rohkaisupuhe, kannustuspuhe, palopuhe

pep up *v* piristää, panna vauhtia johonkuhun/johonkin

per [pər] *prep* **1** kultakin, kappaleelta, per: *$100 per year* sata dollaria vuodessa, sata dollaria per vuosi **2** välityksellä, kautta per *fax* faxilla **3** mukaan, mukaisesti *per instructions* ohjeiden/määräysten mukaan *as per* mukaan, mukaisesti

perambulator [pə'ræmbjə,leıtər] *s* (UK) lastenvaunut

per annum [pər'ænəm] *adv* (latinasta) vuodessa, vuosittain, vuotta kohden

per capita [pər'kæpıtə] *adj, adv* asukasta kohden

perceivable *adj* havaittava; jonka voi havaita/huomata

perceive [pər'siv] *v* **1** havaita, aistia, nähdä, tuntea, huomata **2** oivaltaa, todeta, nähdä (kuv), panna merkille

percent [pər'sent] *s* prosentti *adj* prosentin, prosentti-

percentage [pər'sentədʒ] *s* prosenttiosuus, prosentti, osuus, osa

percentile [pər'sentaɪl] *s* (tilastoissa) persentiili, sadannespiste, prosenttipiste

percept [pərsept] *s* havainto, aistimus

perceptible [pər'septɪbəl] *adj* havaittava; huomattava, selvä

perceptibly *adv* havaittavasti, näkyvästi; selvästi

perception [pər'sepʃən] *s* **1** havaitseminen **2** havainto, aistimus **3** oivalluskyky, tarkkanäköisyys *artistic perception* taiteilijan oivalluskyky **4** käsitys *she had no clear perception of what had happened* hänellä ei ollut tapahtuneesta/tapahtumista selvää mielikuvaa/käsitystä

perceptive [pər'septɪv] *adj* **1** tarkkanäköinen, terävänäköinen, älykäs, syvällinen **2** havainto-, aistimus-

perceptual [pər'sepʃuəl] *adj* havainto-, perseptuaalinen

1 perch [pɜːtʃ] *s* **1** ahven **2** (kanan yöpuu) orsi; oksa (tai muu paikka jolla lintu lepää)

2 perch *v* laskeutua/laskea orrelle/oksalle *he was perched precariously on the back of the chair* hän istui tuolin selällä sen näköisenä että saattaisi kaatua minä hetkenä hyvänsä

percolate [pɜːkə‚leɪt] *v* **1** uuttaa, uuttua, suodattaa, suodattua **2** valmistaa/laittaa kahvia perkolaattorissa **3** (kuv) vilkastua, johonkin tulee cloq; (kiinnostuksesta) herätä; pursua jotakin (with)

percolator *s* perkolaattori, eräänlainen kahvinkeitin

percussion [pər'kʌʃən] *s* **1** (lääk) koputtelu, koputtelututkimus **2** (mus) lyömäsoittimet

percussionist *s* lyömäsoittimen soittaja, perkussionisti, rumpali

per diem [pər'diəm] *s* päiväraha *adv* päivässä

perennial [pə'reniəl] *s* monivuotinen kasvi *adj* **1** (kasvi) monivuotinen **2** ikuinen, aitiuinen, jatkuva *our perennial favorite* ikuinen suosikkimme, jatkuva ykkösemme

perfect [pɜːfekt] *s* (kieliopissa) perfekti *adj* **1** täydellinen, virheetön, moitteeton **2** voimistavana sanana: *we are perfect strangers* olemme ventovieraita toisillem-

me *you're a perfect fool* sinä olet täysi torvi **3** (mus) absoluuttinen *she has perfect pitch* hänellä on absoluuttinen (sävel)korva **4** (kieliopissa) perfekti-

perfect [pər'fekt] *v* viimeistellä, kehittää, parantaa, (kuv) hioa

perfect continuous [kən'tɪnjuəs] *s* (kieliopissa) kestomuodon perfekti tai pluskvamperfekti (he has/had been reading)

perfection [pər'fekʃən] *s* täydellisyys, virheettömyys, moitteettomuus *he has achieved perfection as a painter* hän on edennyt taidemaalarina täydellisyyden asteelle

perfectionism [pər'fekʃənɪzm] *s* perfektionismi, täydellisyyden tavoittelu

perfectionist [pər'fekʃənɪst] *s* perfektionisti, täydellisyyden tavoittelija *adj* perfektionistinen, täydellisyyttä tavoitteleva

perfectly *adv* **1** täydellisesti, virheettömästi, moitteettomasti **2** täysin *he made it perfectly clear that he was not going to pay* hän teki täysin selväksi ettei hän aikonut maksaa

perfect progressive [prə'gresɪv] *s* (kieliopissa) kestomuodon perfekti tai pluskvamperfekti (he has/had been reading)

perfect tense *s* (kieliopissa) perfekti (he has done)

perfidious [pər'fɪdiəs] *adj* petollinen, epäluotettava, vilpillinen, uskoton

perfidy [pərfədɪ] *s* **1** petollisuus, vilpillisyys, uskottomuus **2** petollinen/vilpillinen/uskoton teko

perforate [pərfə‚reɪt] *v* rei'ittää, lävistää

perforation [‚pərfə'reɪʃən] *s* rei'itys

perforce [pər‚fors] *adv* (ylät) pakosta(kin), välttämättä

perform [pər‚form] *v* **1** esiintyä; esittää (osaa, musiikkia), soittaa **2** suorittaa, tehdä, hoitaa **3** suoriutua, menestyä, pärjätä (ark) *Albert doesn't perform well under pressure* Albert ei tahdo kestää painetta

performance [pər'forməns] *s* **1** (teatteri-, musiikki)esitys, näytäntö **2** (näyttelijän, muusikon) (osa)suoritus; (tehtävän, velvollisuuksien) suorittaminen, hoito, toteutus **3** suorituskyky

performer s esiintyjä, esiintyvä taiteilija

perfume [pərfjum] s **1** hajuvesi, hajuste, parfyymi **2** hyvä tuoksu

perfume [pərˈfjum] v hajustaa, tehdä hyvänhajuiseksi

perhaps [pərˈhæps] adv ehkä, kenties

1 peril [perəl] s vaara

2 peril v vaarantaa, riskeerata, panna alttiiksi

perilous [perələs] adj vaarallinen; uhkarohkea

perimeter [pəˈrɪmətər] s **1** (mat) kehä, piiri **2** raja; raja-alue, ääri, reuna; äärialue at the perimeter of human knowledge ihmistiedon äärialueilla/rajoilla

period [pɪriəd] s **1** kausi, jakso, vaihe, ajanjakso **2** piste (.) **3** (taidokkasti rakennettu virke) periodi **4** (mus) lauseke **5** kuukautiset adj (jonkin) aikakauden, ajan

periodic [ˌpɪriˈædɪk] adj **1** jaksoittainen, ajoittainen **2** säännöllinen **3** (fys, mat) jaksollinen

periodical [ˌpɪriˈædɪkəl] s aikakauslehti adj **1** aikakauslehti-, lehti- periodical magazine aikakauslehti **2** ks periodic

peripheral [pəˈrɪfərəl] adj **1** reuna-, ääri- **2** pinnallinen, epäolennainen, sivu-

periphery [pəˈrɪfəri] s **1** raja; raja-alue, ääri, reuna, (kaupungin) laitamat, (yhteiskunnan) varjopuoli **2** (kuv) pinta we are still discussing the periphery of the problem emme ole vieläkään paneutuneet ongelman ytimeen/pintaa syvemmälle

periscope [perɪskoup] s periskooppi

perish [perɪʃ] v **1** menehtyä, saada surmansa, kuolla **2** päättyä, lakata, kadota **3** tuhoutua **4** (ruoka) pilaantua

perishable s, adj (helposti) pilaantuva (ruoka)

perjure [pərdʒər] v vannoa väärä vala

perjury [pərdʒəri] s väärä vala

perk [pərk] v ark **1** (kahvi) uutua, suodattua, valmistua **2** piristyä, innostua; pursuta jotakin (with)

perk out v **1** somistaa, kaunistaa, piristää **2** kohottaa/nostaa äkkiä

perks s (ark mon) luontoisedut, työsuhde-edut

perk up v **1** piristyä **2** somistaa, kaunistaa, piristää **3** kohottaa/nostaa äkkiä

1 perm [pərm] s (ark) permanentti, kestokiharat

2 perm v laittaa/ottaa permanentti

permanence [pərmənəns] s pysyvyys, jatkuvuus, kestävyys

permanent s permanentti, kestokiharat adj pysyvä, jatkuva, kestävä, vakinainen

permanently adv pysyvästi, jatkuvasti, kestävästi, vakinaisesti

permeate [ˈpərmiˌeɪt] v tunkeutua jonnekin/kaikkialle, täyttää, kyllästää disillusionment permeated the country pettymys valtasi (koko) maan

permissible [pərˈmɪsəbəl] adj sallittu

permission [pərˈmɪʃən] s lupa with my permission minun luvallani who gave you permission to take my car? kenen luvalla otit autoni?

permissive [pərˈmɪsɪv] adj suvaitsevainen, avarakatseinen; löyhä, holtiton, leväperäinen

permissiveness s suvaitsevaisuus; holtittomuus

permit [pərmɪt] s lupa

permit [pərˈmɪt] v sallia, luvata, antaa/myöntää lupa, suvaita

permit of v (ylät) the letter permits of no other interpretation kirjettä ei voi tulkita muulla tavoin

pernicious [pərˈnɪʃəs] adj **1** vahingollinen, haitallinen **2** (lääk) pahanlaatuinen, pernisiöösi

perpendicular [ˌpərpənˈdɪkjələr] s pystysuora (viiva) adj pystysuora, pysty, joka on pystyssä

perpetual [pərˈpetʃuəl] adj ikuinen, jatkuva, alituinen, loputon

perpetuate [pərˈpetʃuˌeɪt] v ikuistaa, säilyttää; jatkaa, pitää hengissä (kuv) the use of sexist language helps perpetuate stereotypes sukupuolisesti/naisia syrjivän kielen käyttö pitää yllä kaavoittuneita käsityksiä

perpetuation [pərˌpetʃuˈeɪʃən] s ikuistaminen, säilyttäminen; jatkaminen, hengissä pitäminen (kuv)

perplex [pərˈpleks] v tyrmistyttää, ällistyttää, hämmästyttää

perplexed [pər'plekst] *adj* **1** tyrmistynyt, äl: listynyt, hämmästynyt **2** mutkikas, moni- mutkainen, hankala, visainen

perplexity [pər'pleksıtı] *s* tyrmistys, ällistys, hämmästys

per se [pər'seı] *adv* (latinasta) sinänsä, sellai- senaan, itsessään

persecute ['pərsə,kjut] *v* vainota

persecution [,pərsə'kju∫ən] *s* vaino(t)

persecutor *s* vainooja

perseverance [,pərsə'vırəns] *s* sinnikkyys, sitkeys, sisukkuus, sisu

persevere [,pərsə'vıər] *v* ei antaa periksi, jat- kaa sinnikkäästi, purra hammasta

persist [pər'sıst] *v* jatkua, pysyä elossa/hen- gissä (kuv)

persistence [pər'sıstəns] *s* sinnikkyys, sit- keys, sisukkuus, itsepintaisuus; (sairau- den, huonon sään) jatkuminen

persistent [pər'sıstənt] *adj* sinnikäs, sitkeä, sisukas, itsepintainen, jatkuva, hellittämä- tön, (varoitus) toistuva

persist in *v* jatkaa sinnikkäästi jotakin, ei an- taa periksi jossakin

person [pərsən] *s* ihminen, henkilö, henki *the van seats seven persons* vaniin mahtuu seitsemän ihmistä/henkeä/matkustajaa *in person* henkilökohtaisesti *natural person* (lak) luonnollinen henkilö *to be your own person* (saada) olla oma itsensä *I have no money on my person* minulla ei ole mu- kana rahaa

personable *adj* hauskan näköinen

personal [pərsənəl] *adj* **1** henkilökohtainen **2** (kielioppia) persoona-

personal communications *s* omaviestintä

personality [,pərsə'nælıtı] *s* **1** luonne, per- soonallisuus **2** kuuluisuus, julkkis (ark)

personalize ['pərsənə,laız] *v* **1** varustaa nimi- kirjaimilla tms *he has a personalized Cad- illac* hänellä on yksilöllisesti koristeltu Cadillac **2** ottaa henkilökohtaisesti

personally *adv* henkilökohtaisesti *person- ally, I don't believe it* minä en kyllä usko sitä

personal pronoun *s* (kieliopissa) persoo- napronomini

persona non grata [pər,soʊnə,nan gratə] *s* (mon *personae non gratae*) (latinasta) epä- mieluinen henkilö, ei toivottu henkilö

personification [pər,sanəfı'keı∫ən] *s* **1** henki- löinti, olennointi, elollistaminen, perso- nointi **2** (jonkin todellinen) ilmentymä, henkilöitymä

personify [pər'sanə,faı] *v* **1** henkilöidä, olen- noida, elollistaa, personoida **2** ilmentää *she is vanity personified* hän on todellinen turhamaisuuden henkilöitymä

personnel [,pərsə'nel] *s* **1** henkilökunta **2** miehistö **3** (yrityksen) henkilöstöosasto

perspective [pər'spektıv] *s* **1** perspektiivi **2** (kuv) näkökulma, näkökanta, perspek- tiivi

perspiration [,pərspə'reı∫ən] *s* **1** hikoilu **2** hiki

perspire [pər'spaıər] *v* hikoilla

persuade [pər'sweıd] *v* **1** suostutella, taivu- tella (joku tekemään jotakin) **2** saada joku vakuuttuneeksi jostakin *I am persuaded of his innocence* olen vakuuttunut siitä että hän on syytön

persuasion [pər'sweıʒən] *s* **1** suostuttelu, tai- vuttelu **2** suosttuttelutaito **3** vakaumus, usko; uskomus, käsitys *Mr. Goldberg is of socialist persuasion* Mr. Goldbergin näke- mykset nojaavat vasemmalle

persuasive [pər'sweısıv] *adj* vakuuttava, us- kottava; taitava suostuttelemaan

persuasiveness *s* **1** suosttuttelutaito **2** (väit- teen) vakuuttavuus, uskottavuus

pert [pərt] *adj* **1** hävytön, häpeämätön, jul- kea, röyhkeä; napakka **2** tyylikäs, muodi- kas, hieno **3** eloisa, pirteä, reipas, pirtsakka (ark)

pertain to [pər'tem] *v* kuulua johonkin, kos- kea jotakin, liittyä johonkin

pertinent [pərtənənt] *adj* asiaankuuluva, asianmukainen, johonkin kuuluva

pertly *adv* **1** hävyttömästi, häpeämättömästi, julkeasti, röyhkeästi; napakasti **2** tyylik- käästi, muodikkaasti, hienosti **3** eloisasti, pirteästi, reippaasti

pertness *s* **1** hävyttömyys, julkeus, röyhkeys **2** tyylikkyys, muodikkuus **3** eloisuus, pir- teys, reippaus

perturb [pər'tərb] *v* **1** tehdä/saada levottomaksi **2** sekoittaa, sotkea, hämmentää (kuv)

perusal [pə'ruzəl] *s* **1** lukeminen *he left the books here for my perusal* hän jätti kirjat minun luettavakseni **2** tutkistelu, tarkastelu

peruse [pə'ruz] *v* lukea/tutkia tarkasti; lukea

perv [parv] *s* (ark) pervo, perverssi (sanasta pervert)

pervade [pər'veɪd] *v* tunkeutua jonnekin/kaikkialle, täyttää, kyllästää

pervasive [pər'veɪsɪv] *adj* (haju) läpitunkeva, pistävä; laajalle/kaikkialle levinnyt

pervasively *adv* kaikkialla, kaikkialle

pervasiveness *s* yleisyys, voimakkuus

perverse [pər'vɔrs] *adj* **1** omapäinen, jääräpäinen, tottelematon **2** perverssi, luonnoton, (sukupuolisesti) poikkeava

perversity [pər'vɔrsɪti] *s* perversio, luonnottomuus, (sukupuolinen) poikkeavuus

pervert [pər'vərt] *v* **1** turmella, pilata, rappeuttaa **2** vääristää

perverted *adj* perverssi, luonnoton, (sukupuolisesti) poikkeava

pessimism ['pesə,mɪzəm] *s* pessimismi, synkkyys

pessimist [pesəmɪst] *s* pessimisti

pessimistic [,pesə'mɪstɪk] *adj* pessimistinen, synkkä, masentunut, toivoton

pest [pest] *s* **1** vitsaus; rutto **2** syöpäläinen **3** (kuv) kiusankappale

pester *v* kiusata, häiritä, vaivata

pesticide ['pestə,saɪd] *s* kasvinsuojeluaine

1 pet [pet] *s* **1** lemmikkieläin **2** lemmikki, suosikki

2 pet *v* silittää, hyväillä (myös seksuaalisesti)

3 pet *adj* lempi-, mieli-, lemmikki-, suosikki-

petal [petəl] *s* (kasvin) terälehti

peter out [pitər] *v* **1** loppua (vähitellen) **2** väsähtää, sammua

petite [pə'tit] *s* pieni koko; pieni(kokoinen) naisten vaate *adj* pieni(kokoinen)

1 petition [pə'tɪʃən] *s* **1** (kansalais)adressi, anomus, hakemus, pyyntö

2 petition *v* jättää (kansalais)adressi jollekulle, anoa, vedota johonkuhun, pyytää

petrified *adj* **1** kivettynyt *petrified forest* kivettynyt metsä **2** kauhun lamaannuttama

petrify ['petrə,faɪ] *v* **1** kivettää, kivettyä, muuttua/muuttaa kiveksi **2** (kuv) saada jähmettymään/kangistumaan kauhusta

petrol [petrəl] *s* (UK) bensiini

petroleum [pə'trolɪəm] *s* raakaöljy, maaöljy, öljy

pet sitter *s* lemmikkieläimen hoitaja (esim koiranvahti)

petticoat ['peti,kout] *s* alushame

pettiness *s* **1** mitättömyys, vähäpätöisyys, merkityksettömyys **2** pikkumaisuus

petting *s* petting, seksuaalinen hyväily

petty [peti] *adj* **1** mitätön, vähäpätöinen, vähäinen, merkityksetön **2** pikkumainen

petulance *s* ärtyisyys, kiukkuisuus; oikullisuus

petulant [petʃələnt] *adj* ärtyisä, ärtynyt, kiukkuinen; oikukas, oikullinen

pew [pju] *s* kirkonpenkki

pewter [pjutər] *s* tina

PG *parental guidance* (elokuvasta) sallittu lapsille, mutta vanhemman henkilön läsnäoloa suositellaan

PG-13 (elokuvasta) sallittu lapsille, mutta suositellaan että alla 13-vuotiaat katsovat elokuvan vanhemman henkilön seurassa

phalanx [feɪlæŋks] *s* **1** sormiluu **2** varvasluu **3** falangi, sotilasrivistö

phallic [fælɪk] *adj* fallinen

phallus [fæləs] *s* fallos, penis

phantom [fæntəm] *s* haamu, aave *adj* kuvitteellinen, aave-, vale-

Pharaoh [ferou] *s* faarao

Pharisee ['færəsɪ] *s* fariseus *pharisee* (kuv) fariseus, tekopyhä/ulkokultainen ihminen

pharmaceutical [,farmə'sutɪkəl] *s* lääke *adj* farmaseuttinen

pharmaceutics [,farmə'sutɪks] *s* (verbi yksikössä) farmasia

pharmacist [farməsɪst] *s* farmaseutti; apteekkari

pharmacological [,farməkə'ladʒɪkəl] *adj* farmakologinen

pharmacology [ˌfɑrməˈkalədʒi] s farmakologia

pharmacopoeia [ˌfɑrməkəˈpiə] s farmakopea, lääkeluettelo

pharmacy [farməsi] s **1** farmasia **2** apteekki

pharyngitis [ˌfærənˈdʒaitis] s nielutulehdus

pharynx [færiŋks] s (mon pharynges, pharynxes) nielu

1 phase [feiz] s **1** vaihe, faasi

2 phase v vaiheistaa, tahdistaa, synkronoida

phase down v vähentää vähitellen/asteittain

phase in v ottaa vähitellen käyttöön

phase out v poistaa vähitellen käytöstä, lakata (vähitellen) valmistamasta, lopettaa/loppua vähitellen

Ph.D. *Doctor of Philosophy* filosofian tohtori

pheasant [fezənt] s fasaani

phenomena [fəˈnamənə] ks phenomenon

phenomenal [fəˈnamənəl] adj ilmiömäinen, sanoinkuvaamaton, uskomaton, satumainen

phenomenon [fəˈnamənən] s (mon phenomena) ilmiö

philatelist [fəˈlætəlist] s filatelisti, postimerkkeilijä

philately [fəˈlætəli] s filatelia, postimerkkeily

philharmonic [ˌfilharˈmanik] adj filharmoninen

philological [ˌfiləˈladʒikəl] adj filologinen

philologist [fəˈlalədʒist] s filologi, kielentutkija

philology [fəˈlalədʒi] s filologia, kielentutkimus

philosopher [fəˈlasəfər] s filosofi

philosophical [ˌfiləˈsafikəl] adj filosofinen

philosophize [fəˈlasəfaiz] v pohtia (näennäisen syvällisesti), järkeillä, filosofoida

philosophy [fəˈlasəfi] s filosofia

philosophy of life s elämänfilosofia, elämänkatsomus

phlegm [flem] s lima

phlegmatic [flegˈmætik] adj flegmaattinen, hidasluonteinen, apaattinen, vetämätön, innoton; viileä, välinpitämätön

phlegmy [flemi] adj limainen

phobia [foubiə] s (sairaalloinen) pelko, kammo, fobia

phoenix [finiks] s feeniks(-lintu)

1 phone [foun] s puhelin

2 phone v soittaa (puhelimella)

phoneme [ˈfou.nim] s foneemi

phonetic [fəˈnetik] adj foneettinen

phonetics s (verbi yksikössä) fonetiikka

phonograph [ˈfounəˌgræf] s fonografi

phonological [ˌfanəˈladʒikəl] adj fonologinen

phonology [fəˈnalədʒi] s fonologia

phony [founi] s **1** väärennös **2** huijuttaja, huijari **3** teeskentelijä, tärkeilijä adj **1** väärennetty, väärä **2** tekaistu, valheellinen, perätön **3** vilpillinen, epärehellinen, kiero, kavala **4** teennäinen, tärkeilevä; joka on olevinaan jotakin

phosphorus [fasfərəs] s fosfori

photo [foutou] s (valo)kuva

photocomposition [ˌfoutou,kampəˈzifən] s valolodonta

photoooopier s (valo)kopiokone

1 photocopy [ˈfoutəˌkapi] s valokopio

2 photocopy v valokopioida

photogenic [ˌfoutəˈdʒenik] adj valokuvauksellinen, valokuvauksellisen kaunis

1 photograph [ˈfoutəˌgræf] s valokuva

2 photograph v valokuvata *she photographs well* hän onnistuu aina (valo)kuvissa, hän on (valo)kuvissa edukseen

photographer [fəˈtagrəfər] s valokuvaaja

photographic [ˌfoutəˈgræfik] adj **1** valokuvauksen, valokuvaus-, valokuva- **2** äärimmäisen tarkka/realistinen, valokuvamainen

photography [fəˈtagrəfi] s valokuvaus

photon [foutan] s fotoni

photosphere [ˌfoutəsˌfiər] s fotosfääri

photosynthesis [ˌfoutouˈsinθəsis] s yhteyttäminen, fotosynteesi

phrasal verb [freizəl] s preposition tai muun partikkelin kanssa käytettävä verbi (give in, give up)

1 phrase [freiz] s **1** (englannin kieliopissa) lauseenjäsen, lauseen osa (jossa ei ole persoonamuotoa), lauseke **2** ilmaus, sanonta, fraasi

2 phrase v pukea sanoiksi, ilmaista, muotoilla

phraseology [freɪˈzælədʒi, ˌfreɪzˈalədʒi] s ilmaisut, sananvalinta *bureaucratic phraseology* virkakieli

physical [fɪzɪkəl] *s* lääkärintarkastus *adj* **1** ruumiillinen, fyysinen *he's a very physical guy* hän on aina taputtelemassa ihmisiä **2** (fysiikassa) fysikaalinen **3** aineellinen

physical examination *s* lääkärintarkastus

physically [fɪzɪkli] *adv* ruumiillisesti, fyysisesti

physical therapy *s* fysikaalinen hoito, fysioterapia

physician [fəˈzɪʃən] *s* lääkäri

physicist [fɪzəsɪst] *s* fyysikko

physics [fɪzɪks] *s* (verbi yksikössä) fysiikka

physiognomy [ˌfɪziˈagnəmi] *s* kasvot, kasvonpiirteet, fysiognomia

physiological [ˌfɪziəˈladʒɪkəl] *adj* fysiologinen

physiologist [ˌfɪziˈalədʒɪst] *s* fysiologi

physiology [ˌfɪziˈalədʒi] *s* fysiologia

physiotherapist [ˌfɪziəˈθerəpɪst] *s* fysioterapeutti

physique [fəˈzik] *s* fysiikka, ruumiinrakenne

pianist [pɪənɪst] *s* pianisti

piano [pɪˈænou] *s* (mon pianos) piano

piccolo [pɪkəlou] *s* (mon piccolos) pikkolo, pikkuhuilu

1 pick [pɪk] *s* **1** hakku **2** (mus) näppäin, plektron **3** valinta *take you pick* valitse omasi!

2 pick *v* **1** valita, poimia (joukosta), etsiä *to pick a fight* haastaa riitaa **2** hakata/kaivaa (hakulla ym), nyppiä, nokkia, poimia, kaivaa (nenäänsä) **3** varastaa, tyhjentää (esim jonkun taskut) **4** tiirikoida (lukko auki)

pick a fight *fr* haastaa riitaa

pick apart *v* haukkua pystyyn/pataluhaksi, lyödä lyttyyn

pick at *v* **1** moittia, sättiä, nalkuttaa **2** näykkiä (ruokaansa)

1 picket [pɪkət] *s* **1** aidan lauta; tappi, piikki **2** lakkovahti **3** mielenosoittaja

2 picket *v* **1** aidata, aidoittaa **2** sulkea aitaukseen, vangita **3** sijoittaa lakkovahteja/mielenosoittajia jonnekin **4** olla lakkovahtina **5** osoittaa mieltään

1 pickle [pɪkəl] *s* **1** suolakurkku tms **2** suolaja etikkaliemi **3** *to be in a pickle* olla pinteessä, olla pahassa pulassa

2 pickle *v* säilöä (suola- ja etikkaliemessä)

pick off *v* **1** nykäistä/kiskaista irti **2** ampua alas, pudottaa

pick on *v* **1** kiusata, härnätä **2** valita, poimia

pick out *v* **1** valita **2** huomata, erottaa, nähdä **3** ymmärtää, oivaltaa, käsittää **4** poimia, kerätä

pick over *v* tutkia (kauppatavaraa), hypistellä käsiksään

1 pickpocket [pɪk,pakət] *s* taskuvaras

2 pickpocket *v* varastaa, tyhjentää (esim jonkun taskut)

pick up *v* **1** nostaa ylös/maasta; hakea; korjata talteen, kerätä kokoon **2** oppia **3** jatkaa *he picked up where he had left off* hän jatkoi siitä mihin oli lopettanut **4** ottaa kyytiin, tarjota kyyti jollekulle **5** *to pick up speed* lisätä vauhtia; kiihtyä **6** ostaa *where did you pick up that sweatshirt?* mistä sinä tuon collegen löysit? **7** saada kuuluviin (radiolla) **8** (kaupankäynti) vilkastua, kasvaa, lisääntyä **9** (taudista) saada, tarttua johonkuhun **10** (ark) iskeä (mies, nainen)

pick up on *v* **1** huomata, panna merkille **2** pitää silmällä jotakuta/jotakin

pickup truck [pɪkʌp] *s* pickup, avolavapakettiauto

1 picnic [pɪknɪk] *s* piknikki, piknik

2 picnic *v* mennä piknikille, olla piknikillä

pictorial [pɪkˈtɔriəl] *s* **1** kuvalehti **2** (lehdessä) kuvajuttu, kuvareportaasi *adj* **1** kuvitettu, kuva- **2** kuvataiteellinen, kuvataiteeseen, kuva-

1 picture [pɪktʃər] *s* kuva (myös kuv) *let's take some pictures* otetaan muutama valokuva *there's a picture of grandfather on the wall* seinällä on isoisän (muoto)kuva *MacKenzie is as pretty as a picture* MacKenzie on kuvankaunis **2** mielikuva, muistikuva, käsitys **3** elokuva *want to go to the pictures?* haluatko lähteä elokuviin? **4** jonkin ruumiillistuma *Mr. Gekko was the picture of greed* Mr. Gekko oli todellinen rahanahneuden ruumiillistuma *he's the picture of tastelessness* hän on itse

mauttomuus *she's the picture of her mother* hän on ilmetty äitinsä
2 picture v **1** kuvata, maalata, esittää **2** kuvailla, kuvata, kuvitella *he could not picture himself as a professor* hän ei uskonut että hänestä olisi professoriksi

picturesque [,pɪktʃə,resk] *adj* **1** maalauksellinen, pittoreski **2** (kieli) rehevä, mehevä, (kuvaus) elävä, todentuntuinen

pidgin [pɪdʒɪn] *s* pidginkieli

pie [paɪ] *s* (makea tai suolainen) piiras, piirakka *to eat humble pie* niellä katkera pala/kalkki *that's easy as pie* se on lasten leikkiä, se on helppoa kuin mikä

piece [pi:s] *s* **1** pala, palanen, osa, kappale, sirpale *that's a nice piece of work* sinä teit työsi hienosti, se oli hyvin tehty *a piece of furniture* huonekalu *to go to pieces* särkyä, mennä säpäleiksi; (kuv) musertua, luhistua *these two vases are of a piece* nämä maljakot sopivat yhteen *it is time for you to speak your piece* sinun on aika puhua suusi puhtaaksi/sanoa sanottavasi/kertoa mitä sinulla on sydämelläsi **2** pelinappula, šakkinappula **3** lehtikirjoitus, artikkeli; novelli **4** (ark) ase **5** kolikko **6** taideteos, taulu; veistos; sävellys **7** ammuletti, maskotti

pièce de résistance [pi,esdə,reɪzɪ'tɑ:ns] *s* ranskata (mon pièces de résistance)
1 pääruoka(laji) **2** pääohjelmanumero, pääattikkeli tms, herkkupala (kuv)

piecemeal ['pi:s,mi:l] *adv* vähitellen, vähin erin, vähän kerrallaan

piece out v koota, kasata, kyhätä kokoon

piece together v koota, kasata, kyhätä kokoon *I am trying to piece together what is left of my life* yritän saada elämäni rippeet jonkinlaiseen järjestykseen

pier [pɪə] *s* laituri

pierce [pɪəs] v lävistää, läpäistä, puhkaista (reikä/aukko)

piercing *adj* **1** korviavihlova, korviasärkevä **2** pureva(n kylmä) **3** läpitunkeva, tutkiva (katse)

piety [paɪəti] *s* hurskaus

1 pig [pɪg] *s* **1** sika (myös kuv) **2** sianliha, sika **3** (valu)harkko

2 pig v valaa harkoiksi

pigeon [pɪdʒən] *s* kyyhky, (ark) kyyhkynen, pulu

1 pigeonhole ['pɪdʒən,həʊl] *s* **1** (kirjoituspöydän tms) lokero **2** (kyyhkyslakan tms) lokero

2 pigeonhole v **1** (kuv) luokitella, jaotella, karsinoida **2** (kuv) panna pöydälle, jättää toistaiseksi, lykätä myöhemmäksi

piggy *s* porsas

1 piggyback ['pɪgɪ,bæk] *s* asuntovaunu (jota vedetään pickupilla)

2 piggyback v **1** kantaa reppuselässä (tästä johdettuna): kuljettaa mukanaan/kyydissä, kuljettaa kenguruliikenteessä (auton perävaunuja junassa), kuljettaa/kulkea jonkin sivellä, liittää jonkin, käyttää hyväkseen jotakin **2** (tietok) peesata

3 piggyback *adv* reppuselässä

piglet [pɪglət] *s* porsas

1 pigment [pɪgmənt] *s* väriaine, pigmentti

2 pigment v värjätä; värjäytyä

pig out v sikailla, mässäillä

pig-out *s* (sl) mässäily, sikailu

pigpen ['pɪg,pen] *s* sikolätti (myös kuv)

pigskin ['pɪg,skɪn] *s* **1** siannahka **2** (ark) (amerikkalainen) jalkapallo

pigsty ['pɪg'staɪ] *s* sikolätti (myös kuv)

pigtail ['pɪg,teɪl] *s* saparo, palmikko

pika [paɪkə] *s* piiskujäniis

1 pike [paɪk] *s* **1** hauki **2** keihäs, peitsi; piikki, terä, kärki **3** maksullinen moottoritie; tiemaksu; maksuportti *he's the best president to come down the pike in a long time* hän on paras presidentti pitkään aikaan

2 pike v keihästää, seivästää

pilchard [pɪltʃəd] *s* sardiini

1 pile [paɪl] *s* **1** pino, kasa **2** (kuv) paljon, kasapäin **3** paalu, pylväs; seiväs **4** nukka **5** (mon) paaluraha

2 pile v pinota, pinoutua, kasata, kasaantua

pile off v ostua/marssia ulos jostakin

pile up v kerätä, kerääntyä, kasata, kasaantua, pinota, pinoutua, ruuhkautua; hamstrata

pileup *s* **1** ketjukolari **2** työ- tai muu ruuhka

pilfer [pɪlfər] v kähveltää, pihistää

pilferer *s* varas

pilgrim [ˈpɪlgrəm] *s* pyhiinvaeltaja

pilgrimage [ˈpɪlgrəmədʒ] *s* pyhiinvaellus

pill [pɪl] *s* pilleri, tabletti *the pill* e-pilleri *bitter pill (to swallow)* katkera pala/kalkki

1 pillage [ˈpɪlədʒ] *s* ryöstö, rosvous

2 pillage *v* ryöstää, rosvota

pillar [ˈpɪlər] *s* pylväs, pilari *she's not exactly a pillar of the community* hän ei ole mikään mallikansalainen *to go from pillar to post* kulkea sinne tänne, kulkea paikasta paikkaan

pillbox [ˈpɪlˌbaks] *s* pillerirasia (myös hattu)

pillion [ˈpɪljən] *s* (moottoripyörän) takasatula *adv: to ride pillion* matkustaa (moottoripyörän) kyydissä

1 pillory [ˈpɪlərɪ] *s* häpeäpaalu, kaakinpuu

2 pillory *v* **1** panna häpeäpaaluun **2** (kuv) pitää jotakuta pilkkanaan, tehdä pilaa jostakusta, pilkata jotakuta, saattaa joku häpeään

pillow [ˈpɪloʊ] *s* tyyny

pillowcase [ˈpɪloʊˌkeɪs] *s* tyynyliina

1 pilot [ˈpaɪlət] *s* **1** luotsi **2** lentäjä, lentokoneen ohjaaja, pilotti **3** (retki)opas

2 pilot *v* **1** luotsata **2** ohjata lentokonetta **3** opastaa

pilot lamp *s* merkkivalo, merkkilamppu

pimp [pɪmp] *s* parittaja, sutenööri

pimple [ˈpɪmpəl] *s* finni

pimply *adj* finninen, finnien peittämä

1 pin [pɪn] *s* **1** neula, nuppineula (myös: hiusneula, koristeneula, solmioneula **2** (keilailussa) keila **3** pyykkipoika **4** tappi, pultti, lyhyt akseli

2 pin *v* kiinnittää neulalla

pinafore [ˈpɪnəˌfɔr] *s* **1** (lasten) esiliina **2** (naisten) liivihame **3** (UK) (aikuisten) esiliina

pinball [ˈpɪnˌbɔl] *s* (peli) flipperi

pincers [ˈpɪnsərz] *s* (verbi yleensä mon) kärkipihdit *a pair of pincers* kärkipihdit

1 pinch [pɪntʃ] *s* **1** nipistys **2** hyppysellinen **3** (kuv) (omantunnon) pisto *to feel the pinch of poverty* tuntea köyhyys nahoissaan

2 pinch *v* **1** nipistää **2** (kenkä ym) puristaa **3** työntää, painaa, ahtaa **4** väärästää, vääntää (kasvot) **5** piinata, kiusata, vaivata,

(nälkä myös) kurnia vatsassa **6** joutua (taloudellisesti) koville, säästää, nuukailla, elää/joutua elämään nuukasti

pin down *v* patistaa jotakuta pitämään lupauksensa/ilmoittamaan lopullinen kantansa

pine [paɪn] *s* mänty

pineapple [ˈpaɪnˌæpəl] *s* ananas

pine away *v* riutua, kuihtua

pine cone *s* männynkäpy

pine for *v* kaivata, ikävöidä

pine needle *s* männynneulanen

ping-pong [ˈpɪŋˌpaŋ] *v* hyppiä/pomppia/poukkoilla/juosta/juoksuttaa edestakaisin

pinion [ˈpɪnjən] *s* hammaspyörä, käyttöratas *rack-and-pinion steering* hammastanko-ohjaus

pink [pɪŋk] *s* **1** neilikka **2** pinkki, vaaleanpunainen (väri) *adj* pinkki, vaaleanpunainen

pinkie [ˈpɪŋki] *s* (ark) pikkusormi

1 pink-slip [ˈpɪŋkˌslɪp] *s to get a pink-slip* saada potkut

2 pink-slip *v* (ark) antaa potkut, erottaa, lomauttaa

pinnacle [ˈpɪnəkəl] *s* (vuoren) huippu (myös kuv): *she's at the pinnacle of her fame* hän on maineensa huipulla

pin on *v* sälyttää jotakin jonkun niskaan/harteille, lykätä syy jonkun vastuulle

1 pinpoint [ˈpɪnˌpɔɪnt] *s* neulan kärki

2 pinpoint *v* paikantaa/löytää/sanoa tarkasti

pinstriped [ˈpɪnˌstraɪpt] *adj* **1** (kangas, puku) liituraita- **2** (kuv) *pinstriped attitudes* tyypilliset johtotason/johtajatason näkemykset

pint [paɪnt] *s* pint, noin puoli litraa (0, 473 l)

pint-size [ˈpaɪntˌsaɪz] *adj* (ark) pieni, piskuinen

pinup [ˈpɪnˌʌp] *s* **1** alastonkuva, nudekuva **2** nude (ark), alastonkuvan nainen/mies

1 pioneer [ˌpaɪəˈnɪər] *s* **1** uudisraivaaja **2** (kuv) uranuurtaja, edelläkävijä, esitaistelija **3** (sot) pioneeri

2 pioneer *v* **1** avata (uudis)asutukselle, asuttaa ensimmäisenä **2** käyttää tms ensimmäisenä, aloittaa, käynnistää

pioneering *adj* uraauurtava

pious [paɪəs] *adj* **1** hurskas **2** tekopyhä, hurskasteleva

1 pip [pɪp] *s* **1** (hedelmän) siemen **2** (kortin, pelimerkin) silmä **3** (tutkan pyöröpyyhkäisylaitteen) valotäplä **4** (tal) yksi sadasosaprosentti arvopaperin nimellisarvosta

2 pip *v* piipittää

1 pipe [paɪp] *s* **1** putki, johto (ark myös:) keuhkoputki **2** (tupakoijan) piippu *put that in your pipe and smoke it* näin on marjat; ei auta itku markkinoilla **3** pilli, huilu, klarinetti, oboe **4** (mon; ark) (laulu)ääni **5** (yl mon) säkkipilli

2 pipe *v* **1** soittaa pillillä, huilulla tms **2** piipittaa, puhua/sanoa pilipitteen/kimeällä äänellä **3** johtaa (putkilla)

1 pipeline ['paɪpˌlaɪn] *s* **1** öljyjohto **2** (kuv) kanava, väylä, (yksityinen) tietolähde *the lobbyist has a direct pipeline to the senator's office* eturyhmän edustajalla on sisäpiirin lähde senaattorin henkilökunnassa *to be in the pipeline* (kuv) olla valmisteilla/tekeillä/odotettavissa/putkessa (ark)

2 pipeline *v* **1** siirtää öljyputkea pitkin **2** (kuv) välittää, siirtää, syöttää (tietoa ym)

piper [paɪpər] *s* huilunsoittaja, säkkipillinsoittaja *to pay the piper* vastata seurauksista; maksaa viulut

pipette [paɪˈpet] *s* tiputin, pipetti

pipe up *v* **1** alkaa soittaa/laulaa **2** korottaa ääntään/äänensä **3** (nopeus) kasvaa, (tuuli) voimistua

piquant [ˈpiːkwənt] *adj* **1** (maku) miellyttävän) kirpeä **2** virkistävä, piristävä, innostava; kiintoisa, kiehtova

pique [piːk] *v* **1** loukata, harmittaa, ärsyttää **2** (kuv) kutkuttaa, herättää (uteliaisuus)

piracy [ˈpaɪrəsi] *s* **1** merirosvous, piratismi **2** piraattikopiointi

piranha [pəˈrɑːnə] *s* (mon piranhas, piranha) piraija

1 pirate [paɪrət] *s* **1** merirosvo **2** piraatti (ks piracy 2)

2 pirate *v* **1** jäljentää (tallenteita, kirjoja) luvatta (myyntiä varten)

1 pirouette [ˌpɪrəˈwet] *s* piruetti, pyörähdys

2 pirouette *v* tehdä piruetti, pyörähtää

1 piss [pɪs] *s* (sl) kusi *to take a piss* kusta

2 piss *v* (sl) kusta

pistachio [pɪsˈtæʃiəʊ] *s* (mon pistachios) vihermanteli, pistaasi

pistol [pɪstəl] *s* pistooli

piston [pɪstən] *s* mäntä

1 pit [pɪt] *s* **1** kuoppa **2** kaivos; kaivoskuilu **3** alamaailma, helvetti **4** (mon, sl) öljynotteeraus *his last novel was the pits* hänen uusin romaaninsa oli varsinainen pohjanoteeraus **5** syvennys, (cd-levyssä myös:) pitti *orchestra pit* orkesterisyvennys **6** (lasin) kupla, (maalipinnan) virhe, (iho)arpi **7** (mon, ark) kainalot *to be up to your pits in something* (kuv) olla hukkua johonkin, olla jossakin kainaloitaan myöten **8** (autokilpailussa) varikko

2 pit *v* **1** kuopittaa, tehdä kuoppia johonkin **2** täplittää, arpeuttaa, olla täplillä/arvilla

pit against *v* asettaa vastakkain *to put one team against another* panna joukkueet pelaamaan vastakkain

1 pitch [pɪtʃ] *s* **1** heitto, (baseballissa) syöttö **2** (golfissa) pitchi, korkea lyönti joka lähestytään viheriötä **3** taktiikka *sales pitch* (tuotteen innokas) mainostus *to make a pitch for something* mainostaa/kehua/ylistää jotakin **4** huippu, huipentuma, taso, aste **5** äänenkorkeus *she has absolute pitch* hänellä on absoluuttinen (sävel)korva *falling/rising pitch* (fonetiikassa) laskeva/nouseva intonaatio **6** nousu, lasku, (kaltevuus)kulma, nyökkäys **7** piki

2 pitch *v* **1** heittää, (baseballissa) syöttää *she's in there pitching* (kuv) hän yrittää kovasti, hän tekee parhaansa **2** hangota (heinää ym) **3** pystyttää (teltta yms) **4** virittää (soitin), antaa ääni **5** asettaa, panna (tietylle tasolle) *don't pitch your aspirations/hopes too high* älä toivo liikoja **6** kaatua, pudota (satulasta) **7** kehua, mainostaa, kaupitella **8** (laiva) keinua pituussuunnassa, (lentokone) nyökätä **9** pietä

pitch-black [ˌpɪtʃ'blæk] *adj* pikimusta

pitcher [pɪtʃər] *s* **1** kannu **2** syöttäjä **3** (golf) rautaseitsemän, pitcher

pitchfork [ˈpɪtʃˌfɔːk] *s* (heinä)hanko, talikko

pitch in v (ark) **1** panna hihat heilumaan **2** osallistua keräykseen tms

pitch into v (ark) **1** panna hihat heilumaan **2** käydä kiinni johonkuhun **3** haukkua jotakuta, sättiä

pitch on v valita (umpimähkään)

piteous [pɪtɪəs] adj säälittävä

pitfall ['pɪt,fɔːl] s sansa (myös kuv:) vaara

pitiful [pɪtɪfəl] adj **1** säälittävä **2** surkea, kurja, viheliäinen

pitiless [pɪtɪləs] adj säälimätön, armoton, kova, ankara

pit stop s **1** (autokilpailussa) varikkokäynti **2** (ark) pysähdys (automatkalla) **3** (ark) pysähdyspaikka (matkan varrella)

pituitary gland s aivolisäke

1 pity [pɪtɪ] s sääli what a pity! sääli!, vahinko! to have/take pity sääliä; armahtaa

2 pity v sääliä jotakuta, käydä sääliksi

pitying adj säälivä

1 pivot [pɪvət] s **1** kiertävä/pyörivä tappi, laakeritappi **2** (kuv) kiintopiste, keskipiste, tukipiste

2 pivot v kiertyä/pyöriä (tapin tms varassa)

pivotal [pɪvətəl] adj (kuv) keskeinen, ratkaiseva, ydin-

1 placard [plækərd] s (mielenosoittajien tai muu) (pahvi)juliste

2 placard v levittää julisteita jonnekin

placate [pleɪkeɪt] v lepyttää, rauhoittaa, tyynnyttää

1 place [pleɪs] s **1** paikka, kohta; seutu, alue there were people all over the place paikka oli tupaten täynnä väkeä I lost my place hukkasin kirjasta kohdan (josta olin lukemassa) to be between a rock and a hard place olla kahden tulen välissä; olla puun ja kuoren välissä in the first place ensinnäkin, ensinnäkään to run in place juosta paikallaan to be in place olla valmiina/valmista **2** koti, talo, mökki they have a little place in Vermont heillä on mökki Vermontissa your place or mine? mennäänkö meille vai teille? at my place meillä, minun kotonani **3** aukio **4** (kilpailussa) sija she won first place hän tuli ensimmäiseksi **5** (työ)paikka, (yhteiskunnallinen yms) asema in his place, I wouldn't

do it en tekisi sitä jos olisin hän(en asemassaan) **6** in place of sijasta, asemesta **7** to be out of place olla väärällä paikalla; (kuv) sopimaton, tahditon, epähieno **8** to take place tapahtua, järjestää

2 place v **1** panna, asettaa, sijoittaa she placed the book on the table hän laski kirjan pöydälle **2** (urh ym) sijoittaa she placed third hän tuli kolmanneksi **3** antaa to place an order tilata, tehdä tilaus **4** nimittää (tehtävään), löytää jollekulle työpaikka

placebo [pləˈsiːbou] s (mon placebos, placeboes) näennäislääke, plasebo

place mat s (ruokapöydässä) kateliina, katealunen, tabletti

placement [pleɪsmənt] s **1** sijoitus, sijoittaminen; paikka **2** työnhento

placename ['pleɪs,neɪm] s paikannimi

placenta [pləˈsentə] s (mon placentas, placentae) istukka

placid [plæsɪd] adj rauhallinen, tyyni

placidity [pləˈsɪdəti] s rauha, rauhallisuus, tyyneys

plagiarism ['pleɪdʒə,rɪzəm] s **1** plagiointi **2** plagiaatti

plagiarist [pleɪdʒərɪst] s plagioija

plagiarize ['pleɪdʒə,raɪz] v plagioida

1 plague [pleɪg] s **1** kulkutauti **2** rutto to avoid something like the plague (kuv) karttaa jotakin kuin ruttoa **3** (Raamatussa ja yl) vitsaus

2 plague v kiusata, vaivata, piinata

plague with v kiusata, vaivata, piinata, täyttää jollakin

plaice [pleɪs] s (kala) punakampela

plaid [plæd] s **1** ruudullinen kangas (skotlantilaisen kansallispuvun) villasaali, pleedi

plain [pleɪn] s tasanko Great Plains Suuret tasangot, Kalliovuorten itäpuolinen preerialaakio Yhdysvalloissa ja Kanadassa adj **1** selvä, näkyvä, ilmeinen, ilmiselvä she stood in plain sight of everybody hän seisoi kaikkien nähtävillä let me make it plain to you that... haluan tehdä sinulle selväksi että... **2** suora, suorasukainen, avoin the plain truth suora/puhdas/vilpitön totuus

3 yksinkertainen, koruton, vaatimaton, tavallinen; tavallisen/mitäänsanomattoman näköinen *she is quite plain; she has a plain face* **4** pelkkä, paljas; suoranainen, ilmiselvä *that's a plain lie* se on silkkaa valhetta *adv* yksinkertaisesti; suorastaan, kerrassaan, kerta kaikkiaan

plainly *adv* **1** selvästi **2** avoimesti, suoraan **3** koruttomasti, vaatimattomasti, yksinkertaisesti

plaintiff [ˈpleɪntɪf] *s* (lak) kantaja

plaintive [ˈpleɪntɪv] *adj* surullinen, apea, valittava

1 plait [plæt] *s* punos; (hius)palmikko

2 plait *v* punoa; palmikoida

1 plan [plæn] *s* **1** suunnitelma, aikomus, aie **2** kaavio, kaaviokuva; pohjapiirros; (kaupungin) kartta; asemakaava

2 plan *v* **1** suunnitella, aikoa **2** piirtää, suunnitella (esim rakennus)

1 plane [pleɪn] *s* **1** taso; taso **2** höylä **3** lentokone **4** (lentokoneen) taso, siipi, (kantositiipaluksen) kantosiiveke

2 plane *v* **1** liitää (ilmassa); liukua veden pinnalla **2** (ark) lentää, matkustaa lentokoneella **3** höylätä

planet [ˈplænət] *s* planeetta *you're from a different planet* (kuv) sinä olet aivan muista maailmoista/toiselta planeetalta

planetarium [ˌplænəˈterɪəm] *s* (mon planetariums, planetaria) planetaario

planetary [ˈplænəˌteri] *adj* **1** (tähtitieteessä) planetaarinen **2** (mekaniikassa) planeetta-

planet gear *s* planeettapyörä(t)

planetoid [ˈplænəˌtɔɪd] *s* planetoidi, pikkuplaneetta

planetology [ˌplænəˈtalədʒɪ] *s* planetologia, planeettain tutkimus

plank [plæŋk] *s* lauta, lankku

planking *s* **1** laudoitus, laudoittaminen **2** laudoitus, lautalattia tms

plankton [ˈplæŋktən] *s* plankton, keijusto

planner *s* **1** suunnittelija **2** päivyri

plan on *v* varautua johonkin, odottaa jotakin, suunnitella jotakin

1 plant [plænt] *s* **1** kasvi **2** tehdas **3** koneisto, laitteisto, laitteet **4** rakennukset **5** (sl) ansa, syötti, täky; soluttautuja, vakooja

2 plant *v* **1** istuttaa; kylvää **2** iskostaa mieleen, opettaa *Dad planted a sense of duty in me* isä herätti minussa vastuuntunnon **3** piilottaa (pommi) jonnekin; antaa (suukko) **4** panna/asettaa/asettua johonkin *I planted my foot in the door* työnsin jalkani oven rakoon **5** (vilpistä:) syöttää (juttu lehdelle); panna salaa (todisteaineistoa) jonnekin *the cops planted coke in his apartment to be able to arrest him* kytät panivat hänen asuntoonsa kokaiinia voidakseen pidättää hänet

plantation [plænˈteɪʃən] *s* plantaasi

planter *s* **1** istuttaja **2** istutuskone; kylvökone **3** kukkalaatikko, kukkaruukku **4** plantaasinomistaja *tea planter* teenviljelijä **5** (hist) uudisasukas

plaque [plæk] *s* **1** laatta, kyltti **2** (lääk) plakki, täplä, (hammaslääk) plakki

plasma [ˈplæzmə] *s* plasma (lääk myös:) verineste

plasma cell *s* plasmasolu

plasma physics [ˌplæzməˈfɪzɪks] *s* (verbi yksikössä) plasmafysiikka

plasma screen [ˌplæzməˈskrin] *s* plasmanäyttö

plasmid [ˈplæzmɪd] *s* plasmidi

1 plaster [ˈplæstər] *s* **1** rappaus, laasti **2** kipsi; kipsiside **3** (UK) laastari

2 plaster *v* **1** rapata **2** valaa kipsiin; panna (raaja) kipsiin **3** peittää jokin jollakin **4** (ark) löylyttää, piestä; hakata, antaa selkään; pommittaa/hävittää maan tasalle

plasterboard [ˈplæstərˌbɔrd] *s* kipsilevy

plaster cast *s* kipsivalos

1 plastic [ˈplæstɪk] *s* **1** (us mon) muovi(t) **2** luottokortti; muoviraha *the shop doesn't take plastics* kaupassa ei voi maksaa muovirahalla/luottokortilla **3** muovirähäjde

2 plastic *adj* **1** muovinen, muovi- **2** muovailtava, muovautuva, taipuisa **3** kuvanveisto-, plastinen

plastic explosive *s* muovirähäjde

plasticity [plæsˈtɪsəti] *s* muovattavuus, muovautuvuus

plastics *s* (mon) muovit *adj* muovi-, muovialan

plastic surgeon *s* plastiikkakirurgi

plastic surgery s plastiikkakirurgia

plastique [plæs'tik] s muoviräjähde

1 plate [pleɪt] s **1** lautanen (myös ruoka-annoksesta) **2** kulta- ja/tai hopea-astiat ja ruokailuvälineet **3** kolehtilautanen, kolehtiastia **4** levy, laatta *licence plate* rekisterikilpi **5** panssari; haarniska **6** (baseballissa) kotipesä **7** (kirjassa) kuva

2 plate v **1** hopeoida, kullata (metallia) **2** laatoittaa, päällystää metallilaatoilla

plateau [plæ'tou] s (mon *plateaus, plateaux*) **1** ylätasanko, (tasainen) ylänkö **2** (kuv) suvanto, seesteinen/tasainen/hiljainen vaihe/kausi

platform [plæt,fɔrm] s **1** asemalaituri **2** puhujakoroke **3** (kuv) (puolue)ohjelma, periaatteet, periaateohjelma, ohjelmapuhe, ohjelmajulistus **4** (merellä käytettävä öljyn)poraustasanne

plating s kulta/hopeapinnoite, kultaus, hopeointi

platinum [plætənəm] s platina

platitude [plætɪ,tud] s latteus, lattea sanonta, tyhjänpäiväisyys

platitudinous [,plætɪ'tudənəs] adj lattea, tyhjänpäiväinen

Platonic [plə'tɑnɪk] adj **1** platonilainen, Platonin oppien mukainen **2** *platonic* platoninen, puhtaasti henkinen, intohimoton

platoon [plə'tun] s **1** (sot) joukkue **2** ryhmä, joukko

plausibility [,plazə'bɪlətɪ] s uskottavuus, vakuuttavuus, todennäköisyys

plausible [plazəbəl] adj uskottava, vakuuttava, todennäköinen

1 play [pleɪ] s **1** leikki *to bring into play* tuoda esille, ottaa puheeksi/mukaan **2** (urheilussa ym) peli *to make a play for* (ark) yrittää saada itselleen, yrittää vallata, yrittää iskeä **3** näytelmä **4** välys, liikkumavara, pelivara (ark)

2 play v **1** leikkiä **2** pelata *he plays split end* hän on/pelaa laitahyökkääjänä **3** näytellä/ esittää jotakuta; esittää jotakin *the movie will soon be playing at a theater near you* elokuva tulee pian (lähi)teattereihin

playact [pleɪ,ækt] v näytellä, teeskennellä, olla olevinaan jotakin

play along v **1** puhaltaa samaan hiileen, tehdä kuten muutkin/toivotaan **2** olla puhaltavinaan samaan hiileen

play around v **1** pelleillä, leikkiä, mekastaa **2** sorkkia, sormeilla, hypistellä jotakin (with) **3** käydä/juosta miehissä/naisissa; olla uskoton

play at v teeskennellä, olla olevinaan jokin/ kiinnostunut jostakin

play back v toistaa/soittaa (äsken tehty äänitai kuva)nauhe

play ball fr **1** pelata (pallopeliä) **2** puhaltaa samaan hiileen, ei hangoitella vastaan

playboy [pleɪ,bɔɪ] s playboy

play by ear fr **1** soittaa korvakuulolta **2** (kuv) tehdä jotakin sen mukaan miltä tuntuu, ei suunnitella etukäteen, improvisoida, käyttää hoksottimiaan

play down v vähätellä *he was constantly playing down the importance of good manners* hän vähätteli jatkuvasti hyvien tapojen merkitystä

played out adj loppuunväsynyt, lopen uupunut, aivan rätti

player s **1** pelaaja **2** (uhka)pelaaja, peluri **3** näyttelijä **4** soittaja muusikko **5** soitin *CD player* CD-soitin

play fast and loose with fr käyttää hyväkseen, kohdella häikäilemättömästi

play for keeps fr (kuv) olla tosissaan

play for time fr (kuv) pelata aikaa, viivytellä, vitkastella

playful [pleɪfəl] adj leikkisä

playground [pleɪ,graʊnd] s leikkikenttä (myös kuv:) temmellyskenttä

playhouse [pleɪ,haʊs] s **1** teatteri **2** leikkimökki

playing card s pelikortti

play it by ear fr käyttää hoksottimiaan, yrittää selviytyä tilanteesta, improvisoida

play-off [pleɪ,ɑf] s **1** (urh) jatkoaika (tasapelin ratkaisemiseksi) **2** loppuottelu, mestaruusottelu

play on v käyttää hyväkseen jotakin, laskea jonkin varaan

play out v **1** lopettaa; käyttää loppuun **2** löysätä, höllätä (köyttä)

play up v mainostaa kovasti, tuoda kovasti esille

play up to v (ark) imarrella, makeilla, mielistellä

playwright ['pleɪˌraɪt] s näytelmäkirjailija

plaza [plɑzə] s **1** aukio **2** ostoskeskus *shopping plaza* ostoskeskus

plea [pli] s **1** vetoomus, anomus, pyyntö **2** veruke, syy, peruste **3** (lak) vastaus, puolustus *to cop a plea* (sl) myöntää syyllisyytensä (pienempään rikokseen) saadakseen lievemmän rangaistuksen

plead [plid] v pleaded/pled, pleaded/pled **1** anoa, pyytää, vedota johonkuhun **2** (lak) vastata *how do you plead? – I plead not guilty* miten vastaatte kanteeseen? – vastaan että olen syytön

pleasant [plezənt] adj miellyttävä, mukava, (yllätys, uutinen) iloinen

pleasantness s ystävällisyys, kohteliaisuus

pleasantry [plezəntrɪ] s **1** kohteliaisuus **2** leikinlasku

1 please [pliz] v **1** miellyttää jotakuta, olla mieleen jollekulle **2** haluta, huvittaa *you may do as you please* voit tehdä kuten itse haluat *if you please* jos suvaitset (ylät), jos sinulle sopii

2 please adv ole hyvä, olkaa hyvä *please take your crazy dog with you* voisitko viedä hullun koirasi mennessäsi? *excuse me, please* anteeksi (mutta voisitteko ystävällisesti väistyä?); suokaa anteeksi (mutta minun on poistuttava pöydästä tms)

pleased adj mielissään, tyytyväinen, onnellinen, iloinen *I am pleased to inform you that you have won a million dollars* miellyttävänä velvollisuutenani on ilmoittaa teille että olette voittanut miljoona dollaria

pleasing adj miellyttävä, mukava

pleasurable [pleʒərəbəl] adj miellyttävä, mukava, hauska

pleasure [pleʒər] s **1** ilo, tyytyväisyys, nautinto *to derive pleasure from something* saada iloa jostakin, jokin tuottaa jollekulle iloa, nauttia jostakin *with pleasure* mielihyvin, mielelläni *it was a pleasure to meet your parents* oli hauska tavata vanhempasi *the pleasures of flesh* lihalliset nautinnot,

1 plea ...

2 pleat [...] ... vyt eivät ...

plectrum [plektrəm? ...] ...tra) (mus) näppäin...

1 pledge [pledʒ] s **1** lupau...ms, p... **2** pantti

2 pledge v **1** vannoa, luvata **2** vannga... tia vannomaan *he pledged us not to tell* anyone hän kielsi meitä kertomasta asiasta kenellekään **3** pantata **4** kohottaa/juoda malja jonkun kunniaksi

plentiful [plentɪfəl] adj runsas

plenty [plentɪ] s **1** runsaus, yltäkylläisyys *in times of plenty* yltäkylläisyyden hetkinä, yltäkylläisinä aikoina **2** plenty of paljon *we have plenty of money/potatoes* meillä on runsaasti/paljon rahaa/perunoita

pliability [ˌplaɪəˈbɪlətɪ] s **1** taipuisuus, notkeus **2** herkkyys

pliable [plaɪəbəl] adj **1** taipuisa, notkea, norja **2** herkkä, vaikutuksille altis

pliers [plaɪərz] s (mon) pihdit

plight [plaɪt] s hätä, ahdinko, kurjuus

plinth [plɪnθ] s (pylvään aluslaatta) plintti

plod [plɒd] v **1** laahustaa, puurtaa, lyllertää **2** ahertaa, puurtaa, raataa **3** (kuv) polkea paikallaan, laahustaa

1 plot [plɒt] s **1** (maa)palsta, tontti **2** (salainen) suunnitelma, juoni **3** (kirjan, elokuvan ym) juoni

2 plot v **1** palstoittaa (maata) **2** suunnitella (salaa), juonia, vehkeillä **3** keksiä/suunnitella (kirjan ym) juoni *King's novels are artfully plotted* Kingin romaaneissa on taitavasti rakennettu juoni **4** suunnitella (laivan, lentokoneen) reitti, tehdä reittisuunnitelma **5** piirtää, esittää graafisesti

plotter s piirturi

plough [plaʊ] ks plow

ploughman's lunch [plaʊmənz] s (brittiläinen pubiruoka) leipää juuston ja pikkelsien kera

1 plow [plaʊ] s aura *snowplow* lumiaura

ow ...ntää

plow ...a (rahaa) jo-
plow v 1 ...in, rysähtää jo-
...merta) 2
plow into ...keutua (esim väkijou-
...hon) käydä/lukea (vaivalloisesti)
plow ...a jonkin kimpussa
...k's juoni, temppu, kepulikonsti, tak-
...a

..uck [plʌk] s 1 nykäisy, kiskaisu 2 roh-
keus, sisu
pluck v 1 kyniä (kana), poimia (hedelmiä),
nyppiä 2 nykäistä, kiskaista, vetäistä
3 näppäillä (soitinta)
pluck up v (kuv) rohkaista mielensä
plucky adj rohkea, urhea, sisukas
plug [plʌg] s 1 tulppa to pull the plug on
something (ark) lakkauttaa, lopettaa, kes-
keyttää 2 sytytystulppa spark plug sytytys-
tulppa 3 (sähkö) pistoke 4 piilomainos
plug up v 1 tukkia (vuoto, reikä) 2 (piilo)mai-
nostaa
plum [plʌm] s 1 luumu 2 (ark, kuv) paras
pala, namu adj (ark) unelma- a plum job
unelmahomma
plumage [pluːmədʒ] s (linnun) höyhenpeite,
höyhenet, sulat
1 plumb [plʌm] s (luotain) luoti to be out of
plumb; to be off plumb olla vinossa/kal-
leellaan
2 plumb v 1 luodata, mitata syvyys 2 (kuv)
luodata, tutkailla, tutkia
3 plumb adj pystysuora, suora
4 plumb adv pystysuorassa, suorassa
plumber [plʌmər] s putkiasentaja
plumbing [plʌmɪn] s putkisto, putket there's
something wrong with my plumbing (kuv)
minulla on sisuskaluissa jotakin vialla
plume [pluːm] s 1 töyhtö 2 savupilvi
1 plummet [plʌmət] s (luotain) luoti
2 plummet v pudota (myös kuv:) laskea/vä-
hentyä jyrkästi in the last quarter, sales
plummeted myynti romahti viimeisellä
(vuosi)neljänneksellä
plump [plʌmp] adj pyylevä, pyöreä
plunder [plʌndər] v ryöstää, rosvota; anastaa

1 plunge [plʌndʒ] s 1 survaisu, sohaisu
2 hyppy, pulahdus to take the plunge roh-
kaista mielensä; ottaa riski; astua ratkai-
seva askel
2 plunge v survaista, sohaista, syöstä; syök-
syä, rynnätä, hypätä the president wanted
to plunge the country into war presidentti
halusi syöstä maan sotaan
pluperfect [pluːpɜrfəkt] s (kieliopissa) plus-
kvamperfekti (he had done)
plural [plʊərəl] s monikko adj monikollinen,
monikko-
plus [plʌs] s 1 lisä, kasvu 2 etu, plussa com-
puter literacy is a big plus for you sinulle
on paljon etua siitä että osaat käyttää tieto-
konetta 3 plusmerkki adj 1 positiivinen
2 ylimääräinen konj 1 (mat) plus 2 ja, sekä
plush [plʌʃ] s plyysi(kangas) adj ylellinen
plutonium [pluːtəʊniəm] s plutonium
1 ply [plaɪ] s 1 kerros 2 (auton renkaan) ku-
dos
2 ply v 1 tehdä; käyttää; ahertaa; harjoittaa
(ammattia) I'm just plying (at) my trade
kunhan teen työtäni 2 kyntää merta, kul-
kea (säännöllisesti jotakin reittiä) 3 pii-
nata/vaivata jotakuta jollain, hukuttaa joku
johonkin
plywood [plaɪwʊd] s vaneri
p.m. [piːem] post meridiem puolen päivän
jälkeen the movie begins at 3 p.m. elokuva
alkaa kello 15 at 12 p.m. kello 24 in the
p.m. iltapäivällä
pneumatic [nuːmætɪk] adj pneumaattinen,
paineilma-, ilma-
pneumonia [nuːməʊniə] s keuhkokuume
poach [pəʊtʃ] v 1 hauduttaa, keittää 2 pyy-
dystää salaa
poacher s salametsästäjä
pock [pak] s rokkonäppylä
1 pocket [pakət] s 1 tasku to line your pock-
ets (kuv) paikkailla taskujaan, rikastua
(vilpillisesti) 2 (kuv) pesäke, saareke
pocket of resistance vastarintapesäke
2 pocket v panna/pistää taskuunsa (myös
kuv:) kähveltää, varastaa
pocketable [pakətəbəl] adj taskuun mah-
tuva, taskukokoinen

pockmark ['pak,mark] s **1** rokonarpi **2** naarmu, arpi

P.O.D. pay on delivery jälkivaatimuksella, postiennakolla

pod [pad] s **1** (hernekasvin) palko **2** (lentokoneen moottorin) suojus

podgy [padʒi] adj (lyhyt ja) tanakka, pyylevä

podium [poudiəm] s (mon podiums, podia) **1** puhujakoroke **2** orkesterinjohtajan koroke

poem [pouəm] s runo

poet [pouət] s runoilija

poetic [pou'etik] adj runollinen; runoilijan

poetical adj runollinen; runoilijan

poetic licence s runollijan vapaus

poetry [pouətri] s runous

pogrom [pou'gram] s pogromi, (juutalaisten) joukkomurha

poignancy [poinjənsi] s voimakkuus, liikuttavuus, kaihoisuus; teräryys, pistävyys

poignant [poinjənt] adj voimakas, vaikuttava, liikuttava, kaihoisa, terävä, pistävä

poinsettia [poin'setə] s joulutähti

1 point [point] s **1** piste; pilkku: the interest rate is 5.3 percent korko on 5,3 prosenttia **2** terä, kärki **3** kohta, vaihe we agree on all points olemme samaa mieltä kaikesta/kaikista kohdista at this point in time nyt, tässä vaiheessa he has passed the point of no return (kuv) hän ei voi enää perääntyä she is on the point of death hän on kuoleman partaalla **4** (urh ym) piste **5** asian ydin get to the point, will you? menelään jo asiaan is there a point to all this? onko tällä kaikella jokin tarkoitus?; ajatko sinä taha jotakin? make your point sano sanottavasi, sano mitä sinulla on mielessäsi, mene asiaan there is no point in telling him that sitä ei kannata kertoa hänelle, on turha kertoa sitä hänelle

2 point v suunnata, tähdätä (aseella), osoittaa (sormella), näyttää jonnekin päin/tietä, viitata johonkin asiaan/suuntaan

point-blank [,point,blæŋk] adv **1** (ampua) lähietäisyydeltä, läheltä **2** (sanoa) suoraan, sumeilematta

pointed adj **1** terävä (kärkinen), suippo **2** (kuv) terävä, kärkevä, pureva

pointer s **1** (koira) pointteri **2** osoitin, neula, viisari **3** karttakeppi **4** vihje, neuvo can I give you a few pointers? saanko antaa muutaman neuvon?, saanko vähän neuvoa?

pointless adj turha it's pointless to try ei kannata yrittää

point of fact in point of fact itse asiassa

point out v **1** osoittaa (esim sormella) **2** tuoda esiin, ottaa esille, huomauttaa jostakin

1 poise [poiz] s **1** ryhti **2** mielenmaltti, rauhallisuus, itsevarmuus, tasapaino (kuv) **3** tasapaino

2 poise v **1** pitää koholla/valmiina (iskuun, heittoon) **2** tasapainottaa, pitää tasapainossa

poised [poizd] adj **1** rauhallinen, tasapainoinen she was very poised hän hillitsi itsensä hyvin, hän oli hyvin rauhallinen **2** joka leijuu/pysyy tasapainossa jossakin **3** joka on jonkin partaalla, joka on valmiina johonkin we are poised on the brink of war olemme sodan partaalla

1 poison [poizən] s myrkky

2 poison v **1** myrkyttää (myös kuv) **2** myrkyttää kuoliaaksi, murhata/surmata myrkyllä

poisoning s myrkytys

poisonous [poizənəs] adj myrkyllinen

1 poke [pouk] s tönäisy, tökkäisy

2 poke v **1** tönäistä, tökkäistä **2** (sl) naida, panna

poke out v pistää/työntyä esiin jostakin

poker [poukər] s **1** hiilihanko **2** pokeri

poker face s pokerinaama

polar [poulər] adj **1** napaseudun, napaseutujen, napa- **2** (magneettiseen napaan liittyvä) napa- **3** vastakkainen

polar bear [poulər,beər] s jääkarhu

polarity [pə'lerəti] s **1** (fys) napaisuus, polariteetti **2** vastakkaisuus

polarization [,poulərə'zeiʃən] s polarisaatio

polarize [poulə,raiz] v polarisoida, polaroida

polarizer s polarisaattori; (valok) polarisaatiosuodin

polar lights s (mon) revontulet

pole [poul] s **1** pylväs, tanko, masto, seiväs fishing pole ongenvapa **2** (tieteessä, tekniikassa) napa **3** (kuv) ääripää

pole position *s* paalupaikka

poles apart *to be poles apart* olla aivan eri maata, olla tyystin erilaiset; olla aivan eri mieltä

pole vault ['pol,vɔːlt] *s* (urh) seiväshyppy

1 police [pəˈliːs] *s* poliisi, poliisivoimat, poliisit

2 police *v* valvoa

police force *s* poliisivoimat

policeman [pəˈliːsmən] *s* (mon policemen) poliisimies, poliisi

police station *s* poliisiasema, poliisilaitos

policewoman [pəˈliːs,wʊmən] *s* (mon policewomen) naispoliisi, poliisi

policy [ˈpɒləsi] *s* **1** periaate, linja, suuntaviivat, menettely *it's company policy not to talk about future products* yrityksemme periaatteena on olla puhumatta tulevista tuotteista **2** politiikka: *foreign policy* ulkopolitiikka **3** vakuutuskirja

policyholder [ˈpɒləsi,həʊldər] *s* vakuutuksenottaja

polio [ˈpəʊliəʊ] *s* polio, lapsihalvaus

poliomyelitis [,pəʊliəʊmaɪəˈlaɪtɪs] *s* poliomyeliitti, polio, lapsihalvaus

1 polish [ˈpɒlɪʃ] *s* **1** kiilloke, vaha **2** kiilto **3** hiottu käytös, sulavuus, tyylikkyys

2 polish *v* **1** kiillottaa **2** (kuv) hioa, viimeistellä

polished *adj* **1** kiillotettu **2** (käytös) hiottu, (ihminen) tyylikäs, sulava(käytöksinen)

polish off *v* **1** pistää poskeensa, ahmia **2** (kuv) tehdä jostakusta selvää jälkeä

polish up *v* (kuv) hioa, parantaa

polite [pəˈlaɪt] *adj* **1** kohtelias **2** hieno *polite society* hienot piirit, hienot ihmiset, hienosto

politely *adv* kohteliaasti

politeness *s* kohteliaisuus

politic [ˈpɒlətɪk] *adj* viisas, ovela, neuvokas, varovainen

political [pəˈlɪtɪkəl] *adj* poliittinen

politically correct [pəˈlɪtɪkliˈrekt] *adj* ajan henkeen sopiva

politician [,pɒləˈtɪʃən] *s* poliitikko

politicization [pə,lɪtəsɪˈzeɪʃən] *s* politisointi

politicize [pəˈlɪtəˌsaɪz] *v* politisoida, sekoittaa johonkin politiikkaa

politick [ˈpɒlətɪk] *v* **1** politikoida **2** luovia/ junailla/saada aikaan politikoimalla

politicking *s* politikointi

politicly *adv* viisaasti, ovelasti, neuvokkaasti, varovaisesti, varovasti

politico [pəˈlɪtɪˌkəʊ] *s* (mon politicos) poliitikko

politics [ˈpɒlətɪks] *s* (verbi yksikössä tai mon) politiikka *play politics* osallistua politiikkaan, politikoida; ajaa (häikäilemättömästi) omaa etuaan

polity [ˈpɒlətɪ] *s* **1** hallinto **2** valtiomuoto, hallitusmuoto

polka [ˈpɒʊkə] *s* polkka

polka dot [ˈpəʊkə,dɒt] *s* (kankaassa) täplä

1 poll [pəʊl] *s* **1** mielipidetiedustelu **2** äänestys **3** (yl mon) äänestyspaikka, vaaliuurnat **4** äänimäärä **5** vaalitulos

2 poll *v* **1** tiedustella/luodata mielipiteitä **2** äänestää **3** saada ääniä **4** laskea äänet

pollen [ˈpɒlən] *s* siitepöly

pollinate [ˈpɒləˌneɪt] *v* (biol) pölyttää

pollination [,pɒləˈneɪʃən] *s* (biol) pölytys

pollute [pəˈluːt] *v* saastuttaa

polluted *adj* saastunut

pollution [pəˈluːʃən] *s* saaste

polo [ˈpəʊləʊ] *s* **1** poolo **2** poolopaita

polo shirt *s* **1** poolopaita **2** pikeepaita

poltergeist [ˈpɒltəˌgaɪst] *s* poltergeist

polyethylene [,pɒlɪˈeθəˌliːn] *s* polyetyleeni, polyteeni

polygamist [pəˈlɪɡəmɪst] *s* moniavioinen ihminen

polygamous [pəˈlɪɡəməs] *adj* moniavioinen

polygamy [pəˈlɪɡəmi] *s* moniavioisuus, polygamia

polygon [ˈpɒlɪˌɡɒn] *s* monikulmio

polytechnic [,pɒlɪˈteknɪk] *s* polytekninen oppilaitos; teknillinen korkeakoulu *adj* polytekninen, polyteknillinen

polytheism [ˈpɒlɪθiˌɪzəm] *s* monijumalaisuus, polyteismi

polytheistic [,pɒlɪθiˈɪstɪk] *adj* monijumalainen, polyteistinen

polyunsaturated fats [,pɒlɪʌnˈsætʃəˌreɪtəd] *s* (mon) monityydyttymättömät rasvat (rasvahapot)

pomegranate ['pamǝ,grænǝt] s granaatti-omena

pommel [pamǝl] s **1** (satula)nuppi **2** (miekan) ponsi

pomp [pamp] s loisto, komeus; pröystäily, mahtailu

pomposity [pam'pasǝti] s mahtailu, tärkeily, komeilu, pröystäily

pompous [pampǝs] adj mahtaileva, tärkeilevä, leuhka, paisutteleva

poncho [pant∫ou] s (viitta) poncho

pond [pand] s lampi

ponder [pandǝr] v miettiä, pohtia, harkita

ponderous [pandǝrǝs] adj **1** raskas, painava **2** (kuv) raskas, tylsä, työläs (luettava)

pontoon [pan'tun] s ponttoni, kelluke

pontoon bridge s ponttuuisilta, kellukesilta

pony [pouni] s poni

poodle [pudǝl] s villakoira

1 pool [puǝl] s **1** lampi, lammikko **2** (joen) suvanto **3** (vesi)lätäkkö **4** (uima-)allas **5** poolbiljardi, pool **6** (yhteinen) kassa/rahasto/varasto tms **7** kes carpool **8** (tal) rengas, pooli **9** (mon, UK) veikkaus

2 pool v **1** koota/kerätä/kerääntyä lammikkoon/lätäkköön **2** koota, yhdistää (rahat, voimavarat tms)

poor [puǝr] s the poor köyhät the rich and the poor rikkaat ja köyhät adj **1** köyhä to be poor in something jossakin on vain vähän jotakin **2** huono she's in poor health hänen terveytensä on huono you're a poor loser olet huono häviämään, et kestä hävitä **3** säälittävä, poloinen, parka poor me, I have to get up at six voi minua ressukkaa, joudun nousemaan kuudelta

poorly adj sairas, huonovointinen adv huonosti

poorness s **1** köyhyys **2** huonous, kehnous, puutteellisuus, riittämättömyys

1 pop [pap] s **1** poksahdus, pamahdus **2** (ark) virvoitusjuoma **3** ryyppy **4** (sl) kappale the drinks are two dollars a pop ryypyt maksavat kaksi dollaria kappaleelta **5** (ark) isä **6** popmusiikki, pop **7** poptaide

2 pop v **1** poksahtaa, pamahtaa **2** laukaista, avata, paukauttaa auki he popped the cork of the champagne bottle hän avasi samp-

panjapullon korkin he popped his cork hän sekosi/tuli hulluksi; hän raivostui silmittömästi/menetti itsehillintänsä **3** tupsahtaa/ilmestyä yllättäen jonnekin **4** (silmät) pullistua (kuopistaan)

3 pop adj pop- pop singer poplaulaja

popcorn ['pap,kɔrn] s popcorn, paukkumaissi

pop in v pistäytyä jossakin, käväistä jossakin pop in anytime you want tule käymään milloin vain haluat

poplar [paplǝr] s poppeli

pop music s popmusiikki

pop off v (ark) **1** kuolla kupsahtaa **2** lähteä livohkaan/nostelemaan, häipyä, liueta **3** nujaista vitsi, heittää herja

poppy [papi] s unikko

pops [paps] s (ark) isä

popular [papjǝlǝr] adj **1** suosittu, pidetty **2** yleistajuinen, kansantajuinen, helppotajuinen, kevyt **3** yleinen, koko kansan popular suffrage yleinen äänioikeus popular misconception yleinen väärinkäsitys

popularity [,papjǝ'lerǝti] s suosio

popularization [,papjǝlǝrǝ'zei∫ǝn] s **1** kansantajuistaminen, popularisointi, popularisointi **2** suosioon saattaminen, tunnetuksi tekeminen, yleiseen käyttöön ottaminen

popularize [papjǝlǝ,raiz] v **1** yleistajuistaa, kansantajuistaa, popularisoida, popularisoida **2** tehdä suosituksi; saattaa yleiseen suosioon, ottaa yleiseen käyttöön, tehdä tunnetuksi

popularly adv **1** yleistajuisesti, kansantajuisesti **2** suuren yleisön maun mukaisesti **3** yleisesti he is popularly believed to have died in a plane crash yleensä uskotaan että hän kuoli lento-onnettomuudessa

populate ['papjǝ,leit] v **1** asua jossakin **2** asuttaa, kansoittaa

population [,papjǝ'lei∫ǝn] s väestö; asukasluku

populous [papjǝlǝs] adj **1** taajaan/tiheään asuttu **2** jossa on tungosta/paljon väkeä

pop up v ilmetä, ilmestyä, tupsahtaa esiin, putkahtaa esiin

porcelain [pɔrslǝn] s, adj posliini(-)

porch [pɔrt∫] s **1** kuisti **2** kuistikko, veranta, vilpola

porcupine ['pɔːkjə‚paɪn] s piikkisika

1 pore [pɔː] s huokonen

2 pore v lukea/tutkia tarkasti

pork [pɔːk] s sianliha

porker s **1** syöttösika **2** (sl, kuv) läski, ihra-maha

porn [pɔːn] s, adj (ark) porno(-)

pornographic [‚pɔːnə'græfɪk] adj pornografinen

pornography [pɔː'nɑːgrəfɪ] s pornografia

porosity [pɔː'rɒsɪtɪ] s huokoisuus

porous ['pɔːrəs] adj huokoinen

porpoise ['pɔːpəs] s (mon porpoise, porpoises) pyöriäinen

porridge ['pɒrɪdʒ] s (kaura)puuro

port [pɔːt] s **1** satama **2** satamakaupunki (laivan, lentokoneen) vasen puoli, (laivan myös) paapuuri **4** (laivan ym) ikkuna; aukko, luukku **5** (tietok) portti, liitäntä **6** portviini

portable ['pɔːtəbəl] s kannettava televisio-vastaanotin/tietokone/kirjoituskone tms *adj* **1** kannettava **2** (tietokoneohjelmasta yms) (järjestelmien välillä) siirrettävä

porter ['pɔːtə] s **1** (matkatavaroiden) kantaja **2** ovenvartija, portinvartija **3** (makuuvaunussa) vaunupalvelija **4** (tehtaassa ym) talonmies

portfolio [pɔːt'fəʊlɪəʊ] s **1** (tal) (useita arvopapereita sisältävä arvopaperi)salkku **2** (asiakirja)salkku *stock portfolio* osakesalkku

porthole ['pɔːt‚həʊl] s (laivan pyöreä) ikkuna

portion ['pɔːʃən] s **1** osuus, osa **2** (ruoka-)annos

portion out v jakaa

portly adj pyylevä, lihava

portrait ['pɔːtrɪt] s **1** (maalaus, valokuva) muotokuva, henkilökuva **2** (kirjallisuudessa ym) kuvaus, kuva, henkilökuvaus, henkilökuva

portraiture ['pɔːtrɪtʃə] s muotokuvamaalaus

portray [pɔː'treɪ] v **1** maalata/veistää jonkun muotokuva **2** (kirjoittamalla ym) kuvata, kuvailla **3** (näytellä) esittää

portrayal [pɔː'treɪəl] s **1** muotokuvamaalaus **2** kuvaus, kuvailu

1 pose [pəʊz] s **1** asento, ryhti **2** asenne **3** (valokuvaajalle ym) poseeraus

2 pose v **1** olla olevinaan jokin/jotakin, tekeytyä joksikin, teeskennellä jotakin, teeskennellä **2** poseerata (valokuvaajalle ym) **3** tuoda esiin, merkitä, olla *his lack of money poses a serious problem* hänen rahapulansa/rahattomuutensa on vakava ongelma

poser s **1** poseeraaja **2** visainen/vaikea ongelma

poseur [pəʊ'zɜː] s teeskentelijä

posh [pɒʃ] adj ylellinen, loistokas, komea, pramea

posit [pɒzət] v esittää, väittää; olettaa

1 position [pə'zɪʃən] s **1** paikka, sijainti, asema **2** (kuv) asema, tilanne *people in her position* häisen asemassaan olevat ihmiset *he said he was not in a position to help you* hän sanoi ettei hän kykene auttamaan sinua/ettei hänellä ole mahdollisuuksia auttaa sinua **3** asenne **4** ryhti; asento

2 position v asettaa, sijoittaa, panna, laittaa

positive [pɒzɪtɪv] s (valokuvauksessa, kielioppissa ym) positiivi *adj* **1** (mat ym) positiivinen, plus- **2** (vastaus, elämänasenne) myönteinen, (asenne myös) rakentava **3** (täysin) varma, ehdoton *are you sure? – yes, I'm positive* oletko varma? – kyllä, olen aivan varma **4** (ark) todellinen, varsinainen, oikea

positively adv, interj **1** ehdottomasti, varmasti, jyrkästi *positively no smoking* tupakointi ehdottomasti kielletty **2** kerrassaan, suorastaan, kerta kaikkiaan

positiveness s **1** myönteisyys, myönteinen/rakentava asenne **2** varmuus, jyrkkyys, ehdottomuus, vakuuttavuus

positivism ['pɒzɪtɪ‚vɪzəm] s positivismi

positivist ['pɒzɪtɪvɪst] adj s positivisti adj positivistinen

positivistic [‚pɒzɪtə'vɪstɪk] adj positivistinen

positivity [‚pɒzə'tɪvɪtɪ] s myönteisyys, elämänmyönteisyys, myönteinen elämänasenne

positron ['pɒzɪ‚trɒn] s positroni

possess [pə'zes] v **1** omistaa, jollakulla on jotakin **2** osata, hallita (kieli) **3** hillitä itsensä, säilyttää malttinsa, pysyä tyynenä

possessed *adj* **1** riivattu *he worked like a man possessed* hän paiski töitä kuin hullu *she thinks she's possessed by/of the devil* hän uskoo olevansa paholaisen riivaama **2** tyyni, rauhallinen **3** *to be possessed of something* omistaa jotakin, jollakulla on jotakin

possession [pəˈzeʃən] *s* **1** omistaminen *to take possession of* ottaa haltuunsa **2** (mon) omaisuus, tavarat **3** (mon) alusmaat

possessive [pəˈzesɪv] *adj* **1** omistushaluinen, ahne, itsekäs, mustasukkainen **2** (kielioppia) possessiivi-, omistusta ilmaiseva

possessively *adv* omistushaluisesti, ahneesti, itsekkäästi, mustasukkaisesti

possessiveness *s* omistushalu, ahneus, itsekkyys, mustasukkaisuus

possessive pronoun *s* (kielioppia) possessiivipronomini

possess of *v* selvittää jollekulle jotakin, kertoa

possibility [ˌpɒsəˈbɪlɪti] *s* mahdollisuus *the idea has possibilities* idea vaikuttaa lupaavalta

possible [ˈpɒsəbəl] *adj* mahdollinen

possibly [ˈpɒsəbli] *adv* **1** mahdollisesti, ehkä, kenties **2** ikinä, mitenkään, koskaan *I can't possibly do it by Tuesday* en mitenkään saa sitä valmiiksi tiistaihin mennessä

possum [ˈpɒsəm] *s* (virginian)pussirotta, opossumi *to play possum* tekeytyä kuoliaaksi, teeskennellä kuollutta/nukkuvansa; teeskennellä viatonta, olla olevinaan syytön

1 post [pəʊst] *s* **1** pylväs *door*post ovenpieli **2** työpaikka, paikka **3** asemapaikka, vartiopaikka **4** sotilasasema **5** (UK) posti (lähetys, postitoiminto)

2 post *v* **1** kiinnittää/panna ilmoitus jonnekin **2** luvata ilmoituksella **3** sijoittaa/määrätä/nimittää johonkin virkaan/tehtävään **4** maksaa (takuu jotta syytetty pääsee vapaaksi oikeudenkäyntiin saakka) **5** (UK) postittaa, lähettää postitse

postage [ˈpəʊstɪdʒ] *s* postimaksu

postbox [ˈpəʊstˌbɒks] *s* (UK) (yleinen) postilaatikko

postcard [ˈpəʊstˌkɑːd] *s* postikortti *adj* postikorttimainen *postcard scenery* maisema kuin postikortista

postcode [ˈpəʊstˌkəʊd] *s* (UK) postinumero

postdate [ˌpəʊstˈdeɪt] *v* **1** merkitä (kirjeeseen tms) todellista myöhempi päivämäärä, päivätä myöhemmäksi **2** seurata (ajassa), tapahtua myöhemmin kuin, tapahtua jonkin jälkeen

posted *to keep someone posted on something* pitää joku ajan/tilanteen tasalla

poster *s* juliste, posteri

poste restante [ˌpəʊstrəsˈtɑːnt] *s* (ranskasta) noutoposti

posterior [pɒˈstɪərɪər] *s* takamus, takapuoli *adj* **1** (tilassa) taempi, taka- **2** (ajassa) jälkeinen, myöhäisempi

posterity [pɒˈsterɪti] *s* jälkipolvet, jälkimaailma; jälkeläiset *to save something for posterity* säästää jotakin tuleville sukupolville

postgraduate [ˌpəʊstˈɡrædʒʊət] *s* jatko-opiskelija *adj* jatko-opiskelu-, jatko-

posthaste [ˌpəʊstˈheɪst] *adv* kiireen vilkkaa, mahdollisimman nopeasti

posthumous [ˈpɒstjəməs] *adj* postuumi, kuoleman jälkeinen, (teos) tekijän kuoleman jälkeen julkaistu, (lapsi) isän kuoleman jälkeen syntynyt

postindustrial [ˌpəʊstɪnˈdʌstrɪəl] *adj* jälkiteollinen

postman [ˈpəʊstmən] *s* (mon postmen) postinkantaja

postmark [ˈpəʊstˌmɑːk] *s* postileima

postmaster [ˈpəʊstˌmɑːstər] *s* postitoimiston johtaja

postmodernism [ˌpəʊstˈmɒdənɪzəm] *s* postmodernismi

postmodernist [ˌpəʊstˈmɒdənɪst] *s*, *adj* postmodernisti(nen)

postmortem [ˌpəʊstˈmɔːtəm] *s* **1** ruumiinavaus **2** (kuv) jälkipuinti *adj* **1** kuoleman jälkeinen **2** ruumiinavaus- **3** jälkikäteen tapahtuva, jonkin jälkeinen

post office *s* postitoimisto, posti

postoperative [ˌpəʊstˈɒpərətɪv] *adj* (lääk) leikkauksen jälkeinen

postpaid [ˌpəʊstˈpeɪd] *adj* jonka postimaksu on maksettu

postpartum [,pəʊst,partəm] *adj* synnytyksen jälkeinen

postpone [,pəʊst'pəʊn] *v* lykätä, siirtää (myöhemmäksi)

postponement *s* (myöhemmäksi) lykkääminen, lykkäys, siirtäminen

postscript ['pəʊst'skrıpt] *s* jälkikirjoitus

postulate [past'ələt] *s* oletus, olettamus, edellytys

postulate [past'ə,leıt] *v* **1** pyytää, vaatia, edellyttää **2** olettaa, otaksua, pitää itsestään selvänä

1 posture [past'ər] *s* **1** ryhti, asento **2** asenne

2 posture *v* **1** sijoittaa, asettaa **2** ottaa/omaksua jonkin kanta/asenne **3** olla olevinaan (jotakin), teeskennellä

postwar ['pəʊst,wɔr] *adj* sodan jälkeinen, sodan jälkeisen ajan

1 pot [pat] *s* **1** astia: kulho; kannu; pannu; kukkaruukku, potti, yöastia **2** (ruoka) -pata, -pannu **3** (sl) iso maha, pötsi **4** (sl) marihuana **5** (sl) iso/koko potti, sievoinen summa

2 pot *v* **1** panna astiaan, valmistaa astiassa, panna (kasvi) ruukkuun **2** (sl) kääriä (rahaa), netota

potable [patəbəl] *adj* juomakelpoinen

potash [patæʃ] *s* potaska, kaliumkarbonaatti

potassium [pə'tæsiəm] *s* kalium

potato [pə'teıtəʊ] *s* (mon potatoes) peruna *white potato* peruna *sweet potato* bataatti *hot potato* (kuv) kuuma peruna

potbellied *adj* isomahainen, möhömahainen

potbelly ['pat,beli] *s* iso maha, pötsi, möhömaha

potency [pəʊtənsı] *s* **1** valta, voima **2** vahvuus, voimakkuus, väkevyys **3** (sukupuolinen) potenssi

potent [pəʊtənt] *adj* väkevä, vahva, voimakas, (peruste) vakuuttava, (hallitsija myös) mahtava

potentate [pə'ten,teıt] *s* hallitsija, ruhtinas; mahtimies, suurliikemies

potential [pə'tenʃəl] *s* **1** mahdollisuudet *she has leadership potential* hänessä on johtajan ainesta *the manuscript has potential* käsikirjoitus vaikuttaa lupaavalta **2** (kieliopissa, mat, fys) potentiaali **3** (sähkö)jännite *adj* **1** mahdollinen, potentiaalinen *he's a potential client* hänestä voimme saada asiakkaan **2** (kieliopissa) potentiaalinen, potentiaali-

potentially *adv* mahdollisesti

pothead ['pat,hed] *s* (sl) marihuanan käyttäjä, ruohonarkki

pothole ['pat,həʊl] *s* kuoppa (kadun päällysteessä)

potluck ['pat,lʌk] *s* nyyttikestit, nyyttikutsut *to take potluck* ottaa mitä tarjolla on

potted *adj* (kasvi) ruukku-

pottery [patərı] *s* savitavara, keramiikka

1 pouch [paʊtʃ] *s* pussi, massi, säkki, postisäkki *diplomatic pouch* diplomaattiposti

2 pouch *v* **1** pussittaa, säkittää, panna pussiin/massiin/säkkiin **2** pullottaa

poultice [pəʊltıs] *s* (kansanlääkinnässä) haude

poultry [pəʊltrı] *s* siipikarja

1 pounce [paʊns] *s* hyppy, syöksähdys, syöksy

2 pounce *v* hypätä, syöksyä (kimppuun)

1 pound [paʊnd] *s* **1** naula (454 g), noin puoli kiloa **2** (raha) punta *pound sterling* Englannin punta **3** isku, lyönti, jyske **4** häkki, selli; tarha (jonne rankkuri kerää kulkukoiria ym); paikka jonne esim luvattomasti pysäköidyt autot hinataan

2 pound *v* **1** takoa, hakata, iskeä, lyödä, jyskyttää **2** talsia

pound out *v* **1** takoa/nuijia/vasaroida sileäksi, tasoittaa **2** laatia, tehdä, saada valmiiksi **3** takoa (pianoa, pianolla), naputtaa (kirjoituskonetta, kirjoituskoneella)

pound sign *s* punnan merkki (£)

pour [pɔr] *v* **1** kaataa, valaa, vuodattaa, juoksuttaa; vuotaa, valua, juosta *it was pouring by the time we got home* siinä vaiheessa kun tulimme kotiin satoi kaatamalla *the government is pouring money into the project* valtio rahoittaa hanketta erittäin avokätisesti

pouring rain *s* kaatosade

pour out *v* **1** hyjentää, kaataa tyhjäksi, kaataa

1 pout [paʊt] *s* **1** *she looked at me with a pout* hän katsoi minua suu/huulet mutrussa/ mutrussa suin **2** (kuv) murjotus, mökötys

2 pout v **1** mutristaa huuliaan/suutaan **2** sanoa huulet/suu mutrussa **3** (kuv) murjottaa, jöröttää, mököttää

poverty [pavəti] s köyhyys; puute, niukkuus, vähyys

1 powder [paudər] s **1** jauhe, pulveri *to take a powder* häippäistä, livistää **2** puuteri **3** ruuti **4** puuterilumi

2 powder v **1** jauhaa hienoksi/pulveriksi, hienontaa **2** ripotella **3** puuteroida

powder keg s ruutitynnyri (myös kuv)

powder snow s puuterilumi

1 power [pauər] s **1** voima; teho; energia *electrical power* sähkövoima, sähköenergia *the power of persuasion* suostuttelun voima **2** valta, valtuus *it is not within your power to make changes to the agreement* sinulla ei ole valtuuksia muuttaa sopimusta **3** valtatekijä, vallanpitäjä, valta **4** (mat) potenssi **5** (mikroskoopin) suurennus, suurennuskyky

2 power v **1** käyttää, olla jonkin käyttövoi mana *this machine is powered by batteries* tämä laite on paristokäyttöinen **2** innostaa, kannustaa, antaa voimaa jollekulle

power-assist adj tehostettu, moottorikäyttöinen, sähkökäyttöinen tms, sähkö-

power base s kannattajakunta; hyvät lähtökohdat (kuv)

powered adj -käyttöinen

powerful adj **1** vaikutusvaltainen, mahtava **2** tehokas, voimakas, vahva, luja **3** (kuv) vaikuttava, vakuuttava, tehokas, voimakas, vahva

powerhouse [pauər,haus] s **1** voimala, voimalaitos **2** (kuv) tehopakkaus, voimanpesä

powerless adj voimaton *we were powerless to prevent the crisis* emme kyenneet estämään kriisiä

powerlessness s voimattomuus

power politics s (verbi yksikössä tai mon) **1** valtapolitiikka **2** (kansainvälinen) voimapolitiikka

power station s (sähkö)voimala, voimalaitos

power supply s **1** käyttöjännite **2** virtalähde

power up v käynnistää (tietokone)

1 powwow [pau,wau] s (ark) neuvottelu

2 powwow v (ark) neuvotella

PR *public relations* suhdetoiminta

practicability [,præktikə'biləti] s käyttökelpoisuus, toimivuus, käytännöllisyys

practicable [præktikəbəl] adj käyttökelpoinen, toimiva, käytännöllinen

practical [præktikəl] adj käytännöllinen *she has a practical mind* hän on käytännön ihminen

practicality [,præktɪˈkæləti] s **1** käytännöllisyys, käytännön läheisyys, toimivuus, käyttökelpoisuus **2** käytännöllinen/toimiva yksityiskohta

practical joke s kepponen, temppu, koltto nen, metku, käytännönpila

practically [præktɪkli] adv **1** käytännöllisesti **2** käytännöllisesti katsoen, käytännössä, oikeastaan, lähes, likimain, kutakuinkin

1 practice [præktɪs] s **1** tapa, tottumus, käytäntö, käytänne **2** (teorian vastakohta) käytäntö, käyttö, toiminta *in actual practice* käytännössä, todellisuudessa *to put something into practice* ottaa jotakin käyttöön, soveltaa jotakin käytännön **3** harjoitus, harjoittelu, harjaannus, valmennus *that runner is badly out of practice* tuo juoksija on kovasti harjoituksen puutteessa/huonossa kunnossa **4** (lääkärin, asianajajan) toiminta; (lääkärin) vastaanotto, (asianajajan) toimisto, asianajotoimisto

2 practice v **1** harjoittaa, harrastaa **2** harjoitella, valmentaa, opettaa

practiced adj **1** taitava, taidokas, harjaantunut **2** opittu, opeteltu

practitioner [præk'tɪʃənər] s ammatinharjoittaja, praktikko *general practitioner* yleislääkäri

pragmatic [præg'mætɪk] adj käytännöllinen, pragmaattinen

pragmatical adj käytännöllinen, pragmaattinen

pragmatism [ˈprægmə,tɪzəm] s **1** käytännöllisyys, pragmaattisuus **2** (filosofia) pragmatismi

pragmatist [prægmətɪst] s **1** käytännön ihminen, pragmaatikko **2** pragmatismin kannattaja, pragmatisti adj **1** käytännöllinen, pragmaattinen **2** pragmatismin mukainen, pragmatisti

prairie [preri] *s* preeria

1 praise [preiz] *s* ylistys, kehuminen, kehumiset

2 praise *v* ylistää, kehua

praiseworthy ['preiz,wərði] *adj* kiitettävä, kiitoksen arvoinen, erinomainen

pram [præm] *s* (UK) lastenvaunut

prance [præns] *v* hypätä, hyppiä (ilosta), kulkea ilosta hyppien

prank [præŋk] *s* kepponen, temppu, kolttonen, metku, ilkityö

prankster [præŋkstər] *s* veijari, kelmi, vitsailija, lurjus

prawn [pran] *s* katkarapu

pray [prei] *v* rukoilla

prayer [preiər] *s* rukous, rukoilu

praying mantis *s* rukoilijasirkka

preach [pritʃ] *v* saarnata (myös kuv)

preacher [pritʃər] *s* **1** saarnaaja **2** (kuv) moraalisaarnaaja tms

preadolescent *s, adj* varhaisnuori

preamble [priæmbəl] *s* johdanto, esipuhe, alkusanat *without preamble* (sen) pitemmittä puheita

preamp [priæmp] *s* (ark) esivahvistin

preamplifier ['pri'æmplə,faiər] *s* esivahvistin

precarious [pri'keəriəs] *adj* epävarma, epävakainen, pettävä, horjuva; vaarallinen

precaution [pri'kaʃən] *s* **1** varovaisuus **2** varotoimi

precautionary [pri'kaʃə,neri] *adj* (toimenpide) varo-, varoittava

precautious [pri'kaʃəs] *adj* varovainen

precede [pri'sid] *v* **1** edeltää, tapahtua/olla ennen jotakin; olla tärkeämpi kuin jokin, olla etusijalla **2** aloittaa jokin jollakin, tehdä ensin jotakin

precedence [presədəns] *s* etusija *to give precedence to someone/something* asettaa joku/jokin etusijalle

precedent [presədənt] *s* ennakkotapaus

precedent [prə'sidənt] *adj* edeltävä, aikaisempi

preceding *adj* edellinen, edeltävä, aikaisempi

precept [pri'sept] *s* **1** käsky, määräys, ohje **2** periaate

precinct [prisiŋkt] *s* **1** piiri, hallintopiiri, poliisipiiri, vaalipiiri **2** (mon kaupungin) lähistö, ympäristö **3** (mon) raja(t)

precious [prefəs] *adj* **1** arvokas, kallisarvoinen *precious stones* jalokivet **2** rakas, kallisarvoinen **3** sievistelevä, teennäinen *adv* erittäin *precious few people came* sinne tuli hyvin vähän väkeä

precipice [presəpəs] *s* **1** jyrkänne **2** (kuv) kynnys *to be on the precipice of something* olla jonkin partaalla

precipitant [prə'sipətənt] *adj* **1** joka tapahtuu päistikkää/suoraa päätä *after a precipitant fall down the stairs, she lost consciousness* hän menetti tajuntansa pudottuaan päistikkaa/pää edellä portaita alas **2** hätiköity, harkitsematon, äkkipikainen, malttamaton

precipitate [prə'sipə,teit] *v* **1** heittää, singota, rynnätä, syöstä, syöksyä **2** (kuv) saada aikaan, syöstä (jokin kriisiin) **3** sataa

precipitate [prə'sipətət] *adj* **1** joka tapahtuu päistikkää/suoraa päätä *after a precipitate fall down the stairs, she lost consciousness* hän menetti tajuntansa pudottuaan päistikkaa/pää edellä portaita alas **2** hätiköity, harkitsematon, äkkipikainen, malttamaton *he made a precipitate decision* hän teki hätiköidyn ratkaisun

precipitation [prə,sipə'teiʃən] *s* **1** heittäminen, heitto **2** (kuv) syökseminen, kiirehtiminen **3** sade, sademäärä

précis [preisi] *s* (mon précis [preisiz]) tiivistelmä, yhteenveto

precise [pri'sais] *adj* **1** tarkka, täsmällinen **2** nimenomainen *at the precise time* juuri sillä hetkellä

precisely *adv* tarkasti, täsmällisesti, täsmälleen *that's precisely what I'm saying* juuri sitä minä tarkoitan

preciseness *s* tarkkuus, täsmällisyys

precision [pri'siʒən] *s* tarkkuus

precocious [pri'kouʃəs] *adj* varhaiskypsä

precociously *adv* ennenaikaisesti, varhain, varhaiskypsästi

precocity [pri'kasəti] *s* varhaiskypsyys

preconceive [,prikən'siv] *v* muodostaa (mahdollisesti puolueellinen) ennakkokäsitys

preconceived *adj* (mielipide) etukäteen muodostettu; ennakkoluuloinen

preconception [,prikən'sepʃən] *s* ennakkokäsitys; ennakkoluulo

predator [predətər] *s* 1 petoeläin, petolintu 2 (kuv) saaliinhimoinen ihminen

predatory ['predə,tɔri] *adj* 1 (eläin) peto- 2 (kuv) ryöstö-, saaliinhimoinen *he had on a predatory look* hänen silmistään paistoi pedon kiilto

predecessor ['predə,sesər] *s* edeltäjä

predestine [pri'destən] *v* määrätä ennalta/etukäteen johonkin *I was predestined to fail* olin jo etukäteen tuomittu epäonnistumaan

predetermine [,pridə'tərmən] *v* 1 päättää/määrätä etukäteen 2 määrätä, ohjata

predicament [prɪ'dɪkəmənt] *s* pulma, hätä, pulmatilanne, vaikea tilanne

predicate ['predə,keıt] *s* (kielioppisa) predikaatti

predict [prɪ'dɪkt] *v* ennustaa, ennakoida, olla merkki jostakin tulevasta

predictable [prɪ'dɪktəbəl] *adj* (ennalta) arvattava; joka on helppo arvata (etukäteen), yllätyksetön, mielikuvitukseton

predictably *adv* kuten arvata saattaa/saattoi, ennalta arvattavasti, yllätyksettömästi

prediction [prɪ'dɪkʃən] *s* ennustus

predispose [,pridıs'pouz] *v* altistaa, herkistää jollekin, kallistaa joku johonkin käsitykseen

predisposition [pri,dıspə'zıʃən] *s* alttius, herkkyys, taipumus

predominant [prɪ'damınənt] *adj* hallitseva, vallitseva, tärkein, voimakkain

predominantly *adv* etupäässä, pääasiassa, enimmäkseen

predominate [prɪ'damı,neıt] *v* hallita, vallita, olla tärkein, olla etualalla, olla eniten esillä, muodostaa enemmistö

preeminent [pri'emınənt] *adj* ylivoimainen, johtava, verraton, vertaansa vailla

preeminently *adv* 1 erinomaisesti, loistavasti 2 etupäässä, pääasiassa, enimmäkseen

preempt [pri'empt] *v* 1 omia itselleen, varata omakseen 2 (televisio-ohjelmasta) korvata, tulla jonkin tilalle *the program was preempted because the newscast ran longer than usual* ohjelma jätettiin näyttämättä koska uutiset kestivät tavallista pitempään

preen [prin] *v* 1 (lintu) sukia sulkiaan, (kissa ym) nuolla turkkiaan 2 (ihminen) koristautua, pyntätä itseään 3 (kuv) ylpeillä jollakin (on)

preexist [pri,əg'zıst] *v* olla olemassa etukäteen/ennen jotakin

1 preface [prefəs] *s* 1 esipuhe, alkusanat, (puheen) aloitus 2 (kuv) alkusoitto

2 preface *v* aloittaa (kirja, puhe) jollakin

prefect [prifekt] *s* prefekti

prefer [prə'fər] *v* pitää enemmän jostakin, olla jollekulle enemmän mieleen kuin *which do you prefer, apples or oranges?* pidätkö enemmän omenista vai appelsiineista? *I preferred not to comment* katsoin viisaimmaksi vaieta

preferable [prefərəbəl] *adj* parempi (vaihtoehto) kuin (to)

preferably *adv* mieluummin, mieluiten *please give me some pictures, preferably color slides* antaisitko minulle muutaman kuvan, mieluiten väridioja

preference [prefrəns] *s* 1 mieltymys, suosio, etusija *in order of preference* järjestyksessä mieluisimmasta alkaen 2 valinta *what is your preference?* minkä valitset/haluat?

preferential [,prefə'renʃəl] *adj* (kohtelu) erikois-

prefix [prifıks] *s* (kielioppisa) etuliite

pregnancy [pregnənsi] *s* raskaus, raskausaika

pregnant [pregnənt] *adj* 1 joka on raskaana, odottava 2 tärkeä, merkittävä

pregnant in *adj* joka on täynnä jotakin *his mind was pregnant in crazy schemes* hänen päässään vilisi lennokkaita suunnitelmia

pregnant with *adj* joka on täynnä jotakin *the atmosphere at the meeting was pregnant with tension* kokouksen ilmapiiri oli jännityksen sähköistämä

prehistoric [,prihıs'tɔrık] *adj* esihistoriallinen

prehistory [pri'hıstəri] *s* esihistoria

prejudge [priː'dʒʌdʒ] v ratkaista/tuomita (jo) etukäteen

1 prejudice [predʒədis] s **1** ennakkoluulo, kielteinen ennakkokäsitys *racial prejudice* rotuennakkoluulot **2** suvaitsemattomuus, ennakkoluulot **3** vahinko *to the prejudice of someone/something* jonkin vahingoksi

2 prejudice v kallistaa joku johonkin käsitykseen, saada joku uskomaan jotakin, saada joku vakuuttuneeksi jostakin

prejudiced adj ennakkoluuloinen

prejudicial [ˌpredʒə'dɪʃəl] adj haitallinen, vahingollinen

preliminary [prə'limə‚neri] s valmisteleva koe/tentti, preliminääri; (urh) alkuottelu, alkuerä adj alustava, alku-, valmisteleva

prelude ['preɪˌluːd] s alkusoitto (myös kuv)

premarital [priː'merətəl] adj esiaviollinen

premature [‚primət‚ər] adj ennenaikainen, hätiköity, (synnytys) ennenaikainen *premature baby* keskonen

premeditate [priː'medi‚teɪt] v harkita, suunnitella (etukäteen)

premeditation [priˌmedi'teɪʃən] s aikomus, aie, tarkoitus, harkinta, suunnittelu

premier [pri'miər] s pääministeri adj ensimmäinen, tärkein, johtava, pää-

1 premiere [pri'miər] s ensi-ilta

2 premiere v saada ensi-iltansa, tulla teatteriin/teattereihin

premise [preməs] s **1** (logiikassa) premissi **2** edellytys, peruste **3** (mon) alue *students may not leave the premises* oppilaat eivät saa poistua koulun alueelta

premiss [preməs] s (logiikassa) premissi

premium [primiəm] s **1** bonus, lisäpalkkio **2** vakuutusmaksu **3** (tal) preemio **4** *to buy at a premium* ostaa kalliilla hinnalla, maksaa ylihintaa *to be at a premium* jostakin on pulaa/kovasti kysyntää adj **1** ensiluokkainen, erinomainen **2** (hinta) korkea, yli-

premonition [‚premə'niʃən] s paha (ennakko) aavistus

prenatal [priː'neɪtəl] adj synnytystä edeltävä; neuvola-

preoccupation [priˌakjə'peɪʃən] s **1** johonkin uppoutuminen/syventyminen **2** tärkein harrastus/kiinnostuksen kohde

preoccupied [priː'akjə‚paɪd] adj (ajatuksiinsa tms) uppoutunut

preoccupy [priː'akjə‚paɪ] v viedä/vaatia osakseen jonkun kaikki mielenkiinto/huomio

preparation [‚prepə'reɪʃən] s **1** valmistelu, valmistautuminen **2** valmiste, lääke

preparatory ['prepərəˌtɔri] adj valmisteleva, alustava, alku-

preparatory school s **1** (US) yksityinen tai kirkollinen collegeen valmistava toisen asteen koulu **2** (UK) yksityinen (public schooliin valmistava) ensimmäisen asteen koulu

preparatory to adj ennen jotakin *preparatory to throwing the ball, you move your arm back* ennen pallon heittämistä käsi siirtyy taaksepäin

prepare [prə'peər] v laittaa valmiiksi, valmistaa, valmistautua, varustaa, varustautua

prepared adj **1** valmistautunut, valmis, varustautunut (johonkin) **2** (ruoka) valmis-

prepay [pripei] v maksaa etukäteen

preposition [‚prepə'zɪʃən] s (kielioppi) prepositio

prepositional verb s (kielioppi) preposition kanssa käytettävä verbi

preposterous [pri'pastərəs] adj kohtuuton, suhdaton, paksu, järjetön *their demands are preposterous* heidän vaatimuksensa ovat poskettomia

prerogative [prə'ragətiv] s etuoikeus, oikeus *did Mr. Nixon exercise the presidential prerogative to get rid of him?* käyttikö Mr. Nixon presidentin valtuuksia päästäkseen hänestä eroon?

Presbyterian [‚prezbə'tiriən] s presbyteriaani, presbyteerisen kirkon jäsen adj presbyteerinen

prescribe [pri'skraib] v **1** määrätä **2** (lääkäristä) määrätä (lääkettä/hoitoa potilaalle)

prescription [prə'skripʃən] s **1** määräys **2** lääkemääräys, resepti *to fill out a prescription* (farmaseutista) valmistaa lääke, täyttää lääkemääräys

prescriptive [prə'skriptiv] adj määräävä, määräilevä, kieltävä, (sanakirja, kielioppi) normatiivinen

preseason [priˈsiːzən] *adj* varsinaista (peli)kautta edeltävä

presence [prezəns] *s* **1** läsnäolo *in his presence* hänen läsnäollessaan, hänen seurassaan **2** olemus *she is a very powerful presence* hänen olemuksensa on hyvin vaikuttava, hän on hyvin vaikuttava ilmestys **3** (näkymätön yliluonnollinen) olento *a presence from outer space* avaruusolento **4** (sotilaallinen, taloudellinen) voima, asema, vaikutus

present [prezənt] *s* **1** nykyhetki *at present, for the present* toistaiseksi, tällä haavaa, tässä vaiheessa tällä hetkellä, nyt **2** (kieliopissa) preesens **3** (mon, lak) tämä asiapaperi, nämä asiapaperit *know all men by these presents* täten ilmoitan/ilmoitamme **4** lahja *adj* **1** läsnäoleva *present company excepted* huomautukseni ei toki koske läsnäolijoita **2** tämänhetkinen, nykyinen *at the present moment* nyt, tällä hetkellä **3** jota on jossakin *dissatisfaction present in the crew is bound to surface at some point* miehistössä kytevä tyytymättömyys puhkeaa varmasti vielä esiin **4** (kieliopissa) preesens-

present [priˈzent] *v* **1** antaa jollekulle lahjaksi jotakin (with) **2** ojentaa, antaa, esittää *she presented numerous arguments in favor of the plan* hän esitti monta perustella suunnitelman puolesta **3** tarjoutua *an interesting opportunity has presented itself* on tarjoutunut kiintoisa tilaisuus/mahdollisuus **4** esitellä jotakin, joku jollekulle

presentable [priˈzentəbəl] *adj* edustava, siisti, siivo, säädyllinen, pukeutunut

presentation [ˌprizənˈteɪʃən] *s* **1** (lahjan) ojentaminen, (palkintojen) jako **2** lahja **3** esitys, näytäntö **4** esittäminen, esittely, esitys **5** esiintyminen **6** (lääk) tarjonta, sikiön asento synnytyksessä

present continuous [kənˈtɪnjuəs] *s* (kieliopissa) kestomuodon preesens (he is reading)

presentiment [priˈsentəmənt] *s* ennakkoaavistus, aavistus, tuntu

presently *adv* **1** pian, kohta, (aivan) heti **2** tällä hetkellä, nykyisin, nyt

present participle *s* (kieliopissa) partisiipin preeseens (hanging)

present perfect *s* (kieliopissa) perfekti (he has done)

present progressive *s* (kieliopissa) kestomuodon preesens (he is reading)

preservation [ˌprezərˈveɪʃən] *s* **1** säilytys, suojelu, varjelu, säästäminen, kunnossapito **2** säilöntä, hilloaminen

preservative [prəˈzɜːvətɪv] *s* säilöntäaine *adj* säilöntä-

preserve [prəˈzɜːv] *s* **1** hillo **2** luonnonsäästiö; rauhoitusalue *v* **1** säilyttää, suojella, varjella, säästää, pitää kunnossa **2** säilöä, hillota

preside [prəˈzaɪd] *v* toimia puheenjohtajana, johtaa (esim kokousta)

presidency [prezidensi] *s* **1** presidentin virka; virassaolo, virkakausi **2** (yliopiston) rehtorin virka **3** (seuran yms) puheenjohtajuus

president [prezidənt] *s* **1** (politiikassa) presidentti **2** (yrityksessä) johtokunnan puheenjohtaja **3** (collegessa) rehtori

presidential *adj* presidentti-, presidentin-

presidio [prəˈsidiəʊ] *s* (mon presidios) (linnoitettu) varuskunta

presidium [prəˈsidiəm] *s* (mon presidiums, presidia) (entisessä Neuvostoliitossa) puhemiehistö

1 press [pres] *s* **1** paine, painaminen, puristus **2** puristin(kone) **3** painokone **4** sanomalehtipaino, kirjapaino, painotalo **5** (sanoma)lehdistö *the press has arrived* lehdistö on/toimittajat ovat paikalla **6** joukkotiedotusvälineet **7** toimittajat **8** lehtikirjoittelu: *the event got good/bad press* tapahtumasta kirjoitettiin (lehdissä) myönteiseen/kielteiseen sävyyn **9** (housujen ym) prässi, taite, laskos

2 press *v* **1** painaa, puristaa; rutistaa; tunkea, ahtaa *press this button to stop the tape* nauha pysähtyy tätä painiketta painamalla **2** painostaa, ahdistaa, kovistella, patistaa **3** silittää, prässätä **4** (painonnostossa) punnertaa

pressing *adj* pakottava, kiireinen, (tarve myös) kova

press release *s* lehdistötiedote

pressure [preʃər] *s* **1** paine **2** (kuv) paine, paineet, painostus

pressure group *s* painostusryhmä, eturyhmä

pressure point *s* **1** (ihon painoärsytyksille herkkä kohta) painopiste, painepiste **2** puristuskohta (jota painamalla verenvuoto voidaan tyrehdyttää) **3** (kuv) heikko kohta, akilleen kantapää

pressurize [ˈpreʃəˌraɪz] *v* paineistaa

prestige [presˈtiːʒ] *s* arvovalta, vaikutusvalta, maine, prestiisi

prestigious [presˈtɪdʒəs] *adj* arvovaltainen, vaikutusvaltainen, maineikas, kuuluisa, tunnettu, hieno

presumable *adj* luultava, todennäköinen

presume [prɪˈzuːm] *v* **1** olettaa, otaksua **2** uskaltautua tekemään jotakin, rohjeta, kehdata *I wouldn't presume to call him Joe* en mitenkään julkeaisi sinuttaa häntä/sanoa häntä Joeksi

presumption [prɪˈzʌmpʃən] *s* **1** oletus, olettamus, otaksuminen **2** julkeus, röyhkeys, hävyttömyys

presuppose [ˌpriːsəˈpəʊz] *v* olettaa, otaksua; edellyttää, vaatia

presupposition [ˌpriːsʌpəˈzɪʃən] *s* oletus; edellytys

pretend [prɪˈtend] *v* teeskennellä jotakin, tekeytyä joksikin, (myös lapsista) leikkiä jotakin

pretended *adj* teennäinen, teeskennelty, olematon, kuviteltu, keksitty

pretend to *v* **1** väittää/teeskennellä olevansa/omaavansa jotakin **2** vaatia itselleen jotakin

pretense [prɪˈtens] *s* **1** teeskentely, teennäisyys **2** veruke **3** *under false pretenses* vilpillisesti

pretension [prɪˈtenʃən] *s* **1** teeskentely, teennäisyys, tärkeily **2** jonkin tavoittelu, vaatimus **3** (us mon) väite *her pretensions to greater wisdom were not taken seriously by anyone* kukaan ei ottanut todesta hänen väitettään että hän oli muita viisaampi

pretentious [prɪˈtenʃəs] *adj* tärkeilevä, mahtaileva, pröystäilevä, mahtipontinen, teeskentelevä, teennäinen

pretentiousness *s* tärkeily, mahtailu, pröystäily, mahtipontisuus, teeskentely, teennäisyys

pretext [prɪtekst] *s* veruke, tekosyy *under the pretext of* jollakin verukkeella, johonkin vedoten

prettily *adv* sievästi, nätisti, kauniisti, kiltisti

prettiness *s* sievä/nätti ulkonäkö, hyvät tavat

pretty [prɪtɪ] *adj* **1** sievä, nätti, kaunis, kiltti *she's as pretty as a picture* hän on kuvankaunis **2** (summa) sievoinen *it cost me a pretty penny* sain pulittaa siitä pitkän pennin *that's a pretty state of affairs* se onkin melkoinen sotku *adv* aika, melko *the movie was pretty good* elokuva oli aika hyvä *it was pretty much the same as before* kaikki/siellä oli kutakuinkin samanlaista kuin viimeksi *to be sitting pretty* jonkun kelpaa olla, jollakulla on hyvät oltavat, jollakulla on pullat hyvin uunissa

pretzel [pretsəl] *s* (suolainen) rinkeli, rinkilä

prevail [prɪˈveɪl] *v* **1** vallita, hallita, olla vallitsevassa/hallitsevassa asemassa **2** kukistaa, voittaa, päästä

prevailing *adj* vallitseva, pääasiallinen, ensisijainen *the prevailing view on that matter is that..* yleinen käsitys siitä asiasta on että..

prevail over *v* kukistaa, voittaa, päästä niskan päälle

prevail upon *v* pyytää joltakulta jotakin, suostutella

prevalence [prevələns] *s* yleisyys, vallitsevuus, suosio

prevalent [prevələnt] *adj* yleinen, vallitseva, suosittu

prevaricate [prɪˈværɪˌkeɪt] *v* esittää verukkeita, johtaa harhaan, vetkutella, valehdella

prevent [prɪˈvent] *v* estää, ehkäistä, välttää, torjua *the government took steps to prevent a crisis* hallitus ryhtyi toimiin kriisin estämiseksi

prevention [prɪˈvenʃən] *s* estäminen, ehkäisy, torjunta, välttäminen, varotoimenpide *an ounce of prevention is worth a pound of cure* parempi virsta väärää kuin vaaksa vaaraa *fire prevention* palontorjunta

preventive [prɪ'ventɪv] s **1** ehkäisevä lääke **2** varotoimi *adj* ehkäisevä *preventive measures* varotoimet

1 preview ['pri:vju:] s **1** (elokuvan ym) ennakkonäytös **2** (elokuvateatterin tulevaa ohjelmistoa esittelevä) mainosfilmi **3** (kuv) esimaku

2 preview v näyttää/katsoa etukäteen, järjestää ennakkonäytös

previous [privias] *adj* **1** edellinen, edeltävä, aikaisempi, aiempi **2** (ark) ennenaikainen, hätiköity

previously *adv* aiemmin, aikaisemmin, ennen

previous to *prep* ennen jotakin

prey [preɪ] s **1** saaliseläin, saalis **2** (petoksen, taudin ym) uhri, kohde

prey on v **1** (eläin) saalistaa jotakin, syödä jotakin **2** (ihminen) ryöstää, ryövätä, rosvota, saalistaa **3** käyttää hyväkseen **4** (kuv) piinata, vaivata, ahdistaa

1 price [praɪs] s **1** hinta (myös kuv) *at any price* mihin hintaan hyvänsä *he got her to marry him, but at a price* hän sai naisen suostumaan avioliittoon mutta joutui maksamaan siitä kalliisti *to be beyond/without price* olla suunnattoman/sanoinkuvaamattoman arvokas/kallis **2** palkkio *there's a price on the terrorist's head* terroristin kiinnisaajalle on luvattu palkkio

2 price v hinnoitella, määrätä jonkin hinta *these VCRs are attractively priced* nämä kuvanauhurit ovat (hinnaltaan) edullisia

priceless *adj* korvaamattoman arvokas, korvaamaton

price tag s **1** hintalappu **2** (myös kuv) *those victories came at a high price tag* noista voitoista saatiin maksaa kova hinta

pricey [praɪsɪ] *adj* hinnakas, kallis

1 prick [prɪk] s **1** reikä, puhkaisu **2** pisto (myös kuv), nipistys **3** (sl) kulli, kyrpä **4** (sl) paskiainen **5** *to kick against the pricks* kapinoida turhaan, lyödä päätään seinään

2 prick v **1** puhkaista **2** pistää (myös kuv), nipistää **3** höristää (korviaan) **4** kannustaa

1 prickle [prɪkəl] s **1** piikki **2** pisto

2 prickle v pistää, pistellä

prickly [prɪklɪ] *adj* **1** piikikäs **2** pistelevä **3** (kuv) visainen (ongelma)

pride [praɪd] s (myönteinen tai kielteinen) ylpeys *the Porsche is his pride* Porsche on hänen suuri ylpeytensä/ylpeilyn aiheensa

pride on v ylpeillä jollakin, olla ylpeä jostakin, ylpistellä

priest [pri:st] s (katolinen) pappi

priesthood ['pri:st,hud] s **1** papin virka, pappeus **2** papit, pappiskunta, papisto

prim [prɪm] *adj* sievistelevä, jäykkä, virallinen

primarily [praɪ'merəli] *adv* etupäässä, pääasiassa, lähinnä

primary [praɪ,meri] s **1** (US) esivaalit **2** pääväri *adj* tärkein, olennaisin, keskeisin, pää-

primary color s pääväri

primary school s **1** (4–6 alinta koululuokkaa, Suomessa lähinnä) peruskoulu, peruskoulun ala-aste **2** (3–4 alinta koululuokkaa) alakoulu

primate ['praɪ,meɪt] s **1** (usk) priimas **2** kädellinen

1 prime [praɪm] s kukoistus *he is past his prime* hän on jo nähnyt parhaat päivänsä *he died in the prime of youth* hän kuoli nuoruutensa kukoistuksessa *in the prime of life* elämänsä terässä, parhaina päivinään

2 prime v **1** valmistaa, valmistautua **2** ladata (ase)

3 prime *adj* **1** tärkein, pää- **2** ensiluokkainen, paras

prime minister s pääministeri

primer [praɪmər] s **1** nalli **2** pohjamaali

primer [prɪmər] s **1** aapinen **2** alkeisteos

primeval [praɪ'mi:vəl] *adj* muinainen, ammoinen, ikivanha

primitive [prɪmətɪv] *adj* alkeellinen, alkukantainen, kehittymätön, karkea, vanhanaikainen, primitiivinen

primly *adv* sievistelevästi, jäykästi, virallisesti

primrose [prɪm,rouz] s esikko *evening primrose* helokki *adj* vaalean keltainen

prince [prɪns] s prinssi

princely *adj* ruhtinaallinen (myös kuv)

princess [prɪnsəs] s prinsessa

principal [prɪnsəpəl] s 1 rehtori 2 (tal) pääoma; velka(pääoma) adj tärkein, pääasiallinen, pää-

principality [ˌprɪnsəˈpælətɪ] s ruhtinaskunta

principally [prɪnsəplɪ] adv pääasiassa, pääasiallisesti, etupäässä, lähinnä

principle [prɪnsəpəl] s periaate on principle periaatteen vuoksi/tähden, periaatteesta in principle periaatteessa, alustavasti, teoriassa

principled adj (ihminen) periaatteen high-principled jolla on korkeat periaatteet/ihanteet low-principled periaatteeton, jolla ei (juuri) ole periaatteita

1 print [prɪnt] s 1 (painettu) teksti read the small print before you sign lue pieni präntti (ark) ennen kuin allekirjoitat 2 to be in print (kirjasta) olla saatavana to be out of print olla painos loppunut 3 (valokuvauksessa) paperikuva, vedos contact print pinnakkaisvedos 4 (elokuvan positiivinen) esityskopio 5 jälki, painallus fingerprints sormenjäljet

2 print v 1 painaa (esim kirja) 2 julkaista 3 painautua, painua (myös kuv) that incident is indelibly printed in my memory tapahtuma on painunut pysyvästi mieleeni 4 tekstata 5 (valok) tehdä paperikuviksi, ottaa vedos, vedostaa

printable adj 1 painokelpoinen 2 julkaisukelpoinen

printer s 1 kirjanpainaja 2 (tietokoneen) tulostin, kirjoitin

printing s 1 (kirjan yms) painaminen, painotyö 2 painos 3 tekstaus

prior [praɪər] adj aikaisempi without prior knowledge asiasta etukäteen mitään tietämättä

priority [praɪˈɒrətɪ] s 1 etusija to give priority to antaa jollekin etusija 2 tärkeä asia it was my first priority to get out of the burning house ensimmäiseksi halusin päästä ulos palavasta talosta you've got your priorities all wrong sinulla on arvot aivan väärässä järjestyksessä

prior to prep ennen jotakin

prism [prɪzəm] s prisma, särmiö

prismatic [prɪzˈmætɪk] adj prismaattinen, särmiö-

prison [prɪzən] s vankila the judge sent him to prison for five years tuomari langetti hänelle viiden vuoden vankeusrangaistuksen

prisoner s vanki (myös kuv)

pristine [prɪstiːn] adj koskematon, neitseellinen, virheetön, moitteeton

privacy [praɪvəsɪ] s oma rauha, yksityisasiat in the privacy of your home omassa kodissa, kodin rauhassa, perhepiirissä

private [praɪvət] s 1 (sot) alokas; sotamies; korpraali 2 (mon) sukupuolielimet 3 could I talk to you in private? voisimmeko jutella kahden kesken? adj 1 yksityinen, henkilökohtainen, oma, luottamuksellinen do you have a private office? onko sinulla oma työhuone? private citizen yksityishenkilö private correspondence henkilökohtainen posti 2 eristäytyvä, syrjään vetäytyvä, sulkeutunut; syrjäinen

private detective s yksityisetsivä

privately adv yksityisesti, henkilökohtaisesti, kahden kesken tms

private parts s (mon) sukupuolielimet

privation [praɪˈveɪʃən] s puute, pula, köyhyys the privations of college life opiskelijaelämän vaikeudet/vastoinkäymiset

privatize [praɪvətaɪz] v siirtää yksityisomistukseen, yksityistää

1 privilege [prɪvlɪdʒ] s erioikeus, erivapaus, etuoikeus

2 privilege v myöntää jollekulle erioikeus/erivapaus/etuoikeus to privilege someone from something vapauttaa joku jostakin

privileged adj etuoikeutettu

1 prize [praɪz] s 1 palkkio, palkinto

2 prize v pitää suuressa arvossa, arvostaa suuresti/paljon

3 prize adj 1 palkittu, palkinnon voittanut 2 palkinto-

prized adj arvostettu; haluttu much prized suuresti arvostettu; kovasti haluttu

prizefighter s ammattinyrkkeilijä

prizewinner [praɪzwɪnər] s palkinnonsaaja, palkittu henkilö/tuote yms, voittaja

pro [prou] *s* **1** (ark) ammattilainen *the pros urheilun ammattilaisliiga(t)* **2** (jaa-äänen antaja) kannattaja *the pros have it* jaa-äänet voittavat *adj* ammattilais- *adv* (äänestyksessä ym) jotakin kannattava

probability [,prabə'bɪlɪti] *s* todennäköisyys *in all probability* kaiken todennäköisyyden mukaan *yes, it is a probability* aivan, se on mahdollista/todennäköistä

probable [prabəbəl] *adj* todennäköinen

probably [prabəbli] *adv* todennäköisesti

probation [prou'beɪʃən] *s* **1** (lak) ehdonalainen vapaus **2** (uudessa työssä) koeaika

1 probe [proub] *s* **1** luotain **2** (esim rötöksen) tutkimus, selvitys

2 probe *v* **1** luodata, tutkia luotaimella **2** tutkia, selvittää, tutkistella, luodata (kuv)

problem [prabləm] *s* **1** ongelma, pulma, vaikeus, hankaluus *I think you have an attitude problem* minun mielestäni sinulla on väärä asenne **2** (koulu)tehtävä

problematic [,prablə'mæɪk] *adj* ongelmallinen, pulmallinen

problematical *adj* ongelmallinen, pulmallinen

procedure [prə'sidʒər] *s* menettely, menettelytapa

proceed [prə'sid] *v* **1** edetä, kulkea, liikkua **2** jatkaa *do proceed* ole hyvä ja jatka *he is not proceeding at all* hän ei (työnsä) ei etene lainkaan **3** menetellä, toimia

proceedings [prə'sidɪŋz] *s mon* **1** tapahtumat **2** pöytäkirja; toimintakertomus **3** (lak) oikeudenkäynti **4** (lak) kanne *to take/institute proceedings against someone* nostaa kanne jotakuta vastaan

proceeds [prousidz] *s* varat, tulot

1 process [prases] *s* **1** tapahtuma, tapahtumasarja, menetelmä, prosessi **2** (lak) oikeudenkäynti, prosessi

2 process *v* **1** käsitellä, hoitaa, valmistaa *your application will be processed in three weeks* hakemuksenne käsitellään kolmessa viikossa **2** jalostaa (maataloustuote) **3** nostaa kanne jotakuta vastaan **4** (valok) kehittää (filmi)

procession [prə'seʃən] *s* kulkue

proclaim [prə'kleɪm] *v* **1** julistaa, julistautua **2** mainostaa, toitottaa

proclamation [,praklə'meɪʃən] *s* julistus

procrastinate [prə'kræstə,neɪt] *v* viivytellä, jahkailla, empiä, vitkastella, lykätä myöhemmäksi

procrastinator *s* jahkailija, vitkastelija

procreate ['proukri,eɪt] *v* **1** lisääntyä, siittää, synnyttää **2** tuottaa, luoda, synnyttää (kuv)

procreation [,proukri'eɪʃən] *s* lisääntyminen

procreative ['proukri,eɪtɪv] *adj* lisääntymis- *the procreative act* yhdyntä, parittelu

procure [prə'kjuər] *v* **1** hankkia, saada **2** hankkia prostituoitu; välittää prostituoituja, toimia parittajana

1 prod [prad] *s* **1** tönäisy, tökkäisy, kannustus **2** (kuv) kannustus, yllyke

2 prod *v* **1** tönäistä, tökkäistä; kannustaa **2** (kuv) kannustaa, yllyttää, innostaa

prodigal [pradɪgəl] *adj* tuhlaavainen, tuhlaileva

prodigious [prə'dɪdʒəs] *adj* valtava, suunnaton **2** hämmästyttävä, ihmeellinen, loistava, erinomainen

prodigy [pradɪdʒi] *s* **1** ihmelapsi **2** ihme

produce [pradus] *s* maataloustuotteet, (erityisesti) hedelmät ja vihannekset

produce [prə'dus] *v* **1** tuottaa, valmistaa, tehdä *the factory produces passenger cars* tehtaassa valmistetaan henkilöautoja *who produced the movie?* kuka oli filmin tuottaja? **2** esittää *he produced his driver's licence when the police officer asked for it* hän näytti ajokorttiaan kun poliisi pyysi

producer *s* tuottaja, valmistaja

product [pradakt] *s* **1** tuote *we won't be shipping product until the first of the month* emme toimita tavaraa ennen kuun ensimmäistä päivää **2** hengentuote *that was a product of his imagination* se oli hänen mielikuvituksensa tuotetta *you're a product of the sixties* sinä olet 60-luvun lapsi **3** (mat) tulo

production [prə'dʌkʃən] *s* **1** tuotanto, valmistus **2** (ark, kuv) iso numero: *to make a big production out of something* nostaa kova häly jostakin

productive [prə'dʌktɪv] *adj* tuottava, tuottoisa, kannattava, (ihminen) tuottelias *this meeting was not very productive* tämä kokous ei ollut järin antoisa

productivity [,prɒdək'tɪvəti] *s* tuottavuus, tuottoisuus, kannattavuus, (ihmisen) tuotteliaisuus

profane [prə'feɪn] *adj* **1** maallinen, pakanallinen, epäpyhä **2** (Jumalaa) pilkkaava, herjaava, epäkunnioittava *profane language* kiroilu

profanity [prə'fænəti] *s* **1** kunnioituksen puute, pilkkaavuus, pilkka **2** kiroilu; kirosana

profess [prə'fes] *v* **1** (uskosta) tunnustaa, tunnustautua **2** väittää; myöntää *she professed to a certain reluctance to go there* hän myönsi olevansa hieman haluton menemään sinne *he professes ignorance* hän väittää ettei hän tiedä asiasta mitään, (myös:) hän teeskentelee viatonta

profession [prə'feʃən] *s* **1** ammatti *he is in the legal profession* hän on lakimies **2** julistus *his profession of love for her* hänen rakkaudenjulistuksensa naista kohtaan **3** uskontunnustus **4** luostarilupaus

professional [prə'feʃənəl] *s* ammattilainen *adj* ammattimainen, ammatillinen, ammatti-, asiantunteva, pätevä, osaava *professional pride* ammatti-ihmisen ylpeys *you did a professional job* teit pätevää/asiantuntevaa työtä

professionalism [prə'feʃənə,lɪzəm] *s* ammattimaisuus

professor [prə'fesər] *s* professori *associate professor* apulaisprofessori *assistant professor* lehtori, apulaisprofessori

proffer [prafər] *v* tarjota (juotavaa yms); esittää (anteeksipyyntö, kiitos)

proficiency [prə'fɪʃənsi] *s* pätevyys, osaaminen, taito *his proficiency in Portuguese is limited* hänen portugalin taitonsa on heikohko

proficient [prə'fɪʃənt] *adj* pätevä, osaava, taitava

1 profile ['prəʊfaɪl] *s* profiili, sivukuva, ääriviivat, poikkileikkaus, kuvaus, hahmo-

telma *to keep a low profile* pitää matalaa profiilia, pysytellä piilossa/taka-alalla **2 profile** *v* kuvata (sivulta), kuvailla, luonnehtia

1 profit [prafət] *s* **1** (tal) voitto **2** hyöty, etu **2 profit** *v* hyödyttää, olla jollekulle/jollekin hyödyksi

profitable [prafətəbəl] *adj* **1** kannattava, tuottoisa **2** hyödyllinen, edullinen, otollinen, suotuisa

profit from *v* **1** jollekulle on hyötyä jostakin **2** käyttää hyväkseen jotakin

profound [prə'faʊnd] *adj* syvä, syvällinen, syvämietteinen, (suru) voimakas

profundity [prə'fʌndəti] *s* **1** syvällisyys, syvämietteisyys **2** syvällinen huomautus/toteamus **3** syvänne

profuse [prə'fjuːs] *adj* runsas, ylenpalttinen, ylitsevuotava, tuhlaileva

profusion [prə'fjuːʒən] *s* **1** runsaus, ylenpalttisuus, yltäkylläisyys **2** tuhlaavaisuus, tuhlaus

prognosis [,prag'nəʊsɪs] *s* (mon prognoses) ennuste

prognosticate [prag'nastɪ,keɪt] *v* ennustaa, enteillä

programmable [,prəʊ'græməbəl] *adj* ohjelmoitava *programmable remote* ohjelmoitava/oppiva kauko-ohjain

programming *s* **1** ohjelmointi **2** (radion, television) ohjelmat; lähetysajat; ohjelmien ja lähetysaikojen valinta

progress [pragrəs] *s* **1** edistys *don't stand in the way of progress* älä ole edistyksen esteenä **2** eteneminen, kulku **3** edistyminen, eteneminen *we are not making progress* työmme ei edisty **4** *to be in progress* olla käynnissä/meneillään

progress [prə'gres] *v* edetä, mennä/kulkea eteenpäin, edistyä, kehittyä *the work is progressing slowly* työ etenee/edistyy hitaasti *she is progressing* hänen tilansa on paranemaan päin; hän on paranemaan päin

progression [prə'greʃən] *s* **1** eteneminen, kulku **2** edistyminen, eteneminen, kehittyminen **3** (asteittainen) siirtyminen, kehittyminen, sarja (myös mat)

progressive [prə'gresɪv] *s* edistyksellinen ihminen *adj* **1** kasvava, lisääntyvä, yltyvä, voimistuva, laajeneva **2** edistyksellinen

prohibit [prə'hɪbət] *v* kieltää

prohibition [,prəʊə'bɪʃən] *s* **1** kielto **2** *Prohibition* kieltolaki (Yhdysvalloissa 1920–1933)

prohibitive [prə'hɪbətɪv] *adj* **1** kieltävä, kielto- **2** (hinta yms) pilviä hipova, kohtuuton

project [prɑdʒekt] *s* hanke, suunnitelma, yritys, projekti

project [prə'dʒekt] *v* **1** suunnitella, aikoa **2** ulottaa/ulottua jonkin ylle/päälle **3** heijastaa (kuva), projisoida **4** projisoida, piirtää/suorittaa projektio **5** laukaista, ampua

projectile [prə'dʒek.taɪəl] *s* ammus, luoti

projection [prə'dʒekʃən] *s* **1** ulkonema, kieleke **2** (kuvan) heijastus, projisointi **3** (geom, psyk) projektio

projector *s* projektori

proletarian [,prəʊlə'teriən] *s* proletaari *adj* proletaarinen, köyhälistön, työväenluokan

proletariat [,prəʊlə'teriət] *s* köyhälistö, työväenluokka, proletariaatti

proliferate [prə'lɪfə.reɪt] *v* lisääntyä, yleistyä, levitä nopeasti; rehottaa (myös kuv)

prolific [prə'lɪfɪk] *adj* **1** hedelmällinen **2** tuottelias

1 prologue [prəʊlɑg] *s* **1** prologi, esinäytös **2** (kuv) alkusoitto

2 prologue *v* aloittaa/alkaa jollakin

prolong [prə'lɑŋ] *v* pitkittää, jatkaa, pidentää

prom [prɑm] *s* päättäjäistanssit (esim lukiossa)

1 promenade [,prɑmə'neɪd] *s* **1** (huvi)kävely **2** kävelytie, kävelykatu

2 promenade *v* **1** käydä kävelyllä, viedä kävelylle **2** esitellä, marssittaa kaikkien/jonkun editse

prominence [prɑmənəns] *s* **1** ulkonevuus **2** ulkonema **3** silmiinpistävyys **4** (auringon) protuberanssi

prominent [prɑmənənt] *adj* **1** ulkoneva, eteen työntyvä, esiin pistävä *she has a very prominent nose* hänellä on hyvin ulkoneva nenä **2** näkyvä, huomiota herättävä, sil-

miinpistävä **3** johtava, tärkeä, merkittävä, vaikutusvaltainen **4** tunnettu, kuuluisa

promiscuity [,prɑməs'kjuəti] *s* siveettömyys, säädyttömyys, riettaus

promiscuous [prə'mɪskjʊəs] *adj* siveetön, säädytön, epäsiveellinen, rietas

1 promise [prɑməs] *s* lupaus (myös kuv:) toivo *can you keep your promise?* pystytkö pitämään lupauksesi/sanasi? *she shows promise as a pianist* hän vaikuttaa lupaavalta pianistilta

2 promise *v* luvata

promising *adj* lupaava

promontory [prɑmən.təri] *s* niemeke

promote [prə'məʊt] *v* **1** edistää, edesauttaa, auttaa **2** ylentää **3** siirtää seuraavalle luokalle **4** mainostaa (tuotetta)

promotion [prə'məʊʃən] *s* **1** (virka- tai muu) ylennys **2** mainoskampanja; mainos

1 prompt [prɑmpt] *s* **1** (teatterissa) kuiskaus **2** kannustus, yllyke, kehotus; muistutus **3** (tietok) kehote, heräte

2 prompt *v* **1** kannustaa, kehottaa, yllyttää, patistaa **2** saada aikaan **3** (tunteita, muistoja) herättää **4** (teatterissa) kuiskata (vuorosanoja)

3 prompt *adj* nopea *I will be looking forward to your prompt reply* (kirjeessä) jään odottamaan pikaista vastaustanne

prompter *s* (teatterissa) kuiskaaja

promptly *adv* nopeasti

promptness *s* nopeus, pikaisuus

prone [prəʊn] *adj* joka on päinmakuulla

prone to *adj* jolla on taipumusta johonkin, joka on altis jollekin

1 prong [prɑŋ] *s* (haarukan, hangon ym) piikki; koukku

2 prong *v* pistää; puhkaista

pronoun [prəʊ.naʊn] *s* pronomini

pronounce [prə'naʊns] *v* **1** ääntää *the 'e' in 'house' is not pronounced* kirjain 'e' sanassa 'house' ei äänny **2** julistaa, ilmoittaa *I pronounce you man and wife* julistan teidät vihityiksi

pronounced *adj* selvä, ilmeinen, näkyvä, voimakas

pronto [prantou] *adv* (ark) nopeasti, äkkiä, kiireesti

pronunciation 1006

pronunciation [prə‚nʌnsɪ'eɪʃən] *s* ääntämys, ääntäminen; ääntämisohje

proof [pruf] *s* **1** todiste **2** *to put something to proof* panna jokin koetteille *the proof is in the pudding* luulo ei ole tiedon väärti **3** alkoholipitoisuus *100 proof* alkoholipitoisuus (yleensä) 50 % **4** (kirjapainossa) (korjaus-, oikaisu)vedos **5** (valok) vedos

-proof *adj* (yhdyssanan jälkiosana) -kestävä *bearproof* karhunkestävä *bulletproof* luodinkestävä *waterproof* vedenpitävä, vesitiivis *100 proof whisky* 50-prosenttista viskiä

proofread ['pruf‚rid] *v* oikaisulukea, tehdä korjausluku, korjata vedokset tms

1 prop [prap] *s* **1** tuki (myös kuv) **2** potkuri **3** (teatterissa) lavasteet

2 prop *v* **1** tukea, pitää pystyssä **2** laskea nojaamaan jotakin vasten *she propped her bike against the wall* hän pani pyöränsä seinää vasten

propaganda [‚prapə'gændə] *s* propaganda

propagandist *s* propagandan tekijä/levittäjä, propagandisti *adj* propaganda-

propagate ['prapə‚geɪt] *v* **1** lisääntyä, jatkaa sukua **2** (ääni, ajatus) levitä, levittää

propagation [‚prapə'geɪʃən] *s* **1** lisääntyminen, suvunjatkaminen **2** leviäminen, levitys

propane [proupeɪn] *s* propaani

propel [prə'pel] *v* **1** liikuttaa, kuljettaa **2** (kuv) kannustaa, innostaa

propellant [prə'pelənt] *s* **1** polttoaine **2** (sumuttimessa) ponnekaasu

propeller [prə'pelə] *s* potkuri

propensity [prə'pensɪti] *s* taipumus, alttius

proper [prapər] *adj* **1** oikea, sopiva, asiallinen, asianmukainen *you are not wearing proper clothes* et ole pukeutunut tilanteen vaatimalla tavalla **2** varsinainen, todellinen *linguistics proper* varsinainen kielitiede **3** siivo, asiallinen, kunnollinen; sievistelevä **4** ominainen jollekin (to)

properly *adv* **1** oikein, todellisuudessa, varsinaisesti **2** sopivasti, asiallisesti, siististi **3** oikeutetusti

proper noun *s* erisnimi

property [prapərti] *s* **1** omaisuus **2** omistus, omistaminen **3** maapalsta, tontti **4** kiinteistö **5** ominaisuus **6** (teatterissa, elokuvastudiossa) lavaste **7** (elokuva-alalla) käsikirjoitus, näyttelijä tms (kaupalliselta kannalta)

prophecy [prafəsi] *s* ennustus, profetia

prophesy ['prafə‚saɪ] *v* ennustaa, profetoida

prophet [prafət] *s* profeetta (myös kuv) ennustaja, uranuurtaja, lipunkantaja, puhemies; opettaja, johtaja

prophylactic [‚proufə'læktɪk] *s* **1** (lääk) ehkäisevä/torjuva lääke/toimenpide **2** kondomi

propinquity [prə'pɪŋkwɪti] *s* läheisyys (tilassa, ajassa ja kuv)

propitiate [prə'pɪʃɪeɪt] *v* lepyttää, tyynnyttää

propitious [prə'pɪʃəs] *adj* suotuisa, edullinen

proponent [prə'pounənt] *s* **1** ehdottaja, esittäjä **2** (ehdotuksen) kannattaja

1 proportion [prə'pɔrʃən] *s* **1** suhde *to be in/out of proportion* olla oikeassa/väärässä suhteessa; olla kohtuullinen/kohtuuton *in proportion to* suhteessa johonkin, jonkin mukaisesti **2** osuus, osa *a good proportion of the students study physics* suuri osa oppilaista lukee fysiikkaa **3** (mon) mitat, mittasuhteet

2 proportion *v* suhteuttaa, mitoittaa *she has a well-proportioned body* hänellä on sopusuhtainen/hyvännäköinen vartalo

proportional *adj* suhteellinen *proportional to* suhteessa johonkin (to)

proportionate [prə'pɔrʃənət] *adj* suhteellinen

proposal [prə'pouzəl] *s* **1** ehdotus, esitys, tarjous **2** kosinta

propose [prə'pouz] *v* **1** ehdottaa, esittää, suositella **2** kosia

1 proposition [‚prapə'zɪʃən] *s* **1** ehdotus, esitys, tarjous **2** asia, kysymys **3** (logiikassa) propositio **4** siveetön ehdotus

2 proposition *v* **1** ehdottaa, esittää **2** tehdä siveetön ehdotus

proprietary [prə'praɪətri] *adj* **1** omistava, omistus-, omistushaluinen **2** patentoitu, oma *the computer uses two proprietary chips* tietokoneessa käytetään kahta valmistajan itsensä kehittämää sirua

proprietor [prə'praɪətər] *s* omistaja

propriety [prə'praiəti] s **1** säntillisyys, moitteettomuus, hyvät tavat, hyvien tapojen noudattaminen **2** oikeudenmukaisuus

propulsion [prə'pʌlʃən] s liikevoima *the submarine moves under its own propulsion* sukellusvene liikkuu/kulkee omalla voimallaan

pro rata [,prou'reitə] *adv* suhteellisesti

prosaic [prou'zeiik] *adj* **1** arkinen, tavallinen, proosallinen; mielikuvitukseton, tylsä, mitäänsanomaton **2** proosa-

prosaically *adv* arkisesti, tavallisesti; mielikuvituksettomasti, mitäänsanomattomasti

proscribe [prou'skraib] *v* **1** arkinen, tavallinen, julistaa lainsuojattomaksi **2** kieltaa; tuomita

proscription [prou'skripʃən] s kieltäminen, kielto, tuomitseminen

prose [prouz] s proosa

prosecute ['prɔsə,kjut] *v* (lak) asettaa syytteeseen, syyttää (oikeudessa), toimia syyttäjänä (oikeudessa)

prosecution [,prɔsə'kjuʃən] s **1** (lak) syyte, syyttäminen **2** (lak) syyttäjäpuoli

prosecutor ['prɔsə,kjutər] s (lak) yleinen syyttäjä

proselytize ['prɔsələ,taiz] *v* (yrittää) käännyttää

1 prospect [praspekt] s **1** (us mon) mahdollisuudet, (tulevaisuuden) näkymät **2** mahdollinen asiakas, ehdokas **3** näkymä, näköala

2 prospect *v* etsiä/kaivaa/huuhtoa kultaa tms

prospective [prə'spektiv] *adj* **1** tuleva **2** mahdollinen, odotettavissa oleva *prospective buyer* mahdollinen/kiinnostunut ostaja

prospector [praspektər] s kullan- tms kaivaja, kullanhuuhtoja

prospectus [prə'spektəs] s (mon prospectuses) **1** esite **2** luotto(tieto)esite

prosper [praspər] *v* menestyä, voida hyvin, kukoistaa, vaurastua

prosperity [pras'perəti] s vauraus, hyvinvointi, rikkaus

prosperous [praspərəs] *adj* vauras, hyvinvoiva, kukoistava, menestyvä

prosthesis [pras'θisis] s (mon prostheses) proteesi

prosthetic [prəs'θetik] *adj* proteettinen, proteesi-, teko-

1 prostitute ['prasti,tut] s prostituoitu

2 prostitute *v* **1** prostituoida, saattaa/ruveta prostituoiduksi, myydä, myydä itseään **2** (kuv) myydä *he prostituted his talent by writing dime novels* hän pani lahjansa hukkaan kirjoittamalla roskaromaaneita

prostitution [,prasti'tuʃən] s prostituutio, itsensä myyminen, myyminen (myös kuv)

prostrate [prastreit] *v* **1** käydä päinmakuulle **2** heittäytyä/kumartua nöyrästi maahan **3** musertaa, uuvuttaa, väsyttää loppuun *adj* **1** joka on päinmakuulla **2** nöyrästi kumartunut, jonkun jalkojen ääreen kumartunut **3** (kuv) murtunut, lyöty

protagonist [prə'tægənist] s (romaanin yms) päähenkilö

protect [prə'tekt] *v* suojella, suojautua, varjella, turvata

protection [prə'tekʃən] s suoja, suojelu, suojelus, varjelu, turva

protective *adj* suojeleva, suojaava, suojelus, suoja- *her parents are overly protective of her* hänen vanhempansa huolehtivat hänestä liikaa

protector s suojelija, puolustaja

protectorate [prə'tektərət] s suojelualue, protektoraatti

protégé ['prouteʒei] s suojatti

protégée ['prouteʒei] s (naispuolinen) suojatti

protein [prouti:n] s valkuainen, valkuaisaine, proteiini

protest [protest] s vastalause, protesti

protest [prə'test] *v* **1** vastustaa, esittää vastalause, panna vastaan, protestoida **2** väittää, vakuuttaa *she keeps protesting her innocence* hän vakuuttaa yhä olevansa syytön

Protestant [pratəstənt] s protestantti *adj* protestanttinen

protestation [,proutəs'teiʃən] s **1** vakuuttelu, vakuutus, väite **2** vastalause, protesti

protocol ['proutə,kɔəl] s **1** protokolla, diplomaattinen etiketti **2** pöytäkirja **3** (tietok) käytäntö

proton [proutən] s protoni

prototype ['prəʊtə,taɪp] s 1 malli, prototyyppi 2 täydellinen/tyypillinen esimerkki jostakin, jonkin malliesimerkki

prototypical [,prəʊtə'tɪpɪkəl] adj esimerkillinen, tyypillinen

protozoan [,prəʊtə'zəʊn] s (mon protozoans, protozoa) alkueläin adj alkueläinten, alkueläin-

protract [prə'trækt] v 1 pitkittää, venyttää 2 kurottaa, ojentaa

protraction [prə'trækʃən] s pitkittyminen, pitkittäminen

protractor s astelevy

protrude [prə'truːd] v pistää esiin, työntyä/ työntää esiin, pullistua, pullistaa

protrusion [prə'truːʒən] s pullistuma, uloke, kieleke

protuberance [prə'tuːbərəns] s 1 esiin työntyminen, pullistuminen 2 pullistuma, kohouma, uloke

proud [praʊd] adj (myönteisesti tai kielteisesti) ylpeä

prove [pruːv] v proved, proved/proven: todistaa, osoittaa, osoittautua; osoittaa todeksi

proverb ['prɒvɜːb] s sananlasku

proverbial [prə'vɜːbɪəl] adj 1 sananlaskumainen, sananlasku- 2 kuuluisa, maankuulu

provide [prə'vaɪd] v 1 hankkia, antaa käyttöön, varustaa, tarjota, antaa *I'll provide the beer and you bring the chips* minä tuon oluen ja sinä perunalastut *the trees provide at least some shade* puut tarjoavat edes jonkinlaisen varjon 2 pitää huoli jostakusta, huolehtia, elättää 3 sopia, määrätä, vaatia (sopimuksessa tms), sisältyä (sopimukseen tms)

provide against v varautua johonkin

provided that konj edellyttäen että, siinä tapauksessa että, mikäli, jos

provide for v 1 elättää joku, pitää huoli jostakusta 2 varautua johonkin 3 (laki, sopimus) sisältää, määrätä *the new law provides stiff penalties for smoking on flights of less than six hours' duration* uusi laki määrää ankaran rangaistuksen tupakoinnista alle kuuden tunnin pituisilla lennoilla

providence [prɒvədəns] s (myös *Providence*) kaitselmus

providential [,prɒvə'denʃəl] adj onnellinen, onnekas, otollinen

provider s elättäjä

providing that konj edellyttäen että, siinä tapauksessa että, mikäli, jos

province [prɒvɪns] s 1 maakunta (Kanadassa) provinssi 2 (mon) maaseutu

provincial [prə'vɪnʃəl] adj 1 maakunta- 2 maaseutu-, maalais-, pikkukaupungin

provincialism [prə'vɪnʃəlɪzəm] s 1 maalaismaisuus, nurkkakuntalaisuus, rajoittuneisuus, tietämättömyys 2 (kielessä) murteellisuus 3 maakuntahenkisyys

1 provision [prə'vɪʒən] s 1 varustaminen, varustautuminen, huolto, muonitus, huolehtiminen, huolenpito 2 varasto, (mon) muona, eväät 3 varaus, ehto, sopimus

2 provision v varustaa, muonittaa, huoltaa

provisional adj väliaikainen, väliaikais- *the provisional wing of the IRA* IRA:n (Irlannin tasavaltalaisarmeijan) väliaikaissiipi

proviso [prə'vaɪ,zəʊ] s (mon provisos, provisoes) (sopimuksen tms) varaus, ehto, ehtolauseke

provisory [prə'vaɪzəri] adj 1 ehto-, varaus- 2 väliaikainen

provocation [,prɒvə'keɪʃən] s yllytys, kiihotus, provokaatio

provocative [prə'vɒkətɪv] adj yllyttävä, kiihottava, (tahallaan) ärsyttävä, provosoiva

provoke [prə'vəʊk] v yllyttää, usuttaa, kiihottaa, (sääliä) herättää, kannustaa, haastaa (riitaa), ajaa (riitaan), (tahallaan) ärsyttää, provosoida

prow [praʊ] s (laivan, veneen) keula, (lentokoneen) nokka

1 prowl [praʊl] s etsintä *to be on the prowl* koluta, etsiä jotakuta/jotakin

2 prowl v koluta (löytääkseen jotakin), etsiä

proximity [prɒk'sɪmətɪ] s läheisyys

proxy [prɒksɪ] s 1 valtakirja 2 edustaja *he was represented in court by proxy* hän osallistui oikeudenkäyntiin valtuutettunsa edustamana

prude [pruːd] s kainostelija, sievistelijä

prudence [pruːdəns] s harkinta, varovaisuus

prudent [pru:dənt] *adj* harkitseva, varovainen, (teko) viisas, harkittu

prudery [pru:dəri] *s* kainostelu, sievistely, ujostelu

prudish [pru:dɪʃ] *adj* (turhan) kaino, häveliäs, ujo, sievistelevä

prudishness *s* kainostelu, häveliäisyys, ujous, sievistely

1 prune [pru:n] *s* (kuivattu) luumu

2 prune *v* **1** karsia (oksia), typistää, leikata **2** (kuv) karsia, kitkeä, typistää

pry [praɪ] *v* **1** udella, nuuskia, kurkistella, penkoa (toisen asioita) **2** avata (väkisin), vääntää auki, (vaivoin) irrottaa, saada irti (myös kuv:) kaivaa esiin (salaisuus tms)

prying *adj* utelias

psalm [sɑ:m] *s* psalmi *the Psalms* (Vanhan testamentin) Psalmit, Psalmien kirja

pseudonym [su:də,nɪm] *s* salanimi, kirjailijanimi

pseudonymous [su:dɑnəməs] *adj* salanimellä/kirjailijanimellä esiintyvä/kirjoittava

psyche [saɪki] *s* psyyke, sielu, sielunelämä

psychedelic [,saɪkə'delɪk] *adj* psykedeelinen, tajuntaa laajentava, huumaava, hypnoottinen

psychiatric [,saɪki'ætrɪk] *adj* psykiatrinen

psychiatrical *adj* psykiatrinen

psychiatrist [saɪ'kaɪətrɪst] *s* psykiatri

psychiatry [saɪ'kaɪətrɪ] *s* psykiatria

psychic [saɪkɪk] *s* meedio *adj* **1** psyykkinen, sielullinen, henkinen **2** yliaistillinen

psycho [saɪkoʊ] *s* (mon psychos) (sl) psykopaatti

psychoactive [,saɪkoʊ'æktɪv] *adj* psykoaktiivinen

psychoanalysis [,saɪkoʊə'næləsɪs] *s* psykoanalyysi

psychoanalyst [saɪkoʊ'ænəlɪst] *s* psykoanalyytikko

psychoanalytic [,saɪkoʊ,ænə'lɪtɪk] *adj* psykoanalyyttinen

psychoanalytical *adj* psykoanalyyttinen

psychoanalyze [saɪkoʊ'ænə,laɪz] *v* psykoanalysoida

psychogenic [,saɪkə'dʒenɪk] *adj* psykogeeninen

psycholinguistics [,saɪkəlɪŋ'gwɪstɪks] *s* (verbi yksikössä) psykolingvistiikka

psychologic *adj* psykologinen

psychological [,saɪkə'lɑdʒɪkəl] *adj* **1** psykologinen **2** psyykkinen, sielullinen, henkinen

psychologist [saɪ'kɑlədʒɪst] *s* psykologi

psychology [saɪ'kɑlədʒɪ] *s* psykologia

psychomotor [,saɪkə'moʊtər] *adj* psykomotorinen

psychopath [saɪkə,pæθ] *s* psykopaatti, luonnevikainen

psychopathic [,saɪkə'pæθɪk] *adj* psykopaattinen, luonnevikainen

psychosexual [,saɪkə'sekʃʊəl] *adj* psykoseksuaalinen

psychosis [saɪ'koʊsɪs] *s* (mon psychoses) psykoosi

psychosocial [,saɪkə'soʊʃəl] *adj* psykososiaalinen, psyykkis-sosiaalinen

psychosomatic [,saɪkəsə'mætɪk] *adj* psykosomaattinen

psychotherapeutic [,saɪkə,θerə'pjutɪk] *adj* psykoterapeuttinen

psychotherapist [,saɪkə'θerəpɪst] *s* psykoterapeutti

psychotherapy [,saɪkə'θerəpɪ] *s* psykoterapia

psychotic [saɪ'kɑtɪk] *s* psykootikko, mielisairas *adj* psykoottinen, mielisairas

psychotropic [,saɪkə'trɑpɪk] *s* psykotrooppinen/psykoaktiivinen lääke/aine *adj* psykotrooppinen, psykoaktiivinen

pub [pʌb] *s* pub, pubi, oluttupa, kapakka

pubertal [pjubərtəl] *adj* murrosiän, puberteettiin

puberty [pjubərtɪ] *s* murrosikä, puberteetti

pubic [pjubɪk] *adj* häpy- *pubic hair* häpykarvat

pubis [pjubɪs] *s* (mon pubes) häpyluu

public [pʌblɪk] *s* **1** (suuri) yleisö: *the movie-going public* elokuvayleisö, elokuvissa kävijät *the public at large* suuri yleisö **2** *in public* julkisesti, julkisuudessa, julkisella paikalla *adj* julkinen, julkisuuden, yleinen, yhteinen, kansan- *the national parks are public property* kansallispuistot ovat (kansan) yhteistä omaisuutta *to go/make public* paljastaa, saattaa/tuoda julkisuuteen **3** *to go public* (tal) laskea liikkeelle yleisöanti

publication [ˌpʌblɪˈkeɪʃən] s 1 (toiminta) julkaiseminen, julkaisu, kustantaminen, kustannus 2 (tuote) julkaisu, (erityisesti:) aikakauslehti, lehti

publicist [ˈpʌbləsɪst] s tiedottaja, lehdistösihteeri

publicity [pʌbˈlɪsəti] s 1 tiedotus(toiminta), suhdetoiminta 2 yleinen huomio, julkisuus, mainostus *the company's new computers got a lot of publicity* yrityksen uudet tietokoneet saivat osakseen paljon julkisuutta

publicize [ˈpʌbləˌsaɪz] v mainostaa, tehdä tunnetuksi, ilmoittaa

publicly adv julkisesti, julkisuudessa

public relations s (mon) suhdetoiminta

public school s 1 (US) kunnallinen koulu 2 (UK) yksityiskoulu

public service s 1 kunnallispalvelu, julkinen palvelu 2 kunnan/valtion palvelus *he's in public service* hän on kunnan/valtion palveluksessa 3 ilmaispalvelu, yleisöpalvelu

public transportation s julkinen liikenne

public utility s kunnallispalvelu, julkinen palvelu (vesi, sähkö, kaasu ym)

publish [ˈpʌblɪʃ] v julkaista, kustantaa

publisher s julkaisija, kustantaja

publishing s kustannustoiminta, kustannusala *she wants to go into publishing* hän haluaa töihin kustannusalalle

publishing house s kustannusliike, kustantamo

puck [pʌk] s kiekko, jääkiekko

pucker up [ˈpʌkər] v mutristaa, panna/vetää/ mennä mutruun

pudding [ˈpʊdɪŋ] s vanukas; (UK) jälkiruoka

puddle [ˈpʌdəl] s lätäkkö

pueblo [ˈpuˈebloʊ] s (mon pueblos) 1 pueblo (intiaanien monikerroksinen asumus) 2 intiaanikylä 3 (latinalaisessa Amerikassa) kylä 4 *Pueblo* pueblointiaani

puerile [ˈpjʊəraɪl] adj lapsellinen

1 puff [pʌf] s 1 pöllähdys, puhahdus, tuprahdus, puuska, puuskaus 2 (tupakoinnissa) haiku 3 (leivos) tuulihattu 4 (läpinäkyvä) kehuskelu, piilomainonta, puffi (sl)

2 puff v 1 pöllähtää, puhahtaa, tuprahtaa 2 (tupakoijasta) vetää/vetäistä/pölläytellä/

tuprutella haikuja 3 kehuskella, mainostaa vaivihkaa, puffata (sl)

puffin [ˈpʌfɪn] s (lintu) lunni

puffy adj turvonnut, pöhöttynyt, pullistunut

pug [pʌg] s 1 (koira) mopsi 2 nykerö, nykerönenä

pugilism [ˈpjuːdʒəˌlɪzəm] s nyrkkeily

pugilist [ˈpjuːdʒəlɪst] s nyrkkeilijä

pugilistic [ˌpjuːdʒəˈlɪstɪk] adj nyrkkeily-

pugnacious [pʌɡˈneɪʃəs] adj tappeluhaluinen, riidanhaluinen, uhmaava, hyökkäävä

1 puke [pjuːk] s (sl) yrjö, oksennus

2 puke v (sl) yrjötä, oksentaa

1 pull [pʊl] s 1 veto, nykäisy, kiskaisu 2 henkäisy, hengenveto; siemaus, ryyppy; (tupakoinnissa) haiku 3 (ark) vaikutusvalta, suhteet *I have no pull with the mayor* minulla ei ole suhteita kaupunginjohtajaan 4 (ark) vetovoima

2 pull v 1 vetää, vetäistä, kiskoa, kiskaista, nykiä, nykäistä, repiä, repäistä 2 tehdä (jotakin vilpillistä) *he pulled a trick on us* hän veti meitä höplästä

pull ahead v ohittaa, päästä/mennä jonkun/jonkin (of) edelle

pull apart v arvostella ankarasti/yksityiskohtaisesti, eritellä, tutkia tarkkaan

pull at v kiskoa, nyhtää *she kept pulling at her hair* hän nyhti hiuksia päästään

pull away v 1 peräräntyä, vetäytyä jostakin 2 lähteä (liikkeelle) 3 irtautua, irtaantua, päästä irti/vapaaksi

pull down v 1 vetää alas 2 purkaa (rakennus) 3 (ark) tienata, ansaita

pullet [ˈpʊlət] s nuori kana

pulley [ˈpʊli] s 1 väkipyörä 2 talja, väkipyörästö

pull for v kannattaa, kannustaa

pull in v 1 saapua (esim asemalle) 2 kiristää 3 (poliisi) pidättää

pull off v onnistua jossakin, saada tehdyksi *how did you pull that off?* miten (ihmeessä) sinä sen (tempun) teit?

pull on v uhata jotakuta aseella *then the mugger pulled a gun on me* sitten ryöstäjä veti esiin aseen ja uhkasi sillä minua

pull out v 1 lähteä (liikkeelle) 2 luopua, vetäytyä, sanoutua irti jostakin

pull over *v* ajaa/pysähtyä tien sivuun

pullover [ˈpʊləʊvər] *s* neulepusero, villapusero

pull through *v* selvitä jostakin (esim sairaudesta)

pull up *v* pysäyttää (auto tms), pysähtyä

pulmonary [ˈpʌlmənerɪ] *adj* keuhko-

1 pulp [pʌlp] *s* **1** (hedelmän) malto **2** (eläinmen) liha **3** (hampaan) ydin **4** selluloosa, paperimassa **5** massa **6** roskalehti, roskaromaani

2 pulp *v* jauhaa, hienontaa, murskata massaksi

pulpit [ˈpʊlpɪt] *s* **1** saarnastuoli **2** *the pulpit* papisto, kirkonmiehet

pulsar [ˈpʌlsɑː] *s* pulsari

pulsate [pʌlˈseɪt] *v* sykkiä (myös kuv), (sydän myös) lyödä, tykyttää

pulsation [pʌlˈseɪʃən] *s* sykintä, syke, tykytys, lyönti, pulssi

1 pulse [pʌls] *s* syke, pulssi, tykytys, sykäys

2 pulse *v* sykkiä (sydän myös) lyödä

pulverize [ˈpʌlvəraɪz] *v* **1** hienontaa, jauhaa hienoksi **2** (kuv) hävittää maan tasalle

puma [ˈpjuːmə] *s* puuma

1 pump [pʌmp] *s* pumppu

2 pump *v* pumpata (myös kuv)

pumpkin [ˈpʌmpkɪn] *s* kurpitsa

pumps (mon) avokkaat

1 pun [pʌn] *s* sanaleikki (leikki sanojen merkityksillä, äänneasultaan samoilla mutta merkitykseltään erilaisilla sanoilla)

2 pun *v* leikkiä sanoilla/sanojen merkityksillä

1 punch [pʌntʃ] *s* **1** isku, tälli *to pull no punches, not pull any punches* ei säästellä vastustajaansa; (kuv) ei säästellä sanoja **2** (kuv) voima, potku *to roll with the punches* väistellä iskuja; (kuv) selvitä vaikeuksista huolimatta, pitää puolensa, pärjätä

2 punch *v* iskeä, täräyttää, pamauttaa, antaa tälli

punch away *v* (ark) puurtaa, pakertaa

punch card *s* reikäkortti

punch in *v* leimata kellokortti, saapua työpaikalle

punch out *v* leimata kellokortti, lähteä työstä/kotiin

punch up *v* hakea (tietokoneen, päätteen) näyttöön

punctilious [pʌŋkˈtɪlɪəs] *adj* pikkutarkka, (turhan)tarkka, säntillinen, huolellinen, täsmällinen, tunnollinen

punctual [ˈpʌŋktʃʊəl] *adj* täsmällinen *you are very punctual* sinä et koskaan myöhästy

punctuate [ˈpʌŋktʃʊ,eɪt] *v* **1** laittaa välimerkit **2** keskeyttää *the concert was punctuated by frequent coughs from the audience* konsertin aikana yleisö yski yhäen väliä **3** korostaa, painottaa, tähdentää

punctuation [,pʌŋktʃʊˈeɪʃən] *s* välimerkit; välimerkkien käyttö; välimerkkien lisääminen

punctuation mark *s* välimerkki

1 puncture [ˈpʌŋkʃər] *s* puhkaisu, puhkaiseminen, puhkeaminen, (erityisesti) rengasrikko

2 puncture *v* puhkaista, puhjeta; rei'ittää, tehdä reikä/reikiä johonkin

pundit [ˈpʌndɪt] *s* **1** tietäjä, oppinut, asiantuntija **2** kommentaattori

pungency [ˈpʌndʒənsɪ] *s* **1** (hajun, maun) pistävyys **2** (kuv) purevuus, iva, ivallisuus, piikikkyys

pungent [ˈpʌndʒənt] *adj* **1** (haju, maku) pistävä **2** (kuv) pureva, ivallinen, piikikäs, terävä

punish [ˈpʌnɪʃ] *v* **1** rangaista **2** (kuv) kurittaa, panna koetteille/koville

punishable *adj* rangaistava

punishing *adj* ankara, kova, raju

punishment [ˈpʌnɪʃmənt] *s* **1** rangaistus **2** (kuv) koettelemus *I can take the punishment* kyllä minä siitä selviän

punitive [ˈpjuːnɪtɪv] *adj* rangaistus-

punk [pʌŋk] *s* **1** (sl) retale, sälli, (nuori) konna **2** punk **3** punkrock **4** punkkari *adj* **1** (sl) surkea, kurja, viheliäinen **2** punk-

punker *s* punkkari

1 punt [pʌnt] *s* **1** tasapohjainen ruuhi **2** (jalkapallossa: ilmasta) potkaisu

2 punt *v* **1** sauvoa (venettä) **2** kulkea/mennä jonnekin ruuhella **3** (kuv) huovata, viivytellä, vetkutella **4** (am. jalkapallossa) potkaista (pallo) ilmasta **5** (sl) lyödä vetoa (raveissa)

punter [pʌntər] s **1** (veneen) sauvoja **2** (am. jalkapallossa) potkaisija **3** (ark) asiakas **4** (ark) vedonlyöjä (hevoskilpailuissa)

punters s (UK) (mon) porukka

puny [pjuni] adj **1** pieni, heikko, vähäinen **2** vähäpätöinen, mitätön

1 pup [pʌp] s (koiran)pentu, penikka

2 pup v penikoida, synnyttää penikoita

pupil [pjupəl] s **1** silmäterä, mustuainen, pupilli **2** (nuori tai yksityis)oppilas

puppet [pʌpət] s **1** sätkynukke (myös kuv)

puppeteer [pʌpəˈtɪər] s nukketeatterin esittäjä

puppet show s nukketeatteri

puppy [pʌpi] s (koiran)pentu

puppy love s nuori rakkaus, (nuorten) ihastuminen

1 purchase [pɔrtʃəs] s **1** osto, ostaminen, kauppa, hankinta **2** ostos **3** ote

2 purchase v ostaa, hankkia

purchaser s ostaja

pure [pjuər pjɔr] adj puhdas (myös kuv:) tahraton, viaton; pelkkä, silkka *pure gold* puhdas kulta *do you have a pure conscience?* onko omatuntosi puhdas? *that's pure nonsense* se on silkkaa pötyä *it was pure chance that I met her* oli puhdas sattuma että tapasin hänet, tapasin hänet aivan sattumalta

purebred [ˈpjuər.bred ˌpjuərˈbred] s puhdasverinen hevonen adj puhdasverinen

purgative [pɔrgətɪv] s ulostuslääke adj **1** (lääk) ulostus- **2** puhdistava

purgatory [ˈpɔrgəˌtɔri] s kiirastuli (myös kuv)

1 purge [pɔrdʒ] v **1** (poliittinen) puhdistus, puhdistukset **2** ulostuslääke

2 purge v **1** puhdistaa **2** (kuv) puhdistaa, puhdistautua; syyttäytyä, erottaa **3** ulostaa, tyhjentää suoli

purification [ˌpjɔrəfɪˈkeɪʃən] s (myös kuv) puhdistus, puhdistaminen, puhdistautuminen

purify [ˈpjɔrɪˌfaɪ] v (myös kuv) puhdistaa, puhdistua

purism [pjɔrɪzəm] s purismi

purist [pjɔrɪst] s puristi *a purist does not want autofocus in his camera* puristi ei kaipaa kameraansa automaattitarkennusta

puristic [pjɔˈrɪstɪk] adj puristinen

puritanical [ˌpjɔrɪˈtænɪkəl] adj puritaaninen, ankara; koruton, askeettinen

puritanism puritaanisuus, ankaruus; koruttomuus, askeesi, askeettisuus

purity [pjɔrəti] s puhtaus (myös kuv:) tahrattomuus, viattomuus

purloin [pərˈlɔɪn] v kähveltää, pihistää, varastaa

purple [pɔrpəl] s purppura adj purppuranvärinen

purport [pərpərt] s **1** sisältö **2** tarkoitus

purport [pərˈpɔrt] v väittää olevansa jotakin, olla olevinaan jotakin, vihjata, antaa ymmärtää *the man at the door purports to be from the IRS* ovella seisova mies väittää olevansa verovirastosta

purported [pərˈpɔrtəd] adj jonka väitetään olevan olemassa/jotakin, väitetty *the purported murderer* murhaajaksi väitetty henkilö

purportedly adv muka, kuten väitetään

purpose [pɔrpəs] s **1** tarkoitus, aikomus, aie, päämäärä *it was their purpose to overthrow the government* he aikoivat kaataa hallituksen *to do something on purpose* tehdä jotakin tahallaan/tieten tahtoen **2** tehtävä, tarkoitus *what is the purpose of this button?* mihin tätä nappia tarvitaan? **3** päättäväisyys, määrätietoisuus, tahto *he has no sense of purpose* hänessä ei ole määrätietoisuutta, hän on päämäärätön

purposeful adj määrätietoinen, päättäväinen

purposeless adj **1** päämäärätön **2** turha, tyhjänpäiväinen

purposely adv tahallaan, tieten tahtoen

purr [pɔr] s surina, hurina, kehräävä ääni v kehrätä (myös kuv), surista, hurista

1 purse [pɔrs] s **1** käsilaukku **2** kukkaro **3** (kuv) rahat, varat **4** (kuv) palkinto(rahat)

2 purse v mutristaa, panna/vetää (huulet, suu) mutruun/mutrulle

purser [pɔrsər] s purseri

purse strings s (mon kuv) rahakukkaron nyörit: *to hold the purse strings* pidellä rahakukkaron nyörejä käsissään, päättää rahaasioista *to loosen/tighten the purse strings* löysätä/kiristää rahakukkaron nyöreja

pursuant to [pər'su:ənt] *adv* jonkin mukaisesti *prep* jonkin jälkeen

pursue [pər'su:] *v* **1** ajaa takaa, (kuv) vainota **2** jatkaa **3** tavoitella jotakin, pyrkiä johonkin *she pursues high ideals* hänen tavoitteensa ovat korkealla **4** noudattaa *to pursue instructions/a plan* noudattaa ohjeita/suunnitelmaa **5** harjoittaa (ammattia) *to pursue your studies* opiskella

pursuer *s* takaa-ajaja, seuraaja

pursuit [pər'su:t] *s* **1** takaa-ajo, etsintä (myös kuv) *the pursuit of happiness* onnen tavoittelu **2** ammatti, harrastus, puuha

pus [pʌs] *s* (lääk) märkä

push [puʃ] *s* **1** työntö; tönäisy *give me a push, will you?* työnnä vähän? **2** ponnistus, yritys (sotilaallinen, mainos)kampanja, (sotilaallinen) hyökkäys **4** *when push comes to shove* kovan paikan tullen, tosi tilanteessa

push *v* **1** työntää, työntyä; tönäistä, tökkäistä; tunkea, tunkeutua **2** painostaa, patistaa, kannustaa **3** tyrkyttää, tuputtaa

push around *v* kohdella kaltoin; komennella

pushchair *s* (UK) lastenrattaat

push off *v* (ark) lähteä; jatkaa matkaa

push on *v* jatkaa (sinnikkäästi), ei antaa periksi

pushover ['puʃˌouvər] *s* (ark) **1** helppo homma/saalis **2** vätys, vaaraton vastustaja

push-up ['puʃˌʌp] *s* etunojapunnerrus

pusillanimity [ˌpju:sələ'nimətɪ] *s* arkuus, pelokkuus, pelkuruus

pusillanimous [ˌpju:sə'lænɪməs] *adj* arka, pelokas, pelkurimainen

pussy [pusɪ] *s* **1** (ark) kisu **2** (sl) vittu, pillu **3** (sl) seksi

pussycat ['pusiˌkæt] *s* **1** kissimirri **2** (kuv) lammas, vaaraton tapaus

pustule [pʌst[ʊəl] *s* (lääk) märkärakkula, pustula

put [put] *v* put, put **1** panna, laittaa, asettaa *she put the book on the table* hän pani/laski kirjan pöydälle *they put their children in a private school* he panivat lapsensa yksityiskouluun **2** ilmaista, pukea sanoiksi *I don't quite know how to put this but you're fired* en tiedä miten tämän sanoisin mutta

minun on annettava sinulle potkut **3** saattaa (johonkin tilanteeseen) *you have put me in a difficult position* olet saattanut minut vaikeaan tilanteeseen *that puts you in my debt* sen vuoksi jäät minulle kiitollisuudenvelkaan **4** kirjoittaa, piirtää, raaputtaa *put your name here* pane/kirjoita nimesi tähän **5** kääntää (jollekin kielelle) **6** *to stay put* pysyä aloillaan, ei liikkua **7** arvioida *I put the price at six figures* arvioin hinnan kuusinumeroiseksi **8** esittää (kysymys)

put across *v* **1** esittää, selittää **2** esiintyä (hyvin), olla edukseen **3** saada hyväksytyksi

put an end to *fr* tehdä loppu jostakin, lopettaa, saada loppumaan

put a stop to *fr* tehdä loppu jostakin, lopettaa, saada loppumaan

putative [pju:tətɪv] *adj* luuloteltu, jonakin pidetty

put away *v* **1** panna paikalleen **2** säästää, panna talteen **3** hylätä jotakin, luopua jostakin **4** haudata **5** lähettää/panna vankilaan/laitoshoitoon **6** tappaa, ottaa hengiltä

put by *v* säästää, panna talteen

put down *v* **1** vähätellä, väheksyä **2** tukahduttaa, kukistaa, vaientaa **3** kirjoittaa muistiin/ylös **4** lopettaa (eläin)

put down as *v* pitää jotakuta jonakin, luulla jotakuta joksikin

put down for *v* luvata tehdä jotakin *she put me down for the beer* hän käski minun tuoda (juhliin) oluta

put forth *v* **1** esittää, ehdottaa **2** julkistaa, tuoda julkisuuteen, julkaista **3** tehdä (parhaansa) **4** lähteä (matkaan)

put forward *v* **1** esittää, ehdottaa **2** ehdottaa virkaan/tehtävään, asettaa ehdokkaaksi

put off *v* **1** tympäistä, inhottaa, ällöttää *I'm put off by her behavior* hänen käytöksensä ärsyttää minua **2** lähteä (matkaan) **3** lykätä (myöhemmäksi), siirtää **4** käännyttää takaisin, hankkiutua eroon jostakusta **5** työntää (vene) vesille

put on *v* **1** pukea ylleen **2** teeskennellä, olla olevinaan jotakin **3** narrata, huijata, vetää nenästä/höplästä

put out v 1 sammuttaa (tulipalo) 2 viedä/
päästää (esim koira) ulos 3 olla vaivaksi
jollekulle, aiheuttaa jollekulle vaivaa 4 jul-
kaista

putrefaction [,pjutrə'fækʃən] s mädäntymi-
nen, mätäneminen, pilaantuminen, eltaan-
tuminen

putrefy ['pjutrə,fai] v mädäntyä, pilaantua, el-
taantua

putrid [pjutrid] adj mädäntynyt, pilaantunut,
eltaantunut

1 putt [pʌt] s (golf) putti, pallon lyöminen
puttausmailalla maata pitkin viheriöllä

2 putt v (golf) putata, lyödä palloa viheriöllä
kevyesti puttausmailalla

1 putter [pʌtər] s 1 (golf) puttaaja 2 (golf)
puttausmaila

2 putter v puuhata, käärätä

putter away v panna hukkaan, vetelehtiä, ei
tehdä mitään

put the arm on fr painostaa, patistaa jotakuta
johonkin, tiukata

put the finger on fr 1 syyttää jotakuta 2 sanoa
tarkkaan I can't put my finger on it but I
think it's the overtime en ole varma mistä
se johtuu mutta luulen että syy on ylitöissä

put through v 1 saattaa päätökseen, tehdä val-
miiksi 2 toteuttaa 3 yhdistää (puhelu)
4 joutua käymään läpi jotakin she has
been put through a lot of misery hän on
joutunut kärsimään paljon kovasti

put to sleep fr 1 nukuttaa 2 lopettaa (eläin)

putty [pʌti] s kitti

put up v 1 pystyttää, rakentaa 2 säilöä 3 ma-
joittaa, tarjota yösija 4 maksaa, pulittaa
5 to put up a fight ruveta tappelemaan;
(kuv) panna vastaan 6 esittää, ehdottaa
7 asettaa ehdokkaaksi

put upon to feel put upon tuntea itsensä pete-
tyksi

put up to v yllyttää, usuttaa (tekemään jota-
kin)

put up with v sietää jotakuta/jotakin

1 puzzle [pʌzəl] s 1 arvoitus 2 palapeli
3 sanaristikko

2 puzzle v 1 askarruttaa, vaivata, kismittää,
kaivella 2 miettiä, pohtia, vaivata päätään
jollakin

puzzlement s 1 hämmästys, ällistys 2 arvoi-
tus, mysteeri

puzzler s (täydellinen) arvoitus, mysteeri

pygmy [pigmi] s 1 Pygmy kääpiö, pygmi
2 kääpiö, pienikokoinen ihminen/eläin/
esine 3 kääpässarjalainen adj kää-
piö- (myös kuv)

pyjamas [pə'dʒɛməz, pə'daməz] s (UK mon)
yöpuku (US: pajamas)

pylon [pailən] s 1 merkkipylväs, merkkipaalu
2 (egyptiläisessä temppelissä) pyloni
3 (sähkönsiirtojohtoja kannattava) pylväs

pyramid [pirəmid] s (arkkitehtuurissa, geo-
metriassa) pyramidi

pyramidal [pə'ræmədəl] adj pyramidin muo-
toinen, pyramidi-

pyre [paiər] s polttorovio

python [paiθən] s pytonkäärme

Q,q

Q, q [kju] Q, q
1 quack [kwæk] s 1 (ankan, sorsan) kaakatus
2 puoskari 3 huijari

2 quack v (ankka, sorsa) kaakattaa

quackery [kwækəri] s puoskarointi

quad [kwad] s (ark) ks quadrangle, quadrant,
quadraphonic, quadruplets

quadrangle ['kwad,ræŋgəl] s 1 nelikulmio;
neliö 2 (vars kampuksen) aukio

quadrant [kwadrənt] s (ympyrän, kuun) nel-
jännes, (geom myös) kvadrantti

quadraphonic [,kwadrə'fanik] adj nelikana-
vainen

quadruped ['kwadrə,ped] s nelijalkainen
(eläin)

1 quadruple [kwa'drupəl] s nelinkertainen
määrä

2 quadruple v nelinkertaistaa, nelinkertaistua

3 quadruple adj neljä-, neli-; nelinkertainen

quadruplets [kwa'druplats] s (mon) neloset

quagmire ['kwæg,maɪər] s **1** suo **2** pulmatilanne, ahdinko, kiipeli

1 quail [kweɪəl] s **1** (Euroopassa) viiriäinen **2** (Amerikassa) virginianpyy

2 quail v lannistua, pelästyä, vapista pelosta, mennä sisu kaulaan

quaint [kweɪnt] adj **1** maalauksellinen, viehkeä, tunnelmallinen, viehättävän vanhanaikainen, idyllinen **2** (viehättävän) erikoinen, omaperäinen, hauska

quaintness s **1** maalauksellisuus, viehkeys, tunnelmallisuus, idyllisyys **2** (viehättävä) erikoisuus, omaperäisyys

1 quake [kweɪk] s maanjäristys

2 quake v väristä, vapista, täristä

quakeproof ['kweɪk,pruf] adj maanjäristyksen kestävä

Quaker [kweɪkər] s kveekari

qualification [,kwalıfa'keɪʃən] s **1** pätevyys **2** vaatimus, edellytys **3** rajoitus, varaus, ehto he wanted to make some qualifications to his earlier promise hän halusi täsmentää aiemmin antamaansa lupausta

qualified adj **1** pätevä, kykenevä, sopiva **2** varauksellinen, ehdollinen he answered with a qualified 'yes' hän näytti keltaista valoa

qualifier s (kieliopissa) **1** määrite **2** astetta ilmaiseva adverbi (esim very, almost)

qualify ['kwalə,faɪ] v **1** olla pätevä johonkin, täyttää vaatimukset, kelvata; tehdä päteväksi johonkin; hankkia pätevyys johonkin, pätevöityä being the son of the boss does not qualify you for the job se että olet pomon poika ei tee sinua päteväksi työhön **2** (urh) selviytyä jatkoon **3** rajoittaa, esittää varauksia/ehtoja, täsmentää **4** lieventää, pehmentää **5** (kieliopissa) määrittää

qualitative ['kwalı,teɪtɪv] adj laadullinen, laatu-

quality ['kwalətɪ] s **1** laatu; laatuluokka **2** ominaisuus, piirre **3** luonne, olemus, ilme (kuv) **4** (äänen) väri, (värin) sävy laatu-

qualm [kwam] s epäilys, tunnonvaivat I have no qualms about telling him what I think of

him minua ei yhtään ujostuta sanoa hänelle mitä hänestä ajattelen

quandary [kwandəri] s pulmatilanne, vaikea valinta we were in a quandary about whether to stay or go emme osanneet päättää jäädäkö vai lähteä

quantitative ['kwantı,teɪtɪv] adj määrällinen, määrä-

quantity ['kwantətɪ] s **1** määrä in quantity suurina määrinä, paljon **2** (mat, fys) suure

quantum [kwantəm] s (mon quanta) **1** (fys) kvantti **2** määrä

quantum leap s **1** kvanttihyppy **2** (kuv) (suuri) edistysaskel

1 quarantine ['kwɔrən,tin] s karanteeni, (pakko)eristys

2 quarantine v määrätä/panna karanteeniin, eristää

quark [kwaark] s (fys) kvarkki

1 quarrel [kwɔrəl] s riita, kiista, kina, erimielisyys

quarrol v riidellä, kiistellä, kinata

quarrelsome [kwɔrəlsəm] adj riidanhaluinen, riitaisa, toraisa

quarrel with to have nothing to quarrel about with something jollakulla ei ole mitään valittamista jonkin suhteen

1 quarry [kwɔrɪ] s **1** saaliseläin **2** (kuv) tavoite, päämäärä, kohde **3** louhos, kaivos **4** (kuv) kultakaivos, ehtymätön lähde

2 quarry v louhia

quart [kwɔrt] s quart (neljännesgallona, US 0,946 l, UK 1,136 l)

1 quarter [kwɔrtər] s **1** neljännes **2** neljännesdollari, 25 senttiä **3** neljännestunti, varttitunti it's a quarter of five kello on neljännestä vaille viisi **4** neljännesvuosi our fourth-quarter profits are up tulomme ovat nousseet viimeisellä vuosineljänneksellä **5** (yliopistossa) lukukausi **6** (urh) pelineljännes **7** (mon) majoitus, majapaikka **8** kaupunginosa, kortteli **9** taho, ilmansuunta, suunta

2 quarter v **1** jakaa neljään osaan **2** majoittaa, majoittua **3** sijoittaa (sotilaita)

quarterly s neljännesvuosittain/neljästi vuodessa ilmestyvä julkaisu adj neljännesvuosittainen *adv* neljännesvuosittain, neljästi vuodessa

quartet [kwɔr'tet] *s* kvartetti

quartz [kwɔrts] *s* kvartsi

quasar ['kweɪˌzɑːr] *s* kvasaari

quash [kwɑʃ] *v* **1** kukistaa, tukahduttaa, tehdä loppu jostakin **2** kumota

quasi- [kwɑːzɪ, kweɪzaɪ] (yhdyssanan alkuosana) näennäinen, näennäis-, muka-

1 quaver [kweɪvər] *s* **1** värinä **2** (UK) kahdeksasosanuotti

2 quaver *v* **1** väristä, vapista, tutista, hytistä **2** sanoa värisevällä äänellä

quay [kiː] *s* laituri

queasy [kwiːzɪ] *adj* **1** pahoinvoiva; helposti pahoinvoiva *I feel queasy* minua vähän oksettaa **2** vaivaantunut, ahdistunut **3** turhia kainosteleva

queen [kwiːn] *s* **1** kuningatar (myös šakissa, korttipelissä) **2** mehiläiskuningatar **3** homo *drag queen* transvestiitti

queenly *adj* kuningattaren, kuningattarelle sopiva; kuninkaallinen

Queen's English *s* (erityisesti britti)englannin kirjakieli

queer [kwɪər] *s* (sl) homo, hintti *adj* **1** outo, kumma, omituinen, eriskummallinen **2** hämärä, epäilyttävä **3** (vointi) huono **4** (sl) homo-, hintti-

quell [kwel] *v* kukistaa, tukahduttaa, vaientaa

quench [kwentʃ] *v* sammuttaa (tulipalo, jano), tyydyttää (himo, halu), tukahduttaa, kukistaa (kapina)

1 query [kwɪər] *s* **1** kysymys **2** tiedustelu, selvitys **3** päälys, varaus **4** kysymysmerkki (?)

2 query *v* kysyä, tiedustella, udella

quest [kwest] *s* etsintä

quest after/for *v* etsiä

1 question [kwestʃən] *s* kysymys *a question of time* ajan kysymys *to beg the question* ohittaa kysymys, ei vastata kysymykseen, mennä asioiden edelle *to be beyond question* olla ilman muuta selvää, jostakin ei ole epäilystäkään *to call something into question* asettaa/saattaa/panna jotakin kyseenalaiseksi *to be out of the question* ei

tulla kysymykseenkään *the man in question* kyseinen mies

2 question *v* kysellä, kuulustella **2** epäillä, ihmetellä; asettaa kyseenalaiseksi

questionable *adj* kyseenalainen, epävarma, epäilyttävä, hämärä

questioning *s* tutkimus, tiedustelu, selvitys *adj* **1** kysyvä, kyselevä **2** utelias, tiedonjanoinen

question mark *s* kysymysmerkki (?)

questionnaire [kwestʃə'neər] *s* kyselylomake, kyselykaavake

1 queue [kjuː] *s* **1** jono **2** palmikko

2 queue *v* jonottaa

1 quibble [kwɪbl] *s* **1** vitkastelu; hämäys; hiusten halkominen **2** kina, erimielisyys

2 quibble *v* **1** vitkastella; hämätä; halkoa hiuksia **2** kinata

quick [kwɪk] *s* **1** *the quick and the dead* (vanh) elävät ja kuolleet **2** (kynsien alainen) arka liha **3** (kuv) arka paikka *to cut to the quick* loukata jotakuta veristesti *adj* **1** nopea, kiireinen, pikainen, lyhyt *take a quick look at this* vilkaisepa tätä *she gave me a quick kiss* hän suuteli minua lyhyesti **2** nopeaälyinen, nokkela, terävä, valpas **3** äkkipikainen *adv* nopeasti, äkkiä

quickbeam [kwɪkbiːm] *s* pihlaja

quick check *s* (valintamyymälässä) pikakassa

quicken *v* **1** nopeuttaa, nopeutua, kiihdyttää, kiihtyä **2** vilkastuttaa, vilkastua **3** elvyttää **4** (sikiö) alkaa potkia; (odottava äiti) alkaa tuntea sikiön potkut

quickly *adv* nopeasti, äkkiä, kiireesti, lyhyesti

quick release *s* pikalukitsin *a camera tripod with a quick release* jalusta johon kamera kiinnitetään pikalukitsimella

quicksand [kwɪkˌsænd] *s* lentohiekka

quicksilver [kwɪkˌsɪlvər] *s* elohopea

quid [kwɪd] *s* (UK ark) punta

1 quiet [kwaɪət] *s* hiljaisuus *could we have some quiet, please?* ettekö te voisi olla hiljaa?

2 quiet *v* hiljentää, vaientaa, saada vaikenemaan

3 quiet *adj* hiljainen, rauhallinen, (käytös, väri, pukeutuminen) hillitty *I haven't had* *a quiet moment since I arrived* en ole saanut hetken rauhaa sen jälkeen kun tulin

quieten *v* (UK) **1** hiljentää, vaientaa, saada vaikenemaan **2** rauhoittaa, tyynnyttää, (luulu) hälventää

quietly [kwaɪətli] *adv* hiljaa (vrt quiet) *they got married quietly* he pitivät pienet häät

quill [kwɪl] *s* **1** (siipi-, pyrstö)sulka **2** (sulan ruodon pää) kynä **3** sulkakynä **4** (siilin, piikkisian) piikki

quilt [kwɪlt] *s* sängynpeite

quinine [kwanən] *s* (lääke) kiniini

quintet [kwɪn'tet] *s* kvintetti

quintuplets [kwɪn'tuplɪts] *s* (mon) viitoset

1 quip [kwɪp] *s* letkaus, letkautus

2 quip *v* letkauttaa

quit [kwɪt] *v* **1** lopettaa, lakata, luopua *quit complaning and start to work* lakkaa valittamasta ja rupea töihin **2** lähteä, poistua **3** erota (työstään)

quite [kwaɪt] *adv* **1** aika, melko *It's quite cold in here* täällä on melko viileää *quite a few people came* sinne tuli aika paljon väkeä *she's quite an artist* hän on melkoinen taiteilija **2** täysin, aivan *he is quite unknown in this country* hän on täysin tuntematon tässä maassa *that's quite another story* se on kokonaan toinen juttu *it's quite allright* ei se mitään

quits [kwɪts] *to call it quits* lopettaa (toistaiseksi)

1 quiver [kwɪvər] *s* **1** (nuolia varten) viini **2** värinä, vapina, tutina, puistatus

1 quiver *v* väristä, vapista, tutista, puistattaa

1 quiz [kwɪz] *s* **1** (koulussa) koe, pistot (ark) **2** tietokilpailu

2 quiz *v* tentata, pitää koe/pistokit, kuulustella

quizzical [kwɪzɪkəl] *adj* **1** kysyvä, kyselevä, utelias **2** huvittava, naurettava, outo, kummallinen

quota [kwoutə] *s* **1** osuus **2** kiintiö

quotable [kwoutəbəl] *adj* jota voi/tekee mieli siteerata/lainata

quotation [kwoʊ'teɪʃən] *s* **1** sitaatti, lainaus **2** (kurssin tms) noteeraus **3** hintailmoitus, hinta

quotation marks *s* (mon) lainausmerkit

1 quote [kwoʊt] *s* **1** sitaatti, lainaus **2** hintailmoitus, hinta *the quotes I got from two travel agents don't jibe* kahdesta eri matkatoimistosta saamani hinnat eivät täsmää

2 quote *v* **1** siteerata, lainata, toistaa (jonkun sanoja) *he says that the gadget was quote unusable unquote* hän oli hänen mukaansa vekotin oli 'käyttökelvoton' kun hän otti sen vastaan **2** ilmoittaa hinta

quotient [kwoʊʃənt] *s* osamäärä *intelligence quotient* älykkyysosamäärä

QWERTY [kwɜrti] *adj* (tietokoneen näppäimistöstä jossa näppäimet on järjestetty siten kuin kirjoituskoneissa eli niin että kirjaimet q, w, e, r, t ja y ovat ylimmän kirjainrivin vasemmassa päässä) qwerty-

R,r

R, r [aər] R, r

R (tekstiviestissä, sähköpostissa) *are*

rabbi [ræbaɪ] *s* (mon rabbis) rabbi

rabbit [ræbət] *s* **1** kaniini, kani (ark) *to pull a rabbit out of the hat* keksiä äkkiä jotakin/ jokin ratkaisu **2** jänis

rabble [ræbəl] *s* meluisa väkijoukko *the rabble* rahvas

rabid [ræbəd] *adj* **1** vesikauhuinen, raivotautinen **2** raivoisa, hillitön, silmitön **3** kiihko-

mielinen, kiihko-

rabies [reɪbiz] *s* vesikauhu, raivotauti, rabies

raccoon [ræ'kun] *s* pesukarhu, supi

1 race [reɪs] *s* **1** (nopeus)kilpailu, kilpajuoksu, kilpa-ajo(t), kilpajuoksu ym *arms race* kilpavarustelu *the races* ratsastuskilpailu; ravit; (vintti)koirakilpailut **2** (kuv) kilpajuoksu *the race to find a cure for AIDS* kilpajuoksu aidslääkkeen löytämiseksi **3** (ajan nopea) kulku **4** rotu; (joskus:) heimo *the* *human race* ihmisrotu *the Slavic races* slaavilaiset heimot

2 race v 1 kilpailla, osallistua/ilmoittaa (nopeus)kilpailuun **2** kiitää, viiletää, kiiruhtaa

racecar ['reɪs‚kɑr] s kilpa-auto

racehorse ['reɪs‚hɔrs] s kilpahevonen

racer [reɪsər] s **1** kilpailija **2** kilpa-auto; kilpapyörä; kilpavene; kilpasoutuvene; kilpahevonen tms **3** pikaluistin

racetrack ['reɪs‚træk] s kilparata

rachis [reɪkəs] s (puun lehden, linnunsulan) ruoti

racial [reɪʃəl] adj rodullinen, rotu-

racism [reɪsɪzəm] s rotusyrjintä, rotusorto, rotuviha, rasismi

racist [reɪsɪst] s rasisti adj rasistinen

1 rack [ræk] s **1** teline, hylly **2** (tekniikassa) hammastanko **3** (poolbiljardissa) kolmio; pallojen alkuasetelma **4** kidutuspenkki **5** kidutus, piina, ahdistus

2 rack v **1** kiduttaa (kuv), piinata, ahdistaa, rasittaa *to rack your brain* ajatella päänsä puhki/ympäri **2** kiduttaa piinapenkissä

1 racket [rækət] s **1** (tennis-, pöytätennis-ym) maila **2** eräänlainen lumikenkä, karpponen **3** (peli) racquetball **4** meteli, metakka, mökä **5** gangstereiden toiminta, järjestäytynyt rikollisuus

2 racket v mekastaa, meluta

1 racketeer [‚rækə'tɪər] s gangsteri, (kiristystä, salakuljetusta tms harjoittava ryhmään kuuluva rikollinen)

2 racketeer v toimia gangsterina (harjoittaa osana ryhmää/ryhmänä kiristystä, salakuljetusta tms)

racquet [rækət] s **1** (peli) racquetball **2** (tennis-, pöytätennis-, squash- ym) maila **3** eräänlainen lumikenkä, karpponen

racy [reɪsi] adj **1** uskalias, rohkea **2** eloisa, vilkas, pirteä

radar [reɪdɑr] s tutka

radial [reɪdiəl] adj v vyörengas adj säteittäinen, säteen suuntainen

radial keratotomy [‚kerə'tɑtəmi] s (silmäleikkaus) radiaalikeratotomia

radiance [reɪdiəns] s **1** kirkkaus, loisto **2** (kuv) iloisuus, lämpimyys

radiant [reɪdiənt] adj **1** kirkas, (valo) voimakas **2** (kuv) säteilevä, iloinen, lämmin

radiantly adv **1** kirkkaasti, (loistaa) voimakkaasti **2** (kuv) säteillen, iloisesti, lämpimästi

radiate [reɪdi‚eɪt] v säteillä (myös kuv); hohtaa, hehkua, loistaa

radiate with v säteillä jotakin, olla täynnä jotakin

radiation [‚reɪdi'eɪʃən] s säteily

radiator [reɪdiˌeɪtər] s **1** (lämpö)patteri **2** (auton) jäähdytin

radical [rædɪkəl] s radikaali (myös kem, mat) adj **1** jyrkkä, äkillinen, perusteellinen, syvällinen **2** (poliittisesti) radikaali

radicalism [rædɪkəˌlɪzəm] s radikalismi

radically [rædɪkli] adv erittäin, voimakkaasti, jyrkästi, äkillisesti, perusteellisesti, läpikotaisin *these two are radically different* nämä kaksi ovat täysin erilaiset

radii [reɪdiˌaɪ] ks radius

1 radio [reɪdioʊ] s (mon radios) radio; radiovastaanotin

2 radio v lähettää radiossa/radiolla, radioida

radioactive [‚reɪdioʊ'æktɪv] adj radioaktiivinen

radioactivity [‚reɪdioʊæk'tɪvəti] s radioaktiivisuus

radiography [‚reɪdi'ɑgrəfi] s radiografia; röntgenkuvaus

radiotherapy [‚reɪdioʊ'θerəpi] s sädehoito

radio wave s radioaalto

radish [rædɪʃ] s retiisi

radium [reɪdiəm] s radium

radius [reɪdiəs] s (mon radiuses, radii) **1** säde, (geom myös) radius **2** värttinäluu

radon [reɪdɑn] s radon

1 raffle [ræfəl] s arpajaiset, arvonta

2 raffle v arpoa, olla palkintona arpajaisissa, antaa/panna palkinnoksi arpajaisiin

1 raft [ræft] s lautta

2 raft v kuljettaa/kulkea/laskea jokea lautalla

rafter [ræftər] s **1** (vesikatossa) ruode **2** (huvi)lauttailija

rafting s (kumi)lauttailu *we went rafting in the Grand Canyon* kävimme lauttaretkellä Grand Canyonissa

1 rag [ræg] *s* **1** rätti, riepu *you can't go to school in those rags* et voi mennä kouluun noissa ryysyissä/lumpuissa *to go from rags to riches* nousta tyhjätaskusta miljonääriksi *to chew the rag* rupatella, jutella (joutavia) **2** (ark) roskalehti

2 rag *v* haukkua, sättiä, moittia

ragamuffin [ˈrægəˌmʌfən] *s* ryysyläinen

1 rage [reɪdʒ] *s* **1** raivo, raivonpuuska, kiihko, vimma *hi-top sneakers are all the rage* korkeavartiset lenkkarit ovat viimeistä huutoa/uusin villitys

2 rage *v* (myrsky, taistelu, ihminen) raivota

ragged [ˈrægɪd] *adj* (ihminen, vaate) ryysyinen, (vaate) repaleinen, (tukka, elaimen turkki) takkuinen, (pinta, terä, haava) rosoinen, (kuv) huono, hutiloitu, osaamaton

raggedy [ˈrægədi] *adj* ryysyinen, repaleinen

ragtag [ˈrægˌtæg] *adj* **1** ryysyinen, repaleinen **2** monenkirjava, kirjava, kaikenkarvainen

ragtime [ˈrægˌtaɪm] *s* (mus) ragtime

1 raid [reɪd] *s* **1** hyökkäys **2** ratsla **3** (ial) valtaus

2 raid *v* **1** hyökätä jonnekin **2** tehdä ratsia jonnekin **3** (tal) vallata (yritys)

raider [reɪdər] *s* **1** hyökkääjä **2** (tal) (yrityksen) valtaaja

rail [reɪəl] *s* **1** (rata)kisko **2** rautatie *to travel by train* matkustaa junalla **3** kaide

rail at/against *v* haukkua, moittia, sättiä, sadatella

1 railroad [ˈreɪəlˌroud] *s* rautatie

2 railroad *v* **1** kuljettaa junalla **2** (ark) tuomita (syytetty) heppoisin/tekaistuin perustein **3** (ark) hyväksyttää (lakiehdotus) kiireen vilkkaa (ennen kuin sitä ehditään vastustaa)

railway [ˈreɪəlˌweɪ] *s* **1** (UK) rautatie **2** (US) kevyt/lyhyt rautatie

1 rain [reɪn] *s* sade *rains* sadekausi

2 rain *v* **1** sataa **2** heittää, pudottaa, sirotella *to rain blows on someone* takoa jotakuta nyrkeillään **3** (kuv) vuotaa, vuodattaa *he rained thanks on us* hän kiitti meitä ylitsevuotavasti

rainbow [ˈreɪnˌboʊ] *s* sateenkaari

rainbow trout *s* kirjolohi

rain check [ˈreɪnˌtʃek] *s* uusi lippu (tilaisuuteen joka esim sateen vuoksi siirtyy myöhemmäksi); lappu joka oikeuttaa ostamaan loppuunmyydyn alennustuotteen myöhemmin samaan hintaan *to give/take a rain check* (kuv) siirtää toiseen kertaan, yrittää joskus uudestaan

rainfall [ˈreɪnˌfɔːl] *s* **1** sade **2** sademäärä

rainfly [ˈreɪnˌflaɪ] *s* (teltan) sadekatos

rain forest *s* sademetsä

rain on *v* (sl) vuodattaa/purkaa tunteitaan/murheitaan jollekulle

rain or shine *adv* satoi tai paistoi; kävi niin tai näin (myös kuv)

rain out *fr* peruuntua/siirtya myöhemmäksi (sateen vuoksi)

1 raise [reɪz] *s* (hintojen) nousu; (palkan)korotus

2 raise *v* **1** kohottaa, kohota, korottaa, nostaa, nousta, nousta/nostaa pystyyn, nousta seisomaan *don't raise your voice* älä korota ääntäsi **2** rakentaa, pystyttää **3** (kuv) nostaa (häly, älämölä), nousta (vastarintaan) *to raise a protest* protestoida, panna vastaan, nousta vastarintaan **4** kasvattaa (lapsia, karjaa, viljaa), viljellä **5** (kuv) kohottaa, nostaa (mielialaa) *the good news raised our spirits* iloinen uutinen piristi meitä **6** koota (armeija), kerätä (rahaa)

raisin [reɪzən] *s* rusina

raison d'être [ˌreɪzoʊnˈdeɪtrə] *s* (ranskata) olemassaolon oikeutus/peruste, henki ja elämä *football is his raison d'être* amerikkalainen jalkapallo on hänelle kaikki kaikessa

1 rake [reɪk] *s* harava

2 rake *v* **1** haravoida **2** kohentaa (kekäleitä hiilihangolla) **3** raapaista, naarmuttaa **4** etsiä läpikotaisin, kammata, haravoida

rake in *v* (ark) kääriä rutkasti rahaa, tienata hyvin *the company is raking in profits* yritys tekee voittoa minkä ehtii

rake up *v* (kuv) herättää henkiin, kaivaa esiin (jotakin kielteistä)

rakish [reɪkɪʃ] *adj* **1** rempseä, railakas, rohkea **2** (laiva, vene) virtaviivainen, sulavalinjainen, nopean näköinen

rally

1 rally [ræli] *s* **1** joukkokokous **2** (sotajoukkojen) järjestäytyminen, kokoaminen **3** (terveyden) paraneminen, toipuminen **4** ralli(kilpailu) **5** (tal) hintojen nousu tasaisen tai laskevan kurssikehityksen jälkeen

2 rally *v* **1** koota, kokoontua (yhteen), kutsua koolle **2** kutsua/tulla avuksi **3** keskittää/ säästää voimansa johonkin, kerätä, valmistautua **4** järjestää, koota (sotajoukot) **5** toipua, parantua, elpyä **6** osallistua rallikilpailuun

1 ram [ræm] *s* **1** pässi **2** (hist) muurinmurtaja, muurinsärkijä

2 ram *v* **1** survaista, iskeä, sohaista, syöstä **2** törmätä, iskeytyä johonkin/jotakin vasten *Gary rammed the opponent* Gary paiskautui vastustajaansa päin **3** (kuv) ajaa/ jyrätä (esim lakiehdotus) voimalla läpi

1 ramble [ræmbəl] *s* (ajankuluksi tehty) kävely

2 ramble *v* **1** maleksia, kävellä, kierrellä (jossakin huvikseen) **2** kiemurrella, mutkitella

ramble on *v* paasata (pitkään), puhua kuin papupata, puhua/kirjoittaa monisanaisesti/ ummet ja lammet, (puhe, kirjoitus) rönsyillä

rambler [ræmblər] *s* **1** maleksija **2** erään-lainen yksikerroksinen omakotitalo **3** köyn-nösruusu

rambling *adj* **1** (puhe, kirjoitus) monisanainen, rönsyilevä **2** (rakennus) laaja, valtava, lonkeroinen **3** (kasvi) köynnös-; rönsyilevä

rambunctious [ræm'bʌŋkʃəs] *adj* (lapsi, juh-lahumu) riehakas, riehaantunut, vallaton

ramification [‚ræməfi'keiʃən] *s* **1** haara **2** (kuv) seuraus, vaikutus

ramp [ræmp] *s* **1** luiska, ramppi **2** (lentoken-tällä: lentokoneen siirrettävät) matkustaja-portaat

1 rampage [ræm‚peidʒ] *s* raivo, raivon-puuska *to go on a rampage* (myrsky, ihmi-nen) raivota, riehua

2 rampage *v* raivota, riehua

rampant [ræmpənt] *adj* raivoisa, hillitön, re-hottava, (huhu) joka on kaikkien huulilla, (eläin) joka seisoo takajaloillaan

rampart [ræm‚part] *s* **1** (linnoituksen) valli **2** (kuv) suojamuuri

ramrod [ræm‚rad] *s* (aseen) latauspuikko *he's stiff as a ramrod* hän on kuin seipään niel-lyt

ramshackle [ræm‚ʃækəl] *adj* ränsistynyt, ra-pistunut, purkukypsä

ranch [rænt‚ʃ] *s* karjatila, maatila, ranch *mink ranch* minkkitarha

rancher *s* karjatilan/maatilan/ranchin omis-taja/työntekijä

rancid [rænsid] *adj* **1** härski, eltaantunut, (haju myös) kuvottava, ällöttävä **2** (kuv) kuvottava, ällöttävä, härski

rancor [ræŋkər] *s* ilkeys, pahansuopuus, pa-huus, katkeruus

rancorous [ræŋkərəs] *adj* ilkeä, pahansuopa, katkera, katkeroitunut

random [rændəm] *s: at random* umpimäh-kään, mielivaltaisesti *adj* satunnainen, sat-tumanvarainen, umpimähkäinen, mielival-tainen

1 range [reindʒ] *s* **1** luokka, (ylä- ja alarajan) väli, (tilastossa) vaihteluväli *there are no other models in this price range* samassa hintaluokassa ei ole muita malleja **2** etäi-syys, kantomatka *within shooting range* ampumaetäisyydellä **3** rivi, jono, sarja **4** valikoima *we have a wide range of mod-els to choose from* meillä voitte valita laa-jasta mallistosta/mallivalikoimasta **5** kenttä, alue **6** ampumarata, (tykistön tms) harjoitusalue, koeammunta-alue **7** vuoristo *Aleutian Range* Aleuttien vuo-risto **8** liesi, hella (ark) **9** laidunmaa

2 range *v* **1** ulottua (jostakin johonkin), vaih-della (jollakin välillä), olla *temperatures here range from ten to twenty-five degrees in the summer* lämpötila vaihtelee täällä kesäisin 10:n ja 25 asteen välillä *the topics discussed range over a wide area* keskus-telussa kosketellaan laajaa aluetta **2** järjes-tää, järjestyä (riviin, jonoon) **3** vaeltaa, sa-mota **4** etsiä, käydä läpi **5** laiduntaa (karjaa jossakin)

ranger *s* **1** metsänvartija **2** (Texasissa) (osa-valtion) poliisi

1 rank [ræŋk] *s* **1** (sotilas)arvo, (virka-) asema; korkea arvo/asema; sija *to pull rank on someone* komennella, määräillä (korkeampaan asemaansa vedoten) **2** (yhteiskunta- tai muu) luokka **3** rivi, jono, järjestys *to break ranks* poistua rivistä tms; (kuv) olla eri mieltä, ei suostua johonkin **4** (mon) rivimiehet (myös kuv)

2 rank *v* **1** järjestää/järjestyä (riviin/jonoon) **2** lukea/lukeutua johonkin ryhmään *Toyota ranks among the largest car manufacturers in the world* Toyota kuuluu maailman suurimpiin autotehtaisiin **3** olla korkeampiarvoinen kuin; olla arvoltaan korkein/ylin

3 rank *adj* **1** rehevä, rehottava **2** pahanhajuinen, löyhkäävä **3** täysi, täydellinen, pelkkä *he is a rank dilettante* hän on pelkkä amatööri **4** kuvottava, inhottava, vastenmielinen

ranking (keskinäinen) järjestys, sijoittuminen *adj* **1** korkea-arvoisempi, korkea-arvoinen **2** johtava, arvostettu, maineikas

rank!e [ræŋkəl] *v* **1** kaivella, kismittää, harmittaa, sapettaa, vaivata

ransack [ˈrænsæk] *v* **1** penkoa (läpi), kääntää (etsiessään) ylösalaisin **2** ryöstää, ryövätä, rosvota

1 ransom [ˈrænsəm] *s* **1** lunnaat **2** vapautus, vapauttaminen

2 ransom *v* maksaa lunnaat

1 rant [rænt] *v* **1** kiivailu, kiihkoilu, kiivas puhe

2 rant *v* kiivailla, puhua kiihkoisasti, vaahdota, raivota

1 rap [ræp] *s* **1** (kevyt isku) näpäytys, näpäys, koputus **2** (ääni) napsahdus, koputus **3** *not a rap* ei tipan tippaa, ei tippaakaan/vähääkään **4** (sl) syyllisyys; rangaistus *to beat the rap* selvitä rangaistuksetta; päästä pälkähästä, ei joutua nalkkiin/kiinni *to take the rap* ottaa syy niskoilleen **5** (sl) vastaanotto **6** rapmusiikki

2 rap *v* **1** koputtaa, naputtaa **2** karjua, karjaista **3** puhua/laulaa rapmusiikin säestyksellä **4** (sl) haukkua, pistää/lyödä lyttyyn

rapacious [rəˈpeɪʃəs] *adj* ahne

1 rape [reɪp] *v* **1** raiskaus **2** (kasvi) rehurapsi **3** (run) ryöstö *the rape of the Sabines* sabiinittarien ryöstö

2 rape *v* raiskata (myös kuv)

rapid [ˈræpəd] *adj* nopea

rapidity [rəˈpɪdəti] *s* nopeus, äkkinäisyys

rapids [ˈræpədz] *s* (mon) koski

rapier [ˈreɪpɪər] *s* (miekka) floretti

rapt [ræpt] *adj* lumoutunut, ihastunut, (johonkin) uppoutunut, syventynyt, (kiinnostus) herpaantumaton

rapture [ˈræptʃər] *s* ihastus, lumous, innostus

rapturous [ˈræptʃərəs] *adj* ihastunut, lumoutunut, innostunut

rare [reər] *adj* **1** harvinainen, harva, jota on harvassa **2** (ilma) ohut **3** (liharuoka) puoliraaka, vain vähän paistettu

rarefy [ˈreərəˌfaɪ] *v* ohentaa, ohentua

rarely [ˈreərlɪ] *adv* (vain) harvoin

rarity [ˈreɪrətɪ] *s* harvinaisuus *good manners are a rarity these days* hyvät tavat ovat nykyisin harvinaisuus/harvinainen asia

rascal [ˈræskəl] *s* **1** roisto, konna **2** kelmi, vintiö

1 rash [ræʃ] *s* ihottuma

2 rash *adj* hätäinen, ajattelematon, hätiköity, ennenaikainen

1 rasp [ræsp] *s* **1** (karkea viila) raspi **2** rahina, rohina *he speaks with a rasp* hänen äänensä rahisee/kähisee

2 rasp *v* **1** viilata, hioa (raspilla) **2** rahista, rohista, kähistä

raspberry [ˈræzbərɪ] *s* vadelma

rasping *s* rahina, rohina *adj* rahisevä, rohiseva, kähisevä

1 rat [ræt] *s* **1** rotta (myös kuv) *to smell a rat* haistaa palaneen käryä **2** (sl) vasikka, ilmiantaja

2 rat *v* **1** (sl) vasikoida, antaa ilmi **2** (sl) jättää ystävänsä/kollegansa pulaan (viikealla hetkellä)

ratchet [ˈrætʃət] *v* **1** (rattaan) säppi **2** säppipyörä, räikkäpyörä **3** (kuv) nousu; lasku *v to ratchet up* nostaa, nousta *to ratchet down* laskea

1 rate [reɪt] *s* **1** suhde, tahti, nopeus, vauhti, taajuus *the rate of progress is accelerating* edistyksen tahti kiihtyy *at this rate of speed* tällä nopeudella *at any rate* joka tapauksessa; ainakin, sentään **2** hinta, maksu, kurssi, taksa *rate of interest*

korko(kanta) *rate of exchange* vaihto-
kurssi, valuuttakurssi *what are your rates?*
paljonko liput, huoneet yms maksavat?

2 rate *v* **1** luokitella, luokittaa *this movie is
rated R* tämä elokuva on sallittu alle 17-
vuotiaille vain vanhemman henkilön seu-
rassa **2** arvioida hinta/arvo **3** arvostella,
korjata (koepaperi) **4** sijoittua (korkealle),
pärjätä *Steinbeck no longer rates high with
highbrows* Steinbeck ei enää ole älykköjen
suosiossa

rather [rɑːðər] *adv* **1** aika, melko, verraten *it's
a rather sad story* se on aika ikävä tarina
2 mieluummin *I'd rather be dead than
wear that jacket* kuolen ennemmin kuin
panen tuon takin päälleni **3** pikem-
min(kin), tarkemmin sanoen, vaan *it's not
great; rather, it's pretty awful* se ei ole
erinomainen vaan suoraan sanoen kamala

rating *s* **1** luokitus, luokittelu **2** (mon) (tele-
vision) katsojatilastot, (radion) kuuntelija-
lastot **3** (tal) luottokelpoisuusarviointi

ratio [reɪʃoʊ] *s* (mon ratios) suhde *the ratio of
cars to people* autojen määrä suhteessa
asukaslukuun

1 ration [ræʃən] *s* **1** osuus, kiintiö, (ruoka-)
annos **2** (mon) muona, eväät

2 ration *v* säännöstellä

rational [ræʃənəl] *adj* **1** järjellinen *rational
beings* älylliset olennot **2** järkevä, älykäs,
viisas; asiallinen, maltillinen *that was a
rational decision* se oli viisas ratkaisu/pää-
tös *let's try to be rational for a change*
yritetäänpä vaihteeksi unohtaa tunteet/olla
asiallisia

rationale [ˌræʃəˈnæl] *s* perustelu, peruste,
selitys *what was your rationale for quit-
ting your job?* miksi (ihmeessä) sinä ero-
sit?

rationalism [ˈræʃənəˌlɪzəm] *s* rationalismi,
järkeisusko

rationalist [ˈræʃənəlɪst] *s* rationalisti

rationality [ˌræʃəˈnæləti] *s* **1** järjellisyys, älyl-
lisyys **2** järkevyys, viisaus; asiallisuus,
maltti

rationalization [ˌræʃənələˈzeɪʃən] *s* **1** (teko-
jen) selittely, perustelu **2** järkeistäminen

rationalize [ˈræʃənəˌlaɪz] *v* **1** selitellä, selittää
(parhain päin), perustella (tekojaan) **2** jär-
keistää

ration out *v* jakaa

1 rattle [rætəl] *s* **1** kolina; helinä **2** (lapsen)
helistin **3** (kalkkarokäärmeen) kalistin

2 rattle *v* **1** ravistaa, ravistella, heilua **2** (ää-
nestä) kolista, kalista; helistä **3** kulkea
hyppelehtien/pomppien *we rattled along
in his old Buick* koikkelehdimme eteen-
päin hänen vanhalla Buickillaan **4** paasata,
pölistä, hölöttää, puhua ummet ja lammet,
luetella (kuin apteekin hyllyltä) **5** häiritä,
ärsyttää

rattlesnake [ˈrætəlˌsneɪk] *s* kalkkarokäärme

raucous [rɔːkəs] *adj* **1** (nauru, ääni) rämäkkä
2 (tilaisuus) riehakas, meluisa

raunchy [rɔːntʃi] *adj* (ark) rivo, härski, likai-
nen, irstas

1 ravage [rævədʒ] *s* tuho, hävitys *the rav-
ages of war* sodan vahingot/tuhot/hävitys
the ravages of time ajan hammas

2 ravage *v* tuhota, hävittää; (kuv) raastaa, re-
piä

1 rave [reɪv] *s* **1** (silmitön) ihastus, ylistys
2 reivit **3** tekno(musiikki)

2 rave *v* **1** houria, raivota **2** vaahdota, paa-
sata, ylistää jotakin (about) *maasta taivaa-
seen* **3** (myrsky) raivota, tehdä tuhoaan

3 rave *adj* ylistävä *the movie opened to rave
reviews* elokuva tuli teattereihin ylistävien
arvostelujen saattelemana

raven [reɪvən] *s* korppi

ravenous [rævənəs] *adj* erittäin nälkäinen,
jolla on sudennälkä *they are ravenous for
some fun* heidän tekee kovasti mieli pitää
hauskaa

ravine [rəˈviːn] *s* rotko, kuru, onkalo

raving *adj* **1** houraileva, raivoava **2** sanoinku-
vaamaton, uskomaton *adv* raivoisan *raving
mad* raivohullu, pähkähullu, seinähullu

ravish [rævɪʃ] *v* **1** lumota, saada ihastumaan
2 raiskata

ravishing *adj* lumoava, ihastuttava, kuvan-
kaunis

raw [rɑ] *s in the raw* (ark) alasti, ilkosillaan,
keltisillään *adj* **1** raaka **2** (kuv) armoton,
raaka **3** (kuv) kokematon **4** laimentamaton

1 ray [rei] *s* säde

2 ray *v* säteillä

rayon [reiən] *s* (kuitu) raion, viskoosi

raze [reiz] *v* purkaa, hajottaa (rakennus)

razor [reizər] *s* partaveitsi; partakone

razorbill [reizəbill] *s* (lintu) ruokki

1 reach [riːtʃ] *s* **1** to make a reach for yrittää tarttua johonkin, hapuilla jotakin **2** kantama, ulottuvuus to be within/out of reach olla jonkun ulottuvilla/ulottumattomissa (myös kuv)

2 reach *v* kurkottaa, kurkottua, ojentaa, ojentua, ylettää, ylettyä, ulottua *she could not reach the cookie jar on the upper shelf* hän ei ulottunut piparkakkupurkkiin joka oli ylimmällä hyllyllä **2** saapua, tulla jonnekin **3** saavuttaa *have you reached your goal?* oletko päässyt tavoitteeseesi? *GM stock has reached an all-time high* GM:n osakkeiden arvo on noussut ennätystasolle **4** saada puhelimeen/kiinni *I am sorry but Mr. Olmos can't be reached now* Mr. Olmos ei valitettavasti voi nyt tulla puhelimeen

reachable *adj* (henkilö) tavoitettavissa, (tavoite) mahdollinen

react [riˈækt] *v* reagoida, vastata

reaction [riˈækʃən] *s* reaktio, vastaus, vaikutus

reactionary [riˈækʃəˌneri] *s, adj* taantumuksellinen

reactivate [riˈæktiˌveit] *v* käynnistää/käynnistyä uudelleen, palauttaa voimaan, reaktivoida

reactor [riˈæktər] *s* reaktori *nuclear reactor* ydinreaktori

read [riːd] *v* read, read **1** lukea *she read him a story* hän luki hänelle sadun **2** tulkita, lukea, ennustaa *you can read him like a book* hänestä voi lukea kuin avointa kirjaa **3** kuulostaa, olla luettavissa/tulkittavissa tietyllä tavalla *the contract reads in two different ways* sopimus voidaan tulkita kahdella tavalla **4** katsoa/tarkistaa mittarin tms lukema; (mittari tms) näyttää jotakin lukemaa *read the electricity meter* lukea sähkömittarin lukema

read [red] *adj* lukenut, oppinut *well-read* (paljon) lukenut

readable [riːdəbəl] *adj* **1** josta saa selvän **2** lukemisen arvoinen

readdress [ˌriːəˈdres] *v* kirjoittaa uusi osoite johonkin

reader [riːdər] *s* **1** lukija **2** (koulussa) lukukirja **3** kokoelmateos **4** kustannustoimittaja **5** (UK) yliopiston lehtori

readership [riːdərˌʃip] *s* lukijat, lukijakunta

read for *v* (näyttelijä) käydä esiintymiskokeessa

readily [redəli] *adv* **1** helposti **2** halukkaasti

readiness [redinəs] *s* **1** valmius *the troops are in a state of readiness* joukot ovat valmiina/valmiustilassa **2** helppous **3** halukkuus

reading *s* **1** (tapahtuma) lukeminen **2** (kirja tms) lukeminen, luettava **3** lukeneisuus, sivistys **4** tulkinta **5** (mittarin tms) lukema **6** lausuntaliita, luentatilaisuus

read into *v* piottää omiaan johonkin *I think you're reading too much into what she said* minusta sinä tulkitset hänen sanojaan liian optimistisesti/jyrkästi tms

readjust *v* säätää, sovittaa (uudelleen)

readjustment [ˌriːəˈdʒʌstmənt] *s* (uusi) säätö, sovitus

read out *v* lukea ääneen

readout [riːdaut] *s* (mittarin) lukema *a digital readout* digi(taali)näyttö, numeronäyttö

read out of *v* erottaa (jäsen julkisesti)

read up on *v* ottaa selvää jostakin (lukemalla), perehtyä johonkin aiheeseen tarkemmin (lukemalla)

ready [redi] *adj* **1** valmis *you coffee is ready* kahvisi on valmis *we are ready to go* olemme valmiit lähtemään *to make ready* laittaa valmiiksi, valmistaa **2** halukas, valmis *are you ready to help?* haluatko auttaa? **3** nopea, terävä (kuv), kärkäs, nakkea *she has a ready tongue* hän on terävä sanoissaan *don't be so ready to find fault with others* älä mieti toisia niin kärkkäästi **4** joka on heti saatavilla/käytettävissä *I happen to have some ready cash on me* minulla sattui olemaan mukana käteistä rahaa *v* laittaa valmiiksi, valmistaa

real [riəl] *s* **1** (filosofiassa) *the Real* todellisuus **2** *are you for real?* oletko tosissasi? *I don't think he is for real* en usko että häneen voi luottaa *adj* **1** todellinen, aito *it's real gold* se on aitoa kultaa **2** varsinainen, todellinen *he's a real asshole* hän on täysi paska **3** kiinteä: *real property* kiinteä omaisuus *adv* (ark) todella *you did real fine* selvisit tosi hienosti

real estate ['riːlə,steit] *s* kiinteistö(t), kiinteä omaisuus

realism [riːəlizəm] *s* realismi

realist [riːəlist] *s* realisti *adj* realistinen

realistic [,riːə'listik] *adj* realistinen, järkevä, asiallinen, kohtuullinen *let's be realistic about this* ollaanpa nyt tässä asiassa realisteja

reality [ri'æleti] *s* **1** todellisuus *in reality he is a pretty nice guy* todellisuudessa on ihan mukava ihminen **2** realiteetti, tosiseikka

realization [,riːələ'zeiʃən] *s* **1** oivallus, ymmärtäminen **2** toteutus, toteuttaminen, toteutuminen **3** rahaksi muuttaminen, realisaatio

realize ['riːə,laiz] *v* **1** huomata, ymmärtää, oivaltaa, tajuta **2** toteuttaa *he has realized his ambitions* hän on toteuttanut haaveensa **3** muuttaa käteiseksi, realisoida; tuottaa (rahana)

really ['riːli] *adv* **1** todellisesti, oikeastaan *he is not American, he is really Canadian* hän ei ole amerikkalainen vaan todellisuudessa kanadalainen **2** todella, todellakin *it is really nice to be here* on oikein hienoa olla täällä

realm [relm] *s* **1** kuningaskunta **2** (kuv) alue, piiri *it's out of my realm* se ei ole minun heiniäni/alaani

realty [riːlti] *s* kiinteistö(t), kiinteä omaisuus

reap [riːp] *v* **1** niittää; korjata sato **2** (kuv) ansaita, kääriä (voittoa) *you reap what you have sown* mitä ihminen kylvää, sitä hän myös niittää

reappear [,riːə'piər] *v* ilmestyä uudelleen näkyviin/paikalle, palata, tulla takaisin *the symptoms have reappeared* oireet ovat uusiutuneet

1 rear [riər] *s* **1** takaosa *at the rear of the house* talon takana *to bring up the rear* olla viimeinen, pitää perää, olla hännänhuippuna **2** (linja-auton) takaosa, (henkilöauton) takapenkki **3** takamus

2 rear *v* **1** kasvattaa (lapsi, karjaa), viljellä (viljaa) **2** rakentaa, pystyttää **3** nostaa, kohottaa *racism is again rearing its ugly head* rotuviha nostaa jälleen päätään

3 rear *adj* taka-, perä

rearm [ri'arm] *v* **1** varustaa uudestaan; määrätä uudelleen aseisiin **2** varustaa uusilla aseilla

rearmament [ri'arməmənt] *s* uudelleenvarustelu

1 reason [riːzən] *s* **1** syy, peruste *by reason of* jostakin syystä, jonkin vuoksi, jollakin perusteella *with reason* hyvällä syyllä, hyvästä syystä, aiheellisesti **2** järki, äly **3** mielenterveys, järki *to bring someone to reason* saada joku järkiinsä, saada joku muuttamaan mieltään *to stand to reason* olla selvää; käydä järkeen, jossakin on järkeä **4** *kohtuus to be within reason* olla kohtuullista, olla kohtuuden rajoissa

2 reason *v* **1** järkeillä, päätellä **2** suositella, kehottaa, esittää

reasonable [riːzənəbəl] *adj* **1** järkevä **2** kohtuullinen; kohtuullisen hintainen

reasoned *adj* harkittu, perusteltu, loppuun asti ajateltu/mietitty

reasoning *s* **1** looginen ajattelu, järkeily **2** perustelu

reassurance [,riːə'ʃərəns] *s* **1** rohkaisu, lohtu **2** vahvistus, vakuuttelu

reassure [,riːə'ʃər] *v* **1** rohkaista, lohduttaa, tyynnyttää, rauhoittaa **2** vakuuttaa, vahvistaa *let me reassure you that we are not going to dump you* vakuutan sinulle että me emme aio hankkiutua sinusta eroon

reassuring *adj* rohkaiseva, rauhoittava

rebate [riːbeit] *s* alennus

rebel [rebəl] *s* kapinallinen, kapinoitsija

rebel [ri'bel] *v* kapinoida (myös kuv:) vastustaa, panna vastaan

rebellion [rə'beljən] *s* kapina

rebellious [rə'beljəs] *adj* kapinallinen; tottelematon, uppiniskainen

rebirth [ri'bəːθ] *s* **1** uudelleensyntyminen **2** henkiin herääminen, uusi nousu *the rebirth of Nazism* natsismin uusi nousu

rebound [ribaund] *s* (koripallossa) levypallo

rebound [ri'baund] *v* **1** kimmota, ponnahtaa/heittää takaisin **2** (kuv) toipua; kostautua

1 rebuff [ri'bʌf] *s* tyly kielteinen vastaus

2 rebuff *v* torjua, evätä, kieltää (tylysti)

1 rebuke [ri'bjuk] *s* nuhtelu, nuhteet, moitteet, torut, torumiset

2 rebuke *v* nuhdella, torua, moittia

1 recall [ri'kɔːl] *s* **1** muisti **2** takaisin kutsuminen

2 recall *v* **1** muistaa, palauttaa mieleen **2** kutsua takaisin *Chrysler has recalled all 1995 LeBarons* Chrysler on kutsunut kaikki vuoden 1995 malliset LeBaronit korjattaviksi

recant [ri'kænt] *v* perua puheensa, pyörtää sanansa, muuttaa kantaansa

recapitulate [rikə'pitjə,leit] *v* toistaa, kerrata, tehdä yhteenveto

recapitulation [rikə,pitjə'leiʃən] *s* toisto, kertaus, yhteenveto

recede [ri'siːd] *v* perääntyä, loitontua, vähentyä, supistua, laskea *cash payments have receded in importance* käteismaksujen merkitys on vähentynyt

receipt [rə'siːt] *s* **1** (lähetyksen tms) vastaanotto, saapuminen **2** kuitti **3** (mon) tulot **4** resepti

receivables [rə'siːvəblz] *s* (mon) (yrityksen) saatavat

receive [rə'siːv] *v* **1** saada **2** ottaa vastaan *to receive a guest/an offer/a radio station* ottaa vastaan vieras/tarjous/saada radioasema kuuluviin *Mrs. Smythe-Hines* will now receive Mrs. Smythe-Hines ottaa teidät (vieraan) nyt vastaan

Received Pronunciation *s* (britti)englannin yleiskielen ääntämys

receiver [rə'siːvə] *s* **1** vastaanottaja **2** (radio-, televisio) vastaanotin; viritinvahvistin **3** (puhelimen) luuri

recent [risənt] *adj* äskettäinen, uusi *he's a recent arrival* hän on uusi tulokas

receptacle [ri'septəkəl] *s* astia, kotelo, teline

reception [ri'sepʃən] *s* **1** vastaanotto *to be met with a warm reception* saada lämmin vastaanotto **2** (juhla) vastaanotto(tilaisuus); tervetuliaisjuhla **3** (radio-, televisiolähetteen) vastaanotto

receptionist [ri'sepʃənist] *s* (yrityksen, hotellin) vastaanottoapulainen

receptive [ri'septiv] *adj* vastaanottavainen, halukas kuuntelemaan *she was not receptive to my suggestions* hän ei lämmennyt ehdotuksilleni

recess [rises] *s* **1** tauko, (koulussa) välitunti **2** syvennys, alkovi **3** (mon) uumenet

recess [ri'ses] *v* **1** pitää tauko **2** syventää

recession [ri'seʃən] *s* (tal) taantuma

recharge [ri'tʃɑːdʒ] *v* ladata (uudestaan)

recheck [ri'tʃek] *v* tarkistaa uudelleen

recipe [resəpi] *s* resepti, lääkemääräys; ruuan valmistusohje *there is no recipe for happiness* ei ole olemassa onnellisuuden patenttilääkettä

recipient [ri'sipiənt] *s* vastaanottaja; palkinnonsaaja

reciprocal [rə'siprəkəl] *adj* vastavuoroinen, molemminpuolinen

reciprocate [rə'siprə,keit] *v* vastata (ehdotukseen, hymyyn), tehdä vastapalvelus; kostaa, maksaa takaisin (kuv)

recital [ri'saitəl] *s* **1** konsertti; (runon) lausunta(esitys) **2** selostus, kuvaus; selonteko, luettelo

recitation [resə'teiʃən] *s* (runon) lausunta(esitys)

recite [ri'sait] *v* **1** lausua (runo) **2** toistaa (ulkomuistista) **3** selostaa, kuvata, kertoa **4** luetella

reckless [rekləs] *adj* uhkarohkea, tyhmänrohkea, päätön, hillitön

recklessness *s* uhkarohkeus, päättömyys, hillittömyys

reckon [rekən] *v* **1** laskea **2** lukea/laskea johonkin kuuluvaksi *he is reckoned to be one of the best physicists in the country* häntä pidetään yhtenä maan etevimmistä fyysikoista **3** ajatella, uskoa, luulla *he'll be here by noon, I reckon* eiköhän hän ilmesty paikalle puoleen päivään mennessä

reckoning *day of reckoning* tilinteon hetki

reckon with *v* **1** ottaa huomioon, ottaa laskuihin mukaan, varautua johonkin **2** (yrittää) ratkaista (ongelmat), (yrittää) selviytyä jostakin

reclaim [ri'kleɪm] *v* **1** vaatia takaisin itselleen **2** noutaa, hakea (matkatavarat tms) *passengers can reclaim their baggage on the lower level* matkatavarat luovutetaan matkustajille alakerrassa **3** ottaa (maata) käyttöön, ryhtyä viljelemään

reclamation [ˌreklə'meɪʃən] *s* (maan) käyttöönotto

recline [ri'klaɪn] *v* kallistaa/kallistua taaksepäin *he reclined on the sofa* hän kävi sohvalle pitkäkseen *the front seats of his car recline* hänen autonsa etuistuimissa on kallistuvat selkänojat

reclining *adj* kallistuva, kallistettava

recluse [reklus] *s* erakko

recognition [ˌrekəg'nɪʃən] *s* **1** tunnistaminen, tunteminen **2** oivaltaminen, ymmärtäminen **3** tunnustaminen, myöntäminen, hyväksyminen **4** tunnustus, arvostus

recognizable ['rekəgˌnaɪzəbəl] *adj* jonka voi tunnistaa jok/oksikin *after the accident, his face was hardly recognizable* onnettomuuden jälkeen hänen kasvojaan oli vaikea tunnistaa

recognize ['rekəgˌnaɪz] *v* **1** tunnistaa, tuntea *I almost did not recognize you* en ollut tuntea sinua *he recognized her voice* hän tunnisti naisen äänen/äänestä **2** oivaltaa, ymmärtää, käsittää, tajuta **3** tunnustaa, myöntää, hyväksyä (oikeaksi, todeksi) **4** ilmaista tunnustuksensa/arvostuksensa, antaa tunnustus

recoil [rikoɪl] *s* (aseen) rekyyli, potkaisu

recoil [ri'koɪəl] *v* **1** säpsähtää, säikähtää, pelästyä **2** (ase) potkaista **3** (kuv) (teko) kostautua

recollect [ˌrekə'lekt] *v* muistaa

recollection [ˌrekə'lekʃən] *s* muisto *I have no recollection of that event* en muista sellaista tapahtumaa

recommend [ˌrekə'mend] *v* suositella

recommendation [ˌrekəmən'deɪʃən] *s* suositus

1 recompense ['rekəmˌpens] *s* korvaus, hyvitys, palkkio

2 recompense *v* korvata, hyvittää, palkita

reconcile ['rekənˌsaɪəl] *v* **1** sovittaa välit/riita, tehdä sovinto *to become reconciled* sopia välinsä **2** sovittaa yhteen **3** *to reconcile yourself to some thing* alistua johonkin, hyväksyä jotakin

reconciliation [ˌrekənsɪli'eɪʃən] *s* **1** sovinto, rauha, (riidan) sopiminen **2** (mielipiteiden ym) yhteen sovittaminen

reconfirmation [ˌriːkanfər'meɪʃən] *s* (esim lentopaikkavarauksen) vahvistus

reconnoiter [ˌrikə'nɔɪtər, ˌrekə'nɔɪtər] *v* **1** (sot) tiedustella **2** tehdä maanmittauksia

record [rekərd] *s* **1** asiakirja; pöytäkirja; luettelo *this is strictly off the record* sanon tämän täysin epävirallisesti/kahden kesken *to go on record* ilmoittaa julkisesti **2** rikosrekisteri *he has a record a mile long* hänellä on kontollaan pitkä liuta rikoksia **3** tausta, menneisyys, historia *it is the longest-running Broadway show on record* se on kaikkien aikojen pisimmin esitetty Broadway-show **4** äänilevy; äänitys **5** (urh) ennätys

record [ri'kɔːd] *v* **1** merkitä/kirjoittaa jotakin muistiin; pitää pöytäkirjaa; luetteloida **2** nauhoittaa, äänittää **3** (mittari tms) näyttää (jotakin arvoa), osoittaa *extremely low temperatures were recorded in Alaska yesterday* Alaskassa mitattiin eilen poikkeuksellisen kylmiä lämpötiloja

recorder [ri'kɔːdər] *s* **1** kirjuri **2** nauhuri, nauhoitin *tape recorder* nauhuri **3** nokkahuilu **4** piirturi

recording *s* nauhoitus, äänitys

record player *s* levysoitin

recount [ri'kaunt] *v* kertoa, kuvata

recoup [ri'kuːp] *v* **1** saada/hankkia (raha) takaisin *we will recoup our investment in three years* saamme sijoittamamme summan takaisin kolmessa vuodessa **2** korvata, hyvittää

recover [ri'kʌvər] *v* **1** toipua, elpyä, tulla jälleen tajuihinsa *has he recovered consciousness?* onko hän tullut tajuihinsa? *she quickly recovered from the shock* hän toipui järkytyksestä nopeasti **2** saada/hankkia takaisin

re-cover [ˌriːˈkʌvər] v peittää/päällystää uudestaan

recovery [rɪˈkʌvəri] s 1 toipuminen, elpyminen, tervehtyminen 2 takaisin saaminen/hankkiminen

recreate [ˌriːkriˈeɪt] v herättää (uudelleen) henkiin, elvyttää

recreation [ˌrekriˈeɪʃən] s virkistys, rentoutuminen, vapaa-aika, (vapaa-ajan) harrastus

recreational adj vapaa-ajan

recruit [rɪˈkruːt] s alokas; uusi jäsen/työntekijä/tulokas

2 **recruit** v värvätä (sotilaita, työntekijöitä palvelukseen)

recruitment s (sotilaiden, jäsenten) värväys, (jäsenten) kalastus (kuv)

rectal [rektəl] adj peräsuolen, peräsuoli-

rectangle [ˈrekˌtæŋgəl] s suorakaide, suorakulmio

rectangular [rekˈtæŋgələr] adj suorakulmion muotoinen, suorakulmainen

rectify [ˈrektɪˌfaɪ] v oikaista, korjata (virhe, vääryys)

rectitude [ˈrektɪˌtjuːd] s oikeudenmukaisuus

rector [rektər] s 1 (usk) pappi 2 (yliopiston, collegen) rehtori

rectory [rektəri] s pappila

rectum [rektəm] s (mon rectums, recta) peräsuoli

recuperate [rɪˈkuːpəˌreɪt] v toipua, parantua, olla toipilaana

recuperation [rɪˌkuːpəˈreɪʃən] s toipuminen, parantuminen, tervehtyminen

recur [rɪˈkər] v uusiutua, tapahtua uudestaan, toistua, palata (uudestaan) mieleen

recurrence s uusiutuminen, toistuminen

recurrent adj toistuva, uusiutuva; usein ilmenevä, yleinen

recurring adj toistuva, uusiutuva; usein ilmenevä, yleinen

recycle [riˈsaɪkəl] v kierrättää (jätteitä), käyttää uudestaan

recycling s (jätteiden) kierrätys

red [red] s 1 punainen (väri) to see red nähdä punaista 2 (ark) vasemmistolainen, punainen 3 (ark) miinuksen puoli the company has been in the red for years yritys on tuottanut tappiota vuosikausia adj punai-

nen (myös poliittisesti) to paint the town red ottaa ilo irti elämästä, pitää hauskaa, rellestää

red alert s yleishälytys

red carpet to get the red carpet treatment saada ruhtinaallinen kohtelu to roll out the red carpet ottaa joku avosylin vastaan

redden v punastua, muuttua/muuttaa punaiseksi

reddish adj puntertava, punakka

redecorate [riˈdekəˌreɪt] v uusia (asunnon ym) sisustus, vaihtaa tapetit

redeem [rɪˈdiːm] v 1 lunastaa (myös lupaus) 2 maksaa (velka) 3 korvata (vika, puute) 4 (usk) vapahtaa

redemption [rɪˈdempʃən] s 1 lunastaminen, lunastus 2 (velan) maksaminen 3 pelastus good manners were his redemption hyvät tavat olivat hänen pelastuksensa 4 (usk) vapahdus, vapautus

red herring s (kuv) harhautus(yritys), hämäys

red light s punainen (liikenne)valo (myös kuv:) kielto

red-light district s ilotalokortteli, punalyhtykortteli

redolent [redələnt] adj 1 hyvänhajuinen, hyvältä tuoksuva 2 redolent of joka haisee/tuoksuu joltakin 3 redolent of joka muistuttaa jotakin

1 **redress** [rɪˈdres] s (vääryyden) oikaisu, korjaus; korvaus, hyvitys

2 **redress** v 1 oikaista, korjata (vääryys); korvata, hyvittää 2 palauttaa tasapainoon, oikaista

red tape s (ark kuv) paperisota, byrokratia

reduce [rɪˈdjuːs] v 1 vähentää, supistaa, pienentää, laskea, alentaa to reduce speed hidasta/hiljennä vauhtia, ajaa hiljempää to reduce prices alentaa/laskea hintoja 2 saattaa johonkin tilaan: the terrible news reduced me to silence ikävä uutinen sai minut vaikenemaan

reduction [rɪˈdʌkʃən] s 1 väheneminen, vähennys, lasku a reduction of prices/taxes hintojen/verojen lasku ladies and gentlemen, we have just experienced a reduction in the number of wings hyvät matkustajat, koneestamme on juuri hävinnyt toinen siipi *he gave me a reduction of ten percent* hän antoi minulle kymmenen prosentin alennuksen **2** supistaminen, tiivistys, alentaminen, aleneminen *his reduction to indigence* hänen täydellinen köyhtymisensä **3** (jäljennöksestä) pienennös

redundancy [rɪ'dʌndənsi] *s* **1** tarpeettomuus **2** liikasanaisuus, monisanaisuus **3** (UK) irtisanominen *five nurses are facing redundancy* viisi sairaanhoitajaa irtisanotaan

redundant [rɪ'dʌndənt] *adj* **1** tarpeeton, ylimääräinen **2** (tyyli) liikasanainen

reduplicate [rɪ'dupli,keɪt] *v* **1** toistaa **2** jäljentää

reduplication [rɪ,dupli'keɪʃən] *s* **1** toisto **2** jäljennös

reed [riːd] *s* **1** ruoko **2** (ruokolehtisoittimen) ruokolehti, (urkujen) kieli **3** ruokolehtisoitin

reef [riːf] *s* (hiekka-, kallio- tai koralli)riutta

1 reek [riːk] *s* **1** löyhkä, lemu **2** höyry, savu

2 reek *v* **1** löyhkätä, lemuta, haista **2** höyrytä, savuta

1 reel [riːəl] *s* kela *off the reel* lakkaamatta, taukoamatta, keskeytyksettä; heti, välittömästi

2 reel *v* kelata, (kalastuksessa) kelastaa

reel off *v* lasketella (juttua)

reel-to-reel *adj* (nauhuri ym) avokela-, kelareentter [rɪ'entər] *v* palata jonnekin/jonkin pariin *after his illness, the senator reentered public life* senaattori palasi sairautensa jälkeen julkisuuteen *the spacecraft reentered atmosphere* avaruusalus palasi Maan ilmakehään

reentry [rɪ'entri] *s* jonnekin palaaminen; (avaruusaluksen) saapuminen (takaisin) ilmakehään

reexamine [,riəg'zæmən] *v* **1** tutkia uudelleen **2** (laki) kuulustella (todistajaa) uudelleen

refectory [rɪ'fektəri] *s* (opiskelija- ym) ruokala

refer [rɪ'fər] *v* **1** viittata johonkin (to) **2** ohjata/siirtää (asian jonkun käsiteltäväksi), opastaa (jokun jonkun luo)

1 referee [,refə'riː] *s* (urh) tuomari: (jääkiekossa) erotuomari, (vesipallossa) pelituo-

mari, (amerikkalaisessa jalkapallossa, judossa) päätuomari

2 referee *v* (urh ja kuv) toimia/olla tuomarina

1 reference [refrəns] *s* **1** viittaus, viite, vihjaus, maininta *in/with reference to something* jotakin koskien **2** (työ)todistus, suositus

2 reference *v* varustaa (kirja tms) viitteillä/viittauksilla

reference book *s* hakuteos

referendum [,refə'rendəm] *s* (mon referendums, referenda) kansanäänestys

referral [rɪ'fərəl] *s* **1** viittaus, viite **2** jonkun puheille ohjattu henkilö, esim lähetteen saanut potilas

refill [rifil] *s* toinen kahvikuponen (samaan hintaan)

refill [ri'fil] *v* täyttää (uudestaan)

refine [rɪ'faɪn] *v* **1** jalostaa, puhdistaa, raffinoida **2** kehittää, kohentaa, parantaa (tapoja, taitoa)

refined *adj* **1** jalostettu, puhdistettu, raffinoitu **2** (käytös, maku) hienostunut, hieno

refinement *s* **1** jalostus, puhdistus, raffinointi **2** hienostuneisuus, sivistyneisyys **3** parannus

refinery [rɪ'faɪnəri] *s* jalostamo

reflect [rɪ'flekt] *v* **1** heijastaa, kuvastaa *her picture was reflected in the window* hänen kuvansa peilautui ikkunasta **2** harkita, pohtia, miettiä

reflection [rɪ'flekʃən] *s* **1** heijastus, kuva, peilautuminen, peilikuva **2** harkinta, pohdinta; mietelmä

reflective [rɪ'flektɪv] *adj* **1** heijastava **2** ajattelu- **3** mietteliäs, hiljainen, vakava

reflector [rɪ'flektər] *s* **1** heijastin **2** peilikaukoputki

reflex [rifleks] *s* refleksi, heijaste

reflexive *adj* (kieliopissa) refleksiivi-, refleksiivinen

reflexive pronoun *s* (kieliopissa) refleksiivipronomini

reflexive verb *s* (kieliopissa) refleksiiviverbi

reforest [rɪ'fɔrəst] *v* istuttaa uutta metsää jonnekin, metsittää (uudestaan)

reforestation [ˌrifɔrəsˈteɪʃən] *s* metsitys, metsän istutus

1 reform [rɪˈfɔːm] *s* uudistus, parannus

2 reform *v* uudistaa, parantaa; tehdä parannus, parantaa tapansa

re-form *v* muodostaa/koota/järjestää uudelleen

reformation [ˌrefərˈmeɪʃən] *s* **1** uudistaminen, uudistus, parannus **2** *Reformation* uskonpuhdistus

reformatory [rəˈfɔːmətɔri] *s* koulukoti

reformer *s* **1** uudistaja, uudistusmielinen ihminen **2** *Reformer* uskonpuhdistaja

reformist *s* **1** uudistaja, uudistusmielinen ihminen **2** reformoidun kirkon jäsen, reformoitu *adj* uudistusmielinen, uudistuksellinen

reform school *s* koulukoti

refraction [rɪˈfrækʃən] *s* refraktio, valon taittuminen

1 refrain [rɪˈfreɪn] *s* kertosäe

2 refrain *v* ei tehdä jotakin (from), hillitä itsensä, pidättäytyä jostakin

refresh [rɪˈfreʃ] *v* virkistää, piristää, vahvistaa, voimistaa

refreshing *adj* virkistävä, piristävä

refreshment *s* **1** virvoke **2** virkistys, elvytys, piristys

refrigerate [rɪˈfrɪdʒəˌreɪt] *v* jäähdyttää, pitää/säilyttää kylmässä

refrigeration [rɪˌfrɪdʒəˈreɪʃən] *s* jäähdytys, kylmässä säilytys

refrigerator [rɪˈfrɪdʒəˌreɪtər] *s* jääkaappi

refuel [rɪˈfjuəl] *v* tankata, ostaa/ottaa (lisää) polttoainetta

refuelling *s* tankkaus, polttoainetäydennys

refuge [refjuːdʒ] *s* pakopaikka, suoja(paikka), turva(paikka)

refugee [ˈrefjuˌdʒi] *s* pakolainen

refund [rɪfʌnd] *s* takaisinmaksu, korvaus, hyvitys *no refunds* (myymälässä): ostettuja tavaroita ei voi palauttaa

refund [rɪˈfʌnd] *v* antaa (esim ostoksesta) rahat takaisin, maksaa takaisin, korvata (kulut)

refurbish [rɪˈfɜːbɪʃ] *v* sisustaa uudestaan, remontoida, kohentaa jonkin ilmettä

refusal [rɪˈfjuːzəl] *s* kieltäytyminen, hylkääminen, kielteinen vastaus

refuse [refjuːz] *s* jäte, jätteet, roskat

refuse [rɪˈfjuːz] *v* kieltäytyä, ei suostua, ei myöntää, vastata kieltävästi *he was refused entry to the factory* häntä ei päästetty tehtaaseen

refutation [ˌrefjəˈteɪʃən] *s* (väitteen) kumoaminen, vääräksi/perättömäksi osoittaminen

refute [rɪˈfjut] *v* kumota, osoittaa vääräksi/perättömäksi

regain [rɪˈɡeɪn] *v* saada takaisin *has she regained consciousness?* onko hän tullut/palannut tajuihinsa? *he has regained all the weight he lost when dieting* hän on lihonut laihdutuskuurin jälkeen entiselleen

regal [riɡəl] *adj* kuninkaallinen (myös kuv) ylellinen, ruhtinaallinen

regalia [rəˈɡeɪliə rəˈɡeɪljə] *s* (mon) **1** kruunukalleudet; arvonmerkit *in full regalia* (kuv) kaikessa loistossaan, koko komeudessaan **2** kruununoikeudet

1 regard [rəˈɡɑːd] *s* **1** katse **2** *in/with regard to* something jotakin koskien **3** (mon) terveiset *give them my regards* sano heille terveisiä minulta

2 regard *v* **1** katsoa **2** suhtautua johonkuhun/johonkin tietyllä tapaa, pitää jotakuta/jotakin jonakin *he was regarded as something of a charlatan* häntä pidettiin huijarina **3** *as regards* jotakin koskien, mitä johonkin tulee

regarding *prep* jotakuta/jotakin koskien *regarding her divorce, the movie star said nothing* filmitähti ei puhunut lainkaan avioerostaan

regardless *adv* silti, jostakin/kaikesta huolimatta, joka tapauksessa

regardless of *adj* jotakin piittaamatta/huolimatta/välittämättä

regatta [rɪˈɡætə] *s* purjehduskilpailu, soutukilpailu, regatta

regency [ridʒənsi] *s* sijaishallitus

regenerate [rɪˈdʒenəreɪt] *v* elvyttää, elpyä, uudistaa, uudistua, uudentua, eheyttää, eheytyä

regeneration [rɪˌdʒenəˈreɪʃən] s elvytys, el-
pyminen, uudistaminen, uudistuminen

regent [rɪdʒənt] s 1 sijaishallitsija, regentti
2 hallitsija

reggae [regeɪ] s reggae(musiikki)

regime [rəˈʒiːm] s 1 hallitusmuoto, valtio-
muoto, järjestelmä 2 hallitus, maan johto

regimen [redʒəmən] s (lääk) kuuri, hoito
1 **regiment** [redʒəmənt] s (sot) rykmentti
2 **regiment** v 1 kohdella ankarasti, pitää ko-
vassa kurissa 2 jakaa ryhmiin/(sot) ryk-
mentteihin

regimentals [ˌredʒɪˈmentəlz] s (mon) ryk-
mentin univormu

regimentation [ˌredʒɪmənˈteɪʃən] s ankara
kuri(npito), sotilaallisen tiukka järjestys,
tiukka säännöstely

region [rɪdʒən] s 1 alue, seutu, (kuv) ala
2 (kuv) ulottuvuudet

regional adj alueellinen, paikallinen, paikal-
lis-

1 **register** [redʒəstər] s 1 rekisteri, luettelo
parish register kirkonkirjat 2 *cash register*
kassakone 3 (soittimen) äänikerta; (ihmi-
sen, soittimen) ääniala 4 (jonkin erikois-
alan tai tietyissä tilanteissa käytetty) kieli

2 **register** v 1 kirjata, merkitä kirjoihin/muis-
tiin, luetteloida, rekisteröidä 2 ilmoittau-
tua; ottaa ilmoittautuminen vastaan 3 kir-
jata (postilähetys) 4 (mittari tms) näyttää
(jotakin lukemaa) 5 kasvonilmeestä: *joy
registered on her face* hänen kasvonsa kir-
kastuivat ilosta

registrar [redʒɪsˌtrɑːr] s kirjaaja, reistraattori

registration [ˌredʒɪsˈtreɪʃən] s 1 kirjaaminen,
rekisteröinti, kirjoihin/luetteloon merkit-
seminen, ilmoittautuminen 2 rekisteriote

registry [redʒɪstri] s 1 kirjaamo 2 kirjaami-
nen, rekisteröinti

1 **regret** [rɪˈgret] s 1 katumus, paha mieli, pa-
hoittelu *to have regrets* katua 2 (mon) koh-
telias (kutsusta) kieltäytyminen

2 **regret** v katua, pahoitella, surra, valittaa

regretful adj pahoitteleva, joka on pahoillaan

regrettable adj valitettava, ikävä

regular [regjələr] s 1 kanta-asiakas 2 ammat-
tisotilas adj 1 säännöllinen, tasasuhtainen
at regular intervals tasaisin välein 2 taval-

linen, normaali 3 vakinainen, vakio-,
kanta- 4 (ark) varsinainen, melkoinen *he's
a regular idiot* hän on varsinainen idiootti
5 (kokous) sääntömääräinen 6 (kieliopis-
sa: taivutukseltaan) säännöllinen 7 (sot)
vakinainen, ammatti-

regularity [ˌregjəˈlerəti] s säännöllisyys (ks
regular)

regularize [regjələˌraɪz] v 1 säännöstellä
2 normalisoida, rauhoittaa (tilanne)

regularly adv 1 säännöllisesti, tasaisesti, ta-
saisin välein 2 yleensä, tavallisesti

regulate [regjəˌleɪt] v säätää, ohjata; puuttua
johonkin

regulation [ˌregjəˈleɪʃən] s 1 säätäminen,
säätö, säännöstely 2 määräys, ohje adj
sääntöjen määräämä

regurgitate [rɪˈɡɜːdʒəˌteɪt] v 1 märehtiä; ok-
sentaa 2 syöksyä, syöstä takaisin, pärskyt-
tää, pärskyä takaisin 3 (kuv) märehtiä, jau-
haa, toistaa

regurgitation [rɪˌɡɜːdʒəˈteɪʃən] s märehtimi-
nen; oksentaminen

rehabilitate [ˌriːəˈbɪləˌteɪt] v 1 kuntouttaa,
kuntoutua 2 palauttaa (esim vankeuden
jälkeen) yhteiskunnan jäseneksi 3 elvyttää
(liikeyritys); korjata kuntoon 4 antaa jolle-
kulle entinen arvo/entiset oikeudet takaisin

rehabilitation [ˌriːəˌbɪləˈteɪʃən] s 1 kuntoutus
2 yhteiskuntaan palauttaminen/palauttami-
nen 3 arvon/oikeuksien palautus

rehash [riːˈhæʃ] v käyttää (vanhaa aineistoa)
uudestaan

rehearsal [rəˈhɜːsəl] s 1 (näytelmän, musiik-
kiesityksen) harjoitus, harjoitukset 2 har-
joittelu, harjoitteleminen 3 luetteleminen,
hokeminen

rehearse [rɪˈhɜːs] v 1 harjoitella (näytelmää,
musiikkiesitystä) 2 luetella, hokea

1 **reign** [reɪn] s 1 hallituskausi 2 (kuninkaan)
valta

2 **reign** v hallita; vallita

reimburse [ˌriːəmˈbɜːs] v korvata, hyvittää,
maksaa takaisin

reimbursement s korvaus, hyvitys

rein [reɪn] s 1 (us mon) ohjakset 2 (kuv)
ohjakset, suitset, valta *to give free rein to
someone* antaa jollekulle vapaat kädet

reincarnation [ˌriːɪnkɑːˈneɪʃ ən] s jälleensynty-
minen, uudestisyntyminen, reinkarnaatio

reindeer ['reɪnˌdɪər] s (mon reindeer) poro

reinforce [ˌriːɪnˈfɔːs] v 1 vahvistaa lujittaa, tu-
kea, kannattaa; lisätä, kasvattaa 2 (psyko-
logiassa) vahvistaa

reinforcement [ˌriːɪnˈfɔːsmənt] s 1 vahvista-
minen, lujittaminen, tuki, kannatus
2 (mon) vahvistukset, lisäjoukot 3 (psyko-
logiassa) vahvistaminen

reinstate [ˌriːɪnˈsteɪt] v palauttaa entiseen ase-
maansa/virkaansa, palauttaa/saattaa uudel-
leen voimaan

reinstatement s aseman/oikeuksien palautus,
uudelleen voimaan saattaminen

reiterate [riːˈɪtəˌreɪt] v toistaa

reiteration [riˌɪtəˈreɪʃ ən] s toisto

reject [rɪˈdʒekt] s hylätty (kappale, tuote ym)

reject [rɪˈdʒekt] v 1 hylätä, ei hyväksyä; ei
suostua (tarjoukseen), ei antaa lupaa, vas-
tata kieltävästi 2 (lääk) hylkiä (siirrän-
näistä)

rejection [rɪˈdʒekʃ ən] s hylkääminen, hyl-
käys, kielteinen vastaus

rejoice [rɪˈdʒɔɪs] v iloita jostakin (in), tehdä
iloiseksi

rejoicing s 1 ilakointi, ilonpito 2 ilo

rejuvenate [rɪˈdʒuːvəˌneɪt] v nuorentaa, elvyt-
tää, virkistää, piristää

rejuvenation [rɪˌdʒuːvəˈneɪʃ ən] s nuorentumi-
nen, nuorentaminen, virkistys, piristys

1 relapse [rɪˈlæps] s 1 (lääk) taudin uusiutu-
minen/pahentuminen 2 takaisku, taka-
pakki (ark), vastoinkäyminen

2 relapse v 1 (lääk) (taudista) uusiutua, pa-
hentua 2 kokea takaisku, saada takapakkia
(ark), langeta (uudestaan)

relate [rɪˈleɪt] v 1 kertoa 2 yhdistää, yhdistyä,
liittää/liittyä toisiinsa 3 ymmärtää *I can't
relate to what you're experiencing* en osaa
samastua tilanteeseesi

related adj 1 joka on sukua jollekulle 2 joka
liittyy johonkin *related languages* suku-
laiskielet

relation [rɪˈleɪʃ ən] s 1 sukulainen 2 (ihmis-,
liike- tai muu) suhde; yhteys 3 *in/with re-
lation to something* jotakin koskien, jo-
honkin liittyen

relationship s 1 (ihmis-, liike- tai muu)
suhde, yhteys 2 sukulaisuus 3 rakkaus-
suhde

relative [relətɪv] s 1 sukulainen *adj* 1 suhteelli-
nen 2 *relative to* jotakin koskeva; johonkin
verrattuna 3 *the relative merits of apples
and oranges* omenoiden ja appelsiinien
edut (toisiinsa verrattuna)

relatively adv verraten, suhteellisen, aika,
melko *relatively speaking* suhteellisen,
suhteellisesti

relativity [ˌreləˈtɪvəti] s suhteellisuus *Ein-
stein's general/special theory of relativity*
Einsteinin yleinen/erityinen suhteellisuus-
teoria

relax [rɪˈlæks] v rentoutua, rentouttaa, ottaa
rennosti, lakata pingottamasta *he relaxed
his grip on me* hän hellitti otteensa minusta

relaxation [ˌriːlækˈseɪʃ ən] s lepo, rentoutumi-
nen; (otteen ym) hellittäminen

relaxed adj rento, rauhallinen, letkeä

relaxing adj rentouttava

relay [riːleɪ] s 1 (työ)vuoro, (vartiossa) vaihto
2 (urh) viestinjuoksu 3 (sähkö) rele

relay [riːˈleɪ] v relaid, relaid: välittää eteen-
päin

relay race s viestinjuoksu

1 release [rɪˈliːs] s 1 vapautus, vapauttaminen
2 laukaisu, irrotus, heitto 3 laukaisin, irro-
tin 4 julkistus, julkaiseminen *press release*
lehdistötiedote

2 release v 1 vapauttaa, päästää/laskea va-
paaksi 2 laukaista, irrottaa, heittää, päästää
irti 3 julkistaa, ilmoittaa julkisesti

relegate [reləˌgeɪt] v 1 määrätä/komentaa
(alempiarvoiseen) tehtävään, alentaa 2 de-
legoida/siirtää (tehtävä) jollekulle 3 luoki-
tella (johonkin kuuluvaksi)

relent [rɪˈlent] v antaa periksi, (kipu) hellittää

relentless adj armoton, säälimätön, hellittä-
mätön

relentlessly adv armottomasti, säälimättö-
mästi, hellittämättä

relevance [reləvəns] s tärkeys, olennaisuus
*his education has no relevance to this mat-
ter* hänen koulutuksellaan ei ole mitään
tekemistä tämän asian kanssa

relevant [relǝvǝnt] *adj* asiaan kuuluva, asianomainen, olennainen, tärkeä

reliability [rɪ,laɪǝ'bɪlǝti] *s* luotettavuus

reliable [rɪ'laɪǝbǝl] *adj* luotettava

reliance [rɪ'laɪǝns] *s* luottamus

reliant [rɪ'laɪǝnt] *adj* **1** riippuvainen jostakin (on) **2** luottavainen

relic [relɪk] *s* **1** muinaisjäännös; (usk) pyhäinjäännös **2** jäännös, jäänne (menneiltä ajoilta) **3** (ark kuv) kalkkiutunut ihminen; autonromu yms

relief [rɪ'li:f] *s* **1** (kivun) helpotus **2** apu, avustus **3** vaihtelu **4** (vartiossa) vaihto, (työssä: seuraava) (työ)vuoro **5** (taide) reliefi, kohokuva, korkokuva

relieve [rɪ'li:v] *v* **1** helpottaa (kipua, oloa), lievittää, vähentää, purkaa (jännitystä) **2** auttaa, avustaa **3** vaihtaa (vartio) **4** vapauttaa joku jostakin (of)

religion [rɪ'lɪdʒǝn] *s* uskonto *that was when he got religion* (ark kuv) silloin hän innostui asiasta tosissaan, silloin hän tuli uuteen uskoon

religious [rǝ'lɪdʒǝs] *adj* **1** uskonnollinen, uskonnon, uskon-, hengellinen **2** hurskas **3** (kuv) tunnollinen, tunnontarkka

relinquish [rǝ'lɪŋkwɪʃ] *v* **1** luopua (esim vallasta, hankkeesta) **2** hellittää (ote), päästää irti

1 relish [relɪʃ] *s* **1** nautinto, ilo *I have no relish for violent movies* väkivaltaelokuvat eivät ole minun makuuni **2** relissi; pikkelssi

2 relish *v* nauttia jostakin, pitää, olla iloinen jostakin

relocate [rɪ'lǝʊkeɪt] *v* (erityisesti liikeyrityksestä) muuttaa, siirtyä (toiseen toimipaikkaan)

reluctance [rɪ'lʌktǝns] *s* vastahakoisuus, haluttomuus, innottomuus

reluctant [rɪ'lʌktǝnt] *adj* vastahakoinen, haluton, innoton

rely [rɪ'laɪ] *v* luottaa johonkuhun/johonkin *we rely on you to bring the beer* odotamme että sinä tuot oluen

remain [rɪ'meɪn] *v* **1** olla jäljellä, jäädä jäljelle **2** jäädä jonnekin, pysyä/pysytellä jossakin

remainder [rɪ'meɪndǝr] *s* **1** jäännös, loput jostakin *for the remainder of the month, you'll have to live on bread and water* sinun pitää tulla kuukauden loppuun asti toimeen pelkällä vedellä ja leivällä **2** (mat) jäännös, jakojäännös

remains [rɪ'meɪnz] *s* (mon) jäännökset, jäänteet *his earthly remains* hänen maalliset jäännöksensä

1 remark [rɪ'mɑːk] *s* huomautus

2 remark *v* huomauttaa, mainita, sanoa *to remark on* huomauttaa jotakin, kommentoida jotakin

remarkable *adj* huomattava, merkittävä, huomion arvoinen, harvinainen

remedial [rǝ'miːdɪǝl] *adj* apu-, tuki- *remedial teaching* tukiopetus

1 remedy [remǝdi] *s* lääke (myös kuv)

2 remedy *v* (lääk, kuv) parantaa, korjata, oikaista

remember [rǝ'membǝr rɪ'membǝr] *v* **1** muistaa *I can't remember my name* olen unohtanut oman nimeni *remember to lock up when you go* muista lukita lähtiessäsi ovet **2** sanoa terveisiä joltakulta *remember me to your lovely wife* sano terveisiä vaimollesi

remembrance [rǝ'membrǝns rɪ'membrǝns] *s* **1** muisto **2** muistoesine

remind [rɪ'maɪnd] *v* muistuttaa *you remind me of your father* sinä muistutat isääsi *remind him to buy some milk* muistuta häntä että hänen pitää ostaa maitoa

reminder *s* muistutus, kehotus, muistilappu tms

reminisce [,remǝ'nɪs] *v* muistella (menneitä)

reminiscence [,remǝ'nɪsǝns] *s* muistelu, muistelo, muisto

reminiscent of [,remǝ'nɪsǝnt] *to be reminiscent of* muistuttaa jotakin, tuoda mieleen jotakin

remiss [rɪ'mɪs] *adj* huolimaton *to be remiss in your duties* laiminlyödä velvollisuuksiaan

remission [rɪ'mɪʃǝn] *s* **1** armahdus, anteeksianto, vapautus (rangaistuksesta) **2** herpaantuminen, lasku, väheneminen, heikkeneminen **3** (taudin väliaikainen tai lopullinen) hellittäminen, lieveneminen

remit [rɪˈmɪt] *v* **1** lähettää/suorittaa maksu **2** armahtaa, vapauttaa (rangaistuksesta) **3** herpaantua, vähetä, laskea, heiketä

remittance [rɪˈmɪtəns] *s* **1** maksu **2** maksun suoritus/lähettäminen

remnant [remnənt] *s* jäännös, jäänne

remonstrate [ˈremənˌstreɪt] *v* esittää vastalause, protestoida

remorse [rɪˈmɔːs] *s* katumus

remorseful *adj* katuva

remorseless *adj* katumaton, paatunut, säälimätön

1 remote [rəˈməut] *s* kaukosäädin

2 remote *adj* (ajasta, tilasta, kuv) kaukainen, etäinen, syrjäinen *remote chance* vähäinen mahdollisuus

remotely *adv* remotely located joka sijaitsee syrjäseudulla *he was not even remotely interested* hän ei ollut alkuunkaan kiinnostunut asiasta

remove [rɪˈmuːv] *v* **1** poistaa, siirtää (pois), irrottaa, riisua (yltään) **2** tehdä loppu jostakin, kitkeä pois, ratkaista (ongelma) **3** erottaa (virasta tms)

removed *adj* kaukainen, etäinen, syrjäinen *your idea of scholarly research is far removed from mine* sinulla on aivan toisenlainen käsitys akateemisesta tutkimuksesta kuin minulla **2** *first cousin once removed* serkun lapsi *first cousin twice removed* serkun lapsenlapsi

remunerate [rɪˈmjuːnəreɪt rəˈmjuːnəreɪt] *v* **1** korvata (vaiva, työ), maksaa (palkkio), hyvittää **2** kannattaa, maksaa vaivan

remuneration [rɪˈmjuːnəˈreɪʃən rəˈmjuːnəreɪʃən] *s* korvaus, palkkio, palkka, maksu

remunerative [rɪˈmjuːnərətɪv rəˈmjuːnərətɪv] *adj* tuottoisa, kannattava

Renaissance [ˈrenəˌsɑːns] *s* renessanssi

renal [riːnəl] *adj* munuaisten, munuais-

render [rendər] *v* **1** tehdä jotakin **2** tehdä joksikin *the blow rendered him helpless* isku teki hänestä puolustuskyvyttömän **3** tulkita (runo ym), esittää, kuvata **4** kääntää (toiselle kielelle)

rendering *s* **1** tulkinta, esitys, kuvaus **2** käännös **3** kuva, piirros *that is an artist's rendering of life on the moon* tämä on taiteilijan näkemys elämästä kuussa

1 rendezvous [ˈrɑːndəˌvuː] *s* kohtaaminen, tapaaminen

2 rendezvous *v* kohdata, tavata jossakin, kokoontua jonnekin

renegade [ˈreniˌɡeɪd] *s* luopio

renege on [rəˈniːɡ] *v* syödä sanansa, perua puheensa, ei pitää lupaustaan

renew [rɪˈnuː] *v* **1** uusia p *he did not renew his subscription* hän ei uudistanut lehden tilausta **2** täydentää (varastoa)

renewal [rɪˈnuːəl] *s* uusiminen

renounce [rɪˈnauns] *v* luopua jostakin, kääntää selkänsä jollekin; kieltää, hylätä, ei tunnustaa omakseen

renovate [ˈrenəˌveɪt] *v* uudistaa, korjata, entistää

renovation [ˌrenəˈveɪʃən] *s* korjaus, entistys

renown [rɪˈnaun] *s* (hyvä) maine

renowned *adj* maineikas, kuuluisa

1 rent [rent] *s* **1** vuokra *for rent* (kyltissä, ilmoituksessa) vuokrattavana **2** repeämä, halkeama, lohkeama **3** erimielisyys, kiista, kina, riita

2 rent *v* **1** vuokrata, antaa vuokralle **2** vuokrata, ottaa vuokralle

rental [rentəl] *s* **1** vuokra(maksu) **2** vuokra-auto, vuokra-asunto, vuokratalo

rent out *v* vuokrata, antaa vuokralle

renunciation [rɪˌnʌnsɪˈeɪʃən] *s* jostakin luopuminen; jonkin kieltäminen/hylkääminen

reopen [rɪˈəupən] *v* **1** avata uudestaan *reopen negotiations* jatkaa neuvotteluja **2** ottaa uudestaan puheeksi/esille

reorganization [riˌɔːɡənaɪˈzeɪʃən] *s* uudelleenjärjestely

reorganize [riˈɔːɡənaɪz] *v* järjestää uudelleen

1 repair [rəˈpeər] *s* (yl mon) korjaus

2 repair *v* **1** korjata **2** korvata, hyvittää **3** mennä/lähteä jonnekin

reparations [ˌrepəˈreɪʃənz] *s* (mon) sotakorvaukset

repartee [ˌrepɑːˈteɪ repɑːˈtiː] *s* **1** sanallinen miekkailu, sutkailu **2** terävä/piikikäs/nokkela vastaus, sutkaus

repatriate [ri'peɪtriˌeɪt] v lähettää/palauttaa kotimaahansa

repatriation [riˌpeɪtri'eɪʃən] s kotimaahan palauttaminen/lähettäminen

repay [ri'peɪ] v repaid, repaid: maksaa takaisin, korvata, hyvittää; kostaa

repayment s takaisin maksu, palkka (kuv)

repeal [rə'piəl] v kumota (laki)

1 repeat [ri'piːt] s (tv, radio) uusinta(lähetys)

2 repeat v **1** toistaa repeat after me toistakaa perässäni **2** uusia, tehdä uudestaan jotakin **3** to repeat on someone saada joku röyhtäisemään, röyhtäyttää

repeated adj toistuva, uusiutuva

repeatedly adv toistuvasti, usein, monta kertaa I have repeatedly told you not to lie minä olen jo useamman kerran kieltänyt sinua valehtelemasta

repel [ri'pel] v **1** pakottaa (vihollinen) perääntymään; torjua (hyökkäys) **2** tyrmätä, hylätä, torjua (ehdotus) **3** karkottaa, ajaa takaisin/pois, hylkiä this lotion repels mosquitoes tämä voide pitää hyttyset loitolla to repel water olla vettä hylkivä like poles repel (magneetin) samat navat hylkivät toisiaan **4** kuvottaa, inhottaa, olla jollekulle vastenmielistä

repellent [rə'pelənt] s hyttysvoihde, hyttyssuihke, hyttysmyrkky adj vastenmielinen, inhottava, kuvottava

repent [ri'pent] v katua, surra (tekoaan)

repentance [ri'pentəns] s katumus

repentant [ri'pentənt] adj katuva

repercussion [ˌriːpər'kʌʃən] s **1** seuraus, vaikutus **2** kimpoaminen, ponnahdus, kilpistyminen **2** kaiku

repertoire ['repərˌtwɑː] s ohjelmisto

repetition [ˌrepə'tɪʃən] s toisto, kertaus

repetitious [ˌrepə'tɪʃəs] adj samaa/itseään toistava, yksitoikkoinen, pitkäveteinen

repetitive [rə'petətɪv] adj samaa/itseään toistava, yksitoikkoinen, pitkäveteinen

replace [ri'pleɪs] v **1** panna/asettaa takaisin **2** korvata, vaihtaa, panna/mennä/astua jonkun tilalle

replenish [ri'plenɪʃ] v täydentää (varastoa) may I replenish your glass saanko kaataa sinulle lisää?

replete [ri'pliːt] to be replete with something jossakin vilisee jotakin, jokin paikka pursuu/on täynnä jotakin

replica [replɪkə] s jäljennös

1 reply [ri'plaɪ] s vastaus

2 reply v vastata

1 report [ri'pɔːt rə'pɔːt] s **1** selonteko, selostus, selvitys, tiedonanto, raportti, reportaasi **2** huhu, juoru **3** pamahdus, paukahdus, paukaus, laukaus (ääni) **4** maine

2 report v **1** ilmoittautua **2** selostaa, selvittää, ilmoittaa, kertoa, raportoida

reportedly adj kuulemma, kertoman mukaan

reporter s **1** (tv, radio, lehdistö) toimittaja, reportteri, kirjeenvaihtaja **2** (oikeudessa ym) pikakirjoittaja

1 repose [ri'pəʊz] s **1** lepo; uni **2** rauha

2 repose v levätä

repossess [ˌriːpə'zes] v ulosmitata, ulosottaa

represent [ˌreprɪ'zent] v edustaa, esittää, kuvastaa

representation [ˌreprɪzən'teɪʃən] s **1** kuvaus, piirros, esitys product representation tuote-esittely **2** edustus, edustaminen no taxation without representation (hist) ei verotusta ilman kansanedustusta

representative [ˌreprɪ'zentətɪv] s **1** (kaupallinen) edustaja, (oikeudessa) edustaja, asiamies, valtuutettu, kansanedustaja, (US:) edustajainhuoneen jäsen **2** esimerkki jostakin (of) adj **1** edustava, tyypillinen **2** edustajain-, (kansan)edustus-

repress [ri'pres] v tukahduttaa (vastarinta, tunteensa); alistaa, sortaa

repression [ri'preʃən] s **1** tukahduttaminen, alistaminen, sorto **2** (psykoanalyysissä) tukahduttaminen, repressio

repressive [ri'presɪv] adj tukahduttava, alistava, sortava, kehitystä estävä

1 reprieve [ri'priːv] s **1** (rangaistuksen) lykkäys **2** (kuv) hengähdystauko

2 reprieve v lykätä/siirtää (rangaistusta) myöhemmäksi

1 reprimand ['reprəˌmænd] s moite, nuhtelu, ojennus

2 reprimand v moittia, nuhdella, ojentaa

reprint [riːprɪnt] s **1** uusintapainos **2** eripainos

reprint [ri'prɪnt] *v* **1** julkaista uusintapainos **2** julkaista eripainos

reprisal [ri'praɪzəl] *s* **1** kosto(toimi) **2** repressaaliat (mon)

1 reproach [ri'prəutʃ] *s* moite *his behavior was beyond reproach* hän käyttäytyi moitteettomasti

2 reproach *v* moittia, syyttää

reproachful *adj* moittiva, syyttävä, tuomitseva

reproduce [ˌriprə'dus] *v* **1** jäljentää, monistaa, kopioida, toisintaa, toistaa **2** lisääntyä, jatkaa sukua

reproduction [ˌriprə'dʌkʃən] *s* **1** lisääntyminen, suvun jatkaminen **2** jäljentäminen, monistaminen, kopiointi; äänentoisto **3** jäljennös, jäljenne, kopio

reproductive [ˌriprə'dʌktɪv] *adj* lisääntymis-, suvunjatkamis-, sukupuoli-

reptile [reptaɪəl] *s* matelija

reptilian [rep'tɪlɪən] *adj* matelijan, matelija-

republic [ri'pʌblɪk] *s* tasavalta *the Republic of Finland* Suomen tasavalta

republican *s* **1** tasavaltalainen **2** *Republican* (US) republikaani(sen puoleen jäsen tai kannattaja) *adj* **1** tasavaltalainen **2** *Republican* republikaaninen

republicanism *s* **1** tasavaltalaisuus **2** *Republicanism* (US) republikaanisuus

repudiate [ri'pjudi,eɪt] *v* **1** kiistää (väite) **2** ei tunnustaa omakseen, kieltää, hylätä

repugnance *s* **1** vastenmielisyys, kuvottavuus **2** inho, vastenmielisyys

repugnant [ri'pʌgnənt] *adj* vastenmielinen, kuvottava

repulse [ri'pʌls] *v* **1** torjua (hyökkäys), pakottaa (vihollinen) perääntymään **2** olla jostakusta vastenmielinen, kuvottaa/inhottaa jotakuta

repulsion [ri'pʌlʃən] *s* **1** vastenmielisyys, kuvotus, inho **2** (fys) poistovoima

repulsive [ri'pʌlsɪv] *adj* **1** vastenmielinen, kuvottava, inhottava; luotaan työntävä **2** (fys) hylkivä, poistava

reputable [repjətəbəl] *adj* hyvämaineinen

reputation [ˌrepjə'teɪʃən] *s* maine

repute [ri'pjut] *s* maine *she is a woman of ill repute* hän on huonomaineinen nainen *v:*

to be reputed to be something olla jonkin maineessa

reputedly *adv* kuulemma, kertoman mukaan

1 request [ri'kwest] *s* pyyntö, toivomus *at my request* minun pyynnöstäni

2 request *v* pyytää, anoa

require [ri'kwaɪər] *v* **1** tarvita **2** vaatia, edellyttää

requirement [ri'kwaɪərmənt] *s* vaatimus, edellytys

requisite [rekwəzət] *s* välttämättömyys, tarvike, väline *adj* välttämätön; tarpeellinen

rerun *s* (televisiossa) uusinta

1 rescue [reskju] *s* pelastus, apu; vapautus

2 rescue *v* pelastaa; vapauttaa *the hostages were rescued by paratroopers* laskuvarjojoukot vapauttivat panttivangit

1 research [risərtʃ, 'rizərtʃ] *s* tutkimus *to conduct/carry out research* tutkia

2 research *v* tutkia, selvittää, perehtyä johonkin

researcher *s* tutkija

resemblance [ri'zenbləns] *s* yhdennäköisyys, samanlaisuus *they bear a close resemblance to one another* he muistuttavat toisiaan kovasti

resemble [ri'zembəl] *v* muistuttaa jotakuta/jotakin

resent [ri'zent] *v* paheksua jotakin, panna jotakin pahakseen, ei hyväksyä/pitää jostakin

resentful *adj* paheksuva, ärtynyt, harmistunut, kateellinen jostakin

resentment *s* paheksunta, ärtymys

reservation [ˌrezər'veɪʃən] *s* **1** varaus **2** varauma, rajoitus, epäily *do you have any reservations about selling your car?* etkä olekaan varma haluatko myydä autosi? **2** (paikan ym) varaus *she made reservations for three at the restaurant* hän varasi ravintolasta pöydän kolmelle **3** reservaatio, reservaatti

1 reserve [ri'zərv] *s* **1** varasto, vara *to keep something in reserve* säilyttää jotakin, pitää jotakin varalla **2** varaus, ehto, epäily *without reserve* varauksetta, suoraan, avoimesti **3** (mon, sot) reservi **4** rauhoitusalue, säästiö **5** pidättyvyys, viileys, etäisyys

reserve

2 reserve v **1** säästää (johonkin tarkoitukseen, voimia), lykätä (mielipiteensä esittämistä), pidättää (oikeus itsellään) **2** varata (paikka)

reserved adj **1** pidättyvä, viileä, etäinen **2** varattu (paikka ym)

reservoir [ˈrezəˌvwaːr] s **1** tekojärvi; vesiallas **2** (kuv) (runsas) varasto, (ehtymätön) lähde

reside [rɪˈzaɪd] v **1** asua jossakin **2** sijaita, olla jossakin

residence [ˈrezɪdəns] s **1** (erityisesti hieno) asunto, talo, koti **2** asuinpaikka **3** oleskelu

resident [ˈrezɪdənt] s **1** asukas **2** erikoistumisjaksoa sairaalassa suorittava apulaisääkäri **3** (diplomatiassa) residentti adj joka asuu/ toimii jossakin

residential [ˌrezɪˈdenʃəl] adj asuin- *residential area* asuntoalue

residual [rɪˈzɪdjuəl] s, adj jäännös(-)

residue [ˈrezɪˌdjuː] s jäännös

resign [rɪˈzaɪn] v **1** *to resign yourself to something* alistua, nöyrtyä johonkin **2** erota (työstä), luopua *the Secretary of State has resigned his office* ulkoministeri on eronnut (virastaan)

resignation [ˌrezɪgˈneɪʃən] s **1** alistuminen, nöyrtyminen **2** eroaminen, luopuminen

resilience [rɪˈzɪljəns] s **1** joustavuus, taipuisuus, notkeus **2** sitkeys, sinnikkyys

resilient [rɪˈzɪljənt] adj **1** joustava, taipuisa, notkea **2** sitkeä, sinnikäs, sisukas

resin [ˈrezən, ˈrezɪn] s hartsi

resist [rɪˈzɪst] v **1** vastustaa, panna vastaan *the only thing I cannot resist is temptation* ainoa asia jota en pysty vastustamaan on kiusaus **2** kestää, sietää, estää *the material does not resist water* kangas ei siedä vettä

resistance [rɪˈzɪstəns] s **1** vastustus, vastarinta (myös psykoterapiassa) **2** (sot) vastarintaliike **3** (lääk) vastustuskyky **4** (sähkö) (ohminen) vastus (ominaisuus ja osa)

resistant adj **1** kestävä **2** (lääk) vastustuskykyinen, immuuni

resolute [ˈrezəˌluːt] adj päättäväinen, määrätietoinen, luja

resolution [ˌrezəˈluːʃən] s **1** päätös, ratkaisu **2** päättäväisyys, määrätietoisuus, lujuus **3** (optiikassa ym) erottelukyky, tarkkuus **4** (tietok) erotuskyky, resoluutio

1 resolve [rɪˈzɒlv] v **1** päätös, ratkaisu **2** päättäväisyys, määrätietoisuus, lujuus

2 resolve v **1** päättää, tehdä päätös **2** ratkaista **3** hälventää (epäilys) **4** hajottaa, jakaa, hajota, jakaantua (osiin) **5** (optiikassa ym) erottaa, erotella, näyttää, näkyä

resonance [ˈrezənəns] s (äänen) kaikuminen; sointuvuus, täyteläisyys

resonant [ˈrezənənt] adj (ääni) kaikuva; sointuva, täyteläinen

resonate [ˈrezəˌneɪt] v (ääni) kaikua

resort [rɪˈzɔːt] s **1** lomakeskus, lomahotelli **2** pelastus, keino *as a last resort* viime hädässä, viimeisenä

resort to v **1** turvautua johonkin keinoon, ryhtyä johonkin **2** käydä usein jossakin

resound [rɪˈzaʊnd] v kaikua

resounding adj **1** (ääni) kaikuva, kova **2** (kuv) erinomainen, loistava (menestys)

resource [rɪˈsɔːs, rəˈsɔːs] s **1** (mon) voimavarat, resurssit **2** (mon) luonnonvarat **3** (us mon) keino, avu *he was left to his own resources* hän jäi oman onnensa nojaan

resourceful adj kekseliäs, oma-aloitteinen, nokkela

1 respect [rəˈspekt] s **1** kunnioitus, arvostus, arvonanto **2** huomaavaisuus, hienotunteisuus, kohteliaisuus *out of respect for the President's death, we have postponed the meeting* lykkäsimme kokousta presidentin kuoleman johdosta/muistoksi **3** *with respect to* jotakin koskien **4** (asian) puoli, suhde *in that respect* siinä suhteessa, siltä osin **5** (mon) terveiset *to pay your respects to someone* käydä tervehtimässä jotakuta; esittää surunvalittelunsa jollekulle

2 respect v **1** kunnioittaa, arvostaa **2** ottaa huomioon, ei loukata/häiritä (esim jonkun rauhaa)

respectability [rəˌspektəˈbɪlətɪ] s kunniallisuus, kunnollisuus, arvokkuus

respectable [rəˈspektəbəl] adj **1** kunniakas, kunnianarvoinen, arvossapidetty **2** huomattava, merkittävä, suuri, iso

respectful adj kunnioittava, kohtelias

respectfully adv kunnioittavasti, kunnioittaen, kohteliaasti *respectfully yours* (kirjeen lopussa) kunnioittavasti

respective [rəs'pektiv] adj kunkin oma, kulloinenkin *the respective merits of apples and oranges* omenoiden ja appelsiinien edut (toisiinsa verrattuna)

respiration [,respə'reiʃən] s hengitys

respite [respait] s (hengähdys)tauko, hetken helpotus

resplendent [ri'splendənt] adj loistava, hehkuva; loistokas, komea

respond [ri'spand] v 1 vastata (kysymykseen, pyyntöön) 2 reagoida

response [ri'spans] s 1 vastaus *in response to my question, he rattled off a long list of examples* hän vastasi kysymykseeni luettelemalla pitkän litanian esimerkkejä 2 reaktio

responsibility [ri,spansə'biləti] s vastuu, velvollisuus, tehtävä *the guests are your responsibility* vieraat ovat sinun vastuullasi, sinun kuuluu huolehtia vieraista *I'll take full responsibility for the job* otan työstä täyden vastuun

responsible [ri'spansibl] adj 1 joka on vastuussa jostakin *who is responsible for this mess?* kenen syytä tämä sotku on? *you're responsible to the boss* sinä olet vastuussa pomolle 2 (tehtävästä) jossa on suuri vastuu 3 luotettava, vastuuntuntoinen

responsive [ri'spansiv] adj myötätuntoinen, ymmärtäväinen, avulias, kiinnostunut

1 rest [rest] s 1 lepo; tauko (myös mus) *to lay to rest* laskea haudan lepoon, haudata; hillventää, rauhoittaa, tyynnyttää 2 tuki, teline 3 loput, loppu, jäännös *the rest of the students* loput/muut oppilaat *all the rest* kaikki muut

2 rest v 1 levätä, lepuuttaa; pitää tauko *let me rest my legs for a while* minä haluan lepuuttaa jalkojani hetken aikaa 2 nojata/ panna nojaamaan johonkin 3 jäädä *rest assured that we will start a full-scale investigation into the matter* voit olla varma siitä että ryhdymme tutkimaan asiaa perin pohjin

restaurant [restrant] s ravintola

restful adj rauhallinen, hiljainen, raukea

restitution [,resti'tuʃən] s palautus, korvaus, vahingonkorvaus

restive [restiv] adj 1 äksy, itsepäinen 2 levoton, hermostunut

restiveness s 1 kiukuttelu, äksyys, itsepäisyys 2 levottomuus, hermostuneisuus

restless [restləs] adj levoton, rauhaton

rest on v 1 luottaa johonkuhun 2 riippua jostakin, perustua johonkin, olla jonkin varassa

restoration [,restə'reiʃən] s 1 (omaisuuden, aseman, luottamuksen) palauttaminen 2 (rakennuksen ym) entistys, restaurointi 3 *Restoration* (hist) Englannin restauraatio (1660-1685)

restore [rə'stɔr] v 1 palauttaa, antaa takaisin (omaisuutta, asema) *the new medicine restored his health* uusi lääke teki hänet jälleen terveeksi *what he said restored my confidence in him* hänen puheensa saivat minut jälleen luottamaan häneen 2 entistää, korjata, restauroida

restrain [ri'strein] v hillitä, pidätellä, rauhoittaa

restraint [ri'streint] s rajoitus *without restraint* hillittömästi

restrict [ri'strikt] v rajoittaa, supistaa, hillitä, pidätellä

restricted adj rajoitettu, rajallinen *this is a restricted area* tänne on asiattomilta pääsy kielletty

restriction [ri'strikʃən] s rajoitus, määräys, kielto

restrictive [ri'striktiv] adj rajoittava

restroom [restrum] s wc

1 result [ri'zʌlt] s seuraus, tulos, lopputulos *the result of the election* vaalitulokset

2 result v johtaa johonkin, jostakin on seurauksena jotakin, joku johtuu jostakin *the crisis resulted in the resignation of the minister* kriisi johti ministerin eroon *the drought resulted from the greenhouse effect* kuivuus johtui kasvihuoneilmiöstä

resultant [ri'zʌltant] adj joka seuraa jostakin, joka on jonkin seuraus/tulos *there was a demonstration and in the resultant tumult, many people were injured* mielenosoitusta seuranneessa myllykässä loukkaantui paljon ihmisiä

résumé ['rezə,meı] s 1 yhteenveto 2 (työpaikkahakemuksessa) elämäkerta, ansioluettelo

resume [rı'zum] v 1 jatkaa, aloittaa uudelleen 2 palata: *she resumed her seat* hän palasi paikalleen 3 ottaa uudestaan käyttöön/itselleen

resumption [rı'zʌmpʃən] s jatkaminen

resurrect [,rezə'rekt] v 1 herättää kuolleista 2 (kuv) palauttaa voimaan, herättää henkiin, ottaa uudestaan käyttöön

resurrection [,rezə'rekʃən] s 1 ylösnousemus *Resurrection* (Jeesuksen) ylösnousemus 2 (kuv) voimaan palauttaminen, henkiin herättäminen *he fought for the resurrection of old virtues* hän halusi palauttaa kunniaan vanhat hyveet

resuscitate [rı'sʌsə,teıt] v (lääk, kuv) elvyttää, (kuv) herättää henkiin

resuscitation [rı,sʌsə'teıʃən] s (lääk) elvytys *mouth-to-mouth resuscitation* puhalluselvytys

1 retail [riteıl] s vähittäiskauppa

2 retail v myydä vähittäisportaassa *the computer retails for $1000* tietokoneen vähittäishinta on 1000 dollaria

3 retail *adj, adv* vähittäiskaupan, vähittäiskaupalla, (hinta) vähittäis-

retailer [riteılər] s vähittäiskauppias

retain [rı'teın] v 1 pidättää, pitää itsellään, säästää *retain the stub* säilytä lipun kanta *his body has begun to retain water* hänen elimistönsä on alkanut kerätä nestettä 2 muistaa, pitää mielessä 3 *to retain a lawyer* palkata (itselleen) asianajaja

retainer [rı'teınər] s 1 palvelija 2 ennakkomaksu

retake [riteık] s uusi otos/kuva(us)

retake [ri'teık] v (valo-, video- tai elo)kuvata uudestaan

retaliate [rı'tælı,eıt] v kostaa

retaliation [rı,tælı'eıʃən] s kosto; kostoisku, kostohyökkäys

1 retard [ritard] s (sl) kehitysvammainen

2 retard v hidastaa, hidastua, viivyttää, myöhästyä

retarded [rı'tardəd] *the retarded* kehitysvammaiset *adj* kehitysvammainen

retch [retʃ] v 1 yökkäillä, yökätä 2 oksentaa

retention [rı'tenʃən] s 1 pidättäminen *the retention of water in the body* nesteen kerätyminen elimistöön 2 muistaminen, muisti *the power of retention* muisti(kyky)

rethink [ri'θıŋk] v miettiä/harkita/ajatella uudestaan *we have to rethink our marketing approach* meidän pitää järjestää markkinointi kokonaan uudestaan

reticence [retəsəns] s vähäpuheisuus, hiljaisuus, viileys

reticent [retəsənt] *adj* vähäpuheinen, hiljainen, vaisu, etäinen, viileä

retina [retınə] s (mon retinas, retinae) (silmän) verkkokalvo

retinue [retı,nu] s seurue, palvelijat

retire [rı'taıər] v 1 poistua 2 (ylät) mennä vuoteeseen/nukkumaan 3 siirtyä/siirtää eläkkeelle 4 poistaa käytöstä/liikenteestä *our company has retired punch card machines* yrityksemme on lakannut käyttämästä reikäkorttikoneita

retired *adj* 1 joka on eläkkeellä 2 syrjäinen

retiree [rə,taıə'ri] s eläkeläinen

retirement [rə'taıərmənt] s 1 eläkkeelle siirtyminen/siirtäminen 2 käytöstä poistaminen 3 eläkeikä, eläkevuodet 4 eläke

retiring *adj* 1 joka on siirtymässä eläkkeelle 2 ujo, arka, syrjään vetäytyvä

1 retort [rı'tɔrt] s 1 (kemia) tislauspullo, retortti 2 (piikikäs/terävä) vastaus, vastaisku (kuv)

2 retort v vastata (piikikkäästi/terävästi), antaa takaisin samalla mitalla

retouch [rı'tʌtʃ] v korjailla, parannella, retusoida

retrace [rı'treıs] v 1 seurata *he retraced his steps* hän palasi takaisin samaa kautta kuin oli tullut 2 muistella, palauttaa mieleen, käydä (mielessään) uudelleen läpi

retract [rı'trækt] v 1 vetää sisään (kynnet, laskuteline) 2 perua (puheensa, tarjous)

retraction [rı'trækʃən] s 1 (kynsien, laskutelineen) sisään vetäminen 2 (puheiden, tarjouksen) peruminen

retread [ritred] s pinnoitettu (auton) rengas

retread [ri'tred] *v* pinnoittaa (auton rengas) uudelleen

1 retreat [ri'trit] *s* **1** (sot) perääntyminen **2** pako; syrjään vetäytyminen *to beat a retreat* paeta, lähteä käpälämäkeen **3** pakopaikka *we have a modest retreat in the mountains* meillä on vuoristossa pieni mökki *a religious retreat* luostari

2 retreat *v* perääntyä; paeta; vetäytyä syrjään

retrenchment *s* (menojen, henkilöstön) leikkaaminen, supistaminen, säästäminen

retribution [ˌretri'bjuːʃən] *s* kosto

retrieve [ri'triv] *v* **1** hakea, noutaa (myös koirasta) **2** hankkia takaisin **3** korvata; korjata

retrograde ['retrəˌgreid] *adj* taaksepäin suuntautuva, takaperoinen, (järjestys) käänteinen; taantuva

retrospect ['retrəˌspekt] *s* (menneiden) muistelu *in retrospect* jälkikäteen ajateltu

retrospective [ˌretrə'spektiv] *s* taidenäyttely, elokuvasarja ym jossa esitellään yhden taiteilijan elämäntyötä *there was a Clint Eastwood retrospective in Paris* Pariisissa esitettiin läpileikkaus Clint Eastwoodin elokuvista *adj* **1** menneitä muisteleva, taaksepäin katsova **2** takautuva, taannehtiva

1 return [ri'tɜːn] *s* **1** paluu *on my return* kotiin tms palattuani/palatessani **2** palautus **3** vastine *I'll give you two oranges in return for three apples* vaihdan kaksi appelsiinia kolmeen omenaan **4** tuotto, voitto **5** veroilmoitus (myös *tax return*)

2 return *v* **1** palata, tulla/mennä takaisin *has she returned home?* onko hän tullut/mennyt takaisin kotiin? **2** palauttaa; panna takaisin *when will you return my dictionary?* koska palautat sanakirjani? **3** jatkaa (esim jutun kertomista) **4** vastata (sukkelasti) *to return good with evil* vastata hyvään pahalla *she did not return my calls* hän ei soittanut minulle vaikka pyysin **5** (lak) langettaa: *the jury returned a verdict of guilty* valamiehistö teki langettavan päätöksen, valamiehistö totesi syytetyn syylliseksi **6** valita (vaaleissa) *Senator Kennedy was returned to office in the election* se-

naattori Kennedy valittiin (vaaleissa) uudelleen virkaan

return ticket *s* (UK) meno-paluulippu

reunion [riː'juːnjən] *s* **1** jälleentapaaminen **2** kokoontuminen, tapaaminen *class reunion* luokkakokous

reveal [ri'viːl] *v* paljastaa, kertoa *the journalist refused to reveal his sources* toimittaja kieltäytyi paljastamasta lähteitään

revealing *adj* **1** valaiseva **2** (vaate) avoin, joka ei jätä paljoa arvailun varaan

revelation [ˌrevə'leiʃən] *s* **1** paljastus **2** (suuri) oivallus **3** *Revelation* (usk) ilmestys *the Book of Revelation* (Raamatussa) Johanneksen ilmestys, Ilmestyskirja

revel in [revəl] *v* nauttia (täysin siemauksin) jostakin, iloita (kuvasti) jostakin

1 revenge [ri'vendʒ] *s* kosto *to take revenge on someone* kostaa jollekulle

2 revenge *v* kostaa

revenue ['revəˌnuː] *s* **1** tulot *Internal Revenue Service* (US) veroviranomainen *Inland Revenue* (UK) veroviranomainen **2** liikevaihto

reverberate [ri'vɜːbəˌreit] *v* kaikua

reverberation [riˌvɜːbə'reiʃən] *s* (fys) jälkikaiunta; (ark) kaiku; (kuv) jälkikaiku, seuraukset

revere [rə'vɪər] *v* kunnioittaa, palvoa, pitää suuressa arvossa

reverence [revrəns] *s* kunnioitus, palvonta

Reverend [revrənd] *adj* (tittelinä) pappi *the Reverend Aldous Mulholland* pastori Aldous Mulholland

reverent [revrənt] *adj* kunnioittava

reverential [ˌrevə'renʃəl] *adj* kunnioittava

reverie [revəri] *s* valveuni, haaveilu

reversal [rə'vɜːsəl] *s* **1** kääntäminen, kääntyminen; osien/suunnan vaihtaminen/vaihtuminen **2** takaisku, vastoinkäyminen, tilan huononeminen

1 reverse [rə'vɜːs] *s* **1** vastakohta **2** takaosa, kääntöpuoli, (kolikon) reverssi **3** takaisku, vastoinkäyminen **4** peruutusvaihde

2 reverse *v* **1** kääntää, vaihtaa suuntaa *to reverse the charges* soittaa vastapuhelu, laskuttaa vastaanottajaa **2** peruuttaa (auto, ti-

laus, käsky), kumota (päätös, tuomio)
3 vaihtaa peruutusvaihteelle

3 reverse *adj* **1** käänteinen, vastakkainen *a reverse image* käänteiskuva **2** (puoli) kääntö-, taka- **3** (vaihde) peruutus-

reversible [rə'vɜːsɪbl] *adj* **1** joka voidaan kääntää, jota voidaan käyttää molemmin päin *reverse jacket* kääntötakki **2** joka voidaan pysäyttää/estää *the effects of the drug are not reversible* lääkkeen vaikutukset ovat pysyvät

revert to [rɪ'vɜːt] *v* **1** palata entiseen tilaansa/entiselleen, taantua **2** palata aiempaan puheenaiheeseen **3** turvautua johonkin *please do not revert to violence* älä rupea väkivaltaiseksi

1 review [rɪ'vjuː] *s* **1** katsaus, yleiskatsaus, selvitys, selonteko **2** aikakauslehti, julkaisu **3** (taide)arvostelu

2 review *v* **1** käydä uudelleen läpi, tarkistaa **2** arvostella (näytelmä, elokuva, konsertti, kirja tms) *Richard Schickel reviews for Time magazine* Richard Schickel on Time-lehden arvostelijoita

reviewer *s* (taide- ym) arvostelija, kriitikko

revise [rɪ'vaɪz] *v* korjata, parantaa, tarkistaa, muuttaa

revision [rɪ'vɪʒən] *s* **1** korjaaminen, tarkistus **2** (kirjan) tarkistettu laitos

revival [rɪ'vaɪvl] *s* **1** elvytys, elpyminen **2** (kuv) elpyminen, uudistuminen, uudestaan syntyminen *there has been a revival of interest in medieval literature* on ilmennyt uutta kiinnostusta keskiaikaista kirjallisuutta kohtaan **3** (usk) herätyskokous

revive [rɪ'vaɪv] *v* **1** elvyttää, elpyä, saada virkoamaan, virota, tointua **2** (kuv) herättää henkiin, ottaa uudelleen käyttöön/puheeksi, aloittaa uudestaan

revoke [rɪ'vəʊk] *v* peruuttaa, kumota *his driver's licence has been revoked* hän menetti ajokorttinsa

1 revolt [rɪ'vəʊlt] *s* kapina

2 revolt *v* **1** kapinoida, nousta kapinaan jotakin vastaan (against) **2** kuvottaa/ällöttää jotakuta *she revolts at violence/from sugary foods* väkivalta/makeat ruuat saavat hänet voimaan pahoin

revolting *adj* kuvottava, ällöttävä, vastenmielinen

revolution [ˌrevə'luːʃən] *s* **1** vallankumous (myös kuv) **2** kierros **3** kiertoliike *the revolution of the earth around the sun* Maan kiertoliike Auringon ympäri

revolutionary [ˌrevə'luːʃənəri] *s* vallankumouksellinen, kumouksellinen *adj* **1** vallankumouksellinen, kumouksellinen (myös kuv) käänteentekevä, mullistava, täysin uusi **2** vallankumouksen (aikainen)

revolutionize [ˌrevə'luːʃənaɪz] *v* mullistaa

revolve [rɪ'vɒlv] *v* **1** pyöriä, pyörittää, kiertää **2** kohdistua johonkin, koskea jotakin *the problem revolves around money* ongelma koskee rahaa

revolver *s* revolveri

revolving *adj* pyörivä

revue [rə'vjuː] *s* revyy

revulsion [rɪ'vʌlʃən] *s* kuvotus, inho, vastenmielisyys

1 reward [rɪ'wɔːd] *s* **1** palkkio, korvaus

2 reward *v* palkita

rewarding *adj* **1** (taloudellisesti) tuottoisa, kannattava **2** (kuv) joka tuottaa tyydytystä *his books are not very rewarding* hänen kirjojaan ei juuri kannata lukea

1 rewind [rɪ'waɪnd] *s* **1** takaisinkelaus **2** takaisinkelauspainike

2 rewind *v* rewound, rewound: kelata taaksepäin

rewire [rɪ'waɪə] *v* vaihtaa uudet (sähkö)johdot jonnekin

reword [rɪ'wɜːd] *v* ilmaista/sanoa toisin

rewrite [rɪ'raɪt] *v* rewrote, rewritten: kirjoittaa uudestaan, korjata

rhapsodize ['ræpsədaɪz] *v* **1** olla haltioissaan jostakin, puhua innostuneesti jostakin **2** lausua/kirjoittaa/säveltää rapsodioita

rhapsody ['ræpsədi] *s* (mus, runo) rapsodia

rhetoric ['retərɪk] *s* **1** retoriikka, puhetaito **2** mahtipontisuus, teennäisyys, korkealentoisuus

rhetorical [rə'tɒrɪkl] *adj* **1** retorinen, puhetaidollinen **2** mahtiponinen, teennäinen, korkealentoinen

rhetorical question *s* retorinen kysymys

rheumatic [ru'mætɪk] *s* reumasairas, reumatikko *adj* reumaattinen, reuma-; reumaa sairastava

rheumatism [rumætɪzəm] *s* reumatismi

rhino [raɪnou] *s* (mon rhinos, rhino) sarvikuono

rhinoceros [raɪ'nɒsərəs] *s* (mon rhinoceroses, rhinoceros) sarvikuono

rhubarb [rubarb] *s* raparperi

1 rhyme [raɪm] *s* **1** riimi, loppusointu **2** riimisana **3** (runo) riimi

2 rhyme *v* riimittää

rhythm [rɪðəm] *s* rytmi

rhythm-and-blues *s* rhythm and blues (-musiikki)

rhythmic [rɪðmɪk] *adj* **1** rytmikäs, tahdikas **2** tasainen, säännöllinen

rhythmical *adj* **1** rytmi- **2** rytmikäs, tahdikas **3** tasainen, säännöllinen

rib [rɪb] *s* **1** kylkiluu (myös vaimosta) **2** (ruoka) kylki **3** (lehden) suoni **4** (sateenvarjon ym) ruoto

ribald [raɪbald] *adj* rivo, ruokoton, säädytön, härski

ribbon [rɪbən] *s* **1** (koriste- tai muu) nauha *his clothes were torn to ribbons* hänen vaatteensa repesivät riekaleiksi **2** (kirjoituskoneen) värinauha

rib cage *s* rintakehä

rice [raɪs] *s* riisi

rich [rɪtʃ] *s the rich* rikkaat (ihmiset) *adj* **1** rikas **2** kallis; ylellinen **3** runsas, (valikoima) laaja, ylenpalttinen **4** (ruoka) voimakkaasti maustettu; erittäin makea; erittäin rasvainen

riches *s* (mon) rikkaus, vauraus

rich in *adj* jossa on paljon/runsaasti jotakin

richly *adv* ylellisesti, komeasti, loistokkaasti; runsaasti, hyvin *he got a punishment which he richly deserved* hän sai ansaitsemansa rangaistuksen

richness *s* rikkaus (ks rich)

Richter scale [rɪktər] *s* (maanjäristyksen mittauksessa) Richterin asteikko

rickety [rɪkəti] *adj* ränsistynyt, rapistunut; (ihminen) raihnainen

rickshaw [ˈrɪkˌʃɑ] *s* riksa

1 ricochet [rɪkəˌʃeɪ] *s* kimmoke

2 ricochet *v* kimmota

rid [rɪd] *v* rid/ridded, rid/ridded **1** puhdistaa, siivota jokin jostakin *they tried to rid their house of ants* he yrittivät päästä eroon taloonsa pesiytyneistä muurahaisista **2** lopettaa, lakata **3** *to get rid of someone/ something* päästä/hankkiutua eroon jostakusta/jostakin *to be rid of someone/something* olla vapaa jostakin, olla päässyt eroon jostakusta/jostakin

riddance [rɪdəns] *s good riddance* hyvä kun pääsin hänestä/siitä eroon!, tervemenoa!

ridden ks ride

-ridden *yhdyssanan jälkiosana* joka on täynnä jotakin (ikävää) *disease-ridden* sai rauksien vaivaama *debt-ridden* pahasti velkaantunut *bedridden* vuoteenoma, joka on vuodepotilaana

1 riddle [rɪdəl] *s* **1** arvoitus **2** seula

2 riddle *v* **1** arvuutella **2** rei'ittää, puhkoa täyteen reikiä

riddled with *to be riddled with something* olla täynnä jotakin, olla läpeensä jotakin *to be riddled with corruption* olla oikea lahjonnan temmellyskenttä

1 ride [raɪd] *s* **1** kyyti *can I give you a ride to town?* haluatko kyydin/tulla kyydissäni kaupunkiin? *let's go for a ride* lähdetään ajelemaan (autolla) *his new Cadillac has a velvety ride* hänen uudessa Cadillacissaan on samettisen pehmeä kyyti *to take someone for a ride* (sl) huijata/pettää jotakuta; (ottaa auton kyytiin ja) murhata **2** ratsastusretki, ratsastusmatka

2 ride *v* rode, ridden **1** ratsastaa (hevosella ym, myös kuv) **2** ajaa/olla (auton tms) kyydissä, kulkea (linja-autolla tms) **3** liitää, kiitää (veden pinnalla) *the surfers are riding the waves* lainelautailijat ratsastavat aaltojen harjoilla **4** kiusata, häiritä **5** *to let something ride* antaa jonkin asian mennä omalla painollaan, ei puuttua johonkin, hyväksyä **6** hallita, vallita, sortaa

ride down *v* **1** ratsastaa jonkun/jonkin yli, jättää hevosen jalkoihin, tallaa jalkoihinsa **2** ottaa kiinni ratsain

ride on *v* **1** riippua jostakin, olla jonkin varassa **2** käyttää hyväkseen jotakin, ratsastaa jollakin *he is clearly riding on his fame as a writer* on selvää että hän ratsastaa kirjailijan maineellaan

ride out *v* selvitä jostakin (ehjin nahoin), pitää pintansa

rider *s* **1** ratsastaja **2** polkupyöräilijä, moottoripyöräilijä; (auton, linja-auton ym) matkustaja **3** (asiakirjan, asetuksen) lisäys; lisähuomautus

ridge [rɪdʒ] *s* **1** harjanne, vuorenselkä, selänne **2** (nenän) selkä **3** (aallon) harja **4** (eläimen) selkä **5** (ilmatieteessä) korkeapaineen selänne

1 ridicule ['rɪdəˌkjuəl] *s* pilkka, iva *to hold someone/something up to ridicule* pitää jotakin/jotakuta pilkan kohteena

2 ridicule *v* pilkata, ivata, pitää pilkkanaan

ridiculous [rəˈdɪkjələs] *adj* naurettava

riding *s* ratsastus *horseback riding* ratsastus

rife [raɪf] *adj* yleinen

rife with *to be rife with something* olla täynnä jotakin, jossakin vilisee jotakin

1 rifle [raɪfəl] *s* **1** kivääri **2** rihla

2 rifle *v* **1** rihlata **2** ryöstää, rosvota **3** penkoa

rift [rɪft] *s* **1** lohkeama, halkeama, railo **2** erimielisyys, kiista

1 rig [rɪg] *s* **1** (laivan) takila, riki **2** (öljyn)porauslaitos, (öljyn)poraustorni **3** (ark) varusteet, välineet **4** (ark) kuteet, hyntttyyt

2 rig *v* **1** takilaa (käyttö)valmiiksi **2** muuttaa luvattomasti, sormeilla, harjoittaa vilppiä

1 right [raɪt] *s* **1** oikeus *you have the right to a lawyer* teillä on oikeus asian ajajaan *human rights* ihmisoikeudet *who owns the rights to that movie?* kenelle kuuluvat tuon elokuvan (tekijän)oikeudet? **2** se mikä on oikein *by rights* oikeudenmukaisesti *right and wrong* oikea ja väärä *to be in the right* olla oikeassa **3** oikeudenmukaisuus **4** oikea (puoli) *right and left* oikea ja vasen *to turn to the right* kääntyä oikeaan/oikealle *make a right at the next intersection* käänny seuraavasta risteyksestä oikealle *take a right* **6** *the Right* oikeisto **7** *to set something to rights* laittaa jokin kuntoon/järjestykseen **8** *in your own right* sellaisenaan, sinänsä

2 right *v* **1** oikaista, oieta, suoristaa, suoristua **2** oikaista (vääryys), korjata (virhe)

3 right *adj* **1** oikeudenmukainen, oikea, oikein **2** oikeanpuoleinen, oikea **3** *she is not in her right mind* hänellä on päässä vikaa, hän ei ole oma itsensä **4** (kulma, viiva) suora *to put something right* korjata jokin asia, oikaista vääryys tms

4 right *adv* **1** suoraan, suoraa päätä **2** heti, välittömästi *right now* juuri nyt **3** juuri, nimen omaan *right here* juuri tässä **4** oikein *you did right* teit oikein **5** oikealla, oikealle *to turn right* kääntyä oikealle **6** hyvin, onnistuneesti *the cake came out right* kakku onnistui

righteous [raɪtʃəs] *adj* oikeudenmukainen, hyvä, rehellinen, oikeamielinen

righteousness *s* oikeudenmukaisuus, rehellisyys, oikeamielisyys

rightful [raɪtfəl] *adj* oikea, oikeutettu, laillinen

right guard [ˌraɪtˈgɑːd] *s* (amerikkalaisessa jalkapallossa) oikea isennpi linjamies

right hand *s* oikea käsi (myös kuv:) korvaamaton apulainen

right-hand drive: *a car with right-hand drive* auto jonka ohjauspyörä on oikealla (vasemmanpuoleista liikennettä varten)

right-handed *adj* oikeakätinen *adv* oikealla kädellä

rightly *adv* (aivan) oikein; oikeutetusti, perustellusti, hyvällä syyllä

right off *adv* heti, viipymättä, siltä/tältä istumalta

right of way *s* etuajo-oikeus

right on *adv* (sl) aivan!, juuri niin!, älä muuta viserrä!

rigid [rɪdʒɪd] *adj* **1** jäykkä **2** (kuv) joustamaton, ankara, jyrkkä

rigidity [rɪˈdʒɪdəti] *s* **1** jäykkyys **2** (kuv) joustamattomuus, ankaruus, jyrkkyys

rigidly *adv* (kuv) joustamattomasti, ankarasti, jyrkästi

rigor [rɪgər] *s* ankaruus, tiukkuus, tarkkuus

rigorous [rɪgərəs] *adj* ankara (ilmasto, kuri), tiukka, tarkka, tinkimätön (tutkimusote)

rigth-hand *adj* oikeanpuoleinen, oikea

rig up *v* laittaa (käyttö)valmiiksi

rile [raɪəl] v (ark) ärsyttää, pänniä, risoa, sapettaa *what's riling him?* mikä häntä vaivaa?

rim [rɪm] s 1 (kupin, kanjonin ym) reuna 2 (silmälasien) kehys

rimless adj (silmälaseista) kehyksettömät

rimmed adj (silmälaseista) kehystetyt *horn-rimmed glasses* sarvisankaiset silmälasit

rind [raɪnd] s (hedelmän, juuston) kuori

1 ring [rɪŋ] s 1 soitto, helinä, kilinä 2 puhelu 3 sormus 4 rengas 5 piiri 6 (sirkuksessa ym) areena 7 nyrkkeilykehä 8 (puun) vuosirengas, (vuosi)lusto 9 *to throw your hat in the ring* antaa periksi, luopua leikistä

2 ring v rang, rung 1 soittaa (kelloa, puhelimella), soida 2 soida, helistä, kilistä; kuulostaa, kaikua 3 rengastaa; ympyröidä 4 kokoontua ympyräksi jonnekin 5 kiertää jonkin ympäri

ringer [rɪŋər] *to be a dead ringer for someone/something* olla täsmälleen samanlainen kuin joku/jokin *he's a dead ringer for his father* hän on ilmetty isänsä

ring in v leimata kellokorttiinsa, saapua työhön

ringleader [rɪŋ‚liːdər] s yllyttäjä, kiihottaja

ringlet [rɪŋlət] s hiuskiehkura

ringmaster [rɪŋ‚mæstər] s sirkustirehtööri

ring off v lopettaa puhelu

ringside [rɪŋ‚saɪd] s nyrkkeilykehän ääri, ringside

rink [rɪŋk] s luistinrata

1 rinse [rɪns] s 1 huuhtelu 2 hiustenhoitoaine; hiusten sävytysaine

2 rinse v 1 huuhdella 2 käsitellä hiukset hoitoaineella; sävyttää hiukset

1 riot [raɪət] s 1 mellakka, kapina 2 hillittömyys, hillitön meno, rellestys *to run riot* mekastaa, rellestää; kasvaa valtoimenaan 3 loistojuttu *the new Mike Myers movie is a riot* Mike Myersin uusi elokuva on älyttömän hauska

riot act [raɪət‚ækt] *to read someone the riot act* 1 antaa jonkun kuulla kunniansa, sättiä, haukkua jotakuta 2 varoittaa jotakuta

riotous [raɪətəs] adj 1 mellakoiva, kapinoiva 2 hillitön, rellestävä, mekastava 3 älyttömän hauska/hyvä

1 rip [rɪp] s repeämä

2 rip v revetä, repäistä

ripe [raɪp] adj kypsä (myös kuv) *to be ripe for something* olla valmis/kypsä johonkin

ripen v kypsyä, kypsyttää

ripeness s kypsyys (myös kuv)

1 ripple [rɪpəl] s 1 (veden) väre 2 (veden) liplatus

2 ripple v 1 (vesi ym) värehtiä, väreillä 2 (vesi) liplattaa

1 rise [raɪz] s 1 (auringon ym, kuv) nousu, lisäys, kasvu *there has been a slight rise in the number of murders* murhien määrä on kasvanut hieman *a pay rise* palkankorotus 2 alkuperä, lähde *to give rise to something* aiheuttaa jotakin, panna alulle jotakin

2 rise v rose, risen 1 nousta, lisääntyä, kasvaa, yletä *the sun has risen* aurinko on noussut 2 yltyä, voimistua 3 nousta vuoteesta, herätä 4 (joki) saada alkunsa jostakin 5 viettää ylöspäin, nousta 6 yletä, edetä (uralla)

rise above v ei piitata jostakin

rise against v kapinoida/nousta jotakuta/jotakin vastaan

risen [rɪzən] ks rise

rise up v 1 nousta (vuoteesta), herätä 2 kohota, kohottautua

rising s 1 kapina, kansannousu 2 nousu, kohoaminen, lisääntyminen, kasvu adj nouseva, kohoava, lisääntyvä, kasvava, enenevä

1 risk [rɪsk] s riski, epäonnistumisen uhka *he did not want to run the risk of getting arrested* hän ei halunnut ottaa sitä riskiä että hänet pidätettäisiin *at the risk of sounding pompous, may I say that...* tiedän että tämä kuulostaa mahtipontiselta mutta....

2 risk v vaarantaa, panna vaaralle alttiiksi, riskeerata *he risked life and limb to save the little girl from the fire* hän pani henkensä alttiiksi pelastaakseen tytön tulipalosta

risky adj uhkarohkea, rohkea, uskalias, vaarallinen

risotto [rɪ'sɒtəʊ] s risotto

risqué [rɪsˈkeɪ] *adj* uskalias, rohkea, rivo, härski

rite [raɪt] *s* riitti

ritual [ˈrɪtʃʊəl] *s* rituaali *to go through the rituals* (kuva) käydä läpi pakolliset kuviot *adj* ritualistinen, rituaali-

ritualistic [ˌrɪtʃʊəˈlɪstɪk] *adj* ritualistinen

ritz [rɪts] *to put on the ritz* (ark) elää leveästi/komeasti, rehennellä (varallisuudellaan)

ritzy [ˈrɪtsi] *adj* (sl) loisto-, kallis, komea, hieno

1 rival [ˈraɪvəl] *s* kilpailija

2 rival *v* kilpailla *the new Corvette rivals any sports car in the world* uusi Corvette on maailman parhaimpien urheiluautojen veroinen

3 rival *adj* kilpaileva

rivalry [ˈraɪvəlri] *s* kilpailu

river [ˈrɪvər] *s* joki *to sell someone down the river* kavaltaa, pettää; hylätä *to send someone up the river* passittaa joku telkien taakse, määrätä/lähettää vankilaan

riverbed [ˈrɪvərˌbed] *s* joen uoma

riverside [ˈrɪvərˌsaɪd] *s* joen ranta *adj* joka on joen rannalla

1 rivet [ˈrɪvət] *s* niitti

2 rivet *v* 1 niitata 2 (kuv) kiehtoa, naulita (katse), vangita (mielenkiinto)

riveting *adj* (kuv) kiehtova

rivulet [ˈrɪvjʊlət] *s* puro

road [rəʊd] *s* maantie, tie (myös kuv) *all roads lead to Rome* kaikki tiet vievät Roomaan *to be on the road* olla tien päällä, olla matkalla; olla kiertueella *to get something on the road* käynnistää, aloittaa, panna alulle *to burn up the road* (sl) ajaa nasta laudassa *to take to the road* lähteä matkaan, aloittaa matka *three years down the road* kolmen vuoden päästä *we hit the road at dawn* lähdimme matkaan aamunkoitteessa *one for the road* (viimeinen) ryyppy ennen matkaa

1 roadblock [ˈrəʊdˌblak] *s* 1 tiesulku 2 (kuv) este

2 roadblock *v* sulkea tie

roadhouse [ˈrəʊdˌhaʊs] *s* tanssibaari, kapakka, yökerho

roadie [ˈrəʊdi] *s* (sl) roudari

roadkill [ˈrəʊdˌkɪəl] *s* autojen alle jääneiden eläinten raadot

road rage [ˈrəʊdˌreɪdʒ] *s* ajajan aggressiivisuus muita tienkäyttäjiä kohtaan

roadside [ˈrəʊdˌsaɪd] *s* tien vieri *adj* joka on tien vieressä

roadwork [ˈrəʊdˌwərk] *s* tietyö(t)

roadworthy [ˈrəʊdˌwərði] *adj* (auto ym) ajokelpoinen, ajokuntoinen

roam [rəʊm] *v* kuljeksia, vaeltaa, koluta *where the buffalo roam* (siellä) missä biisonit vaeltavat/elävät

roaming *s* (tekn) verkkovierailu

1 roar [rɔr] *s* karjaisu, mylväisy, ärjäisy

2 roar *v* karjua, mylviä, ärjäistä, ärjyä *the police car roared away* poliisiauto lähti matkaan moottori ulvoen

roaring *adj* 1 erinomainen, loistava *a roaring success* tavuldellinen menestys 2 täysi *he is roaring mad* hän on seinähullu 3 rellestävä, mekastava

1 roast [rəʊst] *s* 1 paisti 2 musertava arvostelu

2 roast *v* 1 paahtaa, paahtua, paistaa, paistua 2 (ark) arvostella ankarasti, lyödä lyttyyn

rob [rab] *v* 1 ryöstää 2 riistää, viedä, ottaa *she was robbed of her diginity* häntä nöyryytettiin

robber *s* ryöstäjä

robbery *s* ryöstö

1 robe [rəʊb] *s* 1 viitta, kaapu 2 aamutakki, kylpytakki 3 (naisten) iltapuku 4 (mon) vaatteet

2 robe *v* pukea, pukeutua viittaan/kaapuun

robot [ˈrəʊbat] *s* robotti

robotic [rəˈbatɪk] *adj* robotti-, robotin

robotize [ˈrəʊbəˌtaɪz] *v* muuttaa robottikäyttöiseksi

robotlike *adj* joka muistuttaa robottia, joka toimii/liikkuu tms kuin robotti

robust [rəʊˈbʌst] *adj* 1 roteva, vahva, vankka, luja, kestävä, (liikunta) raskas, (maku, haju) voimakas, (ruokahalu) hyvä 2 (tietok) sitkeä

robustness *s* 1 rotevuus, vahvuus, lujuus, kestävyys, (liikunnan) raskaus, rasittavuus, (maun, hajun) voimakkuus 2 (tietok) sitkeys

1 rock [rak] *s* **1** kivi *to be between a rock and a hard place* olla tiukoilla, olla kahden tulen välissä; olla puun ja kuoren välissä **2** kallio **(3** (sl) jalokivi, timantti **4** rock(musiikki)

2 rock *v* **1** keinuttaa, keinua; tuudittaa (lapsi uneen); ravistella, ravista, järisyttää, järistä *to rock the boat* ottaa turhia riskejä, aiheuttaa epävarmuutta **2** rokata, tanssia/soittaa rockia

rock-and-roll [ˌrakənˈrɒɔl] *s* rock and roll (-musiikki)

rock bottom *s* (kuv) pohjanoteeraus *to hit rock bottom* olla aivan pohjalla; joutua puille paljaille

rocker *s* **1** keinutuoli **2** (kehdon, keinutuolin) jalas *to be off your rocker* olla päästään vialla, olla tärähtänyt, ei olla järjissään **3** rock and roll -kappale **4** rockmuusikko, rocklaulaja, rokkari

1 rocket [rakət] *s* **1** raketti **2** (UK) sinappikaali, rucola

2 rocket *v* **1** ampua/tulittaa raketeilla **2** viiletetää/kiitää/kulkea (nopeasti kuin raketti)

rocking chair *s* keinutuoli

rocking horse *s* keinuhevonen

rock-'n'-roll *s* rock and roll (-musiikki) (myös *rock 'n' roll*)

rocky *adj* **1** kivinen; kivenkova **2** (kuv) kivenkova; tunteeton; ilmeetön **3** keinuva **4** (kuv) epävarma

rococo [rəˈkoukou] *s* rokokoo

rod [rad] *s* **1** sauva; tanko; vapa **2** ongenvapa **3** (kuv: kuritus) keppi *my dad did not spare the rod* isäni ei keppiä säästänyt **4** ukkosenjohdatin **5** (sl) rauta, pistooli **6** (sl) penis, kulli

rode [roud] ks ride

rodent [roudənt] *s* jyrsijä

1 rodeo [roudiou] *s* (mon rodeos) **1** rodeo **2** (ark) kilpailu

2 rodeo *v* osallistua rodeoon, kilpailla rodeoissa

roger [radʒər] *interj* (ark) selvä, ok

rogue [roug] *s* roisto; konna, kelmi; vintiö *adj* **1** (eläin) erakko- **2** (kuv) tottelematon, epäluotettava

roguish [rougiʃ] *adj* **1** konnamainen **2** veitikkamainen, ovela, juonikas

role [roɔl] *s* rooli, osa, tehtävä, osuus *what is his role in this undertaking?* mikä osuus hänellä on tässä hankkeessa?

1 roll [roɔl] *s* **1** rulla, tela, rumpu **2** sämpylä **3** (paperi- tai muu) käärö **4** (jäsen- tai muu) luettelo, lista *to strike someone from the rolls* erottaa jäsen **5** poimu **6** *to be on a roll* olla pelionnea, menestyä (uhka)pelissä; menestyä hyvin, olla kova meno päällä **7** keinunta, huojunta **8** (lentokoneen) kallistus **9** (ukkosen ym) jylinä, jyrinä, pauhu

2 roll *v* **1** rullata, kääriä (rullalle), kääriytyä, kelata, kelautua **2** vierittää; työntää **3** keinua, keinuttaa, huojua, heiluа **4** (lentokonetta) kallistaa **5** jylistä, pauhata **6** (ark) aloittaa **7** (ark) luistaa, sujua

roll around *v* olla jälleen vuorossa, tulla taas

roll back *v* laskea/alentaa hintaa

rollback *s* **1** hintojen lasku **2** joukkojen perääntyminen/vetäytyminen

roll by *v* **1** (ajasta) kulua **2** kulkea/mennä/lipua ohitse

roll call *s* nimenhuuto

roller [roɔlər] *s* **1** rulla, tela, rumpu, kaulin **2** sähkynärhi *European roller* sininärhi

Rollerblades ['roɔlərˌbleɪdz] *s* (mon) jonopyöräiset rullaluistimet

roller coaster *s* vuoristorata

roller skate *s* rullaluistin

roll in *v* **1** jotakin tulee jonnekin runsaasti; saapua/tulla jonnekin sankoin joukoin; saada paljon jotakin **2** jollakulla on jotakin ylen määrin **3** lisätä **4** mennä vuoteeseen/nukkumaan

rolling *adj* **1** (maa) kumpuileva; aaltoileva **2** (vesi) aaltoileva, vellova

rolling stock *s* liikkuva rautatiekalusto, veturit ja vaunut

roll out *v* **1** tasoittaa, silittää suoraksi, kaulita (taikinaa), valssata **2** (ark) aloittaa, käynnistää **3** nousta vuoteesta, herätä

roman à clef [romanaˈkle] *s* (mon romans à clef) avainromaani

roman [roumæn] *s* antiikva

1 romance [rouˈmæns] *s* **1** romanssi; rakkauskertomus, rakkausromaani; seikkailuromaani **2** romanssi, rakkaussuhde

2 romance *v* **1** uneksia, haaveilla **2** kosiskella (myös kuv)

Romanesque [,rɔumə'nesk] *s* (arkkitehtuurissa) romaaninen tyyli *adj* romaaninen

Roman numerals *s* (mon) roomalaiset numerot

romantic [rou'mæntik] *s* **1** *Romantic* romantikko, romantiikan kannattaja **2** romantikko, haaveksija, uneksija *adj* **1** *Romantic* romantiikan (mukainen), romanttinen **2** romanttinen, romantiikkaan taipuvainen

romantically *adv* romanttisesti *he is romantically involved with another woman* hänellä on (rakkaus)suhde erään naisen kanssa

romanticize [rou'mænti,saiz] *v* romantisoida; kaunistella

1 romp [ramp] *s* rieha, mekastus, ilonpito, hauskanpito

2 romp *v* riehua (iloisesti), mekastaa, pitää hauskaa, karkeloida

1 roof [ruf ruf] *s* (mon roofs) **1** katto *to go through the roof* nousta/kasvaa/kallistua valtavasti; pillastua, raivostua, menettää malttinsa *to hit the roof* pillastua, raivostua, menettää malttinsa *to raise the roof* nostaa äläkkää/häly, tehdä iso numero jostakin **2** laki; *huippu the roof of the mouth* kitalaki, suulaki

2 roof *v* peittää, kattaa, suojata katolla

rooftop ['ruf,tap] *s* katto(tasanne)

rook [ruk] *s* **1** mustavaris **2** (šakissa) torni

rookie [ruki] *s* aloittelija, ensikertalainen

room [rum] *s* **1** huone *a house with three rooms* kolmihuoneinen talo **2** tila *there is no room here for another chair* tänne ei enää mahdu yhtään tuolia **3** (kuv) vara, tila *there is a lot of room for improvement in your work* työssäsi on paljon parannettavaa/parantamisen varaa

roomer *s* vuokralainen

roomful *s* huoneen täydeltä jotakin *a roomful of students* luokan/salin täydeltä oppilaita/opiskelijoita

roomy *adj* tilava

1 roost [rust] *s* **1** (kanalan) orsi **2** kanala *to rule the roost* olla kukkona tunkiolla

2 roost *v* **1** istua orrella **2** jäädä jonnekin (yöksi) **3** *to come home to roost* kostautua, koitua jonkun omaksi vahingoksi

rooster [rustər] *s* **1** kukko **2** (ark kuv) kukoilija

1 root [rut rut] *s* **1** (kasvin, hampaan ym) juuri *to take root* juurtua (myös kuv) **2** (kuv) juuri, ydin *to go to the root of the problem* selvittää asia juurta jaksain/perin juurin **3** (mat) juuri *square root* neliöjuuri **4** (mon, kuv) juuret *his roots are in Africa* hänen sukunsa juuret ovat Afrikassa

2 root *v* **1** juurtua (myös kuv), juurruttaa (myös kuv) **2** tonkia (kärsällä) **3** penkoa **4** hurrata, kannustaa (kilpailijaa tms)

root and branch *to* juurta jaksain, perin juurin, läpikotaisin, täysin

rooted *adj* (yhdyssanan jälkiosana) *deep-rooted* syvään juurtunut, pinttynyt

rooter *s* (kilpailijan yms) kannustaja, hurraaja

rootless *adj* juureton (myös kuv)

root up *v* tonkia, kaivaa esiin (esim kärsällä)

root vegetables *s* (mon) juurekset

1 rope [roup] *s* **1** köysi *a length of rope* köyden pätkä, köysi *Harry is at the end of his rope* Harry on vetänyt itsensä piippuun; Harry on puilla paljailla *you're not giving me enough rope* sinä rajoitat toimiani liikaa, sinä et anna minun toimia tarpeeksi vapaasti **2** (mon) (nyrkkeilykehän) köydet *to be on the ropes* (kuv) olla hätää kärsimässä *to learn the ropes* oppia (uusi) työ, päästä jyvälle jostakin **3** lasso **4** hirttoköysi **5** hirttotuomio

2 rope *v* köyttää, sitoa (köydellä)

rope in *v* houkutella ansaan, saada satimeen

rope off *v* erottaa/sulkea/eristää (alue) köydellä

rorquals [rɔːrkwɔlz] *s* uurteisvalaat (Balaenopteridae)

Rorschach test ['rɔːrʃak] *s* (musteläiskätesti) Rorschachin testi

rosary [rouzəri] *s* rukousnauha

rose [rouz] *s* **1** ruusu *to come up roses* selvitä pelkällä säikähdyksellä **2** ruusunpunainen (väri); roosa *adj* ruusunpunainen; roosa

roseate [rouziət] *adj* **1** ruusunpunainen, ruusuinen **2** lupaava, ruusuinen **3** (liian) optimistinen, ruusuinen

rostrum [rastrəm] *s* (mon rostrums, rostra) puhujakoroke

rosy *adj* **1** ruusunpunainen; roosa; punertava, punakka **2** lupaava, ruusuinen, optimistinen

1 rot [rat] *s* **1** mätä, mäteneminen **2** turmelus, rappio

2 rot *v* **1** mädäntyä, pilaantua *may you rot in hell!* paha sinut periköön! **2** turmeltua, rappeutua, mennä piloille *interj* voi myrkky!, voi kurja!, voi harmi!

rotary [routəri] *adj* (kappale) pyörivä, kierto-, (liira) pyörintä-, kierto-

rotate [routeit] *v* **1** pyöriä, kiertää, kiertyä **2** vuorotella, tehdä jotakin vuorotellen, vaihtaa, vaihtua *to rotate the tires on a car* vaihtaa auton pyörien/renkaiden paikkaa

rotating *adj* **1** pyörivä, kiertävä, pyörintä-, kierto- **2** vuorotteleva, vuoro-, vaihtuva

rotation [rətən] *s* **1** pyörintä, kiertoliike **2** vuorottelu, vaihtuminen *crop rotation* vuoroviljely *the guards are on rotation* vartijat ovat vuorotellen työssä

rote [rout] *s* rutiini, tottumus *to learn something by rote* opetella/oppia ulkoa

rotor [routər] *s* roottori

rotten [ratən] *adj* **1** mätä, pilaantunut **2** turmeltunut, rappeutunut **3** kurja, viheliäinen, surkea

rotund [rə'tʌnd, rou'tʌnd] *adj* **1** pyöreä **2** pyylevä, pyöreä

rouge [ru:ʒ] *s* huulipuna; poskipuna

1 rough [rʌf] *s* **1** *to be in the rough* olla (vielä) alkutekijöissään *a diamond in the rough* hiomaton timantti **2** (golf) karheikko, raffi

2 rough *v* karhentaa

3 rough *adj* **1** (pinta) karkea, karhea, rosoinen, epätasainen, (tukka, turkki) takkuinen **2** (ääni) käheä, karkea, karhea **3** (tavat) hiomaton, karkea, töykeä **4** (suunnitelma) alustava, (arvio) karkea, summittainen **5** (menettely, puheet) väkivaltainen, kovaotteinen, kova

roughage [rʌfədʒ] *s* (ruuassa) kuitu

roughen *v* karhentaa

rough it *fr* elää vaatimattomasti, tulla toimeen vähällä

roughly [rʌfli] *adv* **1** karkeasti (ks rough) **2** noin, suunnilleen, karkeasti (arvioiden)

rough up *v* **1** piestä, hakata **2** luonnostella, hahmotella

roulette [ru'let] *s* ruletti(peli)

1 round [raund] *s* **1** pallo, ympyrä, rengas, kehä **2** kierros *a round of talks* neuvottelukierros, neuvottelut *the doctor is making her rounds* lääkäri on kierroksellaan/parhaillaan kierroksellaan/kierroksella *a rumor is going/making the rounds* liikkeellä on huhu **3** (urh) erä **4** *a round of applause* kättentaputukset, suosionosoitukset, aplodit *he offered us a round of drinks* hän tarjosi meille kierroksen/ryypyt **5** (aseen) laukaus; patruuna **6** *in the round* kokonaisuutena

2 round *v* **1** pyöristää (myös kuv luvusta), pyöristyä **2** saattaa päätökseen/valmiiksi, päättää **3** kiertää (jokin ympäri)

3 round *adj* **1** pyöreä **2** summittainen *a round figure* pyöreä luku *in round numbers* karkeasti, suunnilleen **3** täyteläinen *she has a round figure* hänellä on täyteläiset muodot

4 round *adv* **1** kautta, läpi **2** ympäri *to go round the house* kiertää rakennus *to turn round* kääntyä ympäri *prep* **1** ympäri, kautta, läpi *round the year* koko vuoden, läpi vuoden **2** tienoilla, paikkeilla, maissa

1 roundabout *s* (UK) liikenneympyrä, kiertoliittymä

2 roundabout [raundə,baut] *adj* kiemurteleva, mutkitteleva, kierto- *she asked about you in a roundabout way* hän kysyi sinusta vaivihkaa, kautta rantain

round-lot [raund,lat] *s* (tal) pörssierä, standardi kaupankäyntierä (vrt *odd-lot*)

round off *v* **1** pyöristää (luku) **2** päättää *we rounded the talks off with a party* pidimme neuvottelujen päätteeksi juhlat

round out *v* **1** täydentää, olla pisteenä i:n päällä **2** pyöristyä, pyöristää

round up *v* koota yhteen (esim karjaa, kannattajia)

rouse

1048

rouse [rauz] v herättää, innostaa, kannustaa *to rouse someone to action* saada/patistaa joku tekemään jotakin

rousing *adj* **1** innostava, tenhoava, mukaansatempaava **2** vilkas, vauhdikas, kiireinen, reipas

roust [raust] v hätistää, patistaa (pois jotakin)

1 rout [raut] s musertava tappio

2 rout v (kuv) piestä, hakata

1 route [rut raut] s reitti, tie *to go the route* pitää pintansa, tehdä/kestää jotakin loppuun saakka

2 route v ohjata (liikenne ym jotakin reittiä)

routine [ru:ti:n] s **1** tottumus, harjaantuneisuus, rutiini **2** totunnainen menettely **3** rutiinityöt **4** esitys, numero; (vilpillinen) tyhjä puhe *and then he gave me that old routine about patriotism* ja sitten hän alkoi taas hokea samaa laulua isänmaallisuudesta **5** (tietok) rutiini *adj* **1** rutiini-, rutiininomainen, tavallinen, tavanomainen **2** pitkästyttävä, pitkäveteinen

1 row [rou] s **1** rivi, jono **2** souturetki, soutumatka **3** *it is a hard/long row to hoe* (kuva) se on kivinen pelto, se on visainen tehtävä, se on vaikeaa

2 row v soutaa

1 row [rau] s riita, kiista, kina

2 row v riidellä, kiistellä, kinata

rowan [rouən] s pihlaja

rowboat [ˈrouˌbout] s soutuvene

rowdy [raudi] s rellestäjä, kulinoitsija *adj* hulinoiva, metelöivä, riehakas

royal [roiəl] s (ark) kuninkaallinen *adj* **1** kuninkaallinen (myös kuv:) ruhtinaallinen **2** (ark) melkoinen, varsinainen, todellinen *he's a royal pain in the ass* hänestä on hitosti riesaa, hän on sietämätön

royalist s kuningasmielinen, rojalisti *adj* kuningasmielinen, rojalistinen

royally *adj* **1** kuninkaallisesti (myös kuv:) ruhtinaallisesti **2** (ark) pahasti *you screwed up royally* tyrit pahasti

royalty [roiəlti] s **1** kuninkuus **2** kuninkaalliset, kuningasperhe **3** kuningaskunta **4** rojalti, tekijänpalkkio

R-rated *adj* (elokuva) sallittu alle 17-vuotiaalle vain vanhemman henkilön seurassa

R.S.V.P. *répondez s'il vous plaît* (kutsukirjeessä) pyydämme vastaamaan

1 rub [rʌb] s **1** hankaus, hionta; hieronta **2** (kuv) piikki, näpäytys, herja **3** (kuv) ongelma, pulma, vaikeus

2 rub v hangata, hankautua, hioa; hieroa

rubber [rʌbər] s **1** kumi **2** (ark) kumi, (ilma)rengas **3** (sl) kumi, kondomi

rubber band s kuminauha

rubberneck [ˈrʌbərˌnek] v (ark) töllistellä, pysähtyä töllistelemään

rubber stamp s **1** (kumi)leimasin **2** byrokraatti (tms joka hyväksyy anomuksia tms helposti) **3** (anomuksen tms) hyväksyminen

rubbish [rʌbiʃ] s **1** roska, roina **2** pöty, roskapuhe, hölynpöly

rubble [rʌbəl] s **1** sirpaleet, rauniot **2** murska

rub down v **1** hangata, hioa **2** pyyhkiä kuivaksi, kuivata **3** hieroa

rubdown [ˈrʌbˌdaun] s hieronta

rub in v hieroa/levittää jotakin jonnekin

rub it in *fr* (ark) muistuttaa jotakuta virheestä/epäonnistumisesta, ratsastaa toisen virheillä

rub off v tarttua johonkin *your cussing will rub off on your kids* kiroilusi tarttuu vielä lapsiisi, lapseesi ottavat vielä kiroilustasi esimerkkiä

rub out v **1** pyyhkiä/hangata pois **2** (sl) tappaa, nitistää

ruby [rubi] s **1** rubiini **2** rubiininpunainen (väri) *adj* rubiininpunainen

rucksack [rʌkˌsæk] s (selkä)reppu

rudder [rʌdər] s (laivan, veneen, lentokoneen) peräsin

ruddy [rʌdi] *adj* **1** (ihon väri) terve **2** punainen

rude [rud] *adj* **1** epäkohtelias, töykeä, hävytön; ruokoton, säädytön; sivistymätön **2** karkea, hiomaton, alkeellinen **3** alustava, karkea *this is only a rude sketch* tämä on vain summittainen luonnos

rudeness s **1** epäkohteliaisuus, töykeys; ruokottomuus, säädyttömyys **2** karkeus, hiomattomuus, alkeellisuus

rudimentary [ˌrudiˈmentəri] *adj* alkeellinen, alkeis-, perus-

rudiments [rudɪmənts] *s* (mon) alkeet *the rudiments of psychology* psykologian alkeet/perustiedot

rueful [rufəl] *adj* **1** säälittävä **2** apea, alakuloinen, surullinen, masentunut

ruff [rʌf] *s* **1** röyhelökaulus **2** suokukko

ruffian [rʌfiən] *s* uhottelija, kovis (ark), räyhääjä

1 ruffle [rʌfl] *s* **1** rypytys, röyhelö, poimutelma **2** harmi, ärtymys, kiusa

2 ruffle *v* **1** sekoittaa, sekoittaa, sotkea, sotkeutua **2** ärsyttää, harmittaa **3** lehteillä (kirjaa), plarata, sekoittaa (kortteja) **4** laskostaa, rypyttää (kangasta)

rug [rʌg] *s* **1** (pieni) matto **2** (UK) peite, peitto, huopa

rugby [rʌgbɪ] *s* (pelі) rugby

rugged [rʌgəd] *adj* **1** karkea, rosoinen, epätasainen *he has a rugged face* hänellä on karkeat kasvot/piirteet **2** mäkinen, kumpuileva *rugged terrain* mäkinen maasto **3** kestävä, vankka, vahva **4** ankara, tiukka, juro, tuima, kova *he is a rugged character* hän on karu tyyppi *they lead a rugged life* heidän elämänsä on karua/kovaa

ruggedness *s* **1** karkeus, epätasaisuus; mäkisyys **2** kestävyys, lujuus, vahvuus **3** ankaruus, jurous, kovuus

1 ruin [ruən] *s* **1** tuho, turmio *pride will be your ruin* ylpeys koituu vielä kohtalokseси **2** (mon) rauniot *to fall to ruin* raunioitua, ränsistyä, rappeutua

2 ruin *v* **1** raunioittaa, raunioittaa, hävittää, tuhota, tuhoutua **2** saattaa joku perikatoon/puille paljaille **3** turmella, turmeltua, rappeuttaa, rappeutua, pilata

ruinous [ruənəs] *adj* tuhoisa

1 rule [ruəl] *s* **1** sääntö *as a rule* yleensä **2** tapa **3** valta **4** hallituskausi **5** viivotin *slide rule* laskutikku

2 rule *v* **1** hallita; vallita *chaos rules in the country* maa on sekasorron vallassa **2** (tuomarista) määrätä, päättää **3** viivoittaa

rule of thumb *fr* nyrkkisääntö, peukalosääntö

rule out *v* sulkea pois *his alibi rules him out as a suspect* häntä ei voi alibin vuoksi lukea epäiltyjen joukkoon

ruler *s* **1** hallitsija, valtias **2** viivoitin

ruling *s* (tuomarin) päätös *adj* **1** valtaa pitävä, hallitseva, johtava **2** vallitseva, yleisin, tärkein

rum [rʌm] *s* rommi

1 rumble [rʌmbəl] *s* **1** jyrinä, jylinä, jyly, pauhu; murina

2 rumble *v* jyristä, jylistä, pauhata; murista

ruminants [rumɪnənts] *s* (mon) märehtijät

rummage [rʌmədʒ] *v* penkoa

rumor [rumər] *s* huhu

2 rumor *v* huhuta *Elvis is rumored to be alive* huhujen mukaan Elvis on elossa

rump [rʌmp] *s* **1** (eläimen) takamus **2** (ruoka) takapaisti **3** (ihmisen) takamus **4** loppu, loput, jäännös, tynkä

rumpus [rʌmpəs] *s* **1** metakka, meteli **2** alakka, kina, riita

1 run [rʌn] *s* **1** juoksu *I'll grab a bite on the run* minä haukkaan matkalla jotakin suuhuni *he does a five-mile run every two days* hän käy kahdeksan kilometrin lenkillä joka toinen päivä **2** pako **3** ryntäys, pyrähdys *he made a run for the bus* hän yritti ehtiä linja-autoon **4** matka, ajo; reitti *the boat makes two daily runs to and from the island* laiva kulkee/liikennöi saarelle kahdesti päivässä **5** aikaväli *in the long/short run* pitkällä/lyhyellä aikavälillä *in the normal run of things* tavallisesti, yleensä **6** (tal) ryntäys **7** lupa *you have the run of the house* ole (talossa) kuin kotonasi **8** (eläin)aitaus **9** (sukan ym) purkauma

2 run *v* ran, run **1** juosta **2** pako, karata **3** ajaa, kulkea, kuljettaa, viedä *the bus runs every half an hour* linja-auto kulkee puolen tunnin välein **4** käydä, käyttää (moottoria, konetta) **5** virrata; vuotaa, valua **6** vetää, kuljettaa, sukaista *she ran her finger along the road in the map* hän seurasi sormellaan kartalle piirrettyä tietä **7** johtaa, hoitaa *to run a business* johtaa liikeyritystä **8** iskeä, lyödä *he ran a nail into the wall* hän löi naulan seinään **9** (sukan tms) purkautua

run across *v* tavata joku (sattumalta), törmätä (kuv) johonkuhun, huomata jotakin (sattumalta)

run after *v* 1 ajaa takaa jotakuta/jotakin 2 juosta rakastettunsa perässä

run along *v* lähteä *run along now* menehän jo!

run a risk of *fr* vaarantaa: *to run the risk of getting killed* panna henkensä alttiiksi

run around *v* jahdata jotakuta, juosta jonkun perässä

run around with *v* olla kimpassa jonkun kanssa, olla hyvät kaverit jonkun kanssa, pitää seuraa jonkun kanssa

run away *v* karata, paeta

run away with *v* 1 karata rakastettunsa kanssa 2 varastaa, kähveltää

run down *v* 1 ajaa kumoon, ajaa jonkun päälle 2 ajaa takaa, jahdata 3 pysähtyä, (veto, paristo) loppua 4 haukkua, moittia

run-down *adj* 1 väsynyt, uupunut 2 raihnainen, heikko 3 ränsistynyt, rähjäinen

run for it *v* karata, paeta; kiirehtiä, pitää kiirettä

1 rung [rʌŋ] *s* 1 (tikkaiden, pyörän ym) puola, piena 2 (kuv) porras, askelma

2 rung *v* ks ring

run in *v* 1 piipahtaa, käväistä jossakin 2 (sl) pidättää

run in place *fr* polkea paikallaan, huovata

run into *v* 1 törmätä johonkin 2 tavata joku sattumalta, törmätä (kuv) johonkuhun 3 (summa) tehdä: *his income runs into six figures* hän tienaa satoja tuhansia 4 joutua johonkin, kohdata jotakin *to run into debt* velkaantua *to run into problems* joutua vaikeuksiin

run low *fr* (alkaa) olla vähissä

runner *s* 1 juoksija, kilpajuoksija 2 lähetti 3 (reen ym) jalas 4 rulla, pyörä 5 (kasvin) rönsy

runner-up [ˌrʌnərˈʌp] *s* (kilpailussa) toiseksi tullut/paras, kakkonen

running *s* 1 juokseminen, juoksu 2 kilpailu *to be in the running* olla mukana kilpailussa; olla ehdokkaana (vaaleissa); sijoittua kärkeen, päästä kärkisijoille *to be out of the running* ei osallistua kilpailuun, ei kilpailla; ei sijoittua kärkeen, ei päästä kärkisijoille 3 johtaminen, hoitaminen *adj* 1 juokseva, juoksu- 2 (neste) vuotava,

juokseva; sula 3 (kasvi) rönsyilevä 4 vallitseva, kuluva, nykyinen 5 (koneesta) joka on käynnissä 6 jatkuva, toistuva, kertautuva, peräkkäinen *we did it four times running* teimme sen neljästi/neljä kertaa peräkkäin

runny *adj* 1 valuva 2 (nenä) vuotava

run off with *v* varastaa, viedä mennessään

run-of-the-mill *adj* tavallinen, keskinkertainen, mitäänsanomaton

run on *v* 1 käydä jollakin *this computer runs on a battery* tämä tietokone toimii akulla 2 jatkua, kestää

run out *v* 1 loppua, päättyä 2 karkottaa, häätää

run out of *v* joltakulta loppuu jokin *he is running out of money* häneltä alkavat loppua rahat

run out of gas *fr* 1 joltakulta (jonkun autosta) loppuu bensa 2 (kuv) joltakulta/jostakin loppuu veto/mehut, joku väsähtää, jokin lopahtaa

run out on *v* jättää pulaan, hylätä (hädän hetkellä)

run over *v* 1 ajaa jonkun päälle, törmätä johonkin 2 ylittää (raja) 3 toistaa, kerrata, käydä uudestaan läpi 4 vuotaa yli

run ragged *fr* 1 väsyttää joku, uuvuttaa joku, viedä jonkun kaikki voimat 2 rehottaa, kasvaa villinä

run short *fr* alkaa loppua; alkaa olla vähissä

run up *v* kerätä, kasata *he has run up a small fortune* hän on kasannut kokoon pitkän pennin

runway [ˈrʌnˌweɪ] *s* 1 (lentokentän) kiitorata 2 kiihdytyskaista; pysäköintikaista 3 (eläinten) astua 4 joen uoma 5 (muotinäytöksessä, teatterissa) katsomoon ulottuva kapea ramppi

run with *v* (ark) innostua jostakin, suostua johonkin; tehdä innokkaasti

1 rupture [ˈrʌptʃər] *s* 1 repeämä, puhkeama 2 (kuv) välirikko

2 rupture *v* puhkaista, puhjeta, repäistä, revetä

rural [ˈrʊərəl] *adj* maaseudun, maaseutu-, maalais-

ruse [ruːz] *s* ansa, juoni

1 rush [rʌʃ] *s* 1 (väen- tai muu) tungos, ryntäys, tulva, purkaus *the gold rush* kultakuume *a rush of excitement* innostuksen huuma/purkaus **2** (sot) hyökkäys **3** kiire, hätä **4** (ark) huomio, hemmottelu **5** (mon) elokuvan ensimmäinen kopio (kuvauspäivänä kehitetty filmi)

2 rush *v* **1** syöksyä, rynnätä, tunkeilla, tulvia, purkautua **2** kiirehtiä, hätäillä; patistaa, hoputtaa *there's no need to rush, we'll get it done in time* on turha hätäillä, me saamme kyllä työn ajoissa valmiiksi *don't rush me, I don't like it* älä hoputa minua, en pidä siitä **3** hyökätä **4** yrittää olla mieliksi jollekulle, hukuttaa joku huomionosoituksiin, hemmotella

rush hour *s* (liikenteen) ruuhka(-aika)

1 rust [rʌst] *s* ruoste

2 rust *v* ruostua, ruosttuttaa, saada ruostumaan

1 rustle [rʌsəl] *s* kahina

1 rustle *v* **1** kahista, kahisuttaa **2** laittaa, valmistaa

rustler [rʌslər] *s* **1** karjavaras **2** (ark) voimanpesä, työhirmu

rustle up *v* hankkia, etsiä, löytää (kovalla vaivalla)

rust through *v* ruostua puhki

rusty *adj* ruostunut (myös kuv), ruosteinen *I was rusty on panic* en ollut aikoihin ollut paniikissa

1 rut [rʌt] *s* **1** (pyörän jälki) ura **2** (kuv) tottumus *we are in a rut* me olemme urautuneet/luutuneet (tapoihimme) *Larry has fallen into a rut* Larryn elämä on urautunut, Larryn elämä on alkanut kulkea jatkuvasti samaa rataa **3** (eläimen) kiima

2 rut *v* **1** uurtaa, jättää (syvät) jäljet johonkin **2** (eläin) olla kiimassa

ruthless [ruθləs] *adj* säälimätön, armoton, julma, ankara

ruthlessness *s* säälimättömyys, armottomuus, julmuus, ankaruus

rye [raɪ] *s* **1** ruis **2** ruisleipä *I'll have a Swiss on rye* haluan ruisleivän jolla on emmentaljuustoa **3** ruisviski

S,s

S, s [es] S, s

s (mus) yläsävel *adj* (mus) harmoninen

Sabbath [sæbəθ] *s* sapatti; pyhäpäivä

sabbatical [səˈbætɪkəl] *s* sapattiloma, sapattivuosi

saber [seɪbər] *s* sapeli

sable [seɪbəl] *s* soopeli

1 sabotage [ˈsæbəˌtaʒ] *s* sabotaasi

2 sabotage *v* sabotoida *are you trying to sabotage my work?* yritätkö sinä häiritä työtäni?

saboteur [sæbəˈtər] *s* sabotoija, sabotööri

saccharin [sækərən] *s* (makeutusaine) sakariini

saccharine [sækərən] *adj* makea, imelä (myös kuv)

1 sack [sæk] *s* **1** säkki **2** pussi **3** (sl) potkut *he got the sack last week* hänet potkittiin pois viime viikolla **4** (sl) sänky *to hit the sack*

painua pehkuihin **5** *to be left holding the sack* saada kaikki syyt niskoilleen, joutua syntipukiksi **6** ryöstö, rosvous

2 sack *v* **1** säkittää, panna säkkeihin **2** pusEttaa, panna pusseihin **3** (sl) erottaa, antaa potkut **4** ryöstää, rosvota (valloituksen jälkeen)

sack out *v* (sl) **1** painua pehkuihin **2** nukahtaa, sammua

sacrament [sækrəmənt] *s* sakramentti *Holy Sacrament* Pyhä ehtoollinen

sacramental [sækrəˈmentəl] *s* sakramentaali *adj* sakramentaalinen; uhri-

sacred [seɪkrəd] *adj* pyhä

1 sacrifice [sækrəˌfaɪs] *s* uhri

2 sacrifice *v* uhrata *she sacrificed her career for her children* hän piti lastensa etua omaa ammattiaan tärkeämpänä

sacrificial [sækrəˈfɪʃəl] *adj* uhri-

sacrilege [sækrələdʒ] s pyhäinhäväistys, riena

sacrilegious [ˌsækrəˈlɪdʒəs] adj rienaava, pyhiä arvoja loukkaava

sacrosanct [ˈsækrəˌsæŋkt] adj erittäin pyhä, loukkaamaton, jota ei saa loukata/arvostella, johon ei saa koskea/puuttua

sacrum [sækrəm] s (mon sacra) ristiluu

sad [sæd] adj surullinen, apea, alakuloinen; ikävä, kurja, huono, surkea

sadden v tehdä surulliseksi, synkistää

1 saddle [sædəl] s satula Betty is in the saddle here (kuv) Bettyllä on täällä ohjakset käsissään

2 saddle v satuloida

saddler s satulaseppä

saddle with v (kuv) sälyttää jotakin jonkun vastuulle/niskoille/harteille, panna jotakin jonkun taakaksi/vastuulle Sean is saddled with too much responsibility Seanilla on liikaa vastuuta

sadism [sædɪzəm seɪdɪzəm] s sadismi

sadist s sadisti adj sadistinen

sadistic [səˈdɪstɪk] adj sadistinen

sadly adv surullisesti, apeasti, alakuloisesti; ikävästi, kurjasti, huonosti, surkeasti

sadness s surullisuus, apeus, alakuloisuus

1 safari [səˈfɑːrɪ] s safari

2 safari v lähteä/mennä safarille, olla safarilla

safe [seɪf] s kassakaappi adj **1** turvallinen, varma, luotettava your secret is safe with me minä en paljasta salaisuuttasi is it safe to go out after dark? onko turvallista mennä ulos pimeän jälkeen? **2** ehjä, vahingoittumaton

safe and sound fr vahingoittumaton, ehjä, joka ei ole saanut/kärsinyt naarmuakaan

safeguard [ˈseɪfˌgɑːd] s varotoimi; varmistin, turvalaite

safekeeping [ˌseɪfˈkiːpɪŋ] s säilytys, turva can I give my Rolex to you for safekeeping? saanko antaa Rolexini sinun huostaasi?

safety [seɪftɪ] s **1** turva to reach safety päästä turvaan to play for safety pelata varman päälle **2** turvallisuus **3** (aseen) varmistin **4** (amerikkalaisessa jalkapallossa) takapuolustaja ks left safety, right safety

safety belt s turvavyö

safety pin s hakaneula

1 sag [sæg] s **1** painauma, syvennys, notko **2** (kuv) laantuminen, lasku, väheneminen, käänne huonompaan päin

2 sag v **1** painua alas (keskeltä), roikkua (keskeltä), olla notkolla **2** olla vinossa **3** (kuv) lannistua, (into) laantua, herpaantua, laskea, kääntyä laskuun

saga [sɑːgə] s saaga

1 sage [seɪdʒ] s **1** viisas, tietäjä **2** (kasvi) ryytisalvia, (mauste) salvia **3** maruna

2 sage adj viisas

said [sed] ks say

1 sail [seɪl] s **1** purje to make/set sail lähteä purjehtimaan/matkaan to trim your sails leikata kustannuksia, vähentää kuluja/menoja, säästää **2** (tuulimyllyn) siipi **3** purjehdus(matka) **4** (purje)vene

2 sail v **1** purjehtia, ohjata (laivaa), kyntää (merta) **2** lähteä, matkustaa **3** liitää, kiitää

sailboarding s purjelautailu

sailboat s purjevene

sailer [seɪlər] s purjevene

sailing boat s (UK) purjevene

sail into v **1** panna hihat heilumaan **2** haukkua, moittia, sättiä jotakuta

sailor [seɪlər] s **1** merimies, matruusi **2** purjehtija **3** (sot) matruusi

sail through v selvitä jostakin liehuvin lipuin, jokin on jollekulle lasten leikkiä

saint [seɪnt] s pyhimys (myös kuv) he is no saint hän ei ole mikään pulmunen Saint (nimen edellä) Pyhä Saint John Pyhä Johannes Gulf of Saint Lawrence Saint Lawrencen lahti

sainted adj pyhimykseksi julistettu, pyhä, autuas

sake [saki] s sake, riisiviini

sake [seɪk] s for the sake of tähden, for old times' sake menneiden (aikojen) muistoksi for goodness' sake hyvänen aika, herranen aika

salable [sæləbəl] adj myyntikelpoinen, joka voidaan myydä, joka on helppo myydä, joka menee hyvin kaupaksi

salad [sæləd] s salaatti

salad days *in my salad days* nuoruudessani, kun olin nuori

salad dressing *s* salaattikastike

salami [sə'lɑmi] *s* salami(makkara)

salaried [*s*ælərid] *adj* josta/jolle maksetaan kuukausipalkkaa *salaried employee* toimihenkilö *salaried job* toimistotyö

salary [*s*æləri] *s* (kuukausi)palkka

sale [seɪl] *s* **1** myynti, myyminen *the sale of cars* autokauppa *for sale* (kilvessä, lehti-ilmoituksessa ym) myytävänä **2** (mon) myynti *our sales are up in this quarter* myyntimme on kasvanut tällä vuosineljänneksellä **3** (mon) myyntiosasto **4** alennusmyynti, alc

salesman [seɪəlzmən] *s* (mon salesmen) myyntimies, edustaja; myyjä

salesperson [*s*eɪəlz,pərsən] *s* edustaja; myyjä

saleswoman [seɪəlz,wumən] *s* (mon saleswomen) edustaja; myyjä

salient [oɪlɪənt] *adj* **1** ouiin piotüvä, näkyvä **2** (kuv) keskeinen, olennainen, tärkeä, näkyvä

saline [seɪlɪn] *adj* suolainen, suola-

salinity [sə'lɪnəti] *s* suolaisuus, suolapitoisuus

saliva [sə'laɪvə] *s* sylki, kuola

salivate [*s*ælə,veɪt] *v* **1** kuolata **2** (kuv) himoita *he is salivating at the prospect of being promoted* hän odottaa ylennystä kuola valuen

sallow [sælou] *adj* kalpea, kalvakka

salmon [sæmən] *s* (mon salmons, salmon) lohi

salon [sə'lan] *s* **1** salonki, oleskeluhuone **2** salonki, kampaamo, kauneushoitola yms **3** (taide)salonki

saloon [sə'lun] *s* **1** saluuna; kapakka **2** (esim laivan) salonki, sali **3** (UK) henkilöauto, sedan

saloon car *s* (UK) henkilöauto, sedan

salsa [salsə] *s* **1** (musiikki, tanssi) salsa **2** (tulinen meksikolaisperäinen kylmä kastike) salsa

1 salt [salt] *s* **1** suola *you have to take his words with a grain of salt* älä ota hänen puheitaan täydestä *as an employee, he is*

not worth his salt hän ei ole palkkansa väärti työntekijä **2** (kuv) maku, suola

2 salt *v* suolata, maustaa suolalla; levittää suolaa (maanteille)

salt away *v* **1** suolata, säilöä suolaa käyttäen **2** (kuv) panna talteen, säästää (myöhemmäksi)

saltcellar [*s*alt,selər] *s* suolasirotin

salt mine *s* **1** suolakaivos **2** (mon, kuv) raadanta, arkinen aherrus, tervan juonti

saltwater [*s*alt,watər] *adj* suolaisen veden, merivesi-

salty *adj* suolainen

salubrious [sə'lubriəs] *adj* terveellinen, hyvää tekevä

1 salute [sə'lut] *s* **1** tervehdys **2** kunnialaukaus

2 salute *v* **1** tervehtiä; (sot) tehdä kunniaa; ampua kunnialaukaus **2** olla mielissään jostakin, ottaa myönteisesti vastaan, tervehtiä tyydytyksellä yms, ylistää

1 salvage [*s*ælvədʒ] *s* (hädästä, tuholta) pelastaminen

2 salvage *v* **1** pelastaa **2** ottaa/kerätä talteen, kierrättää *they salvage parts from old cars* he purkavat vanhoista autoista käyttökelpoisia osia

salvation [sæl'veɪʃən] *s* (usk ym) pelastus, pelastaminen, pelastuminen

salver [sælvər] *s* tarjotin

salvo [sælvou] *s* (mon salvos, salvoes) **1** (tykkien ym) yhteislaukaus; kunnialaukaus **2** hurraahuuto, eläköönhuuto, räiskyvät suosionosoitukset

same [seɪm] *adj, adv, pron* sama *he's the same man we met yesterday* hän on sama mies jonka tapasimme eilen *at the same time* samaan aikaan, yhtä aikaa *we both drive the same car* meillä on kummallakin samanlainen auto *I'll have the same* (ravintolassa tilattaessa) otan saman (kuin sinä/ hän) *it's all the same to me* se on minulle yksi ja sama, se on minulle yhdentekevää *you've got to do it all/just the same* sinun on joka tapauksessa/kuitenkin tehtävä se *the same to you* kiitos samoin!, sitä samaa!

sameness *s* **1** samanlaisuus, yhdenmukaisuus **2** yksitoikkoisuus, yksitotisuus

1 sample [sæmpəl] *s* näyte

2 sample *v* ottaa näyte jostakin *urine sample* virtsanäyte *you want to sample my chili?* haluatko maistaa chiliäni?

sampler [sæmplər] *s* **1** (elektroninen soitin) sampler **2** kokoelma(ääni)levy **3** suklaakonvehtirasia

samurai [sæmə‚raɪ] *s* (mon samurais) samurai

sanatorium [‚sænə'tɔːriəm] *s* (mon sanatoriums, sanatoria) parantola

sanctimonious [‚sæŋktɪ'mounɪəs] *adj* tekopyhä, hurskasteleva

1 sanction [sæŋkʃən] *s* **1** lupa, suostumus **2** rangaistus **3** pakote, tehoste, sanktio

2 sanction *v* **1** hyväksyä, suostua johonkin, antaa lupa, vahvistaa **2** rangaista **3** turvautua pakotteisiin

sanctity [sæŋktɪtɪ] *s* pyhyys, loukkaamattomuus, koskemattomuus

sanctuary [sæŋkʃu‚erɪ] *s* **1** pyhäkkö **2** pakopaikka, turvapaikka **3** suojelualue, säästiö

1 sand [sænd] *s* **1** hiekka, santa **2** (mon) hietikko **3** (mon) aika **4** hiekan väri

2 sand *v* **1** hioa (esim hiekkapaperilla) **2** hiekoittaa, sannoittaa

sandal [sændl] *s* sandaali

sandbank [sænd‚bæŋk] *s* hiekkapenger

1 sandblast [sænd‚blɑːst] *s* hiekkapuhallus

2 sandblast *v* käsitellä hiekkapuhaltimella

sandblaster *s* hiekkapuhallin

sandman [sændmæn] *s* (mon sandmen) nukkumatti

sandpaper [sænd‚peɪpər] *s* hiekkapaperi

sandpiper [sænd‚paɪpər] *s* (lintu) rantasipi

sandpit [sænd‚pɪt] *s* hiekkakuoppa

sandstone [sænd‚stoʊn] *s* hiekkakivi

1 sandwich [sænwɪtʃ] *s* (kerros)voileipä *open sandwich* voileipä

2 sandwich *v* (kuv) panna jonkin väliin, mahduttaa johonkin väliin *the silicon is sandwiched between two layers of glass* piikerros on kahden lasin välissä

sandy *adj* **1** hiekkainen **2** hiekan värinen

sane [seɪn] *adj* **1** (mieleltään) terve, normaali **2** järkevä, viisas

sang [sæŋ] ks sing

sangfroid [sɑːn'frwɑ] *s* (mielen)maltti, rauhallisuus, tyyneys; kylmäverisyys

sanitary [sænə‚terɪ] *adj* **1** hygieeninen, puhdas, siisti **2** saniteetti-, terveydenhoito-

sanitary napkin *s* terveysside

sanitation [‚sænə'teɪʃən] *s* **1** hygienia **2** jätehuolto

sanitation worker *s* jätteiden kerääjä

sanity [sænətɪ] *s* **1** mielenterveys, järki **2** viisaus, järkevyys

sank [sæŋk] ks sink

Santa (Claus) *s* joulupukki

1 sap [sæp] *s* **1** (kasvin) neste, mahla **2** (kuv) elinvoima, mehut (ark) **3** (sot) taisteluhauta **4** (ark) tomppeli

2 sap *v* **1** valuttaa mahlaa jostakin **2** uuvuttaa, viedä mehut (ark) joltakulta **3** (sot) kaivaa taisteluhauta **4** (kuv) heikentää, kaivaa maata jonkun/jonkin alta

sapling [sæplɪŋ] *s* (puun) taimi

sapphire [sæfaɪər] *s* **1** safiiri **2** safiirinsininen (väri)

sarcasm [sɑːkæzəm] *s* **1** sarkasmi, iva **2** sarkastinen/ivallinen/pureva/piikikäs huomautus

sarcastic [sɑːˈkæstɪk] *adj* sarkastinen, ivallinen, pureva

sarcophagus [sɑːˈkɒfəgəs] *s* (mon sarcophaguses, sarcophagi) kivinen ruumisarkku, sarkofagi

sardine [sɑːˈdiːn] *s* (mon sardines, sardine) sardiini

sari [sɑːrɪ] *s* (mon saris) sari (eräs intialaisnaisten vaate)

sarong [sə'rɒŋ] *s* sarong (malaijilainen lannevaate)

sash [sæʃ] *s* **1** (sotilasasun ym) olkavyö **2** (ikkunan) karmi; puite

sash window *s* pystysuora liukuikkuna

sat [sæt] ks sit

Satan [seɪtən] *s* saatana, paholainen, perkele

satanic [sə'tænɪk] *adj* **1** saatanan, saatanallinen, paholaisen **2** pirullinen

satchel [sætʃəl] *s* (olka)laukku

sate [seɪt] *v* tyydyttää (halu)

satellite [sætə‚laɪt] *s* **1** (planeetan) kuu **2** tekokuu, satelliitti **3** seuralainen

satin [sætɪn] *s* (kangas) satiini

satire ['sætaɪər] *s* **1** satiiri, pilkka, iva **2** satiiri(nen kirjoitus), pilkkakirjoitus

satirical [sə'tɪrɪkəl] *adj* satiirinen, pilkallinen, ivallinen

satirist ['sætərɪst] *s* satiirikko, pilkkaaja, ivaaja

satirize ['sætə,raɪz] *v* satirisoida, pilkata, ivata

satisfaction [,sætɪz'fækʃən] *s* **1** tyydytys, täyttymys; tyytyväisyys *have I done the job to your satisfaction?* oletko tyytyväinen työhöni? **2** korvaus, hyvitys

satisfactorily *adv* tyydyttävästi, riittävästi, riittävän hyvin/paljon

satisfactory [,sætɪz'fæktərɪ] *adj* tyydyttävä, riittävä

satisfied ['sætɪz,faɪd] *adj* tyytyväinen

satisfy ['sætɪz,faɪ] *v* **1** tyydyttää (halu); saada/tehdä tyytyväiseksi **2** saada joku vakuuttuneeksi jostakin, hälventää (epäily) **3** oikaista (vääryys), hyvittää, korvata **4** maksaa (velka), maksaa kokonaan **5** täyttää (ehto)

satisfying *adj* tyydyttystä tuottava, miellyttävä, hyvä

saturate ['sætʃə,reɪt] *v* kyllästää (myös kuv)

saturation [,sætʃə'reɪʃən] *s* kyllästys; (värien) kylläisyys

Saturday ['sætədɪ] *s* lauantai

Saturdays *adv* lauantaisin

1 sauce [sas] *s* **1** kastike **2** (ark) hävyttömyys, röyhkeys, otsa (kuv)

2 sauce *v* **1** maustaa **2** jauhaa, hienontaa

saucepan ['sas,pæn] *s* kasari, kattila

saucer [sasər] *s* (pieni) lautanen *flying saucer* lentävä lautanen

saucy [sasɪ] *adj* **1** hävytön, röyhkeä **2** rempseä, rehvakas

1 sauna [sanə, saʊnə] *s* sauna

2 sauna *v* saunoa

1 saunter [santər] *s* löntystely, maleksinta

2 saunter *v* löntystellä, maleksia

sausage [sasədʒ] *s* makkara

sauté [sa'teɪ] *v* ruskistaa (ruokaa)

1 savage [sævədʒ] *s* villi(-ihminen)

2 savage *v* **1** raadella **2** (kuv) antaa murskaava arvostelu jostakin, tyrmätä täysin, lyödä lyttyyn

3 savage *adj* **1** villi **2** raju, julma, vihainen, kova, armoton

savagely *adv* rajusti, julmasti, vihaisesti, kovasti, armottomasti

savagery ['sævədʒrɪ] *s* **1** villiys **2** julmuus, armottomuus, säälimättömyys

save [seɪv] *v* **1** säästää, olla säästäväinen, panna talteen *she's saving to buy a house* hän säästää rahaa taloon *let's save the details for the meeting* jätetään yksityiskohdat kokoukseen **2** pelastaa *you saved my life* sinä pelastit henkeni **3** (tietok) tallentaa (muistivälineelle) *prep* paitsi, lukuun ottamatta

cave for *konj* (vanh) paitsi, lukuun ottamatta

save that *konj* paitsi (että)

savings (mon) säästöt *he has used up all his savings* hän on pannut kaikki säästönsä menemään

savior [seɪvjər] *s* **1** pelastaja **2** *Savior* Vapahtaja

1 savor [seɪvər] *s* **1** maku (myös kuv) **2** häju

2 savor *v* **1** maistaa (myös kuv) **2** haistaa **3** maustaa

savor of *v* (kuv) haiskahtaa joltakin

savory *s* (kasvi) kynteli *adj* **1** herkullinen, hyvän/voimakkaan makuinen **2** hyvän/voimakkaan tuoksuinen **3** (ei makea) suolainen

1 savvy [sævɪ] *s* (ark) vainu, taju, älli

2 savvy *v* (ark) tajuta, hoksata

3 savvy *adj* (ark) juoni, ovela, jolla on hyvä älli/vainu

saw [sa] *s* sawed, sawed/sawn **1** saha **2** sanonta, sananparsi *v* **1** ks saw **2** sahata

sawbuck ['sa,bʌk] *s* **1** sahapukki **2** (sl) kymppi (seteli)

sawdust ['sa,dʌst] *s* sahanpuru

sawhorse ['sa,hɔrs] *s* sahapukki

sawmill ['sa,mɪl] *s* sahalaitos, saha

sawn [san] *ks* saw

sawtooth ['sa,tuθ] *s* sahan(terän) hammas

saw-toothed ['sa,tuθt] *adj* sahalaitainen

sawyer [sɔɪjər] *s* sahuri, sahaaja

sax [sæks] *s* (ark) saksofoni

saxophone ['sæksə,foʊn] *s* saksofoni

saxophonist ['sæksə,foʊnɪst] *s* saksofonisti

1 say [sei] *s* sananvalta *you have no say in this* sinulla ei ole tässä asiassa mitään sanomista

2 say *v* said, said *s* sanoa *what did you say to him?* mitä sanoit/vastasit hänelle? *it's difficult to say whether she will succeed or not* on vaikea sanoa menestyykö hän *the new model is said to be better* uutta mallia pidetään parempana *you can say your prayers now* nyt voit rukoilla *that is to say* siis, eli, toisin sanoen **2** (kello) näyttää, osoittaa

3 say *adv* esimerkiksi *if you buy, say, ten books* jos ostat vaikkapa kymmenen kirjaa *interj* kas!, no johan nyt!; hei!, kuulehan!

saying *s* **1** sanonta, sananlasku, sananparsi **2** *something goes without saying* jokin on sanomattakin selvää

1 scab [skæb] *s* **1** rupi **2** (ihtaimen) syyhytauti

2 scab *v* rupeutua, mennä ruvelle

scaffold [skæfəld] *s* **1** rakennusteline **2** hirttolava

scaffolding *s* rakennusteline(et)

1 scald [skɔːld] *s* (nesteen aiheuttama) palovamma

2 scald *v* (neste) polttaa, (iho) palaa

1 scale [skeil] *s* **1** (kalan, käärmeen) suomu **2** (mon kuv) suomus *the scales fell from his eyes* suomut putosivat hänen silmiltään **3** mittakaava **4** asteikko **5** laajuus, suuruus **6** (mon) vaaka *she tips the scales at 110 pounds* hän painaa 50 kiloa *your vote tipped the scales in our favor* sinun äänesi käänsi tilanteen meidän eduksemme *to turn the scales* muuttaa/kääntää tilanne

2 scale *v* **1** suomustaa (kala) **2** (iho) hilseillä **3** nousta, kiivetä **4** punnita **5** painaa

scale down *v* pienentää, vähentää, supistaa

scale up *v* suurentaa, kasvattaa, korottaa

scallop [skæləp] *s* kampasimpukka

1 scalp [skælp] *s* päänahka; (lääk myös) hiuspohja

2 scalp *v* nylkeä päänahka joltakulta

scalpel [skælpel] *s* (kirurgin) leikkausveitsi

scaly *adj* **1** suomuinen **2** (iho ym) hilseilevä

scamper [skæmpər] *v* **1** kipittää **2** peuhata, temmeltää

scampi [skæmpi] *s* **1** (mon scampi) keisarihummeri **2** (ruoka) ruskistetut katkaravut

1 scan [skæn] *s* **1** (elektroninen)kuva, kuvaus *a scan from Mars* videokuva Marsista **2** (lääk) kerroskuvaus; ultraäänitutkimus

2 scan *v* **1** katsella (laidasta laitaan tms), tutkia katseellaan; käydä (katseellaan) nopeasti läpi *at breakfast, he quickly scanned the headlines* aamiaisella hän lukaisi (nopeasti) lehden otsikot **2** kuvata, välittää kuva jostakin **3** (elektroninen kuva) pyyhkäistä **4** (lääk) kuvata, ottaa kerroskuva yms

scandal [skændəl] *s* skandaali, häväistysjuttu

scandalize [skændəlaɪz] *v* järkyttää, häväistä, pöyristyttää *aunt Nellie was scandalized by your behavior* käytöksesi järkytti Nellie-tätiä

scandalous [skændələs] *adj* järkyttävä, häpeällinen, pöyristyttävä

scanner *s* **1** kuvanlukija, skanneri **2** (lääk) kuvantamislaite

scant [skænt] *adj* vähäinen, niukka *the event got only scant attention in the press* tapauksesta kerrottiin lehdissä vain lyhyesti

scantily [skæntɪli] *adv* vähän, niukasti *she was very scantily dressed* hän oli pukeutunut hyvin paljastavasti

scantly *adv* vähän, niukasti

scanty *adj* vähäinen, niukka

scapegoat [skeɪpɡout] *s* syntipukki

scapula [skæpjələ] *s* lapaluu

1 scar [skɑr] *s* **1** arpi; naarmu **2** (kuv) arpi, haava

2 scar *v* arpeuttaa, arpeutua, raapia, naarmuttaa, naarmuuntua

scarce [skeərs] *adj* **1** josta on pulaa/puutetta **2** harvinainen *to make yourself scarce* (ark kuv) häipyä, lähteä livohkaan/nostelemaan, tehdä katoamistemppu

scarcely *adv* **1** hädin tuskin, juuri ja juuri, nipin napin **2** tuskin; ei *I am scarcely the one to tell you how to live your life* minä en ole oikea ihminen neuvomaan miten sinun pitäisi elää

scarcity [skersəti] s **1** pula, puute **2** harvinaisuus

scare [skeər] v pelästyttää, pelästyä, säikäyttää, säikähtää

scarecrow ['skeər,krou] s linnunpelätin, variksenpelätin

scared to run scared pelätä, olla peloissaan

scaredy cat ['skeərdi,kæt] s (sl) jänishousu

scare up v (ark) haalia (vaivoin) kokoon, saada hankituksi

scarf [skɑrf] s (mon scarves) huivi; kaulaliina

scarlet [skɑrlət] s, adj tulipunainen

scary adj **1** pelottava, kammottava **2** säikky, arka

scathing [skeɪðiŋ] adj (arvostelu) musertava

scatological [,skætə'lɑdʒikəl] adj **1** (lääk) skatologinen, ulosteopillinen **2** kiroiluun

scatter [skætər] v varistaa, ripotella, levittää, levitä, levittäytyä, hajaantua, pirstoa (kuv)

scatterbrain ['skætər,breɪn] s hajamielinen, tärähtänyt, höynähtänyt (ihminen)

scattered adj hajanainen, hajallaan sijaitseva, laajalle levinnyt, epäyhtenäinen

scavenge [skævəndʒ] v **1** (eläin) kerätä/syödä haaskoja **2** kalaista/siivota kuja **3** etsiä roskapöntöistä syötävää ym **4** etsiä (erityisesti ruokaa)

scavenger [skævəndʒər] s **1** haaskaeläin **2** kadunlakaisija **3** roskisdyykkari (sl)

scenario [sə'neriou] s (mon scenarios) **1** elokuvakäsikirjoitus, skenaario **2** (toiminta)suunnitelma, skenaario

scene [siːn] s **1** tapahtumapaikka, paikka, näyttämö the scene of the crime rikospaikka **2** (näytelmän, elokuvan) kohtaus **3** näkymä, näköala **4** äläkkä, häly, kohtaus please don't make a scene älä viitsi ruveta räyhäämään **5** (kuv) maailma, (sl) skene the publishing scene kustannusmaailma to make the scene käydä/liikkua jossakin **6** (teatteri) kulissi behind the scenes (kuv) kulissien takana

scenery [siːnəri] s **1** maisema; näkymä(t) **2** (teatterin ym) kulissit

scenic [siːnɪk] s maisemavalokuva adj **1** maisemallinen, maisema-, näköala- scenic route maisemallisesti kaunis tie, näköalareitti **2** (luonnon)kaunis

1 scent [sent] s **1** tuoksu, haju **2** hajuvesi **3** (eläimen) vainu, jäljet to be on the scent (kuv) olla jonkun/jonkin jäljillä

2 scent v **1** hajustaa **2** haistaa, vainuta, jäljittää

scentless adj hajuton, tuoksuton

scepter [septər] s valtikka

sceptic [skeptɪk] ks skeptic

1 schedule [skedʒuəl] s **1** ohjelma, suunnitelma, aikataulu **2** (kulkuneuvon) aikataulu our flight arrived ahead of/on/behind schedule lentomme tuli perille etuajassa/ajoissa/myöhässä

2 schedule v suunnitella (tiettynä aikana tapahtuvaksi) she scheduled the meeting for Tuesday hän sopi kokouksen tiistaiksi

1 scheme [skiːm] s **1** suunnitelma **2** ohjelma, järjestelmä **3** juoni, salajuoni, salahanke **4** piirros, kuvio

2 scheme v juonitella, vehkeillä, suunnitella

schism [skɪzəm] s skisma, erimielisyys, kiista

schizo [skɪtsou] s (mon schizos) (ark) jakomielitautinen

schizophrenia [,skɪtsə'friniə] s jakomielitauti, skitsofrenia

schizophrenic [,skɪtsə'frinɪk] s, adj jakomielitautinen

scholar [skɑlər] s **1** oppinut, tiedemies **2** opiskelija, oppilas **3** stipendiaatti

scholarly adj **1** tutkija-, tiedemies- **2** akateeminen

scholarship ['skɑlər,ʃɪp] s **1** oppineisuus **2** stipendi

1 school [skuːl] s **1** koulu school's out for summer kesäloma on alkanut **2** oppilaitos; college; yliopisto **3** tiedekunta **4** koulukunta **5** kalaparvi, valasparvi

2 school v koulia, opettaa

school age s kouluikä

schoolmaster ['skuːl,mæstər] s opettaja

schoolmate ['skuːl,meɪt] s koulutoveri

schoolteacher s opettaja

schwa [ʃwɑ] s švaa-vokaali [ə]

science [saɪəns] s **1** (luonnon)tiede **2** taito, osaaminen the science of making good lasagna hyvän lasagnen valmistuksen salaisuus

science fiction [ˌsaɪəns'fɪkʃən] s tieteiskirjallisuus, science fiction

scientific [ˌsaɪən'tɪfɪk] adj **1** (luonnon)tieteellinen **2** järjestelmällinen

scientifically adv **1** (luonnon)tieteellisesti **2** järjestelmällisesti let's proceed scientifically tehkäämme tämä harkitusti

scientist [saɪəntɪst] s luonnontieteilijä, tutkija, tiedemies

sci-fi [saɪfaɪ] s (ark) tieteiskirjallisuus, scifi adj tieteis-, tieteiskirjallisuuden, scifi-

scintillate [ˈsɪntɪˌleɪt] v säkenöidä (myös kuv)

scissors [ˈsɪzəz] s (verbi yksikössä tai mon) sakset a pair of scissors sakset

1 scoff [skɒf] s pilkkaava huomautus, piikki **2 scoff** v pilkata, haukkua jotakuta/jotakin (at)

1 scold [skəʊld] s moittija, haukkuja, sättijä **2 scold** v moittia, nuhdella, sättiä, haukkua

scolding s pilkka, haukkuminen, haukkumiset

1 scoop [skuːp] s **1** kauha **2** kauhallinen; (jäätelö)pallo **3** (lehdessä) jymyuutinen **4** (ark) uutinen, juju, vitsi: what's the scoop on Mary? is she getting married? mitä uutta Marysta kuuluu? onko hän menossa naimisiin?

2 scoop v **1** kauhoa **2** lyödä laudalta (toinen lehti/toiset lehdet julkaisemalla jokin uutinen ensimmäisenä)

scooter [skuːtə] s **1** potkulauta **2** skootteri

scope [skəʊp] s **1** suuruus, laajuus, mitta, mitat

scope out v (sl) pälyillä, katsella, tutkia, tsekata

1 scorch [skɔːtʃ] s palohaava **2 scorch** v **1** kärventää, kärventyä, kärähtää, polttaa, palaa **2** haukkua, lyödä/pistää lyttyyn **3** (ark) kiitää, viilettää

1 score [skɔː] s **1** pelitilanne, pistetilanne, tilanne; pistemäärä **2** maali, piste **3** merkki, jälki, viiva, ura **4** kaksikymmentä, (kananmunista myös) tiu **5** (mon) paljon scores of people came paikalle saapui paljon väkeä **6** (ark) uutinen, juju, vitsi: what's the score on Mary? is she getting married? mitä uutta Marysta kuuluu? onko hän menossa naimisiin? **7** (mus)

nuotit **8** (mus) (elokuvan) musiikki **9** (kuv) velka I have a score to settle with Earl minulla on Earlin kanssa kana kynimättä, minulla on Earlin kanssa vanhoja kalavelkoja

2 score v **1** tehdä/saada (lisä)piste, tehdä maali **2** saada tulokseksi, saada n pistettä **3** laskea pisteitä (kilpailussa) **4** tarkistaa/arvostella koe/testitulos **5** (mus) säveltää (elokuvamusiikki) **6** menestyä, onnistua

scoreboard [ˈskɔːˌbɔːd] s pistetaulu, tulostaulu

scorecard [ˈskɔːˌkɑːd] s pistekortti, tuloskortti

1 scorn [skɔːn] s **1** pilkka, halveksinta to laugh something to scorn pitää jotakin pilkkanaan, halveksua jotakin, nauraa jollekin **2** pilkan/halveksunnan kohde, pilkka **2 scorn** v halveksua, kohdella halveksuen, pilkata, pitää pilkkanaan

scornful adj pilkkaava, halveksiva

scorpion [ˈskɔːpiən] s skorpioni

Scot [skɒt] s skotlantilainen

Scotch [skɒtʃ] s **1** skotlantilainen the Scotch skotlantilaiset **2** skotlantilainen viski adj skotlantilainen

Scotch tape s (US) teippi

Scotch-tape v (US) teipata, kiinnittää/sulkea teipillä

scot-free [ˌskɒtˈfriː] to escape scot-free selvitä ehjin nahoin, selvitä naarmuitta, selvitä pelkällä säikähdyksellä

scoundrel [ˈskaʊndrəl] s roisto, konna, kelmi; (lapsesta) vintiö

1 scour [skaʊə] s hankaus, kuuraus, jynssäys, puhdistus

2 scour v **1** hangata (puhtaaksi), kuurata, jynssätä, puhdistaa **2** avata (tukkeutuma) **3** (kuv) kitkeä, puhdistaa the new president wants to scour the government of corruption uusi presidentti haluaa tehdä lopun valtion virkamiesten lahjonnasta

1 scourge [skɜːdʒ] s **1** ruoska, piiska **2** vitsaus

2 scourge v **1** ruoskia, piiskata **2** rangaista ankarasti **3** haukkua, sättiä, moittia ankarasti

1 scout [skaut] *s* **1** (sot ym) tiedustelija **2** partiolainen **3** värvääjä *talent scout* kykyjenetsijä

2 scout *v* käydä tiedustelemassa, tiedustella

scouting *s* **1** tiedustelu, etsintä **2** partiotoiminta

scout out *v* etsiä jotakuta/jotakin, yrittää löytää

scout up *v* etsiä jotakuta/jotakin, yrittää löytää

1 scowl [skauəl] *s* kyräilevä katse, synkkä/tuomitseva/vihainen katse

2 scowl *v* kyräillä, katsoa tuomitsevasti/vihaisesti/karsaasti, paheksua, katsoa alta kulmien

scrabble [skræbəl] *v* hapuilla, hamuta, haalia kokoon, kopeloida, raapia (käpälillä)

scram [skræm] *v* (ark, yleensä käskynä) häipyä, lähteä, alkaa nostella

1 scramble [skræmbəl] *s* **1** kiipeily, kiipeäminen **2** kilpailu, kilpajuoksu (kuv) **3** ryntäys, rytäkkä

2 scramble *v* **1** kiivetä **2** yrittää kilpaa saada jotakin, kilpailla jostakin *when the doors were opened, the people scambled for seats* kun ovet avattiin väki ryntäsi kiireesti istumaan/parhaille paikoille **3** rynnätä *she scrambled for the door* hän ryntäsi ovelle, hän yritti rynnätä ovelle **4** sekoittaa, sotkea, panna sekaisin **5** koodata (esim televisiolähete)

scrambled eggs *s* (mon) **1** paistetut kananmunat (joissa keltuaiset ja valkuaiset on sekoitettu) **2** munakokkeli

1 scrap [skræp] *s* **1** pala, palanen *I could only find scraps of information about the woman* sain naisesta vain vähän tietoa **2** (mon) (ruuan) tähteet **2** romu, romurauta tms **4** (ark) riita, kina

2 scrap *v* **1** romuttaa (myös kuv:) korvata jokin, luopua jostakin, lakkauttaa jokin; heittää pois/menemään **2** riidellä, kinata

scrapbook ['skræp,buk] *s* leikekirja

1 scrape [skreip] *s* **1** kaavinta; hionta, hankaus, hankaaminen **2** naarmu, raapaisu **3** (ääni) narske; raapiva ääni **4** tiukka paikka *to be in a scrape* olla pulassa/pinteessä **4** kiista, kina, riita

2 scrape *v* **1** kaapia; hioa, hangata **2** raapia, raapustaa, naarmuttaa **3** narskua; pitää raapivaa ääntä **4** olla säästäväinen, elää nuukasti (ark)

scrape along *v* (ark) tulla jotenkuten toimeen taloudellisesti

scraper *s* kaavin; hioin

scrape together *v* kerätä/haalia kokoon

scrape up *v* kerätä/haalia kokoon *we have to scrape up some money for her present* meidän pitää hankkia jostakin tarpeeksi rahaa hänen lahjaansa

scrappy [skræpi] *adj* monista osista/palasista kyhätty *his knowledge of German literature is scrappy* hänen tiedoissaan saksalaisesta kirjallisuudesta on paljon aukkoja

1 scratch [skrætʃ] *s* **1** naarmu **2** raapaisu **3** raapiva ääni **4** *to start from scratch* aloittaa alusta *bake a cake from scratch* leipoa kakku kokonaan itse (ilman kakkusekoitetta) *to be up to scratch* kelvata, täyttää vaatimukset **5** (golf) peli ilman tasoitusta, scratch

2 scratch *v* raapia, naarmuttaa, naarmuuntua *to scratch a match* raapaista tulitikku

scratch out *v* pyykiä pois/yli

1 scrawl [skrɔəl] *s* (käsiala) harakanvarpaat

2 scrawl *v* raapustaa, kirjoittaa harakanvarpailla

scrawny [skrɔni] *adj* kuikelo, hintelä, hontelo

1 scream [skrim] *s* huuto, parahdus, ulvahdus

2 scream *v* **1** huutaa, parahtaa, ulvahtaa, (tuuli) ulvoa **2** ulvoa naurusta **3** (kuv) pistää silmään, olla räikeä, huutaa, (väri myös) kirkua

screaming *adj* **1** huutava, parkuva **2** (kuv) räikeä, silmiinpistävä; silmäänpistävä, huutava, (väri myös) kirkuva **3** hirvittävän hauska, hullunhauska

1 screech [skritʃ] *s* kirkaisu; kirskuna, kirskunta; narahdus

2 screech *v* kirkaista; kirskua, kirahtaa; narahtaa

1 screen [skrin] *s* **1** kaihdin, suojus; väliseinä **2** (elokuvan) valkokangas **3** (television)

kuvaruutu, (tietokonemonitorin) näyttö (ruutu) **4** siivilä, seula

2 screen v **1** suojata, suojella, peittää **2** siivilöidä, seuloa **3** seuloa, haastatella (esim työnhakijoita), seuloa, tutkia (esim hakemukset) **4** projisoida (elokuva) **5** järjestää (elokuvan) ennakkonäytäntö (kutsuyleisölle)

1 screw v (skru) s **1** ruuvi *Professor Arid has a screw loose* professori Kuivalla on ruuvi löysällä *to put the screws on someone* painostaa jotakuta, kiristää jotakuta **2** (lentokoneen, laivan) potkuri **3** kierukka(mainen esine) **4** (sl) pano

2 screw v **1** ruuvata, kiertää, kiertyä, kiinnittää/kiinnittyä kiertämällä/ruuvaamalla **2** (kasvot) vääristää, vääristyä **3** pakottaa, uhata, kiristää (joltakulta rahaa) **4** (sl) naida, panna

screw around v (sl) **1** lorvailla, maleksia, vetelehtiä **2** juosta/käydä vieraissa

screwdriver ['skru,draɪvər] s **1** ruuvitaltta, ruuvimeisseli **2** (ark) votka-appelsiinimehudrinkki

screw off v **1** lähteä (nostelemaan), häipyä, kalppia tiehensä **2** laiskotella, vetelehtiä, lorvailla

screw-on adj kierrettävä, kiertämällä kiinnittyvä/kiinnitettävä

screw up v (sl) **1** pilata, munata, tunaroida **2** panna sekaisin, saattaa pois tolaltaan

screwup s (sl) **1** munaus, kömmähdys, tunarointi, epäonnistuminen **2** munari, tunari

screwy adj (sl) **1** tärähtänyt, hullu **2** outo, kumma

1 scribble [skrɪbəl] s (käsiala) raapustus, harakanvarpaat, töherrys

2 scribble v raapustaa, kirjoittaa harakanvarpailla, töhertää; kirjoittaa nopeasti

scribe [skraɪb] s **1** kirjuri **2** (Raamatussa) kirjanoppinut

scrimmage [skrɪmədʒ] s **1** kahakka, rytäkkä, yhteenotto **2** (amerikkkalaisessa jalkapallossa) aloitusryhmitys *line of scrimmage* aloituslinja

1 script [skrɪpt] s **1** (käsiala, käsin) kirjoitus **2** (näytelmän, elokuvan, kuunnelman) käsikirjoitus **3** asiakirja

2 script v **1** kirjoittaa/laatia (elokuvan tms) käsikirjoitus **2** suunnitella, järjestää

Scriptures [skrɪptʃərz] s (mon) Raamattu

1 scroll [skrol] s **1** (kirjoitus)käärö **2** (kierukkamainen) koristekuvio

2 scroll v (tietok) vyöryttää, vierittää (tekstiä ruudulla)

1 scrounge [skraʊndʒ] s kerjäläinen, kerjääjä

2 scrounge v kerjätä, vipata, pummata

scrounge around for v etsiä, yrittää löytää

scrounger s kerjäläinen, kerjääjä

1 scrub [skrʌb] s **1** pesu **2** peruutus; lykkäys **3** pensaikko **4** sekarotuinen eläin, (koirasta) rakki

2 scrub v **1** pestä, kuurata **2** hangata **3** peruuttaa; lykätä (myöhemmäksi)

scrub up v (sairaalassa) pestä kätensä (ennen leikkausta)

scruff [skrʌf] s niska

scruffy adj likainen, sottainen, siivoton

1 scruple [skrupəl] s esto, epäilys, tunnonvaivat *she had no scruples about informing on her boss* hän ei empinyt antaessaan pomonsa ilmi

2 scruple v empiä, häikäillä, siekailla, arastella, olla tunnonvaivoja

scrupulous [skrupjələs] adj tunnollinen, tarkka, pikkutarkka

scrutinize ['skrutɪ,naɪz] v tutkia tarkkaan/läpikotaisin

scrutiny [skrutnɪ] s tarkistus, tarkka tutkimus, syyni (ark)

scuba diving s laitesukellus, sukellus

scuff [skʌf] v laahustaa, kävellä laahustaen

1 scuffle [skʌfəl] s kahakka, yhteenotto

2 scuffle v kahinoida, ottaa yhteen

sculpt [skʌlpt] v veistää, muovata, muotoilla *she has a finely sculpted face* hänellä on hienot kasvonpiirteet

Sculptor (tähdistö) Kuvanveistäjä

sculptress [skʌlptrəs] s (naispuolinen) kuvanveistäjä

1 sculpture [skʌlptʃər] s **1** kuvanveisto(taide) **2** veistokset **3** kuvanveistos, veisto

2 sculpture v veistää, muovata, muotoilla

1 scum [skʌm] s **1** vaahto, kuohu **2** roska, roina **3** (kuv) pohjasakka *you're scum* sinä olet pohjasakkaa, senkin saasta!

2 scum *v* **1** vaahdota, kuohua **2** kuoria vaahto/kuohu jostakin

scurry [skʌri] *v* **1** kipittää, vipeltää **2** kiirehtiä, mennä kiireesti, hoputtaa

scurvy [skɜːvi] *s* keripukki

1 scythe [saið] *s* viikate

2 scythe *v* niittää

sea [si] *s* **1** meri, valtameri *at sea* merellä *to put to sea* lähteä merimatkalle *to go to sea* lähteä merimatkalle; lähteä merille *to be at sea about something* olla täysin ymmällään jostakin **2** merenkäynti **3** aalto; iso aalto **4** (kuv) tulva, suuri määrä/joukko **5** merimiehen työ *to follow the sea* lähteä merille

sea anemone [siə,neməni] *s* merivuokko

seabed [si,bed] *s* merenpohja

seaboard [si,bɔːd] *s* rannikko

seaborne [si,bɔːn] *adj* laivalla/meritse kuljetettu

sea change *s* jyrkkä/yhtäkkinen/äkillinen muutos; selvä parannus

seafaring [si,feriŋ] *adj* merenkulkija-, merenkulku-, purjehtija-

seafood [si,fud] *s* meren antimet (ruokana)

seagoing [si,gouiŋ] *adj* **1** merikelpoinen **2** merenkulkija-, merenkulku-, purjehtija-

sea gull *s* merilokki

sea horse *s* merihevonen

1 seal [siəl] *s* **1** (mon seals, seal) hylje **2** sinetti *seal of approval* hyväksyntä *she set her seal to my plan* hän hyväksyi suunnitelmani

2 seal *v* **1** sinetöidä (myös kuv) *my lips are sealed* huuleni ovat sinetöidyt, en pukahda asiasta kenellekään *we sealed the deal yesterday* sinetöimme kaupan/sopimuksen eilen *to seal someone's fate* sinetöidä jonkun kohtalo **2** sulkea, liimata kiinni (kirjekuori)

sea level *s* merenpinta *we are 3,000 feet above sea level* olemme (noin) kilometrin korkeudella merenpinnasta

seal off *v* eristää, sulkea (alue)

1 seam [sim] *s* **1** sauma **2** ryppy, kurttu

2 seam *v* **1** saumata, neuloa, ommella **2** rypistää, rypistyä

seaman [simən] *s* (mon seamen) **1** merenkulkija **2** merimies

seamanship [simən,ʃip] *s* merenkulkutaito, purjehdustaito

seamless *adj* saumaton (myös)

seamster [simstər] *s* ompelija, räätäli

seamstress [simstrəs] *s* ompelija(tar), räätäli

seamy [simi] *adj* rähjäinen, kurja, ikävä

séance [seiɑns] *s* spiritistinen istunto

seaplane [si,plein] *s* (lentokone) vesitaso

seaport [si,pɔːt] *s* **1** (meri)satama **2** satamakaupunki

1 search [sɜːtʃ] *s* etsintä, haku

2 search *v* etsiä

search engine *s* (tietok) hakukone

searching *adj* tutkiva, utelias, tarkka, perusteellinen

searchlight [sɜːtʃ,lait] *s* valonheitin

search party *s* etsintäryhmä, etsintäpartio

search warrant *s* etsintälupa, kotietsintälupa

seashell [si,ʃel] *s* simpukan kuori

seashore [si,ʃɔːr] *s* merenranta

seasick [si,sik] *adj* merisairas

seaside [si,said] *s* merenranta; rannikko *adj* merenranta-, rannikko-

1 season [sizən] *s* **1** vuodenaika **2** aika, kausi, sesonki *the rainy season* sadekausi *tourist season* turistikausi, (turisti)sesonki *for a season* väliaikaisesti, jonkin aikaa *in good season* hyvissä ajoin *strawberries are not yet in season* vielä ei ole mansikka-aika *in season and out of season* alinomaa, aina, jatkuvasti

2 season *v* **1** maustaa (myös kuv), höystää (myös kuv) **2** kuivata (puutavaraa) **3** (kuv) kasvattaa, kypsyttää

seasonable [sizənəbəl] *adj* **1** vuodenaikaan nähden tavallinen/normaali **2** otollinen, oivallinen

seasonably *adv* vuodenaikaan nähden tavallisesti/normaalisti

seasonal [sizənl] *s* kausityöntekijä, väliaikaistyöntekijä, lomittaja *adj* kausittainen, kausi-

seasoning *s* mauste, höyste

season's greetings *fr* (lähinnä) jouluterveiset

season ticket *s* kausilippu

1 seat [sit] *s* **1** istuin, tuoli **2** (tuolin tms) istuin(levy, -pinta) **3** istumapaikka *a car with four seats* nelipaikkainen auto **4** housujen takamus *to know something by the seat of your pants* tietää/osata jotakin kokemuksesta/takapuolituntumalta (ark)

2 seat *v* **1** ohjata istumaan, istuttaa **2** olla tilaa n henkilölle *the station wagon seats eight* farmariautoon mahtuu kahdeksan henkeä **3** nimittää/asettaa johonkin virkaan/tehtävään

seat belt *s* turvavyö

seating *s* istumajärjestys, istumapaikat

sea urchin *s* merisiili

seaward [siwərd] *adj* **1** joka avautuu/osoittaa merelle päin **2** (tuuli) joka tulee mereltä päin, meri- *adv* merelle päin

seawards *adv* merelle päin

sea water *s* merivesi

seaweed ['si̱ˌwid] *s* **1** merikasvi **2** merilevä

seaworthy ['si̱ˌwɜrði] *adj* merikelpoinen

sebum [sibəm] *s* (lääk) tali

sec [sek] *s* (ark) sekunti *I'll be with you in a sec* tulen aivan heti

secede [sə'sid] *v* erota (liitosta)

secession [sə'seʃən] *s* **1** ero(aminen) (liitosta) **2** *Secession* 11 etelävaltion ero Yhdysvaltain unionista 1860–1861 (johti sisällissotaan)

secessionist *s* sessessionisti, eroa suunnitteleva/lietsova, eronnut

seclude [sə'klud] *v* eristää, eristäytyä

secluded *adj* (paikka) syrjäinen, (ihminen, elämä) syrjään vetäytynyt, eristäytynyt

seclusion [sə'kluʒən] *s* **1** eristäminen **2** eristyksissä eläminen, eristyneisyys, oma rauha

1 second [sekənd] *s* **1** toinen *to come in second* tulla toiseksi **2** (autossa ym) toinen vaihde, kakkosvaihde, kakkonen **3** sekundatavara **4** (kaksintaistelun avustaja) sekundantti **5** sekunti **6** kulmasekunti **7** hetki, silmänräpäys *I won't be a second* tulen heti takaisin

2 second *v* **1** kannattaa, tukea (ehdotusta) **2** toimia/olla sekundanttina

3 second *adj* toinen *second floor* (US) toinen kerros, (UK) kolmas kerros *every second*

day joka toinen päivä, kahden päivän väleen

4 second *adv* toiseksi, toisena

secondary ['sekənˌderi] *adj* **1** toissijainen, toisarvoinen **2** (opetus, koulutus) toisen asteen

secondary school *s* toisen asteen koulu (yläaste/lukio, ammattioppilaitos)

second-class *adj* **1** (matkustaja, istumapaikka, posti) toisen luokan **2** huono, toisen luokan *adv* (matkustaa, postittaa) toisessa luokassa

second cousin *s* pikkuserkku

second-generation *adj* toisen (suku)polven

second-guess *v* **1** (yrittää) olla jälkiviisas **2** arvailla, arvuutella

second hand *s* sekuntiviisari

secondhand [ˌsekənd'hænd] *adj* **1** käytetty *secondhand bookstore* antikvariaatti, vanhojen kirjojen kauppa **2** (tieto) toisen käden *adv* **1** käytettynä *I bought the Buick secondhand* ostin Buickin käytettynä **2** (kuulla jotakin) kiertoteitse

secondly *adv* toiseksi

second nature *s* toinen luonto *to be second nature to someone* olla jollekulle toinen luonto, olla jollakulla veressä

second-rate [ˌsekənd'reit] *adj* toisen luokan, huono, kehno

second wind *s* **1** hengityksen tasaantuminen *after a mile, the runner got his second wind* mailin jälkeen juoksija sai hengityksensä tasaantumaan **2** (kuv) uusi puhti

secrecy [sikrəsi] *s* salassapito, salamyhkäisyys, salaisuus *to be sworn to secrecy* vannottaa joku vaikenemaan jostakin asiasta

secret [sikrət] *s* salaisuus *in secret* salaa *adj* salainen, sala-

secretarial [ˌsekrə'teriəl] *adj* sihteerin *secretarial duties* sihteerin työt

secretariat [ˌsekrə'teriət] *s* sihteeristö

secretary ['sekrəˌteri] *s* **1** sihteeri **2** ministeri *secretary of agriculture* (US) maatalousministeri **3** lipasto

secretary of state *s* (mon secretaries of state) (US) ulkoministeri

secrete [sə'krit] *v* **1** erittää **2** piilottaa, kätkeä

secretion [sə'kriʃən] *s* erite

secretive [sikrətıv] *adj* salamyhkäinen

secret police *s* salainen poliisi, suojelupoliisi

secret service *s* salainen palvelu; tiedustelu, vakoilu

secret society *s* salaseura

sect [sekt] *s* lahko

sectarian [sek'teəriən] *s* lahkolainen; nurkka-kuntalainen *adj* lahko-, tunnustuksellinen; lahkolaismielinen; nurkkakuntainen

sectarianism [sek'teəriə,nızəm] *s* lahkolaisuus

1 section [sekʃən] *s* 1 osa, pala, kappale, lohko; alue 2 (lehden) osa 3 (lain) kohta 4 osasto, jaos 5 (lääk) leikkaus, sektio 6 läpileikkaus, poikkileikkaus

2 section *v* 1 jakaa, paloitella, lohkoa, leikata osiin 2 (lääk) tehdä aukaisu/puhkaisu

sectional [sekʃənəl] *adj* 1 alueellinen, paikallinen; lahkolaismielinen; nurkkakuntainen 2 läpileikkaus-, poikkileikkaus-

sectionalism ['sekʃənə,lızəm] *s* paikallishenkisyys, paikallisten etujen ajaminen, sektionalismi

sector [sektər] *s* 1 (geom) sektori 2 ala, alue, sektori *the public/private sector* julkinen/yksityinen sektori

secular [sekjələr] *adj* maallinen

secularism [sekjələ,rızəm] *s* sekularismi, maailmallisuus

secularity [,sekjə'lerıti] *s* 1 maallisuus 2 sekularismi, maailmallisuus

secularize [sekjələ,raız] *v* sekularisoida, maallistaa

secure [sı'kjuər sə'kjər] *v* 1 saada, hankkia 2 varmistaa, turvata, suojata, suojella 3 kiinnittää 4 (laina) taata 5 vangita, saada kiinni *adj* turvallinen, varma, luotettava, (olo) huoleton, (ote) luja *your money is secure* rahasi ovat (hyvässä) turvassa

securely *adv* turvallisesti, varmasti, luotettavasti, (kiinnitetty) lujasti, kunnolla

security [sı'kjuərəti] *s* 1 turva, turvallisuus; turvatoimet 2 (yl mon) arvopaperit 3 takuu, varmuus

security blanket *s* (ark) 1 turvariepu 2 (kuv) tuki ja turva

security check *s* turvatarkastus

sedan [sə'dæn] *s* umpiauto, sedan

sedate [sə'deıt] *v* rauhoittaa, tyynnyttää (potilas) *adj* rauhallinen, tyyni

sedation [sə'deıʃən] *s* (lääk) rauhoittaminen (erityisesti lääkkeillä)

sedative [sedətıv] *s* rauhoittava lääke, rauhoite *adj* rauhoittava

sedentary [sedən,teri] *adj* istuma- *sedentary work* istumatyö *she leads a sedentary life* hän liikkuu hyvin vähän

sediment [sedəmənt] *s* 1 (maa)kerrostuma 2 pohjasakka, saostuma

sedimentary [,sedə'mentəri] *adj* kerrostunut

sedimentation [,sedəmən'teıʃən] *s* kerrostuminen, laskeutuminen

sedition [sə'dıʃən] *s* (kapinaan) yllytys, (kansan) kiihotus

seditious [sə'dıʃəs] *adj* kapinallinen, kumouksellinen

seduce [sə'dus] *v* vietellä, houkutella

seduction [sə'dʌkʃən] *s* viettely, viettelys, houkutus, kiusaus

seductive [sə'dʌktıv] *adj* vietteleva, houkutteleva

1 see [si] *s* hiippakunta *Holy See* Vatikaani

2 see *v* saw, seen 1 nähdä *it's too dark, I can't see* täällä on liian pimeää, en näe mitään *I saw it on tv* näin sen televisiossa 2 katsoa *let's see what he thinks* katsotaanpa/otetaanpa selvää mitä mieltä hän on *see that he does his job properly* katso/pidä huoli siitä että hän tekee työnsä kunnolla 3 ymmärtää, oivaltaa *I see* vai niin, ymmärrän 4 kuvitella *I can't see that happening* en usko että niin käy 5 lukea (lehdestä) 6 tavata *you'd better see a doctor about that rash* sinun pitää käydä lääkärissä ihottumasi takia *Pat and Bob have been seeing each other for a year* Pat ja Bob ovat seurustelleet vuoden ajan 7 saattaa, opastaa, ohjata *I'll see you to the door* minä saatan sinut ovelle 8 (kortti pelissä) katsoa

see about *v* 1 ottaa selvää jostakin, tutkia, perehtyä johonkin 2 huolehtia jostakin, hoitaa

see after *v* huolehtia jostakusta/jostakin

1 seed [sid] *s* (mon seeds, seed) siemen (myös kuv) *the seeds of strife* riidan siemen *to go/run to seed* (kasvi) tehdä sie-

mentä, puhjeta tähkään; (kuv) rappeutua,
joutua rappiolle

2 seed v **1** kylvää **2** istuttaa (kaloja) **3** poistaa
siemenet (hedelmästä)

seedless adj (hedelmä) kivetön

seedling s taimi

seed vegetables s (mon) palkovihannekset

seedy adj **1** ränsistynyt, rähjäinen; siivoton
2 (olo) heikko, raihnainen

seeing that konj koska

seek [sik] v sought, sought **1** etsiä, tavoitella
to seek someone's advice kysyä joltakulta
neuvoa to seek revenge janota kostoa
2 yrittää, pyrkiä tekemään jotakin **3** to be
much sought after olla kysytty/haluttu

seeker [sikər] s etsijä

seem [sim] v näyttää joltakin, vaikuttaa jol-
takin that seems easy näyttää/vaikuttaa
helpolta she seems to be serious hän taitaa
olla tosissaan, hän näyttää olevan tosis-
saan

seeming adj näennäinen, luuloteltu, kuvi-
teltu

seemly adj asiallinen, aiheellinen, sovelias

seen [sin] ks see

see off v saattaa (matkaan)

see out v jatkaa loppuun asti

seep [sip] v tihkua, vuotaa

1 seesaw [ˈsiːsɔː] s hyppylauta

2 seesaw v **1** leikkiä hyppylaudalla **2** heiluu
edestakaisin, keikkua, keinua **3** (kuv) ai-
lahdella (kahden vaiheilla), empiä, vetku-
tella

seethe [siθ] v kuohua (myös kuv), kiehua
(kuv)

see through v **1** arvata mihin joku pyrkii
2 pitää pintansa, kestää loppuun asti

see-through [ˈsiːθruː] adj läpinäkyvä

see to v huolehtia, pitää huoli jostakin

segment [ˈseɡmənt] s osa, lohko, kappale,
(geom) segmentti

segment [seɡˈment] v jakaa, paloitella, osit-
taa

segmentation [ˌseɡmənˈteɪʃən] s **1** jakautu-
minen, pirstoutuminen **2** (biol) segmentaa-
tio, jaokkeistuminen

segregate [ˈseɡrəɡeɪt] v erottaa (erityisesti
rodun perusteella), jakaa erilleen, eristää

segregated adj (rotuerottelusta:) mustien/
valkoisten the schools in this area are still
segregated tällä alueella mustat ja valkoi-
set käyvät vieläkin eri kouluja

segregation [ˌseɡrəˈɡeɪʃən] s erottelu, eristä-
minen racial segregation rotuerottelu reli-
gious segregation uskonnollinen syrjintä

segregationist [ˌseɡrəˈɡeɪʃənɪst] s (rotu)erot-
telun kannattaja

seismic [ˈsaɪzmɪk] adj maanjäristys-, seismi-
nen

seismograph [ˈsaɪzməˌɡræf] s maanjäristys-
mittari, seismografi

seismologist [saɪzˈmɒlədʒɪst] s seismologi

seismology [saɪzˈmɒlədʒɪ] s seismologia,
maanjäristysoppi

seize [siz] v **1** tarttua johonkin, ottaa kiinni
jostakin seize the day tartu päivään/tilai-
suuteen! to seize an opportunity tarttua ti-
laisuuteen, ottaa tilaisuudesta vaarin
2 kaapata, siepata to seize hostages ottaa
panttivankeja **3** käsittää, oivaltaa **4** vallata,
joutua jonkin valtaan remorse seized him
katumus valtasi hänet **5** takavarikoida

seize on v tarttua johonkin (myös kuv)

seizure [ˈsiːʒər] s **1** sieppaus, kaappaus **2** ta-
varikointi **3** (taudin) kohtaus

seldom [ˈseldəm] adv (vain) harvoin she sel-
dom goes to the movies hän käy (vain)
harvoin elokuvissa

select [səˈlekt] v valita, valikoida adj vali-
koitu we spent the evening in select com-
pany vietimme illan harvojen ja valittujen
seurassa

selectable adj joka voidaan valita

selection [səˈlekʃən] s **1** (tapahtuma) vali-
kointi, valinta **2** (tulos) valinta; valikoima

selective [səˈlektɪv] adj **1** valinta- **2** valikoi-
va, tarkka, vaativa **3** (viritin) selektiivinen

selectively adv valkoiden, valikoivasti, tar-
kasti

selectivity [ˌsɪlekˈtɪvəti] s **1** vaativuus, tark-
kuus, valikoivuus **2** (virittimen) selektiivi-
syys

self [self] s (mon selves) (oma) itse, minä she
was not her usual self last night hän ei
ollut eilen illalla oma itsensä knowledge of
self itsetuntemus, itsensä tunteminen

self- etuliitteenä itse- (ks hakusanoja)

self-absorbed [ˌselfəbˈzɔːbd] adj itsekäs, itseensä uppoutunut

self-addressed [ˌselfəˈdrest] adj (kirjekuoresta) johon osoite on kirjoitettu valmiiksi

self-appointed [ˌselfəˈpɔɪntəd] adj tärkeilevä, mahtaileva, hurskasteleva he is the self-appointed guardian of moral virtue hän on ruvennut toisten moraalin vartijaksi

self-centered [ˌselfˈsentəd] adj itsekeskeinen, itsekäs

self-confessed [ˌselfkənˈfest] adj joka on tunnustanut olevansa jotakin she is a self-confessed romantic hän tunnustaa itsekin olevansa romantikko

self-confident [ˌselfˈkɒnfədənt] adj itsevarma

self-conscious [ˌselfˈkɒnʃəs] adj estoinen, nolo, vaivautunut

self-contained [ˌselfkənˈteɪnd] adj 1 itsenäinen, riippumaton 2 eristäytyvä, hiljainen, pidättyväinen 3 itseriittoinen, omahyväinen, itsevarma

self-control [ˌselfkənˈtrəʊl] s itsehillintä

self-defense [ˌselfdɪˈfens] s itsepuolustus

self-delusion [ˌselfdɪˈluːʒən] s itsepetos

self-discipline [ˌselfˈdɪsəplən] s itsekuri

self-effacing adj vaatimaton

self-employed [ˌselfəmˈplɔɪd] to be self-employed olla itsenäinen yrittäjä, olla yksityisyrittäjä

self-esteem [ˌselfəsˈtiːm] s itsetunto

self-evident [ˌselfˈevədənt] adj itsestään selvä, selvä

self-fulfilling [ˌselffəlˈfɪlɪŋ] adj 1 mielihyvää tuottava 2 itsensä toteuttava self-fulfilling prophecy itsensä toteuttava ennustus

self-image [ˌselfˈɪmɪdʒ] s minäkuva

self-important [ˌselfɪmˈpɔːtənt] adj tärkeilevä, mahtaileva

self-indulgent [ˌselfɪnˈdʌldʒənt] adj joka hemmottelee itseään, nautiskeleva, hillitön, omahyväinen

self-inflicted [ˌselfɪnˈflɪktəd] adj (haava) jonka joku on itse aiheuttanut, joka on jonkun omaa syytä

self-interest [ˌselfˈɪntrəst] s 1 oma etu 2 oman edun tavoittelu, itsekkyys

selfish [ˈselfɪʃ] adj itsekäs

selfishness s itsekkyys

selfless [ˈselfləs] adj epäitsekäs

self-made [ˌselfˈmeɪd] adj omatekoinen he's a self-made man hän on noussut asemaansa omin avuin

self-opinion s omahyväisyys

self-opinionated [ˌselfəˈpɪnjəˌneɪtəd] adj 1 omahyväinen, joka luulee itsestään liikoja 2 itsepäinen, omapäinen

self-pity [ˌselfˈpɪtɪ] s itsesääli he's wallowing in self-pity hän rypee itsesäälissä

self-possessed [ˌselfpəˈzest] adj joka hillitsee itsensä (hyvin), rauhallinen, tyyni, maltillinen

self-protection [ˌselfprəˈtekʃən] s itsesuojelu

self-reliance s itsenäisyys

self-respect [ˌselfrɪˈspekt] s itsekunnioitus

self-righteous [ˌselfˈraɪtʃəs] adj omahyväinen; hurskasteleva

self-rising flour s leivinjauhetta sisältävät jauhot

self-sacrifice [ˌselfˈsækrɪˌfaɪs] s uhrautuminen, auttaminen

selfsame [ˈselfˌseɪm] adj sama

self-satisfied [ˌselfˈsætɪzˌfaɪd] adj omahyväinen, itseriittoinen

self-service [ˌselfˈsɜːvəs] s, adj itsepalvelu(-)

self-sufficient [ˌselfsəˈfɪʃənt] adj 1 itseriittoinen, omahyväinen 2 omavarainen

self-willed [ˌselfˈwɪəld] adj omapäinen, itsepäinen, jääräpäinen

1 sell [seəl] s 1 myynti, kauppa 2 myyntitapa hard sell aggressiivinen myyntitapa soft sell pehmeä myyntitapa

2 sell v sold, sold 1 myydä Mr. Rogers sells shoes 2 mennä kaupaksi the shoes sell well kengät käyvät hyvin kaupaksi 3 (kuv) mennä kaupaksi, saada joku vakuuttuneeksi jostakin higher taxes are hard to sell to the public on vaikea saada suurta yleisö hyväksymään veronkorotuksia

sell at v maksaa the sweatshirts sell at nine dollars collegepaidat maksavat yhdeksän dollaria

seller [seələr] s 1 myyjä 2 poor seller tavara joka menee huonosti kaupaksi

sell for
1066

sell for *v* maksaa *the apples sell for 79 cents a pound* omenat maksavat 79 senttiä naulalta (1,74 dollaria kilo)

sell off *v* myydä (halvalla)

sell on *v* **1** saada joku ostamaan jotakin **2** (kuv) saada joku hyväksymään jotakin, saada joku vakuuttuneeksi jostakin

sell out *v* **1** myydä loppuun **2** pettää, kavaltaa

selves [selvz] ks **self**

semantic [sə'mæntɪk] *adj* **1** (kielellistä) merkitystä koskeva, semanttinen **2** merkitysopillinen, semanttinen

semanticist [sə'mæntəsɪst] *s* semantikko

semantics *s* (verbi yksikössä) **1** merkitysoppi, semantiikka **2** (kielellinen) merkitys *a dispute over the semantics of a contract* sopimuksen sanamuotoa/tulkintaa koskeva kiista

semaphore ['semə,fɔr] *s* (rautateillä) siipiopastin, opastin

semblance ['sembləns] *s* ulkonäkö *try to do it with some semblance of seriousness* yritä nyt edes näyttää siltä että olet tosissasi, yritä tehdä se kutakuinkin tosissaan

semen [siːmən] *s* siemenneste, sperma

semester [sə'mestər] *s* (yliopistossa yms) lukukausi

semi [semaɪ] *s* (ark) puoliperävaunu

semi- [semɪ, semiɪ] *sanan alkuosana* puoli- (ks hakusanoja)

semiannual [,semi'ænjʊəl] *adj* puolivuosittainen, kaksi kertaa vuodessa ilmestyvä/tapahtuva

semiautomatic [,semi,ɑtə'mætɪk] *s* puoliautomaattinen ase *adj* puoliautomaattinen

semicircle ['semɪ,sɜrkəl] *s* puoliympyrä

semicircular ['semɪ'sɜrkjələr] *adj* puoliympyrän muotoinen

semicolon ['semɪ,koʊlən] *s* puolipiste (;)

semifinal [,semi'faɪnəl, ,semə'faɪnəl] *s* (urh) semifinaali, välierä

semimonthly [,semi'mʌnθli] *adj* kaksi kertaa kuukaudessa ilmestyvä/tapahtuva

seminal [semɪnəl] *adj* (kuv) omaperäinen, uraauurtava

semiotics *s* (verbi yksikössä) semiotiikka

semiprofessional [,semɪprə'feʃənəl] *s* puoliammattilainen *adj* puoliammattilainen

semiyearly [,semi'jɪərli] *adj* kahdesti vuodessa ilmestyvä/tapahtuva

senate [senət] *s* senaatti *Senate* (Yhdysvaltain) senaatti

senator [senətər] *s* senaattori

senatorial [,senə'tɔriəl] *adj* **1** senaattorin **2** senaattoreista koostuva

send [send] *v* sent, sent **1** lähettää **2** ampua; iskeä *to send a blow* lyödä, iskeä *the blow sent him flying* hän lensi iskun voimasta ilmaan

sender *s* **1** lähettäjä **2** lähetin

send for *v* kutsua paikalle, lähettää joku hakemaan jotakin *let's send for Davie for pizzas* käsketään Davien hakea pitsoja

send forth *v* **1** lähettää lähteen jotakin *the machine sends forth a billow of smoke* kone tupruttaa ilmoille savua **2** lähettää **3** (kuintoja ym) tuottaa

send in *v* lähettää (esim anomus, hakemus)

send off *v* lähettää, passittaa joku jonnekin

send-off *s* läksiäiset

send out *v* **1** lähettää, jakaa, postittaa **2** lähettää joku hakemaan jotakin

send round *v* levittää (esim huhua)

send up *v* **1** (ark) tuomita/passittaa vankilaan **2** tehdä pilkkaa jostakusta/jostakin, parodioida **3** lähettää lentoon/avaruuteen, päästää ilmaan

send-up *s* parodia

senile [sinaɪl] *adj* vanhuudenheikko, seniili, vanhuudenhöperö (ark), kalkkiutunut (ark)

senility [sə'nɪləti] *s* vanhuudenheikkous, vanhuus, seniiliys, vanhuudenhöperyys (ark), kalkkeutuminen (ark)

senior [sinjər] *s* **1** (kahdesta) vanhempi henkilö **2** (kahdesta) korkea-arvoisempi henkilö **3** (US) lukion, yliopiston ym ylimmän luokan/viimeisen vuoden oppilas/opiskelija **4** eläkeläinen *adj* **1** vanhempi (lyhennetään usein yhteydessä *Sr.*) *Mr. Duvall Sr.* Mr. Duvall Sr./vanhempi *he is a senior partner in a law firm* hän on asianajotoimiston vanhempi osakas *I am three years your senior* olen kolme vuotta sinua vanhempi **2** korkea-arvoisin, ylin, johtava **3** (US) (lukiossa, yliopistossa ym) viimeisen vuoden, ylimmän luokan **4** eläkeläis-, eläkeläisten

seniority [sɪnˈjɒrəti] *s* **1** korkeampi ikä/asema, vanhemmuus **2** pitempi palvelusaika, suurempi määrä virkavuosia

sensation [sənˈseɪʃən] *s* **1** tuntemus, tunne, aistimus **2** sensaatio

sensational [sənˈseɪʃənəl] *adj* kohua herättävä

sensationalism [sənˈseɪʃənəˌlɪzəm] *s* kohun tavoittelu, keltainen journalismi

1 sense [sens] *s* **1** aisti *sixth sense* kuudes aisti **2** järki *common sense* terve järki *to come to your senses* tulla järkiinsä, järkiintyä *to make sense* käydä järkeen, jossakin on järkeä *to take leave of your senses* tulla hulluksi, menettää järkensä **3** taju, tuntu, vainu *sense of space* tilan tuntu *sense of justice* oikeuskäsitys *she has no sense of what is appropriate* hänellä ei ole käsitystä siitä mikä on kohtuullista/soveliasta **4** merkitys *what is the sense of this word?* mitä tämä sana tarkoittaa? *in a sense* tavallaan, eräässä mielessä

2 sense *v* aistia, tuntea *I sense from your words that you do not want to leave* huomaan puheistasi että et halua lähteä

senseless *adj* **1** tajuton, tiedoton **2** järjetön, älytön, mieletön; turha

senselessness *s* **1** tajuttomuus **2** järjettömyys, mielettömyys, älyttömyys; turhuus

sense of duty *fr* velvollisuudentunto

sense of hearing *s* kuulo(aisti)

sense of sight *s* näkö (aisti)

sense of smell *s* hajuaisti

sense of touch *s* kosketusaisti

sensibility [ˌsensəˈbɪləti] *s* **1** herkyys, herkkätuntoisuus *to hurt someone's sensibilities* loukata jonkun tunteita

sensible [ˈsensəbəl] *adj* **1** järkevä, viisas **2** huomattava, merkittävä **3** aisteilla havaittava **4** aistiva, joka pystyy aistimaan **5** joka on tajuissaan

sensible of *adj* tietoinen jostakin *she was not sensible of her misjudgment* hän ei huomannut arvioinneesa tilanteen väärin

sensibly *adv* järkevästi, viisaasti

sensitive [ˈsensətɪv] *adj* **1** (ihminen) herkkä, herkkätuntoinen, arka *Wanda is very sensitive about her looks* Wanda on hyvin tarkka siitä mitä hänen ulkonäöstään ajatellaan/sanotaan **2** (laite ym) herkkä *a sensitive instrument* herkkä/tarkka mittalaite *photographic paper is sensitive to light* valokuvapaperi on valonherkkää **3** arkaluonteinen, arka *abortion is a sensitive topic* abortti on arka puheenaihe

sensitivity [ˌsensəˈtɪvəti] *s* **1** (ihminen) herkyys, herkkätuntoisuus, arkuus **2** (laitteen) herkkyys, tarkkuus *sensitivity to light* valonherkkyys **3** (asian) arkaluonteisuus, arkuus

sensitize [ˈsensəˌtaɪz] *v* herkistää

sensor [ˈsensər] *s* **1** anturi **2** aistin, aistinelin

sensory [ˈsensəri] *adj* aistimellinen, aistimuksellinen, aisti-

sensual [ˈsenʃuəl] *adj* **1** aistillinen, aisti-iloinen, erottinen, lihallinen, himokas **2** aistimellinen, aistimuksellinen, aisti-

sensualism [ˈsenʃuəˌlɪzəm] *s* **1** aistillisuus, eroottisuus, lihallisuus, himokkuus, (filosofiassa) sensualismi

sensualist [ˈsenʃuəlɪst] *s* nautiskelija, (filosofiassa) sensualisti

sensuality [ˌsenʃuˈæləti] *s* aistillisuus, eroottisuus, erotiikka, lihallisuus, himokkuus

sensuous [ˈsenʃuəs] *adj* **1** aistillinen, aisti-iloinen **2** aistimellinen

sensuously *adv* **1** aistillisesti **2** aistimellisesti

sensuousness *s* **1** aistillisuus **2** aistimellisuus

sent [sent] *ks* **send**

1 sentence [ˈsentəns] *s* **1** (oikeudessa) tuomio **2** (kielessä) lause

2 sentence *v* tuomita *he was sentenced to death* hänet tuomittiin kuolemaan, hän sai kuolemanrangaistuksen

sententious [senˈtenʃəs] *adj* **1** hurskasteleva; saarnaava, moralisoiva **2** joka käyttää/jossa on paljon ajatelmia/mietelmiä/mietelauseita

sentient [ˈsentɪənt] *adj* aistiva, aistimellinen, tuntemiskykyinen

sentiment [ˈsentəmənt] *s* **1** asenne, mielipide, suhtautuminen, suhde **2** tunne, tuntemus **3** tunteilu, mielenliikutus **4** ajatus (sisältö)

sentimental [,sentə'mentəl] *adj* tunteileva, herkkätunteinen, liikatunteellinen, haaveellinen, sentimentaalinen

sentimentalism [,sentə'mentə,lızəm] *s* tunteilu, herkkätunteisuus, haaveellisuus

sentimentalist [,sentə'mentəlıst] *s* tunteilija, haaveilija, sentimentalisti

sentimentalize [,sentə'mentə,laız] *v* **1** tunteilla **2** ihannoida, romantisoida

separate [seprət] *adj* erillinen; irrallinen, yksittäinen, oma, eri

separate [sepə,reıt] *v* **1** erottaa (toisistaan) **2** erottaa (palveluksesta), erota jostakin (from) **3** tehdä asumusero **4** jakaa, lajitella, erottaa

separately *adv* erikseen

separation [sepə'reıʃən] *s* **1** (toisistaan) erottaminen; jakaminen, lajittelu **2** asumusero **3** aukko, lohkeama, halkeama

September [sep'tembər] *s* syyskuu

septic [septık] *adj* tartunnallinen, verenmyrkytystä synnyttävä, septinen

septic tank *s* sakokaivo

septuagenarian [,septuədʒə'neriən] *s, adj* 70–79-vuotias

sepulcher [sepəlkər] *s* hauta

sequel [sikwəl] *s* **1** (jatkokertomuksen, tv-sarjan ym) osa, jatko-osa **2** (kuv) jälkinäytös, seuraus

1 sequence [sikwəns] *s* **1** järjestys *in sequence* järjestyksessä **2** sarja, jakso *a sequence of events* tapahtumaketju, tapahtumasarja

2 sequence *v* järjestää (peräkkäin), panna järjestykseen

sequencer *s* sekvensseri

sequential [sı'kwenʃəl] *adj* **1** peräkkäinen, järjestyksessä tapahtuva **2** seuraava

sequester [sı'kwestər] *v* **1** eristää **2** takavarikoida

sequin [sikwın] *s* **1** (vaatteen koriste) paljetti **2** (vanha kultakolikko) sekiini

sequoia [sə'kwɔıə] *s* **1** jättiläispunapuu **2** mammuttipetäjä

1 serenade [,serə'neıd] *s* serenadi, öinen laulutervehdys

2 serenade *v* pitää jollekulle serenadi

serene [sə'rin] *adj* **1** rauhallinen, rauhaisa, tyyni **2** kirkas, selkeä

serenity [sə'renəti] *s* rauhallisuus, rauha, tyyneys

serf [sɜrf] *s* (mon serfs) **1** maaorja **2** orja

serfdom [sɜrfdəm] *s* **1** maaorjuus **2** orjuus

sergeant [sardʒənt] *s* **1** (sot) kersantti **2** (US) (poliisi) ylikonstaapeli

serial [sıriəl] *s* jatkokertomus, jatkosarja, tv-sarja yms *adj* jatko-, sarja-, peräkkäinen, sarjallinen

serialize [sıriə,laız] *v* **1** julkaista jatkosarjana **2** lähettää/esittää televisiosarjana, tehdä jostakin televisiosarja

serially *adv* jatkosarjana, sarjana, peräkkäin

series [sıriz] *s* (mon series) **1** sarja *a series of events* tapahtumasarja **2** jatkosarja, tv-sarja

serious [sıriəs] *adj* **1** vakava *are you serious about getting married?* aiotko tosissasi mennä naimisiin? *she is a very serious person* hän on hyvin totinen (ihminen) *the situation is serious* tilanne on vakava *the patient is in serious condition* potilaan tila on vakava **2** vaativa, vaikea *serious literature* laatukirjallisuus

seriously *adv* vakavasti *he is seriously considering their offer* hän harkitsee vakavissaan heidän tarjoustaan *she was seriously injured* hän loukkaantui vakavasti *seriously, he is quite lazy* vakavasti puhuen/ totta puhuakseni hän on aika laiska

seriousness *s* vakavuus *in all seriousness* vakavissaan, tosissaan *the seriousness of the situation* tilanteen vakavuus *the seriousness of a decision* päätöksen/ratkaisun kauaskantoisuus

sermon [sɜrmən] *s* saarna (myös kuv)

serpent [sɜrpənt] *s* käärme

serpentine [sɜrpəntin] *v* (joki, tie) kiemurrella, mutkitella *adj* kiemurteleva, mutkitteleva

serum [sırəm] *s* (mon serums, sera) seerumi, verihera

servant [sɜrvənt] *s* palvelija *public servant* (valtion) virkamies

serve [sɜrv] *v* **1** palvella, olla palvelijana **2** tarjoilla **3** auttaa, avustaa **4** toimia jonakin, palvella jossakin tehtävässä *he is serv-*

ing as chairman hän toimii puheenjohtajana **5** kelvata, käydä **6** *to serve someone right* joku saa ansionsa mukaan **7** ojentaa, antaa *to serve a summons* antaa/toimittaa haaste **8** toimittaa: *the new power plant serves our city with electricity* kaupunkimme saa sähkönsä uudesta voimalasta

server *s* **1** tarjoilija **2** tarjoiluastia **3** (tietok) palvelin, serveri

1 service [sɜːvəs] *s* **1** palvelus *he did me a big service* hän auttoi minua kovasti *I will be at your service* olen käytettävissäsi/palveluksessasi *Mr. Archer is in government service* Mr. Archer on valtion palveluksessa *military service* sotilaspalvelus *may I be of service?* voinko auttaa (teitä)? **2** palvelu *the service at the hotel was good* hotellissa oli hyvä palvelu *answering service* puhelinpäivystys **3** sotilaspalvelus *he is in the service* hän on armeijan palveluksessa, hän on armeijassa **4** huolto *repair service* huolto(palvelu) **5** jumalanpalvelus *divine service* jumalanpalvelus **6** käyttö, kunto *the machine is in/out of service* kone on kunnossa/epäkunnossa

2 service *v* huoltaa, korjata

serviceable [sɜːvəsəbəl] *adj* **1** avulias; hyödyllinen **2** kestävä **3** helppohoitoinen, joka on helppo korjata

servile [sɜːvaɪl] *adj* nöyristelevä; orjallinen

servilely *adv* nöyristelevästi; orjallisesti

sesame [sesəmi] *s* **1** (kasvi) seesami **2** *open sesame* seesam aukene!

sesame seed *s* seesaminsiemen

session [seʃən] *s* **1** istunto **2** istuntokausi **3** tapaaminen *study session* opiskelutuokio *recording session* nauhoitus, äänitys **4** (yliopistossa yms) lukukausi

1 set [set] *s* **1** sarja, yhdistelmä, pari, setti *a full set of golf clubs* täysi golfmailasarja **2** joukko, piiri *the literary set* kirjallisuuspiiri **3** asento, ryhti **4** (vaatteen) leikkaus, istuvuus **5** (teatterin, elokuvan) lavasteet **6** (tenniksessä) erä **7** (radio-, televisio)vastaanotin **8** kampaus

2 set *v* set, set **1** panna, laittaa, asettaa, laskea *she set the cup on the table* hän pani kupin pöydälle *to set something upright* nostaa/

panna jokin pystyyn *to set a trap* virittää ansa **2** (aurinko) laskea **3** määrittää, säätää, asettaa *to set your watch* korjata kellonsa aika *to set a limit to something* määrätä jollekin raja, rajoittaa jotakin **4** sijoittaa *the movie is set in Los Angeles* elokuva tapahtuu Los Angelesissa **5** kattaa (pöytä) **6** aloittaa, käynnistää *to set someone thinking* saada joku miettimään/mietteliääksi **7** (mus) sovittaa

3 set *adj* **1** (ennalta) määrätty, kiinteä, vakioat *a set time* määräaikaan *set books* pakolliset (opiskelijoiden luettavaksi määrätyt) kirjat **2** määrätietoinen, päättäväinen, omapäinen *Mrs. Moriarty is set in her ways* Mrs. Moriarty on urautunut/tapoihinsa kangistunut **3** valmis *all set* valmista on! *interj* (ark) valmiina! *Ready! Set! Go!* Paikoillenne, valmiit, nyt!

set about *v* aloittaa, käynnistää, ryhtyä johonkin

set against *v* **1** verrata jotakin johonkin **2** kääntää joku jotakin vastaan, saada joku vastustamaan jotakin *the news set her against the proposal* uutinen sai hänet vastustamaan ehdotusta

set ahead *v* siirtää myöhemmäksi

set apart *v* **1** säästää, varata, panna talteen **2** erottaa joku/jokin jostakin *the display sets the new computer apart from the competition* uusi tietokone erottuu kilpailijoistaan näyttimensä/näyttönsä vuoksi

set aside *v* **1** säästää, varata, panna talteen **2** jättää/heittää mielestään, (yrittää) unohtaa **3** hylätä, kumota, peruuttaa

set back *v* **1** estää, haitata, hidastaa **2** siirtää (kelloa) taaksepäin; säätää pienemmälle/vähemmälle **3** maksaa *that watch set him back several hundred dollars* hän pulitti kellosta satoja dollareita

setback [setbæk] *s* takaisku

set by *v* säästää, varata, panna talteen

set down *v* **1** laskea kädestään/alas **2** kirjoittaa muistiin/ylös **3** pitää jotakuta jonakin **4** laskea/lukea jotakin jonkin syyksi **5** nöyryyttää **6** ohjata (lentokone) alas

set forth *v* **1** selittää, esittää, tehdä selkoa jostakin **2** lähteä matkaan, aloittaa matka

set forward v siirtää (kelloa) myöhemmäksi/
eteenpäin

set in v alkaa

set off v 1 sytyttää, laukaista, räjäyttää 2 al-
kaa, aloittaa, käynnistää 3 lähteä matkalle,
aloittaa matka 4 saada erottumaan selvem-
min, korostaa

set on v yllyttää joku johonkin; usuttaa joku
jonkun kimppuun

set out v 1 aloittaa matka, lähteä matkaan
2 ryhtyä, ruveta, aloittaa, esittää 3 suunni-
tella, laatia

setout ['set,aut] s 1 (matka)valmistelut
2 alku, aloitus 3 juhla

settee [se'ti] s sohva

setter s 1 (kirjapainossa) latoja 2 (koira) set-
teri

setting s 1 puitteet, ympäristö, paikka; tapah-
tumapaikka 2 (ruokapöydässä) kattamus
3 (teatterin, elokuvan) lavasteet 4 laskemi-
nen, paneminen *the setting of the sun au-
ringonlasku*

setting up v (golf) asettuminen lyöntiasentoon,
mailan lyöntipinnan ja vartalon suuntaa-
minen

settle [setəl] v 1 sopia, järjestää, hoitaa kun-
toon/valmiiksi *to settle a quarrel* sopia
riita/välinsä 2 asettua asumaan jonnekin,
asuttaa jokin alue 3 rauhoittaa, rauhoittua,
asettua 4 maksaa (lasku) 5 (neste) seljetä,
kirkastua; (sakka) laskeutua (pohjalle),
sakkautua, saostua; painua, tiivistyä 6 las-
keutua *the bird settled on the roof* lintu
laskeutui katolle

settle a score *fr* maksaa (vanhat) kalavelkan-
sa *I have a score to settle with Ralph* mi-
nulla on Ralphin kanssa kana kynimättä,
minulla on Ralphin kanssa vanhoja kala-
velkoja

settle down v 1 rauhoittua, tyyntyä 2 asettua
aloilleen, lopettaa poikamieselämä, mennä
naimisiin 3 keskittyä

settle for v tyytyä johonkin

settle into v totuttautua/tottua johonkin

settlement s 1 sopiminen, sovittaminen, so-
pimus 2 työehtosopimus 3 siirtokunta
4 (laskun) maksaminen

settler s uudisasukas

set to v 1 panna hihat heilumaan, ruveta työ-
hön 2 puolustautua, panna hanttiin (ark)

set up v 1 oikaista, suoristaa, nostaa pystyyn
2 rakentaa, pystyttää 3 perustaa 4 auttaa
alkuun liikealalla 5 (ark) tarjota (ryyppyt,
kierros) 6 (sementti ym) kovettua 7 houku-
tella ansaan, huijata, pettää

set upon v usuttaa joku jonkun kimppuun

seven [sevən] s, adj seitsemän

sevenfold ['sevən,fəʊld] adj seitsenkertainen
adv seitsemän kertaa, seitsenkertaisesti

seventeen [,sevən'tin] s, adj seitsemäntoista

seventeenth [,sevən'tinθ] s, adj seitsemäs-
toista

seventh [sevənθ] s, adj seitsemäs

seventieth [sevəntiəθ] s, adj seitsemäskym-
menes

seventy [sevəntı] s, adj seitsemänkymmentä
in the seventies 70-luvulla *they live in the
seventies* he asuvat 70.–79. kadun koh-
dalla

sever [sevər] v katkaista, leikata poikki *he
has severed all ties to his family* hän on
katkaissut välinsä omaisiinsa

several [sevrəl] adj 1 usea *there are several
people ahead of you in the line* jonossa on
sinun edelläsi useita ihmisiä *in these sev-
eral states* näissä osavaltioissa 2 kunkin
oma *they went their several ways* he lähti-
vät kukin taholleen

severally adv yksitellen, erikseen

severance [sevrəns] s katkaiseminen, kat-
kaisu

severe [sə'vɪər] adj ankara, raju, kova, va-
kava, ulkuava

severity [sə'verəti] s ankaruus, karuus, ko-
vuus, puute *the severity of a problem* on-
gelman vakavuus

sew [səʊ] v sewed, sewed/sewn: ommella

sewage [suədʒ] s lokavesi, jätevesi

1 sewer [suər] s 1 viemäri 2 ompelija

2 sewer v viemäröidä

sewing machine [səʊɪŋ] s ompelukone

sew up v 1 ommella umpeen/kiinni 2 sulkea,
tukkia 3 solmia, sinetöidä (esim kauppa)
4 hankkia, haalia kokoon 5 omia, vallata,
monopolisoida

sex [seks] *s* **1** sukupuoli **2** sukupuolinen vetovoima, seksuaalisuus **3** yhdyntä, seksi *to have sex* rakastella **4** sukupuolielimet

sexagenarian [‚seksədʒə'neriən] *s, adj* 60–69-vuotias

sex appeal *s* **1** seksuaalinen vetovoima, seksikkyys **2** (kuv) vetovoima, veto

sexism [seksɪzəm] *s* sukupuoleen perustuva syrjintä, sovinismi

sexist [seksɪst] *s* sovinisti *adj* sukupuolinen perusteella syrjivä, sovinistinen

sexless *adj* **1** sukupuoleton **2** seksuaalisesti haluton **3** joka ei ole (lainkaan) seksikäs

sexploitation [‚seksplor'teɪʃən] *s* (ark) seksin kaupallinen hyväksikäyttö (elokuvissa, televisiossa, kirjoissa ym)

sextant [sekstənt] *s* sekstantti

sextet [seks'tet] *s* sekstetti

sexual [sek'ʃuəl] *adj* seksuaalinen, sukupuolinen, sukupuoli-

sexual intercourse *s* sukupuoliyhdyntä

sexually [‚sek'ʃuːəloti] *s* seksuaalisuus, su kupuolisuus; sukupuolielämä

sexually *adv* seksuaalisesti, sukupuolisesti

sexually transmitted disease *s* sukupuolitauti

sex up *v* (ark) **1** kiihottaa sukupuolisesti **2** (kuv) piristää, maustaa, höystää

sexy [seksi] *adj* seksikäs (myös kuv:) houkutteleva, puoleensavetävä, hieno *a sexy new computer* seksikäs uusi tietokone

shabby [ʃæbi] *adj* **1** ränsistynyt, rähjäinen, repaleinen, nuhruinen, siivoton **2** kehno, huono

shack [ʃæk] *s* mökki, hökkeli, tönö

1 shackle [ʃækəl] *s* (yl mon) kahleet (myös kuv)

2 shackle *v* panna kahleisiin, kahlehtia (myös kuv)

shack up *v* **1** asua/ruveta asumaan avoliitossa **2** lymytä/asua hökkelissä/tönössä

1 shade [ʃeɪd] *s* **1** (myös mon) varjo (myös kuv) *to cast/put someone in the shade* (kuv) jättää joku varjoonsa **2** varjostin, kaihdin *lamp shade* lampunvarjostin *window shade* sälekaihdin; rullaverho **3** (mon; sl) aurinkolasit

2 shade *v* varjostaa (myös taiteessa), suojata auringolta, jättää varjoon

1 shadow [ʃædəʊ] *s* **1** varjo (myös kuv) **2** hämärä **3** haamu, aave

2 shadow *v* **1** varjostaa (myös kuv), suojata auringolta, jättää varjoon **2** seurata, varjostaa

shadow of a doubt *without a shadow of a doubt* ilman epäilyksen häiväkkään

shadowy *adj* varjoisa, hämärä (myös kuv:) hämäräperäinen

shady [ʃeɪdi] *adj* varjoisa, hämärä (myös kuv:) hämäräperäinen *Morgan is on the shady side of fifty* Morgan on viidenkymmenen huonommalla puolella (yli viidenkymmenen)

1 shaft [ʃɑːft] *s* **1** varsi, aisa **2** (kuv) piikki, pisto, ilkeys **3** (valon)säde **4** (hissi-, kaivos)kuilu **5** *give someone the shaft* petkuttaa, kohdella kaltoin

2 shaft *v* petkuttaa, kohdella kaltoin

shaggy [ʃægi] *adj* **1** (tukka, turkki) takkuinen **2** (eläin) pitkäkarvainen, (matto) pitkänukkainen **3** rähjäinen, repaleinen, siivoton

1 shake [ʃeɪk] *s* **1** värinä, vapina, ravistus *to give something a shake* ravistaa **2** pirtelö *strawberry milk shake* mansikkapirtelö **3** (mon) väristys, täristys(kohtaus) **4** hetki *two shakes* hetki, hetkinen *two shakes of a lamb's tail* hetki, hetkinen **5** *to be no great shakes* jossakin ei ole kehumista **6** (ark) tilaisuus, mahdollisuus *to give someone a fair shake* kohdella jotakuta reilusti

2 shake *v* shook, shaken **1** ravistaa, värisyttää, vapista, ravistaa **2** kätellä *to shake hands* kätellä **3** heristää, heiluttaa **4** (kuv) järkyttää, ravistaa, ravistella

shake down *v* **1** koetella, koeajaa, koekäyttää, testata **2** (ark) kiristää (rahaa) **3** ravistaa (jotta sisältö pakkautuu tiiviimmin) **4** (sl) tehdä jollekulle ruumiintarkastus, tarkistaa onko jollakulla ase/salakuuntelulaite

shakedown [ʃeɪk‚daʊn] *s* **1** kiristys **2** (perusteellinen) etsintä **3** testaus, koelento, koeajo, koekäyttö tms

shake hands *s* kätellä *let's shake hands on this* lyödään kättä päälle

shake off v karistaa kannoiltaan

shakeout ['ʃeɪk͵aʊt] s (liikealan) tervehdyttävä karsiutuminen (jossa heikot kilpailijat kaatuvat)

shake up v 1 ravistaa 2 (kuv) järkyttää

shaky adj vapiseva, tutiseva; hutera (myös kuv): epävarma

shale [ʃeɪl] s liuske

shall [ʃæl] apuv (preesens:) shall, (imperfekti:) should, (perfekti) should have, (preesensin kieltomuoto:) shall not, shan't, (imperfektin kieltomuoto:) should not, shouldn't, (perfektin kieltomuoto:) should not have, shouldn't have 1 (aikomuksesta) I shall do it minä teen sen, minä aion tehdä sen I should have done it minun olisi pitänyt tehdä se 2 (ilmaisee käskyä, pakkoa, lupausta:) you shall obey sinun pitää totella I shall pay you back lupaan maksaa sinulle 3 (kysymyslauseessa:) shall I go? lähdenkö minä?, pitääkö/kuuluuko minun lähteä?

shallot [ʃælɒt] s salottisipuli

shallow [ʃæləʊ] s (mon) matalikko adj 1 matala 2 (kuv) pinnallinen

shalt [ʃælt] (vanh) shall (yks 2. pers) thou shalt not steal älä varasta

1 sham [ʃæm] s 1 teeskentely 2 teeskentelijä, huijari

2 sham v teeskennellä, tekeytyä joksikin

3 sham adj teeskennelty, ei aito

shaman [ʃeɪmən] s šamaani

1 shamble [ʃæmbəl] s laahustava kävely

2 shamble v laahustaa

shambles s 1 teurastamo 2 kaaos, sekasorto; sotku my apartment is a shambles asuntoni on kamalassa siivossa

1 shame [ʃeɪm] s häpeä for shame! mikä häpeä!, sietäisit hävetä! to put someone/something to shame tuottaa häpeää jollekulle; jättää joku varjoonsa, joku/jokin kalpenee jonkun/jonkin rinnalla

2 shame v 1 hävettää 2 häpäistä 3 taivutella/suostutella (häpeän tunteeseen, oikeudentuntoon vedoten) joku tekemään jotakin

shamefaced [ʃeɪm͵feɪst] adj 1 ujo, arka 2 nolo, jota hävettää

shameful adj häpeällinen, nöyryyttävä, nolo

shameless adj häpeämätön, julkea

1 shampoo [ʃæm'pu] s sampoo, hiustenpesuaine

2 shampoo v pestä (hiukset)

shamrock ['ʃæm͵rak] s apila

shamus [ʃeɪməs] s (sl) (mon shamuses) 1 etsivä 2 poliisi(mies)

shank [ʃæŋk] s 1 (polven ja nilkan väli) sääri 2 (reisi ja sääri) jalka, alaraaja 3 (ruuanlaitossa) reisi 4 (työkalun ym) varsi

shan't [ʃænt] shall not

shanty [ʃænti] s mökki, maja, röttelö

shantytown [ʃænti͵taʊn] s slummi, hökkelikylä

1 shape [ʃeɪp] s 1 muoto (myös kuv), hahmo the plan is beginning to take shape suunnitelma alkaa muotoutua/hahmottua 2 kunto I am in no shape to exercise olen niin huonossa kunnossa että en jaksa harrastaa liikuntaa

2 shape v 1 muovata, muotoilla (myös kuv) 2 kehittyä things are shaping nicely asiat etenevät mukavasti

shapeless adj muodoton, epämääräisen muotoinen

shapely adj (nainen) jolla on hyvät muodot, hyvännäköinen, kurvikas

shape up v 1 muotoutua, hahmottua, kehittyä 2 ryhdistäytyä, kunnostautua, parantaa tapansa 3 parantaa (ruumiillista) kuntoaan

1 share [ʃeər] s 1 osa, osuus everybody should do their share kaikkien pitää hoitaa osuutensa 2 osake

2 share v 1 jakaa (osiin, joidenkin kesken) they share the credit for the success of the company yrityksen menestys on heidän kummankin ansiota 2 kertoa, paljastaa, jakaa a married couple should share their feelings avioparien tulisi paljastaa tunteensa toisilleen

shareholder ['ʃeər͵hɒldər] s (yhtiön) osakas

share in v osallistua johonkin, päästä osalliseksi jostakin, olla osallinen jostakin

shark [ʃark] s hai

sharp [ʃarp] adj 1 terävä 2 jyrkkä, äkillinen, äkkinäinen, (ero myös) selvä a sharp turn for the worse äkillinen huononeminen 3 (kasvot) kulmikas 4 (maku) pistävä, voimakas **5** (kipu) pureva **6** valpas, terävä (kuv), nokkela, tarkka (myös näkö) *he has a sharp mind* hän on terävä(päinen) **7** (huomautus ym) piikikäs, pisteliäs, pureva, terävä *adv* **1** terävästi jne (ks adj) **2** (kellonajasta) tasan

sharp-edged [ˌʃɑːpˈedʒd] *adj* **1** terävä, teräväreunainen **2** (kuv) terävä, pureva, piikikäs

sharpen [ˈʃɑːpən] *v* (myös kuv) teroittaa, terävöittää, terävöityä

sharp-nosed *adj* **1** suipponenäinen **2** teräväkärkinen, suippokärkinen, (lentokone) suipponokkainen **3** jolla on tarkka hajuaisti

shatter [ˈʃætə(r)] *v* **1** särkeä/särkyä sirpaleiksi, lyödä/iskeä säpäleiksi **2** (kuv) musertaa, tehdä tyhjäksi

1 shave [ʃeɪv] *s* parranajo

2 shave *v* shaved, shaved/shaven **1** ajaa partansa, leikata jonkun parta; leikata karvat *she's shaving her legs* hän ajaa säärikarvojaan **2** höylätä

shaver *s* parranajokone

shavings *s* (mon) lastut

shawl [ʃɔːl] *s* saali, hartiahuivi

s/he (yhdistetty pronominimuoto jota käytetään (ainoastaan kirjoitetussa tekstissä) kun tarkoitetaan jompaakumpaa sukupuolta) hän

she [ʃiː] *pron* (feminiinimuoto) hän

sheaf [ʃiːf] *s* (mon sheaves) **1** lyhde **2** nippu, kimppu, pino, kasa

1 shear [ʃɪə(r)] *s* (mon) (isot) sakset, (lampaiden) keritsimet *a pair of shears* sakset *garden shears* pensassakset

2 shear *v* sheared, shorn/sheared: leikata, (lampaita) keritä

1 sheath [ʃiːθ] *s* (mon sheaths) tuppi, (miekan) huotra; suojus

2 sheath *v* panna tuppeen/huotraan

sheathe [ʃiːð] *v* **1** panna tuppeen/huotraan **2** päällystää, peittää

1 shed [ʃed] *s* vaja, mökki

2 shed *v* shed, shed **1** varistaa (lehtiä), luoda (nahkansa), olla karvanlähtö **2** vuodattaa (verta, kyyneleitä) **3** päästä eroon jostakin **4** luoda (valoa), pitää (ääntä), tuoksua

she'd [ʃiːd] *she had; she would*

shed light on *v* valaista jotakin asiaa

shed tears *fr* vuodattaa kyyneleitä

sheep [ʃiːp] *s* (mon sheep) lammas *to separate the sheep from the goats* (kuv) erottaa hyvät pahoista/vuohet lampaista

sheepdog [ˈʃiːpˌdɒg] *s* lammaskoira

sheepherder [ˈʃiːpˌhɜːdə(r)] *s* lammaspaimen

sheepish [ˈʃiːpɪʃ] *adj* **1** nolostunut **2** nöyristelevä

sheepman [ˈʃiːpmən] *s* (mon sheepmen) **1** lammasfarmari **2** lammaspaimen

sheepskin [ˈʃiːpˌskɪn] *s, adj* lampaannahka(-)

sheer [ʃɪə(r)] *adj* **1** puhdas, pelkkä, täysi *that's a sheer lie* se on silkkaa valhetta **2** jyrkkä **3** (erittäin) ohut *sheer pantihose* ohuet sukkahousut *adv* suoraan, suoraa päätä, päistikkaa

sheet [ʃiːt] *s* **1** lakana **2** kerros **3** (paperi)liuska, arkki **4** sanomalehti **5** alue *a sheet of water* vesi(alue) **6** laakafilmi

she/he (yhdistetty pronominimuoto jota käytetään ainoastaan kirjoitetussa tekstissä kun tarkoitetaan jompaakumpaa sukupuolta) hän

sheik [ʃiːk] *s* šeikki

sheikdom [ˈʃiːkdəm] *s* šeikkikunta

sheikh *s* šeikki

shelf [ʃelf] *s* (mon shelves) **1** hylly *off the shelf* suoraan myymälästä *to put something on the shelf* (kuv) panna jokin asia pöydälle, jättää jokin asia lepäämään, lykätä myöhemmäksi **2** hyllyllinen, hyllyn täysi/täydeltä jotakin **3** *continental shelf* mannerjalusta

shelfful *s* (mon shelffuls) hyllyllinen, hyllyn täysi *by the shelfful* hyllykaupalla, kasapäin

shelf life *s* (kaupptavaran) säilyvyysaika

1 shell [ʃel] *s* **1** (kananmunan, simpukan ym) kuori, (herneen) palko *to come out of your shell* (kuv) tulla ulos kuorestaan **2** patruuna **3** (tykin) kranaatti **4** (talon) seinät ja katto **5** suojus, vaippa **6** kilpasoutuvene **7** simpukka **8** (mon) simpukkamakaroni

2 shell *v* kuoria

she'll [ʃiəl ʃil] *she will; she shall*

shell out v (ark) pulittaa, maksaa

1 shelter [ʃeltər] s **1** turva, suoja, turvapaikka *to take shelter in* mennä jonnekin suojaan *under the shelter of* jonkin suojassa/turvassa/turvin **2** asunto **3** hätäasunto, yömaja

2 shelter v suojata, suojautua, varjella

sheltered adj **1** suojattu, suojaisa *as a child, he led a sheltered life* hän eli lapsena suojattua elämää **2** (suojatulleilla) suojattu

shelve [ʃelv] v **1** panna hyllylle **2** lykätä myöhemmäksi, jättää pöydälle **3** poistaa käytöstä

shenanigans [ʃəˈnænɪɡənz] s (mon ark)
1 kujeilu **2** juonittelu, vehkeily

1 shepherd [ʃepəd] s lammaspaimen *the Lord is my Shepherd* Herra on minun paimeneni

2 shepherd v paimentaa (myös kuv)

shepherdess [ʃepədəs] s (naispuolinen) lammaspaimen

sheriff [ʃerəf] v seriffi

1 shield [ʃiːld] s **1** (taistelijan ym) kilpi (myös kuv): suojelija, suoja, turva **2** (poliisin ym) virkamerkki

2 shield v suojata, suojella

1 shift [ʃɪft] s **1** muutos, vaihto, siirtymä **2** työvuoro **3** (auton) vaihdetanko; vaihteisto

2 shift v **1** vaihtaa, vaihtua, muuttaa, muuttua, siirtää, siirtyä *they tried to shift the blame on her* he yrittivät sysätä syyn hänen niskoilleen **2** (autossa) vaihtaa (vaihdetta) **3** (kirjoituskoneessa, tietokoneessa) painaa vaihtonäppäintä **4** tulla toimeen, pärjätä (ark)

shiftless adj laiska, veltto, vetelä, saamaton

shifty adj kekseliäs, nokkela, ovela **2** hämäräperäinen, hämärä; epäluotettava

shilling [ʃɪlɪŋ] s šillinki

1 shimmer [ʃɪmər] s **1** hohto, kimallus, tuike, kajaste, kajastus

2 shimmer v hohtaa, kimaltaa, (tähti) tuikkia, kajastaa

shimmery adj hohtava, kimaltava, tuikkiva, kajastava

shin [ʃɪn] s (jalan etuosa polvesta nilkkaan) sääri

shinbone [ˈʃɪnˌbəʊn] s sääriluu

1 shine [ʃaɪn] s **1** kiilto, hohto, loisto **2** (kenkien) kiillotus *to give your shoes a shine* kiillottaa kenkänsä **3** auringonpaiste *come rain or shine* satoi tai paistoi (myös kuv) **4** *to take a shine to* (ark) ihastua/mieltyä johonkuhun/johonkin **5** (sl) musta (ihminen)

2 shine v shone, shone **1** kiiltää, hohtaa, loistaa **2** (aurinko) paistaa **3** näyttää/ohjata valoa johonkin *don't shine the torch in my face* älä osoita taskulampulla suoraan minun naamaani **4** (kuv) loistaa, olla edukseen

shingle [ʃɪŋɡəl] s **1** (katto-, ulkoseinä)laatta **2** (naisten) poikatukka **3** (ark) (lääkärin, asianajajan) kyltti *to hang out your shingle* avata vastaanotto, perustaa oma yritys **4** (mon, lääk) vyöruusu **5** (rannalla) pienet kivet **6** ranta (jolla on pieniä kiviä)

shining [ʃaɪnɪŋ] adj kiiltävä, hohtava, loistava (myös kuv)

shiny adj **1** kiiltävä, hohtava, loistava **2** kirkas, valoisa

1 ship [ʃɪp] s **1** laiva, alus *jump ship* karata laivasta; (kuv) lakata tukemasta/kannattamasta jotakuta/jotakin *to run a tight ship* pitää yllä kovaa kuria, olla tarkka/nuuka *when your ship comes home* kun jotakuta onnistaa, kun onni potkaisee jotakuta **2** (laivan) miehistö (ja matkustajat)

2 ship v **1** laivata, kuljettaa laivalla/laivassa *we shipped your order two weeks ago* lähetimme/postitimme tilauksenne kaksi viikkoa sitten

shipboard [ˈʃɪpˌbɔːd] *on shipboard* laivassa

shipbuilder [ˈʃɪpˌbɪldər] s **1** laivanrakentaja **2** telakka

shipload [ʃɪpˌləʊd] s laivanlasti *by the shipload* laivakaupalla, kasapäin

shipment [ʃɪpmənt] s **1** lähettäminen **2** lähetys

ship out v **1** lähteä, lähettää (pois, toiseen maahan/tehtävään) **2** erota (työstä ym) *shape up or ship out!* jos työ ei rupea maistumaan/luistamaan niin tuossa on ovi!

shipper s **1** laivaaja; kuljetusliike, huolintaliike **2** lähettäjä

shipping s **1** laivaus, laivakuljetus; kuljetus; lähettäminen **2** laivat; tonnisto

shipshape ['ʃɪpˌʃeɪp] adj, adv tiptop, kunnossa

1 shipwreck ['ʃɪpˌrek] s haaksirikko (myös kuv:) täydellinen epäonnistuminen

2 shipwreck v haaksirikkoutua

shire [ʃaɪər] s (UK) kreivikunta

shirk [ʃɜːk] v välttää (esim vastuuta), karttaa, pinnata (ark)

shirker s pinnari (ark)

shirt [ʃɜːt] s paita try to keep your shirt on (ark) yritä hillitä itsesi, älä pillastu to lose your shirt (ark) joutua puille paljaille, tehdä vararikko

shit [ʃɪt] s paska don't give me that shit älä puhu roskaa, älä jauha paskaa she doesn't give a shit about what you think hänelle on yksi ja sama mitä mieltä sinä olet you're full of shit puhut paskaa, valehtelet to be up shit creek (without a paddle) olla nesteessä/kusessa v shit, shit: paskantaa, käydä paskalla interj voi hitto! no shit han totta, en minä valehtele; ihanko totta?, älä valehtele!

1 shiver [ʃɪvər] s puistatus, vapina, hytinä

2 shiver v vapista, hytistä, puistattaa

1 shoal [ʃəʊl] s **1** kalaparvi **2** joukko, rykelmä **3** matalikko **4** hiekkasärkkä

2 shoal v **1** parveilla, kerääntyä sankoin joukoin jonnekin **2** madaltaa, madaltua

1 shock [ʃɒk] s **1** isku, törmäys; electric shock sähköisku **2** järkytys **3** (lääk) sokki (myös kuv)

2 shock v **1** iskeä, iskeytyä **2** järkyttää, järkyttyä **3** antaa jollekulle sähköisku

shocking adj järkyttävä, pöyristyttävä, kamala shocking news järkyttävä uutinen shocking manners hirvittävän huonot tavat

shod [ʃɒd] ks shoe

shoddy [ʃɒdi] adj huonosti tehty, hutiloitu shoddy workmanship hutiloitu, huono laatu

1 shoe [ʃuː] s **1** kenkä to be in someone's shoes olla jonkun asemassa/housuissa to drop the other shoe astua toinenkin/viimeinen askel, saattaa jokin asia päätökseen to fill someone's shoes astua jonkun

tilalle to know where the shoe pinches tietää mistä kenkä puristaa the shoe is on the other foot nyt on toinen ääni kellossa **2** hevosenkenkä **3** jarrukenkä

2 shoe v shod, shod: kengittää

1 shoehorn ['ʃuːhɔːn] s kenkälusikka

2 shoehorn v ahtaa, tunkea, sulloa, sovittaa johonkin väliin

shoelace ['ʃuːleɪs] s kengännauha

shoeless adj jolla ei ole kenkiä (jalassa), (hevonen) kengittämätön

shoemaker ['ʃuːˌmeɪkər] s suutari

shoestring ['ʃuːstrɪŋ] s **1** kengännauha **2** pieni rahasumma

shone [ʃɒn] ks shine.

shook [ʃʊk] ks shake

1 shoot [ʃuːt] s **1** ampumakilpailu **2** (kasvin) verso **3** (ark) (elokuvan) kuvaussyöt

2 shoot v shot, shot **1** ampua President Kennedy has been shot Presidentti Kennedy(ä) on ammuttu he was shot at häntä (päin) ammuttiin **2** laukaista (raketti, räjähde), räjäyttää **3** (ark) alkaa puhua, laukoa (kysymyksiä) OK, shoot anna tulla **4** syöstä, syöksyä, roiskuttaa, roiskua, tupruttaa, tupruta flames were shooting from inside the building rakennuksesta liekkiä liekkejä **5** rynnätä, sännätä the boy shot through the door poika ryntäsi ovesta **6** luoda (nopeasti katse), väläyttää (hymy), oikaista (käsi äkkiä) **7** (valo-, elo)kuvata **8** työntyä, ulottua jonnekin **9** metsästää

shoot at v pyrkiä johonkin, ajaa takaa jotakin

shoot down v **1** ampua alas **2** (ark) haukkua pystyyn, lyödä lyttyyn

shooter s **1** ampuja **2** ase **3** (ark) valokuvaaja

shoot for v pyrkiä johonkin, ajaa takaa jotakin

shooting star s tähdenlento, meteori

shoot up v **1** ponnahtaa ylös/pystyyn, nousta yhtäkkiä **2** ammuskella (häirikkönä) **3** haavoittaa **4** (sl) ottaa huumepiikki

1 shop [ʃɒp] s **1** myymälä, kauppa to shut up shop panna lappu luukulle (työpäivän päätteeksi tai lopullisesti) **2** työpaja, verstas, korjaamo **3** tehdas **4** (koulussa) veisto, auton korjaus yms käytännön opetus **5** työ-

asiat *let's not talk shop at dinner* ei puhuta
päivällisellä työasioista

2 shop *v* käydä ostoksilla *let's go shopping*
lähdetään ostoksille

shopaholic [ˌʃɑpəˈhɑlɪk] *s* (ark) ostoksilla
(ylenmäärin) viihtyvä henkilö, ostoshys-
teerikko, -narkomaani

shop around *v* (ark) vertailla hintoja

shop around for *v* (ark) etsiä

shop for *v* etsiä jotakin (ostaakseen), yrittää
löytää *Glenda is shopping for a house with
a pool* Glenda etsii taloa jossa on uima-
allas

shopkeeper [ˈʃɑpˌkiːpər] *s* (pikku)kauppias

shoplifter *s* myymälävaras

shopper *s* ostoksilla kävijä; asiakas

shop steward *s* luottamusmies

shoptalk [ˈʃɑpˌtɔːk] *s* 1 jonkin ammattialan
erikoiskieli 2 työasioista puhuminen

shopwindow [ˈʃɑpˌwɪndoʊ] *s* näyteikkuna

shore [ʃɔr] *s* 1 ranta *s* (myös mon) (puheena
oleva) maa *on these shores* tässä maassa
3 (kuiva) maa *on shore* kuivalla maalla

shorefront [ˈʃɔrˌfrʌnt] *s*, *adj* ranta(-)

shoreless *adj* rajaton, ääretön, suunnaton

shoreline [ˈʃɔrˌlaɪn] *s* rantaviiva

1 short [ʃɔrt] *s* 1 oikosulku 2 lyhytelokuva

2 short *v* saattaa/joutua oikosulkuun

3 short *adj* 1 lyhyt 2 tyly, tympeä 3 vajaa **4** *to
make short work of* tehdä selvää jäljkeä
jostakin, (syödä:) pistellä (nopeasti) pos-
keensa

4 short *adv* 1 äkkiä, yhtäkkiä, äkillisesti *to
cut short* loppua/katketa/katkaista kesken/
lyhyeen **2** tylysti, tympeästi **3** vajaa: *to
come/fall short* jäädä vajaaksi, ei riittää; ei
kelvata *to run short* olla vähissä **4** *to sell
short* (tal) myydä lyhyeksi, myydä arvopa-
peri omistamatta sitä (sillä tarkoituksella
että ostaa sen myöhemmin takaisin alem-
malla hinnalla)

shortage [ˈʃɔrtədʒ] *s* 1 pula 2 vaje

short-circuit *v* 1 saattaa/joutua oikosulkuun
2 estää, halata, tehdä tyhjäksi, kaataa
(suunnitelma)

shortcoming [ˈʃɔrtˌkʌmɪŋ] *s* puute, haitta,
vika

shortcut [ˈʃɔrtˌkʌt] *s* oikotie (myös kuv)

shorten [ˈʃɔrtən] *v* 1 lyhentää 2 lisätä taiki-
naan rasvaa

shortening *s* (leivonta)rasva

shortfall [ˈʃɔrtˌfɔːl] *s* vaje

short for *fr* (joka on) lyhennys jostakin *'Bob'
is short for 'Robert'*

shorthand [ˈʃɔrtˌhænd] *s* pikakirjoitus

shorthanded *adj* jolla/jossa ei
ole tarpeeksi työntekijöitä

short in *adj* jolta/josta puuttuu jotakin

short list [ˈʃɔrtˌlɪst] *s* 1 luettelo niistä haki-
joista, jotka ovat läpäisseet (ensimmäisen)
karsinnan ja joista valinta/nimitys tehdään
2 karsinnan läpäisseet hakijat **3** (kuv) har-
vat ja valitut *to be on the short list* (kuv)
kuulua harvoihin ja valittuihin

shortlist *v* valita hakija parhaimmistoon, olla
karsimatta hakijaa *to be shortlisted* selvitä
jatkoon

short-lived [ˈʃɔrtˈlɪvd] *adj* hetkellinen, ohi-
menevä

shortly *adv* 1 pian, kohta 2 lyhyesti 3 tylysti,
tympeästi

short on *adj* jolta/josta puuttuu jotakin

short-range *adj* 1 lyhyen (kanto)matkan
2 lyhyen aikavälin, lähitulevaisuuden

shorts [ʃɔrts] *s* (mon) sortsit

short-sighted *adj* 1 likinäköinen 2 (kuv) ly-
hytnäköinen

short story *s* novelli

short-tempered *adj* äkkipikainen, helposti
kiivastuva

short-term *adj* lyhyen aikavälin, lyhytaikai-
nen

short wave *s* 1 lyhyt aalto 2 lyhytaaltoradio

shortwave radio *s* lyhytaaltoradio, lyhytaal-
tovastaanotin

shot [ʃɑt] *s* 1 laukaus *not by a long shot* (kuv)
ei lähimainkaan, ei sinne päinkään **2** lau-
kunkaan *to call your shots* ilmoittaa ai-
keensa **2** hauli **3** ammus *like a shot* kuin
raketti, äkkiä **4** ampuja **5** (sl) isku, lyönti
6 yritys; vuoro *to have/take a shot* at yrit-
tää, kokeilla (onneaan) *a shot in the dark*
(ark, kuv) umpimähkäinen arvaus/yritys
7 huomautus, tokaisu **8** piikki, rokotus

shotgun [ˈʃɑtˌɡʌn] *s* haulikko *to ride shotgun*
(hist) olla posti- tai muissa vankkureissa

ampujana (ryöstöjen ym varalta); istua etupenkillä (kuljettajan vieressä) (kuv) ohjailla, valvoa, hoitaa, junailla

should [ʃʊd] ks shall

1 shoulder [ʃəʊldər] s **1** olkapää, olka; hartia; (mon) hartiat to cry on someone's shoulder purkaa sydäntään jollekulle to put your shoulder to the wheel panna hihat heilumaan, ruveta töihin to rub shoulders with olla tekemisissä jonkun kanssa, liikkua samoissa piireissä kuin straight from the shoulder suoraan, sumeilematta, siekailematta **2** (tien) piennar soft shoulder (liikennemerkissä) varo pehmeää piennarta

2 shoulder v **1** sysätä (olallaan), työntää (olallaan); tunkeutua **2** ottaa harteilleen/vastuulleen he is shouldering all the responsibility kaikki vastuu on hänen harteillaan

shouldn't [ʃʊdənt] should not

1 shout [ʃaʊt] s huuto, huudahdus

2 shout v luutaa

1 shove [ʃʌv] s työntö, tönäisy, sysäisy when push comes to shove kovan paikan tullen

2 shove v **1** työntää, tönäistä, sysäistä **2** (sl) pitää hyvänään

1 shovel [ʃʌvəl] s lapio

2 shovel v lapioida

shove off v **1** työntää vene vesille **2** (ark) lähteä (nostelemaan), liueta

1 show [ʃəʊ] s **1** teatteriesitys, elokuvanäytäntö, televisio-ohjelma, radio-ohjelma, show to run the show määrätä (missä kaappi seisoo), pitää jöötä (ark) to steal the show jättää toiset varjoonsa **2** näyttely, messut **3** teeskentely to make a show of something teeskennellä, tehdä jostakin iso numero **4** osoitus/merkki jostakin (of) **5** ilmestys, näkymä

2 show v showed, shown/showed **1** näyttää, näkyä he's been practicing and it shows hän on harjoitellut ja se näkyy she wanted to show me around the house hän halusi esitellä minulle taloaan **2** osoittaa, osoittautua she showed him to be wrong hän osoitti miehen olevan väärässä **3** esittää (näytelmä, elokuva ym) **4** opastaa, ohjata let me show you to the door/to your seats

minä saatan teidät ovelle/ohjaan teidät paikoillenne **5** (ark) ilmestyä paikalle

show business s viihdeala

1 showcase [ʃəʊˌkeɪs] s **1** näytekaappi, mainoskaappi, lasikko **2** (kuv) näyteikkuna; ponnahduslauta Hong Kong used to be a showcase of the west Hongkong oli ennen lännen näyteikkuna the fair is a showcase for new computers messuilla esitellään uusia tietokoneita

2 showcase v **1** esitellä **2** päästää oikeuksiinsa

showdown [ʃəʊˌdaʊn] s (kuv) (ratkaiseva) välienselvittely, (viimeinen) yhteenotto

1 shower [ʃaʊər] s **1** sadekuuro **2** suihku(ssa käynti) **3** suihku(laitteet) **4** suuri määrä jotakin **5** bridal shower (morsiamelle ennen häitä järjestettävä) morsiusjuhla, polttarit baby shower (tulevalle äidille ennen lapsen syntymää järjestettävä) äitiysjuhla **6** (mon) suihkut, suihkuhuone to send someone to the showers (baseballissa) määrätä/lähettää pelaaja pois kentältä

2 shower v **1** käydä suihkussa **2** (kuv) hukuttaa joku johonkin to shower someone with thanks hukuttaa joku kiitoksiin

showery adj sateinen

showily adv komeilevasti, mahtaillen, tärkeilevästi; loisteliaasti, ylellisesti

shown [ʃəʊn] ks show

show off v mahtailla, rehennellä, leuhkia, leveillä

showroom [ʃəʊˌrʊm] s esittelytilat; autokauppa

showstopper [ʃəʊˌstɒpər] s (kuv) katseenvangitsija

show up v **1** saapua paikalle, tulla jonnekin **2** paljastaa, tuoda esiin, korostaa **3** jättää joku/jokin varjoonsa, saada joku kalpenemaan rinnallaan

showy [ʃəʊɪ] adj komeileva, mahtaileva, tärkeilevä; loistelias, ylellinen

shrank [ʃræŋk] ks shrink

1 shred [ʃred] s **1** riekale **2** (kuv) tippa there is not a shred of truth in his allegations hänen esittämänsä syytökset ovat täysin perättömiä

2 shred v repiä, repeytyä (riekaleiksi)

shrew [ʃru] s **1** toraisa akka/nainen, Ksantippa **2** päästäinen

shrewd [ʃrud] adj ovela, viekas, juonikas

1 shriek [ʃrik] s **1** kirkaisu, parkaisu, parahdus **2** naurun kiherrys/kikatus/rämäkkä

2 shriek v **1** kirkaista, parkaista, parahtaa **2** nauraa kihertää/kikattaa

shrift [ʃrift] to give someone short shrift ei piitata jostakusta/jostakin, vähät välittää jostakusta/jostakin, kohdella jotakuta tylysti

shrill [ʃril] adj **1** (ääni) kimeä, räikeä **2** (valo) räikeä, kirkas

shrimp [ʃrimp] s (mon shrimps, shrimp) katkarapu

shrine [ʃraɪn] s **1** hauta(rakennus) **2** pyhäkkö

1 shrink [ʃriŋk] s (ark) kallonkutistaja, psykiatri, psykoterapeutti, psykoanalyytikko

2 shrink v shrank/shrunk, shrunk **1** kutistua, kutistaa these jeans do not shrink nämä farkut eivät kutistu pesussa **2** perääntyä, pelästyä, säpsähtää

shrinkage [ʃriŋkədʒ] s (kankaan) kutistuminen

shrink back v säpsähtää/pelästyä jotakin

1 shrink-wrap [ˈʃriŋkˌræp] s kutistekalvo

2 shrink-wrap v pakata/käärä kutistekalvoon

shrivel [ʃrɪvəl] v kutistua, kuivua, käpristyä, kuihtua, lakastua, menehtyä

1 shroud [ʃraʊd] s **1** käärinliina **2** (kuv) huntu, utu, verho

2 shroud v **1** kääriä/kiertoa (käärin)liinaan **2** peittää, salata the whole matter is shrouded in secrecy koko asia on hämärän peitossa

shrub [ʃrʌb] s pensas

shrubby adj **1** jossa kasvaa pensaita, pensas- **2** pensasmainen

1 shrug [ʃrʌg] s olankohautus

2 shrug v kohauttaa olkapäitään

shrug off v **1** sivuuttaa olankohautuksella, ei piitata jostakin **2** vapautua jostakin, päästä eroon jostakin

shrunk [ʃrʌŋk] ks shrink

shrunken ks shrink

1 shudder [ʃʌdər] s puistatus

2 shudder v puistattaa I shudder to think what may follow minua puistattaa/kauhistuttaa ajatella mitä seuraavaksi tapahtuu

1 shuffle [ʃʌfəl] s **1** laahustava käynti **2** (eräs hidas) tanssi, shuffle **3** (pelikorttien) sekoitus **4** temppu

2 shuffle v **1** laahustaa, kävellä laahustaen **2** tanssia shufflea **3** sekoittaa (pelikortit) **4** siirrellä (esineitä) eri paikkoihin/edestakaisin **5** keplotella itsensä johonkin asemaan/eroon jostakin, luikerrella eroon jostakin

shuffle off v **1** hankkiutua eroon jostakin **2** laahustaa jonnekin

shun [ʃʌn] v karttaa, välttää jotakuta/jotakin

shut [ʃʌt] v shut, shut **1** sulkea, panna kiinni **2** lukita, teljetä (ovi, joku jonnekin) **3** erottaa, sulkea pois jostakin adj kiinni, suljettu

shut-down [ˈʃʌtˌdaʊn] s (tehtaan tms) (väliaikainen) sulkeminen

shut down v **1** lopettaa toiminta (väliaikaisesti/lopullisesti), lakkauttaa, sulkea

shut down on v (ark) tehdä loppu jostakin

shut in v **1** lukita/sulkea joku jonnekin **2** to be shut in joutua vuoteeseen/vuoteen omaksi

shut of adj vapaa jostakin

shut off v **1** sulkea (esim hana) **2** eristää

shut-off [ˈʃʌtˌɒf] s **1** sulkuventtiili tms **2** (sähkönjakelun tms) katkaisu

shut out v **1** ei päästää jonnekin **2** peittää näkyvistä

shutter [ʃʌtər] s **1** ikkunaluukku **2** (kameran) suljin

1 shuttle [ʃʌtəl] s **1** sukkula **2** (heiluri/sukkulaliikenteen) lentokone, linja-auto **3** avaruussukkula

2 shuttle v matkustaa/kulkea/panna kulkemaan edestakaisin jotakin väliä, juoksuttaa edestakaisin

shut up v **1** sulkea; lukita **2** sulkea/tukkia suunsa/jonkun suu, olla hiljaa, vaientaa **3** panna vankilaan, lukita jonnekin

shy [ʃaɪ] v arastaa, säpsähtää, säikähtää adj shier/shyer, shiest/shyest **1** arka, ujo, kaino; säikky, vauhko **2** vajaa he is only one year shy of sixty hän täyttää vuoden päästä kuusikymmentä her paintings are nothing shy of excellent hänen maalauksensa ovat (kerrassaan) erinomaisia **3** to fight shy of arastella jotakin

shyly adv arasti, ujosti, kainosti

shyness s arkuus, ujous, kainous

shyster [ʃaɪstər] s (ark) vilpillinen asianajaja

sibling s sisarus, veli, sisko

sick [sɪk] adj **1** sairas to call in sick ilmoittautua sairaaksi, ei mennä työhön (sairauden vuoksi) **2** pahoinvoiva he is sick häntä oksettaa **3** kyllästynyt johonkin (of), kurkkuaan myöten täynnä jotakin **4** (kuv) sairas, pahoinvoiva the violence in the movie made him sick elokuvan väkivaltaisuus sai hänet voimaan pahoin

sick day s sairaspäivä (jolta maksetaan palkkaa)

sicken v kuvottaa, ällöttää

sickening adj kuvottava, ällöttävä

sickle [sɪkəl] s sirppi

sickly [sɪklɪ] adj sairasteleva, heikko, huonovointinen; huonon näköinen

sickness s **1** sairaus **2** pahoinvointi morning sickness (odottavalla äidillä) aamupahoinvointi

side [saɪd] s **1** puoli, vieri on the right side of the building rakennuksen oikealla puolen the far side takapuoli, taempi puoli **2** (tien) reuna, vieri **3** (ihmisen) kylki side by side kylki kyljessä, rinnakkain (myös kuv) **4** (tunnelin) seinä, seinämä, (veneen) kylki, (oven) pieli **5** (kuv) puoli there are two sides to this issue tässä kysymyksessä on kaksi puolta **6** (urh) puoli **7** (kuv) kanta to take sides ottaa kantaa, mennä jonkun puolelle **8** the weather is on the cold side sää on kylmänpuoleinen/kylmähkö **9** suku on my father's side isäni puolella/suvussa

side against v asettua jotakuta vastaan, vastustaa jotakuta

sidecar [saɪd‚kɑːr] s sivuvaunu

sided [saɪdəd] yhdyssanan jälkiosana -kylkinen, -puolinen

side effect s sivuvaikutus; lieveilmiö

sidelong [saɪd‚lɒŋ] adj (katse) sivuun suunnattu; vaivihkainen, salavihkainen

sidestep [saɪd‚step] v **1** väistää, astua sivuun/syrjään **2** (kuv) välttää, kiertää, väistää you're sidestepping the issue sinä puhut asian vierestä, sinä et puhu itse asiasta

1 sidetrack [saɪd‚træk] s sivuraide

2 sidetrack v **1** siirtää/ajaa sivuraiteelle **2** (kuv) poiketa/johtaa pois asiasta we became sidetracked by his jokes hänen vitsinsä eksyttivät meidät asiasta

sidewalk [saɪd‚wɔːk] s jalkakäytävä

sideward [saɪdwərd] adj sivusuuntainen adv sivulle

sideways [saɪd‚weɪz] adj, adv sivuttain(en)

side with v asettua jonkun puolelle, puolustaa jotakuta

siding [saɪdɪŋ] s sivuraide

1 siege [siːdʒ] s piiritys to lay siege to piirittää, saartaa

2 siege v piirittää, saartaa

1 sieve [sɪv] s siivilä, seula, lävikkö, sihti

2 sieve v siivilöidä, seuloa

sift [sɪft] v **1** siivilöidä, seuloa **2** ripotella **3** (kuv) tutkia tarkkaan, eritellä, seuloa

sifter s siivilä, seula, lävikkö, sihti

1 sigh [saɪ] s huokaus he let out a big sigh hän huokaisi syvään

2 sigh v huokaista

1 sight [saɪt] s **1** näkö (aisti) he lost his sight in the war hän sokeutui sodassa **2** näkymä, näköala, näky **3** näkemä, näkeminen, näköpiiri at first sight ensi näkemältä, päälle päin to be in sight olla näkyvissä to catch sight of saada näkyviin, nähdä, huomata; iskeä silmänsä johonkin to know someone by sight tuntea joku ulkonäöltä to lose sight of kadottaa näkyvistä; (kuv) unohtaa on/upon first sight ensi näkemältä out of sight poissa näkyvistä; (ark) suunnaton, mieletön, kohtuuton, valtava **4** tähtäin **5** nähtävyys to see the sights katsoa nähtävyydet **6** not by a long sight ei lähimainkaan, ei sinne päinkään **7** (ark) (järkyttävä) ilmestys/näky

2 sight v nähdä, havaita

sightsee [saɪt‚siː] v tutustua nähtävyyksiin, katsoa nähtävyydet, käydä kiertoajelulla tms

sightseeing s nähtävyyksiin tutustuminen, nähtävyyksien katselu, kiertoajelu tms

1 sign [saɪn] s **1** merkki (myös kuv) that's a good sign se on hyvä merkki/enne traffic sign liikennemerkki there was not a sign of bitterness in her voice hänen äänessään ei ollut katkeruuden häivääkään **2** kilpi, kyltti

2 sign v **1** allekirjoittaa **2** näyttää merkkiä, viitata jollekulle

1 signal [sɪgnəl] s **1** merkki (myös kuv) **2** (puhelimessa) merkkiääni *busy signal* varattu-ääni *engaged signal* varattu-ääni **3** *traffic signal* liikennevalot **4** (radio, televisio)lähete

2 signal v antaa merkki, (esim.) viitata kädellään

3 signal adj **1** merkki- **2** huomattava, merkittävä, poikkeuksellinen

signally adv näkyvästi

signatory [sɪgnə,tɔrɪ] s allekirjoittaja

signature [sɪgnətʃər] s **1** allekirjoitus; allekirjoittaminen **2** (radio) (ohjelman) tunnusmelodia

sign away v siirtää jollekulle, luovuttaa jollekulle (allekirjoittamalla asiakirja)

signer [saɪnər] s allekirjoittaja

1 signet [sɪgnət] s sinetti

2 signet v sinetöidä

significance [sɪgnɪfɪkəns] s merkitys, merkittävyys, tärkeys *do you fully appreciate the significance of your decision?* ymmärrätkö täysin päätöksesi merkityksen/seuraukset? *to attach significance to* pitää jotakin tärkeänä

significant [sɪgnɪfɪkənt] adj merkittävä, tärkeä, huomattava

significant other s avio- tai avopuoliso

signify [sɪgnə,faɪ] v **1** merkitä, tarkoittaa **2** ilmaista, antaa ymmärtää

sign in v ilmoittautua/kirjoittautua (saapuneeksi) jonnekin

sign language s viittomakieli

sign off v **1** lopettaa radio/televisiolähetys, lopettaa lähetykset (yöksi) **2** (AH) vaieta, lakata puhumasta **3** sanoutua irti jostakin **4** (tietok) kirjautua ulos

sign on v **1** palkata, ottaa/mennä palvelukseen, pestautua joksikin *he signed on as a seaman* hän pestautui merimieheksi **2** aloittaa radio/televisiolähetys, aloittaa lähetykset (päivältä) **3** avata tietokoneyhteys, kirjautua sisään

sign out v ilmoittautua/kirjoittautua lähteneeksi jostakin

sign over v siirtää jollekulle, luovuttaa jollekulle (allekirjoittamalla asiakirja)

signpost [saɪn,pəust] s opastaulu

sign up v pestautua palvelukseen, ilmoittautua (esim kurssille)

1 silence [saɪləns] s hiljaisuus

2 silence v **1** vaientaa **2** hälventää (epäilyt), rauhoittaa

silencer s (aseen) vaimennin; (UK) auton äänenvaimennin

silent [saɪlənt] adj **1** hiljainen, äänetön, vaisu, vähäpuheinen **2** (fonetiikassa) mykkä, joka ei äännetä **3** (elokuva) mykkä-

silently adv hiljaa, äänettömästi; kaikessa hiljaisuudessa

1 silhouette [,sɪlə'wet] s siluetti, varjokuva

2 silhouette v näkyä/näyttää siluettina

silicon [sɪləkɑn] s pii

silicone [sɪləkəun] s silikoni

silk [sɪlk] s silkki

silken [sɪlkən] adj **1** silkkinen, silkki- **2** (kuv) silkkinen, silkinpehmeä, sileä

silkmoth s silkkiperhonen

silkworm [sɪlk,wərm] s silkkitoukka

silky adj **1** silkkinen, silkki- **2** (kuv) silkkinen, silkinpehmeä, sileä

silly [sɪlɪ] adj typerä, tyhmä, älytön, hassu, hupsu

silo [saɪləu] s (mon silos) **1** viljasiilo **2** ohjussiilo

silt [sɪlt] s liete

1 silver [sɪlvər] s **1** hopea **2** hopeat, hopeaesineet **3** hopeamitali, hopea

2 silver v **1** hopeoida, päällystää hopealla/hopean värillä **2** muuttua hopean väriseksi, harmaantua

3 silver adj **1** hopeinen **2** hopean värinen **3** (kuv) (kieli) liukas, lipevä **4** (25-vuotishääpäivästä) hopea- **5** (ääni) heleä

silvered adj hopeoitu

silverfish s sokeritoukka

silver foil s hopeapaperi

silver gray s hopeanharmaa

silvering s **1** hopeointi **2** hopeapinnoite

silver jubilee s 25-vuotisjuhla

silver lining s (kuv) toivon pilke, hopeareunus *every cloud has a silver lining* niin kauan kuin on aikaa on myös toivoa

silver medal s hopeamitali

silver plate s **1** pöytähopeat **2** hopeapinnoite

silver-plate v hopeoida

silver screen s valkokangas (myös kuv)

silverware [ˈsɪlvəˌweər] s (pöytä)hopeat, hopeaesineet, hopeiset ateriamet

silver wedding s (25-vuotishäät) hopeahäät

silvery adj **1** hopeanvärinen, hopeanharmaa **2** hopeoitu **3** (ääni) heleä

similar [ˈsɪmələr] adj samankaltainen, samanlainen *the two books are similar* kirjat muistuttavat toisiaan *in a similar vein* samoin, samaan tapaaan

similarity [ˌsɪməˈlærəti] s samankaltaisuus, samanlaisuus, yhdenmukaisuus *that's where the similarity ends* siihen yhtäläisyydet loppuvatkin

similarly adv samoin, samaan tapaaan, samalla lailla

simile [ˈsɪməli] s vertaus

similitude [ˈsɪməlɪˌtjuːd] s samankaltaisuus, samanlaisuus

simmer [ˈsɪmər] v kiehua hiljaa

simmer down v (sl kuv) hiljetä, rauhoittua

simple [ˈsɪmpəl] adj yksinkertainen, helppo; koruton, tavallinen; pelkkä *it's simple, you just push this button* se on helppoa, sinun tarvitsee vain painaa tätä nappia *a simple style* yksinkertainen/koruton tyyli *simple folk* tavallinen kansa, tavalliset ihmiset *a simple 'yes' is enough* riittää kun sanot kyllä *a simple lie* silkka valhe

simpleton [ˈsɪmpəltən] s typerys, tyhmyri

simplicity [sɪmˈplɪsəti] s yksinkertaisuus, helppous; koruttomuus, tavallisuus *getting a loan is simplicity itself* lainan saanti on helppoa kuin mikä

simplification [ˌsɪmplɪfɪˈkeɪʃən] s yksinkertaistus; helpotus

simplify [ˈsɪmplɪˌfaɪ] v yksinkertaistaa; helpottaa

simplistic [sɪmˈplɪstɪk] adj alkeellinen, liiaksi yksinkertaistettu

simply [ˈsɪmpli] adv **1** yksinkertaisesti, helposti; koruttomasti, tavallisesti **2** kerras-

saan, kerta kaikkiaan *I simply can't do it* en kerta kaikkiaan voi tehdä sitä

simulate [ˈsɪmjəˌleɪt] v **1** teeskennellä jotakin, tekeytyä joksikin **2** jäljitellä, simuloida

simulation [ˌsɪmjəˈleɪʃən] s **1** teeskentely **2** jäljittely, simulaatio

simultaneous [ˌsaɪməlˈteɪniəs] adj samanaikainen

1 sin [sɪn] s synti (myös kuv)

2 sin v tehdä syntiä

since [sɪns] adv sen jälkeen, sittemmin; jostakin lähtien; sitten *she quit her job last month and I have not seen her since* hän erosi (työstään) viime kuussa enkä ole nähnyt häntä sen koommin *long since* kauan sitten *she has been mad at me ever since* hän on ollut siitä lähtien vihainen minulle *prep* jostakin lähtien *since 1980, there have been several big air traffic accidents* vuodesta 1980 lähtien on sattunut useita suuria lento-onnettomuuksia *konj* **1** koska *since you don't want to go there, someone else will have to do it* jonkun muun on hoidettava se koska sinä et halua mennä sinne **2** jostakin lähtien, jostakin saakka *since she bought the house* siitä lähtien kun hän osti talon

sincere [sɪnˈsɪər] adj vilpitön, rehti, aito

sincerely adv vilpittömästi, rehdisti, aidosti *sincerely yours/yours sincerely* (liikekirjeen lopussa) ystävällisin terveisin, (yksityiskirjeen lopussa) lämpimin/parhain terveisin

sincerity [sɪnˈserəti] s vilpittömyys, rehtiys, aitous

sinew [ˈsɪnjuː] s jänne

sinewy [ˈsɪnjuːi] adj **1** jänteväaa, jänteikäs, (liha myös) sitkeä **2** (kuv) voimakas, luja, jäntevä, ponteva, tarmokas

sinful adj syntinen

sinfully adv syntisesti *the chocolate mousse was sinfully good* suklaavaahto oli hävyttömän hyvää

sing [sɪŋ] v *sang, sung*: laulaa

singe [sɪndʒ] v kärventää, korventaa, polttaa

singer [ˈsɪŋər] s laulaja

singing s laulaminen, laulu

single 1082

1 single [siŋgəl] *s* **1** naimaton (ihminen), sinkku **2** yhden hengen (hotelli)huone **3** (mon) (tenniksessä) kaksinpeli **4** single (äänilevy), sinkku

2 single *adj* **1** (yksi) ainoa *there is one single fault with what you're saying* puheissasi on vain yksi vika *every single day* joka ainoa päivä **2** yhden hengen *a single room* yhden hengen (hotelli)huone **3** naimaton

single-handed *adj* yksin tapahtuva, yksin-, joka tapahtuu omin avuin

single-minded *adj* määrätietoinen, päättäväinen

single out *v* valita (yksi), ottaa esille (yksi) *why did you single out Harry for rebuke?* miksi sinä otit Harryn syntipukiksi?

single parent *s* yksinhuoltaja

single ticket *s* (UK) menolippu

singly ['siŋgli] *adv* **1** yksin, yksitellen, erikseen **2** yksin, yksinään, omin avuin

sing out *v* (ark) huutaa

singular [singjələr] *s* **1** (kieliopissa) yksikkö *adj* **1** (kieliopissa) yksiköllinen, yksikkö- **2** erikoinen, omalaatuinen, outo, kumma **3** ainutlaatuinen, poikkeuksellinen, erinomainen

singularity [,siŋgjə'lerəti] *s* erikoisuus, omituisuus, kummallisuus

singularly *adv* ainutlaatuisen, harvinaisen

sinister [sɪnɪstər] *adj* synkkä, kammottava, pelottava, pahaenteinen *sinister purpose* paha aie

1 sink [siŋk] *s* **1** (keittiön, kylpyhuoneen) pesuallas **2** viemäri(n suu)

2 sink *v* sank, sunk **1** upota, upottaa, vajota *the ship sank* laiva upposi **2** (rinne) viettää, laskea **3** (kuv) vajota, uppoutua *to sink into your thoughts* uppoutua ajatuksiinsa *to sink into despair* joutua epätoivon valtaan, menettää toivonsa **4** (kuv) laskea, vähentää, vähentyä, alentaa, alentua *the patient's blood pressure sank* potilaan verenpaine laski

sink in *v* joku tajuaa jotakin

sinking *s* suppoaminen, upottaminen, upotus *adj: I have a sinking feeling that something terrible is going to happen* minä tun-

nen mahanpohjassani että pian tapahtuu jotakin hirvittävää

sinless *adj* synnitön, tahraton

sinner [sɪnər] *s* synnintekijä, syntinen

Sino- [saɪnou] *yhdyssanan etuosana* kiinalainen, Kiinan-

sinus [saɪnəs] *s* (mon sinuses) ontelo, (erityisesti) sivuontelo, (ark epätarkasti) nenäontelo

sinusitis [,saɪnə'saɪtəs] *s* (lääk) sivuontelon tulehdus

1 sip [sɪp] *s* pieni siemaus/hörppäys *you can take a sip from my drink* voit maistaa minun ryyppyäni

2 sip *v* juoda pikkuisen kerrallaan, maistella

1 siphon [saɪfən] *s* **1** lappo, imujuoksutin **2** (tarjoilupullo) sifoni

2 siphon *v* **1** juoksuttaa lapolla **2** (kuv) siirtää (salaa)

siphon off *v* (kuv) siirtää salaa

sir [sər] *s* **1** (vastaa usein suomen teitittelyä miestä puhuteltaessa) sir **2** (UK, aatelistitteli) Sir

1 sire [saɪər] *s* **1** (uroseläimestä) isä **2** (kuningasta puhuteltaessa) Teidän Majesteettinne

2 sire *v* siittää

siren [saɪrən] *s* **1** sireeni **2** (tarunomainen) seireeni (myös kuv:) viettelijätär

sirloin [sər,loɪn] *s* filee, seläke

sister [sɪstər] *s* **1** sisko, sisar (myös usk ja kuv) *half sister* sisarpuoli **2** sisarrus yms **3** (ark puhuttelusanana) tyttö

sisterhood ['sɪstər,hud] *s* **1** sisaruus **2** (uskonnollinen) sisarkunta

sister-in-law *s* (mon sisters-in-law) käly, puolison sisar, veljen vaimo, puolison veljen vaimo

sit [sɪt] *v* sat, sat **1** istua; istuua, käydä istumaan; istuttaa, panna istumaan **2** kokoontua **3** olla, sijaita, sijaita jossakin **4** (kana) hautoa **5** *to let something sit* antaa jonkin asian olla/odottaa, jättää jokin asia lepäämään **6** (vaari) sopia, istua **7** valvoa lapsia, olla lapsenvahtina **8** olla tilaa *the table sits five* pöydässä on tilaa viidelle, pöytään mahtuu viisi ihmistä **9** toimia jonakin/jossakin tehtävässä

sitar [ˈsɪtɑːr] *s* (soitin) sitar

sitcom [ˈsɪtˌkam] *s* (television) tilannekomedia

sit down *v* istuutua; istuttaa, panna istumaan

sit-down *s* **1** (ark) levähdystauko, lepohetki, huilaus **2** istumalakko **3** valtaus (mielenosoitus jossa istutaan kielletyille paikoille tms)

1 site [saɪt] *s* paikka, sijainti *building site* rakennustyömaa

2 site *v* **1** sijoittaa **2** suunnata, tähdätä

sit in *v* **1** osallistua (vieraana) johonkin **2** osallistua valtaukseen/istumalakkoon

sit-in *s* **1** valtaus (mielenosoitus jossa istutaan kielletyille paikoille tms) **2** istumalakko

sit on *v* **1** keskustella jostakin, pohtia jotakin **2** (ark) salata, pitää salassa **3** (ark) vaientaa, hiljentää, tukkia jonkun suu

sit out *v* **1** odottaa kunnes jokin loppuu, kestää loppuun saakka **2** jättää väliin, ei osallistua

sitting *s* istunto *to do something in one sitting* tehdä jotakin yhdellä kertaa/yhteen menoon

sitting room *s* olohuone

situate [ˈsɪtʃʊeɪt] *v* sijoittaa

situated *adj* **1** joka sijaitsee jossakin (in) **2** jolla on tietty taloudellinen asema *well situated* vauras, varakas

situation [ˌsɪtʃʊˈeɪʃən] *s* tilanne; tila

sit up *v* **1** nousta (makuulta) istualleen **2** valvoa (illalla) **3** istua suorassa/selkä suorana **4** (ark) hämmästyä, ällistyä *the news made people sit up and take notice* uutinen sai ihmiset havahtumaan

sit-up *s* vatsalihasliike

sit upon *v* keskustella jostakin, pohtia jotakin

six [sɪks] *s, adj* kuusi

sixfold [ˈsɪksˌfəʊld] *adj* kuusinkertainen *there has been a sixfold increase in burglaries* murrot ovat kuusinkertaistuneet *adv* kuusinkertaisesti

six-pack [ˈsɪksˌpæk] *s* kuuden olut/virvoitusjuomatölkin tms pakkaus

sixteen [sɪksˈtiːn] *s, adj* kuusitoista

sixteenth [sɪksˈtiːnθ] *s, adj* kuudestoista

sixth [sɪksθ] *s, adj* kuudes

sixth sense *s* kuudes aisti, vainu

sixtieth [ˈsɪkstiəθ] *s, adj* kuudeskymmenes

sixty [ˈsɪksti] *s, adj* kuusikymmentä *back in the sixties* 60-luvulla *she lives in the sixties* hän asuu 60.–69. kadulla

sixty-four-dollar question *s* ratkaiseva kysymys

sizable [ˈsaɪzəbəl] *adj* huomattava, mittava, suuri

size [saɪz] *s* koko *the widgets come in different sizes* vempaimia on (useita) eri kokoisia *these two are of a size* nämä ovat samankokoiset *to try something on for size* sovittaa/kokeilla (vaatetta); harkita, miettiä, pohtia

sized *yhdyssanan jälkiosana* -kokoinen *medium sized* keskikokoinen

size up *v* (ark) **1** mitatilla (esim katseellaan), punnita (kuv), arvioida **2** täyttää vaatimukset, kelvata

size-up *s* (hinta- tai muu) arvio

sizzle [ˈsɪzəl] *v* **1** tiristä, käristä **2** (ark) olla paahtavan kuumaa **3** (ark) käydä kuumana, olla kimpaantunut jostakin (over)

1 skate [skeɪt] *s* **1** luistin **2** rullaluistin **3** luistimen terä

2 skate *v* **1** luistella **2** rullaluistella **3** luistaa, liukua **4** (sl) luistaa työstä, pinnata

1 skateboard [ˈskeɪtˌbɔːd] *s* rullalauta

2 skateboard *v* rullalautailla

skateboarding *s* rullalautailu, skeittailu

skater *s* **1** luistelija **2** rullaluistelija

skating *s* **1** luistelu **2** rullaluistelu

skating rink *s* luistinrata

skeleton [ˈskelətən] *s* **1** luuranko **2** (kuv) runko, pääpiirteet *adj* vähimmäis- *skeleton crew* (loma-aikana, pyhisin, öisin palveluksessa oleva) minimihenkilökunta

skeleton key *s* tiirikka

skeptic [ˈskeptɪk] *s* epäilijä, skeptikko *adj* epäilevä, epäluuloinen, epävarma, skeptinen

skeptical *adj* epäilevä, epäluuloinen, epävarma, skeptinen

skepticism [ˈskeptɪsɪzəm] *s* epäily, epäilevyys

1 sketch [sketʃ] *s* **1** luonnos, hahmotelma; (alustava) suunnitelma; lyhyt selostus/selonteko **2** sketsi

2 sketch *v* luonnostella, hahmotella; suunnitella (alustavasti); selostaa lyhyesti/pääpiirteissään

sketchbook ['sketʃ,buk] *s* luonnosvihko

sketchily *adv* alustavasti, summittaisesti, ylimalkaisesti

sketchy *adj* alustava, joka on (vasta/vielä) luonnosteluasteella, summittainen, ylimalkainen

1 skewer [skjuər] *s* varras

2 skewer *v* varrastaa

1 ski [ski] *s* **1** suksi **2** vesisuksi

2 ski *v* hiihtää

1 skid [skid] *s* **1** kisko; jalas **2** liukurata **3** (esim auton) luisto **4** (mon, ark) rappio, deekis (ark) *to be on the skids* olla menossa rappiolle, olla alamäessä *to hit the skids* joutua rappiolle/hunningolle/deekikselle *to put the skids under something* koitua jonkin kohtaloksi/turmioksi, tehdä loppu jostakin

2 skid *v* **1** liu'uttaa **2** luistaa, luisua, luistattaa

skiing [skiɪŋ] *s* laskettelu, hiihto *track skiing* latuhiihto *cross-country skiing* maastohiihto *water skiing* vesihiihto

skill [skil] *s* taito *to do something with skill* tehdä jotakin taitavasti

skilled *adj* taitava, taidokas **2** ammattitaitoinen *skilled worker* ammattitaitoinen työntekijä *highly skilled workforce* korkeasti koulutettua työvoimaa

skillet [skilət] *s* paistinpannu

skillful *adj* taitava, taidokas

skim [skim] *v* **1** kuoria (maitoa ym) **2** liukua jonkin pinnalla, hipoa jotakin **3** peittää ohuelti **4** lukaista, lukea nopeasti, selailla, vilkaista **5** (kuv) kuoria kerma päältä, poimia parhaat palat

skimmed milk *s* rasvaton maito

skim milk *s* rasvaton maito

skimpily *adv* **1** niukasti, niukalti, hyvin vähän **2** nuukasti, kitsaasti

skimpy [skimpi] *adj* **1** niukka, vähäinen, mitätön **2** nuuka, kitsas

1 skin [skin] *s* **1** iho, nahka (myös kuv) *to get under your skin* (sl) käydä jonkun hermoille; vaikuttaa voimakkaasti johonkuhun, joku saa väreitä jostakin *to have a*

thick skin (kuv) olla paksunahkainen *to have a thin skin* (kuv) olla herkkä arvosteluille/loukkaantumaan *in/with a whole skin* ehjin nahoin *to save your skin* pelastaa nahkansa *that's no skin off my back* (sl) minä en piittaa siitä, se ei minua lotkauta *under the skin* pohjimmiltaan, pinnan alla **2** (tehdmän, makkaran ym) kuori **3** (mon sl) rummut

2 skin *v* **1** nylkeä **2** kuoria **3** (iho) repeytyä auki *she skinned her elbow when she fell* hän sai kaatuessaan ihohaavoja kyynärpäähänsä

skin alive *fr* (ark, kuv) **1** haukkua pystyyn, lyödä lyttyyn **2** nylkeä elävältä, antaa selkään, piestä

skin-deep *adj* pinnallinen, joka ei ulotu pintaa syvemmälle, katoavainen

skin diver *s* (perusväline)sukeltaja

skinless *adj* (makkara) kuoreton

skinny *adj* erittäin laiha *a skinny man* miehen ruipelo

skinny-dip [skini,dip] *v* (ark) uida/pulikoida vedessä alasti

skintight [skin'tait] *adj* (vaate) tiukka, piukka, kireä, muotoja mukaileva

1 skip [skip] *s* hyppy, hypähdys

2 skip *v* **1** hypätä, hyppiä, hypähdellä, hypätä yli **2** pujahtaa, sujahtaa, livahtaa **3** jättää väliin, hypätä yli *I skipped the romantic scenes* jätin romanttiset kohdat lukematta *let's skip the small talk* lopetetaan nyt suoraan asiaan *to skip a beat* (sydämestä) hypähtää **4** (oppilas) jättää luokka/luokkia väliin, siirtyä/siirtää ylemmälle luokalle **5** (ark) lähteä livohkaan, häipyä

skipper *s* **1** skippari, kapteeni **2** (joukkueen) johtaja, kapteeni

1 skirmish [skɜrmiʃ] *s* selkkaus, yhteenotto, riita

2 skirmish *v* ottaa yhteen, riidellä

1 skirt [skɜrt] *s* **1** hame **2** (mon) ääri, ääret, laita, laitamat

2 skirt *v* **1** kiertää jonkin ympäri (around), (kuv) kierrellä, vältellä **2** ympäröidä, olla jonkin ympärillä

skittish [skitiʃ] *adj* säikky, levoton, arka, ujo, oikukas, epävarma

skulduggery [skəl'dʌgəri skʌl'dʌgəri] *s* juonittelu, vehkeily

skull [skɔl, skʌl] *s* (pää)kallo

skullcap ['skɔl,kæp, 'skʌl,kæp] *s* patalakki, kalotti

skunk [skʌŋk] *s* **1** haisunäätä, skunkki **2** (ark) mätämuna

sky [skaɪ] *s* (mon skies) taivas

skylark ['skaɪ,lɑrk] *s* kiuru, leivonen

skylight ['skaɪ,laɪt] *s* kattoikkuna

skyline ['skaɪ,laɪn] *s* (suurkaupungin) siluetti

1 skyrocket ['skaɪ,rɑkət] *s* ilotulitusraketti

2 skyrocket *v* (kuv) nousta/nostaa (esim hinnat) pilviin

skyscraper ['skaɪ,skreɪpər] *s* pilvenpiirtäjä

skyscraping *adj* pilviä hipova, erittän korkea

slab [slæb] *s* laatta, paksu levy/pala/viipale/siivu

slack [slæk] *s* **1** (esim köyden) löysyys: *to take up the slack* kiristää; (kuv) korvata **2** lasku, hidastuminen **3** hiljainen kausi *adj* **1** löysä, veltto **2** (kuv) huolimaton, löysä, veltto, hidas, hiljainen

slacken *v* (myös kuv) löysätä, löystyä, höllentää, laiskistua, hiljentyä, hidastua

slacker ['slækər] *s* (sl) luuseri, laiskuri

slack off *v* löysätä, höllentää

slacks *s* (mon) housut

slack up *v* **1** laiskistua, (kaupankäynti ym) hiljentyä, hidastua **2** löysätä, höllätä, höllentää (myös kuv)

slag [slæg] *s* kuona

slain [sleɪn] ks slay

1 slalom [slɑləm] *s* pujottelu

2 slalom *v* **1** (laskettelu) pujotella **2** kiemurrella, mutkitella, pujotella

slam [slæm] *v* **1** paiskata, läimäyttää *he slammed the door in my face* hän paiskasi oven kiinni päin naamaani (ark)

1 slander [slændər] *s* panettelu, parjaus, häväistys

2 slander *v* panetella, parjata, häväistä

slanderous [slændərəs] *adj* panetteleva, parjaava, häväistys-

slang [slæŋ] *s* slangi

slangy *adj* **1** slangi- **2** jossa on paljon slangia

1 slant [slænt] *s* **1** kaltevuus **2** (kuv) taipumus; vääristymä; (esim lehtijutun) näkö-

kulma *there's a curious slant to her views* hänen näkemyksensä ovat oudon yksipuolisia **3** näkemys, kanta, mielipide **4** (ark) vilkaisu

2 slant *v* **1** kallistaa, kallistua **2** (kuv) vääristää, esittää tietystä näkökulmasta **3** kohdistaa/suunnata jollekulle (toward)

slantwise ['slænt,waɪz] *adj, adv* vino(sti)

1 slap [slæp] *s* läpsäys, lätkäytys, läimäys

2 slap *v* läpsäyttää, läimäyttää

slapdash ['slæp,dæʃ] *adj* kiireinen, hätäinen, hätiköity *adv* kiireesti, hätäisesti, hätiköiden

slap down *v* vaimentaa, hiljentää

slap on *in slap a fine in someone* antaa jollekulle sakot, sakottaa

1 slash [slæʃ] *s* **1** viilto, haava **2** sivallus **3** vinoviiva (/)

2 slash *v* **1** viiltää, silpoa **2** ruoskia, piiskata, sivaltaa **3** (kuv) leikata, alentaa (hintoja), lyhentää

slat [slæt] *s* **1** säle, lista **2** (lentokoneen siivessä) solas

1 slate [sleɪt] *s* **1** liuske(kivi) **2** (liuskekivinen) kattolaatta **3** kivitaulu *to have a clean slate* jollakulla on puhtaat paperit **4** ehdokasluettelo

2 slate *v* **1** laatoittaa, kattaa laatoilla **2** haukkua, moittia

slate for *v* **1** ehdottaa johonkin tehtävään, asettaa/nimetä ehdokkaaksi **2** *the meeting is slated for Tuesday* kokous on sovittu tiistaksi, kokous on määrä pitää tiistaina

1 slaughter [slɔtər] *s* teurastus (myös kuv:) verilöyly

2 slaughter *v* teurastaa (myös kuv)

slaughterhouse ['slɔtər,haʊs] *s* teurastamo

1 slave [sleɪv] *s* orja (myös kuv) *to be a slave to something* olla jonkin orja, olla riippuvainen jostakin

2 slave *v* raataa (kuin orja)

slave away at *v* (sl) uurastaa

slave labor *s* **1** orjatyövoima **2** orjatyö (myös kuv)

slaver *s* **1** orjakauppias **2** orjien omistaja

slavery [sleɪvri] *s* (orjana oleminen, orjien pito) orjuus (myös kuv)

slave state s 1 orjavaltio 2 *Slave States* (US hist) osavaltiot joissa harjoitettiin orjuutta sisällissodan päättymiseen saakka (1865)

slave trade s orjakauppa

slavish [sleıvıʃ] adj orjallinen

slavishness s orjallisuus

slay [sleı] v slew, slain: (väkivaltaisesti) surmata, tappaa, murhata *the slain president* murhattu presidentti

slayer s surmaaja, murhaaja

sleaze [sliz] s 1 (sl) liero (tyyppi) 2 siivoton, ruokoton tyyppi 3 (kuv) törky

sleazy [slizi] adj 1 kiero, häikäilemätön, likainen 2 (moraalisesti) törkeä, törky-*sleazy movies*

sled [sled] s 1 kelkka 2 reki

sledge [sledʒ] s 1 reki 2 kelkka

1 sledgehammer [ˈsledʒˌhæmər] s moukari 2 sledgehammer v moukaroida

3 sledgehammer adj kovakourainen, häikäilemätön; hiomaton, alkeellinen

sleek [slik] adj 1 sileä, sliisoon 2 virtaviivainen, sulavalinjainen, vauhdikkaan näköinen 3 (ulkonäkö) huoliteltu, sliipattu (halv), (käytös) sulava, (halv) lipevä

sleeky adj sileä, siloinen

1 sleep [slip] s uni

2 sleep v slept, slept: nukkua

sleepaholic [ˌslipəˈhɑlık] s (ark) paljon nukkuva henkilö, unikeko

sleep around v (sukupuolisuhteista) harrastaa vapaita seksisuhteita

sleeper s 1 nukkuja 2 (mon) (lapsen) uniasu 3 (ark) (elokuva ym) yllätysmenestys 4 kauppatavara joka menee huonosti kaupaksi 5 vuodesohva 6 makuuvaunu

sleepily adv unisesti; uneliaasti

sleep-in s kotiapulainen tms joka asuu työnantajansa talossa

sleep in v (kotiapulainen) asua työnantajansa talossa

sleeping bag s makuupussi

sleeping car s makuuvaunu

sleepless adj uneton

sleep on v lykätä (päätöstä) *let's sleep on it* mietitään asiaa vielä

sleep-out [ˈslipˌaut] s kotiapulainen tms joka ei asu työnantajansa talossa

sleep out v (kotiapulainen) ei asua työnantajan talossa

sleep over v käydä yökylässä

sleepover [ˈslipˌouvər] s 1 yökylässä käynti 2 yövieras

sleep together v maata yhdessä, olla sukupuolisuhteessa

sleepwalk [ˈslipˌwɔk] v kävellä unissaan

sleep with v maata jonkun kanssa, rakastella jonkun kanssa

sleepy adj uninen; unelias, saamaton, hiljainen

1 sleet [slit] s räntä (sade)

2 sleet v sataa räntää

sleeve [sliv] s 1 hiha *to have something up your sleeve* olla jotakin hihassa/mielessä *to laugh up your sleeve* nauraa partaansa 2 (äänelevyn) kansi, suojus 3 holkki, hylsy

sleeveless adj hihaton

sleigh [sleı] s 1 reki 2 kelkka

slender [slendər] adj 1 kapea, hoikka, ohut, ohkainen 2 niukka, vähäinen

slept [slept] ks sleep

1 sleuth [sluθ] s 1 etsivä 2 vainukoira, verikoira

2 sleuth v leikkiä etsivää, nuuskia

1 slice [slaıs] s 1 viipale; pala, palanen, palsta 2 osa, osuus 3 (golf) slaissi, pallon kaartaminen ilmassa vasemmalta oikealle (oikeakätisellä pelaajalla)

2 slice v viipaloida, paloitella

1 slick [slık] s 1 laikku, läiskä *oil slick* (merellä) öljyvahinko 2 (loistelias aikakauslehti) kiiltokuvalehti 3 sileä (kilpa-auton, polkupyörän) rengas

2 slick v siloittaa, liukastaa

3 slick adj 1 liukas, lipevä, sileä, siloinen 2 (kuv) sulava, liukas, lipevä, ovela, nokkela, nerokas, pinnallinen

slick up v (ark) pyntätä, laittaa/laittautua komeaksi

1 slide [slaıd] s 1 liukuminen, luisuminen, liirto 2 liukumäki 3 maanvyöry 4 dia(kuva) 5 (valo)kuva, kelkka; liukualusta, kisko(t)

2 slide v slid, slid/slidden 1 liukua, liu'uttaa, luisua, luistaa, luiskahtaa, liirtää 2 sujauttaa, sujahtaa, pujauttaa, pujahtaa, pistää/

työntää vaivihkaa **3** laskea, alentua, vähentyä **4** ajautua (vähitellen) johonkin tilaan *Mr. Zbornak is beginning to slide* (kuv) Mr. Zbornak on joutunut kaltevalle pinnalle **5** *to let something slide* ei piitata/välittää jostakin, antaa jonkin asian olla

1 slight [slait] *s* vähättely, väheksyntä, loukkaus, piikki

2 slight *v* **1** vähätellä, väheksyä, pilkata, loukata, piikitellä **2** lyödä laimin

3 slight *adj* vähäinen, hienoinen, pieni, etäinen *there's a slight chance of rain later today* on mahdollista että tänään sataa *not in the slightest* ei suinkaan, ei millään muotoa

4 slight *adj* hento, heiveröinen

slightly [slaitli] *adv* hieman, vähän, pikkuisen

slim [slim] *s* Afrikassa immuunikadosta eli aidsista käytetty nimitys *adj* **1** hoikka, ohut, laiha **2** vähäinen, pieni, heikko *a slim chance* huonot mahdollisuudet

slim down *v* **1** laihtua **2** leikata menoja, säästää

1 slime [slaim] *s* **1** rapa, kura **2** lima **3** (sl) liero

2 slime *v* kurata, sotkea

slimy [slaimi] *adj* **1** rapainen, kurainen, niljakas **2** limainen **3** (kuv) niljakas

1 sling [sliŋ] *s* **1** (ase) linko **2** ritsa **3** (esim kättä kannattava) side **4** (lapsen kantamiseen käytettävä) kannatinliina **5** olkahihna, kantohihna

2 sling *v* slung, slung **1** heittää, singota **2** roikkua/ripustaa hihnasta

slink [sliŋk] *v* slunk, slunk: hiipiä

1 slip [slip] *s* **1** liukastuminen, (esim jalan, otteen) lipsahdus **2** (kuv) lipsahdus, lapsus, virhe, kömmähdys **3** (kuv) lasku, väheneminen, huononeminen, heikkeneminen **4** alushame **5** tyynyliina **6** *to give someone the slip* livahtaa/karata jonkun käsistä

2 slip *v* **1** liukastua, luistaa, liukua, liu'uttaa, lipsua, lipsahtaa, irrota, päästä irti **2** sujahtaa, sujauttaa, pistää/työntää vaivihkaa **3** unohtaa, unohtua *it slipped my mind* unohdin sen *let slip* paljastaa vahin-

gossa, möläyttää; päästä sivu suun **5** tehdä virhe, jollekulle sattui lipsahdus/erehdys/lapsus **6** (taso) laskea, heiketä, huonontua *the quality of our product is slipping* tuotteemme laatu huononee jatkuvasti

slip away *v* **1** lähteä/häipyä vähin äänin **2** unohtua

slipcover ['slipˌkʌvər] *s* (kirjan) suojapaperi

slip of the tongue *s* lipsahdus

slipped disk *s* nikamavälilevyn esiinluiskahdus

slipper [slipər] *s* **1** tohveli **2** avokas

slippery [slipəri] *adj* liukas (myös kuv)

slipshod ['slipˌʃad] *adj* huolimaton, kehno, surkea, nuhruinen

slip up *v* tehdä virhe, töpeksiä

slip-up ['slipˌʌp] *s* virhe, lipsahdus, erehdys, tunarointi, munaus

1 slit [slit] *s* rako, (matala) aukko

2 slit *v* slit, slit: viiltää/leikata auki

slither [sliðər] *v* luisua, (käärme) luikerrella, madella

1 sliver [slivər] *s* **1** sirpale, säpäle, pirstale **2** kaistale

2 sliver *v* pirstoa, pilkkoa

slogan [slougən] *s* iskulause, iskusana

slop [slap] *s* **1** läiskynyt vesi **2** (ruoka) litku, mönjä **3** karjan ruoka **4** likavesi, laski *v* **1** valua/mennä yli, läiskyä, läiskyttää, pärskyttää, roiskuttaa

1 slope [sloup] *s* **1** rinne **2** kallistus, nousu, viettävä maa

2 slope *v* **1** viettää, nousta, kallistua, olla kalteva **2** kallistaa, tehdä kaltevaksi/vinoksi

sloppily *adv* huolimattomasti, sottaisesti, siivottomasti

sloppiness *s* huolimattomuus, sottaisuus, siivottomuus

sloppy [slapi] *adj* huolimaton, sottainen, siivoton

slosh [slaʃ] *v* läikyttää, roiskia

slot [slat] *s* **1** rako, aukko, kolo **2** kolikkoaukko, rahanielu **3** (ohjelman vakinainen lähetys)aika **4** (avoin) työpaikka

sloth [sla·θ] *s* **1** laiskuus, saamattomuus, velttous **2** (eläin) laiskiainen

slothful *adj* laiska, saamaton, veltto

slot machine *s* raha-automaatti

slouch

1 slouch [slaʊtʃ] *s* kyyry/kyyristynyt/kumara (seisoma- tai istuma-)asento

2 slouch *v* kävellä/istua kyyryssä, kyyhöttää kumarassa, kävellä laahustaen laahustaa

slovenly [slʌvənli] *adj* epäsiisti, siivoton, sottainen, huolimaton

slow [sloʊ] *v* hidastaa, viivästyttää *adj* **1** hidas, verkkainen **2** hidasälyinen, hidasjärkinen **3** (tuli, lämpö) hiljainen **4** (kello) joka on jäljessä, joka jätättää **5** (kaupunki, kaupankäynti ym) hiljainen **6** (valok) (filmi) hidas, (objektiivi myös) jonka valovoima on heikko *adv* hitaasti

slowdown [sloʊˌdaʊn] *s* **1** viivästys **2** hidastuslakko **3** (urh) viivytyspeli

slow down *v* hidastaa, hidastua, hiljentää (vauhtia), viivästyttää

slowly *adv* hitaasti, vähitellen

slow motion *s* hidastus(kuva)

slow-moving [ˌsloʊˈmoʊvɪŋ] *adj* hidas, verkkainen, raukea

slowness *s* **1** hitaus, verkkaisuus **2** hidasjärkisyys **3** hiljaisuus, (kaupankäynnin myös) vähäisyys

slowpoke [ˈsloʊˌpoʊk] *s* (ark) vätys, nahjus

slowup [ˈsloʊˌʌp] *s* viivästys

slow up *v* hidastaa, hidastua, hiljentää (vauhtia), viivästyttää

slow-witted [ˌsloʊˈwɪtəd] *adj* hidasjärkinen, hidasälyinen

sludge [slʌdʒ] *s* lieju, muta

1 slug [slʌg] *s* **1** (kuoreton) etana (myös kuv) **2** luoti **3** isku, lyönti

2 slug *v* iskeä, lyödä

sluggard [slʌgərd] *s* laiskuri, vetelys, vätys

sluggardly *adj* laiska, vetelä, saamaton, veltto

sluggish [slʌgɪʃ] *adj* laiska, vetelä, veltto, hidas

slug it out *fr* **1** tapella (ratkaisuun asti) **2** (kuv) pitää pintansa

sluice [slus] *s* **1** (kanavan) sulku **2** kouru, uittokouru, oja, kanava

sluice gate *s* (kanavan) sulkuportti

slum [slʌm] *s* slummi

1 slumber [slʌmbər] *s* uni

2 slumber *v* **1** torkkua, nukkua **2** (kuv) uinua

slummy *adj* slummi-, slummiutunut

---

1 slump [slʌmp] *s* **1** kyyry/kyyristynyt asento **2** (hintojen) romahdus, (taloudellinen) taantuma, (mielialan) lasku

2 slump *v* **1** lysähtää **2** istua/olla kyyryssä, kyyhöttää **3** (hinnat) romahtaa, (mieliala) laskea

slung [slʌŋ] ks sling

slunk [slʌŋk] ks slink

slur [slər] *s* **1** loukkaus, herjaus, herja **2** (kuv) (maineen) tahra, häpeäpilkku **3** (puhe) soperrus, takeltelu, sammallus

2 slur *v* **1** loukata, herjata **2** puhua takellellen, sopertaa, sammaltaa, kangertaa

slur over *v* ei tuoda riittävästi esiin, ohittaa, sivuuttaa

slush [slʌʃ] *s* **1** märkä lumi, loska, sohjo **2** lieju, muta **3** imelä tunteellisuus, sentimentaalisuus

slush fund *s* lahjusrahat, lahjusrahasto

slushy *adj* **1** (lumi) loskainen, sohjoinen **2** (ark) imelän tunteellinen, sentimentaalinen

slut [slʌt] *s* **1** (nainen) sottapytty **2** lutka, huora

sly [slaɪ] *s on the sly* salaa *adj* **1** ovela, viekas, kavala **2** kujeileva, leikkisä

1 smack [smæk] *s* **1** isku, tälli **2** (huulten) moiskautus **3** suukko, moiskautus **4** haju, maku **5** tuntu **6** (sl) heroiini

2 smack *v* **1** lyödä, pamauttaa **2** moiskauttaa (huulia) **3** suudella moiskauttaa, antaa suukko **4** tuoksua, maistua joltakin **5** (kuv) vaikuttaa/tuntua joltakin *this smacks of flattery* tämä haiskahtaa imartelulta

3 smack *adv* suoraan: *he hit me smack in the belly* hän löi minua suoraan päin mahaa

small [smɔːl] *adj* **1** pieni *when he was small* pienenä, kun hän oli pieni/nuori *to feel small* tuntea itsensä mitättömäksi, hävetä **2** ohut, kapea, hoikka **3** mitätön, vähäpätöinen **4** pikku- *he is a small businessman* hän on pienyrittäjä **5** (ääni) hiljainen

small hours *s* (mon) pikkutunnit

small of the back *s* ristiselkä

smallpox [ˈsmɔːlˌpɒks] *s* isorokko

small talk [ˈsmɔːlˌtɔːk] *s* rupattelu

smart [smart] *s* **1** kipu, pisto, poltto **2** kärsimys, suru **3** (mon sl) järki, äly

2 smart v **1** sattua, satuttaa, tehdä kipeää, pistää, polttaa **2** kärsiä, olla surullinen

3 smart adj **1** hieno, tyylikäs, huoliteltu the smart crowd/set hienot ihmiset/piirit **2** terävä, nokkela, ovela, viekas **3** viisasteleva, näsäviisas don't you get smart with me älä rupea viisastelemaan **4** nopea, nokkela

smarten up v **1** kohentaa (esim ulkonäköään), siistiytyä **2** parantaa tapansa, herätä huomaamaan virheensä

smartness s **1** hienous, tyylikkyys, huoliteltu ulkonäkö/pukeutuminen ym **2** nokkeluus, oveluus, viekkaus **3** viisastelu, näsäviisaus **4** nopeus, nokkeluus

1 smash [smæʃ] s **1** laimahdys, rasahdys, pamahdus **2** törmäys, yhteentörmäys, kolari **3** isku, lyönti **4** vararikko, konkurssi **5** (ark) suurmenestys

2 smash v **1** iskeä/lyödä/hajota säpäleiksi, särkeä, särkyä, pirstoa, pirstoutua **2** musertaa, piestä (vastustaja), kukistaa, tukahduttaa (kapina) **3** lyödä, pamauttaa **4** törmätä, ajaa päin jotakin the car smashed into the wall auto törmäsi seinään he smashed the car into the wall hän törmäsi autollaan seinään

3 smash adj menestyksekäs

smash hit s suurmenestys

smashing adj **1** loistava, erinomainen **2** murskaava, musertava

smash-up s (ketju)kolari

smatter [smætər] v puhua (jotakin kieltä) ontuen

smattering [smætəriŋ] s pinnalliset tiedot jostakin (of)

1 smear [smɪər] s tahra (myös kuv), läiskä that is a smear on his reputation se tahraa hänen mainettaan

2 smear v **1** levittää **2** tahrata, tahrata, tahraantua, sotkea, sotkeentua, töhriä **3** (kuv) tahrata (maine)

smear campaign s yritys/yritykset tahrata jonkun (poliitikon tms) maine, mustamaalaus(kampanja)

1 smell [smel] s haju

2 smell v smelled, smelled/smelt **1** haista, haista pahalta, tuoksua **2** haistaa **3** vaikuttaa joltakin (of) **4** (ark) olla huono/surkea

smell about v nuuskia, kysellä, etsiä, tutkia

smell around v nuuskia, kysellä, etsiä, tutkia

smell out v nuuskia jotakin selville

smell up v levittää pahaa hajua jonnekin, täyttää pahalla hajulla

smelly adj pahanhajuinen, haiseva

smelt [smelt] **1** ks smell **2** sulattaa (metallia)

smelter [smeltər] s **1** (metallin) sulattaja **2** sulatusuuni **3** sulatto

1 smile [smaɪəl] s hymy

2 smile v hymyillä he smiled his way into that job hän sai työpaikan hymyilemällä auliisti esimiehilleen

smile at v **1** hymyillä jollekulle/jollekin **2** vähätellä jotakin, ei ottaa tosissaan

1 smirk [smɜrk] s ylimielinen/omahyväinen hymy/virnistys

2 smirk v hymyillä/virnistää ylimielisesti/omahyväisesti

smith [smɪθ] s seppä

smithereens [smɪðəˈrinz] s (mon) sirpaleet, säpäleet to break something into smithereens iskeä jokin säpäleiksi

smithy [smɪθɪ] s (sepän) paja

smock [smɑk] s työtakki, työpaita

smog [smɑg] s savusumu

1 smoke [smouk] s **1** savu **2** (kuv) pelkkä puhe, olematon asia, savu to go up in smoke haihtua savuna ilmaan **3** tupakointi: let's have a smoke vedetään sauhut

2 smoke v **1** savuta **2** tupakoida, polttaa (tupakkaa tms) do you smoke? poltatko? **3** savustaa (kalaa, lihaa)

smokeless adj savuton

smoke out v savustaa joku ulos jostakin (myös kuv): paljastaa, tuoda ilmi

smoker s **1** tupakoija **2** (junassa) tupakkavaunu, tupakkaosasto

smoke screen s **1** savuverho **2** (kuv) hämäys

smoky adj savuava, savuinen

smolder [smoldər] v (tuli) kyteä (myös kuv)

1 smooch [smutʃ] s (ark) kuhertelu

2 smooch v **1** varastaa **2** kuherrella

smooth [smuð] v tasoittaa, silittää adj **1** tasainen, sileä, siloinen, (vesi) tyyni her Olds has a smooth ride hänen Oldsmobilessaan on tasainen kyyti **2** rauhallinen, tyyni **3** (käytös) sulava, kohtelias

smoothie [smuðiˈ] *s* **1** (ark) mielistelijä, imartelija, sulavakäytöksinen henkilö **2** hedelmäpirtelö

smoothness *s* **1** tasaisuus, sileys, siloisuus, (veden) tyyneys **2** rauhallisuus, tyyneys **3** (käytöksen) sulavuus, kohteliaisuus

smooth over *v* vähätellä, lieventää, helpottaa

smother [smʌðər] *v* **1** tukehduttaa (kuoliaaksi), tukehtua (kuoliaaksi) **2** tukahduttaa, sammuttaa tukahduttamalla, tukahtua, sammua **3** (kuv) tukahduttaa (tunteet) **4** peittää jollakin (in) **5** hauduttaa (ruokaa)

1 smudge [smʌdʒ] *s* **1** tahra, läiskä **2** katku, tukahduttava savu **3** katkuava nuotio (jolla karkotetaan hyttysiä)

2 smudge *v* tahria, tahriintua, töhriä, liata, likaantua

smug [smʌg] *adj* ylimielinen, omahyväinen

smuggle [smʌgəl] *v* **1** salakuljettaa **2** viedä salaa

smuggler [smʌglər] *s* salakuljettaja

1 smut [smʌt] *s* **1** (noki- tai muu) tahra **2** likainen kieli, rivous, säädyttömyys, ruokottomuus, ruokottomuudet

2 smut *v* noeta, tahria, töhriä

smuttiness *s* **1** tahraisuus, töhryisyys, likaisuus **2** (kielen) likaisuus, rivous, säädyttömyys

smutty *adj* **1** tahrainen, töhryinen, likainen **2** (kieli) likainen, rivo, säädytön, ruokoton

1 snack [snæk] *s* välipala *to go snacks* panna/jakaa (tulot, voitto) tasan

2 snack *v* syödä välipalaa, käydä välipalalla, haukata jotakin, panna/käydä panemassa suuhunsa jotakin

snafu [snæˈfuˈ] *s* fiasko (lyhenne sanoista Situation Normal, All Fucked/Fouled Up) *it was a real snafu* se meni läskiksi

snail [sneɪəl] *s* (kuorellinen) etana (myös kuv:) vätys, hidas ihminen

snail mail [sneɪəlˌmeɪl] *s* (ark) tavallinen posti, etanaposti

1 snake [sneɪk] *s* **1** käärme **2** (kuv) kavala ihminen, käärme, kieroilija, liero

2 snake *v* (tie, joki ym) kiemurrella, luikerrella, mutkitella

snake oil *s* **1** ihmelääke **2** (kuv, sl) huiputus, huijaus, tyhjät lupaukset

1 snap [snæp] *s* napsahdus

2 snap *v* **1** napsahtaa, napsauttaa, näpäyttää, (piiskalla) sivaltaa **2** katkaista, katketa **3** puraista, näykkäistä, haukata **4** (valokuvata) räpsiä, näpsiä (kuvia) **5** tiuskaista, laukoa (käskyjä) *to snap someone's head off* suuttua jollekulle, antaa jonkun kuulla kunniansa

snap at *v* **1** näykkäistä, puraista **2** tiuskaista, äksyillä jollekulle

snap out of *v* päästä (eroon) jostakin, päästä jonkin yli (kuv)

snapshot [snæpˌʃɑt] *s* (äkkiä otettu) valokuva

snap to *v* **1** (sotilaista) ottaa asento **2** (kuv) ryhdistäytyä, parantaa tapansa

snap up *v* (kuv) tarttua johonkin, viedä/ostaa heti/käsistä

1 snare [sneər] *s* ansa

2 snare *v* **1** pyydystää, saada ansaan **2** (kuv) houkutella (ansaan)

snare drum *s* pikkurumpu

1 snarl [snɑrəl] *s* **1** murina; murahdus **2** vyyhti (myös kuv) *traffic snarl* liikenneruuhka

2 snarl *v* **1** (koira) murista (ja näyttää hampaitaan) **2** (ihminen) murista (tyytymättömänä, vihaisena), murahtaa **3** sotkea vyyhdiksi, sekoittaa, tukkia (liikenne)

1 snatch [snætʃ] *s* **1** *to make a snatch at something* (yrittää) tarttua johonkin **2** pätkä, jakso, pala, palanen **3** (sl) sieppaus, kidnappaus **4** (sl) vittu

2 snatch *v* **1** napata, tarttua **2** (sl) siepata, kidnapata

sneak [snik] *v* **1** hiipiä **2** sujauttaa, pujauttaa (vaivihkaa)

sneakers *s* (mon) lenkkarit

sneaking *adj* **1** vaivihkainen, salamyhkäinen **2** vilpillinen, epäluotettava **3** salainen *sneaking suspicion* häilyvä epäilys, kalvava tunne

sneaky *adj* **1** vaivihkainen, salavihkainen **2** epäluotettava

1 sneer [snɪər] *s* **1** ivallinen/pilkallinen virnistys/hymy **2** ivallinen/pilkallinen/pisteliäs/kärkevä huomautus, piikki

2 sneer *v* **1** hymyillä/katsoa ivallisesti/pilkallisesti **2** ivata, pilkata, puhua ivallisesti/pilkaten jostakusta/jostakin (at)

1 sneeze [sniz] *s* aivastus

2 sneeze *v* aivastaa

snide [snaid] *adj* (ark) ilkeä, ivallinen

1 sniff [snɪf] *s* **1** to have a sniff at something nuuskaista, haistaa jotakin **2** tuoksu, haju

2 sniff *v* **1** nuuskia, vetää ilmaa nenäänsä, nuuskaista, haistella, haistaa (liimaa) impata **2** (kuv) haistaa, vainuta

1 snigger [snɪgər] *s* (merkitsevä, osoitteleva) hihitys

2 snigger *v* hihittää (merkitsevästi, osoittelevasti)

1 snip [snɪp] *s* **1** leikkausliike **2** pala, palanen

2 snip *v* leikata, leikellä, saksia

snipe [snaɪp] *v* **1** ampua (kätköstä) **2** haukkua (jatkuvasti, ilkeästi), nalkuttaa, nälviä

sniper [snaɪpər] *s* sala-ampuja

snippet [snɪpət] *s* palanen, muru, siru

snit [snɪt] *s* (sl) raivokohtaus, raivari to throw a snit pillastua

snivel [snɪvəl] *v* **1** vetistellä, itkeä pillittää **2** ruikuttaa, marista **3** vetää (räkää) nenäänsä

snob [snab] *s* keikari, hienostelija

snobbish *adj* keikaroiva, hienosteleva; ylimielinen

snobby *adj* keikaroiva, hienosteleva; hienoston, hienosto-

snooker [snʊkər] *s* (eräs biljardilaji) snooker

snoop [snup] *v* nuuskia (toisten asioita), udella, pistää nenänsä (toisten asioihin)

snoopy *adj* (ark) (tungettelevan) utelias, joka nuuskii/urkkii toisten asioita, joka pistää nenänsä toisten asioihin

1 snoot [snut] *s* **1** (ark) keikari, hienostelija **2** (sl nenä) nokka

2 snoot *v* kohdella ylimielisesti/alentavasti

snooty [snuti] *adj* (ark) keikaroiva, hienosteleva, ylimielinen

1 snooze [snuz] *s* torkut, nokoset

2 snooze *v* torkkua, ottaa nokoset

1 snore [snɔr] *s* kuorsaus

2 snore *v* kuorsata

1 snorkel [snɔrkəl] *s* (sukellusveneen tai sukeltajan) snorkkeli

2 snorkel *v* sukeltaa (snorkkelin avulla)

1 snort [snɔrt] *s* **1** (hevosen) pärskähdys **2** tuhahdus

2 snort *v* **1** (hevonen) pärskiä **2** tuhahtaa halveksivasti, sanoa tuhahtaen **3** (sl) nuuskata (kokaiinia), vetää (kokaiinia) sieraimiinsa

snot [snat] *s* **1** (alat) räkä **2** (ark) paskiainen

snotty *adj* **1** (alat) räkäinen **2** (ark) keikaroiva; hävytön, röyhkeä, paskamainen

snout [snaut] *s* **1** kärsä (kuv myös nenästä), kuono **2** suutin, nokka

1 snow [snoʊ] *s* **1** lumi (as) pure as the driven snow puhdas (viaton) kuin pulminen **2** lumisade **3** (sl) kokaiini; heroiini

2 snow *v* **1** sataa lunta **2** (sl) huijata, vetää nenästä **3** (sl) tehdä suuri vaikutus johonkuhun, viedä jalat alta

1 snowball [snoʊ,bɔl] *s* lumipallo

2 snowball *v* **1** heittää lumipalloja johonkuhun päin **2** kasvaa/kasvattaa suureksi, paisua/paisuttaa

snowbank [snoʊ,bæŋk] *s* lumipenger

snow blindness *s* lumisokeus

snowcapped [snoʊ,kæpt] *adj* (vuori) lumihuippuinen

snowdrift [snoʊ,drɪft] *s* **1** lumipenger **2** lumipyry

snowfall [snoʊ,fɔl] *s* **1** lumisade **2** lumisateen määrä

snowflake [snoʊ,fleɪk] *s* lumihiutale

snow flurry *s* lumipyry

snowman [snoʊ,mæn] *s* (mon snowmen) lumiukko

1 snowmobile [snoʊmoʊ,biəl] *s* moottorikelkka

2 snowmobile *v* ajaa/kulkea/mennä moottorikelkalla

1 snowplow [snoʊ,plaʊ] *s* lumiaura

2 snowplow *v* aurata lunta

snowslide [snoʊ,slaɪd] *s* lumivyöry

snowstorm [snoʊ,stɔrm] *s* lumimyrsky

snow tire *s* talvirengas

snow under *v* **1** to be snowed under peittyä lumen alle, hautautua lumeen **2** (kuv) hukuttaa joku johonkin **3** (kuv) voittaa murskaavasti, päihittää, löylyttää

snow-white [snoʊ'waɪt] *adj* lumivalkoinen, vitivalkoinen

snowy [snɒʊi] *adj* **1** luminen *recently, the weather has been snowy* viime aikoina on satanut paljon lunta **2** lumivalkoinen

1 snub [snʌb] *s* **1** tyly/ynseä huomautus **2** tyrmäävä vastaus **3** loukkaus, näpäytys, piikikäs/kärkevä huomautus

2 snub *v* **1** ei olla huomaavinaankaan jotakuta, ei piitata jostakusta, kohdella tylysti/ynseästi **2** tyrmätä (ehdotus) **3** kiristää (köyttä) yhtäkkiä

3 snub *adj* tylppä, (kuv) tyly, (nenä) nykerö

snubby *adj* **1** (nenä) nykerö, (sormi) tylppä **3** (kuv) tyly, ynseä

1 snuff [snʌf] *s* **1** nuuskaiseminen, haistaminen **2** nuuska **3** *to be up to snuff* (ark) kelvata, täyttää vaatimukset **4** (kynttilän sydämen palanut osa) karsi

2 snuff *v* **1** nuuhkia, nuuhkaista, haistaa **2** nuuskata **3** leikata kynttilän karsi (sydämen palanut osa)

1 snuffle [snʌfəl] *s* **1** nuuhkiminen **2** honotus **3** (mon) (nuhan ym aiheuttama) nenän tukos

2 snuffle *v* **1** nuuhkia, nuuskia **2** honottaa, puhua nenäänsä

snuff out *v* **1** sammuttaa **2** kukistaa, tukahduttaa **3** (ark) tappaa, nitistää, ottaa päiviltä

snug [snʌg] *adj* **1** mukava, kotoisa, kodikas **2** (vaate) istuva; (hieman) tiukka/piukka **3** pieni, ahdas **4** (taloudellisesti) hyvinvoiva **5** (kuv) tiivis (ryhmä)

1 snuggle [snʌgəl] *s* haliminen (ark)

2 snuggle *v* painautua (pehmeästi/hellästi) jotakuta/jotakin vasten, vetää (pehmeästi/hellästi) itseään vasten, halia (ark)

so [sɒʊ] *adv* **1** niin, näin *she's so pretty* hän on niin sievä *so much talk, so many promises* (niin) paljon puhetta, (niin) paljon lupauksia *do it so* tee (se) näin *you can get away with that just/only so many times* tuollaisesta selviät rangaistuksetta/kiinni jäämättä vain muutaman kerran, tuota et voi jatkaa loputtomiin/pitkään **2** kovasti, erittäin *I'm so sorry* pyydän kovasti anteeksi, olen kovasti pahoillani **3** (painokkaasti) *he did so!* tekipäs! **4** (viittaa aiemmin sanottuun) *I hope so* toivon niin, toivottavasti *she went home and so will I* hän

lähti kotiin ja niin lähden minäkin *didn't I tell you so* enkö minä sanonut! *konj* siksi, jotta, joten *read it yourself so there is no misunderstanding* lue se itsekin jottei synny väärinkäsityksiä

soak [sɒʊk] *v* **1** kastella/kastua läpimäräksi, liottaa **2** (ark) juoda itsensä känniin

soak in *v* (kuv: ymmärtää) mennä perille

soak up *v* **1** imeä (itseensä) *to be soaked up* imeytyä **2** (kuv) imeä itseensä (tietoa) **3** (sl) ryypätä

so-and-so [ˈsɒʊənˌsɒʊ] *s* (mon so-and-sos) **1** (nimeltä mainitsematon henkilö) se ja se **2** (paskiainen) sontiainen

1 soap [sɒʊp] *s* saippua

2 soap *v* saippuoida

soap opera *s* saippuaooppera

soapy *adj* **1** saippuainen **2** pehmeä **3** (ark) joka muistuttaa saippuaooppera, melodramaattinen

soar [sɔr] *v* **1** kohota, nousta (korkealle) *her hopes soared* hänen toivonsa heräsi; hän alkoi toivoa suuria

soaring *s* purjelento

1 sob [sɒb] *s* nyyhkäisy, niiskutus

2 sob *v* nyyhkiä, niiskuttaa

sober [sɒʊbər] *adj* **1** selvä, raitis **2** hiljainen, rauhallinen, tyyni **3** vakava, juhlallinen **4** (vaatteet, pukeutuminen) hillitty **5** kaunistelematon, pelkkä, paljas **6** järkevä, harkittu, asiallinen

sober up *v* **1** selvitä (humalasta) **2** ryhdistäytyä, tulla järkiinsä

so-called [ˈsɒʊˌkɑld] *adj* niinsanottu

soccer [sɑkər] *s* jalkapallo

sociability [ˌsɒʊʃəˈbilɑti] *s* seurallisuus

sociable [sɒʊʃəbəl] *adj* seurallinen, ystävällinen, miellyttävä, (tilaisuus myös) mukava

social [sɒʊʃəl] *adj* **1** sosiaalinen, sosiaali-, yhteisö-, yhteiskunta-, yhteiskunnallinen **2** seurallinen, seura- *he is a very social fellow* hän on hyvin seurallinen, hän on hyvä seuraihminen *social and business life* seuraelämä ja työelämä *man is a social animal* ihminen on seuraläin

social class *s* yhteiskuntaluokka

social democracy *s* sosiaalidemokratia

socialism ['souʃə‚lɪzəm] s sosialismi

socialist [souʃəlɪst] s sosialisti *adj* sosialistinen, sosialisti-

socialite ['souʃə‚laɪt] s seurapiirinainen, (mies) seurapiirileijona

socially *adv* ks social

social security [‚souʃəlsə'kjərəti] s sosiaaliturva

social work s sosiaalityö

societal [sə'saɪətəl] *adj* yhteiskunnallinen

society [sə'saɪəti] s **1** yhteiskunta **2** seura, järjestö, yhdistys **3** (yhdessäolo) seura **4** seurapiirit *adj* seurapiiri-

sociological [‚sousɪə'ladʒɪkəl ‚souʃə'ladʒɪkəl] *adj* sosiologinen

sociology [‚sousɪ'alədʒɪ] s sosiologia

sociopath ['sousɪə‚pæθ] s sosiopaatti

sociopolitical [‚sousɪəpə'lɪtɪkəl] *adj* yhteiskuntapoliittinen

sociotherapy [‚sousɪə'θerəpɪ] s ryhmäterapia, sosioterapia

1 sock [sak] s (mon socks, joskus myös sox) sukka **to knock the socks off someone** (ark) saada sukat pyörimään jonkun jalassa, tehdä voimakas vaikutus johonkuhun

2 sock v (sl) iskeä, lyödä, täräyttää

sock away v panna sukan varteen, säästää

socket [sakət] s (tekn) istukka; (sähkö)pistorasia

sock in v sulkea (sään vuoksi)

sod [sad] s ruohoturve

soda [soudə] s **1** sooda **2** kivennäisvesi **3** pirtelö **4** virvoitusjuoma

soda water s **1** kivennäisvesi **2** virvoitusjuoma

sodium [soudiəm] s natrium

sodomy [sadəmɪ] s **1** anaaliyhdyntä, sodomia **2** eläimiin sekaantuminen, sodomia

sofa [soufə] s sohva

sofa bed s vuodesohva

soft [saft] *adj* **1** pehmeä **2** (ääni) hiljainen **3** (väri) himmeä, (väri) pehmeä **4** hellä, lempeä; (tuomitsevasti:) perääntantavainen, pehmeä, heikko **5** (ark) helppo (työ) **6 to be soft on someone** olla pihkassa/ihastunut/heikkona johonkuhun

softcover ['saft‚kʌvər] s taskukirja, pehmeäkantinen kirja *adj* pehmeäkantinen, tasku-

soft drink s alkoholiton juoma, virvoitusjuoma

soften [safən] v pehmentää, pehmentyä

softener [safənər] s pehmennin *fabric softener* (pyykinpesussa) huuhteluaine

soft-hearted *adj* lempeä

softie [saftɪ] s (ark) hyväuskoinen ihminen, pehmis

softish *adj* pehmeähkö

softly [saflɪ] *adv* ks soft

soft shoulder s pehmeä tien piennar

softspoken [‚saft'spoukən] *adj* (kuv) hillitty, rauhallinen

soft spot s (kuv) heikkous, akilleenkantapää

soft-top s **1** (avoauton) kangaskatto, rättikatto (ark) **2** kangaskattoinen auto, avoauto *adj* kangaskattoinen, avo-

software ['saft‚weər] s **1** (tietokoneen) ohjelmat **2** (esim video-)ohjelmat, ohjelmisto

soggy [sagɪ] *adj* **1** läpimärkä, märkä **2** (kuv) raskas, raskassoutuinen, tylsä

1 soil [sɔɪəl] s **1** maaperä, maa *fertile soil* hedelmällinen maaperä **2** alue, maaperä *on American soil* Amerikassa, Amerikan maaperällä **3** (kuv) maaperä, kasvualusta

2 soil v **1** tahria, sotkea, liata **2** (kuv) tahria, tahrata (esim maineensa)

sojourn ['souˌdʒərn] s oleskelu

sojourn [souˈdʒərn] v oleskella jossakin

1 solace [salɒs] s lohdutus, lohtu

2 solace v lohduttaa

solar [soulɒr] *adj* auringon, aurinko

solar cell s aurinkokenno

solar eclipse s auringonpimennys

solar energy s aurinkoenergia

solarium [sə'leriəm] s (mon solariums, solaria) solarium

solarize ['soulə‚raɪz] v **1** (valok) solarisoida **2** muuttaa (osittain) aurinkoenergialla toimivaksi

sold [sold] ks sell

1 solder [sadər] s juotosmetalli

2 solder v juottaa

1 soldier [souldʒər] s sotilas

2 soldier v palvella sotilaana

soldier on v **1** pinnata/laiskotella työssään **2** pitää pintansa, purra hammasta, jatkaa sinnikkäästi (loppuun asti)

sole [sɔʊl] *s* **1** jalanpohja **2** kengänpohja **3** (esineen) pohja, antura **4** (mon soles, sole) meriantura *adj* ainoa

solecism ['sɒʊlə,sɪzəm] *s* solesismi, kielivirhe

solely *adv* yksin, yksistään, yksinomaan

solemn [sɒləm] *adj* **1** vakava, totinen **2** juhlava, juhlallinen **3** (vakuutus) juhlallinen

solemnity [sə'lemnəti] *s* **1** juhlavuus, juhlallisuus **2** (us mon) juhlallisuus, juhlallisuudet

solemnize ['sɒləm,naɪz] *v* **1** vihkiä (avioliittoon), toimittaa vihkimys/juhlamenot

solemnly *adv* **1** vakavasti, totisesti **2** juhlavasti, juhlallisesti **3** (vannoa) juhlallisesti, pyhästi

solenoid ['sɒʊlə,nɔɪd] *s* (tekn) lieriökäämi, solenoidi

solicit [sə'lɪsɪt] *v* **1** anoa, hakea, yrittää saada (kannattajia); käydä vaalikampanjaa **2** kaupustella *no soliciting* kaupustelu kielletty **3** (prostituoitu) etsiä asiakkaita

solicitation [sə,lɪsə'teɪʃən] *s* **1** (kannattajien) kerääminen; vaalikampanja **2** anomus, hakemus **3** (prostituoidun harjoittama) asiakkaiden etsintä

solicitor [sə'lɪsɪtər] *s* **1** anoja, hakija **2** (kannattajien) kerääjä, vaalikampanjatyöntekijä **3** (UK) (valmisteleva) asianajaja (joka ei esiinny tuomioistuimessa, vrt *barrister*)

solicitor general *s* (mon solicitors general) (US) **1** (eräissä osavaltioissa) korkein oikeusviranomainen (liittovaltion tasolla) oikeusministerin (Attorney General) jälkeen korkein oikeusviranomainen

solid [sɒləd] *s* **1** kiinteä aine; kiinteä ravinto **2** kiinteä kappale *adj* **1** (ei nestemäinen, ei kaasumainen) kiinteä, jähmeä, (ei ontto) kiinteä, umpinainen **2** (myös kuv) luja, vankka, vakaa, varma, luotettava **3** yhtenäinen, yhtäjaksoinen, täysi, kokonainen, aito

solidarity [,sɒlɪ'derəti] *s* yhteisvastuu, solidaarisuus

solidity [sə'lɪdəti] *s* **1** kiinteys, jähmeys, umpinaisuus **2** lujuus, vankkuus, varmuus, luotettavuus *the solidity of the evidence* todisteiden/todisteaineiston luotettavuus

solid with *to be in solid with* olla hyvissä väleissä jonkun kanssa

solitaire ['sɒlɪ,teər] *s* pasianssi

solitary ['sɒlɪ,teri] *s to be on solitary* olla eristyssellissä, ks *solitary confinement adj* yksinäinen

solitude ['sɒlɪ,tud] *s* yksinolo, yksinäisyys

solo [sɒʊloʊ] *s* (mon solos, soli) (mus, baletti) soolo, yksinesitys, yksinlauluesitys, yksintanssiesitys, (laajemmin:) yksinlento **2** *solo* **1** (mus) esittää soolo **2** tehdä yksin **3** *solo adj* (mus ja laajemmin) soolo-, yksin- **4** *solo adv* yksin

soloist [sɒʊloʊəst] *s* solisti

solstice [sɒlstɪs] *s* päivänseisaus *summer solstice* kesäpäivänseisaus *winter solstice* talvipäivänseisaus

solubility [,sɒljə'bɪləti] *s* liukenevuus

soluble [sɒljəbəl] *adj* **1** (esim veteen) liukeneva **2** joka on ratkaistavissa, joka voidaan ratkaista

solution [sə'luʃən] *s* **1** ratkaisu **2** liukeneminen **3** liuos

solvable [sɒlvəbəl] *adj* joka voidaan ratkaista

solve [sɒlv] *v* ratkaista

solvency [sɒlvənsi] *s* maksukyky

solvent [sɒlvənt] *s* liuotin, liuote *adj* **1** maksukykyinen **2** liuottava

somber [sɒmbər] *adj* synkkä (myös kuv)

sombrero [sɒm'breroʊ] *s* (mon sombreros) sombrero

some [sʌm] *adj, pron* **1** (monikollisen substantiivin kanssa tai sellaiseen viitaten) suomennetaan partitiivilla tai esim sanoilla muutama, muutamia, jokunen, jotkut, toiset *he brought some books* hän toi kirjoja, hän toi muutaman kirjan *some children came to visit* meille tuli kylään lapsia /muutama lapsi *some do, some don't* jotkut (esim) suostuvat, jotkut eivät *some of them are crazy* toiset heistä ovat hulluja *I'm going to buy some apples, would you like some?* menen ostamaan omenia, haluaisitko sinäkin muutaman? **2** (yksiköllisen substantiivin kanssa tai sellaiseen viitaten) suomennetaan esim partitiivilla *he has some money* hänellä on rahaa *some of the* *food was pretty good* ruuasta oli osa ihan hyvää *how about some coffee?* maistuisiko kahvi? *yes, I would like some* kyllä, minulle maistuisi **3** joku, jokin, eräs *some day* jonain päivänä *some idiot has taken all the matches* joku hullu on vienyt mennessään kaikki tulitikut *some of them are very beautiful* eräät niistä ovat oikein kauniita, osa niistä on oikein kauniita **4** melkoinen *that was some lie you just told her* sinä valehtelit hänelle melkoisen paksusti *adv* **5** noin, suunnilleen *some ten years ago* kymmenisen vuotta sitten **6** (ark) hieman, vähän *she was taken aback* some hän säpsähti pikkuisen

somebody ['sʌm,bʌdi] *s* tärkeä ihminen *everybody who is somebody was there* paikalla oli koko kerma *pron* joku *somebody's got to help me* jonkun on pakko auttaa minua *somebody else* joku muu, joku toinen

someday ['sʌm,dei] *adv* joskus, jonain päivänä

somehow ['sʌm,hau] *adv* jotenkin *although drunk, he managed to get home somehow* hän selvisi jotenkin kotiinsa vaikka olikin juovuksissa

someone ['sʌm,wʌn] *pron* joku *someone please call an ambulance* voisiko joku soittaa sairaasuton? *someone else* joku muu toinen, joku muu *someone from your office called* työpaikaltasi soitti joku

1 somersault ['sʌmər,saːlt] *s* **1** kuperkeikka **2** (kuv) täyskäännös

2 somersault *v* tehdä kuperkeikka

something ['sʌm,θiŋ] *s* (ark) *that car is really something!* siinäpä vasta auto! *adv* **1** jonkinlainen, jossain määrin *she is something of a celebrity here* hän on tällä päin jonkinlainen julkkis/kuuluisuus **2** (ark) erittäin *the guy looked at me something crazy* kaveri mulkoili minua hullun lailla *pron* **1** jokin, jotakin *something new* jotain uutta *something else* jotakin muuta *you're really something else!* sinä ve olet melkoinen tapaus! **2** vähän päälle: *the ticket cost me twenty something dollars* lippu maksoi reilut kaksikymmentä dollaria

sometime ['sʌm,taim] *adj* entinen *she's a sometime colleague of my wife's* hän on vaimoni entinen työtoveri *adv* joskus *sometime after two p.m.* joskus kello 14:n jälkeen *sometime this week* joskus tällä viikolla *sometime soon* pian, piakkoin

sometimes *adv* joskus, toisinaan

someway ['sʌm,wei] *adv* jotekin, tavalla tai toisella

somewhat ['sʌm,wʌt] *adv* hieman, hiukan, jonkin verran *it's somewhat too expensive* se on hieman liian kallis

somewhere ['sʌm,weər] *adv* **1** jossakin, jossain, jonnekin *she wished she were somewhere else* hän toivoi että hän olisi ollut jossakin muualla *from somewhere* jostakin **2** paikkeilla, tienoilla: *the temperature was somewhere around 80* lämpötila oli 30 (celsius)asteen paikkeilla *there were somewhere between two hundred and four hundred people there* paikalla oli 200–400 ihmistä

somnambulate [sɔm'næmbjə,leit] *v* kävellä unissaan

somnambulist [sɔm'næmbjə,list] *s* unissakävelijä

son [sʌn] *s* **1** poika **2** (puhutteluna) poikaseni **3** *the Son* Kristus, Ihmisen Poika

sonar [sounaər] *s* (eräänlainen kaikuluotain) sonar

sonata [sə'naːtə] *s* sonaatti

song [sɒŋ] *s* **1** laulu **2** *to buy/get something for a song* ostaa/saada jokin erittäin halvalla/pikkurahalla

songfest ['sɒŋ,fest] *s* laulujuhla

songster ['sɒŋstər] *s* **1** laulaja **2** säveltäjä **3** runoilija

songstress ['sɒŋ,strəs] *s* laulaja(tar)

songwriter ['sɒŋ,raitər] *s* (laulujen) säveltäjä ja/tai sanoittaja

sonic [sɒnik] *adj* ääni-

sonic barrier *s* äänivalli

sonic boom *s* ääntä nopeamman lentokoneen ym aiheuttama paineaalto

son-in-law ['sʌnin,lɑː] *s* (mon sons-in-law) vävy, tyttären mies

sonnet [sɒnət] *s* (14-säkeinen runo) sonetti

soon [suːn] *adv* **1** pian, kohta *as soon as possible* mahdollisimman pian *as soon as he had packed his bags* heti kun hän oli saanut laukkunsa pakatuiksi *soon after her divorce* pian avioeronsa jälkeen *it's too soon to tell what will happen* on liian aikaista sanoa miten käy **2** (toiveesta, halusta:) *I would as soon stay with you if you don't mind* jään mieluummin sinun luoksesi jos se sopii

sooner *adv* (komparatiivi sanasta **soon**) **1** aikaisemmin, ennemmin *no sooner had he bought the car than it broke down* auto hajosi heti kun hän oli ostanut sen *no sooner said than done* sanottu ja tehty **2** mieluummin

soonest *adv* (superlatiivi sanasta **soon**) mahdollisimman pian *I want you to come over soonest* haluan että tulet tänne pikimmiten

1 soot [sʊt] *s* noki

2 soot *v* noeta

soothe [suːð] *v* lievittää, helpottaa (kipua, oloa), rauhoittaa

soothing *adj* rauhoittava, (oloa) helpottava, lievittävä

soothingly *adv* rauhoittavasti, rauhoittavan, lievittävästi

soothsayer [ˈsuːθˌseɪər] *s* ennustaja, povaaja

sooty [sʊti] *adj* nokinen

sophism [safɪzəm] *s* **1** viisastelu **2** virhepäätelmä

sophist [safɪst] *s* **1** (hist) sofisti **2** viisastelija **3** filosofi

sophisticate [səˈfɪstɪkət] *s* hieno ihminen; hienostelija

sophisticated [səˈfɪstəˌkeɪtəd] *adj* **1** hienostunut, sivistynyt, tyylikäs, aistikas, kultivoitunut, elegantti *she has sophisticated tastes* hänellä on hieno maku **2** mutkikas, monimutkainen, kehittynyt, edistynyt *a sophisticated computer* pitkälle kehitetty tietokone

sophistication [səˌfɪstəˈkeɪʃən] *s* **1** hienostuneisuus, sivistyneisyys, tyylikkyys, aistikkuus, kultivoituneisuus, eleganssi **2** mutkikkuus, monimutkaisuus, kehittyneisyys, edistyneisyys

sophomore [ˈsafəˌmor] *s* toisen vuoden opiskelija (lukiossa, collegessa)

soporific [ˌsoʊpəˈrɪfɪk] *adj* unilääke *adj* **1** unettava, nukuttava **2** (kuv) pitkäveteinen, ikävystyttävä, väsyttävä, nukuttava

soppy [sapi] *adj* märkä, vetinen

soprano [səˈprænoʊ] *s* (mon **sopranos**) sopraano (ääni tai laulaja)

sorbitol [ˈsɔrbɪˌtaɔl] *s* sorbitoli

sorcerer [sɔrsərər] *s* noita, taikuri

sorceress [sɔrsərəs] *s* (naispuolinen) noita, taikuri

sorcery [sɔrsəri] *s* noituus, taikuus

sordid [sɔrdɪd] *adj* **1** alhainen **2** kurja, surkea, viheliäinen

sordidly *adv* **1** alhaisesti **2** kurjasti, surkeasti

sordidness *s* **1** alhaisuus **2** kurjuus, surkeus

sore [sɔr] *s* **1** haava, arka kohta (ruumiissa) **2** (kuv) arka paikka, kipeä paikka *adj* **1** arka, kipeä (kuv) arka, kipeä **3** (ark) kiukkuinen, ärtynyt, joka on pahalla päällä

sorely *adv* **1** arasti, kipeästi **2** (kuv) kovasti *he sorely misses her* hän kaipaa naista kipeästi

soreness *s* **1** kipu, arkuus **2** (kuv) kiukku

sorgum [sɔrgəm] *s* (kasvi) durra

sorority [səˈrɔrəti] *s* naisopiskelijoiden yhdistys

sorrily *adv* **1** surullisesti **2** surkeasti, kehnosti

1 sorrow [saroʊ] *s* suru

2 sorrow *v* surra

sorrowful *adj* surullinen

sorry [sari] *adj* **1** *to be sorry for something* olla pahoillaan jostakin, katua jotakin, surra jotakin **2** surkea, kehno, heikko *that's a sorry state of affairs* asiat ovat huonolla mallilla **3** anteeksi *(I am) sorry, I did not mean to hurt you* (pyydän) anteeksi, tarkoitukseni ei ollut loukata sinua

1 sort [sɔrt] *s* **1** laji, sortti (ark) *there were all sorts of people there* siellä oli kaikenlaista väkeä *what sort of book are you talking about?* minkä tyyppistä kirjaa tarkoitat? **2** eräänlainen, jonkinlainen, keskinkertainen *she's a sort of photographer* hän on jonkinlainen valokuvaaja *he's an artist of a sort* hän on jonkinlainen taiteilija **3** *to be out of sorts* olla maassa/masentunut; olla

huonossa kunnossa, ei voida hyvin, sairas-
tella; olla pahalla päällä/tuulella

2 sort v lajitella, jakaa ryhmiin

sorter s lajittelija

sort of adv aika, melko, jotenkin it's sort of
sad that she had to move on (tavallaan)
kurjaa että hän joutui muuttamaan

sort out v **1** lajitella, jakaa ryhmiin **2** ratketa,
päättyä let's see how this mess sorts out
katsotaan mihin tämä sotku johtaa **3** järjes-
tää, panna järjestykseen/kuntoon

so-so ['sou,sou] adj (ark) kohtalainen

so that konj jotta

soufflé [su'flei] s (ruoka) kohokas

sought [sɔ:t] ks seek

sought after v to be much sought after olla
kysytty/haluttu

soul [sɔəl] s **1** sielu the immortal soul kuole-
maton sielu **2** (kuv) olemus, sielu, sisin,
ydin with all her soul koko sielullaan
3 ihminen, sielu there was not a soul in
sight näkyvissä ei ollut risin sielua
4 (kuolleen) haamu, sielu **5** ruumiillistuma
she is the soul of goodness hän on itse
hyvyys **6** (mus) soul

soulful adj sielukas

soulless adj **1** sieluton **2** (kuv) sieluton, hen-
getön, tunteeton, (työ) yksitoikkoinen

soul music s soulmusiikki

soul-searching s itsetutkistelu

1 sound [saund] s **1** ääni the speed of sound
äänennopeus I could hear the sound of his
voice kuulin hänen äänensä funny sounds
came from the other room toisesta huo-
neesta kuului outoja ääniä **2** (kielen) äänne
3 vaikutelma by the sound of it he had a
good time kuulostaa siltä että hänellä oli
hauskaa **4** salmi, (vesistön) kapeikko
5 merenlahti Puget Sound Pugetinlahti

2 sound v **1** kuulua, soida a bang sounded in
the distance kaukaa kuului pamahdus
2 kuulostaa joltakin it sounds odd that she
should be mad kuulostaa uskomattomalta
että hän on vihainen **3** (lääk) koputtaa, tut-
kia koputtamalla **4** luodata, mitata **5** (kuv)
tutkia, luodata

3 sound adj **1** terve, ehjä, vahingoittumaton
to arrive safe and sound tulla perille eh-

jänä/ehjin nahoin **2** (taloudellisesti) vakaa,
varma, turvallinen **3** viisas, pätevä sound
advice viisas neuvo **4** (uni) sikeä **5** perin-
pohjainen, perusteellinen

4 sound adv perusteellisesti, läpikotaisin the
child is sound asleep lapsi nukkuu sikeästi

sound barrier s äänivalli to break the sound
barrier rikkoa äänivalli

1 sound bite ['saund,bait] s naseva vastaus
haastattelijan kysymykseen tai muu ytime-
käs repliikki joka soveltuu televisiossa
moneen kertaan toistettavaksi Senator
Brown has a knack for sound bites senaat-
tori Brown osaa ilmaista itsensä televisi-
ossa ytimekkäästi

2 sound bite v **1** pakottaa poliitikko vastaa-
maan lyhyesti **2** (kuvanauhan koostajasta)
leikata haastateltavan vastaus lyhyeksi

sounding s luotaus

soundless adj äänetön, hiljainen

soundlessness s äänettömyys, hiljaisuus

sound out v kuulostella sound him out yritä
saada selville mitä hän ajattelee asiasta

soundproof adj [saund,pru:f] ää[ni]eristetty

soundtrack ['saund,træk] s **1** filmin ääniraita
2 elokuvan musiikki

soundwave ['saund,weiv] s ääniaalto

soup [su:p] s keitto, liemi, soppa to be in the
soup (ark) olla nesteessä/pulassa from
soup to nuts alusta loppuun

soup up v (sl) **1** virittää (moottoria) **2** (kuv)
elävöittää, vilkastuttaa, piristää, tuoda eloa
johonkin, panna vauhtia johonkin

soupy adj **1** sakea **2** (ark, kuv) imelä

sour [sauər] v **1** hapata, hapantua, hapattaa
2 (kuv) pilata, huonontaa **3** (kuv) katkeroi-
tua, katkeroittaa adj **1** hapan **2** pilaantunut,
hapan to turn sour hapantua, pilaantua
3 (kuv) hapan, myrtynyt, katkera; vasten-
mielinen, ikävä

source [sɔ:s] s **1** (joen) lähde, alkulähde
2 (kuv) lähde, alkulähde, alkuperä the
source of a problem ongelman syy

source language s (käännöksen) alkukieli,
lähtökieli, lähdekieli

source material s lähdeaineisto

sour cream s hapankerma

sourdough ['sauər,dou] s hapatus, hapantaikina

sourly adv (kuv) happamesti, katkerasti

south [sauθ] s **1** etelä **2** the South (Yhdysvaltain) etelä (valtiot) Deep South (Yhdysvaltain) syvä etelä adj eteläinen, etelä- adv etelässä, etelään

southbound ['sauθ,baund] adv joka on matkalla etelään, etelään suuntainen

southeast [,sauθ'ist] s **1** kaakko **2** the Southeast (Yhdysvaltain) kaakkoisosa, kaakkoiset osavaltiot adj kaakkoinen, kaakkois- adv kaakkoon, kaakkoon

southeaster s kaakkoistuuli, kaakkoinen

southeasterly adj kaakkoinen, kaakkois- adv kaakosta, kaakkoon

southerly [sʌðərli] s eteläituuli adj eteläinen, etelä- adv etelään

southern [sʌðərn] s **1** etelämaalainen **2** (Yhdysvalloissa) eteläivaltiolainen adj **1** eteläinen, etelä-, etelä **2** Southern Yhdysvaltain eteläosan, eteläivaltioiden

southern hemisphere s eteläinen pallonpuolisko

southernmost [sʌðərn,moust] adj eteläisin

southmost ['sauθ,moust] adj eteläisin

southpaw ['sauθ,pa] s (ark) vasuri, vasenkätinen

South Pole s etelänapa

southward ['sauθ,wərd] adj eteläinen, etelään avautuva/suuntautuva adv etelään

southwards adv etelään

southwest [,sauθ'west] s **1** lounas **2** the Southwest (Yhdysvaltain) lounaisosa, lounaiset osavaltiot adj lounainen, lounais- adv lounaassa, lounaaseen

southwester s lounaistuuli, lounainen

southwesterly adj lounainen, lounais- adv lounaasta, lounaaseen

southwestward adj lounainen, lounaaseen avautuva/suuntautuva adv lounaaseen

southwestwards adv lounaaseen

souvenir [,suvə'nıər] s matkamuisto

sou'wester [,sau'westər] s **1** (päähine) syydvesti **2** (merimiesten) sadetakki

sovereign [savrən] s hallitsija, suvereeni adj **1** täysivaltainen, itsenäinen **2** kuninkaalli-

nen **3** ylin, korkein, korkea-arvoisin **4** ylivoimainen, paras, suvereeni

sovereignty [savrənti] s **1** täysivaltaisuus, itsenäisyys, suvereenius **2** kuninkaallisuus **3** ylin/korkein valta **4** itsehallintoalue

soviet [souviət] s **1** neuvosto **2** Soviet (us mon) neuvostoliittolainen adj **1** neuvosto- **2** Soviet nevostoliittolainen, Neuvostoliitton

sow [sau] s **1** emakko **2** (esim karhun) naaras

sow [sou] v sowed, sown/sowed: kylvää (myös kuv) you reap what you sow mitä ihminen kylvää sitä hän myös niittää

so what fr entä sitten?, mitä sitten?, mitä siitä?

soy [sɔı] s soija, soijapapu

soybean ['sɔı,bin] s soijapapu, soija

soybean oil s soijaöljy

soy flour s soijajauho

soy sauce s soijakastike

space [speis] s **1** avaruus **2** tila, paikka, väli lack of space tilan puute, ahtaus there's still space left here for more people tänne mahtuu lisää väkeä, täällä on vielä vapaita paikkoja there was no more space on the nine o'clock train yhdeksän junassa ei enää ollut paikkoja/tilaa parking space pysäköintipaikka leave enough space between the lines kirjoita rivit tarpeeksi harvaan, jätä tarpeeksi tyhjää rivien väliin **3** kohta fill out/in all the blank spaces täytä kaikki tyhjät kohdat **4** aika in the space of four days neljässä päivässä

2 space v jättää tyhjää/väliä johonkin, erottaa toisistaan

spacecraft ['speis,kræft] s (mon spacecraft) avaruusalus

spaced [speist] adj konekirjoituksessa yms rivivälistä: single-spaced ykkösrivivälillä kirjoitettu/tulostettu (rivien välissä ei tyhjää) double-spaced kakkosrivivälillä kirjoitettu/tulostettu (rivien välissä yksi tyhjä rivi)

spaced-out adj (sl) **1** joka on (huume)pilvessä **2** (kuv) jolla ei ole jalat maassa, jolla on pää pilvissä

spaceless adj ääretön, suunnaton, rajaton

spatula

spaceman ['speɪs‚mæn] *s* (mon spacemen) **1** astronautti **2** avaruusolento

space out *v* erottaa toisistaan, levittää, jättää enemmän väliä johonkin

space platform *s* avaruusasema

space probe *s* avaruusluotain

space-saving *adj* tilaa säästävä, pieni(kokoinen)

spaceship ['speɪs‚ʃɪp] *s* avaruusalus

space station *s* avaruusasema

space travel *s* avaruuslennot

space walk *s* avaruuskävely

spacewoman ['speɪs‚wʊmən] *s* (mon spacewomen) (naispuolinen) astronautti

spacing *s* (konekirjoituksessa yms) riviväli

spacious [speɪʃəs] *adj* **1** tilava **2** laaja; lakea

spade [speɪd] *s* **1** lapio *to call a spade a spade* puhua suoraan; suoraan sanoen **2** (pelikorteissa) pata *spades is trump* pata on valttia **3** (sl) musta (ihminen) **4** *in spades* (ark) erittäin, täysi; suoraan, siekailematta

spaghetti [spə'geti] *s* spagetti

1 spam [spæm] *s* (tietok) sähköpostimainos, roskameili, roskaposti

2 spam *v* (tietok) lähettää roskapostia

1 span [spæn] *s* **1** vaaksa **2** väli, etäisyys, (sillan) kaari, (lentokoneen siiven) kärkiväli **3** aika, jakso **4** valjakko

2 span *v* **1** mitata vaaksalla **2** ulottaa/ulottua jostakin johonkin *the history of our company spans three generations* yhtiömme juontaa juurensa kolmen sukupuolven takaa *the Bay Bridge spans San Francisco Bay* Bay Bridgen silta ylittää San Franciscon lahden

1 spangle [spæŋgəl] *s* (kiiltävä puvun koriste) paljetti

2 spangle *v* **1** koristella paljeteilla **2** kimallella, säkenöidä

1 spank [spæŋk] *s* läimäys, läimäytys

2 spank *v* läimäyttää *dad will spank you if you don't do your homework* saat isältä selkään jos et lue läksyjä

spanking *s* selkäsauna *to get a spanking* saada piiskaa, (kuv) saada sapiskaa *adj* **1** vikkelä, ripeä **2** (ark) upea, komea

spanner *s* (UK) lenkkiavain *adjustable spanner* jakoavain

1 spar [spɑː] *s* salko, masto, puomi

2 spar *v* **1** (nyrkkeilijä) harjoitella **2** nyrkkeillä **3** riidellä, kinata

1 spare [speər] *s* **1** ylimääräinen osa, varaosa, (autossa) vararengas

2 spare *v* **1** säästää joku joltakin *to spare the enemy* säästää vihollinen rangaistuksilta *spare me your boring jokes* älä viitsi kertoa minulle tylsiä vitsejäsi **2** liietä *can you spare a dime?* liikeneekö sinulta kymmenen senttiä? **3** *to have something to spare* olla ylimääräistä, jäädä yli

3 spare *adj* **1** vara-, ylimääräinen *spare part* varaosa *spare time* vapaa-aika **2** säästeliäs, säästäväinen; niukka, vähäinen

spare part varaosa

spareribs ['speər‚rɪbz] *s* (mon, ruuanlaitossa) kylki

spare time vapaa-aika

1 spark *s* kipinä

2 spark *v* kipinöidä, iskeä kipinöitä

1 sparkle [spɑːkəl] *s* kipinä

2 sparkle *v* **1** kipinöidä, iskeä kipinöitä **2** (kuv) kipinöidä, säkenöidä

sparkling water *s* kivennäisvesi

sparkly *adj* (kuv) kipinöivä, säkenöivä, vilkas, eloisa

spark plug *s* sytytystulppa

sparrow [sperou] *s* **1** sirkku **2** varpunen

sparrow hawk *s* varpushaukka

sparse [spɑːs] *adj* vähäinen, niukka, harva

spasm [spæzəm] *s* kouristus

spasmodic [spæz'mɒdɪk] *adj* **1** kouristuksellinen, spastinen **2** ajoittainen, satunnainen **3** ailahteleva, oikukas

spastic [spæstɪk] *s* spastikko, aivovauriolapsi *adj* spastinen, kouristuksellinen

spat [spæt] ks spit

spate [speɪt] *s* (kuv) tulva, ryöppy

spatial [speɪʃəl] *adj* tilaa koskeva, tila-; avaruudellinen

1 spatter [spætər] *s* **1** ripotus; sade **2** roiske, pärske

2 spatter *v* **1** ripotella; sade **2** roiskia, roiskua, pärskiä, pärskyä

spatula [spætʃʊlə] *s* lasta

spawn   1100

1 spawn [span] *s* **1** mäti, kutu **2** (kuv) jälke-
läinen; jälkeläiset

2 spawn *v* **1** kutea **2** (kuv) synnyttää, herät-
tää, jostakin seuraa jotakin

spay [spei] *v* steriloida (naaraseläin)

spaying [speiŋ] *s* (eläimen) sterilointi

speak [spik] *v* spoke, spoken **1** puhua **2** kes-
kustella, jutella, jutustaa, puhua **3** pitää
puhe, esitelmöidä, puhua **4** *so to speak* niin
sanoakseni/sanoaksemme, tavallaan

speaker *s* **1** puhuja, luennoija, esitelmöijä
2 (edustajainhuoneen yms) puhemies
3 kaiutin

speakerphone ['spikəɹˌfoun] *s* kaiutinpuhelin

speak for *v* **1** tukea, kannattaa jotakuta **2** pu-
hua jonkun puolesta *speak for yourself*
puhu vain omasta puolestasi **3** varata *she is
already spoken for* hän ei enää ole va-
paana, häntä on jo kositty

speaking terms *to be on speaking terms with*
tuntea joku (pinnallisesti); olla jonkun
kanssa hyvissä väleissä *not be on speaking
terms with* ei olla jonkun kanssa puheväl-
eissä, olla riidoissa jonkun kanssa

speak of *there is no water to speak of in the
wash* joen uomassa ei ole nimeksikään
vettä

speak out *v* ottaa kantaa, sanoa mitä ajatte-
lee, puhua suoraan

speak up *v* **1** korottaa ääntään **2** ottaa kantaa,
puhua suoraan

speak up for *v* puolustaa jotakuta

1 spear [spiəɹ] *s* **1** keihäs **2** (ruohon) korsi,
(jyvän) itä

2 spear *v* **1** puhkaista, läpäistä **2** itää

1 spearhead ['spiəɹˌhed] *s* **1** keihään kärki
2 (kuv) johtaja, tienraivaaja, uranuurtaja,
esitaistelija

2 spearhead *v* johtaa, panna alulle, ottaa en-
simmäisenä käyttöön, toimia jonkin puo-
lesta esitaistelijana

spearmint [spiəɹˌmint] *s* viherminttu

special [speʃəl] *s* **1** erikoistarjous **2** (televisi-
ossa) erikoisohjelma *adj* erityinen, erikoi-
nen, erityis-, erikois-, poikkeuksellinen,
poikkeus- *a special situation* poikkeusti-
lanne *what's so special about it?* mitä ih-

meellistä siinä on? *she's very special to me*
hän on minulle hyvin tärkeä

special delivery *s* pikaposti

specialist [speʃəlɪst] *s* asiantuntija, spesia-
listi, (lääk) erikoislääkäri

specialization [ˌspeʃələˈzeɪʃən] *s* **1** erikoistu-
minen **2** erikoisala

specialize ['speʃəˌlaɪz] *v* erikoistua johonkin
(in)

specially *adv* erityisen, erikoisen, erityisesti,
varta vasten *we had it specially made for
you* teetimme sen varta vasten sinulle

specialty [speʃəltɪ] *s* **1** erikoisuus, erityis-
piirre **2** erikoisala **3** harvinaisuus, erikoi-
suus, uusi kauppatavara

specie [spiʃiː] *s* **1** metalliraha **2** *in specie* me-
tallirahana; samalla tavalla, samalla mi-
talla

species [spiːʃiːz] *s* (mon species) laji *On the
Origin of Species* (Darwinin teos) Lajien
synty

specific [spəˈsɪfɪk] *adj* tietty, erityinen, ni-
menomainen

specifically [spəˈsɪfɪklɪ] *adv* erityisesti *he
specifically told you not to eat any apples*
hän kielsi sinua nimenomaan syömästä
omenoita

specification [ˌspesəfəˈkeɪʃən] *s* **1** täsmen-
nys, erittely **2** (mon) (tarkka) kuvaus/suun-
nitelma, tekniset tms tiedot **3** erityisvaati-
mus, ehto

specify ['spesəˌfaɪ] *v* **1** eritellä, täsmentää, il-
moittaa, mainita erikseen *unless specified*
ellei erikseen mainita **2** vaatia, edellyttää

specimen [spesəmən] *s* **1** esimerkki, malli-
kappale, näyte **2** (lääk) näyte

specious [spiːʃəs] *adj* joka vaikuttaa päällisin
puolin hyvältä/uskottavalta/vakuuttavalta

speck [spek] *s* **1** tahra, täplä **2** hitunen, hiuk-
kanen

1 speckle [spekəl] *s* täplä, pilkku, näppy

2 speckle *v* täplittää, pilkuttaa; varistaa, ripo-
tella

specs [speks] *s* (ark mon) **1** silmälasit **2** tek-
niset tiedot

spectacle [spektəkəl] *s* **1** esitys, näytös **2** ko-
mea esitys/juhla, spektaakkeli **3** (mon) sil-

mälasit **4** *to make a spectacle of yourself* nolata itsensä

spectacled *adj* silmälasipäinen

spectacled bear *s* silmälasikarhu

spectacular [spek'tækjələr] *adj* loistokas, komea, pramea, huomiota herättävä, kohua herättävä

spectacularly *adv* loistokkaasti, komeasti, prameasti, huomiota herättävästi, kohua herättävästi *he failed spectacularly* hän epäonnistui komeasti/täydellisesti

spectator [spekteıtər] *s* katsoja

spectator sport *s* penkkiurheilu(laji)

specter [spektər] *s* **1** aave, haamu, kummitus **2** (kuv) uhka, pelko *the specter of failure hovered above him* epäonnistumisen uhka synkisti hänen elämäänsä

spectrum [spektrəm] *s* (mon spectra, spectrums) kirjo, spektri

speculate ['spekə,leıt] *v* **1** pohtia, pohdiskella, miettiä, tutkistella, järkeillä **2** arvailla, olettaa, päätellä **3** keinotella

speculation [,spekjə'leıʃən] *s* **1** pohdinta, mietiskely, tutkistelu, järkeily **2** arvailu, oletus, päättelmä *answering that question calls for speculation* kysymykseen voi vastata vain arvailemalla **3** keinottelu

speculative [spekjələtıv] *adj* **1** pohdiskeleva, mietiskelevä, mietteliäs **2** arvailuun, oletuksiin, päätelmiin perustuva, teoreettinen **3** keinotteleva, keinottelu-

speculator ['spekə,leıtər] *s* keinottelija

speculum [spekjələm] *s* (mon specula, speculums) **1** (lääk) tähystin, spekulum **2** peili

sped [sped] ks speed

speech [spiːtʃ] *s* **1** puhe, puhuminen *the faculty of speech* puhetaito **2** puhuttu kieli **3** (juhla- tai muu) puhe *that was quite a speech* (ironisesti) sinähän melkoisen puheen pidit **4** (kieliopissa) esitys *direct speech* suora esitys *indirect speech* epäsuora esitys

speechless *adj* sanaton *she was speechless* hän ei tiennyt mitä sanoa

1 speed [spiːd] *s* **1** nopeus *at the speed of sound* äänen nopeudella **2** vauhti *at full/top speed* täyttä vauhtia (myös kuv) *to be*

up to speed olla täydessä vauhdissa (myös kuv) **3** (filmin) herkkyys, nopeus **4** (kameran) (suljin)aika **5** (sl) amfetamiini yms, spiidi (sl)

2 speed *v* sped/speeded, sped/speeded **1** kiitää, viiletää **2** rikkoa nopeusrajoitusta **3** nopeuttaa, kiirehtiä, vauhdittaa jotakin *she sped my application through the department in record time* hänen ansiostaan laitos käsitteli hakemukseni ennätysajassa

speeding *s* ylinopeus, nopeusrajoituksen rikkominen *he was fined for speeding* hän sai ylinopeussakon

speed limit *s* nopeusrajoitus

speedometer [spə'damətər] *s* nopeusmittari

speedster [spiːdstər] *s* **1** hurjastelija **2** eräs avoautotyyppi, speedster

speed-up *s* nopeuttaminen, nopeutuminen

speed up *v* nopeuttaa, kiihdyttää, vauhdittaa

speedway [spiːd,weı] *s* (moottori)kilparata

speedy *adj* nopea

1 spell [spel] *s* **1** kausi, (ajan)jakso *the dry spell lasted for three weeks* kuivuus jatkui kolme viikkoa *sit with me for a spell* paina hetkeksi puuta **2** hetki, lyhyt aika *for a spell* hetkeksi, vähäksi aikaa **3** lumous *you put a spell on me* sinä lumosit minut

2 spell *v* spelled/spelt, spelled/spelt **1** tavata *please spell your full name* olkaa hyvä ja tavatkaa täydellinen nimenne **2** kirjoittaa *how do you spell your name?* miten nimesi kirjoitetaan? **3** merkitä, enteillä *the clouds spell no good for our hike* pilvet eivät enteile hyvää vaelluksemme kannalta **4** tuurata (ark), päästää joku lepäämään

spellbound ['spel,baʊnd] *adj* lumoutunut, (kuin) lumottu

spelling *s* oikeinkirjoitus

spelling bee *s* oikeinkirjoituskilpailu

spelling mistake *s* kirjoitusvirhe

spell out *v* **1** selittää juurta jaksain, vääntää rautalangasta (ark) **2** kirjoittaa (numero) kirjaimin, kirjoittaa (lyhenne) kokonaan, ei lyhentää

spend [spend] *v* spent, spent **1** käyttää, kuluttaa *he has spent all his money* hän on käyttänyt kaikki rahansa *she spent two weeks writing her paper* hän käytti aineen kirjoit-

spender 1102

tamiseen kaksi viikkoa **2** viettää (aikaa) *she spends the winters in Florida* hän viettää talvet Floridassa

spender *s* tuhlari *he's a big spender* hän panee rahaa menemään minkä ehtii

spendthrift ['spend,θrıft] *s* tuhlari, törsääjä (ark) *adj* tuhlaavainen

spent [spent] *v* 1 ks *spend* **2** loppu, loppuun kulunut **3** loppuun väsynyt, uupunut

sperm [spɜːm] *s* **1** siemenneste, sperma **2** (mon sperms, sperm) siittiö

spermatozoon [,spɜːmətə'zoʊən] *s* (mon spermatozoa) siittiö

spew [spjuː] *v* **1** oksentaa **2** syöstä

sphere [sfɪər] *s* **1** pallo **2** (kuv) piiri, alue *rare coins are outside her sphere of interest* harvinaiset metallirahat eivät kuulu hänen harrastuksiinsa

spherical [ˈsferɪkəl ˈsfɪrɪkəl] *adj* pallon muotoinen, pallomainen

1 spice [spaɪs] *s* **1** mauste **2** (kuv) pippuri, maku, mauste *he would add a little spice to his stories* hänellä oli tapana lisätä juttuihinsa omiaan

2 spice *v* **1** maustaa **2** (kuv) piristää, maustaa, höystää, lisätä omiaan johonkin

spick-and-span [,spɪkən'spæn] *adj* putipuhdas

spicy *adj* **1** (voimakkaasti) maustettu **2** (kuv) piikikäs, pureva, kärkevä **3** uskalias, rohkea **4** (ark) vilkas, eloisa, pirteä

spider [spaɪdər] *s* hämähäkki

spider web *s* hämähäkinverkko

spidery *adj* joka muistuttaa hämähäkinverkkoa

spied [spaɪd] ks *spy*

spiel [spiːl] *s* (ark) mainospuhe

spike [spaɪk] *s* **1** (rautatiessä) koiranaula **2** piikki **3** (äkillinen) kasvu, nousu, lisäys, (sähkö)piikki **4** (mon, teräväkärkiset kengät) spittarit (ark)

spike up *v* kasvaa, nousta, lisääntyä (äkkiä)

spiky *adj* terävä, teräväkärkinen, suippo

1 spill [spɪl] *s* **1** syttyvä neste **2** vuoto

2 spill *v* spilled/spilt, spilled/spilt **1** (nesteestä, irtonaisista esineistä) läiskyä, läiskyttää, loiskua, loiskuttaa, valua/valuttaa yli, pudota/pudottaa/levitä/levittää sinne

tänne; vuotaa *I spilled some milk on my pants* läikytin maitoa housuilleni **2** vuodattaa (verta) **3** (hevonen) heittää selästään **4** (ark) kertoa, paljastaa (salaisuus) *to spill the beans* (ark) möläyttää, paljastaa salaisuus (ja pilata yllätys)

spillage [ˈspɪlɪdʒ] *s* **1** (nesteen) läiskyminen; vuoto **2** läiskynyt neste; vuoto

spilt ks *spill*

1 spin [spɪn] *s* **1** pyörähdys, kierros **2** (auto)ajelu *can I take you for a spin?* lähdetkö kanssani ajelulle? **3** (esim hintojen) jyrkkä lasku

2 spin *v* spun, spun **1** kehrätä **2** pyöriä, pyörittää **3** (ark) soittaa (äänilevyjä) **4** keksiä omasta päästä; punoa

spinach [ˈspɪnɪtʃ] *s* pinaatti

spinal [spaɪnəl] *adj* selkärangan, selkäranka-, selkäytimen, selkäydin-

spinal cord *s* selkäydin

spindle [ˈspɪndəl] *s* **1** värttinä, kehrävarsi **2** (rukissa) kehrä, värttinä, (kehruukoneessa) kehräin, värttinä **3** (analogisen levysoittimen/levylautasen) tappi

spin-dry [ˈspɪnˈdraɪ] *v* kuivata (pyykki) linkoamalla, lingota kuivaksi

spine [spaɪn] *s* **1** selkäranka (myös kuv:) perusta, pohja; kestokyky, vahvuus **2** (kirjan) selkä **3** (eläimen) piikki

spineless *adj* selkärangaton (myös kuv:) heikko

spinning *s* **1** kehruu **2** kelastus, virvelionginta

spinning wheel *s* rukki

spin off *v* keksiä jotakin jonkin olemassaolevan perusteella

spin-out *s* auton luistelu (ark)

spin out *v* **1** pitkittää, venyttää **2** (auto) alkaa luistella (ark)

spinster [spɪnstər] *s* vanhapiika

spiny *adj* **1** (eläin, kasvi) visainen **2** (ongelma) visainen

1 spiral [spaɪrəl] *s* kierukka, spiraali

2 spiral *v* **1** kiertää/kiertyä/nousta kierukan tavoin **2** (kuv) nousta, kallistua

spire [spaɪər] *s* **1** terävähuippuinen torni, tornikatto **2** terävä (vuoren ym) huippu **3** laki, huippu (myös kuv) **4** kierukka, spiraali

spirit [spirət] *s* **1** henki *the Holy Spirit* Pyhä Henki *to be present in spirit* olla hengessä/ ajatuksissa mukana **2** aave, henki **3** rohkeus, tarmo, into, henki *that's the spirit!* noin sitä pitää! **4** olemus, henki *the spirit of the law* lain henki *the spirit of the times* ajan henki **5** (mon) mieliala *to be in low/ high spirits* olla mieli maassa/korkealla *to be out of spirits* olla mieli maassa **6** (mon) viina

spirit away *v* kuljettaa/viedä salaa pois/jonnekin

spirited *adj* kiihkeä, rohkea, vilkas, ponnekas

spiritedly *adv* kiihkeästi, rohkeasti, ponnekkaasti

spiritism [ˈspɪrɪˌtɪzəm] *s* spiritismi

spiritist [spiritist] *s* spiritisti

spiritistic [ˌspɪrɪˈtɪstɪk] *adj* spiritistinen

spiritless *adj* innoton, vaisu, laimea, ponneton

spirit off *v* kuljettaa/viedä salaa pois/jonnekin

spiritual [spɪrɪtʃʊəl] *s* hengellinen laulu *adj* hengellinen

1 spit [spit] *s* sylki

2 spit *v* spat, spat: sylkeä (myös kuv) *he spat the words out of his mouth* hän sylki sanat suustaan

1 spite [spait] *s* ilkeys *she did it out of spite* hän teki sen ilkeyttään/kiusallaan

2 spite *v* kiusata jotakuta, olla ilkeä jollekulle *to cut off your nose to spite your face* aiheuttaa kiusaa vain itselleen

spiteful *adj* pahansisuinen, pahansuopa, ilkeä

spitting image [ˌspɪtənˈɪmɪdʒ] *he is the spitting image of his father* hän on ilmetty isänsä

spittle [spɪtl] *s* sylky

spit up *v* oksentaa

1 splash [splæʃ] *s* läiskähdys, loiskahdus, roiskahdus

2 splash *v* loiskahtaa, loiskauttaa, roiskua, roiskauttaa

splatter [splætər] *v* roiskua

spleen [splin] *s* **1** perna **2** (kuv) sappi, kiukku

spleenful *adj* sapekas, kiukkuinen, äkäinen, pahansisuinen

spleeny *adj* sapekas, kiukkuinen

splendent [splendənt] *adj* **1** kirkas, loistava, hohtava **2** loistokas, loistelias, komea

splendid [splendəd] *adj* **1** loistokas, loistelias, komea **2** loistava, erinomainen

splendidly *adv* **1** loistokkaasti, komeasti **2** loistavasti, erinomaisesti *you did splendidly in the exam* selvisit tentistä loistavasti

splendor [splendər] *s* loisto, loistokkuus, komeus *Sharon Stone in all her splendor* Sharon Stone kaikessa kauneudessaan

1 splice [splais] *s* **1** yhdistäminen, yhteen liittäminen **2** (filmin, ääninauhan) leikkaaminen

2 splice *v* **1** kiinnittää yhteen, yhdistää **2** leikata (ja liimata elokuvaa, ääninauhaa) **3** (ark) vihkiä (avioliittoon)

1 splint [splint] *s* (lääk) lasta

2 splint *v* (lääk) lastoittaa

1 splinter *s* siru, sirpale, pirstale

2 splinter *v* **1** pirstoa, pirstoutua **2** (ryhmä) hajota, hajottaa (sirpaleryhmiksi)

1 split [splɪt] *s* **1** halkeama, repeämä, lohkeama **2** välirikko, (puolueen tms) jakaantuminen **3** (mon) (baletissa) spagaatti **4** (jäätelöannos) banana split **5** (tal) osakkeen pilkkominen nimellisarvoltaan pienempiin yksiköihin

2 split *v* split, split **1** halkaista, haljeta **2** lohkaista, lohjeta **3** repäistä (rikki), revetä **4** jakaa (keskenään, ryhmiin), jakautua/hajota (ryhmiin) **5** erota (työstä, puolisosta)

split second *s* **1** sekunnin murto-osa **2** (kuv) silmänräpäys

split-second *adj* silmänräpäyksessä tapahtuva *she made a split-second decision* hän ratkaisi asian silmänräpäyksessä

split up *v* **1** erota (puolisosta, seurasta) *let's split up and meet here at six* lähdetään kumpikin/kukin omille teillemme ja tavataan täällä kuudelta **2** jakaa, jakautua *we split up the money* panimme rahat tasan

split-up *s* (ryhmän) jakautuminen; (asumus-, avio)ero

1 splutter [splʌtər] *s* **1** tohotus, soperrus **2** pärske

splutter 1104

2 splutter v **1** sopertaa, puhua tohottaa, sanoa tohottaen **2** pärskyä, pärskyttää

1 spoil [spɔɪəl] s **1** (yl mon) (ryöstö)saalis *to the victor belong the spoils* saalis kuuluu voittajalle **2** ryöstö, ryöväys

2 spoil v spoiled/spoilt, spoiled/spoilt **1** pilata, tärvellä **2** pilaantua **3** pilata (lapsi) hemmottelulla **4** ryöstää, ryövätä **5** *to be spoiling for something* (ark) odottaa malttamattomana jotakin

spoiler s **1** pilaaja **2** ryöstäjä, ryöväri **3** (lentokoneen, auton) spoileri

spoilsport ['spɔɪl,spɔːt] s ilonpilaaja

1 spoke [spəʊk] s (pyörän) puola, pinna

2 spoke v ks speak

spoken v ks speak adj (kieli) puhuttu, puhe-

spokesman ['spəʊksmən] s (mon spokesmen) tiedottaja, edustaja

spokesperson ['spəʊks,pɜːsən] s tiedottaja, edustaja

spokeswoman ['spəʊks,wʊmən] s (mon spokeswomen) tiedottaja, edustaja

1 sponge [spʌndʒ] s (pesu- tms) sieni *to throw in the sponge* (ark) antaa periksi, luovuttaa

2 sponge v pestä (sienellä)

sponge out v pyyhkiä pois

sponge up v imeä (itseensä) (myös kuv)

spongy adj **1** (pesu)sienimäinen **2** pehmeä

1 sponsor [spansər] s **1** takaaja **2** mainostaja, tukija, rahoittaja, sponsori

2 sponsor v tukea, rahoittaa, sponsoroida, mainostaa jossakin (tv-ohjelmassa, urheilukilpailussa yms)

spontaneity [,spontə'neɪəti] s tahattomuus, omaehtoisuus, spontaanius

spontaneous [span'teɪnɪəs] adj tahaton, omaehtoinen, spontaani

1 spook [spuːk] s (ark) aave, kummitus, haamu

2 spook v **1** kummitella **2** (ark) pelästyä, pelästyttää

1 spool [spuːl] s kela

2 spool v kelata

spoon [spuːn] s lusikka *she was born with a silver spoon in her hand* hänellä on rikkaat vanhemmat, hän on rikkaasta kodista

spoon-feed [,spuːn'fiːd] v **1** syöttää (lusikalla) **2** hemmotella, lelliä, pitää kuin kukkaa kämennellä

spoonful s (mon spoonfuls) lusikallinen

sporadic [spə'rædɪk] adj satunnainen, hajanainen *he made sporadic visits to his grandmother* hän kävi isoäitinsä luona silloin tällöin

spore [spɔː] s itiö

1 sport [spɔːt] s **1** (myös mon) urheilu *are you interested in sports?* kiinnostaako urheilu sinua? **2** urheilulaji **3** huvi, hauskanpito **4** pila, pilkka **5** pilkan kohde **6** (ark) kaveri, heppu

2 sport v **1** hauskutella, pitää hauskaa, huvitella **2** leikkiä, leikitellä (esim jonkun tunteilla) **3** pilkata jotakin (at) **4** (ark) käyttää, pitää päällään, olla jollakulla *the new model sports a six-speed transmission* uudessa mallissa on kuusinopeuksinen vaihteisto

3 sport adj urheilu-

sporting adj urheilullinen, urheilua harrastava; urheilu- *sporting goods* (kaupassa) urheiluvälineet

sportive [spɔːtɪv] adj **1** leikkisä, vilkas, iloinen **2** urheilu-

sports adj urheilu-

sports car s urheiluauto

sportsman [spɔːtsmən] s (mon sportsmen) **1** urheilija **2** reilu mies/ihminen

sportsmanship ['spɔːtsmən,ʃɪp] s **1** urheilijan taidot **2** reiluus, rehtiys

sportswoman ['spɔːts,wʊmən] s (mon sportswomen) (nais)urheilija

sporty adj (ark) **1** urheilullinen **2** komea, upea, tyylikäs

1 spot [spat] s **1** täplä, läiskä, pilkku **2** (kuv) tahra **3** paikka, kohta *on this very spot* juuri tässä, tällä samalla paikalla *X marks the spot* (ark) juuri tässä, tässä kohden *to be in a* (bad) *spot* olla pinteessä, olla tukalassa tilanteessa *to be on the spot* olla pinteessä/kiusallisessa tilanteessa *to do something on the spot* tehdä jotakin heti/viipymättä **4** (yl mon) näht(ävyyd)et; ravintolat *we usually hit the spots after work* me lähdemme yleensä työn jälkeen kiertamään kapakoita *to hit the high spots* katsoa (vain) tärkeimmät nähtävyydet, poimia parhaat palat **5** (sl) (tietyn suuruinen) seteli: *here's a five spot, go see a movie* tuossa on vitonen, mene elo kuviin **6** *to hit the spot* (ark) olla hyvään tarpeeseen **7** (tal) avista(kurssi)

2 spot *v* **1** tahrata, tahria **2** puhdistaa tahrat (vaatteesta ennen pesua) **3** täplittää *the hills were spotted with private homes* kukkuloilla oli siellä täällä omakotitaloja

spot check *s* pistokoe

spot-check *v* tarkistaa pistokokein, tehdä pistokoe

spotless *adj* **1** (täydellisen) siisti, puhdas **2** (kuv) tahraton, moitteeton, virheetön

spotlight *s* **1** 'spat,lait] **1** valonheitin, kohdevalaisin, spotti **2** (kuv) valokiila *to be in the spotlight* olla (julkisuuden) valokiilassa

2 spotlight *v* **1** valaista (valonheittimellä) **2** (kuv) tuoda (erityisesti) esiin, korostaa

spotted *adj* täplikäs, laikukas

spotted dick *s* [spatəd'dık] *s* (brittiläinen) lämmin jälkiruoka jossa on rusinoita

spotty *adj* täplikäs, laikukas

spouse [spaʊs] *s* puoliso

1 spout [spaʊt] *s* **1** (esim kannun) nokka, suu, suutin **2** (sadevettä katolta alas johtava) syöksyputki

2 spout *v* **1** syöstä, ruiskuttaa, pärskyttää **2** (ark) paasata jostakin

spouted *adj* (astia) nokallinen, jossa on nokka

1 sprain [spreın] *s* nyrjähdys

2 sprain *v* nyrjäyttää *she sprained her ankle* hän nyrjäytti nilkkansa

sprang [spræŋ] ks spring

sprat [spræt] *s* (kala) kilohaili

1 sprawl [spral] *s* **1** retkottava asento **2** levittäytyminen, leviäminen, rönsyily (kuv) *the urban sprawl* kaupunkien laajeneminen

2 sprawl *v* **1** retkottaa *he sprawled in the easy chair* hän retkotti nojatuolilla **2** rehottaa, levittäytyä (sinne tänne), rönsyillä (kuv)

1 spray [spreı] *s* suihku, suihke

2 spray *v* suihkua, suihkuttaa

1 spread [spred] *s* **1** leviäminen, levittäminen *the spread of knowledge* tiedon levitys **2** väli, etäisyys **3** (tal) (esim osto- ja myyntikurssin tai kahden eri arvopaperin hinnan välinen) ero **4** alue: *a spread of forest* metsä **5** (vuoteen) peite **6** (ark) koreaksi pantu pöytä **7** (voileipä- ym) levite **8** (lehdessä) aukeama **9** (lehdessä) pitkä juttu; iso mainos

2 spread *v* spread, spread **1** levitä, levittää *the rumor is spreading* huhu leviää *to spread a rumor* levittää huhua *she spread mayonnaise on a bun* hän levitti sämpylälle majoneesia **2** *to spread yourself thin* olla liian monta rautaa tulessa

spread-eagle *s* ['spred,igəl] *v* levittää jalat ja kädet haralleen *adj* **1** jolla on jalat ja kädet harallaan **2** mahtipontinen; yltiöisänmaallinen

spreader *s* lasta; voiveitsi

sprightly [sprartli] *adj* reipas, virkeä, eloisa, vilkas *he's a sprightly old man* hän on pirteä vanhus

1 spring [sprıŋ] *s* **1** lähde **2** kevät **3** hyppy; ponnahdus **4** jousto, joustavuus **5** vuoto

2 spring *v* sprang/sprung, sprung **1** hypätä **2** laukaista, lauata, (lukko) avata, avautua **3** roiskua, syöksyä **4** saada alkunsa, syntyä, olla peräisin jostakin (from) **5** *to spring to mind* tulla/muistua mieleen **6** *to spring a leak* puhjeta, alkaa vuotaa, johonkin tulee reikä **7** (sl) vapauttaa (vankilasta)

springboard ['sprıŋ,bɔrd] *s* ponnahduslauta (myös kuv)

spring-cleaning *s* kevätsiivous

spring for *v* (ark) maksaa, tarjota

spring forth *v* roiskua, syöksyä

springtime ['sprıŋ,taım] *s* kevät

spring up *v* saada alkunsa, syntyä *many computer companies sprung up in Silicon Valley in the seventies* Piilaaksoon perustettiin 70-luvulla paljon tietokonealan yrityksiä

springy *adj* joustava, kimmoisa

1 sprinkle [sprıŋkəl] *s* **1** tihkusade **2** sirote

2 sprinkle *v* ripotella, ripottaa, sirotella

sprinkler [sprıŋklər] *s* **1** (kattoon kiinnitetty palosammutin) sprinkleri **2** (puutarhan tms) sadetin

sprint

1 sprint [sprɪnt] *s* kiri; (pika)juoksu

2 sprint *v* kiriä; juosta, rynnätä

sprinter *s* pikamatkan juoksija, sprintteri

sprocket [sprɑkɪt] *s* (ketjupyörän) hammas

1 sprout [spraʊt] *s* **1** (kasvin) verso, vesa, itu **2** (mon) idut (ruokana) **3** *Brussels sprout* ruusukaali

2 sprout *v* **1** (kasvi) versoa, itää, orastaa **2** (kuv) versoa, orastaa, saada alkunsa, syntyä *new office buildings are sprouting downtown* keskustaan nousee uusia toimistorakennuksia

spruce [spruːs] *s* kuusi

spruce up *v* kohentaa, parantaa, siistiä, siistiytyä

sprung [sprʌŋ] ks spring

spun [spʌn] ks spin

spunk [spʌŋk] *s* (ark) tarmo, sisu

spunky *adj* (ark) rohkea, sisukas

1 spur [spɜːr] *s* **1** kannus **2** (kuv) kannustin, yllyke, kiihoke **3** sivuraide

2 spur *v* kannustaa (myös kuv:) yllyttää, innostaa, rohkaista

spurious [spjʊərɪəs] *adj* väärennetty, väärä, valheellinen, teeskennelty, epäaito

spurn [spɜːn] *v* **1** hylätä (tarjous) halveksuen **2** halveksia, ylenkatsoa

spur of the moment *on the spur of the moment* hetken mielijohteesta, valmistelematta, yhtäkkiä

spur-of-the-moment *adj* hetken mielijohteesta tapahtunut/tehty, valmistelematon, yhtäkkinen

1 spurt [spɜːt] *s* **1** suihku, syöksy **2** ryntäys, kiri, spurtti (ark)

2 spurt *v* **1** syöksyä, syöstä, suihkua, suihkuttaa, ruiskuta, virrata **2** rynnätä, kiriä

1 sputter [spʌtər] *s* **1** sihinä, rätinä **2** pärske **3** tohotus, vouhotus

2 sputter *v* **1** sihistä, rätistä **2** pärskiä, sylkeä (kuv) **3** tohottaa, vouhottaa

1 spy [spaɪ] *s* vakooja; urkkija

2 spy *v* **1** vakoilla; urkkia, nuuskia **2** nähdä, huomata, havaita

spyglass [spaɪglæs] *s* (pieni) kaukoputki

spy on *v* vakoilla jotakuta, urkkia jonkun puuhia

spy out *v* saada selville, huomata

---

1 squabble [skwɒbəl] *s* kina, tora, riita

2 squabble *v* kinata, riidellä

squad [skwɒd] *s* **1** (sot) ryhmä **2** (poliisi)partio

squadron [skwɑdrən] *s* **1** (laivastossa) eskaaderi **2** (ilmavoimissa) laivue **3** (ilmavoimissa) lentomuodostelma **4** (ratsuväessä) eskadroona

squalid [skwɒlɪd] *adj* **1** siivoton, likainen, rähjäinen, ränsistynyt **2** kurja, surkea

1 squall [skwɔːl] *s* **1** (tuulen)puuska **2** (kuv) myrsky, melske **3** huuto, parkuna

2 squall *v* parkua, huutaa

squalor [skwɒlər] *s* likaisuus, siivottomuus, rähjäisyys, kurjuus

squander [skwɒndər] *v* tuhlata (rahaa, aikaa), panna hukkaan

1 square [skweər] *s* **1** neliö **2** ruutu **3** aukio **4** (mat) neliö, toinen potenssi **5** (sl) nynny, tosikko **6** *on the squares* suora, suorassa kulmassa; (ark kuv) rehellinen, vilpitön *out of square* vino; erilainen kuin (with)

2 square *v* **1** tehdä kulmikkaaksi; pyöristää **2** (mat) korottaa toiseen potenssiin **3** suoristaa (hartiat), suoristautua, ryhdistäytyä **4** maksaa (velka), tasoittaa (tilit, peli)

3 square *adj* **1** neliömäinen, neliön muotoinen; nelikulmainen, suorakulmainen; kulmikas **2** (mitta) neliö- *square meter* neliömetri **3** kanttiinsa (ark) *the room is 15 feet square* huone on noin 5 x 5 metrin kokoinen **4** suorakulmainen, suora **5** rehellinen, suora, siekailematon, vilpitön **6** (sl) tosikkomainen, nynny

square away *v* hoitaa, selvittää, huolehtia jostakin

square deal *s* (ark) rehti sopimus

squarely *adv* (kuv) suoraan, avoimesti, siekailematta

square meal *s* (ark) tuhti ateria

square off *v* **1** tehdä kulmikkaaksi; pyöristää **2** valmistautua (tappeluun, taisteluun) (myös kuv)

square one *s* lähtöruutu *we were back to square one* jouduimme aloittamaan uudelleen alusta

square up *v* maksaa lasku

square with *v* **1** sovittaa jokin johonkin/jonkin mukaiseksi **2** olla jonkin mukainen, olla yhtäpitävä jonkin kanssa

squash [skwɑʃ] **1** kurpitsa **2** (seinätennis) squash *v* **1** litistää, litistyä, musertaa, musertua, survoa **2** vaimentaa, kukistaa, tukahduttaa **3** ahtaa, ahtautua, tunkea, tunkeutua, sulloa, sulloutua

1 squat [skwɑt] *s* kyykky

2 squat *v* **1** kyykkiä **2** asettua (laittomasti tai laillisesti) asumaan jonnekin

3 squat *adj* **1** joka on kyykyssä, (asento) kyykky- **2** tanakka, lyhyenläntä, pönäkkä **3** (talo, auto) matala ja leveä

squatter [skwɑtər] *s* (laiton tai laillinen) asuttaja

squaw [skwɑ] *s* intiaaninainen, skuoo

1 squawk [skwɑk] *s* kiljaisu, kirkaisu, rääkäisy

2 squawk *v* kiljaista, kirkaista, rääkäistä

1 squeak [skwik] *s* **1** kiljaisu, kirkaisu; narina, narahdus, narske **2** (ark) tilaisuus, mahdollisuus

2 squeak *v* **1** kiljaista, kirkaista; narista, narahtaa, narskua **2** (sl) vasikoida, antaa ilmi

squeak by *v* **1** hiipiä jonkun ohitse **2** selvitä jostakin jotekin kuten/nipin napin/rimaa hipoen

squeaky *adj* kitisevä, nariseva, narskuva

1 squeal [skwil] *s* **1** kiljahdus, parahdus **2** (sl) vasikointi, ilmianto

2 squeal *v* **1** kiljahtaa, kiljahtaa, parahtaa **2** (sl) vasikoida, antaa ilmi

squeamish [skwimɪʃ] *adj* **1** pikkutarkka, nirso **2** herkkä (voimaan pahoin) **3** herkkä (loukkaantumaan/järkyttymään), herkkähermoinen, herkkätuntoinen

squeamishness *s* **1** pikkutarkkuus, nirsoilu **2** herkkyys, taipumuus pahoinvointiin **3** herkkyys, herkkähermoisuus, herkkätuntoisuus

squeegee [skwidʒi] *s* kumireunainen lasta jolla ikkuna pyyhitään pesun jälkeen kuivaksi

1 squeeze [skwiz] *s* **1** puristus, rutistus **2** kädenpuristus, kättely **3** halaus, rutistus **4** (kuv) ahdinko, pula, tiukka paikka **5** (sl) heila, tyttöystävä

2 squeeze *v* **1** puristaa, rutistaa **2** ahtaa, ahtautua, sulloa, sulloutua, tunkea, tunkeutua **3** halata, rutistaa **4** (kuv) panna ahtaalle

1 squelch [skweltʃ] *s* **1** (esim mudan) molskahdus **2** (radion) kohinasalpa

2 squelch *v* **1** musertaa, litistää **2** kahlata, rämpiä, tarpoa **3** vaimentaa, hiljentää **4** (mudan äänestä) molskahtaa

squid [skwɪd] *s* (mon squid, squids) (kymmenlonkeroinen mustekala) kalmari

1 squint [skwɪnt] *s* **1** (silmien) siristys **2** (silmien) karsastus, kierosilmäisyys

2 squint *v* **1** siristää (silmiään) **2** (silmät) karsastaa

squint-eyed [ˈskwɪntˌaɪd] *adj* **1** kierosilmäinen, karsassilmäinen **2** (kuv) karsas, nurja

squirm [skwɜrm] *v* **1** vääntelehtiä **2** (kuv) olla (hyvin) vaivaantunut/kiusaantunut

squirrel [skwɜrəl] *s* orava

squirrel away *v* hamstrata

squirrel out *v* (ark) keplotella itsensä eroon jostakin

1 squirt [skwɜrt] *s* ruiskaus, ruiskautus

2 squirt *v* ruiskaista, ruiskauttaa, ruiskuta

1 stab [stæb] *s* **1** pisto; työntö, sohaisu **2** yritys

2 stab *v* **1** puhkaista, pistää **2** puukottaa **3** työntää, sohaista

stabile [steibəl] *s* talli (myös kuv:) ryhmä, joukko, joukkue *adj* vankka, luja, vakaa, varma, pysyvä *the patient is in stable condition* potilaan tila on vakaa

stability [stəˈbɪləti] *s* **1** vakavuus, vankkuus, lujuus **2** (henkinen) tasapaino

stabilization [ˌsteibəlaiˈzeiʃən] *s* tukeminen, lujittaminen, vakautus

stabilize [ˈsteibəˌlaiz] *v* **1** tukea, lujittaa, lujittua **2** vakauttaa, vakautua

1 stab in the back *s* (kuv) katala temppu

2 stab in the back *v* (kuv) pettää, kohdella katalasti/kavalasti

stabilizer *s* vakain *horizontal stabilizer* (lentokoneen) korkeusvakain

staccato [stəˈkatou] *s* (mus) staccato-esitys *adj* (mus) staccato, katkeon

1 stack [stæk] *s* **1** pino **2** (mon) (kirja- tai muut) hyllyt **3** (mon) (kirjaston) kirjavarasto **4** savupiippu; savupiippuryhmä

5 (tietok) pino **6** *to blow your stack* (sl) polttaa päreensä, pillastua

2 stack *v* pinota, kasata

stack up *v* **1** *to stack up well against something* (ark) kestää vertailu johonkin **2** (ark) pitää kutinsa, kuulostaa uskottavalta, olla uskottava

stadium [steɪdɪəm] *s* (mon stadiums, stadia) **1** stadion **2** (kehitys)vaihe

1 staff [stæf] *s* (mon staffs) **1** henkilökunta, henkilöstö, työntekijät *teaching staff* opettajat **2** (sot) esikunta

2 staff [stæf] *s* (mon staves) **1** sauva, (kävelytai muu) keppi, tanko **2** valtikka **3** lipputanko **4** nuottiviivasto

3 staff *v* palkata, nimittää, ottaa työhön

4 staff *adj* **1** (sot) esikunta- **2** vakinainen

staffer *s* työntekijä

1 stag [stæg] *s* **1** uroshirvi **2** uros **3** (juhlissa) mies ilman naisseuralaista **4** (ark) miesten kemut

2 stag *v* (ark) (miehestä) mennä juhliin ilman naisseuralaista

3 stag *adj* vain miehille tarkoitettu, miesten

4 stag *adv* ilman naisseuralaista

stage [steɪdʒ] *s* **1** vaihe, porras *by easy stages* vähitellen, rauhallisesti, kaikessa rauhassa, kiireettömästi **2** puhujakoroke, puhujalava, esiintymislava **3** (teatterin) näyttämö *to be on the stage* (näyttelijästä yms) esiintyä parhaillaan *to go on the stage* ruveta näyttelijäksi, siirtyä teatterialalle *to hold the stage* jatkaa (näytelmän yms) esittämistä, pitää ohjelmistossa; olla huomion keskipisteenä **4** *the stage* teatteri **5** (elok) studio **6** (hevosten vetämät) postivaunut **7** (raketin) vaihe

stagecoach *s* (hevosten vetämät) postivaunut

stage fright *s* ramppikuume

1 stagger [stægər] *s* **1** huojunta, horjunta, hoippuva kävely **2** porrastus, porrasteinen järjestys

2 stagger *v* **1** hoippua, horjua, huojua, kävellä hoippuen **2** empiä, horjua **3** hämmästyttää, ällistyttää, järkyttää **4** porrastaa

staggering *adj* hämmästyttävä, ällistyttävä, järkyttävä

stagnant [stægnənt] *adj* pysähtynyt, seisahtunut, hidastunut

stagnation [stægˈneɪʃən] *s* **1** pysähtyminen, seisahtuminen, hidastuminen **2** (tal) pysähdystila, stagnaatio

stag party *s* **1** miesten kemut **2** (sulhasen) polttarit

staid [steɪd] *adj* vakava, totinen, tosikkomainen, tasainen, tyyni

staidly *adv* vakavasti, totisesti, tasaisesti, tyynesti

1 stain [steɪn] *s* **1** tahra (myös kuv) **2** väri(aine)

2 stain *v* **1** tahria, tahrata (myös kuv) **2** värjätä

stainless *adj* **1** ruostumaton *stainless steel* ruostumaton teräs **2** moitteeton, tahraton

stair [steər] *s* **1** porras, askelma **2** (mon) portaat

staircase [ˈsteəkeɪs] *s* portaikko, portaat

stairhead [ˈsteəhed] *s* portaiden ylätasanne

1 stairstep [ˈsteəstep] *s* **1** porras, askelma **2** (mon) portaat, portaikko

2 stairstep *v* olla portaittain jossakin

stairway [ˈsteəweɪ] *s* portaikko, portaat

stairwell [ˈsteəwel] *s* porraskuilu

1 stake [steɪk] *s* **1** keppi, tappi, seiväs, merkkipaalu *to pull up stakes* (ark kuv) pakata laukkunsa, lähteä, muuttaa **2** polttorovio **3** (vedonlyönnin) panos; osuus *to be at stake* olla vaakalaudalla/pelissä *what's your stake in this?* paljonko sinä olet pannut peliin?; (kuv) mikä osuus sinulla on tässä? **4** (mon) palkinto, potti (ark)

2 stake *v* **1** rajata, merkitä (paaluilla) **2** sitoa (eläin) **3** panna peliin/likoon, panna alttiiksi, riskeerata

stake off *v* **1** rajata, merkitä (paaluilla) **2** varata/vaatia itselleen

stakeout [ˈsteɪkaʊt] *s* **1** (poliisin toimeenpanema) väijytys, varjostus, (salainen) valvonta **2** väijytyspaikka, piilo

stake out *v* **1** (poliisi) väijyä, pitää (salaa) silmällä, varjostaa **2** varata/vaatia itselleen **3** rajata, merkitä (paaluilla)

stalactite [ˈstæləktaɪt] *s* stalaktiitti, (luolan kattoon kiinnittynyt) tippukivipuikko

stalagmite [stəˈlæɡ,maɪt] s stalagmiitti, (luolan pohjasta kohoava) tippukivipylväs

stale [steɪl] adj **1** (ruoka) vanha, kuivunut, (juoma) väljähtynyt, (ilma) ummehtunut **2** (kuv) väljähtynyt, kulunut, väsynyt, kyllästynyt

1 stalemate [ˈsteɪl,meɪt] s **1** (šakissa) patti **2** (kuv) umpikuja

2 stalemate v (kuv) saattaa/joutua/ajautua umpikujaan

1 stalk [stɔːk] s **1** (kasvin) korsi, varsi, (lehden) ruoti **2** varsi, tuki **3** väijytys

2 stalk v **1** väijyä, vaania (myös kuv) **2** hiipiä **3** (kävelystä) marssia (esim tiehensä)

1 stall [stɔːl] s **1** pilttuu **2** talli **3** koju, kioski, pieni myymälä shower stall suihkukaappi **4** (lentokoneen) sakkaus **5** (moottorin) sammuminen

2 stall v **1** panna pilttuuseen/talliin **2** (lentokoneesta) sakata, saada (vahingossa lentokone) sakkaamaan **3** (moottorista) sammua, sammuttaa (vahingossa moottori) **4** hidastaa, hidastua, jarruttaa, seisauttaa, seisahtua, keskeyttää, keskeytyä **5** viivytellä, vitkastella, pelata aikaa **6** juuttua, saada juuttumaan

stallion [ˈstæljən] s ori

stalls s (mon) (UK) (teatterin) permanto

stamina [ˈstæmɪnə] s voima, kestokyky, sietokyky

1 stammer [ˈstæmər] s änkytys

2 stammer v änkyttää

1 stamp [stæmp] s **1** postimerkki **2** leima **3** (kuv) jälki to leave your stamp somewhere jättää jälkensä johonkin **4** ruokakuponki (ks food stamp)

2 stamp v **1** tallata; polkea maata; polkea sammuksiin; polkea (kiukuspäissään) jalkaansa **2** marssia (kiukuspäissään tiehensä) **3** kukistaa, tukahduttaa **4** leimata **5** varustaa postimerkillä, liimata postimerkki (kirjeeseen tms) **6** paljastaa, osoittaa joku joksikin

stamp collector s postimerkkeilijä

1 stampede [stæmˈpiːd] s **1** (vauhkoontuneen karjan, pillastuneiden hevosten) pako **2** hillitön rytäkkä, myllerrys, sekasorto **3** rodeo- ja markkinatilaisuus

2 stampede v **1** (karja, hevoset) paeta vauhkoontuneena **2** rynnätä, tulvia, syöksyä päätä pahkaa jonnekin

stance [stæns] s **1** asento **2** (kuv) suhtautuminen, asenne **3** (golf) stanssi, jalkojen asento pelaajan tähdätessä palloon open stance avoin stanssi, asento jossa oikeakätinen pelaaja tähtää kohteesta vasemmalle closed stance suljettu stanssi, asento jossa oikeakätinen pelaaja tähtää kohteesta oikealle straight stance suora stanssi, asento jossa pelaajan jalkaterät ovat poikittain pallon suunniteltuun lentorataan nähden

1 stand [stænd] s **1** pysähdys, seisahdus **2** kanta, asenne **3** vastarinta; taistelu **4** paikka **5** puhujakoroke, (oikeudessa) todistajan aitio to take the stand todistaa oikeudessa **6** (mon) katsomo **7** teline, jalusta, alusta **8** (pieni) pöytä **9** (myynti)koju, lehtikioski

2 stand v stood, stood **1** seisoa **2** nousta seisomaan **3** asettaa, panna (johonkin) he stood the vase on the table hän pani maljakon pöydälle **4** pysähtyä **5** kestää, sietää, kärsiä his business dealings do not stand closer scrutiny hänen liiketoimensa eivät kestä lähempää tarkastelua I can't stand him en voi sietää häntä **6** olla tietyn pituinen she stands five feet four hän on 160 cm:n mittainen **7** olla jotakin mieltä: where do you stand on this issue? mikä on kantasi tässä kysymyksessä? **8** olla voimassa the ruling stands päätös on edelleen voimassa **9** mahdollisuudesta: she stands to lose/gain a lot by keeping quiet hänelle on suurta vahinkoa/paljon hyötyä siitä jos hän pysyy hiljaa

standard [ˈstændəd] s **1** mittapuu, mitta, normi **2** taso **3** (tuotteen) tavallinen malli, vakiomalli **4** lippu **5** ikivihreä (laulu, kappale) **6** (tal) kanta: the gold standard kultakanta adj **1** normi- **2** vakiintunut, yleisesti hyväksytty **3** yleinen, tavallinen, vakio-, (kieli) yleis-

standard-bearer s lipunkantaja (myös kuv:) edelläkävijä, esitaistelija, tienraivaaja

standardize [ˈstændərdaɪz] v vakioida, normittaa, standardoida

standard of living s elintaso

standard behind v tukea jotakuta, luottaa johonkuhun/johonkin

standby ['stænd,bai] s (mon standbys) 1 uskollinen kannattaja 2 varapelaaja, varakone yms hätävara 3 standby-matkustaja 4 to be on standby olla valmiina

stand by v 1 tukea, auttaa jotakuta 2 pitää kiinni (mielipiteestään), ei antaa periksi 3 olla valmiina (myös nousemaan lentokoneeseen standby-matkustajana), pysytellä puhelimessa

stand down v 1 luopua (kilpailusta), luovuttaa 2 erota, erottaa, poistaa käytöstä

standee [stæn'di] s seisova matkustaja/katsoja

stand for v 1 tarkoittaa what does 'IRS' stand for? mistä IRS on lyhenne? 2 kannattaa, puoltaa 3 (ark) sietää, kestää

stand-in s sijaisnäyttelijä, sijainen

stand in for v toimia jonkun sijaisena, tuurata (ark) jotakuta

standing s 1 asema 2 korkea/ylhäinen asema 3 kestosta: of long standing pitkäaikainen 4 seisominen adj 1 seisova, pysty-, jalka- 2 (hyppy) vauhditon 3 pysähtynyt, seisahtunut 4 jatkuva, pysyvä

stand in with v 1 olla salaliitossa jonkun kanssa, vehkeillä/juonitella yhdessä jonkun kanssa 2 olla lähiväleissä/hyvissä väleissä jonkun kanssa

stand off v 1 pysytellä loitolla 2 lykätä, siirtää myöhemmäksi

standoff ['stæn,daf] s (urh) tasapeli

standoffish [,stæn'dafiʃ] adj etäinen, viileä, koppava

stand on v 1 vaatia 2 perustua johonkin, olla jonkin varassa

stand out v 1 työntyä esiin, sojottaa, törröttää, ulota 2 pistää silmään, erottua hyvin, työntyä näkyviin 3 pitää pintansa, ei antaa periksi

standout ['stænd,aut] s joku joka on (aivan) omaa luokkaansa, virtuoosi

stand over v 1 valvoa, pitää silmällä 2 lykätä, siirtää myöhemmäksi

stand pat fr pysyä kannassaan, ei taipua, ei muuttaa mieltään, pitää kiinni jostakin

standstill ['stænd,stil] s pysähdys, seisahdus

stand to v 1 pysyä kannassaan, ei perua jotakin, pitää kiinni jostakin 2 jatkaa (sinnikkäästi) 3 olla valmiina

stand up v 1 nousta seisomaan 2 kestää, pitää pintansa 3 (sl) antaa rukkaset, jättää saapumatta tapaamiseen

stand up for v 1 puolustaa 2 olla avustajana jonkun häissä

stank [stæŋk] ks stink

stanza [stænzə] s (mon stanzas) (runon) säkeistö

1 staple [steipəl] s 1 sinkilä 2 päätuote, tärkein myyntitavara 3 peruselintarvike 4 (kuv) vakiotavara, pääasiallinen sisältö

2 staple v nitoa

3 staple adj pääasiallinen, tärkein, pää-, perus-

stapler [steiplər] s (laite) nitoja

1 star [star] s 1 tähti (myös kuv) to make someone see stars (kuv) saada joku näkemään tähtiä, iskeä joku tajuttomaksi to thank your lucky stars (saada) kiittää onnean

2 star v tähdittää, esiintyä (tähtenä) elokuvassa, näytelmässä yms

starboard [starbərd] s tyyrpuuri, (laivan, lentokoneen) oikea puoli

1 starch [startʃ] s 1 tärkkelys 2 (mon) tärkkelysruuat; ruuat joissa on runsaasti hiilihydraatteja 3 (kovetusaineena) tärkki 4 (kuv) jäykkyys, virallisuus

2 starch v tärkätä

starchy adj 1 tärkkelys- 2 tärkkelyspitoinen 3 tärkätty 4 (kuv) jäykkä, virallinen

stardom [stardəm] s (filmi- tms) tähden asema, tähteys

1 stare [steər] s tuijotus, töllötys

2 stare v 1 tuijottaa, töllöttää, katsoa (herkeämättä) 2 pistää silmään 3 to stare you in the face olla (kuv) vääjäämättä edessä, olla (uhkaavan) lähellä

stare down v mulkoilla jotakuta vihamielisesti, yrittää katseellaan saada joku tekemään/tuntemaan jotakin

starfish s meritähti

stark [stark] adj räikeä, silmiinpistävä, paljas, alaston, karu adv täysin, aivan

starling [starliŋ] s kottarainen

starry *adj* **1** (taivas) jolla on paljon tähtiä, tähtikirkas **2** (kuv) säkenöivä
1 start [start] *s* **1** alku, lähtö (tapahtuma tai paikka) **2** säpsähdys **3** etumatka
2 start *v* **1** lähteä, aloittaa, alkaa **2** käynnistää (moottori) **3** säpsähtää, vavahtaa **4** auttaa alkuun
starter *s* **1** aloittelija **2** (kilpailun) osanottaja **3** (kilpailussa) lähettäjä **4** (moottorin) käynnistin **5** *for starters* (ark) aluksi, alkajaisiksi; ensinnäkin, ensinnäkään
startle [startəl] *v* **1** säikäyttää, pelästyttää *I was startled to learn that* hämmästyin kun sain kuulla että **2** säpsähtää
startling [startliŋ] *adj* hämmästyttävä, yllättävä
start-up ['start,ʌp] *s* **1** käynnistäminen, aloittaminen **2** uusi/nuori yritys
starvation ['star,veɪʃən] *to die of/from starvation* kuolla nälkään
starve [starv] *v* **1** kuolla nälkään **2** nähdä nälkää, näännyttää nälkään **3** kaivata kovasti jotakin (for)
1 state [steɪt] *s* **1** tila **2** asema **3** tyylikkyys, arvokkuus **4** valtio **5** osavaltio **6** *the States* (ark) Yhdysvallat **7** *State* Yhdysvaltain ulkoministeriö **8** *to lie in state* (ruumiista) olla nähtävänä
2 state *v* esittää, sanoa, todeta
3 state *adj* **1** valtion **2** osavaltion **3** juhla-
stateliness *s* komeus, mahtavuus, loisto, juhlallisuus
stately *adj* komea, ylväs, vaikuttava, mahtava, juhlallinen
statement [steɪtmənt] *s* **1** kannanotto, toteamus, lausunto, julkilausuma, väite **2** vaikutelma: *driving a Rolls definitely makes a statement* Rollsilla ajaminen puhuu selvää kieltä **3** (pankissa) tiliote
stateroom ['steɪt,rum] *s* (laivassa) yhden hengen hytti, (junassa) yhden hengen (makuuvaunu)osasto
stateside ['steɪt,saɪd] *adj* Manner-Yhdysvaltain *adv* Manner-Yhdysvaltoihin
statesman [steɪtsmən] *s* (mon statesmen) valtiomies
static [stætɪk] *s* **1** hankaussähkö, kitkasähkö **2** (radion) ilmastohäiriöt **3** (ark kuv) vai-

keus, hankaluus *don't give me any static about it* älä hangoittele vastaan, älä urputa (sl) *adj* **1** liikkumaton, muuttumaton, pysyvä; paikallaan polkeva **2** (sähkö, fys) staattinen
statics [stætɪks] *s* (verbi yksikössä) statiikka
1 station [steɪʃən] *s* **1** sijainti, paikka, asema **2** asema *fire station* paloasema *gas station* huoltoasema *radio station* radioasema
2 station *v* sijoittaa joku jonnekin (asemapaikkaan)
stationary [steɪʃə,neri] *adj* liikkumaton, paikallaan pysyvä; vakaa, sama
station wagon *s* farmariauto
statistic [stə'tɪstɪk] *s* tilastotieto
statistical *adj* tilastollinen
statistician [,stætɪs'tɪʃən] *s* tilastotieteilijä
statistics *s* **1** (verbi yksikössä) tilastotiede **2** (verbi mon) tilasto
statue [stætʃu] *s* patsas, veistos
statuette [,stætʃu'et] *s* pienoisveistos
stature [stætʃər] *s* **1** pituus, korkeus **2** asema
status [steɪtəs] *s* **1** asema *social status* yhteiskunnallinen asema **2** tila
status quo [,steɪtəs'kwou] *s* vallitseva tila, nykytila, status quo
status symbol *s* statussymboli
statute [stætʃut] *s* säännös, säädös, laki
statutory [stætʃə,tɔri] *adj* laillinen, lain mukainen
staunch [stɔntʃ] *adj* uskollinen, luja, vannoutunut
1 stave [steɪv] *s* **1** (tynnyrin) kimpi **2** (tikkaiden) puola **3** (mus) nuottiviivasto **4** (runon, laulun) säkeistö **5** sauva, keppi, tanko
2 stave *v* staved/stove, staved/stove: puhkaista, puhjeta
stave off *v* torjua, ehkäistä, estää
1 stay [steɪ] *s* **1** pysähdys, seisahdus **2** oleskelu *during her stay in Bolivia* hänen Boliviassa ollessaan **3** (tuomion) lykkäys **4** tuki, vahvike, kovike **5** (purjelaivassa) harus
2 stay *v* **1** jäädä *to stay in bed* jäädä vuoteeseen, pysyä vuoteessa *the weather stayed warm* saa jatkui lämpimänä, sää pysyi lämpimänä **2** asua, oleskella, viettää (aikaa) *we stayed at a cheap motel* yö-

vyimme halvassa motellissa **3** pysähtyä, pysäyttää, lakata, lopettaa **4** tukea (myös kuv), vahvistaa (myös kuv) **5** (mer) harustaa, tukea haruksilla

stay put *fr* pysyä aloillaan, ei liikku

steadfast ['sted‚fæst] *adj* järkkymätön, luja, vakaa

1 steady [stedi] *s* (ark) vakinainen mies/naisystävä, tyttö/poikaystävä

2 steady *v* tukea, lujittaa, lujittua, rauhoittaa, rauhoittua, vakauttaa, vakautua

3 steady *adj* **1** vankka, vakaa, luja **2** tasainen, säännöllinen, vakaa, luotettava **3** *to go steady* (ark) seurustella vakinaisesti

steady-handed *adj* (kuv) rauhallinen, vakaa, luotettava, tasainen

steak [steik] *s* pihvi, (kalasta) filee

steakhouse ['steik‚haus] *s* pihviravintola

1 steal [sti:l] *s* (ark) erittäin halpa (kauppa)tavara: *at fifty dollars, this easy chair is a steal* 50 dollaria on pilkkahinta tästä nojatuolista

2 steal *v* stole, stolen **1** varastaa, viedä jotakulta jotakin **2** hiipiä, viedä salaa

stealing *s* **1** varastaminen, varkaus **2** (mon) varastetut tavarat

1 steam [stim] *s* höyry *to blow off steam* päästä ilmoille liikoja höyryjä, purkaa kiukkuaan

2 steam *v* **1** höyrytä, höyryttää **2** (ark) suuttua; raivota

steamboat ['stim‚bout] *s* höyrylaiva

steam engine *s* höyrykone

1 steamer *s* höyrylaiva

2 steamer *v* matkustaa höyrylaivalla

1 steamroller ['stim‚roulər] *s* höyryjyrä

2 steamroller *v* **1** (myös höyryjyrällä) **2** (kuv) jyrätä alleen *the president steamrolled the bill through Congress* presidentti hyväksytti lakiehdotuksen kongressilla puoliväkisin

steamship ['stim‚ʃɪp] *s* höyrylaiva

steamy *adj* **1** höyryinen, kostea, höyrystynyt **2** (ark) eroottinen

steel [sti:l] *s* teräs *v: to steel yourself to/ against something* valmistautua johonkin, terästäytyä kohtaamaan jokin

steel gray *s* teräksenharmaa

steelworks ['stiəl‚wɜrks] *s* (verbi yksikössä tai mon) terästehdas

steely *adj* **1** teräksinen, teräs- **2** teräksenharmaa **3** teräksenkova (myös kuv)

steep [stip] *adj* **1** jyrkkä **2** (ark) kallis *v* liottaa, liota; hauduttaa, hautua

steeped in *to be steeped in something* olla yltä päältä jonkin peitossa, olla uppoutunut johonkin, olla täynnä jotakin, olla jonkin verhoama

steeple [stipəl] *s* (esim kirkon) torni

1 steeplechase ['stipəl‚tʃeis] *s* estelaukka(kilpailu); estejuoksu(kilpailu) (maastossa)

2 steeplechase *v* harrastaa estelaukkaa/estejuoksua, osallistua estelaukkakilpailuun /estejuoksukilpailuun

steeply *adv* jyrkästi

1 steer [stiər] *s* nuori härkä

2 steer *v* ohjata (myös kuv) *she steered the car to* ajoi hän ohjasi auton oikealle

steer clear of *fr* pysytellä kaukana jostakin, välttää

steering wheel *s* ohjauspyörä

1 stem [stem] *s* **1** (kasvin) varsi, (puun) runko, (lehden) ruoti, (erilaisten esineiden) varsi, kaula, ruoti **2** sanan vartalo **3** (sukupuun) päähaara **4** (hiihdossa) aura, auraus

2 stem *v* **1** irrottaa ruodit **2** olla peräisin jostakin (from) **3** padota; tukkia **4** pysäyttää, lopettaa, tyrehdyttää **5** (hiihdossa) aurata

stench [stentʃ] *s* löyhkä, lemu, paha haju

1 stencil [stensəl] *s* luotta, kaavain, malline, sabloni

2 stencil *v* piirtää/kirjoittaa luotalla

stenographer [stə'nagrəfər] *s* pikakirjoittaja

stenography [stə'nagrəfi] *s* pikakirjoitus

1 step [step] *s* **1** askel *watch your step!* katso mihin astut, ole varovainen **2** askel **3** tahti, marssi *to break step* lakata marssimasta tahdissa *to be in step* olla marssia tahdissa; (kuv) olla oikeilla jäljillä *to be out of step* ei marssia tahdissa; ei olla (esim ajan) tasalla *to keep step* pysyä (samassa) tahdissa (myös kuv) **4** vaihe, askel (kuv) *the government is taking steps to increase exports* hallitus on ryhtynyt toimiin viennin lisäämiseksi *we're two steps away from disaster* me olemme katastrofin partaalla **5** (mus) sävelaskel **6** porras, askelma

2 step v **1** astua **2** porrastaa

stepdaughter ['step,dɔtər] s tytärpuoli

step down v **1** laskea, vähentää, alentaa **2** erota (työstä), luopua (vallasta)

stepfather ['stepfɑðər] s isäpuoli

step in v **1** astua remmiin, tulla jonkun tilalle **2** puuttua johonkin, sekaantua johonkin

stepmother ['step,mʌðər] s äitipuoli

step on it fr (ark) panna kaasu pohjaan, painaa nasta lautaan; pistää vipinää kinttuihin, pitää kiirettä

step out v **1** pistäytyä ulkona/ulkopuolella **2** kävellä nopeammin, lisätä vauhtia **3** mennä yhdessä ulos

steppe [step] s aro

stepson ['step,sʌn] s poikapuoli

step up v **1** lisätä, kasvattaa **2** nopeuttaa **3** ylentää (korkeampaan asemaan) **4** edistyä, parantua, kehittyä

stereo ['steriou] s (mon stereos) **1** stereoäänentoisto **2** stereot, stereolaitteet *adj* stereo-, stereofoninen

stereophonic [,steriə'fɑnik] *adj* stereofoninen, stereo-

1 stereotype [,steriə,taip] s **1** (kirjapainossa) stereotypia **2** kaavoittunut/kaavamainen/kangistunut käsitys

2 stereotype v **1** (kirjapainossa) stereotypioida **2** esittää/kuvata kaavamaisesti **3** *to become stereotyped* kangistua kaavoihinsa, vakiintua

stereotypy ['steriə,taipi] s **1** (kirjapainossa) stereotypia **2** (psyk) stereotypia

sterile ['sterəl] *adj* **1** hedelmätön, lisääntymiskyvytön, steriili **2** bakteeriton, (täysin) puhdas, steriili **3** (kuv) hedelmätön

sterility [stə'riliti] s **1** hedelmättömyys, lisääntymiskyvyttömyys, steriliteetti **2** bakteerittomuus, (täydellinen) puhtaus, steriiliys **3** (kuv) hedelmättömyys

sterilization [,sterələ'zeiʃən] s sterilointi (ks sterile)

sterilize ['sterə,laiz] v **1** steriloida (ks sterile) **2** (ark) eristää, suojata, varjella joltakin (against)

sterling [stərliŋ] s **1** Englannin raha, Englannin punta **2** sterlinghopea *adj* **1** punta- **2** (hopea) sterling- **3** hopeinen, hopea- **4** erinomainen, loistava, luja, vankka

stern [stərn] s **1** laivan perä **2** perä, takaosa, takapää *adj* ankara, kova, vakava

sternly *adv* ankarasti, kovasti, vakavasti

sternum [stərnəm] s (mon sternums, sterna) rintalasta

steroid [steroid] s steroidi

stethoscope ['steθə,skoup] s stetoskooppi, (lääkärin) kuuntelulaite

1 stew [stu] s (ruoka) muhennos

2 stew v **1** keittää/kiehua hiljaisella tulella **2** (ark) tuskailla, murehtia

steward [stuwərd] s **1** taloudenhoitaja **2** tarjoilija; tarjoilun johtaja **3** (lentokoneessa, laivassa) stuertti

stewardess [stuwədəs] s lentoemäntä, (laivassa) tarjoilija

1 stick [stik] s **1** keppi, sauva, tikku, (suklaa)patukka, (katkennut) oksa, (rumpu)palikka, (jääkiekko- ym) maila **2** (kuv) kannustin, houkutin, porkkana **3** (mon ark) syrjäseutu, korpi *to live in the sticks* elää Jumalan selän takana **4** *to get the dirty/ short end of the stick* (sl) vetää lyhyempi korsi

2 stick v stuck, stuck **1** pistää, työntää, sohaista **2** panna, laittaa, pistää **3** tarttua, juuttua, tarrautua *the cork has stuck* korkki on jäänyt kiinni (pulloon), korkki ei lähde irti **4** (kuv) pitää kiinni jostakin, pitää sanansa/lupauksensa **5** (kuv) jatkaa sinnikkäästi (loppuun asti) **6** (kuv) ei päästä eteenpäin, polkea paikallaan *I'm stuck with my work* työni ei edisty **7** tukea kepeillä

stick around v (ark) odottaa, pysytellä lähettyvillä

stick by v (kuv) pitää kiinni jostakin, ei hylätä jotakuta

sticker s tarra

stick-in-the-mud ['stikmdə,mʌd] s vanhanaikainen ihminen, antiikkinen ihminen, homekorva

stickler [stiklər] *to be a stickler for something* olla tarkka jostakin

stick out v pistää/työntää/työntää esiin/ulos; pistää silmään, erottua selvästi

stick shift s (auton) käsivalintainen vaihteisto (erotukseksa automaattivaihteistosta), keppivaihteisto

stick to v (kuv) pitää kiinni jostakin, ei hylätä jotakuta

stick together v pitää yhtä, pysyä yhdessä, puhaltaa samaan hiileen

stick-up s (ark) ryöstö

stick up v (ark) ryöstää

stick up for v puolustaa, tukea jotakuta

stick with v 1 puolustaa, tukea jotakuta 2 ei vaihtaa, käyttää edelleen 3 panna jotakin jonkun vastuulle, antaa jokin jonkin tehtäväksi

sticky [stɪki] adj 1 tahmea 2 (kuv) vaikea, hankala

sticky fingers s (ark) pitkäkyntisyys

stiff [stɪf] s (sl) ruumis, kalmo adj 1 jäykkä, kankea (myös kuv) 2 voimakas, vahva, väkevä, raju 3 kallis 4 tiukka, ankara, kova adv 1 ks adj 2 to be bored stiff ikävystyä kuoliaaksi

stiffen v jäykistää, jäykistyä, kangistaa, kangistua

stiffly adv jäykästi, kankeasti (myös kuv)

stiff-necked adj 1 jäykkäniskainen 2 (kuv) jääräpäinen, omapäinen, härkäpäinen

stifle [staɪfl] v tukahduttaa, kukistaa, vaimentaa, hillitä she stifled a yawn hän tukahdutti haukotuksensa I could not stifle my curiosity en pystynyt hillitsemään uteliaisuuttani

stigma [stɪgmə] s (mon stigmata, stigmas) 1 stigma, häpeämerkki 2 (kasvin) luotti

stigmatize [ˈstɪgməˌtaɪz] v leimata joku joksikin (kielteiseksi), stigmatisoida to become stigmatized as a criminal leimautua rikolliseksi

stile [staɪəl] s portaat (joita pitkin päästään aidan yli)

stiletto [stəˈletəʊ] s (mon stilettos, stilettoes) stiletti

1 still [stɪl] s 1 hiljaisuus in the still of the night yön hiljaisuudessa 2 (elokuvafilmistä valmistettu) yksittäiskuva, valokuva 3 tislauslaite

2 still v 1 vaientaa, vaieta, vaimentaa, saada vaikenemaan, rauhoittaa, rauhoittua try to still the baby yritä saada lapsi rauhoittumaan 2 tyydyttää (halu), tyydyttyä, tyynnyttää, tyyntyä 3 tislata

3 still adj 1 liikkumaton, tyyni 2 hiljainen, äänetön

4 still adv 1 yhä, vielä she's still not ready hän ei ole vieläkään valmis still more (yhä/vielä) lisää/enemmän 2 silti, kuitenkin 3 liikkumatta, paikallaan 4 hiljaa konj silti, kuitenkin he's weird but she still loves him hän on outo mutta nainen rakastaa häntä silti

stillborn [ˈstɪlˌbɔːn] adj kuolleena syntynyt

still life s (taiteessa) asetelma

stillness s 1 liikkumattomuus, tyyneys 2 hiljaisuus

stillroom [ˈstɪlˌrʊm] s (keittiöön avautuva) säilytyskomero, säilytyshuone

still water s suvanto

stilt s (mon) puujalat

stilted adj (kuv) jäykkä, kankea

stimulant [stɪmjələnt] s 1 (aine) piriste 2 kannustin, yllyke

stimulate [ˈstɪmjəˌleɪt] v piristää, kiihottaa, virkistää, elvyttää, kannustaa, innostaa

stimulating adj piristävä, kiihottava, virkistävä, elvyttävä, kannustava, innostava

stimulation [ˌstɪmjəˈleɪʃən] s piristys, kiihotus, virkistys, elvytys, kannustus

stimulative [ˈstɪmjələtɪv] s piriste adj piristävä, kiihottava, virkistävä, elvyttävä

stimulus [stɪmjələs] s 1 (fysiologiassa, lääk) ärsyke 2 yllyke, kannustin, kiihoke

1 sting [stɪŋ] s 1 pisto 2 kirvely 3 (hyönteisen) piikki, (kasvin) poltinkarva kärkevä/piikikäs/pisteliäs/ivallinen huomautus, piikki, katkera kalkki 4 (sl) huijaus, petos

2 sting v stung, stung 1 pistää 2 kirvellä 3 (kuv) kärkevä huomautus pistää, sattua, (muisto) kirvellä mieltä, harmittaa, kaivella 4 (sl) huijata, pettää

stinger [stɪŋər] s 1 (hyönteisen) piikki, (kasvin) poltinkarva 2 (ark) piikki, piikikäs/kärkevä/ivallinen huomautus

stingily adv kitsaasti, itarasti, nuukasti, niukasti

stinginess *s* **1** kitsaus, nuukuus **2** niukkuus, vähäisyys, pienuus

stingy [stindʒi] *adj* **1** kitsas, itara, nuuka **2** niukka, laiha

1 stink [stiŋk] *s* löyhkä, lemu

2 stink *v* sänk/stunk, stunk **1** löyhkätä, lemuta, haista **2** (ark) olla surkea/kehno

stinker *s* (ark) **1** surkea esitys **2** vaikea/visainen tehtävä **3** paskiainen

stinking *adj* **1** löyhkäävä, lemuava, haiseva, pahanhajuinen **2** surkea, kurja

stink up *v* **1** saada löyhkäämään/haisemaan **2** olla surkea/kehno

1 stint [stint] *s* **1** komennus *he did a two-year stint in Saudi Arabia* hän oli kahden vuoden komennuksella Saudi-Arabiassa **2** urakka, määrä **3** rajoitus, kitsastelu

2 stint *v* **1** säästää, nuukailla, elää nuukasti, kitsastella **2** supistaa, vähentää

stipulate [stipjə,leit] *v* vaatia; sopia, määrätä

stipulation [stipjə'leiʃən] *s* vaatimus, ehto, sopimus

1 stir [stər] *s* **1** hämminki *the news caused quite a stir in the firm* uutinen herätti yrityksessä melkoista kohua **2** (sl) vankila, häkki

2 stir *v* **1** hämmentää, sekoittaa **2** liikuttaa, liikkua, liikauttaa *he did not stir a muscle to help me* hän ei liikauttanut eväänsäkään auttaakseen minua **3** herättää (tunteita): *to stir pity* herättää sääliä **4** *to stir someone into action* kannustaa/saada joku toimimaan

stirring *adj* **1** innostava **2** kiireinen, vauhdikas, vilkas

stirrup [stərəp] *s* jalustin

stir up *v* **1** hämmentää, sekoittaa **2** herättää (tunteita, vastustusta), vauhdittaa (mielikuvitusta) **3** yllyttää, usuttaa johonkin *to stir up trouble* lietsoa riitaa

1 stitch [stitʃ] *s* **1** pisto, tikki **2** (lääk) ommel, tikki **3** pisto (kyljessä) **4** *to be in stitches* nauraa katketakseen/tikahtuakseen

2 stitch *v* **1** ommella **2** koristella

stoat [stout] *s* kärppä

1 stock [stak] *s* **1** varasto (myös kuv) *we do not have that model in stock* sitä mallia ei ole varastossa **2** (tal) osakkeet; osaketodis-

tus **3** (puun) runko, tukki; kanto **4** kädensija **5** kanta, laji, syntyperä, suku, heimo, alkuperä **6** karja **7** lihaliemi **8** (mon) jalkapuu **9** (rautateillä) liikkuva kalusto, myös *rolling stock*

2 stock *v* **1** varastoida, panna varastoon, pitää varastossa; täydentää varastoa **2** panna jalkapuuhun

1 stockade [sta'keid] *s* **1** paaluaita **2** sotilasvankila

2 stockade *v* suojata paaluaidalla

stockbroker ['stak,broukər] *s* pörssimeklari

stockholder ['stak,houldər] *s* osakas

stocking *s* sukka

stock market *s* osakemarkkinat

1 stockpile ['stak,pail] *s* varasto

2 stockpile *v* varastoida, kerätä, kasata, hamstrata

stockstill [,stak'stil] *adj* hievahtamaton *adv* hievahtamatta

stocky *adj* tanakka

stockyard ['stak,jaərd] *s* (teurastamon) karjapiha, karjatarha

stodgy [stadʒi] *adj* **1** raskas, raskassoutuinen **2** tanakka

stoic [stouik] *s, adj* **1** stoalainen (ks *stoical*) **2** Stoic stoalainen, stoalaisuuden kannattaja

stoical [stouikəl] *adj* **1** tyyni, järkkymätön, rauhallinen, stoalainen **2** Stoical stoalainen

stoically *adv* tyynesti, järkkymättömästi, rauhallisesti

stoicism ['stouə,sizəm] *s* **1** tyyneys, järkkymättömyys, rauhallisuus, stoalaisuus **2** Stoicism (filosofia) stoalaisuus

stoke [stouk] *v* kohentaa (tulta)

1 stole [stoul] *s* (hartiavaippa) stoola

2 stole *v* ks steal

stolen *ks* steal

1 stomach [stamək] *s* **1** vatsa, maha **2** mahalaukku **3** (kuv) halu, into

2 stomach *v* kestää, sietää *Tyne couldn't stomach his company* Tyne ei voinut sietää hänen seuraansa

stomachache ['stamək,eik] *s* vatsakipu, mahakipu

1 stone [stəʊn] *s* **1** kivi (aine, kappale) *to cast the first stone* (kuv) heittää ensimmäinen kivi *to leave no stone unturned* etsiä kaikkialta, tehdä kaikkensa/parhaansa **2** jalokivi **3** (hedelmän siemen) kivi **4** hautakivi **5** pelinappula

2 stone *v* **1** kivittää, heitellä jotakuta kivillä **2** kivittää kuoliaaksi **3** kivetä, peittää kivillä **4** poistaa kivet (hedelmästä)

3 stone *adj* kivinen, kivi-

4 stone *adv* täysin

Stone Age *s* kivikausi

stone-blind [ˌstəʊnˈblaɪnd] *adj* umpisokea

stone-dead [ˌstəʊnˈded] *adj* kuollut kuin kivi

stone-deaf [ˌstəʊnˈdef] *adj* umpikuuro

stone's throw *the place is only a stone's throw from here* paikka on vain kivenheiton päässä täältä

stonewall [ˈstəʊnˌwɔːl] *v* vältellä, jarruttaa (kuv), estää, viivytellä

stonewalling *s* välttely, viivyttely, jarruttelu, hidastelu

stoneware [ˈstəʊnˌweər] *s* kivitavara

stonily *adv* (kuv) ilmeettömästi; kovasti, kylmästi, sydämettömästi

stony *adj* **1** kivinen (myös hedelmästä) **2** kova (kuin kivi) **3** ilmeetön; kova, kylmä, sydämetön

stony-faced *adj* ilmeetön, kivikasvoinen

stood [stʊd] ks **stand**

stool [stuːl] *s* **1** jakkara *to fall between two stools* jäädä (empimisen vuoksi) tyhjin käsin **2** houkutuslintu **3** uloste

1 stoop [stuːp] *s* kumara/kyyry asento

2 stoop *v* **1** kumartua, kyyristyä **2** olla/käydä kumarassa/kyyryssä **3** alentua tekemään jotakin *I won't stoop to apologizing to her* en alennu pyytämään häneltä anteeksi

1 stop [stɒp] *s* **1** pysähdys, pysähtyminen; loppu *wait till the bus has come to a full stop* odottakaa kunnes linja-auto on pysähtynyt **2** (linja-auton ym) pysäkki **3** (UK) piste *full stop* piste **4** (valok) aukko *f-stop* aukko **5** (fonetiikassa) klusiili, umpiäänne **6** (tekn) pysytin, liukueste **7** (uruissa) äänikerta, rekisteri *to pull out all the stops* (kuv) tehdä kaikkensa, panna parastaan **8** tulppa, korkki, tappi

2 stop *v* **1** pysähtyä, pysäyttää **2** lopettaa, lakata, estää, keskeyttää **3** estää **4** tukkia, tukkeutua **5** sulkea (korkilla, tulpalla)

stop at *v* yöpyä jossakin

stop by *v* käväistä, piipahtaa jossakin

stop down *v* (valok) pienentää (objektiivin) aukkoa, himmentää (objektiivia)

stop in *v* **1** käväistä, piipahtaa jossakin **2** yöpyä jossakin

stoplight [ˈstɒpˌlaɪt] *s* **1** (auton ym) jarruvalo **2** liikennevalot

stop off *v* pysähtyä (matkalla jossakin)

stopover [ˈstɒpˌəʊvər] *s* **1** (matkalla) pysähdys **2** (matkalipun haltijan) oikeus pysähtyä matkan varrella

stop over *v* pysähtyä (matkalla), yöpyä (matkalla)

stoppage [stɒpədʒ] *s* **1** tukos (työn) seisaus

stop sign *s* (liikennemerkki) pakollinen pysähtyminen

stopwatch [ˈstɒpˌwɒtʃ] *s* sekuntikello, sekundaattori

storage [stɔːrɪdʒ] *s* **1** varastointi **2** varasto **3** (tietok) muisti

1 store [stɔːr] *s* **1** kauppa, myymälä **2** ruokakauppa **3** varasto, varat *there's more trouble in store for you* sinulla on edessäsi lisää ongelmia **4** *she doesn't lay/set much store by formalities* hän ei juuri usko muodollisuuksiin, hän ei pidä muodollisuuksia tärkeinä

2 store *v* **1** varastoida, panna varastoon; säästää, panna talteen; tallentaa **2** säilyä

storefront [ˈstɔːˌfrʌnt] *s* **1** kaupan/myymälän katupuoli (jolla näyteikkunat ovat) **2** kauppa, myymälä

storehouse [ˈstɔːˌhaʊs] *s* **1** varasto(rakennus) **2** (kuv) aarreaitta

storekeeper [ˈstɔːˌkiːpər] *s* kauppias

storeroom [ˈstɔːˌruːm] *s* varasto

storey *s* (UK) (rakennuksen) kerros

stork [stɔːk] *s* **1** kattohaikara **2** (kuv) haikara *they are expecting the stork next month* heille syntyy lapsi ensi kuussa

1 storm [stɔːm] *s* **1** myrsky (myös kuv) *a storm of protest* vastalauseiden myrsky/tulva **2** (sot) rynnäkkö

2 storm v **1** hyökätä jonnekin rynnäköllä, vallata rynnäköllä **2** (kuv) pommittaa jotakuta jollakin

stormily adv myrskyisästi (myös kuv)

storm in a teacup fr (kuv) myrsky vesilasissa

stormy adj myrskyisä (myös kuv)

story s **1** kertomus, tarina, juttu, (lehti)kirjoitus short story novelli that's a different story altogether se on kokonaan toinen juttu **2** juoni **3** valhe, sepite **4** (rakennuksen) kerros

storyline ['stɔːriˌlaɪn] s (kertomuksen) juoni

storyteller s kertoja

stout [staʊt] adj **1** pyylevä, paksu, lihava **2** urhea, rohkea, peloton, sinnikäs, sitkeä **3** vahva, väkevä

stout-hearted adj urhea, rohkea, peloton, sinnikäs

1 stove [stəʊv] s **1** liesi, (kannettava) keitin **2** uuni

2 stove v ks stave

stow [stəʊ] v **1** lastata, kuormata **2** varastoida, panna jonnekin **3** pakata, ahtaa, sulloa, tunkea (täyteen)

stowaway ['stəʊəˌweɪ] s salamatkustaja, jänis

stow away ['stəʊə'weɪ] v matkustaa salaa/jäniksenä

straddle [strædəl] v käydä/istua hajareisin

straggler ['stræɡlər] s viimeinen, myöhästyjä, peränpitäjä

straight [streɪt] s **1** suora **2** (ark) hetero; sovinnainen ihminen; joku joka ei käytä huumeita adj **1** suora **2** (kuv) rehellinen, rehti, avoin, suora, luotettava **3** yhtenäinen, jatkuva, keskeytyksetön we worked for three straight hours teimme työtä kolme tuntia yhteen menoon **4** joka on järjestyksessä, kunnossa to set something straight oikaista jokin asia **5** (ark) hetero-; sovinnainen, perinnäinen, tavallinen; rehellinen; kuivilla, joka ei käytä huumeita to go straight parantaa tapansa, ruveta rehelliseksi to play it straight pelata reilua peliä **6** (ryyppy) laimentamaton, raaka adv **1** suorassa, suoraan (myös kuv) let's go straight to the point mennään suoraan asiaan sit up straight istu suorassa/selkä suorana **2** rehellisesti, kunniallisesti (ks adj)

straight angle s 90 asteen kulma, suorakulma, oikokulma

straightaway ['streɪtəˌweɪ] s suora

straightaway ['streɪtə'weɪ] adv heti, välittömästi, suoraa päätä

straighten out v **1** saada joku ryhdistäytymään, opettaa joku paremmille/hyville tavoille **2** (kuv) oikaista, selvittää, setviä

straighten up v **1** suoristaa, oikaista **2** (kuv) selvittää, setviä, oikaista

straightforward [,streɪt'fɔːwəd] adj **1** suora, sumeilematon, siekailematon **2** rehellinen **3** yksinkertainen, koruton, helppo

straitjacket s pakkopaita (myös kuv)

straight off adv heti, suoraa päätä, oikopäätä

straight up adv (ryyppystä) ilman jäitä

1 strain [streɪn] s **1** kuormitus, rasitus, jännitys, paine **2** ponnistus, ponnistelu **3** riesa, vaiva, raskas työ **4** (lihaksen, jänteen) rasittuminen, liikarasitus; (lihaksen, jänteen) venähdys **5** piirre, ominaisuus **6** rotu, laji, lajike

2 strain v **1** kuormittaa, rasittaa, jännittää, painaa **2** ponnistaa, ponnistella, pinnistää, yrittää kovasti **3** rasittaa liiaksi (lihasta, jännettä), (lihas, jänne myös) venähtää **4** koetella (kärsivällisyyttä, hermoja), venyttää (sanan merkitystä, kielikuvaa)

strained [streɪnd] adj väkinäinen, teennäinen, epäaito; kaukaa haettu

strait [streɪt] s **1** (us mon) salmi **2** (us mon, kuv) tukala tilanne to be in dire straits olla pinteessä

straitjacket ['streɪtˌdʒækɪt] s pakkopaita (myös kuv)

strait-laced [,streɪt'leɪst] adj ankaran siveellinen, sievistelevä

1 strand [strænd] s **1** ranta **2** säie **3** suortuva, (hius)kiehkura

2 strand v **1** (laiva, vene) jäädä rantaan, juuttua matalikolle, ajaa karille whales stranded on a beach rantahiekalle ajautuneet valaat **2** jäädä/joutua pulaan **3** punoa

strange [streɪndʒ] adj **1** outo, kumma, erikoinen, eriskummallinen **2** vieras, tuntematon

strangely adv oudosti, kummasti, kummallisesti, erikoisesti, eriskummallisesti

strangeness *s* 1 outous, kummallisuus 2 tuntemattomuus, vieraus

stranger [strendʒər] *s* vieras/tuntematon ihminen *I am no stranger to this city* minä tunnen tämän kaupungin hyvin *don't be a stranger* pidähän yhteyttä, muista tulla käymään, älä leiki vierasta

strange to *to be strange to something* ei tuntea jotakin, ei hallita jotakin, jokin on jollekulle uutta

strangle [strӕŋgəl] *v* 1 kuristaa kuoliaaksi 2 (kuv) tukahduttaa, tyrehdyttää, sammuttaa, tehdä loppu jostakin

stranglehold [strӕŋgəl,hold] *s* (kuv) tukahduttava vaikutus

strangler *s* kuristaja

strangulate [strӕŋgju,leɪt] *v* 1 (lääk) kuristua, kuroutua 2 kuristaa

strangulation [,strӕŋgju'leɪʃən] *s* 1 (lääk) kuristuma, kuroutuma 2 kuoliaaksi kuristaminen

1 **strap** [strӕp] *s* 1 hihna, lenkki *shoulder strap* olkahihna

2 **strap** *v* sitoa kiinni johonkin

strapped *the project is strapped for funds* hanke potee rahapulaa

strapping *adj* 1 roteva 2 iso, valtava

strategic [strə'tidʒɪk] *adj* strateginen

strategist [strӕtədʒɪst] *s* strategi, (sodan)johtaja, suunnittelija

strategy [strӕtədʒɪ] *s* 1 strategia, sotataito 2 keino, menetelmä, suunnitelma, strategia

stratosphere [strӕtəs,fɪər] *s* 1 stratosfääri 2 (kuv) pilvet: *prices have risen into the stratosphere* hinnat hipovat pilviä

stratospheric [,strӕtəs'frɪk] *adj* 1 stratosfäärin 2 (kuv) suunnattoman/kohtuuttoman korkea/suuri/kallis, pilviä hipova

stratum [strӕtəm] *s* (mon strata, stratums) kerros, kerrostuma

stratus [strӕtəs] *s* (mon strati) sumupilvi

straw [strɑ] *s* 1 olki, oljenkorsi *to catch/ clutch/grasp at straws* (yrittää) tarttua (vaikka) oljenkorteen *that was the last straw* se oli viimeinen pisara 2 imupilli 3 *to draw straws* (arpoa) vetää (pitkää) tikkua

strawberry [strɑ,berɪ] *s* (puutarha)mansikka

straw man *s* 1 (oljesta tehty) linnunpelätin, olkiukko 2 pikkutekijä 3 veruke, hämäys, viikunanlehti (kuv)

1 **stray** [streɪ] *s* kulkukissa, kulkukoira yms

2 **stray** *v* 1 eksyä, harhailla 2 (kuv) eksyä, poiketa (aiheesta), poiketa (linjasta)

1 **streak** [strik] *s* 1 viiru, juova 2 suikale 3 piirre *you have a mean streak* sinussa on myös pahoja piirteitä 4 (ark) jakso, kausi *lately, I've had a streak of bad luck* viime aikoina huono onni on vainonnut minua

2 **streak** *v* viiruttaa, juovittaa, piirtää/värittää juovia johonkin

1 **stream** [strim] *s* 1 virta, joki, puro *Gulf Stream* Golfvirta 2 vuoto, virta 3 (valon) säde, (tuulen) hönkäys, puhallus, virtaus (myös kuv:) suuntaus

2 **stream** *v* 1 virrata; vuotaa 2 paistaa

streambed [strim,bed] *s* joenuoma

1 **streamline** [strim,laɪn] *s* virtaviivainen/aerodynaaminen muoto

2 **streamline** *v* 1 muotoilla virtaviivaiseksi 2 (kuv) tehostaa, järkeistää

streamlined *adj* 1 virtaviivainen, aerodynaaminen 2 (kuv) järkeistetty, tehostettu

street [strit] *s* katu *to be out in/on the street* olla työtön; olla koditon

streetcar [strit,kɑr] *s* 1 raitiovaunu 2 johdin(linja-)auto

street cred [strit,kred] *s* (ark) katu-uskottavuus, status, maine (street credibility)

street-smart [strit,smɑrt] *adj* (kovia) kokenut (ja siksi taitava pitämään puolensa)

street smarts *s* (mon) (etenkin slummissa saatu) elämänkokemus (ja siihen perustuva taito pitää puolensa)

streetwise [strit,waɪz] *adj* (kovia) kokenut (ja siksi taitava pitämään puolensa)

strength [streŋθ] *s* 1 voima, vahvuus *on the strength of something* jonkin nojalla/perusteella 2 lukumäärä, vahvuus *the U.S. is scaling back its troops in the country from their current strength of 5,000* Yhdysvallat vähentää parhaillaan maahan sijoittamiensa joukkojen vahvuutta nykyisestä 5 000:sta 3 lujuus, kestävyys, vahvuus 4 väkevyys, vahvuus *industrial strength* teollisuuskäyttöön tarkoitettu vahvuus

string

strengthen v vahvistaa, voimistaa, lujittaa

strengthless adj voimaton

strenuous [strenjʊəs] adj **1** rasittava, uuvuttava, raskas strenuous exercise raskas liikunta **2** tarmokas, innokas, kärkevä

strenuously adv **1** rasittavasti, uuvuttavasti, raskaasti to exercise strenuously liikkua/harjoitella reippaasti **2** tarmokkaasti, innokkaasti, kärkevästi

1 stress [stres] s **1** (henkinen, ruumiillinen) rasitus, (henkinen:) stressi **2** (sanan, lauseen) paino the stress is on the second syllable paino on toisella tavulla **3** (kuv) paino, korostus to lay stress korostaa, painottaa, pitää tärkeänä **4** kuormitus, rasitus

2 stress v **1** (ääntäessä ja kuv) korostaa, painottaa **2** rasittaa, kuormittaa

stressful adj rasittava, raskas

stress mark s (ääntämisohjeissa) painon merkki

1 stretch [stretʃ] s **1** venytys, venyminen **2** joustavuus, kimmoisuus **3** alueosta, matkasta, ajasta: a stretch of wood metsä for a long stretch pitkän matkaa for a stretch of two weeks kaksi viikkoa, kahden viikon ajan

2 stretch v **1** venyttää, venyttäytyä, venytellä, kurottaa, kurottautua, suoristaa, suoristautua, ojentaa, ojentua **2** jatkua, ulottua jonnekin the meadow stretches all the way to the brook niitty jatkuu purolle saakka **3** venyttää (esim sanan merkitystä, kielikuvaa), liioitella **4** yrittää saada riittämään, ottaa kaikki irti jostakin **5** jatkaa (juotavaa lisäämällä siihen vettä)

stretcher s paarit

stretch mark s raskausarpi

stricken [strɪkən] v ks strike adj järkyttynyt, joka on poissa tolaltaan grief-stricken surun murtama

strict [strɪkt] adj ankara, tiukka, vaativa, ehdoton, tarkka, täsmällinen

strictness s ankaruus, ehdottomuus, tarkkuus, täsmällisyys

stridden ks stride

1 stride [straid] s harppaus to hit your stride (kuv) päästä vauhtiin to take something in stride kestää jokin hyvin, ei ottaa jotakin liian raskaasti, ei antaa jonkin nousta päähänsä

2 stride v strode, stridden: harppoa, kävellä/marssia/nousta pitkin askelin

strife [straif] s **1** riita, kiista **2** selkkaus

1 strike [straik] s **1** isku, lyönti **2** lakko to be on strike lakkoilla, olla lakossa to go on strike aloittaa lakko, mennä lakkoon **3** to have two strikes against you olla heikot lähtökohdat, olla heikossa asemassa, olla huonot kortit

2 strike v struck, struck **1** iskeä, lyödä **2** lakkoilla **3** raapaista (tulitikku) **4** iskeytyä, törmätä, osua johonkin **5** hyökätä **6** juolahtaa mieleen; osua silmään; sattua korvaan **7** vaikuttaa, tuntua he strikes me as slightly mad minusta hän vaikuttaa hieman tärähtäneeltä **8** huomata, löytää to strike oil löytää öljyä/öljylähde **9** tehdä: to strike a deal tehdä kauppa to strike a compromise tehdä sovitteluratkaisu

strikebreaker s lakonrikkoja, rikkuri

strike camp fr **1** purkaa leiri **2** jatkaa matkaa

strike home fr **1** (isku) osua, sattua **2** (kuv) osua arkaan paikkaan, tepsiä

strike in v sanoa kesken kaiken, sanoa väliin, keskeyttää

strike off v **1** pyyhkiä (nimi) pois/yli, poistaa (listalta) **2** tehdä jotakin nopeasti **3** lähteä, häipyä

strike oil fr **1** löytää öljyä **2** käydä hyvä onni, onni potkaisee jotakuta

strike out v **1** epäonnistua **2** pyyhkiä (nimi) yli/pois, poistaa (listalta)

striker s lakkolainen, lakkoilija

strike up v **1** aloittaa, alkaa to strike up a conversation ruveta keskustelemaan **2** alkaa soittaa/laulaa

striking adj **1** hämmästyttävä, ihmeellinen, silmiinpistävä **2** kaunis **3** lakkoileva **4** (sot) hyökkäys-, isku-

1 string [strɪŋ] s **1** naru, (paksu) lanka **2** (esim päähineen) nauha **3** kaulaketju **4** (jousen) jänne **5** (kuv) nauha, jono, sarja **6** (soittimen) kieli **7** (mon) jousisoittimet, jouset **8** (mon) ehdot there are no strings attached to his offer hänen tarjoukseensa ei

string 1120

liity ehtoja **9** *to pull strings* käyttää hyväksi suhteitaan/parikutusvaltaansa

2 string *v* strung, strung **1** panna/järjestää/ yhdistää peräkkäin/jonoon, **2** virittää (jousisoitin), panna (soittimeen) kielet, kiinnittää (jouseen) jänne **3** pujottaa (esim helmiä) lankaan

1 strip [strip] *s* **1** suikale, kaistale **2** sarjakuva **3** kiitorata; (pieni/väliaikainen) lentokenttä **4** kauppojen tms reunustamasta pääkadusta *the Las Vegas Strip*

2 strip *v* **1** riisua, riisuutua, (esityksessä myös) stripata, (vuode) avata, kuoria, poistaa, irrottaa, kaapia **2** tyhjentää **3** purkaa **4** pilata (ruuvin) kierteet/jengat (ark), (hammaspyörän) hampaat **5** riistää, varastaa, viedä: *he was stripped of all his privileges* kaikki hänen etuoikeutensa kumottiin **6** repiä suikaleiksi, leikata kaistaleiksi **7** esittää (tv-ohjelman osat) peräkkäisinä päivinä

1 stripe [straip] *s* **1** viiva, viiru, juova, raita **2** (mon) (sotilasasun) (arvonmerkki)nauhat; (ark kuv) kannukset *to earn your stripes* ansaita kannuksensa **3** suikale, kaistale **4** (kuv) laji, tyyppi, luokka *they are of a different stripe* he ovat eri maata

2 stripe *v* viivoittaa, juovittaa, raidoittaa

striped [straipt, straipəd] *adj* juovikas, raidallinen, viirullinen

1 striptease [ˌstripˈtiːz] *s* strip-tease

2 striptease *v* pitää strip-tease-esitys, stripata (ark)

stripy [straipi] *adj* juovikas, raidallinen, viirullinen

strive [straiv] *v* strove, striven: ponnistella, yrittää kovasti, tavoitella jotakin (for), pyrkiä johonkin, taistella jotakin vastaan (against)

strode [stroud] ks stride

1 stroke [strouk] *s* **1** isku, lyönti (myös urh) *stroke of lightning* salamanisku **2** (kynän) liike, (siveltimen) veto *with a stroke of the pen* helposti, hetkessä **3** yritys (for); (onnen)potku *a stroke of madness* hullu piirre, hulluus **4** (kellon) lyönti *on the stroke of ten* tasan kymmeneltä **5** (lääk) (aivo)halvaus **6** sively, hyväily **7** (männän) isku;

iskunpituus *two-stroke engine* kaksitahtimoottori **8** uimalaji; (uinnissa, soudussa) veto

2 stroke *v* **1** vetää/pyyhkiä yli (esim kynällä) **2** sivellä, silittää, hyväillä **3** (ark) imarrella, hieroa (kuv)

1 stroll [stroul] *s* (leppoisa) kävely

2 stroll *v* kävellä (leppoisasti)

stroller *s* lastenvaunut, lastenrattaat

strong [strɒŋ] *adj* **1** (myös kuv) vahva, voimakas, luja **2** (yhdennäköisyys) suuri, (mielipide, toimenpide) voimakas, jyrkkä, (todiste) vakuuttava, (silmät, näkö) hyvä, (juoma, ruoka) vahva, väkevä, (mikroskooppi) tehokas, (verbi) vahva, (tavu) painollinen **3** joukon vahvuudesta: *we were twenty strong* meitä oli kaksikymmentä *adv* vahvasti, voimakkaasti, lujasti *to come on strong* (sl) olla päällekäyvä, hyökkäävä, aggressiivinen

strong-arm [ˈstrɒŋˌɑːm] *v* pakottaa (väkivallalla), uhata *adj* pakko- *they used strong-arm tactics to get the mayor re-elected* he käyttivät voimakeinoja saadakseen kaupunginjohtajan valituksi uudelleen

stronghold [ˈstrɒŋˌhould] *s* **1** linnoitus, linnake **2** (kuv) pesäke

strongly *adv* voimakkaasti, vahvasti, lujasti *I stongly recommend that you go* suosittelen ehdottomasti että menet sinne

strong-minded [ˌstrɒŋˈmaindəd] *adj* voimakastahtoinen, määrätietoinen, omapäinen

strong-willed [ˌstrɒŋˈwild] *adj* voimakastahtoinen, määrätietoinen, omapäinen

strove [strouv] ks strive

struck [strʌk] ks strike

structural [strʌktʃərəl] *adj* rakenteellinen, rakenne-

1 structure [strʌktʃər] *s* **1** rakenne, koostumus, järjestys **2** rakennus

2 structure *v* rakentaa, koostaa, järjestää, jäsentää

structured *adj* jäsentynyt, järjestelmällinen, selvärakenteinen

1 struggle [strʌgəl] *s* (myös kuv) kamppailu, taistelu *it was a struggle to find this book* tämä kirja oli kiven alla *struggle for independence* itsenäisyystaistelu

2 struggle *v* **1** (myös kuv) kamppailla, taistella *she struggled to find a better place to work* hän yritti kovasti löytää paremman työpaikan **2** tarpoa, kahlata, rämpiä **3** työntää, sulloa, ahtaa, nostaa (vaivoin)

struggling *adj* joka on vaikeuksissa *a struggling new business* alkuvaikeuksiensa parissa kamppaileva uusi yritys

1 strum [strʌm] *s* (soittimen) rämpytys

2 strum *v* rämpyttää (soitinta)

strung [strʌŋ] ks string

1 strut [strʌt] *s* **1** tuki, pönkkä **2** pöyhkeileva kävely

2 strut *v* **1** tukea, pönkittää **2** kävellä pöyhkeänä

1 stub [stʌb] *s* **1** tynkä, pätkä, (tupakan) tumppi **2** (lipun, sekin) kanta **3** (puun) kanto

2 stub *v* iskeä, lyödä (vahingossa), satuttaa

stubble [stʌbəl] *s* sänki; parransänki

stubborn [stʌbərn] *adj* jääräpäinen, omapäinen, itsepäinen, härkäpäinen; oinnikkö, oit keä, sisukas; vikuroiva, oikukas

stubbornness *s* jääräpäisyys, omapäisyys; sinnikkyys, sitkeys, sisukkuus; vikurointi, oikuttelu

stubby *adj* lyhyt (ja paksu), tylppä, lyhyenläntä

stub out *v* sammuttaa, tumpata (savuke)

stuck [stʌk] ks stick

1 stud [stʌd] *s* **1** kaulusnappi **2** koristenaula **3** (talvirenkaan) nasta **4** siitosori **5** hevostalli **6** (jonkun omistamat kilpa- tai metsästyshevoset) talli **7** (sl) pukki

2 stud *v* **1** koristella nauloilla **2** nastoittaa (talvirengas) **3** ripotella, sirotella *to be studded with something* olla täynnä jotakin

student [studənt] *s* **1** (koulussa) oppilas **2** (collegessa, yliopistossa) opiskelija **3** *she's a student of human behavior* hän tutkii/tarkkailee ihmisten käyttäytymistä

studied [stʌdid] *adj* **1** (perusteellisesti) harkittu, mietitty **2** teennäinen, epäaito, keinotekoinen

studio [studiou] *s* **1** (taiteilijan) ateljee **2** (elokuva-, radio-, televisio-, äänilevy- ym) studio **3** (asunto) yksiö

studio apartment *s* yksiö

studious [studiəs] *adj* **1** ahkera, uuttera, tunnollinen **2** huolellinen, harkittu, tahallinen **3** opinhaluinen

studiously *adv* **1** ahkerasti, uutterasti, tunnollisesti **2** huolellisesti, harkiten, harkitusti, tahallaan

1 study [stʌdi] *s* **1** opiskelu, opinnot **2** tutkielma, tutkimus **3** (kuv) tutkielma *she is a study in tranquillity* hän on itse rauhallisuus **4** oppija: *he's a quick study* hän on nopea oppimaan, hän oppii nopeasti **5** työhuone, kirjastohuone

2 study *v* **1** opiskella, (kirjaa) lukea **2** tutkia, tarkastella jotakin, perehtyä johonkin

1 stuff [stʌf] *s* **1** aine, aines, raaka-aine, materiaali; tavara, roina, roska *you really have a lot of stuff* onpa sinulla tavaraa *that's kid stuff* se sopii lapsille *don't give me that stuff about being tired* älä taas rupea sössöttämään että olet väsynyt *we've been reading books and stuff* olemme lukeneet kirjoja kun muuta; olemme lukeneet kirjoja ja tehneet yhtä ja toista muuta **2** (ark) asia, esitys *to know your stuff* osata asiansa *do your stuff now* esitä numerosi nyt **3** (sl) huume

2 stuff *v* **1** ahtaa, sulloa, tunkea **2** täyttää **3** (vaaleissa) lisätä asiaan laittomia äänestyslippuja **4** (syömisestä) mässäillä, mässätä

stuffed shirt *s* (kuv) tärkeilijä, omahyväinen ihminen

stuffily *adv* **1** pitkäveteisesti, tylsästi, raskassoutuisesti **2** tärkeilevästi, omahyväisesti **3** (ankaran) kunnollisesti, varovaisesti, vanhoillisesti

stuffing *s* täyte *to beat the stuffing out of someone* antaa jollekulle selkään

stuffy *adj* **1** (ilma, haju) ummehtunut, (nenä) tukkoinen **2** pitkäveteinen, tylsä, raskassoutuinen **3** tärkeilevä, omahyväinen **4** (ankaran) kunnollinen, varovainen, vanhoillinen

1 stumble [stʌmbəl] *s* **1** kompastuminen, kompastus **2** (kuv) kömmähdys, kompastus

2 stumble *v* **1** kompastua **2** kompuroida **3** (kuv) kompastua, kömmähtää **4** (kuv)

törmätä johonkin, löytää/huomata sattumalta

stumbling block s (kuv) kompastuskivi

1 stump [stʌmp] s **1** (puun tyvi) kanto **2** tynkä, tumppi, pätkä **3** jalkaproteesi, puujalka (ark) **4** (mon ark) jalat, kintut **5** lyhyenläntä ihminen, tumppi, pätkä **6** to go on the stump ruveta pitämään poliittista puhetta, ruveta puhumaan politiikkaa, lähteä vaalikierrokselle **7** to be up a stump (ark) olla ymmällään/tyrmistynyt jostakin

2 stump v **1** tyypistää, leikata lyhyeksi, pätkiä **2** ontua, kävellä ontuen **3** tyrmistyttää, järkyttää, hämmästyttää

stumpy adj lyhyenläntä, lyhyt (ja paksu) a stumpy pen kynänpätkä

stun [stʌn] v **1** iskeä/tehdä tajuttomaksi; mykistää, vaimentaa **2** tyrmistyttää, järkyttää, mykistää, hämmästyttää

stung [stʌŋ] ks sting

stunk [stʌŋk] ks stink

stunning adj **1** tyrmistävä, mykistävä, järkyttävä, hämmästyttävä, ihmeellinen **2** ihastuttava, erittäin kaunis/hieno

1 stunt [stʌnt] s **1** este **2** temppu

2 stunt v **1** estää, ehkäistä, tyrehdyttää, jarruttaa, hidastaa **2** tehdä temppu(ja)

stunted adj (kasvu, kehitys) tyrehtynyt

stupendous [stʊ'pendəs] adj **1** ällistyttävä, hämmästyttävä **2** suunnaton, valtava

stupid [stʊpəd] s (ark) typerys, hölmö, idiootti adj tyhmä, typerä, hölmö

stupidity [stʊ'pɪdəti] s **1** (ominaisuus) tyhmyys, typeryys **2** (teko) tyhmyys, hölmöily

stupor [stʊpər] s turtumus, horros to be in a drunken stupor olla juopumuksesta tokkurassa/turruksissa

sturdy [stərdi] adj **1** luja, vankka, kestävä **2** rohkea, urhea

sturgeon [stərdʒən] s (mon sturgeons, sturgeon) sampi

1 stutter [stʌtər] s änkytys

2 stutter v änkyttää

sty [staɪ] s **1** (siko)lätti (myös kuv) **2** (lääk) (silmäluomessa) näärännäppy

1 style [staɪl] s **1** (taiteessa ym) tyyli **2** tyylikkyys, (hieno) tyyli, muoti the guy has

absolutely no style kaverilla ei ole minkäänlaista tyyliä to be in style olla muodissa to go out of style jäädä pois muodista **3** laji, tyyppi **4** titteli; yrityksen tms nimi **5** (kasvin emiön) vartalo

2 style v **1** puhutella joksikin (as) **2** suunnitella, muotoilla

stylish adj tyylikäs, aistikas, hieno

stylist s **1** tyyliniekka **2** suunnittelija, muotoilija

stylistic [staɪ'lɪstɪk] adj tyylillinen, tyylistä

stylistics s (verbi yksikössä) tyylioppi, stilistiikka

stylize [staɪə,laɪz] v tyylitellä

stylus [staɪləs] s (mon styli, styluses) **1** (hist) stilus, kirjoituspuikko **2** (taiteilijan) kynä **3** (levysoittimen) neula

suave [swav] adj sulavakäytöksinen, (käytös) sulava, luonteva

1 sub [sʌb] s (ark) **1** sukellusvene **2** sijainen **3** alainen **4** pitkä kerrosvoileipä

2 sub v toimia jonkun sijaisena, tuurata jotakuta

1 subclass [sʌb,klæs] s alaluokka, alaryhmä

2 subclass v luokitella alaryhmään kuuluvaksi

subconscious [sʌb'kɒnʃəs] s alitajunta, piilotajunta adj alitajuinen, piilotajuinen, tiedostamaton

subcontinent [sʌb'kɒntɪnənt] s manneralue the Indian subcontinent Intian niemimaa

subculture [sʌb,kʌltʃər] s osakulttuuri

subcutaneous [sʌbkjʊ'teɪnɪəs] adj ihonalainen

subdivide [sʌbdə,vaɪd] v **1** jakaa/jakautua pienempiin osiin **2** jakaa/jakautua osiin

subdue [səb'dju] v **1** kukistaa, nujertaa, alistaa valtaansa **2** vaimentaa, tukahduttaa, hiljentää, himmentää

subdued adj **1** (ihminen) hiljainen, vaisu, hillitty **2** himmeä, vaimea, hiljainen, hillitty

subject [sʌbdʒəkt] s **1** kansalainen; (kuningaskunnassa) alamainen **2** (kieliopissa) subjekti **3** aihe, teema what subject are you writing your essay on? mistä aiheesta kirjoitat aineesi? **4** oppiaine, oppiala, ammattiala, erityisala she studies five subjects hän opiskelee viittä ainetta **5** syy, aihe (for) **6** kohde *he has been the subject of many nasty remarks* hänestä on esitetty paljon ilkeitä huomautuksia **7** koehenkilö

subjection [səb'dʒekʃən] s **1** alisteinen asema, riippuvuus **2** alistaminen, kohdistaminen: *the subjection of foreigners to bureaucratic harassment* ulkomaalaisten kiusaaminen byrokratialla

subjective [səb'dʒektiv] adj **1** omakohtainen, subjektiivinen **2** puolueellinen **3** (kieliopissa) subjektiivi-

subjectively adv **1** omakohtaisesti, subjektiivisesti **2** puolueellisesti

subjectivity [ˌsʌbdʒek'tivəti] s **1** omakohtaisuus, subjektiivisuus **2** puolueellisuus

subject matter s (keskustelun, kirjan, tutkimuksen) aihe, aineisto

subject to [səb'dʒekt] v **1** alistaa (jonkun valtaan/valtaansa) **2** altistaa jollekin, kohdistaa johonkin jotakin, tehdä jollekin jotakin *he was subjected to intense questioning* hantä kuulusteltiin tiiviisti *by refusing to fight back, you're simply subjecting yourself to more criticism* sinä saat niskaasi entistä enemmän kielteistä arvostelua koska et suostu puolustautumaan adj: to be subject to something **1** olla jonkin kohteena, olla alttiina/altis/herkkä jollekin *if you break a window, you are subject to a fine* jos rikot ikkunan sinua voidaan sakottaa *the prices are subject to change* oikeus hintojen muutoksem pidätetään, hinnat voivat muuttua *she is subject to sudden changes of mood* hänen mielialansa ailahtelee helposti **2** olla jonkin alamainen/alaisuudessa **3** riippua jostakin *you will get the money subject to the director's approval* saat rahat mikäli johtaja suostuu siihen

sublime [sə'blaim] adj **1** ylevä, jalo **2** ylväs, uljas, komea

sublimely adv **1** ylevästi, jalosti **2** ylväästi, uljaasti, komeasti *he is sublimely ignorant of what has happened* hän on autuaan tietämätön siitä mitä on sattunut

subliminal [sʌ'blimənəl] adj (psyk) subliminaalinen, (ark) huomaamaton, piilo-

sublimity [sə'blimⱯti] s **1** ylevyys, jalous **2** ylväys, uljaus, komeus

submarine ['sʌbmə,rin] s **1** sukellusvene **2** pitkä kerrosvoileipä adj **1** merenalainen **2** sukellusvene-

submerge [səb'mɜrdʒ] v **1** upottaa (veteen), upota, sukeltaa **2** kadota näkyvistä

submerged adj vedenalainen, uponnut, tulvan/veden alle jäänyt

submersible [səb'mɜrsibəl] s **1** sukellusvene adj veden alla käytettävä, upotettava

submersion [səb'mɜrʒən] s sukeltaminen, sukellus, (veteen) upottaminen, tulvan alle jääminen

submission [sʌb'mⱯʃən] s **1** alistuminen, nöyrtyminen, tottelevaisuus **2** (asiapapereiden, anomuksen yms) luovuttaminen, luovutus, sisäänjättö

submissive [səb'mⱯsiv] adj alistuva, nöyrä, kuuliainen, tottelevainen

submissively adv nöyrästi, tottelevaisesti, kuuliaisesti, kiltisti

submit [səb'mⱯt] v **1** alistua, nöyrtyä, totella, suostua johonkin *she submitted herself to ridicule* hän suostui pilkattavaksi **2** jättää sisään (asiapapereita, hakemus yms) **3** esittää (suunnitelma, näkemys yms) **4** ehdottaa, mainita, sanoa *I submit that he should not be punished* minun mielestäni häntä ei pidä rangaista

subordinate [sə'bɔrdə,neit] v alistaa

subordinate [sə'bɔrdənət] s alainen adj alempiarvoinen, alempi, vähemmän tärkeä, vähäisempi

1 subpoena [sə'pinə] s (lak) haaste

2 subpoena v (lak) antaa/toimittaa jollekulle haaste

subscribe [səb'skraib] v **1** lahjoittaa, luvata lahjoittaa **2** allekirjoittaa

subscriber s **1** (lehden) tilaaja, (konserteista) sarjalipun haltija, (kaapelitelevision/matkapuhelinyhteyden) asiakas/tilaaja **2** (rahaston) lahjoittaja

subscribe to v **1** tilata (lehti) **2** kannattaa (ajatusta), hyväksyä, uskoa johonkin

subscription [səb'skripʃən] s **1** lahjoitus **2** (lehden) tilaus, (konsertteihin) sarjalippu, matkapuhelinliittymä **3** allekirjoitus

subsequent [sʌbsəkwənt] adj seuraava, myöhempi

subservient [səb'sərviənt] *adj* nöyristelevä, liian kuuliainen

subside [səb'said] *v* 1 (tulva, joen pinta) laskea, (maa, rakennus) vajota 2 vaieta, lakata, tyyntyä, asettua

subsidence [sʌb'saidəns] *s* (maan, rakennuksen) vajoaminen

subsidiary [səb'sidiəri] *s* tytäryhtiö *adj* apu-, lisä-, täydentävä, ylimääräinen

subsidize ['sʌbsə,daiz] *v* tukea (maksuilla), subventoida

subsidy [sʌbsədi] *s* tukimaksu, tuki, subventio

substance [sʌbstəns] *s* 1 aine, materiaali *controlled substance* huume 2 aihe, sisältö, ydin *the substance of our discussion* keskustelumme sisältö/aihe *his speech lacked substance* hänen puheessaan ei ollut ydintä/sisältöä *in substance* olennaisesti, olennaisilta osin, pääpiirteissään 3 varakkuus *he's a man of substance* hän on varakas (mies)

substantial [səb'stænʃəl] *adj* 1 olennainen, huomattava, merkittävä, tärkeä 2 tukeva, vankka, tanakka, lihaksikas 3 vaikutusvaltainen

substantially *adv* 1 olennaisesti, huomattavasti, merkittävästi 2 tukevasti, vankasti, tanakasti

substantiate [səb'stænʃi,eit] *v* todistaa, tukea, vahvistaa, lujittaa

substantive [sʌbstəntiv] *s* (kielioppissa) substantiivi

1 substitute ['sʌbsti,tut] *s* 1 sijainen, varapelaaja, edustaja 2 korvike, vastike, varalaite yms

2 substitute *v* 1 vaihtaa joku johonkin, korvata jokin jollakin 2 olla/toimia jonkun sijaisena, tuurata (ark)

substitution [,sʌbsti'tuʃən] *s* korvaaminen, vaihto

subterranean [,sʌbtə'reiniən] *adj* maanalainen

subtitle ['sʌb,taitəl] *s* 1 (kirjan) alaotsikko 2 (elokuvan, tv-ohjelman) teksti(tys)

subtle [sʌtəl] *adj* 1 hieno, hienoinen, vähäinen, hienovarainen *there's a subtle difference* niiden välillä on hyvin pieni ero *a*

subtle smile hymyn kare 2 tarkka, tarkkanäköinen, terävä, herkkä

subtlety [sʌtəlti] *s* 1 (eron) vähäisyys, pienuus 2 hienovaraisuus, hienotunteisuus 3 tarkkanäköisyys, tarkkuus, terävyys, herkkyys

subtly *adv* 1 hieman, vähän *they are only subtly different* niiden välillä on hieno ero 2 tarkasti, tarkkaan, herkästi

subtract [səb'trækt] *v* vähentää

subtraction [səb'trækʃən] *s* vähennyslasku, vähentäminen

suburb [sʌbərb] *s* esikaupunki, lähiö

suburban [sə'bərbən] *s* 1 esikaupunkilainen 2 farmariauto *adj* esikaupunki-

suburbia [sə'bərbiə] *s* 1 esikaupungit, lähiöt 2 esikaupunkilaiset 3 esikaupunkielämä, lähiöelämä

subvention [səb'venʃən] *s* tukimaksu, subventio

subversion [səb'vərʒən] *s* 1 kumouksellisuus; kumouksellinen toiminta 2 turmelus

subversive [səb'vərsiv] *s, adj* kumouksellinen

subvert [səb'vərt] *v* 1 yrittää kaataa (hallitus tms) 2 turmella, horjuttaa

subway ['sʌb,wei] *s* 1 maanalainen, metro 2 (UK) alikulkukäytävä, alikulkutunneli

succeed [sək'sid] *v* 1 onnistua 2 menestyä 3 seurata, olla jonkun seuraaja: *Jimmy Carter succeeded Gerald Ford to the office of President* Jimmy Carterista tuli Gerald Fordin jälkeen presidentti

succeeding *adj* seuraava *in succeeding years* seuraavina/tulevina vuosina

success [sək'ses] *s* menestys *to meet with success* menestyä

successful *adj* menestyvä, menestykseksäs *to be successful* menestyä

succession [sək'seʃən] *s* 1 järjestys, sarja, ketju *a steady succession of salesmen called on us* luonamme kävi myyntimiehiä jatkuvana virtana 2 (virkaan) siirtyminen, (valtaan) nousu

successive [sək'sesiv] *adj* peräkkäinen *for five successive weeks* viisi viikkoa peräkkäin/yhtäjaksoisesti

successor [sək'sesər] *s* seuraaja *successor to the throne* kruununperijä

succinct [sək'siŋkt] *adj* ytimekäs, tiivis, lyhyt

succulent [sʌkjələnt] *s* sukkulentti kasvi, mehukasvi, mehikasvi *adj* (myös kuv) mehukas, mehevä

succumb to [sə'kʌm] *v* langeta, sortua johonkin, antaa periksi jollekin

such [sʌtʃ] *adj, adv* sellainen *such a man* sellainen mies *such men* sellaiset miehet *men such as yourself* sinun kaltaisesi miehet *such luck!* kyllä pä onnisti! *no such luck* älä luulekaan!, ei sinne päinkään! *such was his interest that he asked her out* hän oli niin kiinnostunut naisesta että pyysi tätä ulos *pron* 1 sellainen *such is life* sellaista on elämä 2 ja muut vastaavat: *books, magazines and such* kirjat, lehdet ja muut vastaavat 3 *as such* sinänsä asti, *he is no better than anybody else* hän ei sinänsä ole muita parempi

such and such *fr* se ja se, niin ja niin *she heard from such and such that he was in town* joku kertoi hänelle eräältä mies oli paikkakunnalla

such as [sʌtʃ əz ,sʌtʃ'æz] *fr* kuten, esimerkiksi *in big cities such as Tokyo* Tokion kaltaisissa suurkaupungeissa

suck [sʌk] *v* 1 imeä 2 (alat) *it sucks* se risoo, ottaa pannuun; se on surkea, syvältä

sucker *s* (ark) 1 helposti narrattava ihminen 2 hullu *she's a sucker for pink convertibles* hän on hulluna vaaleanpunaisiin avoautoihin

suck in *v* (sl) narruttaa, huijata, pettää

suckle [sʌkəl] *v* imettää; imeä (rintaa)

suckling [sʌkliŋ] *s* imeväinen

sucrose [sukrous] *s* (tavallinen) sokeri

suction [sʌkʃən] *s* imu

sudden [sʌdən] *s all of a sudden* yhtäkkiä *adj* äkillinen, yhtäkkinen, yllättävä, odottamaton

suddenly *adv* yhtäkkiä, yllättäen

suddenness *s* äkillisyys, yllättävyys

suds [sʌdz] *s* (mon) 1 saippuavesi 2 vaahto, kuoha, kuohu 3 (sl) olut

sudsy *adj* vaahtoava, kuohuava

sue [su] *v* haastaa oikeuteen, tehdä/nostaa kanne *sue for damages* vaatia vahingonkorvausta

suede [sweid] *s* mokkanahka

suffer [sʌfər] *v* 1 kärsiä 2 sietää 3 kokea: *to suffer change* käydä läpi (vaikea) muutos

suffering *s* kärsimys

suffice [sə'fais] *v* riittää, olla tarpeeksi *suffice it to say that* riittää kun todetaan että, todettakoon/sanottakoon vain että

sufficiency [sə'fiʃənsi] *s* 1 riittävyys 2 toimeentulo

sufficient [sə'fiʃənt] *adj* riittävä

sufficiently *adv* riittävästi, riittävän, tarpeeksi, kylliksi

1 suffix [sʌfiks] *s* loppuliite, suffiksi

2 suffix *v* liittää/lisätä loppuun

suffocate [ˈsʌfəˌkeit] *v* (myös kuv) tukehtua, tukahduttaa

suffocation [ˌsʌfəˈkeiʃən] *s* tukehtuminen (myös kuv)

suffrage [sʌfredʒ] *s* 1 äänioikeus 2 ääni

suffragette [ˈsʌfrəˌdʒet] *s* suffragetti, naisten äänioikeuden esitaistelija

1 sugar [ʃugər] *s* 1 sokeri 2 kulta, kultu, kultaseni

2 sugar *v* 1 sokeroida 2 (kuv) tehdä makeammaksi/houkuttelevammaksi, parantaa

sugar beet *s* sokerijuurikas

sugarcane *s* sokeriruoko

sugarcoat [ˈʃugərˌkout] *v* 1 päällystää sokerilla 2 (kuv) tehdä makoisaksi/houkuttelevaksi, pehmentää (ikävää asiaa)

sugar-free [ˈʃugərˈfri] *adj* sokeriton

sugary *adj* sokerinen, sokeripitoinen, makea, imelä (myös kuv)

suggest [sə'dʒest] *v* 1 ehdottaa, suosittaa, esittää *may I suggest that you stop blaming others?* saanko ehdottaa että lakkaat syyttämästä toisia? 2 vihjata *are you suggesting that I should do it?* et kai sinä vihjaile että minun pitäisi tehdä se? 3 viitata johonkin, tuoda mieleen, muistuttaa jotakin *the evidence suggests that crime is increasing* todisteet viittaavat siihen että rikollisuus lisääntyy 4 suggeroida

suggestion [sə'dʒestʃən] *s* 1 ehdotus, suositus, esitys 2 vihjaus, vihjailu 3 vivahdus, häivähdys **4** vaikutelma, mielikuva **5** suggestio

suggestive [sə'dʒestɪv] adj **1** suggestive of something joka ilmentää jotakin, joka kuvastaa jotakin **2** ylimalkainen, summittainen **3** vihjaileva, paljon puhuva, kaksimielinen **4** suggestiivinen

suicidal [ˌsuəˈsaɪdəl] adj **1** itsemurhaa ajatteleva, itsemurha- **2** (kuv) uhkarohkea, tyhmänrohkea, hengenvaarallinen, harkitsematon, ajattelematon

suicide ['suəˌsaɪd] s **1** itsemurha to commit suicide tehdä itsemurha, tappaa itsensä **2** itsemurhan tekijä **3** (kuv) itsemurha it is political suicide for a candidate to be completely honest vaaliehdokas tekee poliittisen itsemurhan jos hän on täysin rehellinen

1 suit [suːt] s **1** puku **2** oikeudenkäynti to bring a suit against someone nostaa kanne jotakuta vastaan (korttipelissä) maa to follow suit (kuv) noudattaa/seurata esimerkkiä **3** sarja, ryhmä, kalusto **4** hotellihuoneisto, sviitti **5** liikemies, -nainen

2 suit v **1** sopia jollekulle that dress suits her well tuo leninki pukee häntä/sopii hänelle hyvin **2** sovittaa, mukauttaa

suitability [ˌsuːtəˈbɪlətɪ] s sopivuus, soveliaisuus, asiallisuus, soveltuvuus

suitable adj sopiva

suitcase ['suːtˌkeɪs] s matkalaukku to live out of a suitcase olla jatkuvasti tien päällä; asua jossakin väliaikaisesti

suite [swiːt] s **1** (yhteen kuuluva) sarja, ryhmä **2** (huonekalusarja) kalusto **3** hotellihuoneisto, sviitti **4** (mus) sarja

suited adj sopiva johonkin (to)

suitor [suːtər] s kosija

sulfur [sʌlfər] s rikki

1 sulk [sʌlk] s murjotus, mökötys

2 sulk v murjottaa, jöröttää, mököttää

sulky adj murjottava, pahantuulinen, juro

sullen [sʌlən] adj murjottava, pahantuulinen, juro, totinen, synkkä

sultan [sʌltən] s sulttaani

sultry [sʌltri] adj **1** helteinen, tukala, hiostava **2** intohimoinen, kuumaverinen

sum [sʌm] s **1** summa, yhteislaskun tulos **2** (raha)summa, kokonaismäärä **3** kokonaisuus; ydin the sum of your convictions sinun kaikki uskomuksesi

sum into v tehdä yhteensä, nousta johonkin summaan

summarily [sə'merəli] adj oikopäätä, suoraa päätä, siekailematta, sumeilematta, varoituksetta

summarize ['sʌməˌraɪz] v tehdä/esittää jostakin yhteenveto/tiivistelmä

summary [sʌməri] s yhteenveto, tiivistelmä adj **1** tiivis, ytimekäs, lyhyt **2** siekailematon, kursailematon, suora

1 summer [sʌmər] s kesä

2 summer v viettää kesä jossakin

summerhouse s kesämökki

summertime ['sʌmərˌtaɪm] s kesä

summery adj kesäinen, kesä-

summit [sʌmət] s **1** huippu, laki, latva, pää, kärki **2** (kuv) huippu, huipentuma **3** huipputapaaminen, huippukokous

summit conference s huippukokous

summon [sʌmən] v **1** kutsua (paikalle), määrätä, käskeä (tehdä jotakin) **2** (lak) antaa/ toimittaa jollekulle haaste

1 summons [sʌmənz] s (mon summonses) **1** käsky, määräys, kutsu **2** (lak) haaste

2 summons v (lak) antaa/toimittaa jollekulle haaste

summon up v (kuv) kerätä kokoon she summoned up all her courage hän keräsi kaikken rohkeutensa

sum total s **1** yhteismäärä, (kokonais)summa **2** kokonaisuus; ydin, olennainen osa

sum up v **1** laskea yhteen **2** tehdä/esittää tiivistelmä/yhteenveto jostakin **3** mittailla katseellaan, muodostaa käsitys/kuva jostakusta

1 sun [sʌn] s aurinko you look like you're not getting enough sun olet sen näköinen ettet saa tarpeeksi aurinkoa it is his place in the sun se on hänen paikkansa auringossa she is the richest woman under the sun hän on maailman rikkain nainen against the sun (merenkulussa) vastapäivään with the sun (merenkulussa) myötäpäivään

2 sun v pitää/olla/kuivattaa tms auringossa

sunbathe [ˈsʌn.beɪð] v ottaa aurinkoa, kylpeä auringossa

sunbeam [ˈsʌn.biːm] s auringon säde

sunblock [ˈsʌn.blɑk] s voimakkaasti/täydellisesti suojaava aurinkovoide

1 sunburn [ˈsʌn.bərn] s auringossa palanut iho(n kohta)

2 sunburn v joku palaa auringossa *lying on the beach sunburned him badly* hän poltti itsensä pahasti maatessaan aurinkoisella rannalla

sundae [sʌndɪ] s (eräs jäätelöannos) sundae

Sunday [ˈsʌndɪ, ˈsʌn.deɪ] s sunnuntai *not in a month of Sundays* ei miesmuistiin, ei pitkään aikaan *adj* sunnuntai-, pyhä-

sun deck s aurinkoterassi, (laivassa) aurinkokansi

sundown [ˈsʌn.daʊn] s auringonlasku

sun-dried [ˈsʌn.draɪd] adj auringossa kuivattu

sundries [sʌndrɪz] s (mon) pikkurihkama, (kaupassa) sekalainen pikkutavara

sundry [sʌndrɪ] *all and sundry* kaikki, joka iikka (ark)

sunflower [ˈsʌn.flaʊər] s auringonkukka

sung [sʌŋ] ks sing

sunglass adj aurinkolasien, aurinkolasi-

sunglasses [ˈsʌn.glæsəs] s (mon) aurinkolasit

sunk [sʌŋk] ks sink

sunken ks sink

sunlight [ˈsʌn.laɪt] s auringonvalo

sunlit [ˈsʌn.lɪt] adj auringon valaisema, aurinkoinen

sunny [sʌni] adj aurinkoinen (myös kuv:) iloinen, huoleton

sunnyside up adj (ravintolassa kananmunasta) vain toiselta puolelta ja keltuaista särkemättä paistettu

sun protection factor s aurinkosuojakerroin (lyh SPF)

sunray [ˈsʌn.reɪ] s auringonsäde

sunrise [ˈsʌn.raɪz] s 1 auringonnousu 2 aamunkoitto, sarastus 3 (kuv) alku, sarastus *adj* (teollisuudenalasta, tekniikasta) uusi, nouseva

sunroof [ˈsʌn.ruːf ruf] s (auton) kattoluukku

sunscreen [ˈsʌn.skrin] s 1 aurinkovoide 2 aurinkokaihdin

sunset [ˈsʌn.set] s 1 auringonlasku 2 (kuv) loppu, ilta *adj* (teollisuudenalasta, tekniikasta) vanha, perinteinen, väistyvä

sunshine [ˈsʌn.ʃaɪn] s 1 auringonpaiste 2 (kuv) ilo

sunstroke [ˈsʌn.stroʊk] s auringonpistos

1 suntan [ˈsʌn.tæn] s 1 rusketus 2 vaaleanruskea väri

2 suntan v ruskettaa, ruskettua

sun visor s (autossa) häikäisysuojus

super [supər] s (ark) 1 talonmies, kiinteistönhoitaja 2 valintamyymälä, supermarket 3 varapelaaja, varamies 4 valvoja *adj* (ark) loistava, erinomainen

superb [səˈpərb] adj loistava, erinomainen

superbly adv loistavasti, erinomaisesti, erittäin, äärimmäisen

supercilious [ˌsupərˈsɪliəs] adj koppava, tärkeilevä

super-duper [ˌsupərˈdupər] adj (ark) loistava, uskomaton, fantastinen

superego [ˈsupərˈiɡoʊ] s yliminä, superego

superficial [ˌsupərˈfɪʃəl] adj pinnallinen, pintapuolinen, (haava) pinta-, ulkoinen, ulkopuolinen, (mitta) ulko-

superficiality [ˌsupərˌfɪʃiˈælətɪ] s pinnallisuus

superficially adv pinnallisesti, pintapuolisesti, ulkoisesti, päällisin puolin

superfluity [ˌsupərˈfluəti] s 1 tarpeettomuus 2 liika (määrä)

superfluous [səˈpərfluəs] adj ylimääräinen, tarpeeton, liiallinen

superhuman [ˌsupərˈhjumən] adj yli-inhimillinen

superimpose [ˌsupərɪmˈpoʊz] v asettaa päällekkäin

superintend [ˌsupərɪnˈtend] v valvoa, tarkkailla

superintendent [ˌsupərɪnˈtendənt] s 1 työnjohtaja, valvoja 2 kiinteistönhoitaja, talonmies 3 poliisimestari

superior [səˈpɪriər] s 1 esimies 2 *he is my superior* hän on parempi kuin minä *adj* 1 (virassa ym.) korkea-arvoisempi, ylempi, vanhempi 2 keskimääräistä/tavallista parempi, suurempi, erinomainen, ensiluokkainen *a man of superior intelligence* erittäin älykäs mies 3 ylempi, korkeampi *Lake Superior* Yläjärvi **4** ylimielinen **5** *to be superior to temptation* voittaa kiusaus, ei langeta kiusaukseen

superiority [sə͵pırı'ɔrəti] *s* **1** ylemmyys, paremmuus, korkeampi asema (ks *superior*) **2** lukumääräinen ylivoima, miesylivoima

superlative [sə'pɔːlətıv] *s* **1** joku tai jokin paras, loistava, huippu **2** (kieliopissa) superlatiivi, yliaste *adj* **1** verraton, loistava, erinomainen, joka on omaa luokkaansa **2** (kieliopissa) superlatiivinen, superlatiivi-

superman ['suːpər͵mæn] *s* (mon supermen) yli-ihminen *Superman* Superman, Teräsmies

supermarket ['suːpər͵markət] *s* valintamyymälä, supermarket

supernatural [͵suːpər'nætʃərəl] *adj* yliluonnollinen

supernova [͵suːpər'nouvə] *s* supernova

supersede [͵suːpər'siːd] *v* korvata, syrjäyttää, tulla/astua jonkin tilalle

supersonic ['suːpər'sanık] *adj* ääntä nopeampi, supersooninen

superstar ['suːpər͵star] *s* supertähti

superstition [͵suːpər'stıʃən] *s* taikausko

superstitious [͵suːpər'stıʃəs] *adj* taikauskoinen

supervise ['suːpər͵vaız] *v* valvoa, seurata, tarkkailla

supervision [͵suːpər'vıʒən] *s* valvonta, seuranta, tarkkailu

supervisor ['suːpər͵vaızər] *s* työnjohtaja, valvoja, tarkkailija

supervisory ['suːpər'vaızərı] *adj* valvova, valvonta-, tarkkaileva, tarkkailu-

supine [səˈpaın] *v to be in a supine position* olla makuukuulla

supper [sapər] *s* illallinen *the Last Supper* viimeinen ehtoollinen

supplement [saplɪmənt] *s* **1** lisäys, täydennys **2** (sanomalehden) liite *Sunday supplement* sunnuntailiite

supplement ['saplə͵ment] *v* täydentää *you should eat vegetables to supplement your diet* sinun pitää täydentää ruokavaliotasi vihanneksilla

1 supply [səˈplaı] *s* **1** (tavaran ym) toimitus, (sähkön yms) saanti **2** (tal) tarjonta **3** (us mon) varasto *while supplies last* niin kauan kuin tavaraa riittää **4** (mon) tarvikkeet *office supplies* konttoritarvikkeet, toimistotarvikkeet **5** sijainen

2 supply *v* **1** toimittaa (tavaraa ym), jakaa (sähköä yms) *the nuclear power plant supplies the city with electricity* kaupunki saa sähkönsä ydinvoimalasta **2** tyydyttää (tarve), kattaa (kysyntä) **3** toimia sijaisena

support [səˈpɔrt] *s* **1** tuki, kannatus **2** tuki, kannatin **3** tukija, auttaja, kannattaja *v* **4** (myös kuv) tukea, kannattaa **5** sietää, kestää **6** elättää **7** vahvistaa (oikeaksi), tukea

supportable *adj* siedettävä, hyväksyttävä

supporter *s* **1** kannattaja, tukija *v* elättäjä

supportive *adj* tukeva, tuki- *his wife is very supportive of his dealings* hänen vaimonsa tukee kovasti hänen puuhiaan

suppose [səˈpouz] *v* **1** olettaa, luulla *suppose he has already left* entä jos hän on jo lähtenyt **2** (passiivissa) *you're not supposed to touch the exhibits* näyttelyesineisiin ei saa koskea

supposed [səˈpouzd səˈpouzəd] *adj* oletettu, luuloteltu

supposedly [səˈpouzədlı] *adv* ilmeisesti *Oswald was supposedly a Russian undercover agent* Oswaldia väitettiin Neuvostoliiton salaiseksi agentiksi

supposing *konj* jos, jospa

supposition [͵sapə'zıʃən] *s* oletus

suppress [səˈpres] *v* vaimentaa, hiljentää, kukistaa, tukahduttaa (myös psyk), tehdä loppu jostakin *she suppressed a yawn* hän tukahdutti haukotuksensa

suppression [səˈpreʃən] *s* vaimentaminen, kukistaminen, tukahduttaminen (myös psyk)

supremacy [səˈpreməsı] *s* johtoasema

supreme [səˈpriːm] *adj* **1** korkea-arvoisin, korkein, ylin **2** suurin, tärkein, huippu-

supremely *adv* erittäin, äärimmäisen

1 surcharge ['sɔːr͵tʃardʒ] *s* lisämaksu

2 surcharge *v* ottaa lisämaksu jostakin

sure [ʃər] *adj* varma *a sure method* varma menetelmä *be sure to put enough clothes on* muista panna tarpeeksi (vaatteita) päälle *for sure* varmasti *to make sure* pitää huoli jostakin, huolehtia, varmistaa *she is, to be sure, no genius* hän ei todellakaan ole mikään nero *adv* (ark) varmasti

surely *adv* **1** varmasti, lujasti, luotettavasti *slowly but surely* hitaasti mutta varmasti **2** epäilemättä, varmasti **3** varmaankin, luultavasti, kai *surely you can't be serious* et kai ole tosissasi? **4** tottakai, mielellään *surely we'll all help you* tottakai me autamme sinua

surely [ʃərəti] *s* **1** takaus(maksu) **2** takaaja **3** varmuus

1 surf [sərf] *s* tyrsky(aallokko)

2 surf *v* **1** lainelautailla, ratsastaa tyrskyillä **2** surffata *to surf the net* surffata Internetissä

1 surface [sərfəs] *s* **1** pinta (myös kuv) päällys *we have only scratched the surface of the problem* emme ole vielä päässeet lähellekään ongelman ydintä **2** pinta-ala

2 surface *v* nousta/nostaa pintaan, ilmestyä/ saada näkyviin

3 surface *adj* **1** ulkoinen, pinta- **2** (kuv) pinnallinen **3** (posti) maa-, pinta-

1 surfboard [sərf,bord] *s* lainelauta

2 surfboard *v* lainelautailla, ratsastaa tyrskyillä

1 surfeit [sərfət] *s* liika, liiallinen määrä

2 surfeit *v* ahtaa täyteen jotakin

surfer *s* lainelautailija, surffaaja

surfing *s* lainelautailu, surffaus

1 surge [sərdʒ] *s* syöksy, syöksyminen, vellominen; aallokko

2 surge *v* velloa; tyrskytä; syöksyä *blood surged on his face* puna(stus) levisi hänen kasvoilleen

surgeon [sərdʒən] *s* kirurgi

surgery [sərdʒəri] *s* **1** kirurgia **2** leikkaus **3** leikkaussali, (UK) (lääkärin) vastaanotto

surgical [sərdʒəkl] *adj* kirurginen

surliness *s* **1** pahantuulisuus, happamuus, äreys **2** (sään ym) synkkyys

surly [sərli] *adj* **1** pahantuulinen, hapan, äreä, kärttyisä **2** (sää ym) synkkä

surmise [sərmaiz] *v* päätellä, arvata, otaksua

surmount [sərmaunt] *v* **1** nousta/kiivetä jonnekin, nostaa/laittaa jonkin päälle **2** selvitä jostakin, voittaa (este tms)

surname [sər,neim] *s* **1** sukunimi **2** lisänimi, liikanimi

surpass [sərpæs] *v* ylittää, olla suurempi/ parempi yms kuin, jättää joku/jokin jälkeensä

surplus [sərpləs] *s* **1** ylijäämä, ylimäärä, liikatuotanto *adj* ylimääräinen, ylijäämä-, liika-

1 surprise [sərpraiz] *s* **1** yllätys *to take someone by surprise* yllättää joku **2** (sot) yllätyshyökkäys

2 surprise *v* **1** yllättää *I was surprised to learn that you had a new job* yllätyin/hämmästyin kuullessani että sinulla on uusi työpaikka **2** (sot) tehdä yllätyshyökkäys johonkin, yllättää **3** houkutella (paljastamaan tahattomasti jotakin)

surprising *adj* yllättävä, hämmästyttävä

surprisingly *adv* yllättävästi, yllättäen, yllättävän, hämmästyttävän

surreal [sərriəl] *adj* epätodellinen

surrealism [sərriəlizəm] *s* (taiteessa) surrealismi

surrealist [sərriəlist] *s* surrealisti *adj* surrealistinen

surrealistic [sərriə'lıstık] *adj* surrealistinen

1 surrender [sərendər] *v* **1** antautuminen **2** (antaminen) luovutus, luovuttaminen

2 surrender *v* **1 antautua 2** (antaa) luovuttaa jotakin jollekulle **3** luopua jostakin

surreptitious [sərəp'tıʃəs] *adj* vaivihkainen, salavihkainen, salainen

surreptitiously *adv* vaivihkaa, salavihkaa, salaa, kaikessa hiljaisuudessa

1 surround [səraund] *s* **1** reunus **2** ympäristö; sisustus

2 surround *v* **1** ympäröidä *our farm is surrounded by hills* maatilamme ympärillä on kukkuloita, maatilamme on kukkuloiden keskellä **2** piirittää (myös kuv)

surrounding *s* (mon) ympäristö *adj* ympäröivä; lähi-

surveillance [sərveiləns] *s* valvonta *he is under police surveillance* poliisi seuraa hänen toimiaan

survey [sərˈveɪ] v 1 silmäillä, tarkastella, katsella 2 tutkia 3 kartoittaa, tehdä maanmittausta 4 tehdä kartoitustutkimus

survey [sərˈveɪ] s 1 katsaus, yleiskatsaus 2 tutkimus 3 kartoitustutkimus 4 maanmittaus 5 kartta 6 maanmittaustoimisto

surveying s maanmittaus

surveyor [sərˈveɪər] s maanmittausinsinööri

survival [sərˈvaɪvəl] s 1 eloonjäänti 2 (menneisyyden) jäänne adj eloonjäänti-, hengissä pysymisen

survive [sərˈvaɪv] v 1 jäädä eloon, selvitä/pysyä hengissä 2 säilyä; säilyä käytössä, olla edelleen käytössä 3 elää kauemmin kuin *he was survived by a wife and three children* häntä jäivät suremaan vaimo ja kolme lasta

survivor [sərˈvaɪvər] s 1 eloonjäänyt, pelastunut 2 sinnikäs/lannistumaton ihminen *don't worry about him, he's a survivor* älä hänestä murehdi, kyllä hän puolensa pitää

susceptibility [səˌseptəˈbɪləti] s alttius, herkkyys, arkuus, taipumus

susceptible [səˈseptəbəl] adj 1 jolle voidaan tehdä jotakin, jolle voi sattua jotakin *that computer is susceptible to crashes* tuo tietokone romahtaa toisinaan 2 herkkä, arka, altis jollekin *a susceptible teenager* vaikutuksille altis nuori

sushi [ˈsuːʃi] s sushi, japanilaisittain kylmän riisin kanssa raakana tarjoiltava kala

suspect [ˈsʌspekt] s (syylliseksi) epäilty adj epäilyttävän

suspect [səˈspekt] v 1 epäillä, uskoa (esim syylliseksi) *the enemy suspected nothing* vihollinen ei osannut epäillä mitään 2 ei luottaa, suhtautua epäluuloisesti johonkin

suspend [səˈspend] v 1 roikkua, ripustaa 2 lopettaa, loppua, lakata, keskeyttää, keskeytyä 3 erottaa, määrätä pelikieltoon, perua lupa 4 lykätä, viivyttää, siirtää myöhemmäksi 5 (kuv) pitää jännityksessä

suspenders [səˈspendərz] s (mon) (US) olkaimet, housunkannattimet, henkselit (ark)

suspense [səˈspens] s 1 jännitys *don't keep us in suspense, tell what happened* älä pidä meitä jännityksessä vaan kerro miten kävi

2 epävarmuus, ratkaisematon tila: *to hang in suspense* roikkua ilmassa, olla auki

suspension [səˈspenʃən] s 1 keskeytys, katko, tauko, (oikeuden väliaikainen) kumoaminen, (työstä) erottaminen 2 (auton ym) jousitus

suspension bridge s riippusilta

suspicion [səˈspɪʃən] s epäilys, epäluulo *to arouse suspicion* herättää epäilystä, epäilyttää

suspicious [səˈspɪʃəs] adj 1 epäluuloinen 2 epäilyttävä

sustain [səˈsteɪn] v 1 tukea, kannattaa, kestää 2 kärsiä *the car sustained heavy damage* auto vaurioitui pahoin 3 (kuv) tukea, auttaa 4 ruokkia, elättää 5 hyväksyä, vahvistaa (oikeaksi)

sustenance [ˈsʌstənəns] s 1 ravinto 2 elatus, toimeentulo

1 **swab** [swɒb] s 1 (laivassa) moppi 2 pumpulituppo; pumpulipuikko

2 **swab** v 1 kuurata (mopilla) 2 kuivata, pyyhkiä

swagger [ˈswægər] v 1 pöyhkeä kävely(tyyli) 2 pöyhkeily, ylpeily, ylimielisyys v 1 kävellä pöyhkeänä 2 pöyhkeillä, ylpeillä

swaggering adj pöyhkeä, ylpeä, ylimielinen

1 **swallow** [ˈswɒloʊ] s 1 nielaus, nielaisu, kulaus 2 (lintu) haarapääsky

2 **swallow** v 1 nielaista, niellä (myös kuv:) sietää *she swallow it hole* (kuv) hän otti sen täydestä 2 kadota, hukkua sekaan, nielaista mukaansa 3 perua (puheensa)

swam [swæm] ks swim

1 **swamp** [swɒmp] s suo, räme

2 **swamp** v peittää vedellä, (vesi) peittää alleen, peittyä veteen, jäädä veden alle

swampy adj soinen, suo-, räme-

swan [swɒn] s joutsen

swan song [ˈswɒnˌsɒŋ] s (kuv) joutsenlaulu

1 **swap** [swɒp] s vaihto(kauppa)

2 **swap** v vaihtaa jokin johonkin (for)

1 **swarm** [swɔːrm] s (mehiläis- tai muu) parvi, suuri joukko

2 **swarm** v (mehiläisistä ym) parveilla *the place was swarming with people* paikka oli tupaten täynnä (väkeä)

swastika [ˈswɒstɪkə] s hakaristi

1 swat [swat] s läimäytys

2 swat v läimäyttää; tappaa (läimäyttämällä) (esim kärpänen)

sway [swei] v 1 huojua, huojuttaa *skyscrapers sway in the wind* pilvenpiirtäjät huojuvat tuulessa **2** kallistua, kallistaa **3** (kuv) kallistua/saada kallistumaan (johonkin näkemykseen); (mielipiteet) ailahdella, huojua *the disclosure swayed public opinion against him* paljastus sai suuren yleisön kääntymään häntä vastaan

1 swayback [sweibæk] s notkoselkä

2 swayback adj notkoselkäinen

swear [sweər] v swore, sworn **1** vannoa; tehdä vala **2** kirolla

swear by v 1 vannoa jonkin nimeen **2** (ark) uskoa lujasti johonkuhun, luottaa johonkuhun **3** olla varma jostakin, vannoa

swear in v ottaa joltakulta virkavala, vannottaa

swearing-in s virkavalan vannomistilaisuus, virkaanastujaiset

swear off v vannoutua irti jostakin, luvata luopua jostakin

swearword ['sweə,wəd] s kirosana

1 sweat [swet] s 1 hiki **2** kova/hikinen työ **3** (ark) vaiva, riesa *no sweat* (se on) helppo nakki/homma, (se onnistuu) ilman muuta **4** (mon) verryttelyvaatteet tms **5** saunominen intiaanien saunassa *hey, we're having a sweat Friday, wanna come?* lähdetkö perjantaina kimppaan saunomaan?

2 sweat v hikoilla **2** ahertaa, ansaita kovalla työllä/otsansa hiellä **3** (sl) kiristää; hiostaa

sweat blood fr 1 hikoilla verta, rehkiä, ahertaa **2** pelätä, jännittää

sweater [swetər] s villapaita, villatakki, neulepaita

sweat gland s hikirauhanen

sweat out v 1 odottaa (ahdistuneena, jännittyneenä) **2** kestää, sietää **3** laatia/tehdä (suurella vaivalla), saada tehdyksi *we finally sweated out an agreement* me pääsimme vihdoin viimein sopimukseen

sweatpants ['swet,pænts] s (mon) verryttelyhousut

sweatshirt ['swet,ʃərt] s collegepaita

swede [swid] s lanttu

1 sweep [swip] s 1 lakaiseminen, siivoaminen **2** (tuulen) puhallus, (aaltojen) liike **3** heilautus, heilahdus, (laaja) liike **4** alue: *a sweep of forest* metsä **5** mutka, käänne

2 sweep v swept, swept **1** lakaista **2** temmata, puhaltaa, huitaista, hujahtaa, pyyhkiä, pyyhkäistä **3** avata (polku, tie) **4** katsoa (päästä päähän, reunasta reunaan), (katse) siirtyä (päästä päähän tms) **5** voittaa (vaalit, kilpailusarja) ylivoimaisesti **6** lähteä (nopeasti) **7** tutkia onko jossakin salakuuntelulaitteita

sweeping adj laaja, mittava, kattava, perusteellinen, (voitto) ylivoimainen

sweepstakes ['swip,steiks] s (mon) arpajaiset (myös kuv): riskialtis yritys/hanke

sweet [swit] s (mon) makciset, sokerileivonnaiset adj **1** makea **2** suolaton **3** (haju, maku, ääni, ihminen ym) miellyttävä, hyvä, suloinen, kiltti **4** tunteileva; imelä

sweetbread ['swit,bred] s 1 haima (ruokana) **2** kateenkorva (ruokana)

sweeten v 1 makeuttaa **2** pehmentää, hiljentää **3** (ark) (yrittää) tehdä houkuttelevaksi/maukkaaksi, lisätä johonkin porkkanaksi jotakin

sweetener s 1 makeutusaine **2** (kuv) houkutin, porkkana

sweetheart ['swit,hart] s kulta, rakas

sweetie [switi] s (ark) kulta, kultu, rakas

sweetish adj makeahko

sweet talk s suostuttelevа imartelu

sweet tooth *to have a sweet tooth* olla perso makealle, olla kova makean perään

1 swell [swel] s 1 paisuminen, turvotus **2** aalto, aallot **3** kasvu, lisäys, nousu, voimistuminen

2 swell v swelled, swelled/swollen **1** paisua, paisuttaa, turvota, turvottaa, pullistua, pullistaa **2** lisätä, voimistaa, vahvistaa, paisuttaa **3** (meri) velloa, aaltoilla **4** (kyynelet) valahtaa, nousta silmään

3 swell adj (ark) hieno, upea, komea

1 swelter [sweltər] s läkähdyttävä kuumuus/helle

2 swelter v läkähtyä (kuumaan), tukahtua, läkähdyttää, tukahduttaa

sweltering 1132

sweltering adj läkähdyttävä, tukahduttava;
läkähdyttävän/tukahduttavan kuuma/hel-
teinen

swept [swept] ks sweep

1 swerve [swəːv] s käännös, kierto, kaarros

2 swerve v kääntyä, kääntää, väistyä, kiertyä,
kiertää, kaartua, kaartaa *suddenly the car
swerved to the right* auto kaarsi/kääntyi
yhtäkkiä oikealle

1 swift [swift] s *Eurasian swift* tervapääsky
Alpine swift alppikiitäjä

2 swift adj nopea, vikkelä; äkillinen, äkkinäi-
nen

SWIFT (Society of Worldwide Interbank Fi-
nancial Telecommunication) *SWIFT-code*
SWIFT-tunnus (pankkisiirroissa)

swiftly adv nopeasti, vikkelästi; äkkiä

swiftness s nopeus, vikkelyys; äkkinäisyys

1 swig [swig] s (ark) ryyppy

2 swig v (ark) ryypätä

1 swill [swil] s **1** sianruoka **2** ryyppy

2 swill v ryystää; ryypätä

1 swim [swim] s uinti *to go for a swim* mennä
uimaan, käydä uimassa *to be in the swim*
olla menossa mukana

2 swim v swam, swum **1** uida **2** kellua (ve-
dessä) **3** leijua (ilmassa) **4** olla yltä päältä
jossakin, olla jonkin peitossa **5** huimata,
pyörryttää

swimmer s uimari, uija

swimming s uinti adj uinti-, uima-

swimming pool s uima-allas

swimming trunks s (mon) uimahousut

swimsuit [ˈswimˌsuːt] s uimapuku

swimwear [ˈswimˌweər] s uimapuvut

swine [swain] s (mon swine) sika (myös kuv)

1 swing [swiŋ] s **1** heilahdus, heilautus **2** kei-
nunta **3** isku, lyönti *to take a swing at*
lyödä, yrittää lyödä (nyrkillä) **4** (selvä)
tahti, rytmi, svengi **5** vapaus (työssä ym)
6 vauhti, meno *to be in full swing* olla täy-
dessä vauhdissa **7** (hinnan) nousu; lasku
an upward/downward swing nousu/lasku
8 swing (musiikki) **9** (golf) mailalla lyönti
siihen liittyvine vartalon liikkeineen,
svingi

2 swing v swung, swung **1** heilua, heiluttaa,
heilauttaa, (nyrkkiä) heristää **2** keinua,

roikkua **3** kääntyä, kääntää, kaartua, kaar-
taa, ohjata **4** lyödä, iskeä **5** (ark) saada,
onnistua saamaan, hankkia *to swing a deal*
sinetöidä/tehdä kauppa **6** (mieliala) muut-
tua, muuttaa, vaihtua, vaihtaa *the news
swung the public opinion against him* uuti-
nen sai suuren yleisön kääntymään häntä
vastaan **7** (sl) olla kova meno päällä, olla
vauhdikasta, jollakulla menee lujaa **8** (ark)
kuolla hirsipuussa **9** soittaa svingiä
10 (golf) lyödä svingi

1 swipe [swaip] s **1** (mailan) isku, lyönti
2 (ark) tälli **3** (ark) piikki, pisteliäs/kär-
kevä huomautus

2 swipe v **1** iskeä, lyödä (mailalla) **2** (ark)
puhaltaa, kähveltää, anastaa

1 swirl [swəːl] s pyörähdys, kiepsahdus,
pyörre

2 swirl v **1** pyörähtää, kiepsahtaa, kierähtää,
pyöriä **2** pyörryttää, huimata

1 swish [swiʃ] s **1** huiskaisu, huitaisu **2** su-
hina, (silkin) kahina

2 swish v **1** huiskia, huitoa, viuhtoa **2** suhista,
(silkki) kahista

1 switch [switʃ] s **1** vitsa, piiska **2** kytkin,
katkaisin *to be asleep at the switch* (ark) ei
olla valppaana, päästää tilaisuus sivu suun
3 (rautateillä) vaihde **4** muutos, siirtymä,
vaihto

2 switch v **1** piiskata, antaa vitsaa **2** kytkeä,
katkaista **3** vaihtaa, vaihtua, siirtää, siirtyä,
muuttaa, muuttua **4** (rautateillä) vaihtaa
(toiselle raiteelle)

1 switchback [ˈswitʃˌbæk] s jyrkkä mutka ser-
pentiinitiellä, polun polvi/mutka

2 switchback v (tie, polku) kiemurrella, mut-
kitella (rinteessä)

switchblade [ˈswitʃˌbleid] s stiletti

switchboard [ˈswitʃˌbɔːd] s (käsivälitteinen)
puhelinvaihde

1 swivel [ˈswivəl] s kiertonivel

2 swivel v **1** kiertää, kiertyä, kääntää, kääntyä

swollen [ˈswəʊlən] ks swell

1 swoop [swuːp] s syöksy, laskeutuminen,
hyökkäys *in one fell swoop* yhdellä is-
kulla, siltä istumalta

2 swoop v syöksyä, laskeutua (äkkiä), hyö-
kätä

swop [swɒp] ks swap

sword [sɔrd] s miekka *they are always at sword's points* he ovat aina napit vastakkain, he ovat aina riidoissa to *cross swords* ottaa yhteen (myös kuv) *to put to the sword* surmata

swordfish ['sɔrd,fiʃ] s (mon swordfishes, swordfish) miekkakala

swore [swɔr] ks swear

sworn ks swear

sworn [swɔrn] adj **1** valantehnyt **2** vannoutunut

swum [swʌm] ks swim

swung [swʌŋ] ks swing

sycamore ['sɪkə,mɔr] s **1** (Pohjois-Amerikassa) plataani **2** (Euroopassa) vuorivaahtera

syllable [ˈsɪləbl] s tavu

syllabus [ˈsɪləbəs] s (mon syllabuses, syllabi) **1** opintosuunnitelma **2** yleiskatsaus, yhteenveto, tiivistelmä

1 symbol [ˈsɪmbl] s merkki, tunnus, vertauskuva, symboli *money is a symbol of power* raha on yksi vallan merkki

2 symbol v merkitä, olla merkki jostakin, symboloida

symbolic [sɪmˈbalɪk] adj vertauskuvallinen, symbolinen *his remuneration was mainly symbolic* hänen palkkionsa oli lähinnä nimellinen

symbolism [ˈsɪmbə,lɪzəm] s **1** tunnuskuvien/vertauskuvien käyttö, symboliikka **2** *Symbolism* (taiteessa) symbolismi

symbolize [ˈsɪmbə,laɪz] v merkitä, kuvata, esittää, edustaa jotakin, olla vertauskuvana jostakin, symboloida

symmetrical [səˈmetrɪkəl] adj tasasuhtainen, symmetrinen

symmetry [ˈsɪmətrɪ] s tasasuhtaisuus, sopusuhtaisuus, symmetria

sympathetic [ˌsɪmpəˈθetɪk] adj **1** myötätuntoinen, myötämielinen, johonkin mieltynyt, ymmärtäväinen, säälivä, sympaattinen *he is sympathetic to our cause* hän suhtautuu asiaamme myötämielisesti, hän kannattaa asiaamme **2** myötätuntoa herättävä, miellyttävä, sympaattinen **3** (hermosto) sympaattinen

sympathetically adv myötätuntoisesti, myötämielisesti, ymmärtävästi, säälivästi, sympaattisesti

sympathize [ˈsɪmpə,θaɪz] v tuntea myötätuntoa/sympatiaa, ymmärtää, sääliä *I sympathize with what you're trying to do* ymmärrän/hyväksyn tavoitteesi

sympathy [ˈsɪmpəθɪ] s myötätunto, myötämielisyys, ymmärtäväisyys, sääli, sympatia

symphonic [sɪmˈfanɪk] adj sinfoninen, sinfonia-

symphony [ˈsɪmfənɪ] s **1** sinfonia (myös kuv) **2** sinfoniaorkesteri **3** sinfoniakonsertti

symphony orchestra s sinfoniaorkesteri

symptom [ˈsɪmptəm] s **1** (taudin) oire **2** oire, enne, merkki, osoitus jostakin *it is a symptom of his hubris that he would not talk to us* hänen ylimielisyydestään kertoo sekin ettei hän suostunut puhumaan meille

symptomatic [ˌsɪmptəˈmætɪk] adj oireellinen, ontellinen, jotakin (of) ilmentävä, kuvaava

symptomless adj oireeton

synagogue [ˈsɪnə,gag] s synagoga

synapse [ˈsɪnæps] s (hermosolujen liittymä) synapsi

synaptic [sɪˈnæptɪk] adj synaptinen

sync [sɪŋk] *to be in out of sync* **1** olla/ei olla tahdissa *the picture and sound are in sync* **2** (kuv) olla samalla aallonpituudella kuin v tahdistaa, synkronoida (sanasta *synchronize*)

synchronize [ˈsɪŋkrə,naɪz] v tahdistaa, synkronoida

syndicate [ˈsɪndɪkət] s **1** (tal) yhteenliittymä, myyntikartelli, syndikaatti **2** (lehtialalla) sanomalehtiketju **3** (lehtialalla) kuvatoimisto, sarjakuvatoimisto yms. **4** gangsterijärjestö, rikollisjärjestö

syndicate [ˈsɪndə,keɪt] v **1** liittyä yhteen, perustaa kartelli/syndikaatti **2** julkaista (samanaikaisesti useassa lehdessä) **3** (televisioalalla) myydä (vanha tai uusi ohjelma) itsenäisille (valtakunnallisiin verkkoihin kuulumattomille) asemille

syndrome [ˈsɪndroʊm] s oireyhtymä, syndrooma

synergic [sɪˈnɜːdʒɪk] *adj* yhteisvaikutteinen, yhteistoiminnallinen, yhteistyö-

synergy [ˈsɪnədʒɪ] *s* yhteisvaikutus, yhteistoiminta, synergia

synonym [ˈsɪnənɪm] *s* synonyymi, samamerkityksinen sana

synonymous [səˈnɒnəməs] *adj* samamerkityksinen, synonyyminen *the name 'Rockefeller' is synonymous with wealth* nimi Rockefeller merkitsee/uhkuu vaurautta

synopsis [səˈnɒpsɪs] *s* (mon synopses) (käsikirjoituksen ym) tiivistelmä, yhteenveto, yleiskatsaus

syntactic [sɪnˈtæktɪk] *adj* lauseopillinen, syntaktinen

syntax [ˈsɪntæks] *s* 1 lauseoppi, syntaksi 2 (tietok) syntaksi, muotosäännöt

synthesis [ˈsɪnθəsɪs] *s* (mon syntheses) 1 yhdistäminen, synteesi 2 yhdistelmä, synteesi 3 (kem) synteesi

synthesize [ˈsɪnθəˌsaɪz] *v* syntetisoida, (esim) valmistaa synteettisesti

synthesizer *s* (laite) syntetisaattori

synthetic [sɪnˈθetɪk] *s* keinotekoinen aine ym, tekoaine, synteettinen aine *adj* synteettinen, synteesiin perustuva, keinotekoinen, teko-

synthetically *adv* synteettisesti, synteesiin perustuen, keinotekoisesti

syphilis [ˈsɪfləs] *s* (lääk) kuppa, syfilis

syringe [səˈrɪndʒ] *s* (lääk) ruisku

syrup [ˈsərəp] *s* 1 siirappi 2 (sokeroitu) mehu

syrupy *adj* 1 sakea, paksu 2 (kuv) imelä, makea

system [ˈsɪstəm] *s* 1 järjestelmä; menetelmä 2 elimistö *the respiratory system* hengityselimet *the nervous system* hermosto *the digestive system* ruuansulatuselimistö

systematic [ˌsɪstəˈmætɪk] *adj* järjestelmällinen, perusteellinen, systemaattinen

systematically *adv* järjestelmällisesti, perusteellisesti, systemaattisesti

systematize [ˈsɪstəməˌtaɪz] *v* tehdä järjestelmälliseksi, järjestelmällistää, systemoida, systematisoida

systole [ˈsɪstəlɪ] *s* (sydänlihaksen supistusvaihe) systole

T, t

T, t [tiː] T, t

ta [ta] *interj* (UK sl) kiitti, kiitos

1 tab [tæb] *s* 1 lappu, lipuke, tarra, merkki, kyltti 2 (vaatteen) ripustin 3 (ark) (ravintola)lasku *to put something on the tab* panna jotakin piikkiin, lisätä laskuun 4 (kirjoituskoneessa, tietokoneessa) sarkain 5 *to keep tabs on* pitää jotakin silmällä, seurata, tarkkailla

2 tab *v* 1 nimittää, kutsua 2 käyttää (kirjoituskoneen, tietokoneen) sarkainta

1 table [ˈteɪbl] *s* 1 pöytä *to be under the table* olla juovuksissa/päissään *to give something under the table* antaa jotakin pimeästi/salaa; lahjoa *to wait tables/on table* olla tarjoilijana 2 tasanne, tasanko 3 luettelo 4 laatta, taulu, levy 5 *to turn the tables* kääntää tilanne päinvastaiseksi

2 table *v* 1 panna pöydälle 2 (kuv US) panna pöydälle, siirtää myöhemmäksi/myöhempään istuntoon 3 (kuv UK) antaa, tehdä (esitys)

tablecloth [ˈteɪblˌklɒθ] *s* (mon tablecloths) pöytäliina

tableland [ˈteɪblˌlænd] *s* ylätasanko, (tasainen) ylänkö

tablespoon [ˈteɪblˌspuːn] *s* ruokalusikka

tablespoonful *s* (mon tablespoonfuls) ruokalusikallinen (14,8 ml)

tablet [ˈtæblət] *s* 1 lehtiö 2 laatta, taulu 3 (lääkke)tabletti

tableware [ˈteɪblˌweə] *s* ruoka-astiat ja ruokailuvälineet

1 tabloid [ˈtæblɔɪd] *s* (pienikokoinen sanomalehti) tabloidi

2 tabloid *adj* tabloidi(kokoinen)

tabloid newspaper *s* tabloidi-lehti, tabloidi

tabloid press *s* sensaatiolehdet, roskalehdet

1 taboo [tæ'bu] *s* tabu, kielto

2 taboo *v* kieltää, julistaa tabuksi

3 taboo *adj* tabu-, kielletty

tabulate ['tæbjə‚leit] *v* taulukoida

tabulation [‚tæbjə'leiʃən] *s* taulukointi

tabulator ['tæbjə‚leitər] *s* **1** taulukointilaite, tabulaattori **2** sarkain, tabulaattori

tachometer [tæ'kaməter] *s* **1** nopeusmittari **2** kierroslukumittari

tacit [tæsət] *adj* **1** sanaton, epäsuorasti ilmaistu **2** hiljainen, äänetön

tacitly *adv* **1** sanattomasti, epäsuorasti **2** hiljaa, äänettömästi

taciturn [tæsətərn] *adj* hiljainen, vaitelias, vähäpuheinen

1 tack [tæk] *s* **1** pieni naula, nasta **2** (purjeduksessa) halssi *starboard/port tack* oikea/vasen halssi **3** (kuv) kurssi, näkökulma, lähestymistapa *to be on the wrong tack* olla väärässä, olla väärillä jäljillä

2 tack *v* **1** naulata **2** kiinnittää **3** yhdistää, liittää yhteen **4** lisätä jotakin johonkin (on/onto)

1 tackle [tækəl] *s* **1** varusteet, välineet **2** talja, väkipyörästö **3** (purjelaivan) takila **4** (urh) taklaus

2 tackle *v* **1** (kuv) tarttua, käydä käsiksi (esim ongelmaan) **2** valjastaa (hevonen) **3** (urh) taklata

tacky [tæki] *adj* mauton, tyyliltään ala-arvoinen

tact [tækt] *s* tahdikkuus, hienotunteisuus

tactful *adj* tahdikas, hienotunteinen, hienovainen

tactic [tæktik] *s* **1** (myös mon, sot) taistelutaito, taktiikka **2** (myös mon, yleiskielessä) suunnitelma, menettely, taktiikka, strategia

tactical [tæktikəl] *adj* **1** taktinen **2** taitava, nokkela, laskelmoitu

tactically *adv* **1** taktisesti **2** taitavasti, nokkelasti, laskelmoiden

tactician [tæk'tiʃən] *s* taktikko, (kuv) taitava juonittelija

tactless *adj* tahditon, epähieno, loukkaava, moukkamainen

tad [tæd] *a tad* (ark) hiukan, hieman *it's a tad too big* se on himpun verran liian iso

tadpole ['tæd‚poəl] *s* nuijapää

taffy [tæfi] *s* toffee

1 tag [tæg] *s* **1** lappu, lippu, nimilappu, hintalappu **2** (vaatteessa) ripustin **3** (auton) rekisterikilpi **4** loppu(pää), häntä (pää) **5** liikanimi, lisänimi **6** (kieliopissa) liitekysymys **7** hippaleikki, hippa

2 tag *v* **1** varustaa hintalapulla, nimilapulla tms **2** lisätä, liittää, sanoa/todeta lopuksi **3** sakottaa (for), syyttää (with) **4** hinnoitella, panna hinnaksi **5** (ark) varjostaa, seurata **6** (hippaleikissä) ottaa hipaksi

tag end *s* häntäpää, loppupää, loppu

1 tail [teiəl] *s* **1** häntä; pyrstö (myös lentokoneen) *he had his tail between his legs* hänellä oli häntä koipien välissä **2** (kolikon) klaava(puoli) **3** (mon) frakki; frakin liepeet **4** (sl) takapuoli, pyrstö **5** (ark) varjostaja, seuraaja **6** (ark) jäljet: *to be on someone's tail* olla jonkun jäljillä **7** (sl) pano, naiminen *chase tail* yrittää iskeä tyttöä

2 tail *v* **1** seurata, kulkea jonkun perässä, (ark) varjostaa **2** kiinnittää/liittää yhteen/peräkkäin **3** kulkea peräkkäin **4** hävitä/kadota näkyvistä/jonnekin (off)

tailback *s* **1** (amerikkalaisessa jalkapallossa) keskushyökkääjä **2** (UK) liikenneruuhka

tail end *s* häntäpää, loppupää, loppu, hännänhuippu

1 tailgate ['teiəl‚geit] *s* (farmariauton yms) peräluukku

2 tailgate *v* **1** ajaa kiinni edellisen auton puskurissa **2** (tietok) peesata

taillight ['teiəl‚lait] *s* (auton) perävalo

1 tailor [teilər] *s* vaatturi, räätäli

2 tailor *v* **1** räätälöidä **2** sovittaa, mukauttaa johonkin, tehdä jonkin mukaiseksi

tailor-made [‚teilər'meid] *adj* **1** vaatturin/räätälin tekemä **2** tilaustyönä tehty, tilaus- *the job offer is tailor-made for you* työpaikkatarjous tulee sinulle kuin tilauksesta

tail pipe *s* (auton) pakoputken pää, pakoputki

1 taint [teint] *s* (kuv) (häpeä)tahra

2 taint *v* **1** (kuv) tahrata, tahria **2** pilata, pilaantua

1 take [teɪk] *s* **1** (kala-, metsästys)saalis **2** (ark) voitto **3** (elok) otos, (mus) nauhoitus **4** (ark) säpsähdys, hämmästys **5** *to be on the take* ottaa lahjuksia

2 take *v* took, taken **1** ottaa *she took the book from the shelf* hän otti kirjan hyllyltä **to** *take a pill* ottaa pilleri **2** viedä *he took her to the movies* hän vei tytön elokuviin **3** tarttua, ottaa kiinni *the child took his hand* lapsi tarttui hänen käteensä **4** (kaupunki, laiva ym) vallata, (alus, vanki ym) vangita, ottaa kiinni **5** ottaa vastaan, hyväksyä, suostua, kokea *don't take it too hard* älä ota sitä liian raskaasti *the mayor is taking bribes* kaupunginjohtaja ottaa vastaan lahjuksia **6** (lehti) tilata, (aitio ym) varata **7** kestää, sietää *I can't take it anymore* en kestä enää **8** (funktioverbinä) *to take a meal* aterioida *to take a bath* kylpeä *to take a walk* lähteä kävelylle *to take an exam* käydä tentissä *to take notes* tehdä muistiinpanoja, kirjoittaa muistiin **9** olettaa, ymmärtää *I take it that you want me to leave* sinä ilmeisesti haluat minun lähtevän

take after *v* **1** muistuttaa jotakin *she takes after her mother* hän on tullut äitiinsä **2** seurata, ajaa takaa, varjostaa

take a liking to *fr* mieltyä johonkuhun/johonkin

take a stand *fr* ottaa kantaa

take a walk *fr* (ark) häivy!, ala nostella!, jätä minut rauhaan!

take back *v* **1** ottaa takaisin **2** viedä (tavara) takaisin (kauppaan) **3** perua (puheensa) **4** palauttaa mieleen *this song will take us all the way back to 1964* tämä laulu palauttaa mieleemme (kaukaisen) vuoden 1964

take care! *interj* koita pärjäillä!, tapaamisiin!

take care of *fr* **1** huolehtia jostakin, pitää huoli **2** (sl) hoidella, hakata

take charge *fr* käydä ohjaksiin/suitsiin (kuv)

take down *v* **1** laskea (alemmaksi), alentaa, vähentää, supistaa, hiljentää **2** purkaa **3** kirjoittaa muistiin/ylös **4** antaa jonkun kuulla kunniansa, sättiä, moittia

take effect *fr* **1** astua/tulla voimaan **2** vaikuttaa, tehota, tepsiä

take for *v* pitää jonakin, luulla joksikin *what do you take me for?* miksi sinä minua oikein luulet?

take for granted *fr* pitää itsestään selvänä, suhtautua välinpitämättömästi *don't take her for granted* älä kohtele häntä kuin ilmaa

take ill *fr* sairastua

take in *v* **1** päästää sisään **2** pienentää, (vaatetta) kaventaa **3** ymmärtää, käsittää, tajuta **4** katsella, tarkkailla, tarkastella **5** huijata, puijata, pettää **6** ansaita (liiketoiminnalla), tienata (ark), kääriä (ark) **7** majoittaa **8** sisältää, käsittää, kattaa

take in stride *fr* suhtautua johonkin tyynesti, alistua johonkin

take into account *fr* ottaa huomioon

take no prisoners *fr* (kuv) olla armoton, säälimätön

take oath *fr* vannoa vala

takeoff ['teɪk,ɑf] *s* **1** (lentokoneen) lähtö, ilmaan nousu **2** (kilpailun) lähtö, aloitus **3** parodia, pilailu

take off *v* **1** nousta lentoon/ilmaan **2** riisua (vaate, jalkine, päähine) **3** viedä, ottaa mukaansa **4** (ark) lähteä, häipyä **5** erottaa, poistaa (tehtävästä) **6** surmata **7** jäljentää, kopioida **8** (ark) matkia, mukailla ivaillen, parodioida **9** (ark) lisääntyä, nousta, kasvaa, päästä vauhtiin

take off the edge *fr* pehmentää, lieventää (vaikutusta)

take on *v* **1** ottaa palvelukseen, palkata **2** ryhtyä johonkin, ottaa hoitaakseen **3** alkaa vaikuttaa/näyttää joltakin *language skills have taken on new meaning* kielitaidon merkitys on kasvanut **4** tarttua haasteeseen, ruveta tappelemaan **5** (ark) innostua (liikaa)

takeout ['teɪk,aʊt] *s* **1** ruoka joka otetaan pikaravintolasta mukaan **2** (ark) pikaravintola josta ruoka otetaan mukaan *they went to a Chinese takeout* he menivät kiinalaiseen katukeittiöön/pikaravintolaan

take out *v* **1** ottaa esiin **2** ottaa (esim laina, vakuutus) *she took out a subscription to Time magazine* hän tilasi Time-lehden **3** ottaa mukaansa (esim ruokaa pikaravintolasta) *she took several novels out of the library* hän lainasi kirjastosta useita romaaneita **4** (seurustelusta) viedä ulos **5** lähteä, mennä

takeover ['teɪk,ouvər] s **1** valtaus **2** (tal) (yritys)valtaus

take over v **1** (kuv) käydä ohjaksiin, käydä/ruveta suitsiin **2** (tal) vallata (yritys)

take part *fr* osallistua johonkin (in)

take sides *fr* ottaa kantaa, puolustaa jotakuta, mennä jonkun puolelle

take stock *fr* arvioida, mitata (kuv), punnita (kuv)

take the edge off *fr* pehmentää, lieventää (vaikutusta)

take to v **1** mieltyä johonkin **2** ruveta (tekemään jotakin), alkaa (tehdä jotakin), ottaa tavaksi, totuttautua johonkin **3** mennä *to take to bed* mennä maate

take to the road *fr* lähteä matkaan, aloittaa matka

take turns *fr* vuorotella, tehdä jotakin vuorotellen

take up v **1** kiristää *take up the slack in the rope* kiristä köysi **2** ruveta tekemään/harrastamaan *you should take up skiing* sinun pitäisi ruveta hiihtämään **3** poimia, nostaa, kerätä kokoon **4** viedä (tilaa, aikaa) **5** ottaa puheeksi/esille **6** ottaa vastaan (tehtävä, haaste) **7** imeä (itseensä) **8** jatkaa (keskeytyksen jälkeen) **9** vastata jollekulle

take up with v **1** pitää seuraa jonkun kanssa **2** ottaa puheeksi jonkun kanssa

talcum powder ['tælkəm] s talkki

tale [teɪl] s **1** tarina, kertomus *fairy tale* satu **2** valhe

talent ['tælənt] s **1** lahjakkuus, lahja **2** lahjakas ihminen, lahjakkuus

talented *adj* lahjakas, etevä, kyvykäs

talisman ['tælɪzmən] s **1** (taikaesine) talismaani **2** (koru) maskotti, amuletti

1 talk [tɔːk] s **1** puhe *talk is cheap* puhuminen ei vielä todista mitään, ainahan puhua voi (mutta tekeminen on eri asia) *the talk turned to politics* keskustelu siirtyi politiikkaan **2** neuvottelu **3** puhe, esitelmä

2 talk v **1** puhua jostakin (about), jonkun kanssa (with, to), jollekulle (to), jollakin

kielellä (esim *Finnish*, suomea, suomeksi), jutella, keskustella **2** pitää puhe/esitelmä, puhua jostakin (on) **3** neuvotella **4** suostutella, taivutella *you talked me into this mess!* sinähän minut tähän sotkuun houkuttelit!

talk around v suostutella, taivutella, saada muuttamaan mielensä

talk at v puhua kiukkuisesti jollekulle, läksyttää, sättiä jotakuta, räyhätä jollekulle

talkative [tɔːkətɪv] *adj* puhelias

talk away v kuluttaa (aikaa) juttelemalla/rupattelemalla

talk back v vastata röyhkeästi/hävyttömästi, viisastella

talk big *fr* (ark) puhua suuria, mahtailla

talk down v **1** vähätellä, lyödä lyttyyn, pistää matalaksi **2** vaimentaa, saada vaikenemaan (puheillaan, perusteluillaan)

talk down to v puhua jollekulle/kohdella jotakuta ylimielisesti/alentavasti/nöyryyttävästi

talk of v puhua/keskustella jostakin (alustavasti), suunnitella, kaavailla

talk out v **1** puhua (asia) selväksi, puhua suunsa puhtaaksi **2** puhua itsensä väsyksiin/näännyksiin **3** suostutella/taivutella joku luopumaan jostakin (aikeesta)

talk over v **1** keskustella jostakin **2** suostutella, taivutella, saada muuttamaan mielensä

talk shop *fr* (ark) puhua/jutella työasioista

talk up v **1** avata suunsa, puhua **2** mainostaa jotakin

talky *adj* **1** jossa on liikaa/paljon puhetta **2** puhelias

tall [tɔːl] *adj* **1** pitkä *how are you?* kuinka pitkä olet? *he is six feet tall* hän on 183 cm (pitkä) **2** korkea *how tall is that building?* kuinka korkea tuo rakennus on? **3** (kuv) paksu *tall talk* paksut puheet, vahe, satu

tall order *that's a tall order* se on paljon pyydetty

tallow [tæloʊ] s tali

1 tally [tæli] s **1** (hist) pykäläpuu (velkojen merkintää varten) **2** lasku, määrä, luku

tally 1138

2 **tally** v 1 laskea, merkitä muistiin 2 olla
yhtäpitävä jonkin kanssa (with), käydä yk-
siin 3 sovittaa toisiinsa/yhteen
talon [tælən] s (petolinnun) kynsi
tambourine [ˌtæmbəˈriːn] s tamburiini
tame [teɪm] v 1 kesyttää, kesyyntyä adj 1 kesy
2 tylsä, laimea, vaisu, kesy
tamely adv 1 kesysti 2 laimeasti, vaisusti
tamper with [tæmpər] v 1 peukaloida, sork-
kia, koskea, puuttua johonkin (luvatto-
masti, osaamattomasti), tehdä jotakin lu-
vatonta 2 väärentää, muuttaa (asiakirjaa)
tampon [tæmpən] s 1 (lääk) tamponi, vanu-
tukko yms 2 terveyssside, tamponi
1 **tan** [tæn] s 1 kellertävän ruskea väri, vaa-
leanruskea väri 2 ruskea
2 **tan** v 1 ruskettaa, ruskettua 2 (nahkaa) par-
kita
3 **tan** adj 1 kellertävän ruskea, vaaleanruskea
2 ruskettunut
tandem [tændəm] s 1 kaksiakselinen kuor-
ma-auto, traktori ym 2 tandempolkupyörä
3 täysperävaunullinen rekka 4 (hevosista)
peräkkäiskaksivaljakko, tandem adj (kah-
desta) peräkkäinen adv (kahdesta) peräk-
käin to do something in tandem tehdä jota-
kin peräkkäin; tehdä jotakin yhteistyössä
/yhteistoimin
tang [tæŋ] s pistävä maku/haju
tangent [tændʒənt] s tangentti, sivuaja to go
off/on a tangent poiketa asiasta
tangerine [ˌtændʒəˈriːn] s 1 mandariini 2 voi-
makas oranssi väri adj voimakkaan orans-
sinvärinen
tangible [tændʒəbəl] adj todellinen, kou-
raantuntuva, selvä, konkreettinen
1 **tangle** [tæŋgəl] s 1 vyyhti (myös kuv:)
sotku, sekasotku 2 (ark) riita, kina
2 **tangle** v 1 (myös kuv) sotkea, sotkeutua
2 (ark) riidellä, kinata jonkun kanssa (with)
1 **tango** [tæŋgoʊ] s tango
2 **tango** v tanssia tangoa it takes two to tango
siihen/tähän tarvitaan kaksi, vika ei ole yk-
sin sinun/hänen tms
tangy [tæŋi] adj (maku, haju) pistävä
1 **tank** [tæŋk] s 1 säiliö, tankki, kattila 2 pans-
sarivaunu 3 (sl) häkki, putka, vankila
4 (vaate) toppi

2 **tank** v varastoida/panna säiliöön/tankkiin
tankard [tæŋkəd] s kolpakko
tank car s (rautateillä) säiliövaunu
tanker s säiliölaiva, säiliö(lento)kone, säiliö-
auto
tank top s (hihaton) toppi
tank trailer s säiliöperävaunu
tank up v tankata (auto tms), täyttää
tantalize [tæntəˌlaɪz] v kiihottaa, yllyttää
tantalizing adj 1 kiihottava, houkutteleva
2 kyltymätön
tantamount to [tæntəˌmaʊnt] adj merkitä jo-
takin, olla sama kuin
tantrum [tæntrəm] s raivonpuuska, raivokoh-
taus to throw a tantrum saada raivon-
puuska, raivota
1 **tap** [tæp] s 1 (kevyt lyönti) napautus, napu-
tus, näpäytys 2 (ääni) napsahdus, näpsäh-
dys 3 hana; (tynnyrin) tappi 4 on tap
(oluesta) tynnyristä/hanasta (tarjoiltava);
(ark kuv) joka on (käyttö)valmiina, valitta-
vana 5 (ark) salakuuntelu
2 **tap** v 1 napauttaa, naputtaa, näpäyttää
2 napsahtaa, näpsähtää, kolahtaa (hiljaa)
3 naputella, kirjoittaa (kirjoituskoneella,
tietokoneella, tietokoneeseen) 4 stepata,
tanssia steppiä 5 laskea (esim olutta tynny-
ristä) 6 avata/sulkea (tynnyrin) tappi
7 käyttää, ruveta käyttämään 8 salakuun-
nella
tap dance s steppi
tap-dance v stepata, tanssia steppiä
tap-dancer s steppaaja
1 **tape** [teɪp] s 1 nauha 2 teippi 3 mittanauha
4 maalinauha 5 magneettinauha, nauha,
(myös ääni/video)kasetti
2 **tape** v 1 teipata 2 mitata (mittanauhalla)
3 nauhoittaa, tallentaa, äänittää
tape deck s nauhuri, nauhoitin, kasetti/avo-
keladekki
tape measure s mittanauha
taper [teɪpər] v 1 suipeta, suipentua, suipentaa
tape-record v äänittää, nauhoittaa, tallentaa
tape recorder s nauhuri, nauhoitin
tape recording s 1 äänite, tallenne, nauhoite
2 äänitys, tallennus, nauhoitus
taper off v 1 suipeta, suipentua 2 lakata vähi-
tellen

tapestry [tæpəstri] *s* kuviollinen seinävaate, gobeliini

tapeworm [ˈteɪpˌwɜːm] *s* heisimato

tap into *v* (ark) ottaa yhteys johonkin (myös tietokoneella), käyttää hyväkseen jotakuta/jotakin

tapioca [ˌtæpɪˈoʊkə] *s* (kasvi) tapioka

1 tar [tar] *s* terva *to knock the tar out of someone* (ark) antaa jollekulle kunnon selkäsauna

2 tar *v* tervata

tarantula [təˈræntʃʊlə] *s* **1** (Yhdysvaltain lounaisosassa) lintuhämähäkki **2** (Etelä-Euroopassa) taranteli

1 target [targət] *s* **1** maali(taulu) *to be on target* olla tähdätty oikein; olla oikea/tarkka, osua oikeaan **2** kohde, maali, päämäärä, tavoite

2 target *v* tähdätä

3 target *adj* tavoite-, kohde-

target in/on *v* (kuv) tähdätä, pyrkiä johonkin

target language *s* (käännöksen) kohdekieli, tulokieli

tariff [ˈtærəf] *s* **1** maksuluettelo **2** maksu, hinta **3** tulli

tarmac [ˈtarmæk] *s* asfaltti

tarmacadam [ˈtarməˌkædəm] *s* asfaltti

tarnish [ˈtarnɪʃ] *v* **1** (kiillo) himmentyä, himmetä **2** (kuv) tahrata, mustata (esim maineta)

tarpaulin [tarˈpɔːlən] *s* **1** (esim öljykankainen) suojapeite **2** öljykankainen päähine

tart [tart] *s* **1** (makea) piiras, piirakka **2** (sl) huora, lutka *adj* **1** (maku) kirpeä, hapan **2** (kuv) kärkevä, piikikäs

tartan [ˈtartən] *s* tartaani, skotlantilainen ruudullinen villakangas

tartar [ˈtartər] *s* hammaskivi

1 task [tæsk] *s* **1** tehtävä, työ, urakka **2** *to take someone to task* vaatia joku tilille, nuhdella, sättiä

2 task *v* uuvuttaa, rasittaa, käydä voimille

task force *s* **1** (sot) erikoisyksikkö **2** työryhmä

tassel [ˈtæsəl] *s* tupsu

1 taste [teɪst] *s* **1** maku **2** palanen, tilkkanen **3** halu, ilo *he has no taste for jazz* jazz ei ole hänen makuunsa/mieleensä **4** taju *she*

has a taste for class hän ymmärtää mikä on tyylikästä **5** (kuv) maku *your behavior was in bad taste* käytöksesi oli mautonta *it left a bad taste in my mouth* minulle jäi siitä paha maku suuhun, minulle jäi siitä ikävä muisto *to your taste* jonkun maun mukainen

2 taste *v* **1** maistaa, maistua **2** (kielteisessä lauseessa) koskea (ruokaan), syödä **3** (kuv) saada tuntea/kokea, maistaa **4** (kuv) haiskahtaa joltakin (of)

taste bud *s* makusilmu

tasteful *adj* tyylikäs, aistikas, hyvää makua osoittava

tasteless *adj* mauton (myös kuv), (käytös) epähieno, tökerö

taster *s* maistaja

tastily *adv* **1** maukkaasti **2** (ark kuv) tyylikkäästi, aistikkaasti

tasty *adj* **1** maukas, hyvänmakuinen **2** (ark kuv) tyylikäs, aistikas

tête-à-tête [ˌteɪtaˈteɪt] *s* (mon tête-à-têtes) kahdenkeskinen keskustelu *we had a little tête-à-tête after the meeting* me juttelimme kokouksen jälkeen kahden kesken *adj* kahdenkeskinen

1 tatter [ˈtætər] *s* **1** riekale **2** (mon) rääsyt, ryysyt

2 tatter *v* revetä/repeytyä/repiä/kulua riekaleiksi

tattered *adj* riekaleinen, rääsyinen, ryysyinen

tattle [ˈtætəl] *v* kieliä, kannella, paljastaa (salaisuus)

tattler *s* juoruaja, kantelija

1 tattoo [tæˈtuː] *s* tatuointi

2 tattoo *v* tatuoida

taught [tat] *ks* teach

1 taunt [tant] *s* pilkka, iva, kiusa

2 taunt *v* pilkata, ivata, kiusata

taut [tat] *adj* kireä (myös kuv)

tautness *s* kireys (myös kuv)

tautology [taˈtɑlədʒi] *s* (sanan tarpeeton) toisto, tautologia

tavern [ˈtævərn] *s* kapakka, baari

tawny [tani] *adj* kellertävänruskea

1 tax [tæks] *s* **1** vero **2** taakka, kuorma, vaiva, riesa

2 tax v **1** verottaa **2** (kuv) verottaa, kuormittaa, rasittaa **3** (ark) veloittaa, verottaa **4** moittia, torua, syyttää

taxable adj veronalainen

taxation [tæk'seɪʃən] s verotus

tax deduction s verovähennys

tax evasion s veropetos, veronkierto (ark)

tax-exempt [,tæksɪg'zemt] adj veroton, verovapaa

tax-free [,tæks'fri] s (ark) veroton kauppa (lentokentällä, lentokoneessa, laivassa) adj veroton

1 taxi [tæksɪ] s (mon taxis, taxies) taksi, vuokra-auto

2 taxi v taxies, taxied, taxiing/taxying **1** ajaa/mennä/matkustaa taksilla **2** (lentokone) rullata

taxicab [tæksɪ,kæb] s taksi, vuokra-auto

tax increase s veronkorotus

taxing adj uuvuttava, raskas, voimille käyvä

taxpayer [tæks,peɪər] s veronmaksaja

tax return s veroilmoitus

tea [ti] s **1 tea** it's not my cup of tea se ei ole minun heiniäni **2** (UK) (iltapäivän tai illan) teehetki, (väli)ateria

teabag [ti,bæg] s teepussi

1 teach [tiːtʃ] s (ark) ope, opettaja

2 teach v taught, taught: opettaa

teacher [tiːtʃər] s opettaja

teaching s **1** opetus(työ), opettaminen **2** (us mon) opetus

teacup [ti,kʌp] s teekuppi a tempest in a teacup myrsky vesilasissa

teakettle [ti,ketl] s teekannu

1 team [tim] s **1** työryhmä, tiimi, (urheilussa) joukkue **2** valjakko

2 team v yhdistää, yhdistyä, lyöttäytyä yhteen

team up with v lyöttäytyä yhteen jonkun kanssa

teamwork [tim,wərk] s ryhmätyö, yhteistyö

teapot [ti,pat] s teekannu a tempest in a teapot myrsky vesilasissa

tear [tɪər] s kyynel to be in tears itkeä, olla silmät kyynelissä

1 tear [teər] s repeämä wear and tear (käytöstä johtuva) kuluminen

2 tear v tore, torn **1** repiä, revetä, repäistä, repeytyä to tear something in two/half repäistä kahtia **2** kiskoa, kiskaista, vetäistä, nykäistä **3** (kuv) repiä, (sydäntä) raastaa **4** viiletää, kiitää, rynnätä, (tuuli) raivota, riehua

tear at v **1** kiskoa, tempoa, nyhtää, riuhtoa **2** (kuv) raastaa, repiä

tear down v **1** purkaa (rakennus) **2** lyödä lyttyyn, puhua pahaa jostakusta

teardrop [tɪər,drap] s kyynel

tear into v (ark) **1** käydä käsiksi johonkin **2** (kuv) hyökätä jonkun kimppuun, haukkua, sättiä

tear strip [teər,strɪp] s (pakkauksen) repäisynauha

tear up [tɪər] v **1** peruuttaa, kumota **2** repiä silpuksi/palasiksi **3** repiä auki/irti, avata (esim kadun päällyste)

tear your hair [teər] fr (kuv) repiä hiuksiaan

1 tease [tiz] s kiusoittelija, härnääjä

2 tease v kiusata, härnätä, viekoitella

3 tease s kiusoittelija, härnääjä

teat [tɪt, tit] s nänni

tech [tek] s (ark) **1** teknikko **2** tekniikka, teknologia

technical [teknɪkəl] adj **1** tekninen **2** ammatillinen, ammatti- **3** mutkikas, vaikeatajuinen

technicality [,teknɪ'kæləti] s **1** mutkikkuus, monimutkaisuus, teknisyys **2** yksityiskohta the accused got off on a technicality syytetty sai vapautuvan tuomion muotovirheen perusteella

technically [teknɪkli] adv **1** teknisesti **2** ammatillisesti tarkkaan ottaen

technician [tek'nɪʃən] s teknikko

technique [tek'nik] s **1** (esim taiteilijan, urheilijan) tekniikka, taito **2** menetelmä, keino

technological [,teknə'ladʒɪkəl] adj teknologinen; tekninen

technology [tek'nalədʒi] s teknologia; tekniikka university of technology teknillinen korkeakoulu

tedious [tidiəs] adj tylsä, pitkäveteinen, yksitoikkoinen

tedium [tidiəm] _s_ pitkäveteisyys, yksitoikkoisuus

tee [ti] _s_ (golfissa) **1** tii, pieni puusta tai muovista valmistettu kappale joka työnnetään ruohoon tms. ja jonka päältä pallo lyödään aloituspaikalla eli tiiauspaikalla **2** tiiauspaikka josta tietyn reiän pelaaminen aloitetaan

teeming _adj_ **1** täpötäysi, jossa vilisee väkeä **2** hedelmällinen, tuottelias

teem with _v_ jossakin kuhisee/vilisee jotakin _the shopping mall is teeming with people_ ostoskeskus on tupaten täynnä väkeä

teenage [ˈtiːnˌeɪdʒ] _adj_ teini-iän, teini-ikäisten

teenager [ˈtiːnˌeɪdʒər] _s_ teini, teini-ikäinen

teens [tinz] _s_ **1** teini-ikä **2** numerot 13–19

teeny [tini] _adj_ pienenpieni, pikkuruinen

tee shirt [ˈtiːˌʃərt] _s_ T-paita

teeter [titər] _v_ hoippua, huojua, huojuttaa

teeth [tiθ] ks tooth

teethe [tið] _v_ (lapsesta) saada hampaita

teetotal [ˌtiːˈtoʊtəl] _adj_ **1** raitis, raivoraitis **2** (ark) ehdoton, täydellinen

teetotaler [ˌtiːˈtoʊtələr] _s_ raitis, raivoraitis (ihmiskun)

TEFL _teaching English as a foreign language_

telecommunications [ˌtelɪkəˌmjuːnɪˈkeɪʃənz] _s_ (verbi yksikössä) tietoliikenne

telecommuting [telɪkəˈmjuːtɪŋ] _s_ etätyö

telefax [ˈteləˌfæks] _s_ **1** telefaksilaite, kaukokopiointilaite, faksi **2** telefaksilähetys, faksi

telefax _v_ lähettää telefaksina, faksata

telegram [ˈteləˌɡræm] _s_ sähke

telegraph [ˈteləˌɡræf] _s_ **1** lennätin **2** sähke

telegraph _v_ **1** sähköttää **2** (kuv) sähköttää, ilmehtiä, paljastaa (ilmeellään/eleellään) tahattomasti

telegraphic [ˌteləˈɡræfɪk] _adj_ **1** lennätin- **2** lyhyt, lyhytsanainen, (liian) ytimekäs _telegraphic style_ sähkösanomatyyli

telemark [ˈteləˌmɑːrk] _s_ (hiihdossa) telemark(käännös)

telepathic [ˌteləˈpæθɪk] _adj_ telepaattinen

telepathy [təˈlepəθi] _s_ telepatia, ajatuksensiirto

1 telephone [ˈteləˌfoʊn] _s_ puhelin

2 telephone _v_ soittaa (puhelimella)

telephoto [ˈteləˌfoʊtoʊ] _adj_ (objektiivi) tele-, kauko-

1 telescope [ˈteləˌskoʊp] _s_ kaukoputki, teleskooppi _refracting telescope_ linssikaukoputki _reflecting telescope_ peilikaukoputki

2 telescope _v_ lyhentää, lyhentyä, työntää/ työntyä kokoon, (kuv) tiivistää

3 telescope _adj_ kokoontaittuva, sisäkkäin menevä

telescopic [ˌteləˈskæpɪk] _adj_ **1** kaukoputki-, teleskooppi- **2** kokoontaittuva, sisäkkäin menevä

teletext [ˈteləˌtekst] _s_ tekstitelevisio

telethon [ˈteləˌθɑn] _s_ tempaus, (monituntinen) televisiolähetys jossa kerätään puhelimitse rahaa hyväntekeväisyyteen

1 teletype [ˈteləˌtaɪp] _s_ kaukokirjoitin, teleks

2 teletype _v_ lähettää/ilmoittaa kaukokirjoittimella/teleksillä

televise [ˈteləˌvaɪz] _v_ televisioida

television [ˈteləˌvɪʒən] _s_ (järjestelmä tai vastaanotin) televisio

television set _s_ televisiovastaanotin

television station _s_ televisioasema

telework _s_ etätyö

1 telex [teleks] _s_ kaukokirjoitin, teleks

2 telex _v_ lähettää/ilmoittaa kaukokirjoittimella/teleksillä

tell [tel] _v_ told, told **1** kertoa _tell me how its was_ kerro millaista siellä/se oli **2** (myös funktioverbinä) puhua, sanoa _to tell a lie_ valehdella _to tell the truth_ puhua totta, ei valehdella **3** erottaa (toisistaan), tietää, (osata) sanoa _she can't tell a Buick from an Olds_ hän ei erota Buickia Oldsmobilesta **4** paljastaa, kertoa **5** käskeä _she told me to leave_ hän käski minun lähteä

tell apart _v_ (osata) erottaa toisistaan

teller _s_ **1** kertoja, tarinoija **2** pankkivirkailija

telling _adj_ **1** voimakas, tehokas **2** paljastava

tell off _v_ (ark) sättiä kovasti, haukkua, antaa jonkun kuulla kunniansa

tell on _v_ kannella, juoruta, kieliä jostakusta

telltale [ˈtelˌteɪl] _s_ juorukello _adj_ **1** paljastava **2** varoitus-, varoittava

tell time _fr_ **1** (ihmisestä) tuntea kello **2** (kellosta) näyttää aikaa

telly [teli] _s_ (UK ark) telkkari, televisio

temp. *temperature* lämpötila, lämpö

1 temper [tempər] *s* **1** mieliala: *to be out of temper* olla pahalla päällä **2** kiukku, pahantuulisuus **3** (metallin) kovuus(aste)

2 temper *v* **1** lieventää, pehmentää, hillentää, hillitä **2** karkaista (terästä)

tempera [tempərə] *s* (väri, maalaus) tempera

temperament [tempərəmənt] *s* **1** luonteenlaatu, temperamentti **2** (luonteen) tulisuus, kiihkeys, oikullisuus

temperamental [ˌtempərə'mentəl] *adj* **1** oikukas, oikullinen, tulinen, kiihkeä **2** luonteenlaadun, luonteenlaatua koskeva

temperamentally *adv* **1** oikukkaasti, tulisesti, kiihkeästi **2** luonteenlaadun osalta

temperance [tempərəns] *s* **1** kohtuus, kohtuullisuus (myös alkoholin käytössä), maltillisuus, itsehillintä **2** (ehdoton) raittius

temperate [tempərət] *adj* **1** maltillinen, hillitty, kohtuullinen **2** (ilmasto) lauhkea

temperature [temprətʃər] *s* lämpötila, lämpö *the child is running/having a temperature* lapsella on kuumetta

tempered *adj* **1** (yhdyssanan jälkiosana) *good-/ill-tempered* hyväntuulinen/pahansisuinen **2** (teräs) karkaistu

tempest [tempest] *s* myrsky (myös kuv)

tempestuous [təm'pestʃʊəs] *adj* myrskyisä, myrskyinen (myös kuv) kuohuva, kiihkeä, levoton, raju

temple [templ] *s* **1** ohimo **2** pyhäkkö, temppeli

tempo [tempou] *s* (mon tempos, tempi) **1** (mus) tempo **2** (kuv) rytmi, tahti, nopeus, vauhti

temporal [tempərəl] *adj* **1** ajallinen, aikaa koskeva **2** maallinen **3** väliaikainen, ohimenevä, hetkellinen

temporarily [ˌtempə'rerili] *adv* väliaikaisesti, ohimenevästi, hetkellisesti

temporary [tempə,reri] *s* väliaikainen työntekijä, sijainen, lomittaja *adj* väliaikainen, hetkellinen, ohimenevä

tempt [temt] *v* houkutella, viekotella, suostutella, johtaa kiusaukseen

temptation [ˌtem'teiʃən] *s* kiusaus, houkutus, viekotus, viettelys *I can resist anything but temptation* pystyn vastustamaan kaik-

kea paitsi kiusauksia *he yielded to the temptation of money* hän lankesi rahan kiusaukseen *do not lead me into temptation* älä johdata/saata minua kiusaukseen

tempter [temtər] *s* **1** kiusaaja **2** *the Tempter* (usk) kiusaaja, perkele

tempting *adj* houkutteleva, viettelevä *it is tempting to say that...* tekee mieli sanoa että...

temptress [temtrəs] *s* (naispuolinen) kiusaaja, viettelijä(tär), viekoittelija

ten [ten] *s, adj* kymmenen *to take ten* (ark) pitää (kymmenen minuutin) tauko

tenable [tenəbəl] *adj* jota voidaan puolustaa *his position is no longer tenable* hän ei voi enää puolustaa näkemystään

tenacious [tə'neiʃəs] *adj* **1** (ote) luja, vankka, tiukka, kireä **2** (kuv) sitkeä, sinnikäs; härkäpäinen, omapäinen **3** tarttuva, takertuva, (muisti kuv) hyvä

tenacity [tə'næsəti] *s* **1** (otteen) lujuus, tiukkuus **2** (kuv) sitkeys, sinnikkyys; härkäpäisyys, omapäisyys

tenancy [tenənsi] *s* **1** vuokrasuhde **2** vuokra-aika

tenant [tenənt] *s* vuokralainen

tend [tend] *v* **1** olla taipumusta johonkin, pyrkiä tapahtumaan *people tend to become lazy when they are on vacation* ihmisillä on taipumusta laiskistua lomalla ollessaan **2** huolehtia jostakusta/jostakin, pitää huoli, hoitaa *to tend sheep* paimentaa lampaita

tendency [tendənsi] *s* **1** suunta; kallistus **2** (kuv) pyrkimys, taipumus, suunta

1 tender [tendər] *s* **1** huolehtija, hoitaja, kaitsija **2** (rautateillä) tenderi **3** apulaiva **4** *legal tender* laillinen maksuväline

2 tender *v* antaa, esittää, tarjota

3 tender *adj* **1** pehmeä, hellä, herkkä **2** heikko, heiveröinen **3** nuori *he left home at the tender age of eight* hän lähti kotoa jo kahdeksan vanhana **4** kipuherkkä, herkkä, arka

tendon [tendən] *s* jänne

tenement [tenəmənt] *s* (slummialueella) vuokra(kerros)talo

tenfold [ten,fould] *adj* kymmenkertainen

tennis [tenəs] *s* tennis

tennis court *s* tenniskenttä

tennis racket *s* tennismaila

tenor [tenər] *s* **1** (keskeinen, pää)ajatus, juoni, punainen lanka **2** (mus) tenori (ääni, laulaja) *adj* (mus) tenori-

tense [tens] *v* (myös kuv) jännittää, jännittyä, kiristää, kiristyä, pingottaa, pingottua *adj* (myös kuv) kireä, jännittynyt, pingottunut, pingotettu, tiukka

tension [tenʃən] *s* **1** (myös kuv) jännitys, jännittäminen *muscle tension* lihasjännitys *the tension of the political situation* poliittisen tilanteen jännittyneisyys/kireys **2** (sähkö)jännite

1 tent [tent] *s* teltta

2 tent *v* telttailla, leiriytyä, asua/nukkua teltassa

tentacle [tentəkəl] *s* (eläimen) lonkero

tentative [tentətiv] *adj* **1** alustava, väliaikainen **2** epäröivä, varovainen

tentatively *adv* **1** alustavasti, väliaikaisesti **2** epäröivästi, epäröiden, varovaisesti

tenterhooks [tentər,huks] *to be on tenterhooks* olla kuin tulisilla hiilillä

tenth [tenθ] *s, adj* kymmenes

tenuous [tenjuəs] *adj* **1** (lanka) ohut **2** (kuv) epävarma, heikko, heiveröinen

tenuously *adv* (kuv) epävarmasti, heikosti, heiveröisesti

tenuousness *s* **1** ohuus **2** (kuv) epävarmuus, heikkous, heiveröisyys

1 tenure [tenjər] *s* **1** (lähinnä) vakinainen virka *do you have tenure?* onko sinulla vakinainen virka **2** virkakausi, kausi, aika *during his tenure* hänen virassa ollessaan

2 tenure *v* antaa jollekulle vakinainen virka, vakinaistaa virka

tepid [tepid] *adj* **1** haalea, kädenlämpöinen **2** (kuv) laimea, vaisu

tepidity [tə'pidəti] *s* **1** (lämmöstä) haaleus **2** (kuv) laimeus *the tepidity of their response* heidän vaisu/innoton reaktionsa

1 term [tərm] *s* **1** jakso, kausi, kesto *in the long/short term* pitkällä/lyhyellä aikavälillä **2** lukukausi **3** termi, (ammatti)sana *in terms of money, she got little* hän ei saanut juuri lainkaan rahaa **4** (mon) ehdot *let's do*

it on my terms tehdään se minun ehdoillani *to bring to terms* pakottaa suostumaan/alistumaan *to come to terms* päästä sopimukseen; (kuv) alistua, nöyrtyä (esim kohtaloonsa) **5** (mon) välit *she is on good terms with almost everybody* hän on hyvissä väleissä lähes kaikkien kanssa

2 term *v* nimetä, nimittää, kutsua joksikin

terminal [tərmənəl] *adj* **1** viimeinen, loppu-, (asema) pääte- **2** (sairaus) terminaalinen, kuolemaan johtava, parantumaton **3** (kuv) toivoton **4** määräaikainen, määräajoin tapahtuva, termiini-

terminate [tərmə,neit] *v* **1** päättää, päättyä, lopettaa, loppua **2** (sopimus) sanoa irti **3** (työntekijä) erottaa

termination [,tərmə'neiʃən] *s* **1** päättäminen, päättyminen, lopetus **2** (sopimuksen) irtisanominen

terminology [,tərmɪ'nalədʒi] *s* termistö, termit

terminus [tərmənəs] *s* (mon terminuses, termini) **1** loppu, pää **2** päämäärä, tavoite **3** pääteasema

termite [tərmait] *s* termiitti

term paper *s* (koulussa, yliopistossa ym) seminaarityö, (pieni) tutkielma, (pitkä) aine

tern [tərn] *s* tiira

1 terrace [terəs] *s* **1** terassi, penger **2** kattotasanne, parveke, terassi **3** (UK) rivitalo(katu) **4** katu (jonka varrella on porrasteisia rivitaloja/talorivejä)

2 terrace *v* pengertää, porrastaa

terraced house *s* (UK) rivitalo

terra firma [,terə'fərmə] *latinasta* terra firma, kiinteä maa; kuiva maa, manner *we're back on terra firma again* (kuv) olemme jälleen tutuilla vesillä

terrain [tə'rein] *s* maasto *this is familiar terrain to him* (kuv) tämä on hänelle tuttua asiaa

terra incognita [,terə,inkag'nitə] *latinasta* terra incognita, tuntematon maa/alue/ala, vieras asia

terrestrial [tə'restriəl] *adj* **1** maapalloa koskeva, maapallon **2** (kuivaa) maata koskeva, maa-

terrible [terəbəl] *adj* hirvittävä, kamala

terribly adv hirvittävästi, hirvittävän, kamalasti, kamalan she was terribly embarrassed häntä nolotti valtavasti

terrific [təˈrɪfɪk] adj **1** valtava, suunnaton **2** mahtava, loistava **3** hirvittävä, kammottava

terrify [ˈterəˌfaɪ] v hirvittää, kammottaa, pelästyttää, pelottaa

territorial [ˌterəˈtɔːriəl] **1** adj alueellinen **2** (eläin) reviiri-

territory [ˈterəˌtɔːri] s **1** alue **2** territorio **3** (eläimen) reviiri

terror [ˈterər] s **1** kauhu **2** hirmuvalta, terrori **3** terrorismi

terrorism [ˈterərɪzəm] s terrorismi

terrorist [ˈterərɪst] s terroristi adj terroristi-

terrorize [ˈterəˌraɪz] v **1** kauhistuttaa **2** terrorisoida

terse [tɜrs] adj **1** lyhyt, ytimekäs **2** tyly, ynseä

terseness s **1** lyhyys, ytimekkyys **2** tylyys, ynseys

1 test [test] s **1** (kelpoisuus)koe, tutkimus, testi to put something to test kokeilla, testata **2** tentti, koe

2 test v testata, kokeilla, tutkia

testament [ˈtestəmənt] s testamentti

testator [testetər təˈstetər] s testamenttaaja, testamentin tekijä

testee [tesˈti] s kokelas

tester s kuulustelija, tentaattori

testicle [ˈtestɪkl] s kives

testify [ˈtestəˌfaɪ] v todistaa (esim oikeudessa) to testify under oath todistaa valaehtoisesti

testimonial [ˌtestəˈmoʊniəl] s **1** suositus **2** (tunnustuksen osoitus) lahja

testimony [ˈtestəˌmoʊni] s (todistajan)lausunto

testis [ˈtestəs] s (mon testes) kives

testosterone [tesˈtɑstəˌroʊn] s testosteroni, kiveshormoni

test tube s koeputki

tetanus [ˈtetənəs] s (lääk) jäykkäkouristus tetanus shot jäykkäkouristusrokotus, tetanusrokotus

1 tether [ˈteðər] s lieka, köysi he is at the end on his tether hänellä on voimat/kärsivällisyys lopussa

2 tether v sitoa/panna liekaan

text [tekst] s **1** teksti, kirjoitus **2** oppikirja

textbook [ˈtekstˌbʊk] s oppikirja adj tyypillinen textbook example kouluesimerkki, tyypillinen esimerkki

textile [ˈtekstaɪl] s, adj tekstiili(-)

texting s (matkapuhelimella) tekstailu

text message s tekstiviesti

text messaging s (matkapuhelimella) tekstailu

textual [ˈtekstʃuəl] adj teksti-

texture [ˈtekstʃər] s **1** pintarakenne, pinta the handle has a smooth texture kädensija on sileä(n tuntuinen) **2** (kuv) muoto, hahmo, olemus

thalamus [ˈθæləməs] s (mon thalami) näkökukkula, väliaivojen yläosa

thalidomide [θəˈlɪdəˌmaɪd] s talidomidi

than [ðæn] konj kuin A is better than B A on parempi kuin B he said nothing other than that you should go hän ei sanonut muuta kuin että sinun pitäisi lähteä rather than help me he left hän ei jäänyt auttamaan minua vaan lähti

thank [θæŋk] v kiittää you have only yourself to thank saat kiittää vain itseäsi

thankful adj kiitollinen

thank God interj Luojan kiitos, onneksi

thankless adj **1** (ihminen) kiittämätön, epäkiitollinen **2** (tehtävä) epäkiitollinen

thanklessly adv kiittämättömästi, epäkiitollisesti

thanks s (mon) kiitos, kiitokset interj kiitos

thanksgiving [ˈθæŋksˌɡɪvɪŋ] s **1** kiittäminen; kiitollisuus; kiitos **2** Thanksgiving kiitospäivä

thanks to thanks to you, I have nothing to regret sinun ansiostasi minun ei tarvitse katua mitään

thank you interj kiitos

that [ðæt] adj, pron (mon those) **1** tuo, se who is that? kuka tuo on? what is that? mikä tuo on? that dog tuo koira I can't do it just like that ei se noin vain onnistu adv noin, niin is it really that bad? ovatko asiat todella niin huonosti/hullusti **2** joka, jota, josta, mikä, mitä, mistä the book that you read kirja jonka luit, lukemasi kirja **3** at *that* silti, kuitenkin, joka tapauksessa; lisäksi, sitä paitsi **4** *with that, the meeting ended* kokous päättyi siihen *konj* **1** että *Bob said that he was there* Bob sanoi että hän oli siellä *that he was there is not certain* ei ole varmaa että hän oli siellä **2** *so that* jotta **3** *in order that* jotta

1 thatch [θætʃ] *s* **1** olkikatto **2** hiuskuontalo

2 thatch *v* peittää/kattaa oljilla

thatcher *s* **1** olkikattojen tekijä **2** harava

that's [ðæts] *that is; that has*

1 thaw [θɑ] *s* **1** sulatus, sulaminen **2** lämpeneminen (myös kuv); suojasää

2 thaw *v* **1** sulaa, sulattaa **2** lämmetä (myös kuv) *it is thawing* on suojasää

the konsonantin edellä [ðə] vokaalin edellä ja painollisena [ðiː] *määräinen artikkeli* **1** tietystä, tunnetusta (vrt *a/an*) *yesterday, I met a man; the man had a beard* tapasin eilen miehen; miehellä oli parta *the sun* aurinko **2** adjektiivien kanssa ihmisryhmästä: *the blind* sokeat *the poor* köyhät *the naked and the dead* alastomat ja kuolleet **3** superlatiivin kanssa: *the best and the brightest student* paras ja älykkäin oppilas **4** ryhmästä, lajista kokonaisuutena: *the dog is man's best friend* koira on ihmisen paras ystävä **5** tapa..., riittävästi: *Harry did not have the nerve to say what he had in mind* Harrylla ei ollut otsaa (Harry ei rohjennut) sanoa mitä hän ajatteli **6** distributiivisesti määrästä, suhteesta: *the apples are a dollar to the pound* omenat maksavat dollarin naulalta (puolelta kilolta) **7** soittimesta ym *to play the piano* soittaa pianoa *to listen to the radio* kuunnella radiota **8** (painollisena) se oikea *that's the way to do it* noin se tehdä pitää *adv* sitä, mitä *the more the better* mitä enemmän sitä parempi

theater [θiətər] *s* **1** teatteri(rakennus) **2** *the theater* teatteri(ala), näyttämötaide **3** (kuv) näyttämö

theatergoer ['θiətər,gouər] *s* teatterissa kävijä, (mon) teatteriyleisö

theatrical [θiˈætrɪkəl] *adj* **1** teatteri-, teatteri- **2** teennäinen, teatraalinen

theatrics [θiˈætrɪks] *s* (kuv, verbi mon) teennäisyys, teatraalisuus

theft [θeft] *s* varkaus

their [ðeər] *adj* heidän, niiden *their money* heidän rahansa *who forgot to turn in their paper?* (sukupuolisesti etumerkittömänä sanan *his* tai *her* asemesta) kuka unohti palauttaa paperinsa?

theirs [ðeərz] *pron* heidän *this is our car and that is theirs* tämä on meidän automme ja tuo on heidän (autonsa) *theirs is a miserable job* heidän työnsä on kurjaa

theism [θiizəm] *s* teismi

theist [θiist] *s* teisti *adj* teistinen

them [ðem] *pron* **1** he, heitä, heille, ne, niitä, niille *two dogs ran across the street; did you see them?* kaksi koiraa juoksi tien yli; näitkö sinä ne? **2** (arr, painokkaasti sanan *they* asemesta) he, ne *it was them that did it* he sen tekivät *adj* (ei kirjakielessä) ne, niitä *them boys keep stealing my apples* ne pojat varastelevat jatkuvasti minulta omeniani

theme [θiːm] *s* **1** aihe, teema **2** johtoajatus, aihe, motiivi

theme park *s* (huvipuistosta) teemapuisto

themselves [ðəmˈselvz] *pron* **1** refleksiivisesti (myös sukupuolisesti etumerkittömänä sanan *himself* tai *herself* asemesta): *they bought themselves new hats* he ostivat (itselleen) uudet hatut *every man and woman in this country should take a closer look at themselves* jokaisen tämän maan miehen ja naisen pitäisi tutkistella itseään **2** painokkaasti: he/ne itse *they were themselves at fault* se oli heidän oma vikansa

then [ðen] *adj* silloinen, entinen *the then prime minister* senaikainen pääministeri *adv* **1** silloin *it was then that she realized what was wrong* (juuri) silloin hän tajusi mikä oli vialla *that was then and this is now* se on mennyttä ja nyt elämme nykypäivää *every now and then* silloin tällöin *until then* siihen asti, siihen saakka **2** sitten, seuraavaksi *and then we went to the movies* sitten menimme elokuviin **3** siis, sitten it is, then, a matter of taste kyse on siis makuasiasta, se on siis makuasia *but then* (mutta) toisaalta

theodolite [θi'ədə,laıt] *s* teodoliitti

theologian [,θiə'loudʒən] *s* teologi, jumaluusoppinut

theological [,θiə'ladʒikəl] *adj* teologinen, jumaluusopillinen

theology [θi'alədʒi] *s* teologia, jumaluusoppi

theoretical [θiə'retikəl] *adj* teoreettinen

theoretician [,θiərə'tiʃən] *s* teoreetikko

theorist [θirıst] *s* teoreetikko

theorize [θiə,raız] *v* rakennella teorioita, teoretisoida, teorioida

theory [θiri] *s* **1** teoria **2** arvaus, oletus, luulo *it's just a theory* minä vain arvailen

therapeutic [θerə'pjutık] *adj* terapeuttinen, hoitava, hoito-

therapeutical [θerə'pjutıkəl] *adj* terapeuttinen, hoitava, hoito-

therapist [θerəpıst] *s* terapeutti *physical therapist* lääkintävoimistelija, fysioterapeutti

therapy [θerəpi] *s* terapia, hoito

there [ðeər] *adv* **1** siellä, sinne, tuolla, tuonne *take these books from here to there* kanna nämä kirjat tästä tuonne/sinne *from there* sieltä *here and there* siellä täällä **2** muodollisena subjektina, jätetään suomentamatta: *there are three bottles in the bag* pussissa on kolme pulloa *there were no clouds in the sky* taivaalla ei ollut pilviä *there were four women there* siellä oli neljä naista *interj* esim kannustuksen, lohdutuksen tai mielihyvän ilmauksena: *there, there* älähän nyt!

thereabout [,ðerə'baut] *adv* niihin aikoihin, niillä main, suunnilleen

thereabouts [,ðerə'bauts] *adv* niihin aikoihin, niillä main, suunnilleen

thereafter [,ðe'ræftər] *adv* sen jälkeen, myöhemmin

thereby [ðer,baı] *adv* **1** siten *he thereby spoiled everything* hän pilasi teollaan kaiken **2** *hangs a tale* ja siihen liittyy oma tarinansa

therefore ['ðer,fɔr] *adv* siksi, sen vuoksi

therefrom [,ðer'frʌm] *adv* siitä, sieltä

therein [ðe'rın] *adv* siinä, siihen *therein lies the problem* (juuri) siinä piilee ongelma(n ydin)

thereof [,ðer'ʌv] *adv* siitä

there's [ðeərz] *there is; there has*

thereupon [,ðerə,pan] *adv* **1** heti sen jälkeen **2** sen johdosta/vuoksi

thermal [θərməl] *adj* lämpö-

thermal underwear *s* lämpöalusasu, lämpöalusvaatteet

thermometer [θər'mamətər] *s* lämpömittari

thermonuclear [,θərmou'nukliər] *adj* fuusio-, lämpöydin-, termonukleaarinen

thermos [θərməs] *s* termospullo

thermostat [θərməs,tæt] *s* termostaatti, lämmönsäädin

thesaurus [θesɔrəs] *s* **1** synonyymisanakirja **2** tietosanakirja; sanakirja; hakuteos

these [ðiz] ks this

thesis [θisəs] *s* (mon theses) **1** väite, väittämä, teesi **2** opinnäytetyö *Master's thesis* pro gradu

they [ðeı] *pron* **1** he, ne *they went shopping* he menivät ostoksille **2** (myös sukupuolisesti etumerkittömänä sanan *he* tai *she* tilalla) hän *everybody needs a car, whether they work or not* jokainen tarvitsee auton riippumatta siitä käykö hän työssä **3** ihmiset yleensä (suomennettavissa passiivilla) *they say that the king is crazy* sanotaan/väitetään/huhutaan että kuningas on hullu

they'd [ðeıd] *they had; they would*

they'll [ðeıl] *they will*

they're [ðeər] *they are*

they've [ðeıv] *they have*

thick [θık] *s ydin: in the thick of the forest* metsän siimeksessä *in the thick of the fight* taistelun temmellyksessä *through thick and thin* myötä- ja vastoinkäymisissä, niin hyvinä kuin huonoina aikoina *adj* **1** paksu **2** sakea, sankka **3** (ääni) käheä, (korostus) voimakas **4** hidasjärkinen, tyhmä **5** (ark) läheinen *they are very thick* he ovat läheväisissä **6** (kuv) paksu, liioiteltu *to lay it on thick* (ark) imarrella, makeilla, mielistellä

thicken *v* paksuntua, paksuntaa, sakeuttaa, saota, tihentää, tihentyä

thicket [θɪkət] s tiheikkö

thickish adj paksuhko; sakeahko, sankahko, tiheänlainen, tiheähkö

thickness s 1 paksuus *the film is only of the thickness of a hair* kalvo/kelmu on vain hiuksen paksuinen 2 sakeus, tiheys

thickset [θɪkˌset] adj 1 tiheä, tiivis, taaja 2 pyylevä; tanakka

thick-skinned [θɪkˈskɪnd] adj paksunahkainen (myös kuv)

thick-witted [ˌθɪkˈwɪtəd] adj tyhmä, hidasjärkinen

thief [θiːf] s (mon thieves) varas

thieve [θiːv] v varastaa, kähveltää

thigh [θaɪ] s reisi

thimble [θɪmbəl] s sormustin

thin [θɪn] thinner, thinnest adj 1 ohut 2 laiha 3 harva, vähäinen, niukka 4 laimea, vaisu, heikko adv ohueksi, ohuelti

thin down v ohentaa, ohentua, harventaa, harventua

thing [θɪŋ] s (voi viitata lähes mihin tahansa esineeseen; myös olioista ja asioista) 1 esine, kapine, tavara, väline *what's that thing on the table?* mikä tuossa pöydällä on? *to see/hear things* nähdä näkyjä/kuulla omiaan 2 olio *your cat is a curious thing* sinun kissasi on erikoinen olus 3 asia, juttu *it's a funny thing* hassu/kumma juttu *things are pretty good* asiat ovat aika hyvällä mallilla 4 (ark) hullutus *to have a thing about something* olla hulluna johonkin 5 *to do/find your (own) thing* (ark) olla/oppia olemaan oma itsensä 6 *to make a good thing of* (ark) käyttää hyväkseen, ottaa jostakin kaikki irti 7 *the thing* muoti(asia); oikea asia *the thing to do is to go to the beach* nyt (jos koska) kuuluu mennä uimarannalle

think [θɪŋk] v thought, thought 1 ajatella, miettiä, harkita, pohtia 2 luulla, olettaa, uskoa *he thought he could do it alone* hän luuli selviävänsä yksin 3 pitää jonakin, luulla joksikin *they thought her mad* he pitivät häntä hulluna

think better of fr muuttaa mielensä, tulla toisiin aatoksiin

thinker s ajattelija

thinking s ajattelu, pohdinta, mietintä *to do some thinking* miettiä, ajatella adj 1 järjellinen, jolla on järki 2 järkevä, viisas

think nothing of fr 1 ei kaihtaa jotain (keinoa), ei olla millänsäkään jostakin, ei pitää jotakin minään 2 ei arvostaa jotakuta, ei pitää jotakuta minään

think of v 1 keksiä, muistaa *she could not think of anything appropriate to say* hän ei keksinyt sopivaa sanottavaa 2 olla jotakin mieltä jostakusta/jostakin *what do you think of my new hat?* mitä tuumit/pidät uudesta hatustani? 3 ajatella, miettiä

think out v 1 ratkaista, pohtia loppuun saakka 2 keksiä, kehittää, laatia (suunnitelma)

think the world of fr: *Warren thinks the world of her* Warren ihailee häntä kovasti /pitää hänestä kovasti

think through v ratkaista, pohtia loppuun saakka

think up v keksiä

thinner s ohennusaine, ohenne

thinnish adj ohuehko, ohuenlainen

thin off v ohentaa, ohentua, harventaa, harventua

thin out v ohentaa, ohentua, harventaa, harventua

third [θɜːd] s, adj kolmas

third-class adj (esim posti) kolmannen luokan (myös kuv): huono, surkea

third degree *to give someone the third degree* pistää joku koville, kuulustella jotakuta armottomasti

third party s ulkopuolinen

1 thirst [θɜːst] s jano (myös kuv)

2 thirst v 1 jotakuta janottaa, olla jano 2 (kuv) janota, haluta, kaivata *he was thirsting for adventure* (myös) hän odotti malttamattomana seikkailuita

thirstily adv 1 janoisesti 2 (kuv) halukkaasti, innokkaasti

thirsty adj 1 janoinen *he was thirsty for news from home* hän janosi uutisia kotipuolesta 2 (maa) kuiva, janoinen

thirteen [θɜːˈtiːn] s, adj kolmetoista

thirteenth [θɜːˈtiːnθ] s, adj kolmastoista

thirtieth [θɜːtiəθ] s, adj kolmaskymmenes

thirty [θɜːti] *s, adj* kolmekymmentä *he is in his thirties* hän on kolmissakymmenissä (30-39-vuotias) *they live in the thirties* he asuvat 30. ja 39. kadun välillä *back in the thirties* muinoin 30-luvulla

thirtysomething [ˈθɜːti₁sʌmθiŋ] *adj* (iältään) kolkyt ja risat

this [ðis] *adj, pron* (mon these) **1** tämä *this orange* tämä appelsiini *take this* ota tämä **2** eräs, muuan *well, there was this guy standing at the door* joku tyyppi seisoi ovella **3** *with this, she left* sen sanottuaan/jälkeen hän lähti

thistle [ˈθisl] *s* **1** ohdake **2** karhiainen

thong [θɒŋ] *s* **1** nahkaremmi **2** ruoska, piiska

thorn [θɔːn] *s* (myös kuv) oka, piikki

thorny [θɔːni] *adj* **1** okainen, piikikäs **2** (kuv) okainen, visainen, hankala, vaikea

thorough [θʌrou] *adj* **1** perusteellinen, perinpohjainen, läpikotainen, huolellinen, tarkka **2** täydellinen, suunnaton

thoroughbred [ˈθʌrouˌbred] *s, adj* täysiverinen (hevonen)

thoroughfare [ˈθʌrouˌfeər] *s* **1** läpikulkutie, kauttakulkutie *no thoroughfare* läpikulku kielletty **2** valtatie, (tärkeä) maantie **3** kulkuväylä

thoroughgoing [ˌθʌrouˈgouiŋ] *adj* **1** perusteellinen, perinpohjainen, läpikotainen, huolellinen, tarkka **2** täydellinen *he is a thoroughgoing crook* hän on konna kiireestä kantapäähän

thoroughly *adv* **1** perusteellisesti, perinpohjaisesti, läpikotaisin, huolellisesti, tarkasti **2** täydellisesti, suunnattomasti, läpeensä *we enjoyed ourselves thoroughly* meillä oli suunnattoman hauskaa *he is a thoroughly despicable person* hän on läpeensä iljettävä mies

those [ðouz] ks that

though [ðou] *konj* **1** (sama kuin *although*) vaikka *he did not make the team though he tried hard* hän ei päässyt joukkueeseen vaikka yritti kovasti **2** *as though* ikään kuin *I feel as though I have never been on vacation* minusta tuntuu siltä kuin en olisi koskaan käynyt lomalla

1 thought [θɔːt] *s* **1** ajattelu **2** ajatus *now there's a thought* siinäpä vasta/hyvä idea! **3** hiukkanen *it's a thought too warm for me* sää on hieman liian lämmin minun makuuni

2 thought *v* ks think

thoughtful *adj* **1** huomaavainen, avulias **2** syvällinen **3** mietteliäs **4** *to be thoughtful of something* varoa jotakin, pitää huoli jostakin

thoughtfully *adv* **1** huomaavaisesti **2** syvällisesti **3** mietteliäästi

thoughtfulness *s* **1** huomaavaisuus, avuliaisuus **2** syvällisyys **3** mietteliäisyys

thoughtless *adj* **1** ajattelematon, harkitsematon **2** pinnallinen **3** *to be thoughtless of something* laiminlyödä jotakin, ei pitää huolta jostakin

thoughtlessly *adv* **1** ajattelemattomasti, harkitsemattomasti **2** huomaamattaan, vahingossa, epähuomiossa

thoughtlessness *s* **1** ajattelemattomuus **2** pinnallisuus

thousand [θaʊzənd] *s, adj* tuhat

thousandth [θaʊzənθ] *s, adj* tuhannes

1 thrash [θræʃ] *s* **1** pieksentä, selkäsauna **2** (thresh) puiminen

2 thrash *v* **1** piestä, piiskata, peitota **2** (voittaa) hakata, peitota **3** piehtaroida, rimpuilla **4** (thresh) puida

thrashing *s* pieksentä, selkäsauna

thrash out *v* puhua selväksi; piestä suutaan jostakin

thrash over *v* puhua selväksi; piestä suutaan jostakin

1 thread [θred] *s* **1** lanka **2** (kuv) punainen lanka, juoni

2 thread *v* **1** pujottaa (lanka) neulaan/(helmiä) kanssaan **2** sujuttaa, sujuttautua, ujuttaa, ujuttautua, pujotella, kiemurrella, mutkitella

threadbare [ˈθredˌbeər] *adj* **1** nukkavieru, nuhruinen, nuhraantunut; ryysyinen **2** kehno, surkea, onneton

threat [θret] *s* uhka, vaara

threaten *v* **1** uhata, uhkailla **2** uhata, olla vähällä tapahtua

threatened species s (mon threatened species) uhanalainen (eläin/kasvi)laji

threatening adj uhkaava, vaarallinen, pahaenteinen

three [θri] s, adj kolme

three-dimensional [ˌθriːdəˈmenʃənəl] adj kolmiulotteinen

threefold [ˈθriːfəʊld] adj kolminkertainen adv kolminkertaisesti

threesome [ˈθriːsəm] s kolmikko

three-wheeler [ˈθriːwiːlər] s kolmipyörä

thresh [θreʃ] v 1 puida (viljaa) 2 piestä, hakata, peitota

threshing machine s puimuri

threshold [ˈθreʃəʊld] s kynnys (myös kuv) we're on the threshold of a new age olemme uuden aikakauden kynnyksellä/ovella

thresh out v puhua selväksi; piestä suutaan jostakin

thresh over v puhua selväksi; piestä suutaan jostakin

threw [θruː] ks throw

thrift [θrɪft] s 1 säästäväisyys 2 säästöpankki

thriftily adv 1 säästäväisesti 2 kukoistavasti

thriftless adj tuhlaileva, tuhlaavainen

thrifty adj 1 säästäväinen 2 menestyvä, kukoistava

1 thrill [θrɪl] s 1 innostus, kiihtymys, jännitys 2 värinä

2 thrill v 1 innostaa, saada kiihtymään/syttymään/jännittämään she was thrilled to bits to see him hän oli haltioissaan/suunniltaan innostuksesta nähdessään hänet 2 väristä

thriller s trilleri, jännäri

thrilling adj 1 innostava, jännittävä, sytyttävä 2 värisevä

thrive [θraɪv] v thrived/throve, thrived/throve: kukoistaa, menestyä, (lapsi) kasvaa nopeasti

throat [θrəʊt] s 1 (anatomiassa) kurkku to cut your own throat (kuv) satuttaa (vain) itseään, tehdä itselleen vahinkoa to jump down someone's throat (ark) ruveta haukkumaan jotakuta the problem is a lump in his throat ongelma kuroo hänen kurkkuaan, ongelma vaivaa häntä she tried to ram the idea down my throat (ark) hän yritti pakottaa minut hyväksymään ehdotuksen the words stuck in his throat sanat takertuivat hänen kurkkuunsa 2 (esineen) kurkku, kaula, kaulus

1 throb [θrɒb] s tykytys, syke; värinä

2 throb v tykyttää, sykkiä (tavallista nopeammin); väristä

throes [θrəʊz] s (mon) huiske, tuoksina, hyörinä to be in the throes of a disease olla sairauden kourissa in the throes of a battle taistelu tuoksinassa/tuokseessa

throne [θrəʊn] s valtaistuin (myös kuv:) to come to the throne nousta valtaistuimelle/valtaan

1 throng [θrɒŋ] s tungos, väkijoukko

2 throng v tungeksia, ahtautua jonnekin

1 throttle [ˈθrɒtl] s 1 (tekn) kuristusläppä, kuristin at full throttle (kuv) nasta laudassa, täyttä häkää/vauhtia, kaasu pohjassa 2 kuristusvipu, (autossa) kaasupoljin

2 throttle v 1 kuristaa, tukahduttaa (myös kuv) 2 (tekn) kuristaa, (ark autossa ym) vähentää kaasua

throttle back v (autossa ym) vähentää kaasua

through [θruː] adj 1 valmis I'm not through with the book yet en ole vielä lukenut kirjaa (kokonaan) 2 to be through with someone/something olla saanut tarpeekseen jostakusta/jostakin, olla pannut välinsä poikki johonkuhun/johonkin 3 (lento ym) suora, (tie) läpikulku- a through bus to Phoenix suoraan Phoenixiin menevä bussi 4 she is through as a dancer hän on mennyttä tanssijana, hän on entinen (ark) tanssija adv 1 läpi, lävitse, kautta the bus goes through to Des Moines linja-auto menee Des Moinesiin saakka prep 1 läpi, lävitse, kautta I can see through the curtains näen verhojen läpi 2 (ajasta) läpi, kautta, (koko) ajan through the years, she became less tense hän alkoi vuosien mittaan rentoutua he'll be in town through Thursday hän on kaupungissa torstai-iltaan 3 keinota, välineestä: the accident happened through no fault of mine onnettomuus ei ollut minun syytäni

through and through adv läpeensä, läpikotaisin, alusta loppuun, kiireestä kantapäähän

throughout [,θru'aʊt] *adv, prep* **1** kaikkialla, kaikkialta, kaikkialle, läpeensä, läpikotaisin **2** koko ajan, alusta loppuun

1 throw [θrəʊ] *s* **1** heitto *the tavern is only a stone's throw from here* kapakka on vain kivenheiton päässä täältä **2** (ark) yritys **3** *the books are a dollar a throw* (ark) kirjat maksavat dollarin kappale

2 throw *v* threw, thrown **1** heittää **2** funktioverbinä: *to throw a shadow* jättää varjo *to throw light* valaista (myös kuv) *to throw a glance* vilkaista *to throw a party* pitää kemut, järjestää juhlat **3** (ark) yllättää, hämmästyttää, järkyttää, hämätä

throw at 1 *to throw yourself at someone('s head)* yrittää saada joku kiinnostumaan itsestään (romanttisesti) **2** *to throw yourself at someone's feet* polvistua jonkun jalkojen eteen, nöyristellä, mielistellä; ihastella, olla haltioissaan

throw away *v* **1** heittää pois/menemään **2** tuhlata, panna menemään **3** päästää sivu suun, jättää käyttämättä

throwaway [ˈθrəʊə,weɪ] *s, adj* kertakäyttöinen (tavara)

throw back *v* **1** viivyttää, hidastaa **2** olla peräisin/periytyä jostakin/joltakulta

throwback [ˈθrəʊ,bæk] *s* takaisku, vastoinkäyminen

throw in *v* (ark) **1** antaa kaupantekiäisiksi, antaa ilmaiseksi **2** ottaa puheeksi, mainita kesken keskustelun, heittää väliin

throw into *to throw yourself into* ryhtyä innoissaan/antaumuksella johonkin

thrown [θrəʊn] ks throw

throw off *v* **1** riisua (yltään/päältään) **2** karistaa kannoiltaan, eksyttää, harhauttaa (myös kuv) hämätä, sekoittaa **3** *to throw off a smell* haista **4** (vitsi) kertoa, letkauttaa, (tekstiä) suoltaa, kyhätä

throw on *to throw yourself on someone* turvautua jonkuhun, ruveta jonkun vaivaksi/riesaksi

throw open *v* avata/aueta yhtäkkiä

throw out *v* **1** heittää menemään/pois/ulos, ajaa ulos, erottaa **2** ottaa esille/puheeksi, ehdottaa **3** unohtaa, jättää mielestä

throw out of gear *fr* **1** kytkeä/pistää (auto) vapaalle **2** (kuv) sotkea (suunnitelma), järkyttää, panna sekaisin

throw over *v* hylätä, jättää (puoliso ym), vaihtaa joku johonkin (esim miesystävä/naisystävä toiseen)

throw up *v* **1** luopua, luovuttaa, antaa periksi **2** kyhätä kiireesti kokoon, tehdä äkkiä **3** oksentaa **4** arvostella, moittia, haukkua

thru [θru] ks through

thrush *s* (mon thrushes) rastas

1 thrust [θrʌst] *s* **1** survaisu, sohaisu, sysäys, isku, työntö **2** (suihku/rakettimoottorin) työntövoima **3** ydin, pääajatus, keskeinen sisältö

2 thrust *v* thrust, thrust: survaista, sohaista, sysätä, työntää, iskeä, tunkea, tunkeutua

1 thud [θʌd] *s* tömähdys, jysähdys

2 thud *v* tömähtää, jysähtää

thug [θʌg] *s* roisto, ryöväri, konna, kelmi, heittiö

1 thumb [θʌm] *s* peukalo *my brother is all thumbs* veljeläni on peukalo keskellä kämmentä, veljeni on toivottoman kömpelö *he is under his wife's thumb* hän antaa vaimonsa määräillä/komennella itseään *rule of thumb* nyrkkisääntö

2 thumb *v* **1** selata (kirjaa) **2** matkustaa peukalokyydillä, yrittää saada (peukalo)kyyti

thumbs down *to turn thumbs down on* ei pitää/hyväksyä

thumbs up *to turn thumbs up on* pitää jostakin, kannattaa jotakin *thumbs up!* hienoa!, loistavaa! *two thumbs up* elokuva-arvostelijoiden Siskel ja Ebert suositus

1 thump [θʌmp] *s* **1** isku, lyönti **2** tömähdys, jysähdys

2 thump *v* **1** iskeä, lyödä, pamauttaa, paiskata **2** tömähtää, jysähtää

1 thunder [θʌndər] *s* **1** ukkonen **2** (kuv) myrsky **3** *to steal someone's thunder* viedä tuuli jonkun purjeista, pilata jonkun esitys (esim paljastamalla etukäteen jotakin)

2 thunder *v* **1** ukkostaa, olla ukkonen **2** jylistä, pauhata, myrskytä, ärjyä, mylviä

thunderbolt [ˈθʌndər,bɒlt] *s* **1** salama (ja ukkonen) **2** (kuv) salama, (täydellinen) yllätys, järkytys

thunderclap [ˈθʌndərˌklæp] *s* ukkosen jylinä/jyry/jyrähdys

thunderous [ˈθʌndərəs] *adj* ukkos-, myrskyisä (myös kuv)

thunderstorm [ˈθʌndərˌstɔrm] *s* ukkosmyrsky

thunderstruck [ˈθʌndərˌstrʌk] *adj* tyrmistynyt, ällistynyt, järkyttynyt, poissa tolaltaan

Thursday [ˈθərzdi, ˈθərzˌdeɪ] *s* torstai

Thursdays *s* torstaisin

thus [ðʌs] *adv* 1 siten, niin 2 siksi 3 esimerkiksi, kuten

thus far *adv* toistaiseksi, tähän saakka/mennessä

thwart [θwɔrt] *v* chkäistä, estää, tukahduttaa, pysäyttää, tehdä tyhjäksi *the strike thwarted the introduction of the new models* lakko esti uusien mallien esittelyn

thy [ðaɪ] *pron* (vanhentunut) sinun

thyme [taɪm] *s* timjami, tarha-ajuruoho

thyroid [ˈθaɪˌrɔɪd] *s* kilpirauhanen *adj* kilpirauhasen, kilpirauhas-

tiara [tiˈɛrə tiˈarə] *s* 1 (naisten korisleellinen otsavanne) tiaara 2 tiaara, paavin kruunu

tibia [ˈtɪbiə] *s* sääriluu

1 tick [tɪk] *s* 1 (esim kellon) tikitys 2 (UK ark) hetki, hetkinen, silmänräpäys 3 merkki, rasti, ruksi (ark), (elektronisen laitteen) piipahdus 4 punkki

2 tick *v* 1 (esim kellosta) tikittää 2 *what makes her tick?* millainen ihminen hän oikein/pohjimmaltaan on?

tick by *v* (ajasta) kulua

1 ticket [ˈtɪkət] *s* 1 (matka/pääsy)lippu 2 (pysäköintirike)sakko 3 (hinta- tai muu) lappu 4 (vaaleissa yhden puolueen) ehdokkaat 5 (ark) oikea asia *that's the ticket!* niin stä pitää!

2 ticket *v* sakottaa, antaa/kiinnittää sakkolappu

ticket agency *s* lippupalvelu, lipputoimisto (jossa myydään pääsy- tai matkalippuja)

1 tickle [ˈtɪkəl] *s* kutitus, kutkutus

2 tickle *v* 1 kutittaa, kutkuttaa, kutista, joku kutiaa 2 (kuv) mairitella, imarrella, kutkuttaa (myös uteliaisuutta) *to tickle someone's vanity* kutkuttaa jonkun turhamaisuutta 3 naurattaa, saada nauramaan/kikattamaan, ilahduttaa

ticklish [ˈtɪklɪʃ] *adj* 1 herkkä kutiamaan 2 (tilanne) täpärä, tiukka, vaikea, (kysymys myös) kiperä, kiikkerä 3 herkkä, arka (esim loukkaantumaan) 4 kiikkerä, epävakaa, täpärä

tick off *v* 1 merkitä (esim rastilla luettelosta), ruksata (ark) 2 (sl) suututtaa, ärsyttää, käydä hermoille

tidal [ˈtaɪdəl] *adj* vuorovesi-

tidal wave *s* hyökyaalto (myös kuv:) vyöry, myrsky

tide [taɪd] *s* 1 vuorovesi 2 nousuvesi, vuoksi 3 vuorottelu, vaihtelu 4 (tapahtumien) kulku, kehitys, kehityssuunta, (mielipiteiden) enemmistö *the tide of public opinion* vallitseva näkemys *to turn the tide* muuttaa tilanne (päinvastaiseksi)

tide over *v* auttaa selviämään jostakin *I hope this money will tide you over till pay day* toivottavasti pärjäät tällä rahalla palkkapäivään saakka

tidily [ˈtaɪdəli] *adv* 1 siististi 2 huolellisesti

tidiness *s* 1 siisteys 2 huolellisuus

tidy [ˈtaɪdi] *adj* 1 siisti 2 huolellinen *she has a tidy mind* hän ajattelee hyvin järjestelmällisesti 3 kohtalainen, melkoinen, (summa) sievoinen

1 tie [taɪ] *s* 1 köysi, naru, side 2 solmio 3 rusetti 4 (kuv) side, yhdysside 5 (kilpailussa) tasapeli 6 ratapölkky 7 (mus) sidekaari

2 tie *v* 1 sitoa, solmia 2 velvoittaa, sitoa (tekemään jotakin) 3 (kuv) yhdistää, sitoa 4 (mus) sitoa 5 (kilpailussa) tulla tasapeli

tie down *v* rajoittaa jotakuta, sitoa

tie in *v* liittyä johonkin, olla yhteydessä johonkin

tie-in *s* 1 (esim elokuvaan liittyen myytävä) rinnakkaistuote 2 kytkykauppa 3 yhteys

tie off *v* sulkea sitomalla, kuristaa kiinni

1 tier [tɪər] *s* kerros, porras, taso

2 tier *v* porrastaa

3 tier *adj* (yhdyssanan jälkiosana) -kerroksinen, -portainen, -tasoinen *three-tier management* kolmiportaine yritysjohto

tie-up *s* 1 tukos, keskeytys, katkos; liikenneruuhka 2 yhteys, side

tie up *v* **1** sitoa, kiinnittää **2** haitata, hidastaa; estää, pysäyttää, keskeyttää **3** sitoa (varoja johonkin) **4** *to be tied up* olla kiire, ei olla aikaa (jollekulle, johonkin)

tiger [taɪgər] *s* tiikeri

tight [taɪt] *adj* **1** kireä, tiukka, piukka **2** (kuv) (tilanne) kiperä, hankala, vaikea, (voitto) täpärä, (kuri) luja, ankara, (aikataulu) tiukka **3** tiivis (myös kuv:) ytimekäs **4** (ark) joka on lähiväleissä jonkun kanssa **5** (ark) tinkimätön, hellittämätön, peräänantamaton **6** kitsas, saita, nuuka *adv* **1** kireästi, tiukasti; tiiviisti **2** *to sit tight* ei liikauttaa eväänsäkään; ei antaa periksi, pysyä tiukkana

tighten *v* kiristää, tiukentaa

tight-fisted [ˌtaɪtˈfɪstəd] *adj* kitsas, saita, nuuka (ark)

tightfitting [ˌtaɪtˈfɪtɪŋ] *adj* (vaate) kireä, tiukka, piukka

tight-lipped [ˌtaɪtˈlɪpt] *adj* vähäpuheinen, harvasanainen

tightness *s* **1** kireys, tiukkuus **2** (kuv) (tilanteen) kiperyys, hankaluus, vaikeus, (voiton) täpäryys, (kurin) ankaruus, (aikataulun) tiukkuus **3** tiiviys (myös kuv:) ytimekkyys **4** kitsaus, saituus, nuukuus

1 tightrope [ˈtaɪtroʊp] *s* (nuorallatanssijan) nuora, köysi, vaijeri

2 tightrope *v* **1** kävellä nuoraa pitkin, tasapainoilla **2** (kuv) kulkea/edetä varovasti, tasapainoilla

tights *s* (mon) trikoot; sukkahousut

tigress [taɪgrəs] *s* naarastiikeri

'til [tɪl təl] *prep, konj* asti, saakka, kunnes *ks* until

tilde [tɪldə] *s* aaltoviiva (~)

1 tile [taɪəl] *s* (seinä-, lattia-, katto)laatta, (katto)tiili

2 tile *v* laatoittaa, päällystää laatoilla

1 till [tɪl] *s* kassalaatikko, kassalipas, kassa

2 till *v* viljellä (maata); kyntää *prep, konj* asti, saakka, kunnes, *ks* until

tiller [tɪlər] *s* **1** (maan)viljelijä **2** (veneessä) peräsinvarsi, peräsintanko

1 tilt [tɪlt] *s* **1** kallistus, vinous **2** turnajaiset **3** isku, sohaisu **4** *at full tilt* täyttä vauhtia,

täydessä vauhdissa **5** (elo- ja videokuvauksessa) tilttaus

2 tilt *v* **1** kallistaa, kallistua **2** iskeä, sohaista (esim peitsellä) **4** (elo- ja videokuvauksessa) tiltata, kallistaa kameraa ylös tai alas

timber [tɪmbər] *s* **1** puutavara, sahatavara, puu **2** metsä **3** parru, lauta, palkki **4** (kuv) aines *of presidential timber* jossa on ainesta presidentiksi

timberjack [ˈtɪmbərˌdʒæk] *s* metsuri

timberline [ˈtɪmbərˌlaɪn] *s* (vuoristossa) puuraja

timbre [tæmbər] *s* (äänen) sointi, sointisävy, sointiväri

1 time [taɪm] *s* **1** aika *time will tell if he is right* aika näyttää onko hän oikeassa *he has no time for his kids* hänellä ei ole aikaa olla lastensa kanssa *to do something in time* tehdä jotakin ajoissa *daylight-savings time* kesäaika *to gain time* voittaa/säästää aikaa *we finished the job ahead of time* saimme työn valmiiksi etuajassa/ennenaikaisesti/ennen määräaikaa *in good time* hyvissä ajoin, ennen määräaikaa; ajoissa, oikeaan aikaan *for the time being* toistaiseksi *from time to time* aika ajoin, toisinaan, silloin tällöin *to do something in no time* tehdä jotakin hetkessä/tuossa tuokiossa/alta aikayksikön (ark) *to keep time* ottaa aikaa *to kill time* tappaa aikaa *to do something on your own time* tehdä jotakin omalla ajallaan *to be on time* olla ajoissa *to buy on time* ostaa osamaksulla **2** (us mon) aikakausi, aika *in olden times* ennen vanhaan *to be behind the times* olla ajastaan jäljessä **3** kellonaika *what time is it?* paljonko kello on? **4** kerta *two times three is six* kaksi kertaa kolme on kuusi *how many times do I have to tell you?* kuinka monta kertaa sinua pitää käskeä?/sinulle pitää toistaa? *at one time* kerran; samanaikaisesti, yhtä aikaa *many a time* monesti, monta kertaa *at times* toisinaan, ajoittain, aika ajoin **5** (mus) tahti *to be out of time with* olla eri tahdissa kuin *in time* tahdissa **6** muita sanontoja *we had a good/bad time* meillä oli hauskaa/kurjaa *to race against time* kiirehtiä, pitää kiirettä *at the same* *time* kuitenkin, silti, siitä huolimatta; samaan aikaan *to make time* (yrittää) kuroa aikaero umpeen, kiirehtiä *to mark time* odottaa, viivytellä, keskeyttää toistaiseksi *to take your time* ei hätäillä/kiirehtiä, ei pitää kiirettä, tehdä rauhassa

2 time *v* 1 ottaa aikaa, mitata aika **2** ajoittaa, valita ajankohdaksi/hetkeksi

timecard ['taɪm,kɑːd] *s* kellokortti

time-consuming ['taɪmkən,sjuːmɪŋ] *adj* aikaa vievä

time frame *s* pituus, kesto, aika

time-lag ['taɪm,læg] *s* viivästys, viipymä

timeless *adj* 1 ikuinen **2** ajaton, pysyvä

timely *adj* ajankohtainen, otollinen *adv* oikeaan/otolliseen aikaan

time of day *s* 1 kellonaika **2** *she wouldn't give me even the time of day* hän ei ollut huomaavinaankaan minua, hän ei välittänyt minusta lainkaan **3** *to pass the time of day* jutella, rupatella

time-out *s* 1 pysähdys, seisahdus, keskeytys, tauko **2** (urh) tauko, aikalisä **3** (tietok) aikakatkaisu

timer *s* 1 ajanottaja **2** ajastin

timesaving ['taɪm,seɪvɪŋ] *adj* aikaa säästävä

time-sharing ['taɪm,ʃerɪŋ] *s* 1 (tietok) osituskäyttö **2** lomaosake

times sign *s* (mat) kertomerkki

timetable ['taɪm,teɪbl] *s* aikataulu

time zone ['taɪm,zəʊn] *s* aikavyöhyke

timid [tɪmɪd] *adj* arka, ujo

timidity [təˈmɪdəti] *s* arkuus, ujous

timing *s* ajoitus, tahdistus

tin [tɪn] *s* 1 tina **2** pelti **3** (uuni)vuoka **4** (UK) säilyketölkki

2 tin *v* 1 tinata **2** (UK) säiloä tölkkeihin

tin ear *s* joku jolla ei ole sävelkorvaa

tinfoil ['tɪn,fɔɪəl] *s* alumiinifolio

1 tinge [tɪndʒ] *s* 1 vähäinen väri, sävy **2** (kuv) vivahdus, tuulahdus, häivähdys, häive

2 tinge *v* 1 värjätä hieman, sävyttää **2** antaa hieman (sivu)makua johonkin, maistua hieman

1 tingle [tɪŋgl] *s* nipistely

2 tingle *v* nipistellä, jotakuta nipistelee *my ears were tingling* korviani nipisteli

tingling *adj* jota/joka nipistelee, nipistelevä

tininess [ˈtaɪnɪnəs] *s* pienuus, vähäisyys, mitättömyys

1 tinker [ˈtɪŋkər] *s* 1 kattilanpaikkaaja **2** (osaamaton) nikkaroija **3** (korjaajasta) tuhattaituri, joka paikan höylä

2 tinker *v* 1 paikata kattiloita, olla kattilanpaikkaajana **2** häärätä jonkin kimpussa, nikkaroida (osaamattomasti), yrittää saada jotakin tehdyksi

1 tinkle [tɪŋkl] *s* kilinä

2 tinkle *v* 1 kilistä, kilisyttää **2** (lasten kieltä) pissata

tinnitus [tɪnətəs] *s* korvien humina, tinnitus (lääk)

1 tint [tɪnt] *s* 1 vari; värisävy, sävy **2** hiusväri(aine)

2 tint *v* värjätä, värittää, sävyttää

tiny [taɪni] *adj* erittäin pieni, pienenpieni, vähäinen, mitätön

1 tip [tɪp] *s* 1 kärki, pää *the tip of a pen/finger* kynän kärki/sormenpää **2** (vuori) huippu **3** juomaraha **4** (mahdollisesti salainen) vihje, neuvo **5** koputus, näpäytys, (kevyt) lyönti

2 tip *v* 1 kallistaa, kallistua **2** kaataa, kaatua **3** nostaa (hattua) **4** antaa juomarahaa **5** kopauttaa, näpäyttää, lyödä (kevyesti)

tip-off *s* (ark) (salainen) vihje, varoitus

tip off *v* 1 vihjaista, neuvoa, paljastaa (salaa) **2** varoittaa (esim rikollista)

1 tipple [tɪpl] *s* alkoholi; viina, väkevä

2 tipple *v* (säännöllisesti) naukkailla, naukata

tipsy [tɪpsi] *adj* joka on hiprakassa; (juopumuksesta) huojuva, epävakaa

1 tiptoe ['tɪp,təʊ] *s*: *on tiptoe* varpaisillaan, varpaillaan (myös kuv) varuillaan, jännittyneenä

2 tiptoe *v* hiipiä/sipsuttaa varpaisillaan/varpaillaan

tiptop [,tɪp'tɑp] *s* huippu (ark myös kuv) *adj* huippu- (ark myös kuv:) tiptop-

tirade [taɪˈreɪd] *s* saarna (kuv)

1 tire [taɪər] *s* (esim auton) rengas

2 tire *v* 1 varustaa renkailla **2** väsyttää, väsyä, uuvuttaa, uupua *he tires easily* hän väsyy helposti

tire chain *s* lumiketju(t)

tired *adj* **1** väsynyt **2** *tired of* kyllästynyt johonkin, väsynyt johonkin **3** pitkäveteinen, kyllästyttävä, tylsä, innoton *tired joke* tylsä/vanha vitsi **4** (ark) kyllästynyt, ärtynyt

tireless *adj* väsymätön, uupumaton; kyltymätön

tirelessly *adv* väsymättä, väsymättömästi, uupumatta; kyltymättä

tiresome [taɪərsəm] *adj* **1** väsyttävä, uuvuttava; tylsä, pitkäveteinen **2** kyllästyttävä, tympeä, vastenmielinen, ärsyttävä

tissue [tʃu] *s* **1** (lääk ym) kudos **2** silkkipaperi **3** paperinenäliina; paperipyyhe; wc-paperi **4** (kuv) kudos

tit [tɪt] *s* **1** tiainen **2** nänni **3** (sl) tissi

tit for tat *fr* (antaa takaisin) samalla mitalla, silmä silmästä

1 tithe [taɪð] *s* kymmenys

2 tithe *v* maksaa kymmenykset

1 title [taɪtəl] *s* **1** (kirjan, näytelmän, elokuvan ym) nimi **2** (luvun ym) otsikko **3** (kirjan) nimilehti, nimiölehti, tittelilehti **4** (mon) (elokuvan) alku/loputekstit; käännöstekstit, tekstitys **5** arvonimi, titteli **6** (laki) omistusoikeus **7** (laki) omistusoikeuskirja, omistuskirja

2 title *v* nimittää, panna/antaa nimeksi, panna otsikoksi

title page *s* (kirjan) nimilehti, nimiölehti, tittelilehti

to [tu] *prep* **1** jonnekin: *come to me* tule luokseni *he went to the door* hän meni ovelle *she moved to Sweden* hän muutti Ruotsiin **2** jollekulle, jollekin: *give the pen to her* anna kynä hänelle *she was very good to me* hän kohteli minua oikein hyvin, hän oli minulle oikein ystävällinen **3** saakka *to this very day* tähän päivään saakka/asti *fifty to a hundred dollars* 50–100 dollaria **4** genetiivisesti: *the antenna to the radio* radion antenni **5** vertailussa: *you're comparing robots to humans* nyt vertaat robotteja ihmisiin *the game ended five to three* ottelu päättyi 5–3 *he prefers walking to jogging* hän käveleee mieluummin kuin hölkkää **6** kohden: *25 miles to the gallon* 25 mailia gallonalla (10 l/100 km) *partikkeli* **8** verbin infinitiivin yhteydessä tai

asemesta *she wants to go* hän haluaa lähteä *she has to go but does not want to* hänen täytyy lähteä mutta hän ei halua (lähteä) **9** tarkoituksesta, päämäärästä *he came to help* hän tuli auttamaan

toad [toud] *s* **1** konna **2** (kuv) rupikonna, iljettävä ihminen/tyyppi

toadstool [toud.stuəl] *s* **1** sieni **2** myrkkysieni

1 toady [toudi] *s* imartelija, hännystelijä, makeilija

2 toady *v* imarrella, hännystellä, makeilla, mielistellä jotakuta

to-and-fro [tuən'frou] *adj* edestakainen *adv* edestakaisin

1 toast [toust] *s* **1** paahtoleipä **2** malja *let me propose a toast to our dear friend Dr. Goldfarb* saanen ehdottaa maljaa hyvän ystävämme tri Goldfarbin kunniaksi **3** maljapuhe **4** merkkihenkilö, juhlittava henkilö

2 toast *v* **1** paahtaa (leipää) **2** juoda/esittää/ kohottaa malja (jonkun kunniaksi/terveydeksi/menestykseksi)

toaster [toustər] *s* **1** leivänpaahdin **2** maljan ehdottaja; maljapuheen pitäjä; maljan juoja

tobacco [tə'bækou] *s* (mon tobaccos, tobaccoes) tupakka (kasvi, lehdet)

tobacconist [tə'bækənist] *s* tupakkakaupan pitäjä, tupakkakauppias

1 toboggan [tə'bagən] *s* eräänlainen (ohjas)kelkka

2 toboggan *v* kelkkailla, laskea kelkalla

tobogganer *s* kelkkailija

tobogganist *s* kelkkailija

today [tə'deɪ] *s* tämä päivä (myös kuv:) nyky-aika *adv* **1** tänään **2** nykyisin *adj* (ark) tämän päivän, tämänhetkinen

toddle [tadəl] *v* (lapsi) taapertaa

toddler *s* leikki-ikäinen (lapsi)

to-do [tə'du] *s* häly, melu, (iso/hirveä) numero

toe [tou] *s* varvas *to be on your toes* olla varpaillaan/varpaisillaan/varovainen *to step/tread on someone's toes* (kuv) astua jonkun varpaille

toehold [tou.hould] *s* jalansija (myös kuv)

toffee [tɒfi] s toffee

tofu [ˈtou̇ˌfuˌtouˈfu] s (soijajuusto) tofu

together [təˈgeðər] adv 1 yhdessä, yhteen, koossa, kokoon let's go there together mennään sinne yhdessä she put together a good dinner hän kyhäsi kokoon hyvän illallisen to keep/hold together pysyä/pitää koossa 2 yhtä aikaa, samaan aikaan, yhdessä say 'hurrah' all together now huutakaa kaikki yhtä aikaa 'hurraa' 3 yhteensä two and two together makes four kaksi plus kaksi on neljä 4 yhtäjaksoisesti, peräkkäin, yhteen menoon for weeks together viikkokausia

togetherness s yhdessäolo; yhteenkuuluvuus

1 toil [tɔıl] s uurastus, aherrus, raadanta

2 toil v uurastaa, ahertaa, raataa

toilet [ˈtɔılət] s 1 wc-istuin to go down the toilet (kuv) mennä mönkään/hukkaan 2 (huone) wc 3 kylpyhuone 4 peseytyminen, (kauneudenhoito) ja pukeutuminen 5 puku

toiletry [ˈtɔıltrı] s peseytymis/kauneuden-hoitotarvikkeet

1 token [toukən] s 1 merkki, tunnus, vertauskuva 2 osoitus, merkki jostakin 3 muisto, lahja they gave him a plaque as a token of their appreciation he antoivat hänelle muistolaatan osoituksekasi kiitollisuudestaan 4 rahake, poletti 5 by the same token lisäksi, sitä paitsi

2 token v merkitä, symboloida, olla merkki/osoitus jostakin

3 token adj näennäinen, nimellinen they have a token black/woman on the board johtokunnassa on muodon vuoksi mukana yksi musta/nainen, johtokunnassa on kuten tapa vaatii myös yksi musta/nainen

told [toold] ks tell

tolerable [talərəbl] adj siedettävä

tolerably adv siedettävästi, siedettävän

tolerance [talərəns] s 1 suvaitsevaisuus, ennakkoluulottomuus, avarakatseisuus 2 sietokyky, sieto 3 (tekn) poikkeama, (ark) pelivara

tolerant [talərənt] adj 1 suvaitsevainen, ennakkoluuloton, avarakatseinen 2 sietokykyinen

tolerantly adv suvaitsevaisesti, ennakkoluulottomasti

tolerate [taləˌreıt] v sietää, suvaita; kestää

toleration [taləˈreı[ən] s suvaitsevaisuus, ennakkoluulottomuus, avarakatseisuus

1 toll [tɒl] s 1 tiemaksu, (onnettomuuden ym) uhrien määrä; (kuv) hinta even after the fire, the toll is still rising uhreja löytyy lisää vielä tulipalon jälkeen hard work took its toll and he became seriously ill kova työ vaati hintansa ja hän sairastui vakavasti 3 kaukopuhelumaksu 4 (kellon) soitto, lyönti (myös äänestä)

2 toll v 1 kerätä (tie/silta)maksu 2 soittaa (kelloa), (kello) soida for whom does the bell toll? kenen (kuolin)hetki on tullut?, kenelle kellot soivat? 3 (kellosta) lyödä the bell tolls three kello lyö kolme 4 houkutella

tollbooth [ˈtɒl.buθ] s tie/siltamaksun kerääjän koppi

toll bridge s maksullinen silta

toll call s kaukopuhelu

toll-free [ˌtɒlˈfriˈ] adj (puhelu, silta) ilmainen, maksuton

tollgate [ˈtɒl.geıt] s tie/siltamaksun keräys-paikka

toll road s maksullinen tie

tomato [təˈmeıtou] s (mon tomatoes) tomaatti

1 tomb [tum] s hauta

2 tomb v haudata

tomboy [ˈtamˌbɔı] s poikatyttö

tombstone [ˈtumˌstoun] s 1 hautakivi 2 (tal) hautakivi, lehti-ilmoitus josta käyvät ilmi luottojärjestelyssä mukana olleet osapuolet (kansainvälinen menettelytapa)

tomcat [ˈtamˌkæt] s kollikissa

tomorrow [təˈmarou] s huominen, huomispäivä (myös kuv:) tulevaisuus adv 1 huomenna 2 tulevaisuudessa

ton [tʌn] s 1 tonni (US 907 kg, UK 1016 kg) metric ton tonni (1000 kg) 2 (mon, ark) valtavasti, kasapäin

1 tone [toun] s 1 ääni 2 sointi, äänensävy, äänenväri, äänenpaino 3 (mus) sävel 4 värisävy, sävy, vivahde 5 (lihasten ym kudosten) jänteys, paine, tonus 6 (kuv) tunnelma, sävy, ilmapiiri, henki

2 tone v **1** soida, kuulua **2** sävyttää, värjätä, värjäytyä

tone down v pehmentää (väriä, sanojaan)

tone in with v sopia johonkin, sopia yhteen jonkin kanssa

toner [tounər] s väriaine, värijauhe

tone up v voimistaa (väriä, lihaksia)

tone with v sopia johonkin, sopia yhteen jonkin kanssa

tongs [taŋz] s (mon) pihdit *a pair of tongs* pihdit

tongue [taŋ] s **1** (anatomiassa, ruuanlaitossa) kieli **2** (puhuttu) kieli *mother/native tongue* äidinkieli **3** *speaking in tongues* kielilläpuhuminen **4** puhe *to find your tongue* saada puhelahjansa takaisin *to give tongue to something* ilmaista, sanoa ääneen jotakin *to hold your tongue* hillitä itsensä, pitää suunsa kiinni *to lose your tongue* menettää puhelahjansa *the name is on the tip of my tongue* nimi on minulla aivan kielen päällä (en muista sitä) *slip of the tongue* lipsahdus

tongue twister [taŋ,twistər] s sana/lauseke joka on vaikea lausua

tonic [tanık] s **1** vahvistava lääke/aine **2** piristävä asia **3** (mus) perussävel

tonic water s eräs kivennäisvesi

tonight [tə'nait] s tämä ilta/yö adv tänä iltana, ensi yönä

tonnage [tanədʒ] s **1** (aluksen vetoisuus) tonnisto **2** (laivaston tonnimäärä) tonnisto

tonne [tan] s tonni (1000 kg)

tonsillitis [,tansə'laitəs] s nielurisan tulehdus

tonsils [tansəlz] s (mon) nielurisat

too [tu] adv **1** myös, lisäksi, -kin *I, too, want to go; I want to go to too* haluan myös; minäkin haluan lähteä **2** liikaa, liian *too many* liian monta *too few* liian vähän, ei tarpeeksi *it's too bad* se on ikävä juttu/harmin paikka **3** kielteisessä yhteydessä: *I wasn't too happy with your work* en ollut erityisen/kovin tyytyväinen työhösi *it happened none too soon* se ei tapahtunut yhtään liian aikaisin, oli korkea aika että niin kävi *Larry was none too happy about it* Larry ei ollut siitä erityisen mielissään **4** *she was only too happy to go* hän lähti erittäin mielellään,

hän malttoi tuskin odottaa että pääsi lähtemään

took [tuk] ks take

tool [tuəl] s **1** työkalu, väline **2** (kuv) keino, tie (johonkin, *for*), välikappale

tool up v valmistautua johonkin (hankkimalla koneita)

toon [tun] s piirretty (sanasta *cartoon*)

tooth [tuθ] s (mon teeth) **1** (ihmisen, eläimen) hammas *he was armed to the teeth* hän oli aseissa hampaita myöten *by the skin of your teeth* nipin napin, juuri ja juuri, (joko on) hiuskarvan varassa *Gilbert cut his teeth on sales* Gilbert aloitti uransa myyntipuolella *in the teeth of something* (olla) jonkin kourissa/hampaissa *to put teeth into* terästää jotakin, lisätä jonkin tehokkuutta **2** (osa) hammas, sakara, väkä

toothache [tuθeik] s hammassärky

tooth and nail *to fight something tooth and nail* vastustaa jotakin kynsin hampain

toothbrush [tuθbraʃ] s hammasharja

tooth decay [tuθdəkei] s hammasmätä, karies

toothless adj **1** hampaaton **2** tehoton, voimaton

toothpaste [tuθpeist] s hammastahna

tootsie [tutsi] s (sl) **1** kultu, kulta **2** huora

1 top [tap] s **1** huippu, kärki, päälaki, yläosa, yläpää, (puun) latva, (aallon) harja, (avoauton) katto **2** pinta, yläpuoli **3** alku *let's take it from the top* aloitetaan alusta **4** (kuv) huippu, kruunu, joku tai jokin paras *to stay on top* pysyä kärjessä, säilyttää johtoasema **5** *the tops* (ark) paras, huippu **6** *pää to blow your top* menettää malttinsa, raivostua; menettää järkensä, seota **7** hyrrä **8** *to sleep like a top* nukkua kuin tukki

2 top v **1** sulkea, peittää, päällystää, panna päälle **2** olla ylimpänä/korkeimpana/ensimmäisenä jossakin **3** tulla jonkin huipulle; nousta kärkeen; nousta korkeimpaan arvoonsa **4** nousta jonkun yli

3 top adj **1** ylin, korkein, pääty-, huippu-, kärki- **2** (kuv) paras, suurin, korkein, huippu-

topcoat ['tɒp,kəʊt] *s* **1** päällystakki **2** pintamaali(kerros)

topic [tɒpɪk] *s* (keskustelun) aihe

topical *adj* ajankohtainen, päivänpolttava

topicality [,tɒpɪ'kæləti] *s* **1** ajankohtaisuus **2** ajankohtaisuutinen; paikallisuutinen

top-level ['tɒp,levəl] *adj* huipputason, korkean tason, huippu-

topline ['tɒp,laɪn] *adj* ensi luokan, ensiluokkainen, huippu-

topmost ['tɒp,məʊst] *adj* ylin, korkein

topnotch [,tɒp'nɒtʃ] *adj* ensiluokkainen, huippu-

top off *v* huipentua johonkin, päättyä/päättää johonkin

topography [tə'pɒgrəfi] *s* **1** (kuvaus) topografia **2** pinnanmuodostus, topografia **3** (yleisemmin) rakenne

top out *v* nousta huippuunsa/suurimpaan arvoonsa

topping *s* (ruuanlaitossa) kastike, päällys, kuorrutus

topple [tɒpəl] *v* **1** kaataa, kaatua (myös kuv, esim hallitus) **2** kallistua (uhkaavasti), olla vähällä kaatua, horjua

1 torch [tɔrtʃ] *s* **1** soihtu (myös kuv:) *the torch of knowledge/freedom* tiedon/vapauden soihtu **2** (UK) taskulamppu **3** *to carry the/a torch for someone* (sl) rakastaa jotakuta (saamatta vastarakkautta)

2 torch *v* **1** sytyttää, sytyä **2** palaa

tore [tɔr] ks **tear**

torment [tɔrmənt] *s* piina, kärsimys, kidutus

torment [tɔrment tɔr'ment] *v* piinata, kiduttaa, vaivata, kiusata

tormentor [tɔrmentər] *s* piinaaja, kiduttaja, kiusaaja

torn [tɔrn] ks **tear**

tornado [tɔr'neɪdəʊ] *s* (mon tornadoes, tornados) pyörremyrsky, tornado

1 torpedo [tɔr'piːdəʊ] *s* torpedo

2 torpedo *v* **1** ampua/vaurioittaa/upottaa torpedolla **2** (kuv) tehdä tyhjäksi, estää, kaataa (esim suunnitelma)

torque [tɔrk] *s* vääntömomentti

torrent [tɒrənt] *s* **1** vuolas joki/virta **2** kaatosade **3** (kuv) vuodatus, (sana)tulva

torrential [tə'renʃəl] *adj* **1** (joki) vuolas **2** (sade) kaato- **3** (kuv) kiihkeä, kiivas, tulinen

torso [tɔrsəʊ] *s* **1** vartalo **2** (vartaloveistos) torso **3** (kuv) keskeneräinen yritys, torso

tort [tɔrt] (lak) (korvaukseen oikeuttava) rikkomus

tortoise [tɔrtəs] *s* (maa)kilpikonna

tortoiseshell ['tɔrtəs,ʃel] *s* kilpikonnan kuori *adj* **1** (keltaisen ja ruskean) kirjava **2** (silmälasin kehyksistä) sarvi-

tortuous [tɔrtjʊəs] *adj* **1** mutkitteleva, mutkikas, kiemurteleva, kiemurainen **2** (kuv) mutkikas, työläs, vaivalloinen **3** kiero, katala

1 torture [tɔrtʃər] *s* kidutus (myös kuv)

2 torture *v* kiduttaa (myös kuv)

torturer *s* kiduttaja

Tory [tɔri] *s* (Isossa-Britanniassa, Kanadassa) konservatiivi(sen puolueen jäsen)

1 toss [tɒs] *s* **1** heitto, heittelehtiminen, keinunta **2** kruunun ja klaavan heitto

2 toss *v* **1** heittää, heittelehtiä, keinuttaa, keinua, kääntyillä *to toss a coin* heittää kruunaa ja klaavaa **2** (salaatti) valmistaa, sekoittaa

toss off *v* **1** tehdä nopeasti/käden käänteessä **2** juoda/syödä äkkiä/nopeasti

toss-up *s* **1** kruunun ja klaavan heitto **2** yhtä suuri mahdollisuus *it's a toss-up whether the strike ends today or not* lakko voi yhtä hyvin loppua tänään tai jatkua

tot [tɒt] *s* **1** pikkulapsi **2** (UK) ryyppy, kulaus **3** hyppysellinen, pikkuriikkinen

1 total [təʊtəl] *s* **1** yhteismäärä, (kokonais)summa *the total comes to $35* lasku tekee 35 dollaria **2** kokonaisuus

2 total *v* **1** laskea yhteen, tehdä yhteensä, nousta johonkin määrään **2** (sl) romuttaa/kolaroida täysin *she totaled the car* hän ajoi auton mäsäksi

3 total *adj* **1** kokonais-, yhteis-, yleis- **2** täydellinen

total eclipse *s* täydellinen (auringon-/kuun)pimennys

totalitarian [tə,tælə'teriən] *adj* totalitaarinen

totality [tə'tæləti] *s* kokonaisuus

totalize ['təʊtə,laɪz] *v* laskea yhteen; yhdistää

totally adv täysin, aivan *you're totally wrong* olet aivan väärässä

1 tote [tout] s **1** kantaminen **2** kantamus **3** ostoskassi, laukku

2 tote v **1** kantaa (käsissä, selässä, asetta) **2** laskea yhteen

totem [toutəm] s toteemi

totem pole s toteemipaalu *he's the low man on the totem pole* hän on (firmassa) pelkkä rivimies

toto [toutou] *in toto* kokonaisuutena, kaikkiaan, kokonaan

1 totter [tatər] s hoippuva kävely/askel; huojunta

2 totter v hoippua, huojua

tot up v laskea yhteen

toucan s (lintu) tukaani

1 touch [tʌtʃ] s **1** kosketus (myös kuv) *it feels soft to the touch* se tuntuu (kosketettaessa) pehmeältä *this place needs a woman's touch* tämä paikka kaipaa naisen kosketusta **2** kosketusaisti **3** tuntu **4** osuminen, kosketus **5** taito, vaisto, vainu **6** (kuv) väre, kare, hiukkanen *a touch of a smile* hymyn kare **7** yhteys, kosketus *she hasn't kept in touch with her relatives* hän ei ole pitänyt yhteyttä sukulaisiinsa **8** silaus *finishing touches* loppusilaus, viimeinen silaus **9** *to put the touch on someone* (ark) yrittää lainata rahaa joltakulta

2 touch v **1** koskea, koskettaa **2** osua **3** naputtaa, koputtaa **4** olla yhteinen raja, koskettaa toisiaan **5** yltää, ylettyä (jollekin tasolle), olla samaa luokkaa **6** (kuv) liikuttaa (mieltä), koskea, koskettaa *to touch a nerve* osua/sattua arkaan paikkaan *the news touches all parents* uutinen koskettaa kaikkia vanhempia **7** (saada) käyttää, tehdä, päästä käsiksi *he hasn't touched the alcohol since that day* hän ei ole siitä päivästä lähtien juonut tipan tippaa **8** (laiva) pysähtyä jossakin (satamassa)

touch and go s täpärä/tiukka/kiperä tilanne

touch-and-go adj **1** uskalias, vaarallinen **2** kiireinen, hätäinen

touchdown [tʌtʃdaun] s **1** (amerikkalaisessa jalkapallossa) maali **2** laskeutuvan lento-

koneen pyörien kosketus kenttään, laskeutuminen

touché [tu'ʃeɪ] interj **1** (miekkailussa) osuma! **2** (sanaharkassa) hyvin sanottu!, oikein!, nyt annoit/maksoit takaisin!

touchily adv ärtyneesti, kiukkuisesti, herkästi

touching adj liikuttava, koskettava, säälittävä prep koskien, -sta/-stä

touchstone [tʌtʃstoun] s koetinkivi (myös kuv:) mittapuu, mitta

touchy adj **1** (ihminen) herkkä, helposti ärtyvä/suuttuva, ärtynyt, kiukkuinen **2** (asia) arkaluonteinen, tulenarka, vaikea, herkkä, arka

tough [tʌf] s kovanaama, kovis (ark) adj **1** sitkeä, kestävä, luja, vahva **2** (kuv) sitkeä, sinnikäs, kova, (ongelma, vastustaja) vaikea, hankala, (rikollinen) paatunut, (seutu) väkivaltainen, (matka, kamppailu) raskas, rasittava, (onni) kova, huono *he's tougher than leather* hänessä on sisua, hän ei anna helposti periksi **3** *to hang tough* (sl) pysyä kovana/lujana, ei antaa periksi, ei taipua

toughen v kovettaa, kovettua, lujittaa, lujittua, vahvistaa, vahvistua

toughness s (ks myös tough) **1** sitkeys, kestävyys, lujuus, vahvuus **2** (kuv) sitkeys, sinnikkyys, kovuus, hankaluus, rasittavuus

toupee [tu'peɪ] s hiuslisäke

1 tour [tuər] s **1** kiertomatka, matka, kiertoajelu, kiertokäynti, tutustumiskäynti **2** (esiintyjän ym) kiertue *the band is on tour in Japan* yhtye on kiertueella Japanissa **3** (työ)komennus

2 tour v **1** olla kiertomatkalla, matkustaa, kiertää, tutustua (kiertokäynnillä), vierailla jossakin **2** olla (konsertti- tms) kiertueella **3** opastaa, olla (matka- tms) oppaana

tourism [tərizəm] s matkailu, turismi

tourist [tərist] s **1** matkailija, turisti **2** turistiluokka

tourist class s (laivassa, lentokoneessa) turistiluokka

touristry [tərəstri] s **1** matkailijat **2** matkailu

tournament [tərnəmənt] s **1** ottelu, kilpailu, turnaus **2** (hist) turnajaiset

tourniquet [ˈtɔːnəkət] *s* kiristysside

1 tout [taʊt] *s* tyrkyttäjä, tuputtaja (ark), äänitorvi (kuv)

2 tout *v* **1** tyrkyttää, tuputtaa (ark) **2** ylistää, kehua, toitottaa *the company is touting the virtues of its product* yritys toitottaa tuotteensa etuja

1 tow [təʊ] *s* **1** hinaaminen, hinaus *Mr. Frazer had his wife in tow* Mr. Frazerilla oli vaimo mukanaan *the guru had a group of disciples in tow* gurulla oli suojeluksessaan joukko oppilaita/opetuslapsia; gurulla oli mukanaan joukko ihaileivia oppilaita/opetuslapsia *under tow* hinauksessa, hinattavana **2** hinaaja **3** hiihtohissi

2 tow *v* hinata, vetää (perässään)

toward [təˈwɔːd təˈwɔːd] *prep* **1** kohti, päin, suuntaan, suunnassa *she threw the rock toward the lake* hän heitti kiven järvelle päin *the house is toward the lake* talo on järven suunnassa **2** (kuv) kohtaan *he was very friendly toward us* hän oli hyvin ystävällinen meitä kohtaan/meille **3** (ajasta) paikkeilla, maissa *toward the end of the century* vuosisadan lopulla **4** tarkoituksesta: *to save toward something* säästää (rahaa) johonkin

1 towel [taʊəl] *s* pyyheliina, pyyhe *to throw in the towel* (ark) luovuttaa, antaa periksi

2 towel *v* pyyhkiä, kuivata (pyyheliinalla)

1 tower [taʊər] *s* **1** torni **2** lennonjohtotorni

2 tower *v* kohota korkeuksiin, nousta jonkin yläpuolelle, olla korkeampi/pitempi kuin

towering *adj* **1** erittäin korkea/pitkä **2** (kuv) johtava, suuri **3** suunnaton, silmitön, kohtuuton, liiallinen

town [taʊn] *s* **1** (pikku)kaupunki **2** (US) kaupunkikunta **3** (lähin) (iso) kaupunki *he's staying in town* hän jäi (yöksi) kaupunkiin/keskustaan **4** *to go to town* (ark) menestyä; kiirehtiä, pitää kiirettä; liioitella, mennä liiallisuuksiin **5** *to paint the town red* (ark) ottaa ilo irti elämästä, pitää hauskaa, juhlia rajusti

town car *s* **1** (nykyisin) iso (ja ylellinen) henkilöauto **2** (ennen) henkilöauto jossa on suljettu matkustamo ja avoin etuistuin

town hall *s* kaupungintalo, kunnallistalo

townie [taʊni] *s* (ark) pikkukaupunkilainen, paikallinen (kaupungin) asukas

town planning *s* kaupunkisuunnittelu

townsfolk [ˈtaʊnzˌfəʊk] *s* (mon) (pikku)kaupunkilaiset

township [ˈtaʊnˌʃɪp] *s* (US) kaupunkikunta

townspeople [ˈtaʊnzˌpiːpl] *s* (mon) **1** paikalliset (pikkukaupungin) asukkaat **2** (erotuksena maalaisista) kaupunkilaiset

town talk *s* **1** (pikkukaupungin) juorut, huhut **2** juorun aihe

toxic [ˈtaksɪk] *adj* myrkyllinen, myrkky-

toxication [ˌtaksɪˈkeɪʃən] *s* myrkytys

toxicity [takˈsɪsəti] *s* myrkyllisyys

toxicology [ˌtaksɪˈkalədʒi] *s* myrkkyoppi, toksikologia

toxin [takson] *s* (elimistössä muodostunut) myrkky, toksiini

1 toy [tɔɪ] *s* leikkikalu, lelu (myös kuv)

2 toy *v* leikkiä, leikitellä *he's been toying with the idea of setting up a business of his own* hän on miettinyt oman yrityksen perustamista

toymaker [ˈtɔɪˌmeɪkər] *s* leikkikalujen tekijä/valmistaja, leikkikalutehdas

toyshop [ˈtɔɪˌʃap] *s* lelukauppa, leikkikalukauppa

1 trace [treɪs] *s* **1** jälki, merkki *there was not a trace of anger left in him* hänessä ei enää näkynyt suuttumuksen merkkiäkään **2** häviävän pieni määrä, hitunen **3** (mon) (eläimen) jäljet **4** polku

2 trace *v* **1** seurata, jäljittää, etsiä, selvittää **2** olla peräisin (esim jostakin ajalta) *democracy traces back to ancient Greece* demokratia sai alkunsa antiikin Kreikassa **3** (piirturi) piirtää (käyrä jostakin)

traceable *adj* joka voidaan jäljittää/saada selville

traceable to *adj* joka johtuu jostakin

trace element *s* hivenaine

traces *to kick over your traces* (kuv) vapautua kahleista, lähteä omille teilleen, itsenäistyä

trachea [ˈtreɪkiə] *s* (mon tracheae, tracheas) henkitorvi

1 track [træk] *s* **1** rata, rautatie *she was raised on the wrong side of the tracks* hän varttui/

vietti lapsuutensa laitakaupungilla/köyhässä kaupunginosassa/huonoissa oloissa **2** (pyörän jättämä) ura **3** jälki; reitti *to be on the track of someone/something* olla jonkun/jonkin jäljillä *he stopped in his tracks* (ark) hän pysähtyi yhtäkkiä; hän säpsähti *to make tracks* (ark) livahtaa, lähteä kiireesti **4** asia *I think you're off the track now* minusta sinä olet nyt eksynyt asiasta *to keep track of something* seurata jotakin, pysytellä ajan tasalla *to lose track* ei seurata jotakin, unohtaa, menettää kosketus johonkin **5** (äänilevyn, nauhan) ura **6** (äänilevyn, nauhan) kappale **7** (urh) juoksurata; (moottoriurheilussa ym) kilparata **8** (urh) rataurheilu, juoksu **9** (rautatien, auton) raideväli
2 track *v* **1** seurata, kulkea, jäljittää **2** kantaa (kuraa/lunta) sisään **3** tarkkailla, seurata **4** olla raidevälinä
track down *v* etsiä, löytää, ottaa kiinni auto
track record *s* menneisyys, tausta, tähänastiset saavutukset/edesottamukset
tract [trækt] *s* **1** alue, seutu; (maa)palsta, tontti **2** *digestive tract* ruuansulatuskanava **3** (uskonnollinen, poliittinen) kirjanen, traktaatti
traction [ˈtrækʃən] *s* **1** pito *the traction of the tire on the road* renkaan pito tiellä **2** veto (myös lääk)
tractor [ˈtræktər] *s* **1** traktori **2** (rekan) vetoauto
1 trade [treɪd] *s* **1** kauppa **2** ammatti, ala *to ply your trade* tehdä työtään, harjoittaa ammattiaan *tourist trade* matkailuala **3** ammatti-ihmiset, alan ammattilaiset **4** markkinat
2 trade *v* **1** käydä kauppaa jollakin (in), ostaa ja myydä **2** vaihtaa johonkin (for) *trade places* vaihtaa paikkaa
3 trade *adj* (myös mon) ammatti-
trade down *v* vaihtaa halvempaan/huonompaan
trade in *v* vaihtaa, antaa vaihdossa *she traded in her Porsche for a Corvette* hän vaihtoi Porschensa Corvetteen
trade-in *s* vaihtotavara, (esim) vaihtoauto *adj* vaihtokauppa-, vaihto-

trademark *s* **1** tavaramerkki **2** (kuv) leima, jälki *it has his trademark on it* siinä näkyy hänen kättensä jälki
trade name *s* kauppanimi
trade-off *s* vaihtokauppa; vastapalvelus
trade on *v* käyttää hyväkseen, hyötyä jostakin
trader *s* kauppias, liikemies
trades *s* (mon) pasaati(tuuli)
trade up *v* vaihtaa arvokkaampaan/parempaan
trade upon *v* käyttää hyväkseen, hyötyä jostakin
tradition [trəˈdɪʃən] *s* **1** perimätieto **2** perinne, traditio
traditional *adj* perinteinen, perinteellinen, peritty, vanha
1 traffic [ˈtræfɪk] *s* **1** liikenne **2** kauppa, kaupankäynti *drug traffic* huumekauppa **3** viestintä, yhteydenpito, ajatustenvaihto
2 traffic *v* (trafficked, trafficked, trafficking) käydä kauppaa jollakin (laittomalla)
traffic light *s* liikennevalo(t)
tragedy [ˈtrædʒədi] *s* **1** murhenäytelmä, tragedia **2** (kuv) onnettomuus, järkyttävä tapahtuma
tragic [ˈtrædʒɪk] *adj* **1** traaginen, tragedia-, murhenäytelmä-, **2** järkyttävä, traaginen
tragically *adv* järkyttävästi, traagisesti
tragicomic [ˌtrædʒəˈkæmɪk] *adj* tragikoominen
1 trail [treɪl] *s* **1** jälki (myös kuv) *the car left a cloud of dust in its trail* auto jätti jälkeensä pölypilven *the police are on his trail* poliisi on hänen kannoillaan **2** polku, tie
2 trail *v* **1** vetää (perässään) **2** seurata (perässä) **3** laahata, viistää (maata) **4** virrata; tupruta **5** (kuv) venyttää, pitkittää
trail along *v* **1** seurata (perässä) **2** vetää (perässään), laahata (perässään)
trail away *v* vaieta, hiljentyä, lakata vähitellen
trailblazer [ˈtreɪlˌbleɪzər] *s* (kuv) uranuurtaja, tienraivaaja
trailer *s* **1** perävaunu **2** asuntovaunu **3** peräkärry **4** (elokuvan) mainosfilmi
trailhead [ˈtreɪlˌhed] *s* polun alku

trail off v vaieta, hiljentyä, lakata vähitellen

1 train [trein] s **1** juna **2** kulkue, jono **3** joukko, seurue

2 train v **1** kasvattaa **2** opettaa, kouluttaa, valmentaa, valmentautua, harjoittaa, harjoitella

trainee [treı'ni] s oppilas, koulutettava, valmennettava, kurssilainen

trainer s opettaja, kouluttaja, valmentaja

training s **1** opetus, koulutus, valmennus **2** kunto; taito *to be in/out of training* olla hyvässä/huonossa kunnossa/olla harjoituksen puutteessa

trait [treıt] s piirre, puoli, ominaisuus

traitor [treıtər] s **1** petturi, kavaltaja **2** maanpetturi

traitorous [treıtərəs] adv **1** petollinen, kavala, kiero **2** maanpetoksellinen

trajectory [trə'dʒektəri] s (lento)rata

tram [træm] s (UK) raitiovaunu

1 tramp [træmp] s **1** raskas askel **2** tömähdys **3** kävely, patikkaretki **4** kulkuri **5** lutka

2 tramp v **1** tarpoa, talsia **2** survoa, tarpoa, astua päälle **3** kävellä, patikoida **4** elää/olla kulkurina, kierrellä (paikasta toiseen)

trampoline ['træmpə,lin] s trampoliini

tramp on v tallata päälle, astua päälle

tramway ['træm,weı] s **1** (UK) raitiotie **2** (US) köysirata *aerial tramway* köysirata

1 trance [trɑns] s **1** transsi **2** haltioituminen, hurmos, hurmio

2 trance v **1** saattaa transsiin **2** lumota, saada haltioihinsa

tranquil [træŋkwəl] adj rauhallinen, hiljainen

tranquillity [træŋ'kwılətı] s rauha, rauhallisuus, hiljaisuus

tranquilize ['træŋkwə,laız] v rauhoittaa

tranquilizer s rauhoituslääke, rauhoite

transact [træn'zækt] v tehdä, suorittaa, käydä (kauppaa, neuvotteluita), neuvotella

transaction [,træn'zækʃən] s **1** suoritus, hoito, teko *business transactions* liiketoimet, kaupankäynti **2** vuorovaikutus, kanssakäynti

transatlantic [,trænzət'læntık] adj Atlantin takainen; Atlantin ylittävä *transatlantic phone call* puhelu Atlantin taakse

transcend [,træn'send] v ylittää, rikkoa (rajat), jättää jälkeensä/varjoonsa

transcendental [,trænsən'dentəl] adj yliaistillinen, transsendentaalinen

transcribe [,træn'skraıb] v **1** kirjoittaa koneella/puhtaaksi (saneltu, nauhoitettu puhe tms) **2** jäljentää **3** kirjoittaa tarkekirjoituksella/ääntämisohjeet, transkriboida **4** siirtää toiseen kirjoitusjärjestelmään, transkriboida

transcript [træn,skrıpt] s **1** koneella/puhtaaksi kirjoitettu asiakirja **2** jäljennös **3** (koulu)todistus

transcription [,træn'skrıpʃən] s **1** koneella/puhtaaksikirjoitus **2** ääntämisohjeiden kirjoittaminen, transkriptio **3** toiseen kirjoitusjärjestelmään siirtäminen, transkriptio

transept [trænsept] s (kirkon) poikkilaiva

1 transfer [trænsfər] s **1** siirto **2** siirtolippu **3** siirtokuva

2 transfer [træns'fər] v siirtää, siirtyä

transform [træns'fɔrm] v muuntaa, muuntua, muuttaa, muuttua

transformation [,trænsfər'meıʃən] s muuntaminen, muunnos, muunto, muutos

transformer s (sähkö)muuntaja

transfuse [træns'fjuz] v siirtää, välittää, iskostaa (mieleen)

transfusion [træns'fjuʒən] s siirto, (mieleen) iskostus *blood transfusion* verensiirto

transgress [træns'gres] v rikkoa (lakia, sääntöä), ylittää (kuvaannollinen raja), tehdä syntiä

transgression [,træns'greʃən] s rikkomus; synti

transistor [træn'zıstər] s transistori

transistorize [træn'zıstə,raız] v transistoroida

transit [trænsət] s **1** läpikulku, kauttakulku **2** kuljetus **3** liikenne *mass transit* joukkoliikenne **4** muutos; siirtymävaihe

1 transition [træn'zıʃən] s muutos, vaihdos, siirtyminen, siirtymävaihe

2 transition v siirtyä

transitive [trænsətıv] adj (kielioppiin) transitiivinen, joka saa objektin

translate [træns,leıt] v **1** kääntää *to translate into Finnish* suomentaa **2** muuttaa: *to translate thought into action* siirtyä sa-

translation 1162

noista tekoihin, toteuttaa ajatukset käytännössä

translation [,trænsˈleɪʃən] s 1 käännös the Finnish translation of her book hänen kirjansa suomennos 2 muuttaminen: the translation of plans into reality suunnitelmien toteuttaminen käytännössä

translator [ˈtrænsˌleɪtər] s kääntäjä, (suomeen myös) suomentaja

transliterate [,trænsˈlɪtəˌreɪt] v siirtää toiseen kirjoitusjärjestelmään, translitteroida

translucency s kuulaus, läpinäkyvyys

translucent [,trænsˈluːsənt] adj läpikuultava, läpinäkyvä, kuulas

transmission [,trænsˈmɪʃən] s 1 lähettäminen, lähetys, siirto 2 ilmoitus, ilmoittaminen 3 (taudin) leviäminen, (ominaisuuksien) periytyminen 4 (auton) vaihteisto

transmit [trænsˈmɪt] v 1 lähettää, siirtää 2 ilmoittaa 3 levittää (tautia), (ominaisuus) periytyä

transmitter s (radio)lähetin

transparency s 1 läpinäkyvyys (myös kuv:) vilpittömyys 2 dia(kuva)

transparent [,trænsˈpeərənt] adj 1 läpinäkyvä (myös kuv:) epäaito, vilpillinen 2 ohut, läpikuultava 3 avoin, vilpitön

transparently adv läpinäkyvästi (myös kuv:) vilpillisesti

transplant [trænsˌplænt] s siirretty kasvi; (lääk) siirrännäinen; muuttaja he is a recent transplant hän on uusi tulokas, hän on vasta muuttanut tänne

transplant [,trænsˈplænt] v siirtää (kasvi, elin); muuttaa (asuinpaikkaa)

transport [ˈtrænsˌpɔːt] s 1 kuljetus 2 kuljetusalus, kuljetus(lento)kone, kuljetus(lento)kone 3 joukkoliikennevälineitä 4 hurmio, hurmos, innostus 5 karkotettu henkilö 6 (nauhurin) nauhankuljetuskoneisto

transport [,trænsˈpɔːt] v 1 kuljettaa 2 saada hurmioon/innostumaan suunnattomasti the news transported her into bursts of joy uutinen innosti hänet ilon purkauksiin 3 karkottaa

transportation s kuljetus transportation by air/sea lento/laivarahtaus

transpose [,trænzˈpouz] v 1 vaihtaa paikkaa 2 siirtää, kuljettaa 3 (mus) vaihtaa toiseen sävellajiin, transponoida

transposition [,trænzpəˈzɪʃən] s 1 paikan vaihtaminen/vaihtuminen 2 (mus) sävellajin vaihto, transponointi

transverse [ˈtrænzˈvɜːs] adj poikittainen, poikittais-, (huilu) poikki-

transvestite [trænzˈvestaɪt] s transvestiitti

1 **trap** [træp] s 1 (myös kuv) ansa, loukku, pyydys 2 (viemärissä) vesilukko

2 **trap** v 1 pyydystää; virittää ansioja; saada kiinni/ansaan 2 (kuv) saada satimeen/ansaan, huijata

trapdoor [,træpˈdɔː] s (katossa, lattiassa) luukku, ovi, (lattiassa) laskuovi

trapeze [træˈpiːz] s (rekki) trapetsi

trapper [ˈtræpər] s turkismetsästäjä

trappings [ˈtræpɪŋz] s (mon) 1 koristeet, somisteet 2 puvut, asut 3 (kuv) ulkokuori, ulkoiset tunnukset he has all the trappings of success from a BMW to a condo hänellä on kaikki menestyjän statussymbolit BMW:stä omistusasuntoon

1 **trash** [træʃ] s roska (myös kuv)

2 **trash** v 1 (sl) särkeä, hävittää 2 lyödä lyttyyn, antaa murskaava arvostelu jostakin

trauma [tramə] s 1 (lääk) vamma, vaurio, trauma 2 (psykologiassa) psyykkinen vamma, vaurio, trauma

traumatic [trɔːˈmætɪk] adj traumaattinen

1 **travel** [ˈtrævəl] s 1 matkustus, matkustaminen, matkailu 2 (mon) matka, matkat Gulliver's travels Gulliverin retket 3 liikenne

2 **travel** v matkustaa

travel agency s matkatoimisto

travel agent s 1 matkatoimistovirkailija 2 matkatoimisto

traveler s 1 matkustaja, matkailija 2 myyntimies, kauppamatkustaja

traveler's check s matkasekki

1 **traverse** [trəˈvɜːs] s ylitys, kulkeminen jonkin yli/poikki the traverse of the desert aavikon ylitys

2 **traverse** v kulkea jonkin poikki/yli/kautta, ylittää, halkaista, halkoa the railroad traverses the city rautatie kulkee kaupun-

gin halki *we traversed the river yesterday* ylitimme joen eilen

3 traverse *adj* poikittainen

travesty [trævəsti] *s* **1** ivamukaelma, travestia **2** (kuv) irvikuva, täydellinen vastakohta *a travesty of justice* oikeuden irvikuva

1 trawl [traəl] *s* laahusnuotta, trooli

2 trawl *v* kalastaa laahusnuotalla, troolata

trawler *s* (alus) troolari

tray [trei] *s* tarjotin

treacherous [tretʃərəs] *adj* **1** petollinen, kavala, kiero **2** epäluotettava, petollinen, harhauttava, vaarallinen

treacherously *adv* **1** petollisesti, petollisen, kavalasti **2** epäluotettavasti, petollisesti, petollisen, vaarallisesti, vaarallisen

treachery [tretʃəri] *s* petos

treacle [trikəl] *s* **1** imelyys, tunteilu, sentimentaalisuus **2** (UK) siirappi

1 tread [tred] *s* **1** askel **2** askelma **3** (renkaan) kulutuspinta

2 tread *v* trod, trodden **1** astua, kävellä **2** astua, tallata (jonkin päälle)

1 treadle [tredəl] *s* (ompelukoneen, rukin ym) poljin

2 treadle *v* polkea

treadmill [tred,mil] *s* **1** polkumylly **2** (kuv) oravanpyörä

tread on *v* astua, tallata jonkin päälle

treason [trizən] *s* **1** maanpetos **2** petos; petollisuus, kavaluus

treasonable *adj* **1** maanpetoksellinen **2** petollinen, kavala

treasonous [trizənəs] *adj* **1** maanpetoksellinen **2** petollinen, kavala

1 treasure [treʒər] *s* aarre (myös kuv)

2 treasure *v* pitää suuressa arvossa, (muistoa) vaalia

treasurer [treʒərər] *s* (seuran) varainhoitaja, (kaupungin) kamreeri, rahoitusjohtaja (yrityksen) talouspäällikkö, (maan) valtiovarainministeri

treasure-trove ['treʒər,trouv] *s* (myös kuv) aarreaitta, aarrearkku

treasury [treʒəri] *s* **1** *Treasury* valtiovarainministeriö **2** (seuran) kassa **3** (kuv) aarreaitta

1 treat [trit] *s* **1** *it is my treat* minä tarjoan (ruuat, juomat) **2** *the new movie is a treat* uusi elokuva on loistava

2 treat *v* **1** kohdella *you have to treat her right* sinun on kohdeltava häntä oikein **2** suhtautua, pitää jonakin (as) **3** (potilasta) hoitaa **4** käsitellä (myös kuv) **5** tarjota (ateria, juomat)

treatise [tritəs] *s* tutkielma

treatment *s* **1** kohtelu, suhtautuminen, käsittely **2** (lääk) hoito

treaty [triti] *s* sopimus *a nuclear arms treaty* ydinase(iden rajoittamis)sopimus

1 treble [trebəl] *s* **1** (mus) sopraano **2** (mus) diskantti

2 treble *v* kolminkertaistaa

3 treble *adj* **1** kolminkertainen **2** (mus) sopraano- **3** (mus) diskantti-

tree [tri] *s* puu *family tree* sukupuu *Christmas tree* joulukuusi *to be up a tree* olla pulassa/pinteessä

1 trek [trek] *s* vaellus, (vaivalloinen) patikkamatka

2 trek *v* trekked, trekked, trekking: talsia, vaeltaa

1 tremble [trembəl] *s* vapina, värinä, tutina

2 tremble *v* vapista, väristä, tutista, hytistä

tremendous [trə'mendəs] *adj* **1** valtava, suunnaton **2** valtavan hyvä, loistava

tremendously *adv* valtavasti, valtavan, suunnattomasti, suunnattoman

tremor [tremər] *s* **1** puistatus, väristys **2** järistys

1 trench [trentʃ] *s* **1** (sot) taisteluhauta **2** kaivanto, (syvä) oja

2 trench *v* kaivaa taisteluhauta/taisteluhautoja, kaivautua asemiin

trench coat *s* (takki) trenssi

trench on *v* **1** loukata (esim jonkun oikeuksia) **2** haiskahtaa, näyttää, kuulostaa joltakin

1 trend [trend] *s* **1** suuntaus, suunta, taipumus, kehityssuunta **2** muoti

2 trend *v* suuntautua, kohdistua, kehittyä johonkin suuntaan

trendsetter ['trend,setər] *s* suunnannäyttäjä, edelläkävijä

trendy adj muodikas, viimeisen muodin mukainen

1 trespass ['tres,pæs] s 1 (toisen oikeuksien, rauhan) loukkaus 2 luvaton tunkeutuminen jonnekin 3 synti, rikkomus

2 trespass v 1 loukata (jonkun oikeuksia, rauhaa) 2 tunkeutua luvatta jonnekin 3 tehdä syntiä, rikkoa jotakuta vastaan

trespasser s tunkeilija *trespassers will be prosecuted* luvaton oleskelu kielletty rangaistuksen uhalla

tress [tres] s 1 (mon) kiharat, hiukset 2 (hius)suortuva

trestle [tresəl] s 1 (kannatinteline) pukki 2 pukkisilta

trial [traiəl] s 1 oikeudenkäynti 2 koetus, kokeilu, koe 3 yritys 4 koettelemus, vaikeus 5 to be on trial olla syytettynä oikeudessa; olla koeajalla, olla koeiltavana

trial and error s yritys ja erehdys

trial run s koekäyttö, koeajo, koe-esitys

triangle ['trai,æŋgəl] s kolmio *the Bermuda triangle* Bermudan kolmio

triangular [trai'æŋgjələr] adj kolmiomainen, kolmion muotoinen

tribal [traibəl] adj heimo-

tribe [traib] s heimo

tribesman ['traibzmən] s (mon tribesmen) heimon jäsen

tribespeople ['traibz,pipəl] s (mon) heimon jäsenet

tribunal [trə'bjunəl trai'bjunəl] s tuomioistuin

tributary ['tribjə,teri] s sivujoki

tribute [tribjut] s 1 kunnianosoitus, kiitollisuudenosoitus 2 vero, pakkovero

1 trick [trik] s 1 temppu, huijaus, petos 2 taito, niksi *that should do the trick* sen pitäisi tepsiä 3 kepponen 4 näköharha 5 (sl) huoran asiakas

2 trick v huijata, puijata, pettää, narrata

trickery ['trikəri] s huijaus, juonittelu, temppuilu

trick into v huijata/puijata/narrata joku tekemään jotakin

1 trickle [trikəl] s 1 tihkuminen 2 (kuv) *a trickle of people came to congratulate him* silloin tällöin joku kävi onnittelemassa häntä

2 trickle v 1 tihkua 2 (kuv) tulla/saada vähitellen

trick of v huijata/puijata joltakulta jotakin

trickster [trikstər] s 1 huijari, petturi 2 kujeilija

tricky adj 1 ovela, viekas, kavala 2 taitava, nokkela 3 hankala, vaikea

tricycle [traisəkəl] s kolmipyörä

tried [traid] ks try

1 trifle [traifəl] s 1 pikkuseikka, pikkuasia, sivuseikka, mitätön asia/esine 2 *trifle*-summa 3 *it's a trifle too long* se on hieman liian pitkä 4 eräänlainen kerrosjälkiruoka

2 trifle v 1 leikitellä (esim jonkun tunteilla) 2 hypistellä, näpelöidä

trifling adj mitätön, vähäpätöinen, (keskustelu) pinnallinen

1 trigger [trigər] s 1 liipaisin *to be quick on the trigger* (ark) olla nopea/äkkipikainen 2 laukaisin 3 (kuv) laukaiseva/käynnistävä tekijä, viimeinen pisara

2 trigger v 1 laukaista 2 käynnistää, aloittaa

trigonometric [,trigənə'metrik] adj trigonometrinen

trigonometry [,trigə'namətri] s trigonometria

1 trill [tril] s 1 liverrys 2 (mus) liverre, trilli

2 trill v livertää

trilogy [trilədʒi] s trilogia

trim [trim] v 1 siistiä, viimeistellä (leikkaamalla), (puuta) karsia 2 (kuv) leikata, supistaa 3 koristella, koristaa, somistaa 4 (purjeita) sovittaa, trimmata, saattaa (laivan (paino)lasti) tasapainoon 5 (ark) moittia, haukkua, sättiä *adj* 1 siisti 2 hyväkuntoinen, joka on hyvässä kunnossa 3 hoikka, solakka

Trinity [trinəti] s 1 (Pyhä) kolminaisuus 2 *trinity* kolmikko, kolmen ryhmä

trinket [triŋkət] s rihkama(esine)

trio [triou] s 1 (mus) trio 2 kolmikko, kolmen ryhmä

1 trip [trip] s 1 matka *round trip* menopaluumatka 2 kompastuminen 3 kömmähdys 4 (sl) hurmio, (esim huume)trippi

2 trip v 1 kompastua 2 tehdä kömmähdys 3 sipsuttaa

tripartite [traɪ'pɑːˌtaɪt] *adj* kolmiosainen, kolmen osapuolen

1 triple [trɪpl] *s* kolminkertainen määrä

2 triple *v* kolminkertaistaa, kolminkertaistus

3 triple *adj* kolmiosainen, kolmenlainen, kolminkertainen

triplets [trɪpləts] *s* (mon) kolmoset

triplicate [trɪplɪkət] *s* yksi kolmesta jäljennöksestä/kappaleesta *to type something in triplicate* kirjoittaa jotakin kolmena kappaleena *adj* kolmiosainen, kolmena kappaleena tehty, kolminkertainen

triplicate ['trɪplə,keɪt] *v* kolminkertaistaa, tehdä kolmena kappaleena

tripod ['traɪ,pɒd] *s* kolmijalka, jalusta

trip up *v* kampata, saada kompastumaan (myös kuv)

trite [traɪt] *adj* kulunut, lattea, väljähtänyt

tritely *adv* kuluneesti, latteasti

triteness *s* kuluneisuus, latteus

1 triumph [traɪəmf] *s* 1 voitto, saavutus, riemuvoitto **2** riemusaatto, voittojuhla

2 triumph *v* 1 voittaa, menestyä **2** riemuita, juhlia

triumphal [traɪ'ʌmfəl] *adj* 1 voitto-, riemu- **2** riemuisa, riemukas

triumphant [traɪ'ʌmfənt] *adj* 1 voittoisa, menestyksekäs **2** riemuisa, riemukas

triumphantly *adv* 1 voittoisasti, menestyksekkäästi **2** riemuisasti, riemukkaasti

trivial [trɪvɪəl] *adj* 1 mitätön, merkityksetön, vähäpätöinen **2** tavallinen, arkinen, lattea, kulunut

triviality [ˌtrɪvɪ'ælɪtɪ] *s* 1 mitättömyys, vähäpätöisyys **2** arkisuus, latteus, kuluneisuus

trivialize ['trɪvɪə'laɪz] *v* tehdä mitättömäksi, esittää mitättömäksi, latistaa

trod [trɒd] ks tread

trodden ks tread

troglodyte ['trɒglə,daɪt] *s* 1 luola-asukas **2** (halv) luolaihminen

troll [trɒl] *s* peikko

trolley *s* (UK) **2** ostoskärryt **3** matkalaukkukärryt **4** tarjoiluvaunu **5** (pyörälliset) paarit **6** (US) raitiovaunu

trombone [ˌtrɒm'bəʊn] *s* pasuuna *slide trombone* vetopasuuna

1 troop [truːp] *s* 1 joukko, ryhmä **2** (ratsuväessä) eskadroona **3** (mon sot) joukot

2 troop *v* 1 kokoontua, kerääntyä yhteen **2** ahtautua, tunkeutua jonnekin **3** kävellä, marssia (jonossa)

trooper *s* 1 ratsuväen sotilas **2** ratsupoliisi **3** osavaltion poliisi (myös *state trooper*) **4** *like a trooper* kuin sotilas, tarmokkaasti, innokkaasti

trophy [trəʊfi] *s* 1 sotasaalis; voitonmerkki **2** palkinto, palkintomalja, pokaali

tropic [trɒpɪk] *s* 1 kääntöpiiri *the Tropic of Cancer* Kravun kääntöpiiri *the Tropic of Capricorn* Kauriin kääntöpiiri **2** (mon) tropiikki *adj* trooppinen

tropical *adj* trooppinen, tropiikin

1 trot [trɒt] *s* 1 (hevosen) ravi **2** (ihmisen) hölkkä **3** (ark) the trots ripuli

2 trot *v* 1 (hevonen) ravata, juosta ravia, (hevosella) ratsastaa ravia **2** (kuv) ravata, kävellä nopeasti, juosta, hölkätä

trot out *v* 1 tuoda esiin, tuoda nähtäväksi **2** lasketella, kertoa

1 trouble [trʌbl] *s* 1 vaikeus, hankaluus, vaiva (myös sairaus), häiriö, kiusa, harmi, murhe *we're in trouble* olemme pulassa *he's again looking for trouble* hän tekee elämänsä tahallaan vaikeaksi, hän kaivaa taas verta nenästään (sl) *Arnold got the girl in trouble* Arnold pamautti tytön paksuksi (sl) *what's the trouble with you?* mikä sinua vaivaa?

2 trouble *v* vaivata, hankaloittaa, häiritä, kiusata, harmittaa *don't trouble him, he's working* älä häiritse häntä, hänellä on työt kesken

troublemaker ['trʌbəlˌmeɪkər] *s* rettelöitsijä, riitapukari, hankala tapaus (ark)

trouble over *v* murehtia jostakin, olla huolissaan jostakin

troubleshooter ['trʌbəlˌʃuːtər] *s* 1 (riita-asiassa) välittäjä **2** vianetsijä, korjaaja

troublesome [trʌbəlsəm] *adj* vaikea, hankala, ongelmallinen, pulmallinen

trough [trɒf] *s* 1 kaukalo, purtilo **2** kouru, ränni **3** syvennys, ura, vako **4** aallonpohja (myös kuv)

trounce [traʊns] v 1 piestä, hakata (myös kuv:) voittaa 2 rangaista

troupe [trup] s (teatteri- ym) seurue

trouser adj housujen, housun-

trousers [traʊzərz] s (mon) housut

trout [traʊt] s (mon trouts, trout) taimen; kirjolohi; nieriä, rautu

1 trowel [traʊəl] s 1 muurauslasta 2 (puutarhassa) istutuskauha

2 trowel v tasoittaa, levittää (muurauslastalla)

truancy s luvaton poissaolo, pinnaus (ark), lintsaus (ark)

truant [truənt] s (koulussa, työssä) luvaton poissaolija, pinnari (ark), lintsari (ark) adj joka on luvattomasti poissa koulusta/ työstä

truce [trus] s 1 aselepo 2 (kuv) hengähdystauko, tauko, helpotus

1 truck [trʌk] s 1 kuorma-auto; rekka-auto 2 työntökärryt 3 (UK rautateillä) avoin tavaravaunu 3 vihannekset (kauppatavarana) 4 palkan maksaminen luontoisetuina, trukkijärjestelmä

2 truck v 1 kuljettaa (kuorma-autolla), ajaa kuorma-autoa 2 kärrätä, työntää (käsi)kärryillä

truckdriver [ˈtrʌkdraɪvər] s kuorma-auton kuljettaja, rekka-auton kuljettaja, rekkakuski

trucker s 1 kuorma-auton kuljettaja, rekka-auton kuljettaja, rekkakuski 2 huolitsija 3 vihannesviljelijä, vihannespuutarhuri

1 trudge [trʌdʒ] s vaivalloinen kävely

2 trudge v tarpoa, rämpiä

true [tru] adj 1 tosi is it true? onko se totta? 2 aito, vilpitön, todellinen, tosi a true friend tosi ystävä a true gentleman todellinen herrasmies 3 tarkka, oikea; suora the watch is not true kello on väärässä 4 uskollinen, luotettava adv 1 tarkasti, oikein 2 his dream has come true hänen haaveensa on toteutunut

truffle [trʌfəl] s tryffeli, multasieni

truly adv 1 todella, vilpittömästi 2 uskollisesti 3 yours truly (kirjeessä) kunnioittaen, (liikekirjeessä myös) ystävällisin terveisin

1 trump [trʌmp] s 1 (korttipelissä) valtti 2 (ark) hieno ihminen

2 trump v 1 (korttipelissä) ottaa valtilla, voittaa kierros 2 ylittää, voittaa, jättää jälkeensä/varjoonsa

1 trumpet [trʌmpət] s 1 trumpetti 2 törähdys

2 trumpet v 1 puhaltaa (trumpettia) 2 töräyttää, törähtää 3 ylistää, toitottaa, mainostaa

trump up v keksiä, sepittää

truncate [trʌŋkeɪt] v typistää, lyhentää, leikata, katkaista

truncated adv typistetty, tylppä, lyhennetty, katkaistu

truncheon [trʌntʃən] s (poliisin) pamppu, patukka

trunk [trʌŋk] s 1 (puun)runko 2 (matka- tai muu) arkku 3 (auton) tavaratila 4 vartalo (ilman raajoja ja päätä) 5 norsun kärsä 6 (mon) sortsit swimming trunks uimahousut 7 (puhelinliikenteessä) kaukojohto

trunk call s (UK) kaukopuhelu

1 truss [trʌs] s tukirakenne, (tuki)ristikko

2 truss v 1 sitoa, niputtaa 2 tukea

1 trust [trʌst] s 1 luottamus he placed his trust in her hän luotti naiseen 2 toivo, usko 3 tuki, turva 4 huosta the millionaire left all his money in the trust of lawyers miljonääri jätti kaikki rahansa lakimiesten valvontaan/huostaan 5 huostaan uskottu omaisuus; säätiö; rahasto 6 (tal) trusti

2 trust v 1 luottaa trust me, I'm not lying luota minuun, minä en valehtele 2 uskoa, toivoa, olettaa I trust you're satisfied with your pay? sinä olet ilmeisesti tyytyväinen palkkaasi?

trustee [trʌsˈti] s 1 (säätiön) hallituksen jäsen 2 luottamusmies, uskottu mies

trust fund s huostaan uskottu omaisuus; säätiö; rahasto

trustily adv luotettavasti, varmasti, uskollisesti

trust in v luottaa johonkin, uskoa johonkin

trusting adj luottavainen; hyväuskoinen

trustless adj epäluuloinen

trust to v laskea jonkin varaan, luottaa johonkin

trustworthy [ˈtrʌstˌwɜrði] adj luotettava

trusty adj luotettava, varma, uskollinen

truth [truθ] s totuus *in truth* todellisuudessa, oikeastaan, totta puhuen

truthful adj rehellinen, luotettava, paikkansa pitävä, totuudenmukainen, todenmukainen, (muotokuva) näköinen, realistinen

truthfulness s rehellisyys, luotettavuus, todenmukaisuus, (muotokuvan) näköisyys, realistisuus

1 try [traɪ] s yritys *why don't you give it a try?* kokeile nyt sitä! *to give it the old college try* (ark) yrittää tosissaan, panna parastaan

2 try v tried, tried **1** yrittää *try to be nice to her* yritä olla hänelle ystävällinen **2** kokeilla *you should try jogging, it helps you relax* sinun pitäisi käydä kokeeksi lenkillä, se rentouttaa **3** maistaa *have you tried Mexican cooking yet?* joko olet maistanut meksikolaista ruokaa? **4** koetella, panna koetteille **5** (lak) syyttää jotakuta oikeudessa, tuomita/ratkaista (juttu)

trying adj vaikea, raskas, koetteleva

try on v sovittaa, kokeilla päälleen

try on for size fr **1** sovittaa/kokeilla (vaatetta) **2** (kuv) harkita, miettiä, pohtia

tryout ['traɪˌaʊt] s **1** kokeilu, koe, valintatilaisuus **2** (näytelmän) ennakkonäytäntö

try out v kokeilla, (autoa) koeajaa

try out for v pyrkiä johonkin (esim urheilujoukkueeseen)

T-shirt ['tiˌʃɜːt] s T-paita

tsunami [tsuˈnɑːmi] s tsunami, maanjäristyksen tai tulivuorenpurkauksen aiheuttama hyökyaalto

tub [tʌb] s **1** kylpyamme **2** sammio, amme, allas, soikko, saavi

tuba [tubə] s tuuba

tube [tub] s **1** putki, letku *to go down the tube* (ark) mennä läskiksi, mennä pöntöstä alas **2** purso, tuubi **3** *inner tube* (auton ym) sisärengas **4** elektroniputki **5** (ark) telkkari, televisio, (halventavasti) pötypputki **6** (UK) maanalainen, metro

tuber [tubər] s (kasvi) juurimukula

tuberculosis [təˌbɜːkjəˈləʊsɪs] s tuberkuloosi

tubular [tubjələr] adj putkimainen, putki-

1 tuck [tʌk] s laskos

2 tuck v **1** työntää, pistää, panna **2** taivuttaa, taittaa; laskostaa

tuck in v **1** taivuttaa, työntää (esim roikkuva paidanlieve housun) sisään **2** peittää (esim lapsi) vuoteeseen **3** (UK ark) (syödä, juoda) ahmia, ahnehtia, mässäillä

tuck into v pistää poskeensa, käydä käsiksi (ruokaan)

Tuesday [tuzdi, ˈtuzˌdeɪ] s tiistai

Tuesdays adv tiistaisin

tuft [tʌft] s tupsu, kimppu

1 tug [tʌɡ] s **1** kiskaisu, veto, nykäisy **2** (kuv) köydenveto, kilpailu, mittely **3** hinaaja (-alus)

2 tug v kiskoa, hinata, vetää, nykiä

tugboat ['tʌɡˌbəʊt] s hinaaja(-alus)

tug of war ['tʌɡəˌwɔr] s köydenveto (myös kuv)

tuition [tuˈɪʃən] s **1** lukukausimaksu **2** opetus

tulip [tulɪp] s tulppaani

1 tumble [tʌmbəl] s kaatuminen, putoaminen

2 tumble v **1** kaatua, kaataa, pudota, pudottaa, lentää (ark) *he tumbled down the stairs* hän kaatui/lensi portaissa **2** vyöryttä, poukkoilla **3** (kuv) (vallanpitäjä) kaatua, kaataa, syöstä (vallasta), (hinnat) laskea, pudota **4** mennä/tulla hätäisesti/kiireisesti, pursuta (ovesta)

tumble-down ['tʌmbəlˌdaʊn] adj ränsistynyt

tumble-dry ['tʌmbəlˈdraɪ] v kuivata (pyykkiä) (rumpu)kuivauskoneessa, (hoito-ohjeissa) rumpukuivaus

tumbler [tʌmblər] s **1** (paksupohjainen) lasi, vesilasi, viskilasi **2** (lukon) salpa **3** voimistelutaituri, akrobaatti

tumble to v (ark) törmätä johonkin, huomata/ saada selville sattumalta

tummy [tʌmi] s (ark) masu, maha

tumor [tumər] s **1** turpoama **2** kasvain, syöpä

tumult [tumʌlt] s **1** metakka, meteli, äläkkä, kahakka, (tappelun) nujakka **2** (kuv) myllerrys, kuohu

tumultuous [tuˈmʌltʃʊəs] adj meluisa, mellakoiva, rähinöivä, (myönteisesti:) railakas

tuna [tunə] s **1** tonnikala **2** opuntia(kaktus) (myös sen syötäväksi kelpaava hedelmä)

tundra [tʌndrə tundrə] s tundra

1 tune [tun] s **1** sävelmä, melodia *to call the tune* määrätä, olla määräävässä asemassa *to change your tune* tulla toisiin aatoksiin, muuttaa mielensä *since the accident, she's been singing a different tune* onnettomuuden jälkeen hänellä tuli toinen ääni kelloon **2** vire, viritys *the piano is in tune/out of tune* piano on (oikeassa) vireessä/epävireessä **3** *the government is wasting money to the tune of billions a day* valtio tuhlaa päivittäin miljardeja dollareita

2 tune *v* virittää (soitin, radio/televisio)

tuneful *adj* melodinen

tune in *v* virittää (radio/televisiovastaanotin)

tune out *v* (kuv) lakata kuuntelemasta (jonkun puhetta)

tuner *s* **1** virittäjä **2** viritin

tune up *v* **1** virittää (soittimet) **2** ruveta laulamaan **3** huoltaa (auton moottori)

tunic [tunik] *s* tunika

tuning fork *s* äänirauta

1 tunnel [tʌnəl] *s* tunneli

2 tunnel *v* **1** rakentaa/kaivaa tunneli jonnekin/jonkin ali **2** kaivautua, porautua jonkin alitse/lävitse

tunnel vision *s* **1** (lääk) näkökentän supistuminen **2** (kuv) ahdasmielisyys, ennakkoluuloisuus, suvaitsemattomuus

turban [tɜrbən] *s* turbaani

turbine [tɜrbən] *s* turbiini

turbo [tɜrbou] *s* **1** turbiini **2** (ark) turboahdin, turbo **3** (ark) auto jonka moottorissa on turboahdin, turbo

turbulence [tɜrbjələns] *s* **1** (kuv) myrskyisyys, kiihkeys, levottomuus **2** pyörteisyys, turbulenssi

turbulent [tɜrbjələnt] *adj* (kuv) myrskyisä, myrskyinen, kuohuva, kiihkeä, levoton, raju

turbulently *adj* (kuv) myrskyisästi, kiihkeästi, levottomasti, rajusti

tureen [tuˈrin] *s* liemimalja

turf [tɜrf] *s* **1** nurmiturve **2** (poltto)turve **3** (sl) kotikontu, tuttu alue *French movies are her turf* ranskalaiset elokuvat ovat hänen heiniään

turkey [tɜrki] *s* **1** kalkkuna **2** (sl) mäntti, nuija, hölmö **3** *to go cold turkey* lopettaa esim huumeen käyttö kerralla, panna kerrasta poikki; ryhtyä kylmiltään johonkin

4 *to talk turkey* (ark) puhua suoraan, ei siekailla

turmoil [tɜrmɔil] *s* myllerrys, mullistus, sekasorto, sekaannus *the whole country was in turmoil* koko maa oli mullistuksen kourissa

1 turn [tɜrn] *s* **1** pyörähdys, kierto, käännös **2** (tien ym) mutka, kaarre **3** vuoro *it's your turn* nyt on sinun vuorosi *to do something by turns* vuorotella, tehdä jotakin vuorotellen *in turn* vuorollaan, vuorostaan, ajallaan *to take turns* vuorotella, tehdä jotakin vuorotellen **4** käänne *things took a turn for the worse* asiat kääntyivät huonompaan päin *at every turn* joka käänteessä/vaiheessa, jatkuvasti **5** *he didn't do a hand's turn* hän ei liikauttanut eväänsäkään, hän ei pannut tikkua ristiin

2 turn *v* **1** kääntää, kääntyä, kiertää, kiertyä, pyörittää, pyöriä *turn clockwise* kierrä myötäpäivään *to turn right/left* kääntyä vasempaan/oikeaan *to turn a page* kääntää sivua **2** torjua (isku, hyökkäys) **3** muuttaa, muuttua joksikin *he has turned into a monster* hänestä on tullut hirviö *to turn pale* valahtaa kalpeaksi **4** kuvottaa *it turns my stomach to hear talk like that* tuollaiset puheet ällöttävät minua **5** tulla jonkin ikään *she turned eighty last month* hän täytti viime kuussa 80 **6** kääntää *to turn a book into French* kääntää kirja ranskaksi, ranskantaa kirja **7** sorvata

turn a blind eye to *fr* ei olla huomaavinaankaan jotakin, katsoa jotakin läpi sormien

turn about *v* kääntyä, kääntää *adv* vuorotellen

turn a cold shoulder to *fr* kohdella kylmästi /tylysti

turn a deaf ear to *fr* ei ottaa jotakin kuuleviin korviinsa

turnaround [tɜrnəˌraund] *s* (täydellinen) käänne, mielipiteen/menettelyn muutos

turn back *v* **1** kääntyä/kääntyä takaisin **2** taittaa (kaksin kerroin)

turncoat [tɜrnˌkout] *s* (esim puolue)loikkari

turndown [tɜrnˌdaun] *s* hylkäävä/kielteinen vastaus

turn down v **1** hylätä, ei hyväksyä **2** taittaa (kaksin kerroin) **3** vähentää, hiljentää, vaimentaa

turner s sorvaaja, sorvari

turn in v **1** jättää (sisään esim hakemus), luovuttaa, antaa **2** antaa ilmi, kavaltaa **3** poiketa (tieltä) **4** (ark) painua pehkuihin, mennä nukkumaan

turning s **1** (tien)risteys **2** (tien) mutka **3** sorvaus, sorvaaminen

turning point s käänne(kohta)

turn into v **1** muuttua/muuttaa joksikin **2** kääntyä jonnekin

turnip ['tɜːnɪp] s nauris

turnkey ['tɜːnˌkiː] s vanginvartija adj joka myydään avaimet käteen -periaatteella

turn loose fr vapauttaa, päästää vapaaksi

turnoff ['tɜːnˌɔf] s **1** (moottoritien) haarautuma **2** sivutie **3** (sl) tympeä juttu/asia/esine

turn off v **1** sammuttaa (laite, valo, tuli), katkaista (virta), sulkea (hana) **2** kääntyä, poiketa (tieltä)

turnon ['tɜːnˌɔn] s (sl) makea/rautainen/kiihottava ihminen/juttu/asia/esine

turn on v **1** käynnistää (laite), kytkeä päälle (laite, virta), sytyttää (valo), avata (hana) **2** (kuv sl) saada innostumaan/syttymään (myös sukupuolisesti) **3** heittäytyä joksikin, ruveta esittämään jotakin **4** riippua jostakin the whole thing turns on whether he is lying or not koko asia riippuu siitä, puhuuko hän totta

turn out v **1** katkaista, sammuttaa (valo) **2** tehdä, valmistaa **3** päättyä jotenkin, käydä jotenkin, osoittautua joksikin although he was never good at school, he turned out okay hän on pärjännyt (ark) ihan hyvin vaikka ei menestynytkään koulussa it turned out to be a false alarm kävi ilmi että kyseessä oli väärä hälytys **4** saapua, ilmestyä jonnekin

turn over v **1** kääntää, kääntyä **2** luovuttaa, antaa jollekulle he turned over the stolen merchandise to the cops hän luovutti varastetut tavarat poliisille **3** miettiä, pohtia **4** (moottori) käynnistyä

turnover ['tɜːnˌouvər] s **1** mullistus, murros **2** asiakasvirta **3** työntekijöiden vaihtuvuus **4** liikevaihto **5** (urh) pallon/pelivuoron menetys

turnpike ['tɜːnˌpaik] s (usein maksullinen) moottoritie

turn signal s (auton ym) suuntavilkku

turnstile ['tɜːnˌstaiəl] s kääntöportti

turntable ['tɜːnˌteibəl] s **1** levysoitin (ilman äänivartta) **2** (rautateillä) kääntöpöytä

turn tail fr (ark) karata, livistää, ottaa jalat alleen

turn the scales fr muuttaa tilanne your vote turned the scales in our favor sinun äänesi käänsi tilanteen meidän eduksemme

turn the tables fr kääntää tilanne päälaelleen/edukseen, vaihtaa osia

turn the tide fr muuttaa tilanne, jonkun onni kääntyy

turn thumbs down on fr ei hyväksyä, ei suostua

turn to v **1** muuttaa/muuttua joksikin **2** kääntyä jonkun puoleen, pyytää joltakulta apua **3** panna hihat heilumaan, ruveta töihin

turn up v **1** löytää, löytyä, saada selville **2** lisätä, voimistaa **3** sattua, tapahtua **4** saapua, ilmestyä paikalle

turn upon v suuttua yhtäkkiä jollekulle, kääntyä yhtäkkiä jotakuta vastaan

turpentine ['tɜːpənˌtain] s tärpätti

turquoise ['tɜːrˌkwɔiz] s, adj turkoosi, sinivihreä (väri)

turret ['tɜːrət] s **1** (pieni) torni **2** tykkitorni

turtle ['tɜːtəl] s **1** kilpikonna **2** (ei ammattikielessä) vesikilpikonna (vrt tortoise) **3** to turn turtle kaatua ylösalaisin/katolleen

turtleneck ['tɜːrtəlˌnek] s **1** poolokaulus **2** poolopaita

tusk [tʌsk] s (norsun, mursun) syöksyhammas

1 tussle [tʌsəl] s käsikähmä, kahakka, yhteenotto

2 tussle v tapella, kahinoida

tussock [tʌsək] s (ruoho)mätäs

tut [tʌt] interj (ilmaisee esim vastenmielisyyttä tai tyytymättömyyttä) hyh!, voi!

1 tutor [tuːtər] s **1** opettaja; yksityisopettaja **2** (US) assistentti **3** opintoluotsi **4** holhooja

tutor 1170

2 tutor v **1** opettaa, antaa opetusta **2** holhota, olla jonkun holhooja **3** valmentaa (salaa), selittää mitä jonkun pitää/kannattaa sanoa myöhemmin

tutorial [tu'tɔːrɪəl] s **1** seminaari; yksityistunti **2** (tietok) (ohjelmaan tutustuttava) opasohjelma **3** (tietok) (ohjelmaan tutustuttava) opas(kirja)

tutti-frutti [ˌtutiˈfruti] s sekahedelmähillo; sekahedelmäkaramelli; sekahedelmäjäätelö

tutu [tutu] s tutu, ballerinan (lyhyt) hame

tux [tʌks] s (ark) smokki

tuxedo [tʌkˈsiːdou] s (mon tuxedos) smokki

TV [tiːˈviː] s televisio

1 twang [twæŋ] s **1** (teko ja ääni) näppäys **2** honotus *he speaks with a Texas twang* hän honottaa texasilaisittain

2 twang v **1** näpätä, näppäillä (soittimen kieliä) *he was twanging his guitar* hän näppi kitaraansa **2** honottaa

1 tweak [twiːk] s nipistys, kiskaisu, vääntö

2 tweak v **1** nipistää, kiskaista, vääntää **2** (tekn) hienovirittää

tweed [twiːd] s **1** (kangas) tweed **2** (mon) tweedvaatteet

tweezers [ˈtwiːzəz] s (mon) pinsetit, atulat *a pair of tweezers* pinsetit, atulat

twelfth [twelfθ] s, *adj* kahdestoista

Twelfth Day s loppiainen

Twelfth Night s loppiaisaatto

twelve [twelv] s, *adj* kaksitoista

twentieth s, *adj* kahdeskymmenes

twenty [twenti, tweni] s **1** kaksikymmentä **2** *twenties* (mon) *they live in the twenties* he asuvat 10.–19. kadun välillä *tomorrow, temperatures will be in the mid-to-high twenties* huomenna lämpötila on 24–29 asteen paikkeilla *in the roaring twenties* iloisella 20-luvulla **3** (sl) kaksikymppinen, kahdenkymmenen dollarin seteli *adj* kaksikymmentä

twentysomething [ˈtweniˌsʌmθɪn] *adj* kakskyt ja risat

twice [twais] *adv* kahdesti, kaksi kertaa *you should think twice before you quit your job* sinun sietää miettiä kahdesti/toisenkin kerran ennen kuin eroat työstäsi

twiddle [ˈtwidəl] v käännellä, väännellä

twig [twig] s (pieni) oksa, ritva

twilight [ˈtwaɪˌlaɪt] s **1** iltahämärä **2** (harvinaisempi) aamuhämärä **3** ilta (myös kuv)

twilight zone s (kuv) rajamaa

twill [twil] s (kangas) toimikas

twin [twin] s **1** kaksonen, kaksoissisar, kaksoisveli **2** (yksi) iso vuode **3** kahden hengen (hotelli/motelli)huone *adj* kaksos-, kaksois-

twin bed s kaksi erillistä vuodetta (esim hotellihuoneessa)

1 twinge [twindʒ] s **1** vihlaisu, pisto, äkillinen vihlova kipu **2** (omantunnon ym) pisto

2 twinge v vihlaista, vihloa, pistää

twinjet [ˈtwinˌdʒet] s kaksimoottorinen suihkukone

1 twinkle [ˈtwiŋkəl] s **1** pilkahdus, pilke, tuike **2** hetki, silmänräpäys

2 twinkle v pilkahtaa, tuikahtaa, säkenöidä

twin-size *adj* (vuodekoko) 99 cm x 191 cm

1 twirl [twɔːl] s pyörähdys; pyörre

2 twirl v **1** pyörittää, pyöriä **2** (savu) tupruta

1 twist [twist] s **1** mutka, kierre **2** kierto, pyörähdys, käännös **3** (tilanteen ym) käänne, muutos **4** piirre, taipumus

2 twist v **1** punoa *to twist a rope* punoa köyttä **2** kiertää, kiertyä, vääntää, vääntyä **3** kiemurrella, väännellehtiä, mutkitella **4** (myös kuv) vääristää, vääristyä, vääntää, vääntyä, kieroutua *don't twist my words* älä vääntele sanojani

twist someone's arm *fr* yrittää pakottaa joku johonkin, vaatimalla vaatia

1 twit [twit] s **1** kiusoittelu **2** (ark) mänttä, nuija

2 twit v härnätä, kiusata, kiusoitella

1 twitch [twitʃ] s **1** värve, säpsähdys, vavahdus **2** nykäisy, kiskaisu **3** pisto (myös kuv)

2 twitch v **1** nyppiä, nykiä, nykäistä, kiskaista **2** säpsähtää, vavahtaa **3** nipistää, nipistellä

1 twitter [ˈtwitər] s **1** viserrys **2** hermostuneisuus

2 twitter v **1** (lintu) visertää **2** livertää (joutavia) **3** hihittää, kikattaa

two [tuː] s kaksi *the guy can't put two and two together* hän ei tajua mistä tässä on kyse *she cut the loaf in two* hän leikkasi leivän kahtia *adj* kaksi

2 (tekstiviestissä, sähköpostissa) *to*

two-bit [ˌtuːˈbɪt] *adj* (sl) mitätön, vähäpätöinen, kurja, viheliäinen

two-cycle [ˈtuːˌsaɪkəl] *adj* kaksitahtinen

two-dimensional [ˌtuːdɪˈmenʃənəl] *adj* kaksiulotteinen

two-edged [ˌtuːˈedʒd] *adj* kaksiteräinen *a two-edged sword* kaksiteräinen miekka (myös kuv:) kaksipiippuinen juttu

two-handed [ˌtuːˈhændəd] *adj* **1** kaksikätinen **2** molempikätinen, vasen- ja oikeakätinen **3** (esim miekka) kahden käden

twolegged [ˈtuːˈlegəd] *adj* kaksijalkainen

two-piece [ˈtuːpiːs] *adj* kaksiosainen

two-seater [ˌtuːˈsiːtər] *s* kaksipaikkainen auto tms

twosome [ˈtusəm] *s* pari, parivaljakko

two-time [ˈtuːˌtaɪm] *v* (sl) seurustella yhtä aikaa kahden henkilön kanssa (näiden toisistaan tietämättä)

two-time loser *s* (sl) **1** joku joka on tuomittu vankilaan kahdesti **2** joku joka on epäonnistunut jossakin kahdesti

two-tone [ˈtuːtoun] *adj* kaksivärinen

two-way [ˈtuːˌweɪ] *adj* kaksisuuntainen, kahdensuuntainen, edestakainen

two-wheeler [ˈtuːˌwiːlər] *s* kaksipyöräinen

tycoon [taɪˈkuːn] *s* pohatta *real-estate tycoon* kiinteistömiljonääri

1 type [taɪp] *s* **1** laji, tyyppi *different types of shoes* erilaisia/erityyppisiä kenkiä *some type of engine* jonkinlainen moottori **2** (ark) tyyppi, heppu **3** (kirjapainossa) kirjake; kirjasinlaji *English examples in this book are printed in italic type* tämän kirjan englanninkieliset esimerkit on ladottu kursiivilla, kursivoitu

2 type *v* kirjoittaa (kirjoitus/tieto)koneella

typecast [ˈtaɪpˌkæst] *v* **1** panna (näyttelijä) rooliin johon hän sopii ulkonäkönsä puolesta **2** panna (näyttelijä) jatkuvasti samaan (esim rikollisen) rooliin *James Woods has been typecast as the psychotic villain* on vakiintunut esittämään elokuvissa mielisairasta roistoa

typeface [ˈtaɪpˌfeɪs] *s* kirjasinlaji

typeset [ˈtaɪpˌset] *v* (kirjapainossa) latoa

typesetter *s* (kirjapainossa) **1** latoja **2** ladontakone

typewriter [ˈtaɪpˌraɪtər] *s* kirjoituskone

typewriting *s* konekirjoitus

typhoid [ˈtaɪfɔɪd] *s* lavantauti

typhoid fever *s* lavantauti

typhoon [taɪˈfuːn] *s* taifuuni, pyörremyrsky

typical [ˈtɪpəkəl] *adj* tyypillinen, jollekin ominainen *that's typical of him* se on aivan hänen tapaistaan

typically [ˈtɪpəkli] *adv* tyypillisesti *prices of personal computers typically start at less than $1,000* henkilökohtaisten tietokoneiden hinnat alkavat (yleensä) alle tuhannesta dollarista

typify [ˈtɪpəˌfaɪ] *v* ilmentää (hyvin) jotakin, olla (hyvä/tyypillinen) esimerkki jostakin

typist [ˈtaɪpɪst] *s* konekirjoittaja

typo [ˈtaɪpou] *s* (ark) kirjoitusvirhe; painovirhe

typographer [taɪˈpɑɡrəfər] *s* kirjaltaja, typografi

typographic *ks* typographical

typographical [ˌtaɪpəˈɡræfɪkəl] *adj* **1** kirjapaino-, typografinen **2** painoasua koskeva, typografinen

typography [taɪˈpɑɡrəfi] *s* **1** kirjapainotaito, typografia **2** painoasu, typografia

typology [taɪˈpɑlədʒi] *s* **1** typologia, tyyppioppi **2** luokittelu, typologia

tyrannical [təˈrænɪkəl] *adj* tyrannimainen; sortava, mielivaltainen

tyranny [ˈtɪrəni] *s* tyrannia, yksinvaltius; hirmuvalta, sortovalta

tyrant [ˈtaɪrənt] *s* tyranni, yksinvaltias; hirmuvaltias, sortaja

tyre [taɪər] *ks* tire

tyro [ˈtaɪrou] *s* (mon tyros) aloittelija, ensikertalainen

Tyrol [təˈroul] Tiroli

tzar [zɑːr tsɑːr] *s* tsaari

tzarina [zɑːˈriːnə tsɑːˈriːnə] *s* tsaritsa

tzarism [ˈzɑːrɪzəm ˈtsɑːrɪzəm] *s* tsaarivalta, tsarismi

tzarist [ˈzɑːrɪst ˈtsɑːrɪst] *s* tsaarivallan kannattaja, tsaristi

U,u

U, u [ju] U, u

ubiquitous [juːˈbɪkwɪtəs] *adj* kaikkialla läsnäoleva, jota on kaikkialla/joka paikassa

ubiquity [juːˈbɪkwɪti] *s* **1** kaikkialla olo **2** levinneisyys, yleisyys

udder [ˈʌdər] *s* utare

ugliness *s* **1** rumuus **2** pahuus, uhkaavuus, vääryys, rumuus

ugly [ˈʌgli] *adj* **1** ruma *an ugly painting* ruma taulu **2** paha, synkkä, uhkaava, väärä, ruma *after a few beers, he got into an ugly mood* muutaman oluen juotuaan hän heittäytyi inhottavaksi

ukulele [juːkəˈleɪli] *s* ukulele

ulcer [ˈʌlsər] *s* (lääk) **1** haavauma, haavautuma **2** mahahaava

ulcerate [ˈʌlsəˌreɪt] *v* (lääk) haavautua

ulna [ˈʌlnə] *s* (mon ulnae, ulnas) kyynärluu

ulterior [ʌlˈtɪəriər] *adj* **1** salainen **2** ylimääräinen, lisä- **3** ulkopuolinen

ulterior motives *s* (mon) taka-ajatukset

ultimate [ˈʌltɪmət] *adj* **1** viimeinen, lopullinen **2** äärimmäinen, korkein, suurin, paras **3** perustava, perus- **4** kaukaisin, etäisin

ultimatum [ˌʌltɪˈmeɪtəm] *s* (mon ultimatums, ultimata) uhkavaatimus

ultraconservative [ˌʌltrəkənˈsɜːvətɪv] *adj* äärirvanhoillinen

ultrafast [ˌʌltrəˈfæst] *adj* äärimmäisen/erittäin nopea

ultraleftist [ˌʌltrəˈleftɪst] *s, adj* äärivasemmistolainen

ultraliberal [ˌʌltrəˈlɪbrəl] *adj* äärimmäisen/erittäin vapaamielinen

ultralight [ˈʌltrəˌlaɪt] *s* ultrakevyt lentokone *adj* ultrakevyt

ultranationalist [ˌʌltrəˈnæʃənəlɪst] *s, adj* kiihkoisänmaalinen

ultrarightist [ˌʌltrəˈraɪtɪst] *s, adj* äärioikeistolainen

ultrasonic [ˌʌltrəˈsɒnɪk] *adj* ultrasooninen *ultrasonic sound* ultraääni

ultrasonography [ˌʌltrəsəˈnɒɡrəfi] *s* (lääk) ultraäänikuvaus

ultrasound [ˈʌltrəˌsaʊnd] *s* **1** ultraääni **2** (lääk) ultraäänihoito **3** (lääk) ultraäänikuvaus

ultraviolet [ˌʌltrəˈvaɪələt] *adj* ultravioletti

umbilical cord [ʌmˈbɪlɪkəlˌkɔːd] *s* napanuora

umbrella [ʌmˈbrelə] *s* sateenvarjo; päivänvarjo, auringonvarjo *adj* **1** varjo- **2** kattava, yleis-, yhteis-, katto- *umbrella organization* kattojärjestö

umbrellabird *s* (lintu) röyhelökotinga

1 umpire [ˈʌmpaɪər] *s* **1** (tennis, sulkapallo) tuomari, (koripallo, pöytätennis) aputuomari **2** (riidan) sovittelija

2 umpire *v* **1** olla tuomarina/aputuomarina **2** sovitella, olla sovittelijana

umpteen [ʌmpˈtiːn] *adj* (ark) lukematon *I've told you umpteen times not to do it* minä olen kieltänyt sinua vaikka kuinka monta kertaa

umpteenth [ʌmpˈtiːnθ] *adj* (ark) vaikka kuinka mones, ties kuinka mones *for the umpteenth time, Bill, what is two plus two?* minä kysyn sinulta taas uudestaan, Bill, paljonko on kaksi plus kaksi?

unable [ʌˈneɪbəl] *adj* *he was unable to come to the party* hän ei päässyt/pystynyt tulemaan juhliin, hän ei voinut tulla juhliin

unacceptable [ʌnəkˈseptəbəl] *adj* ei hyväksyttävä, riittämätön, epätyydyttävä, epämieluisa *it's not unacceptable* se kelpaa, se on ihan hyvä

unaccountable [ʌnəˈkaʊntəbəl] *adj* selittämätön, käsittämätön

unaccountably *adv* käsittämättömästi *unacccountably, the money is missing* rahat ovat kadonneet jostain käsittämättömästä syystä

unaccounted for *three people are still unaccounted for* kolme ihmistä on edelleen kateissa

unaccustomed [ˌʌnəˈkʌstəmd] *adj* **1** *unaccustomed to* joka ei ole tottunut johonkin **2** poikkeuksellinen, harvinainen, epätavallinen

unadulterated [ˌʌnəˈdəltəˌreɪtəd] *adj* **1** laimentamaton, puhdas **2** (kuv) silkka, puhdas *that's unadulterated hogwash* tuo on silkkaa roskaa

unanimity [ˌjunəˈnɪməti] *s* yksimielisyys

unanimous [juˈnænɪməs] *adj* yksimielinen

unanswerable [ʌnˈænsərəbəl] *adj* **1** johon ei voi vastata **2** kiistaton, eittämätön

unarmed *adj* aseeton; aseistamaton

unassuming [ˌʌnəˈsumɪŋ] *adj* vaatimaton, (vaheksyen:) mitäänsanomaton, vähäpätöinen

unattended [ˌʌnəˈtendəd] *adj* joka on yksin, jota ei valvota, (vamma) hoitamaton, (tilaisuus) jonne ei saavu vieraita, (tehtävä) laiminlyöty, jota ei hoideta *he left his car unattended and it was stolen* hän jätti autonsa yksin/hän ei pitänyt autoaan silmällä ja se varastettiin

unattractive [ˌʌnəˈtræktɪv] *adj* **1** ei kaunis **2** ei kiinnostava/houkutteleva

unauthenticated [ˌʌnaˈθentɪˌkeɪtəd] *adj* varmistamaton, vahvistamaton

unavoidable [ˌʌnəˈvoɪdəbəl] *adj* väistämätön, vääjäämätön

unaware [ˌʌnəˈweər] *she was unaware of the news* hän ei tiennyt uutisesta, hän ei ollut kuullut uutista

unawares *adv* **1** tietämättään **2** yllättäen, odottamatta, varoituksetta

unbalanced [ʌnˈbælənst] *adj* (myös kuv) tasapainoton, epävakaa

unbearable [ʌnˈberəbəl] *adj* sietämätön

unbeaten [ʌnˈbitən] *adj* **1** (ennätys) rikkomaton, joka on edelleen voimassa **2** (tie, myös kuv) koluamaton, tuntematon, uusi

unbecoming [ˌʌnbɪˈkʌmɪŋ] *adj* sopimaton, joka ei sovi jollekulle/johonkin

unbeknownst to [ˌʌnbɪˈnəʊnst] *adj* jonkun tietämättä

unbelievable [ˌʌnbɪˈlivəbəl] *adj* uskomaton

unbelieving [ˌʌnbɪˈlivɪŋ] *adj* epäuskoinen, epäluuloinen

unbiased [ʌnˈbaɪəst] *adj* puolueeton, ennakkoluuloton, reilu

unborn [ʌnˈbɔrn] *adj* syntymätön *unborn generations* tulevat sukupolvet

unbroken [ʌnˈbroʊkən] *adj* **1** ehjä, kokonainen, jakamaton, särkemätön **2** yhtäjaksoinen, keskeytyksetön **3** (hevonen) kesyttämätön

uncalled-for [ʌnˈkɔld.fɔr] *adj* aiheeton, tarpeeton, sopimaton, tahditon

uncanny [ʌnˈkæni] *adj* **1** käsittämätön, ällistyttävä *uncanny accuracy* hämmästyttävä tarkkuus **2** kaamea, kammottava, pelottava

uncertain [ʌnˈsɜrtən] *adj* **1** epävarma *in no uncertain terms* suorin sanoin, sieikailematta **2** epämääräinen, hämärä

uncertainty [ʌnˈsɜrtənti] *s* **1** epävarmuus **2** epämääräisyys, hämäryys

uncharitable [ʌnˈtʃerɪtəbəl] *adj* kovasydäminen, epäystävällinen, tympeä, säälimätön, armoton

uncharted [ʌnˈtʃɑrtəd] *adj* kartoittamaton, tutkimaton, tuntematon

unchecked [ʌnˈtʃekt] *adj* **1** tarkistamaton **2** hillitön, kohtuuton

unchristian [ʌnˈkrɪstʃən] *adj* **1** ei-kristitty, ei-kristillinen **2** epäkristillinen

uncircumcised [ʌnˈsɜrkəmˌsaɪzd] *adj* ympärileikkaamaton

uncivil [ʌnˈsɪvəl] *adj* epäkohtelias

uncivilized [ʌnˈsɪvəlaɪzd] *adj* sivistymätön, raaka, karkea

unclassified [ʌnˈklæsɪˌfaɪd] *adj* **1** luokittelematon, lajittelematon **2** ei salainen, julkinen

uncle [ˈʌŋkəl] *s* setä, eno *to cry/say uncle* (ark) antautua

unclean [ʌnˈklin] *adj* likainen (myös kuv)

uncomfortable [ʌnˈkʌmfərtəbəl] *adj* epämukava, kiusallinen, kiusaantunut, vaivaantunut

uncommon [ʌnˈkɑmən] *adj* harvinainen, epätavallinen, poikkeuksellinen

uncommunicative [ˌʌnkəˈmjunɪkətɪv] *adj* vähäpuheinen, hiljainen, sulkeutunut

uncompetitive [ˌʌnkəmˈpetətɪv] *adj* ei kilpailukykyinen

uncompromising [ʌnˈkɑmprəˌmaɪzɪŋ] *adj* tinkimätön, peräänantamaton, ehdoton, jyrkkä

unconcerned [ˌʌnkənˈsɜːnd] *adj* **1** välinpitämätön, ei huolestunut, tyyni, rauhallinen **2** joka ei ole mukana jossakin, ei osallinen

unconcernedly *adv* välinpitämättömästi, tyynesti, rauhallisesti

unconditional [ˌʌnkənˈdɪʃənəl] *adj* ehdoton, varaukseton

unconscionable [ʌnˈkɑnʃənəbəl] *adj* anteeksiantamaton

unconscious [ʌnˈkɑnʃəs] *s* alitajunta, piilotajunta *adj* **1** tajuton, tiedoton **2** tietämätön jostakin (of), tiedoton **3** alitajuinen, tiedostamaton **4** tahaton, vaistomainen

unconsciously *adv* **1** alitajuisesti, tiedostamatta **2** tahattomasti, vaistomaisesti

unconsciousness *s* **1** tajuttomuus **2** tiedottomuus, tietämättömyys jostakin (of) **3** tahattomuus

uncouple [ʌnˈkʌpəl] *adj* irrottaa (toisistaan)

uncouth [ʌnˈkuːθ] *adj* (kuv) hiomaton, karkea

uncover [ʌnˈkʌvər] *v* avata, paljastaa (myös kuv:) löytää *to uncover your head* paljastaa päänsä *to uncover ruins* kaivaa esiin raunioita

undaunted [ʌnˈdɔːntəd] *adj* **1** lannistumaton **2** peloton, rohkea

undecided [ˌʌndəˈsaɪdəd] *adj* **1** *I'm still undecided about what to do* en ole vielä päättänyt mitä tehdä **2** ratkaisematon

undeniable [ˌʌndəˈnaɪəbəl] *adj* kiistaton, eittämätön

undenominational [ˌʌndəˌnɑːməˈneɪʃənəl] *adj* tunnustukseton

under [ˈʌndər] *adv* alla, alle, alitse *to go under* (laiva) upota; (yritys) tehdä vararikko, mennä konkurssiin *prep* **1** alla, alle, alitse *the baby crawled under the sofa* lapsi ryömi sohvan alle *her ball was under the sofa* hänen pallonsa oli sohvan alla **2** (kuv) alle *under a hundred dollars* alle sata dollaria **3** (kuv) alainen, alaisuudessa, vallassa: *he works under Senator Guterriez* hän on senaattori Guterriezin palveluksessa/alaisia *under King Herod* kuningas Herodeksen alaisuudessa/aikana *he is un-*

der the influence of drugs hän on huumeessa *under the circumstances* näissä oloissa, tässä tilanteessa *I was under the impression that...* olin siinä käsityksessä että... **4** mukaan *under the new law* uuden lain mukaan **5** *to keep something under wraps* pitää jotakin salassa

underage [ˌʌndərˈeɪdʒ] *adj* alaikäinen

underarm [ˈʌndərˌɑrm] *s* kainalo *adj* **1** kainalo- **2** alakautta tapahtuva (pallon heitto)

underclass [ˈʌndərˌklæs] *s* (yhteiskunnan) alaluokka, vähäosaiset

underclothes [ˈʌndərˌkloʊðz] *s* (mon) alusvaatteet

undercover [ˌʌndərˈkʌvər] *adj* salainen

undercurrent [ˈʌndərˌkɜrənt] *s* pohjavirta (myös kuv)

undercut [ˌʌndərˈkʌt] *v* undercut, undercut: myydä halvemmalla kuin, tehdä halvempi tarjous kuin

underdeveloped [ˌʌndərdɪˈvɛləpt] *adj* alikehittynyt, (luonnonvarat) hyödyntämättömät

underdog [ˈʌndərˌdɑg] *s* **1** (kilpailussa) varma häviäjä **2** (yhteiskunnassa) kovaosainen, vähäosainen, väliinputoaja

underdone [ˌʌndərˈdʌn] *adj* **1** (ruoka) ei kypsä **2** (UK) (liha) raaka (pyynnöstä vain osittain paistettu)

underestimate [ˌʌndərˈɛstɪmət] *s* liian alhainen arvio

underestimate [ˌʌndərˈɛstɪˌmeɪt] *v* aliarvioida

underexpose [ˌʌndərəksˈpoʊz] *v* (valo- ja videokuvauksessa) alivalottaa

underexposure [ˌʌndərəksˈpoʊʒər] *s* (valo- ja videokuvauksessa) alivalotus

underfed [ˌʌndərˈfed] *adj* aliravittu

underfoot [ˌʌndərˈfʊt] *adv* maassa, jaloissa

undergo [ˌʌndərˈgoʊ] *v* underwent, undergone: kokea *to undergo change* muuttua *to undergo suffering* kärsiä, joutua kärsimään *to undergo surgery* käydä leikkauksessa

undergraduate [ˌʌndərˈɡrædʒʊət] *s* opiskelija joka ei ole vielä suorittanut alinta (korkeakoulu)tutkintoa *adj* (opinnoista) alimpaan (korkeakoulu)tutkintoon valmistava

underground [ˈʌndər.graʊnd] s **1** maanalainen järjestö/liike, vastarintaliike **2** (UK) maanalainen, metro *adj* maanalainen (myös kuv) *adv* maan alla (myös kuv)

undergrowth [ˈʌndər.groʊθ] s aluskasvillisuus

underhand [ˈʌndər.hænd] *adj* **1** salainen **2** (pallon heitto) alakautta tapahtuva *adv* **1** salaa **2** (heittää pallo) alakautta

underhanded [ˌʌndərˈhændəd] *adj* **1** (työvoimasta) vajaa *the company is underhanded* yritys potee työvoimapulaa **2** ks underhand

underline [ˈʌndər.laɪn] *v* alleviivata (myös kuv:) tähdentää, korostaa, painottaa

underlying [ˌʌndərˈlaɪɪŋ] *adj* **1** alla oleva, alapuolinen, pohjimmainen **2** (kuv) todellinen, varsinainen, pohjimmainen

undermanned [ˌʌndərˈmænd] *adj* (työvoimasta) vajaa

undermine [ˌʌndərˈmaɪn] *v* (kuv) heikentää, murentaa, kaivaa maata jonkin/jonkun alta

underneath [ˌʌndərˈniːθ] *adv, prep* alla, alle, alapuolella, alapuolelle *underneath that rough exterior of his is a warm heart* hänen karkean ulkokuorensa alla sykkii lämmin sydän

undernourished [ˌʌndərˈnʌrɪʃt] *adj* aliravittu

underpaid [ˌʌndərˈpeɪd] *adj* alipalkattu, huonopalkkainen

underpants [ˈʌndər.pænts] s (mon) alushousut

underpass [ˈʌndər.pæs] s (ylitetty liikenneväylä) alikäytävä

underpay [ˌʌndərˈpeɪ] *v* underpaid, underpaid: maksaa huonoa/tavallista huonompaa palkkaa

underplay [ˌʌndərˈpleɪ] *v* vähätellä, (ongelmaa) kaunistella

underprice [ˌʌndərˈpraɪs] *v* myydä/tarjota alihintaan/alempaan hintaan kuin

underprivileged [ˌʌndərˈprɪvɪlɪdʒd] *adj* vähäosainen *the underprivileged* vähäosaiset

underrate [ˌʌndərˈreɪt] *v* aliarvioida

1 underscore [ˈʌndər.skɔːr] s **1** alleviivaus **2** elokuvamusiikki, näytelmän taustamusiikki

2 underscore *v* alleviivata (myös kuv:) tähdentää, korostaa, painottaa

underseas [ˌʌndərˈsiːz] *adv* meressä, sukelluksissa

undersell [ˌʌndərˈsel] *v* undersold, undersold **1** myydä halvemmalla kuin *we will not be undersold* meitä halvemmalla ei myy kukaan **2** ei toitottaa, ei mainostaa kovasti

undersign [ˌʌndərˈsaɪn] *v* allekirjoittaa

undersigned *the undersigned* allekirjoittanut, allekirjoittaneet

undersized [ˌʌndərˈsaɪzd] *adj* alimittainen, liian pieni

underskirt [ˈʌndər.skɜːrt] s alushame

understaffed [ˌʌndərˈstæft] *adj* *we're a little understaffed right now* meillä on juuri nyt pulaa henkilökunnasta

understand [ˌʌndərˈstænd] *v* understood, understood **1** ymmärtää, käsittää **2** luulla, olettaa, olla jossakin käsityksessä *I understand that you spent a year in Bolivia* sinä olet tietääkseni ollut vuoden Boliviassa

undrotandable *adj* ymmärrettävä, selvä

understanding s **1** ymmärrys, käsityskyky *she has no understanding of the complexities of the problem* hänellä ei ole minkäänlaista käsitystä ongelman mutkikkuudesta **2** käsitys, oletus *it was my understanding that we would split the profits* minä ymmärsin/käsitin/olin siinä käsityksessä että panisimme voiton puoliksi **3** sopimus *the negotiators reached an understanding* osapuolet pääsivät sopimukseen *adj* ymmärtäväinen, myötätuntoinen

understandingly *adv* ymmärrettävästi, myötätuntoisesti

understate [ˌʌndərˈsteɪt] *v* vähätellä, (ongelmaa) kaunistella

understatement [ˈʌndər.steɪtmənt] s vähättely, (tyyliopissa) vähätelmä

understood [ˌʌndərˈstʊd] *v* ks understand *adj* **1** sovittu, vakiintunut, yleisesti hyväksytty *to make yourself understood* tehdä kantonsa/kantansa selväksi **2** epäsuorasti ilmaistu, mukaan ajateltu, implisiittinen

1 understudy [ˈʌndər.stʌdi] s sijaisnäyttelijä

2 understudy *v* **1** toimia jonkun sijaisnäyttelijänä **2** (sijaisnäyttelijästä) opetella roolinsa

undertake

undertake [ˌʌndərˈteɪk] v undertook, undertaken **1** ryhtyä johonkin, tehdä, suorittaa, hoitaa **2** luvata

undertaker [ˈʌndərˌteɪkər] s hautausurakoitsija

undertaking s **1** yritys, hanke **2** lupaus

under tow fr **1** hinauksessa, hinattavana **2** mukana, vanavedessä **3** suojeluksessa, siipiensä suojassa

undervalue [ˌʌndərˈvælju] v aliarvioida

underwater [ˌʌndərˈwɔːtər] adj vedenalainen adv veden alla, vedessä, sukelluksissa

under way to be under way **1** olla liikkeessä, olla matkalla **2** olla tekeillä/käynnissä

underwear [ˈʌndərˌweər] s alusvaatteet

underworld [ˈʌndərwɜːld] s **1** alamaailma, rikolliset **2** tuonela, manala

underwrite [ˈʌndərˌraɪt] v underwrote, underwritten **1** allekirjoittaa (myös kuv:) hyväksyä, olla samaa mieltä jostakin **2** rahoittaa, tukea **3** vakuuttaa

underwriter [ˈʌndərˌraɪtər] s **1** vakuuttaja, vakuutusyhtiö **2** rahoittaja, tukija

undesirable [ˌʌndɪˈzaɪərəbəl] s ei-toivottu henkilö adj ei-toivottu, ei tervetullut, ikävä

undeveloped [ˌʌndəˈveləpt] adj kehittymätön

undies [ˈʌndiz] s (mon) (naisten, lasten) alusvaatteet

undisguised [ˌʌndɪsˈkaɪzd] adj **1** naamioimaton **2** (kuv) salaamaton, peittelemätön, paljas, suora

undisposed [ˌʌndɪsˈpoʊzd] adj **1** jota ei ole kerätty/korjattu pois **2** haluton, ei valmis johonkin

undisputed [ˌʌndɪsˈpjuːtəd] adj kiistaton

undistinguished [ˌʌndɪsˈtɪŋwɪʃt] adj keskinkertainen

undivided [ˌʌndɪˈvaɪdəd] adj jakamaton, täysi you have my undivided attention olen pelkkänä korvana

undo [ʌnˈduː] v undid, undone **1** tehdä tekemättömäksi, korvata, hyvittää what is done cannot be undone tehtyä ei saa tekemättömäksi **2** irrottaa, avata to undo a knot avata solmu **3** tehdä tyhjäksi, kaataa (kuv), koitua jonkun turmioksi

undoing s **1** korvaaminen, korvaus, hyvitys **2** tuho, turmio, rappio greed was his undoing ahneus koitui hänen turmiokseen

undoubted [ʌnˈdaʊtəd] adj kiistaton

1 undress [ʌnˈdres] s: to be in a state of undress olla puolipukeissaan; olla alasti

2 undress v **1** riisua, riisuuntua she was mentally undressing him hän kuvitteli mielessään miltä mies näyttäisi alastomana **2** avata (haavan side)

undue [ʌnˈduː] adj liiallinen, liika, sopimaton undue haste liika kiire(htiminen)

unduly adv liian, liiaksi, turhan, suotta you were unduly harsh to him olit hänelle turhan ankara

undying [ʌnˈdaɪɪŋ] adj kuolematon, ikuinen, loputon

unearth [ʌnˈɜːθ] v **1** kaivaa esiin/maasta **2** (kuv) löytää, kaivaa esiin, saada selville

unearthly adj **1** yliluonnollinen; aavemainen, kammottava, hirvittävä **2** ylimaallinen, uskomaton, suunnaton

uneasily [ʌnˈiːzəli] adv huolestuneesti, hermostuneesti, levottomasti

uneasiness [ʌnˈiːznəs] s huolestuneisuus, hermostuneisuus, levottomuus

uneasy [ʌnˈiːzi] adj huolestunut, hermostunut, levoton uneasy conscience huono omatunto

unemployed [ˌʌnəmˈplɔɪd] s: the unemployed työttömät adj **1** työtön **2** käyttämätön

unemployment s työttömyys

unemployment benefit s työttömyyskorvaus

unequal [ʌnˈiːkwəl] adj **1** erilainen, ei sama, eriarvoinen, erisuuri **2** epätasainen, epäyhtenäinen

unequalled [ʌnˈiːkwəld] adj verraton, ylittämätön, voittamaton, joka on (aivan) omaa luokkaansa

unequal to he was unequal to the task hänellä ei ollut edellytyksiä selvitä tehtävästä, hän ei ollut tehtävänsä tasalla

unequivocal [ˌʌnɪˈkwɪvəkəl] adj yksiselitteinen, selvä, suora, ehdoton, varma

unerring [ʌnˈerɪŋ] adj erehtymätön, tarkka, varma

uneven [ʌnˈiːvən] adj **1** epätasainen, karkea, (tie) kuoppainen, (seutu) kumpuileva

2 (kuv) epätasainen, epäyhtenäinen, kirjava, **3** (numero) pariton

unfair [ʌn'feər] adj epäreilu, epäoikeudenmukainen

unfaithful [ʌn'feiθfəl] adj **1** uskoton **2** epäluotettava **3** epätarkka (käännös)

unfamiliar [ʌnfə'miljər] adj vieras, ei tuttu *she was unfamiliar with the word 'panache'* hän ei tuntenut sanaa 'panache', sana 'panache' oli hänelle vieras

unfavorable [ʌn'feivərəbəl] adj epäsuotuisa, pahaenteinen, valitettava, ikävä, kielteinen *his latest book got unfavorable reviews* hänen uusin kirjansa sai huonot arvostelut

unfit [ʌn'fit] adj **1** sopimaton *unfit remarks* sopimattomat/asiattomat huomautukset *to be unfit for something* ei sopia johonkin (tehtävään) **2** joka on huonossa (ruumiillisessa) kunnossa

unfold [ʌn'fəuld] v **1** avata, avautua, levittää, levitä **2** (kuv) paljastua, paljastaa, selittää **3** tapahtua, sattua, (tapahtumat) kehittyä

unforgettable [ʌnfə'getəbəl] adj unohtumaton, ikimuistoinen

unforgiving [ʌnfər'giviŋ] adj anteeksiantamaton, ankara, vaativa

unfortunate [ʌn'fɔrtʃənət] adj **1** huono-onninen, onneton **2** valitettava, ikävä, huono

unfortunately adv valitettavasti, ikävästi, ikävä kyllä

unfriendly [ʌn'frendli] adj **1** epäystävällinen; vastahakoinen, vihamielinen **2** epäsuotuisa

unfurl [ʌn'fərəl] v levitä, levittää, avautua, avata

unfurnished [ʌn'fərniʃt] adj (asunto) kalustamaton

ungainly [ʌn'geinli] adj **1** kömpelö **2** epäsiisti, ei kaunis

unglued [ʌn'glud] adj *to come unglued* (sl) menettää malttinsa, raivostua; luhistua

ungodly [ʌn'gadli] adj **1** jumalaton, Jumalaa pelkäämätön **2** syntinen **3** valtava, hirveä, jumalaton (ark) *an ungodly smell* kamala löyhkä

ungrateful [ʌn'greitfəl] adj **1** (joka ei kiitä) epäkiitollinen, kiittämätön **2** (tehtävä) epäkiitollinen, hankala, vastenmielinen, ikävä

ungratefully adv kiittämättömästi

unguarded [ʌn'gardəd] adj **1** vartioimaton **2** varomaton

unhappy [ʌn'hæpi] adj **1** onneton, surullinen **2** epäonnistunut, huono, onneton **3** tyytymätön

unhealthy [ʌn'helθi] adj **1** huonovointinen, heikko, ei terve **2** epäterveellinen **3** sairaalloinen, epäterve

unheard [ʌn'hərd] adj kuulumaton, jota ei kuule/kuulla/kuunnella

unheard-of adj ennenkuulumaton, tavaton, satumainen

unicorn ['ju:nə,kɔrn] s yksisarvinen

unidentified [,ʌnai'dentə,faid] adj tuntematon, tunnistamaton

1 uniform ['ju:nə,fɔrm] s virkapuku, univormu

2 uniform v **1** yhtenäistää **2** pukea virkapukuihin/univormuihin

3 uniform adj yhtenäinen, yhdenmukainen; jatkuva, tasainen, muuttumaton, läpikotainen

uniformed adj virkapukuinen

uniformity [ju:nə'fɔrməti] s yhtenäisyys, yhdenmukaisuus; jatkuvuus, tasaisuus

uniformly adv yhtenäisesti, yhdenmukaisesti; jatkuvasti, tasaisesti, kauttaaltaan, läpeensä

unify ['ju:nə,fai] v yhdistää, yhdistyä; yhtenäistää

unilateral [ju:nə'lætərəl] adj yksipuolinen, toispuolinen

unilingual [ju:nə'liŋgwəl] adj yksikielinen

unillusioned [ʌni'lu:ʒənd] adj realistinen *to be unillusioned about something* ei odottaa liikoja/paljoa joltakin

unimportance [ʌnim'pɔrtəns] s merkityksettömyys, mitättömyys, vähäpätöisyys

unimportant [ʌnim'pɔrtənt] adj ei tärkeä, merkityksetön, mitätön, vähäpätöinen

uninhibited [ʌnin'hibətəd] adj estoton

uninhibitedly adv estottomasti

union [junjən] s **1** yhdistäminen, yhdistyminen **2** yhteys **3** liitto, yhdistys *the union of marriage* avioliitto *the Union* Yhdysvallat, (sisällissodan pohjoisvaltiot) unioni

4 ammattiyhdistys *trade union* ammattiyhdistys

unionist [junjənist] *s* **1** ammattiyhdistyksen kannattaja/jäsen **2** *Unionist* (Yhdysvaltain sisällissodassa) pohjoisvaltiolainen, unionisti

unionize ['junjə,naiz] *v* järjestää/järjestäytyä (ammatillisesti)

Union Jack ['junjən͵dʒæk] *s* Ison-Britannian lippu

union shop *s* yritys jonka työntekijät ovat järjestäytyneet (ammatillisesti ja jonne otetaan vain järjestäytyneitä/järjestäytymään suostuvia työntekijöitä)

unique [ju'nik] *adj* ainoa (laatuaan), ainutlaatuinen

uniqueness *s* ainutlaatuisuus

unisex ['juno͵seks] *adj* miesten ja naisten (yhteinen) *unisex clothes* unisex-vaatteet *unisex hairdresser* parturi-kampaaja

unison [junəsən] *to be in unison with* olla täsmälleen sama kuin, käydä täydellisesti yksiin jonkun kanssa

unit [junət] *s* **1** yksikkö, osa, kappale, elementti *unit of measurement* mittayksikkö *power unit* aggregaatti, koneikko *they sold 300,000 units* he myivät 300 000 kappaletta **2** (mat) ykkönen

unit cost *s* **1** kappalehinta **2** kokonaishinta

unite [jə'nait] *v* yhdistää, yhdistyä

unity [junəti] *s* yhtenäisyys, ykseys, yhdenmukaisuus

universal [junə'vərsəl] *adj* yleinen, yleis-, kokonais-; yleispätevä; yleismaailmallinen

universal resource locator *s* (lyh URL) resurssipaikannin

universe ['junə͵vərs] *s* **1** maailmankaikkeus, maailma **2** piiri, alue, maailma *in the universe of science* tieteen maailmassa

university [junə'vərsəti] *s* yliopisto

unjust [ʌn'dʒʌst] *adj* epäreilu, epäoikeudenmukainen

unkempt [ʌn'kemt] *adj* **1** (tukka) kampaamaton **2** epäsiisti, siivoton, hoitamaton

unkind [ʌn'kaind] *adj* epäystävällinen; julma, ankara, kova

unknown [ʌn'noun] *s* tuntematon (asia) *adj* tuntematon

unlawful [ʌn'lafəl] *adj* **1** laiton, luvaton, kielletty **2** (lapsi) avioton

unlawfully *adv* **1** laittomasti, luvattomasti **2** (syntyä) aviottomana

unlearn [ʌn'lərn] *v* poisoppia, unohtaa (oppimansa); luopua (pahasta tavasta)

unleash [ʌn'liʃ] *v* **1** päästää irti/vapaaksi **2** (kuv) päästää valloilleen, purkaa

unleavened [ʌn'levənd] *adj* happamaton

unless [ən'les] *konj* ellei, jos ei *don't disturb him unless you're in trouble* älä häiritse häntä ellet ole pulassa *unless you come up with a better excuse, you shouldn't go to see your boss* sinun ei kannata mennä pomon puheille ellet keksi parempaa veruketta

unlike [ʌn'laik] *adj* erilainen, (napa) vastakkainen *prep* erilainen kuin *unlike you, she tries hard* hän eroaa sinusta siinä että hän yrittää kovasti *it's very unlike him to lose his cool like that* ei ole hänen tapaistaan polttaa päreitään tuolla tavoin

unlimited [ʌn'limətəd] *adj* **1** rajoittamaton, varaukseton **2** rajaton, ääretön, suunnaton

unload [ʌn'loud] *v* **1** purkaa (kuorma) **2** luopua jostakin, (ark) purkaa sydäntään

unlock [ʌn'lak] *v* **1** avata (lukko) **2** (kuv) paljastaa, avata (salat)

unlucky [ʌn'lʌki] *adj* **1** huono-onninen, onneton **2** ikävä, valitettava, onneton

unmanliness *s* epämiehekkyys, naismaisuus

unmanly [ʌn'mænli] *adj* epämiehekäs, naismainen

unmanned [ʌn'mænd] *adj* miehittämätön

unmannerly [ʌn'mænərli] *adj* epäkohtelias, moukkamainen, hiomaton, töykeä

unmarked [ʌn'markt] *adj* merkitsemätön, tahraton, (poliisiauto) tunnusmerkitön, siviili-

unmarketable [ʌn'markətəbəl] *adj* joka ei mene kaupaksi, myyntikelvoton

unmask [ʌn'mæsk] *v* (kuv) paljastaa

unmentionable [ʌn'menʃənəbəl] *adj* kielletty, jota ei sovi mainita, josta ei sovi puhua

unmentionables *s* (mon) **1** alusvaatteet, nimettömät **2** (vanh) housut

unmistakable [ʌnmɪ'steɪkəbəl] *adj* varma, selvä, ehdoton, josta ei voi erehtyä

unmitigated [ʌn'mɪtə,ɡeɪtəd] *adj* täydellinen, ehdoton, sietämätön *the whole thing was an unmitigated disaster* koko homma oli täydellinen fiasko

unmusical [ʌn'mjuːzɪkəl] *adj* epämusikaalinen, epämelodinen

unnatural [ʌn'nætʃərəl] *adj* **1** luonnoton, luonnonvastainen, epäluonnollinen **2** teennäinen, epäaito **3** epäinhimillinen **4** poikkeuksellinen, harvinainen

unnaturally *adv* **1** luonnottomasti, luonnottoman, epäluonnollisesti **2** teennäisesti, teennäisen, epäaidosti **3** epäinhimillisesti **4** poikkeuksellisesti, poikkeuksellisen, harvinaisen

unnecessarily [ʌn,nesə'serəli] *adv* tarpeettomasti, turhaan, suotta

unnecessary [ʌn'nesə,seri] *adj* tarpeeton, turha

unnerve [ʌn'nɜːv] *v* lannistaa, lamauttaa, herpaannuttaa

unnoticed [ʌn'noʊtəst] *adj* huomaamaton *to go/pass unnoticed* jäädä huomaamatta, mennä ohi/tapahtua huomaamatta

unobtrusive [,ʌnəb'truːsɪv] *adj* huomaamaton

unoccupied [ʌn'ɒkjə,paɪd] *adj* **1** (istuin, asunto) tyhjä, vapaa **2** toimeton, vapaa

unofficial [,ʌnə'fɪʃəl] *adj* epävirallinen

unorganized [ʌn'ɔːɡə,naɪzd] *adj* **1** sekava, sekainen, sotkuinen **2** (ammatillisesti) järjestäytymätön

unpack [ʌn'pæk] *v* **1** purkaa (laukku), ottaa esiin (laatikosta) **2** (kuv) purkaa mieltään/sydäntään

unpalatable [ʌnpə'lætəbəl] *adj* **1** (maku) epämiellyttävä, huono **2** (kuv) vastenmielinen, epämiellyttävä

unparalleled [ʌn'perəleəld] *adj* ennennäkemätön, verraton, ainutlaatuinen, ilmiömäinen

unpleasant [ʌn'plezənt] *adj* epämiellyttävä, ikävä, vastenmielinen, epäkohtelias

unpleasantness *s* **1** epämiellyttävyys, ikävyys, vastenmielisyys **2** vastoinkäyminen; epäkohteliaisuus

unplug [ʌn'plʌɡ] *v* irrottaa (pistoke seinästä yms)

unpopular [ʌn'pɒpjələr] *adj* ei suosittu, ei pidetty *the senator is unpopular with the blacks* senaattori ei ole mustien suosiossa

unprecedented [ʌn'presədentəd] *adj* ennennäkemätön, ennenkuulumaton, ainutlaatuinen, ainutkertainen

unpredictable [,ʌnprɪ'dɪktəbəl] *adj* arvaamaton, yllätyksellinen

unprofessional [,ʌnprə'feʃənəl] *adj* amatöörimäinen, aloittelijamainen, epäammattimainen, ammatti-ihmiselle sopimaton

unprofitable [ʌn'prɒfətəbəl] *adj* **1** kannattamaton **2** (kuv) hedelmätön, hyödytön

unputdownable [ʌn'pʊt'daʊnəbəl] *adj* (ark) (kirjasta) jota ei malta jättää kesken, joka on luettava yhdeltä istumalta

unqualified [ʌn'kwɒlɪ,faɪd] *adj* **1** sopimaton, epäpätevä, ei pätevä johonkin (for) **2** varaukseton, ehdoton, täydellinen, täysi

unquestionable [ʌn'kwestʃənəbəl] *adj* ehdoton, kiistaton, eittämätön

unravel [ʌn'rævəl] *v* **1** selvittää, (vyyhti), purkaa **2** (kuv) selvittää, ratkaista (ongelma)

unreal [ʌn'rɪəl] *adj* epätodellinen, keksitty, kuvitteellinen

unrealistic [,ʌnrɪə'lɪstɪk] *adj* epärealistinen, epätodellinen, kohtuuton, liiallinen

unreality [,ʌnrɪ'æləti] *s* epätodellisuus

unrealized [ʌn'rɪə,laɪzd] *adj* toteuttamaton, hyödyntämätön, käyttämätön

unreasonably *adv* järjettömästi, mielettömästi; kohtuuttomasti, kohtuuttoman, liian *one might not unreasonably ask what this is going to accomplish* on kohtuullista kysyä mitä hyötyä tästä on

unrelenting [,ʌnrɪ'lentɪŋ] *adj* armoton, hellittämätön, itsepintainen

unreliable [,ʌnrɪ'laɪəbəl] *adj* epäluotettava

unrest [ʌn'rest] *s* levottomuus

unroll [ʌn'roʊl] *v* **1** (rullasta yms) avata, avautua **2** esitellä, paljastaa *Detroit just unrolled next year's models* Detroitin autotehtaat esittelivät juuri ensi vuoden mallit

unruly [ʌnruli] *adj* kuriton, tottelematon, omapäinen, levoton

unsatisfactory [ʌnˌsætɪsˈfæktəri] *adj* epätyydyttävä, huono, riittämätön

unsaturated [ʌnˈsætʃəreɪtəd] *adj* (rasva) tyydyttämätön

unsavory [ʌnˈseɪvəri] *adj* **1** (ruoka, juoma) ei hyvä, mauton, huono **2** vastenmielinen, epämiellyttävä *he's an unsavory character* hän on tympeä tyyppi

unscathed [ʌnˈskeɪðd] *adj* vahingoittumaton, ehjä *to escape unscathed* selvitä naarmuitta

unscientific [ˌʌnsaɪənˈtɪfɪk] *adj* epätieteellinen

unscramble [ʌnˈskræmbəl] *v* purkaa (koodi), selvätä, selvittää

unscrew [ʌnˈskruː] *v* kiertää/ruuvata auki, irrottaa

unscrupulous [ʌnˈskruːpjələs] *adj* häikäilemätön, sumeilematon

unseasonal [ʌnˈsiːzənl] *adj* (vuodenaikaan nähden) poikkeuksellinen, harvinainen

unseasoned [ʌnˈsiːzənd] *adj* **1** (ruoka) maustamaton **2** (puu) kuivaamaton **3** (ihminen: ilmastoon tms) tottumaton

unseat [ʌnˈsiːt] *v* **1** (hevonen) heittää satulasta **2** syöstä vallasta, syrjäyttää, kaataa

unseemly [ʌnˈsiːmli] *adj* sopimaton *adv* sopimattomasti

unseen [ʌnˈsiːn] *adj* **1** näkymätön **2** näkemätön *to buy something sight unseen* ostaa sika säkissä

unselfish [ʌnˈselfɪʃ] *adj* epäitsekäs

unsettle [ʌnˈsetəl] *v* **1** sekoittaa **2** (kuv) järkyttää, järisyttää, hermostuttaa, pelästyttää

unsettling [ʌnˈsetlɪŋ] *adj* järkyttävä, järisyttävä, hermostuttava, pelottava

unsightly [ʌnˈsaɪtli] *adj* ruma, kammottava(n näköinen), vastenmielinen, kuvottava

unskilled [ʌnˈskɪld] *adj* **1** (työntekijä) ammattitaidoton, kouluttamaton, (työ) jossa ei vaadita koulutusta **2** taitamaton, osaamaton

unskillful *adj* taitamaton, osaamaton, kömpelö

unsound [ʌnˈsaʊnd] *adj* **1** (terveys) huono, (ihminen) sairas **2** (puu) laho, (perusta) heikko **3** (kuv) epävarma, epäterve, heikko, huono, (perustelu) ontuva

unsparing [ʌnˈspeərɪŋ] *adj* **1** tuhlaileva, suurpiirteinen **2** säälitön, armoton, kova

unspeakable [ʌnˈspiːkəbəl] *adj* sanaton, sanoinkuvaamaton

unstoppable [ʌnˈstɒpəbəl] *adj* **1** peruuttamaton, lopullinen **2** lyömätön, voittamaton

unstuck [ʌnˈstʌk] *to become/come unstuck* **1** irrota **2** (kuv) kaatua, mennä myttyyn

unsuccessful [ˌʌnsəkˈsesfəl] *adj* menestyksetön, epäonnistunut

unsuitable [ʌnˈsuːtəbl] *adj* sopimaton, soveltumaton, asiaton

unswerving [ʌnˈswɜːvɪŋ] *adj* järkkymätön

untangle [ʌnˈtæŋgəl] *v* **1** selvittää (vyyhti), purkaa **2** (kuv) selvittää, korjata

unteach [ʌnˈtiːtʃ] *v* untaught; untaught: saada joku unohtamaan jotakin, saada joku luopumaan jostakin (huonosta tavasta)

untenable [ʌnˈtenəbəl] *adj* (väite) perusteeton, kyseenalainen

unthankful [ʌnˈθæŋkfəl] *adj* **1** (joka ei kiitä) kiittämätön, epäkiitollinen **2** (tehtävä) epäkiitollinen, hankala, vastenmielinen, ikävä

unthinkable [ʌnˈθɪŋkəbəl] *adj* mahdoton, käsittämätön

unthinking *adj* ajattelematon, harkitsematon

untidy [ʌnˈtaɪdi] *adj* epäsiisti, siivoton

untie [ʌnˈtaɪ] *v* avata (solmu), irrottaa

until [ənˈtɪl] *prep* saakka, asti *until two p.m.* kello 14:ään saakka *not until three p.m.* vasta kello 15 *konj* kunnes *until further notice* kunnes toisin ilmoitetaan *not until today did I realize what was wrong* tajusin vasta tänään mikä oli vikana

unto [ʌntu ʌntə] *prep* (ann) **1** ks to **2** asti, saakka *unto this day* tähän päivään asti

untold [ʌnˈtəʊld] *adj* suunnaton, lukematon *untold millions were wasted* rahaa meni hukkaan miljoonakaupalla

untrue [ʌnˈtruː] *adj* epätosi, väärä, virheellinen

untrustworthy [ʌnˈtrʌstˌwɜːði] *adj* epäluotettava

untruth [ʌnˈtruːθ] *s* valhe, loru, satu (kuv)

unused [ʌnˈjuːzd] *adj* käyttämätön

unused to *to be unused to something* ei olla tottunut johonkin

unusual [ʌnˈjuːʒəl] *adj* epätavallinen, poikkeuksellinen, harvinainen

unveil [ʌnˈveɪl] *v* paljastaa, paljastua

unveiling *s* **1** paljastus(tilaisuus) **2** ensiesitys, (ensimmäinen) esittelytilaisuus, julkistus

unvoiced [ʌnˈvɔɪst] *adj* **1** sanomatta jätetty **2** (äänne) soinniton

unwary [ʌnˈweəri] *adj* varomaton

unwieldy [ʌnˈwiːldi] *adj* raskas, iso, jota on hankala/vaikea liikuttaa/siirtää

unwilling [ʌnˈwɪlɪŋ] *adj* haluton, vastahakoinen *he is unwilling to do it* hän ei halua tehdä sitä

unwind [ʌnˈwaɪnd] *v* unwound, unwound **1** purkaa, purkautua (kelalta), kelata, kelautua (auki) **2** (kuv) rentoutua, rentouttaa

unwise [ʌnˈwaɪz] *adj* epäviisas, harkitsematon, varomaton

unwitting [ʌnˈwɪtɪŋ] *adj* tahaton

unwrap [ʌnˈræp] *v* avata (paketti), purkaa, ottaa eoiin

unwritten [ʌnˈrɪtən] *adj* kirjoittamaton, suullinen

unzip [ʌnˈzɪp] *v* avata vetoketju

1 up [ʌp] *s* **1** nousu, kasvu, lisäys, korotus **2** menestys **3** *to be on the up and up* (ark) olla rehellinen

2 up *v* nostaa, korottaa, lisätä

3 up *adv* **1** ylhäällä, ylhäälle, ylös *lift the box up on the top shelf* nosta laatikko ylimmälle hyllylle *the sun is up* aurinko on noussut *prices have gone up* hinnat ovat nousseet *when do you usually get up?* moneltako sinä yleensä nouset (vuoteesta)? **2** kohti, luo *step up to the window*, please astukaa luokulle! **3** loppuun, kaikki, valmiiksi: *I used up all my money* käytin kaikki rahani **4** (kilpailuissa ym) edellä, edessä *our team is three points up on yours* joukkueemme johtaa teitä kolmella pisteellä **5** (kone, laite) toiminnassa, käynnissä **6** suunnasta, usein jätetään suomentamatta *up in New England* Uudessa-Englannissa **7** tekeillä, meneillä: *what's up?* mitä on tekeillä?; miten hurisee? *what's up with this guy?* mikä tuota kaveria vaivaa? *prep* ylös, pitkin *we climbed up the mountain* kiipesimme vuorta/vuoren rinnettä

ylös he lives up the street hän asuu tämän saman kadun varrella

up against *fr* **1** *he put his bike up against the wall* hän pani pyöränsä seinää vasten **2** *to be up against something* olla vastassaan joku/jokin

up against it *to be up against it* olla pulassa/pinteessä

up against the wall *fr* **1** ammuttavana, teloitettavana **2** *we are up against the wall* olemme pahassa pinteessä/pulassa, kohtalomme on veitsen terällä

up and about *fr* jalkeilla (sairauden jälkeen)

up and around *fr* jalkeilla (sairauden jälkeen)

up-and-coming [ˌʌpənˈkʌmɪŋ] *adj* eteenpäin pyrkivä, lupaava

up and down *fr* **1** ylösalaisin, (katsoa) kiireestä kantapäähän **2** edestakaisin, pitkin ja poikin

up-and-down [ˌʌpənˈdaʊn] *adj* **1** ylösalainen, edestakainen **2** kumpuileva **3** vaihteleva, ailahteleva

upbeat [ˈʌpbiːt] *adj* toiveikas, optimistinen, iloinen, elämänmyönteinen

upbringing [ˈʌpbrɪŋɪŋ] *s* kasvatus

1 update [ˈʌpdeɪt] *s* **1** päivitys **2** päivite *here's a news update* tässä ovat tuoreimmat uutiset

2 update *v* päivittää

up for *to be up for sale* olla myytävänä

1 upgrade [ˈʌpɡreɪd] *s* **1** (ylä)mäki, nousu **2** kasvu, lisäys **3** uusi, parannettu tai laajennettu versio/malli, päivitys *memory upgrade for a computer* tietokoneen muistin laajennus *upgrades are only $99* tietokonevaihdon/päivityksen hinta on vain 99 dollaria

2 upgrade *v* **1** ylentää, antaa ylennys (korkeampaan asemaan/hintaluokkaan ym) **2** parantaa, kohentaa, laajentaa *she upgraded her computer by adding memory* hän lisäsi tietokoneeseensa muistia

upheaval [ʌpˈhiːvl] *s* mullistus, mylerys, sekasorto

uphill [ʌpˈhɪl] *adj* **1** nouseva, ylämäkeen johtava **2** (kuv) raskas *it was an uphill battle* se oli kovan työn takana *adv* ylämäkeen

uphold [ə'poəld] *v* upheld, upheld: tukea, kannattaa, säilyttää, (järjestystä, lain noudattamista) valvoa, (perinnettä) vaalia, (lak päätös) vahvistaa

upholster [ə'polstər] *v* päällystää, verhoilla (istuimia), laittaa (huoneeseen) matot/verhot

upholsterer *s* verhooja

upholstery [ə'polstəri] *s* 1 verhoomo 2 verhoilukangas/nahka

upkeep ['ʌp,kip] *s* ylläpito, kunnossapito, huolto

upland [ʌplənd] *s* ylänkö

uplift ['ʌp,lɪft] *s* 1 (olojen, aseman) parantaminen, parannus 2 mielenylennys

uplift [ʌp'lɪft] *v* 1 kohottaa, nostaa 2 parantaa (oloja, asemaa) 3 ylentää mieltä

uplifting [ʌp'lɪftɪŋ] *adj* mieltä ylentävä, rohkaiseva

upload *v* (tietok) kopioida palvelimeen

upmarket ['ʌp,market] *adj* (tavara) kallis, korkealuokkainen

upmost ['ʌp,moust] *adj* ylin

upon [ə'pɒn] ks on

upon sight *fr* ensi näkemältä

upper [ʌpər] *s* 1 (kengän) päällysnahka 2 (makuuosaston, kerrossängyn) ylävuode 3 (sl) piristysaine, piriste *adj* 1 ylempi, ylä-, korkeampi, korkea 2 (kuv) ylempi, korkea-arvoisempi

upper class [ʌpər'klæs] *s* yläluokka

upper crust *s* 1 (leivonnaisen) kuori 2 (ark) yhteiskunnan kerma, yläluokka

uppermost ['ʌpər,moust] *adj* 1 ylin, korkein, päällimmäinen 2 (kuv) ensimmäinen, tärkein

1 upright [ʌp,rait] *s* piano

2 upright *v* nostaa pystyyn, suoristaa, oikaista

3 upright *adj* 1 pysty 2 rehti, rehellinen, vilpitön

4 upright *adv* pystyssä, pystyyn

uprising ['ʌp,raizɪŋ] *s* kapina

upriver ['ʌp'rɪvər] *adj, adv* (joka on) joen yläjuoksun varrella/suunnassa

uproar ['ʌp,rɔr] *s* myllerrys, sekasorto, mellakka, meteli

uproot [ʌp'rut] *v* 1 kitkeä (juurineen maasta) 2 siirtää (väkisin) asuinsijoiltaan, katkaista jonkun juuret 3 (kuv) kitkeä, tehdä loppu jostakin

upscale ['ʌp'skeiəl] *v* parantaa, kohentaa (tasoa) *adj* rikas, varakas, hieno, ylellinen, yläluokan *our restaurant caters to an upscale clientele* ravintolamme palvelee vaurasta asiakaskuntaa

upset [ʌpset] *s* 1 (kuv) järkytys, isku 2 (maha)vaiva

upset [ʌp'set] *v* upset, upset 1 kaataa, kumota 2 järkyttää, saattaa pois tolaltaan 3 sotkea, panna sekaisin, saattaa epäjärjestykseen *the computer crash upset the bank's payments* tietokoneen romahdus sekoitti pankin maksuliikenteen *adj* 1 kaatunut 2 sekainen, sotkuinen, siivoton 3 järkyttynyt

upsetting *adj* järkyttävä

upshot ['ʌp,ʃat] *s* 1 seuraus, lopputulos, tulos 2 ydin, keskeisin sisältö

upside ['ʌp,said] *s* yläpuoli, yläpää

upside-down ['ʌpsaid'daun] *adv* 1 ylösalaisin, nurin, kumossa, kumoon 2 sekaisin, ylösalaisin

upstairs [ʌp'steərz] *s* (verbi yksikössä) 1 yläkerta 2 (kuv) johtoporras *adj* yläkerran *adv* 1 yläkerrassa, yläkertaan 2 (ark) päästään, nupistaan, yläkerrasta 3 johtoportaassa, ylemmällä/korkeammalla tasolla

upstanding [ʌp'stændɪŋ] *adj* (kuv) rehti, rehellinen, kunnon, kunnollinen

upstate [ʌp'steit] *s* osavaltion pohjoisosa, muu osavaltio (johtavasta kaupungista katsoen)

upstate [ʌp'steit] *adv* osavaltion pohjoisosassa, muualla osavaltiossa (johtavasta kaupungista katsoen)

upstream [ʌp'strim] *adv* joen yläjuoksun suunnassa

up to *fr* 1 *it's up to you to decide what to do* sinä saat itse päättää/sinun täytyy itse päättää mitä teet 2 saakka, asti, mennessä: *the theater seats up to eighty people* teatterissa on tilaa enintään 80:lle *up to now, things have been quiet* tähän saakka on ollut hiljaista 3 veroinen, tasalla: *are you really up to the job?* selviätkö sinä todellakin siitä työstä? **4** *what are you up to now?* mitä sinulla nyt on mielessä?, mitä sinä nyt vehkeilet?

up-to-date [ˌʌptəˈdeɪt] *adj* joka on ajan tasalla, nykyaikainen, uusi, tuore

uptown [ˌʌpˈtaʊn] *s* kaupungin pohjoisosa *adj* **1** joka on kaupungin pohjoisosassa, joka kulkee kaupungin pohjoisosaan **2** hieno, tyylikäs, aistikas, ylellinen *adv* kaupungin pohjoisosaan

upward [ˈʌpwəd] *adj* ylöspäin liikkuva/ suuntautuva *adv* ylöspäin, ylös (myös kuv)

upwards [ˈʌpwədz] *adv* ylös(päin)

upwards of *adv* yli, enemmän kuin *upwards of fifty guests came* vieraita tuli yli viiskymmentä

uranium [jəˈreɪnɪəm] *s* uraani

urban [ˈɜːbən] *adj* **1** (suur)kaupungin, (suur)kaupunki- **2** kaupungistunut, urbaani

urbane [ɜːˈheɪn] *adj* hienostunut, urbaani, tyylikäs

1 urge [ɜːdʒ] *s* pakko, tarve, kiire *he felt a sudden urge to yell* yhtäkkiä hän tunsi tarvetta ruveta huutamaan

2 urge *v* kannustaa, kehottaa, yllyttää *I urge you to consider their offer* kehotan sinua miettimään heidän tarjoustaan

urgency [ˈɜːdʒənsɪ] *s* **1** pakottavuus, kiireellisyys **2** pakko, kiire, hätä

urgent [ˈɜːdʒənt] *adj* **1** pakottava, kiireinen **2** itsepintainen

urinal [jʊəˈraɪnəl] *s* urinaali, virtsaamisallas **2** wc

urinalysis [ˌjʊərɪˈnælɪsɪs] *s* (mon urinalyses) virtsatutkimus

urinate [ˈjʊərɪneɪt] *v* virtsata

urine [ˈjʊərən] *s* virtsa

URL *s universal resource locator* resurssipaikannin

urn [ɜːn] *s* uurna; tuhkauurna

urologist [jʊəˈrɒlədʒɪst] *s* urologi

urology [jʊəˈrɒlədʒɪ] *s* urologia, virtsaelintautioppi

us [ʌs] *pron* me, meille *us and them* me ja he *she gave us a cake* hän antoi meille kakun

usable [ˈjuːzəbəl] *adj* käyttökelpoinen

usage [ˈjuːsdʒ] *s* **1** tapa, tottumus, (kielen) käyttö *English usage* englannin kielen käytäntö **2** käyttö, kohtelu

use [juːs] *s* **1** käyttö *she put the money to good use* hän otti rahasta kaiken irti *to make use of something* käyttää jotakin (hyväkseen) *I have no use for idle talk* minulla ei ole aikaa pulinoihin; minä en siedä pulinoita **2** hyöty *the widget is of no use to us* vempaimesta ei ole meille mitään hyötyä *it's no use telling him about it, he's not going to help us* siitä ei kannata kertoa hänelle, hän ei kuitenkaan auta meitä

use [juːz] *v* **1** käyttää *use your brain* käytä järkeäsi *she feels that you are using her* hänestä tuntuu että sinä käytät häntä hyväksesi **2** *I could use a drink* minulle maistuisi lasillinen

used [juːzd] *v:* *we used to swim in the river every day* meillä oli tapana uida joessa päivittäin *adj* käytetty

used to *adj* tottunut johonkin *I'm used to insults* olen tottunut herjoihin

useful [ˈjuːsfʊl] *adj* hyödyllinen, käyttökelpoinen, arvokas *try to make yourself useful* yritä olla avuksi

usefulness *s* hyödyllisyys, hyöty, arvo

useless *adj* hyödytön, käyttökelvoton, tarpeeton *it's useless to try* ei kannata yrittää

uselessness *s* hyödyttömyys, tarpeettomuus, turhuus

user [ˈjuːzər] *s* käyttäjä (esim tietokoneen, huumeen) *that guy is a shameless user* tuo kaveri käyttää toisia häpeämättömästi hyväkseen

user-friendly [ˈjuːzəˈfrendlɪ] *adj* käyttäjäystävällinen, helppokäyttöinen

use up *v* käyttää loppuun/kaikki, imeä tyhjiin (kuv)

1 usher [ˈʌʃər] *s* paikannäyttäjä

2 usher *v* ohjata paikalleen

usher in *v* (kuv) saattaa alkuun, käynnistää *microcomputers ushered in a new era in telecommuting* mikrotietokoneet aloittivat etätyöskentelyssä uuden aikakauden

usual [ˈjuːʒəl] *adj* tavallinen, totunnainen, yleinen, tyypillinen *as usual, he was late* hän oli tavalliseen tapaansa/tapansa mukaan myöhässä

usurp [ju'sərp] *v* anastaa
usurper *s* (esim vallan)anastaja
ute *sport ute* (ark) maasturi (sports utility vehicle, SUV)
utensil [ju'tensəl] *s* (keittiö- tai muu)väline, (ruokailuväline) aterin
uterus [jutərəs] *s* kohtu
utility [ju'tɪləti] *s* **1** käyttö, hyöty, hyödyllisyys, etu *a home robot is of limited utility* kotirobotista on sangen vähän hyötyä **2** julkinen palvelu (sähkö, puhelin, julkoliikenne) **3** julkista palvelua harjoittava (sähkö-, puhelin-, liikenne- ym) yhtiö **4** (tietok) varusohjelma, apuohjelma
utilization [ˌjutələ'zeɪʃən] *s* käyttö, hyväksikäyttö
utilize ['jutə,laɪz] *v* käyttää, käyttää hyväkseen
utmost ['ʌt,moust] *s to do your utmost* tehdä kaikkensa/parhaansa *to the utmost* mahdollisimman paljon/hyvin tms *adj* **1** ulom-

maisin, kauimmaisin, etäisin, kaukaisin **2** (kuv) äärimmäinen, erittäin/mahdollisimman suuri *nuclear waste should be handled with utmost care* ydinjätteitä on käsiteltävä mahdollisimman varovasti
utopia [ju'toupiə] *s* utopia, haave
utopian [ju'toupiən] *s* utopisti, haaveilija *adj* utopistinen, haaveellinen, haaveileva
utopistic [ˌjutou'pɪstɪk] *adj* utopistinen, haaveellinen, haaveileva
utter [ʌtər] *v* **1** sanoa, lausua *he did not utter a word* hän ei sanonut halaistua sanaa **2** päästää (ääni) *adj* täydellinen, äärimmäinen, suunnaton, ehdoton
utterance [ʌtərəns] *s* **1** puhetapa, ääni **2** (kielellinen) ilmaus
utterly *adv* äärimmäisen, suunnattoman, ehdottoman, täysin
1 U-turn [ju'tɜːn] *s* **1** U-käännös **2** (kuv) täyskäännös
2 U-turn *v* **1** tehdä U-käännös **2** (kuv) tehdä täyskäännös, kääntää kelkkansa

V, v

V, v [vi] V, v
vacancy [veɪkənsi] *s* vapaa istumapaikka, hotelli/motellihuone, vuokra-asunto, työpaikka
vacant [veɪkənt] *adj* **1** (istumapaikka, hotelli/motellihuone, vuokra-asunto, työpaikka) vapaa **2** tyhjä, (aika) vapaa, joutilas, toimeton, (ihminen, katse) tylsä, poissaoleva
vacantly *adv* (katsoa) tylsästi, poissaolevan näköisenä
vacate [veɪkeɪt] *v* (asunnosta) muuttaa pois, jättää (työpaikka) *you have thirty seconds to vacate the premises* teillä on 30 sekuntia aikaa poistua tästä paikasta
vacation [ver'keɪʃən] *s* loma *they're on vacation in Hawaii* he ovat lomalla/lomailevat Havaijilla
vaccinate ['væksə,neɪt] *v* rokottaa
vaccination [ˌvæksə'neɪʃən] *s* rokotus

vaccine [væksin] *s* rokote
1 vacuum [vækjum] *s* (mon vacuua, vacuums) **1** tyhjiö **2** (kuv) ontto tunne, tyhjä paikka, tyhjiö **3** pölynimuri
2 vacuum *v* imuroida
vacuum bottle *s* termospullo
vacuum cleaner *s* pölynimuri
vagabond ['vægə,band] *s* irtolainen, kulkuri, maankiertäjä *adj* kiertävä, kulkuri-
vagina [və'dʒaɪnə] *s* emätin, vagina
vagrant [veɪgrənt] *s* irtolainen, kulkuri *adj* kiertävä, kulkuri-
vague [veɪg] *adj* epämääräinen, hämärä, epäselvä, samea, sumea
vaguely *adv* epämääräisesti, hämärästi, epäselvästi, sameasti, sumeasti *I vaguely remember his face* muistan hänen kasvonsa hämärästi

vain [veɪn] *adj* **1** turhamainen **2** turha *you did it all in vain* teit kaiken turhaan, kaikki meni hukkaan *to take God's name in vain* lausua turhaan Herran nimeä

vainly *adv* **1** turhamaisesti **2** turhaan

vale [veɪl] *s* laakso

valentine ['væləntaɪn] *s* **1** ystävänpäiväkortti **2** ystävänpäiväkortin saaja, salainen ihastus

valet [væ'leɪ] *s* **1** (kamari)palvelija, (hotellissa, laivassa) palvelija **2** (ravintolan yms edessä) autojen pysäköijä

valid [væləd] *adj* (lippu, passi) joka on voimassa, (sopimus) sitova, (peruste) pätevä, paikkansa pitävä, (oletus) perusteltu

validate ['vælə,deɪt] *v* todistaa oikeaksi, vahvistaa (oikeaksi), tarkistaa oikeellisuus/ luotettavuus/paikkansapitävyys

validity [və'lɪdəti] *s* (lipun, passin) voimassaolo, (väitteen) paikkansapitävyys, luotettavuus, (sopimuksen) sitovuus, (oletuksen) pätevyys

valley [væli] *s* laakso

valor [vælər] *s* urheus, rohkeus

valuable [væljəbəl væljuəbəl] *s* arvoesine *adj* arvokas, kallisarvoinen, hyödyllinen *valuable jewelry/advice* arvokkaat korut/ arvokas neuvo

valuation [,vælju'eɪʃən] *s* **1** arviointi, arvon määritys **2** arvo **3** arvostus

1 value [vælju] *s* **1** arvo **2** hyöty, arvo **3** (mon) arvot *where are your values?* etkö sinä nyt unohda mikä on elämässä tärkeintä?

2 value *v* **1** arvioida (hinta, arvo) **2** arvostaa *he values your help highly* hän pitää apuasi suuressa arvossa

valued *adj* arvostettu, arvossa pidetty *as a valued customer, you're entitled to special service* teillä on oikeus erikoispalveluun koska olette arvostettu asiakas

valueless *adj* arvoton, hyödytön, mitätön

valve [vælv] *s* (tekn) venttiili, (elektroniikassa) putki, (anatomiassa) läppä

vampire ['væmpaɪər] *s* **1** verta imevä taruolento) vampyyri **2** (naisesta) vamppi, vampyyri

van [væn] *s* **1** (umpinainen) kuorma-auto **2** van, pakettiauto, pienoisbussi *minivan* pieni van, minivan

vandal [vændəl] *s* **1** vandaali **2** *Vandal* (hist) vandaali

vandalism ['vændə,lɪzəm] *s* (tahallinen) särkeminen, hävitys, hävityssimma, vandalismi

vandalize ['vændə,laɪz] *v* (tahallaan) särkeä, hävittää, vandalisoida

vane [veɪn] *s* **1** tuuliviiri (myös kuv:) periaatteeton ihminen **2** (tuulimyllyn, turbiinin juoksupyörän) siipi

vanilla [və'nɪlə] *s* vanilja

vanish [vænɪʃ] *v* kadota, häipyä, (kipu) laata

vanity [vænəti] *s* **1** turhamaisuus **2** turhuus **3** meikkilaukku **4** peililipasto, kampausllipasto

vanquish [væŋkwɪʃ] *v* kukistaa, voittaa

vantage [væntɪdʒ] *s* etulyönti(asema)

vapor [veɪpər] *s* höyry

vaporize ['veɪpə,raɪz] *v* höyrystää, höyrystyä

variable [veriəbəl] *s* muuttuja, muuttuva suure, variaabeli *adj* **1** muuttuva, vaihteleva **2** epävakaa, ailahteleva

variably *he was variably sad and happy* hän oli vuoroin onneton ja onnellinen

variance [veriəns] *s* **1** vaihtelevuus, erilaisuus **2** (tilastotieteessä) varianssi **3** *what you did is at variance with your orders* sinä et noudattanut ohjeitasi, sinä teit toisin kuin sinua käskettiin *we are at variance with each other* olemme (aslasta) eri mieltä

variant [veriənt] *s* muunnelma, muunnos, vaihtoehto, toisinto *adj* vaihteleva, erilainen *variant spelling* vaihtoehtoinen kirjoitustapa

variation [,veri'eɪʃən] *s* **1** vaihtelu, muuntelu **2** muunnelma, muunnos, vaihtoehto, toisinto; sointo; sointo

varicose veins [verəkoʊs'veɪnz] *s* (mon) suonikohjut

variety [və'raɪəti] *s* **1** vaihtelu **2** ero **3** valikoima, paljous, moninaisuus *a large variety of men's shoes* suuri valikoima miesten kenkiä *in a variety of places* monin pai-

various 1186

koin *for a variety of reasons* monesta syystä **4** laji **5** varietee

various [veɪrɪəs] *adj* **1** erilainen, eri, usea, moni *we visited various museums* kävimme useissa/monissa museoissa **2** monipuolinen **3** kirjava, monenkirjava

variously *adv* **1** eri tavoin, eri lailla **2** eri yhteyksissä *it has variously been called both bad and good* sitä on eri tahoilla sanottu sekä hyväksi että huonoksi

1 varnish [vɑːnɪʃ] *s* **1** lakka **2** (kuv) pintakiilto

2 varnish *v* **1** lakata **2** (kuv) kaunistella

vary [veri] *v* **1** vaihdella *temperatures here vary between sixty and eighty degrees* lämpötila vaihtelee täällä 60 ja 80 fahrenheitasteen välillä **2** erota, olla erilainen, poiketa jostakin (from:) *your approach varies drastically from hers* sinun menettelysi eroaa jyrkästi hänen menettelystään **3** muuttaa, vaihtaa, vaihdella

vase [veɪs] *s* maljakko, (taidehistoriassa ja ark) vaasi

vast [vɑːst] *adj* valtava, suunnaton, laaja

vastly *adv* valtavasti, valtavan, suunnattomasti, suunnattoman, laajasti *your painting is vastly superior to mine* sinun maalauksesi on paljon parempi kuin minun

vastness *s* laajuus, valtavuus, valtava/suunnaton koko, suuruus

vat [væt] *s* tynnyri; sammio, amme

vaudeville ['vɔːd,vɪl] *s* vaudeville, varietee

1 vault [vɔːlt] *s* **1** (kaari) holvi **2** (huone) holvi, pankkiholvi ym **3** kassakaappi **4** hyppy *pole vault* seiväshyppääjä

2 vault *v* **1** holvata, rakentaa holvi **2** kaartua (kuten holvi) **3** hypätä

vaulted *adj* holvattu

vaulter *s* hyppääjä

vaunt [vɑnt] *v* leuhkia jollakin, rehennellä, kehua, ylistää

veal [viəl] *s* vasikanliha, vasikka

vector [vektər] *s* **1** (mat, tietok) vektori **2** (biologiassa) tartunnanlevittäjä, viruksensiirtäjä, vektori

1 veer [vɪər] *s* käännös, suunnanvaihdos, poikkeama

2 veer *v* kääntyä, kääntää, poiketa (suunnasta, asiasta)

vegan [vɪgən] *s* vegaani

vegetable [vedʒtəbəl] *s* **1** vihannes *bulb vegetables* (syötävät) sipulit *fruit vegetables* hedelmävihannekset *leaf vegetables* lehtivihannekset *root vegetables* juurekset *seed vegetables* palkovihannekset *stalk vegetables* varsivihannekset *tuber vegetables* juurimukulat **2** kasvi **3** (ark) aivokuollut

vegetarian [,vedʒə'terɪən] *s* (ihminen) kasvissyöjä, vegetaari, (eläin) kasvinsyöjä *adj* kasvissyöjän, vegetaari-; kasvinsyöjän

vegetate [vedʒə,teɪt] *v* **1** kasvaa **2** (kuv) velttoilla, elää toimettomana/aivokuolleena, käydä aika pitkäksi

vegetation [,vedʒə'teɪʃən] *s* **1** kasvillisuus **2** toimettomuus, tylsyys, tylsä/toimeton/aivokuollut elämä

vegetative [vedʒə,teɪtɪv] *adj* **1** vegetatiivinen, (lisääntyminen) kasvullinen, (hermosto myös) autonominen **2** toimeton

vehement [viːəmənt] *adj* kiivas, kiihkeä, tulinen, raju, voimakas

vehicle [vɪəkəl] *s* **1** ajoneuvo, kulkuneuvo, (avaruudessa) alus **2** välikappale, väline, ilmaisuväline, keino *the seminar is the perfect vehicle for making the findings public* seminaari on oivallinen tilaisuus julkistaa tutkimustulokset

vehicular [və'hɪkjələr] *adj* ajoneuvo-, liikenne-

1 veil [veɪl] *s* **1** huntu **2** (kuv) verho, harso, huntu **3** nunnan elämä, luostarielämä *to take the veil* ruveta nunnaksi

2 veil *v* **1** hunnuttaa kasvonsa, peittää kasvonsa hunnulla, käyttää huntua **2** (kuv) verhota, peittää, kätkeä, salata

1 vein [veɪn] *s* **1** (lääk) laskimo **2** verisuoni, suoni **3** (lehden) suoni (malmi)suoni **5** uurre, viiru **6** piirre, taipumus; tyyli; tunnelma, mieliala *in a humorous vein* humoristisesti

2 vein *v* **1** suonia; juovittaa **2** luikerrella, kiemurrella, kulkea ristiin rastiin

Velcro [velkrou] tarranauha

velocity [və'lasəti] *s* nopeus

velour [və'luər] *s* (kangas) veluuri

verse

velvet [velvət] s sametti

velvety adj samettinen (myös kuv), sametin-
pehmeä (myös kuv) *his new Cadillac has
a velvety ride* hänen uudessa Cadillacis-
saan on samettisen pehmeä kyyti

1 veneer [vəˈnɪər] s 1 viilu 2 (kuv) pinta-
kiilto, pintasilaus

2 veneer v viiluttaa, päällystää viilulla

venerable [venərəbəl] adj kunnianarvoinen,
arvossapidetty

venerate [venəreit] v kunnioittaa, arvostaa

veneration [venəˈreiʃən] s kunnioitus, arvos-
tus

venereal disease [vəˈnɪriəl] s sukupuolitauti

vengeance [vendʒəns] s 1 kosto 2 *with a
vengeance* raivoisasti, rajusti, intohimoi-
sesti

vengeful [vendʒfəl] adj kostonhaluinen

venison [venizn] s hirvenliha

venom [venəm] s (käärmeen, hämähäkin)
myrkky (myös kuv) *the venom of jealousy*
kateuden/mustasukkaisuuden myrkky

venomous [venəməs] adj 1 myrkyllinen,
(käärme, hämähäkki) myrkky- 2 (kuv) pu-
reva, ilkeä, kärkevä, pisteliäs

1 vent [vent] s 1 (tuuletus-, tyhjennys-, pur-
kaus- ym) aukko 2 (tuuletus-, tyhjennys-,
purkaus- ym) putki 3 *to give vent to your
feelings* (kuv) purkaa tunteitaan

2 vent v ilmaista, purkaa (tunteitaan), päästää
ilmoille (paineita)

ventilate [ventəleit] v 1 tuulettaa 2 tarkas-
tella, tutkia, pohtia 3 ilmaista, purkaa (tun-
teitaan)

ventilation [ventəˈleiʃən] s tuuletus

ventilator [ventəˌleitər] s tuuletin

ventricle [ventrikl] s (anat) kammio

ventriloquist [venˈtriləkwist] s vatsastapu-
huja

1 venture [ventʃər] s 1 (uskalias) yritys,
hanke 2 liikeyritys 3 *at a venture* umpi-
mähkään, satunnaisesti

2 venture v 1 uskaltaa, uskaltautua, rohjeta
he ventured into the wilderness alone hän
uskaltautui yksin erämaahan 2 panna alt-
tiiksi, riskeerata *nothing ventured, nothing
gained* yrittänyttä ei laiteta

venturesome adj uskalias, rohkea

veranda [vəˈrændə] s kuistikko, vilpola, ve-
ranta

verb [vɜːb] s verbi, teonsana

verbal [vɜːbəl] adj 1 sanallinen, kielellinen
2 suullinen 3 sananmukainen, kirjaimelli-
nen 4 verbi-

verbalize [vɜːbəˌlaiz] v ilmaista, pukea sa-
noiksi

verbally adv 1 sanallisesti, kielellisesti
2 suullisesti 3 verbinä, verbin tavoin

verbatim [vɜːˈbeitim] adj sanamukainen,
kirjaimellinen adv sananmukaisesti, kirjai-
mellisesti, sanasta sanaan

verbiage [vɜːbiidʒ] s liikasanaisuus, moni-
sanaisuus, jaarittelu

verbose [vɜːˈbous] adj liikasanainen, moni-
sanainen, jaaritteleva

verbosity [vɜːˈbasəti] s liikasanaisuus, moni-
sanaisuus, jaarittelu

verdant [vɜːdənt] adj vihreä, vehreä

verdict [vɜːdikt] s (oikeuden) päätös, tuomio

verge [vɜːdʒ] s 1 reuna 2 (kuv) *to be on the
verge of tears* olla kyynelten/itkun par-
taalla

verge on v (kuv) muistuttaa jotakin, lähestyä
jotakin *your ideas verge on the insane* aja-
tuksesi haiskahtavat hulluilta

verification [ˌverəfiˈkeiʃən] s todennus, var-
mistus, varmennus, tarkistus

verify [verəˌfai] v todentaa, varmistaa, var-
mentaa, tarkistaa

verily [verəli] adv (raam) totisesti, todella,
toden totta

verisimilitude [ˌverəsiˈmilitud] s todennä-
köisyys

veritable [verətəbəl] adj aito, todellinen,
varsinainen

vermin [vɜːmən] s (mon vermin) syöpäläi-
nen, syöpäläiset

vermouth [vɜːˈmuθ] s vermutti

vernacular [vɜːˈnækjələr] s 1 murre, kansan-
kieli 2 jargon, (jonkin alan) erityiskieli
adj murteellinen, kansankielinen

versatile [vɜːsətəl] adj monipuolinen

versatility [ˌvɜːsəˈtiləti] s monipuolisuus

verse [vɜːs] s 1 säe 2 runo 3 runous 4 (Raa-
matun) jae adj runomuotoinen

versed *she is well versed in Scandinavian history* hän on hyvin perillä Skandinavian historiasta, hän tuntee Skandinavian historian hyvin

version [vɜrʒən] *s* **1** versio, toisinto, (laitteesta) malli **2** käännös

versus [vɜrsəs] *prep* **1** vastaan *in the case People versus Alger Hiss* Alger Hissin vastaisessa oikeudenkäynnissä **2** verrattuna

vertebra [vɜrtəbrə] *s* (mon vertebrae, vertebras) selkänikama

vertebrate [vɜrtəbrət] *s* selkärankainen

vertical [vɜrtɪkəl] *s, adj* pystysuora (viiva /linja)

vertigo [vɜrtɪgou] *s* (mon vertigos, vertigines) huimaus

verve [vɜrv] *s* into, innostus, ponsi, tarmo, voima

very [veri] *adv* **1** erittäin, hyvin *very good /well* erittäin/oikein hyvä/hyvin **2** täsmälleen, juuri, aivan: *the very next day* heti seuraavana päivänä *adj* **1** täsmälleen, juuri, aivan: *on that very day* juuri sinä päivänä/sinä samana päivänä **2** pelkkä: *the very idea scares me* pelkkä ajatuskin pelottaa minua **3** äärimmäinen: *to the very end* loppuun asti/saakka

vessel [vesəl] *s* **1** alus, laiva **2** astia, säiliö *weaker vessel* (raam) heikompi astia **3** (lääk) suoni *blood vessel* verisuoni

vest [vest] *s* **1** liivi(t) *bulletproof vest* luotiliivit *he played it close to the vest* (ark) hän oli varovainen, hän ei ottanut turhia riskejä **2** (UK) aluspaita

vestige [vestɪdʒ] *s* jälki, jäänne *the last vestiges of civilization* sivistyksen viime rippeet

vestigial [vesˈtɪdʒɪl] *adj* **1** surkastunut **2** vähäinen, viimeinen (jäljellä oleva)

1 vet [vet] *s* (ark) eläinlääkäri

2 vet *v* (ark) tutkia, tarkistaa, etsiä

vetch [vetʃ] *s* hiirenvirna

veteran [vetərən] *s* veteraani; (sota)veteraani *adv* veteraani- *veteran police officer* vanha ja kokenut poliisikonstaapeli

veterinarian [ˌvetərəˈneriən] *s* eläinlääkäri

veterinary [vetərəˌneri] *s* eläinlääkäri *adj* eläinlääketieteellinen

1 veto [vitou] *s* (mon vetoes) (kielto) veto

2 veto *v* kieltää/hylätä/estää veto-oikeudella *President Bush vetoed the bill* presidentti Bush kaatoi lakiesityksen vetollaan

vex [veks] *v* ärsyttää, harmittaa, piinata

vexation [vekˈseɪʃən] *s* **1** ärsytys **2** ärtymys **3** harmi, kiusa, piina

vexatious [vekˈseɪʃəs] *adj* ärsyttävä, harmillinen, harmittava

via [viə vaiə] *prep* kautta *we'll fly to Seattle via Detroit* lennämme Seattleen Detroitin kautta

viability [ˌvaiəˈbiləti] *s* **1** elinkelpoisuus **2** (kuv) elinkelpoisuus, käyttökelpoisuus, käytännöllisyys, toteutettavuus, mahdollisuus

viable [vaiəbəl] *adj* **1** elinkelpoinen **2** (kuv) elinkelpoinen, käyttökelpoinen, mahdollinen

viaduct [vaiəˌdʌkt] *s* silta

vial [vaiəl] *s* (pieni lääke-, hajuvesi- tms) pullo

vibes [vaibz] *s* (mon ark) **1** (hyvät/huonot) väreet, vaikutelma, tuntu *I get bad vibes from her* (ark) hän vaikuttaa minusta vaaralliselta, hänestä lähtee pahoja väreitä **2** (mus) vibrafoni

vibraharp [vaibrəˌharp] *s* (mus) vibrafoni

vibraphone [vaibrəˌfoun] *s* (mus) vibrafoni

vibrate [vaibreit] *v* **1** värähdellä; väristä, värisyttää **2** (kuv) sykkiä, sykähdyttää

vibration [vaiˈbreiʃən] *s* **1** väre, värähdys, värähtely, virinä **2** (kuv, us mon) (hyvät /huonot) väreet, vaikutelma, tuntu

vibrator [vaibreitər] *s* värähtelijä, tärytin; hieromasauva

vicar [vikər] *s* pappi

vicarage [vikərədʒ] *s* pappila

vicarious [vaiˈkeriəs] *adj* epäsuora, välillinen, sijais- *he got vicarious satisfaction from the success of his son* hän sai sijaistyydytystä poikansa menestyksestä

vice [vais] *s* pahe

viceroy [vaisˌrɔi] *s* varakuningas

vice squad *s* siveellisyysrikoksia, uhkapeliä ym tutkiva poliisiosasto

vice versa [ˌvaɪsˈvɜːsə] adv päinvastoin, kääntäen

vicinity [vəˈsɪnəti] s 1 lähistö, lähiseutu 2 läheisyys

vicious [ˈvɪʃəs] adj 1 paha, ilkeä, paatunut 2 raju, raaka

vicious circle s noidankehä, kierre

vicissitudes [vəˈsɪsɪˌtjuːdz] s (mon) oikut the vicissitudes of life myötä- ja vastoinkäymiset, kohtalon oikut

victim [ˈvɪktəm] s uhri he was the victim of circumstance hän joutui olosuhteiden uhriksi

victimize [ˈvɪktəˌmaɪz] v 1 kohdella väärin/nurjasti 2 huijata, pettää

victor [ˈvɪktər] s voittaja

Victorian [vɪkˈtɔːriən] adj 1 viktoriaaninen, kuningatar Viktorian (1837–1901) aikainen, sen ajan tyylinen 2 sievistelevä, sovinnainen

victorious [vɪkˈtɔːriəs] adj voittoisa, voitokas

victory [ˈvɪktəri] s voitto

video [ˈvɪdiəʊ] s video

videocassette [ˌvɪdiəʊkəˈset] s videokasetti

videocassette recorder s videokasettinauhuri, kuvanauhuri

video game [ˈvɪdiəʊˌɡeɪm] s videopeli

videorecorder [ˈvɪdiəʊrɪˌkɔːdər] s kuvanauhuri, videonauhuri

1 videotape [ˈvɪdiəˌteɪp] s kuvanauha, videonauha

2 videotape v nauhoittaa (kuvanauhurilla)

videotape recorder s kuvanauhuri

vie for v kilpailla jostakin they were vying for her attention he kilpailivat hänen huomiostaan

1 view [vju] s 1 näkymä, näköala the view from the bridge sillalta avautuva näkymä there were several clouds in view näkyvillä oli useita pilviä to be on view olla nähtävänä/näytteillä/esillä 2 kuva, valokuva 3 näkökulma, (näkö)kanta in view of the fact that you've just come here... koska olet vasta tullut tänne..., ottaen huomioon sen että olet vasta tullut tänne 4 (tulevaisuuden)näkymä, mahdollisuus; aikomus, aie 5 näkemys, kanta, mielipide in my view

minun mielestäni 6 with a view to jotakin silmällä pitäen, jonkin toivossa

2 view v 1 katsoa, katsella 2 tarkastella, pohtia 3 suhtautua, pitää jonakin

viewer s 1 (esim television) katsoja 2 (dia- tai muu) katselulaite 3 (kameran ym) etsin

viewpoint [ˈvjuːˌpɔɪnt] s näkökulma, näkökanta, kanta

vigil [ˈvɪdʒəl] s 1 valvonta to keep vigil at someone's bedside valvoa yöllä jonkun vuoteen vierellä 2 valppaus 3 yöjumalanpalvelus

vigilance [ˈvɪdʒələns] s valppaus, varovaisuus

vigilant [ˈvɪdʒələnt] adj valpas, varovainen

vigilante [ˌvɪdʒəˈlænti] s omankädenoikeuden harjoittaja

vigor [ˈvɪɡər] s voima, tarmo, ponsi, kiihko, into, intohimo

vigorous [ˈvɪɡərəs] adj voimakas, ponnekas, tarmokas, kiihkeä do this vigorous exercise five times tee tämä raskas harjoite viidesti

Viking [ˈvaɪkɪŋ] s viikinki

vile [vaɪl] adj paha, ilkeä, (teko) ruma, hirvittävä, iljettävä, (sää) kurja, surkea, (puhe) likainen, rivo

vilify [ˈvɪləˌfaɪ] v panetella, herjata, puhua pahaa jostakusta/jostakin

villa [ˈvɪlə] s (hieno) talo, huvila

village [ˈvɪlɪdʒ] s kylä

villager s kyläläinen, kylän asukas

villain [ˈvɪlən] s roisto, konna

villainous [ˈvɪlənəs] adj paha

villainy [ˈvɪləni] s 1 paheus 2 paha teko

vindicate [ˈvɪndəˌkeɪt] v 1 puhdistaa (maine), palauttaa (arvo) 2 todistaa, vahvistaa, osoittaa oikeaksi

vindication [ˌvɪndəˈkeɪʃən] s 1 maineen puhdistus, arvonpalautus 2 oikeutus, puolustus, peruste

vindictive [vɪnˈdɪktɪv] adj kostonhaluinen

vindictiveness s kostonhalu

vine [vaɪn] s 1 viiniköynnös 2 köynnös(kasvi)

vinegar [ˈvɪnəɡər] s etikka

vineyard [ˈvɪnjərd] s viinitarha

vintage [ˈvɪntɪdʒ] s 1 (viinin) vuosikerta 2 viininkorjuu 3 vuosimalli adj 1 (viini) vuosikerta- 2 vanha (ja hieno) vintage cars keräilyautot 3 (lajissaan) paras that was vintage Cosby se oli aitoa Cosbyn huumoria

vintage car s keräilyauto, klassinen auto

vintage wine s vuosikertaviini

vintage year s erinomainen (viini- tai muu) vuosi

vintner [ˈvɪntnər] s viinikauppias

vinyl [ˈvaɪnəl] s, adj vinyyli(-)

viola [vɪˈoʊlə] s 1 alttoviulu, viola 2 orvokki

violate [ˈvaɪəˌleɪt] v rikkoa (lakia, sopimusta), loukata (rajaa, jonkun oikeutta), häiritä (jonkun rauhaa)

violation [ˌvaɪəˈleɪʃən] s 1 rikkomus, loukkaus you're in violation of section 33 of the penal code olette rikkonut rikoslain 33. pykälää traffic violation liikennerikkomus 2 häpäisy

violence [ˈvaɪələns] s 1 väkivalta by violence voimakeinoin, väkivaltaisesti 2 (kuv) vääryys I think you're doing violence to his prose minusta sinä vääristät hänen proosaansa

violent [ˈvaɪələnt] adj 1 väkivaltainen 2 raju

violet [ˈvaɪələt] s 1 orvokki 2 violetti, sinipunainen

violin [ˌvaɪəˈlɪn] s viulu

violinist [ˌvaɪəˈlɪnɪst] s violisti, viulunsoittaja, viulutaiteilija

viper [ˈvaɪpər] s 1 kyy(käärme) 2 käärme (myös kuv)

virago [vɪˈrɑːgoʊ] s (mon viragoes, viragos) 1 (hist ja halv) noita (myös kuv), ksantippa, paha akka 2 (hist ja feminismissä) vahva, henkevä nainen

viral [ˈvaɪrəl] adj virus-

virgin [ˈvɜːrdʒən] s neitsyt adj neitseellinen (myös kuv): koskematon, puhdas

virginity [vərˈdʒɪnəti] s 1 neitsyys 2 (kuv) neitseellisyys, neitsyys, koskemattomuus, puhtaus

virile [ˈvɪrəl] adj 1 miehekäs, miehinen, miesmäinen 2 voimakas, ponnekas 3 mieskuntoinen, kykenevä, viriili, potentti

virility [vəˈrɪləti] s 1 miehekkyys, miehisyys 2 voimakkuus, ponnekkuus 3 kykenevyys, mieskuntoisuus, potenssi, viriliteetti

virology [vaɪˈrɑːlədʒi] s virologia, virusoppi, virusten tutkimus

virtual [ˈvɜːrtʃuəl] adj oletettu, näennäinen, virtuaalinen it is a virtual impossibility se on käytännöllisesti katsoen mahdotonta

virtually adv käytännöllisesti katsoen, lähes, kutakuinkin

virtue [ˈvɜːrtʃu] s 1 hyve to make a virtue out of necessity kääntää tilanne edukseen, yrittää nähdä asiat parhain päin 2 neitsyys

virtuoso [ˌvɜːrtʃuˈoʊsoʊ] s (mon virtuosos, virtuosi) taituri, virtuoosi adj taiturimainen, taitava

virtuous [ˈvɜːrtʃuəs] adj hyveellinen

virulent [ˈvɪrjələnt] adj 1 myrkyllinen, tappava 2 (lääk) virulentti 3 katkera, ilkeä, julma

virus [ˈvaɪrəs] s virus

visa [ˈviːzə] s viisumi

visage [ˈvɪzɪdʒ] s kasvot

vis-à-vis [ˌviːzəˈviː] s vastapäätä oleva/istuva ihminen prep johonkin liittyvä, jotakin koskeva, koskien

viscera [ˈvɪsərə] s (mon) sisäelimet, sisälmykset

viscosity [vɪsˈkɑːsəti] s sakeus, sitkeys, sitkaisuus, (fys) viskositeetti

viscount [ˈvaɪkaʊnt] s varakreivi

viscountess [ˌvaɪˈkaʊntəs] s varakreivitär

viscous [ˈvɪskəs] adj sakea, sitkeä, sitkas

vise [vaɪs] s ruuvipuristin, ruuvipenkki

visibility [ˌvɪzəˈbɪləti] s näkyvyys

visible [ˈvɪzəbəl] adj 1 näkyvä 2 selvä, ilmiselvä, ilmeinen

visibly adv 1 näkyvästi 2 selvästi, ilmiselvästi, ilmeisen he was visibly shocked by the news uutinen selvästikin järkytti häntä

vision [ˈvɪʒən] s 1 näkö (aisti/kyky) 2 kaukonäköisyys, laajakatseisuus 3 näky, ilmestys 4 kuvitelma, haave

visionary [ˈvɪʒəˌneri] s näkijä adj 1 epäkäytännöllinen, haihatteleva 2 kuvitteellinen, kuviteltu 3 näynomainen

1 visit [ˈvɪzət] s 1 käynti, vierailu they came for a visit he tulivat käymään/kylään

2 visit v **1** käydä, vierailla, kyläillä jossakin, käydä katsomassa jotakuta/jotakin **2** (vanh) vaivata, kiusata, rangaista (something on/upon somebody, something)

visitor [vɪzətər] s vieras, vierailija, kyläilijä

visor [vaɪzər] s **1** silmikko, visiiri **2** (lakin) lippa **3** (autossa) häikäisysuojus

vista [vɪstə] s näkymä, näköala

visual [vɪʒʊəl] adj näkyvä, näkö-, kuva-, visuaalinen

visualize [vɪʒʊə‚laɪz] v **1** kuvitella mielessään **2** tehdä nähtäväksi, visualisoida

visually adv näkyvästi, kuvallisesti, visuaalisesti

vital [vaɪtəl] adj **1** elinvoimainen, vireä **2** elintärkeä, ratkaiseva

vitalize [vaɪtə‚laɪz] v **1** elvyttää, tehdä eläväksi **2** elävöittää, elvyttää, vilkastuttaa, innostaa

vitally adv **1** elinvoimaisesti, vireästi **2** erittäin, ratkaisevan

vitamin [vaɪtəmən] s vitamiini vitamin C C-vitamiini

vivacious [vəˈveɪʃəs, vaɪˈveɪʃəs] adj eloisa, vilkas, pirteä, reipas

vivaciousness s eloisuus, vilkkaus, pirteys, reippaus

vivacity [vəˈvæsɪti] s eloisuus, vilkkaus, pirteys, reippaus

vivid [vɪvəd] adj **1** (väri, valo) kirkas, voimakas **2** eloisa, värikäs, (ihminen, mielikuvitus) vilkas, (muisto) tuore

vividly adv **1** (varista, valosta) kirkkaasti, voimakkaasti **2** eloisasti, vilkkaasti, (muistaa) hyvin

vividness s **1** (värin, valon) kirkkaus, voimakkuus **2** eloisuus, (ihmisen, mielikuvituksen) vilkkaus, (muiston) tuoreus

vivisection [ˌvɪvəˌsekʃən] s (eläinten leikkely tutkimustarkoituksiin) vivisektio

vixen [vɪksən] s **1** naaraskettu **2** (kuv naisesta) (paha) akka

vocabulary [vəˈkæbjəˌleri voˈkæbjəˌleri] s **1** (puhujan, kielen) sanavarasto, (koko) sanasto **2** (oppikirjan ym) sanasto **3** (taiteilijan ym) ilmaisumuotojen valikoima

vocal [voʊkəl] adj **1** ääni-, suullinen **2** (mus) laulu- **3** äänekäs, kovaääninen the group

has been very vocal in its demands ryhmä on ajanut vaatimuksiaan hyvin voimakkaasti

vocal cords s (mon) äänihuulet

vocalize [voʊkəˌlaɪz] v **1** sanoa, ääntää, lausua, tuoda esiin, ilmaista **2** laulaa

vocally adv **1** suullisesti **2** äänekkäästi, kovaäänisesti

vocation [voʊˈkeɪʃən] s **1** ammatti **2** kutsumus

vocational adj **1** ammatillinen, ammatti- **2** ammatinvalinta-

vociferous [voʊˈsɪfərəs] adj **1** äänekäs, meluisa, kovaääninen **2** voimakas, ponnekas, kovaääninen

vodka [vadkə] s votka

vogue [voʊɡ] s muoti to be in vogue olla muodissa to go out of vogue joutua/jäädä pois muodista

voice [vɔɪs] s ääni

voiced adj (äänne) soinnillinen

voiceful adj äänekäs, kovaääninen

voiceless adj (äänne) soinniton

voicemail s puheposti

1 void [vɔɪd] s **1** tyhjyys **2** (kuv) tyhjyys, tyhjä aukko, tyhjyyden tunne

2 void v **1** tyhjentää **2** mitätöntää, mitätöidä

3 void adj **1** tyhjä his life is void of meaning hänen elämässään ei ole sisältöä **3** mitätön, pätemätön, kelpaamaton null and void mitätön

volatile [valətəl] adj **1** haihtuva **2** (kuv) ailahteleva, epävakainen, oikukas, arvaamaton

volatility [ˌvaləˈtɪləti] s **1** haihtuvuus **2** (kuv) ailahtelu, ailahtelevuus, epävakaisuus, oikullisuus, arvaamattomuus **3** (tal) volatiliteetti, vaihtelevuus

volcanic [valˈkænik] adj vulkaaninen, tulivuori-, tuliperäinen

volcano [valˈkeɪnoʊ] s (mon volcanos, volcanoes) tulivuori

vole [voʊəl] s peltomyyrä

1 volley [vali] s **1** yhteislaukaus **2** (kuv) myrsky, syöksy **3** (tenniksessä) lentolyönti

2 volley v ampua yhteislaukaus, laukaista yhtä aikaa

volleyball ['vɒli,bɔːl] *s* **1** lentopallo(peli) **2** (pallo) lentopallo

volt [vəʊlt] *s* (sähköjännitteen mittayksikkö) voltti

voltage [vəʊltɪdʒ] *s* jännite

volubility [,vɒljə'bɪlətɪ] *s* (ihmisen) puheliaisuus, (halventaen:) suulaus, (puheen) vuolaus

voluble [vɒljəbəl] *adj* (ihminen) puhelias, (halventaen:) suulas, kielevä, (puhe) vuolas

volubly *adj* puheliaasti, (halventaen:) suulaasti, vuolaasti

volume [vɒljuːm] *s* **1** nidos, teos, kirja *that speaks volumes for his attitude towards foreigners* se kertoo paljon hänen suhtautumisestaan ulkomaalaisiin *her eyes speak volumes* hänellä on paljonpuhuvat silmät, hänen silmänsä kertoivat/paljastivat kaiken **2** (kirjasarjan) osa **3** vuosikerta **4** tilavuus **5** määrä, laajuus **6** suuri määrä **7** äänenvoimakkuus

voluminous [vəˈluːmɪnəs] *adj* suuri, laaja, runsas, paljon

voluntary [vɒlən,terɪ] *adj* vapaaehtoinen, vapaaehtois-, vapaa-

1 volunteer [,vɒlən'tɪə] *s, adj* vapaaehtoinen *volunteer fire department* vapaapalokunta

2 volunteer *v* **1** ilmoittautua vapaaehtoiseksi, osallistua vapaaehtoisesti **2** kertoa/paljastaa/esittää vapaaehtoisesti *he volunteered that he had been alone at the time of the murder* hän kertoi olleensa murhahetkellä yksin

voluptuous [vəˈlʌpʃʊəs] *adj* (elämä) ylellinen, (nautinto) aistillinen, aisti-, (nainen) uhkea

1 vomit [vɒmət] *s* oksennus

2 vomit *v* **1** oksentaa, antaa ylen **2** sylkeä/syöstä esiin, tupruta

1 vote [vəʊt] *s* **1** äänestys, vaalit **2** ääni **3** äänimäärä **4** äänestyksen tulos, vaalitulos **5** äänioikeus

2 vote *v* äänestää

vote down *v* äänestää kumoon/vastaan, kaataa äänestyksessä

vote on *v* ratkaista äänestyksellä, äänestää jostakin

voter *s* äänestäjä, valitsija

voucher *s* **1** takaaja **2** voucher

vouch for [vaʊtʃ] *v* varmistaa, taata, mennä takuuseen jostakusta/jostakin *I can vouch for his integrity* voin mennä takuuseen siitä että hän on rehellinen

vouchsafe [,vaʊtʃ'seɪf] *v* suoda, suvaita, sallia

1 vow [vaʊ] *s* lupaus, vala *to take vows* tehdä luostarilupaus

2 vow *v* luvata, vannoa

vowel [vaʊəl] *s* vokaali

1 voyage [vɔɪədʒ] *s* matka

2 voyage *v* matkustaa

voyager *s* matkustaja, matkalainen, matkailija

voyeur [vɔr'jər] *s* voyeuristi, (sukupuolista mielihyvää tavoitteleva) tirkistelijä

voyeurism [vɔr'jərɪzəm, 'vɔɪjə,rɪzəm] *s* voyeurismi, (sukupuolista mielihyvää tuottava) tirkistely

vulgar [vʌlgər] *adj* **1** mauton, sivistymätön, karkea, rivo **2** tavallinen, kansanomainen, kansan-, rahvaanomainen

vulgarity [vəl'gerətɪ] *s* **1** mauttomuus, sivistymättömyys, karkeus, rivous **2** tavallisuus, kansanomaisuus, rahvaanomaisuus

vulnerability [,vʌlnərə'bɪlətɪ] *s* haavoittuvuus, suojattomuus, herkkyys, alttius jollekin

vulnerable [vʌlnərəbəl] *adj* haavoittuvainen, suojaamaton, turvaton, herkkä, altis jollekin

vulture [vʌltʃər] *s* **1** korppikotka **2** kondori **3** (kuv) haaska

vulva [vʌlvə] *s* (mon vulvae, vulvas) häpy, vulva

W,w

W, w [ˈdʌbəl juː] W, w

1 wad [wæd] s tukko, tukku, tuppo, pallo *to shoot your wad* (ark) törsätä rahansa, panna rahansa menemään; väsyttää/uuvuttaa itsensä; (sl) (miehestä) saada siemensyöksy

2 wad v **1** rutistaa, puristaa/tehdä tukoksi/tukuksi/tupoksi/palloksi **2** täyttää, sulloa täyteen

1 waddle [wadǝl] s taaperrus

2 waddle v taapertaa

wade [weɪd] v **1** kahlata **2** polskutella, leikkiä vedessä

wade into v **1** panna hihat heilumaan **2** käydä jonkun kimppuun **3** haukkua, sättiä jotakuta

wade through v kahlata jonkin läpi (myös kuv lukemisesta)

wafer [weɪfǝr] s **1** vohveli(keksi) **2** ehtoollisleipä, öylätti

wafer-thin adj erittäin ohut

1 waffle [wafǝl] s **1** vohveli **2** (ark) sumutus, hämäys, vetkuttelu

2 waffle v (ark) sumuttaa, yrittää hämätä, vetkutella

1 waft [waft] s tuulahdus, lemahdus, heikko ääni

2 waft v tuulahtaa, lemahtaa, leijua, kuulua (heikosti)

1 wag [wæg] s **1** (hännän ym) heilutus, heilahdus, heilautus, (sormen) heristys, (pään) nyökkäys, kumarrus, pudistus **2** lörpöttelijä, juoruilija

2 wag v **1** (häntää) heiluttaa, (sormea) heristää, (päätä) nyökätä, kumartaa, pudistaa **2** lörpötellä, juoruta

1 wage [weɪdʒ] s **1** (us mon) (tunti/päivä/viikko)palkka **2** (mon, kuv) palkka *the wages of sin* synnin palkka

2 wage v käydä, harjoittaa *to wage war* sotia

1 wager [weɪdʒǝr] s veto

2 wager v lyödä vetoa, panna pantiksi

1 waggle [wægǝl] s heiluminen, heilahdus, heilutus, (pään) pudistus, (sormen) heristys

2 waggle v heilua, heiluttaa, (päätä) pudistaa, (sormea) heristää

1 wagon [wægǝn] s **1** vaunu(t), vankkuri(t) *to circle the wagons* (villissä lännessä) järjestää vaunut suojaksi ympyrään; (sl) käydä puolustusasemiin *to fix someone's wagon* kostaa, maksaa takaisin; antaa selkään, näyttää taivaan merkit jollekulle **2** poliisiauto, mustamaija **3** station wagon farmariauto **4** kuorma-auto **5** pakettiauto **6** *to be on the wagon* (sl) olla kuivana, ei juoda (alkoholia) *he's off the wagon again* (sl) hän on taas ratkennut ryyppäämään

wagonload [wægǝn,ləʊd] s vaunukuorma(llinen), vaunulasti(llinen)

wagon train s (hist) vaununjono, vankkurijono

wagtail s västäräkki

1 wail [weɪl] s **1** voihkaisu, vaikerointi, (lapsen) itku, parahdus, (tuulen) ulvonta

2 wail v vaikeroida, voihkia, (lapsi) itkeä, parkua, (tuuli) ulvoa

waist [weɪst] s vyötärö

waistband [weɪst,bænd] s uumanauha

waistcloth [weɪst,kləθ] s (mon waistcloths) lannevaate

waistcoat [weɪst,kəʊt, weskɪt] s (UK) liivi(t)

waistline [weɪst,laɪn] s vyötärönmitta, vyötärö(n ympärys)

1 wait [weɪt] s odotus, viivytys, viivästys *we had a three-hour wait in Atlanta* jouduimme odottamaan Atlantassa (lať koyhteyttä) kolme tuntia *to lie in wait* väijyä, vaania

2 wait v odottaa *wait for me* odota minua

waiter [weɪtǝr] s tarjoilija

waiting s odotus

waiting list s odotuslista, jono

waiting room s odotushuone

1 wait-list s odotuslista

2 wait-list v panna odotuslistalle/jonoon

wait on v 1 palvella (asiakasta, palvelijana), tarjoilla jollekulle (ravintolassa) 2 vierailla jonkun luona

waitress [weɪtrəs] s (nais)tarjoilija

waitron [wertran] s tarjoilija

wait table(s) fr olla tarjoilijana

wait up v 1 valvoa (ja odottaa jotakuta) *don't wait up for me, I'll be home late* älä suotta valvo minun takiani, minä tulen vasta myöhään kotiin 2 (ark) (pysähtyä ja) odottaa

wait upon v odottaa jotakin

1 wake [weɪk] s 1 valvojaiset 2 vanavesi (myös kuv) *he followed in the wake of his father* hän seurasi isäänsä/isänsä perässä /kannoilla/vanavedessä

2 wake v woke/waked, woken/waked 1 herätä, herättää (myös kuv:) huomata, saada huomaamaan *the book woke Herbert to the dangers of food additives* kirja sai Herbertin oivaltamaan elintarvikelisäaineiden vaarat 2 olla valveilla/hereillä 3 valvoa, odottaa

wakeful 1 uneton **2** valpas

wakeless adj (uni) sikeä

waken v herätä, herättää (myös kuv)

wake-up s herätys, herääminen

wake up v herätä, herättää (myös kuv) huomata, saada huomaamaan

wake-up call s (hotellissa ym) herätyssoitto

1 walk [wɔk] s kävely; kävelymatka *take a walk* (ark) häivy!, ala nostella!, jätä minut rauhaan

2 walk v 1 kävellä, kävelyttää 2 (sl) ruveta lakkoon 3 (sl) (syytetystä) päästä vapaaksi, ei joutua vankilaan

walker s kävelijä

walkie-talkie [ˌwɑːkɪˈtɑːkɪ] s radiopuhelin

walking stick s kävelykeppi

walk off v 1 kävellä pois(päin), lähteä 2 (yrittää) päästä kävelemällä irti jostakin *to walk off a headache/hangover* lähteä kävelylle päästäkseen eroon päänsärystä/krapulasta

walk off with v 1 viedä mennessään/mukanaan, varastaa, pistää taskuunsa (kuv) *the burglars walked off with ten million* murtovarkaat saivat kymmenen miljoonan

dollarin saaliin 2 saada: *he walked off with the impression that...* hän sai sen vaikutelman/kuvan että...

walk of life fr: *in all walks of life* kaikilla aloilla/elämänaloilla

walk out v 1 ruveta/ryhtyä lakkoon, tehdä lakko 2 marssia ulos (vastalauseen merkiksi)

walkout ['wak,aut] s lakko

walk out on v hylätä, jättää

walk over v kohdella jotakuta tylysti/kaltoin

walk through v 1 tutustuttaa joku johonkin, opastaa/neuvoa kädestä pitäen 2 tehdä jotakin/esittää pintapuolisesti, ei ottaa tosissaan

walk up v (metsästäjästä) säikäyttää (riista) karkuun (kävelemällä/lähestymällä äänekkäästi)

walk-up s hissitön (monikerroksinen) rakennus

1 wall [wɔl] s seinä, muuri, (vuoren) seinämä, valli, penger *the Wall* Berliinin muuri *the Great Wall* Kiinan muuri *to climb walls* (sl) kiivetä seinille, raivostua, pillastua *they drove/pushed him to the wall* he panivat hänet ahtaalle/seinää vasten/lujille *off the wall* (sl) kohtuuton, pöyristyttävä; outo, kumma, omituinen *we are up against the wall* olemme pahassa pinteessä/pulassa, kohtalomme on veitsen terällä

2 wall v aidata, suojata muurilla/vallilla

walled adj muurien ympäröimä, muurilla /vallilla suojattu

wallet [walət] s lompakko

wallop [waləp] v 1 piestä, hakata (myös kuv:) voittaa 2 iskeä, lyödä

walloping s (ark) selkäsauna (myös kuv:) musertava tappio adj (ark) valtava, suunnaton, silmitön

wallow [walou] v rypeä (myös kuv) *she was wallowing in self-pity* hän rypi/piehtaroi itsesäälissä

1 wallpaper [wal,peɪpər] s 1 tapetti 2 (tietok) taustakuva

2 wallpaper v tapetoida

walnut [wal,nʌt] s saksanpähkinä

walrus [wɔlrəs] s (mon walruses, walrus) mursu

1 waltz [wɑːlts] s (tanssi) valssi

2 waltz v **1** tanssia valssia **2** (ark) mennä /kulkea nopeasti, marssia (kuv), sujua leikiten

wand [wand] s **1** sauva *magic wand* taikasauva **2** (tietok) lukukynä

wander [wandər] v **1** vaeltaa, kiertää, kierrellä, harhailla **2** kiemurrella, mutkitella, luikerrella **3** poiketa, eksyä (suunnasta) **4** (kuv) (ajatukset) harhailla, seikoilla (ark), (puhe) poiketa/eksyä asiasta

wanderings s (mon) **1** harhailu, harharetket **2** (kuv) (ajatusten) harhailu, sekoilu (ark)

1 wane [wein] s lasku, väheneminen *to be on the wane* vähentyä, laskea, taantua, olla vähenemään päin

2 wane v **1** vähentyä, vähetä (esim kuu), supistua, pienentyä, heiketä, hämärtyä, huveta; päättyä, loppua **2** (kiinnostus) herpaantua, (asema) heiketä, taantua

wangle [wæŋgəl] v **1** keplotella (itselleen), hankkia keplottelemalla **2** väärentää, sormeilla, kaunistella

waning moon s vähenevä kuu

wannabe [wanɔbi] s fani joka haluaa samastua ihailemaansa julkkikseen *Madonna wannabes* (sanoista *want to be*)

1 want [want] s **1** halu *needs and wants* tarpeet ja halut **2** puute

2 want v **1** haluta, tahtoa **2** kaivata, olla jonkin puutteessa, jostakin puuttuu jotakin *this novel wants seriousness* tästä romaanista uupuu vakavuus *your room wants cleaning* huoneesi on siivouksen tarpeessa **3** ehää/olla puutteessa, kärsiä puutetta

want ad s (lehdessä) työpaikkailmoitus

want in v haluta tulla mukaan, haluta osallistua

wanting adj puutteellinen, uupuva: *I found his explanation wanting* minusta hänen selityksensä jätti toivomisen varaa/ei ollut riittävä

want list s esim keräilijän/museon etsimien tavaroiden luettelo, toivomuslista

want out v haluta luopua jostakin, haluta pois jostakin

1 war [wɔr] s sota (myös kuv) *to be at war* olla sodassa, sotia

2 war v (myös kuv) sotia, olla sodassa (jotakuta/jotakin vastaan, *with*), taistella (myös kuv)

1 warble [wɔrbəl] s liverrys; liverre

2 warble v livertää; laulaa liverre

ward [wɔrd] s **1** (sairaalan, vankilan) osasto **2** holhokki, holhotti, suojatti; hoidokki, hoidokas **3** holhous

warden [wɔrdən] s valvoja, vartija, hoitaja, johtaja (esim vankilanjohtaja)

warder s **1** ovenvartija, portinvartija, talonmies **2** vartiomies, vartiosotilas **3** (UK) vanginvartija

ward off v torjua, estää

wardrobe [wɔrdroub] s **1** vaatteet, puvut, puvusto **2** (huonekalu) vaatekaappi **3** vaatekomero

ware [weər] s **1** (us mon) kauppatavara **2** (us mon) palvelut, taidot **3** esineet *silverware* hopeaesineet, hopeatavara, hopeat

1 warehouse [ˈwerhaus] s varasto

2 warehouse v varastoida, panna varastoon

warfare [ˈwɔrfeər] s sodankäynti, sota

warily adv varovaisti, valppaasti, epäluuloisesti

wariness s varovaisuus, valppaus, epäluuloisuus

warlord [ˈwɔːlɔrd] s sotapäällikkö

warm [wɔrm] v lämmittää, lämmetä adj **1** lämmin **2** (kuv) lämmin, ystävällinen, (ystävä) läheinen **3** (kuv) tulistunut, suuttunut, vihainen, (tilanne) kärjistynyt, kuuma

warm-blooded adj **1** tasalämpöinen **2** (kuv) lämminverinen

warm-down s (liikuntahetken) loppulämmittely

warm down v tehdä (liikuntahetken) loppulämmittely

warmonger [ˈwɔrˌmʌŋgər] s sodanlietsoja

warmth [wɔrmθ] s **1** lämpimyys; lämpö **2** (kuv) lämpimyys, lämpö, ystävällisyys, myötämielisyys

warmup [ˈwɔrˌmʌp] s (liikunnan) (alku)lämmittely

warm up v **1** lämmittää, lämmetä (myös kuv) *she warmed up to the subject* hän lämpeni asialle, hän innostui asiasta **2** lämmitellä (ennen liikuntaa)

warn [wɔːn] v **1** varoittaa **2** kehottaa **3** ilmoittaa (etukäteen)

warning s varoitus

1 warp [wɔːp] s **1** vääntymä, vääristymä (myös kuv) **2** loimi

2 warp v vääntää, vääntyä, vääristää (myös kuv), vääristyä (myös kuv)

war paint s sotamaali (myös kuv:) meikki, ehostus

war path *to be on the war path* olla sotapolulla/sotajalalla

1 warrant [wɔrənt] s **1** lupa, valtuus, valtuutus *search warrant* etsintälupa *we have a warrant for your arrest* meillä on teistä pidätysmääräys **2** tae, takuu **3** (tal) optiotodistus

2 warrant v **1** antaa/myöntää lupa johonkin **2** oikeuttaa, tehdä oikeutetuksi/perustelluksi *the current situation does not warrant more drastic measures* nykytilanne ei anna aihetta jyrkempiin toimiin **3** taata, myöntää takuu

1 warranty [wɔrənti] s **1** lupa, valtuutus, valtuus **2** tae, takuu *manufacturer's new warranty* valmistajan myöntämä kahden vuoden takuu *that does not fall under the warranty* se ei kuulu takuun piiriin, takuu ei kata sitä

2 warranty v taata, myöntää takuu

warren [wɔrən] s **1** kaniinitarha **2** vuokrakasarmi(alue)

warrior [wɔrjər] s soturi (myös kuv)

wart [wɔːt] s känsä, syylä

warthog [wɔːt,hag] s pahkasika

wary [weri] adj varovainen, valpas, epäluuloinen

was [wɑz] ks be

1 wash [waʃ] s **1** pesu *to come out in the wash* (kuv) päättyä onnellisesti, käydä hyvin; paljastua, tulla ilmi **2** pyykki **3** aallokko, hyrsky **4** kuivunut joenuoma

2 wash v **1** pestä, peseytyä **2** pestä pyykki **3** ajautua **4** peittää, levittäytyä

washable [waʃəbəl] s pesunkestävä vaate *adj* pesunkestävä

washboard [waʃ,bɔːd] s **1** pesulauta **2** jalkalista *adj* aaltoileva, epätasainen *the washboard stomach* hänen komeat vatsalihaksensa

wash down v **1** pestä perusteellisesti **2** huuhdella kurkustaan alas

washed-out adj **1** (esim pesussa) haalistunut **2** (ark) uupunut, rätti

washer s **1** pesijä **2** pesukone **3** aluslevy, prikka (ark)

washer-dryer [waʃər'draɪər] s (yhdistetty) pesu- ja kuivauskone

washing machine s pesukone

wash out v **1** (lika) irrota pesussa, pestä puhtaaksi **2** hämärtyä, muuttua epäselväksi **3** (ark) peruuttaa (tilaisuus), erottaa (koulusta)

wash up v **1** peseytyä **2** pestä astiat, tiskata (ark) **3** ajautua (rantaan) **4** (ark passiivissa) olla mennyttä *we're washed up as writers* olemme entisiä kirjailijoita

wasn't [wʌznt] *was not*

wasp [wasp] s ampiainen

waspish adj **1** ampiaismainen **2** äkäinen, kiukkuinen **3** *Waspish* valkoisen ylemmän keskiluokan

waspy adj **1** ampiaismainen **2** äkäinen, kiukkuinen **3** *Waspy* valkoisen ylemmän keskiluokan

wastage [weistədʒ] s **1** tuhlaus, hukka **2** jäte, saaste

1 waste [weist] s **1** tuhlaus, hukka *waste of time* ajanhukka, ajan haaskaus *to go to waste* mennä hukkaan **2** jäte, saaste **3** autio alue; hävitys *to lay waste* hävittää, tuhota, autioittaa

2 waste v **1** tuhlata, hukata, haaskata **2** päästää sivu suun, jättää käyttämättä (tilaisuus) **3** kuihduttaa, kuihtua; hävittää, tuhota **4** (sl) niittää, tappaa

wastebasket [weist,bæskət] s roskakori, paperikori

wasteful adj tuhlaileva, tuhlaavainen; tarpeeton

wastefulness s tuhlaavaisuus, tuhlailu

wasteland ['weɪst,lænd] s 1 autiomaa, erämaa, joutomaa 2 tuhoalue

wastepaper ['weɪst,peɪpər] s jätepaperi

1 watch [wɒtʃ] s 1 vartiointi, vartiovuoro; valvonta, valvominen to keep a close watch on pitää tarkasti silmällä jotakuta/jotakin to be on the watch olla varuillaan/valppaana 2 varoitus storm watch myrskyvaroitus 3 rannekello

2 watch v 1 katsoa, katsella to watch television katsoa televisiota 2 tarkata, seurata, odottaa, kärkkyä 3 varoa, olla varovainen 4 vahtia, vartioida, pitää silmällä 5 (refl) olla varuillaan, pitää varansa; hillitä itsensä

watchband ['wɒtʃ,bænd] s (kellon) ranneke

watchdog ['wɒtʃ,dɒg] s 1 vahtikoira, vartijakoira 2 (kuv) vartija

watcher s 1 katsoja, sivustakatsoja; vartija, valvoja 2 (poliittinen ym) tarkkailija

watch out v varoa

watch over v valvoa, vartioida, pitää silmällä

1 water ['wɒtər] s 1 vesi to travel by water matkustaa vesitse/laivalla some of us have trouble keeping their heads above water toisilla meistä on vaikeuksia saada rahat riittämään your argument doesn't hold water perusteluasi ontuu our company is in deep water yrityksemme on vaikeuksissa to be in hot water olla pulassa/nesteessä to be dead in the water olla poissa kuvioista, olla unohdettu to make water (alus) vuotaa; virtsata to take water (alus) vuotaa for the past month, she has been treading water viimeisen kuukauden ajan hän on polkenut/huovannut paikallaan 2 (mon) vedet, vesistö territorial waters aluevedet 3 (mon) kylpylä(n vesi)

2 water v kastella have you watered the lawn/plants? joko olet kastellut nurmikon/kasvit? the sight of the apple pie made my mouth water omenapiirakka sai veden herahtamaan kielelleni

water closet s wc

watercolour ['wɒtər,kʌlər] s 1 vesiväri 2 (taidelaji) vesivärimaalaus 3 vesivärityö, vesivärimaalaus, akvarelli

water-cooled adj nestejäähdytteinen, vesijäähdytteinen

water down v 1 jatkaa, laimentaa jotakin, lisätä vettä johonkin 2 (kuv) vesittää, laimentaa, heikentää

watered-down adj 1 (juoma) jatkettu, laimennettu 2 (kuv) vesitetty, laimennettu

waterfall ['wɒtər,fɔːl] s vesiputous

waterfront ['wɒtər,frʌnt] s 1 ranta(tontti/tontti) 2 satama(-alue)

water glass s vesilasi, juomalasi

water level s 1 vedenkorkeus 2 vesivaaka

water line s (aluksen) vesiviiva, vesilinja

waterlogged ['wɒtər,lɒgd] adj joka on täynnä vettä, joka on veden peitossa

watermelon ['wɒtər,melən] s vesimeloni

water mill s vesimylly

waterproof ['wɒtər,pruːf] v tiivistää, tehdä vedenpitäväksi adj vedenpitävä, tiivis

water-resistant [,wɒtərrɪ'zɪstənt] adj vettä hylkivä

water ski s vesisuksi

water-ski v hiihtää vesisuksella/vesisuksilla

watersport ['wɒtər,spɔːt] s vesiurheilu

waterspout ['wɒtər,spaʊt] s (räystäskourun) syöksyputki

water table s pohjaveden pinta

watertight ['wɒtər,taɪt] adj 1 vedenpitävä, tiivis 2 (kuv) aukoton, ehdoton, vedenpitävä

water tower s vesitorni

water vapor s vesihöyry

waterway ['wɒtər,weɪ] s vesitie, vesireitti

waterworks ['wɒtər,wɜːks] s to turn on the waterworks (sl) ruveta vetistelemään

watery adj vetinen, märkä

watt [wɒt] s watti

1 wave [weɪv] s 1 aalto (myös kuv) to make waves (ark kuv) kiikuttaa venettä, herättää huomiota 2 (käden) heilautus, heilutus, viittaus

2 wave v 1 heilua, heiluttaa, (lippu) liehua, (oksa) huojua 2 viitata, viittoa (kädellä) 3 kiemurrella, luikerrella 4 (hiukset) aallottaa, aaltoilla

wave band s (radio, televisio) aaltoalue

wavelength ['weɪv,leŋθ] s aallonpituus (myös kuv) you and I are not on the same wavelength emme ole samalla aallonpituudella

1 waver [weɪvər] s **1** vilkuttaja, (lipun) heiluttaja

2 waver v **1** heilua, huojua **2** väristä, vapista **3** empiä, epäröidä **4** heiketä, huonontua, rapistua

wavy adj aaltoileva, aalto-, kumpuileva; mutkitteleva, kiemurteleva

1 wax [wæks] s vaha, (esim) mehiläisvaha *whole ball of wax* (sl) koko juttu; kimpsut ja kampsut, kaikki

2 wax v **1** vahata **2** kasvaa (myös kuusta), lisääntyä, voimistua **3** tulla joksikin *he waxed enthusiastic about the deal* hän innostui kaupasta

waxen [wæksən] adj **1** vaha- **2** kalvakka, kalpea **3** vaikutuksille altis, herkkä

wax museum s vahamuseo

wax paper s voipaperi

way [weɪ] s **1** tie *freeway* moottoritie *the shortest way* lyhin/suorin tie *we drove to Tucson by way of Phoenix* ajoimme Tucsoniin Phoenixin kautta **2** suunta *did she go this way or that?* menikö hän tänne vai tuonne? **3** tapa, keino, menetelmä **4** puoli, suhde *in many ways* monella tapaa, monelta osin *in more ways than one* monella tapaa, monessa suhteessa *in a way* tavallaan, jossain/eräässä mielessä *no way* (ark) ei ikinä!, ei missään nimessä! adv *it's way too expensive* se on aivan liian kallis *let's go way back* muistellaanpa menneitä *Barnes, you're way out of line* nyt menitte liian pitkälle, Barnes

wayfarer [weɪˌferər] s vaeltaja

waylay [weɪˌleɪ] v waylaid, waylaid: hyökätä kimppuun

way out s (kuv) ulospääsy, ratkaisu adj (ark) fantastinen, ihmeellinen

wayside [weɪˌsaɪd] s tienvieri *to fall by the wayside* jäädä tien kesken, keskeyttää

waystation [weɪˌsteɪʃən] s väliasema

we [wiː] pron me

weak [wiːk] adj heikko (myös kuv), (tee) laiha

weaken adj heikentää, heikentyä

weakling s (kuv) selkärangaton ihminen, pelkuri, jänishousu

weakly adj heikko, huonokuntoinen adj heikosti (myös kuv), (puhua) hiljaa

weakness s heikkous

weak sister s (ark) pelkuri, jänishousu

wealth [welθ] s **1** vauraus, rikkaus *a woman of wealth* vauras nainen **2** paljous, runsaus *a wealth of source material* runsaasti lähdeaineistoa

wealthily adv vauraasti, rikkaasti, ylellisesti

wealthy adj vauras, rikas; ylellinen

wean [wiːn] v vieroittaa

weapon [wepən] s ase (myös kuv)

weaponry [wepənri] s aseistus

weapon(s) of mass destruction s (WMD) joukkotuhoaseet

1 wear [weər] s **1** käyttö **2** kulutus, kuluminen **3** vaatteet *casual wear* vapaa-ajan vaatteet

2 wear v wore, worn **1** (vaatteista) pitää/olla päällä *what will you be wearing tonight?* mitä panet päällesi illalla? **2** (ilmeestä ym) *to wear a look of contempt* näyttää halveksivalta **3** kulua, kuluttaa, kuluua, jäytää **4** kestää *to wear well* olla kestävä, kestää kulutusta **5** (aika) kulua (hitaasti)

wear and tear s (käytöstä johtuva) kuluminen

wear down v **1** kuluttaa/käyttää (vaate ym) loppuun **2** väsyttää, uuvuttaa

wearily adv väsyneesti, uupuneesti, kyllästyneesti

weariness s väsymys, uupumus, kyllästyminen

wear off v lakata (vähitellen)

wear out v **1** kuluttaa/käyttää loppuun **2** väsyttää, uuvuttaa

wear thin v **1** alkaa loppua, käydä vähiin **2** alkaa kyllästyttää, menettää viehätyksensä

weary [wɪri] v väsyttää, uuvuttaa adj väsynyt, uupunut; väsyttävä, raskas

weary of v saada kyllästymään johonkin adj: *to be weary of something* olla kyllästynyt johonkin, olla saanut tarpeekseen jostakin

weasel [wizəl] s **1** näätäeläin **2** (kuv) kettu

weasel out of v keplotella itsensä eroon/vapaaksi jostakin

1 weather [weðər] s sää, ilma *to be under the weather* voida huonosti, ei olla oikein kunnossa; olla krapulassa; olla hiprakassa

2 weather v **1** kuivata/varastoida (puuta) ulkona **2** kuluttaa, kulua, kalvaa, jäytää, haalistaa, haalistua, rapauttaa, rapautua **3** kestää jokin, selvitä jostakin

1 weave [wiːv] s sidos *plain weave* palttina *twill weave* toimikas *satin weave* ponsi, satiini

2 weave v wove/woved, woven **1** kutoa **2** punoa, solmia, sitoa **3** (kuv) kertoa; keksiä **4** pujotella, luikerrella, kiemurrella

weave in v ottaa jotakin mukaan johonkin

weaver [wiːvə] s kutoja

1 web [web] s **1** verkko, (erit) hämähäkinverkko **2** (kuv) verkko, vyyhti **3** (vesilinnun jalan) rapylä

2 web v **1** muodostaa/tehdä verkko; peittää verkkoon **2** pyydystää, ottaa kiinni

web address s web-osoite

web browser s web-selain

webcam s verkkokamera

webfoot [webfut] s räpyläjalka

webmall s web-posti

Webmaster s verkkosivuston suunnittelija tai ylläpitäjä, web-vastaava

webpage s web-sivu

web server s web-palvelin

website s web-sivusto

wed [wed] v wedded/wed, wedded/wed **1** naida joku, mennä naimisiin (jonkun kanssa) **2** vihkiä (aviolittoon) **3** yhdistää, yhdistyä **4** vihkiytyä, omistautua (jollekin asialle)

we'd [wid] *we would*

wedding [wediŋ] s **1** häät **2** (kuv) yhdistelmä

wedding anniversary s (häiden vuosipäivä) hääpäivä

wedding band s vihkisormus

wedding cake s hääkakku

1 wedge [wedʒ] s **1** kiila **2** (kolmion muotoinen) viipale, pala **3** (golf) rautamaila (*pitching wedge* tai *sand wedge*) jolla lyödään lyhyitä ja korkeita lyöntejä esim hiekkaesteestä

2 wedge v **1** kiilata, halkoa kiiloilla **2** kiilata, tukea/kiinnittää kiiloilla **3** ahtaa, ahtautua, tunkea, tunkeutua, sulloa, mahtua, kiilata

wedlock [wedlak] s avioliitto *born out of wedlock* aviottomana syntynyt

Wednesday [wenzdi, wenzdeɪ] s keskiviikko

Wednesdays s keskiviikkoisin

wee [wi] *adj* **1** pienen pieni, pikkuruinen **2** varhainen *in the wee hours of the morning* pikkutunneilla

1 weed [wid] s **1** rikkaruoho **2** (ark) savuke, tupakka **3** (sl) ruoho, marihuana; ruohosätkä, marihuanasavuke

2 weed v kitkeä (myös kuv:) poistaa, lopettaa

weedy [widi] *adj* rikkaruohoinen

week [wik] s viikko

weekday [wikdeɪ] s arkipäivä

weekdays *adv* arkisin

1 weekend [wikend] s viikonloppu

2 weekend v viettää viikonloppu jossakin

weekends *adv* viikonloppuisin

week in, week out fr viikosta toiseen

weekly [wikli] s viikkolehti *adj* viikoittainen *adv* viikoittain

weeknight [wiknaɪt] s arki-ilta

weep [wiːp] v wept, wept **1** itkeä **2** tihkua, vuotaa

weigh [weɪ] v **1** painaa, punnita *he weighed the rock in his hand* hän punnitsi kiveä kädessään **2** (kuv) painaa, vaivata **3** (kuv) painaa (paljon/vähän), merkitä (paljon/vähän)

weigh anchor fr nostaa ankkuri

weigh down v **1** painaa, taivuttaa alas **2** masentaa, painaa

weigh in v punnita, painaa *she weighs in at 120 pounds* hän painaa vain noin 55 kiloa

weigh on v (kuv) painaa jotakuta

weight [weɪt] s paino (myös kuv:) *by weight* painon mukaan *your input carries weight with us* me panemme sinun näkemyksellesi painoa *try to pull your weight* yritä tehdä oma osasi/hoitaa osuutesi, yritä kantaa kortesi kekoon *Mr. Sanchez has been throwing his weight around again* Mr. Sanchez on taas jyrännyt muut alleen/ajanut tahtonsa läpi väkipakolla

weight down v painaa (mieltä)

weightless *adj* painoton

weightlessness s painottomuus

weightlifter s painonnostaja

weightlifting [weɪtlɪftɪŋ] s painonnosto

weighty *adj* **1** raskas, painava **2** (kuv) raskas, vaikea **3** (kuv) tärkeä

weird [wɪərd] *adj* **1** salaperäinen, arvoituksellinen **2** outo, kumma

weirdo ['wɪər,dou] *s* (mon weirdos) (ark) **1** pimeä tyyppi **2** hullu, mielipuoli

1 welcome [welkəm] *s* tervehdys, tervetulon toivotus *to wear out your welcome* ei enää olla tervetullut jonnekin, alkaa käydä isäntävaen tms hermoille

2 welcome *v* toivottaa tervetulleeksi (myös kuv), ottaa (mielihyvin) vastaan

3 welcome *adj* tervetullut *you're welcome to my beer* ota vapaasti olutta(ni) *thanks! ' you're welcome! kiitos! '* ole hyvä!/ei kestä *interj* tervetuloa!

1 weld [weld] *s* hitsi

2 weld *v* **1** hitsata **2** yhdistää, sulaa/sulautua yhteen

welder *s* hitsaaja

welfare ['wel,feər] *s* **1** hyvinvointi **2** hyväntekeväisyys(työ) **3** sosiaaliavustukset *to be on welfare* elää sosiaaliavustusten varassa

1 well [wel] *s* **1** lähde (myös kuv) *oil well* öljylähde **2** säiliö **3** kuilu **4** hyvä *we wish you well* toivotamme sinulle menestystä/ onnea

2 well *v* pursuta, (kyynelet) nousta (silmiin)

3 well *adj* (better, best) **1** terve **2** hyvä **3** *to leave well enough alone* antaa jonkin/jonkun olla, jättää joku rauhaan

4 well *adv* (better, best) **1** hyvin, kunnolla *you did well* selvisit hyvin/hienosti **2** selvästi, paljon *well over three million* paljon yli kolme miljoonaa **3** *as well* lisäksi, myös, sekä *it is good as well as expensive* se on sekä hyvä että kallis *interj* no well, *I don't know* en minä tiedä *well, well!* kas! kas!

we'll [wɪl wiəl] *we will*

well-adjusted *adj* hyvin sopeutunut

well-appointed [,welə'pɔintəd] *adj* (huone) hienosti/hyvin sisustettu/kalustettu/varustettu

well-balanced [,wel'bælənst] *adj* tasapainoinen, sopusuhtainen, (ruokavalio) monipuolinen

well-being [wel'biiŋ] *s* hyvinvointi

well-bred [,wel'bred] *adj* hyvin kasvatettu, hyvätapainen

well-connected [,welkə'nektəd] *adj* jolla on hyvät suhteet (päättäjiin)

well-established [,weləs'tæblɪʃt] *adj* vakiintunut

well-heeled *adj* (ark) varakas

wellies (UK ark) kumisaappaat, kumpparit

Wellington boot *s* kumisaappas

well-known [,wel'noun] *adj* tunnettu, kuuluisa

well-mannered [,wel'mænərd] *adj* hyvätapainen, kohtelias

well-meaning [,wel'miniŋ] *adj* hyvää tarkoittava

well-off [,wel'af] *adj* varakas, vauras, rikas

well-preserved [,welprə'zərvd] *adj* hyvin säilynyt

well-read [,wel'red] *adj* (paljon) lukenut

well-spoken [,wel'spoukən] *adj* **1** kohtelias **2** osuva, onnistunut, (hyvin) valikoitu

well-thought-of [wel'θatəv] *adj* arvostettu, pidetty, maineikas, hyvämaineinen

well-timed [,wel'taimd] *adj* hyvin ajoitettu

well-to-do [,weltə'du] *adj* varakas, vauras, rikas

well-wisher ['wel,wɪʃər] *s* onnittelija, onnen toivottaja

well-worn [,wel'wɔrn] *adj* kulunut

Welsh rarebit [,welʃ'reərbit] *s* (walesilainen ruoka) lämpimät juustopaahtoleivät (lähinnä)

went [went] ks go

wept [wept] ks weep

were [wɔr] ks be

we're [wɪər] *we are*

weren't [wɔrnt] *were not*

werewolf ['wɪər,wʊlf] *s* (mon werewolves) ihmissusi

west [west] *s* **1** länsi **2** West (Yhdysvaltain) länsi(osa) **3** West länsi(maat) *adj* länsi-, läntinen *adv* lännessä, länteen, (tuuli myös) lännestä *to go west* (ark kuv) kuolla

westbound ['westbaund] *adj* lännen suuntainen, länsi-

westerly *s* läntinen, länsituuli *adj* läntinen, länsi-

western [westərn] *s* lännenelokuva, lännenfilmi *adj* **1** läntinen, länsi-, länteen suuntautuva **2** Western (Yhdysvaltain) länsiosan, lännen

westernize [ˈwestərˌnaiz] *v* länsimaistaa

westernmost [ˈwestərˌmoust] *adj* läntisin

westmost [ˈwestˌmoust] *adj* läntisin

westward [westwərd] *adj* läntinen, länsi-, länteen suuntautuva *adv* länteen

westwards *adv* länteen

wet [wet] *adj* **1** märkä **2** (kaupunki, osavaltio) märkä (jossa alkoholin myynti on sallittu) **3** (ark) juopunut, humalassa; ryyppy*v* kastella, kastua, kostuttaa, kostua

wet blanket *s* (kuv) ilonpilaaja

wet nurse *s* imettäjä

wet suit *s* märkäpuku

we've [wiv] *we have*

1 whack [wæk] *s* **1** läimäytys, pamautus, tälli (ark) **2** (ark) yritys **3** *to be out of whack* (ark) olla vinossa; olla rappeutunut, rikki

2 whack *v* läimäyttää, pamauttaa, lyödä, antaa tälli (ark)

whacking *adj* (ark) valtava, hirmuinen

whack off *v* **1** katkaista, leikata/panna poikki **2** (sl) runkata, vetää käteen

whack out *v* (sl) **1** suoltaa (tekstiä), tehdä nopeasti **2** tappaa

whack up *v* (sl) jakaa

1 whale [weil] *s* (mon whales, whale) valas

2 whale *v* pyydystää/pyytää valaita

whaler *s* **1** valaanpyytäjä **2** valaanpyyntialus

whaling *s* valaanpyynti

wharf [wɔrf] *s* (mon wharves, wharfs) (satama)laituri

what [wʌt] *adj* **1** mikä?, mitä? *what use is it?* mitä hyötyä siitä on? **2** huudahduksissa: *what a day!* mikä päivä!, olipa/onpa melkoinen päivä! **3** mikä/mitä tahansa *take what you need* ota mitä tarvitset *pron* **1** mikä?, mitä? *what do you want?* mitä haluat? *what does it cost?* mitä/paljonko se maksaa *so what?* mitä/entä sitten? **2** mikä, mitä *that is not what I mean* en tarkoita sitä

what'd [wʌtəd] *what did*

whatever [ˌwʌtˈevər] *adj, pron* **1** mikä/mitä tahansa *pay whatever he asks* for maksa mitä tahansa/niin paljon kuin hän pyytää

she can do whatever she wants hän saa tehdä ihan mitä haluaa **2** (korostaen) mikä, mitä *whatever does she want?* mitä ihmettä hän haluaa? *there's no reason whatever for leaving* now ei ole mitään syytä lähteä nyt

what for *fr* **1** miksi *what did he do that for?* miksi hän sen/niin teki? **2** rangaistus *she got what for from her parents* antoivat hänen vanhempansa antoivat hänen kuulla kunniansa

what if *fr* entä, mitä jos

what'll [wʌtəl] *what will*

what's [wʌts] *what is, what has, what does*

what've [wʌtəv] *what have*

wheat [wit] *s* vehnä

wheaten [witən] *adj* vehnä-

wheat germ *s* vehnänalkio

1 wheel [wiəl] *s* **1** pyörä *potter's wheel* dreija *she's hell on wheels* hän on todellinen voimanpesä, hän panee tuulemaan **2** ohjauspyörä *steering wheel* ohjauspyörä **3** ruori *to be at the wheel* olla ruorissa; (kuv) olla ohjaksissa **4** (mon kuv) pyörät *the wheels of bureaucracy* byrokratian rattaat **5** (mon sl) auto *do you have wheels?* onko sinulla autoa?

2 wheel *v* **1** pyöriä, pyörittää **2** työntää **3** kääntää

wheel and deal *fr* (ark) juonitella, junailla asioita (taitavasti), ajaa omaa etuaan

wheelbarrow [ˈwiəlˌberou] *s* työntökärryt, kottikärryt

wheelbase [ˈwiəlˌbeis] *s* akseliväli

wheelchair [ˈwiəlˌtʃeər] *s* pyörätuoli

wheel of fortune *s* onnenpyörä

1 wheeze [wiz] *s* hinku

2 wheeze *v* hinkua, hengittää/sanoa hinkuen

whelk [welk] *s* kuningaskotilo

when [wen] *adv* koska?, milloin? *when will you come back?* koska/milloin palaat? *konj* **1** kun *when I come back* kun palaan *when in doubt, tell the truth* jos et tiedä mitä sanoa, puhu totta **2** vaikka *he's complaining when in truth he should be grateful* hän valittaa vaikka hänen itse asiassa pitäisi olla kiitollinen

whence [wens] *adv, konj* mistä

when'd [wend] *when did*

whenever [ˌwen'evər] *konj* **1** milloin/koska tahansa *whenever it suits you* milloin vain sinulle sopii **2** (korostetusti) milloin, koska *whenever did you see her?* milloin ihmeessä sinä hänet tapasit?

when'll [wenəl] *when will*

when're [wenər] *when are*

when's [wenz] *when is, when has, when does*

when've [wenəv] *when have*

where [weər] *adv* missä?, minne?, mihin? *where are you?* missä olet? *where did you go?* minne menit *konj* missä, minne, siellä missä *the book is where you left it* kirja on siellä minne sen jätit

whereabouts [ˌweərˌbauts] *s* olinpaikka *his whereabouts are unknown* ei tiedetä missä hän on/oleskelee *adv, konj* missä päin, missä

whereas [ˌwer'æz] *konj* kun taas, sen sijaan, sitä vastoin

whereby [ˌwer'bai] *adv* josta *the terms whereby we will abide* säännöt joista pidämme kiinni, säännöt joita noudatamme, noudattamamme säännöt

where'd [weərd] *where did; where would*

wherefore [ˈwerˌfɔr] *the whys and wherefores* syyt

wherein [ˌwer'in] *adv, konj* missä *wherein shall the truth be found?* mistä löytyy totuus?

where'll [werəl] *where will*

where're [werər] *where are*

where's [werz] *where is; where has; where does*

where've [werəv] *where have*

wherever [ˌwer'evər] *adv* (korostaen) missä, mihin (ihmeessä) *wherever did you get a crazy notion like that?* mistä ihmeestä sinä sen päähäsi sait? *konj* missä, mihin tahansa *put the box wherever you want* laske laatikko minne haluat

wherewithal [ˈwerwiðˌɔəl] *s* keinot, mahdollisuudet *to have the wherewithal to do something* olla keinot/varaa tehdä jotakin

whet [wet] *v* **1** teroittaa (hiomalla) **2** lisätä, voimistaa; innostaa *the sight of those books whet his appetite for learning* kirjo-

jen näkeminen lisäsi hänen oppimishalujaan

whether [weðər] *konj* josko, joko, -ko/-kö *tell me whether you want it or not* kerro haluatko sen

whetstone [ˈwetˌstoun] *s* hiomakivi, kovasin

which [witʃ] *adj, pron* **1** mikä?, mitä, minkä? *which (one) is yours?* mikä (näistä) on sinun? *which are mine?* mitkä ovat minun (omiani)? **2** joka, jota, jonka, mikä, mitä, minkä *the apple which you threw away* omena jonka heitit menemään **3** (viittaa lausekkeeseen) mikä *they left yesterday, which is kind of sad because...* he lähtivät eilen, mikä on tavallaan ikävää koska...

whichever [ˌwitʃ'evər] *adj, pron* mikä tahansa *you can have whichever you like* saat minkä tahansa haluat *whichever model you choose, you'll be happy* olet tyytyväinen valitset sitten minkä mallin tahansa

1 whiff [wif] *s* **1** tuulahdus, lehahdus, tuoksahdus **2** haiku (savukkeesta ym) **3** (kuv) häivähdys, aavistus

2 whiff *v* **1** tuulahtaa, lehahtaa, tuoksahtaa **2** tupakoida; vetää haiku/haiut, tupruttaa (sauhuja suustaan)

while [wail] *s* ajanjakso, aika *stay a while longer* jää vielä hetkeksi *all the while* kaiken aikaa, koko ajan *it's not worth your while to read that book* tuota kirjaa ei kannata lukea, tuon kirjan lukemisessa menee aika hukkaan *konj* **1** sillä aikaa kun, samalla kun *while I was asleep, the burglars emptied the safe* varkaat tyhjensivät kassakaapin sillä aikaa kun olin nukkumassa *while you're at it, why don't you vacuum the whole house?* mikset saman tien imuroi koko taloa? **2** vaikka *while he likes her, he does not want to marry her* hän pitää naisesta mutta ei halua mennä naimisiin

while away *v* kuluttaa aikaa (rennosti), laiskotella, lekotella

whim [wim] *s* päähänpisto, oikku, (hetken) mielijohde *we decided to visit them on a whim* päätimme yhtäkkiä/noin vain piipahtaa heillä

1 whimper [wimpər] *s* **1** ulina, uikutus **2** ruikutus, marina

2 whimper *v* **1** ulista, uikuttaa **2** ruikuttaa, marista

whimsical [wimzikəl] *adj* oikukas, ailahteleva, (käsitys) lennokas

1 whine [wain] *s* **1** ulina, uikutus **2** ruikutus, valitus, marina

2 whine *v* **1** ulista, uikuttaa **2** ruikuttaa, valittaa, marista

1 whip [wip] *s* **1** ruoska, piiska **2** (ruoskan, piiskan) sivallus **3** vispilä **4** (ruoka) vaahto **5** (puolue)piiskuri

2 whip *v* **1** ruoskia, piiskata **2** (kuv) ruoskia, haukkua, soimata, kurittaa **3** viilettää, ryntää **4** kiskaista, vetäistä, vetää **5** lepattaa **6** vatkata, vispata

whiplash [wip,læʃ] *s* piiskansivallus (myös lääk)

whip off *v* (ark) hutaista, väsätä nopeasti (tekstiä)

whipped cream *s* kermavaahto

whipping cream *s* kuohukerma

whip up *v* (ark) kyhätä kokoon, tehdä/laittaa nopeasti

1 whir [wər] *s* hurina, surina

2 whir *v* **1** kiitää, kiidättää **2** hurista, surista

1 whirl [wərəl] *s* **1** pyörähdys; pyörre **2** pyrähdys **3** (kuv) hyrsky, myrsky, sekamelska

2 whirl *v* **1** pyöriä, pyörittää; kääntyä, kääntää **2** kiitää, kiidättää, viilettää

whirlpool [wərəl,puːl] *s* **1** pyörre **2** poreallas

whirlwind [wərəl,wind] *s* **1** pyörretuuli **2** (kuv) pyörremyrsky, sekamelska, sekasorto *to reap the whirlwind* (saada) niittää mitä on kylvänyt

1 whisk [wisk] *s* **1** pyyhkäisy, huitaisu, sipaisu **2** vaateharja **3** pölyhuisku **4** vispilä

2 whisk *v* **1** pyyhkäistä, huitaista, sipaista **2** lakaista, harjata, pyyhkiä **3** sujauttaa, pujauttaa **4** kiidättää *he whisked us off to the airport* hän vei meidät nopeasti lentokentälle **5** vatkata, vispata

whisker *s* **1** parta **2** poskiparta **3** viiksi(karva) *by a whisker* täpärästi, nipin napin

whiskey [wiski] *s* viski

1 whisper [wispər] *s* **1** kuiskaus **2** huhu, juoru, kuiskuttelu **3** (puun lehtien) kuiske, kuiskaus, kahina, (tuulen) kuiske, suhina, (veden) solina

2 whisper *v* **1** kuiskata **2** kuiskutella, kuiskia, kuiskata **3** (puun lehdet) kuiskata, kahista, (tuuli) kuiskata, suhista, (vesi) solista

1 whistle [wisəl] *s* **1** vihellys **2** pilli *to blow the whistle* paljastaa (rötös) *to blow the whistle on* lopettaa, keskeyttää; paljastaa (rötös) (ks myös whistle blower) *to wet your whistle* (ark) kostuttaa kurkkuaan, ottaa ryyppy

2 whistle *v* **1** viheltää **2** soittaa/puhaltaa pilliä

whistle for *v* odottaa/pyytää turhaan

whistle stop *s* **1** pikkukaupunki, syrjäkylä (rautatien varrella) **2** (poliitikon lyhyt) vaalipuhe **3** (poliitikon, teatteriseurueen) käynti/piipahdus/näytäntö pikkukaupungissa

white [wait] *s* **1** valkoinen (väri) **2** valkoihoinen, valkoinen *adj* valkoinen

white blood cell *s* valkosolu, valkoinen verisolu

white-collar [,wait'kalər] *s* valkokaulustyöntekijä *adj* valkokaulus-

white elephant *s* **1** (tarpeeton) rahareikä **2** (tarpeeton) esine

white goods *s* (mon) **1** liinavaatteet **2** kodinkoneet

white-knuckle *adj* (ark) pelottava, hirvittävä

white lie *s* hätävalhe, pikkuvalhe

whiten *v* valkaista, valkaistua, haalistaa, haalistua

whiteness *s* **1** valkeus, valkoisuus **2** kalpeus

white out *v* peittää (kirjoitusvirhe) korjauslakalla

1 whitewash [wait,waʃ] *s* **1** kalkkimaali **2** (kuv) peittely, kaunistelu; pintasilaus, pintakiilto

2 whitewash *v* **1** maalata valkoiseksi (kalkkimaalilla) **2** (kuv) peitellä, kaunistella

whittle [witəl] *v* vuolla; veistää

whittle away *v* supistaa, vähentää, leikata

whittle down *v* supistaa, vähentää, leikata

whity [waiti] *s* (sl) kalpeanaama, valkolainen

whiz kid [wiz,kid] *s* (ark) ihmelapsi, nero

1 whizz [wɪz] *s* **1** suhina **2** (ark) nero, peto (tekemään jotakin)

2 whizz *v* **1** suhista **2** kiitää, sujahtaa, suhahtaa, suhista

who [hu] *pron* **1** kuka, kenet, kenelle *who is it?* kuka siellä? *who did you give it to?* kenelle annoit sen? **2** joka, jota, jolle *the man who was here* mies joka kävi täällä *the people who you thought were Finns* ihmiset joita luulit suomalaisiksi

who'd [hud] *who would*

whodunit [ˌhuˈdʌnɪt] *s* (ark) salapoliisikertomus, rikosromaani

whoever [huˈevər] *pron* **1** kuka tahansa **2** kuka ihme/kumma?

whole [hoəl] *s* kokonaisuus *the whole is more than the sum of its parts* kokonaisuus on enemmän kuin osien summa *as a whole* kokonaisuutena *on the whole* kokonaisuutena, kaiken kaikkiaan, yleisesti ottaen *adj* **1** kokonainen, koko, kaikki, täysi *for a whole hour* kokonaisen tunnin *it is a whole lot better than the old model* se on koko lailla/paljon parempi kuin vanha malli **2** ehjä, vahingoittumaton *it is still whole* se on vielä yhtenä kappaleena

whole enchilada [ˌentʃəˈladə] *fr* koko roska, kaikki

wholehearted [ˌholˈhartəd] *adj* vilpitön, aito

wholeness *s* eheys, täyteys, kokonaisuus, täydellisyys

wholesale [ˈholˌseɪəl] *s* tukkukauppa *adj* **1** tukkukaupan, tukkuportaan, tukku- **2** suurimittainen, laaja *adv* **1** tukkukaupasta, tukkuhintaan **2** joukoittain, suurin joukoin, paljon, kosolti

wholesome [ˈholsəm] *adj* **1** (myös kuv) tervehdyttävä, terveellinen, tervehenkinen, hyvää tekevä **2** terveen näköinen

who'll [huəl] *who will*

wholly [holi] *adv* kokonaan, täysin, läpeensä

whom [hum] *pron* (objektimuoto sanasta *who*) ketä, kenelle *whom are you talking about?* kenestä puhut?

whomever [ˌhuˈmevər] *pron* (objektimuoto sanasta *whoever*) ketä/kenelle (tahansa) *whomever you give it to, don't give it to me* kenelle sen annatkin, älä anna sitä minulle

1 whoop [wup hup] *s* (innostuksen) huudahdus, huuto *not worth a whoop* (ark) arvoton, mitätön, yhtä tyhjän kanssa

2 whoop *v* **1** huutaa (innoissaan) **2** (pöllö ym) huhuta, huhuilla **3** hinkua

whopper [wapər] *s* (ark) **1** jokin valtava, hirmu **2** emävale

who're [huər] *who are*

1 whore [hor] *s* huora

2 whore *v* huorata

whortleberry [ˈwortəlˌberi] *s* (mon whortleberries) mustikka

who's [huz] *who is*

whose [huz] *pron* (genetiivimuoto sanasta *who*) **1** kenen *whose hat is this?* kenen hattu tämä on? **2** jonka *the man whose hat is on the chair* mies jonka hattu on tuolilla

why [waɪ] *adv, konj* miksi *why did you do it?* miksi teit sen? *he does not know why he did it* hän ei tiedä miksi hän sen teki

why's [waɪz] *why is*

wick [wɪk] *s* (kynttilä, öljylampun) sydän

wicked [wɪkəd] *adj* **1** paha, ilkeä **2** kurja, huono **3** (sl) loistava

wickedly *adv* **1** pahasti, ilkeästi **2** kurjasti, huonosti

wickedness *s* pahuus, ilkeys

wicker [wɪkər] *s* koritynö

wide [waɪd] *adj* **1** leveä **2** laaja, suuri **3** *to be wide of the mark* mennä pahasti ohi/pieleen *adv* kokonaan, täysin *the door is wide open* ovi on selkoon selällään *far and wide* laajalla alueella, siellä täällä

widely *adv* laajasti, laajalla alueella *widely different* hyvin erilainen

widen [waɪdən] *v* leventää, leventyä, laajentaa, laajentua, suurentaa, suurentua

wide-ranging [ˌwaɪdˈreɪndʒɪŋ] *adj* laajamittainen, laaja

wide-screen [ˈwaɪdˌskrin] *adj* laajakangas-

widespread [ˈwaɪdˌspred] *adj* yleinen, laajalle levinnyt

widget [wɪdʒət] *s* vempain, vekotin

1 widow [wɪdoʊ] *s* leski(nainen)

2 widow *v* jäädä leskeksi

widower [wɪdoʊər] *s* leski(mies)

widowhood [ˈwɪdoʊˌhʊd] *s* leskeys, leskenä olo

width [wɪdθ] s leveys

wield [wiːld] v käyttää (valtaa, työkalua) (taitavasti) to wield an ax heiluttaa kirvestä

wieldy adj kätevä, helppokäyttöinen

wiener [wiːnər] s nakki

wife [waɪf] s (mon wives) vaimo to take to wife ottaa puolisokseen, naida

wifehood ['waɪd,hʊd] s vaimona olo

wifely adj vaimon, vaimolle sopiva

wig [wɪg] s peruukki to flip your wig (sl) menettää malttinsa, pillastua, repiä pelihousunsa

1 wiggle [wɪgəl] s väristys; heilunta

2 wiggle v **1** väristä, hytistä; heilua, heiluttaa **2** pujotella, luikerrella, kiemurrella

wigwam ['wɪg,wam] s (intiaanimaja) vigvami, wigwam

wild [waɪəld] adj **1** villi **2** (myrsky) raju, hurja, (ihminen) raivostunut, (suunnitelma) uskalias, (elämä) hillitön adv villisti to run wild (kasvi) rehottaa; (kuv) levitä vapaasti, olla kuriton, rehottaa

wilderness [wɪldərnəs] s erämaa

wilding [waɪəldɪŋ] s jengien huliganismi ja vandalismi

wildlife ['waɪəld,laɪf] s villieläimet

wildness [waɪəldnəs] s villiys, rajuus, hurjuus, raivo, uskaliaisuus, hillittömyys

wilds [waɪəldz] s (mon) erämaa

1 wile [waɪəl] s ansa, temppu, metku

2 wile v houkutella

wile away v laiskotella, vetelehtiä, olla toimettomana

wily adv viekkaasti, ovelasti, juonikkaasti

1 will [wɪl] s **1** tahto at will vapaasti, mielin määrin **2** testamentti

2 will v **1** pakottaa itsensä/joku johonkin (tahdonvoimalla), tahtoa **2** testamentata apuv **1** would, (kielteiset muodot) won't (will not), wouldn't (would not) **2** tulevaisuudesta: I will read it minä luen sen **3** kysymyksissä: will/would you close the window? sulkisitko ikkunan? **4** tahdosta: he will not do it hän ei suostu tekemään sitä will you shut up? etkö voi olla hiljaa! **5** olla tapana: on Sundays, we would go to the beach sunnuntaisin meillä oli tapana

mennä uimarannalle 6 oletuksesta: they will have read it by now he ovat varmaankin lukeneet sen jo **7** kyvystä: the door won't open ovi ei aukea, en saa ovea auki

willful [wɪlfəl] adj **1** tahallinen, harkittu, tietoinen **2** omapäinen, jääräpäinen, joustamaton

willfully adv **1** tahallaan, harkitusti, tietoisesti **2** omapäisesti, jääräpäisesti, joustamattomasti

willies [wɪliz] to get the willies (ark) hermostua, pelästyä, saada sätkyt

willing adj **1** halukas, hanakka, valmis johonkin (to) **2** avulias, aulis

willingly adv halukkaasti, hanakasti, avuliaasti, auliisti

willingness s halukkuus, hanakkuus, avuliaisuus

willow [wɪloʊ] s paju

willowy adj taipuisa, norja, (sorja ja) notkea

will power s tahdonvoima

wilt [wɪlt] v **1** kuihtua, kuihduttaa **2** väsyä, väsyttää, uupua, uuvuttaa

wily [waɪli] adj viekas, ovela, juonikas

1 win [wɪn] s voitto

2 win v won, won **1** voittaa **2** saada, vallata, valloittaa

1 wince [wɪns] s säpsähdys, hätkähdys

2 wince v säpsähtää, hätkähtää

1 winch [wɪntʃ] s **1** (käsi)kampi **2** vintturi, vinssi (ark)

2 winch v nostaa/vetää vintturilla

1 wind [wɪnd] s **1** tuuli solar wind aurinkotuuli big changes are in the wind (kuv) luvassa on suuria muutoksia how the wind blows (kuv) mistä tuuli puhaltaa to sail in the teeth of the wind purjehtia vastatuuleen to sail close to the wind (kuv) olla säästäväinen; olla uskalias, ottaa riski to take the wind out of someone's sails yllättää, saada joku järkyttymään, viedä tuuli jonkun purjeista **2** puhallinsoitin, puhallin **3** (mon) (orkesterissa) puhaltimet **4** hengitys to get your second wind saada (esim juostessa) hengityksensä tasaantumaan **5** vihi, huhu **6** tuulahdus, suuntaus **7** ilmavaivat, ilma to break wind pieraista (ark)

2 wind *v* **1** saada hengästymään **2** antaa hengityksen tasaantua

wind [waɪnd] *v* wound, wound **1** kiertää, kiertyä **2** kääntää, kääntyä **3** kiemurrella, mutkitella, pujotella, luikerrella **4** (kello) vetää

wind down *v* laantua, asettua, rauhoittua

windfall ['wɪnd,fɔːl] *s* **1** tuulen maahan pudottamat hedelmät **2** (kuv) onnenpotku

winding [waɪndɪŋ] *adj* mutkitteleva, kiemurteleva

1 windlass [wɪndləs] *s* vinttur

2 windlass *v* nostaa/vetää vintturilla

windmill ['wɪnd,mɪl] *s* tuulimylly

window [wɪndoʊ] *s* ikkuna (myös tietok)

window dressing *s* **1** näyteikkunoiden somistus **2** (kuv) kaunistelu, hämäys, pintakiilto, pintasilaus, silmänlume

window pane *s* ikkunalasi

window shade *s* **1** (ikkunan)kaihdin **2** sälekaihdin **3** rullaverho

window-shop ['wɪndoʊ,ʃɑp] *v* **1** katsella näyteikkunoita **2** (kuv) tutustua johonkin (ennen kaupantekoa)

windpipe ['wɪnd,paɪp] *s* henkitorvi

wind power *s* tuulivoima

windscreen ['wɪnd,skriːn] *s* (UK) tuulilasi

windshield ['wɪndʃiːld] *s* (auton) tuulilasi

windshield wiper *s* tuulilasinpyyhin

windsurf ['wɪnd,sɜːrf] *v* purjelautailla

windsurfing *s* purjelautailu

wind tunnel *s* tuulitunneli

wind up *v* **1** päättää, saattaa päätökseen, tehdä valmiiksi **2** päätyä johonkin asemaan **3** vetää (kello) **4** kelata, kääriä kelalle/rullalle

wind vane *s* tuuliviiri

windward [wɪndwərd] *to get to windward of* saada jokin asia hallintaansa

windy [wɪndi] *adj* **1** tuulinen *it's windy at the top* huipulla tuulee **2** mahtipontinen, suurisanainen, suurellinen

windy [waɪndi] *adj* kiemurteleva, mutkitteleva

wine [waɪn] *s* viini

wing [wɪŋ] *s* **1** siipi *to be on the wing* olla lennossa/ilmassa; olla liikkeellä *to take someone under your wing* ottaa joku siipiensä suojaan *to take wind* nousta lentoon/

ilmaan; lähteä/häipyä kiireesti **2** (puolueen) siipi **3** (teatterissa) kulissien vasen/oikea puoli

wingspan ['wɪŋ,spæn] *s* (lentokoneen, linnun) siipiväli

1 wink [wɪŋk] *s* **1** silmänräpäys (myös kuv) **2** silmänisku **3** (valon) tuike

2 wink *v* **1** räpäyttää silmää **2** iskeä silmää **3** (valo) tuikkia

winkle [wɪŋkəl] *s* kotilo

winner *s* voittaja

winning *s* **1** voitto **2** (yl mon) voitto(saalis) *adj* **1** voittaja-, voittoisa **2** hurmaava, ihastuttava

winningly *adv* (hymyillä) hurmaavasti, ihastuttavasti

win out *v* voittaa, vetää pitempi korsi

1 winter [wɪntər] *s* talvi

2 winter *v* viettää talvi jossakin, talvehtia

wintery [wɪntəri] *adj* talvinen, talvi-

wintry [wɪntri] *adj* talvinen, talvi-

1 wipe [waɪp] *s* pyyhkäisy

2 wipe *v* **1** pyyhkiä **2** (kuv) heittää mielestään, (yrittää) unohtaa, pyyhkiä pois

wipe out *v* **1** hävittää, tuhota, pyyhkiä pois **2** (ark) nitistää, tappaa **3** (sl) löylyttää, piestä, voittaa musertavasti

wiper *s* **1** pyyhe, rätti **2** tuulilasinpyyhin

wipe up *v* pyyhkiä pois, siivota

1 wire [waɪər] *s* **1** (metalli)lanka, (sähkö)johto, vaijeri, kaapeli *to pull wires* (kuv) käyttää hyväksi suhteitaan **2** (ark) sähke **3** (raveissa) maaliviiru *down to the wire* viime hetkeen saakka, viimeiseen saakka *under the wire* viime hetkessä, juuri ja juuri, nipin napin

2 wire *v* **1** yhdistää johdoilla **2** sähköttää, lähettää sähkeellä **3** varustaa salakuuntelulaitteella/piilomikrofonilla

wired [waɪərd] *adj* **1** sähköjohdoilla varustettu, johdotettu **2** kaapelitelevisioliitännällä varustettu **3** (ark kuv) hermostunut ja happea täynnä, jolla menee lujaa (etenkin huumeiden vaikutuksesta)

1 wiretap [waɪər,tæp] *s* salakuuntelu

2 wiretap *v* kuunnella salaa (puhelinta)

wiry [waɪəri] *adj* (metalli)lanka-, (vartalo) jäntevä, (tukka) tankea, karkea

wisdom [wızdəm] *s* **1** viisaus **2** viisas ajatus, viisaus

wisdom tooth *s* viisaudenhammas

wise [waɪz] *adj* viisas *to be/get wise to something* (sl) tajuta, päästä jyvälle/selville jostakin, saada tietää *to get wise* (sl) ottaa selvää jostakin; ruveta nenäkkääksi *to put/ get someone wise* (sl) kertoa jollekulle jotakin

1 wise-crack [ˈwaɪzˌkræk] *s* (ark) huuli, letkautus, herja, vitsi

2 wise-crack *v* (ark) heittää huuli/herja, letkauttaa, vitsailla

wise guy [ˈwaɪzˌgaɪ] *s* (ark) **1** viisastelija **2** mafioso

wise up *v* (sl) tajuta, päästä jyvälle jostakin, selittää jollekulle jotakin

1 wish [wɪʃ] *s* toivomus, toive, halu *she got her wish* hänen toiveensa toteutui

2 wish *v* **1** toivoa, haluta **2** toivottaa *we wish you well* toivomme/toivotamme sinulle kaikkea hyvää

wishbone [ˈwɪʃˌbəʊn] *s* (linnun) hankaluu

wishful thinking *s* toiveajattelu

wish list *s* toivomuslista

wish-wash [ˈwɪʃˌwɒʃ] *s* **1** (juoma) litku **2** höhlynpöly

wishy-washy [ˈwɪʃiˌwɒʃi] *adj* **1** vetinen **2** empivä, epäröivä, jahkaileva

wisp [wɪsp] *s* **1** tukko, kouraus **2** tupru **3** sorja/hento/heiveröinen ihminen **4** vivahde, häivähdys

wispy *adj* heiveröinen, hento, sorja, ohut, heikko

wit [wɪt] *s* **1** (myös mon) järki, äly, hokso, nokkeluus *to be at your wit's end* olla ymmällään *to keep your wits about one* pysyä valppaana/teravänä *to live by your wits* pitää puolensa, olla nokkela **2** vitsikkyys, huumorintaju, hauskuus **3** teräväpäinen ihminen

witch [wɪtʃ] *s* noita

witchcraft [ˈwɪtʃˌkrɑːft] *s* noituus

witch doctor *s* poppamies

witchery [ˈwɪtʃəri] *s* **1** noituus **2** lumous

witch hunt *s* noitavaino (myös kuv)

witch-hunt *v* vainota (esim noitana)

witching *adj* lumoava, kiehtova

with [wɪð] *prep* **1** kanssa, luona, mukana *she wants to go with you* hän haluaa tulla kanssasi/lähteä mukaasi *I'm staying with the Hendersons* olen kylässä Hendersoneilla *hamburger with fries* hampurilainen ja ranskalaiset **2** ominaisuudesta: *a car with two doors* kaksiovinen auto **3** välineestä: *he wrote it with a pencil* hän kirjoitti sen lyijykynällä **4** suhteesta: *she's good with computers* hän hallitsee tietokoneet hyvin **5** tavasta: *handle with care* käsiteltävä varoen **6** vertailusta: *to compare A with B* verrata A:ta B:hen **7** syystä: *to die with fever* kuolla kuumeeseen **8** puolella: *he voted with me* hän äänesti samoin kuin minä

withdraw [wɪðˈdrɔː] *v* withdrew, withdrawn **1** vetää, vetäistä, perääntyä, poistua **2** nostaa (rahaa) tililtä **3** perua (puheensa), perääntyä (sopimuksesta) **4** vieroittaa (huumeesta), lakata käyttämästä (huumetta)

withdrawal [wɪðˈdrɔːəl] *s* **1** peräätyminen, luopuminen **2** vieroitus

withdrawn *v* ks withdraw *adj* sulkeutunut, syrjään vetäytynyt, eristäytynyt

wither [wɪðər] *v* **1** kuihduttaa, kuihtua **2** (kuv) musertaa, nujertaa

withers [wɪðərz] *s* (mon) (eläimen) säkä

withhold [ˌwɪðˈhəʊld] *v* withheld, withheld; pidättää (esim palkasta veroa), pidättäytyä, ei suostua antamaan, salata *you're withholding evidence* sinä salaat todisteaineistoa

within [wɪðˈɪn] *adv* sisällä, sisälle *from within* sisältä *prep* sisällä, -ssä/-ssä, päässä, (ajastamyös) kuluessa *within the boundaries of the park* puiston rajojen sisällä/sisäpuolella *within three hours* kolmen tunnin sisällä, kolmessa tunnissa *the car came to within two feet of the edge of the cliff* auto pysähtyi puolen metrin päähän jyrkänteen reunasta

with it *to be with it* (sl) olla ajan tasalla/hermolla, seurata muotia

without [wɪðˈaʊt] *adv* ulkona, ulos, ulkopuolella, ulkopuolelle *prep* **1** ilman *a man without a home* koditon mies *without* *doubt* epäilemättä **2** ulkopuolella *within and without the building* rakennuksen sisä- ja ulkopuolella

with reason *fr* hyvällä syyllä, hyvästä syystä, aiheellisesti

with reference to *fr* jotakin koskien

with regard to *fr* jotakuta/jotakin koskien

with respect to *fr* jotakin koskien *she had nothing to say with respect to her illness* hänellä ei ollut sairaudestaan mitään kerrottavaa

withstand [wɪθˈstænd] *v* withstood, withstood; kestää, pitää puolensa jotakuta/jotakin vastaan

withstood [wɪθˈstʊd] ks withstand

with that *with that she left* sen sanottuaan hän lähti

1 witness [wɪtnəs] *s* **1** todistaja (oikeudessa, asiakirjan), silminnäkijä **2** todistus *to bear witness to* todistaa/kertoa jostakin, osoittaa jotakin **3** *Jehovah's Witness* Jehovan todistaja

2 witness *v* **1** nähdä, olla näkemässä, kokea **2** ajatella *witness the fact that...* (ajatelkaamme) esimerkiksi (sitä että...) **3** todistaa (oikeudessa, oikeaksi), olla läsnä todistajana **4** osoittaa, kertoa, todistaa *as witnessed by rising inflation* kuten kiihtyvä inflaatio osoittaa

witness stand *s* todistajanaitio

witticism [wɪtəsɪzəm] *s* sukkeluus, sutkaus, vitsi, pila

wittily *adv* nokkelasti, terävästi; hauskasti, vitsikkäästi

witty [wɪti] *adj* nokkela, terävä; hauska, vitsikäs

wizard [wɪzəd] *s* **1** noita **2** taikuri **3** (kuv) nero

wizardry [wɪzədrɪ] *s* noituus, taikuus, taikatemput (myös kuv) *modern electronic wizardry* nykyelektroniikan ihmeet

wizened [wɪzənd] *adj* kuihtunut, kutistunut

1 wobble [wɒbəl] *s* heilunta, tutina, vapina

2 wobble *v* heilua, tutista, vapista

wobbly *adj* epävakaa, hutera

woe [wəʊ] *s* suru, murhe

woebegone [wəʊbɪgɒn] *adj* surullinen, murheen murtama

woeful [wəʊfəl] *adj* **1** surullinen, murheellinen, surumielinen **2** surkea, kehno

woefully *adv* **1** surullisesti, murheellisesti **2** surkeasti, kehnosti *your paper is woefully inadequate* aineesi on täysin riittämätön, aineesi ei alkuunkaan täytä vaatimuksia

wok [wɒk] *s* wokkipannu, vokkipannu

woke [wəʊk] ks wake

woken [wəʊkən] ks wake

wok set *s* wokkiastiasto, vokkiastiasto

wolf [wʊlf] *s* (mon wolves) susi *to cry wolf* antaa väärä hälytys *he's just trying to keep the wolf from the door* hän yrittää vain ansaita jotakin hengenpitimiksi, hän ei halua joutua puille paljaille

wolf down *v* ahmia, ahnehtia, pistää kiireesti poskeensa

wolverine [wɒlvəriːn] *s* ahma

woman [wʊmən] *s* (mon women [wɪmən]) nainen *to be your own woman* olla itsenäinen (nainen)

womanhood [wʊmənhʊd] *s* **1** naisena oleminen **2** (kaikki) naiset

womanish [wʊmənɪʃ] *adj* **1** naisellinen **2** naismainen

womanizer [wʊmənaɪzə] *s* naistenmies, naistenmetsästäjä

womankind [wʊmənkaɪnd] *s* naiset

womanlike [wʊmənlaɪk] *adj* naisellinen

womanly *adj* naisellinen

womb [wuːm] *s* kohtu

wombat [wɒmbæt] *s* vompatti

won [wʌn] ks win

1 wonder [wʌndə] *s* **1** ihme *small wonder he did not make it* ei ihme ettei hän ehtinyt (ajoissa) *the new medicine is working wonders* uusi lääke saa ihmeitä aikaan **2** ihmetys, hämmästys

2 wonder *v* ihmetellä, hämmästellä, miettiä *I wonder if she likes me* mahtaakohan hän pitää minusta?, pitäisköhän hän minusta?

wonderful *adj* ihmeellinen, ihana, ihastuttava

wonderfully *adv* ihmeellisesti, ihmeellisen, ihanasti, ihanan, ihastuttavasti, ihastuttavan

won't [wəʊnt] *will not*

wont [want] *s* tapa, tottumus *adj: to be wont to do something* olla tapana tehdä jotakin

woo [wu] *v* kosia (myös kuv), kosiskella (myös kuv)

wood [wud] *s* **1** puu; puutavara; polttopuut *to knock on wood* koputtaa puuta **2** (mon) metsä *we're finally out of the woods* olemme viimein selvillä vesillä/kuivilla **3** (golfissa) puumaila **4** (sl) erektio

woodcarving ['wud,karviŋ] *s* puunleikkaus

woodchopper ['wud,tʃapər] *s* puunhakkaaja

woodcraft ['wud,kræft] *s* **1** eränkäyntitaito **2** metsänhoito **3** puunleikkaus

woodcut ['wud,kʌt] *s* puupiirros

woodcutter *s* **1** puunhakkaaja **2** puunpiirtäjä, puupiirtäjä

wooded [wudəd] *adj* metsäinen, puuta kasvava

wooden [wudən] *adj* **1** puinen **2** kankea, kömpelö **3** tylsä, kuiva

wood engraving *s* **1** puunpiirräntä **2** puupiirros

woodhouse ['wud,haus] *s* puuvarasto; halkovaja

woodland ['wud,lənd] *s* metsä

woodlouse *s* (mon woodlice) (äyriäinen) siira

wood mouse *s* (mon wood mice) metsähiiri, pikkumetsähiiri

woodpecker ['wud,pekər] *s* tikka

wood pigeon *s* sepelkyyhky

woodshed ['wud,ʃed] *s* halkovaja

woodsman [wudzmən] *s* (mon woodsmen) metsäläinen

woodwind ['wud,wind] *s* (soitin) puupuhallin

woodwork ['wud,wərk] *to come out of the woodwork* (ark) ilmestyä tyhjästä, tulla esiin/näkyviin

woody [wudi] *s* (sl) farmariauto jossa on puu(jäljitelmä)kyljet *adj* **1** metsäinen **2** puinen

wool [wəl] *s* villa *she's a dyed-in-the-wool Democrat* hän on pesunkestävä demokraatti, hän on demokraatti henkeen ja vereen *all wool and a yard wide* aito, oikea, tosi, rehti *they tried to pull the wool over his eyes* he yrittivät hämätä/pettää häntä

woolen [wələn] *adj* villainen, villa-

wooly *adj* **1** villainen, villa- **2** epäselvä, hämärä

1 word [wərd] *s* **1** sana *to weigh your words* punnita sanojaan *you took the words out of my mouth* veit sanat suustani *in a/one word* sanalla/suoraan sanoen *in other words* toisin sanoen *he told me to resign, though not in so many words* hän käski minun erota joskaan hän ei ilmaissut sitä noin suorasti *Frances is a woman of few words* Frances on harvasanainen, Frances ei ole puhelias *Alice is a woman of many words* Alice on puhelias *Kevin put in a word for me with the manager* Kevin kehui minua johtajalle *at a word* heti, viipymättä, välittömästi *I have no words for how sorry I am* sanat eivät riitä kuvaamaan miten pahoillani olen, olen vilpittömästi pahoillani, pyydän kovasti anteeksi **2** lupaus, sana(t) *she gave me her word* hän lupasi *he ate his words* hän söi sanansa *I keep my word* minä pidän sanani/lupaukseni *she's a woman of her word* häneen voi luottaa, hänen sanansa pitää *Carolyn is as good as her word* Carolyniin voi luottaa, Carolynin sana pitää **3** *can I have a word with you?* voinko puhua kanssasi hetken?, minulla olisi sinulle asiaa **4** tieto, uutinen *to receive word of* saada tieto, kuulla jostakin **5** (mon) (laulun) sanat

2 word *v* pukea sanoiksi, ilmaista, muotoilla (kieliasu)

word for word *adv* **1** sanasta sanaan, kirjaimellisesti **2** sana sanalta/kerrallaan

word-for-word *adj* sananmukainen, kirjaimellinen

wordily *adv* monisanaisesti, liikasanaisesti

wordiness *s* monisanaisuus, liikasanaisuus

wording *s* sanamuoto

wordless *adj* sanaton, hiljainen, äänetön

wordlessly *adv* sanattomasti, hiljaa, äänettömästi, ääneti

word order *s* sanajärjestys

wordplay ['wərd,plei] *s* **1** sukkeluus, sanoilla miekkailu **2** sanaleikki

word processing ['wərd,prasesiŋ] *s* tekstinkäsittely

wordsmith ['wɔrd,smɪʃ] s sanaseppä, sana-
seppo

wordy adj monisanainen, liikasanainen

wore [wɔr] ks wear

1 work [wɜrk] 1 työ, tehtävä, työpaikka to
be at work olla työpaikalla/työssä; olla toi-
minnassa to be out of work olla työtön to
make short work of tehdä nopeasti, hu-
taista; pistää äkkiä poskeensa; ei pitkää
jostakusta/jostakin **2** teos the complete
works of William Shakespeare William
Shakespearen kootut teokset **3** (mon) teh-
das to be in the works olla tekeillä/valmis-
teilla **4** (mon) koneisto to gum up the
works (sl) sotkea/tehdä tyhjäksi suunni-
telma, pilata asia **5** (mon) kaikki, koko
homma I'll have a double cheeseburger
with the works otan tuplajuustohampuri-
laisen kaikilla lisukkeilla to shoot the
works (sl) panna kaikki rahansa mene-
mään

2 work v **1** työskennellä, tehdä työtä, käydä
työssä **2** toimia **3** käyttää (konetta), pitää
(maatilaa, kaivosta) **4** toimia (työssään)
tietyllä alueella she's working the suburbs
hän toimii esikaupunkialueilla **5** saada ai-
kaan to work loose irrottaa/irrota

workable ['wɜrkəbəl] adj mahdollinen, käyt-
tökelpoinen

workaday ['wɜrkə,deɪ] adj **1** työpäivä-, arki-
nen, arkipäivä-, arki- **2** arkinen, tavallinen

workaholic [,wɜrkə'hælɪk] s työnarkomaani

workday ['wɜrk,deɪ] s työpäivä

worked-up adj kiihtynyt, tohkeissaan

worker s työntekijä; työläinen

workhorse ['wɜrk,hɔrs] s **1** työhevonen
2 (kuv) työjuhta

working s **1** työnteko, työ **2** työstäminen, kä-
sittely **3** toiminta; ajatuksenjuoksu adj
1 työssä käyvä, työtä tekevä **2** riittävä,
kohtalainen he has a working knowledge
of computers hänellä on perustiedot tieto-
koneista

working class s työväenluokka

working-class [,wɜrkɪŋ'klæs] adj työväenluo-
kan

workingman ['wɜrkɪŋ,mæn] s (mon working-
men) työläinen, työmies

working order s toimintakunto

workingwoman ['wɜrkɪŋ,wʊmən] s (mon
workingwomen) työläinen, työläisnainen

work into v lisätä jotakin johonkin, sekoittaa,
ahtaa, työntää, sovittaa (väliin, kiireiseen
aikatauluun)

workload ['wɜrk,loʊd] s työmäärä I have a
heavy workload this week minulla on tällä
viikolla kiireitä/paljon tekemistä

workman ['wɜrkmən] s (won workmen) työ-
mies, työntekijä

workmanship ['wɜrkmən,ʃɪp] s **1** työ **2** työn
laatu

work of art s (mon works of art) taideteos

work off v purkaa (tarmosa), kuluttaa (kalo-
rit), maksaa (velka ahertamalla)

work on v **1** suostutella, taivutella jotakuta
2 we're working on it asia on vireillä/te-
keillä/työn alla

work order s työmääräys

workout ['wɜrk,aʊt] s **1** (urheilu)harjoitukset;
harjoite **2** kuntoilu

work out v **1** onnistua, käydä hyvin päin
2 ratkaista, saada aikaan **3** kuntoilla, liik-
kua, voimistella **4** maksaa (velka työllään)
5 laskea (summa)

work out to v (summasta) tehdä yhteensä

work over v **1** lukea/käydä/kahlata läpi
2 (ark) rökittää, höyhentää

workplace ['wɜrk,pleɪs] s (fyysinen) työ-
paikka

worksheet ['wɜrk,ʃit] s työluettelo, työlista

workshop ['wɜrk,ʃɑp] s paja, verstas

work station s työasema

work through v **1** lukea/käydä/kahlata läpi
2 tihkua, vuotaa (läpi) **3** (psykoterapiassa)
läpityöskennellä

work up v **1** lisätä, kasvattaa **2** laittaa, valmis-
taa **3** innostaa, kuohuttaa, hermostuttaa

work up to v nousta/edetä johonkin asemaan,
tulla joksikin

workweek ['wɜrk,wik] s työviikko

workwoman ['wɜrk,wʊmən] s (mon work-
women) (nais)työntekijä, (nais)työläinen

world ['wɜrld] s **1** maailma (myös kuv) the
world of science tieteen maailma to bring
into the world synnyttää; avustaa synny-
tyksessä to come into the world syntyä

never in the world ei ikinä/kuuna päivänä *where in the world is Tupelo?* missä ihmeessä/maailmankolkassa Tupelo on? *for all the world* tässmälleen, tismalleen *not for all the world* ei mistään hinnasta *she felt/was on top of the world* hän oli haltioissaan/hän menestyi loistavasti *Warren thinks the world of her* Warren ihailee häntä kovasti/pitää hänestä kovasti *the band set the world on fire* yhteyestä tuli erittäin/valtavan kuuluisa

world-class ['wɜːld‚klɑːs] *adj* 1 joka on kansainvälistä huippua, huipputason 2 (ark) varsinainen, todellinen

world-famous [‚wɜːld'feɪməs] *adj* maailmankuulu

worldliness *s* 1 maallisuus 2 elämänkokemus

worldly ['wɜːldli] *adj* 1 maallinen 2 kokenut, maailmaa nähnyt

worldly-minded [‚wɜːldli'maɪndəd] *adj* maallinen

world power *s* maailmanvalta

world premiere *s* (maailman)ensi-ilta

world's fair [‚wɜːldz'feəʳ] *s* maailmannäyttely

worldview [‚wɜːld'vjuː] *s* maailmankuva

world-weary ['wɜːld‚wɪri] *adj* elämään väsynyt

worldwide [‚wɜːld'waɪd] *adj* maailmanlaajuinen

1 worm [wɜːm] *s* 1 mato 2 toukka

2 worm *v* 1 ryömiä, madella 2 sujauttaa, työntää vaivihkaa

worm into *v* juonitella/keplotella itsensä johonkin asemaan

worn [wɔːn] *v* ks wear *adj* kulunut

worn-out [‚wɔːn'aʊt] *adj* 1 loppuunkulunut 2 loppuunväsynyt

1 worry [‚wɜːri] *s* huoli, murhe, piina

2 worry *v* 1 murehtia, olla huolissaan, vaivata, kiusata, piinata 2 laahustaa, kulkea vaivalloisesti 3 raadella, pureskella, jäytää, nakertaa

worse [wɜːs] *adj* ks bad, ill *it's none the worse for wear* se ei ole käytöstä kulunut

worsen [wɜːsən] *v* huonontua, huonontaa, pahentua, pahentaa *the patient's condition has worsened* potilaan tila on huonontunut

1 worship [wɜːʃəp] *s* 1 palvonta *the worship of money* rahan palvonta 2 jumalanpalvelus 3 palvontamenot

2 worship *v* palvoa *to worship God* palvoa Jumalaa

worshipper *s* 1 kirkossakävijä 2 palvoja

worst [wɜːst] *v* piestä, hakata, antaa selkään *adj* ks myös bad, ill *at (the) worst* pahimmassa tapauksessa *Pauline got the worst of his anger* Pauline sai kärsiä eniten hänen kiukustaan *he got the worst of it* hän veti lyhyemmän korren *if worst comes to worst* jos oikein huonosti käy, pahimmassa tapauksessa

worst-case scenario [‚wɜːst'kɛɪsəʊ‚neriəʊ] *s* (oletettu) pahin mahdollinen lopputulos/seuraus

worth [wɜːθ] *s* arvo *to get your money's worth* saada rahalleen vastinetta, saada koko rahan edestä *adj* arvoinen, kannattava *the painting is worth five million* maalaus on viiden miljoonan dollarin arvoinen *the book is worth reading* kirja kannattaa lukea, kirja on lukemisen arvoinen *what's it worth to you to help us out?* millä rahalla/ilveellä sinä suostut auttamaan meitä? *for what it's worth, I don't believe her* jos minulta kysyt(te) niin en usko häntä *she tried for all she was worth* (ark) hän yritti parhaansa, hän teki kaikkensa

worthless *adj* arvoton, mitätön, turha

worthlessness *s* arvottomuus, mitättömyys, turhuus

worthwhile [‚wɜːθ'waɪl] *adj* kannattava *it's a worthwhile exhibition* se on katsomisen arvoinen näyttely

worthy [wɜːði] *adj* kiitettävä, kunniakas, arvokas *my worthy opponent* arvoisa vastustajani *he's working for a worthy cause* hän ajaa arvokasta asiaa

worthy of *adj* jonkin arvoinen *your thesis is worthy of the highest praise* väitöskirjaasi on syytä ylistää

would [wʊd] ks will

wouldn't [wʊdənt] *would not*

1 wound [wuːnd] *s* haava (myös kuv:) isku, kolaus, loukkaus *to lick your wounds* nuolla haavojaan

wound

2 wound v **1** haavoittaa, haavoittua, tehdä/
saada haava **2** loukata, loukkaantua, satut-
taa, sattua, haavoittaa, haavoittua *her
snide remark wounded his pride* naisen il-
keä huomautus loukkasi hänen ylpeyttään

wounded [wundəd] s: *the wounded* haavoit-
tuneet *adj* **1** haavoittunut **2** (kuv) louk-
kaantunut, loukattu

wove [wouv] ks weave

woven [wouvən] ks weave

1 wrangle [ræŋgəl] s **1** riita, kina

2 wrangle v **1** riidellä, kinata **2** koota (karjaa)
3 hankkia, keplotella itselleen jotakin

wrangler s karjapaimen

1 wrap [ræp] s **1** kääre(paperi), päällys, suojus;
peitto, peite; hartiaviappa *to keep/put un-
der wraps* (ark) pitää salassa/salata

2 wrap v **1** kääriä, kääriytyä; peittää, verhota,
verhoutua

wraparound [ˈræpəˌraʊnd] *adj* **1** käärittävä,
(hame) kietaisu-, (tuulilasi) päistään taivu-
tettu, panoraama- **2** yleis-, kaikenkattava,
paketti

wrapped up in *to be wrapped up in* olla up-
poutunut johonkin

wrapper s kääre(paperi), päällys

wrappings s (mon) kääre(paperi), päällys

wrap up v **1** kääriä johonkin **2** tehdä val-
miiksi

wrath [ræθ] s viha, raivo, suuttumus

wrathful *adj* vihainen, raivostunut

wreak havoc with [ˌriːkˈhævək] *fr* tehdä suurta
tuhoa/hallaa jollekin

wreath [riːθ] s (mon wreaths) **1** seppele
2 (savun, pilven) kiehkura

wreathe [riːð] v **1** seppelöidä **2** punoa, sitoa
3 kiemuroida, kiemurrella

1 wreck [rek] s **1** (rakennuksen) rauniot, (lai-
van, lentokoneen) hylky, (auton) romu
2 haaksirikko **3** tuho, loppu, turmio **4** (ih-
mis)raunio *he's a nervous wreck* hän on
hermoraunio

2 wreck v **1** haaksirikkoutua, ajaa karille
2 kolaroida, ajaa kolari, romuttaa, (raken-
nus) purkaa **3** tuhota, koitua jonkun turmi-
oksi/tuhoksi, tehdä loppu jostakusta

wreckage [rekədʒ] s rauniot, (laivan, lento-
koneen) hylky

1 wrench [rent∫] s **1** vääntö, riuhtaisu, kis-
kaisu **2** nyrjähdys **3** ruuviavain

2 wrench v **1** vääntää, riuhtaista, kiskaista
2 nyrjäyttää **3** (kuv) vaivata, kiusata, pii-
nata

wrestle [resəl] v painia (myös kuv) *he is
wrestling with his conscience* hän painii
omantuntonsa kanssa

wrestler [reslər] s painija

wrestling s paini(urheilu)

wretch [ret∫] s **1** ihmisrukka, ihmisparka, ih-
misraukka **2** retku, rontti, retale

wretched [ret∫əd] *adj* onneton, surkea, kurja,
viheliäinen, inhottava, halpamainen

wretchedness s surkeus, kurjuus, viheliäi-
syys, inhottavuus

wriggle [rigəl] s **1** kiemurtelu, luikertelu

2 wriggle v kiemurrella, vääntelehtiä, luiker-
rella

wriggle out v kiemurrella/keplotella itsensä
vapaaksi jostakin

wring [rin] v wrung, wrung: **1** vääntää, vään-
nellä, väännyttä, kiertää, kiertyä

wringer s mankeli

wring out v **1** kiertää/puristaa kuivaksi
2 (kuv) puristaa esiin *I'll wring out the
truth from him* minä patistan hänet kerto-
maan totuuden

1 wrinkle [riŋkəl] s ryppy

2 wrinkle v ryppyä, rypistyä

wrinkly *adj* ryppyinen

wrist [rist] s ranne

wristband [ˈristˌbænd] s **1** (paidan) ranneke,
kalvosin **2** (kellon) ranneke

writ [rit] s virallinen määräys/kielto **2** kir-
joitus *Holy Writ* Raamattu

write [rait] v wrote, written **1** kirjoittaa
2 säveltää **3** (tal) asettaa *to write an option*
asettaa optio

write down v **1** kirjoittaa/panna muistiin
2 kirjoittaa yksinkertaistaen, kansantajuis-
taa

write in v **1** pyytää kirjeitse jotakin (for)
2 lisätä (kirjoittamalla)

write-off s **1** (ark) toivoton tapaus **2** (talou-
dellisesta tappiosta laskettava) verovähen-
nys

write off v **1** kirjata menetetyksi, päättää unohtaa, jättää mielestään, sivuuttaa olankohautuksella **2** (tal) kuolettaa, poistaa

write out v **1** panna paperille, kirjoittaa **2** kirjoittaa (luku) kirjaimin, kirjoittaa (lyhennys) kokonaan **3** kirjoittaa itsensä uuvuksiin, (kirjailijasta) väsyä, loppua mehut

writer [raɪtər] s kirjailija; journalisti, toimittaja; kirjoittaja

write-up s lehtikirjoitus; arvostelu

write up v **1** panna paperille, kirjoittaa **2** kirjoittaa (lehdessä) jostakusta/jostakin

writhe [raɪð] v **1** vääntelehtiä, kiemurrella, rimpuilla *the patient writhed in pain* potilas vääntelehti tuskissaan **2** (kuv) jotakuta nolottaa, olla kiusaantunut

writing s **1** kirjoitus, kirjoittaminen *to commit to writing* pistää paperille, kirjoittaa muistiin **2** käsiala

written ks write

1 wrong s **1** vääryys **2** *to be in the wrong* olla väärässä

2 wrong v tehdä vääryyttä, loukata

3 wrong adj **1** väärä *the answer is wrong* vastaus on väärä *you have the wrong number* soititte väärään numeroon **2** *there is something wrong with her* hänessä on jotakin vikaa/outoa, häntä vaivaa jokin

4 wrong adv väärin *to go wrong* mennä vikaan; turmeltua, joutua huonoille teille

wrongdoer [ˈrɑŋˌdʊər] s väärintekijä, rikollinen, syntinen

wrongdoing s vääryys, rikos, paha teko

wrongful adj **1** epäoikeudenmukainen **2** laiton

wrongfully adv **1** perusteettomasti, syyttä **2** laittomasti

wrule [rɔʊt] ks write

wrought iron s takorauta

wrought-iron adj takorautainen, takorautaa

wry [raɪ] adj (ilme) hapan, (suu) vääristynyt, (huomautus) ivallinen, piikikäs, kärkevä

wryly adv happamesti, piikikkäästi, purevasti

WYSIWYG [ˈwɪzɪˌwɪg] s (tietok) näytön ja tulosteen samuus, näköisnäyttö (lyhennys sanoista *what you see is what you get*)

X, x

X, x [eks] X, x

xenophobe [ˈzɪnəˌfoʊb] s vieraita pelkäävä ihminen, muukalaisvihaaja

xenophobia [ˌzɪnəˈfoʊbɪə] s vieraiden pelko, muukalaisviha

xenophobic [ˌzɪnəˈfoʊbɪk] adj vieraita pelkäävä, muukalaisia vihaava

xerography [zɪˈrɑgrəfɪ] s kserografia

1 xerox [ˈzɪrɑks] s **1** valokopio **2** *Xerox®* (eräs) valokopiokone

2 xerox v (valo)kopioida, jäljentää, monistaa

Xmas [ˈeksməs ˈkrɪsməs] s joulu

X-rated [ˈeksˌreɪtəd] adj (elokuva) kielletty alle 17-vuotiailta

1 x-ray [ˈeksreɪ] s (myös X-ray) **1** (us mon) röntgensäteet **2** röntgenkuva

2 x-ray v röntgenkuvata, ottaa röntgenkuva/kuvia jostakusta

xylophone [ˈzaɪləˌfoʊn] s ksylofoni

Y, y

Y, y [waɪ] Y, y
yacht [jat] s huvialus
yachting s purjehdus
yachtsman s (mon yachtsmen) purjehtija
yachtswoman s (mon yachtswomen) (nais)purjehtija
yak [jæk] s jakki
y'all [jaɔl] *you all* (mon) te
1 yank [jæŋk] s 1 kiskaisu, vetäisy 2 *Yank* jenkki, amerikkalainen; Uuden-Englannin asukas; pohjoisvaltiolainen
2 yank v kiskaista, vetäistä
Yankee [jæŋki] s 1 jenkki, amerikkalainen 2 Uuden-Englannin asukas 3 (Yhdysvaltain sisällissodassa) pohjoisvaltiolainen *adj* jenkki-, amerikkalainen (ks substantiivia)
1 yap [jæp] s haukahdus
2 yap v (koira) haukahtaa
yard [jaːrd] s 1 piha 2 jaardi (0,91 m) *the whole nine yards* (ark) kaikki; kokonaan, täysin *all wool and a yard wide* aito, vilpitön
yardbird ['jaːrd,bəːrd] s (sl) 1 vanki 2 (sot) alokas
yardstick ['jaːrd,stɪk] s (kuv) mittapuu
yarmulke [jarmələkə] s (juutalaismiesten) kalotti, patalakki
yarn [jaːrn] s 1 lanka 2 tarina *to spin a yarn* sepittää/kertoa tarina
yarrow [jerou] s siankärsämö
1 yaw [jaː] s (lentokoneen) kääntö
2 yaw v (lentokonetta) kääntää (vasempaan tai oikeaan)
1 yawn [jan] s 1 haukotus 2 aukko, kita (kuv) 3 (ark) pitkäveteinen asia
2 yawn v haukotella
yawner s 1 haukottelija 2 (ark) pitkäveteinen asia
year [jɪər] s vuosi *he's a man of years* hänellä on jo ikää *from the year one* alusta alkaen/pitäen, (jo) vaikka kuinka kauan

yearbook ['jɪər,buk] s 1 vuosikirja 2 (lukiossa, collegessa) luokkakirja
year-end [,jɪr'end] *adj* loppuvuoden, vuoden lopun
yearlong [,jɪr'laŋ] *adj* vuoden mittainen, vuoden ajan jatkunut
yearly s vuosikirja, vuosijulkaisu *adj* vuosittainen *adv* vuosittain
yearn [jəːrn] v kaivata
yearning s kaipuu, kaipaus *a yearning for cigarettes* tupakanhimo
year-round *adj* ympärivuotinen
1 yeast [jiːst] s hiiva
2 yeast v käydä
1 yell [jel] s huuto
2 yell v huutaa
yellow [jelou] s 1 keltainen 2 (munan) keltuainen *adj* keltainen
yellowish *adj* kellertävä
yellow journalism s sensaatiojournalismi
yellow pages s (mon) (puhelinluettelon) keltaiset sivut
1 yelp [jelp] s 1 haukahdus 2 parahdus, älähdys
2 yelp v 1 haukahtaa 2 parahtaa, älähtää
1 yen [jen] s 1 (Japanin raha) jen 2 (ark) halu, into *to have a yen for* tehdä mieli
2 yen v haluta, tehdä mieli
1 yes [jes] s myönteinen vastaus
2 yes v hyväksyä, suostua, myöntää
3 yes *adv* 1 kyllä 2 kylläpäs 3 niinkö?
yesterday ['jestər,deɪ] s eilispäivä, eilinen *adv* 1 eilen 2 ennen
yet [jet] *adv* 1 vielä *I haven't yet made up my mind* en ole vielä päättänyt *has she called yet?* onko hän jo soittanut? *I have yet to meet my equal* en ole vielä tavannut vertaistani *yet another optimist* taas yksi optimisti (lisää) *as yet, nothing has been decided* on mitään ei vielä ole lyöty lukkoon *konj* kuitenkin, silti *he'd like to ask her out, yet he does not have the courage* hänen

tekisi mieli pyytää tyttöä ulos mutta hän ei tohdi

1 yield [jiəld] *s* **1** tuotto, tuotanto **2** (liikenne-merkki) etuajo-oikeutettu tie

2 yield *v* **1** tuottaa *to yield interest* kasvaa korkoa **2** luopua, luovuttaa, antautua, antaa periksi jollekin; väistää, väistyä

yoga [jougə] *s* jooga

yogi [jougi] *s* joogi, joogan harjoittaja

yogurt [jougərt] *s* jogurtti

1 yoke [jouk] *s* ies (myös kuv) sorto, orjuus, pakko, taakka, kuorma

2 yoke *v* iestää, valjastaa ikeeseen

yolk [jouk] *s* (munan) keltuainen

yonder [jandər] *adj, adv* tuolla, tuonne

you [ju] *pron* (omistusmuodot *your*, ilman pääsanaa *yours*) **1** sinä, sinut, sinua, te, teitä, teidät, (mon) te, teitä, teidät *you can go, Peter* sinä voit lähteä, Peter *you can go, boys* te pojat voitte lähteä *I am talking to you, sir!* sinä puhun teille! *you guys* (miehistä ja naisista) te **2** passiivin vastineena: *you never can tell* ei sitä koskaan tiedä

you'd [joud] *lyh you would*

you'll [jouəl] *lyh you will*

young [jʌŋ] *s* **1** *the young* nuoret **2** poikanen, pentu *adj* **1** nuori **2** nuorekas

youngish *adj* nuorehko

youngster [jʌŋstər] *s* **1** lapsi **2** nuorukainen **3** nuori eläin

your [jɔr jər] *pron* (omistusmuoto sanasta *you*) **1** sinun, teidän, (mon) teidän *what is your name?* mikä sinun nimesi on? *what is your name, sir?* mikä teidän nimenne on? *what are your names?* mitkä teidän nimenne ovat? *your place or mine?* mennäänkö teille vai meille? **2** passiivin vastineena: *I think bonds are your best bet* minusta obligaatiot ovat sijoituksista paras **3** (ark, ei aina suomenneta) yleinen, tavallinen *your average American does not*

know where Finland is keskivertoamerikkalainen ei tiedä missä Suomi on

yours [jɔrz jərz] *pron* (omistusmuoto sanasta *you*) sinun, teidän, (mon) teidän *is this pen yours?* onko tämä kynä sinun? *yours is a wonderful home* teidän kotinne on ihastuttava

yourself [jərself] *pron* (mon *yourselves*) **1** (refleksiivimuoto sanasta *you*) *you did yourself a disservice* teit itsellesi karhunpalveluksen **2** (painokas muoto sanasta *you*) sinä/te itse *you said it yourself!* itsehän sinä niin sanoit! **3** sinä, te *a fine lady such as yourself* teidän kaltaisenne hieno nainen *yourself being such a learned man* te kun olette oppinut mies **4** oma itsesi *you'll be yourself again soon as you get some rest* sinä olet taas oma itsesi kunhan saat ensin levätä

yours truly *s* (ark) minä, allekirjoittanut *fr* (kirjeen lopussa) ystävällisin terveisin

youth [ju:θ] *s* **1** nuoruus **2** nuoret **3** nuorukainen

youthful *adj* nuorekas, nuori

youthfulness *s* nuorekkuus

youth hostel [ju:θ,hastəl] *s* retkeilymaja

you've [ju:v] *lyh you have*

1 yo-yo [joujou] *s* jojo

2 yo-yo *v* (ark) liikkua ylös alas, nousta ja laskea, vaihdella jatkuvasti

3 yo-yo *adj* ylös alas liikkuva, jatkuvasti vaihteleva, epävakaa

yucca [jʌkə] *s* (kasvi) jukka

yucky *adj* (sl) kuvottava, ällöttävä

yule [ju:əl] *s* joulu

yuletide [ju:əl,taid] *s* joulunaika *adj* joulunajan

yummy [jʌmi] *s* (ark) herkku, herkkupala (myös kuv), nami *adj* (ark) **1** herkullinen, herkku-, nami- **2** (kuv) herkullinen, houkutteleva

yup [jʌp] *adv* (ark) joo, jep, kyllä

yuppie [jʌpi] *s* juppi

Z,z

Z, z [zi] Z, z

zany [ˈzeɪnɪ] s (hist) narri; (nyk) pelle *adj* hullu(nhauska), naurettava, irvokas

zeal [ziəl] s kiihko, into

zealot [ˈzelət] s kiihkoilija, kiivailija, intoilija

zealous [ˈzeləs] *adj* kiihkoisa, innokas, kiihkoileva

zebra [ˈzibrə] s (mon zebras, zebra) seepra

zebra crossing s (UK) suojatie

zeitgeist [ˈzaɪtˌgaɪst] s ajan henki

zenith [ˈzenɪθ] s **1** (taivaan lakipiste) zeniitti **2** (kuv) huippu, lakipiste

zephyr [ˈsefər] s **1** tuulenhenkäys, leuto tuuli **2** (ylät) länsituuli

zeppelin [ˈzepəlɪn] s zeppeliini, ilmalaiva

1 zero [ˈzɪrəʊ] s **1** nolla **2** nollapiste **3** ei mikään/mitään

2 zero v nollata

3 zero *adj* nolla-, olematon

zero hour s (sotilaallisen hyökkäyksen ym) aloitushetki

zero in v tähdätä (aseella)

zero in on v **1** tähdätä (aseella) **2** keskittyä johonkin, paneutua johonkin **3** lähestyä, saavuttaa jotakuta/jotakin

zest [zest] s **1** into, innostus **2** mauste (myös kuv); piristys

1 zigzag [ˈzɪgˌzæg] s **1** polveilu, mutkittelu, kiemurtelu

2 zigzag v polveilla, mutkitella, kiemurrella

3 zigzag *adj* polveileva, (pisto) polveke-, mutkitteleva, kiemurteleva

zillion [ˈzɪljən] s (ark) ääretön määrä *adj* äärettömän monta

zinc [zɪŋk] s sinkki

1 zing [zɪŋ] s **1** into, tarmo, ponnekkuus, syke (ark) **2** (ääni) suhahdus

2 zing v (liikkeestä) suhahtaa, suhauttaa, sujahtaa

1 zip [zɪp] s **1** vetoketju **2** suhahdus **3** (ark) into, tarmo **4** (sl) nolla; ei mitään **5** (ark) postinumero

2 zip v **1** sulkea vetoketju/vetoketjulla **2** suhahtaa, sujahtaa

zipcode [ˈzɪpˌkəʊd] s postinumero

zip-code v merkitä postinumero johonkin

zipper [ˈzɪpər] s vetoketju

zither [ˈzɪθər] s (soitin) sitra

zodiac [ˈzəʊdɪˌæk] s eläinrata *signs of the zodiac* eläinradan merkit

zombie [ˈzambɪ] s **1** (vainajan liikkuva ruumis) zombie **2** (ark) unissakävelijä (kuv); idiootti

zone [zəʊn] s vyöhyke

2 zone v jakaa vyöhykkeisiin/alueisiin; (asema)kaavoittaa (kaupunki)

zonk out [zaŋk] v (sl) **1** sammua **2** ruveta nukkumaan

zoo [zu] s (mon zoos) **1** eläintarha **2** (ark) hullunmylly *this place is a zoo* tämä on ihan hullu paikka

zookeeper [ˈzuˌkipər] s (eläintarhan) eläintenhoitaja

zoological [ˌzəʊˈlɒdʒɪkəl] *adj* eläintieteellinen

zoologist [zəˈɒlədʒɪst] s eläintieteilijä

zoology [zəˈɒlədʒɪ] s eläintiede

1 zoom [zum] s **1** suhahdus, vilahdus **2** zoomaus **3** liukuobjektiivi, zoomobjektiivi

2 zoom v **1** suhahtaa, sujahtaa, vilahtaa **2** zoomata **3** (ark) nousta pilviin

zoom in v **1** zoomata **2** tutkia tarkemmin/lähemmin

zoom lens s liukuobjektiivi, zoomobjektiivi

zucchini [zʊˈkinɪ] s courgette-kurpitsa

zygote [ˈzaɪˌgəʊt] s (hedelmöittynyt munasolu) tsygootti

ENG

Pikaopas
matkailijalle

A Practical guide
for Travellers

Sisällysluettelo Table of Contents

Tärkeitä sanoja Important words

Perusluvut
Cardinal numbers

0 zero, (vanh) nought, (numerosarjoissa) O/oh
1 one
2 two
3 three
4 four
5 five
6 six
7 seven
8 eight
9 nine
10 ten
11 eleven
12 twelve
13 thirteen
14 fourteen
15 fifteen
16 sixteen
17 seventeen
18 eighteen
19 nineteen
20 twenty
21 twenty-one
30 thirty
40 forty
50 fifty
60 sixty
70 seventy
80 eighty
90 ninety
100 a/one hundred
150 a/one hundred and fifty
200 two hundred
1 000 a/one thousand
1 274 a/one thousand two hundred and seventy-four
10 000 ten thousand
100 000 a/one hundred thousand
1 000 000 a/one million
1 000 000 000 (miljardi) a/one billion (US), a/one milliard (UK)
1 000 000 000 000 (biljoona) a/one trillion

Järjestysluvut
Ordinal numbers

1. first (1st)
2. second (2nd)
3. third (3rd)
4. fourth (4th)
5. fifth (5th)
6. sixth (6th)
7. seventh (7th)
8. eight (8th)
9. ninth (9th)
10. tenth (10th)
11. eleventh (11th)
12. twelfth (12th)
13. thirteenth (13th)
14. fourteenth (14th)
15. fifteenth (15th)
16. sixteenth (16th)
17. seventeenth (17th)
18. eighteenth (18th)
19. nineteenth (19th)
20. twentieth (20th)
21. twenty first (21st)
30. thirtieth (30th)
40. fortieth (40th)
50. fiftieth (50th)
60. sixtieth (60th)
70. seventieth (70th)
80. eightieth (80th)
90. ninetieth (90th)
100. hundredth (100th)
101. hundred and first (101st)
1 000. thousandth (1000th)
10 000. ten thousandth (10000th)
100 000. hundred thousandth (100000th)
1 000 000. millionth ($1 000 000^{th}$)
1 000 000 000. billionth ($1 000 000 000^{th}$)

Muita lukusanoja Other numerals

neljäsosa a/one fourth, a/one quarter
kolme neljäsosaa three quarters
puoli a/one half *kolme ja puoli kertaa* three
and a half times, *puoli tuntia* half an hour
puolitoista one and a half
pari a couple *pari tuntia* a couple of hours
muutama a few *muutaman kerran* a few
times
tusina a/one dozen *puoli tusinaa* half a
dozen *pari tusinaa* a couple dozen
kerran once *kerran viikossa* once a week
kaksi kertaa twice *kaksi kertaa päivässä*
twice a day
kolme kertaa three times *kolme kertaa
vuodessa* three times a year

Laskutoimituksia
Mathematical operations

2 + 2 = 4 two plus two is four
4 − 2 = 2 four minus two is two
2 x 2 = 4 two times two is four
4 : 2 = 2 four divided by two is two

Pituusmittoja
Measures of length and distance

tuuma inch (in, ") (2,54 cm)
jalka foot (ft, ') (30,48 cm)
jaardi yard (yd) (91,44 cm)
maili mile (m) (1 609 m)
millimetri millimeter (US), -metre (UK)
senttimetri centimeter (US), -metre (UK)
desimetri decimeter (US), -metre (UK)
metri meter (US), metre (UK)
kilometri kilometer (US), -metre (UK)

Pinta-alamittoja
Measures of area

neliötuuma square inch (6,452 cm²)
neliöjalka square foot (929,029 cm²)
eekkeri acre (404,7 m²)
neliömaili square mile (2,59 km²)
hehtaari hectare
neliömillimetri square millimeter (US),
-metre (UK)
neliösenttimetri square centimeter (US),
metre (UK)
neliödesimetri square decimeter (US),
-metre (UK)
neliömetri square meter (US), metre (UK)
neliökilometri square kilometer (US),
-metre (UK)

Tilavuusmittoja
Measures of volume

unssi ounce (oz, 8 oz = 1 c) (0,03 l)
kuppi cup (c, 2 c = 1 pt) (0,24 l)
pint pint (pt, 2 pt = 1 qt) (US = 0,473 l,
UK = 0,568 l)
neljännesgallona quart (qt, 4 qt = 1 g)
(US = 0,946 l, UK = 1,136 l)
gallona gallon (g, US = 3,785 l,
UK = 4,546 l)
kuutiotuuma cubic inch (16,387 cm³)
kuutiojalka cubic foot (0,028 m³)
millilitra milliliter (US), -litre (UK)
senttilitra centiliter (US), -litre (UK)
desilitra deciliter (US), -litre (UK)
litra liter (US), litre (UK)
kuutiomillimetri cubic millimeter (US),
-metre (UK)

kuutiosenttimetri cubic centimeter (US), -metre (UK)

kuutiodesimetri cubic decimeter (US), -metre (UK)

kuutiometri cubic meter (US), metre (UK)

Painomittoja Measures of weight

unssi ounce (oz) (28,35 g)

naula, pauna pound (lb) (453,59 g)

14 naulaa stone (UK) (6,348 kg)

tonni ton (US = 907,185 kg), tonne (UK = 1,016 kg), metric ton (1000 kg)

milligramma milligram (US), -gramme (UK)

gramma gram (US), gramme (UK)

kilogramma kilogram (US), -gramme (UK)

Viikonpäivät Weekdays

maanantai Monday

tiistai Tuesday

keskiviikko Wednesday

torstai Thursday

perjantai Friday

lauantai Saturday

sunnuntai Sunday

lauantaina [on] Saturday

ensi lauantaina next Saturday

lauantaisin Saturdays

Kuukaudet Months

tammikuu January

helmikuu February

maaliskuu March

huhtikuu April

toukokuu May

kesäkuu June

heinäkuu July

elokuu August

syyskuu September

lokakuu October

marraskuu November

joulukuu December

heinäkuussa in July

tämän vuoden heinäkuussa in July [of] this year

heinäkuun alussa in early July

heinäkuun lopussa at the end of July

heinäkuun puolivälissä in mid July

Vuodenajat Seasons

kevät spring

kesä summer

syksy fall (US), autumn (UK)

talvi winter

kesällä 2007 in [the] summer [of] 2007

kesällä in summer

ensi kesänä next summer

viime kesänä last summer

keskikesä midsummer

Vuorokaudenajat Times of day

aamu morning

aamupäivä morning

keskipäivä noon, midday

iltapäivä afternoon

iltapäivän puoliväli midafternoon

ilta evening, night
yö night
aamuyö after midnight, the wee hours

aamulla in the morning
iltapäivällä in the afternoon
yöllä by night (öisin), in the night (yön aikana), at night (yöllä/öisin)
iltaisin evenings, in the evening/night
aamuisin mornings, in the morning

Päivämääriä ja vuosilukuja
Dates and years
kolmastoista toukokuuta kirjoitettuna:
May 13th, 5/13 (US), 13th May, 13.5.
(UK) puheessa: the 13th of May, May the 13th
1300-luvulla in the fourteenth century
1960-luvulla in the 1960's, in the sixties
2000-luku the 21st century, the 2000s
50-luvulla in the 50s/50's, in the fifties
90-luvun alkupuolella in the early 90's
Olen syntynyt 15.8.1980. I was born August 15, 1980/on the 15th of August 1980.
Olen syntynyt vuonna 1976. I was born in 1976.

Kellonaikoja Times
Paljonko kello on? What time is it?
It is
9.00 nine [o'clock], nine a.m.
9.15 [a] quarter past nine, nine fifteen
9.30 half past nine, nine thirty
9.45 [a] quarter to ten, nine forty-five

12.00 noon, midday
14.00 two o'clock, two p.m.
17.25 twenty five past five, five twenty-five
18.30 half past six, six thirty
19.35 twenty-five to eight, seven thirty-five
24.00 midnight
00.05 five [minutes] past midnight

yhdeksältä at nine [o'clock]
klo 10–14 from 10 a.m. to 2 p.m.
klo 12.00 at noon
klo 15 mennessä by 3 p.m.

Muita ajan ilmauksia
Other expressions of time
edellisenä päivänä the day before, the previous day
ensi vuonna next year
huomenna tomorrow
kahden viikon kuluttua in two weeks
kolmen kuukauden kuluttua in three months' time
puolen tunnin kuluttua in half an hour, in a half hour
seuraavana päivänä the next day, the following day
tunnissa in an hour
viiden tunnin ajan/ viisi tuntia for five hours
viikon puoliväli midweek
viime vuonna last year
vuonna 2004 in 2004
vuorokausi a 24-hour period

Asioimislauseita Useful phrases

Tervehtiminen
Greeting somebody

Hyvää huomenta. Good morning.
Hyvää päivää. Good day.
Hyvää iltapäivää. Good afternoon.
Hyvää iltaa. Good evening.
Hyvää yötä. Good night.
Päivää. Hello.
Hei. Hey./ Hello.
Hauska tutustua. Pleased to meet you.
Hauska nähdä. Nice to see you.
**Hyvää päivää, hauska tutustua.
– Samoin, kiitos.** How do you do?
– How do you do?
**Mitä kuuluu? – Kiitos hyvää, entä
itsellesi?** How are you? – Very well
thanks. / I'm fine thanks. And you?

Esittäytyminen
Introducing yourself

Hei, nimeni on... Hello, my name is…
**Hei, emme taida olla tavanneet
aikaisemmin, minä olen...** Hello,
I don't think we have met before,
my name is…

Toisen henkilön esittely
Making introductions

Saanko esitellä herra ja rouva Virran.
May I introduce/I'd like to introduce
Mr. and Mrs. Virta.

Tässä on ystäväni Bea.
This is my friend Bea.
Hauska tutustua. – Samoin kiitos.
Pleased to meet you. – Pleased to meet
you too.

Hyvästeleminen
Saying goodbye

Näkemiin. Goodbye, See you later.
Hei hei. Bye [bye].
Oli hauska tutustua. It was nice to meet
you/to have met you.
Toivottavasti tapaamme taas pian.
Hope to see you soon.
Hei hei, pitäkää hauskaa. Bye, have a
good time.

Kiittäminen ja vastaaminen
Saying thank you and replying

Kiitos [oikein paljon]. – Olkaa hyvä.
Thank you [very much]. – You're
welcome.
Kiitti. – ole hyvä vaan. Thanks.
– That's all right./ No problem.
Paljon kiitoksia. – Ei kestä kiittää.
Thank you so much. – Don't mention it.
Kiitos avusta. – Eihän tuo mitään.
Thank you for your help. – It was
nothing./ Not at all.

Anteeksi pyytäminen ja vastaaminen
Apologizing and accepting an apology

Anteeksi – Ei se mitään I'm sorry.
– That's all right./ No harm done.

Anteeksi, pääsenkö tästä ohi.
– **Anteeksi, toki.** Excuse me, may I get past. – Oh, I'm sorry

Olen pahoillani. – Saat anteeksi. I'm so sorry. – Don't worry, it doesn't matter.

Pahoitteluni, että... My apologies for...

Anteeksi, että häiritsen, mutta... I'm sorry to bother you, but...

Toivotukset
Wishes and greetings

Pitäkää hauskaa! Have fun! Enjoy yourself/yourselves!

Hyvää ruokahalua! Enjoy your meal!

Hyvää päivänjatkoa! Have a nice day!

Hyvää viikonloppua! Have a nice weekend!

Hyvää pääsiäistä! Happy Easter!

Hyvää joulua! Merry Christmas!/ Season's greetings!

Onnellista uutta vuotta! Happy New Year!

Tervetuloa! Welcome!

Nauttikaa lomastanne täällä! Enjoy your stay/vacation (US)/holiday (UK)!

Onneksi olkoon! Congratulations!

Henkilötiedot Personal details

Minun nimeni on... My name is...

Etunimeni on... My first name is...

Sukunimeni on... My last name/ surname/family name is...

Asun Suomessa. I live in Finland.

Osoitteeni on... My address is...

Olen ammatiltani opettaja. I'm a teacher by occupation./ I work as a teacher.

Olen Suomen kansalainen. I'm a Finnish citizen/national.

Hotellissa At the hotel

Haluaisimme kahden hengen huoneen, jossa on erilliset vuoteet/parisänky. We'd like a twin room/double room.

Varaisin ensi viikonlopuksi yhden hengen huoneen, jossa on kylpyhuone. I'd like a single en suite room for next weekend. (UK)

Haluaisin kahden hengen huoneen, jossa on lisävuode. I'd like a double room with an extra bed.

Meillä on huonevaraus Virran nimellä. We have a reservation under the name of Virta.

Haluaisin huoneen yhdeksi yöksi. I'd like a room for one night, please.

Onko hotellivieraille pysäköintiä? Is there a parking lot (US)/car park (UK) for hotel guests?

Mihin aikaan aamiainen tarjoillaan? What time is breakfast served?

Haluaisin heräyssoiton huomenna
aamulla klo 6.30. I'd like a wake-up
call at 6.30 am, please.
Luovuttaisin nyt huoneeni. I'd like to
check out now.
Lentoni lähtee vasta illalla, voinko
jättää matkatavarani säilytykseen?
My flight leaves in the evening, do you
have a luggage room available?

Matkailutoimistossa
At the tourist information office

Missä on lähin uimaranta? Where is
the nearest beach?
Onko teillä kaupungin karttaa? Do you
have a city map?
Onko teillä metrokarttaa? Do you have
a subway map (US)/an underground
map (UK)?
Onko teillä bussi-/juna-aikatauluja?
Do you have a bus/train schedule (US)/
timetable (UK)?
Missä on lähin elokuvateatteri? Where
is the nearest movie theater (US)/
cinema (UK)?
Mitkä ovat museoiden/eläintarhan
aukioloajat? What hours are museums/
is the zoo open?
Voitteko suositella jotain edullista/
keskihintaista hotellia? Can you
recommend a budget/mid-priced hotel?
Onko teillä ravintolaopasta/esitteitä
kaupungin nähtävyyksistä? Do you
have a town restaurant guide/brochures
of local tourist attractions?

Tien kysyminen
Asking directions

Anteeksi, kuinka pääsen keskustaan/
lentoasemalle/moottoritielle/kauppa-
keskukseen? Excuse me, how do I get
to the city center/airport/freeway (US)/
motorway (UK)/shopping mall?
Onko se kävelymatkan päässä? Is it
within walking distance?
Pääseekö sinne julkisilla liikenne-
välineillä? Can it be reached by public
transport[ation]?
Missä on lähin metroasema/bussi-
pysäkki/rautatieasema? Where is the
nearest subway station/bus stop/train
station?
Anteeksi, onko tässä lähellä huolto-
asemaa? Excuse me, is there a gas
(US)/petrol (UK) station near here?
Voisitko näyttää missä olemme tällä
kartalla? Could you show me where we
are on the map?
Voisitteko kertoa missä meidän kan-
nattaa jäädä pois? Could you tell us
where to get off?
Mistä bussi rautatieasemalle lähtee?
Where does the bus to the train station
leave from?
Mikä bussi menee lentoasemalle?
Which bus goes to the airport?

Rahaa vaihtamassa
Currency exchange

Haluaisin vaihtaa 500 euroa dollareiksi.
I'd like to change 500 euros into
dollars, please.

Mikä Euron kurssi on? What is the
exchange rate for the euro?

Veloitatteko palvelumaksua? Do you
charge a commission?

Paljonko 1 000 euroa on dollareina?
How much is 1000 euros in dollars?

Ravintolassa In a restaurant

Varaisin pöydän kahdelle klo 19.30.
I'd like to reserve a table for two for
7.30 p.m., please.

**Saisimmeko savuttoman pöydän
neljälle?** We'd like a table for four in
the non-smoking section, please.

**Saisimmeko ruoka-/jälkiruoka-/
viinilistan?** Can we see the menu/
dessert menu/wine list, please?

**Onko teillä erillistä ruokalistaa lap-
sille?** Do you have a children's menu?

Pullo talon valko-/punaviiniä, kiitos.
A bottle of the/your house white/red
wine, please.

Mikä talon erikoisuus on? What are
your specials tonight?

Mitä jäätelöitä teillä on? What ice
cream flavors do you have?

Saisimmeko laskun, kiitos? Can we
have the check (US)/bill (UK), please?

Kahvilassa In a café

Onko tämä pöytä vapaa? Is this table
free?

**Kuppi kahvia mustana/maidon kanssa,
kiitos.** A cup of black coffee/coffee
with milk, please.

**Kaksi kuppia caffè lattea/cappuccinoa/
teetä, kiitos.** Two lattes/cappuccinos/
teas, please.

**Kaksi lasillista appelsiinimehua/kiven-
näisvettä, kiitos.** Two glasses of orange
juice/mineral water, please.

Anteeksi, missä WC on? Excuse me,
where is the restroom (US) / toilet
(UK)?

Postissa At the post office

**Mitä maksaa postikortin lähettäminen
Suomeen?** How much is it to send a
postcard to Finland?

**Haluaisin viisi postimerkkiä Suomeen
lähteviin kortteihin.** I'd like five post-
card stamps for Finland, please.

Lähettäisin tämän paketin kirjattuna.
I'd like to send this package registered.

Lähettäisin tämän paketin pikapostina.
I'd like to send this package express.

**Kuinka monta päivää nämä kortit
kulkevat Suomeen?** How long will it
take for these cards to get to Finland?

Kaupoissa In shops

Voinko sovittaa tätä? Can I try this on?

Missä sovituskoppi on? Where are the
fitting rooms?

Onko teillä tätä mustana/suurempana/ koossa 14? Do you have this in black/ in a bigger size/in size 14?

Kokoni on 38/10. I am a size 38/10.

Jalkani on kokoa 38/6. I take a size 38/6 in shoes.

Voinko vaihtaa tämän? Can I exchange this?

Ostaisin filmin tähän kameraan. I'd like to buy a roll of film for this camera, please.

Paljonko tämä maksaa? How much is this?

Voinko maksaa luottokortilla? Do you take credit cards?

Mihin aikaan suljette liikkeenne? What time do you close?

Onko liikkeenne auki viikonloppuisin? Are you open on weekends?

Myyttekö sateenvarjoja/karttoja/ postimerkkejä? Do you sell umbrellas/ street maps/stamps?

Apteekissa In a pharmacy

Tarvitsen ummetus-/ripuli-/särky- lääkettä. Can you give me something for constipation/diarrhea/headache?

Tarvitsen voidetta palaneelle iholle/ hyönteisten puremin. I need something for sunburn/insect bites.

Tarvitsen laastareita/sidetarpeita/ hyönteiskarkoitetta. I need some Band- Aids®/bandages/insect repellent, please.

Onko teillä korkean suojakertoimen aurinkovoidetta? Do you have high-SPF suntan lotion?

Osaatteko suositella hyvää hammas-/ lastenlääkäriä? Can you recommend a good dentist/pediatrician?

Lääkärillä At the doctor's

Oksentelen ja ripuloin. I've been vomiting and I have diarrhea.

Kurkkuni on kipeä. I have a sore throat.

Minulla on kuumetta. I have a fever.

Lapseni vatsaan koskee. My child's stomach hurts.

Minulla on yskä. I have a cough.

Olen allerginen penisilliinille. I'm allergic to penicillin.

Lapsellani on sokeritauti. My child is diabetic.

Astuin johonkin terävään. I stepped on something sharp.

Jalkaani koskee. My foot hurts.

Minulla on korkea verenpaine. I have high blood pressure.

Lopetin juuri antibioottikuurin. I just finished a course of antibiotics.

Lentoasemalla At the airport

Tahtoisin ikkuna-/käytäväpaikan. I'd like an aisle/a window seat, please.

Myöhästyin koneesta/jatkolennolta, voitteko varata minulle uuden lennon? I've missed my flight/connection, can you book me on another flight, please.

Onko lento aikataulussa/myöhässä/peruttu? Is the flight on schedule/delayed/cancelled?

Missä on terminaali 2/portti 24? Where is terminal 2/gate 24, please?

Kuinka kakkosterminaaliin pääsee? How do I get to terminal 2?

Mistä terminaalista Finnairin lennot lähtevät? Which terminal do Finnair flights depart from?

Mistä matkatavarat voi noutaa? Where is the baggage claim (US)/ baggage reclaim (UK)?

Matkatavarani ovat hukassa. My luggage is missing.

Miten pääsen kaupungin keskustaan? How do I get downtown (US)/to the city centre (UK)?

Mistä löydän taksin? Where can I get a taxi?

Mistä keskustan bussi lähtee? Where does the shuttle bus to downtown (US)/ the city centre (UK) leave from?

Junalla matkustaminen
Taking the train

Missä matkatavarasäilö/lipunmyynti sijaitsee? Where is the left-luggage office/ticket office?

Koska seuraava juna Lontooseen lähtee? When does the next train for London leave?

Miltä laiturilta Lontoon junat lähtevät? Which platform do London trains leave from?

Saisinko menolipun Bostoniin? I'd like a one-way ticket to Boston, please.

Meno-paluu Bostoniin, kiitos. Paluu tänään/huomenna/ensi sunnuntaina. A round-trip ticket to Boston, please. I'm returning later today/tomorrow/on Sunday.

Varaisin kaksi makuuvaunupaikkaa iltakahdeksan New Yorkin junaan. I'd like to reserve two berths on the 8 p.m. train to New York, please.

Myyttekö matkakortteja? Do you sell train passes/travel cards (UK)?

Onko junassa ravintolavaunu? Is there a restaurant car on the train?

Koska juna saapuu Bostoniin? What time does the train arrive in Boston?

Anteeksi, onko tämä paikka varattu? Excuse me, is this seat taken?

Linja-autolla matkustaminen
Taking the bus

Koska seuraava bussi keskustaan lähtee? What time is the next bus to downtown (US)/ the city centre (UK)?

Miltä pysäkiltä bussi lähtee? Which stop does the bus leave from?

Paljonko meno-paluulippu Oxfordiin maksaa? How much is a return ticket to Oxford?

Onko teillä myynnissä matkakortteja? Do you sell bus passes/travel cards (UK)?

Anteeksi, onko tämä paikka varattu? Excuse me, is this seat taken?

Metrolla matkustaminen
On the subway (US)/underground (UK)

Miltä laiturilta länteen menevä metro lähtee? Which is the westbound platform?

Paljonko metrolippu maksaa? How much is a subway ticket (US)/the tube fare (UK)?

Voisitteko kertoa kuinka pääsen Penn Stationille? Could you tell me how to get to Penn Station, please?

Anteeksi, onko tämä paikka varattu? Excuse me, is this seat taken?

Taksilla matkustaminen
Taking a taxi

Voisitko soittaa minulle taksin? Could you call me a taxi, please?

Lentoasemalle, kiitos. To the airport, please.

Jäisin tässä pois. Stop here please.

Voitteko odottaa? Can you wait for me?

Paljonko tämä kyyti maksaa? How much is it?

Saisinko kuitin? Can I have a receipt, please.

Pitäkää vaihtorahat. Keep the change.

Auton vuokraaminen
Renting a car

Vuokraisin auton täksi päiväksi/viikon-lopuksi/viikoksi. I'd like to rent (US)/hire (UK) a car for today/the weekend/a week.

Mitä maksaa auton päivä-/viikkovuokra? What's the daily/weekly rate?

Sisältääkö hintapaketti vapaat ajokilo-metrit? Is that with unlimited mileage?

Sisältyykö vuokrahintaan vakuutus? Is insurance included in the price?

Minkälaisia autovaihtoehtoja teillä on? What type of cars do you have?

Onko auton tankki täynnä? Is the gas (US)/petrol (UK) tank full?

Voinko palauttaa auton lentoasemalle? Can I leave the car at the airport?

Huoltoasemalla
At the gas station

Tankki täyteen, kiitos. Fill it up, please.

Autostani loppui bensa. I've run out of gas (US)/petrol (UK).

Autostani puhkesi rengas. I've got a flat tire (US)/a puncture (UK).

Bensapumppu numero 5, kiitos. Pump number 5, please.

Haluaisin autopesun. I'd like a car wash.

Ruoka- ja ravintolasanastoa
Gastronomic Glossary

A

alcohol alkoholi
alcohol-free alkoholiton
ale tummat pintahiivaoluet
allspice maustepippuri
almond manteli
anchovy anjovis
aperitif alkujuoma
appetizer alkuruoka, alkujuoma
apple omena
apple juice omenamehu
apple pie omenapiirakka
apple sauce omenasose
apple tart omenatorttu
apricot aprikoosi
apricot jam aprikoosihillo
aromatic aromaattinen
artichoke [latva-]artisokka
artichoke heart artisokan sydän
ash tray tuhkakuppi
asparagus parsa
aubergine munakoiso
avocado avokado

B

bacon pekoni
bagel rinkeli
baguette patonki
baked uunissa leivottu

baked beans papuja tomaattikastikkeessa
bakery leipomo
baloney eräs leikkelemakkara (läh. lauantaimakkara)
balsamic vinegar balsami[viini]etikka
bamboo shoot bambunverso
banana banaani
banger makkara
barbecued grillattu
barley ohra
basil basilika
basmati rice basmatiriisi
bass ahven
batter taikina
battered friteerattu
bay leaf laakerinlehti
bbq sauce grillikastike
bean papu
bean soup papukeitto
bean sprouts pavunidut
beans on toast papuja tomaattikastikkeessa paahtoleivän päällä
bechamel sauce valkokastike
beef naudanliha
beef stock lihaliemi
beer olut
beer garden ravintolan terassi
beet punajuuri (US)
beetroot punajuuri (UK)
berry marja

beverages virvoitusjuomat

biscuit aamiaissämpylä (US), keksi (UK)

bitter bitter-olut, karvas, kitkerä

black currant mustaherukka

black pudding veripalttu, mustamakkara

blanched kaltattu, ryöpätty

bleu/blue cheese sinihomejuusto

BLT kerrosleipä jossa on täytteenä pekonia, salaattia ja tomaattia (bacon, lettuce, and tomato)

blueberry mustikka

blueberry pie mustikkapiirakka

boiled keitetty

boiled egg keitetty muna

bologna eräs leikkelemakkara (läh. lauantaimakkara)

bowl kulho

braised haudutettu

bread leipä

breadcrumbs korppujauhot

breakfast aamiainen

broccoli parsakaali

broth liemi, keitto

brown bread täysjyväleipä

brown sauce ruskea kastike

brown sugar fariinisokeri

brownie eräänlainen suklaaleivos

brunch brunssi

Brussel sprout ruusukaali

buckwheat tattari

buffet noutopöytä

bun pulla

butter voi

button mushroom herkkusieni

C

cabbage kaali

caesar salad caesarsalaatti

caffè latte maitokahvi

cake kakku, leivos, pikkumakea

cake fork kakkuhaarukka

calamari mustekala

candy makeinen (US)

cardoon kardoni, ruotiartisokka

carrot porkkana

cashew nut cashew pähkinä

casserole laatikko, pataruoka

catsup ketsuppi (US)

cauliflower kukkakaali

caviar kaviaari, mäti

celery selleri

champange shamppanja

champignon herkkusieni

chanterelle kanttarelli

cheese juusto

cheese cake juustokakku

cheese sauce juustokastike

cheese spread sulatejuusto

cheesetray juustotarjotin

cherry kirsikka

chervil kirveli

chestnut kastanja

chicken kana

chicken nugget kananugetti

chicken stock kanaliemi

Chinese cabbage kiinankaali

chip lastu, ranskanperuna (UK)

chive ruohosipuli

chocolate suklaa

chop kyljys

chopped paloiteltu

chowder eräänlainen paksu keitto

chutney eräänlainen maustekastike

cider siideri

cinnamon kaneli

clam simpukka

clotted cream paksu kerma

coaster lasinalunen

cocoa kaakao

coconut kookos

coconut butter kookosvoi

coconut flakes kookoshiutaleet

coconut milk kookosmaito

cod turska

coffee kahvi

cold meats leikkeleet

cold smoked kylmäsavustettu

coleslaw eräänlainen kaali-majoneesi-salaatti

condensed milk makea maitotiiviste

cooked kypsennetty

cookie keksi, pikkuleipä

cordial likööri (US), mehutiiviste (UK)

coriander korianteri

corn maissi

corned beef suolaliha

cornflakes maissihiutaleet

cottage cheese raejuusto

courgette kesäkurpitsa

course ruokalaji

couscous kuskus

cracker voileipäkeksi

cranberry karpalo

crayfish jokirapu

cream kerma

cream cheese tuorejuusto, kermajuusto

cream puff tuulihattu

crème brule paahtovanukas

crème fraiche ranskankerma

crêpe täytetty ohukainen

crisp perunalastu

croissant voisarvi

crouton krutonki, leipäkuutio

crumble murotaikinasta tehty hedel-mäpaistos

crumpet teeleipä

cucumber kurkku

cumin kumina

currant herukka

curry currymuhennos

custard vanukas (US), eräänlainen jälkiruokakastike (UK)

cutlery aterimet (UK)

D

danish viineri

date taateli

decaf kofeiiniton kahvi

deep-[fat] fried uppopaistettu

dessert jälkiruoka

dessert menu jälkiruokalista

dessert spoon jälkiruokalusikka

dill tilli

dinner päivällinen

dip dippikastike

double cream kuohukerma

dough taikina

doughnut donitsi

dressing salaatinkastike

dried kuivattu
drink juoma, drinkki
drumstick kanankoipi
dry kuiva
duck ankka
dumpling myky

E

egg muna
egg white munanvalkuainen
egg yolk munankeltuainen
eggnog munatoti
eggplant munakoiso
elk meat hirvenliha
endive endiivi, salaattisikuri
evening meal illallinen

F

fat free rasvaton
fennel fenkoli
feta cheese fetajuusto
fillet of beef naudan-/häränfilee
fillet, filet ulkofilee
filling täyte
filo[pastry] filotaikina
filter coffee suodatinkahvi
fish kala
fish and chips paneroitua kalaa ja
ranskanperunoita
fish finger kalapuikko (UK)
fish stock kalaliemi
fishstick kalapuikko (US)
flake hiutale

flambéed liekitetty
flapjack ohukainen (US), kaurakeksi
(UK)
flat bread rieska
flounder kampela
flour jauhot
flute [kuohu]viinilasi
fork haarukka
frankfurter nakki
freerange egg vapaiden kanojen muna
French fries ranskalaiset perunat
French stick patonki (UK)
fresh tuore
fried paistettu
frizzled käristetty
fromage frais rahka
fruit hedelmä[t]
fruit cake hedelmäkakku

G

garlic valkosipuli
gaspacho kylmä vihanneskeitto
gateau täytekakku (yl. UK)
gelatin liivate
gherkin (pieni) etikkakurkku
ginger inkivääri
ginger ale inkiväärilimonadi
ginger beer inkivääriolut
gingerbread piparkakku
glass juomalasi
glazed glaseerattu
goat cheese vuohenjuusto
goose hanhi
goose liver hanhenmaksa

grape viinirypäle
grapefruit greippi
grated raastettu
grated carrot porkkanaraaste
grated cheese juustoraaste
gratinated gratinoitu, kuorrutettu
gravy paistinkastike
green bean vihreä papu
green salad vihreä salaatti
grilled grillattu

H

haddock kolja
halibut ruijanpallas
ham kinkku
hamburger hampurilainen, jauheliha-
pihvi, (raakana) jauheliha (US)
hash browns paistettu perunahakkelus
hazelnut hasselpähkinä
herb yrtti
herring silli
homemade kotitekoinen
honey hunaja
honeydew [melon] hunajameloni
hors d'oeuvre alkupala
horseradish piparjuuri
hot chocolate (kuuma) kaakao
hot kuuma, tulinen (UK)
hotdog kuuma nakkisämpylä

I

ice cream jäätelö
ice cream cone jäätelötuutti

ice cream soda pirtelö
ice cream stick jäätelöpuikko
ice cube jääkuutio
ice lolly mehujää (UK)
iceberg lettuce jäävuorisalaatti
iced coffee jääkahvi
ice[d] tea jäätee
icing sokerikuorrutus
instant coffee pikakahvi

J

jam hillo
jam doughnut hillomunkki
jasmine rice jasminriisi
jelly hyytelö
jelly roll kääretorttu (US)
juice mehu

K

ketchup ketsuppi
kipper savusilli (UK)
knife veitsi
knuckle potka

L

lactose free laktoositon
lager lagerolut
lamb lampaanliha
lard laardi
leek purjo
lemon sitruuna
lemon curd sitruunalevite (UK)

lemonade sitruunamehu (US),
sitruunalimonadi (UK)
lentil linssi
lettuce lehtisalaatti
lime limetti
liqueur likööri
liquor viina (US)
liquorice lakritsi
liver maksa
liver pate maksapasteija
lobster hummeri
low fat vähärasvainen
lunch lounas

M

macaroni and cheese makaronia
juustokastikkeella
mackerel makrilli
main course pääruoka
margarine margariini
marinade marinadi
marmalade marmeladi
marmite kasvisuutteesta valmistettu
suolainen levite (UK)
mashed potatoes perunamuusi
mayo[nnaise] majoneesi
meat liha
meat ball lihapulla
meatloaf lihamureke
medium [rare] puolikypsä (pihvistä)
menu ruokalista
milk maito
[milk] shake pirtelö
mince[meat] jauheliha

minced hienoksi jauhettu
mint minttu
mixed salad sekasalaatti
mousse vaahto
muffin muffinssi (US), eräänlainen
teeleipä (US)
mulled wine hehkuviini, glögi
mushroom sieni
mushy peas muhennetut herneet
mustard sinappi
mustard seed sinapinsiemen

N

napkin lautasliina (US)
natural maustamaton
nectarine nektariini
non smoking savuton
non-alcoholic alkoholiton
noodle nuudeli, makaroni (US)
nut pähkinä
nutmeg muskotti

O

oat kaura
oatmeal kaurapuuro (US), kaura-
hiutale (UK)
olive oliivi
olive oil oliiviöljy
omelette omeletti
onion sipuli
open sandwitch voileipä
orange appelsiini
oregano oregano

organic luomu
ox tail häränhäntä
oyster osteri

P

pancake pannukakku, ohukainen
panini paniini (eräänlainen täytetty leipä)
papaya papaija
parboiled ryöpätty
parfait jäädyke
parma ham parmankinkku
parsley persilja
parsnip palsternakka
partridge pyy
pastry leivonnainen, taikina
pasty pasteija (UK)
peach persikka
peanut maapähkinä
peanut butter maapähkinävoi
pear päärynä
pecan [nut] pekaanipähkinä
pepper pippuri, paprika
peppermint piparminttu
pheasant fasaani
pickle pikkelssi
pickled onions hillosipuli
Pimm's gini-pohjainen alkoholisekoitus (UK)
pine nut pinjansiemen
pineapple ananas
pint tuoppi (UK)
pistachio pistaasipähkinä
placemat pöytätabletti (US)

plate lautanen
plum luumu
poached egg uppomuna
poppy seed unikonsiemen
popsicle mehujää
pork sianliha
pork chop porsaankyljys
pork fillet porsaanseläke
pork pie kinkkupiiras
porridge puuro
port wine portviini
potato peruna
potato chip perunalastu (US)
potato skin perunankuori
poultry lintu, linturuoka
pretzel suolarinkilä/-tikku
pudding vanukas, (UK) jälkiruoka
puff pastry voitaikina, voitaikinaleivonnainen
pulses palkokasvit
pumpkin kurpitsa
pumpkin pie kurpitsapiirakka
punch booli

Q

quail viiriäinen

R

rabbit jäniksenliha
radish retiisi
rainbow trout kirjolohi
raisin rusina
rare kevyesti kypsennetty (pihvistä)

rasher ohut pekoniviipale

raspberry vadelma

red cabbage punakaali

red currant punaherukka

red wine punaviini

reindeer meat poronliha

reservation pöytävaraus

rhubarb raparperi

rib paahtokylki

rice riisi

rice pudding makea riisipuuro

roast paisti

roast beef paahtopaisti, naudan-/häränpaisti

roasted uunissa paahdettu

roll sämpylä, -rulla, -kääryle

roly-poly kääretorttu (UK)

root beer eräs limonadi (US)

rose wine roseviini

rosemary rosmariini

rump steak ulkofileepihvi

ruta baga lanttu (US)

rye bread ruisleipä

rye crisp näkkileipä

S

sage salvia

salami salamimakkara

salmon lohi

salt suola

salted suolattu

sandwich kerrosvoileipä

sardine sardiini

sausage makkara

sausage roll nakkirulla, nakkipasteija

sautéd ruskistettu

scalded kaltattu

scallop kampasimpukka

scampi katkarapu (US), jättikatkaravun pyrstö

scone teeleipä, skonssi

scorzonera mustajuuri

scrambled eggs munakokkeli

sea bass meriahven

sea salt merisuola

seafood kala ja äyriäisruoat

seared ruskistettu

seedless kivetön

semi-skimmed milk kevytmaito

service charge palvelulisä

serviette lautasliina (UK)

sesami seed seesaminsiemen

shandy oluesta ja limonadista sekoitettu juoma

shortbread [cookie] murotaikinapikkuleipä

shortcake eräänlainen leivonnainen

shrimp katkarapu

side order lisuke

side salad lisäkesalaatti

sides lisukkeet

silverware aterimet (US)

single cream vähärasvainen kerma (UK)

sirloin steak [ulko]fileepihvi

skewer varras

skim[med] milk rasvaton maito

slice of cheese juustoviipale

sliced viipaloitu

smoked savustettu
smoked bacon savupekoni
smoking savullinen
snack välipala, pikkupurtava
snail etana
soda virvoitusjuoma (US), kiven-
näisvesi
soda [pop] limonadi
soda [water] kivennäisvesi
soft drink virvoitusjuoma
sole meriantura
sorbet mehujää, sorbetti
souffle kohokas
soup keitto
soup bowl keittolautanen
sour cream smetana, hapankerma
soy bean soijapapu
soy sauce soijakastike
spaghetti spagetti
spaghetti sauce spagettikastike
sparkling water hiilihapollinen kiven-
näisvesi
sparkling wine kuohuviini
spinach pinaatti
spirits viina (UK)
spoon lusikka
spread levite
spring chicken broileri
spring onion kevätsipuli
spring roll kevätkääryle
squid mustekala
starter alkuruoka
steak pihvi
steak and kidney pie munuaispiiras
(UK)

steamed höyrytetty
stew muhennos, pata
still water hiilihapoton kivennäisvesi
stir-fried vokattu
stir-fry vokkiruoka
stock cube liemikuutio
stout tumma ja väkevä olut (UK)
strawberry mansikka
strip suikale
stuffed täytetty
sugar sokeri
summer squash kesäkurpitsa (US)
sundried tomato aurinkokuivattu
tomaatti
sunflower seed auringonkukan siemen
sunny side up yhdeltä puolelta paistettu
(kananmunästä)
supper illallinen, ilta-ateria
swede lanttu
sweet makea, makeinen (UK), jälki-
ruoka (UK)
sweet and sour hapanimelä
swiss roll kääretorttu (UK)
sword fish miekkakala
syrup siirappi

T

table cloth pöytäliina
table mat pöytätabletti (UK)
tap water hanavesi
tarragon rakuuna
tea tee
teaspoon teelusikka
tenderloin sisäfilee

thickened suurustettu
thyme timjami
tip juomaraha
toast paahtoleipä
tomato tomaatti
tomato sauce tomaattikastike
tossed salad [ruoka]salaatti
trifle eräänlainen kerrosjälkiruoka (UK)
trout taimen
truffle tryffeli
tuna tonnikala
turkey kalkkuna
turmenic kurkuma

V

vanilla vanilja
veal vasikka
vegetable vihannes
vegetable oil kasvisöljy
vegetable stock kasvisliemi
vegetarian meal kasvisateria
vinegar [viini]etikka

W

wafer [cookie(US)/biscuit(UK)]
vohvelikeksi
waffle vohveli
walnut saksanpähkinä
warm lämmin
water chestnut vesikastanja
watercress vesikrassi
watermelon vesimeloni
well done kypsä (pihvistä)

whipped cream kermavaahto
white bread vehnäleipä
white fish vaalealihainen kala
white sauce valkokastike
white wine valkoviini
whole milk täysmaito
wholewheat täysjyvä-
vinaigrette [dressing] ranskalainen
salaatinkastike
wine viini
wine list viinilista

Y

yam bataatti
yeast hiiva
yogurt jogurtti

Z

zucchini kesäkurpitsa